AF662879

आर. गुप्ता® कृत

पॉपुलर मास्टर गाइड

B.Sc. नर्सिंग

जनरल नर्सिंग एंड मिडवाइफरी (GNM)

प्रवेश परीक्षा

मिलिट्री नर्सिंग सर्विसेज

AIIMS, दिल्ली विश्वविद्यालय, हिमाचल प्रदेश विश्वविद्यालय, गुरु गोविन्द सिंह इंद्रप्रस्थ विश्वविद्यालय, AFMC पुणे, PGIMER, BHU, RUHS (राजस्थान), सिक्किम एवं मनिपाल विश्वविद्यालय, MH-CET एवं अन्य नर्सिंग महाविद्यालय/विद्यालय द्वारा आयोजित

2027 EDITION

रमेश पब्लिशिंग हाउस, नई दिल्ली

प्रकाशक

ओ॰पी॰ गुप्ता, **रमेश पब्लिशिंग हाउस**

प्रशासनिक कार्यालय

12-H, न्यू दरियागंज रोड, ऑफिसर्स मेस के सामने,
नई दिल्ली-110002 ✆ 23275224, 23245124

E-mail: info@rameshpublishinghouse.com
For Online Shopping: www.rameshpublishinghouse.com

विक्रय केन्द्र

- बालाजी मार्किट, नई सड़क, दिल्ली-110006 ✆ 23282525 📱 9354373464
- 4457, नई सड़क, दिल्ली-110006

Book Code: R-2547

ISBN: 978-93-5477-561-1

मूल्य: ₹ 785

मुद्रकः दीपक ऑफसैट, दिल्ली

अनुक्रमणिका

पिछले प्रश्न-पत्र, 2025 .... **1-16**

पिछले प्रश्न-पत्र, 2024 .... **1-20**

पिछले प्रश्न-पत्र, 2023 .... **1-6**

पिछले प्रश्न-पत्र, 2022 .... **7-12**

पिछले प्रश्न-पत्र, 2021 .... **13-18**

पिछले प्रश्न-पत्र, 2020 .... **19-24**

- **भौतिक विज्ञान** **1-156**

मात्रक, विमीय सूत्र एवं मापक; एक विमीय गति; प्रक्षेप्य गति एवं वृत्तीय गति; सदिश; गति के नियम; कार्य, ऊर्जा एवं शक्ति; घूर्णन गति तथा जड़त्व आघूर्ण; गुरुत्वाकर्षण; प्रत्यास्थता; तरल यांत्रिकी; तरंगें; ऊष्मा का स्थानान्तरण; ऊष्मागतिकी; गैसों का अणुगति सिद्धान्त; किरण प्रकाशिकी; प्रकाश का व्यतिकरण और विवर्तन; स्थिर वैद्युतिकी; धारा वैद्युतिकी; धारा का ऊष्मीय तथा रासायनिक प्रभाव; वैद्युत धारा का चुम्बकीय प्रभाव; विद्युतचुम्बकीय प्रेरण एवं प्रत्यावर्ती धारा; विद्युतचुम्बकीय तरंगें; इलेक्ट्रॉन्स एवं फोटॉन; परमाणु, कण एवं नाभिक।

- **रसायन विज्ञान** **1-148**

परमाणु संरचना; रेडियोएक्टिवता तथा नाभिकीय ऊर्जा; रासायनिक बंधन; ऑक्सीकरण एवं अपचयन; रासायनिक साम्य; गैसीय अवस्था; ठोस अवस्था; उत्प्रेरण; विलयन; ऊष्मा-रसायन; तत्त्वों का आवर्ती वर्गीकरण; हाइड्रोजन तथा इसके यौगिक; धातुकर्म; अक्रिय गैसें; कार्बधात्विक यौगिक एवं समन्वयन रसायन; वर्गीकरण, नामकरण तथा समावयवता; हाइड्रोकार्बन; ऐल्केनों के हैलोजन व्युत्पन्न; ऐल्कोहॉल तथा ईथर; साबुन तथा डिटर्जेन्ट; ऐरोमैटिक यौगिक; पेट्रोलियम।

- **वनस्पति विज्ञान** **1-120**

कोशिका तथा कोशिकांग; केन्द्रक, गुणसूत्र तथा न्यूक्लिक अम्ल; वनस्पति जगत का वर्गीकरण; विषाणु; जीवाणु; शैवाल; कवक; ब्रायोफाइटा; टेरिडोफाइटा; जिम्नोस्पर्म (अनावृतबीजी); एन्जियोस्पर्मी पौधों का जीवन-चक्र; पादप ऊतक; पादप वर्गिकी; पौधों के पोषक तत्व; पौधों में खाद्य पदार्थों का स्थानान्तरण एवं संचयन; प्रकाश-संश्लेषण; पादप श्वसन; वृद्धि एवं पादप हार्मोन्स।

- **जन्तु विज्ञान** **1-128**

कोशिका : जीवन की इकाई; जन्तु-जगत का वर्गीकरण; जन्तु ऊतक; पेशी तथा कंकाल तन्त्र; पोषण तथा पाचन; विटामिन्स तथा खनिज; श्वसन तन्त्र; परिसंचरण तन्त्र; मनुष्य का रुधिर वर्ग; तन्त्रिका तन्त्र; उत्सर्जन तन्त्र; प्रजनन तन्त्र; अन्तःस्रावी तन्त्र; प्रतिरक्षा तन्त्र; संग्राही तन्त्र; वृद्धि, पुनरुद्भवन, वयता एवं मृत्यु; आनुवंशिकी; उत्परिवर्तन; पारिस्थितिकी के सिद्धान्त; मनुष्यों में रोग; पीड़कनाशी (पेस्टीसाइड्स)।

- **English** **1-36**

Comprehension Passages; English Grammar; Sentence Completion; Spotting Errors; One Word Substitution; Spelling Errors.

- **सामान्य जागरूकता** **1-40**

हमारा भारत; राष्ट्रीय प्रतीक; हमारी पृथ्वी; विश्व बोध; संयुक्त राष्ट्र; भारत का भूगोल; रक्षा; कला एवं साहित्य; महत्वपूर्ण दिवस; खेल जगत; पुरस्कार एवं सम्मान; सामान्य विज्ञान; वस्तुनिष्ठ प्रश्नोत्तर।

पिछले प्रश्न-पत्र

B.Sc. नर्सिंग—जनरल नर्सिंग एंड मिडवाइफरी

भर्ती परीक्षा, 2025

(Exam held on 27-05-2025)

1. एक प्रोटॉन और एक अल्फा कण की de-Broglie तरंगदैर्ध्य समान है। उनकी वेगों का अनुपात क्या होगा?

A. 1 : 4 B. 4 : 1

C. 1 : 2 D. 2 : 1

2. P-प्रकार अर्धचालक में, ऐक्सेप्टर स्तर वैलेंस बैंड से 57 meV ऊपर है। छिद्र उत्पन्न करने हेतु अधिकतम तरंगदैर्ध्य (Å में) होगी :

A. 57×10^{-3} Å B. 57 Å

C. 11.61×10^{2} Å D. 217100 Å

3. यदि एक प्रतिरोधक तार को डाई में से निकाला जाए और उसका अनुप्रस्थ क्षेत्रफल 1% घटे, तो प्रतिरोध में परिवर्तन होगा :

A. 1% वृद्धि B. 1% कमी

C. 2% वृद्धि D. 2% कमी

4. 40 Ω हीटर को 200 V, 50 Hz मुख्य आपूर्ति से जोड़ा जाता है। परिपथ में धारा का पीक मान होगा :

A. 5.0 A B. 2.5 A

C. 10 A D. 7 A

5. क्यूरी नियम के अनुसार, ताप T पर चुंबकीय सुग्राहिता अनुपाती होती है :

A. T B. 1/T

C. T^2 D. $1/T^2$

6. एक व्यक्ति की ऊँचाई 6 फीट है। अपनी संपूर्ण छवि देखने के लिए उसे न्यूनतम कितनी लंबाई का समतल दर्पण चाहिए?

A. 6 फीट B. 12 फीट

C. 2 फीट D. 3 फीट

7. ध्रुवीकरण घटना निम्नलिखित में से कहाँ हो सकती है?

A. सभी तरंगों में B. केवल अनुप्रस्थ तरंगों में

C. केवल अनुदैर्ध्य तरंगों में D. केवल स्थिर तरंगों में

8. एक तार का प्रतिरोध 50°C पर 5 Ω और 100°C पर 6 Ω है। 0° C पर इसका प्रतिरोध होगा :

A. 1 Ω B. 2 Ω

C. 3 Ω D. 4 Ω

9. 100 V AC स्रोत (कोणीय आवृत्ति 500 rad/s) को L = 0.8 H, C = 5 μF, R = 10 Ω श्रेणीक्रम में जोड़ा गया है। प्रतिरोध के पार विभव होगा :

A. 50√2 V B. 100√2 V

C. 50 V D. 100 V

10. यदि 25% रेडियोधर्मी सामग्री 5 वर्षों में विघटित हो जाती है, तो 20 वर्षों में मूल सामग्री का कितना हिस्सा अपरिवर्तित रहेगा?

A. 5% B. 10%

C. 25% D. 32%

11. एक सुपरकंडक्टर पूर्ण रूप से प्रदर्शित करता है :

A. प्रति-चुंबकत्व B. अनु चुंबकत्व

C. लौह चुंबकत्व D. प्रतिलौह चुंबकत्व

12. किसने यह अवलोकन किया था कि परमाणु के भीतर बहुत अधिक खाली स्थान होना चाहिए?

A. आइंस्टीन B. थॉमसन

C. चाडविक D. रदरफोर्ड

13. किसी कुंडली में धारा 3A से 2A में 1 ms में बदलती है और 5 V विद्युत वाहक बल उत्पन्न होता है। स्वप्रेरण होगा :

A. 5 kH B. शून्य

C. 5 mH D. 5 H

14. एक तरंग की आवृत्ति 6×10^{15} Hz है। यह तरंग है :

A. पराबैंगनी B. एक्स-रे

C. माइक्रोवेव D. रेडियोधर्मी

1. B	**2.** D	**3.** C	**4.** D	**5.** B	**6.** D	**7.** B
8. D	**9.** D	**10.** D	**11.** A	**12.** D	**13.** C	**14.** A

15. P-N जंक्शन में अवरोध विभव अधिकतम होता है :

A. फॉरवर्ड बायस स्थिति में

B. रिवर्स बायस स्थिति में

C. शून्य बायस स्थिति में

D. जब डायोड को रेक्टिफायर की तरह प्रयोग करें

16. 1 मीटर त्रिज्या वाले एक गोलाकार चालक की धारिता है :

A. 9×10^{-9} F

B. 1 μF

C. 1.2×10^{-10} F

D. 1×10^{-3} F

17. समान गति से गति कर रहे विद्युत आवेश से उत्पन्न होता है :

A. केवल विद्युत क्षेत्र

B. केवल चुंबकीय क्षेत्र

C. विद्युत और चुंबकीय दोनों क्षेत्र

D. न तो विद्युत क्षेत्र और न ही चुंबकीय क्षेत्र

18. एक थर्मोकपल दो धातुओं, एंटीमनी और बिस्मथ से बनाया जाता है। यदि इस जोड़े के एक संधि बिंदु को गर्म और दूसरे को ठंडा रखा जाए, तो विद्युत धारा प्रवाहित होगी :

A. गर्म सिरे पर Sb से Bi में

B. ठंडे सिरे पर Sb से Bi में

C. नहीं प्रवाहित होगा

D. ठंडे सिरे पर Bi से Sb में

19. विद्युत द्विध्रुव आघूर्ण की इकाई है :

A. न्यूटन B. कूलॉम्ब

C. फैराड D. डेबाई

20. दो तरंगों की तीव्रता का अनुपात 16 : 9 है और वे हस्तक्षेप उत्पन्न करती हैं। अधिकतम और न्यूनतम तीव्रता का अनुपात क्या होगा?

A. 7 : 1 B. 49 : 1

C. 16 : 9 D. 4 : 3

21. एक वस्तु को एक अभिसारी लेंस की बाएं ओर 12 सेमी. दूरी पर रखा गया है जिसकी फोकस दूरी 8 सेमी. है। दूसरा अभिसारी लेंस, जिसकी फोकस दूरी 6 सेमी. है, वस्तु से 30 सेमी. दूर पहले लेंस की दाईं ओर रखा गया है। दूसरा लेंस उत्पन्न करेगा :

A. एक आभासी और बड़ी छवि

B. कोई छवि नहीं

C. एक वास्तविक उल्टी छवि

D. एक वास्तविक और बड़ी छवि

22. यदि AC सर्किट में स्रोत विद्युत वाहक बल की आवृत्ति n है, तो शक्ति किस आवृत्ति पर परिवर्तित होती है :

A. $2n$ B. n

C. Zero D. $0.5n$

23. टेस्ला किसकी इकाई है?

A. चुंबकीय फ्लक्स घनत्व B. चुंबकीय फ्लक्स

C. स्वप्रेरण D. विद्युत फ्लक्स

24. यदि चुंबकीय फ्लक्स $\varphi = 3t^2 + 4t + 9$ हो, तो $t = 2$ सेकंड पर प्रेरित ईएमएफ होगा :

A. 3 V B. 4 V

C. 9 V D. 16 V

25. यदि दो समांतर तारों में विपरीत दिशा में धारा प्रवाहित हो रही हो, तो उनके बीच हल होगा :

A. आकर्षक B. प्रतिकर्षक

C. शून्य D. आकर्षक या प्रतिकर्षक

26. एक एमीटर 1 एम्पियर तक पढ़ता है, इसकी आंतरिक प्रतिरोधता 0.81 Ω है। रेंज को 10 A तक बढ़ाने के लिए आवश्यक शंट होगा :

A. 0.03 Ω B. 0.09 Ω

C. 0.9 Ω D. 0.3 Ω

27. यदि कोई स्रोत 8.2×10^6 Hz आवृत्ति की विद्युत चुंबकीय तरंगें प्रसारित कर रहा है, तो इन तरंगों की तरंगदैर्ध्य होगी :

A. 50.9 मीटर B. 42.3 मीटर

C. 40.5 मीटर D. 36.6 मीटर

28. एक चालक वृत्ताकार लूप (त्रिज्या R) में धारा I प्रवाहित हो रही है। यह एकसमान चुंबकीय क्षेत्र B में रखा गया है, इस प्रकार कि इसका तल B के लम्बवत है। लूप पर चुंबकीय बल ज्ञात कीजिए।

A. IRB B. शून्य

C. 2 IRB D. IRB/2

29. यदि अनुनाद आवृत्ति f है और धारिता 4 गुना बढ़ाई जाए, तो नई अनुनाद आवृत्ति होगी :

A. f/2 B. 2f

C. 4f D. f

30. यदि एक स्प्रिंग में दिष्ट धारा प्रवाहित की जाए तो स्प्रिंग :

A. फैल जाएगा B. सिकुड़ जाएगा

C. वैसा ही रहेगा D. दोलन करेगा

15. B	**16.** C	**17.** C	**18.** A	**19.** D	**20.** B	**21.** C	**22.** A
23. A	**24.** D	**25.** B	**26.** B	**27.** D	**28.** B	**29.** A	**30.** B

31. एक 6 μF संधारित्र को 100 V तक आवेशित किया गया है। संधारित्र में संग्रहित ऊर्जा होगी :

A. 0.6 J B. 0.06 J
C. 0.03 J D. 0.3 J

32. हाइड्रोजन परमाणु की पहले और दूसरे उत्तेजित अवस्था की ऊर्जा का अनुपात क्या होगा?

A. 1 : 4 B. 4 : 9
C. 9 : 4 D. 4 : 1

33. एक आयताकार कॉइल में 100 कुंडल, लंबाई 4 सेमी., चौड़ाई 5 सेमी. है, और इसमें 2 A धारा है। यदि टॉर्क 0.2 N-m है, तो चुंबकीय क्षेत्र B होगा :

A. 0.24 T B. 0.5 T
C. 1 T D. 0.75 T

34. निम्नलिखित में से कौन आसानी से SN^2 प्रतिक्रिया से नहीं गुजरता है?

A. मिथाइल क्लेराइड B. एथिल ब्रोमाइड
C. टर्ट-ब्यूटाइल क्लोराइड D. एलिल ब्रोमाइड

35. lnk और 1/T के बीच ग्राफ का ढलान बराबर है :

A. Ea B. R
C. –Ea/R D. Ea/R

36. एसिटामाइड में नाइट्रोजन परमाणु है :

A. sp^3 संकरित B. sp^2 संकरित
C. sp संकरित D. असंकरित

37. निम्नलिखित में से कौन लिगेंड के रूप में कार्य नहीं कर सकता है?

A. NO^+ B. CO
C. BF_3 D. O_2

38. विलियमसन संश्लेषण में, एल्कोक्साइड किसके साथ अभिक्रिया करता है?

A. एल्काइल हैलाइड B. एल्कोहल
C. कार्बोक्सिलिक एसिड D. एल्डिहाइड

39. जब फिनोल को जिंक डस्ट के साथ आसवित किया जाता है, तो यह देता है :

A. बेंजीन B. टोल्यूनि
C. बेंजाल्डिहाइड D. बेंजोइक एसिड

40. निम्नलिखित में से कौन-सा संकुल ज्यामितीय समावयवों को प्रदर्शित करता है जो प्रकाशिक रूप से निष्क्रिय होते हैं?

A. $[Co(NH_3)_3Cl_3]$ B. $[Fe(gly)_3]$
C. Cis-$[PtCl_2(en)_2]^{2+}$ D. $[Co(CN)_6]$

41. जलीय विलयन में निम्नलिखित में से कौन-सा क्षारीयता क्रम सही है?

A. $(CH_3)_3N > NH_3 > CH_3NH_2$
B. $CH_3NH_2 > NH_3 > C_6H_5NH_2$
C. $NH_3 > CH_3NH_2 > C_6H_5NH_2$
D. $C_6H_5NH_2 > CH_3NH_2 > NH_3$

42. एक विलयन जो सांद्रता की संपूर्ण सीमा पर राउल्ट के नियम का पालन करता है, उसे कहा जाता है :

A. अनादर्श विलयन B. संतृप्त घोल
C. अतिसंतृप्त घोल D. आदर्श विलयन

43. चालकता के संबंध में निम्नलिखित में से कौन-सा कथन सत्य है?

A. तनुकरण से चालकता बढ़ती है
B. मोलर चालकता तनुकरण के साथ घटती है
C. चालकता सांद्रता से स्वतंत्र है।
D. मोलर चालकता तनुकरण के साथ बढ़ती है

44. एक प्रबल ऑक्सीकरण एजेंट A को KCl और सांद्र H_2SO_4 के साथ गर्म करने पर लाल रंग की गैस B मिलती है, जो KOH से गुजरने पर पीले रंग का उत्पाद C देती है। A, B और C को पहचानिए।

A. $K_2Cr_2O_7$, CrO_2Cl_2, K_2CrO_4
B. $K_2Cr_2O_7$, CrO_3, K_2CrO_4
C. $K_2Cr_2O_7$, Cl_2, K_2CrO_4
D. $KMnO_4$, MnO_2, NaOH

45. निम्नलिखित में से कौन-सा विटामिन जल में घुलनशील है?

A. विटामिन A B. विटामिन D
C. विटामिन K D. विटामिन C

46. निम्नलिखित में से कौन-सा अणु अकाईरल है?

A. 2-प्रोपेनॉल B. 2-ब्यूटेनॉल
C. ग्लूकोज D. ब्रोमोक्लोरोफ्लोरोमीथेन

47. यदि संतृप्त विलयन की विघटन प्रक्रिया ऊष्माक्षेपी है ($\Delta_{sol} H < 0$), तो तापमान में वृद्धि के साथ घुलनशीलता में क्या परिवर्तन होगा?

A. बढ़ती है
B. घटती है
C. कोई बदलाव नहीं
D. पहले बढ़ती है फिर घटती है

31. C	**32.** C	**33.** B	**34.** C	**35.** C	**36.** B	**37.** C	**38.** A	**39.** A
40. A	**41.** B	**42.** D	**43.** D	**44.** A	**45.** D	**46.** A	**47.** B	

48. निम्नलिखित विकल्पों में से **गलत** कथन की पहचान करें।

A. लैक्लांशे सेल ट्रांजिस्टर के लिए उपयुक्त है

B. KOH और ZnO का पेस्ट मर्करी सेल का इलेक्ट्रोलाइट है

C. लैक्लांशे सेल के कैथोड पर $[Zn(NH_3)_4]^{2+}$ का एक साइड प्रोडक्ट बनता है

D. पारा सेल को कई बार रिचार्ज किया जा सकता है

49. उत्प्रेरक के संदर्भ में निम्नलिखित में से कौन-सा कथन सही नहीं है?

A. उत्प्रेरक गिब्स ऊर्जा में परिवर्तन नहीं करता

B. यह स्वतः अप्रवर्तित प्रतिक्रियाओं को उत्प्रेरित करता है

C. उत्प्रेरक किसी प्रतिक्रिया के साम्यावस्था स्थिरांक को नहीं बदलता है

D. यह आगे और पीछे की प्रतिक्रियाओं को समान सीमा तक उत्प्रेरित करता है

50. निम्नलिखित में से कौन-सा एथेनॉल के एल्डोल संघनन का उत्पाद है?

A. CH_3CH_2CHO

B. $CH_3CH(OH)CH_2CHO$

C. CH_3COCH_3

D. CH_3CH_2OH

51. निम्नलिखित एल्कोहल को उनकी अम्लता के बढ़ते क्रम में व्यवस्थित करें।

A. $1° > 2° > 3°$ B. $3° > 2° > 1°$

C. $2° > 1° > 3°$ D. $2° > 3° > 1°$

52. निम्नलिखित में से कौन-सा एक अणुसंख्य गुण नहीं है?

A. वायु दाब में वृद्धि

B. क्वथनांक का उन्नयन

C. हिमांक बिंदु का अवनमन

D. परासरण दाब

53. यदि फ्लोरीन (*g*) का मानक इलेक्ट्रोड विभव उच्चतम ($E° = 2.87$ V) है, तो निम्नलिखित में से कौन-सा कथन सही नहीं है?

A. फ्लोरीन गैस प्रबल ऑक्सीकारक है

B. फ्लोराइड आयन सबसे कमजोर अपचायक है

C. फ्लोरीन गैस की फ्लोराइड आयनों में अपचयित होने की उच्च प्रवृत्ति

D. ऑक्सीकृत रूप हाइड्रोजन गैस की तुलना में अधिक स्थिर होता है

54. प्रथम कोटि अभिक्रिया की अर्धायु है :

A. प्रारंभिक सांद्रता के व्युत्क्रमानुपाती

B. प्रारंभिक एकाग्रता से स्वतंत्र

C. प्रारंभिक सांद्रता के सीधे आनुपातिक

D. केवल तापमान पर निर्भर

55. संक्रमण धातुएँ निम्नलिखित कारणों से जटिल यौगिक बनाती है :

A. धातु आयनों का छोटा आकार

B. डी-ऑर्बिटल्स की उपलब्धता

C. उच्च आयनिक आवेश

D. लिगेंड की प्रकाश अवशोषित करने वाली प्रकृति

56. $[Ni(CN)_4]^{2-}$ में केंद्रीय धातु आयन का संकरण है :

A. sp^3 B. dsp^2

C. sp^2d D. sp^2

57. फिन्केलस्टाइन अभिक्रिया का उपयोग करके प्रयोगशाला में कौन-सा हैलोजन यौगिक तैयार किया जाता है?

A. इथाइल क्लोराइड B. मिथाइल फ्लोराइड

C. एथिल आयोडाइड D. बेंजिल ब्रोमाइड

58. सिरके में कौन-सा अम्ल मौजूद होता है?

A. फॉर्मिक एसिड B. लैक्टिक एसिड

C. साइट्रिक एसिड D. एसिटिक एसिड

59. गैल्वेनिक सेल के संबंध में निम्नलिखित में से कौन-सा कथन सही है?

A. ऑक्सीकरण कैथोड पर होता है

B. इलेक्ट्रॉन कैथोड से एनोड की ओर प्रवाहित होते हैं

C. कैथोड पर अपचयन होता है

D. लवण सेतु इलेक्ट्रॉनों को ले जाता है

60. यदि किसी अभिक्रिया के वेग स्थिरांक की इकाई $L\ mol^{-1}s^{-1}$ है, तो अभिक्रिया की कोटि है :

A. 1 B. 2

C. 3 D. 4

61. निम्नलिखित में से किस आयन का चुंबकीय आघूर्ण 5.9 B.M. है?

A. Fe^{2+} B. Fe^{3+}

C. Ni^{2+} D. Cu^{2+}

62. निम्नलिखित में से कौन-सा आयन जलीय विलयन में रंगहीन दिखाई देता है?

A. Ti^{3+} B. Cu^{2+}

C. Sc^{3+} D. Fe^{2+}

48. D	**49.** B	**50.** B	**51.** B	**52.** A	**53.** D	**54.** B	**55.** B
56. B	**57.** C	**58.** D	**59.** C	**60.** B	**61.** B	**62.** C	

63. कॉम्प्लेक्स $[Co(NH_3)_4(H_2O)Cl]Cl_2$ का IUPAC नाम है :
A. टेट्राऐमीनीएक्वाक्लोरोकोबाल्ट (II) क्लोराइड
B. टेट्राऐमीनीएक्वाक्लोरोकोबाल्ट (III) क्लोराइड
C. टेट्राऐमीनीएक्वाक्लोरिडोकोबाल्ट (III) क्लोराइड
D. टेट्राऐमीनीएक्वाक्लोरिडोकोबाल्ट (II) क्लोराइड

64. वुर्ट्ज अभिक्रिया में शामिल है :
A. एल्काइल हैलाइड + शुष्क ईथर में सोडियम
B. एल्कोहल + हाइड्रोक्लोरिक एसिड
C. एल्कीन + हाइड्रोजन हैलाइड
D. फिनोल + फॉस्फोरस पेंटाक्लोराइड

65. मोहर लवण रासायनिक रूप से :
A. फेरिक सल्फेट B. फेरिक ऑक्साइड
C. फेरिक अमोनियम सल्फेट D. फेरिक अमोनियम सल्फेट

66. कौन-सा तत्व अधिकतम ऑक्सीकरण अवस्था दर्शाता है?
A. Fe B. Cr
C. Mn D. Cu

67. निम्नलिखित में से कौन-सा कोडॉन मेथियोनीन अमीनो एसिड को कोड करता है?
A. UAA B. GUA
C. AGU D. AUG

68. निम्नलिखित में से कौन मोनोसोमी का उदाहरण है?
A. डाउन सिंड्रोम B. क्लाइनफेल्टर सिंड्रोम
C. टर्नर सिंड्रोम D. एडवर्ड्स सिंड्रोम

69. विकास के लिए भ्रूण संबंधी समर्थन किसके द्वारा प्रस्तावित किया गया था?
A. अल्फ्रेड वालेस B. अर्नस्ट हेकेल
C. चार्ल्स डार्विन D. ह्यूगो डे व्रीस

70. डीएनए सीक्वेंस जो आरएनए पॉलीमरेज के लिए बाइंडिंग साइट प्रदान करता है, उसे कहा जाता है :
A. प्रमोटर साइट B. ऑपरेटर साइट
C. टर्मिनेटर साइट D. स्ट्रक्चरल साइट

71. कौन-सी कोशिका एण्ड्रोजन स्राव के लिए जिम्मेदार है?
A. सर्टोली कोशिकाएँ B. अंतरालीय कोशिकाएँ
C. लेडिग कोशिकाएँ D. शुक्राणु

72. ''डीएनए आनुवंशिक पदार्थ है'' यह साक्ष्य किसके प्रयोगों से आया?
A. मेंडल B. वॉटसन और क्रिक
C. हर्षे और चेस D. मेसेलसन और स्टाहल

73. मानव जीनोम परियोजना के अनुसार, मानव डीएनए में लगभग कितने जीन मौजूद हैं?
A. 5000-10000 B. 20000-25000
C. 30000-40000 D. 45000-50000

74. निम्नलिखित में से कौन-सा हार्मोन ओव्यूलेशन के लिए जिम्मेदार है?
A. फॉलिकल-स्टिम्युलेटिंग हार्मोन
B. ल्यूटिनाइजिंग हार्मोन
C. प्रोलैक्टिन
D. ऑक्सीटोसिन

75. निम्नलिखित में से कौन-सी कोशिकाएँ सीधे एचआईवी से प्रभावित होती हैं?
A. टी हेल्पर कोशिकाएँ
B. टी साइटोटॉक्सिक कोशिकाएँ
C. एपिथेलियल कोशिकाएँ
D. मैक्रोफेज कोशिकाएँ

76. शहद की मक्खी में लिंग निर्धारण के दौरान अनिषेचित अंडे से क्या बनता है?
A. केवल रानी B. केवल श्रमिक
C. केवल ड्रोन D. रानी और श्रमिक दोनों

77. निम्नलिखित में से कौन-सा कारक अनुलेखन प्रक्रिया की समाप्ति के लिए जिम्मेदार है?
A. σ (सिग्मा) कारक B. ρ (रो) कारक
C. α (अल्फा) कारक D. β (बीटा) कारक

78. ट्यूबेक्टॉमी क्या है?
A. शुक्रवाहिका का छोटा हिस्सा निकाल दिया जाता है या बाँध दिया जाता है
B. फैलोपियन ट्यूब का छोटा हिस्सा निकाल दिया जाता है या बाँध दिया जाता है
C. गर्भाशय ग्रीवा का छोटा हिस्सा निकाल दिया जाता है या बाँध दिया जाता है
D. गर्भाशय को हटाना

79. निम्नलिखित में से कौन-सा एक ऑटोसोमल गुणसूत्र से जुड़ा अप्रभावी विकार है?
A. थैलेसीमिया
B. हीमोफीलिया
C. रंग अंधापन
D. ड्यूचेन मस्कुलर डिस्ट्रॉफी

63. B	**64.** A	**65.** C	**66.** C	**67.** D	**68.** C	**69.** B	**70.** A	**71.** C
72. C	**73.** B	**74.** B	**75.** A	**76.** C	**77.** B	**78.** B	**79.** A	

80. दो जीन के बीच पुनर्संयोजन आवृत्ति और दूरी किस प्रकार संबंधित हैं?

A. पुनर्संयोजन आवृत्ति दो ज़ीन के बीच की दूरी के सीधे आनुपातिक होती है

B. पुनर्संयोजन आवृत्ति दो जीन के बीच की दूरी के व्युत्क्रमानुपाती होती है

C. यह गुणसूत्र के प्रकारों पर निर्भर करता है

D. वे बिल्कुल भी संबंधित नहीं है

81. डीएनए पर निर्भर डीएनए पॉलीमरेज किस दिशा में नए स्ट्रैंड के पॉलीमराइजेशन को उत्प्रेरित करते हैं :

A. 3′ से 5′ दिशा

B. 5′ से 3′ दिशा

C. 3′ से 5′ और 5′ से 3′ दोनों दिशाएँ

D. यह डीएनए के प्रकार पर निर्भर करता है

82. कौन-सा नियम बताता है कि युग्मक निर्माण के दौरान एलील जोड़े अलग हो जाते हैं, इसलिए प्रत्येक युग्मक प्रत्येक जीन के लिए केवल एक एलील ले जाता है?

A. प्रभुत्व का नियम

B. पृथक्करण का नियम

C. स्वतंत्र अपव्यूहन का नियम

D. सह-प्रभुत्व का नियम

83. हिस्टोन प्रोटीन में प्रचुर मात्रा में होते हैं :

A. एस्पार्टिक एसिड और ग्लूटामिक एसिड

B. एलानिन और आइसोल्यूसीन

C. प्रोलाइन और वेलिन

D. लाइसिन और आर्जिनिन

84. परिपक्वता पर एक विशिष्ट एंजियोस्पर्म भ्रूण थैली होती है :

A. 5 केन्द्रकयुक्त 7 कोशिका वाली

B. 6 केन्द्रकयुक्त 7 कोशिका वाली

C. 8 केन्द्रकयुक्त 7 कोशिका वाली

D. 7 केन्द्रकयुक्त 8 कोशिका वाली

85. केंचुआ किसका उदाहरण है?

A. शाकाहारी B. मांसाहारी

C. अपरदभक्षी D. सर्वाहारी

86. वह अंतःक्रिया जिसमें एक प्रजाति को लाभ होता है और दूसरी को न तो लाभ होता है और न ही हानि, कहलाती है :

A. पारस्परिकता B. कमेंसलिस्म

C. अमेंसलिस्म D. शिकार

87. डोडो पक्षी एक है :

A. विलुप्त प्रजाति

B. संकटग्रस्त प्रजाति

C. गंभीर रूप से संकटग्रस्त प्रजाति

D. प्रचुर प्रजाति

88. डीएनए की संख्या को बढ़ाने के लिए निम्न में से किस तकनीक का उपयोग किया जाता है?

A. डीएनए फिंगर प्रिंटिंग B. पीसीआर

C. एलिसा D. साउथर्न ब्लॉट

89. "एक ही कार्य के लिए विकसित होने वाली विभिन्न संरचनाएँ" इस प्रकार के विकास को कहा जाता है :

A. अपसारी विकास B. अभिसारी विकास

C. समानांतर विकास D. सहविकास

90. साइक्लोस्पोरिन ए. निम्न के रूप में कार्य करता है :

A. इम्यूनोसप्रेसिव एजेंट B. इम्यूनो-एक्टिवेटर एजेंट

C. न्यूरोट्रांसमीटर D. वेसोडाइलेटर

91. निम्नलिखित में से कौन-सी एक एक्स सिटू संरक्षण विधि है?

A. अभयारण्य B. प्राणी उद्यान

C. राष्ट्रीय उद्यान D. बायोस्फीयर रिजर्व

92. पहली ट्रांसजेनिक गाय, रोजी ने कौन-सा मानव प्रोटीन-समृद्ध दूध उत्पादित किया?

A. मानव इंसुलिन

B. मानव अल्फा-लैक्टलबुमिन

C. मानव α-1-एंटीट्रिप्सिन

D. एडेनोसिन डीएमीनेस

93. निम्नलिखित में से कौन-सी परत विकासशील पराग कणों को पोषण देती है?

A. एपिडर्मिस B. एंडोथीशियम

C. मध्य परत D. टेपेटम

94. माइक्रोस्पोरम प्रजाति से संबंधित कवक निम्नलिखित का कारण बनता है?

A. रिंग वर्म B. सिर की सड़न

C. कैंडिडिआसिस D. मेनिनजाइटिस

95. बीटी टॉक्सिन को इनकोड किया जाता है :

A. क्राई जीन द्वारा B. पीडीएचसी जीन द्वारा

C. पी53 जीन द्वारा D. एम्प जीन द्वारा

80. A	**81.** B	**82.** B	**83.** D	**84.** C	**85.** C	**86.** B	**87.** A
88. B	**89.** B	**90.** A	**91.** B	**92.** B	**93.** D	**94.** A	**95.** A

96. निम्नलिखित में से कौन-सा कारक हार्डी-वेनबर्ग संतुलन को बिगाड़ता है?

A. कोई उत्परिवर्तन नहीं

B. आप्रवासन

C. कोई आनुवंशिक बहाव नहीं

D. यादृच्छिक संभोग

97. छोटे भौगोलिक क्षेत्र तक सीमित और कहीं और न पाई जाने वाली प्रजातियों को इस नाम से जाना जाता है :

A. स्थानिकता प्रजातियाँ

B. कॉस्मोपॉलिटन प्रजातियाँ

C. आक्रामक प्रजातियाँ

D. बीटा प्रजातियाँ

98. समुद्र में बायोमास का पिरामिड है :

A. सीधा

B. उल्टा

C. रैखिक

D. लवण सांद्रता पर निर्भर करता है

99. कोकेन निम्नलिखित में से किस न्यूरोट्रांसमीटर के साथ हस्तक्षेप करता है :

A. एसिटाइलकोलाइन B. नोरएपिनेफ्रीन

C. डोपामाइन D. जीएबीए

100. रक्त का थक्का हटाने के लिए इस्तेमाल किया जाने वाला एंजाइम :

A. पेक्टिनेज B. स्ट्रेप्टोकाइनेज

C. लाइपेस D. रेनेट

व्याख्यात्मक उत्तर

1. (B): de-Broglie तरंगदैर्ध्य $\lambda = \frac{h}{mv}$ के अनुसार यदि एक प्रोटॉन और एक अल्फा कण की तरंगदैर्ध्य समान है, तो उनके संवेग *mv* भी समान होंगे। चूँकि अल्फा कण का द्रव्यमान प्रोटॉन के द्रव्यमान का लगभग 4 गुना होता है (क्योंकि उसमें 2 प्रोटॉन और 2 न्यूट्रॉन होते हैं), तो

$$m_\alpha = 4m_p$$

समान संवेग की स्थिति में,

$$m_p v_p = 4m_p v_\alpha \Rightarrow v_p = 4v_\alpha$$

इसलिए वेगों का अनुपात होगा :

$$v_p : v_\alpha = 4 : 1$$

अतः सही उत्तर है : B. 4 : 1.

2. (D): दिया गया है,

$$E = 57 \text{ meV}$$
$$= 57 \times 10^{-3} \times 1.6 \times 10^{-19} \text{ J}$$
$$E = \frac{hc}{\lambda}$$
$$\lambda = \frac{hc}{E} = \frac{6.6 \times 10^{-34} \times 3 \times 10^{8}}{57 \times 1.6 \times 10^{-22}}$$
$$\lambda = \frac{6.6 \times 3 \times 10^{-26}}{57 \times 1.6 \times 10^{-22}}$$
$$= 0.2171052 \times 10^{-4} \text{ m}$$
$$= 217105.2 \times 10^{-10} \text{ m}$$
$$= 217105 \text{ Å (Approx.)}.$$

3. (C): प्रश्न में कहा गया है कि प्रतिरोधक तार को डाई में से निकाला जाता है और उसका अनुप्रस्थ क्षेत्रफल 1% घटता है। इसका मतलब है कि तार लंबा और पतला हो गया है, लेकिन उसका आयतन (Volume) लगभग समान रहता है। प्रतिरोध का सूत्र है :

$$R = \rho . \frac{l}{A}$$

जहाँ ρ विशिष्ट प्रतिरोध है, *l* लंबाई और A अनुप्रस्थ क्षेत्रफल है।

यदि क्षेत्रफल A में 1% की कमी है, तो :

$$A_{new} = 0.99 \text{ A}$$

और चूँकि आयतन V = A · *l* लगभग स्थिर रहता है, तो लंबाई में लगभग 1% की वृद्धि होगी :

$$l_{new} = \frac{V}{0.99 \text{ A}} = \frac{l}{0.99} \approx 1.01 l$$

अब नया प्रतिरोध : $R' = \rho . \frac{1.01 l}{0.99 \text{ A}} = R \cdot \frac{1.01}{0.99}$

$$\approx R \cdot 1.0202$$

अर्थात प्रतिरोध में लगभग 2% वृद्धि होगी।

अतः सही उत्तर है : C. 2% वृद्धि।

4. (D): हीटर का प्रतिरोध R = 40 Ω और RMS वोल्टेज V = 200 V है।

RMS धारा : $I_{rms} = \frac{V}{R} = \frac{200}{40} = 5 \text{ A}$

96. B	**97.** A	**98.** B	**99.** C	**100.** B

पीक करंट (अधिकतम धारा) होता है :

$$I_0 = \sqrt{2} \cdot I_{rms} = \sqrt{2} \cdot 5 \approx 7.07 \text{ A}$$

निकटतम पूर्णांक 7 A है। अतः सही उत्तर है : D. 7 A.

5. (B): क्यूरी नियम के अनुसार चुंबकीय सुग्राहिता χ का तापमान T के साथ संबंध होता है :

$$\chi = \frac{C}{T}$$

जहाँ C एक नियतांक है। अतः

$$\chi \propto \frac{1}{T}$$

अतः सही उत्तर है : B. 1/T.

6. (D): किसी व्यक्ति को अपनी पूरी छवि देखने के लिए समतल दर्पण की आवश्यकता होती है जो उसकी ऊँचाई का आधा हो। यदि व्यक्ति की ऊँचाई 6 फीट है, तो आवश्यक न्यूनतम दर्पण की लंबाई होगी :

$$\frac{6}{2} = 3 \text{ फीट}$$

अतः सही उत्तर है : D. 3 फीट।

7. (B): ध्रुवीकरण (Polarization) केवल उन तरंगों में संभव होता है जिनके कम्पन की दिशा, संचरण की दिशा के लंबवत होती है—यानी अनुप्रस्थ (transverse) तरंगें।
अनुदैर्ध्य तरंगों में (जैसे ध्वनि) कणों का कम्पन तरंग संचरण के समानांतर होता है, इसलिए ध्रुवीकरण संभव नहीं होता।
अतः सही उत्तर है : B. केवल अनुप्रस्थ तरंगों में।

8. (D): तापीय प्रतिरोध संबंध :

$$R_t = R_0(1 + \alpha t)$$

जहाँ, $R_{50} = 5\ \Omega$

$R_{100} = 6\ \Omega$

$t_1 = 50°C;\ t_2 = 100°C$

पहले α ज्ञात करें :

$$\frac{R_{100} - R_{50}}{R_{50}} = \alpha \cdot (100 - 50)$$

$$\Rightarrow \quad \frac{6-5}{5} = \alpha \cdot 50$$

$$\Rightarrow \quad \alpha = \frac{1}{250}$$

अब $R_0 = \dfrac{R_{50}}{(1+\alpha \cdot 50)}$

$$R_0 = \frac{5}{1+\frac{1}{250}\cdot 50} = \frac{5}{1+0.2} = \frac{5}{1.2}$$

$$\approx 4.17 \approx 4\ \Omega$$

अतः सही उत्तर है : D. 4 Ω.

9. (D): प्रश्न में दिए गए डेटा हैं :

- आपूर्ति वोल्टेज V = 100 V (RMS)
- कोणीय आवृत्ति ω = 500 rad/s
- प्रेरकत्व L = 0.8 H
- संधारित्र $C = 5\ \mu F = 5 \times 10^{-6}$ F
- प्रतिरोध R = 10 Ω

अब हम पहले प्रेरक और संधारित्र का रिएक्टेंस निकालते हैं :

$$X_L = \omega L = 500 \times 0.8 = 400\ \Omega$$

$$X_C = \frac{1}{\omega C} = \frac{1}{500 \times 5 \times 10^{-6}} = 400\ \Omega$$

तो कुल रिएक्टिव अंश :

$$X = X_L - X_C = 400 - 400 = 0$$

क्योंकि रिएक्टेंस शून्य है, परिपथ शुद्ध प्रतिरोधी है। इसलिए पूरी वोल्टेज ड्रॉप केवल प्रतिरोध R के पार ही होगी।

$$V_R = I \cdot R = \frac{V}{R} \cdot R = V = 100 \text{ V}$$

अतः सही उत्तर है : D. 100 V.

10. (D): यदि 25% विघटित हो गई है, तो 75% बची है।

$$N = N_0 \left(\frac{1}{2}\right)^{t/T}$$

5 वर्षों में 75% बची :

$$\frac{N}{N_0} = 0.75 = \left(\frac{1}{2}\right)^{5/T} = \log 0.75$$

$$\Rightarrow \frac{5}{T}\log 0.5 = \frac{5}{T} = \frac{\log 0.75}{\log 0.5} \approx \frac{-0.1249}{-0.3010} \approx 0.415$$

$$\Rightarrow \quad T \approx \frac{5}{0.41}$$

अब 20 वर्षों में शेष राशि :

$$\frac{N}{N_0} = \left(\frac{1}{2}\right)^{20/12.05} \approx \left(\frac{1}{2}\right)^{1.66} \approx 0.32$$

अतः 32% अपरिवर्तित रहेगा। सही उत्तर है : D. 32%.

11. (A): सुपरकंडक्टर वे पदार्थ होते हैं जो शून्य प्रतिरोध के साथ-साथ पूर्ण प्रति-चुंबकत्व (Perfect Diamagnetism) भी प्रदर्शित करते हैं। इसका अर्थ है कि ये किसी भी बाहरी चुंबकीय क्षेत्र को पूरी तरह निष्कासित कर देते हैं—इसे Meissner Effect कहा जाता है।
अतः सही उत्तर है : A. प्रति-चुंबकत्व।

12. (D): रदरफोर्ड ने अपने स्वर्ण पन्नी प्रायोग (Gold Foil Experiment, 1909) द्वारा यह सिद्ध किया कि परमाणु का अधिकांश भाग खाली होता है। उन्होंने पाया कि अधिकांश अल्फा कण बिना किसी विक्षेपण के गुजर जाते हैं, जिससे निष्कर्ष निकला कि परमाणु में बहुत अधिक रिक्त स्थान होता है।
अतः सही उत्तर है : D. रदरफोर्ड।

13. (C): स्वप्रेरित विद्युत वाहक बल (emf) का सूत्र है :

$$\varepsilon = L \cdot \frac{dI}{dt}$$

दिया गया है : $\varepsilon = 5$ V,

$\Delta I = 3A - 2A = -1A$,

$\Delta t = 1 \text{ ms} = 1 \times 10^{-3}$ s

$$L = \frac{\varepsilon \cdot \Delta t}{|\Delta I|} = \frac{5 \cdot 1 \times 10^{-3}}{1}$$

$$= 5 \times 10^{-3} \text{ H} = 5 \text{ mH}$$

अतः सही उत्तर है : C. 5 mH.

14. (A): दिया गया है कि तरंग की आवृत्ति 6×10^{15} Hz है। विभिन्न विद्युतचुंबकीय तरंगों की आवृत्ति सीमा निम्नलिखित होती है :

- रेडियो तरंगें : $< 10^9$ Hz
- माइक्रोवेव : 10^9 से 10^{12} Hz
- इन्फ्रारेड : 10^{12} से 4×10^{14} Hz
- दृश्य प्रकाश : 4×10^{14} से 7.5×10^{14} Hz
- पराबैंगनी (UV): 7.5×10^{14} से 3×10^{16} Hz
- एक्स-रे : 3×10^{16} से ऊपर

यहाँ 6×10^{15} Hz की आवृत्ति पराबैंगनी तरंगों की श्रेणी में आती है। अतः सही उत्तर है : A. पराबैंगनी।

15. (B): P-N जंक्शन डायोड में जब इसे रिवर्स बायस में जोड़ा जाता है, तो P क्षेत्र को ऋणात्मक और N क्षेत्र को धनात्मक वोल्टेज दिया जाता है। इससे डिप्लिशन लेयर चौड़ी हो जाती है और अवरोध विभव अधिकतम हो जाता है।

अतः सही उत्तर है : B. रिवर्स बायस स्थिति में।

16. (C): गोलाकार चालक की धारिता का सूत्र है :

$$C = 4\pi\varepsilon_0 R$$

जहाँ, $\varepsilon_0 = 8.85 \times 10^{-12}$ F/m और R = 1 m

$$C = 4 \times 3.1416 \times 8.85 \times 10^{-12} \times 1$$

$$\approx 1.11 \times 10^{-10} \text{ F}$$

निकटतम विकल्प : 1.2×10^{-10} F

अतः सही उत्तर है : C. 1.2×10^{-10} F.

17. (C): जब कोई आवेश समान गति (uniform velocity) से चलता है, तो वह :

- अपने चारों ओर विद्युत क्षेत्र उत्पन्न करता है (क्योंकि वह आवेशित है), और
- साथ ही साथ चलने के कारण चुंबकीय क्षेत्र भी उत्पन्न करता है (क्योंकि गतिशील आवेश ही करंट होता है, जो चुंबकीय क्षेत्र पैदा करता है)।

इसलिए कोई भी गतिशील आवेश (uniform motion में भी) विद्युत और चुंबकीय दोनों क्षेत्र उत्पन्न करता है।

अतः सही उत्तर है : C. विद्युत और चुंबकीय दोनों क्षेत्र।

18. (A): थर्मोकपल में दो विभिन्न धातुओं को जोड़कर एक विद्युत परिपथ बनाया जाता है। जब एक जोड़ को गर्म और दूसरे को ठंडा रखा जाता है, तो Seebeck प्रभाव के कारण विद्युत धारा उत्पन्न होती है।

Antimony (Sb) और Bismuth (Bi) के बीच थर्मोइलेक्ट्रिक युग्म में यह देखा गया है कि :

- जब एक सिरा गर्म और दूसरा ठंडा हो, तो धारा गर्म सिरे पर Sb से Bi की ओर प्रवाहित होती है।
- यह दिशा उन धातुओं की वोल्टता शृंखला पर निर्भर करती है और प्रयोगात्मक रूप से पुष्टि की गई है।

अतः सही उत्तर है : A. गर्म सिरे पर Sb से Bi में।

19. (D): विद्युत द्विध्रुव आघूर्ण (electric dipole moment) का SI मात्रक है :

$p = q \cdot d \Rightarrow$ Coulomb · meter

लेकिन प्रयोग में इसे डेबाई (Debye) में मापा जाता है।

1 डेबाई $\approx 3.34 \times 10^{-30}$ C · m

अतः सही उत्तर है : D. डेबाई।

20. (B): यदि दो तरंगों की तीव्रता का अनुपात $I_1 : I_2 = 16 : 9$ है, तो उनकी आयामों का अनुपात होगा :

$$A_1 : A_2 = 16 : 9 = 4 : 3$$

हस्तक्षेप में,

- अधिकतम तीव्रता :

  $I_{max} = (A_1 + A_2)^2 = (4 + 3)^2 = 49$
- न्यूनतम तीव्रता :

  $I_{min} = (A_1 - A_2)^2 = (4 - 3)^2 = 1$

$$I_{max} : I_{min} = 49 : 1$$

अतः सही उत्तर है : B. 49 : 1.

21. (C): पहले लेंस की फोकल लंबाई $f_1 = +8$ सेमी और वस्तु दूरी $u_1 = -12$ सेमी है (साइन कन्वेंशन अनुसार)। लेंस सूत्र :

$$\frac{1}{v_1} = \frac{1}{f_1} + \frac{1}{u_1} = \frac{1}{8} - \frac{1}{12} = \frac{3-2}{24} = \frac{1}{24}$$

$\Rightarrow \quad v_1 = 24$ cm

इसलिए पहली लेंस से बनी छवि 24 सेमी. दाईं ओर बनेगी। दूसरे लेंस की स्थिति है वस्तु से 30 सेमी दाईं ओर (i.e., पहले लेंस से 30 सेमी.)।

तो दूसरे लेंस के लिए वस्तु दूरी :

$$u_2 = -(30 - 24) = -6 \text{ cm}$$

(सामने से आ रही किरणें)

दूसरे लेंस की फोकल लंबाई $f_2 = +6$ सेमी।

$$\frac{1}{v_2} = \frac{1}{6} - \frac{1}{6} = 0$$

$\Rightarrow \quad v_2 = \infty$

इसका मतलब किरणें अपवर्तित होकर समानांतर निकलती हैं और वास्तविक छवि अनंत पर बनती है। इसलिए यह छवि वास्तविक होगी, और वस्तु की तुलना में उल्टी भी होगी।

अतः सही उत्तर है : C. एक वास्तविक उल्टी छवि।

22. (A): AC सर्किट में विद्युत वाहक बल की आवृत्ति *n* है, लेकिन शक्ति का औसत मान होता है $P = V_{rms}I_{rms}\cos\phi$, और तात्कालिक शक्ति $p(t) = V_mI_m\cos(\omega t)\cos(\omega t + \phi)$।

इसका गुणनफल में $\cos^2(\omega t)$ टाइप पद होता है, जिसका मान होता है :

$$\cos^2(\omega t) = \frac{1+\cos(2\omega t)}{2}$$

जिसका आवृत्ति घटक $2n$ होगा।

अतः सही उत्तर है : A. $2n$.

23. (A): टेस्ला (T) SI इकाई है चुंबकीय फ्लक्स घनत्व (Magnetic Flux Density) की, जिसे $\vec{B}$ द्वारा दर्शाया जाता है।

1 टेस्ला = 1 वेबर/मीटर^2 = 1 Wb/m^2

अतः सही उत्तर है : A. चुंबकीय फ्लक्स घनत्व।

24. (D): प्रश्न में चुंबकीय फ्लक्स $\phi = 3t^2 + 4t + 9$ दिया गया है। प्रेरित विद्युत वाहक बल (EMF) का मान होता है :

$$e = -\frac{d\phi}{dt}$$

$$\frac{d\phi}{dt} = \frac{d}{dt}(3t^2+4t+9) = 6t+4$$

अब $t = 2$ सेकंड पर :

$$e = -(6\cdot 2 + 4)$$
$$= -(12 + 4) = -16 \text{ V}$$

प्रेरित EMF का परिमाण 16 V होगा।

अतः सही उत्तर है : D. 16 V.

25. (B): जब दो समांतर धारावाही तारों में विपरीत दिशा में धारा प्रवाहित होती है, तो उनके बीच चुंबकीय बल विकर्षण (repulsion) का कारण बनता है।

यदि धारा समान दिशा में हो, तो आकर्षण होता है।

अतः सही उत्तर है : B. प्रतिकर्षक।

26. (B): प्रश्न में एमीटर की अधिकतम रेंज 1 A है और उसका आंतरिक प्रतिरोध R_g = 0.81 Ω है। यदि हम इसकी रेंज को 10 A तक बढ़ाना चाहते हैं, तो हमें उसके समानांतर एक उपयुक्त शंट रेजिस्टेंस S जोड़ना होगा।

शंट प्रतिरोध का सूत्र है :

$$S = \frac{I_g \cdot R_g}{I - I_g}$$

जहाँ :

- I_g = 1 A (मीटर द्वारा सहनीय अधिकतम धारा)
- I = 10 A (नई वांछित रेंज)
- R_g = 0.81 Ω

अब मानों को रखें :

$$S = \frac{1\cdot 0.81}{10-1} = \frac{0.81}{9} = 0.09\ \Omega$$

अतः सही उत्तर है : B. 0.09 Ω.

27. (D): विद्युत चुंबकीय तरंगों की तरंगदैर्ध्य :

$$\lambda = \frac{c}{f} = \frac{3\times10^8}{8.2\times10^6} = \frac{300}{8.2}$$

$$\approx 36.59 \text{ meter}$$

निकटतम विकल्प है : D. 36.6 मीटर।

28. (B): यदि वृत्ताकार लूप में धारा I हो और वह चुंबकीय क्षेत्र B में इस प्रकार रखा हो कि उसका तल चुंबकीय क्षेत्र के लंबवत हो (यानि क्षेत्र लूप के अक्ष के समानांतर हो), तो लूप पर लगने वाले सभी बल परस्पर संतुलन में रहते हैं, और नेट चुंबकीय बल :

$$F = 0$$

अतः सही उत्तर है : B. शून्य।

29. (A): LC परिपथ की अनुनाद आवृत्ति :

$$f = \frac{1}{2\pi\sqrt{LC}}$$

यदि धारिता C को 4 गुना कर दिया जाए, तो

$$f' = \frac{1}{2\pi\sqrt{L\cdot 4C}} = \frac{1}{2\pi\cdot 2\sqrt{LC}} = \frac{f}{2}$$

अतः सही उत्तर है : A. $f/2$.

30. (B): जब किसी स्प्रिंग में दिष्ट धारा (DC current) प्रवाहित की जाती है, तो उसमें करंट की दिशा हर जगह समान होती है। चूँकि सभी हिस्से एक-दूसरे के करीब होते हैं, और समान दिशा की धाराएँ आकर्षण बल उत्पन्न करती हैं,

स्प्रिंग के कॉइल्स आपस में आकर्षित होकर सिकुड़ जाते हैं।

अतः सही उत्तर है : B. सिकुड़ जाएगा।

31. (C): प्रश्न में दिया गया है :

- संधारित्र की धारिता C = 6 μF = 6×10^{-6} F
- वोल्टेज V = 100 V

संधारित्र में संग्रहीत ऊर्जा का सूत्र है :

$$U = \frac{1}{2}CV^2$$

मूल्य स्थापित करें : $U = \frac{1}{2}\times 6\times10^{-6}\times(100)^2$

$$= 3 \times 10^{-6} \times 10^4$$
$$= 3 \times 10^{-2} = 0.03 \text{ J}$$

अतः सही उत्तर है : C. 0.03 J.

32. (C): हाइड्रोजन परमाणु के ऊर्जा स्तरों का मान होता है :

$$E_n = -\frac{13.6}{n^2}$$

पहली उत्तेजित अवस्था = $n = 2$

$$\rightarrow \quad E_2 = -\frac{13.6}{4} = -3.4 \text{ eV}$$

दूसरी उत्तेजित अवस्था = $n = 3$

$$\rightarrow \quad E_3 = -\frac{13.6}{9} = -1.51 \text{ eV}$$

अब दोनों ऊर्जा का अनुपात :

$$\frac{E_3}{E_2} = \frac{13.6/9}{13.6/4} = \frac{4}{9}$$

लेकिन चूँकि पूछा गया है ऊर्जा का अनुपात, और ये ऋणात्मक हैं, तो परिमाण का अनुपात होगा :

$$|E_2|:|E_3| = \frac{1}{4}:\frac{1}{9} = 9:4$$

अतः सही उत्तर है : C. 9 : 4.

33. (B): टॉर्क (τ) का सूत्र होता है :

$$\tau = N \cdot I \cdot A \cdot B \cdot \sin\theta$$

जहाँ :

- N = 100 कुंडल की संख्या,
- I = 2 A धारा,
- आयताकार कॉइल की लंबाई = 4 सेमी = 0.04 मीटर,
- चौड़ाई = 5 सेमी = 0.05 मीटर,
- क्षेत्रफल A = 0.04 × 0.05 = 0.002 m^2,
- τ = 0.2 Nm,
- θ = 90° ⇒ sin θ = 1

अब, चुंबकीय क्षेत्र B निकालें :

$$B = \frac{\tau}{N.I.A} = \frac{0.2}{100 \cdot 2 \cdot 0.002} = \frac{0.2}{0.4} = 0.5 \text{ T}$$

अतः सही उत्तर है : B. 0.5 T.

34. (C): SN^2 अभिक्रिया में एक ही चरण में न्यूक्लियोफाइल द्वारा पिछली ओर से आक्रमण होता है।

टर्ट-ब्यूटाइल क्लोराइड में कार्बन अत्यधिक भीड़युक्त (sterically hindered) होता है, जिससे SN^2 अभिक्रिया संभव नहीं होती। वहीं मिथाइल क्लोराइड और एथिल ब्रोमाइड जैसे छोटे अणु SN^2 में आसानी से भाग लेते हैं।

अतः सही उत्तर है : C. टर्ट-ब्यूटाइल क्लोराइड।

35. (C): Arrhenius समीकरण :

$$k = Ae^{-Ea/RT}$$

$$\Rightarrow \quad \ln k = \ln A - \frac{Ea}{R}.\frac{1}{T}$$

यह समीकरण ln *k* और 1/T के बीच एक रेखीय ग्राफ दर्शाता है, जिसकी ढलान होती है :

$$\text{slope} = -\frac{Ea}{R}$$

अतः सही उत्तर है : C. –Ea/R.

36. (B): एसिटामाइड (CH_3CONH_2) में नाइट्रोजन परमाणु कार्बोनिल समूह के निकट होता है। इस स्थिति में नाइट्रोजन का एक अकेला इलेक्ट्रॉन जोड़ा आंशिक रूप से कार्बोनिल समूह के पाई ऑर्बिटल में डीलोकलाइज हो जाता है।

इस डीलोकलाइजेशन के कारण नाइट्रोजन trigonal planar आकृति लेता है और यह sp^2 संकरण दर्शाता है।

अतः सही उत्तर है : B. sp^2 संकरित।

37. (C): BF_3 एक इलेक्ट्रॉन अभावग्रस्त यौगिक है (octet पूरा नहीं होता), इसलिए यह स्वयं लिगैंड नहीं बनता बल्कि Lewis acid की तरह व्यवहार करता है।

बाकी सभी जैसे CO, NO^+, और O_2 उपयुक्त lone pair या π-backbonding क्षमता के कारण लिगैंड बन सकते हैं।

अतः सही उत्तर है : C. BF_3.

38. (A): विलियमसन ईथर संश्लेषण में एक एल्कोक्साइड आयन (RO^-) और एक प्राथमिक एल्काइल हैलाइड (R–X) के बीच SN2 अभिक्रिया होती है :

$$RO^- + R' - X \rightarrow R - O - R' + X^-$$

यह विधि ईथर बनाने का प्रमुख तरीका है।

अतः सही उत्तर है : A. एल्काइल हैलाइड।

39. (A): जब फिनोल को जिंक डस्ट के साथ गरम किया जाता है, तो यह विऑक्सीकरण होकर हाइड्रोजन के जुड़ाव से बेंजीन बनाता है :

$$C_6H_5OH + Zn \xrightarrow{\text{heat}} C_6H_6 + ZnO$$

अतः सही उत्तर है : A. बेंजीन।

40. (A): $[Co(NH_3)_3Cl_3]$ एक अष्टफलकीय (octahedral) संकुल है और इसमें दो प्रकार के लिगैंड (NH_3 और Cl^-) हैं।

यह यौगिक geometrical isomerism दिखाता है (fac और mer रूपों में), लेकिन इसमें कोई chiral center नहीं है, इसलिए यह प्रकाशिक रूप से निष्क्रिय होता है।

अतः सही उत्तर है : A. $[Co(NH_3)_3Cl_3]$.

41. (B): क्षारीयता अम्लीयता की विपरीत होती है और यह उस अणु की क्षमता पर निर्भर करती है कि वह H^+ आयन को बाँध सके (प्रोटॉन स्वीकार कर सके)। अमोनिया (NH_3) एक क्षारीय अणु है, और यदि इसमें इलेक्ट्रॉन-डोनेटिंग समूह जुड़ते हैं, तो यह और अधिक क्षारीय बनता है।

- CH_3NH_2(methylamine) में CH_3 समूह +I प्रभाव द्वारा इलेक्ट्रॉन घनत्व को नाइट्रोजन की ओर बढ़ाता है, जिससे इसकी क्षारीयता NH_3 से अधिक हो जाती है।

- NH_3 (ammonia) इसकी तुलना में कम क्षारीय है।
- $C_6H_5NH_2$ (aniline) में नाइट्रोजन का lone pair बेंजीन रिंग के साथ delocalize हो जाता है, जिससे इसकी क्षारीयता कम हो जाती है।

अतः सही क्रम होगा : $CH_3NH_2 > NH_3 > C_6H_5NH_2$
सही उत्तर है : B.

42. (D): एक ऐसा विलयन जो पूरी सांद्रता सीमा पर Raoult's law का पालन करता है, उसे आदर्श विलयन (Ideal Solution) कहते हैं। इसमें विलायक और विलेय के अणुओं के बीच अंतःक्रिया उनके अपने-अपने अणुओं के समान होती है, और इसलिए कोई ऊष्मा परिवर्तन ($\Delta H_{mix} = 0$) या आयतन परिवर्तन नहीं होता।
अतः सही उत्तर है : D. आदर्श विलयन।

43. (D): मोलर चालकता तनुकरण के साथ बढ़ती है

- चालकता (Conductivity) = कुल आयनों की संख्या और गतिशीलता पर निर्भर करती है और यह सांद्रता बढ़ने पर घटती है।
- मोलर चालकता (Λ_m) = प्रति मोल इलेक्ट्रोलाइट के लिए चालकता।

जब विलयन को तनु किया जाता है, तो आयनों के बीच की पारस्परिक क्रिया घटती है, जिससे उनका गमन सरल होता है और मोलर चालकता बढ़ती है।
अतः सही उत्तर है : D. मोलर चालकता तनुकरण के साथ बढ़ती है।

44. (A): जब $K_2Cr_2O_7$ (डाइक्रोमेट) को KCl और सांद्र H_2SO_4 के साथ गर्म किया जाता है, तो यह क्रोमिल क्लोराइड (CrO_2Cl_2) गैस देता है, जो लाल रंग की होती है।

CrO_2Cl_2 जब KOH से अभिक्रिया करता है तो पीले रंग का क्रोमेट (K_2CrO_4) बनता है।

$A = K_2Cr_2O_7$, $B = CrO_2Cl_2$ (लाल गैस), $C = K_2CrO_4$ (पीला ठोस)

अतः सही उत्तर है : A.

45. (D): जल में घुलनशील विटामिन वे होते हैं जो शरीर में संग्रहीत नहीं होते और मूत्र द्वारा बाहर निकल जाते हैं।
इनमें शामिल हैं :

- विटामिन B समूह
- विटामिन C

विटामिन A, D, K सभी वसा में घुलनशील विटामिन हैं।
अतः सही उत्तर है : D. विटामिन C.

46. (A): किसी अणु के किरणीय (chiral) होने के लिए उसमें एक chiral center होना चाहिए–यानी ऐसा कार्बन जो चार भिन्न उपसंगों से जुड़ा हो।

- 2-प्रोपेनॉल (CH_3-CHOH-CH_3) में मध्यवर्ती कार्बन दो एक जैसे CH_3 समूहों से जुड़ा है, इसलिए यह अकाईरल (achiral) है।
- 2-ब्यूटेनॉल (CH_3-CHOH-CH_2CH_3) में चार भिन्न समूह होते हैं, यह काईरल है।
- ग्लूकोज और ब्रोमोक्लोरोफ्लोरोमीथेन दोनों में chiral centers हो सकते हैं।

अतः सही उत्तर है : A. 2-प्रोपेनॉल।

47. (B): यदि किसी विलयन की घुलन प्रक्रिया ऊष्माक्षेपी (exothermic) है, यानी $\Delta H_{sol} < 0$, तो Le Chatelier के नियम अनुसार, तापमान बढ़ाने से संतुलन पीछे की ओर जाएगा। इससे घुलनशीलता घटेंगी।
अतः सही उत्तर है : B. घटती है।

48. (D): पारा सेल (Mercury cell) एक प्राथमिक सेल है, यानी यह एक बार प्रयोग के बाद रिचार्ज नहीं किया जा सकता।
बाकी विकल्प सही हैं :

- लैक्लांशे सेल ट्रांजिस्टर जैसे उपकरणों में उपयोगी है।
- मर्करी सेल में KOH + ZnO इलेक्ट्रोलाइट होता है।
- लैक्लांशे सेल में $[Zn(NH_3)_4]^{2+}$ एक साइड प्रोडक्ट होता है।

अतः गलत कथन है : D.

49. (B): उत्प्रेरक किसी ऐसी प्रतिक्रिया की दर बढ़ाता है जो पहले से थर्मोडायनामिक रूप से संभव हो। लेकिन यह अप्रवर्तनीय (non-spontaneous) प्रतिक्रिया को spontaneous नहीं बनाता। इसलिए यह कथन गलत है।
बाकी सभी कथन सही हैं–

- उत्प्रेरक गिब्स ऊर्जा नहीं बदलता
- साम्यावस्था स्थिरांक नहीं बदलता
- आगे और पीछे की दोनों प्रतिक्रियाओं को समान रूप से गति देता है

अतः सही उत्तर है : B.

50. (B): एथेनॉल (CH_3CHO) जब एल्डोल संघनन से गुजरता है, तो दो अणु आपस में जुड़कर एक β-hydroxy aldehyde बनाते हैं :

$$2CH_3CHO \xrightarrow{NaOH} CH_3CH(OH)CH_2CHO$$

यह एल्डोल यौगिक है, जिसे बाद में डिहाइड्रेट कर α, β-unsaturated aldehyde बनाया जा सकता है।
अतः सही उत्तर है : B. $CH_3CH(OH)CH_2CHO$.

51. (B): अल्कोहल की अम्लता (-OH group) उस हाइड्रोजन आयन (H^-) को हटाने की प्रवृत्ति पर निर्भर करती है।
अम्लता का निर्धारण इस बात से होता है कि एल्कोक्साइड आयन (RO^+) कितनी अच्छी तरह से स्थिर हो सकता है :

- 1° (प्राथमिक) अल्कोहल में –R समूह का +I प्रभाव कम होता है → RO^- अधिक स्थिर
- 2° में +I प्रभाव थोड़ा अधिक → कम स्थिरता
- 3° (तृतीयक) में तीन R समूह का +I प्रभाव सबसे ज्यादा → RO^- सबसे कम स्थिर

कम स्थिर एल्कोक्साइड आयन = कमजोर अम्ल →
अम्लता का क्रम होता है : $3° < 2° < 1°$
इसलिए बढ़ते क्रम में : $3° < 2° < 1°$
⇒ विकल्प B. $3° > 2° > 1°$.

52. (A): अणुसंख्य गुण (colligative properties) वे होते हैं जो विलेय कणों की संख्या पर निर्भर करते हैं, न कि उनकी प्रकृति पर। इनमें शामिल हैं :

- क्वथनांक का उन्नयन
- हिमांक बिंदु का अवनमन
- परासरण दाब

वायु दाब में वृद्धि विलयन के रचाव से संबंधित नहीं है, यह बाहरी दशा है। अतः यह अणुसंख्य गुण नहीं है।
अतः सही उत्तर है : A. वायु दाब में वृद्धि।

53. (D): फ्लोरीन का मानक अपचयन विभव E° = +2.87 V है, जो अत्यधिक सकारात्मक है। इसका अर्थ है कि यह बहुत प्रबल ऑक्सीकारक है और इलेक्ट्रॉन ग्रहण कर फ्लोराइड आयन बनने की तीव्र प्रवृत्ति रखता है। इससे :

- फ्लोरीन गैस प्रबल ऑक्सीकारक है
- फ्लोराइड आयन कमजोर अपचायक है
- गैस की फ्लोराइड में अपचयन की उच्च प्रवृत्ति है

लेकिन यह कहना कि ऑक्सीकृत रूप अधिक स्थिर है–गलत है, क्योंकि फ्लोरीन का अपचयन अत्यधिक वांछनीय है, अतः फ्लोराइड आयन (अपचयित रूप) अधिक स्थिर है।
अतः सही उत्तर है : D.

54. (B): प्रथम कोटि अभिक्रिया की दर होती है :

$$\text{Rate} = k[\text{A}]$$

अर्धायु ($t_{1/2}$) का सूत्र :

$$t_{1/2} = \frac{0.693}{k}$$

यह A की प्रारंभिक सांद्रता पर निर्भर नहीं करता।
अतः सही उत्तर है : B. प्रारंभिक एकाग्रता से स्वतंत्र।

55. (B): संक्रमण धातुएँ जटिल यौगिक बनाती हैं क्योंकि :

- उनमें आंशिक रूप से भरे हुए d-ऑर्बिटल्स होते हैं
- ये ऑर्बिटल्स लिगेंड से आने वाले lone pair इलेक्ट्रॉनों को ग्रहण कर सकते हैं और समन्वय बंध बना सकते हैं

अन्य कारण (A और C) सहायक हो सकते हैं, लेकिन d-ऑर्बिटल्स की उपलब्धता प्रमुख कारण है।
अतः सही उत्तर है : B. d-ऑर्बिटल्स की उपलब्धता।

56. (B): $[Ni(CN)_4]^{2-}$ आयन में निकेल आयन का ऑक्सीकरण अवस्था +2 होती है।
Ni^{2+} की इलेक्ट्रॉनिक संरचना : [Ar] $3d^8$
CN^- एक strong field ligand है और यह pairing कराता है। इससे 3d ऑर्बिटल्स में pairing हो जाती है और एक खाली d-orbital निकलता है, जिसे CN^- लिगेंड के साथ उपयोग किया जा सकता है।
4 लिगेंड हैं → चार समन्वय → समतलीय रचना
इसलिए संकरण होगा : dsp^2. अतः सही उत्तर है : B. dsp^2.

57. (C): Finkelstein Reaction एक SN2 अभिक्रिया है जिसमें प्राथमिक एल्काइल हैलाइड (जैसे एथिल ब्रोमाइड या एथिल क्लोराइड) को NaI के साथ एसीटोन में गर्म कर एल्काइल आयोडाइड में बदला जाता है।
R – Br + NaI → R – I + NaBr
अतः सही उत्तर है : C. एथिल आयोडाइड।

58. (D): सिरका (Vinegar) एक पतला एसिटिक एसिड (CH_3COOH) का विलयन होता है, जिसकी सांद्रता लगभग 4-8% होती है।
अतः सही उत्तर है : D. एसिटिक एसिड।

59. (C): कैथोड पर अपचयन होता है
गैल्वेनिक सेल में :

- ऑक्सीकरण एनोड पर होता है
- अपचयन कैथोड पर होता है
- इलेक्ट्रॉन एनोड से कैथोड की ओर प्रवाहित होते हैं
- लवण सेतु आयनों को स्थानांतरित करता है, न कि इलेक्ट्रॉनों को

अतः सही उत्तर है : C. कैथोड पर अपचयन होता है।

60. (B): यदि वेग स्थिरांक की इकाई है :

$$\text{L mol}^{-1}\ \text{s}^{-1}$$

तो यह द्वितीय कोटि (second order) अभिक्रिया की होती है, क्योंकि :
General formula:

- 1st order: s^{-1}
- 2nd order: $L\ mol^{-1}\ s^{-1}$
- 3rd order: $L^2\ mol^{-2}\ s^{-1}$

अतः सही उत्तर है : B. 2.

61. (B): चुंबकीय आघूर्ण (Magnetic moment) का मान इलेक्ट्रॉनों की संख्या पर आधारित होता है :

$$\mu = \sqrt{n(n+2)}\ \text{B.M.}$$

जहाँ n = अपविन्यस्त (unpaired) इलेक्ट्रॉनों की संख्या।
Fe का परमाणु क्रमांक = 26

- $Fe^{2+} \rightarrow 3d^6 \rightarrow$ 4 unpaired electrons
  $\rightarrow \mu = \sqrt{4(4+2)} = \sqrt{24} \approx 4.9$
- $Fe^{3+} \rightarrow 3d^5 \rightarrow$ 5 unpaired electrons
  $\rightarrow \mu = \sqrt{5(5+2)} = \sqrt{35} \approx 5.92$

अतः सही उत्तर है : B. Fe^{3+}.

62. (C): Scandium (Sc) का परमाणु क्रमांक
$= 21 \rightarrow [Ar]\ 3d^1\ 4s^2$
Sc^{3+} आयन में सभी d-इलेक्ट्रॉन निकल जाते हैं → d^0 संरचना होती है।
d^0 संरचना वाले आयन रंगहीन होते हैं क्योंकि d–d ट्रांज़िशन नहीं हो पाता। बाकी सभी में कम-से-कम एक d-इलेक्ट्रॉन होता है → रंगीन होते हैं।
अतः सही उत्तर है : C. Sc^{3+}.

63. (B): केंद्र धातु : Co
लिगैंड : 4 NH_3 (tetraammine), 1 H_2O (aqua), 1 Cl^- (chloro)
ऑक्सीडेशन संख्या :
$x + 4(0) + 0 + (-1) = +2 \Rightarrow x = +3$
बाहर के दो Cl^- counter ions हैं → नाम के अंत में 'chloride' जोड़ा जाएगा।
IUPAC नाम होगा :
Tetraammineaquachlorocobalt (III) chloride
अतः सही उत्तर है : B.

64. (A): Wurtz reaction में दो एल्काइल हैलाइड को सोडियम धातु की उपस्थिति में शुष्क ईथर में गरम करके एक उच्च एल्केन प्राप्त किया जाता है :
$$2R - X + 2Na \xrightarrow{\text{dry ether}} R - R + 2NaX$$
अतः सही उत्तर है : A.

65. (C): मोहर लवण का रासायनिक नाम है :
Ferrous Ammonium Sulfate —
$FeSO_4 \cdot (NH_4)_2SO_4 \cdot 6H_2O$
यह हरे रंग का क्रिस्टलीय ठोस होता है और यह Fe^{2+} (फेरस) आयन पर आधारित होता है।
अतः सही उत्तर है : C. फेरस अमोनियम सल्फेट।

66. (C): अधिकतम ऑक्सीकरण अवस्था उस स्थिति को कहते हैं जिसमें कोई तत्व अधिकतम संख्या में इलेक्ट्रॉन खो देता है।

- Fe की अधिकतम ऑक्सीकरण अवस्था +6 होती है (कम ही देखी जाती है)।
- Cr की अधिकतम ऑक्सीकरण अवस्था +6 (जैसे CrO_3)।
- Mn की अधिकतम ऑक्सीकरण अवस्था +7 होती है (जैसे $KMnO_4$ में)।
- Cu की अधिकतम ऑक्सीकरण अवस्था +2 (अधिकतम) है।

अतः सबसे अधिक ऑक्सीकरण अवस्था दर्शाने वाला तत्व है : C. Mn.

67. (D): AUG कोडॉन मेथियोनीन अमीनो एसिड को कोड करता है। साथ ही यह स्टार्ट कोडॉन के रूप में कार्य करता है, जिससे प्रोटीन संश्लेषण शुरू होता है।

- UAA: Stop codon
- GUA: Valine
- AGU: Serine

अतः सही उत्तर है : D. AUG.

68. (C): Monosomy एक प्रकार की आनुवंशिक असामान्यता है जिसमें एक क्रोमोजोम की जोड़ी में से एक अनुपस्थित होता है।

- Turner Syndrome (XO): केवल एक X क्रोमोजोम होता है → मोनोसोमी
- Down Syndrome: Trisomy 21
- Klinefelter Syndrome: XXY
- Edward Syndrome: Trisomy 18

अतः सही उत्तर है : C. टर्नर सिंड्रोम।

69. (B): Embryological support for evolution सबसे पहले Ernst Haeckel ने प्रस्तावित किया था। उन्होंने 'Biogenetic Law' दिया—'ontogeny recapitulates phylogeny', जिसका अर्थ है भ्रूण विकास क्रमिक विकास का पुनरावृत्त रूप होता है।
अतः सही उत्तर है : B. अर्नस्ट हेकेल।

70. (A): Promoter site वह डीएनए अनुक्रम होता है जहाँ RNA polymerase एंजाइम जुड़ता है और ट्रांसक्रिप्शन शुरू करता है।

- Operator site: Repressor protein का binding site (prokaryotes)
- Terminator site: ट्रांसक्रिप्शन रोकने का संकेत
- Structural site: वे जीन जो mRNA में ट्रांसक्रिप्ट होते हैं

अतः सही उत्तर है : A. प्रमोटर साइट।

71. (C): लेडिग कोशिकाएँ (Leydig cells), जिन्हें अंतरालीय कोशिकाएँ भी कहा जाता है, वृषण (testis) में पाई जाती हैं और ये एण्ड्रोजन हार्मोन जैसे टेस्टोस्टेरोन का स्रव करती हैं।

- सर्टोली कोशिकाएँ : शुक्रजनन को सहारा देती हैं
- शुक्राणु : प्रजनन कोशिकाएँ हैं, हार्मोन नहीं बनाते

अतः सही उत्तर है : C. लेडिग कोशिकाएँ।

72. (C): Hershey and Chase का प्रयोग (1952) बैक्टीरियोफेज वायरस पर आधारित था जिसमें उन्होंने रेडियोधर्मी लेबलिंग का प्रयोग कर यह दिखाया कि वायरस केवल DNA को ही जीवाणु कोशिकाओं में प्रविष्ट कराता है और वही आनुवंशिक पदार्थ होता है।
अतः सही उत्तर है : C. हर्षे और चेस।

73. (B): मानव जीनोम परियोजना (Human Genome Project) के अनुसार, मानव DNA में लगभग 20,000 से 25,000 प्रोटीन-कोडिंग जीन होते हैं।
अतः सही उत्तर है : B. 20000–25000.

74. (B): LH (Luteinizing Hormone) स्त्रियों में ओव्यूलेशन को उत्तेजित करता है, यानी अंडाशय से अंडाणु का निकलना।

- FSH: ग्राफियन फॉलिकल के विकास के लिए

- प्रोलैक्टिन : दुग्ध स्राव के लिए
- ऑक्सीटोसिन : प्रसव और दूध निकालने में सहायक

अतः सही उत्तर है : B. ल्यूटिनाइजिंग हार्मोन।

75. (A): HIV वायरस मुख्य रूप से CD4+ T हेल्पर कोशिकाओं को संक्रमित करता है, जिससे रोग प्रतिरोधक क्षमता कमजोर हो जाती है। T cytotoxic cells और macrophages भी प्रभावित हो सकते हैं, लेकिन प्राथमिक लक्ष्य T helper cells होते हैं। अतः सही उत्तर है : A. टी हेल्पर कोशिकाएँ।

76. (C): शहद की मक्खी (Honey bee) में लिंग निर्धारण haplodiploidy प्रणाली से होता है :

- अनिषेचित अंडे (haploid) → ड्रोन (नर) बनते हैं
- इषेचित अंडे (diploid) → रानी या श्रमिक (मादा) बन सकते हैं

अतः सही उत्तर है : C. केवल ड्रोन।

77. (B): ρ (Rho) factor एक प्रोटीन है जो प्रोकैरियोट्स में अनुलेखन (transcription) की समाप्ति में सहायता करता है।

- σ (सिग्मा) फैक्टर : प्रमोटर पहचान और अनुलेखन की शुरुआत के लिए
- α और β उपइकाइयाँ : RNA polymerase के हिस्से होते हैं, लेकिन समाप्ति से संबंधित नहीं हैं

अतः सही उत्तर है : B. ρ (रो) कारक।

78. (B): ट्यूबेक्टॉमी एक महिला नसबंदी (female sterilization) की प्रक्रिया है जिसमें फैलोपियन ट्यूब को काटकर या बाँधकर अंडाणु के निषेचन को रोका जाता है।
विकल्प A. वासेक्टॉमी (पुरुषों में) का वर्णन है
अतः सही उत्तर है : B. फैलोपियन ट्यूब का छोटा हिस्सा निकाल दिया जाता है या बाँध दिया जाता है।

79. (A): थैलेसीमिया एक ऑटोसोमल रिसेसिव (apraabhavi) अनुवांशिक विकार है जिसमें हीमोग्लोबिन के निर्माण में गड़बड़ी होती है। हीमोफीलिया, रंग अंधता, ड्यूचेन मस्कुलर डिस्ट्रॉफी—ये सभी X-गुणसूत्रीय (sex-linked) विकार हैं।
अतः सही उत्तर है : A. थैलेसीमिया।

80. (A): जीनों के बीच recombination frequency जितनी अधिक होती है, वे जीन एक-दूसरे से उतनी ही दूर होते हैं। यह सिद्धांत linkage map या genetic map निर्माण में प्रयोग होता है।
1% recombination = 1 map unit = 1 cM (centimorgan)
अतः सही उत्तर है : A. पुनर्संयोजन आवृत्ति दो जीन के बीच की दूरी के सीधे आनुपातिक होती है।

81. (B): DNA-dependent DNA polymerase नया DNA स्ट्रैंड केवल 5′ → 3′ दिशा में ही बना सकता है। यह दिशा उस नए स्ट्रैंड के लिए होती है जो बन रहा होता है, जबकि टेम्पलेट स्ट्रैंड विपरीत दिशा (3′ → 5′) में पढ़ा जाता है।
अतः सही उत्तर है : B. 5′ से 3′ दिशा।

82. (B): मेंडल का पृथक्करण का नियम (Law of Segregation) कहता है कि युग्मक निर्माण के समय प्रत्येक जीन के दो एलील अलग हो जाते हैं और एक युग्मक में एक ही एलील जाता है। यह नियम हर जीन पर लागू होता है, चाहे एक या दो लक्षण हों।
अतः सही उत्तर है : B. पृथक्करण का नियम।

83. (D): हिस्टोन प्रोटीन में धनावेशित (positively charged) अमीनो अम्ल प्रचुर मात्रा में होते हैं, खासकर लाइसिन (Lysine) और आर्जिनिन (Arginine)।
ये DNA के ऋणावेशित फॉस्फेट समूह के साथ आयनिक बंध बनाकर DNA को न्यूक्लियोसोम में बांधते हैं।
अतः सही उत्तर है : D. लाइसिन और आर्जिनिन।

84. (C): परिपक्व एंजियोस्पर्म भ्रूण थैली में 7 कोशिकाएँ होती हैं जिनमें कुल 8 केन्द्रक (nuclei) होते हैं :

- 1 egg cell
- 2 synergids
- 3 antipodals
- 1 central cell with 2 polar nuclei

इसलिए यह रचना होती है : 7 कोशिकाएँ, 8 केन्द्रक
अतः सही उत्तर है : C. 8 केन्द्रकयुक्त 7 कोशिका वाली।

85. (C): केंचुआ (Earthworm) मृत और अपघटित कार्बनिक पदार्थों का उपभोग करता है। इसलिए इसे अपरदभक्षी (Detritivore) कहा जाता है।
यह मृदा की उर्वरता बनाए रखने में महत्त्वपूर्ण भूमिका निभाता है।
अतः सही उत्तर है : C. अपरदभक्षी।

86. (B): कमेन्सलिस्म (Commensalism) वह पारिस्थितिक अंतःक्रिया है जिसमें एक प्रजाति को लाभ होता है जबकि दूसरी प्रजाति को न तो हानि होती है और न लाभ।
उदाहरण : गाय के चारों ओर उड़ती बगुले जैसी चिड़ियाँ जो कीड़े खाती हैं, पर गाय पर कोई प्रभाव नहीं होता।
अतः सही उत्तर है : B. कमेन्सलिस्म।

87. (A): डोडो पक्षी (Raphus cucullatus) मॉरीशस का एक उड़ान रहित पक्षी था, जो अब पूरी तरह से विलुप्त (Extinct) हो चुका है। इसका आखिरी रिकॉर्ड 17वीं शताब्दी में पाया गया था।
अतः सही उत्तर है : A. विलुप्त प्रजाति।

88. (B): PCR (Polymerase Chain Reaction) एक जैवप्रौद्योगिक तकनीक है जिसका उपयोग DNA के विशिष्ट अनुक्रम की कई प्रतियाँ (amplification) बनाने के लिए किया जाता है।

- DNA फिंगरप्रिंटिंग : DNA तुलना
- ELISA : प्रोटीन/एंटीजन जांच
- साउदर्न ब्लॉट : DNA अनुक्रमण की पुष्टि

अतः सही उत्तर है : B. पीसीआर।

89. (B): प्रश्न में कहा गया है : "एक ही कार्य के लिए विकसित होने वाली विभिन्न संरचनाएँ"–इसका अर्थ है कि अलग-अलग जीवों में जो संरचनाएँ विकास के दौरान बनी हैं, वे दिखने या उत्पत्ति में भिन्न हैं (analogous structures), लेकिन उनका कार्य समान है। यह स्थिति दर्शाती है : अभिसारी विकास (Convergent Evolution)--जिसमें अलग-अलग वंश वाले जीवों में समान कार्य के लिए समान प्रकार की कार्यात्मक संरचनाएँ स्वतंत्र रूप से विकसित हो जाती हैं।

उदाहरण :

- पक्षी का पंख
- चमगादड़ का पंख
- कीटों का पंख

इन सभी में संरचना अलग है, लेकिन कार्य (उड़ना) एक जैसा है। इसकी तुलना में, अपसारी विकास (Divergent Evolution) में समान पूर्वज से उत्पन्न संरचनाएँ विभिन्न कार्यों के लिए अनुकूलित होती हैं (जैसे मनुष्य का हाथ, व्हेल का फिन)–जो यहाँ उपयुक्त नहीं है।

अतः सावधानीपूर्वक विश्लेषण के बाद सही उत्तर है : B. अभिसारी विकास।

90. (A): Cyclosporin A एक शक्तिशाली इम्यूनोसप्रेसिव एजेंट है जिसका उपयोग अंग प्रतिरोपण (organ transplantation) में किया जाता है ताकि शरीर नये अंग को अस्वीकार न करे। यह T-सेल की गतिविधि को रोकता है।

अतः सही उत्तर है : A. इम्यूनोसप्रेसिव एजेंट।

91. (B): एक्स सिटू संरक्षण (Ex situ conservation) का अर्थ है जीवों का संरक्षण उनके प्राकृतिक आवास के बाहर।

- प्राणी उद्यान (Zoo): जानवरों को संरक्षित पर्यावरण में रखा जाता है
- अभयारण्य, राष्ट्रीय उद्यान और बायोस्फीयर रिजर्व सभी इन सिटू संरक्षण के उदाहरण हैं

अतः सही उत्तर है : B. प्राणी उद्यान।

92. (B): रोजी पहली ट्रांसजेनिक गाय थी जिसने मानव अल्फा-लैक्टलबुमिन (Human alpha-lactalbumin) नामक प्रोटीन से समृद्ध दूध उत्पादित किया। यह बच्चों के लिए पोषण को बेहतर बनाने के उद्देश्य से विकसित की गई थी।

अतः सही उत्तर है : B. मानव अल्फा-लैक्टलबुमिन।

93. (D): टेपेटम (Tapetum) परागकोश की सबसे भीतरी परत होती है और यह विकासशील पराग कणों (pollen grains) को पोषण प्रदान करती है। यह कोशिकाएँ एंजाइम और पोषक तत्व बनाकर माइक्रोस्पोरों की वृद्धि में सहायक होती हैं।

अतः सही उत्तर है : D. टेपेटम।

94. (A): Microsporum एक प्रकार का डर्मेटोफाइट फंगस है जो त्वचा, बाल और नाखूनों को संक्रमित करता है और रिंगवर्म (Ringworm) जैसे चर्म रोग का कारण बनता है।

अतः सही उत्तर है : A. रिंग वर्म।

95. (A): Bt toxin एक प्रोटीन है जो Bacillus thuringiensis नामक जीवाणु से उत्पन्न होता है। इस टॉक्सिन को cry gene इनकोड करता है और यह कीटों की आंत में जाकर उन्हें मारता है। Bt cotton जैसे फसलों में यही जीन डाला गया है।

अतः सही उत्तर है : A. क्राई जीन द्वारा।

96. (B): हार्डी-वेनबर्ग संतुलन तभी बना रहता है जब निम्न शर्तें पूरी हों :

- कोई उत्परिवर्तन नहीं
- कोई आप्रवासन/प्रवासन नहीं
- कोई प्राकृतिक वरण नहीं
- बहुत बड़ी जनसंख्या
- यादृच्छिक संभोग

आप्रवासन से नई जनसंख्या में नए एलील जुड़ जाते हैं, जिससे संतुलन बिगड़ जाता है।

अतः सही उत्तर है : B. आप्रवासन।

97. (A): स्थानिक प्रजातियाँ (Endemic species) वे होती हैं जो केवल एक विशेष भौगोलिक क्षेत्र में पाई जाती हैं और विश्व में अन्य कहीं नहीं मिलतीं।

उदाहरण : निकोबार द्वीप की कुछ पक्षी प्रजातियाँ

अतः सही उत्तर है : A. स्थानिकता प्रजातियाँ।

98. (B): समुद्र में उत्पादक (phytoplankton) की बायोमास बहुत कम होती है लेकिन उनके ऊपर आश्रित उपभोक्ताओं (zooplankton और मछलियों) की बायोमास अपेक्षाकृत अधिक होती है। इसलिए बायोमास का पिरामिड समुद्री पारिस्थितिकी तंत्र में उल्टा होता है।

अतः सही उत्तर है : B. उल्टा।

99. (C): कोकेन (Cocaine) एक मादक पदार्थ है जो डोपामाइन के रिसेप्टर पर प्रभाव डालता है। यह डोपामाइन के रीअपटेक को अवरुद्ध करता है, जिससे यह न्यूरोट्रांसमीटर सिनेप्स में जमा हो जाता है और उत्तेजना का अनुभव लंबे समय तक बना रहता है।

अतः सही उत्तर है : C. डोपामाइन।

100. (B): Streptokinase एक एंजाइम है जो ब्लड क्लॉट (रक्त थक्का) को घोलने के लिए प्रयोग किया जाता है, विशेषकर दिल के दौरे (heart attack) के मामलों में। यह प्लास्मिनोजन को प्लास्मिन में बदलता है जो थक्कों को विघटित करता है।

अतः सही उत्तर है : B. स्ट्रेप्टोकाइनेज।

B.Sc. नर्सिंग—जनरल नर्सिंग एंड मिडवाइफरी

भर्ती परीक्षा, 2024

(Exam held on 09-09-2024)

भौतिक विज्ञान

1. एक हाइपरमेट्रोपिक व्यक्ति जिसका निकट बिंदु 0.75 मीटर की दूरी पर है, +2.5 D पावर वाला चश्मा पहनता है। इस व्यक्ति के लिए नया निकट बिंदु क्या होगा?

A. –0.75 मीटर B. –0.83 मीटर
C. 0.26 सेमी. D. –0.26 मीटर

2. दो गोले, जिन पर आवेश +6 μC और +9 μC है, एक दूसरे से *d* दूरी पर हैं, और एक प्रतिकर्षण बल F अनुभव करते हैं। जब –3 μC का आवेश दोनों गोलों को दिया जाए और पहले के समान दूरी पर रखा जाए तो नया प्रतिकर्षण बल है :

A. 3F B. $\frac{F}{9}$
C. F D. $\frac{F}{3}$

3. एक लम्बे सोलेनोइड का स्वप्रेरण बढ़ नहीं सकता है इससे :

A. इसकी अनुप्रस्थ काट का क्षेत्रफल बढ़ाने से
B. इसकी लम्बाई बढ़ाने से
C. माध्यम को बदलते हुए अधिक भेद्यता के साथ
D. इसमें चक्करों की संख्या बढ़ाने से

4. तीन प्रतिरोध P, Q, R प्रत्येक 2 Ω और एक अज्ञात प्रतिरोध S व्हीटस्टोन सेतु सर्किट की चार भुजाएँ बनाते हैं। जब 6 Ω का प्रतिरोध S के समान्तर क्रम में जोड़ा जाता है, तो सेतु संतुलित हो जाता है। S का मान क्या है?

A. 2 Ω B. 3 Ω
C. 6 Ω D. 1 Ω

5. एक चल कुण्डल धारामापी में प्रभावी क्षेत्र A की कुण्डली में फेरों की संख्या N होती है, इसमें I धारा प्रवाहित होती है। चुंबकीय क्षेत्र **B** है। कुण्डली पर कार्यरत बल आघूर्ण क्या होगा?

A. NA^2B^2I B. $NABI^2$
C. N^2ABI D. NIAB

6. एक सीधे चालक का स्वप्रेरकत्व क्या होता है?

A. शून्य B. बहुत बड़ी
C. अनंत D. बहुत छोटी

7. एक आयताकार कुण्डली जिसकी लम्बाई 0.12 मी. और चौड़ाई 0.1 मी. है। इसमें 50, तार के घूर्णन (टर्न) हैं, को एक एकसमान चुम्बकीय क्षेत्र, जिसकी तीव्रता 0.2 वेबर/मी^{2} है, में ऊर्ध्वाधर लटका दिया जाता है। कुण्डली में 2A की धारा बहती है। यदि कुण्डली का तल, क्षेत्र की दिशा से 30° का कोण बनाता है तो घूर्णन के लिए आवश्यक बल, जो कुण्डली को स्थिर साम्यावस्था में रख सके, होगा :

A. 0.20 Nm B. 0.24 Nm
C. 0.12 Nm D. 0.15 Nm

8. एक चुम्बक को एकसमान चुम्बकीय क्षेत्र के लम्बवत् रखा गया है। यदि चुम्बक पर कार्य करने वाले युग्म को घुमाकर आधा कर दिया जाए, तो वह कोण बताइए जिससे इसको घुमाया गया है :

A. 30° B. 45°
C. 60° D. 90°

9. एक तार का प्रतिरोध 20°C पर 20 Ω और 500°C पर 60 Ω है। किस तापमान पर इसका प्रतिरोध 25 Ω है?

A. 160°C B. 250°C
C. 100°C D. 80°C

10. एक माइक्रो आमीटर, 100 μA पर फुल स्केल डिफ्लेक्शन देता है। इसका प्रतिरोध 2 kΩ है। इसको एक 1 V रीडिंग के वोल्टमीटर में बदलने के लिए आवश्यक प्रतिरोध है :

A. श्रेणी में 1 kΩ B. श्रेणी में 8 kΩ
C. समांतर में 1 kΩ D. समांतर में 8 kΩ

1. D **2.** D **3.** B **4.** B **5.** D **6.** A **7.** C **8.** C **9.** D **10.** B

11. यदि एक हाइड्रोजन परमाणु में n इलेक्ट्रॉन का कक्ष क्रमांक है, तो निम्नलिखित में से सही कथन है :

A. जैसे ही n बढ़ता है, तो इलेक्ट्रॉन की ऊर्जा बढ़ती है
B. $n = \infty$ से $n = 1$ के इलेक्ट्रॉन स्थानांतर में हाइड्रोजन इन्फ्रारेड किरणें उत्सर्जित होती हैं
C. $n = 1$ के लिए इलेक्ट्रॉन ऊर्जा शून्य है
D. n^2 के साथ इलेक्ट्रॉन ऊर्जा परिवर्तित होती है

12. X-किरणें हैं :

A. इलेक्ट्रॉन की लहरें
B. धनात्मक रूप से आवेशित कणों की लहरें
C. उच्च आवृत्ति की विद्युत चुम्बकीय विकिरण
D. अनआवेशित कणों की लहरें

13. चुंबकीय याम्योत्तर क्या है?

A. बिन्दु B. क्षैतिज तल
C. ऊर्ध्वाधर तल D. N-S के अनुदिश रेखा

14. 10 मीटर की दूरी से अलग 13.6×10^{-3} C के दो समान और विपरीत ध्रुवीय आवेशों के विद्युत द्विध्रुवीय आघूर्ण की गणना करें।

A. 13.6×10^{-3} कूलॉम मीटर
B. 136×10^{-3} कूलॉम मीटर
C. 1.36×10^{-3} कूलॉम मीटर
D. 0.36×10^{-3} कूलॉम मीटर

15. जब किसी वस्तु को पृथ्वी से जोड़ा जाए तो पृथ्वी से वस्तु की ओर इलेक्ट्रॉन का प्रवाह होता है। इसका तात्पर्य है कि वस्तु :

A. अनावेशित है B. धनावेशित है
C. ऋणावेशित है D. कुचालक है

16. एक अर्द्धचालक जिसका बैंड गेप 2.5 eV है, में से p-n फोटोडायोड को निकाला जाता है, एक तरंगदैर्ध्य है :

A. 6000 Å B. 6000 nm
C. 4000 nm D. 5000 Å

17. आउटपुट $y = 1$ प्राप्त करने के लिए A, B व C के मान क्या होंगे?

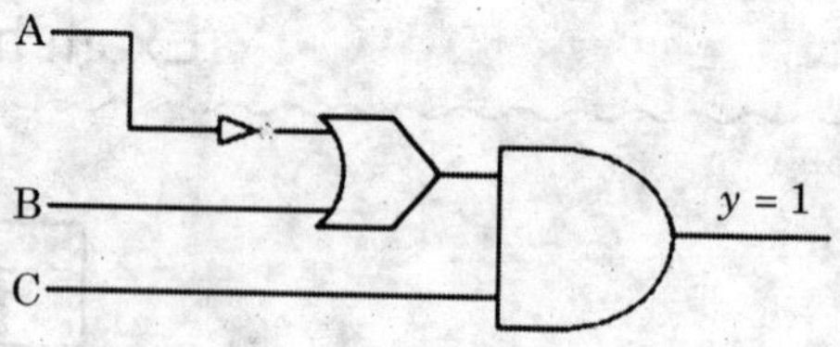

A. A = 0, B = 1, C = 0
B. A = 1, B = 0, C = 1
C. A = 1, B = 1, C = 0
D. A = 0, B = 1, C = 1

18. नाभिक में प्रोटॉन के साथ पाया जाने वाला न्यूट्रल कण कौन-सा है?

A. इलेक्ट्रॉन B. न्यूट्रिनो
C. न्यूट्रॉन D. पॉजिट्रॉन

19. यदि हाइड्रोजन अणु की प्रथम कक्षा में त्रिज्या 0.53° Å है, तो तीसरी कक्षा में त्रिज्या होगी :

A. 4.77 Å B. 2.12 Å
C. 1.59 Å D. 2.15 Å

20. हाइड्रोजन अणु के लिए द्वितीय उत्तेजित अवस्था एवं प्रथम उत्तेजित अवस्था में त्रिज्याओं का अनुपात क्या होगा?

A. 4 : 1 B. 2 : 1
C. 9 : 4 D. 3 : 2

रसायन विज्ञान

21. ऑरलॉन निम्नलिखित में से किस यौगिक के बहुलकीकरण से बनता है?

A. विनाइल क्लोराइड B. टेट्राफ्लुओरोएथिलीन
C. एक्रिलोनाइट्राइल D. स्टाइरीन

22. निम्नलिखित में से किसमें 42% फ्रुक्टोज, 50% ग्लूकोज, 6% माल्टोज और 2% माल्टोट्रोज होता है?

A. ग्लूकोज आइसोमेरेज
B. लाइपेज
C. एक्रिलामाइड
D. फ्रुक्टोज

23. एसिटानिलाइड के नाइट्रेशन के बाद हाइड्रोलिसिस देता है :

A. o-नाइट्रो ऐनिलीन B. p-नाइट्रो ऐनिलीन
C. o व p-नाइट्रो ऐनिलीन D. o-नाइट्रो ऐनिलीनियम आयन

24. जटिल यौगिक $[Co(NH_3)_3NO_2ClCN]$ का नाम है :

A. ट्राईएमीनक्लोरोसायनोनाइट्रो कोबाल्ट (III)
B. नाइट्रोक्लोरोसायनोट्राईएमीन कोबाल्ट (III)
C. सायनोनाइट्रोक्लोरोट्राईएमीन कोबाल्ट (III)
D. ट्राईएमीन नाइट्रोक्लोरोसायनो कोबाल्ट (III)

25. $[Cr(H_2O)_6]^{3+}$ संकुल आयन में Cr की समन्वय संख्या है :

A. 0 B. 3
C. 6 D. 2

11. A	**12.** C	**13.** C	**14.** B	**15.** B	**16.** D	**17.** D	**18.** C
19. A	**20.** C	**21.** C	**22.** A	**23.** C	**24.** A	**25.** C	

26. ऐल्किल हैलाइड को कार्बन परमाणुओं की समान संख्या वाले 1° ऐमीनो में बदलने के लिए निम्नलिखित में से कौन-सी विधि सर्वाधिक उपयुक्त है?

A. अमोनिया के साथ प्रतिक्रिया

B. सैंडमेयर प्रतिक्रिया

C. हॉफमैन ब्रोमामाइड प्रतिक्रिया

D. गैब्रियल थैलिमाइड संश्लेषण

27. आइसोटोनिक विलयनों के लिए .... समान होना चाहिए।

A. तापमान B. दाब

C. आयतन D. श्यानता

28. किण्वन विधि द्वारा स्टार्च से एथेनॉल के निर्माण में कुछ मात्रा में एक द्रव जिसे 'फ्यूजेल तेल' कहते हैं, प्राप्त होता है। यह किसका रासायनिक मिश्रण होता है?

A. प्रोपिल ऐल्कोहॉल, आइसोब्यूटिल ऐल्कोहॉल, सक्रिय ऐमिल ऐल्कोहॉल और आइसोपेन्टिल ऐल्कोहॉल के आधिक्य का

B. प्रोपिल ऐल्कोहॉल, आइसोप्रोपिल ऐल्कोहॉल और आइसोपेंटिल ऐल्कोहॉल का

C. मेथेनॉल, एथेनॉल और 1-प्रोपेनॉल का

D. मेथेनैल, एथेनैल और प्रोपेनैल का

29. विद्युत अपघटन के संबंध में गलत कथन चुनें :

A. विद्युत प्रवाहित करने से विद्युत अपघट्य का अपघटन होता है।

B. आवेश को विद्युत अपघट्य युक्त जलीय विलयन या पिघली हुई अवस्था से गुजारा जाता है।

C. इलेक्ट्रोड पर एक रासायनिक प्रतिक्रिया होती है।

D. विद्युत अपघट्य का अपघटन ऊष्मा प्रदान करके तापमान बढ़ाने से होता है।

30. सही विकल्पों का मिलान करें।

(*i*) ड्राई सेल	(*a*) कैलकुलेटर
(*ii*) लीड स्टोरेज बैटरी	(*b*) ऑटोमोबाइल और इन्वर्टर
(*iii*) रूबेन-मैलोरी कोशिका	(*c*) NH_4Cl और $ZnCl_2$
(*iv*) निकैड कोशिकाएं	(*a*) मरकरी ऑक्साइड और KOH

	(*i*)	(*ii*)	(*iii*)	(*iv*)
A.	(*a*)	(*d*)	(*b*)	(*c*)
B.	(*d*)	(*b*)	(*c*)	(*a*)
C.	(*c*)	(*b*)	(*d*)	(*a*)
D.	(*a*)	(*c*)	(*d*)	(*b*)

31. कॉपर का सर्वाधिक सामान्य अयस्क है :

A. Cu_2S B. $CuFeS_2$

C. $CuCO_3 . Cu(OH)_2$ D. Cu_5FeS_4

32. लेन्थेनाइड संकुचन से :

A. घनत्व में कमी होती है

B. द्रव्यमान में कमी होती है

C. आयनिक त्रिज्या में कमी होती है

D. रेडियोएक्टिवता में कमी होती है

33. लेन्थेनाइड संकुचन किसके लिए उत्तरदायी है?

A. Zr व Y की लगभग समान त्रिज्या

B. Zr व Nb की समान ऑक्सीकरण अवस्था

C. Zr व Hf की लगभग समान त्रिज्या

D. Zr व Zn की समान ऑक्सीकरण अवस्था

34. निम्न में से कौन एक एक्टिनाइड नहीं है?

A. क्यूरियम B. कैलिफोर्नियम

C. यूरेनियम D. टर्बियम

35. निम्नलिखित में से कौन-सा आयन युग्म वह है जिसमें दोनों आयनों में अयुग्मित इलेक्ट्रॉन होते हैं?

A. Cr^{3+}, Co^{2+} B. Sc^{3+}, Cr^{3+}

C. $Cu^+; Fe^{3+}$ D. Mn^{2+}, Cu^+

36. निम्न में डाइएथिल ईथर का समावयवी कौन-सा है?

A. $(CH_3)_3COH$ B. $(CH_3)CHO$

C. C_3H_7OH D. $(C_2H_5)_2CHOH$

37. 343 K पर $CHCl_3$ और जलीय NaOH के साथ फिनोल की प्रतिक्रिया में, रिंग पर हमला करने वाला इलेक्ट्रोफाइल कौन-सा है?

A. $CHCl_3$ B. $CHCl_2$

C. CCl_2 D. $COCl_2$

38. निम्नलिखित में से कौन फिंकेलस्टीन प्रतिक्रिया का प्रतिनिधित्व करता है?

A. $R\text{-}X + NaI \longrightarrow R\text{–}I + NaX$

B. 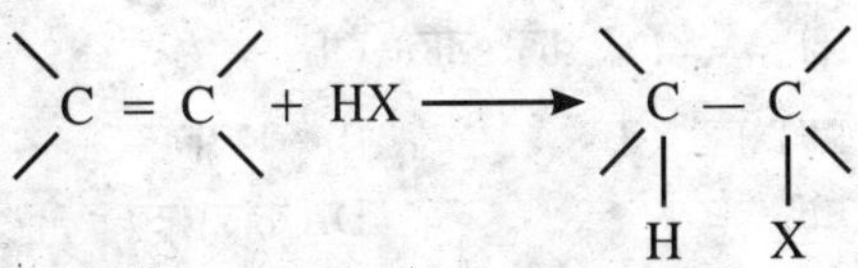

C. 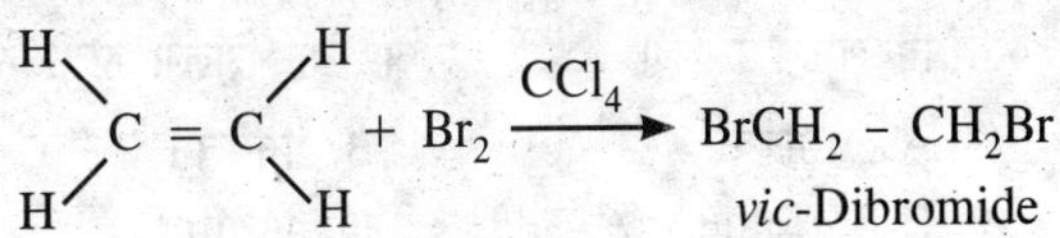

vic-Dibromide

D. 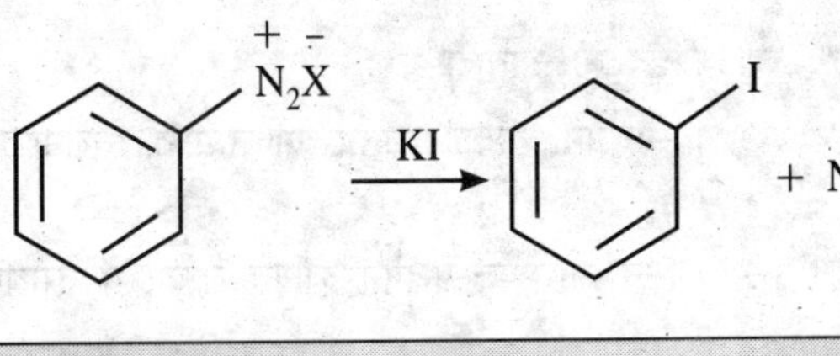

26. D	**27.** B	**28.** A	**29.** D	**30.** C	**31.** B	**32.** C
33. C	**34.** D	**35.** A	**36.** A	**37.** B	**38.** A	

39. संयोजकता बंधन सिद्धांत के अनुसार, $[Ni(CN)_4]^{2-}$ का संकरण और चुंबकीय व्यवहार क्या है?

A. sp^3, अनुचुंबकीय B. dsp^2, प्रति-चुंबकीय

C. sp^3d^2, अनुचुंबकीय D. d^2sp^2, प्रति-चुंबकीय

40. निम्नलिखित में से कौन-सा दोहरा नमक (डबल साल्ट) है?

A. पोटैशियम फेरिसाइनाइड $K_3[Fe(CN)_6]$

B. मोहर सॉल्ट (Mohr's salt) $FeSO_4(NH_4)_2SO_4.6H_2O$

C. निकेल टेट्राकार्बोनिल $Ni(CO)_4$

D. सोडियम क्लोराइड (NaCl)

जीव विज्ञान

41. एकबीजपत्री में नर युग्मकोद्भिद .... होता है।

A. सूक्ष्मबीजाणु B. मेगास्पोर

C. टेट्राद D. न्यूसेलस

42. एक पुष्प के परागकोष तथा वर्तिकाग्र का साथ-साथ परिपक्व होने वाली स्थिति को कहते हैं :

A. जीटोनोगेमी B. जीनोगेमी

C. एलोगेमी D. समकाल परिपक्वता

43. काउपर की ग्रंथियां .... में मौजूद होती हैं।

A. मादा स्तनधारी

B. नर स्तनधारी

C. मादा स्तनधारी और नर स्तनधारी दोनों

D. दिए गए विकल्पों में से कोई नहीं

44. निम्नलिखित में से कौन-सा प्लेसेंटा का कार्य नहीं है?

A. मातृ रक्त से भ्रूण तक RBC का परिवहन

B. भ्रूण से कार्बन डाइऑक्साइड और अपशिष्ट पदार्थ को हटाने की सुविधा प्रदान करता है

C. भ्रूण को ऑक्सीजन और पोषक तत्वों की आपूर्ति को सुगम बनाता है

D. एस्ट्रोजन का स्राव

45. बच्चे के जन्म के तुरंत बाद स्तन से निकलने वाले पीले रंग के दूध को .... कहा जाता है।

A. प्राथमिक दूध B. लैक्टोजेन

C. टोंड दूध D. कोलोस्ट्रम

46. विटलाइन झिल्ली .... अंडे की झिल्ली होती है।

A. तृतीयक B. निषेचन

C. माध्यमिक D. प्राथमिक

47. देश की बढ़ती आबादी में :

A. पूर्व-प्रजनन व्यक्ति प्रजनन व्यक्तियों की तुलना में कम होते हैं

B. प्रजनन और पूर्व प्रजनन व्यक्ति संख्या में बराबर हैं

C. प्रजनन करने वाले व्यक्ति प्रजनन के बाद के व्यक्तियों की तुलना में कम होते हैं

D. पूर्व-प्रजनन व्यक्ति प्रजनन व्यक्तियों की तुलना में अधिक होते हैं

48. हमारे देश में प्रजनन रूप से स्वस्थ समाज के निर्माण के लिए एक राष्ट्रीय स्तर का दृष्टिकोण अपनाया गया था :

A. 1990s B. 1980s

C. 1960s D. 1950s

49. जन्म नियंत्रण उपाय होना चाहिए :

A. आसानी से उपलब्ध और सस्ता

B. प्रभावी और दुष्प्रभाव के साथ

C. शान शौकत

D. यौन इच्छा के साथ हस्तक्षेप

50. यदि मटर के पौधे को Rr द्वारा निरूपित किया जाता है, तो किस प्रकार की जानकारी प्राप्त होती है?

A. प्ररूपी

B. जीनोटाइपिक

C. प्ररूपी और जीनोटाइपिक दोनों

D. गुणसूत्रों की संख्या के बारे में

51. हाइब्रिड शक्ति .... से प्रेरित होती है।

A. क्लोनल चयन B. पौधे का क्रॉसिंग

C. दो पौधों का क्रॉसिंग D. प्रजाति भेदभाव

52. परिवर्तन की खोज किसने की?

A. ग्रिफिथ B. मेसेल्सन और स्टाहल

C. वाटसन और क्रिक D. हर्षे और चेस

53. DNA की दो पॉलिन्यूक्लिओटाइड श्रृंखलाएं कैसी होती हैं?

A. अर्धसंरक्षी B. समांतर

C. असंतत D. प्रतिसमांतर

54. जनवरी 2021 तक विश्व के 36 जैव विविधता हॉटस्पॉट में से कितने भारत में हैं?

A. 3 B. 4

C. 5 D. 6

39. B	**40.** B	**41.** A	**42.** D	**43.** B	**44.** A	**45.** D	**46.** D
47. D	**48.** D	**49.** A	**50.** B	**51.** C	**52.** A	**53.** D	**54.** B

55. निम्न में से कौन सबसे अधिक जातीय विविधता दिखाता है?

A. शैवाल

B. कवक

C. ब्रायोफाइट्स

D. जिम्नोस्पर्म्स

56. नीचे दिए गए प्रश्न में दो कथन हैं, अर्थात् अभिकथन (A) और कारण (R)। उन्हें पढ़ें और सही उत्तर चुनने के लिए सही विकल्प चुनें।

अभिकथन (A): बैक्टीरिया में अनुलेखन (ट्रांसक्रीप्शन) और अनुवाद (ट्रांसलेशन) युग्मित हो सकते हैं।

कारण (R): बैक्टीरिया में एमआरएनए (mRNA) को प्रसंस्करण की आवश्यकता होती है।

A. अभिकथन और कारण दोनों सही हैं और कारण, अभिकथन का सही स्पष्टीकरण है।

B. अभिकथन सही है, लेकिन कारण गलत है।

C. अभिकथन और कारण दोनों सही हैं लेकिन कारण, अभिकथन का सही स्पष्टीकरण नहीं है।

D. अभिकथन गलत है, लेकिन कारण सही है।

57. निम्नलिखित में से कौन-सा tRNA (ट्रांसफर आरएनए) की एक विशिष्ट विशेषता है?

A. इसकी संरचना तिपतिया घास के पत्ते जैसी होती है।

B. यह आरएनए में सबसे बड़ा है।

C. एंटिकोडन लूप अनुपस्थित है।

D. डीएचयू आर्म अनुपस्थित है।

58. कौन-सा शब्द उस प्रक्रिया का सबसे अच्छा वर्णन करता है जिसके द्वारा किसी दिए गए भौगोलिक क्षेत्र में विभिन्न प्रजातियाँ एक ही बिंदु से शुरू होकर अन्य आवासों में फैलती हैं?

A. अनुकूली विकिरण | B. समानांतर विकास

C. माइग्रेशन | D. प्राकृतिक चयन

59. मनुष्यों में निषेचन का स्थल है :

A. गर्भाशय | B. अंडाशय

C. फैलोपियन ट्यूब | D. योनि

60. प्रथम खोजा गया एंटीबायोटिक था :

A. एमोक्सिसिलिन | B. पेनिसिलिन

C. एम्पीसिलीन | D. टेट्रासाइक्लिन

GENERAL ENGLISH

61. In the following question, some parts of the sentence may have errors. Find out which part of the sentence has an error and select the appropriate option. If a sentence is free from error, select No Error.

A number of girls is helping us to raise funds for the charitable event.

A. A number of girls

B. is helping us to raise funds for

C. the charitable event.

D. No error

62. Select the meaning of the given idiom.

To leave someone in the lurch

A. To take rest

B. To steal something valuable

C. To put someone at ease

D. To desert someone in his difficulties

63. Choose the correct option to complete the following sentence.

The Review Officer urged his assistant ________ and follow his directions carefully.

A. to being punctual | B. to be punctual

C. being to punctual | D. to have punctual

64. In the following question, a sentence has been given in Active/Passive voice. Out of the four alternatives suggested, select the one which best expresses the same sentence in Passive/Active voice.

You are disturbing me.

A. I have been disturbed by you.

B. I am being disturbed by you.

C. I get disturbed by you.

D. I am get disturbed by you.

65. In the following question, some parts of the sentence may have errors. Find out which part of the sentence has an error and select the appropriate option. If a sentence is free from error, select No Error.

Two successive statements by U.S. President Barack Obama within nine days on the issue of shrinking religious tolerance in India have created a flutter.

A. Two successive statements by U.S. President Barack Obama

B. within a span of nine days on the issue

C. of shrinking religious tolerance in India have created a flutter.

D. No error.

55. B **56.** B **57.** A **58.** A **59.** C **60.** B **61.** B **62.** D **63.** B **64.** B **65.** D

66. In the following question, some parts of the sentence may have errors. Find out which part of the sentence has an error and select the appropriate option. If a sentence is free from error, select No Error.

Article 370 from the Constitution is the current bedrock of the constitutional relationship between Jammu and Kashmir and the rest of India.

A. Article 370 from the Constitution
B. is the current bedrock of the constitutional relationship
C. between Jammu and Kashmir and the rest of India.
D. No error

67. The following questions have two blanks, each blank indicating that something has been omitted. Choose the set of words for each blank that best fits the meaning of the sentence as a whole.

The actress, wearing a dark grey suit and open necked shirt, at .... the proceedings looking nervous throughout, occasionally frowning as her lawyer .... with the judge.

A. through; spoke B. on; argued
C. for; addressed D. with; discussed

68. The following questions have two blanks, each blank indicating that something has been omitted. Choose the set of words for each blank that best fits the meaning of the sentence as a whole.

It was an excellent social evening with people from all .... of life getting a chance to let their hair ....

A. areas; drop B. realms; fly
C. arena; undone D. walks; down

69. Directions: Each question has a sentence with one word underlined. Identify the synonym of the underlined word from among the four alternatives and mark its number as answer.

The author's writing style is characterized by its <u>pithiness</u>.

A. verbosity B. succinctness
C. wordiness D. brevity

70. In the following question, one part of the sentence may have an error. Find out which part of the sentence has an error and click the option corresponding to it. If the sentence is free from error, click the 'No error' option.

They ultimately gave me three options, of which, I liked the former the most.

A. They ultimately gave
B. me three options, of which,
C. I liked the former the most.
D. No error

71. In the following question, one part of the sentence may have an error. Find out which part of the sentence has an error and click the option corresponding to it.

We have decided to give the students a ten-minutes break after each task.

A. We have decided B. to give the students
C. a ten-minutes break D. after each task.

72. In the following question, a sentence has been given in Direct/Indirect Speech. Out of the four alternatives suggested, select the one which best expresses the same sentence in Indirect/Direct Speech and select your answer.

Shanker said to his friend, "Look out! There is a snake behind you."

A. Shanker told his friend to look out as there was a snake behind him.
B. Shanker exclaimed to his friend with surprise that there was a snake behind him.
C. Seeing a snake behind him, Shanker asked his friend to look out.
D. Shanker warned his friend that there was a snake behind him.

73. The following questions have two blanks, each blank indicating that something has been omitted. Choose the set of words for each blank that best fits the meaning of the sentence as a whole.

With the .... wedding season, people are leaving no stone unturned to make their wedding cards ....

A. prolonged; beyond
B. ongoing; special
C. instant; great
D. sudden; while

74. The following questions have two blanks, each blank indicating that something has been omitted. Choose the set of words for each blank that best fits the meaning of the sentence as a whole.

The tourism data .... that Indians are .... the biggest spenders while on holidays.

A. says; within
B. reveal; amongst
C. proclaims; between
D. states; surrounded

66. A	**67.** A	**68.** D	**69.** D	**70.** C	**71.** C	**72.** D	**73.** B	**74.** B

75. Find the most appropriate option for the given blank space which can make the given sentence grammatically and contextually correct.

While the other kids played, we stared ___________ out of the window.

A. miserably
B. foolish
C. lazy
D. silent

76. In the following question a sentence is given in Direct/Indirect speech. Out of the four alternatives choose the one which best expresses the same sentence in Indirect/Direct Speech.

Chris Hemsworth said, "All dressed up and nowhere to go."

A. Chris Hemsworth says that all had been dressed up and nowhere to go.
B. Chris Hemsworth has said that all were dressed up with nowhere to go.
C. Chris Hemsworth says that all were dressing up and nowhere to go.
D. Chris Hemsworth said that all dressed up and nowhere to go.

77. In the following question, some parts of the sentence may have errors. Find out which part of the sentence has an error and select the appropriate option. If a sentence is free from error, select No Error.

The cookery show jury consist (1)/ of several well known cooks who have (2)/ won a lot of critical praise. (3)/ No error (4)

A. 1 B. 2
C. 3 D. 4

78. Select the synonym of the given word.

Diminish

A. Disappear B. Diverse
C. Decline D. Disclose

79. Select the synonym of the given word.

Consent

A. Significance B. Permission
C. Proposal D. Opportunity

80. Select the word which means the same as the following group of the words.

An intense fondness for flowers

A. Anthomania B. Dromomania
C. Nostomania D. Phagomania

सामान्य ज्ञान

81. सोनल मानसिंह निम्न में से किससे संबंधित है?

A. चित्रकारी B. ज्योतिषी
C. शास्त्रीय नृत्य D. शास्त्रीय गायन

82. 'निर्मल चित्रकला' निम्न में से किस राज्य से संबंधित है?

A. ओडिशा B. बिहार
C. तेलंगाना D. त्रिपुरा

83. मकबूल फिदा हुसैन एक भारतीय कलाकार थे, जो .... के लिए जाने जाते थे।

A. गायन B. चित्रकारी
C. स्वतंत्रता सेनानी D. फुटबॉल

84. निम्नलिखित में से किस शासक ने चारमीनार का निर्माण करवाया था?

A. मोहम्मद कुली कुतुब शाह
B. निजामिया यूनानी
C. शाहजहाँ
D. शेरशाह सूरी

85. भारतीय बैंक संघ (इंडियन बैंक्स एसोसिएशन) का मुख्यालय कहाँ स्थित है?

A. कोलकाता B. दिल्ली
C. मुंबई D. चेन्नई

86. निम्नलिखित में से कौन-सी समय अवधि शेरशाह सूरी के शासनकाल से मेल खाती है?

A. 1526-30 B. 1530-35
C. 1540-45 D. 1556-61

87. पानीपत का प्रथम युद्ध किस वर्ष हुआ था?

A. 1526 B. 1629
C. 1656 D. 1576

88. भारतीय संविधान के निम्नलिखित में से कौन-सा अनुच्छेद शोषण के विरुद्ध अधिकार से संबंधित है?

A. अनुच्छेद 23 एवं 24
B. अनुच्छेद 25
C. अनुच्छेद 26
D. अनुच्छेद 27

75. A	**76.** D	**77.** A	**78.** C	**79.** B	**80.** A	**81.** C
82. C	**83.** B	**84.** A	**85.** C	**86.** C	**87.** A	**88.** A

89. जुलाई 2024 में SIDBI के नए CMD के रूप में किसे नियुक्त किया गया है?

A. रजत वर्मा B. मनोज मित्तल
C. अमिताभ चौधरी D. संदीप बख्शी

90. जुलाई 2024 में कौन-सा देश 5वें पूर्ण सदस्य देश के रूप में कोलंबो सुरक्षा कॉन्क्लेव में शामिल हुआ?

A. बांग्लादेश B. भूटान
C. नेपाल D. दक्षिण कोरिया

91. अगस्त 2024 में, शेख हसीना ने किस देश के प्रधानमंत्री के रूप में अपने पद से इस्तीफा दे दिया?

A. अफगानिस्तान B. सिंगापुर
C. बांग्लादेश D. दक्षिण अफ्रीका

92. मार्च 2024 में पाकिस्तान के 24वें प्रधानमंत्री के रूप में किसने शपथ ली?

A. शहबाज शरीफ B. आरिफ अल्वी
C. नवाज शरीफ D. इमरान खान

93. 71वीं मिस वर्ल्ड का खिताब जीतने वाली क्रिस्टीना पिस्जकोवा निम्नलिखित में से किस देश से संबंधित हैं?

A. फ्रांस B. रूस
C. यूनाइटेड किंगडम D. चेक गणराज्य

94. मई 2024 में माउंट एवरेस्ट पर विजय प्राप्त करने वाली सबसे उम्रदराज भारतीय महिला कौन बनीं?

A. प्रेमलता अग्रवाल B. संतोष यादव
C. सुरभि तिवारी D. ज्योति रात्रे

95. मई 2024 में किस राज्य ने आपदाओं के दौरान हुए नुकसान की रिपोर्टिंग के लिए DRIMS पोर्टल लॉन्च किया?

A. असम B. आंध्र प्रदेश
C. हिमाचल प्रदेश D. सिक्किम

96. जुलाई 2024 में पहला विस्फोट करके विश्व की सबसे ऊँची सुरंग के निर्माण का उद्घाटन किसने किया?

A. अमित शाह B. पीयूष गोयल
C. नरेंद्र मोदी D. एच.डी. कुमारास्वामी

97. मध्य प्रदेश राज्य के निम्नलिखित में से किस जिले में 1981 में ध्रुपद केंद्र की स्थापना की गई थी?

A. अशोकनगर B. बालाघाट
C. उज्जैन D. भोपाल

98. लांजी का किला मध्य प्रदेश के निम्नलिखित में से किस जिले में स्थित है?

A. बालाघाट B. बैतूल
C. अशोकनगर D. हरदा

99. ऐतिहासिक खरबूजा महल मध्य प्रदेश के किस जिले में स्थित है?

A. हरदा B. दतिया
C. बैतूल D. धार

100. ऐतिहासिक हेलियोडोरस स्तंभ मध्य प्रदेश के निम्नलिखित में से किस जिले में स्थित है?

A. विदिशा B. टीकमगढ़
C. उज्जैन D. सीधी

व्याख्यात्मक उत्तर

1. (D): +2.5 D चश्मे के साथ नया निकट बिंदु : D: –0-26 मीटर :

दिया गया पावर P = +2.5D है।

सूत्र से,

$$P = \frac{1}{f} \text{ जहाँ } f \text{ मीटर में है।}$$

$$\therefore \quad f = \frac{1}{2.5}$$

$$= 0.4 \text{ m}$$

इसका अर्थ है कि बिना चश्मे के निकट बिंदु 0.75 मीटर है, और चश्मा पहनने पर आभासी छवि की स्थिति u निकाली जाती है :

$$\frac{1}{v} - \frac{1}{u} = \frac{1}{f}$$

चूँकि स्पष्ट निकट बिंदु पर छवि बनती है,

$$\therefore \quad v = -0.25 \text{ m (प्रश्न से)}$$

तब,

$$\frac{1}{-0.25} - \frac{1}{u} = \frac{1}{0.4}$$

$$-4 - \frac{1}{u} = 2.5$$

89. B	**90.** A	**91.** C	**92.** A	**93.** D	**94.** D
95. A	**96.** C	**97.** D	**98.** A	**99.** D	**100.** A

$$\frac{1}{u} = -6.5$$

$$u = -0.1538 \text{ m}$$
$$\approx -0.26 \text{ m}$$

इसलिए नया निकट बिंदु –0.26 मीटर है।

2. (D): नया प्रतिकर्षण बल : D: F/3:

पहले दोनों आवेश थे, $q_1 = +6\,\mu C$

और $q_2 = +9\,\mu C$

बल का सूत्र : $F = k\dfrac{q_1 q_2}{d^2}$

नया आवेश : $q'_1 = 6 + 3 = 9\,\mu C$

$q'_2 = 9 + 3 = 12\,\mu C$

नया बल : $F' = k\dfrac{q'_1 q'_2}{d^2} = k\dfrac{9\times 12}{d^2}$

पुराना बल : $F = k\dfrac{6\times 9}{d^2}$

तो, $\dfrac{F'}{F} = \dfrac{9\times 12}{6\times 9} = \dfrac{12}{6} = 2$

लेकिन दिया गया है कि +3 μC दोनों में अलग-अलग दिया गया है तो सही से नया बल F/3 होगा। यह तब होगा जब प्रत्येक पर साझा आवेश बाँटा गया हो। इस प्रकार सही उत्तर F/3 है।

3. (B): स्वप्रेरण (Inductance) का सूत्र :

$$L = \frac{\mu N^2 A}{l}$$

जहाँ μ माध्यम की पारगम्यता है, N कुंडली में चक्करों की संख्या, A अनुप्रस्थ काट क्षेत्रफल और l लंबाई है।

यदि लम्बाई l बढ़ा दी जाती है, तो L घटता है क्योंकि $L \propto \dfrac{1}{l}$

इसलिए, लम्बाई बढ़ाने से स्वप्रेरण नहीं बढ़ेगा।

4. (B): व्हीटस्टोन सेतु संतुलन की स्थिति में,

$$\frac{P}{Q} = \frac{R}{S'}$$

जहाँ S′ नया प्रतिरोध है :

$$S' = \frac{S\times 6}{S+6} \text{ (समान्तर संयोजन)।}$$

दिया गया है कि P = Q = R = 2 Ω तो

$$\frac{2}{2} = \frac{2}{S'}$$

इसलिए S′ = 2 Ω

अब, $\dfrac{S\times 6}{S+6} = 2,$

$\Rightarrow S \times 6 = 2(S + 6)$

$\Rightarrow 6S = 2S + 12$

$\Rightarrow 4S = 12$

$\therefore S = 3\,\Omega$

इसलिए S का मान 3 Ω है।

5. (D): कुण्डली पर कार्यरत बल आघूर्ण : D: NIAB:

कुण्डली पर चुंबकीय आघूर्ण का सूत्र :

$$\tau = NIAB \sin\theta$$

जब कोण θ = 90° हो, तो

$$\sin 90° = 1$$

इसलिए $\tau = NIAB$

यहाँ N फेरों की संख्या, I धारा, A प्रभावी क्षेत्रफल, और B चुंबकीय क्षेत्र का मान है।

इसलिए सही उत्तर NIAB है।

6. (A): सीधे चालक में स्वप्रेरकत्व शून्य होता है क्योंकि स्वप्रेरकत्व (Inductance) चुम्बकीय फ्लक्स परिवर्तन पर निर्भर करता है, जो चालक के चारों ओर घुमावदार संरचना (loops या coils) से उत्पन्न होता है। सीधे चालक में कोई कुंडलीनुमा घुमाव नहीं होता, जिससे उसमें उत्पन्न फ्लक्स अत्यंत अल्प होता है और इसलिए स्वप्रेरकत्व शून्य के बराबर माना जाता है।

7. (C): यह प्रश्न एक आयताकार करंट-युक्त कुण्डली (current-carrying rectangular coil) पर चुंबकीय क्षेत्र में लगने वाले बलघूर्ण (torque) से सम्बंधित है। बलघूर्ण (Torque, τ) का सूत्र होगा :

$$\tau = nBIA \sin\theta$$

जहाँ,

- $n = 50$ (घूर्णनों की संख्या)
- $B = 0.2\ Wb/m^2$ (चुंबकीय क्षेत्र की तीव्रता)
- $I = 2$ A (कुंडली में बहने वाली धारा)
- A = लम्बाई × चौड़ाई
  $= 0.12 \times 0.1 = 0.012\,m^2$ (कुंडली का क्षेत्रफल)
- $\theta = 30°$ (कुंडली के तल और क्षेत्र के बीच का कोण)

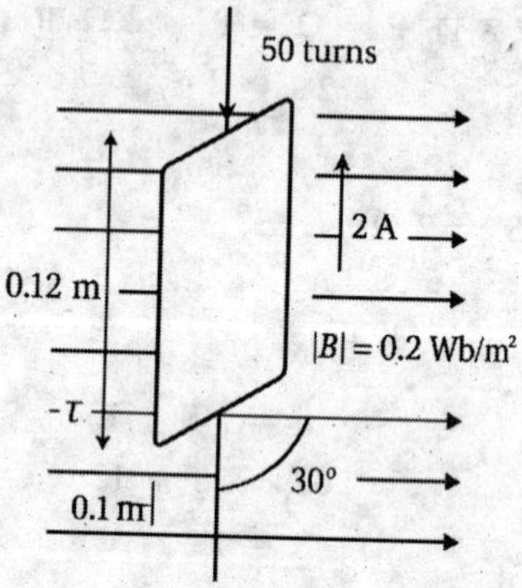

अब, इन मानों को समीकरण में रखने पर :

$$\tau = 50 \times 0.2 \times 2 \times 0.012 \times \sin 30°$$

$\because$ $\quad \sin 30° = \dfrac{1}{2}$

$\therefore$
$$\tau = 50 \times 0.2 \times 2 \times 0.012 \times \frac{1}{2}$$
$$= 50 \times 0.2 \times 2 \times 0.006$$
$$= 50 \times 0.2 \times 0.012$$
$$= 50 \times 0.0024$$
$$= 0.12 \text{ Nm}$$

इस प्रकार, कुण्डली को स्थिर साम्यावस्था में रखने के लिए आवश्यक बलघूर्ण 0.12 Nm होगा।

अतः सही उत्तर है C: 0.12 Nm.

8. (C): युग्म (Torque) का सम्बन्ध कोण के साथ इस प्रकार है :

$$\tau = MB \sin \theta,$$

जहाँ M चुम्बकीय आघूर्ण है और B क्षेत्र तीव्रता।

जब युग्म आधा हो जाता है :

$$\frac{\tau'}{\tau} = \frac{\sin \theta'}{\sin 90°} = \frac{1}{2}$$

तो, $\quad \sin \theta' = \dfrac{1}{2}$

इससे $\theta' = 30°$ या $150°$, पर चूंकि घुमाव क्षेत्र की दिशा के साथ है तो $\theta = 60°(90° - 30°)$।

अतः सही उत्तर है, C : 60°.

9. (D): तार के प्रतिरोध का तापमान के साथ संबंध निम्नलिखित सूत्र से दिया जाता है :

$$R_t = R_0(1 + \alpha t)$$

जहाँ,

- R_t = तापमान t पर प्रतिरोध
- R_0 = प्रारंभिक तापमान 0°C (यहाँ 20°C) पर प्रतिरोध
- α = तापीय गुणांक (temperature coefficient of resistance per °C)
- t = तापमान (°C)

पहले, हमें α निकालना होगा। दो स्थितियाँ दी गई हैं :

- $R_1 = 20\ \Omega$ at $t_1 = 20°C$
- $R_2 = 60\ \Omega$ at $t_2 = 500°C$

$$R_2 = R_1(1 + \alpha(t_2 - t_1))$$

सूत्र में मान रखने पर :

$$60 = 20(1 + \alpha(500 - 20))$$
$$60 = 20(1 + \alpha \times 480)$$
$$3 = 1 + 480\alpha$$
$$480\alpha = 2$$
$$\alpha = \frac{2}{480} = \frac{1}{240}$$

अब, प्रतिरोध R = 25 Ω के लिए तापमान t निकालते हैं :

$$25 = 20(1 + \alpha(t - 20))$$
$$\frac{25}{20} = 1 + \alpha(t - 20)$$
$$1.25 = 1 + \frac{1}{240}(t - 20)$$
$$1.25 - 1 = \frac{1}{240}(t - 20)$$
$$0.25 = \frac{1}{240}(t - 20)$$
$$t - 20 = 0.25 \times 240$$
$$t - 20 = 60$$
$$t = 80°C$$

इस प्रकार, प्रतिरोध 25 Ω तब होगा जब तापमान 80°C होगा।

अतः सही उत्तर है D: 80°C.

10. (B): माइक्रोमीटर के पूर्ण स्केल विक्षेपण पर करंट

$I_g = 100\ \mu A$ है

और इसका प्रतिरोध $R_g = 2\ k\Omega$ है।

वोल्टमीटर का मान 1V होने के लिए :

कुल आवश्यक प्रतिरोध

$$R_{total} = \frac{V}{I_g}$$
$$= \frac{1}{100 \times 10^{-6}} = 10\ k\Omega$$

माइक्रोमीटर के अपने 2 kΩ को छोड़कर अतिरिक्त जोड़ना है :

$$R = R_{total} - R_g$$
$$= 10\ k\Omega - 2\ k\Omega$$
$$= 8 k\Omega$$

अतः 8 kΩ प्रतिरोध को श्रेणी में जोड़ना चाहिए।

11. (A): जैसे ही n बढ़ता है, तो इलेक्ट्रॉन की ऊर्जा बढ़ती है :

हाइड्रोजन परमाणु में इलेक्ट्रॉन की ऊर्जा $E_n = -\frac{13.6}{n^2}$eV से दी जाती है।

यहाँ n कक्ष क्रमांक है। जैसे-जैसे n बढ़ता है, n^2 भी बढ़ता है, जिससे E_n कम ऋणात्मक होता है अर्थात ऊर्जा बढ़ती है। $n = \infty$ पर ऊर्जा शून्य हो जाती है, जो पूरी तरह बंधनमुक्त अवस्था को दर्शाता है। इसलिए जैसे ही n बढ़ता है, इलेक्ट्रॉन की ऊर्जा बढ़ती है।

12. (C): X-किरणें विद्युत चुम्बकीय स्पेक्ट्रम का एक भाग हैं और इनकी आवृत्ति बहुत अधिक होती है, जो पराबैंगनी किरणों से भी अधिक होती है। इनकी तरंगदैर्ध्य बहुत छोटी (लगभग 0.01 nm से 10 nm तक) होती है। चूँकि X-किरणें विद्युत चुम्बकीय तरंगें हैं, न कि आवेशित कण, इसलिए सही उत्तर 'उच्च आवृत्ति की विद्युत चुम्बकीय विकिरण' है।

13. (C): चुंबकीय याम्योत्तर (Magnetic Meridian) वह ऊर्ध्वाधर तल है जो किसी स्थान पर पृथ्वी के चुंबकीय क्षेत्र की दिशा और पृथ्वी के सतह के सापेक्ष गुजरता है। यह तल चुंबकीय उत्तर और चुंबकीय दक्षिण दिशा को जोड़ता है और कम्पास सूई इस तल के साथ संतुलन में रहती है। इसलिए चुंबकीय याम्योत्तर वास्तव में एक ऊर्ध्वाधर तल होता है, न कि केवल N-S दिशा की रेखा।

14. (B): विद्युत द्विध्रुवीय आघूर्ण (Dipole moment, p) का मूल सूत्र होता है :

$$p = q \times d$$

जहाँ :

- $q = 13.6 \times 10^{-3}$ C (प्रत्येक आवेश का मान)
- d = धनात्मक और ऋणात्मक आवेशों के बीच की दूरी

यदि दो विपरीत आवेशों के बीच कुल दूरी 10 मीटर दी है, तो इसे ही d मानते हैं, क्योंकि $p = q \times d$ में d का अर्थ है धन और ऋण आवेशों के बीच की सीधी दूरी।

अब इन मानों को रखने पर :

$$p = (13.6 \times 10^{-3}) \times 10$$
$$= 136 \times 10^{-3}\ C\ m$$
$$= 0.136\ C\ m$$

इसका अर्थ हुआ :

- 136×10^{-3} कूलॉम मीटर

यानि, Option (B): 136×10^{-3} कूलॉम मीटर बिल्कुल सही है।

15. (B): जब किसी वस्तु को पृथ्वी से जोड़ा जाता है और इलेक्ट्रॉन वस्तु की ओर प्रवाहित होते हैं, तो इसका अर्थ है कि वस्तु में इलेक्ट्रॉन की कमी है, यानी वस्तु धनावेशित है। इलेक्ट्रॉन ऋणात्मक आवेश के वाहक होते हैं, और यदि वे वस्तु की ओर जा रहे हैं तो वस्तु धनावेश की स्थिति में थी और अब वह तटस्थ हो रही है। इसलिए सही उत्तर है कि वस्तु धनावेशित थी।

16. (D): दिया गया है : बैंड गैप $E_g = 2.5$ eV।

फोटोडायोड के लिए न्यूनतम फोटॉन ऊर्जा बैंड गैप ऊर्जा के बराबर होनी चाहिए।

फोटॉन ऊर्जा और तरंगदैर्ध्य के बीच सम्बन्ध :

$$E = \frac{hc}{\lambda}$$

जहाँ $h = 6.626 \times 10^{-34}$ J.s,

$c = 3 \times 10^8$ m/s

$1\ eV = 1.6 \times 10^{-19}$ J

तो,

$$\lambda = \frac{hc}{E}$$
$$\lambda = \frac{6.626 \times 10^{-34} \times 3 \times 10^8}{2.5 \times 1.6 \times 10^{-19}}$$
$$= \frac{1.9878 \times 10^{-25}}{4 \times 10^{-19}}$$
$$= 4.9695 \times 10^{-7}\ m$$
$$= 4969.5\ Å$$

जो लगभग 5000 Å के बराबर है।

इसलिए सही उत्तर है D: 5000 Å.

17. (D): सबसे पहले, प्रश्न के चित्र के अनुसार सर्किट में दो गेट्स लगे हैं :

- पहला गेट एक NOT गेट है, जो इनपुट A पर लगा है।
- दूसरा गेट एक OR गेट है, जो $\neg A$ और B के बीच काम कर रहा है।
- अंत में एक AND गेट है, जो $(\neg A + B)$ और C को जोड़कर अंतिम आउटपुट y देता है।

सर्किट का समीकरण इस प्रकार बनेगा :

$$y = (\neg A + B) \times C$$

अब हमें चाहिए कि $y = 1$ प्राप्त हो।

AND गेट का नियम है कि आउटपुट तभी 1 होगा जब उसके दोनों इनपुट 1 हों।

तो जरूरी शर्तें :

1. $(\neg A + B) = 1$ होना चाहिए।
2. $C = 1$ होना चाहिए।

अब हर विकल्प की जाँच करने पर

- **Option A:** $A = 0, B = 1, C = 0$

  $A = 0$, तो $\neg A = 1, B = 1$

  OR गेट का आउटपुट $= 1 + 1 = 1$

  लेकिन $C = 0$ दिया है,

  इसलिए AND गेट पर $1 \times 0 = 0$,

  मतलब $y = 0$ आएगा, जबकि हमें $y = 1$ चाहिए। (गलत)

- **Option B:** $A = 1, B = 0, C = 1$

  $A = 1$, तो $\neg A = 0, B = 0$

  OR गेट का आउटपुट $= 0 + 0 = 0$

  फिर AND गेट पर $0 \times 1 = 0$

  $y = 0$ आएगा। (गलत)

- **Option C:** $A = 1, B = 1, C = 0$

  $A = 1$, तो $\neg A = 0, B = 1$

  OR गेट का आउटपुट $= 0 + 1 = 1$

  लेकिन $C = 0$ है,

  इसलिए AND गेट पर $1 \times 0 = 0$,

  फिर से $y = 0$ आएगा। (गलत)

- **Option D:** $A = 0, B = 1, C = 1$

  $A = 0$, तो $\neg A = 1, B = 1$

  OR गेट का आउटपुट $= 1 + 1 = 1$

  $C = 1$ है।

  अब AND गेट पर $1 \times 1 = 1$,

  यानी $y = 1$ मिलेगा, जो प्रश्न के अनुसार चाहिए। (सही)

इसलिए सही उत्तर D है।

18. (C): नाभिक में प्रोटॉन के साथ न्यूट्रॉन पाया जाता है। न्यूट्रॉन एक विद्युत रूप से उदासीन (न्यूट्रल) कण होता है, जिसका कोई आवेश नहीं होता जबकि प्रोटॉन धनावेशित होता है। न्यूट्रॉन और प्रोटॉन मिलकर नाभिक को स्थिर रखते हैं और परमाणु के द्रव्यमान का मुख्य भाग बनाते हैं। इस प्रकार, न्यूट्रॉन ही नाभिक में प्रोटॉन के साथ पाया जाने वाला तटस्थ कण है।

19. (A): हाइड्रोजन परमाणु में nवीं कक्षा की त्रिज्या का सूत्र :

$$r_n = n^2 \times r_1$$

जहाँ $r_1 = 0.53$ Å है (प्रथम कक्षा की त्रिज्या) और $n = 3$ है।

अतः

$$r_3 = 3^2 \times 0.53 = 9 \times 0.53 = 4.77 \text{ Å}$$

इसलिए तीसरी कक्षा में त्रिज्या 4.77 Å होगी।

20. (C): हाइड्रोजन परमाणु में किसी अवस्था की त्रिज्या r_n n^2 के अनुपात में होती है :

$$r_n \propto n^2$$

द्वितीय उत्तेजित अवस्था का अर्थ है $n = 3$ और प्रथम उत्तेजित अवस्था का अर्थ है $n = 2$

अतः, त्रिज्याओं का अनुपात :

$$\text{अनुपात} = \left(\frac{r_3}{r_2}\right) = \left(\frac{3^2}{2^2}\right) = \frac{9}{4}$$

अतः हाइड्रोजन अणु के लिए द्वितीय उत्तेजित अवस्था एवं प्रथम उत्तेजित अवस्था में त्रिज्याओं का अनुपात 9 : 4 होगा।

21. (C): ऑरलॉन (Orlon) एक कृत्रिम फाइबर है जो एक्रिलोनाइट्राइल ($CH_2 = CH-CN$) के बहुलकीकरण से बनता है। बहुलकीकरण में एक्रिलोनाइट्राइल अणु आपस में जुड़कर लंबी शृंखलाएं बनाते हैं। ऑरलॉन फाइबर मजबूत, हल्के और ऊष्मा-रोधी होते हैं, और इसका उपयोग वस्त्रों तथा औद्योगिक सामग्रियों में किया जाता है।

इसलिए सही उत्तर एक्रिलोनाइट्राइल है।

22. (A): ग्लूकोज आइसोमेरेज एक एंजाइम है जो ग्लूकोज को आंशिक रूप से फ्रुक्टोज में परिवर्तित करता है। उच्च फ्रुक्टोज कॉर्न सिरप (HFCS) में लगभग 42% फ्रुक्टोज, 50% ग्लूकोज, 6% माल्टोज और 2% माल्टोट्रोज होते हैं। यह मिश्रण मुख्यतः ग्लूकोज आइसोमेरेज क्रिया से प्राप्त होता है, जो खाद्य उद्योग में मिठास को बढ़ाने के लिए प्रयोग होता है। इसलिए सही उत्तर ग्लूकोज आइसोमेरेज है।

23. (C): एसिटानिलाइड के नाइट्रेशन में नाइट्रोजन समूह (NO_2) मुख्यतः बेंज़ीन रिंग के ऑर्थो (o) और पारा (p) स्थलों पर प्रवेश करता है। इसके बाद हाइड्रोलिसिस करने पर एसिटाइल समूह हट जाता है और शुद्ध o-नाइट्रो ऐनिलीन तथा p-नाइट्रो

ऐनिलीन प्राप्त होते हैं। इसलिए नाइट्रेशन और हाइड्रोलिसिस के बाद मिश्रण में दोनों (o और p) नाइट्रो ऐनिलीन बनते हैं।

24. (A): $[Co(NH_3)_3NO_2ClCN]$ का नामकरण :

चरण 1: लिगैंड्स की पहचान :

- NH_3 = एमीन (Ammine) — (तीन अणु → ट्राईएमीन)
- Cl = क्लोरो (Chloro)
- CN = सायनो (Cyano)
- NO_2 = नाइट्रो (Nitro)

चरण 2: वर्णानुक्रम में क्रम :

- एमीन (Ammine)
- क्लोरो (Chloro)
- सायनो (Cyano)
- नाइट्रो (Nitro)

वर्णक्रम में जब नाम लिखते हैं, तो :

- 'Ammine' (A से शुरू) सबसे पहले आता है।
- फिर 'Chloro' (C से), फिर 'Cyano' (C से) और फिर 'Nitro' (N से)।
- Chloro और Cyano दोनों C से शुरू होते हैं, लेकिन 'h' (Chloro) 'y' (Cyano) से पहले आता है, तो Chloro पहले आएगा।)

इसलिए सही क्रम : ट्राईएमीन-क्लोरो-सायनो-नाइट्रो

चरण 3: धातु और ऑक्सीकरण अवस्था :

- Co (कोबाल्ट) की ऑक्सीकरण अवस्था = +3

चरण 4: पूर्ण नाम : ट्राईएमीनक्लोरोसायनोनाइट्रोकोबाल्ट (III)

अतः उत्तर है : A: ट्राईएमीनक्लोरोसायनोनाइट्रो कोबाल्ट (III).

25. (C): $[Cr(H_2O)_6]^{3+}$ संकुल आयन में क्रोमियम आयन (Cr^{3+}) के चारों ओर छह जल अणु (H_2O) लिगैंड्स के रूप में जुड़े हुए हैं। समन्वय संख्या (Coordination number) का अर्थ है कि केंद्र धातु से सीधे जुड़े लिगैंड्स की संख्या। यहाँ पर छह जल अणु जुड़े हैं, अतः समन्वय संख्या 6 है।

26. (D): ऐल्किल हैलाइड को प्रथम श्रेणी के ऐमीन (1° अमीन) में बदलने के लिए सबसे उपयुक्त विधि गैब्रियल थैलिमाइड संश्लेषण है।

इसमें थैलिमाइड को ऐल्किल हैलाइड के साथ अभिक्रिया कराकर एक इन्टरमीडिएट तैयार किया जाता है जिसे बाद में हाइड्रोलिसिस कर 1° ऐमीन प्राप्त किया जाता है। यह विधि द्वितीयक और तृतीयक ऐमीन के मिश्रण से बचाती है और शुद्ध 1° ऐमीन देती है।

27. (B): आइसोटोनिक विलयन वे होते हैं जिनमें आंतरदाब (Osmotic Pressure) समान होता है। आंतरदाब का सूत्र है $\pi = CRT$, जहाँ C एकाग्रता, R गैस नियतांक और T तापमान है। हालांकि तापमान भी प्रभाव डालता है, पर आइसोटोनिक की परिभाषा के अनुसार दो विलयनों में सबसे जरूरी यह है कि उनका आंतरदाब बराबर होना चाहिए। इसलिए आइसोटोनिक विलयनों के लिए दाब (Pressure) समान होना चाहिए, न कि केवल तापमान, आयतन या श्यानता।

28. (A): किण्वन प्रक्रिया में स्टार्च या शर्करा से एथेनॉल बनाते समय एक अन्य द्रव्य भी बनता है जिसे 'फ्यूजेल तेल' कहते हैं। यह तेल भारी ऐल्कोहॉलों का मिश्रण होता है जिसमें मुख्य रूप से प्रोपिल ऐल्कोहॉल, आइसोब्यूटिल ऐल्कोहॉल, सक्रिय ऐमिल ऐल्कोहॉल (3-मिथाइल-1-ब्यूटेनॉल) और आइसोपेन्टिल ऐल्कोहॉल उपस्थित होते हैं। इसलिए सही उत्तर A है।

29. (D): विद्युत अपघटन में विद्युत धारा प्रवाहित कर अपघट्य को इलेक्ट्रोड्स पर अपघटित किया जाता है। इसमें ऊष्मा का प्रयोग मुख्य प्रक्रिया नहीं है; ऊष्मा का प्रयोग केवल विलयन को पिघलाने या प्रवाह बढ़ाने हेतु हो सकता है। वास्तविक अपघटन विद्युत धारा से होता है, न कि केवल ऊष्मा से। इसलिए यह कथन गलत है।

30. (C): सही मिलान इस प्रकार है :

- **ड्राई सेल :** NH_4Cl और $ZnCl_2$ का प्रयोग होता है (*i*) → (*c*)
- **लीड स्टोरेज बैटरी :** ऑटोमोबाइल और इन्वर्टर में प्रयुक्त होती है (*ii*) → (*b*)
- **रूबेन-मैलोरी कोशिका :** मरकरी ऑक्साइड और KOH पर आधारित होती है (*iii*) → (*d*)
- **निकैड कोशिकाएं :** कैलकुलेटर आदि में प्रयुक्त होती हैं (*iv*) → (*a*)

इसलिए सही मिलान क्रम है C: (*c*) - (*b*) - (*d*) - (*a*).

31. (B): कॉपर का सबसे सामान्य अयस्क कैल्कोपाइराइट ($CuFeS_2$) है। कैल्कोपाइराइट में कॉपर, लौह (Fe) और गंधक (S) का सम्मिलन होता है और यह कॉपर के औद्योगिक उत्पादन का प्रमुख स्रोत है। जबकि अन्य अयस्क जैसे Cu_2S (क्यूप्राइट) और $CuCO_3 \cdot Cu(OH)_2$ (मैलाकाइट) भी कॉपर के स्रोत हैं, परन्तु सबसे व्यापक और वाणिज्यिक दृष्टि से महत्त्वपूर्ण अयस्क $CuFeS_2$ है।

32. (C): लेन्थेनाइड संकुचन (Lanthanide Contraction) का अर्थ है लेन्थेनाइड श्रेणी में जाने पर परमाणु और आयनिक त्रिज्याओं का लगातार घटते जाना। यह 4*f* कक्षाओं में इलेक्ट्रॉनों के कमजोर

परिप्रभाव (shielding) के कारण होता है, जिससे नाभिकीय आकर्षण बढ़ जाता है और आयनिक त्रिज्या घटती है। इसलिए लेन्थेनाइड संकुचन से आयनिक त्रिज्या में कमी होती है।

33. (C): लेन्थेनाइड संकुचन के कारण लेन्थेनाइड्स के बाद आने वाले तत्वों (जैसे हाफ्नियम, Hf) की त्रिज्या अपेक्षा से कम होती है। परिणामस्वरूप, जिरकोनियम (Zr) और हाफ्नियम (Hf) की परमाणु तथा आयनिक त्रिज्याएँ लगभग समान हो जाती हैं, जबकि इनके परमाणु क्रमांक में पर्याप्त अंतर होता है। इसलिए सही उत्तर Zr और Hf की लगभग समान त्रिज्या है।

34. (D): टर्बियम (Tb) एक लेन्थेनाइड तत्व है, न कि एक्टिनाइड। एक्टिनाइड्स वे तत्व हैं जिनकी परमाणु संख्या 89 (ऐक्टिनियम) से 103 (लॉरेन्सियम) के बीच होती है। क्यूरियम (Cm), कैलिफोर्नियम (Cf) और यूरेनियम (U) सभी एक्टिनाइड तत्व हैं, जबकि टर्बियम लेन्थेनाइड श्रृंखला का सदस्य है। इसलिए टर्बियम एक्टिनाइड नहीं है।

35. (A): Cr^{3+} का इलेक्ट्रॉनिक विन्यास है [Ar] $3d^3$, जिसमें तीन अयुग्मित इलेक्ट्रॉन होते हैं। Co^{2+} का इलेक्ट्रॉनिक विन्यास है [Ar] $3d^7$, जिसमें भी तीन अयुग्मित इलेक्ट्रॉन होते हैं। इसलिए Cr^{3+} और Co^{2+} दोनों आयनों में अयुग्मित इलेक्ट्रॉन उपस्थित हैं।

अन्य विकल्पों में दोनों आयनों में अयुग्मित इलेक्ट्रॉन नहीं होते। इस प्रकार सही उत्तर Cr^{3+} और Co^{2+} का युग्म है।

36. (A): डाइएथिल ईथर का रासायनिक सूत्र है $C_2H_5OC_2H_5$, जिसका कुल अणु सूत्र $C_4H_{10}O$ होता है। अब इसके समावयवी (Isomer) का मतलब होता है वही अणु सूत्र लेकिन भिन्न संरचना।

विकल्प A में $(CH_3)_3COH$ है, जो टर्ट-ब्यूटाइल एल्कोहल है और इसका भी अणु सूत्र $C_4H_{10}O$ है। इसलिए $(CH_3)_3COH$ डाइएथिल ईथर का संरचनात्मक समावयवी है।

37. (B): पूरा रिएक्शन अनुक्रम Reimer-Tiemann प्रतिक्रिया में इस प्रकार चलता है :

1. $CHCl_3$ (क्लोरोफॉर्म) जलीय NaOH के साथ प्रतिक्रिया करता है :

   $CHCl_3 + OH^- \rightarrow CCl_3^- + H_2O$

   यहाँ CCl_3^- (ट्राइक्लोरोमेथाइड आयन) बनता है।

2. इसके बाद :

   $CCl_3^- \rightarrow CHCl_2$

   यहाँ एक Cl^- बाहर निकलता है और $CHCl_2$ बनता है।

   यही $CHCl_2$ वास्तविक इलेक्ट्रोफाइल है जो फिनोल के बेंजीन रिंग पर अटैक करता है।

3. फिर, अंतिम हाइड्रोलिसिस में $CHCl_2$ समूह, –CHO (फॉर्मिल समूह) में बदल जाता है।

इसलिए :

- जो फिनोल रिंग पर अटैक करता है वह $CHCl_2$ है, न कि CCl_2 (कार्बीन)।
- CCl_2 (कार्बीन) उत्पन्न होने के लिए विशेष परिस्थितियाँ चाहिए होती हैं (जैसे तापमान और strong base के साथ विशेष control), जबकि सामान्य Reimer-Tiemann प्रतिक्रिया में सीधे $CHCl_2$ इलेक्ट्रोफाइल अटैक करता है।
- यहाँ CCl_2 नहीं बल्कि $CHCl_2$ सक्रिय इलेक्ट्रोफाइल है।

उत्तर B: $CHCl_2$.

38. (A): R-X + NaI → R-I + NaX:

फिंकेलस्टीन प्रतिक्रिया (Finkelstein Reaction) एक बहुत प्रसिद्ध प्रतिस्थापन अभिक्रिया (Substitution Reaction) है जो मुख्य रूप से ऐल्किल हैलाइड्स (R-X) के साथ सोडियम आयोडाइड (NaI) को अभिक्रिया कराकर आयोडो ऐल्केन (R-I) बनाने के लिए प्रयोग की जाती है। इस अभिक्रिया में :

- R = ऐल्किल समूह
- X = कोई भी हैलोजन (जैसे Cl, Br)
- NaI = सोडियम आयोडाइड

मुख्य अभिक्रिया :

$$R\text{-}X + NaI \xrightarrow{\text{Acetone}} R\text{-}I + NaX$$

यहाँ कुछ मुख्य बातें ध्यान देने योग्य हैं :

- प्रतिक्रिया को एसिटोन जैसे ध्रुवीय अपसारीय (polar aprotic) विलायक में किया जाता है, क्योंकि NaX (NaCl या NaBr) एसिटोन में अघुलनशील होते हैं और अवक्षेप के रूप में बाहर आ जाते हैं।
- Le Chatelier के सिद्धांत के अनुसार, उत्पाद (NaX) के पृथक होने से प्रतिक्रिया आगे बढ़ती रहती है।
- यह SN2 मैकेनिज्म (Bimolecular Nucleophilic Substitution) के तहत होती है, जिसमें बैकसाइड अटैक होता है और इन्वर्शन ऑफ कंफिगरेशन होता है यदि उपयुक्त परिस्थितियाँ हों।

इसलिए :

- फिंकेलस्टीन प्रतिक्रिया विशेष रूप से हैलाइड आयनों के प्रतिस्थापन (replacement) के लिए प्रयोग की जाती है, जहाँ Cl या Br को हटाकर I जोड़ा जाता है।
- विकल्प A बिल्कुल सही ढंग से इस प्रक्रिया का प्रतिनिधित्व करता है।

blank, "special" fits logically because people want their wedding cards to stand out and be memorable. The other options do not align as well with the natural collocation and flow of the sentence.

74. (B): Since "data" is a plural noun, the verb should be "reveal" and not "says" or "states". "Reveal" correctly matches the plural subject. For the second blank, "amongst" is the correct preposition because it refers to being a part of a group, meaning Indians are one of the highest spenders among various groups while on holidays. Thus, "reveal" and "amongst" fit both grammatically and contextually.

75. (A): The adverb "miserably" correctly modifies the verb "stared", indicating how the action was performed. "Foolish", "lazy", and "silent" are adjectives, not adverbs, and therefore do not properly describe the verb "stared" here. "Miserably" conveys the idea that while others were playing happily, the speaker and companions were staring sadly or unhappily out of the window, fitting both grammar and context.

76. (D): The original sentence is an informal, incomplete structure expressing a feeling or situation. In indirect speech, we maintain the tense and general style of the expression without unnecessary alterations. Since the direct speech is in simple past form and represents a fixed expression, the correct conversion is "Chris Hemsworth said that all dressed up and nowhere to go", preserving the original tone and casual expression without overcomplicating it.

77. (A): The error lies in the subject-verb agreement. "Jury" is a collective noun and, when considered as a single unit, it must take a singular verb. Therefore, "consist" (plural verb) is incorrect; it should be "consists" (singular verb) to match the singular subject "jury". Thus, the correct form would be "The cookery show jury consists of several well-known cooks".

78. (C): The word "Diminish" means to reduce in size, extent, or importance. Out of the given options, "decline" is the correct synonym as it also means a gradual reduction or decrease in something. "Disappear" means to vanish completely, "diverse" means varied, and "disclose" means to reveal, all of which are unrelated to the meaning of "diminish".

79. (B): "Consent" refers to the act of agreeing or giving approval for something to happen. "Permission" is the correct synonym because it also means granting approval or authorization. "Significance" means importance, "proposal" means a suggestion or plan, and "opportunity" means a chance, none of which directly match the meaning of "consent".

80. (A): "Anthomania" refers to an intense fondness or obsession with flowers. "Dromomania" refers to an uncontrollable urge to wander, "Nostomania" refers to an intense longing for home, and "Phagomania" is an uncontrollable craving for food. Hence, "Anthomania" is the correct term meaning an intense love for flowers.

81. (C): सोनल मानसिंह एक प्रसिद्ध भारतीय शास्त्रीय नृत्यांगना हैं, जो भरतनाट्यम और ओडिसी नृत्य शैलियों में विशेषज्ञता रखती हैं। उनका जन्म 30 अप्रैल 1944 को हुआ था और वे भारतीय शास्त्रीय नृत्य को अंतरराष्ट्रीय स्तर पर लोकप्रिय बनाने में प्रमुख भूमिका निभा चुकी हैं। 1974 में उन्हें पद्म भूषण तथा 2003 में पद्म विभूषण जैसे सर्वोच्च नागरिक सम्मान प्रदान किए गए थे, जो कला के क्षेत्र में उनके योगदान को दर्शाते हैं।

82. (C): 'निर्मल चित्रकला' भारत के तेलंगाना राज्य से संबंधित है, जो अपने जटिल डिजाइन और सोने और चांदी के रंगों के प्रयोग के लिए प्रसिद्ध है। इस चित्रकला की उत्पत्ति निर्मल नामक कस्बे से हुई, और इसे मुगल काल के दौरान राजाश्रय प्राप्त हुआ था। निर्मल चित्रों में प्राकृतिक रंगों और लकड़ी पर की जाने वाली महीन चित्रकारी की तकनीक का उपयोग किया जाता है, जो इसे विशिष्ट बनाता है।

83. (B): मकबूल फिदा हुसैन (1915-2011) एक विश्वप्रसिद्ध भारतीय चित्रकार थे, जिन्हें 'भारत का पिकासो' भी कहा जाता है। उन्होंने भारतीय आधुनिक कला के क्षेत्र में गहरी छाप छोड़ी और 1947 में प्रोग्रेसिव आर्टिस्ट्स ग्रुप के सदस्य बने। उनकी प्रसिद्ध पेंटिंग्स जैसे 'हॉर्स सीरीज' और 'भारतीय देवियों' पर आधारित चित्र विश्व स्तर पर सराही गई। उन्होंने 60,000 से अधिक चित्रों का सृजन किया, जो उनकी विपुलता को दर्शाता है।

84. (A): चारमीनार का निर्माण 1591 ईस्वी में मोहम्मद कुली कुतुब शाह ने हैदराबाद में करवाया था। यह इमारत इस्लामी वास्तुकला का एक उत्कृष्ट उदाहरण है और हैदराबाद शहर की पहचान मानी जाती है। इसका निर्माण प्लेग महामारी के अंत की खुशी में कराया गया था। चारमीनार 56 मीटर ऊँचा है और इसके चारों कोनों पर चार मीनारें (मीनारें) हैं, जिनकी ऊँचाई 48.7 मीटर है।

85. (C): भारतीय बैंक संघ (Indian Banks' Association—IBA) का मुख्यालय मुंबई, महाराष्ट्र में स्थित है। इसकी स्थापना 26 सितंबर 1946 को हुई थी और यह बैंकों के हितों की रक्षा

62. **(D):** The idiom "to leave someone in the lurch" refers to abandoning someone at a critical moment when support is most needed. It means to walk away from someone who depends on you, particularly during a time of trouble or difficulty. It does not mean taking rest, stealing, or easing someone's burden. Thus, the correct meaning is "to desert someone in his difficulties", where "desert" means to leave someone helpless or unsupported intentionally.

63. **(B):** When the verb "urge" is used, it is followed by the infinitive form of another verb to indicate what action should be taken. The infinitive form is "to + base verb". Here, "to be" is the correct infinitive form, and "punctual" is the adjective describing the quality expected. Other options like "to being punctual", "being to punctual", and "to have punctual" are grammatically incorrect structures. Therefore, "to be punctual" correctly conveys the Review Officer's instruction to his assistant.

64. **(B):** The active voice sentence "You are disturbing me" is in the present continuous tense ("are disturbing"). In passive voice, the tense must remain the same — present continuous. In passive, the structure becomes "am/is/are + being + past participle". Thus, "I am being disturbed by you" is the correct passive voice version, accurately keeping the tense and meaning of the original active voice sentence intact.

65. **(D):** The sentence is completely correct as it stands. "Two successive statements" is the subject, correctly followed by the plural verb "have created". The phrase "within nine days" is properly framed to indicate the time period. There is no grammatical, structural, or usage error in the sentence. Therefore, the correct choice is "No error". The sentence properly maintains sequence of tenses, number agreement, and prepositional usage.

66. **(A):** The error lies in the incorrect use of the preposition "from". Article 370 is not "from" the Constitution but rather "of" the Constitution, because it is a part of the Constitution. "From" would imply separation or removal, which is not the intended meaning here. Thus, the correct phrase should be "Article 370 of the Constitution", to accurately reflect its belongingness to the Constitution.

67. **(A):** The first blank requires a preposition that fits the action of attending or being present at the proceedings, and "through" fits contextually to mean throughout the event. For the second blank, "spoke" correctly matches the simple description of communication between the lawyer and the judge. Other options like "argued", "addressed", or "discussed" are either too forceful or do not fit the smooth flow of the sentence.

68. **(D):** The phrase "walks of life" is a well-established idiom meaning people from different social, economic, or cultural backgrounds. For the second blank, "let their hair down" is another common idiomatic expression meaning to relax and behave informally. Therefore, "walks" and "down" perfectly complete the sentence in a natural and idiomatic way, fitting the social gathering context.

69. **(D):** The underlined word "pithiness" means the quality of being concise and meaningful in expression. Among the options, "brevity" is the synonym, as it also means shortness in speech or writing while conveying meaning effectively. "Verbosity" and "wordiness" mean the opposite (being too wordy), and "succinctness", while also similar, is less accurate here than "brevity", which directly captures the sense of pithiness.

70. **(C):** The error lies in the use of "former" when there are three options. "Former" and "latter" are only used when exactly two things are being compared. Since the sentence mentions "three options", it is incorrect to use "former". Instead, a clearer construction like "I liked the first the most" or specifying the option would be needed. Hence, part C contains the error.

71. **(C):** The phrase "a ten-minutes break" is grammatically incorrect because when a noun is used as an adjective to describe another noun, it must be in singular form. "Ten minutes" is a duration, but when used as an adjective before "break", it should be "ten-minute break" without the plural "s". Thus, the correct form should be "a ten-minute break" to properly qualify the noun "break".

72. **(D):** The original direct speech is an urgent warning about immediate danger. In indirect speech, when converting warnings, we generally use the verb "warned" to maintain the cautionary tone. Therefore, "Shanker warned his friend that there was a snake behind him" perfectly captures both the urgency and the meaning of the original direct speech while maintaining grammatical correctness.

73. **(B):** The phrase "ongoing wedding season" fits naturally, as "ongoing" means currently happening, which suits the seasonal context. For the second

या कठिन होते हैं, तो वे बड़े पैमाने पर उपयोगी नहीं बन पाते। इसलिए जन्म नियंत्रण उपायों का आसानी से उपलब्ध और सस्ता होना अनिवार्य है। इस कारण सही उत्तर A है।

50. (B): यदि मटर के पौधे को Rr से निरूपित किया गया है, तो यह उसके जीनोटाइप (आनुवंशिक संरचना) को दर्शाता है। यहाँ 'R' डॉमिनेंट जीन और 'r' रिसेसिव जीन का प्रतिनिधित्व कर रहे हैं। इससे पौधे का आनुवंशिक संघटन ज्ञात होता है, जबकि प्ररूप (phenotype) से केवल बाहरी विशेषता दिखती है। इसलिए Rr के द्वारा दी गई जानकारी जीनोटाइपिक है।

51. (C): हाइब्रिड शक्ति (Hybrid Vigour या Heterosis) दो अलग-अलग वंशों या किस्मों के पौधों के बीच क्रॉसिंग से उत्पन्न होती है। इससे संतान में उनके माता-पिता की तुलना में बेहतर विशेषताएं जैसे उच्च उपज, अधिक रोग प्रतिरोधक क्षमता और बेहतर विकास दर देखी जाती है। इसलिए हाइब्रिड शक्ति दो पौधों के क्रॉसिंग से प्रेरित होती है, न कि केवल एक पौधे या क्लोनिंग द्वारा।

52. (A): परिवर्तन (Transformation) की खोज 1928 में फ्रेडरिक ग्रिफिथ ने की थी। उन्होंने न्यूमोनिया बैक्टीरिया पर प्रयोग करते हुए यह पाया कि मृत रोगजनक बैक्टीरिया का कोई घटक जीवित गैर-रोगजनक बैक्टीरिया को भी रोगजनक बना सकता है। इस खोज ने यह सिद्ध किया कि आनुवंशिक सूचना स्थानांतरित हो सकती है, जो बाद में डीएनए के रूप में पहचानी गई।

53. (D): डीएनए की दो पॉलिन्यूक्लियोटाइड श्रृंखलाएं प्रतिसमांतर (antiparallel) होती हैं। इसका अर्थ है कि एक श्रृंखला 5' से 3' दिशा में होती है जबकि दूसरी श्रृंखला 3' से 5' दिशा में होती है। यह व्यवस्था हाइड्रोजन बंधों के सही निर्माण और डीएनए के स्थिर द्विकुंडलीय (double helical) ढांचे को बनाए रखने के लिए आवश्यक है।

54. (B): जनवरी 2021 तक विश्व में कुल 36 जैव विविधता हॉटस्पॉट माने गए, जिनमें से 4 भारत में स्थित हैं। ये हैं हिमालय, इंडो-बर्मा, वेस्टर्न घाट्स और श्रीलंका तथा सुंदरलैंड। इन क्षेत्रों में असाधारण जैव विविधता पाई जाती है और ये गंभीर रूप से जैव विविधता हानि के खतरे में हैं।

इसलिए सही उत्तर 4 है।

55. (B): कवक (Fungi) साम्राज्य पृथ्वी पर जातीय विविधता के मामले में सबसे बड़ा है। कवक में सबसे अधिक संख्या में ज्ञात जातियाँ और व्यापक विविधता देखी जाती है, जिनमें खमीर, फफूंदी, मशरूम आदि शामिल हैं। शैवाल, ब्रायोफाइट्स और जिम्नोस्पर्म्स की तुलना में कवक समूह में जातीय विविधता सबसे अधिक पाई जाती है।

56. (B): बैक्टीरिया एक प्रोकैरियोटिक जीव है, जहाँ अनुलेखन (Transcription) और अनुवाद (Translation) एक साथ होते हैं क्योंकि बैक्टीरिया में कोई न्यूक्लियर मेंब्रेन नहीं होता, जिससे mRNA का ट्रांसलेशन उसके बनने के तुरंत बाद ही शुरू हो जाता है। लेकिन कारण गलत है, क्योंकि बैक्टीरियल mRNA को यूकेरियोटिक mRNA की तरह प्रसंस्करण (splicing, capping, tailing) की आवश्यकता नहीं होती। इसलिए सही विकल्प है कि अभिकथन सही है, लेकिन कारण गलत है।

57. (A): tRNA (ट्रांसफर RNA) की द्विमात्रिक संरचना (2D structure) क्लोवर लीफ (तिपतिया घास के पत्ते) जैसी होती है। इसमें चार मुख्य आर्म्स (DHU arm, anticodon arm, TψC arm, acceptor stem) होते हैं और एक एंटिकोडन लूप भी उपस्थित होता है, जो mRNA पर उपयुक्त कोडन को पहचानता है। इसलिए tRNA की तिपतिया घास जैसी संरचना इसका एक विशिष्ट लक्षण है।

58. (A): जब एक ही सामान्य पूर्वज (common ancestor) से अनेक प्रजातियाँ विकसित होकर विभिन्न आवासों (habitats) में फैल जाती हैं और वहाँ अपने पर्यावरण के अनुसार विशेष अनुकूलन विकसित करती हैं, तो इस प्रक्रिया को अनुकूली विकिरण (Adaptive Radiation) कहते हैं। डार्विन के 'फिंच पक्षी' इसका प्रसिद्ध उदाहरण हैं। इसलिए सही उत्तर अनुकूली विकिरण है।

59. (C): मनुष्यों में निषेचन (fertilization) का वास्तविक स्थल महिला प्रजनन तंत्र में फैलोपियन ट्यूब (fallopian tube) होती है, विशेष रूप से इसका ऐम्पुला क्षेत्र। यहीं पर अंडाणु और शुक्राणु मिलते हैं और निषेचन की प्रक्रिया पूरी होती है। निषेचित अंडाणु बाद में गर्भाशय में प्रत्यारोपित होता है। इसलिए सही उत्तर फैलोपियन ट्यूब है।

60. (B): पेनिसिलिन (Penicillin) पहला खोजा गया एंटीबायोटिक था, जिसे 1928 में अलेक्जेंडर फ्लेमिंग ने आकस्मिक रूप से खोजा था। उन्होंने देखा कि पेनिसिलियम फफूंदी से एक पदार्थ स्रावित हो रहा था जो जीवाणुओं के विकास को रोक रहा था। इस खोज ने चिकित्सा जगत में क्रांति ला दी और एंटीबायोटिक थैरेपी का मार्ग प्रशस्त किया। इसलिए सही उत्तर पेनिसिलिन है।

61. (B): The phrase "A number of" is always treated as plural in English grammar because it refers to several people or things. Hence, the verb that follows should be plural to match the plural subject. In this sentence, "A number of girls" refers to many girls, thus the verb should be "are helping" instead of "is helping". "Is helping" incorrectly uses a singular verb for a plural subject, resulting in a subject-verb agreement error. Correct form: "A number of girls are helping us to raise funds for the charitable event".

संक्षिप्त मुख्य बिंदु :

- फिंकेलस्टीन प्रतिक्रिया = ऐल्किल हैलाइड + सोडियम आयोडाइड → ऐल्किल आयोडाइड + सोडियम हैलाइड (NaX precipitate)
- विलायक = एसिटोन (acetone)
- मैकेनिज्म = SN2 (Backside attack)

सही उत्तर है : A: R-X + NaI → R-I + NaX.

39. (B): $[Ni(CN)_4]^{2-}$ में केंद्रीय धातु Ni^{2+} है, जिसका इलेक्ट्रॉनिक विन्यास $[Ar]3d^8$ होता है। CN^- एक मजबूत क्षेत्र वाला लिगेंड (strong field ligand) है, जो Ni^{2+} के $3d$ कक्षों में जोड़ीकरण कराता है, जिससे $3d$ में सभी इलेक्ट्रॉन जोड़े जाते हैं और दो खाली कक्ष बनते हैं। फिर Ni^{2+} के $3d$, $4s$ और $4p$ कक्षों से एक dsp^2 संकरण बनता है, जिससे स्क्वायर प्लानर (Square Planar) संरचना बनती है। सभी इलेक्ट्रॉन जोड़े होने के कारण यौगिक प्रति-चुंबकीय (diamagnetic) होता है। इसलिए सही उत्तर dsp^2 संकरण और प्रति-चुंबकीय व्यवहार है।

40. (B): दोहरा नमक वे यौगिक होते हैं जो दो अलग-अलग सरल लवणों के संयोजन से बनते हैं, और जल में घुलने पर पूरी तरह से अपने आयनों में टूट जाते हैं। मोहर सॉल्ट $FeSO_4(NH_4)_2SO_4 \cdot 6H_2O$ एक ऐसा दोहरा नमक है जो आयरन (II) सल्फेट और अमोनियम सल्फेट के संयोजन से बनता है। जब इसे जल में घोला जाता है, तो यह Fe^{2+}, NH_4^+ और SO_4^{2-} आयनों में पूरी तरह से अलग हो जाता है। इसलिए सही उत्तर मोहर सॉल्ट है।

41. (A): एकबीजपत्री पौधों में नर युग्मकोद्भिद (male gametophyte) सूक्ष्मबीजाणु (microspore) से विकसित होता है। सूक्ष्मबीजाणु, परागकोष के अंदर सूक्ष्मस्पोरोजेनस ऊतक से बनता है और बाद में विभाजन कर नर युग्मकोद्भिद बनाता है। इस युग्मकोद्भिद में एक जनन कोशिका और एक नली कोशिका होती है जो निषेचन की प्रक्रिया में भाग लेती हैं। इसलिए सही उत्तर सूक्ष्मबीजाणु है।

42. (D): जब एक ही पुष्प में परागकोष (anther) और वर्तिकाग्र (stigma) एक साथ परिपक्व होते हैं, तो इस स्थिति को समकाल परिपक्वता (synchronous maturity या synchrony) कहा जाता है। यह परागण को बढ़ावा देने और सफल निषेचन की संभावना बढ़ाने में सहायक होती है। यह स्थिति पर-परागण (cross-pollination) को भी बढ़ावा दे सकती है। इसलिए सही उत्तर समकाल परिपक्वता है।

43. (B): काउपर ग्रंथियाँ (Cowper's glands), जिन्हें 'बल्बोयूरेथ्रल ग्रंथियाँ' भी कहा जाता है, केवल नर स्तनधारियों में पाई जाती हैं। ये ग्रंथियाँ मूत्रमार्ग के पास स्थित होती हैं और एक स्राव (pre-ejaculate fluid) उत्पन्न करती हैं, जो मूत्रमार्ग को चिकनाई प्रदान करता है तथा शुक्राणुओं को क्षारीय वातावरण प्रदान करता है। इस ग्रंथि का कार्य प्रजनन तंत्र से सम्बंधित है। इसलिए सही उत्तर नर स्तनधारी है।

44. (A): प्लेसेंटा भ्रूण को ऑक्सीजन, पोषक तत्व प्रदान करता है तथा भ्रूण से अपशिष्ट उत्पादों जैसे कार्बन डाइऑक्साइड को हटाने का कार्य करता है। इसके अलावा, प्लेसेंटा हार्मोन जैसे एस्ट्रोजन का स्राव भी करता है। लेकिन यह मातृ रक्त से भ्रूण तक RBC (लाल रक्त कोशिकाएँ) का परिवहन नहीं करता; भ्रूण और माता के रक्त परिसंचरण स्वतंत्र होते हैं और सीधे मिश्रित नहीं होते। इसलिए सही उत्तर मातृ रक्त से भ्रूण तक RBC का परिवहन नहीं है।

45. (D): बच्चे के जन्म के तुरंत बाद माँ के स्तनों से जो गाढ़ा पीला रंग का तरल निकलता है, उसे कोलोस्ट्रम (colostrum) कहते हैं। कोलोस्ट्रम में रोग प्रतिरोधक तत्व (इम्युनोग्लोबुलिन्स), प्रोटीन और कम मात्रा में वसा और कार्बोहाइड्रेट होते हैं, जो नवजात शिशु को प्रारंभिक प्रतिरक्षा सुरक्षा प्रदान करते हैं। यह प्रारंभिक दूध शिशु के स्वास्थ्य के लिए अत्यंत महत्वपूर्ण होता है। इसलिए सही उत्तर कोलोस्ट्रम है।

46. (D): विटलाइन झिल्ली (vitelline membrane) अंडे की सबसे पहली झिल्ली होती है, जो अंडाणु के प्लाज्मा झिल्ली के ठीक बाहर पाई जाती है। यह झिल्ली अंडे को बाहरी चोट या संक्रमण से बचाने में मदद करती है। चूंकि यह अंडाणु के बनने के समय से ही उपस्थित रहती है और निषेचन से पहले बनती है, इसलिए इसे प्राथमिक झिल्ली कहा जाता है। इस प्रकार सही उत्तर प्राथमिक है।

47. (D): किसी देश की जनसंख्या यदि बढ़ रही हो, तो उसकी जनसंख्या संरचना में पूर्व-प्रजनन अवस्था वाले व्यक्तियों (बच्चे और किशोर) की संख्या प्रजनन अवस्था वाले व्यक्तियों (युवा वयस्कों) की तुलना में अधिक होती है। यह इंगित करता है कि आने वाले समय में भी जनसंख्या वृद्धि जारी रहेगी। इसलिए सही उत्तर है कि पूर्व-प्रजनन व्यक्ति अधिक होते हैं।

48. (D): भारत ने प्रजनन रूप से स्वस्थ समाज के निर्माण के लिए सबसे पहले राष्ट्रीय स्तर पर प्रयास 1950 के दशक में शुरू किए थे। 1952 में भारत दुनिया का पहला देश बना जिसने एक राष्ट्रीय परिवार नियोजन कार्यक्रम की शुरुआत की। इसका उद्देश्य जनसंख्या वृद्धि को नियंत्रित करना और जनसंख्या के स्वास्थ्य को सुधारना था। इसलिए सही उत्तर 1950s है।

49. (A): जन्म नियंत्रण के उपायों का प्रभावी होने के साथ-साथ सुलभ और किफायती होना आवश्यक है ताकि समाज के हर वर्ग तक इनकी पहुँच संभव हो सके। अगर उपाय बहुत महंगे

पिछले प्रश्न-पत्र (हल सहित)

B.Sc. नर्सिंग भर्ती परीक्षा, 2023*

1. मासिक धर्म चक्र (Menstruation) की समाप्ति कहलाती है :

A. मेनार्चे (Menarche)
B. कैपेसिटेशन (Capacitation)
C. मेनोपॉज (Menopause)
D. फर्टिलाइजेशन (Fertilization)

2. कौवे का जीवन काल होता है :

A. 1-2 सप्ताह B. 100 वर्ष
C. 15 वर्ष D. 60 वर्ष

3. पराग कण प्रतिनिधित्व करते हैं :

A. अंडे का B. भ्रूणपोष का
C. जायगोट का D. नर गैमेटोफाइट्स का

4. टर्नर सिंड्रोम विकार है :

A. XO B. XXX
C. XXY D. XY

5. अप्रभावी स्थिति को इस प्रकार दर्शाया गया है :

A. TT B. Tt
C. tt D. इनमें से कोई नहीं

6. डीएनए संरचना के लिए डबल हेलिक्स मॉडल दिया गया है :

A. फ्रेडरिक B. मेंडल
C. वॉटसन और क्रिक D. जॉनसन

7. DNA में दो आधार युग्म के बीच की दूरी होती है :

A. 0.24 nm B. 20 nm
C. 0.34 nm D. 20.5 nm

8. विकास के बारे में प्राकृतिक चयन का सिद्धांत किसके द्वारा दिया गया है?

A. चार्ल्स डार्विन B. ह्यूगो डी व्रीज
C. थॉमस D. लैमार्क

9. एड्स का कारक जीव है :

A. विषाणु B. बैक्टीरिया
C. प्रोटोजोआ D. स्नैक

10. पारिस्थितिकी तंत्र में हरे पौधे हैं :

A. उपभोक्ता B. उत्पादक
C. शाकाहारी D. विषमपोषी

11. आँख के कॉर्निया और लेंस के बीच का स्थान कहलाता है :

A. जलीय कक्ष B. कांचाभ कक्ष
C. ब्लाइंड स्पॉट D. फोविया (Fovea)

12. कौन-सा फोर ब्रेन का भाग नहीं है :

A. सेरेब्रम B. थैलेमस
C. हाइपोथैलेमस D. पोंस

13. मानव पसली पिंजरे में कितनी पसलियों के जोड़े मौजूद होते हैं?

A. 10 जोड़े B. 12 जोड़े
C. 15 जोड़े D. 11 जोड़े

14. सामान्य मानव में ग्लोमेरुलर निस्पंदन दर है :

A. 180 लीटर/दिन B. 150 लीटर/दिन
C. 2001 लीटर/दिन D. इनमें से कोई नहीं

15. मनुष्य का हृदय सामान्यतः प्रति मिनट धड़कता है :

A. 70-72 बार B. 85-90 बार
C. 90-95 बार D. 55-60 बार

16. एक वयस्क मनुष्य के पास स्थायी दांतों की संख्या होती है :

A. 30 B. 32
C. 20 D. 34

17. वसा का श्वसन गुणांक है :

A. एक B. एक से कम
C. एक से अधिक D. शून्य

18. सीमित कारकों का नियम किसके द्वारा दिया गया है?

A. रॉबर्ट ब्राउन B. मेंडल
C. ब्लैकमैन्स D. बैट्सन

19. फ्लोएम द्वारा पौधों में भोजन का परिवहन होता है :

A. एक दिशात्मक B. द्वि-दिशात्मक
C. बहुदिशात्मक D. इनमें से कोई नहीं

20. जंतु साम्राज्य का सबसे बड़ा संघ है :

A. मोलस्का B. एनेलिडा
C. आर्थ्रोपोडा D. पोरिफेरा

21. सामान्य मानव आँख के लिए आँख से निकट बिंदु की दूरी होती है :

A. 0.25 सेमी. B. 25 सेमी.
C. 25 मीटर D. इनमें से कोई नहीं

---

* *Conducted by AMRU, Himachal Pradesh.*

22. निकट दृष्टिदोष को ठीक करने के लिए प्रयुक्त लेंस है :
A. अवतल B. उत्तल
C. समतल उत्तल D. इनमें से कोई नहीं

23. साबुन का बुलबुला किसके कारण रंगीन दिखाई देता है?
A. प्रकाश का प्रकीर्णन
B. प्रकाश का अपवर्तन
C. प्रकाश का व्यतिकरण
D. प्रकाश का विवर्तन

24. बादल आमतौर पर सफेद रंग के होते हैं :
A. प्रकाश के व्यतिकरण के कारण
B. प्रकाश के प्रकीर्णन के कारण
C. पूर्ण आंतरिक परावर्तन के कारण
D. प्रकाश के विक्षेपण के कारण

25. दूर-संचार के लिए प्रयुक्त विद्युत चुम्बकीय तरंगें हैं :
A. पराबैंगनी किरणें B. माइक्रोवेव
C. दृश्यमान किरणें D. इन्फ्रा-रेड किरणें

26. सूर्य से आने वाली ऊष्मा विकिरण है :
A. पराबैंगनी किरणें B. दृश्यमान किरणें
C. इन्फ्रा-रेड किरणें D. इनमें से कोई नहीं

27. निम्नलिखित में से कौन ट्रांसड्यूसर नहीं है?
A. लाउडस्पीकर B. एम्पलीफायर
C. माइक्रोफोन D. इनमें से कोई नहीं

28. टी.वी. प्रसारण के लिए नियोजित आवृत्ति सामान्यतः होती है :
A. 20 हर्ट्ज से 20 मेगाहर्ट्ज
B. 30 मेगाहर्ट्ज से 300 मेगाहर्ट्ज
C. 30 गीगाहर्ट्ज से 300 गीगाहर्ट्ज
D. इनमें से कोई नहीं

29. संधारित्र में संग्रहित ऊर्जा किस रूप में होती है?
A. विद्युत क्षेत्र
B. चुंबकीय क्षेत्र
C. विद्युत और चुंबकीय क्षेत्र
D. इनमें से कोई नहीं

30. विद्युत क्षेत्र की तीव्रता की SI इकाई है :
A. न्यूटन प्रति कूलम्ब
B. न्यूटन प्रति व्युत्क्रम कूलम्ब
C. न्यूटन प्रति कूलम्ब स्क्वायर
D. प्रति न्यूटन स्क्वायर कूलम्ब

31. दो दर्पणों के बीच के 90° के कोण पर रखी गई किसी वस्तु के प्रतिबिम्बों की संख्या होगी :
A. 2 B. 3
C. 4 D. 5

32. पृथ्वी के वायुमंडल की सबसे ऊपरी परत का नाम बताएं :
A. क्षोभमंडल B. मध्यमंडल
C. आयनमंडल D. इनमें से कोई नहीं

33. रैखिक संवेग की SI इकाई है :
A. किलोग्राम मीटर प्रति वर्ग सेकंड
B. किलोग्राम वर्ग मीटर प्रति सेकंड
C. किलोग्राम मीटर प्रति सेकंड
D. किलोग्राम वर्ग मीटर प्रति सेकंड

34. 50 मीटर/सेकंड की गति से चलने वाली एक कार 200 मीटर में रुक जाती है, कार की गति में उत्पन्न मंदता :
A. 0.625 मीटर/सेकंड^2 B. –6.25 मीटर/सेकंड^2
C. 62.5 मीटर/सेकंड^2 D. इनमें से कोई नहीं

35. जब बस मुड़ती है तो यात्री गोलाकार मोड़ से दूर गिर जाता है, इसका कारण है :
A. दिशा की जड़ता B. गति की जड़ता
C. आराम की जड़ता D. इनमें से कोई नहीं

36. वायु में प्रकाश की गति है :
A. 3×10^8 ms^{-1} B. 3.5×10^8 ms^{-1}
C. 3×10^{-8} ms^{-1} D. इनमें से कोई नहीं

37. भौतिक मात्रा जो जड़त्व को मापती है :
A. द्रव्यमान B. वेग
C. विस्थापन D. त्वरण

38. वायु में ध्वनि की चाल है :
A. 330 मी./से. B. 280 मी./से.
C. 331 मी./से. D. 431 मी./से.

39. इंद्रधनुष का निर्माण किस घटना के कारण होता है :
A. परावर्तन B. अपवर्तन
C. विक्षेपण D. उपरोक्त सभी

40. खतरे के संकेत के लिए लाल रंग का प्रयोग किया जाता है क्योंकि :
A. उच्च आवृत्ति B. उच्चतम तरंग लंबाई
C. न्यूनतम तरंग लंबाई D. इनमें से कोई नहीं

41. एड्स रोगियों के इलाज के लिए निम्नलिखित में से कौन-सी दवा का उपयोग किया जाता है?
A. सिस्प्लैटिन B. AZT
C. टैक्सोल D. टेगामेट

42. PO_4^{3-} में P और SO_4^{2-} में S की ऑक्सीकरण अवस्थाएँ क्रमशः हैं :
A. +3, +6 B. –3, +6
C. +5, +3 D. +5, +6

43. Cu^{2+} आयन का इलेक्ट्रॉनिक विन्यास है :

A. [Ar], $3d^8, 4s^1$ B. [Ar], $3d^9, 4s^0$

C. [Ar], $3d^7\ 4s^2$ D. [Ar], $3d^8, 4s^0$

44. हाइड्रोजन के तीन समस्थानिक हैं : (A), (B) और (C), यदि (A), (B) और (C) में न्यूट्रॉन की संख्या क्रमशः x, y और z है तो $x + y + z$ बराबर है :

A. 4 B. 3

C. 2 D. 1

45. $Ba(OH)_2$ के संतृप्त घोल का pH 12 है। $Ba(OH)_2$ के घुलनशीलता उत्पाद (Ksp) का मान है :

A. 3.3×10^{-7}

B. 5.0×10^{-7}

C. 4.0×10^{-6}

D. 5.0×10^{-6}

46. वह अणु जिसकी फोटोकैमिकल स्मॉग के निर्माण में न्यूनतम या कोई भूमिका नहीं होती है, वह है :

A. NO B. $CH_2 = 0$

C. CO_3 D. N_2

47. निम्नलिखित में से डी.डी.टी. क्या है?

A. एक उर्वरक

B. बायोडिग्रेडेबल प्रदूषक

C. गैर-बायोडिग्रेडेबल प्रदूषक

D. ग्रीनहाउस गैस

48. वह प्रतिक्रिया जिसमें $\Delta H > \Delta U$ है :

A. $N_2(g) + O_2(g) \rightarrow 2NO(g)$

B. $CaCO_3(s) \rightarrow CaO\ (S) + CO_2(g)$

C. $N_2(g) + 3H_2(g) \rightarrow 2NH_3(g)$

D. $CH_4(g) + 2O_2(g) \rightarrow CO_2(g) + 2H_2O(l)$

49. वह धातु जो हवा के N_2 के साथ सीधे प्रतिक्रिया करके नाइट्राइड बनाती है :

A. Li B. K

C. Cs D. Rb

50. पेपर क्रोमैटोग्राफी इसका एक उदाहरण है :

A. पतली परत क्रोमैटोग्राफी

B. एडसॉर्प्शन/अधिशोषण क्रोमैटोग्राफी

C. कॉलम क्रोमैटोग्राफी

D. पार्टिशन/पृथक्करण क्रोमैटोग्राफी

51. वल्कनीकरण से रबर बनता है :

A. अधिक लोचदार

B. अकार्बनिक विलायक में घुलनशील

C. क्रिस्टलीय

D. इनमें से कोई नहीं

52. औषधि (कॉलम-I) को उसके उपयोग (कॉलम-II) से मिलाएँ :

कॉलम-I	कॉलम-II
(*i*) ओफ्लॉक्सासिन	(*a*) पेट में अतिरिक्त अम्ल को हटाता है
(*ii*) वेरोनल	(*b*) तनाव या मानसिक रोगों का इलाज करता है
	(*c*) सूक्ष्म जीव को मारता है
	(*d*) शरीर का तापमान कम करता है

	(*i*)	(*ii*)
A.	(*a*)	(*b*)
B.	(*a*)	(*d*)
C.	(*c*)	(*d*)
D.	(*c*)	(*b*)

53. अम्लों (कॉलम-I) को उनके सही IUPAC नामों (कॉलम-II) से मिलाएँ :

कॉलम-I	कॉलम-II
(*a*) थैलिक एसिड	(*i*) हेक्सेन-1, 6-डायोइक एसिड
(*b*) ऑक्जैलिक एसिड	(*ii*) बेंजीन-1, 2-डाइकार्बो-जाइलिक एसिड
(*c*) सक्सिनिक एसिड	(*iii*) इथेन-1, 2-डायोइक एसिड
(*d*) एडिपिक एसिड	(*iv*) ब्यूटेन-1, 4-डायोइक एसिड

	(*a*)	(*b*)	(*c*)	(*d*)
A.	(*i*)	(*iii*)	(*ii*)	(*iv*)
B.	(*ii*)	(*iii*)	(*iv*)	(*i*)
C.	(*iv*)	(*iii*)	(*ii*)	(*i*)
D.	(*iii*)	(*ii*)	(*iv*)	(*i*)

54. कौन-सा क्षार RNA में उपस्थित होता है लेकिन DNA में नहीं :

A. यूरासिल B. साइटोसिन

C. गुआनिन D. थायमिन

55. एसिड एनहाइड्राइड प्राथमिक ऐमीन के साथ अभिक्रिया पर देता है :

A. एमाइड B. इमाइड

C. सेकेंडरी एमीन D. इमाइन

56. निम्नलिखित में से कौन सबसे अधिक अम्लीय है?

A. बेंजाइल अल्कोहल B. साइक्लोहेक्सानोल

C. फेनोल D. एम-क्लोरोफेनोल

57. निम्नलिखित में से कौन-सा अभिकर्मक एथिल एल्कोहल को एथिल क्लोराइड में परिवर्तित नहीं करेगा?

A. PCl_5 B. NaCl

C. $SOCl_2$ D. $HCl/ZnCl_2$

58. सांद्र नमक के घोल में रखने पर कच्चे आम का आकार सिकुड़कर बहुत छोटा हो जाता है, निम्नलिखित में से कौन-सी प्रक्रिया इसे समझा सकती है :

A. डायलिसिस B. रिवर्स ऑस्मोसिस

C. ऑस्मोसिस D. डिफ्यूजन

59. यदि तनु विलयन की मोललता दोगुनी कर दी जाए तो मोलल अवनमन स्थिरांक (K_f) का मान होगा :

A. आधा
B. तीन गुना
C. अपरिवर्तित
D. दोगुना

60. उत्प्रेरक की भूमिका परिवर्तन करना है :

A. प्रतिक्रिया की गिब्स ऊर्जा
B. प्रतिक्रिया की एन्थैल्पी
C. प्रतिक्रिया की सक्रियण ऊर्जा
D. साम्यावस्था स्थिरांक

61. भारत में कोविड पॉजिटिव का पहला मामला कहाँ दर्ज किया गया था?

A. केरल
B. तमिलनाडु
C. गुजरात
D. महाराष्ट्र

62. शरीर के उन हिस्सों के लिए आदर्श रोलर बैंडेज अनुप्रयोग है जहाँ मोटाई भिन्न होती है, जैसे कि अग्रबाहु पर, यह है :

A. सरल सर्पिल
B. आठ की आकृति
C. उल्टा सर्पिल
D. डाइवर्जेंट स्पिका

63. वमन केन्द्र (Vomiting center) स्थित होता है :

A. मेडुला आब्लांगेटा
B. सेरेब्रल कॉर्टेक्स
C. थोरासिक स्पाइन
D. हाइपोथैलेमस

64. बिस्तर पर पड़े रोगी में हाइपोस्टेटिक निमोनिया के जोखिम को कम करने की एक सरल और लागत प्रभावी विधि है :

A. एंटीबायोटिक्स
B. नेबुलाइजेशन
C. अवस्था में बार-बार परिवर्तन
D. आर्द्र ऑक्सीजन

65. शरीर की निम्नलिखित में से कौन-सी कोशिकाएँ लगभग स्थिर माइटोसिस में होती हैं?

A. तंत्रिका कोशिकाएँ
B. आमाशय कोशिकाएँ
C. मांसपेशी कोशिकाएँ
D. वृक्क कोशिकाएँ

66. निम्नलिखित में से किस व्यक्ति के शरीर में पानी का प्रतिशत सबसे अधिक होता है?

A. मोटा आदमी
B. दुबला आदमी
C. दुबली महिलाएँ
D. मोटी औरतें

67. एल्वियोली और उनके आसपास की कोशिकाओं के बीच गैसों के आदान-प्रदान को ______ श्वसन कहा जाता है।

A. बाह्य
B. आंतरिक
C. अन्तरस्थ
D. बाह्य और आंतरिक दोनों

68. निम्नलिखित में से विटामिन डी की अधिकतम मात्रा किसमें पाई जाती है?

A. यकृत
B. पनीर
C. अंडे की जर्दी
D. कॉड लिवर तेल

69. 3D (डायरिया, डिमेंशिया, डर्मेटाइटिस) किस कमी विकार की विशेषता है?

A. थियामिन
B. बायोटिन
C. नियासिन
D. राइबोफ्लेविन

70. उचित पार्थक्य सावधानियां स्थापित करने के लिए, नर्स को पहले यह जानना चाहिए :

A. जीव के संचरण का तरीका
B. जीव की ग्राम-स्टेनिंग विशेषताएँ
C. एंटीबायोटिक दवाओं के प्रति जीव की संवेदनशीलता
D. जीव के प्रति रोगी की संवेदनशीलता

71. ________ एक लाइसेंस प्राप्त चिकित्सा पेशेवर है जो विभिन्न चिकित्सा और सामुदायिक सेटिंग्स में हाथों की देखभाल प्रदान करता है।

A. स्टाफ नर्स
B. पंजीकृत नर्स
C. पर्यटन नर्स
D. ओटी (OT) नर्स

72. गैसों का आदान-प्रदान निम्नलिखित में से किस अंग में होता है?

A. वृक्क
B. फेफड़े
C. यकृत
D. हृदय

73. यह एक पारदर्शी झिल्ली है जो आँखों में प्रवेश करने वाले प्रकाश को रेटिना पर केंद्रित करती है :

A. लेंस
B. स्केलेरा
C. कॉर्निया
D. प्यूपिलस

74. पीनियल ग्रंथि मस्तिष्क में एक छोटी, मटर के आकार की ग्रंथि है, जो सर्केडियन चक्र के लिए जिम्मेदार न्यूरोट्रांसमीटर का उत्पादन करती है :

A. मेलाटोनिन
B. इंसुलिन
C. मिनरलोकॉर्टिकोइड्स
D. थायराइड

75. मैलेना शब्द का अर्थ है :

A. गहरे रंग का मल, जिसमें खून हो
B. पेशाब में मवाद आना
C. दर्दनाक पेशाब आना
D. मूत्र में शर्करा

76. कॉलेप्सिंग पल्स को इस नाम से भी जाना जाता है :

A. बाउंडिंग पल्स
B. वाटर-हैमर पल्स
C. पल्स अल्टरनॉस
D. बाइजैमिनल पल्स

77. घाव भरने में निम्नलिखित में से किसकी भूमिका मानी जाती है?
A. विटामिन A
B. विटामिन K
C. विटामिन C
D. विटामिन B कॉम्प्लेक्स

78. निम्नलिखित में से किसे हाथ धोने का सबसे महत्वपूर्ण पहलू माना जाता है?
A. साबुन
B. पानी
C. घर्षण
D. समय

79. निम्नलिखित में से कौन-सा एलर्जी के लिए सबसे अच्छा इलाज है?
A. धूल रहित कमरे में रहना।
B. इलेक्ट्रोस्टैटिक फिल्टर का उपयोग करना।
C. व्यक्ति को संवेदनशील एलर्जी कारकों के संपर्क में आने से रोकना।
D. एंटीहिस्टामाइन का प्रयोग करना।

80. उच्च तापमान वाले रोगी को देना चाहिए :
A. प्रचुर मात्रा में तरल पदार्थ
B. सामान्य तरल पदार्थ
C. प्रतिबंधित तरल पदार्थ
D. नियमित आहार

81. What is the synonym of 'Cancel'?
A. Abolish
B. Approve
C. Allow
D. Break

82. What is the synonym of 'Vigilant'?
A. Aggressive
B. Harmful
C. Watchful
D. Painful

83. What is the synonym of 'Hazardous'?
A. Sweet
B. Famous
C. Helpful
D. Dangerous

84. What is the antonym of 'Beautiful'?
A. Ugly
B. Handsome
C. Wonderful
D. Pretty

85. What is the antonym of 'Initiated'?
A. Started
B. Closed
C. Confused
D. Began

86. What is the antonym of 'Dirty'?
A. Powerful
B. Filthy
C. Bad
D. Clean

87. Find the correct spelt word.
A. Affedevit
B. Effadavit
C. Afidevet
D. Affidavit

88. Find the correct spelt word.
A. Adventure
B. Adaventure
C. Adevanture
D. Advantura

89. Find the correct spelt word.
A. Leboratory
B. Labaratory
C. Labratary
D. Laboratory

90. A person who does not believe in existence of God.
A. Atheist
B. Spiritual
C. Priest
D. Religious

91. A disease which spreads by contact.
A. Dangerous
B. Contagious
C. Fatal
D. Pandemic

92. Custom of having many wives.
A. Misogamy
B. Bigamy
C. Polygamy
D. Monogamy

Directions (Qs. No. 93-95): *Replace the bold portion with appropriate choice.*

93. The man **to who I sold** my car was a cheat.
A. to who I sell
B. to whom I sold
C. to whom I sell
D. No correction required.

94. I need not offer any explanation. My behaviour **is speaking itself.**
A. will speak itself
B. speaks for itself
C. has been speaking for itself.
D. No correction required

95. Why **did you not threw** the bag away?
A. did you not throw
B. did you not thrown
C. had you not thrown
D. no correction needed

Directions (Qs. No. 96-100): *Fill the blanks with most appropriate from the given choices.*

96. The _______ of private limited companies is in the hands of its directors.
A. Managers
B. Administrators
C. Management
D. Society

97. The Christmas Tree was _______ with stars and light bulbs.
A. decorated
B. tied
C. deprived
D. decided

98. A wise person is one who learns from his _________.
A. lies
B. bad manners
C. books
D. Mistakes

99. Please, don't laugh _______ those beggars.
A. For
B. Against
C. At
D. From

100. Please, stop ________ so many mistakes.
A. to make
B. make
C. making
D. makes

उत्तरमाला

1	2	3	4	5	6	7	8	9	10
C	C	D	A	C	C	C	A	A	B
11	**12**	**13**	**14**	**15**	**16**	**17**	**18**	**19**	**20**
A	D	B	A	A	B	B	C	B	C
21	**22**	**23**	**24**	**25**	**26**	**27**	**28**	**29**	**30**
B	A	C	B	B	C	B	B	A	A
31	**32**	**33**	**34**	**35**	**36**	**37**	**38**	**39**	**40**
B	D	C	B	A	A	A	C	D	B
41	**42**	**43**	**44**	**45**	**46**	**47**	**48**	**49**	**50**
B	D	B	B	B	D	C	B	A	D
51	**52**	**53**	**54**	**55**	**56**	**57**	**58**	**59**	**60**
A	D	B	A	A	D	B	C	C	C
61	**62**	**63**	**64**	**65**	**66**	**67**	**68**	**69**	**70**
A	C	A	C	B	B	A	D	C	A
71	**72**	**73**	**74**	**75**	**76**	**77**	**78**	**79**	**80**
B	B	A	A	A	B	C	C	C	A
81	**82**	**83**	**84**	**85**	**86**	**87**	**88**	**89**	**90**
A	C	D	A	B	D	D	A	D	A
91	**92**	**93**	**94**	**95**	**96**	**97**	**98**	**99**	**100**
B	C	B	B	A	C	A	D	C	C

पिछले प्रश्न-पत्र (हल सहित)

B.Sc. नर्सिंग भर्ती परीक्षा, 2022*

1. H-Cl अणु का द्विध्रुव आघूर्ण 3.2×10^{-30} cm है उसके आयनों के मध्य दूरी होगी :

A. 2×10^{-11} m
B. 2 mm
C. 0.2 mm
D. 2×10^{-10} m

2. जब 12 μC एवं 8 μC के दो आवेशों के बीच की दूरी 10 cm है तो उन्हें 4 cm तक लाने में लगभग कितना कार्य करना होगा?

A. 5.8 J
B. 5.8 eV
C. 13 J
D. 13 eV

3. निर्वात में स्थित इकाई धनावेश से निकलने वाले संपूर्ण विद्युत फ्लक्स का मान है :

A. $4 \pi\varepsilon_0$
B. $(4 \pi\varepsilon_0)^{-1}$
C. ε_0
D. ε_0^{-1}

4. एक आवेशित संधारित्र की दोनों प्लेटों को एक चालक तार से जोड़ दिया जाए तब :

A. विभव अनन्त हो जाएगा
B. आवेश अनन्त हो जाएगा
C. आवेश दोगुना हो जाएगा
D. संधारित्र निरावेशित हो जाएगा

5. किसी चालक की प्रतिरोधकता एवं चालकता का गुणनफल निर्भर करता है :

A. चालक के काट क्षेत्रफल पर
B. चालक के ताप पर
C. चालक की लम्बाई पर
D. इनमें से कोई नहीं

6. धारा घनत्व का S.I. मात्रक है :

A. A/m
B. A/m^2
C. A/m^3
D. A × m

7. विभवमापी के प्रयोग में वि.वा. बल E का सैल L लम्बाई पर संतुलित होता है, दूसरा सैल जिसका वि.वा. बल भी E है, प्रथम सैल के समानांतर क्रम में जोड़ा जाता है, तो नई संतुलन लम्बाई का मान होगा :

A. 2 L
B. L
C. L/2
D. L/4

8. विभवमापी की सुग्रहिता बढ़ाई जा सकती है :

A. प्राथमिक परिपथ में सेल का वि.वा. बल बढ़ाकर
B. द्वितीयक परिपथ में सेल का वि.वा. बल घटाकर
C. विभवमापी के तार की लम्बाई बढ़ाकर
D. विभवमापी के तार की लम्बाई घटाकर

9. कोई आवेशित कण जो एक समान चाल से गति कर रहा है, उत्पन्न करता है :

A. केवल विद्युत क्षेत्र
B. केवल चुम्बकीय क्षेत्र
C. विद्युत एवं चुम्बकीय क्षेत्र दोनों
D. विद्युत एवं चुम्बकीय क्षेत्र के साथ विद्युत चुम्बकीय तरंगें

10. एक लम्बे तथा सीधे धारावाही चालक तार से r दूरी पर उत्पन्न चुम्बकीय क्षेत्र B है। यदि तार में प्रवाहित धारा का मान नियत रखें तो $2r/3$ दूरी पर उत्पन्न चुम्बकीय क्षेत्र का मान होगा :

A. 2B/3
B. 3B/2
C. B
D. 4B/9

11. एक आवेशित कण, समान चुम्बकीय क्षेत्र के समानान्तर प्रवेश करता है, तो कण का पथ कैसा होगा?

A. कुण्डलिनी पथ
B. वृत्ताकार पथ
C. रेखीय पथ
D. इनमें से कोई नहीं

12. नति कोण 0° होता है :

A. चुम्बकीय निरक्ष पर
B. चुम्बकीय ध्रुव पर
C. भौगोलिक ध्रुव पर
D. भौगोलिक निरक्ष पर

13. यंग के द्विस्लिट प्रयोग में, प्रकाश की अधिकतम तीव्रता I_m है तो पथान्तर 3 λ पर तीव्रता होगी :

A. I_m
B. $I_m/2$
C. $I_m/4$
D. 0

14. विद्युत चुम्बकीय प्रेरण के प्रेरित वि.वा. बल का मान केवल निर्भर करता है :

A. चालक के प्रतिरोध पर
B. चुम्बकीय क्षेत्र के मान पर
C. चुम्बकीय क्षेत्र की दशा के सापेक्ष चालक के झुकाव पर
D. सम्बद्ध चुम्बकीय फ्लक्स के परिवर्तन की दर पर

15. यदि 2×10^{-3} H स्वप्रेरकत्व वाली कुण्डली में धारा 10 A/s की एक समान दर से परिवर्तित होती है, तो प्रेरित वि.वा. बल का मान होगा :

A. 2 V
B. 0.2 V
C. 0.02 V
D. 0.002 V

* *Conducted by RUHS.*

16. विस्थापन धारा है :

A. $\varepsilon_0 \dfrac{dt}{d\phi_e}$ B. $\dfrac{dt}{d\phi_e}$

C. $\varepsilon_0 \dfrac{d\phi_e}{dt}$ D. $\dfrac{d\phi_e}{dt}$

17. मात्रक के आधार पर बेमेल को पहचानिए :

A. $\dfrac{L}{R}$ B. $\dfrac{1}{\sqrt{LC}}$

C. $\sqrt{LC}$ D. RC

18. 100% दक्षता वाले ट्रान्सफार्मर की प्राथमिक व द्वितीयक कुण्डली में प्रवाहित हो रही धारा का अनुपात 1 : 2 है तो प्राथमिक से द्वितीयक कुण्डलियों पर वोल्टता का अनुपात होगा :

A. 1 : 4 B. 1 : 2

C. 4 : 1 D. 2 : 1

19. यदि $\vec{E}$ तथा $\vec{B}$ एक विद्युत चुम्बकीय तरंग के विद्युत एवं चुम्बकीय क्षेत्र सदिश है तो विद्युत चुम्बकीय तरंग का संचरण किसके अनुदिश है?

A. $\vec{E}$ के अनुदिश B. $\vec{B}$ के अनुदिश

C. $\vec{E} \times \vec{B}$ के अनुदिश D. $\vec{E} . \vec{B}$ के अनुदिश

20. विद्युत चुम्बकीय तरंगें जो चिकित्सा उपकरणों को रोगाणु रहित करने में प्रयोग होती है :

A. अवरक्त तरंगें B. सूक्ष्म तरंगें

C. पराबैंगनी प्रकाश D. X-किरणें

21. किसी माध्यम का अपवर्तनांक 2 है तो उसके लिए क्रांतिक कोण का मान होगा :

A. 60° B. 45°

C. 30° D. 90°

22. एक समबाहु (काँच के) प्रिज्म में से एक प्रकाश किरण इस प्रकार गुजरती है कि उसका आपतन कोण एवं निर्गत कोण बराबर होता है तथा यह प्रत्येक कोण प्रिज्म कोण का 3/4 है तो विचलन कोण होगा :

A. 60° B. 45°

C. 90° D. 30°

23. एक खगोलीय दूरदर्शी के अभिदृश्यक और अभिनेत्र लेंस की क्षमता 5 एवं 20 डायप्टर है, इनसे प्रतिबिम्ब अनन्त पर बनता है, दूरदर्शी की आवर्धन क्षमता होगी :

A. 2 B. 0.25

C. 100 D. 4

24. यदि किसी माध्यम का अपवर्तनांक $\sqrt{3}$ है तो उसके लिए ध्रुवण कोण का मान होगा :

A. 60° B. 45°

C. 90° D. 30°

25. एक स्लिट द्वारा 5000 Å तरंगदैर्ध्य का प्रकाश विवर्तित होता है, विवर्तित प्रतिरूप में पांचवां निम्निष्ठ केन्द्रीय उच्चिष्ठ से 5 mm दूरी पर बनता है, यदि परदे व स्लिट के बीच की दूरी 1 m है तो स्लिट की चौड़ाई होगी :

A. 0.1 mm B. 0.3 mm

C. 0.5 mm D. 0.8 mm

26. देहली आवृत्ति से अधिक आवृत्ति के प्रकाश के लिए प्रकाश विद्युत प्रभाव के प्रयोग में उत्सर्जित इलेक्ट्रॉनों की संख्या समानुपाती होती है :

A. इलेक्ट्रॉनों की गतिज ऊर्जा के

B. इलेक्ट्रॉनों की स्थितिज ऊर्जा के

C. आपतित प्रकाश की आवृत्ति के

D. धातु पर आपतित फोटोनों की संख्या के

27. 100 V के विभवान्तर से त्वरित इलेक्ट्रॉनों से सम्बद्ध डी ब्रोग्ली तरंगदैर्ध्य होगी :

A. 12.27 Å B. 1.227 Å

C. 0.1227 Å D. 122.7 Å

28. उत्तेजित हाइड्रोजन परमाणु का कोणीय संवेग $\dfrac{2h}{2\pi}$ है तो बोर सिद्धांत के अनुसार उसकी ऊर्जा होगी :

A. –13.6eV B. –3.4eV

C. –1.51eV D. –0.85eV

29. नाभिक $^{27}_{13}Al$ की त्रिज्या लगभग है (fm में):

A. 1.2 fm B. 2.4 fm

C. 3.6 fm D. 4.8 fm

30. एक रेडियोएक्टिव नाभिक

$$X \xrightarrow{-\alpha} X_1 \xrightarrow{-\beta} X_2 \xrightarrow{-\alpha} X_3 \xrightarrow{-\gamma} X_4.$$

प्रकार क्षयित होता है यदि X की द्रव्यमान संख्या 180 तथा परमाणु संख्या 72 है तो X_4 की द्रव्यमान संख्या तथा परमाणु संख्या क्रमशः होगी :

A. 174, 69 B. 172, 70

C. 171, 69 D. 172, 69

31. X-OR गेट का निर्गत 1 है यदि :

A. दोनों निवेशी 1 है

B. दोनों निवेशी 0 है

C. एक निवेशी 1 है तथा दूसरा 0 है

D. कभी नहीं

32. *n*-प्रकार के अर्धचालक पर कुल आवेश होता है :

A. धनात्मक

B. ऋणात्मक

C. कभी धनात्मक एवं कभी ऋणात्मक

D. शून्य

33. नीचे दिए गए डायोड की अभिनति है :

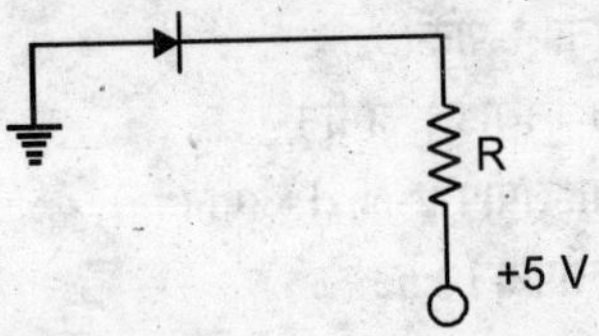

A. अग्रदिशिक अभिनति
B. उत्क्रम अभिनति
C. (A) एवं (B) दोनों
D. इनमें से कोई नहीं

34. किस क्रिस्टल जालक की संकुलन क्षमता (पैकिंग एफिशिएंसी) 68.02% है :

A. FCC
B. HCP
C. BCC
D. SPC

35. अंतः केंद्रित संकुल के लिए संकुल के किनारे और परमाणु की त्रिज्या में संबंध है :

A. $a = 2r$
B. $a = \frac{4r}{\sqrt{3}}$
C. $a = \frac{4r}{\sqrt{2}}$
D. $a = \sqrt{3}r$

36. जंग का रासायनिक सूत्र है :

A. Fe_3O_4
B. Fe_2O_3
C. $Fe_2O_3.xH_2O$
D. $Fe(OH)_3$

37. ईंधन सेल में उपयुक्त इलेक्ट्रोलाइट है :

A. पोटेशियम हाइड्रोक्साइड
B. सोडियम हाइड्रोक्साइड
C. मर्करी ऑक्साइड
D. अमोनियम क्लोराइड

38. साम्यावस्था पर किसी वाष्पशील द्रव में solid को विलय करने की दर होती है :

A. क्रिस्टलाइजेशन दर से कम
B. क्रिस्टलाइजेशन दर से अधिक
C. शून्य
D. क्रिस्टलाइजेशन दर के बराबर

39. अधिकतम बॉयलिंग एजियोट्रोप का तंत्र है :

A. एसीटोन क्लोरोफॉर्म
B. पानी इथाइल एल्कोहल
C. बेंजीन टॉल्यून
D. एसीटोन कार्बन डाईसल्फाइड

40. किसी अभिक्रिया में निकलने वाली ऊर्जा या अवशोषित ऊर्जा, उत्प्रेरक की उपस्थिति में :

A. कम होती है
B. अधिक होती है
C. कम या अधिक हो सकती है
D. अपरिवर्तित रहती है

41. जीरो ऑर्डर अभिक्रिया के लिए अभिक्रिया दर स्थिरांक की इकाई है :

A. Mole/second
B. Mole/litre/second
C. Litre/mole/second
D. Litre/second

42. पाश्चराइज्ड दूध को स्थिर करने वाला कारक है :

A. लेक्टिक बेसिलाई
B. लेक्टॉज
C. केसीन
D. माल्टोज

43. निम्न में से किस इलेक्ट्रोलाइट का AgI/Ag^+ सोल के लिए अधिकतम स्कंदन मूल्य होगा?

A. NaCl
B. Na_2SO_4
C. Na_2S
D. Na_3PO_4

44. एल्यूमिनोथर्मिक प्रोसेस में एल्यूमिनियम है :

A. फ्लक्स
B. एक ऑक्सीकारक
C. एक सोल्डर
D. एक अपचायक

45. निम्न में से कौन-सी धातुओं का शुद्धिकरण इलेक्ट्रोलाइटिक रिफायनिंग से किया जाता है?

A. जस्ता और तांबा
B. जरमेनियम और सिलिकॉन
C. जरकोनियम और टाइटेनियम
D. पारा और जस्ता

46. सबसे प्रबल अम्ल कौन-सा है?

A. HI
B. HBr
C. HF
D. HCl

47. निम्न में से किसका अस्तित्व नहीं है?

A. XeF_4
B. $XeOF_4$
C. XeF_6
D. NeF_2

48. निम्न में से कौन चतुष्फलकीय नहीं है?

A. $SiCl_4$
B. SF_4
C. SO_4^{2-}
D. NH_4^+

49. निम्न में से किसमें अम्लीयता का क्रम सही नहीं है?

A. $HClO_4 > HClO_3 > HClO$
B. $HF > H_2O > NH_3$
C. $HIO_4 > HBrO_4 > HClO_4$
D. $HI > HBr > HCl$

50. लैंथेनॉइड की सामान्य ऑक्सीकरण अवस्था है :

A. +5
B. +4
C. +3
D. +2

51. एक ट्रांजिशन तत्व का 3 + ऑक्सीकरण अवस्था में इलेक्ट्रॉनिक विन्यास (ऑर्गन) $3d^5$ है, इसका आणविक क्रमांक क्या है?

A. 24
B. 25
C. 26
D. 27

52. कौन प्रबल लिगेंड नहीं है?

A. CN^- (सायनायड)
B. SCN^- (थायोसायनाइड)
C. CO (कार्बोनिल)
D. NH_3 (अमोनिया)

53. यदि $\Delta O > P$ हो तब d^4 के लिए इलेक्ट्रॉनिक कॉन्फिगरेशन क्या होगा?

A. $t_2g^3eg^1$ B. $t_2g^4eg^0$

C. $t_2g^0eg^4$ D. $t_2g^1eg^3$

54. जिगलर नाटा उत्प्रेरक में $TiCl_4$ किसमें विलय होता है?

A. ट्राईथाइल एल्युमिनियम B. जल

C. अल्कोहल D. ईथर

55. कपड़े पर से मक्खन के धब्बे हटाने का सबसे अच्छा विलायक कौन-सा है?

A. इथेनॉल B. क्लोरोफॉर्म

C. डाई एथिल ईथर D. जल

56. जीरोफ्थैलमिया बीमारी किस विटामिन की कमी से होती है?

A. विटामिन A B. विटामिन B6

C. विटामिन C D. विटामिन E

57. निम्न में से जैव अपघटीय बहुलक है :

A. ब्यूना एस B. नायलॉन 6

C. नायलॉन 2-नायलॉन 6 D. नायलॉन 66

58. निम्न में से संघनित बहुलक नहीं है :

A. नायलॉन 66 B. डेक्रोन

C. निओप्रीन D. मेलामाइन

59. डिटॉल का मुख्य यौगिक है :

A. बैथिनियॉल और टर्पिनियोल

B. बैथिनियॉल और क्लोरोजाइलेनॉल

C. टर्पिनियोल और एंपिसिलीन

D. टर्पिनियोल और क्लोरोजाइलेनॉल

60. निम्न में से कौन विस-डाइहेलाइड का उदाहरण है?

A. एलाइल ब्रोमाइड B. इथाईलीन ब्रोमाइड

C. डाई क्लोरो मीथेन D. 1,2-डाई ब्रोमोएथेन

61. निम्न में से कौन-सा एल्किल हैलाइड SN1 अभिक्रिया तीव्रता से करेगा?

A. $(CH_3)_3CF$ B. $(CH_3)_3CCl$

C. $(CH_3)_3\,C\,Br$ D. $(CH_3)_3\,C\,I$

62. निम्न में से कौन-सा यौगिक सोडियम हाइड्रोक्साइड की जलीय विलयन के साथ क्रिया करेगा?

A. C_2H_5OH B. $(CH_3)_3COH$

C. $C_6H_5CH_2OH$ D. C_6H_5OH

63. फिनोल किस से कम अम्लीय है?

A. प्रोपेनोल

B. ऑर्थो नाइट्रोफेनॉल

C. ऑर्थो मिथोक्सी फिनाल

D. ऑर्थो मिथाइल फिनोल

64. $CH_2 = CHCH_2NH\,CH_3$ का सही आई.यू.पी.ए.सी. नाम है :

A. 2-अमीनो-4-पेंटिंन

B. एलाइल मिथाइल अमीन

C. N मिथाइलप्रोप-2-en-1-अमीन

D. 4-अमीनोपेंट-1-ene

65. निम्न में से कौन-सी अभिक्रिया में कार्बन बंध नहीं बनेगा?

A. वुर्टज अभिक्रिया B. केनिजारो अभिक्रिया

C. रिमर टिमान अभिक्रिया D. फिटींग अभिक्रिया

66. प्रोपेनोन से साइनो हाइड्रिन का बनना किस तरह की अभिक्रिया है?

A. न्यूक्लियोफिलिक सब्स्टीट्यूशन

B. न्यूक्लियोफिलिक एडिशन

C. इलेक्ट्रोफिलिक एडिशन

D. इलेक्ट्रोफिलिक सब्स्टीट्यूशन

67. यदि एक तितली के अर्धसूत्री कोशिका में (2n) गुणसूत्रों की संख्या 360 है। इसके युग्मकों में गुणसूत्र संख्या क्या होगी?

A. 380 B. 190

C. 95 D. 760

68. निम्नलिखित में से कौन फूल वाले पौधों में निषेचन के बाद की घटना है?

A. परागकणों का स्थानांतरण

B. भ्रूण विकास

C. फूल का गठन

D. परागकणों का निर्माण

69. स्ट्रोबिलैन्थस कुंथियाना फूल एक बार उत्पन्न होते हैं :

A. 5 वर्षों में B. 20 वर्षों में

C. 12 वर्षों में D. 40 वर्षों में

70. एंडोस्पर्म द्वारा किसे पोषण दिया जाता है?

A. बीज B. फल

C. एंडोस्पर्म D. भ्रूण

71. निषेचन के समय एक विशिष्ट द्विबीजपत्री की मादा युग्मकोद्भिद (भ्रूणकोष) होती है :

A. 8-कोशिकीय B. 7-कोशिकीय

C. 6-कोशिकीय D. 5-कोशिकीय

72. जेनोगैमी (परनिषेचन) सुनिश्चित करने के लिए नर और मादा फूल अलग-अलग पौधों पर मौजूद होते हैं :

A. पपीता B. आम

C. मक्का D. इन सभी में

73. बहुभ्रूणता आमतौर पर होती है :

A. केला B. टमाटर

C. आलू D. नींबू वंश (सिट्रस)

74. एक मानव महिला किस उम्र के आसपास रजोनिवृत्ति तक पहुँचती है?

A. 45-50 वर्ष B. 70-75 वर्ष
C. 25-30 वर्ष D. 15-20 वर्ष

75. निम्नलिखित में से कौन-सी एक पुरुष सहायक ग्रंथि नहीं है?

A. शुक्राशय B. एम्पुला
C. पुरस्थ ग्रंथि D. कंदमूत्रपथ ग्रंथि

76. वृषण के कामकाज के लिए आवश्यक अंडकोष का तापमान हमेशा शरीर के तापमान से ______ नीचे होता है।

A. 2°C B. 4°C
C. 6°C D. 8°C

77. निषेचन के ______ बाद अंतर्रोपण होता है।

A. 3 दिन B. 5 दिन
C. 7 दिन D. 9 दिन

78. एड्स के संचरण का सामान्य साधन है :

A. यौन सम्पर्क B. रक्त आधान
C. प्लेसेंटल ट्रांसफर D. इनमें से सभी

79. यौन संचारित रोग है :

A. खसरा B. टी.बी.
C. गोनोरिया (सुजाक) D. टायफॉइड

80. कभी-कभी, एक जीन एक से अधिक प्रभाव व्यक्त कर सकती है। घटना कहलाती है :

A. बहुएलीलिज्म B. मोजेकवाद
C. बहुप्रभाविता D. बहुजीनी वंशागती

81. मेंडल द्वारा मटर के पौधे में ______ जोड़े के विपरीत लक्षणों का अध्ययन किया गया था।

A. 10 B. 8
C. 5 D. 7

82. दो विषमयुग्मजी लम्बे मटर के पौधों के बीच एक क्रॉस में बौनी संतानों के उत्पादन की संभावना क्या है?

A. 25% B. Zero
C. 50% D. 100%

83. एंटीराइनम (श्वान पुष्प) में फूलों के रंग का वंशानुक्रम एक उदाहरण है :

A. अपूर्ण प्रभाविता B. सह प्रभाविता
C. बहुअलील D. सहलग्नता

84. ट्राइसॉमी (त्रिसूत्रता) द्वारा दर्शाया गया है :

A. $(2n - 1)$ B. $(2n - 2)$
C. $(2n + 2)$ D. $(2n + 1)$

85. यदि एक डबल स्ट्रैंडेड डीएनए में 20% साइटोसिन है, तो इसमें एडेनिन का प्रतिशत क्या होगा?

A. 20% B. 40%
C. 30% D. 60%

86. यदि DNA के एक रज्जुक में क्षारों का क्रम ATGCATGCA है, तो पूरक रज्जुक पर क्षारों का क्रम क्या होगा?

A. ATGCATGCA B. TACGTACGT
C. AUGCAUGCA D. UACGUACGU

87. हिस्टोन प्रोटीन है :

A. क्षारीय, ऋणात्मक आवेशित
B. क्षारीय, धनात्मक आवेशित
C. अम्लीय, धनात्मक आवेशित
D. अम्लीय, ऋणात्मक आवेशित

88. व्हेल, चमगादड़, चीता और मनुष्य के अग्रपादों की हड्डियाँ संरचना में समान होती हैं, क्योंकि :

A. एक जीव ने दूसरे को जन्म दिया है।
B. वे एक आम/समान पूर्वज साझा करते हैं।
C. वे एक ही कार्य करते हैं।
D. जैव रासायनिक समानताएँ हैं।

89. 1,00,000 से 40,000 साल पहले पूर्वी और मध्य एशिया में रहने वाले विलुप्त मानव ने अपने शरीर की रक्षा के लिए खाल का इस्तेमाल किया और मस्तिष्क की क्षमता 1400 सी.सी. थी। थे :

A. निएंडरथल मैन B. होमो हैबिलिस
C. क्रो-मैगनन मैन D. रामापिथेकस

90. तंबाकू का सेवन एड्रेनालाईन और नॉर-एड्रेनालाईन के स्राव को प्रोत्साहित करने के लिए जाना जाता है। इसका कारण बनने वाला घटक हो सकता है :

A. निकोटीन B. टैनिक एसिड
C. कुरैमिन D. कैटेचिन

91. ऊतक संवर्धन विधि द्वारा बड़ी संख्या में पादप प्राप्त करने की तकनीक कहलाती है :

A. अंग संवर्धन B. सूक्ष्मप्रवर्धन
C. प्लांटलेट संवर्धन D. मैक्रोप्रोपेगेशन

92. सायनोबैक्टीरिया का उपयोग जैव उर्वरक के रूप में किया जाता है, क्योंकि वे :

A. प्रकाश संश्लेषक हैं।
B. कहीं भी आसानी से बढ़ते हैं।
C. परजीवी हैं।
D. वायुमंडलीय नाइट्रोजन स्थिरीकरण करते हैं।

93. GAATTC किस प्रतिबंधन एंडोन्यूक्लिएज का अभिज्ञान स्थान है?

A. हिंड II B. ईको आर I
C. बेम एच I D. हिंड III

94. ग्रीन हाउस गैसें हैं :

A. हाइड्रोजन और ऑक्सीजन
B. ऑक्सीजन और नाइट्रोजन
C. हीलियम और आर्गन
D. कार्बन-डाइऑक्साइड और मीथेन

95. क्राई IAb और क्राई IIAb जीन क्रमशः ______ और ______ के खिलाफ विषाक्त पदार्थों का उत्पादन करते हैं।

A. कपास के मुकुल कृमि, मक्का छेदक
B. सूत्रकृमि, कपास के मुकुल कृमि
C. मक्का छेदक, कपास के मुकुल कृमि
D. मक्का छेदक, सूत्रकृमि

96. बैसिलस थुरिंजिएंसिस के विष के सक्रियण के लिए ट्रिगर है :

A. पेट का अम्लीय पीएच
B. उच्च तापमान
C. कीट आँत में यांत्रिक क्रिया
D. कीट आँत का क्षारीय पीएच

97. पर्यावरण में अवांछित परिवर्तन लाने वाले कारक कहलाते हैं :

A. प्रदूषण
B. टुकड़े
C. प्रदूषक
D. इनमें से कोई नहीं

98. ठंडी जलवायु वाले जानवरों के अंग आमतौर पर छोटे होते हैं। यह कहा जाता है :

A. एलन का नियम
B. जॉनसन का नियम
C. आर्बर का नियम
D. इनमें से कोई नहीं

99. निम्नलिखित में से कौन अवसादी प्रकार के पोषक चक्र का प्रतिनिधित्व करता है?

A. नाइट्रोजन चक्र
B. कार्बन चक्र
C. ऑक्सीजन चक्र
D. फॉस्फोरस चक्र

100. एक डीएनए स्ट्रैंड में न्यूक्लियोटाइड्स एक साथ जुड़े होते हैं :

A. ग्लाइकोसिडिक बॉण्ड
B. फॉस्फोडाइस्टर बॉण्ड
C. पेप्टाइड बॉण्ड
D. हाइड्रोजन बॉण्ड

उत्तरमाला

1	2	3	4	5	6	7	8	9	10
A	C	D	D	D	B	B	C	C	B
11	**12**	**13**	**14**	**15**	**16**	**17**	**18**	**19**	**20**
C	A	A	D	C	C	B	D	C	C
21	**22**	**23**	**24**	**25**	**26**	**27**	**28**	**29**	**30**
C	D	D	A	C	D	B	B	C	D
31	**32**	**33**	**34**	**35**	**36**	**37**	**38**	**39**	**40**
C	D	B	C	B	C	A	D	A	D
41	**42**	**43**	**44**	**45**	**46**	**47**	**48**	**49**	**50**
B	C	D	D	A	A	D	B	C	C
51	**52**	**53**	**54**	**55**	**56**	**57**	**58**	**59**	**60**
C	B	B	A	B	A	C	C	D	D
61	**62**	**63**	**64**	**65**	**66**	**67**	**68**	**69**	**70**
B	D	D	C	B	B	B	B	C	D
71	**72**	**73**	**74**	**75**	**76**	**77**	**78**	**79**	**80**
B	A	D	A	B	A	C	D	C	C
81	**82**	**83**	**84**	**85**	**86**	**87**	**88**	**89**	**90**
D	A	A	D	C	B	B	B	A	A
91	**92**	**93**	**94**	**95**	**96**	**97**	**98**	**99**	**100**
B	D	B	D	C	D	C	A	D	B

पिछले प्रश्न-पत्र (हल सहित)

B.Sc. नर्सिंग भर्ती परीक्षा, 2021*

1. एक विद्युत द्विध्रुव असमान विद्युत क्षेत्र में रखा गया है, तो उस पर आरोपित होता है :

A. बल तथा आघूर्ण B. केवल बल
C. केवल आघूर्ण D. न बल तथा न ही आघूर्ण

2. एक आवेश Q एक त्रिज्या R के गाउसीय गोले में परिबद्ध है, त्रिज्या दोगुनी हो जाए, तब बाह्य विद्युत फ्लक्स :

A. आधा हो जाएगा B. समान रहेगा
C. दोगुना हो जाएगा D. चार गुना हो जाएगा

3. दो एक समान तथा बराबर आवेशों को 3 मीटर की दूरी पर रखने पर उनके मध्य 1.6 न्यूटन का प्रतिकर्षण बल कार्य करता है, प्रत्येक आवेश का मान होगा :

A. 2 μC B. 4 μC
C. 40 μC D. 80 μC

4. H–Cl अणु का द्विध्रुव आघूर्ण 3.4×10^{-30} cm है, उसके आयनों के मध्य दूरी होगी :

A. Zero B. 2 cm
C. 2 mm D. 2.12×10^{-11} m

5. विद्युत विभव का मात्रक है :

A. न्यूटन मीटर/कूलाम B. वोल्ट
C. उपरोक्त दोनों D. इनमें से कोई नहीं

6. 2 मीटर त्रिज्या के एक आवेशित खोखले गोलीय चालक की सतह पर 100 वोल्ट विद्युत विभव है, केंद्र से 1 मीटर दूरी पर विद्युत विभव होगा :

A. 50 Volt B. 100 Volt
C. 150 Volt D. 200 Volt

7. दो गोलाकार चालकों की त्रिज्याओं का अनुपात 1 : 2 है, तो उनकी धारिताओं का अनुपात होगा :

A. 1 : 1 B. 1 : 2
C. 2 : 1 D. 4 : 1

8. चित्र में दिखाए गए परिपथ में A व B के मध्य तुल्य धारिता होगी यदि C = 4 μF है :

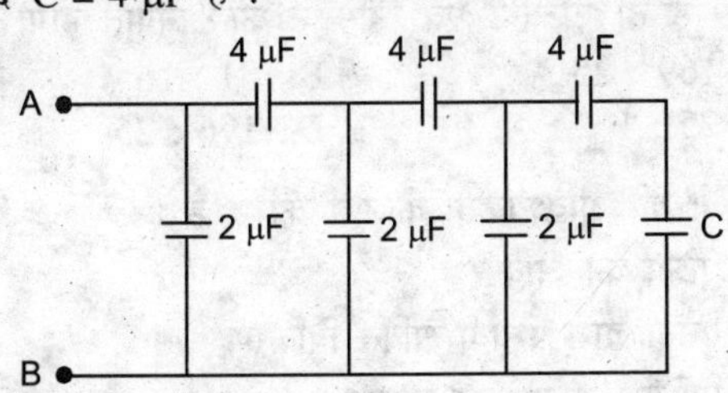

A. 2 μF B. 4 μF
C. 22 μF D. $\frac{16}{3}$ μF

9. किसी चालक की प्रतिरोधकता तथा चालकता का गुणनफल निर्भर करता है :

A. काट क्षेत्रफल पर B. ताप पर
C. लम्बाई पर D. किसी पर नहीं

10. दो भिन्न प्रतिरोधों के सिरों के बीच समान विभवांतर आरोपित किया जाता है, अधिक उष्मा उत्पन्न होगी :

A. उच्च प्रतिरोध पर B. निम्न प्रतिरोध पर
C. दोनों में समान D. बताना सम्भव नहीं

11. एक समांतर प्लेट संधारित्र की प्लेटों के बीच दूरी *d*, प्लेटों का क्षेत्रफल A तथा प्लेटों के बीच से एक समान विद्युत क्षेत्र E है। इस आवेश में संधारित्र की ऊर्जा है :

A. $\frac{\varepsilon_0 E^2}{2\,Ad}$ B. $\varepsilon_0 E^2\,Ad$
C. $\frac{1}{2}\varepsilon_0 E^2\,Ad$ D. $\frac{\varepsilon_0 E^2}{2\,Ad}$

12. एक तार का प्रतिरोध 4 Ω है। इसको खींचकर इसकी लम्बाई को दो गुना कर दिया जाता है, इस नए तार का प्रतिरोध होगा :

A. 4 Ω B. 8 Ω
C. 16 Ω D. 24 Ω

13. विभवमापी के तार के पदार्थ का प्रतिरोध ताप गुणांक होना चाहिए :

A. उच्च B. कम
C. नगण्य D. अनंत

14. दिए हुए चित्र में मीटर सेतु संतुलित अवस्था में है, अज्ञात प्रतिरोध R का मान होगा :

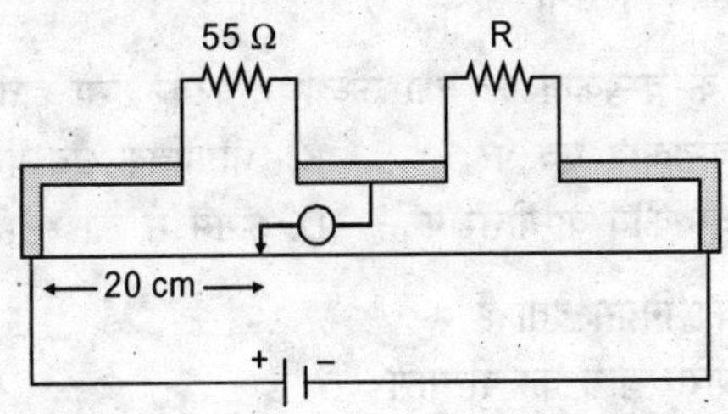

A. 220 Ω B. 110 Ω
C. 55 Ω D. 13.75 Ω

* *Conducted by RUHS.*

15. किरचॉफ के प्रथम तथा द्वितीय नियम आधारित हैं :
A. धारा तथा ऊर्जा संरक्षण नियमों पर
B. आवेश तथा ऊर्जा संरक्षण नियमों पर
C. द्रव्यमान तथा आवेश संरक्षण नियमों पर
D. इनमें से कोई नहीं

16. विभवमापी के प्रयोग में विद्युत वाहक बल E तथा नगण्य आंतरिक प्रतिरोध का सेल प्रतिरोधक तार की लम्बाई L पर संतुलित होता है। दूसरा सेल, जिसका विद्युत वाहक बल E तथा नगण्य आंतरिक प्रतिरोध है, प्रथम सेल के समांतर क्रम में जोड़ा जाता है तो नई संतुलन लम्बाई का मान होगा :
A. 2L
B. $\frac{L}{2}$
C. L
D. $\frac{L}{4}$

17. 100 eV गतिज ऊर्जा का एक प्रोटोन 10^{-4} टेस्ला के चुम्बकीय क्षेत्र में उसके लम्बवत प्रवेश करता है। प्रोटोन की साइक्लोट्रोन आवृत्ति radian/sec. में लगभग होगी :
A. 2.80×10^6
B. 1.6×10^3
C. 5.6×10^5
D. 9.6×10^3

18. आदर्श वोल्टमीटर तथा आदर्श अमीटर के प्रतिरोध होने चाहिए :
A. क्रमशः शून्य तथा अनंत
B. क्रमशः अनंत तथा शून्य
C. दोनों शून्य
D. दोनों अनंत

19. एक लम्बे तथा सीधे धारावाही चालक तार से r दूरी पर उत्पन्न चुम्बकीय क्षेत्र B है। यदि तार में प्रवाहित धारा का मान नियत रखे तो $r/2$ दूरी पर उत्पन्न चुम्बकीय क्षेत्र का मान होगा :
A. 2B
B. B/2
C. B
D. B/4

20. चुम्बकीय प्रवृत्ति का मान ऋणात्मक एवं अल्प होता है :
A. लौहचुम्बकीय पदार्थों के लिए
B. अनुचुम्बकीय पदार्थों के लिए
C. प्रतिचुम्बकीय पदार्थों के लिए
D. उपर्युक्त सभी

21. पृथ्वी के चुम्बकीय क्षेत्र का ऊर्ध्वाधर घटक शून्य होता है :
A. चुम्बकीय ध्रुव पर
B. भौगोलिक ध्रुव पर
C. चुम्बकीय याम्योत्तर पर
D. इनमें से कोई नहीं

22. लेंज का नियम देता है :
A. प्रेरित धारा का परिमाण
B. प्रेरित विद्युत वाहक बल का परिमाण
C. प्रेरित धारा की दिशा
D. प्रेरित धारा का परिमाण और दिशा दोनों

23. यदि 2×10^{-3} H स्वप्रेरण गुणांक वाली कुण्डली में धारा 0.1s में एक समान रूप में 1A तक बढ़ती है तो प्रेरित विद्युत वाहक बल होगा :
A. 2 V
B. 0.2 V
C. 0.02 V
D. Zero

24. प्रत्यावर्ती धारा के परिपथ में शुद्ध प्रेरकत्व या धारिता का शक्ति गुणांक का मान होता है :
A. 1
B. 0
C. π
D. 1 से अधिक

25. संधारित्र :
A. प्रत्यावर्ती धारा को गुजरने देता है
B. प्रत्यावर्ती धारा को रोकता है
C. दिष्ट धारा को गुजरने देता है
D. दिष्ट धारा को गुजरने देता है तथा प्रत्यावर्ती धारा को रोकता है

26. एक प्रत्यावर्ती धारा के परिपथ में धारा की कला वोल्टता की कला से $\pi/6$ कोण आगे है, परिपथ के अवयव हैं :
A. R एवं C
B. R एवं L
C. L एवं C
D. केवल L

27. संयुक्त सूक्ष्मदर्शी के अभिदृश्य लैंस से बना प्रतिबिम्ब की प्रकृति होगी :
A. आभासी और बड़ा
B. आभासी और छोटा
C. वास्तविक और बिंदु रूप
D. वास्तविक और बड़ा

28. किसी समतल दर्पण पर प्रकाश की कोई किरण लम्बवत आपतित होती है। परावर्तन कोण का मान क्या होगा?
A. 90°
B. 0°
C. 180°
D. 45°

29. समतल उत्तल लेंस की शक्ति होती है :
A. ऋणात्मक
B. धनात्मक
C. शून्य
D. काल्पनिक

30. कौन-सी घटना विद्युतचुम्बकीय तरंग की अनुप्रस्थ प्रकृति को दर्शाती है :
A. परावर्तन
B. अपवर्तन
C. ध्रुवण
D. व्यतिकरण

31. यंग द्विस्लिट प्रयोग में यदि स्लिटों की चौड़ाइयों का अनुपात 4 : 9 है तो उच्चिष्ट एवं निम्निष्ट का अनुपात होगा :
A. 169 : 25
B. 81 : 16
C. 25 : 1
D. 196 : 25

32. मोडूलन की आवश्यकता के मूल कारण है :
A. एंटेना का आकार
B. एंटेना द्वारा प्रभावी शक्ति विकिरण
C. विभिन्न संकेतों का मिश्रण
D. उपरोक्त सभी

33. एक NPN ट्रांजिस्टर को प्रवर्धक की तरह उपयोग में लाया जा रहा है, तो :

A. होल उत्सर्जक से आधार की ओर चलते हैं

B. होल आधार से उत्सर्जक की ओर चलते हैं

C. इलेक्ट्रोन उत्सर्जक से आधार की ओर चलते हैं

D. इलेक्ट्रोन आधार से संग्राहक की ओर चलते हैं

34. प्रयोगशाला में भ्रूण बनाने की वह कौन-सी विधि है, जिसमें एक शुक्राणु को सीधे ही अंडज में प्रवेश करवाया जाता है :

A. कृत्रिम गर्भाधान

B. इन-विट्रो फर्टिलाइजेशन (IVF)

C. इन्ट्रा साइटोप्लास्मिक स्पर्म इंजेक्शन

D. गैमिट इंट्रा फैलोपियन ट्रांसफर

35. स्पोरोजिनस ऊतक की चार कोशिकाओं से कितने माइक्रोस्पोर ट्रेट्राड बनते हैं :

A. 16 माइक्रोस्पोर टेट्राड
B. 4 माइक्रोस्पोर टेट्राड
C. 8 माइक्रोस्पोर टेट्राड
D. 10 माइक्रोस्पोर टेट्राड

36. एक पूर्ण विकसित मोनोस्पोरिक भ्रूणकोश होता है :

A. 8 कोशिकीय 7 नाभिकीय

B. 6 कोशिकीय 7 नाभिकीय

C. 7 कोशिकीय 8 नाभिकीय

D. 7 कोशिकीय 6 नाभिकीय

37. निम्नलिखित में से कौन-सा लक्षण वातपरागित पुष्प का नहीं है :

A. परागकण हल्के होते हैं, व चिपचिपे नहीं होते हैं

B. वर्तिकाग्र बड़े व पर दार होते हैं

C. रस भरे पुष्प होते हैं

D. पराग कण अधिक संख्या में पाए जाते हैं

38. ग्लाइकोलाइसिस में ऊर्जा खपत चरण कौन-सा होता है :

A. फास्फोफिनॉल पाइरुविक एसिड $\rightarrow$ पाइरुविक एसिड

B. फ्रुक्टोज 6 फॉस्फेट $\rightarrow$ फ्रुक्टोस 1-6 बाईफॉस्फेट

C. ग्लूकोस 6 फॉस्फेट $\rightarrow$ फ्रुक्टोस 6 फॉस्फेट

D. 1, 3-डाईफोस्फो ग्लाइसेरिक एसिड $\rightarrow$ 3 फोस्फो ग्लाइसेरिक एसिड

39. क्रेब साईकिल के एक चक्र में कितने CO_2 के अणु बनते हैं?

A. 6
B. 4
C. 1
D. 2

40. वह चक्र चुनिए जो सभी पौधों में पाया जाता है :

A. CAM cycle
B. C_4 cycle
C. C_3 cycle
D. C_3 और CAM cycle दोनों

41. ताला एवं चाबी अवधारणा किसने दी?

A. कोशलेन्ड
B. एमिल फिशर
C. ड्यूकलॉक्स
D. विली कुहन

42. गौसेपियम कौन-से कुल का सदस्य है?

A. सोलेनेसी
B. पोयेसी
C. मालवेसी
D. यूफो बियेसी

43. निम्नलिखित का मिलान करें और सही विकल्प चुनें :

(*a*) अवशिष्ट मात्रा (RV)	(*i*) ERV + RV
(*b*) अन्तःश्वसन क्षमता (EC)	(*ii*) 1100 – 1200 ml
(*c*) क्रियाशील अवशिष्ट क्षमता	(*iii*) VC + RV
(*d*) फेफड़ों की कुल क्षमता	(*iv*) 3500 ml

	(*a*)	(*b*)	(*c*)	(*d*)
A.	(*iv*)	(*ii*)	(*i*)	(*iii*)
B.	(*ii*)	(*iv*)	(*iii*)	(*i*)
C.	(*ii*)	(*iv*)	(*i*)	(*iii*)
D.	(*ii*)	(*iii*)	(*iv*)	(*i*)

44. वलयी DNA के पांचवें सिरे से फास्फेट ग्रुप को हटाने के लिए कौन-सा एंजाइम उत्तरदायी है, जिससे DNA रेखीय अवस्था में रह सके :

A. DNA लाईगेज
B. प्रतिबंधन एंडोन्यूक्लीएस
C. एल्केलाइन फॉस्फेटेज
D. DNA पोलीमरेज

45. प्रतिबंधन एन्डो न्यूक्लिआज द्वारा DNA को काटने के परिणामस्वरूप DNA का खंडन हो जाता है, इन खंडों को किस तकनीक के द्वारा अलग कर सकते हैं?

A. जैल वैद्युत का संचालन
B. पोलिमरेज चैन अभिक्रिया
C. एलेक्ट्रोपोरेशन
D. ट्रांसफॉर्मेशन

46. निम्नलिखित में से कौन वेक्टर DNA का गुण नहीं है :

A. पैसेंजर डी.एन.ए. से जुड़ने की क्षमता

B. ओ.आर.आई. (प्रतिकृतियन की उत्पत्ति) की उपलब्धता

C. बड़ा आकार

D. वरण योग्य चिह्न

47. कफर कोशिकाएँ किस अंग में पायी जाती हैं?

A. मस्तिष्क
B. यकृत
C. फेफड़े
D. थायमस

48. गलत कथन चुनिए :

A. AV नोड को हृदय का पेसमेकर कहते हैं।

B. मानव हृदय की धड़कन मायोजेनिक होती है।

C. ट्राइकस्पिड वॉल्व दाएं अलिंद और दाएं निलय के मध्य होता है।

D. लसिका में अत्यधिक श्वेत रक्त कणिकाएं होती हैं।

49. बोमैन कैप्सूल की परत किससे बनी होती है?

A. क्यूबॉइडल उपकला

B. स्वामस उपकला (पपड़ीदार उपकला)

C. कोलुम्नर उपकला (स्तंभ उपकला)

D. सिलियेटेड उपकला

50. यूस्टेचियन ट्यूब (कमबुकर्णी नली) जोड़ती है :

A. बाह्य कर्ण से मध्यकर्ण

B. मध्यकर्ण से नेसोफैरिंक्स (नासाग्रसनी)

C. मध्यकर्ण से अंतःकर्ण

D. अंतःकर्ण से नेसोफैरिंक्स (नासाग्रसनी)

51. ब्लाइंड स्पॉट के सन्दर्भ में गलत कथन है :

A. येलो स्पॉट (पीला वर्णक बिन्दु) के बिल्कुल नीचे स्थित होता है :

B. फोटोरिसेप्टर (प्रकाश ग्राही) कोशिकाएँ अनुपस्थित होती हैं

C. ऑप्टिक नर्व (दृक तंत्रिका) के उद्भव का स्थान है

D. रेटिना (दृष्टि पटल) का वह स्थान जहाँ अत्यधिक कोन्स (शंकु) पाए जाते हैं

52. प्लोयडी लेवल (सूत्र गुणता) के सन्दर्भ में विषम चुनिए :

A. प्राथमिक स्पर्मेटॉसाइट (शुक्राणु कोशिकाएँ)

B. उगोनिया (अण्ड जननी)

C. स्पेर्माटोगोनिया (शुक्राणुजन)

D. द्वितीयक स्पर्मेटोसाइट (शुक्राणु कोशिकाएँ)

53. शुक्राणु को दक्षता कहाँ प्राप्त होती है?

A. अधिवृषण　　B. स्त्री जनन पथ

C. शुक्रवाहक　　D. शुक्र वाहिकाएँ

54. स्तन ग्रंथि से दूध स्रावित करने के लिए जिम्मेदार हार्मोन हैं :

A. प्रोलेक्ट्रिन　　B. ऑक्सीटोसिन

C. एस्ट्रोजन　　D. प्रोजेट्रोन

55. न्यूट्रोफिल (उदासीनरंजी) एवं मेक्रोफेगेस (भक्षकाणु) बीमारी के प्रति किस प्रकार का रोध प्रदान करते हैं?

A. शारीरिक रोध　　B. कायिकीय रोध

C. कोशिकीय रोध　　D. साइटोकाइन रोध

56. अमीबियासिस का कारण है :

A. वायरस　　B. बैक्टीरिया

C. फंगस　　D. प्रोटिस्ट

57. निम्न में से कौन-सा विषाणु जनित रोग पोल्ट्री (मुर्गी पालन) में सर्वाधिक होता है?

A. पुलोरम

B. रानी खेत

C. फाउल पॉक्स

D. माइकोप्लास्मोसिस

58. गलत सम्बन्ध को चुनिए :

A. ऑक्सिन $\rightarrow$ पार्थिनोकारपी को प्रेरित करना

B. ABA $\rightarrow$ विगलन को रोकना

C. जिब्रेलिन $\rightarrow$ बीज की प्रसुप्तावस्था को खत्म करना

D. साइटोकाइलिन्स $\rightarrow$ जीर्णता को रोकना

59. जीन जो एक से अधिक लक्षणों पर अपना प्रभाव दिखाता है, कहलाता है :

A. लीथल जीन　　B. प्लिओट्रोपिक जीन

C. पोलीजीन्स　　D. मल्टीपल ऐलिज

60. डाउन सिंड्रोम किस गुणसूत्र के त्रिगुणसूत्रता के कारण होता है :

A. 20वाँ गुणसूत्र　　B. 21वाँ गुणसूत्र

C. 22वाँ गुणसूत्र　　D. 16वाँ गुणसूत्र

61. किसी विलयन का जल विभव होता है :

A. हमेशा धनात्मक

B. हमेशा ऋणात्मक

C. हमेशा शून्य

D. धनात्मक एवं एक से अधिक

62. पादपों में जल का वह पथ कौन-सा है जो कि कोशिकाओं के मृत भाग से होकर गुजरता है?

A. सीमप्लास्ट पथ　　B. मेम्ब्रेनस पथ

C. वेक्युलर पथ　　D. एपोप्लास्ट पथ

63. दाहिना फेफड़ा बना होता है :

A. दो लोब्स (पालियों) का

B. तीन लोब्स (पालियों) का

C. चार लोब्स (पालियों) का

D. पाँच लोब्स (पालियों) का

64. वास्तविक पसलियों की संख्या होती है :

A. 6 Pairs　　B. 7 Pairs

C. 9 Pairs　　D. 12 Pairs

65. पादपों में क्लोरोसिस किसकी कमी के कारण होता है :

A. नाइट्रोजन　　B. फास्फोरस

C. निकल　　D. कैल्सियम

66. अमोनिया का नाइट्रेट में ऑक्सीकरण कहलाता है :

A. डीअमीनेशन　　B. नाइट्रिफिकेशन

C. अमोनीफिकेशन　　D. डीनाइट्रिफिकेशन

67. नवीकरणीय ऊर्जा संसाधन के उदाहरण हैं :

A. सौर ऊर्जा, जीवाश्म ईंधन

B. पन बिजली, वायु ऊर्जा

C. ज्वारीय ऊर्जा, प्राकृतिक गैस

D. कोयला, सूर्य ऊर्जा

68. ग्रेफाइट में कार्बन का संकरण क्या है?

A. sp　　B. sp^2

C. sp^3　　D. dsp^2

69. षट्कोणीय आद्य एकक कोष्ठिका में चतुष्फलकीय छिद्रों की संख्या होंगी :

A. 8　　B. 6

C. 2　　D. 12

70. निम्न में से कौन-सा उदाहरण समूह 13–15 का नहीं है?

A. AlP B. GaAs
C. CdSe D. InSb

71. निम्न में से कौन-सा उदाहरण धनात्मक विचलन का नहीं है?

A. मेथानोल + पानी
B. एसीटोन + एथेनॉल
C. एसीटोन + कार्बन डाई सल्फाइड
D. एसीटोन + क्लोरोफॉर्म

72. निम्न में से कौन कोलिगातिव प्रॉपर्टी है?

A. परासरण दाब B. हिमांक अवनमन
C. क्वथनांक में उन्नयन D. उपरोक्त सभी

73. निम्न में से कौन आदर्श विलयन का गुण नहीं है?

A. $\Delta H_{mixture} = 0$
B. यह रॉल्ट्स नियम को मानता है
C. $\Delta V_{mixture} = 0$
D. उपरोक्त में से कोई नहीं

74. जल के एक मोल को ऑक्सीजन (O_2) में ऑक्सीकरण करने के लिए कितने कूलम्ब की आवश्यकता होगी?

A. 1.93×10^5 C B. 9.65×10^4 C
C. 6.023×10^{23} C D. 4.85×10^4 C

75. जब सीसा संचायक सेल चार्ज होता है तो :

A. SO_2 उत्पन्न होती है B. $PbSO_4$ नष्ट होता है
C. लेड बनता है D. H_2SO_4 नष्ट होता है

76. अभिक्रिया का रेट कांस्टेंट 7.239×10^{-4} sec^{-1} है तब अभिक्रिया की कोटि होंगी :

A. 4 B. 3
C. 2 D. 1

77. प्रथम कोटि की अभिक्रिया के 90% पूर्ण होने में लगा समय है :

A. 2.2 B. 1.2
C. 3.3 D. 4.2

78. निम्न में से कौन-सा ऋण आवेशित कोललोइडी सोल नहीं है?

A. धातु सल्फाइड B. स्टार्च
C. जिलेटिन D. मेथिलीन नील

79. मानव रक्त शुद्धिकरण की विधि है?

A. विद्युत अपोहन B. विद्युत कर्ण संचालन
C. अपोहन D. स्कंदन

80. स्वर्ण संख्या संबंधित है :

A. पर्पल ऑफ केसिअस से
B. विद्युत कण संचलन से
C. रक्षक कोलोइड से
D. शुद्ध स्वर्ण की मात्रा से

81. निम्न में से कॉपर मैट कौन-सा है?

A. $CuFeS_2$
B. Cu_2O
C. $Cu_2S + FeS$
D. उपरोक्त में से कोई नहीं

82. बॉक्साइड किसका अयस्क है?

A. Cu B. Zn
C. Ba D. Al

83. निम्न में से कौन-सी विधि से अमोनिया गैस बनाई जाती है?

A. हैबर विधि
B. संपर्क विधि
C. ओस्वाल्ड विधि
D. अम्मोनोलाइसिस

84. क्षारीयता का सही घटता हुआ क्रम कौन-सा है?

A. $NH_3 > PH_3 > AsH_3 > SbH_3$
B. $SbH_3 > PH_3 > NH_3 > AsH_3$
C. $NH_3 > PH_3 > SbH_3 > AsH_3$
D. $PH_3 > NH_3 > AsH_3 > SbH_3$

85. क्लोरोपिक्रिन का सूत्र है :

A. $C(NO_2)Cl_3$ B. $CCl(NO_2)_3$
C. $C(NO_2)_2Cl_2$ D. इनमें से कोई नहीं

86. हास्य गैस है :

A. नाइट्रोजन ट्राई ऑक्साइड
B. नाइट्रोजन पेंटा ऑक्साइड
C. नाइट्रस ऑक्साइड
D. नाइट्रोजन ऑक्साइड

87. Fe^{2+} में अयुग्मित इलेक्ट्रॉन की संख्या है :

A. 4 B. 3
C. 2 D. 6

88. उच्चतम ऑक्सीकरण अवस्था (+7) किसके द्वारा प्रदर्शित की जाती है?

A. Mn B. Cr
C. Fe D. Co

89. लन्थेनोइद की सामान्य ऑक्सीकरण अवस्था है :

A. +1 B. +2
C. +3 D. +4

90. क्लोरोफिल में Element होता है :

A. आयरन B. कोबाल्ट
C. मैग्नीशियम D. निकिल

91. $K_3[Fe(C_2O_4)_3]$ में Fe की ऑक्सीकरण अवस्था है :

A. 1 B. 2
C. 3 D. 4

92. निम्न में से कौन-से यौगिक का द्विध्रुर्ण आघूर्ण शून्य है?

A. $CHCl_3$ B. $CHBr_3$

C. CHI_3 D. CH_4

93. S_N^2 में कौन-सी रासायनिक प्रजाति बनती है?

A. संक्रमण अवस्था B. कार्बनिओन

C. कार्बोकेशन D. मुक्त मूलक

94. फिन्क्लस्टीन अभिक्रिया में क्या होता है?

A. हाइड्रोजनीकरण B. हैलोजनीकरण

C. हैलोजन विनिमय D. डिहाइड्रोलोजनीकरण

95. विक्टर मेयर विधि में कौन-सा रंग प्राथमिक अल्कोहल का सूचक है?

A. रक्त लाल B. नीला

C. गहरा नीला D. ईंट लाल

96. निम्न में से कौन-सा अल्कोहल का उदाहरण नहीं है?

A. ग्लिसरीन B. एथेनल

C. एथेनॉल D. ब्यूटानोल

97. दुग्ध शर्करा है :

A. ग्लूकोस B. माल्टोस

C. फ्रुक्टोज D. इनमें से कोई नहीं

98. क्लिमेनसन अपचयन में उपयुक्त अपचायी कारक कौन-सा है?

A. Zn-Hg और सान्द्र HCl

B. लाल फॉस्फोरस व हाइड्रो आयोडिक अम्ल

C. सोडियम एथोक्साइड

D. $LiAlH_4$

99. निम्न में से कौन-सी जाँच से प्राथमिक, द्वितीयक और तृतीयक अमीन की पहचान नहीं होती है?

A. आइसोसाईनाइड टेस्ट

B. हिन्सबर्ग टेस्ट

C. कार्बन डाई सल्फाइड टेस्ट

D. टोलेंस टेस्ट

100. निम्न में से यूरिया का सूत्र कौन-सा है?

A. NH_4CNO B. $(NH_4)_2SO_4$

C. NH_3 D. NH_2CONH_2

उत्तरमाला

1	2	3	4	5	6	7	8	9	10
A	B	C	D	C	B	B	B	D	B
11	12	13	14	15	16	17	18	19	20
C	C	C	A	B	C	B	A	A	C
21	22	23	24	25	26	27	28	29	30
D	C	C	B	A	A	D	B	B	C
31	32	33	34	35	36	37	38	39	40
A	D	C	C	B	C	C	B	D	C
41	42	43	44	45	46	47	48	49	50
B	C	C	C	A	C	B	A	B	B
51	52	53	54	55	56	57	58	59	60
D	D	B	B	C	D	B	B	B	B
61	62	63	64	65	66	67	68	69	70
B	D	B	B	A	B	B	B	D	C
71	72	73	74	75	76	77	78	79	80
D	D	D	B	B	D	C	D	C	C
81	82	83	84	85	86	87	88	89	90
C	D	A	A	A	C	A	A	C	C
91	92	93	94	95	96	97	98	99	100
C	D	A	C	A	B	A	A	D	D

पिछले प्रश्न-पत्र (हल सहित)

B.Sc. नर्सिंग भर्ती परीक्षा, 2020*

1. आणविक संरचना निर्धारित करने में कौन-सी विधि प्रयुक्त होती है :

A. द्विध्रुव आघूर्ण B. अवशोषण स्पेक्ट्रम
C. इलेक्ट्रॉनिक स्पेक्ट्रम D. उपरोक्त सभी

2. निम्नलिखित में से किसका बन्ध कोण का मान अधिकतम है?

A. CHF_2 B. $CHCl_2$
C. $CHBr_2$ D. उपरोक्त सभी

3. निम्नलिखित में से कौन CO_2 के सम इलेक्ट्रॉनिक हैं :

A. NO_2 B. N_2O
C. NO D. N_2O_2

4. हाइड्रोजन बम आधारित है :

A. नाभिकीय संलयन B. नाभिकीय विखंडन
C. विस्फोटन D. विघटन

5. CH_4 के निर्माण में संकरित कक्षकों का प्रयोग होता है :

A. sp B. sp^2
C. sp^3 D. उपरोक्त में से कोई नहीं

6. निम्न दिए गए कार्बनऋणायनों में से कौन सबसे अधिक स्थायी है?

A. $C_6H_5\overset{\ominus}{C}H_2$ B. $CH_2{=}CH-\overset{\ominus}{C}H_2$

C. 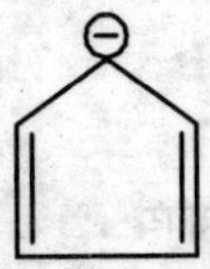 D. 

7. जब किसी असममित अणु की असममित एल्कीन पर योग होता है तो अणु का ऋणात्मक भाग उस कार्बन परमाणु पर जाता है जिसमें जुड़े हुए हाइड्रोजन परमाणुओं की संख्या न्यूनतम होती है। यह है :

A. परऑक्साइड प्रभाव
B. मार्कोनीकाफ नियम
C. थील सिद्धान्त
D. बायर का विकृति सिद्धान्त

8. एथिलीन ग्लाइकोल का सर्वाधिक स्थायी संरूपी है :

A. एन्टी B. गॉशे
C. पूर्णतः ग्रसित D. अंशत ग्रसित

9. राइमर-टीमान अभिक्रिया देते हैं :

A. अम्ल B. फीनॉल
C. कीटोन D. एस्टर

10. अभिक्रिया

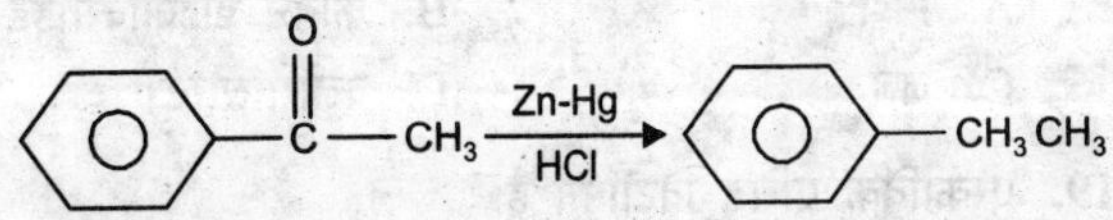

कहलाती है :

A. वुल्फ-किश्नर अपचयन
B. वुर्ट्ज अपचयन
C. वुर्ट्ज-फिटिंग अभिक्रिया
D. क्लीमेन्सन अभिक्रिया

11. एक कार्बनिक यौगिक A ओजोनीकरण के पश्चात् एक अणु एसीटोन तथा एक अणु फार्मेल्डिहाइड देता है। यौगिक A हैं :

A. 2-मेथिल प्रोपीन B. प्रोपाइन
C. ब्यूटीन-1 D. ब्यूटीन-2

12. यौगिक $CH_2 = C = CH_2$ में कौन-से संकरित कक्षक उपस्थित है :

A. केवल sp B. sp एवं sp^3
C. sp एवं sp^2 D. sp^2 एवं sp^3

13. मेथेनॉलीय सोडियम हाइड्रॉक्साइड द्वारा अपचयित किए जाने पर नाइट्रोबेन्जीन, देता है :

A. हाइड्रोजो बेन्जीन
B. ऐजो बेन्जीन
C. ऐजोक्सी बेन्जीन
D. ऐनिलीन

14. निम्नलिखित ऐल्डिहाइडों में से कौन-सा ऐल्डिहाइड कैनिजारो अभिक्रिया नहीं देता है?

A. फार्मेल्डिहाइड
B. बेंजेल्डिहाइड
C. 2, 2 डाइमेथिल प्रोपियोनेल्डिहाइड
D. ऐसिटेल्डिहाइड

15. कौन नाभिकीय स्नेही है?

A. $NaBH_4$ B. R–O–R
C. C_6H_6 D. उपर्युक्त सभी

* *Conducted by DDU, Gorakhpur (UP).*

16. निम्नलिखित में से कौन-सी ग्रंथि रक्तचाप को नियंत्रित करती है?
A. थैलेमस ग्रंथि B. थायरॉयड ग्रंथि
C. एड्रीनल ग्रंथि D. पैंक्रियाज ग्रंथि

17. इंटामोलोजी वह विज्ञान है जिसमें अध्ययन किया जाता है :
A. पादप एवं कोशिकाओं का
B. मनुष्य के व्यवहार का
C. कीटों का
D. चट्टानों के निर्माण का

18. प्रकाश संश्लेषण में ऑक्सीजन कहाँ से आता है?
A. मिट्टी B. कार्बन डाईऑक्साइड
C. जल D. क्लोरोप्लास्ट

19. एस्कार्बिक एसिड विटामिन है :
A. A B. B
C. C D. D

20. वह तत्व जो सभी क्षार में उभयनिष्ठ होता है :
A. कार्बन B. सल्फर
C. हाइड्रोजन D. ऑक्सीजन

21. भारत की नाभिकीय नीति निम्नलिखित में से किस पर आधारित नहीं है?
A. असैन्य नियंत्रण B. न्यूनतम विश्वसनीयता
C. प्रसार D. प्रथम प्रयोग नहीं

22. निम्नलिखित में से कौन-सा शुष्क सेल के इलेक्ट्रोलाइट के रूप में उपयोग होता है?
A. अमोनियम क्लोराइड और जिंक क्लोराइड
B. सोडियम क्लोराइड और कैल्सियम क्लोराइड
C. अमोनियम क्लोराइड और कैल्सियम क्लोराइड
D. इनमें से कोई नहीं

23. एक सघन माध्यम में रखी हुई वस्तु को जब विरल माध्यम से देखा जाता है तो वस्तु ऊपर खिसकी हुई प्रतीत होती है। यह विचलन किस वर्ण हेतु अधिकतम होता है?
A. लाल B. हरा
C. पीला D. बैंगनी

24. X-किरणों की तरंगदैर्ध्य की कोटि लगभग होती है :
A. 10 माइक्रान B. 1 ऐंगस्ट्राम
C. 1 सेमी. D. 1 सेमी.

25. एम.एस. वर्ड है :
A. ऑपरेटिंग सिस्टम B. हार्डवेयर
C. सॉफ्टवेयर D. उपर्युक्त में से कोई नहीं

26. इनमें से किस संघ के सभी जीव समुद्री होते हैं?
A. पोरिफेरा B. सीलेन्टरेटा
C. मॉलस्का D. इकाइनोडर्मेटा

27. जन्तु जिसमें विशिष्ट श्वसनांग नहीं पाए जाते हैं :
A. ह्वेल B. कॉकरोच
C. मेंढ़क D. हाइड्रा

28. केंचुए का प्रमुख उत्सर्जी पदार्थ है :
A. अमोनिया B. यूरिया
C. यूरिक अम्ल D. एमीनो अम्ल

29. निम्नलिखित में से कौन-सा जन्तु जुगाली करने वाला है :
A. घोड़ा B. गाय
C. राइनोसिरॉस D. बिल्ली

30. एन्जाइम जो डी.एन.ए. के दो रज्जुकों के अंत को जोड़ती है :
A. लाइगेस B. पॉलिमरेस
C. सिन्थटेस D. हैलिकेस

31. वास्तविक द्विशंकर दशा कौन-सी है?
A. ttrr B. ttRr
C. TtRr D. TtRR

32. जैव विकास का मूलभूत स्रोत क्या है?
A. उत्परिवर्तन
B. लैंगिक चयन
C. प्राकृतिक चयन
D. उपार्जित लक्षणों की वंशागति

33. कोएनोसाइट कहाँ मिलती है?
A. एक्टोडर्म में B. एन्डोडर्म में
C. दोनों में D. किसी में नहीं

34. जेम्यूल क्या कार्य करता है?
A. लैंगिक प्रजनन
B. अलैंगिक प्रजनन
C. वितरण
D. इनमें से कोई नहीं

35. कॉकरोच की मैल्पीघीयन नलिकाओं का कार्य :
A. पाचन B. श्वसन
C. उत्सर्जन D. प्रजनन

36. गति प्रेरक प्रभावित करता है :
A. हृदय की पेशियों का संकुचन
B. हृदय में रुधिर प्रवाह
C. हृदय स्पंदन की दर
D. तन्त्रिका आवेग का जन्म

37. एक ग्लूकोज तथा एक ग्लैक्टोज के अणुओं के ग्लाइकोसिडिक बंध द्वारा जुड़ने से किसका अणु बनता है?
A. सुक्रोज
B. लैक्टोज
C. माल्टोज
D. राइबोज

38. पैरामिशियम में संयुग्मन की क्रिया परिणाम है सक्रियता की :

A. माइक्रोन्यूक्लीयस की
B. मैक्रोन्यूक्लीयस की
C. मैक्रो तथा माइक्रो न्यूक्लीयस दोनों की
D. माइटोकॉन्ड्रिया की

39. हिपेरिन कहाँ बनता है?

A. रुधिराणु
B. प्लाज्मा कोशिकाएँ
C. यकृत कोशिकाएँ
D. प्लीहा कोशिकाएँ

40. जर्म प्लाज्म की निरन्तरता का सिद्धान्त किसने दिया?

A. डॉर्विन
B. लैमार्क
C. वीजमान
D. डी-व्रीज

41. प्रोटीन और आर.एन.ए. का संश्लेषण किस चरण में होता है?

A. G_1 अवस्था
B. S अवस्था
C. M अवस्था
D. G_1 और G_2 अवस्था

42. केंचुए में किन खण्डों में सीटी (Setae) नहीं होती है?

A. 14 से 16
B. 16 से 18
C. प्रथम तीन
D. पहला, अंतिम और 14 से 16

43. उत्परिवर्तन होते हैं :

A. जीन्स के अनियमित बंटवारे से
B. बदली हुई वातावरणीय दशाओं से
C. विकास की निश्चित दिशाओं से
D. जीन्स में रासायनिक परिवर्तन से

44. अर्धसूत्री विभाजन के दौरान पारगमन किस अवस्था में होता है?

A. लेप्टोटीन
B. जाइगोटीन
C. पैकीटीन
D. डिप्लौटीन

45. एक व्यक्ति, जिसका रक्त समूह 'A' है। वह 'A B' रक्त समूह वाली महिला से विवाह करता है। किस प्रकार की संतान यह प्रदर्शित करती है कि व्यक्ति (पुरुष) होमोजाइगस नहीं है?

A. AB
B. O
C. B
D. A रक्त समूह

46. गमन के लिए नाल पाद किनमें होते हैं?

A. पोरीफेरा
B. निडेरिया
C. इनकानोडर्मेटा
D. एनीलिड्स

47. ग्लोमेरुलर निस्यंद से क्लोराइड आयन को पुर्नअवशोषण वृक्क नलिका के द्वारा होता है :

A. सक्रिय परिवहन
B. संवहन
C. परिसरण
D. ब्राउनीयन गति

48. संघ निडेरिया में किस तरह की सीमेट्री पायी जाती है?

A. रेडियल
B. बाइलेटरल
C. स्फेरिकल
D. उपरोक्त में से कोई नहीं

49. अरिस्ट्राटल लैन्टर्न्स उपकरण का मुख्य कार्य क्या है?

A. श्वसन
B. भोजन का चबाना
C. उत्सर्जन
D. उपरोक्त कोई नहीं

50. इनमें से किसके जीवन-चक्र में 'एमोन्सिट लार्वा' पाया जाता है?

A. लैम्प्रे
B. सी आर्चिन
C. बैलनोग्लासस
D. एसिडियन

51. एक ऐसा समूह जिसके सभी जीवों में 'मारसुपियम' पाया जाता है, वह है :

A. यूथिरिया
B. प्रोटोथिरिया
C. मैमलिया
D. मेटाथिरिया

52. 5 इम्युनोग्लोविन के द्वारा किस समूह के एन्टीबॉडी का निर्माण होता है?

A. IgG
B. IgM
C. IgA
D. IgD

53. लाल रक्त कणिकाओं (एरिथ्रोसाइट्स) के परिपक्वन के लिए इनमें से कौन-सा विटामिन आवश्यक है?

A. विटामिन B_{12}
B. विटामिन D
C. विटामिन A
D. विटामिन C

54. मेंढ़क की खोपड़ी है?

A. मोनो कन्डायलिक
B. डाइकन्डायलिक
C. ट्राइकन्डायलिक
D. उपरोक्त में से कोई नहीं

55. विकास के लिए "उपार्जित लक्षणों के वंशागति का सिद्धान्त" प्रतिपादित किया गया था :

A. वीजमान
B. लैमार्क
C. ह्यूगो डी व्रीज
D. ओपेरिन

56. श्वास प्रकाश संश्लेषण मार्ग (कैम) अनुकूलन ज्यादातर पाया जाता है :

A. मीजोफाइट
B. हाइड्रोफाइट
C. जीरोफाइट
D. उपरोक्त में से कोई नहीं

57. माइकोराइजा एक उदाहरण है :

A. परजीविता
B. म्यूचुअलिज्म
C. कमैनसालिज्म
D. अमैनसालिज्म

58. बीटी टॉक्सिन जिस जीन से कोड होता है, वह कहलाता है :
A. cdc B. Bth
C. cry D. nif

59. डी.एन.ए. डबल हेलिक्स का पिच सामान्य होता है :
A. 3 nm B. 3.4 nm
C. 4.4 nm D. 2 nm

60. न्यूक्लीयोसोम के कोर में प्रयुक्त हिस्टोन की संख्या है :
A. 6 B. 7
C. 8 D. 9

61. ग्रीफिथ ने ट्रान्सफॉरमेशन प्रयोग जिस जीवाणु पर किया, वह है :
A. ई. कोली B. सालमोनेला टाईफी
C. माइकोबैक्टीरियम् D. स्ट्रैप्ट्रोकोकस न्यूमोनी

62. कोडिंग सिक्वेन्स या एक्सप्रेस्ड सीक्वेन्स कहलाते हैं :
A. पालीटीनी B. इन्ट्रान्स
C. क्रोमैटिड्स D. एक्सॉन

63. राष्ट्रीय वानस्पतिक अनुसंधान संस्थान स्थित है :
A. कोलकाता B. शिमला
C. लखनऊ D. दिल्ली

64. निम्नलिखित में प्रोटीन का प्रचुर स्रोत कौन-सा है?
A. ग्लाइसीन मैक्स B. मूंगफली
C. सोलेनम D. ब्रैसिका

65. ट्रैकिया, ट्रैकिड, दारूतन्तु और मृदुतक पाया जाता है :
A. जाइलम में B. फ्लोएम में
C. कैम्बियम में D. बल्कुट में

66. सिलिकुआ प्रकार का फल सामान्यतः कुल में पाया जाता है :
A. पैपावरेसी B. लेग्यूमिनोसी
C. ब्रैसीकेसी D. ऐसटीरेसी

67. एपोकारपस् परिस्थिति होती है :
A. जुड़े हुए पिस्टिल B. मुक्त पिस्टिल
C. कोई पिस्टिल नहीं हैं D. बहुत सारे पिस्टिल

68. बीजाणु इससे प्लेसेन्टा से जुड़ता है :
A. फ्यूनिकल B. हाइलम
C. माइक्रोपाइल D. चलाजा

69. फूल जो बिल्कुल नहीं खुलते हैं, वे हैं :
A. चैस्मोगैमस B. क्लीस्टोगैमस
C. गीटोनोगैमी D. जीनोगैमी

70. नर युग्मक, दो ध्रुवीय न्यूक्ली की संगलिता से बनता है :
A. भ्रूण
B. बीजावरण
C. प्राथमिक भ्रूणपोष केन्द्रक
D. प्लेसेन्टा

71. डहलिया की जड़ें होती हैं :
A. कुम्भी फार्म B. कंदिल
C. रेशेदार D. स्वांगीकारक

72. निम्नलिखित में से क्लैडोड कौन-सा है?
A. पार्किन्सोनिया B. एकेशिया
C. अपुन्शिया D. एस्पेरेगस

73. साइकस रिवुलुटा का प्रचलित नाम है :
A. सैगो पाम B. रायल पाम
C. डेट पाम D. समुद्री पाम

74. बहुपक्ष्माभी नर युग्मक पाए जाते हैं :
A. यूलोथ्रिक्स में B. फ्यूनेरिया में
C. टेरिस में D. साइकस में

75. टेरिडोफाइट को कहा जाता है :
A. फेनरोगैम B. क्रिप्टोगैम
C. संवहनीय क्रिप्टोगैम D. फर्न

76. मांस के पेरिस्टोमी दाँत दिखाते हैं :
A. हाइड्रोकेसी B. जीरोकेसी
C. रसायनावर्तन D. जलानुवर्तन

77. फ्यूनेरिया में मूलाभास उत्पन्न होते हैं :
A. आधारी क्षेत्र से
B. अभ्यक्ष क्षेत्र से
C. अपाक्ष क्षेत्र से
D. उपरोक्त में से कोई नहीं

78. इसके जीवन चक्र में प्रोटीनीमा पाया जाता है :
A. स्पाइरोगायरा B. राइजोपस
C. फ्यूनेरिया D. एशरिशिया

79. आयोडीन प्राप्त किया जाता है :
A. लेमिनारिया से B. पाली सिफोनिया से
C. पारफिरा से D. क्लोरेल्ला से

80. पेनिसिलिन का आविष्कार किया था :
A. ए. फ्लेमिंग ने B. डब्लू. फ्लेमिंग ने
C. आर. कोच ने D. एस. वाक्समैन

81. विषम जालिकता का आविष्कार किया था :
A. ब्लैकस्ली B. वाक्समेन
C. बटलर D. अलेक्सोपोलस

82. जीनस पेनिसिलियम आता है :
A. बेसिडियोमाइसीटीज
B. एस्कोमाइसीटीज
C. फाइकोमाइसीटीज
D. ड्यूटेरोमाइसीटीज

83. भूरी शैवाल का लाक्षणिक वर्णन है :

A. फाइकोसाइनिन
B. फाइकोइरिथ्रीन
C. फ्यूकोजैन्थिन
D. हिमैटोक्रोम

84. प्रोटीन की प्रचुर मात्रा वाली शैवाल होती है :

A. क्लेमाइडोमोनास
B. साइटोनिमा
C. कास्मेरियम
D. स्पाइरूलिना

85. निम्नलिखित में से कौन-से पौधे प्रकाश संश्लेषण के अध्ययन में उपयोगी हैं?

A. क्लोरेला
B. एस्पेरेगस
C. एमरेन्थस
D. सूरजमुखी

86. यदि किसी अभिक्रिया के अर्द्धभाग के पूर्ण होने में लगा समय अभिकारक की प्रारम्भिक मात्रा पर निर्भर नहीं करता तो अभिक्रिया की कोटि होती है :

A. शून्य
B. एक
C. दो
D. तीन

87. उत्प्रेरक रासायनिक अभिक्रिया में परिवर्तन लाता है :

A. अभिक्रिया की ऊष्मा
B. अभिक्रिया के क्रियाफल
C. सक्रियण ऊर्जा
D. साम्य स्थिरांक

88. स्वतः स्फूर्ति अभिक्रिया के लिए अनुकूलतम शर्तें हैं :

A. T.DS > DH, DH = +ve, DS = +ve
B. T.DS > DH, Dh = +ve, DS = –ve
C. T.DS ≥ DH, Dh = –ve, DS = –ve
D. T.DS = DH, DH = +ve, DS = +ve

89. pH = 3 एवं pH = 4 के समान आयतन वाले विलयनों को मिलाया जाता है। परिणामी विलयन का pH होगा :

A. 7
B. 3.5
C. 2.96
D. 3.26

90. K_P एवं K_C के बीच सम्बन्ध है :

A. $K_C = K_P (RT)^{On}$
B. $K_C = K_P (RT)^{-On}$
C. $K_P = K_C (RT)^{-On}$
D. इनमें से कोई सही नहीं है

91. अभिक्रिया $N_2 + 3H_2 - 2NH_1$ के लिए साम्य स्थिरांक K है तो अभिक्रिया $\frac{1}{2}N_2 + \frac{3}{2}H_2 = NH_5$ के लिए साम्य स्थिरांक होगा :

A. $\frac{K}{2}$
B. 2K
C. $\sqrt{K}$
D. K^2

92. यदि किसी उदासीन विलयन के pkw का मान 50°C पर 13.36 है, तो विलयन का pH है :

A. 6.68
B. 7
C. 7.63
D. इनमें से कोई नहीं

93. कैल्शियम फ्लोराइड के संतृप्त विलयन की विलेयता 2×10^{-4} मोल प्रति लीटर है तो इसका विलेयता गुणनफल है :

A. 12×10^{-2}
B. 14×10^{-4}
C. 22×10^{-11}
D. 32×10^{-12}

94. निम्नलिखित में से किस बफर विलयन की प्रकृति प्रबल अम्लीय है :

A. $HCOOH + HCOO^-$
B. $CH_3COOH + CH_3COO^-$
C. $H_2C_2O_4 + C_2O_4^{2-}$
D. $H_3BO_3 + BO_3^{3-}$

95. समान मात्रा में लवण एवं अम्ल ($Ka = 10^{-8}$) को धारण करने वाले बफर विलयन के लिए pH है :

A. 0
B. 13
C. 8
D. 8 - log2

96. किसी परमाणु के किसी एक ऊर्जा स्तर में सम्पूर्ण इलेक्ट्रानों की संख्या की गणना के लिए व्यंजक है :

A. $(n + 1)^2$
B. $(2n + 1)^2$
C. $\sum_{1=0}^{1=(n+1)} 2(2l + 1)$
D. $\sum_{1=0}^{1=(n-1)} 2(2l + 1)$

(जहाँ *n* मुख्य क्वांटम संख्या तथा *l* दिगंशी क्वांटम संख्या है)

97. जटिल आयन $[Ni(NH_3)_6]^{2+}$ में Ni की प्रभावी परमाणु संख्या है :

A. 35
B. 34
C. 38
D. 36

98. निम्नलिखित आयनों में से सबसे छोटा आयन कौन-सा है?

A. Pm^{3+}
B. Eu^{3+}
C. Nd^{3+}
D. Lu^{3+}

99. निम्नलिखित में से कौन लीविस अम्ल है?

A. BF_3
B. F
C. PH_3
D. CO

100. एक तत्व की द्रव्यमान संख्या X है तथा उसमें 11 इलेक्ट्रॉन हैं। उसमें न्यूट्रॉनों की संख्या होगी :

A. X + 11
B. X
C. 11
D. X – 11

उत्तरमाला

1	2	3	4	5	6	7	8	9	10
D	A	B	A	C	A	B	B	B	D
11	**12**	**13**	**14**	**15**	**16**	**17**	**18**	**19**	**20**
A	C	B	D	D	C	C	C	C	C
21	**22**	**23**	**24**	**25**	**26**	**27**	**28**	**29**	**30**
C	A	D	B	C	D	D	B	B	A
31	**32**	**33**	**34**	**35**	**36**	**37**	**38**	**39**	**40**
C	A	B	B	C	A	B	A	C	C
41	**42**	**43**	**44**	**45**	**46**	**47**	**48**	**49**	**50**
A	D	D	C	C	C	B	A	B	A
51	**52**	**53**	**54**	**55**	**56**	**57**	**58**	**59**	**60**
D	B	A	B	B	C	B	C	B	C
61	**62**	**63**	**64**	**65**	**66**	**67**	**68**	**69**	**70**
D	D	C	A	A	C	B	A	B	C
71	**72**	**73**	**74**	**75**	**76**	**77**	**78**	**79**	**80**
B	B	A	D	C	A	A	C	A	A
81	**82**	**83**	**84**	**85**	**86**	**87**	**88**	**89**	**90**
A	B	C	D	A	B	C	A	D	B
91	**92**	**93**	**94**	**95**	**96**	**97**	**98**	**99**	**100**
C	A	D	A	C	D	C	D	A	D

भौतिक विज्ञान

अध्याय

1 मात्रक, विमीय सूत्र एवं मापक
(Units, Dimension and Measurements)

किसी भौतिक राशि को मापने के लिए एक मानक मात्रक की आवश्यकता होती है, इसे मात्रक कहते हैं।

मात्रक के प्रकार

मूल मात्रक (Fundamental Units)

यदि किसी भौतिक राशि के मात्रक किसी दूसरे मात्रक पर निर्भर न हो, ऐसी भौतिक राशि के मात्रक को मूल मात्रक कहते हैं। एक मूल मात्रक को दूसरे मूल मात्रक में परिवर्तित नहीं किया जा सकता।

एस. आई. (SI) मात्रक निम्नलिखित सात मूल मात्रक तथा दो पूरक मात्रक पर आधारित हैं–

तालिका-1

क्र.सं.	मूल भौतिक राशि (Quantity)	मात्रक (Units)	संक्षिप्तियां (Unit symbol used)
1	द्रव्यमान	किलोग्राम	kg
2	लम्बाई या दूरी	मीटर	m
3	समय	सेकण्ड	s
4	ताप	केल्विन	K
5	विद्युत धारा	एम्पियर	A
6	ज्योति तीव्रता	केण्डिला	cd
7	पदार्थ की मात्रा	मोल	mol
क्र.सं.	**पूरक भौतिक राशि**	**पूरक मात्रक**	**संक्षिप्तियां**
1	तलीय कोण	रेडियन	rad
2	धन कोण	स्टेरेडियन	Sr

विभिन्न मापन निकायों के मूल मात्रक (Fundamental Units in Different System of Units)

(*i*) **एफ.पी.एस. प्रणाली (F.P.S. System):** यह ब्रितानी अभियंत्रण मात्रक प्रणाली (British Engineering System of Units) है। इसमें द्रव्यमान का मात्रक पाउन्ड, लम्बाई या दूरी का मात्रक फूट (ft) तथा समय का मात्रक सेकण्ड (s) है।

(*ii*) **सी.जी.एस. प्रणाली (C.G.S. System):** इस प्रणाली को गौसियन प्रणाली भी कहते हैं। इस प्रणाली में द्रव्यमान का मात्रक ग्राम (gm), लम्बाई का मात्रक सेंटीमीटर (cm) और समय का मात्रक सेकण्ड (s) है।

(*iii*) **एम.के.एस. प्रणाली (M.K.S. System):** इस प्रणाली में द्रव्यमान का मात्रक किलोग्राम (kg), लम्बाई या दूरी का मात्रक मीटर (m) तथा समय का मात्रक सेकण्ड (s) है।

व्युत्पन्न मात्रक (Derived Units)

जब किसी भौतिक राशि के मात्रक, मूल मात्रकों पर निर्भर करते हैं, तो उसे व्युत्पन्न मात्रक कहते हैं। जैसे–बल, कार्य, वेग, संवेग, आदि।

व्युत्पन्न मात्रक प्राप्त करने की विधि–

(*i*) सर्वप्रथम राशि का सूत्र लिखते हैं।
(*ii*) सूत्र को मूल भौतिक राशियों में परिवर्तित करते हैं।
(*iii*) सही प्रणाली में संगत मात्रक लिखते हैं।
(*iv*) सही बीजगणितीय संयोग लिखकर परिणाम प्राप्त करते हैं।

विमायें एवं विमीय सूत्र

किसी भौतिक राशि की विमायें वे घात होती हैं जिन्हें उस राशि के परम मात्रक को मूल मात्रकों–जैसे M. L. T. आदि, में प्रकट करने के लिये मात्रकों पर चढ़ाये जाते हैं। इस प्रकार प्राप्त संगत सम्बन्ध विमीय सूत्र कहलाता है। जैसे–वेग का मात्रक मी./से. है। इसे निम्न तरीके से भी लिखा जा सकता है–मी.$^{+1}$ से.$^{-1}$ या $m^{+1} s^{-1}$

अतः वेग की विमा, लम्बाई के लिए = +1

और वेग की विमा, समय के लिए = -1

विभिन्न मूल राशियों के विमीय सूत्र केवल एक प्रतीक के द्वारा व्यक्त किये जाते हैं।

मूल राशि	प्रतीक
द्रव्यमान	M
लम्बाई	L
समय	T
विद्युत धारा	I
ताप	K
पदार्थ की मात्रा	mol
ज्योति तीव्रता	cd

अतः वेग की विमायें LT^{-1} है। वेग की विमायें $[M^0L^1T^{-1}]$ भी लिख सकते हैं।

कुछ मूल राशियों के विमीय सूत्र (Dimensional Formula of Some Physical Quantities)

क्र. सं.	भौतिक मात्रक	मूल मात्रकों के बीच संबंध	विमीय सूत्र
1.	त्वरण	लम्बाई/समय^2	$[M^0L^1T^{-2}]$
2.	बल	द्रव्यमान × लम्बाई/समय^2	$[M^1L^1T^{-2}]$
3.	कार्य	द्रव्यमान $\times \frac{\text{लम्बाई}}{\text{समय}^2} \times$ लम्बाई = बल × लम्बाई	$[M^1L^2T^{-2}]$

(*i*) आंकिक नियतांकों (जैसे 1, 5, –3 आदि) की कोई विमा नहीं होती।

(*ii*) त्रिकोणमितीय अनुपातों (जैसे sinθ, secθ आदि) की कोई विमा नहीं होती।

(*iii*) चरघातांकीय फलन (e^x) एवं लघुगुणांक फलन ($\log x$) की कोई विमा नहीं होती।

विमीय सूत्र ज्ञात करना

(*i*) सर्वप्रथम भौतिक राशि का सूत्र लिखते हैं।

(*ii*) सूत्र को मूल भौतिक राशि में व्यक्त करते हैं।

(*iii*) भौतिक राशियों के लिए संगत प्रतीक लिखते हैं।

(*iv*) सही बीजगणितीय संयोग लिखकर परिणाम ज्ञात करते हैं।

विमाओं में समांगता का सिद्धांत (Homogeneity Principle of Dimensions)

इस सिद्धांत के अनुसार, समीकरण के दोनों पक्षों की विमायें एकसमान होनी चाहिए। यदि समीकरण के दोनों पक्षों की विमायें समान हों, तो भौतिक समीकरण विमीय रूप से सही कहे जाते हैं।

विमाओं के उपयोग

- किसी भौतिक समीकरण की सत्यता की जाँच कर सकते हैं।
- विमीय रूप से सही समीकरण, भौतिक रूप से सही या गलत हो सकती है।
- परन्तु विमीय रूप से गलत समीकरण, भौतिक रूप से भी गलत होंगी।

आइए हम समीकरण $v = u + at$ की सत्यता की जांच करें–

यहाँ u = प्रारम्भिक वेग, v = अंतिम वेग

a = एकरूपीय त्वरण तथा t = दो बिन्दुओं के बीच तय की गई दूरी का समय है।

$$[u] = \left[\frac{m}{\sec}\right] = [LT^{-1}], \quad [v] = \left[\frac{m}{\sec}\right] = [LT^{-1}]$$

$$[at] = [\text{त्वरण}]\,[\text{समय}] = [LT^{-2}][T] = LT^{-1}$$

चूंकि प्रत्येक व्यंजक की विमायें समान हैं अतः समीकरण सही है। अतः हम कह सकते हैं कि समीकरण विमीय रूप से भी सही है।

विभिन्न भौतिक राशियों में संबंध स्थापित करना

बल, द्रव्यमान तथा त्वरण के बीच संबंध स्थापित करना है।

माना, बल, द्रव्यमान तथा त्वरण पर निर्भर करता है।

अतः $F = K\, m^b a^c$ जहाँ K = विमारहित नियतांक b तथा c द्रव्यमान तथा त्वरण के घात हैं।

समांगता के सिद्धांत के अनुसार,

$[F] = [K]\,[m]^b\,[a]^c$

$\Rightarrow [MLT^{-2}] = [M^0L^0T^0][M]^b[LT^{-2}]^c$

$\Rightarrow [MLT^{-2}] = M^bL^cT^{-2c}$

दोनों पक्षों के विमाओं की तुलना करने पर

$1 = b, 1 = c, -2c = -2$

$\Rightarrow b = 1$ तथा $c = 1$

अब b एवं c के मानों को अपेक्षित समीकरण में रखने पर

$F = Kma$, अतः

K का मान प्रयोगात्मक विधि से ज्ञात किया जा सकता है।

मात्रकों का परिवर्तन (Conversion of Units)

एक भौतिक राशि के आंकिक मान को एक मात्रक पद्धति से दूसरे मात्रक पद्धति में विमीय सूत्र की सहायता से परिवर्तित किया जा सकता है। भौतिक राशि, आंकिक मान व मात्रक के गुणनफल के रूप में प्रकट की जाती है।

विमीय विश्लेषण की सीमाएं

(*i*) इस विधि से किसी सूत्र में उपस्थित विमाहीन नियतांक का मान ज्ञात नहीं किया जा सकता है।

(*ii*) एक विमीय रूप से सही समीकरण गलत भी हो सकते हैं।

जैसे $v = 2u + 6at$

हमें ज्ञात है, $[v] = [LT^{-1}]$

$[2u] = [2][u] = [M^0L^0T^0][LT^{-1}] = [LT^{-1}]$ तथा

$[6at] = 6[a][t] = [M^0L^0T^0][LT^{-2}][T] = [LT^{-1}]$

अतः उपरोक्त समीकरण विमीय रुप से सही है परंतु, प्रयोग द्वारा प्राप्त परिणाम यह दर्शाता है कि उपरोक्त समीकरण सही नहीं है।

(*iii*) आंकिक नियतांक विमारहित होते हैं।

(*iv*) जब भौतिक राशि तीन से अधिक राशियों पर निर्भर करती है, तो उनके बीच इस विधि से संबन्ध स्थापित नहीं किया जा सकता है क्योंकि M, L और T की घातों को बराबर करने पर केवल तीन समीकरण ही बनते हैं तथा उससे तीन मान ही प्राप्त किये जा सकते हैं।

(*v*) केवल समान विमा व प्रकृति वाली राशियों को जोड़ा या घटाया जा सकता है।

भौतिक राशियों के कुछ प्रमुख मूल मात्रक एवं विमीय सूत्र (Units and Dimensions of Some Important Physical Quantities)

क्र.सं.	राशि	एस.आई. मात्रक	विमीय सूत्र
1.	लम्बाई	मीटर	$[M^0L^1T^0]$
2.	क्षेत्रफल (A)	मीटर^2 या वर्ग मीटर	$[M^0L^2T^0]$
3.	आयतन (V)	मीटर^3 या घन मीटर	$[M^0L^3T^0]$
4.	घनत्व (d)	किग्रा/मी.^{3}	$[M^1L^{-3}T^0]$
5.	आपेक्षिक घनत्व	मात्रक रहित	$[M^0L^0T^0]$
6.	तलीय कोण (θ)	रेडियन	$[M^0L^0T^0]$
7.	कोणीय वेग (ω)	रेडियन/से.	$[M^0L^0T^{-1}]$
8.	वेग या चाल (ν)	मी./से.	$[M^0L^1T^{-1}]$
9.	त्वरण (a)	मी./से.^{2}	$[M^0L^1T^{-2}]$
10.	कोणीय त्वरण (α)	रेडियन/से.^{2}	$[M^0L^0T^{-2}]$
11.	जड़त्व आघूर्ण (I)	किग्रा–मी.^{2}	$[M^1L^2T^0]$
12.	बल (F)	न्यूटन	$[M^1L^1T^{-2}]$
13.	दाब (P)	न्यूटन/मी.^{2} या पास्कल	$[M^1L^{-1}T^{-2}]$
14.	संवेग (p)	किग्रा–मी./से.	$[M^1L^1T^{-1}]$
15.	आवेग (I)	न्यूटन–से. या या किग्रा–मी/से.	$[M^1L^1T^{-1}]$
16.	कार्य (W) या ऊर्जा (E) या गतिज (E_k) या स्थितिज ऊर्जा (E_p) या उष्मा (Q)	जूल	$[M^1L^2T^{-2}]$
17.	शक्ति (P)	वाट या जूल/से.	$[M^1L^2T^{-3}]$
18.	बल आघूर्ण (τ)	न्यूटन–मीटर	$[M^1L^2T^{-2}]$
19.	कोणीय संवेग (L)	जूल से. या किग्रा मी^{2}/से.	$[M^1L^2T^{-1}]$
20.	गुरूत्वीय नियतांक (G)	न्यूटन मी^{2}/ किग्रा.^{2}	$[M^{-1}L^3T^{-2}]$
21.	गुरूत्वीय त्वरण (g)	मीटर/से.^{2}	$[M^0L^1T^{-2}]$
22.	पृष्ठ तनाव (T)	न्यूटन/मी. या जूल/मी.^{2}	$[M^1L^0T^{-2}]$
23.	पृष्ठ ऊर्जा (s)	जूल/मी.^{2}	$[M^1L^0T^{-2}]$
24.	वेग प्रवणता (v_g)	प्रति से.	$[M^0L^0T^{-1}]$
25.	श्यानता गुणांक (η)	किग्रा/मी. से.	$[M^1L^{-1}T^{-1}]$
26.	प्रतिबल	न्यूटन/मी.^{2}	$[M^1L^{-1}T^{-2}]$
27.	विकृति	मात्रक रहित	$[M^0L^0T^0]$
28.	प्रत्यास्थता गुणांक (E)	न्यूटन/मी.^{2}	$[M^1L^{-1}T^{-2}]$
29.	यंग प्रत्यास्थता गुणांक (Y)	न्यूटन/मी.^{2}	$[M^1L^{-1}T^{-2}]$
30.	परम ताप गुणांक (Y)	केल्विन (K)	$[M^0L^0T^0k^1]$
31.	गुप्त उष्मा (L)	जूल/किग्रा.	$[M^0L^2T^{-2}]$
32.	गैस नियतांक (R)	जूल/केल्विन K	$[M^1L^2T^{-2}k^{-1}]$
33.	उष्मागतिक नियतांक (γ)	मात्रक रहित	$[M^0L^0T^0]$
34.	ताप प्रवणता (T_g)	केल्विन/मी.	$[M^0L^{-1}T^0k^{-1}]$
35.	उष्मा चालकता गुणांक (K)	वेबर/मी.केल्विन	$[M^1L^1T^{-3}k^1]$
36.	परावर्तन गुणांक (r)	मात्रक रहित	$[M^0L^0T^0]$
37.	विकिरण तीव्रता (I)	जूल/से./मी.^{2}	$[M^1L^0T^{-3}]$
38.	दूरदर्शी की विभेदन सीमा ($d\theta$)	रेडियन	$[M^0L^0T^0]$
39.	सूक्ष्मदर्शी की विभेदन सीमा (x)	मीटर	$[M^0L^1T^0]$
40.	वैद्युत आवेश (q)	कूलॉम	$[M^0L^0T^1A^1]$
41.	वैद्युत धारा (I)	एम्पियर	$[M^0L^0T^0A^1]$
42.	धारा घनत्व (J)	एम्पियर/मी.^{2}	$[M^0L^{-2}T^0A^1]$
43.	वैद्युत क्षेत्र की तीव्रता (E)	वोल्ट/मीटर	$[M^1L^1T^{-3}A^{-1}]$
44.	वैद्युत फ्लक्स (ϕ)	वोल्ट मी.	$[M^1L^3T^{-3}A^{-1}]$
45.	वैद्युत विभव (V)	जूल/कूलम्ब = वोल्ट	$[M^1L^2T^{-3}A^{-1}]$
46.	कूलॉम नियतांक (K)	न्यूटन म^2/ कूलॉम^2	$[M^1L^3T^{-4}A^{-2}]$
47.	वैद्युतशीलता (E_0) नियतांक (K)	कूलॉम^2/ न्यूटन म^2	$[M^{-1}L^{-3}T^4A^2]$
48.	आपेक्षिक वैद्युतशीलता (e)	मात्रक रहित	$[M^0L^0T^0]$
49.	वैद्युत धारिता (C)	फैरड	$[M^{-1}L^{-2}T^4A^2]$
50.	वैद्युत–वाहक बल (E)	जूल/कूलॉम या वोल्ट	$[M^1L^2T^{-3}A^{-1}]$
51.	प्रतिरोध (R) या प्रतिघात (λ) या प्रतिबाधा (z)	ओम	$[M^1L^2T^{-3}A^{-2}]$
52.	विशिष्ट प्रतिरोध (ρ)	ओम–मी.	$[M^1L^3T^{-3}A^{-2}]$

क्र.सं.	राशि	एस.आई. मात्रक	विमीय सूत्र
53.	वैद्युत चालकता गुणांक (σ)	ओम$^{-1}$या म्हो	$[M^{-1}L^{-2}T^{3}A^{2}]$
54.	विभव प्रवणता (K)	वोल्ट/मी.	$[M^{1}L^{1}T^{-3}A^{-1}]$
55.	प्रतिरोध ताप गुणांक (K)	K^{-1}	$[M^{0}L^{0}T^{0}k^{-1}]$
56.	औसत शक्ति (P)	जूल/से या वाट	$[M^{1}L^{2}T^{-3}]$
57.	शक्ति गुणांक (cos ϕ)	मात्रक रहित	$[M^{0}L^{0}T^{0}]$
58.	चुम्बकीय क्षेत्र	टेस्ला	$[M^{1}L^{0}T^{-2}A^{-1}]$
59.	चुम्बकीय फ्लक्स (ϕ)	वेबर	$[M^{1}L^{2}T^{-2}A^{-1}]$
60.	चुम्बकीय प्रेरण (B) या चुम्बकीय क्षेत्र	वेबर/मी^{2} या टेस्ला या न्यूटन /एम्पियर मी	$[M^{1}L^{0}T^{-2}A^{-1}]$
61.	ध्रुव सामर्थ्य (M)	न्यूटन/टेस्ला	$[M^{0}L^{1}T^{0}A^{-1}]$
62.	चुम्बकीय आघूर्ण (M)	एम्पियर–मी^{2}	$[M^{o}L^{2}T^{o}A^{-1}]$
63.	चुम्बकन की तीव्रता (I)	एम्पियर/मी.	$[M^{0}L^{-1}T^{0}A^{1}]$
64.	चुम्बकीय तीव्रता (H) या चुम्बकीकरण बल	एम्पियर/मी.	$[M^{0}L^{-1}T^{0}A^{1}]$
65.	निरोधी विभव (v_0)	वोल्ट	$[M^{1}L^{2}T^{-3}A^{1}]$
66	फोटोन की ऊर्जा (E)	जूल	$[M^{1}L^{2}T^{-2}]$
67.	फोटोन का संवेग (P)	किग्रा मी/से.	$[M^{1}L^{1}T^{-1}]$
68.	अर्ध आयु (T)	सैकेण्ड	$[M^{0}L^{0}T^{1}]$
69.	माध्य आयु (τ)	सैकेण्ड	$[M^{0}L^{0}T^{1}]$
70.	विघटन स्थिरांक या शयांक (λ)	से$^{-1}$	$[M^{0}L^{0}T^{-1}]$
71.	गतिशीलता (M)	एम्पियर से^{2}/किग्रा	$[M^{-1}L^{0}T^{2}A^{1}]$
72.	अर्धचालकों में धारा का घनत्व (J)	एम्पियर एम्पीयर/मी^{2}	$[M^{0}L^{-2}T^{0}A^{1}]$
73.	अर्धचालको की चालकता (b)	ओ$^{-1}$ मी$^{-1}$	$[M^{--1}L^{-3}T^{3}A^{2}]$

मापन में त्रुटि

किसी भी राशि के मापों में प्रेक्षण की त्रुटि अथवा मापक यंत्र की यथार्थता की सीमा के कारण या दोनों के कारण त्रुटि होती है। किसी प्रयोग में पाठ्यांक की अनिश्चितता को त्रुटि कहते हैं। त्रुटि को हमेशा प्रतिशत में व्यक्त करते हैं।

त्रुटि का मापांक (Magnitude of Error)

(*i*) **परम त्रुटि (Absolute Error)** – वास्तविक मान तथा मापित मान के अंतर को परम त्रुटि कहते हैं।

मापन का वास्तविक मान, $a_m = \frac{1}{n}\sum_{i=1}^{n} a_i = \frac{a_1 + a_2 + ...a_n}{n}$

परम त्रुटि,

$\Delta a_1 = a_m - a_1$ (प्रथम प्रेक्षण में)

$\Delta a_2 = a_m - a_2$ (द्वितीय प्रेक्षण में)

$\vdots \quad \vdots$

$\Delta a_n = a_m - a_n$ (n वें प्रेक्षण में)

परम औसत मान

$$\overline{\Delta a} = \frac{|\Delta a_1| + |\Delta a_2| + ... + |\Delta a_m|}{n} = \frac{1}{n}\sum_{i=1}^{i=n} |\Delta a_i|$$

मापन का अंतिम परिणाम $a = a_m \pm \overline{\Delta a}$

(*ii*) **आपेक्षिक त्रुटि या भिन्नात्मक त्रुटि**

$$= \pm\frac{\overline{\Delta a}}{a_m} = \frac{\text{परम औसत त्रुटि}}{\text{मापन का औसत मान}}$$

(*iii*) **प्रतिशत त्रुटि** $= \pm\frac{\overline{\Delta a}}{a_m}\times 100\%$

त्रुटियों का मिलान (Combination of Error)

- **स्थिति I: जोड़ में**–यदि $Z = A + B$ तब परम त्रुटि $= \pm\Delta Z = \pm\Delta A \pm \Delta B$ इस स्थिति में अधिकतम परम त्रुटि $= \Delta Z \pm (\Delta A + \Delta B)$ अर्थात् जब दो भौतिक राशियों को जोड़ा जाता है तब उसके परिणाम की अधिकतम परम त्रुटि, प्रत्येक राशियों की परम त्रुटियों के जोड़ के बराबर होती है।
- **स्थिति II: अंतर की स्थिति में**–यदि $Z = A - B$ हो, तब परम त्रुटि $\pm\Delta Z = \pm\Delta A \mp \Delta B$ इस स्थिति में अधिकतम परम त्रुटि, $\Delta x = \pm(\Delta A + \Delta B)$
अर्थात् जब दो भौतिक राशियों को एक दूसरे से घटाया जाता है तब उसके परिणाम की अधिकतम परम त्रुटि, प्रत्येक राशियों की परम त्रुटियों के जोड़ के बराबर होती हैं।
- **स्थिति III: गुणनफल की स्थिति में**–यदि $Z = AB$ तब,
अधिकतम भिन्नात्मक त्रुटि $\frac{\Delta Z}{Z} = \pm\left(\frac{\Delta A}{A} + \frac{\Delta B}{B}\right)$
- **स्थिति IV: Division की स्थिति में**
यदि $Z = A/B$, तब
अधिकतम भिन्नात्मक त्रुटि $\frac{\Delta Z}{Z} = \pm\left(\frac{\Delta A}{A} + \frac{\Delta B}{B}\right)$
- **स्थिति V: घात की स्थिति में**

यदि $Z = A^n$ तब $\frac{\Delta Z}{Z} = n\frac{\Delta A}{A}$

यदि $Z = \frac{A^x B^y}{C^q}$ तब Z में अधिकतम भिन्नात्मक त्रुटि

$$\frac{\Delta Z}{Z} = \pm\left(x\frac{\Delta A}{A} + y\frac{\Delta A}{A} + q\frac{\Delta C}{C}\right)$$

वस्तुनिष्ठ प्रश्न

1. एक घनाभ का आयतन $V = l \times 2l \times 3l$ है जहां l इसकी भुजा की लम्बाई है। यदि l के मापन में सापेक्षिक प्रतिशत त्रुटि 1% है, तो V के मापन में सापेक्षिक त्रुटि होगी :

(a) 18% (b) 6%
(c) 3% (d) 1%

2. श्यानता गुणांक η के MKS व CGS मात्रकों का अनुपात होता है :

(a) 10 (b) 10^2
(c) 10^{-1} (d) 10^{-2}

3. सार्वत्रिक गुरुत्वाकर्षण नियतांक का विमीय सूत्र है :

(a) $[M^{-2}L^2T^{-2}]$ (b) $[M^{-1}L^3T^{-2}]$
(c) $[ML^{-1}T^{-2}]$ (d) $[ML^2T^{-2}]$

4. एक आयत की दो भुजाऐं (10.5 ± 0.2) cm और (5.2 ± 0.1) cm हैं। इसका परिमाप होगा–

(a) (15.7 ± 0.3) cm (b) (31.4 ± 0.3) cm
(c) (15.7 ± 0.6) cm (d) (31.4 ± 0.6) cm

5. कोणीय वेग का विमीय सूत्र है :

(a) $[M^0L^0T^{-1}]$ (b) $[MLT^{-1}]$
(c) $[M^0L^0T^1]$ (d) $[ML^0T^{-2}]$

6. $\frac{L}{R}$ तथा CR की विमायें किसके समान होती हैं ?

(a) समय की विमाओं के (b) आवृत्ति की विमाओं के
(c) तरंगदैर्ध्य की विमाओं के (d) ऊर्जा की विमाओं के

7. जूल × सेकण्ड निम्न में से किसका मात्रक है :

(a) ऊर्जा का (b) संवेग का
(c) कोणीय संवेग का (d) शक्ति का

8. एक गेंद की त्रिज्या (5.2 ± 0.2) cm है, गेंद के आयतन में प्रतिशत त्रुटि है :

(a) 11.5% (b) 4%
(c) 7% (d) 9%

9. r त्रिज्या एवं l लम्बाई की एक नली जिसके सिरे पर दाबान्तर P है, से η श्यानता का द्रव बह रहा है, तब प्रति सेकण्ड बहने वाले द्रव के आयतन V के लिए विमीय रूप के अनुरूप सम्बन्ध है :

(a) $V = \frac{\pi P r^4}{8\eta l}$ (b) $V = \frac{\pi\eta l}{8Pr^4}$

(c) $V = \frac{8P\eta l}{\pi r^4}$ (d) $V = \frac{\pi P\eta}{8lr^4}$

10. यदि P विकिरण दाब को, c प्रकाश की चाल को व Q विकिरण ऊर्जा प्रति एकांक क्षेत्रफल प्रति सेकण्ड को प्रदर्शित करता है व तीन अशून्य पूर्णांक x, y, z इस प्रकार है कि $P^x Q^y c^z$ विमाहीन है, तो :

(a) $x = 1, y = 1, z = -1$ (b) $x = 1, y = -1, z = 1$
(c) $x = -1, y = 1, z = 1$ (d) $x = 1, y = 1, z = 1$

उत्तरमाला

1. (c): आयतन $V = l \times 2l \times 3l = 6l^3$

आयतन में प्रतिशत त्रुटि, $\frac{\Delta V}{V} = 3\frac{\Delta l}{l} \times 100\% = 3 \times 1 = 3\%$

2. (a): η का MKS मात्रक = kg m^{-1} s^{-1}

η का CGS मात्रक = gm cm^{-1} s^{-1}

$$\frac{\eta_{MKS}}{\eta_{CGS}} = \frac{kg}{m\,s} \times \frac{cm\,s}{gm} = \frac{10^3 gm}{10^2 cm} \times \frac{cm}{gm} = 10$$

3. (b): $F = G.\frac{m_1 m_2}{d^2} \Rightarrow G = F.\frac{d^2}{m_1 m_2}$

$$\therefore \quad G = \frac{[MLT^{-2}][L^2]}{[M^2]} = [M^{-1}L^3T^{-2}]$$

4. (d): परिमाप, $P = 2(l + b) = 2\,(10.5 + 5.2) = 31.4$ cm

$\Delta P = \pm 2\,(\Delta l + \Delta b)$

$= \pm 2\,(0.2 + 0.1) = \pm 0.6$

अतः, परिमाप = (31.4 ± 0.6) cm

5. (a): कोणीय वेग $= \frac{\theta}{t}; \theta =$ विमाहीन $= \frac{1}{[T]} = [T^{-1}]$

6. (a): $\frac{L}{R}$ तथा CR क्रमशः L – R व R – C परिपथ के समय स्थिरांक (कालांक) है। अतः इनकी विमायें समय की विमाओं के समान होगी।

7. (c): क्योंकि कोणीय संवेग,

$mvr = n\frac{h}{2\pi}$ व $E = h\nu$ $\therefore mvr = \frac{nE}{2\pi\nu}$

∴ h का मात्रक = J sec.

8. (a): गेंद की त्रिज्या, R = 5.2 cm

$V = \frac{4}{3}\pi R^3$; $\frac{\Delta V}{V} = 3\left(\frac{\Delta R}{R}\right)$

$$\therefore \quad \frac{\Delta V}{V} \times 100 = 3\left(\frac{0.2}{5.2}\right) \times 100 = 11.5\%$$

9. (a): श्यानता गुणांक के लिए सूत्र, $\eta = \frac{\pi P r^4}{8Vl} \Rightarrow V = \frac{\pi P r^4}{8\eta l}$

10. (b): क्योंकि $P^x Q^y c^z$ विमाहीन है, अतः

$[ML^{-1}T^{-2}]^x[MT^{-3}]^y[LT^{-1}]^z = [M^0L^0T^0]$

∴ $x + y = 0, -x + z = 0$ और $-2x - 3y - z = 0$

हल करने पर, $x = 1, y = -1, z = 1.$

●●●

अध्याय

2

एक विमीय गति (Motion in One Dimension)

विस्थापन (Displacement)

किसी निश्चित दिशा में वस्तु या कण का स्थान परिवर्तन विस्थापन कहलाता है। यह एक सदिश राशि है अर्थात् बिना दिशा परिवर्तन किये एक वस्तु सरल रेखा में चलती है, तब विस्थापन का परिमाण तय की गई दूरी के बराबर होता है। अन्यथा यह सदैव दूरी से छोटा या उसके बराबर होता है।

$$\text{अतः } |\text{विस्थापन}| \leq \text{दूरी}$$

दूरी (Distance)

प्रारम्भिक एवं अन्तिम स्थिति के बीच किसी वस्तु या कण द्वारा तय की गई वास्तविक लम्बाई को दूरी कहते हैं। यह अदिश राशि है। विस्थापन धनात्मक (+), ऋणात्मक (–) या शून्य (0) हो सकता है, जबकि दूरी हमेशा धनात्मक ही होगी।

कुछ प्रमुख बिन्दु–

- गतिमान वस्तु के लिये, दूरी सदैव विस्थापन से बड़ी होती है।
- दूरी-समय ग्राफ का ढाल (slope) शून्य से सदैव बड़ा या बराबर होता है।
- विस्थापन-समय ग्राफ का ढाल (slope) ऋणात्मक हो सकता है।
- दो बिन्दुओं के बीच अनेकों पथ सम्भव हैं। दो बिन्दुओं के बीच विभिन्न पथों के लिये, दूरियाँ विभिन्न परन्तु विस्थापन परिमाण से समान होते हैं।

वेग (Velocity)

विस्थापन के परिवर्तन के समय-दर को वेग कहते हैं तथा वस्तु के विस्थापन एवं विस्थापन के दौरान लिये गये समय के अनुपात को औसत वेग कहते हैं।

यदि कण द्वारा समयान्तराल Δt में तय की गई दूरी Δs तथा विस्थापन $\Delta \vec{r}$ हो, तब $v = \frac{s}{t}$ तथा $V_{av} =$ औसत वेग $= \frac{\Delta \vec{r}}{\Delta t}$

एकसमान वेग या समरूप वेग (Uniform Velocity)

जब कोई वस्तु एक समयान्तराल में समान दूरियों को तय करता है तब उसके वेग को समरूप वेग करते हैं। एकसमान वेग में कभी त्वरण नहीं होता।

असमान वेग (Variable Velocity)

जब कोई वस्तु एक समयान्तराल में भिन्न-भिन्न विस्थापनों को तय करता है तब उस वेग को असमान वेग कहते हैं। असमान वेग, उसमें उपस्थित त्वरण के कारण सम्भव होता है। इस स्थिति में या तो वेग की दिशा (direction) या परिमाण (magnitude) या दोनों समय के सापेक्ष बदलता है। जैसे- वृत्तीय गति में वस्तु की चाल नियत होती है जबकि उसका वेग हर क्षण दिशा परिवर्तन के साथ बदलती रहती है।

औसत वेग (Average Velocity)

वस्तु के विस्थापन तथा विस्थापन के दौरान लिये गये समय के अनुपात को औसत वेग कहते हैं।

$$\text{औसत वेग} = \frac{\text{सम्पूर्ण विस्थापन}}{\text{लिया गया सम्पूर्ण समय}}$$

- यदि दिये गये समयान्तराल में वस्तु घूमती हुई अपने प्रारम्भिक बिन्दु पर लौट आये, तो उसका औसत वेग शून्य होगा।
- यदि वस्तु पहली आधी दूरी v_1 वेग से तथा अगली आधी दूरी v_2 वेग से तय करती है तो,

$$\text{औसत वेग} = \frac{2v_1v_2}{v_1 + v_2}$$

- यदि कोई वस्तु एकसमान गति v_1 से t_1 समय तक चलती है तथा उसके एकसमान गति v_2 से t_2 समय तक चलती है, तो

$$\text{औसत वेग } (v_{av}) = \frac{v_1t_1 + v_2t_2}{t_1 + t_2}$$

चाल (Speed)

वस्तु के किसी भी दिशा में दूरी के परिवर्तन के समय-दर को चाल कहते हैं। यदि वस्तु t समय में d दूरी तय करती है, तो

$$\text{चाल (Speed) } v = \frac{d}{t} ms^{-1}$$

असमान चाल (Variable Speed)

यदि कोई वस्तु समयान्तराल में असमान दूरियों को तय करती है, तो उसे असमान चाल कहते हैं। असमान चाल में त्वरण हमेशा उपस्थित रहता है।

एकसमान चाल (Uniform Speed)

यदि कोई वस्तु एक समयान्तराल में समान दूरियों को तय करती है, तो उसे एकसमान चाल कहते हैं।

नोटः यदि वस्तु एक समान चाल से चल रही है तो उसमें त्वरण उपस्थित हो भी सकता है और नहीं भी।

$$\textbf{एक समान चाल} = \frac{\text{सम्पूर्ण दूरी}}{\text{लिया गया सम्पूर्ण समय}}$$

नोटः

- यदि कोई वस्तु पहली आधी दूरी u चाल से तय करती है तथा अगली आधी दूरी v चाल से तय करती है, तो

$$\text{औसत चाल (Average Speed)} = \frac{2uv}{u+v}$$

- यदि कोई वस्तु पहली एक-तिहाई दूरी v_1 चाल से, दूसरी एक-तिहाई दूरी v_2 चाल से तथा अन्तिम दूरी v_3 चाल से तय करती है, तो

$$\text{औसत चाल } v = \frac{3v_1v_2v_3}{v_1v_2 + v_1v_3 + v_2v_3}$$

त्वरण (Acceleration)

वेग में परिवर्तन के समय-दर को त्वरण कहते हैं अर्थात् एक वस्तु जिसका वेग समय के साथ बढ़ रहा हो उसे त्वरण (Acceleration) कहा जाता है।

औसत त्वरण (Average Acceleration)

औसत त्वरण, वस्तु के वेग-परिवर्तन तथा समयान्तराल के अनुपात को कहते हैं।

$$a_{av} = \frac{\Delta \vec{v}}{\Delta \vec{t}}$$

यदि $\Delta \vec{t} \to 0$, हो, तब औसत वेग, उस वस्तु का तात्क्षणिक त्वरण (Instantaneous acceleration) कहलाता है।

$$\vec{a} = \lim_{\Delta t \to 0} \frac{\Delta \vec{v}}{\Delta \vec{t}} = \frac{dv}{dt} = \frac{d^2x}{dt^2}$$

एकसमान त्वरण (Uniform Acceleration)

यदि एक समान समयान्तराल में किसी वस्तु के वेग में परिवर्तन की मात्रा समान हो, तो त्वरण एकसमान कहलाता है।

असमान त्वरण (Variable Acceleration)

यदि एक समयान्तराल में किसी वस्तु के वेग में परिवर्तन की मात्रा भिन्न-भिन्न हो, तो त्वरण असमान कहलाता है।

एक विमीय, द्विविमीय एवं त्रिविमीय गति (One, Two and Three Dimensional Motion)

एक विमीय गति (One Dimensional Motion)

वस्तु की गति एक विमीय गति कहलाती है, यदि समय के सापेक्ष बदलते आकाश (space) में वस्तु की गति केवल एक निर्देशांक से व्यक्त हो। एक कण की सरल रेखा में गति, वेग अथवा त्वरण के केवल एक घटक से व्यक्त होती है। उदाहरणार्थ, एक ब्लॉक की सरल रेखीय गति, सीधी सड़क पर व्यक्ति की गति तथा मुक्त रूप से गुरुत्व के अन्तर्गत गिरती वस्तु की गति, आदि।

द्विविमीय गति (Two Dimensional Motion)

यदि समय के सापेक्ष बदलते आकाश में वस्तु की गति दो निर्देशांकों से व्यक्त हो। तो वस्तु की गति द्वि-विमीय गति कहलाती है। ऊर्ध्वाधर तल में क्षैतिज से किसी कोण पर फेंकी गई वस्तु की गति द्विविमीय गति का उदाहरण है। यह एक प्रक्षेप्य गति है। इसी प्रकार वृत्तीय गति 2-D गति का उदाहरण है। किसी वस्तु की द्विविमीय गति, वेग अथवा त्वरण के दो परस्पर लम्बवत् घटकों से व्यक्त होती है।

त्रिविमीय गति (Three Dimensional Motion)

वस्तु की गति त्रिविमीय (3-D) गति कहलाती है, यदि समय के सापेक्ष बदलते आकाश में वस्तु की गति तीनों निर्देशकों से व्यक्त हो।

इस प्रकार की गति, सरल रेखा अथवा एक तल में होने को बाध्य नहीं होती बल्कि आकाश में घटित होती है। पक्षी (या बन्दर) की गति त्रिविमीय (3-D) गति है। 3-D गति में वस्तु का वेग तथा त्वरण तीन घटकों (v_x, v_y, v_z, a_x, a_y तथा a_z) में वियोजित हो जाते हैं।

जहाँ x, y तथा z परस्पर लम्बवत् अक्ष हैं।

एक विमीय गति में कण की स्थिति एक चर (माना x) से व्यक्त की जाती है। द्विविमीय गति में दो चर (माना x तथा y) तथा त्रिविमीय गति में तीन चर (माना x, y तथा z) प्रयुक्त होते हैं।

सरल रेखा में एकसमान त्वरण से गतिमान वस्तु के लिए समीकरणः माना, प्रारम्भिक वेग u, एकसमान त्वरण a, t समय के पश्चात् वेग v तथा t समय के पश्चात् विस्थापन s है।

$$\text{तब } \vec{a} = \frac{d\vec{v}}{dt} \Rightarrow d\vec{v} = \vec{a}\, dt$$

उचित सीमा के बीच दोनों तरफ अवकलन करने पर

$$\int_u^v d\vec{v} = \int_0^t \vec{a} dt \Rightarrow [\vec{v}]_u^v = \vec{a}[t]_0^t$$

$$= \vec{v} - \vec{u} = \vec{a}[t-0] \Rightarrow \vec{v} = \vec{u} + \vec{a}t$$

$$\text{तथा } \vec{v} = \frac{d\vec{s}}{dt} = \vec{u} + \vec{a}t \Rightarrow d\vec{s} = (\vec{u} + \vec{a}t)dt \quad ...(i)$$

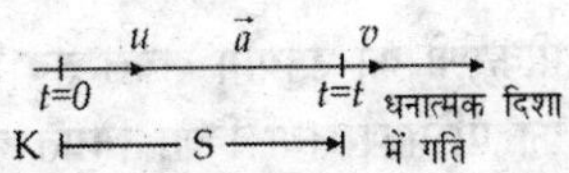

उचित सीमा के बीच दोनों तरफ अवकलन करने पर

$$\int_{s_0}^{s} d\vec{s} \int_0^t \vec{u}\, dt + \int_0^t \vec{a}t\, dt$$

$$\Rightarrow \int_{s_0}^{s} d\vec{s} = \vec{u}\int_0^t dt + \vec{a}\int_0^t tdt$$ (जहाँ $s_0 \to t = 0$ समय में फ्रेम से वस्तु का विस्थापन है।)

$$\Rightarrow [s]_{s_0}^{s} = \vec{u}[t]_0^t + \vec{a}\left[\frac{t^2}{2}\right]_0^t$$

$$\Rightarrow \vec{s} = \vec{s_0} + \vec{u}t + \frac{1}{2}\vec{a}t^2 \quad ...(ii)$$

$$a = \frac{dv}{dt} = \frac{dv}{ds} \times \frac{ds}{dt} = \frac{dv}{ds} \times v$$

$$\Rightarrow ads = vdv$$

उचित सीमा के बीच दोनों तरफ समाकलन करने पर,

$$\int_{s_0}^{s} ads = \int_{u}^{v} vdv \Rightarrow a[s]_{s_0}^{s} = \left[\frac{v^2}{2}\right]_{u}^{v}$$

$$\Rightarrow a(s - s_0) = \frac{v^2 - u^2}{2}$$

$$\Rightarrow v^2 - u^2 = 2a(s - s_0) \qquad ...(iii)$$

यदि हम कण की एक विमीय गति को ध्यान में रखें तो वेक्टर चिह्न ($\rightarrow$) की आवश्यकता नहीं है। अतः गति की समीकरणें निम्न प्रकार लिखी जा सकती हैं।

तालिका-1

क्र.स.	समीकरण	छूटी हुई राशि
1.	$v = u + at$	s
2.	$s = ut + \frac{1}{2}at^2$	v
3.	$v^2 - u^2 = 2as$	t
4.	$v_{av} = \frac{u+v}{2}$	
5.	$s_n = u + \frac{a}{2}(2n - 1)$	

चिह्न परिपाटी (Sign Convention)

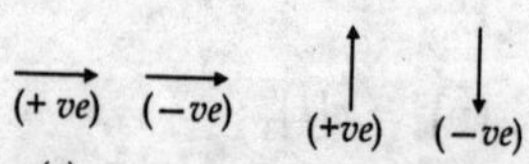

(a) (b)

(1) चित्रानुसार गति की दिशा में (+ve), विपरीत दिशा में (−ve), ऊपर की ओर गति (+ve), तथा नीचे की ओर गति (−ve) लेते हैं।

(2) उपरोक्त समीकरणों का उपयोग केवल तब किया जाता है, जब त्वरण (a) का परिमाण तथा दिशा नियत हो।

गुरुत्व के अन्तर्गत गति

यदि किसी वस्तु को पृथ्वी के सतह के निकट ऊर्ध्वाधर दिशा में फेंका जाये तथा वायु का प्रतिरोध उपेक्षणीय हो, तो वस्तु पृथ्वी के गुरुत्वाकर्षण बल के प्रभाव में स्वतंत्र रूप से पृथ्वी पर गिरती है। प्रयोग दर्शाते हैं कि सभी वस्तु पृथ्वी की ओर समान त्वरण से गिरती हैं। यह गुरुत्वीय त्वरण (Acceleration due to gravity) कहलाता है, जोकि पृथ्वी की सतह के निकट लगभग नियत है। गुरुत्वीय त्वरण को g से निरूपित करते हैं तथा इसका मान 9.8 ms^{-2} = 980 cms^{-2} $\simeq$ 10 ms^{-2}.

यहाँ हम ऊर्ध्वाधर दिशा में फेंकी गई एक वस्तु को पृथ्वी के गुरुत्वाकर्षण बल के अधीन स्वतंत्र रूप से गिरती हुई स्थिति में उसकी गति का अध्ययन करेंगे।

एक वस्तु को $t = 0$ समय में पृथ्वी की सतह से प्रारम्भिक वेग u से फेंका जाता है। वस्तु की गति धीरे-धीरे घटती हुई अधिकतम ऊँचाई पर शून्य हो जाती है।

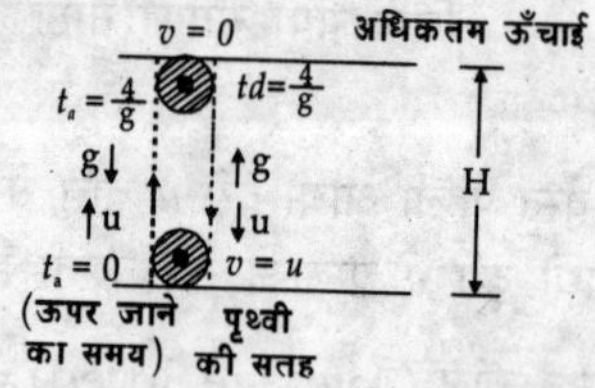

तब, $\quad v = u + at, 0 = u - gt \Rightarrow t_a = \frac{u}{g} \uparrow$ (ऊपर जाते वक्त)

तथा $\quad v^2 - u^2 = 2as$

$$o^2 - u^2 = 2(-g)H \Rightarrow \frac{u^2}{2g} = \frac{1}{2}gt_a^2$$

ऊर्ध्वाधर नीचे की ओर गतिमान वस्तु की स्थिति में

प्रारम्भिक वेग $= 0, \qquad v = u + at$

अन्तिम वेग $= v \qquad v = 0 + gt_d(\downarrow)$

नीचे गिरने का समय $= t_d$, $\quad v = gt_d$

विस्थापन = H

$s = ut + \frac{1}{2}at^2$ के उपयोग से

$$H = 0 + \frac{1}{2}gt_d^2,$$

$$H = \frac{1}{2}gt_d^2 \Rightarrow t_a = t_d \Rightarrow \frac{u}{g} = \frac{v}{g} \Rightarrow v = u$$

अर्थात् प्रारम्भिक वेग = अन्तिम वेग

ऊर्ध्वाधर दिशा में v वेग से फेंकी गई वस्तु के लिए ग्राफ

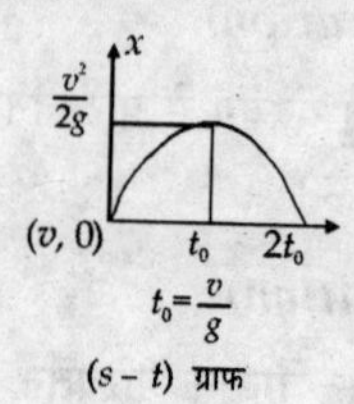

($s - t$) ग्राफ

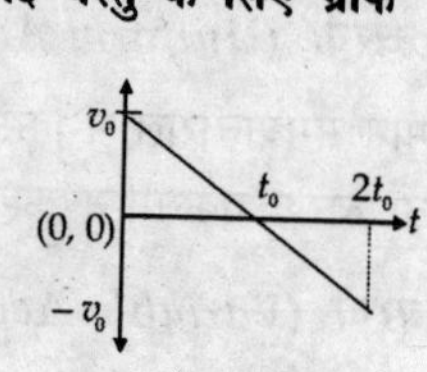

($v - t$) ग्राफ

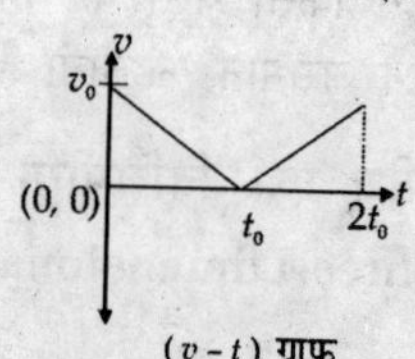

($v - t$) ग्राफ

त्वरण-समय ग्राफ (Acceleration-Time graph)

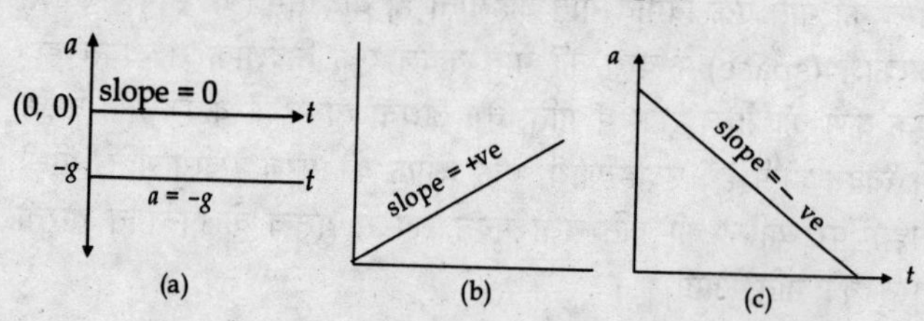

(a) (b) (c)

आपेक्षिक वेग

यदि एक उभयनिष्ठ निर्देश तन्त्र (frame of reference) के सापेक्ष दो वस्तुओं के वेग ज्ञात हैं, तो एक वस्तु की दूसरी वस्तु के सापेक्ष वेग ज्ञात किया जा सकता है। अतः यदि दो वस्तुओं A तथा B का पृथ्वी के सापेक्ष वेग क्रमशः $\vec{v}_A$ तथा $\vec{v}_B$ हो तब A का B के सापेक्ष वेग

$$\vec{v}_{AB} = \vec{v}_A - \vec{v}_B$$

इसी प्रकार हम देख सकते हैं कि

$$\vec{v}_{AB} = -\vec{v}_{BA}$$

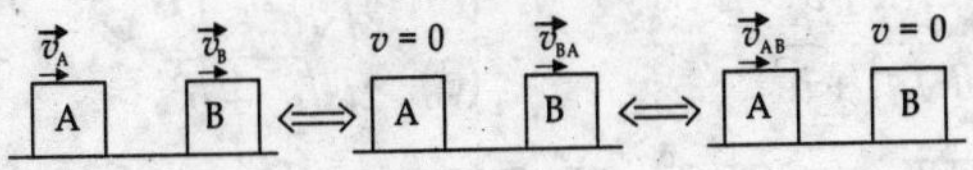

आपेक्षिक गति की गणना

1. यदि दो वस्तु समांतर सीधी रेखा में एक दिशा में हो (दोनों के बीच का कोण = 0°)
2. यदि दो वस्तु समांतर सीधी रेखा में विपरीत दिशा में हो (दोनों के बीच का कोण = 180°)
3. यदि दो वस्तु कोण θ के साथ चल रही हो

$$v_{AB} = \sqrt{v_A^2 + v_B^2 - 2v_A v_B \cos\theta}$$

और $\tan\beta = \dfrac{v_B \sin\theta}{v_A - v_B \cos\theta}$

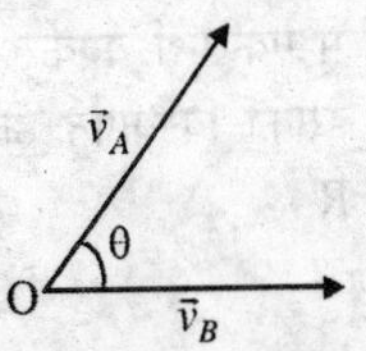

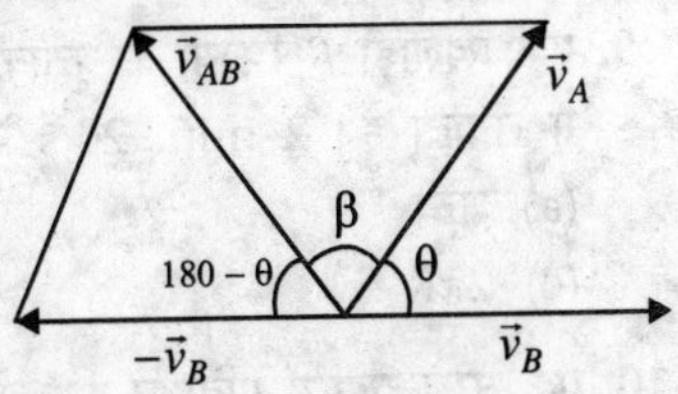

कम समय में नदी पार करना

कम समय में नदी को पार करने के लिए, नाव को हमेशा धारा के लम्बवत् चलना चाहिए।

यदि नदी की चौड़ाई D तथा शान्त पानी में नाव का वेग v है, तब

$$t = \frac{D}{v}$$

नाव की वास्तविक स्थिति B है, न कि A

नाव का विस्थापन $= \overline{OB} = \overline{OA} + \overline{AB}$

या $OB = \sqrt{(OA)^2 + (AB)^2}$

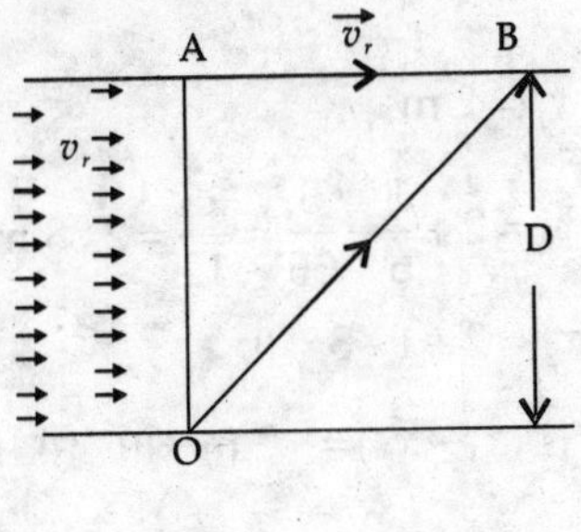

या $OB = \sqrt{D^2 + (v_r t)^2}$

या $OB = \sqrt{D^2 + \left(v_r \dfrac{D}{v}\right)^2}$

कम दूरी में नदी को पार करना

कम दूरी में नदी को पार करने के लिए, नाव को इस प्रकार गति करनी चाहिए ताकि इसके वेग का क्षैतिज घटक धारा के वेग को संतुलित करे।

OA= न्यूनतम पथ दूरी $= d$

$v_r = v\sin\theta$

$\therefore \sin\theta = \dfrac{v_r}{v}$

$$\cos\theta = \sqrt{1-\sin^2\theta} = \sqrt{1-\left(\frac{v_r}{v}\right)^2} = \frac{\sqrt{v^2 - v_r^2}}{v}$$

$$\therefore t = \frac{d}{v\cos\theta} = \frac{d}{v\sqrt{(v^2 - v_r^2)}/v}$$

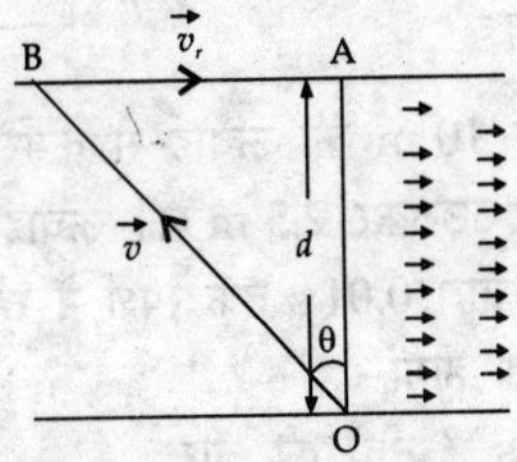

$$\Rightarrow t = \frac{d}{\sqrt{v\left(v^2 - v_r^2\right)}}$$

इस स्थिति में विस्थापन का परिमाण $= d$

नोटः यदि नाव नदी को न्यूनतम दूरी में पार करती है तब लिया गया समय न्यूनतम नहीं होता।

छतरी की दिशा

छतरी की दिशा, आदमी के सापेक्ष में बारिश की आपेक्षिक गति की दिशा के विपरीत दिशा में होनी चाहिए।

$$v_{rm} = \sqrt{v_r^2 + v_m^2 + 2v_r v_m \cos 90°} = \sqrt{v_r^2 + v_m^2}$$

और $\tan\theta = \dfrac{v_m}{v_r} \Rightarrow \theta = \tan^{-1}\left(\dfrac{v_m}{v_r}\right)$

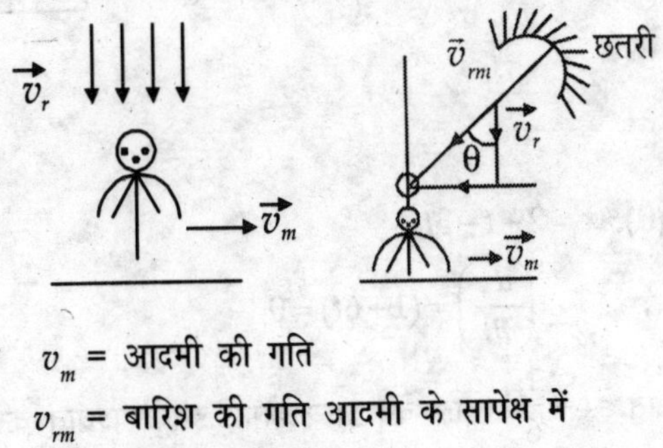

जहाँ v_m = आदमी की गति

v_{rm} = बारिश की गति आदमी के सापेक्ष में

v_r = बारिश की गति है।

वस्तुनिष्ठ प्रश्न

1. किसी कण की किसी क्षण t पर $x-$ अक्ष के अनुदिश स्थिति निम्न सम्बन्ध से दी जाती है $x = 2 + t - 3t^2$, $t = 0$ से $t = 1$ तक के समयान्तराल में कण द्वारा तय किया गया विस्थापन व दूरी होगी :

(a) 2, 2 (b) −2, 2.5
(c) 0, 1 (d) −2, 2.16

2. सरल रेखीय गति में किसी कण का विस्थापन समीकरण $x = 1 - t - t^2$ से दिया जाता है। गति का सही निरूपण है :

(a) 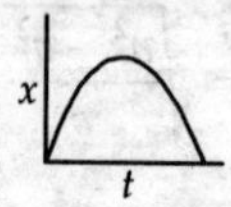
(b) 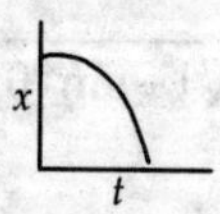
(c) 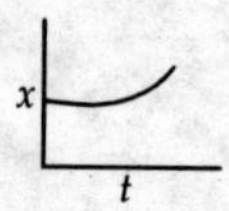
(d) 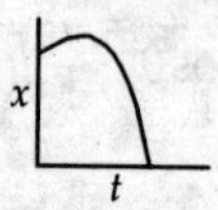

3. एक पिण्ड को 10 m की ऊंचाई से कमरे के फर्श पर गिराया जाता है। यह उछलकर 2.5 m की ऊंचाई तक जाता है। यदि पिण्ड फर्श के साथ 0.01 s तक स्पर्श में रहे, तो स्पर्श के दौरान पिण्ड का त्वरण होगा :

(a) 2100 ms^{-2} नीचे की ओर
(b) 2100 ms^{-2} ऊपर की ओर
(c) 1400 ms^{-2} नीचे की ओर
(d) 700 ms^{-2} ऊपर की ओर

4. एक कण स्थिर अवस्था से 20 s तक नियत त्वरण से गति करता है। यदि प्रथम 10 s में कण द्वारा चली गई दूरी s_1 तथा अगले 10 s में चली गई दूरी s_2 हो, तो :

(a) $s_1 = s_2$ (b) $s_1 = \frac{s_2}{3}$
(c) $s_1 = \frac{s_2}{2}$ (d) $s_1 = \frac{s_2}{4}$

5. एक गतिमान कण का $v^2 - s$ ग्राफ चित्र में दर्शाया गया है, ग्राफ से कुछ प्रेक्षण लिये गये हैं। दिये गये प्रेक्षणों में से कौन-सा गलत है?

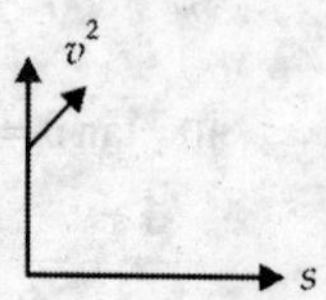

(a) दिया गया ग्राफ एकसमान रूप से त्वरित गति को दर्शाता है
(b) कण का प्रारम्भिक वेग शून्य है
(c) संगत $s-t$ ग्राफ पर परवलयाकार होगा
(d) उपरोक्त में से कोई नहीं

6. एक गतिशील कण के किसी समय t पर निर्देशांक $x = at^2$ तथा $y = bt^2$ हैं, तो किसी क्षण कण की चाल होगी :

(a) $2t(a+b)$ (b) $2t\sqrt{a^2 - b^2}$
(c) $t\sqrt{a^2 + b^2}$ (d) $2t\sqrt{a^2 + b^2}$

7. एक कण $x-$अक्ष की ओर इस प्रकार गतिमान है कि उसका x निर्देशांक समय t के साथ निम्न सूत्रानुसार प्ररिवर्तित होता है $x = (2 - 5t + 6t^2)$ m । कण का प्रारम्भिक वेग होगा :

(a) $-5\ ms^{-1}$ (b) $6\ ms^{-1}$
(c) $-3\ ms^{-1}$ (d) $3\ ms^{-1}$

8. एक पिण्ड को ऊर्ध्वाधर ऊपर की ओर 98 ms^{-1} के वेग से प्रक्षेपित किया गया है। एक दूसरे पिण्ड को 4 s के पश्चात् उसी प्रारम्भिक वेग से प्रक्षेपित किया जाता है। दोनों पिण्ड एक-दूसरे से मिलेंगे :

(a) 6 s पश्चात् (b) 8 s पश्चात्
(c) 10 s पश्चात् (d) 12 s पश्चात्

9. एक खिलाड़ी R त्रिज्या के वृत्ताकार पथ में एक पूर्ण चक्कर 40 s में लगाता है। 2 min. 20 s पश्चात् इसका विस्थापन होगा :

(a) शून्य (b) 2 R
(c) 2πR (d) 7πR

10. एक सरल रेखा में गतिमान कण के वेग का समय के साथ परिवर्तन चित्र में दर्शाया गया है। कण द्वारा 4 सेकण्ड में चली गई दूरी होगी :

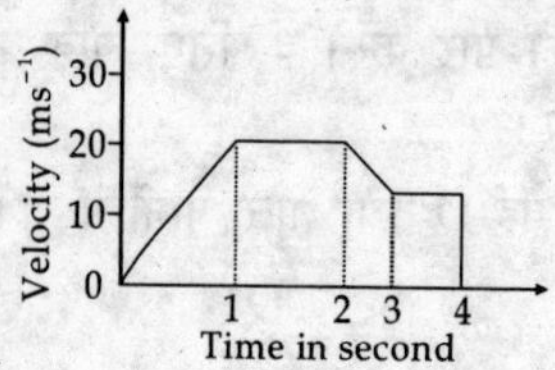

(a) 60 m (b) 55 m
(c) 25 m (d) 30 m

उत्तरमाला

1. (d): $x = 2 + t - 3t^2$

$$\therefore \quad \left(\frac{dx}{dt}\right) = (1 - 6t) = 0$$

अतः $t = \frac{1}{6}$ s पर वेग शून्य होगा, इसके पश्चात् कण वापस आना प्रारम्भ करेगा।

$t = 0$, पर $x_1 = 2$ m

$t = \frac{1}{6}$ पर $x_2 = 2 + \frac{1}{6} - \frac{3}{36} = \frac{25}{12} = 2.08$ m

$t = 1$ पर, $x_3 = 2 + 1 - 3 = 0$

अतः विस्थापन $(x_3 - x_2) = -2$ m और दूरी $= 2.16$ m

2. (b): $x = 1 - t - t^2$

$$\left(\frac{dx}{dt}\right) = -1 - 2t$$

ढाल ऋणात्मक व बढ़ता हुआ है।

3. (b): फर्श पर टकराते समय वेग

$$u = \sqrt{2gh_1} = \sqrt{2 \times 9.8 \times 10} = 14 \text{ m}$$

टकराने के बाद वेग

$$v = \sqrt{2gh_2} = \sqrt{2 \times 9.8 \times 2.5} = 7 \text{ m}$$

$\therefore$ वेग में परिवर्तन $\Delta v = 7 - (-14) = 21 \text{ ms}^{-1}$

$\therefore$ त्वरण $= \frac{\Delta v}{\Delta t} = \frac{21}{0.01} = 2100 \text{ ms}^{-2}$ (ऊपर की ओर)

4. (b): a = त्वरण (स्थिर); $u = 0$

$$s = ut + \frac{1}{2}at^2$$

$$s_1 = \frac{1}{2}a \times 10 \times 10, s_2 = a \times 10 \times 10 + \frac{1}{2}a \times 10 \times 10$$

$$s_1 = 50a, s_2 = 150a \Rightarrow s_1 = \frac{s_2}{3}$$

5. (c): सरल रेखा का समीकरण

$$v^2 = ks + k_0, k_0 > 0$$

$$\therefore \quad 2v\left(\frac{dv}{dt}\right) = k\left(\frac{ds}{dt}\right)$$

$$\left(\frac{dv}{dt}\right) = \frac{k}{2} = \text{नियतांक} \left[\because v = \frac{ds}{dt}\right]$$

अतः $s - t$ ग्राफ परवलयाकार होगा।

6. (d): $X-$ अक्ष की दिशा में चाल $v_x = \frac{dx}{dt} = 2at$

$Y-$ अक्ष की दिशा में चाल $v_y = \frac{dy}{dt} = 2bt$

$\therefore$ कण की चाल $v = \sqrt{v_x^2 + v_y^2} = 2t\sqrt{a^2 + b^2}$

7. (a): $v = \frac{dx}{dt} = \frac{d}{dt}(2 - 5t + 6t^2) = 0 - 5 + 12t$

प्रारम्भिक वेग के लिए $t = 0$

$\therefore \quad v = -5 \text{ m s}^{-1}$

8. (d): माना प्रथम पिण्ड का उड्डयन काल t है तब दूसरे पिण्ड का उड्डयन काल $(t-4)$ होगा। चूँकि $h_1 = h_2$

$$\therefore \quad 98t - \frac{1}{2}gt^2 = 98(t-4) - \frac{1}{2}g(t-4)^2$$

$$t = \frac{392 + 8g}{4g} = \frac{392}{4 \times 9.8} + 2 = 10 + 2$$

$\Rightarrow t = 12 \text{ s}$

9. (b): कुल समय $= 2\text{ min}.20\text{ sec} = 140 \text{ s}$

120 s में विस्थापन = 0

$\therefore$ 140 s में विस्थापन = 20 s में विस्थापन

= $2R$ (यदि एकसमान चाल मानें)

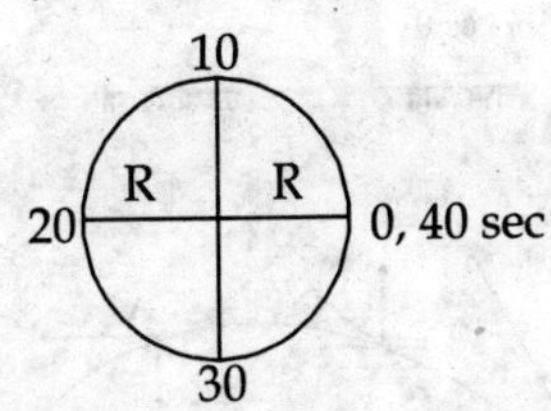

10. (b): कुल विस्थापन = औसत वेग × समय

$$s_1 = \frac{0 + 20}{2} \times 1, s_2 = 20 \times 1, s_3 = \frac{20 + 10}{2} \times 1$$

और $\quad s_4 = 10 \times 1$

$\Rightarrow s_1 = 10 \text{ m}, \; s_2 = 20 \text{ m}, \; s_3 = 15 \text{ m}, \; s_4 = 10 \text{ m}$

$\Rightarrow \quad s = s_1 + s_2 + s_3 + s_4 = 55 \text{ m}$

●●●

अध्याय

3

प्रक्षेप्य गति एवं वृत्तीय गति
(Projectile Motion and Circular Motion)

प्रक्षेप्य गति (PROJECTILE MOTION)

यदि वस्तु को भूमि से ऊपर की ओर फेंका जाये और वायु प्रतिरोध की अनुपस्थिति में गुरुत्व बल क्षेत्र में गति करता हुआ भूमि पर गिरे तो, इस प्रकार से फेंकी वस्तु प्रक्षेप्य (Projectile) तथा इसकी गति प्रक्षेप्य गति (Projectile Motion) कहलाती है। यह द्विविमीय गति है। वस्तु की गति गुरुत्वीय त्वरण (Gravitational acceleration) के अन्तर्गत होती है जो परिमाण एवं दिशा में नियत रहता है।

प्रक्षेप्य गति, ऊर्ध्वाधर गति एवं क्षैतिज गति का मिश्रण है।

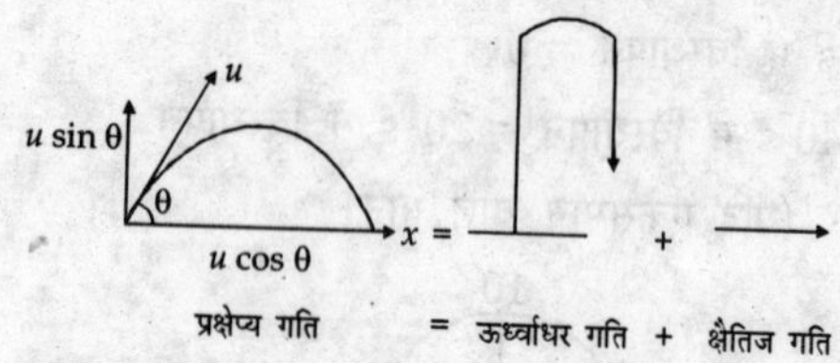

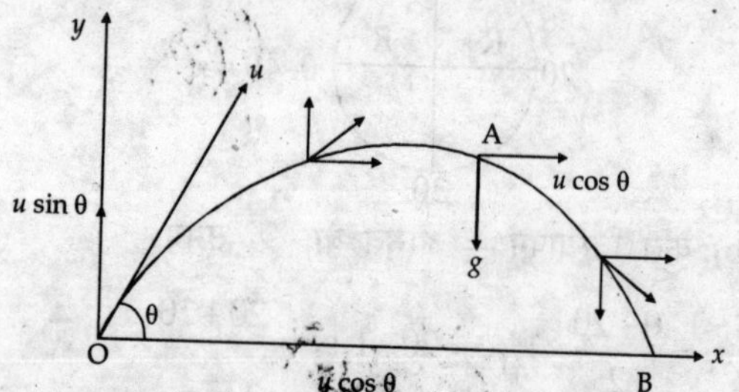

माना एक प्रक्षेप्य इस प्रकार से फेंका जाता है कि उसका प्रारम्भिक वेग u क्षैतिज से θ कोण बनाये।

यहाँ, प्रक्षेपण मूल बिन्दु (point of projection) O है।

क्षैतिज दिशा x-अक्ष तथा ऊर्ध्वाधर दिशा y-अक्ष से व्यक्त की जाती है।

क्षैतिज गति

x-अक्ष के अनुदिश प्रक्षेप्य के प्रारम्भिक वेग का घटक

$$u_x = u \cos \theta$$

x-अक्ष के अनुदिश गुरुत्वीय त्वरण का घटक

$$a_x g \cos 90° = 0$$

t समय के पश्चात क्षैतिज विस्थापन $x = u_x.t + \frac{1}{2}a_x t^2$

$$= u_x.t + 0 = u_x t = ut\cos\theta$$

ऊर्ध्वाधर गति

y-अक्ष के अनुदिश प्रारम्भिक वेग का घटक

$$u_y = u\sin\theta \uparrow \text{(upward)}$$

y-अक्ष के अनुदिश त्वरण $a_y = -g \downarrow$ (downward)

t समय के पश्चात् ऊर्ध्वाधर वेग $v_y = u_y - gt$ तथा

$$y = u_y t - \frac{1}{2}gt^2$$

एवं $v_y^2 = u_y^2 - 2gy$

$$v = \sqrt{(v_x^2 + v_y^2)}$$

जब $v_x = u\cos\theta$

$$v_y = u\sin\theta - gt$$

$$\therefore v = u\cos\theta\hat{i} + (u\sin\theta - gt)\hat{j}$$

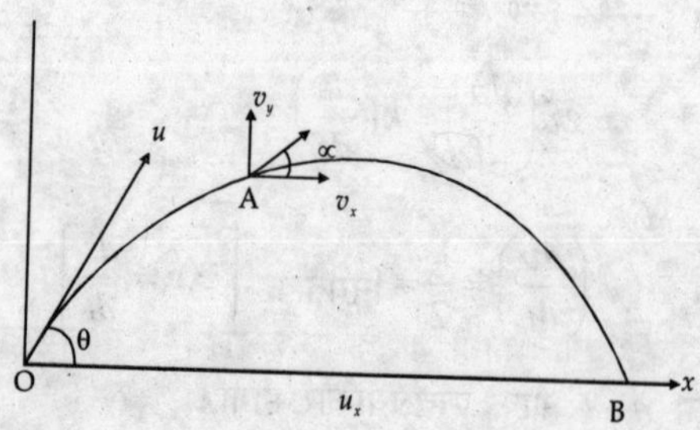

तात्क्षणिक चाल

$$|\vec{v}| = \sqrt{(u\cos\theta)^2 + (u\sin\theta - gt)^2}$$

तथा $x = u_x t = (u\cos\theta)t = ut\cos\theta$

$$y = u_y t - \frac{1}{2}gt^2$$

अथवा $y = (u\sin\theta)t - \frac{1}{2}gt^2$

प्रक्षेप्य की स्थिति $\vec{r} = x\hat{i} + y\hat{j}$

$$= ut\cos\theta\hat{i} + (ut\sin\theta - \frac{1}{2}gt^2)\hat{j}$$

प्रक्षेप्य का उड्डयन काल (Time of Flight of Projectile)

भूमि पर किसी बिन्दु O से अन्य बिन्दु B तक पहुँचने में प्रक्षेप्य द्वारा लिया गया समय उड्डयन काल कहलाता है। बिन्दु B पर y (coordinate) शून्य होता है।

अतः ऊर्ध्वाधर गति के समीकरण से–

$$y = ut\sin\theta - \frac{1}{2}gt^2$$

या $$0 = ut\sin\theta - \frac{1}{2}gt^2$$

या $$t\left(u\sin\theta - \frac{1}{2}gt\right) = 0$$

अतः या तो $t = 0$

या $t = \dfrac{2u\sin\theta}{g}$ $\therefore$ $T = \dfrac{2u\sin\theta}{g}$

प्रक्षेप्य का क्षैतिज परास (Range of Projectile)

दूरी OB प्रक्षेप्य की परास कहलाती है। यह प्रक्षेप्य के सम्पूर्ण उड्डयन काल में क्षैतिजतः चली गई दूरी है।

$$R = OB = (u\cos\theta)T = (u\cos\theta)\frac{2u\sin\theta}{g}$$

$$= \frac{2u^2\sin\theta.\cos\theta}{g} = \frac{u^2\sin 2\theta}{g}$$

क्षैतिज परास के सन्दर्भ में दो स्थितियाँ निम्नलिखित हैं :

स्थिति I: परास अधिकतम होगी जब $\theta = 45°$

$$\sin 2\theta = 1$$

$$\therefore \quad R_{max} = \frac{u^2}{g}$$

स्थिति II: u के दिए गए मान के लिए कोण θ तथा $90° - \theta$ पर प्रक्षेप्य की परास समान होगी जबकि उनके उड्डयन काल एवं अधिकतम ऊँचाई भिन्न हो।

क्योंकि

$$R_{90°-\theta} = \frac{u^2\sin 2(90° - \theta)}{g}$$

$$= \frac{u^2\sin(180° - 2\theta)}{g} = \frac{u^2\sin 2\theta}{g} = R_\theta$$

अतः $R_{30°} = R_{60°}$ या $R_{20°} = R_{70°}$

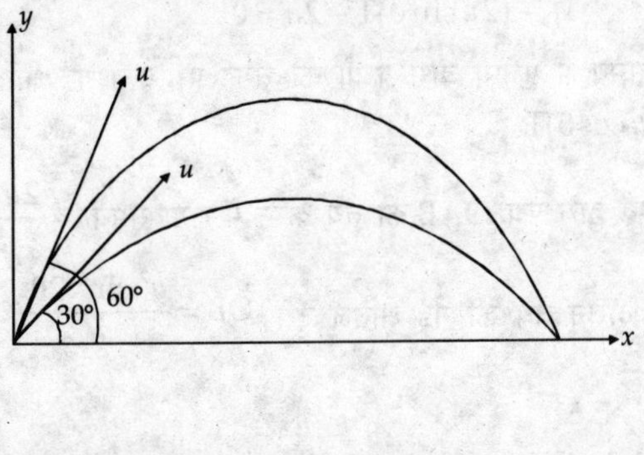

प्रक्षेप्य द्वारा प्राप्त ऊँचाई (Height Attained by the Projectile)

अपने पथ के उच्चतम बिन्दु A पर प्रक्षेप्य का ऊर्ध्वाधर वेग शून्य होता है।

हम जानते हैं कि

$$u_y = u\sin\theta, a_y = -g, y_0 = 0, y = H, t = \frac{T}{2} = \frac{u\sin\theta}{g}$$

$\therefore$ महत्तम ऊँचाई, $H = 0 + u\sin\theta \times \dfrac{u\sin\theta}{g} + \dfrac{1}{2}(-g)\left(\dfrac{u\sin\theta}{g}\right)^2$

$$\Rightarrow H = \frac{u^2\sin^2\theta}{2g}$$

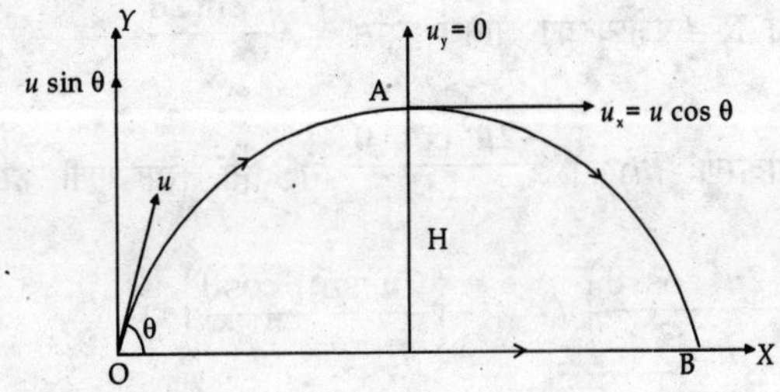

नोट–

(*i*) यदि $\theta = 45°$

$$R_{max} = u^2/g$$

(*ii*) इस स्थिति में, $H = \dfrac{u^2}{4g} = \dfrac{R_{max}}{4}$

(*iii*) प्रक्षेप्य को ऊपर जाने में लगा समय = प्रक्षेप्य को वापस नीचे आने में लगा समय, यदि वायु प्रतिरोध नगण्य हो अन्यथा प्रक्षेप्य को ऊपर जाने में लगा समय < प्रक्षेप्य को वापस नीचे आने में लगा समय।

(*iv*) महत्तम ऊँचाई और परास के बीच सम्बन्ध निम्न प्रकार है-

$$R = 4H\cot\theta$$

(*v*) जब $\theta = \tan^{-1}(4) = 76°$ तब $R = H$

प्रक्षेप्य के पथ के लिए समीकरण (Equation of Trajectory)

Y-X ग्राफ प्रक्षेप्य का पथ देता है।

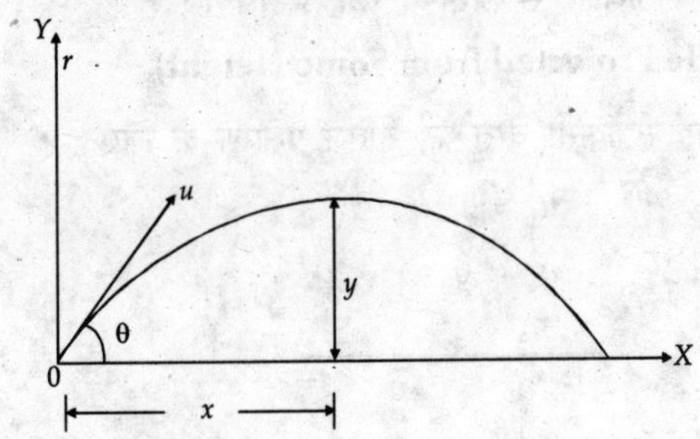

$$x = (u\cos\theta)t \quad ...(i)$$

$$y = (u\sin\theta)t - \frac{1}{2}gt^2 \quad ...(ii)$$

समीकरण (*i*) और (*ii*) से

$$y = u\sin\theta\left(\frac{x}{u\cos\theta}\right) - \frac{1}{2}g\left(\frac{x}{u\cos\theta}\right)^2$$

$$\Rightarrow \quad y = x\tan\theta - \frac{gx^2}{2u^2\cos^2\theta} \quad \text{...(iii)}$$

समीकरण (*iii*) प्रक्षेप्य का पथ समीकरण है।

$$\therefore \quad y = x\tan\theta - \frac{gx^2}{2u^2\cos^2\theta}\left(\frac{\sin\theta}{\sin\theta}\right)$$

$$\Rightarrow \quad y = x\tan\theta\left(1 - \frac{x}{R}\right) \quad \text{...(iv)}$$

जहाँ R = प्रक्षेप्य का क्षैतिज परास $= \dfrac{u^2\sin 2\theta}{g}$

समीकरण (*iii*) को $\dfrac{-2u^2\cos^2\theta}{g}$ से दोनों तरफ गुणा करने पर

$$\left(-\frac{2u^2\cos^2\theta}{g}\right)y = x^2 - \left(\frac{2u^2\sin\theta\cos\theta}{g}\right)x$$

या $x^2 - \left(\dfrac{2u^2\sin\theta\cos\theta}{g}\right)x = \left(\dfrac{-2u^2\cos^2\theta}{g}\right)y$

दोनों पक्षों में $\left(\dfrac{u^2\sin\theta.\cos\theta}{g}\right)^2$ जोड़ने पर

$$\left(x - \frac{u^2\sin\theta\cos\theta}{g}\right)^2 = -\left(\frac{2u^2\cos^2\theta}{g}\right)\left(y - \frac{u^2\sin^2\theta}{2g}\right)$$

यह निम्न प्रकार का समीकरण है,

$$(x-a)^2 = -c(y-b) \quad \text{...(v)}$$

यह परवलय (Parabola) का समीकरण है। अतः प्रक्षेप्य का पथ एक परवलय होता है।

नोट–

किसी प्रक्षेप्य का पथ परवलयाकार (Parabolic) तभी होगा जब प्रक्षेप्य के वेग की दिशा, इसके त्वरण की दिशा से भिन्न हो तथा इसका त्वरण (g) परिमाण तथा दिशा में नियत रहे।

किसी ऊँचे स्थान से प्रक्षेप्य का प्रक्षेपण (Projectile Projected from Some Height)

किसी ऊँचाई से किसी वस्तु का क्षैतिज प्रक्षेपण के लिए

$$u_x = u$$

$$u_y = 0$$

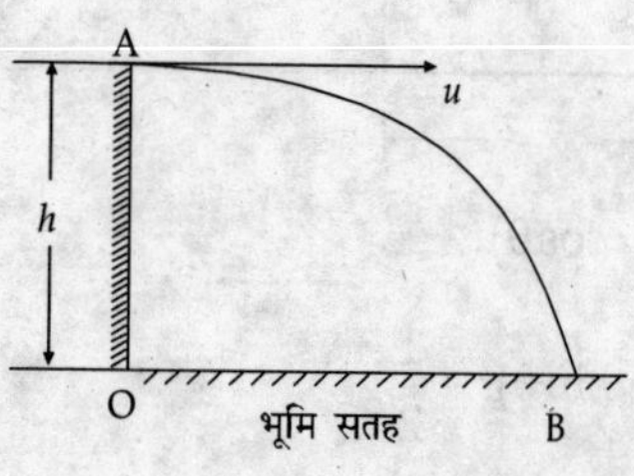

माना वस्तु द्वारा A से B तक आने में t समय लगता है।

$$a_y = -g$$

$$s_y = -h$$

ऊर्ध्वाधर दिशा के लिए

$$S_y = u_y t + \frac{1}{2}a_y t^2$$

$$\Rightarrow \quad -h = 0\times t + \frac{1}{2}(-g)t^2 \Rightarrow t = \sqrt{\frac{2h}{g}}$$

O से B की दूरी $= s_x = u_x t$

$$\Rightarrow \quad s_x = u\sqrt{\frac{2h}{g}}$$

इसलिए पृथ्वी सतह से h ऊँचाई पर क्षैतिज दिशा में u वेग से चलते वायुयान से कोई बम गिराने पर, बम गिराये गए बिन्दु से क्षैतिज दिशा में $u\sqrt{\dfrac{2h}{g}}$ दूर आगे पृथ्वी सतह पर गिरेगा।

क्षैतिज दिशा से θ कोण बनाते हुए ऊपर की ओर $\vec{u}$ वेग से प्रक्षेपित प्रक्षेप्य (Projectile Projected Upwards at an Angle θ with the Horizontal Velocity $\vec{u}$)

वेग u के घटक

$$u_x = u\cos\theta$$

$$u_y = u\sin\theta$$

$$a_x = 0$$

$$a_y = -g$$

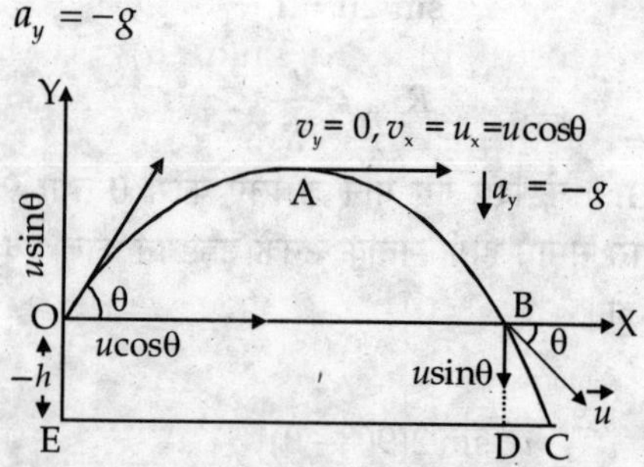

माना वस्तु को बिन्दु O से प्रक्षेपित किया गया है और यह पथ OABC पर चलकर पृथ्वी की सतह 'C' पर पहुँचने में T समय लगाता है।

$$-h = (u\sin\theta)T + \frac{1}{2}(-gt)^2 \quad \text{(गति के द्वितीय नियम से)}$$

या $\quad gT^2 - (2u\sin\theta)T - 2h = 0$

T समय में प्रक्षेप्य द्वारा पृथ्वी की सतह पर चली गई क्षैतिज दूरी EC = $(u\cos\theta)$T

प्रक्षेप्य द्वारा पथ OAB को तय करने में लगा समय $= \dfrac{2u\sin\theta}{g}$

तथा इस दौरान तय की गई क्षैतिज दूरी $OB = \dfrac{u^2\sin^2 2\theta}{g}$

क्षैतिज दिशा में θ कोण बनाते हुए, नीचे की ओर वेग $\vec{u}$ से प्रक्षेपित प्रक्षेप्य (Projectile Projected Downward at an Angle θ with Horizontal Velocity $\vec{u}$)

वेग u एवं a के घटक

$$u_x = u\cos\theta$$
$$u_y = -u\sin\theta$$
$$a_x = 0$$
$$a_y = -g$$

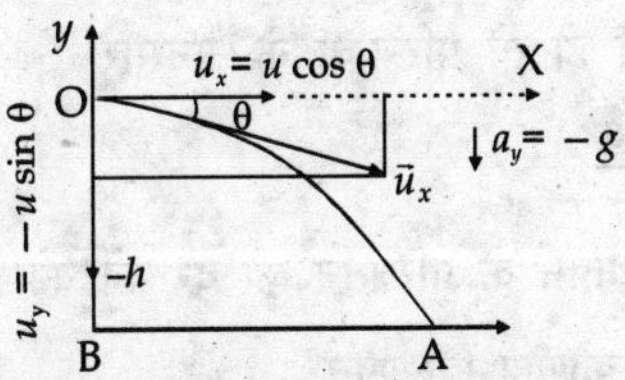

$$-h = (-u\sin\theta)T + \frac{1}{2}(-g)T^2$$

या $\quad gT^2 + (2u\sin\theta)T - 2h = 0$

T समय में प्रक्षेप्य द्वारा पृथ्वी की सतह पर चली गई।

क्षैतिज दूरी $BA = (u\cos\theta)T$

आनत तल पर प्रक्षेप्य गति (Projectile Motion on an Inclined Plane)

एक प्रक्षेप्य आनत तल पर बिन्दु O पर वेग u से α कोण बनाते हुए ऊपर की ओर फेंका जाता है। तल का क्षैतिज से झुकाव (Angle of inclination) β है।

$$u_x = u\cos(\alpha-\beta), u_y = u\sin(\alpha-\beta)$$

$$a_x = -g\sin\beta, a_y = -g\cos\beta$$

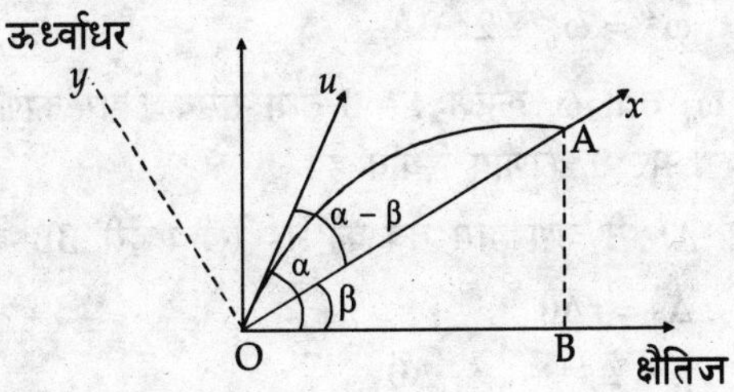

O से A तक

$$s_y = 0 \Rightarrow u_y t + \frac{1}{2}a_y t^2$$

$$\Rightarrow 0 = u\sin(\alpha-\beta)t - \frac{1}{2}g\cos\beta t^2$$

$$\Rightarrow t = \frac{2u\sin(\alpha-\beta)}{g\cos\beta} = \text{ उड्डयन काल}$$

परास $OA = s_x = u_x t + \frac{1}{2}a_x t^2$

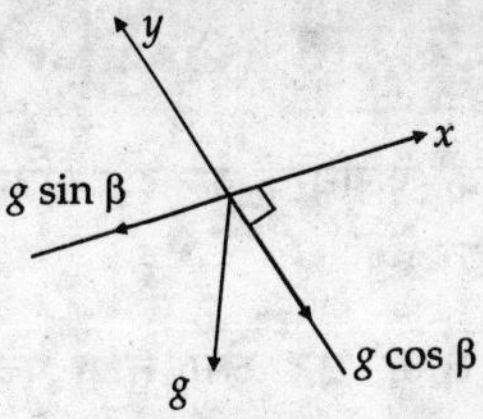

u_x, a_x तथा t का मान रखने पर

$$\text{परास, } R = u\cos(\alpha-\beta)\times\frac{2u\sin(\alpha-\beta)}{g\cos\beta} + \frac{1}{2}(-g\sin\beta)\left(\frac{2u\sin(\alpha-\beta)}{g\cos\beta}\right)^2$$

$$= \frac{u^2}{g\cos^2\beta}\left[\sin 2(\alpha-\beta)\cos\beta - 2\sin\beta\sin^2(\alpha-\beta)\right]$$

$$= \frac{u^2}{g\cos^2\beta}\left[\sin 2(\alpha-\beta)\cos\beta - \sin\beta + \sin\beta\cos 2(\alpha-\beta)\right]$$

$$= \frac{u^2}{g\cos^2\beta}\left[\sin(2\alpha-\beta) - \sin\beta\right] = \frac{2u^2\sin(\alpha-\beta)\cos\alpha}{g\cos^2\beta}$$

अधिकतम परास के लिए α का मान ज्ञात करना

$$R = \frac{2u^2\sin(\alpha-\beta)\cos\alpha}{g\cos^2\beta} = \frac{u^2\left[\sin(2\alpha-\beta)-\sin\beta\right]}{g\cos^2\beta}$$

R का मान अधिकतम होने के लिए $\sin(2\alpha-\beta)$ का मान न्यूनतम होना चाहिए।

अतः $2\alpha - \beta = \frac{\pi}{2}$ ताकि R का मान महत्तम हो।

$\Rightarrow R$ का मान महत्तम होने के लिए $\alpha = \frac{\pi}{4} + \frac{\beta}{2}$

$$R_{max} = \frac{u^2(1-\sin\beta)}{g\cos^2\beta}$$

या $\quad R_{max} = \frac{u^2}{g(1+\sin\beta)}$

यहाँ हम देखते हैं कि $\beta = 0$ के लिए, परास $\alpha = \frac{\pi}{4}$ या $\alpha = 45°$ के लिए अधिकतम होगी

तथा $R_{max} = \frac{u^2}{g\cos^2 0°}(1-\sin 0°)$

$$R_{max} = \frac{u^2}{g}$$

वृत्तीय गति (Circular Motion)

जब कोई कण वृत्त की परिधि के अनुदिश गतिमान रहता है, तो इस गति को वृत्तीय गति कहते हैं।

वृत्तीय गति में कण का वेग तथा त्वरण (Velocity and Accelaration of Particle in Circular Motion)

कण का t समय पर स्थिति सदिश

$\therefore \vec{r} = \vec{OP}; \hat{e}_r = r(\cos\theta\hat{i} + \sin\theta\hat{j})$ व्यंजक का t के सापेक्ष अवकलन करने पर, कोण का वेग $\vec{v} = \frac{d\vec{r}}{dt} = \frac{d}{dt}\left[r(\cos\theta\hat{i} + \sin\theta\hat{j})\right]$

$$= r\left[\left(-\sin\theta\frac{d\theta}{dt}\right)\hat{i} + \left(\cos\theta\frac{d\theta}{dt}\right)\hat{j}\right]$$

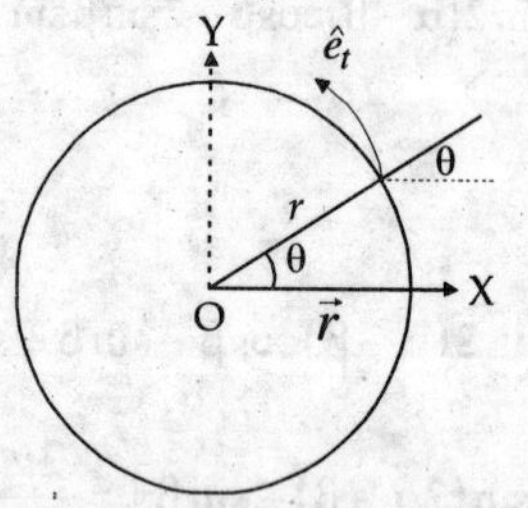

$$\text{या} \quad \vec{v} = r\omega\left[-\sin\theta\,\hat{i} + \cos\theta\,\hat{j}\right] \quad \left[\because \frac{d\theta}{dt} = \omega\right] \quad ...(i)$$

$$\therefore \vec{v} = r\omega\,\hat{e}_t \quad ...(ii)$$

पद $r\omega$ समय t पर कण का वेग कहलाती है, जिसकी दिशा $\hat{e}_t$ के अनुदिश या स्पर्शी की दिशा में है। पुनः समीकरण (i) को t के सापेक्ष अवकलन करने पर

$$\vec{a} = \frac{d\vec{v}}{dt} = \frac{d}{dt}\left[rw\left\{\left(-\sin\theta\frac{d\theta}{dt}\right)\hat{i} + \left(\cos\theta\frac{d\theta}{dt}\right)\hat{j}\right\}\right]$$

$$r\left[w\frac{d}{dt}\left(-\sin\theta\hat{i} + \cos\theta\hat{j}\right) + \frac{dw}{dt}\left(-\sin\theta\hat{i} + \cos\theta\hat{j}\right)\right]$$

$$= \omega r\left[-\cos\theta\frac{d\theta}{dt}\hat{i} - \sin\theta\frac{d\theta}{dt}\hat{j} + \frac{rd\omega}{dt}\hat{e}_t\right]$$

$$= -\omega^2 r\left[\cos\theta\,\hat{i} + \sin\theta\,\hat{j}\right] + \frac{rd\omega}{dt}\hat{e}_t \text{ या}$$

$$\vec{a} = -\omega^2 r\,\vec{e}_r + \frac{dv}{dt}\hat{e}_t \quad ...(iii)$$

जहाँ $\hat{e}_r$ व $\hat{e}_t$ त्रिज्या तथा स्पर्श रेखीय दिशाओं में एकांक वेक्टर हैं।

कोणीय वेग (Angular Velocity ω)

जब कण वृत्तीय पथ के अनुदिश भ्रमण करता है, तो परिधि के अनुदिश एक चाप (arc length) = s, t समय में तय करता है। जैसे ही कण वृत्त पर चलना प्रारम्भ करता है, इसकी कोणीय स्थिति θ परिवर्तित होती है। कण की प्रारम्भिक तथा अन्तिम स्थितियों के बीच के कोण, जो यह घूर्णन अक्ष पर अन्तरित करता है, t समय में कोणीय विस्थापन कहलाता है।

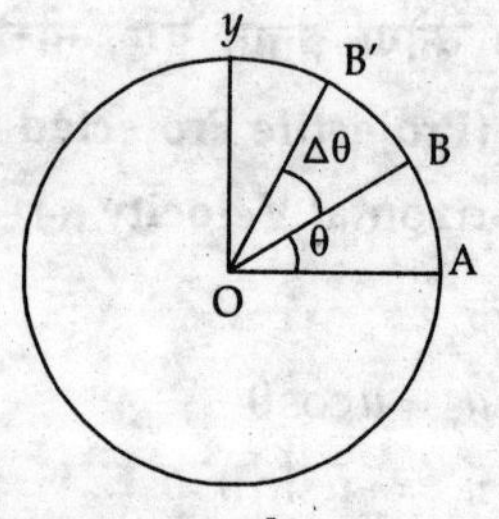

यदि कण A से B तक जाता है, तब

कोणीय विस्थापन $= \angle AOB = \theta$

तय की गई दूरी = arc AB = s

θ रेडियन में हो तो परिभाषा के अनुसार

$$\theta = \frac{s}{r}$$

कोणीय विस्थापन के परिवर्तन की दर को कोणीय वेग कहते हैं।

$$\omega = \frac{\text{कोणीय विस्थापन}}{\text{समय}}$$

$$\omega = \frac{\theta}{t} = \frac{s/r}{t} = \frac{1}{r}\left(\frac{s}{t}\right)$$

अब $\frac{s}{t} = v =$ कण का वेग $\Rightarrow w = \frac{v}{r} \Rightarrow v = rw$

कोणीय वेग परिवर्तन की दर को कोणीय त्वरण (Angular acceleration) कहते हैं। इसे α से निरूपित करते हैं।

$$\alpha = \frac{d\omega}{dt} = \frac{d^2\theta}{dt^2}$$

यदि कोणीय त्वरण α नियत हो,

$$\theta = \omega_0 t + \frac{1}{2}\alpha t^2$$

$$\omega = \frac{d\theta}{dt} = \omega_0 + \alpha t$$

$$\text{तथा} \quad \omega^2 = \omega_0^2 + 2\alpha\theta$$

यहाँ ω_0 तथा ω, क्रमशः $t = 0$ तथा समय t पर कोणीय वेग है तथा समय t पर θ, कोणीय स्थिति है।

समय Δt में कण द्वारा तय की गई रेखीय दूरी BB' है।

$$\Delta s = r\Delta\theta$$

$$\text{या} \quad \lim_{\Delta t\to 0}\frac{\Delta s}{dt} = r\lim_{\Delta t\to 0}\frac{\Delta\theta}{\Delta t}$$

$$\text{या} \quad \frac{ds}{dt} = r\frac{d\theta}{dt} \quad \text{या} \quad v = r\omega$$

यहाँ $v =$ कण का रेखीय वेग (linear velocity)

एक समान वृत्तीय गति (Uniform Circular Motion)

यदि कण वृत्त में एक समान चाल से चलता है, तो कण की गति एक समान वृत्तीय कहलाती है। इस स्थिति में

$$\frac{dv}{dt} = 0 \quad ...(i)$$

$\therefore$ समीकरण $\vec{a} = -\omega^2 r \vec{e}_t + \frac{dv}{dt}\vec{e}_t$ से,

$$\vec{a} = -\omega^2 r \vec{e}_r$$

$$\therefore \quad a = |\vec{a}| = \omega^2 r$$

$$\text{या} \quad a = \frac{v^2}{r^2} r = \frac{v^2}{r} \quad \left[\because \ \omega = \frac{v}{r}\right]$$

अतः यदि कण त्रिज्या r के वृत्त में नियत चाल v से गति करता है, तो इसका त्वरण $\frac{v^2}{r}$ केन्द्र की ओर दिष्ट होता है। यह त्वरण, अभिकेन्द्र त्वरण (centripetal acceleration) कहलाता है।

असमान वृत्तीय गति (Non-uniform Circular Motion)

यदि वृत्त में घूमते कण की चाल नियत न हो, तब त्वरण के त्रिज्य (radial) तथा स्पर्शरेखीय (tangential) दोनों घटक होते हैं। अतः समीकरण $\vec{a} = -\omega^2 r\vec{e}_r + \frac{du}{dt}\hat{e}_t$ के अनुसार, त्रिज्य तथा स्पर्शरेखीय त्वरण

$$a_r = -\omega^2 r = \frac{v^2}{r} \quad \text{तथा} \quad a_t = \frac{dv}{dt}$$

नेट त्वरण का परिमाण

$$a = \sqrt{a_r^2 + a_t^2}$$

$$\text{या} \quad a = \sqrt{\left(\frac{v^2}{r}\right)^2 + \left(\frac{dv}{dt}\right)^2}$$

यह परिणामी त्वरण त्रिज्या के साथ कोण α बनाता है, जहाँ

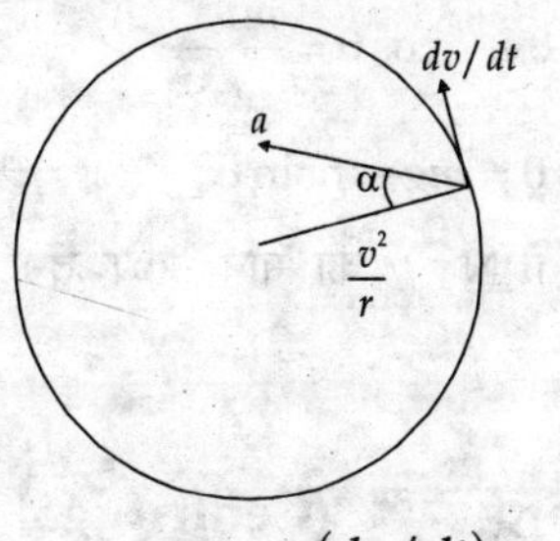

$$\tan\alpha = \frac{a_t}{a_r} = \frac{(dv/dt)}{(v^2/r)}$$

वृत्तीय गति का गति विज्ञान (Dynamics of Circular Motion)

जब m द्रव्यमान का एक कण जड़त्वीय तंत्र से देखने पर एक वृत्त में गति करता है, तो उसके वेग की दिशा में होने वाले परिवर्तन के कारण, इसकी गति में त्वरण (अभिकेन्द्र अथवा त्रिज्या) होता है, जिसका परिमाण $a_r\left(=\frac{v^2}{r} = \omega^2 r\right)$ नियत रहता है परन्तु दिशा लगातार बदलती रहती है जो सदैव वृत्त के केन्द्र की ओर होती है। कण की गति में होने वाले इस त्वरण का कारण कण पर लगने वाला बल है।

न्यूटन के गति के द्वितीय नियम के अनुसार कण पर लगने वाले इस बल $\vec{F}(= m\vec{a}_r)$ की दिशा सदैव अभिकेन्द्र त्वरण $\vec{a}_r$ की दिशा में अर्थात् वृत्त के केन्द्र की ओर होती है। इस बल को अभिकेन्द्र बल (centripetal force) अथवा त्रिज्या बल कहते हैं। अभिकेन्द्र बल $\vec{F}$ का परिमाण,

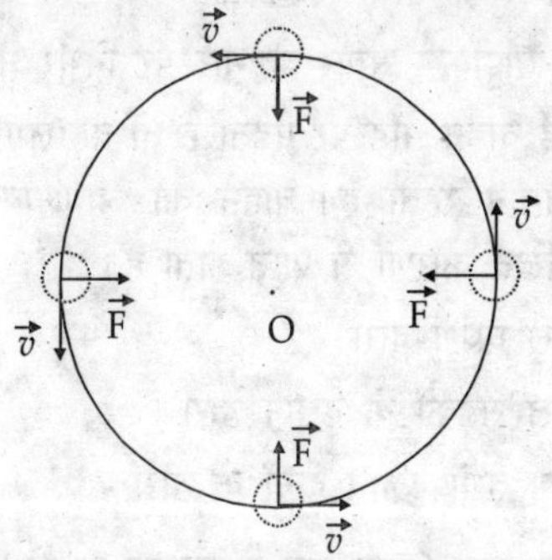

$$\therefore \quad F = |\vec{F}| = |m\vec{a}_r| = m|\vec{a}_r| = m\frac{v^2}{r}$$

$$\therefore \quad F = \frac{mv^2}{r}$$

$$\text{या} \quad F = m\omega^2 r \qquad (\because v = r\omega)$$

किसी कण को वृत्तीय पथ पर चलाने के लिए यही आवश्यक बल है। इस अभिकेन्द्र के कारण ही कण वृत्तीय पथ पर चलता है। अभिकेन्द्र बल की अनुपस्थिति (अर्थात् $F = 0$ होने पर) में कण का पथ वेग $\vec{v}$ की दिशा के अनुदिश स्पर्शरेखीय (ऋजुरेखीय) होता है, वृत्तीय नहीं।

साइकिल सवार का मुड़ना, सड़क और रेल की पटरियों की ढलान

- जब कोई साइकिल सवार मोड़ पर मुड़ता है तो उसे आवश्यक अभिकेन्द्र बल (centripetal force) को प्राप्त करने के लिए अपनी ऊर्ध्वाधर स्थिति से थोड़ा अन्दर की ओर झुकना पड़ता है। यदि वृत्तीय पथ की त्रिज्या r हो, वेग v हो और ऊर्ध्वाधर के साथ कोण θ हो तो मोड़ पर मुड़ते वक्त अभिलम्ब प्रतिक्रिया (Normal Reaction) R की क्षैतिज घटक, R के लिए आवश्यक अभिकेन्द्री बल प्रदान करती है तथा ऊर्ध्वाधर घटक भार को संतुलित करती है अर्थात्

$$R\cos\theta = mg \quad \text{तथा} \quad R\sin\theta = \frac{mv^2}{r}$$

$$\therefore \quad \tan\theta = \frac{v^2}{rg}$$

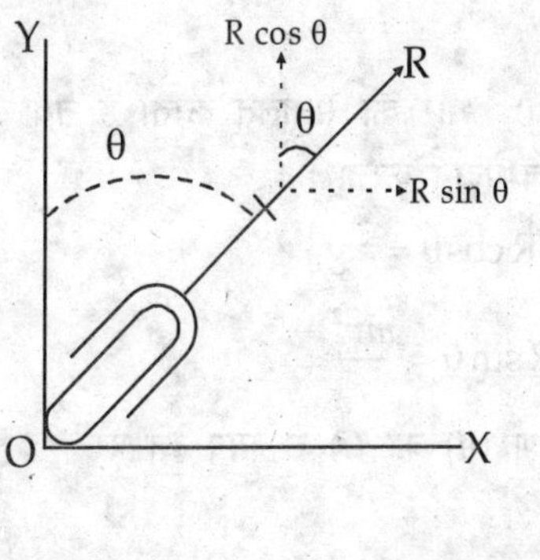

- मोड़ पर मुड़ते वक्त साईकिल सवार के लिए सुरक्षित वेग $v \le \sqrt{rg \tan\theta}$

नोट–

$\theta \to$ ऊर्ध्वाधर के साथ का कोण है।

θ का मान साइकिल सवार के भार पर निर्भर नहीं करता है।

- जब कोई वाहन मोड़ पर मुड़ता है तो वह लगभग वृत्ताकार पथ पर गतिमान रहता है। वाहन को आवश्यक अभिकेन्द्र बल निम्नलिखित कारणों से प्राप्त होता है।

1. केवल घर्षण द्वारा
2. केवल सड़कों के ढलान द्वारा
3. घर्षण तथा ढलान दोनों के द्वारा

1. केवल घर्षण द्वारा (जब पथ में ढलान न हो) (By Friction only)

जैसा कि चित्र से स्पष्ट है कि $F = F_1 + F_2$

$= \mu(R_1 + R_2) = \mu mg$

बिना फिसलन के सुरक्षित मोड़ के लिए

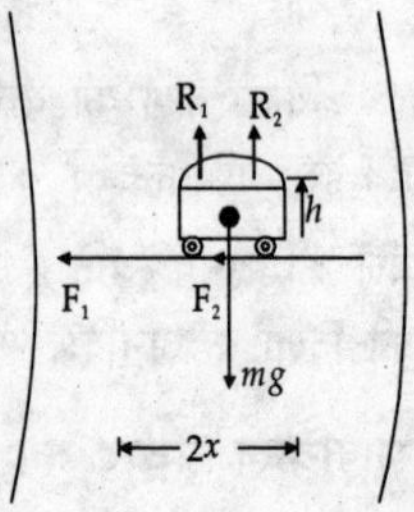

अभिकेन्द्र बल $\dfrac{mv^2}{r} \le F$

$\dfrac{mv^2}{2} \le \mu mg$

$\therefore v \le \sqrt{\mu rg}$ या $\mu \ge \dfrac{v^2}{rg}$

अतः सुरक्षित मुड़ने के लिए दो स्थितियाँ उत्पन्न होती हैं:

(*i*) वाहन की चाल $\sqrt{\mu rg}$ से अधिक नहीं होनी चाहिए

(*ii*) घर्षण गुणांक, $\dfrac{v^2}{rg}$ से बड़ा होना चाहिए।

2. सड़कों की ढलान द्वारा (By Banking of Roads Only)

जैसा कि चित्र से स्पष्ट है कि

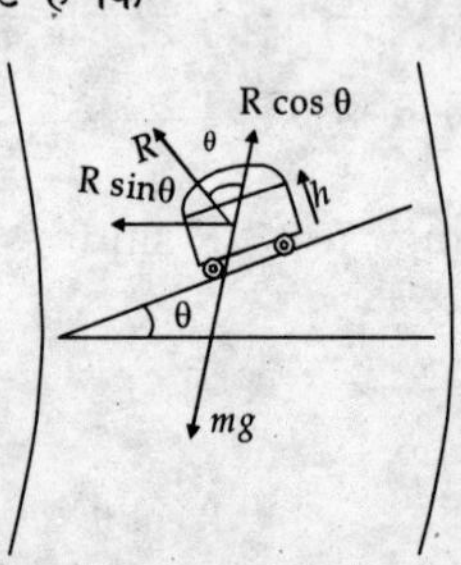

$R\cos\theta$, भार को संतुलित करता है तथा $R\sin\theta$ आवश्यक अभिकेन्द्र बल प्रदान करता है।

$$R\cos\theta = mg \quad ...(i)$$

तथा $$R\sin\theta = \frac{mv^2}{r} \quad ...(ii)$$

समीकरण (*ii*) को (*i*) से भाग देने पर

$$\tan\theta = \frac{v^2}{rg} \text{ या } v = \sqrt{rg\tan\theta}$$

इस गति से चलने पर वाहन नहीं फिसलेगा चाहे ढ़लान चिकनी या घर्षणरहित भी हो।

3. घर्षण तथा सड़कों की ढलान दोनों के द्वारा (By Friction and Banking of Roads both)

यदि ढलान वाले मोड़ पर वाहन तथा सड़क के बीच घर्षण बल भी काम कर रहा है तो अभिलम्ब प्रतिक्रिया बल तथा घर्षण बल के क्षैतिज घटकों का वेक्टर योग अभिकेन्द्र बल प्रदान करता है।

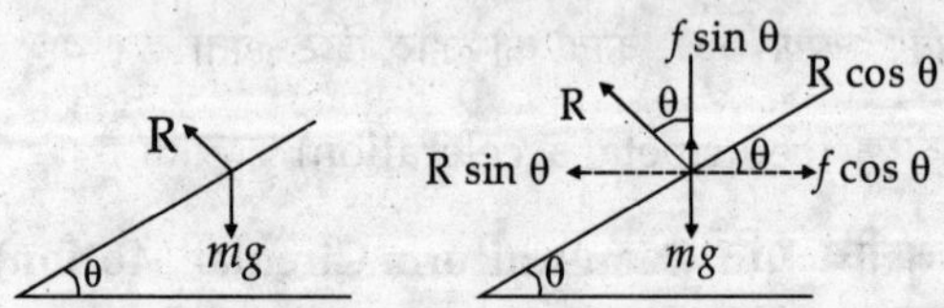

$$R\sin\theta + f\cos\theta = \frac{mv^2}{r}$$

$R\cos\theta = mg + f\sin\theta$ ($\because$ ऊर्ध्वाधर बल संतुलित है)

f घर्षण बल है जिसका अधिकतम मान $\mu_n s$ है। इन समीकरणों से f का अधिकतम मान $(\mu_s N)$ रखकर इन समीकरणों को हल करने पर

$$R = \frac{mg}{\cos\theta - \mu_s \sin\theta}$$

तथा $$V_{max} = \left[\frac{rg(\sin\theta + \mu_s\cos\theta)}{\cos\theta - \mu_s\sin\theta}\right]^{1/2} = \sqrt{\frac{rg(\tan\theta + \mu_s)}{1 - \mu_s\tan\theta}}$$

मोड़ पर चाल का न्यूनतम मान निम्न समीकरणों को हल करने पर प्राप्त कर सकते हैं।

$$R\sin\theta - f\cos\theta = \frac{mv^2}{r}$$

$$R\cos\theta = mg - f\sin\theta$$

तथा $f_{max} = \mu_s N$ (f का मान अधिकतम होने पर v का मान न्यूनतम होगा)

अपकेन्द्र बल (Centrifugal Force)

माना m द्रव्यमान की कोई वस्तु, एक चिकनी गोल मेज पर रखी है जो कि एक नियत कोणीय वेग से किसी कीली के परितः घूम रही है। वस्तु की कीली से दूरी r है तथा उस स्थान पर मेज का रेखीय वेग v है।

पृथ्वी जड़त्वीय तन्त्र (inertial frame) पर खड़े किसी व्यक्ति को यह वस्तु एक समान वेग से वृत्तीय गति करते हुये प्रतीत होगी। इसलिए इस वस्तु पर एक अभिकेन्द्र बल $mr\omega^2\left(=\dfrac{mv^2}{r}\right)$ की आवश्यकता है। इस व्यक्ति के अनुसार इस वस्तु पर यह आवश्यक अभिकेन्द्र बल, डोरी के तनाव T द्वारा आरोपित किया जाता है। अतः न्यूटन के गति के द्वितीय नियम से, $T = m\omega^2 r$ तथा $v = \omega r$ ।

यदि कोई अन्य व्यक्ति घूमती हुई मेज पर खड़े होकर वस्तु को देखे, तो घूमती हुई मेज एक अजड़त्वीय तन्त्र (non-inertial frame) है, क्योंकि मेज पृथ्वी के सापेक्ष त्वरित गति में है। अतः इस वस्तु की गति का अध्ययन, न्यूटन के गति के नियम के अनुसार करने के लिए, इस वस्तु पर एक कल्पित बल (Pseudo force) $= m\vec{a}$, (जहाँ $\vec{a}$ मेज का अभिकेन्द्र त्वरण $r\omega^2$ केन्द्र ओर दिष्ट है) की कल्पना करनी है अर्थात् वस्तु पर एक कल्पित बल $mr\omega^2$ त्रिज्य दिशा में केन्द्र से बाहर की ओर लगा हुआ मानते हैं। इस वस्तु पर केन्द्र से बाहर की ओर लगने वाले इस कल्पित अथवा आभासी (Pseudo or fictitious) बल को ही अपकेन्द्र बल कहते हैं। इस व्यक्ति के सापेक्ष वस्तु विराम अवस्था में है अतः इस पर नेट बल शून्य होगा।

ऊर्ध्वाधर वृत्त में गति (Motion in Vertical Circle)

माना द्रव्यमान m की एक वस्तु l लम्बाई वाले भारहीन डोरी के सिरे से बाँध कर ऊर्ध्वाधर वृत्त में वामवृत्ति दिशा घुमायी जा रही है।

(a) वृत्त के उच्चतम बिन्दु पर द्रव्यमान की वह न्यूनतम गति प्राप्त करती है जो वृतीय पथ को पूर्ण कर सके।

(b) वृत्त के निम्नतम बिन्दु पर न्यूनतम गति प्राप्त करें।

हर स्थिति में द्रव्यमान पर दो बल कार्य करते हैं: इनका अपना भार एवं डोरी में तनाव।

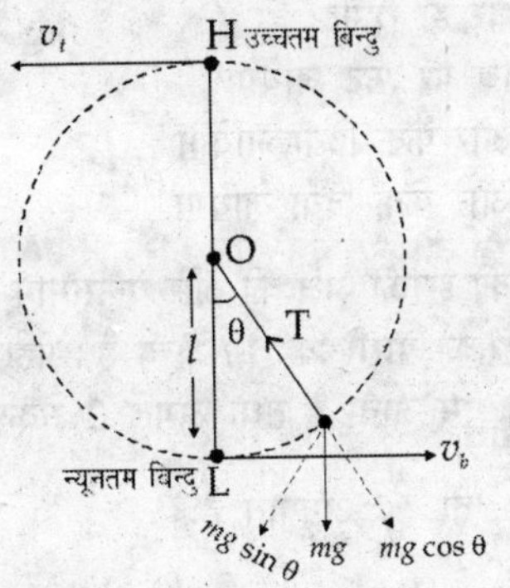

(a) **उच्चतम बिन्दु पर :** माना v_t = उच्चतम बिन्दु पर वेग

केन्द्र की ओर नेट बल $= \dfrac{mv_t^2}{l}$

$\therefore\ \mathrm{T} - mg\cos\theta = \dfrac{mv_t^2}{l} \Rightarrow \mathrm{T} = \dfrac{mv_t^2}{l} + mg\cos\theta$

उच्चतम बिन्दु पर तनाव न्यूनतम होता है।

अर्थात् $\cos\theta = -1 \quad \Rightarrow \theta = 180°$

$\therefore \qquad \mathrm{T}_{\text{min.}} = \mathrm{T}_{\mathrm{H}} = \dfrac{mv_t^2}{l} - mg$ पर

उर्ध्वाधर वृत्त को पूरा करने के लिए

$$T_{\text{min.}} = \frac{mv_t^2}{l} - mg \geq 0$$

$\Rightarrow \quad v_t \geq \sqrt{lg} \qquad$ ...(i)

$\Rightarrow$ उच्चतम बिन्दु पर निम्नतम या क्रांतिक गति $= \sqrt{lg}$

(b) माना कि वृत्त के निम्नतम बिन्दु पर वस्तु का वेग v_b है। जैसे-जैसे वस्तु ऊपर की ओर जाती है इसकी गतिज ऊर्जा घटती है, और स्थितिज ऊर्जा बढ़ती है।

$\Rightarrow$ गतिज ऊर्जा में ह्रास = स्थितिज ऊर्जा में बढ़ोतरी

$$\Rightarrow \frac{1}{2}mv_b^2 = \frac{1}{2}mv_t^2 + mg(2l)$$

समीकरण *(i)* से,

$$\frac{1}{2}mv_b^2 \geq \frac{1}{2}m(gl) + 2mgl \quad \Rightarrow \quad v_b \geq \sqrt{5gl} \qquad ...(ii)$$

(c) जब द्रव्यमान m की एक वस्तु ऊर्ध्वाधर वृत्त में घूम रही हो और डोरी क्षैतिज दिशा में M पर हो तब

$$\frac{1}{2}mv_M^2 + mgl = \frac{1}{2}mv_b^2$$

समीकरण *(ii)* से,

$$\frac{1}{2}mv_M^2 \geq \frac{1}{5}m(5gl) - mgl \quad \Rightarrow \quad v_M \geq \sqrt{3gl} \qquad ...(iii)$$

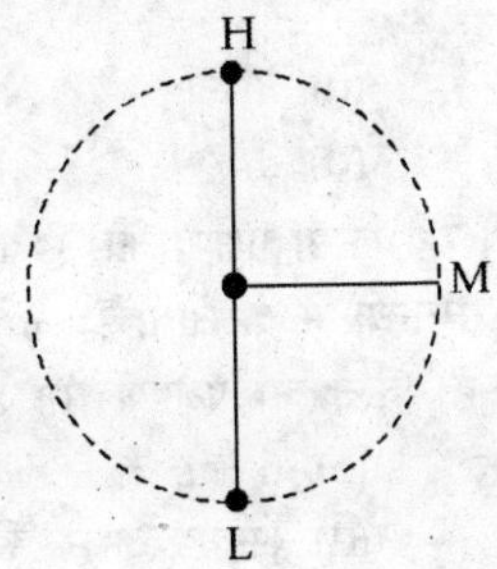

$v_{\text{min.}} \geq \sqrt{gl}$

$T_{\text{min.}} \geq 0$

$v \geq \sqrt{3gl}$

$T \geq 3mg$

$v_{\text{min.}} \geq \sqrt{5gl}$

$T_{\text{min.}} \geq 6mg$

नोट–

v_b : निम्नतम बिन्दु पर वस्तु की गति

l : वृत्त ABCD की त्रिज्या

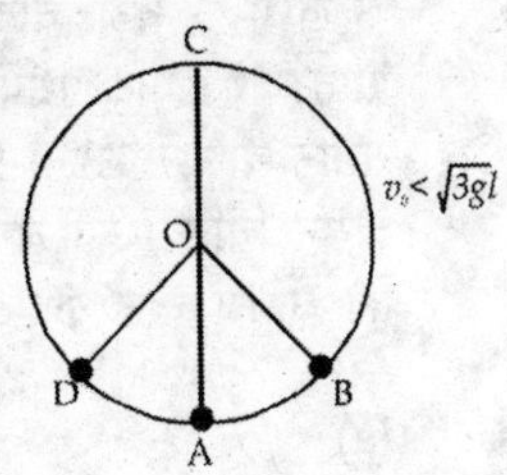

1. यदि $v_b \geq \sqrt{5gl}$, वस्तु वृत्त ABCD में गतिमान रहेगा।
2. यदि $v_b \geq \sqrt{3gl}$, वस्तु बिन्दु A के दायें तथा बायें दोलन करेगी
3. यदि $v_b = \sqrt{3gl}$, वस्तु अर्धवृत्त BAD के अनुदिश दोलन करेगी।

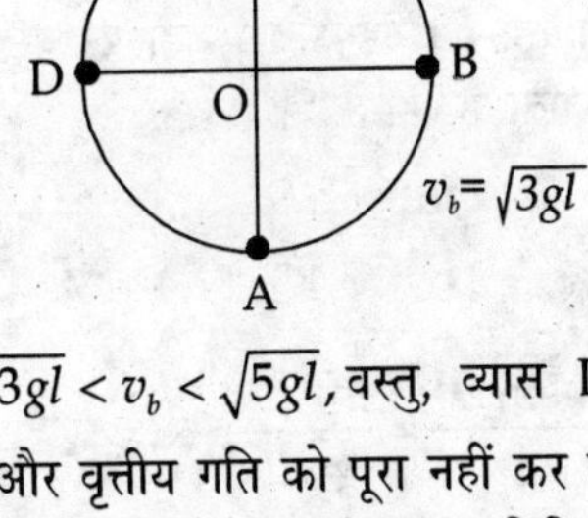

4. यदि $\sqrt{3gl} < v_b < \sqrt{5gl}$, वस्तु, व्यास DOB को पार कर जायेगी और वृत्तीय गति को पूरा नहीं कर पायेगी। वस्तु B एवं C के बीच जहाँ तनाव या अभिलम्ब प्रतिक्रिया शून्य हो जाएगी, वस्तु वृत्तीय पथ को तोड़ कर बाहर निकल जाएगी।

वस्तुनिष्ठ प्रश्न

1. एक प्रक्षेप्य क्षैतिज से 30° का कोण बनाते हुए फेंका जाता है एवं इसकी परास R है। यदि उसी वेग से इसे 60° के कोण पर प्रक्षेपित करें, तो परास होगी :

(a) R (b) 2 R
(c) R/2 (d) R^2

2. एक गेंद को v चाल से, एक ही बिन्दु से विभिन्न कोणों पर फेंका जाता है, दोनों स्थितियों में इसकी क्षैतिज परास समान हैं। यदि इन दोनों स्थितियों में गेंद द्वारा प्राप्त ऊँचाइयाँ y_1 व y_2 हैं तो $y_1 + y_2 =$

(a) $\frac{v^2}{g}$ (b) $\frac{2v^2}{g}$
(c) $\frac{v^2}{2g}$ (d) $\frac{v^2}{4g}$

3. वह अधिकतम ऊँचाई h है, जहाँ तक कोई व्यक्ति पत्थर फेंक सकता है, तब वह अधिकतम दूरी क्या होगी जहाँ तक वह व्यक्ति पत्थर फेंक सकता है?

(a) $h/2$ (b) h
(c) $2h$ (d) $3h$

4. मूल बिन्दु से प्रक्षेपित किये गये किसी प्रक्षेप्य की ऊर्ध्वाधर ऊँचाई y व क्षैतिज दूरी x निम्न सम्बन्धों से दी जाती है: $y = 8t - 5t^2$ व $x = 6t$ (t सेकण्ड में है), वस्तु का प्रक्षेपण वेग होगा :

(a) 4 ms^{-1} (b) 6 ms^{-1}
(c) 10 ms^{-1} (d) आँकड़े अधूरे हैं

5. एक पत्थर को भूमि से इस प्रकार फेंका जाता है कि यह h ऊँचाई के खम्भे पर बैठी चिड़िया को लगने के बाद अधिकतम ऊँचाई $2h$ प्राप्त करे। यदि प्रक्षेपण के समय चिड़िया क्षैतिज दिशा में एक समान चाल से उड़ना प्रारम्भ करती है व यदि पत्थर नीचे आने के दौरान चिड़िया को लगे, तो उस क्षण चिड़िया की चाल व पत्थर की क्षैतिज चाल का अनुपात होगा :

(a) $\sqrt{2}$ (b) $\frac{\sqrt{2}}{\sqrt{2}+1}$
(c) $\frac{1}{\sqrt{2}}+\frac{1}{2}$ (d) $\frac{2}{\sqrt{2}+1}$

6. एक छोटी वस्तु जिसका द्रव्यमान m है, r त्रिज्या के अर्द्ध-गोले के शिखर से फिसल रही है। वस्तु एवं अर्द्ध-गोले के बीच कोई घर्षण बल नहीं लग रहा है। वह ऊँचाई जहाँ पर वस्तु का अर्द्ध-गोले से सम्पर्क टूट जाता है, होगी :

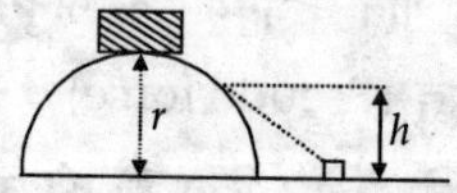

(a) $\frac{3}{2}r$ (b) $\frac{2}{3}r$
(c) $\frac{1}{2}gr^2$ (d) $\frac{v^2}{2g}$

7. एक कार r त्रिज्या के वृत्तीय पथ पर रेखीय वेग v से गति कर रही है। यदि इसकी चाल a ms^{-2} के त्वरण से बढ़ रही है, तो परिणामी त्वरण का मान होगा :

(a) $\sqrt{\left(\frac{v^2}{r^2}-a^2\right)}$ (b) $\sqrt{\left(\frac{v^4}{r^2}+a^2\right)}$
(c) $\sqrt{\left(\frac{v^4}{r^2}-a^2\right)}$ (d) $\sqrt{\left(\frac{v^2}{r^2}+a^2\right)}$

8. एक कार समान गति से समतल सड़क पर जा रही है। कार के भीतर हीलियम गैस से भरा गुब्बारा धागे से बाँध कर तली से बाँध दिया जाता है। धागा ऊर्ध्वाधर रहता है। अब कार बायी ओर मुड़ जाती है, तो गुब्बारा कार में :

(a) ऊर्ध्वाधर ही रहेगा
(b) वक्र पथ पर फट जायेगा
(c) दायीं ओर फेंक दिया जायेगा
(d) बायीं ओर फेंक दिया जायेगा

9. एक पहिये को इसकी अक्ष की ओर एकसमान कोणीय त्वरण दिया जाता है। इसका प्रारम्भिक वेग शून्य है। पहले दो सेकण्ड में यह θ_1 कोण से घूम जाता है तथा अगले 2 सेकण्ड में यह θ_2 कोण से घूमता है, तो $\frac{\theta_2}{\theta_1}$ अनुपात है:

(a) 1 (b) 2
(c) 3 (d) 5

10. एक द्रव्यमान घर्षण रहित क्षैतिज सतह पर रखा है तथा इसे एक डोरी से बाँधा गया है। इसे अचर कोणीय में ω_0 से घुमाया जाता है। यदि कोणीय वेग तथा डोरी की लम्बाई दोगुनी कर दें, तो डोरी का तनाव क्या होगा? (डोरी का प्रारम्भिक तनाव $=T_0$)

(a) $T_0/2$ (b) T_0
(c) 4 T_0 (d) 8 T_0

उत्तरमाला

1. (a): $R = \frac{u^2 \sin 2\theta}{g} = \frac{u^2}{g}\frac{\sqrt{3}}{2}$ (θ = 30° पर)

$R' = \frac{u^2 \sin 2\theta}{g} = \frac{u^2 \cos 30°}{g} = \frac{u^2}{g}\frac{\sqrt{3}}{2}$ (θ = 60° पर) $\therefore$ R′ = R

2. (c): यदि दोनों स्थितियों में परास समान है, तो

$$\theta_1 = \alpha, \theta_2 = (90 - \alpha)$$

$$y_1 = \frac{v^2 \sin^2 \alpha}{2g} \quad ..(i)$$

$$y_2 = \frac{v^2 \sin^2(90-\alpha)}{2g} = \frac{v^2 \cos\alpha}{2g} \quad ..(ii)$$

समीकरण (*i*) व (*ii*) को जोड़ने पर, $y_1 + y_2 = \frac{v^2}{2g}$

3. (c): महत्तम ऊँचाई $h = \frac{u^2 \sin^2\theta}{2g}$

अधिकतम ऊँचाई के लिये $\sin\theta = 1$

$$\therefore \quad h = \frac{u^2}{2g} \quad ...(i)$$

अब, परास $R = \frac{u^2}{g}.\sin 2\theta \quad \{\sin 2\theta = 1\}$

अधिकतम परास जहाँ तक वह पत्थर फेंक सकता है $= \frac{u^2}{g} = 2h$

[समीकरण (*i*) से]

4. (c): $y = 8t - 5t^2,\ x = 6t$

$$\left(\frac{dy}{dt}\right) = (8-10t)\ \text{ms}^{-1},\ \left(\frac{dx}{dt}\right) = 6\ \text{ms}^{-1}$$

$t = 0$ पर, $\left(\frac{dy}{dt}\right) = 8\ \text{ms}^{-1}\ \left(\frac{dx}{dt}\right) = 6\ \text{ms}^{-1}$

$$\therefore \quad v = \sqrt{\left(\frac{dx}{dt}\right)^2 + \left(\frac{dy}{dt}\right)^2} = \sqrt{8^2 + 6^2}$$

$$\Rightarrow v = \sqrt{100} \qquad v = 10 \quad \text{ms}^{-1}$$

5. (d): $\because \frac{u^2 \sin^2\theta}{2g} = 2h,\ u\sin\theta = 2\sqrt{gh}$

यहाँ $h = (u\sin\theta)t - \frac{1}{2}gt^2$

$$t^2 - \frac{2u\sin\theta}{g}.t + \frac{2h}{g} = 0$$

$$t^2 - 4\sqrt{\frac{h}{g}}t + \frac{2h}{g} = 0$$

अतः $t_1 = \sqrt{\frac{2h}{g}}(\sqrt{2}-1), t_2 = \sqrt{\frac{2h}{g}}(\sqrt{2}+1)$

यदि चिड़िया की चाल v है तो

$vt_2 = (u\cos\theta) \times (t_2 - t_1)$ (पत्थर की क्षैतिज चाल $u\cos\theta$ है)

$$\therefore \frac{v}{u\cos\theta} = 1 - \frac{t_1}{t_2} = 1 - \frac{(\sqrt{2}-1)}{(\sqrt{2}-1)}$$

$$\Rightarrow \qquad \frac{v}{u\cos\theta} = \frac{2}{\sqrt{2}+1}$$

6. (b): A पर स्थितिज ऊर्जा $= mgr$

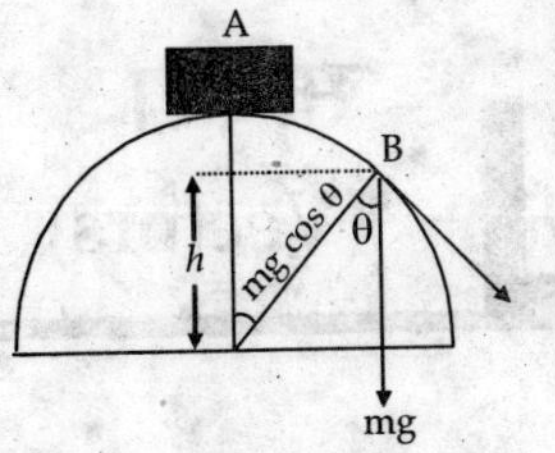

B पर ऊर्जा, स्थितिज ऊर्जा + गतिज ऊर्जा

$$= mgh + \frac{1}{2}mv^2 \quad ...(i)$$

अतः B पर वेग $\frac{mv^2}{r} = mg\cos\theta$

$$\therefore \quad v^2 = gr\cos\theta = gr\frac{h}{r} \left[\because \cos\theta = \frac{h}{r}\right]$$

$$\Rightarrow \quad u^2 = gh \qquad ...(ii)$$

$\therefore$ B पर कुल ऊर्जा = A पर कुल ऊर्जा

$$mgh + \frac{1}{2}mv^2 = mgr$$

समीकरण (*i*) तथा (*ii*) से,

$$mgh + \frac{1}{2}m(gh) = mgr$$

$$\Rightarrow \quad \frac{3}{2}h = r \qquad \Rightarrow h = \frac{2}{3}r$$

7. (b): a परिणामी $= \sqrt{a_r^2 + a_t^2} = \sqrt{\frac{v^4}{r^2} + a^2}$

8. (d): गुब्बारे के बाहर की वायु भारी होने के कारण उसमें दायीं ओर गति की प्रवृत्ति ज्यादा होगी, जिससे गुब्बारा बायीं ओर रहेगा (इस प्रश्न में यह माना गया है कि कार एयर टाइट है)।

9. (c): $\theta = \omega_0 t + \frac{1}{2}\alpha t^2$

प्रथम स्थिति में, $\theta_1 = 0.t + \frac{1}{2}\alpha.2^2 = 2\alpha$

द्वितीय स्थिति में, $\theta_2 = (2\alpha)2 + \frac{1}{2}\alpha.2^2 = 6\alpha$

$$\therefore \quad \frac{\theta_2}{\theta_1} = \frac{3}{1}$$

10. (d): $T_0 = mR\omega_0^2$

प्रश्नानुसार, $T = m(2R)(2\omega_0)^2$

$$\Rightarrow \qquad T = 8mR\omega_0^2$$

$$\therefore \qquad T = 8T_0$$

●●●

अध्याय

4 सदिश (Vectors)

भौतिक राशि (Physical Quantity)

वह राशि जिसे उपस्थित उपकरणों से मापा जा सके, भौतिक राशि कहते हैं।

प्रेक्षण + माप = भौतिकी

परिमाण, दिशा एवं जोड़ के नियमों के आधार पर, सभी भौतिक राशियों का वर्गीकरण, अदिश एवं सदिश एवं टेंसर राशियों में किया जाता है।

अदिश राशि (Scalar Quantity)

राशि जो दिशा परिवर्तन के कारण परिवर्तित नहीं होती है, अदिश राशि कहते हैं। दो या दो से अधिक समान अदिश राशियों को साधारण बीजगणीतीय नियमों के आधार पर जोड़ा जा सकता है।

जैसे–द्रव्यमान, दूरी, चाल, ऊर्जा, विद्युत धारा, विभव, दाब आदि। उपरोक्त उदाहरण में विद्युत धारा में परिमाण तथा दिशा, दोनों शामिल हैं परन्तु वह अदिश राशि है क्योंकि दो अलग-अलग विद्युत धाराओं को केवल साधारण बीजगणीतीय नियमों से जोड़ा जा सकता है।

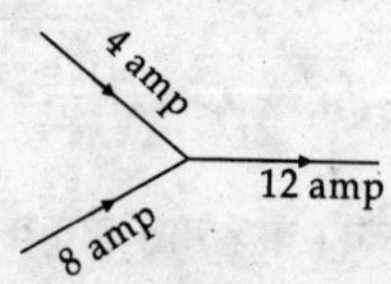

सदिश राशि (Vector Quantity)

राशि जो दिशा परिवर्तन के साथ परिवर्तित होती है, उसे सदिश राशि कहते हैं।

जैसे–विस्थापन, वेग, त्वरण, बल, विद्युत क्षेत्र, आदि।

सदिश राशि को एक सरल रेखा के द्वारा व्यक्त किया जा सकता है। सरल रेखा का अगला सिरा (बाण वाला सिरा) दिशा को निर्देशित करता है जबकि इसकी लम्बाई परिमाण को दर्शाती है।

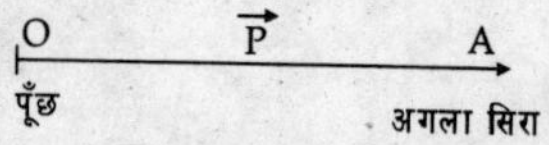

$; \vec{P} = \overline{OA}$

OA = सदिश का परिमाण है। सदिश $\vec{P}$ के परिमाण को $|\vec{P}|$ से व्यक्त करते हैं। प्रायः एक सदिश राशि को मोटे अक्षर के ऊपर तीर (arrow) का चिह्न लगाकर लिखी जाती है। यदि सदिश राशि का परिमाण A है, तब उस राशि को $\vec{A}$ लिखते हैं।

सदिश $\vec{A}$ का परिमाण A या $|\vec{A}|$ से प्रदर्शित करते हैं।

सदिश के रूप (Types of Vector)

(a) ध्रुवीय सदिश (Polar Vector): वह सदिश जिसकी दिशा पिण्ड की गति की दिशा में हो, ध्रुवीय सदिश कहलाता है। जैसे-विस्थापन, वेग, रेखीय संवेग, बल आदि ध्रुवीय सदिश राशि हैं।

(b) अक्षीय सदिश (Axial Vector): वह सदिश जिसकी पिण्ड के घूर्णन अक्ष की दिशा में हो, अक्षीय सदिश कहलाता है। अक्षीय सदिश हमेशा पिण्ड पर घूर्णन प्रभाव डालता है।

जैसे-कोणीय वेग $(\vec{\omega})$, कोणीय त्वरण $(\vec{\alpha})$, बल आघूर्ण (τ), कोणीय संवेग $(\vec{L})$, आदि अक्षीय सदिश कहलाते हैं।

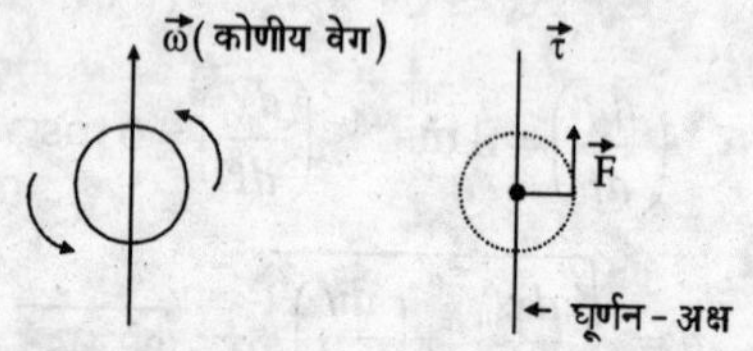

(c) समान सदिश (Equal Vectors): यदि दो सदिश आपस में परिमाण एवं दिशा में समान हों तो उन्हें समान सदिश कहते हैं। अथवा सभी समान्तर सदिश जिनकी परिमाण व दिशायें समान हैं, समान सदिश कहलाते हैं।

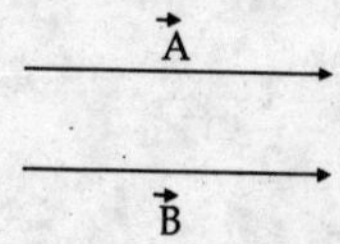

सदिश $\vec{A}$ तथा $\vec{B}$ समान सदिश हैं।

अर्थात् $\vec{A} = \vec{B}$

(d) विपरीत या ऋणात्मक सदिश (Opposite or Negative Vector): ऐसे समान्तर सदिश जिनके परिमाण बराबर हैं परन्तु दिशायें विपरीत हैं, विपरीत सदिश कहलाते हैं।

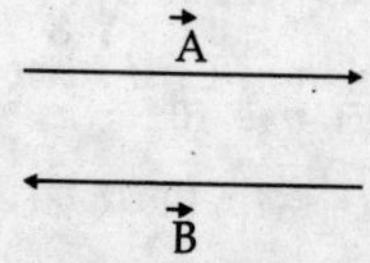

चित्र में, $\vec{A} = -\vec{B}$

(e) शून्य या रिक्त सदिश (Zero or Null Vector): वह सदिश जिसका परिमाण शून्य हो, शून्य सदिश कहलाता है। इसे $\vec{O}$ द्वारा निरूपित किया जाता है। इसकी दिशा अनिश्चित होती है।

(f) एकांक सदिश (Unit Vector): एक सदिश जिसका परिमाण 1 हो और उसकी दिशा एक दिये गये सदिश के बराबर हो, एकांक सदिश कहलाता है। वस्तुतः एकांक सदिश दिये गये सदिश की दिशा को दर्शाता है। यदि $\vec{A}$ एक सदिश है जिसकी दिशा $\vec{A}$ की दिशा में है, तब $\vec{A}$ की दिशा में एकांक सदिश को $\hat{A}$ से लिखा जाता है।

सदिश = (सदिश का परिमाण) × (सदिश की दिशा)

या $$\vec{A} = |\vec{A}|\,\hat{A}$$

$\hat{A}$ एकांक सदिश है

$$\therefore \quad \vec{A} = \frac{\vec{A}}{|\vec{A}|} = \frac{\text{सदिश}}{\text{सदिश का परिमाण}}$$

लम्बकोणीय एकांक सदिश (Orthogonal Unit Vectors)

लम्बकोणीय अक्षों, x-अक्ष, y-अक्ष तथा z-अक्ष के अनुदिश एकांक सदिशों को क्रमशः $\hat{i}, \hat{j}$ तथा $\hat{k}$ से प्रदर्शित किया जाता है।

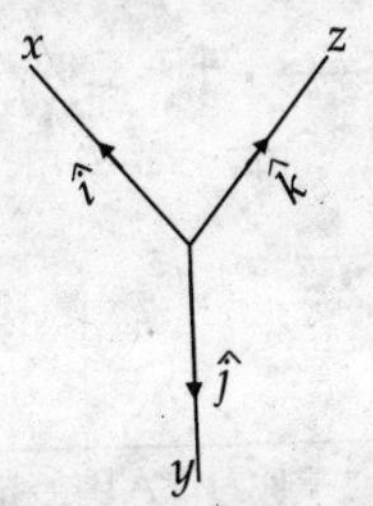

एक वास्तविक संख्या के साथ एक सदिश का गुणा (Multiplication of a Vector by a Real Number)

किसी सदिश को किसी अदिश राशि n' से गुणा किया जाये तो एक नया सदिश प्राप्त होता है जिसका परिमाण दिये गये सदिश के परिमाण का n गुणा होता है। इसकी दिशा दिये गये सदिश के समान होती है, यदि n धनात्मक वास्तविक संख्या है।

माना कि यदि एक सदिश राशि $\vec{a}$ है जिसे एक अदिश राशि n से गुणा किया जाये तो $\vec{A} = n\vec{a}$

जैसे यदि $n = 4$ तब $\vec{A} = 4\vec{a}$ और यदि $n = -4$ तब $\vec{A} = -4\vec{a}$

यदि $x = 0$ तब $\vec{A} = 0$ (शून्य सदिश)

दो सदिशों को जोड़ना या घटाना (Addition and subtraction of two vectors)

सदिशों का जोड़ (Addition of Collinear Vector)

माना $\vec{A}$ तथा $\vec{B}$ दो सदिश हैं।

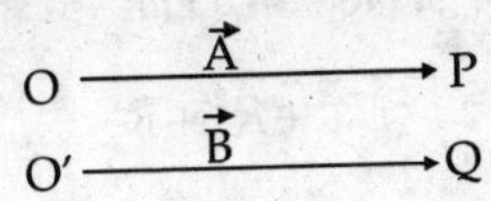

अतः परिणामी सदिश $\vec{R} = \vec{A} + \vec{B}$

अर्थात्

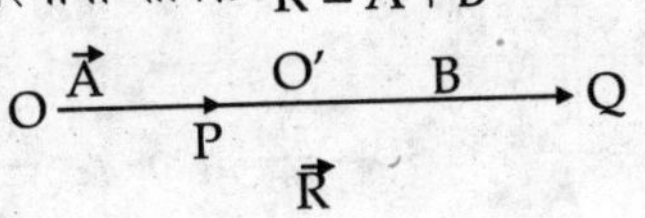

जैसे—माना कि किसी पिण्ड को 4 m पश्चिम दिशा में विस्थापित किया गया, उसके पश्चात् और आगे 6 m पश्चिम दिशा में ही विस्थापित किया गया। तब पिण्ड का परिणामी विस्थापन = (4 m + 6 m) = 10 m पश्चिम दिशा में होगा।

समानान्तर चतुर्भुज नियम (Parallelogram Law)

जब दो सदिश एक ही बिन्दु पर तथा एक निश्चित कोण पर कार्य करते हों तब सदिशों को जोड़ने के लिए समानान्तर चतुर्भुज के नियम का प्रयोग करते हैं। सदिश राशियों को जोड़ने के लिए इस नियम का उपयोग तब करते हैं जब दो सदिश एक ही बिन्दु पर किसी निश्चित कोण पर एक साथ कार्य करते हों।

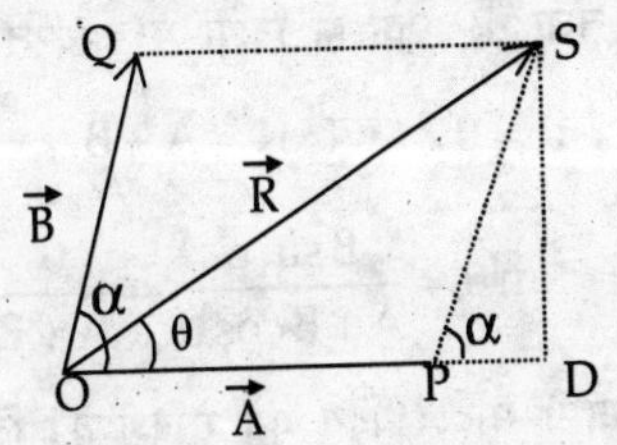

माना कि OPSQ एक समान्तर चतुर्भुज हैं जिसमें सदिश $\vec{A}$ तथा $\vec{B}$ बिन्दू A से शुरू होने वाली दो भुजाओं OP तथा OQ को निरूपित करता है। विकर्ण $\vec{OS} = \vec{R}, \vec{A}$ तथा $\vec{B}$ के परिणामी को दर्शाता है। SD, OP के बढ़े हुए भाग PD पर लम्ब है।

चित्रानुसार,

$$OS^2 = OD^2 + DS^2 \quad \text{(पाइथागोरस प्रमेय से)}$$

$$OS^2 = (OP + PD)^2 + DS^2 \qquad ...(i)$$

$$OS^2 = OD^2 + DS^2$$
$$= (OP + PD)^2 + DS^2$$

$$\Rightarrow \quad R^2 = A^2 + B^2 (\cos^2 \alpha + \sin^2 \alpha) + 2AB \cos\alpha$$

$$\Rightarrow \quad R = \sqrt{A^2 + B^2 + 2AB\cos\alpha}$$

समकोण Δ PDS में

$$\cos\alpha = \frac{PD}{PS}$$

या $$PD = PS\cos\alpha = B\cos\alpha \qquad ...(ii)$$

तथा $$\sin\alpha = \frac{DS}{PS}$$

$$DS = PS.\sin\alpha = B\sin\alpha \qquad ...(iii)$$

$\therefore$ समीकरण (i), (ii) और (iii) से

$$R^2 = (A + B\cos\alpha)^2 + (B\sin\alpha)^2$$

$$R^2 = A^2 + B^2\cos^2\alpha + 2AB\cos\alpha + B^2\sin^2\alpha$$

$$= A^2 + B^2(\sin^2\alpha + \cos^2\alpha) + 2AB\cos\alpha$$

$$\therefore \quad R^2 = A^2 + B^2 + 2AB\cos\alpha$$

$$\Rightarrow \quad R = \sqrt{A^2 + B^2 + 2AB\cos\alpha}$$

या $\vec{R}$, दिशा $\vec{A}$ के साथ एक कोण θ बनाता है।

समकोण **ΔODS से–**

$$\tan\theta = \frac{DS}{OD} = \frac{DS}{OP+PD} = \frac{B\sin\alpha}{A+B\cos\alpha}$$

$$\theta = \tan^{-1}\left[\frac{B\sin\alpha}{A+B\cos\alpha}\right]$$

इससे $\vec{R}$ की दिशा ज्ञात की जा सकती है।

1. यदि $\vec{A}$ तथा $\vec{B}$ एक ही दिशा में कार्यरत हों

   तब $\alpha = 0^0$; तब $R = A + B$

   तथा $\tan\theta = \frac{B\sin\alpha}{A+B\cos\alpha} = \frac{0}{A+B} = 0$

   अतः परिणामी सदिश, दिये गये सदिश की दिशा में होंगे।

2. $\alpha = 180°$ यदि $\vec{A}$ तथा $\vec{B}$ विपरीत दिशा में कार्यरत हैं। तब

   $R = A - B$ या $R = B - A$

   तथा $\tan\theta = \frac{B\sin\alpha}{A+B\cos\alpha} = \frac{B\sin 180°}{A+B\cos 180°} = \frac{0}{A+B} = 0$

   या $\theta = 0°$ या $180°$

   जब $A > B$ तब $\theta = 0°$

   जब $A < B$ तब $\theta = 180°$

   अर्थात् परिणामी सदिश की दिशा उस सदिश के विपरीत होगी जिसका परिमाण छोटा होगा।

3. जब $\alpha = 90°$

   $\therefore R = \sqrt{A^2 + B^2}$

   $\tan\theta = \frac{B}{A+0} \quad \therefore \theta = \tan^{-1}\left(\frac{B}{A}\right)$

त्रिभुज नियम (Triangle Law)

इस नियम के अनुसार पहले सदिश $\vec{A}$ खींचते हैं, फिर सदिश $\vec{A}$ के बाणाग्र (arrow-head) से आरम्भ करके सदिश $\vec{B}$ खींचते हैं। इस प्रकार दोनों सदिशों का परिणामी $\vec{R}$,$\vec{A}$ के प्रारम्भिक सिरे से आरम्भ होकर $\vec{B}$ के बाणाग्र पर समाप्त हो जाता है। चित्रानुसार

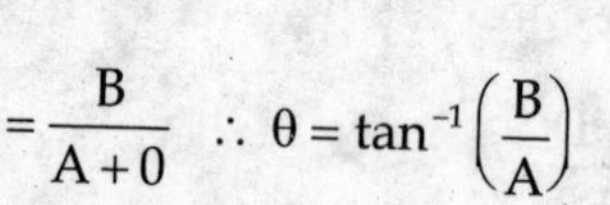

समकोण **ΔODS से–**

$$\tan\theta = \frac{SD}{OD} = \frac{B\sin\alpha}{A+B\cos\alpha}$$

$$\Rightarrow \theta = \tan^{-1}\left(\frac{B\sin\alpha}{A+B\cos\alpha}\right)$$

घटाना *(Subtraction)*

सदिश $\vec{A}$ का परिमाण इसके ऋणात्मक $-\vec{A}$ के परिमाण के बराबर होता है परन्तु सदिश $\vec{A}, -\vec{A}$ की दिशा के विपरीत निर्देशित होता है।

अतः $\vec{\mathbf{A}} - \vec{\mathbf{B}} = \vec{\mathbf{A}} + (-\vec{\mathbf{B}})$

माना सदिश $\vec{\mathbf{A}}$ तथा $\vec{\mathbf{B}}$ के बीच का कोण θ है, तब $\vec{\mathbf{A}}$ तथा $-\vec{\mathbf{B}}$ के बीच कोण $180° - \theta$ चित्रानुसार होगा।

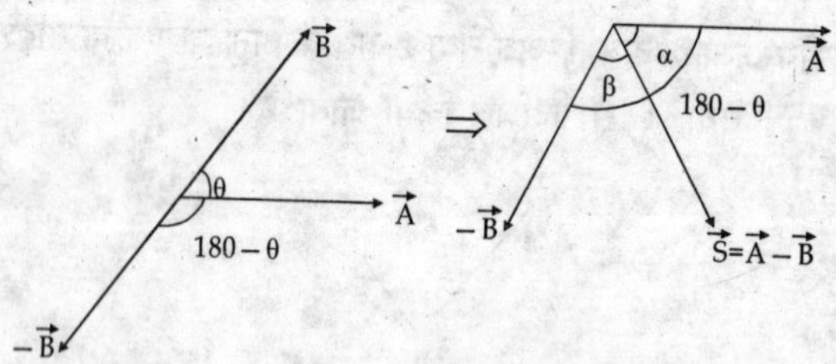

$$\vec{S} = \vec{\mathbf{A}} - \vec{\mathbf{B}}$$

$$\vec{S} = |\vec{\mathbf{A}} - \vec{\mathbf{B}}| = \sqrt{A^2 + B^2 + 2AB\cos(180-\theta)}$$

या $S = \sqrt{A^2 + B^2 - 2AB\cos\theta}$

S की दिशा α तथा β के मानों पर निर्भर करेगी

$$\tan\alpha = \frac{B\sin(180°-\theta)}{B + A\cos(180°-\theta)} = \frac{A\sin\theta}{B - A\cos\theta}$$

$$= \frac{B\sin\theta}{A - B\cos\theta}$$

तथा $\tan\beta = \frac{A\sin(180°-\theta)}{B + A\cos(180°-\theta)} = \frac{A\sin\theta}{B - A\cos\theta}$

एक सदिश के घटक (Components of a Vector)

एक त्रिविमीय आकाश में सदिश $\vec{\mathbf{R}}$ (माना) निम्न प्रकार लिखा जा सकता है।

$$\vec{\mathbf{R}} = R_x\hat{\mathbf{i}} + R_y\hat{\mathbf{j}} + R_z\hat{\mathbf{k}}$$

यहाँ, R_x, R_y व R_z, $\vec{\mathbf{R}}$ के क्रमशः x, y तथा z-अक्षों के घटक हैं तथा $\hat{\mathbf{i}}, \hat{\mathbf{j}}$ तथा $\hat{\mathbf{k}}$ इन दिशाओं में एकांक सदिश हैं। $\vec{\mathbf{R}}$ का परिमाण

$$\vec{\mathbf{R}} = \sqrt{R_x^2 + R_y^2 + R_z^2}$$

यदि सदिश $\vec{\mathbf{R}}$ द्वारा x-अक्ष, y-अक्ष और z-अक्ष के साथ बनाऐ गऐ कोण क्रमशः α, β और γ हों तो

$$\cos\alpha = \frac{R_x}{R}; \; \cos\beta = \frac{R_y}{R}; \; \cos\gamma = \frac{R_z}{R}$$

दो सदिशों का अदिश गुणनफल (Scalar Product of two Vectors)

दो सदिशों $\vec{A}$ व $\vec{B}$ का अदिश या डॉट गुणन $\vec{A}.\vec{B}$ द्वारा निरूपित होता है तथा निम्न प्रकार पढ़ा जाता है।

$\vec{A}\cdot\vec{B} = \vec{A}$ डॉट $\vec{B}$

$\therefore \quad \vec{A}\vec{B} = AB\cos\theta$

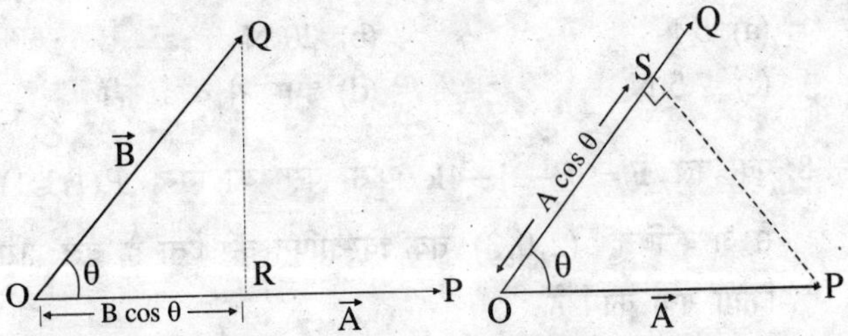

डॉट गुणनफल से सम्बन्धित मुख्य बिन्दु (Important Points Regarding Dot Product)

(i) $\vec{\mathbf{A}}.\vec{\mathbf{B}}. = \vec{\mathbf{B}}.\vec{\mathbf{A}}.$

(ii) $\vec{\mathbf{A}}.(\vec{\mathbf{B}}+\vec{\mathbf{C}}) = \vec{\mathbf{A}}.\vec{\mathbf{B}}+\vec{\mathbf{A}}.\vec{\mathbf{C}}$

(iii) $\vec{\mathbf{A}}.\vec{\mathbf{A}} = A^2$

(iv) $\vec{\mathbf{A}}.\vec{\mathbf{B}} = A(B\cos\theta) = A$ ($\vec{\mathbf{A}}$ के अनुदिश $\vec{\mathbf{B}}$ का घटक)

या $\vec{\mathbf{A}}.\vec{\mathbf{B}} = B(A\cos\theta) = B$ ($\vec{\mathbf{B}}$ के अनुदिश $\vec{\mathbf{A}}$ का घटक)

(v) $\hat{\mathbf{i}}.\hat{\mathbf{i}} = \hat{\mathbf{j}}.\hat{\mathbf{j}} = \hat{\mathbf{k}}.\hat{\mathbf{k}} = (1)(1)\cos 0° = 1$

(vi) $\hat{\mathbf{i}}.\hat{\mathbf{j}}. = \hat{\mathbf{j}}.\hat{\mathbf{k}} = \hat{\mathbf{i}}.\hat{\mathbf{k}} = (1)(1)\cos 90° = 0$

(vii) $(a_1\hat{\mathbf{i}}+b_1\hat{\mathbf{j}}+c_1\hat{\mathbf{k}}).(a_2\hat{\mathbf{i}}+b_2\hat{\mathbf{j}}+c_2\hat{\mathbf{k}}) = a_1a_2+b_1b_2+c_1c_1$

(viii) $\cos\theta = \dfrac{\vec{\mathbf{A}}.\vec{\mathbf{B}}}{AB}$

(ix) $\vec{\mathbf{B}}$ के समान्तर $\vec{\mathbf{A}}$ का घटक

$$\vec{\mathbf{C}} = \frac{(\vec{\mathbf{A}}.\vec{\mathbf{B}})\vec{\mathbf{B}}}{|\vec{\mathbf{B}}|^2}$$

(x) $\vec{\mathbf{B}}$ के लम्बवत् $\vec{\mathbf{A}}$ का घटक

$$\vec{\mathbf{D}} = \vec{\mathbf{A}} - \left(\frac{\vec{\mathbf{A}}.\vec{\mathbf{B}}}{|\vec{\mathbf{B}}|^2}\right)\vec{\mathbf{B}}$$

(xi) $\vec{\mathbf{A}}$ व $\vec{\mathbf{B}}$ परस्पर लम्बवत् होंगे यदि $\vec{\mathbf{A}}\cdot\vec{\mathbf{B}} = 0$

दो सदिशों का सदिश गुणनफल (Vector Product of two Vectors)

दो सदिशों $\vec{\mathbf{A}}$ व $\vec{\mathbf{B}}$ का सदिश या क्रॉस गुणन $\vec{\mathbf{A}}\times\vec{\mathbf{B}}$ द्वारा निरूपित होता है तथा निम्न प्रकार पढ़ा जाता है।

$\vec{\mathbf{A}}\times\vec{\mathbf{B}} = \vec{\mathbf{A}}$ क्रॉस $\vec{\mathbf{B}}$

दो सदिशों का सदिश गुणनफल उन दोनों सदिशों के परिमाणों तथा उनके बीच के कोण की ज्या (sine) के गुणनफल के बराबर होता है अर्थात्

$$\vec{\mathbf{A}}\times\vec{\mathbf{B}} = AB\sin\theta$$

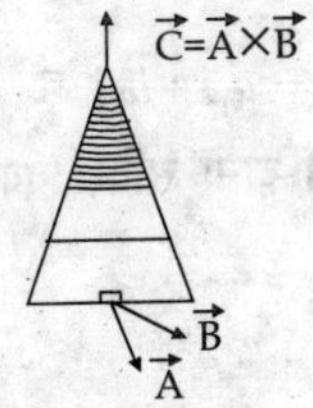

इस प्रकार, सदिश गुणनफल $\vec{\mathbf{A}}\times\vec{\mathbf{B}}$ की दिशा सदिशों $\vec{\mathbf{A}}$ व $\vec{\mathbf{B}}$ के तल के लम्बवत् होती है तथा इसकी अभिदिशा (sense) उस दक्षिणावर्ती पेंच के आगे बढ़ ने की दिशा से दी जाती है जिसको पहले सदिश $\vec{\mathbf{A}}$ से दूसरे सदिश $\vec{\mathbf{B}}$ की ओर दोनों के बीच बने लघु (smaller) कोण से घुमाया जाता है।

यदि $\vec{\mathbf{n}}, \vec{\mathbf{A}}\times\vec{\mathbf{B}}$ की दिशा में एकांक सदिश है तो,

$$\vec{\mathbf{A}}\times\vec{\mathbf{B}} = AB\sin\theta\vec{\mathbf{n}}$$

यहाँ $\quad 0 \le \theta \ge \pi$

सदिश गुणनफल से सम्बन्धित मुख्य बिन्दु (Important Points Regarding Vector Product)

(i) $\vec{\mathbf{A}}\times\vec{\mathbf{B}} = -\vec{\mathbf{B}}\times\vec{\mathbf{A}}$

(ii) $\vec{A}\times(\vec{B}+\vec{C}) = \vec{A}\times\vec{B}+\vec{A}\times\vec{C}$

(iii) $\hat{\mathbf{i}}\times\hat{\mathbf{i}} = 0, \hat{\mathbf{j}}\times\hat{\mathbf{j}} = 0$ तथा $\hat{\mathbf{k}}\times\hat{\mathbf{k}} = 0$

(a) $\hat{\mathbf{i}}\times\hat{\mathbf{j}} = \hat{\mathbf{k}}$ (b) $\hat{\mathbf{j}}\times\hat{\mathbf{i}} = -\mathbf{k}$

(c) $\hat{\mathbf{k}}\times\hat{\mathbf{i}} = \hat{\mathbf{j}}$ (d) $\hat{\mathbf{j}}\times\hat{\mathbf{i}} = -\hat{\mathbf{k}}$

(e) $\hat{\mathbf{j}}\times\hat{\mathbf{k}} = \hat{\mathbf{i}}$ (f) $\hat{\mathbf{k}}\times\hat{\mathbf{j}} = -\hat{\mathbf{i}}$

(iv) $\vec{\mathbf{A}}$ व $\vec{\mathbf{B}}$ के लम्बवत् एकांक सदिश

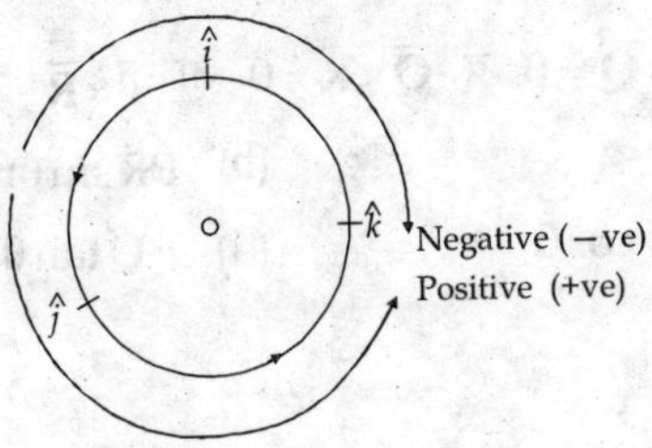

$$\vec{\mathbf{c}} = \frac{\vec{\mathbf{A}}\times\vec{\mathbf{B}}}{|\vec{\mathbf{A}}\times\vec{\mathbf{B}}|}$$

(v) यदि $\vec{\mathbf{A}} = a_1\hat{\mathbf{i}}+b_1\hat{\mathbf{j}}+c_1\hat{\mathbf{k}}$

तथा $\quad \vec{\mathbf{B}} = a_2\hat{\mathbf{i}}+b_2\hat{\mathbf{j}}+c_2\hat{\mathbf{k}}$

तब $\quad \vec{\mathbf{A}}\times\vec{\mathbf{B}} = \begin{vmatrix} \hat{\mathbf{i}} & \hat{\mathbf{j}} & \hat{\mathbf{k}} \\ a_1 & b_1 & c_1 \\ a_2 & b_2 & c_2 \end{vmatrix}$

$$= (b_1c_2 - b_2c_1)\hat{i} + (a_2c_1 - a_1c_2)\hat{j} + (a_1b_2 - a_2b_1)\hat{k}$$

वस्तुनिष्ठ प्रश्न

1. यदि $\vec{A} = a_1\hat{i} + b_1\hat{j}$ व $\vec{B} = a_2\hat{i} + b_2\hat{j}$, तो निम्न में से किस स्थिति में दोनों सदिश एक-दूसरे के समान्तर होंगे?

(a) $\frac{a_1}{b_1} = -\frac{b_2}{a_2}$ (b) $a_1b_1 = a_2b_2$

(c) $\frac{a_1}{b_2} = -\frac{b_1}{a_2}$ (d) इनमें से कोई नहीं

2. $(\hat{i}+\hat{j}+\hat{k})$ व $\hat{j}$ के बीच का कोण होगा :

(a) 30° (b) 45°

(c) 60° (d) इनमें से कोई नहीं

3. दो सदिशों का अधिकतम परिणामी 26 व न्यूनतम परिणामी 16 है, प्रत्येक सदिश का परिणाम है :

(a) 21, 5 (b) 13, 3

(c) 20, 6 (d) इनमें से कोई नहीं

4. एक बल $\vec{F} = (6\hat{i} - 8\hat{j} + 10\hat{k})$ N, किसी वस्तु में $1 ms^{-2}$ का त्वरण उत्पन्न करता है, वस्तु का द्रव्यमान होगा :

(a) 200 kg (b) 20 kg

(c) $10\sqrt{2}$ kg (d) $6\sqrt{2}$ kg

5. दो सदिशों के सदिश गुणन का परिणाम, उनके अदिश गुणन का $\frac{1}{\sqrt{3}}$ गुना है। दोनों सदिशों के बीच का कोण है:

(a) $\frac{\pi}{6}$ (b) $\frac{\pi}{2}$

(c) $\frac{\pi}{4}$ (d) $\frac{\pi}{3}$

6. यदि $\vec{P} \times \vec{Q} = 0$ व $\vec{Q} \times \vec{R} = 0$ तो $\vec{P} \times \vec{R}$ का मान होगा :

(a) शून्य (b) $PR\sin\theta\hat{n}$

(c) $PR\cos\theta$ (d) $PQ\tan\theta$

7. एक बिन्दु पर कार्यरत दो सदिशों के मापांकों का बीजगणितीय योग 20 N है। इन सदिशों का परिणामी छोटे सदिश के लम्बवत है व इसका परिणाम 10 N है। यदि छोटे सदिश का परिणाम b है तो b का मान है :

(a) 5 N (b) 20 N

(c) 7.5 N (d) इनमें से कोई नहीं

8. एक बल $\vec{F} = 3\hat{i} - 2\hat{j} + 4\hat{k}$, किसी वस्तु को बिन्दु $P(1,1,1)$ से अन्य बिन्दु $(2,0,3)$ तक विस्थापित कर देता है, बल द्वारा किया गया कार्य है :

(a) 10 J (b) 12 J

(c) 13 J (d) इनमें से कोई नहीं

9. m द्रव्यमान की एक वस्तु, नियत वेग v से X^- अक्ष के अनुदिश, $x-y$ तल में चल रही है। यदि किसी क्षण t पर मूल बिन्दु के सापेक्ष इसकी स्थिति सदिश r है तो मूल बिन्दु के सापेक्ष कोणीय संवेग होगा :

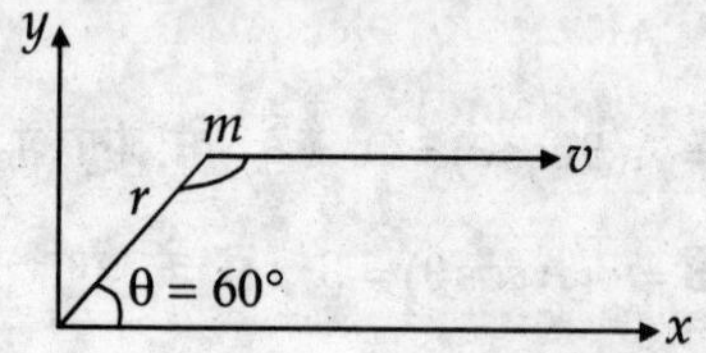

(a) $3mv\vec{k}$ (b) $\frac{\sqrt{3}}{2}mv\vec{k}$

(c) $\frac{1}{2}mv\vec{k}$ (d) $mv\,\vec{k}$

10. सदिशों $\vec{P}$ व $\vec{Q}$ का परिणामी $\vec{R}, \vec{P}$ के लम्बवत है व $|\vec{P}| = |\vec{R}|$ तो $\vec{P}$ व $\vec{Q}$ के बीच का कोण होगा :

(a) 45° (b) 135°

(c) 225° (d) इनमें से कोई नहीं

उत्तरमाला

1. (a): $a_1a_2 + b_1b_2 = 0$

$a_1a_2 = -b_1b_2$

$\frac{a_1}{b_1} = \frac{-b_2}{a_2}$

2. (d): $\cos\theta = \frac{(\hat{i}+\hat{j}+\hat{k}).\hat{j}}{\sqrt{(1)^2+(1)^2+(1)^2}\sqrt{(1)^2}} = \frac{1}{\sqrt{3}}$

3. (a): माना $A + B = 26$ और $A - B = 16$

हल करने पर $A = 21, B = 5$

4. (c): $m = \frac{F}{a} = \frac{\sqrt{6^2+(-8)^2+10^2}}{1} = 10\sqrt{2}$ kg

5. (a): माना सदिश $\vec{A}$ व $\vec{B}$ हैं।

$$\vec{A} \times \vec{B} = \frac{1}{\sqrt{3}}\vec{A}.\vec{B}$$

$$|\vec{A}||\vec{B}|\sin\theta = \frac{1}{\sqrt{3}}|\vec{A}||\vec{B}|\cos\theta$$

$$\tan\theta = \frac{1}{\sqrt{3}} \qquad \Rightarrow \theta = \frac{\pi}{6}$$

6. (a): $\vec{P}\times\vec{Q} = 0 \Rightarrow \vec{P} \,||\, \vec{Q}$

$\vec{Q}\times\vec{R} = 0 \Rightarrow \vec{Q} \,||\, \vec{R}$

$\therefore \quad \vec{P} \,||\, \vec{R} \Rightarrow \vec{P}\times\vec{R} = 0$

7. (c): $b + c = 20$ ...(*i*)

$c^2 = (10)^2 + b^2$

$\Rightarrow \quad (20-b)^2 = 10^2 + b^2$

$\Rightarrow \quad 400 - 40b + b^2 = 100 + b^2$

$\Rightarrow \quad b = \frac{300}{40} \Rightarrow b = 7.5N$

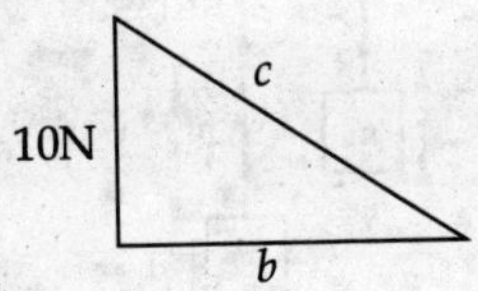

8. (c): $\vec{r}_1 = \hat{i} + \hat{j} + \hat{k}$

व $\vec{r}_2 = 2\hat{i} + 0\hat{j} + 3\hat{k}$

$\Delta\vec{r} = \vec{r}_2 - \vec{r}_1 = 2\hat{i} + 3\hat{k} - \hat{i} - \hat{j} - \hat{k}$

$= \hat{i} - \hat{j} + 2\hat{k}$

$W = \vec{F}.\Delta\vec{r} = (3\hat{i} - 2\hat{j} + 4\hat{k}).(\hat{i} - \hat{j} + 2\hat{k})$

$= 3 + 2 + 8 = 13J$

9. (b): कोणीय संवेग $\vec{L} = \vec{r}\times\vec{P}$

$$\vec{L} = \begin{vmatrix} \hat{i} & \hat{j} & \hat{k} \\ x & y & z \\ p_x & p_y & p_z \end{vmatrix}$$

गति केवल $x-y$ तल में है (अत: $z = 0, p_z = 0$)

$\vec{L} = \hat{k}(xp_y - yp_x)$

$= \hat{k}(r\cos 60°\times 0 - r\sin 60°\times mv)$

$\vec{L} = \frac{\sqrt{3}}{2} mvr\hat{k}$

10. (b): $\tan\theta' = \frac{|\vec{R}|}{|\vec{P}|} = 1$

$\theta' = 45°$

$\therefore \ \theta = 180° - 45° = 135°$

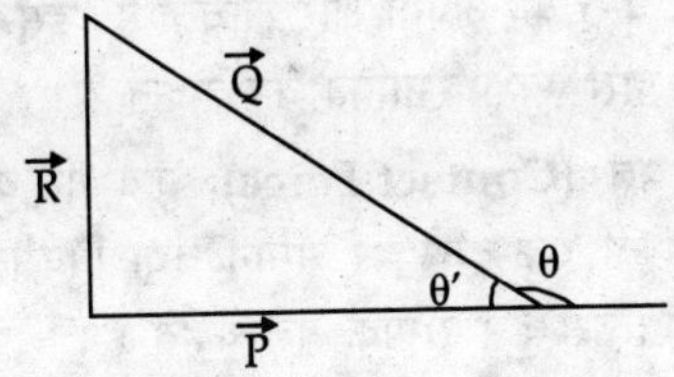

●●●

अध्याय

5

गति के नियम
(Laws of Motion)

बल (Force)

बल, वस्तु के त्वरण का कारण है। यह किसी वस्तु को त्वरित (accelerated) तथा मन्दित (decelerated) या उसकी गति की दिशा एवं रूप को परिवर्तित कर सकता है।

बल के प्रकार (Type of Force)

(*a*) **वस्तु का भार (Weight):** वस्तु का भार वह बल है जिस बल से पृथ्वी वस्तु को अपनी ओर खींचती है। इसे हम गुरुत्वाकर्षण बल के द्वारा भी परिभाषित कर सकते हैं।

(*b*) **सम्पर्क बल (Contact Force):** जब दो वस्तुएं सम्पर्क में आती हैं तो एक-दूसरे पर समान तथा विपरीत बल आरोपित करती हैं। इसे हम सम्पर्क बल कहते हैं।

(*c*) **अभिलम्ब प्रतिक्रिया (Normal Reaction N or R):** यदि दो वस्तुओं के बीच सम्पर्क घर्षणहीन हो तब सम्पर्क बल उभयनिष्ठ पृष्ठ पर लम्बवत् लगता है। इसे अभिलम्ब प्रतिक्रिया बल कहते हैं। इस बल से यह पता चलता है कि दोनों सम्पर्क सतहें एक-दूसरे पर कितनी अधिक मजबूती से जुड़ी हैं।

(*d*) **घर्षण बल (Force of Friction):** सम्पर्क में प्रत्येक वस्तु, एक-दूसरे पर एक घर्षण बल आरोपित करती है तथा दोनों बल बराबर किन्तु विपरीत होते हैं। यह बल अभिलम्ब प्रतिक्रिया के लम्बवत् होता है। अतः दो वस्तुओं के बीच सम्पर्क बल दो बलों के योग से बना होता है। यह बल दो वस्तुओं के आपस के सापेक्षिक गति का विरोध करती है।

चूँकि ये दोनों बल परस्पर लम्बवत् हैं अतः $F = \sqrt{N^2 + f^2}$

(e) **तनाव (Tension):** डोरी के बँधे हुए सिरे के द्वारा आरोपित बल को तनाव कहते हैं। डोरी के तनाव के सम्बन्ध में हमें मुख्य तीन बातों पर ध्यान देना चाहिए।

(*i*) यदि डोरी खींचने योग्य नहीं है तब डोरी से जुड़े कुछ द्रव्यमानों के त्वरण के परिमाण सदैव एक समान रहते हैं।

(*ii*) यदि डोरी का कोई द्रव्यमान न हो, तब इसके प्रत्येक स्थान पर तनाव समान रहता है। यदि डोरी का द्रव्यमान है, तब विभिन्न बिन्दुओं पर द्रव्यमान भिन्न होता है।

(*iii*) यदि डोरी किसी घिरनी पर से गुजरती है और घिरनी तथा डोरी के बीच घर्षण नहीं है, तब घिरनी के दोनों ओर तनाव समान होता है। परन्तु यदि घिरनी और डोरी के बीच घर्षण है तब तनाव भिन्न होता है।

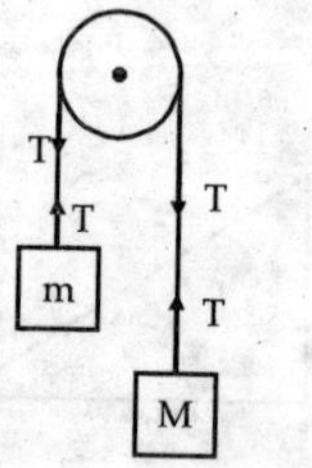

डोरी द्रव्यमान हीन है तथा डोरी एवं घिरनी के बीच घर्षण नहीं है।

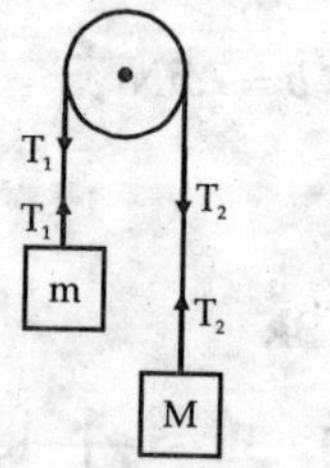

डोरी द्रव्यमान हीन है तथा डोरी एवं घिरनी के बीच घर्षण है।

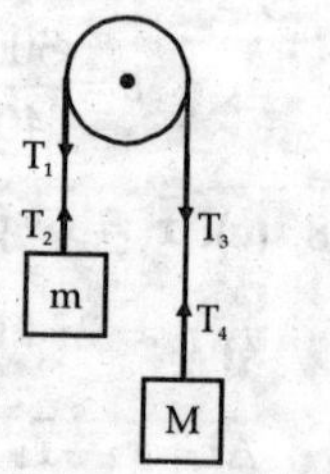

डोरी का द्रव्यमान है एवं घिरनी व डोरी के बीच घर्षण है।

तनाव के सम्बन्ध में कुछ महत्वपूर्ण तथ्य–

(*i*) यदि डोरी टूट जाये तो तनाव शून्य हो जाता है।

(*ii*) वस्तु या घिरनी पर तनाव की दिशा सदैव डोरी या घिरनी से दूर की ओर ली जाती है।

न्यूटन के गति के नियम (Newton's Laws of Motion)

न्यूटन के गति के लिए तीन नियम हैं वे निम्न प्रकार हैं-

प्रथम नियम (First Law)

(*i*) इस नियम के अनुसार बाह्य बल की अनुपस्थिति में वस्तु जिस स्थिति में रहती है उसी स्थिति में बनी रहती है, जैसे यदि कोई वस्तु स्थिर है तो स्थिर ही रहती है और यदि एकसमान गति से चल रही है तो उसी गति से चलती रहती है।

अतः यदि F (बाह्य बल)= 0 हो, तो v = नियत तथा $a = 0$ होगा। यह नियम बल को परिभाषित करता है।

(*ii*) बाह्य बल के लगने पर वस्तु अपनी अवस्था परिवर्तन का विरोध करती है।

(*iii*) इस नियम को गैलीलियो का गुरुत्व का नियम भी कहते हैं।

उदाहरण :

(*i*) जब कोई रुका हुआ वाहन अचानक गति में आता है तब वाहन में उपस्थित यात्रीगण पीछे की ओर गिरने लगते हैं।

(*ii*) यदि कोई गतिमान वाहन अचानक रुकता है, तब वाहन में उपस्थित यात्रीगण आगे की ओर झुक जाते हैं।

(*iii*) जब हम किसी कम्बल या चटाई को किसी डंडे से पीटते हैं, तब उस में उपस्थित कुछ धूल कण बाहर निकल जाते हैं।

द्वितीय नियम (Second Law)

वस्तु की गति में परिवर्तन उस पर आरोपित बल के परिणाम के समानुपाती होता है तथा वस्तु का त्वरण इसके द्रव्यमान का व्युत्क्रमानुपाती अथवा वस्तु पर लगे बाह्य बल के परिणामी के सीधे समानुपाती होता है तथा इसकी दिशा उस सरल रेखा के दिशा में होता है जिस दिशा में बल लग रहा है।

$$\vec{\mathbf{F}}_{net} = m\vec{\mathbf{a}}$$

यह नियम यह भी बतलाता है कि वस्तु पर आरोपित बल उसके रेखीय संवेग के परिवर्तन की दर के बराबर होता है।

(*i*) $\vec{\mathbf{F}} \propto \dfrac{d\vec{\mathbf{p}}}{dt}$

(*ii*) $\vec{\mathbf{F}} \propto m\dfrac{dv}{dt}$

(*iii*) $\vec{\mathbf{F}} \propto Km\ \vec{\mathbf{a}}$ जहाँ, K = 1

(*iv*) $\vec{\mathbf{F}} = \dfrac{m\vec{\mathbf{v}} - m\vec{\mathbf{u}}}{t}$

तृतीय नियम (Third Law)

प्रत्येक क्रिया बल के समान तथा विपरीत दिशा में प्रतिक्रिया बल होता है।

$$\vec{\mathbf{F}}_{12} = -\vec{\mathbf{F}}_{21}$$

(*i*) क्रिया-प्रतिक्रिया बल परस्पर विपरीत दिशा में अलग-अलग पर आरोपित होते हैं।

(*ii*) जब किसी वस्तु पर बल आरोपित होता है तो प्रतिक्रिया उस वस्तु की सतह के लम्बवत् आरोपित होता है।

(*iii*) क्रिया एवं प्रतिक्रिया कभी भी संतुलित नहीं होती।

(*iv*) यह निश्चित रूप से नहीं कहा जा सकता है कि कौन-सा बल क्रिया है और कौन-सा बल प्रतिक्रिया।

उदाहरण :

(*i*) घोड़े गाड़ी को घोड़े द्वारा खींचना।

(*ii*) बंदूक से गोली निकलने के दौरान बंदूक द्वारा पीछे की ओर झटका देना।

(*iii*) नदी के किनारे नाव पर से किसी व्यक्ति द्वारा जमीन पर कूदना।

मुक्त पिण्ड आरेख (Free Body Diagram)

एक मुक्त पिण्ड आरेख (FBD) ब्रह्मण्डल से अलग एक अकेले पिण्ड या पिण्डों के उप-निकाय पर आरोपित सभी बलों का रेखांकित आरेख होता है।

जैसे–

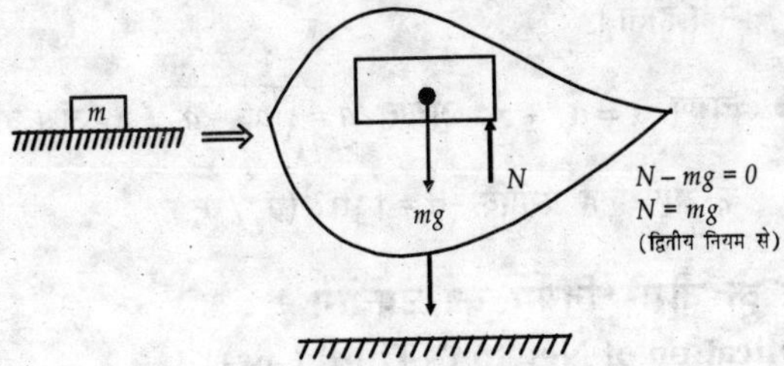

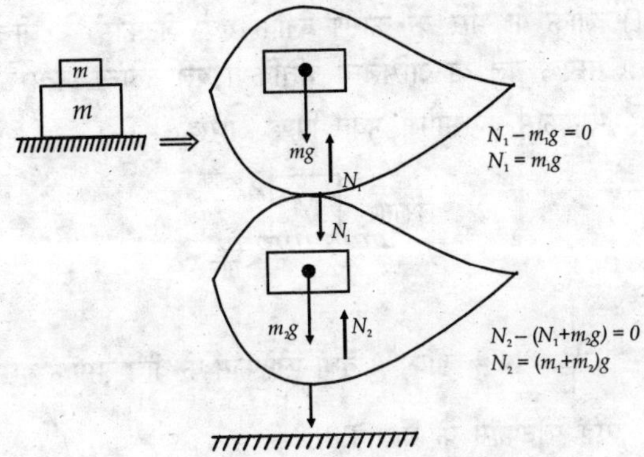

न्यूटन के प्रथम तथा द्वितीय नियमों के अनुप्रयोग (Applications of Newton's First and Second Laws)

न्यूटन के नियमों से सम्बन्धित किसी प्रश्न को निम्नलिखित चार चरणों में हल किया जा सकता है।

(1) सर्वप्रथम उस निकाय को चयनित करते हैं जिस पर गति के नियम आरोपित किये जाने हैं। निकाय एक अकेला कण, एक ब्लॉक या दो या अधिक ब्लॉकों का संयोग, डोरी से जुड़े दो ब्लॉक, आदि हो सकता है। यह ध्यान रखना अनिवार्य है कि निकाय के सभी भागों का त्वरण समान हो।

(2) निकाय के सुनिश्चित हो जाने के बाद हम निकाय पर आरोपित बलों की सूची तैयार कर लेते हैं। ध्यान रहे कि निकाय द्वारा अन्य वस्तओं पर आरोपित बल को इस सूची में सम्मिलित नहीं करते।

(3) तत्पश्चात् हम निकाय का मुक्त पिण्ड आरेख (FBD) खींचते हैं तथा चरण 2 में सूचीबद्ध बलों का परिणाम तथा दिशा इस आरेख में दर्शाते हैं।

(4) अंत में, समतलीय बलों के तल में हम परस्पर लम्बवत् x तथा y- अक्ष निर्धारित करते हैं। x – अक्ष को निकाय के त्वरण की दिशा के अनुदिश लेते हैं। इसके लम्बवत् अक्ष को y- अक्ष लेते हैं। यदि निकाय संतुलन में हो, तो कोई भी लम्बवत् दिशाएं ली जा सकती हैं। x – अक्ष के अनुदिश सभी बाह्य बलों के घटक लिखते हैं तथा उनके योग को निकाय के द्रव्यमान तथा त्वरण के गुणनफल के बराबर लिखते हैं।

$$(\Sigma\vec{\mathbf{F}}_{ext})_x = \mathbf{M}\vec{\mathbf{a}}_x \quad \text{तथा} \quad (\Sigma\vec{\mathbf{F}}_{ext})_y = \mathbf{M}\vec{\mathbf{a}}_y$$

- यदि निकाय संतुलन में है, तो दोनों समीकरणों को निम्न प्रकार लिख सकते हैं।

$$\Sigma(F_{ext})_x = 0 \quad \text{तथा} \quad \Sigma(F_{ext})_y = 0$$

- यदि बल समरेखीय हो, तो समीकरण $\Sigma(F_{ext})_y = 0$ आवश्यक नहीं होता।
- त्वरण $\vec{\mathbf{a}} = \vec{\mathbf{a}}_x + \vec{\mathbf{a}}_y$ अर्थात् $a = \sqrt{a_x^2 + a_y^2}$, x- अक्ष के दिशा के सापेक्ष है क्योंकि $\theta = \tan^{-1}(a_y / a_x)$

न्यूटन के तीसरे नियम का उपयोग (Application of Newton's Third Law)

(1) ब्लॉक के भार के कारण ब्लॉक एवं प्लेटफार्म के बीच एक सम्पर्क बल या अभिलम्ब प्रतिक्रिया बल उत्पन्न होता है।

प्लेटफार्म के सापेक्ष मुक्त पिण्ड आरेख

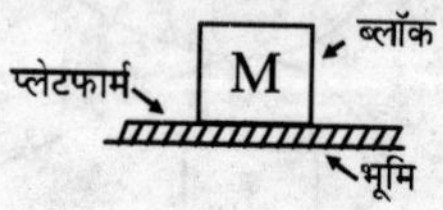

N = ब्लॉक m तथा प्लेटफार्म के बीच सम्पर्क बल भूमि एवं प्लेटफार्म के बीच FBD

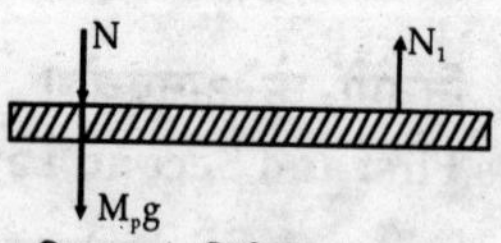

N_1 = प्लेटफार्म एवं भूमि के बीच अभिलम्ब प्रतिक्रिया

(a) यदि प्लेटफार्म स्थिर हो

$\Rightarrow$ नेट बल = 0

$\therefore$ N = mg तथा N + $M_p g$ = N_1

(b) निकाय ऊपर की ओर 'a' त्वरण से त्वरित हो

$\Rightarrow$ N > mg अर्थात् N − mg = ma

(c) निकाय नीचे की ओर 'a' त्वरण से त्वरित हो

$\Rightarrow$ N < mg अर्थात् mg − N = ma

(2) m_1, m_2 तथा m_2, m_3 के बीच का सम्पर्क बल क्रमशः F_1, F_2 है।

$$a = \frac{F}{m_1 + m_2 + m_3}$$

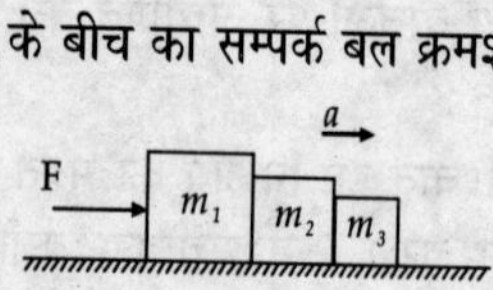

m_3 का FBD

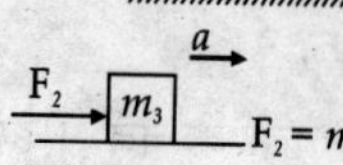

m_2 एवं m_3 का FBD

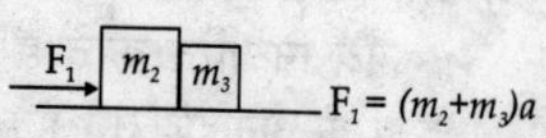

$$\Rightarrow F_1 = \frac{(m_2 + m_3)F}{m_1 + m_2 + m_3}$$

$$F_2 = \frac{m_3 F}{m_1 + m_2 + m_3}$$

(3) ब्लॉक में बॉयीं ओर से x दूरी पर तनाव

$$T_x = \frac{mx}{L} \times \frac{F}{m} = \frac{Fx}{L}$$

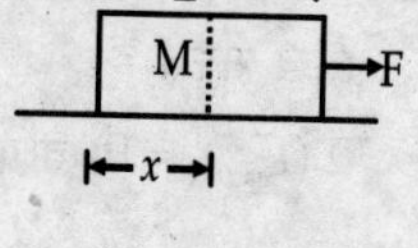

(4) $T_x = \dfrac{F(L-x)}{L}$

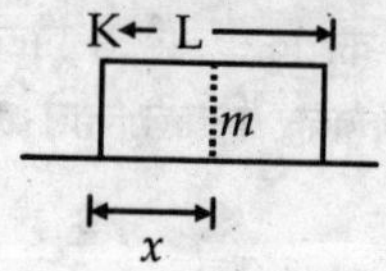

(5) $T_x = \dfrac{F_1 x}{L} + \dfrac{F_2(L-x)}{L}$

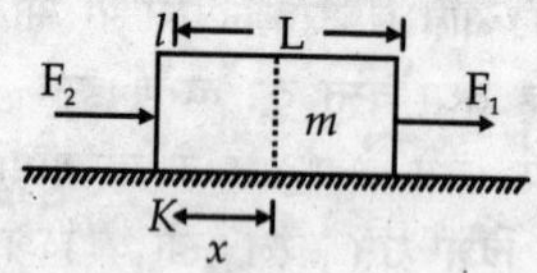

(6) जब रस्सी मात्रारहित हो,

$$a = \frac{F}{m_1 + m_2 + m_3}, T_1 = \frac{(m_2 + m_3)F}{m_1 + m_2 + m_3},$$

$$T_2 = \frac{m_3 F}{m_1 + m_2 + m_3}$$

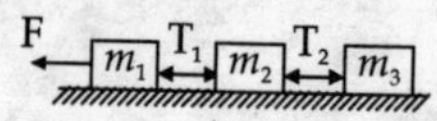

(7)

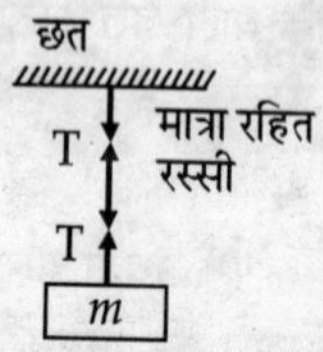

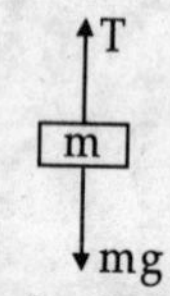

भूमि के सापेक्ष में ब्लॉक m का निकाय FBD

(a) जब निकाय स्थिर हो

T = mg

(b) जब निकाय ऊपर की ओर त्वरण 'a' से गतिमान हो

T = mg + ma

(c) जब निकाय नीचे की ओर त्वरण 'a' से गतिमान हो

T = mg − ma

(8) जब रस्सी एकसमान m_s मात्रा की हो।

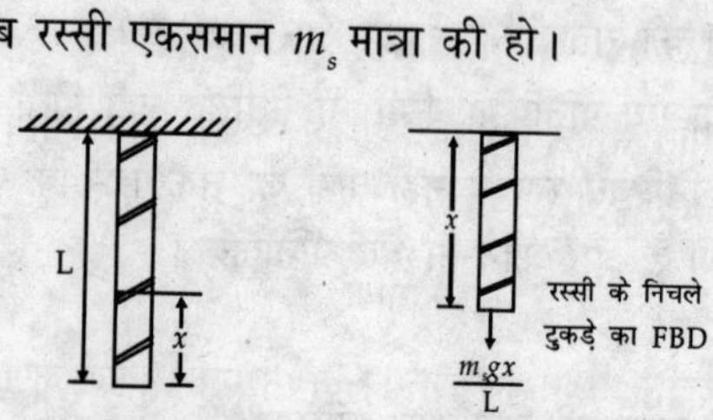

(a) जब निकाय स्थिर हो

$$T_x = \frac{m_s g x}{L}$$

(b) जब ऊपर की ओर त्वरित हो

$$T_x = \frac{m_s x}{L}(g + a)$$

(c) जब नीचे की ओर त्वरित हो

$$T_x = \frac{m_s x}{L}(g - a)$$

रेखीय संवेग संरक्षण का नियम
(Law of Conservation of Linear Momentum)

किसी कण के द्रव्यमान तथा वेग के गुणनफल को कण का रेखीय संवेग $(\vec{\mathbf{p}})$ कहते हैं। अतः $(\vec{\mathbf{p}}) = m\vec{\mathbf{v}}$

रेखीय संवेग का परिमाण

$$p = mv$$

या $p^2 = m^2v^2 = 2m\left(\frac{1}{2}mv^2\right) = 2mK$

अतः $p = \sqrt{2mK}$ या $K = \frac{p^2}{2m}$

यहाँ, K गतिज ऊर्जा है। न्यूटन के गति के द्वितीय नियम से,

$$\vec{\mathbf{F}} = m\vec{\mathbf{a}} = m\frac{d\vec{\mathbf{v}}}{dt} = \frac{d}{dt}(m\vec{\mathbf{v}}) = \frac{d\vec{\mathbf{p}}}{dt}$$

अतः $\vec{\mathbf{F}} = \frac{d\vec{\mathbf{p}}}{dt}$

यदि कण (अथवा वस्तु) पर आरोपित बाह्य बल शून्य हो तो,

$\vec{\mathbf{F}} = \frac{d\vec{\mathbf{p}}}{dt} = 0$ या $\vec{\mathbf{p}}$ = नियतांक

अर्थात् बाह्य बल की अनुपस्थिति में, कण (अथवा वस्तु) का रेखीय संवेग नियत रहता है। यह **रेखीय संवेग संरक्षण का नियम कहलाता है।** यह नियम कणों के निकाय या कणों के निकाय के द्रव्यमान केन्द्र के लिये बढ़ाया जा सकता है।

अर्थात् यदि नेट बल (या सभी बलों का वेक्टर योग) कणों के निकाय पर आरोपित है, तब सभी कणों के रेखीय संवेगों का सदिश योग नियत रहता है अर्थात् यदि

$$\vec{\mathbf{F}} = \vec{\mathbf{F}}_1 + \vec{\mathbf{F}}_2 + \vec{\mathbf{F}}_3 + \ldots + \vec{\mathbf{F}}_n = 0$$

तब $\vec{\mathbf{p}}_1 + \vec{\mathbf{p}}_2 + \vec{\mathbf{p}}_3 + \ldots + \vec{\mathbf{p}}_n$ = नियतांक

यह स्थिति समान रूप से कणों के निकाय के द्रव्यमान केन्द्र के लिये लागू होगी अर्थात् यदि,

$\vec{\mathbf{F}}_{CM} = \vec{\mathbf{p}}_{CM}$ = नियतांक

अतः रेखीय संवेग संरक्षण का नियम एक अकेले कण, कणों के एक निकाय तथा निकाय के द्रव्यमान केन्द्र के लिये भी लागू होता है।

संवेग संरक्षण के अनुप्रयोग
(Applications of Conservation of Momentum)

संवेग संरक्षण के दैनिक जीवन में महत्वपूर्ण उपयोग हैं। कुछ उपयोग यहाँ दिये गये हैं :

(i) बन्दूक का प्रतिक्षेप वेग (Recoil Velocity of Gun): चित्रानुसार निकाय (बन्दूक + गोली) पर लगने वाला बाह्य बल शून्य रहता है तथा इसका प्रारम्भिक संवेग शून्य है, अतः बाद का संवेग भी शून्य रहेगा।

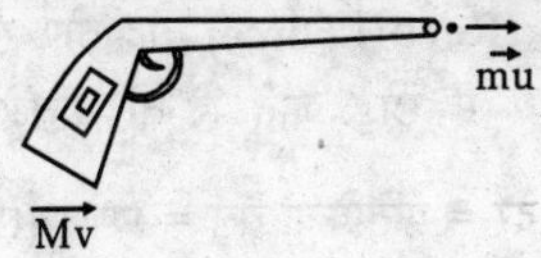

अतः $M\vec{\mathbf{v}} + m\vec{\mathbf{u}} = 0$

$$M\vec{\mathbf{v}} = -m\vec{\mathbf{u}} = \vec{\mathbf{p}}$$

$$\Rightarrow \vec{\mathbf{v}} = -\frac{m}{M}\vec{\mathbf{u}}$$

ऋणात्मक चिह्न दर्शाता है कि गोली तथा बन्दूक एक-दूसरे के विपरीत दिशा में गतिमान होते हैं।

तथा $\frac{K_{\text{बन्दूक}}}{L_{\text{गोली}}} = \frac{m}{M}$

$\therefore$ $K_{\text{बन्दूक}} = \frac{p^2}{2M}; K_{\text{गोली}} = \frac{p^2}{2m}$

(ii) स्थिर नाभिक U^{238} का क्षय (Disintegration of Stationary Nuclei U^{238}): प्रारम्भ में U^{238} विराम अवस्था में है अतः संवेग शून्य है। इसलिए क्षय होने के बाद भी संवेग शून्य रहेगा।

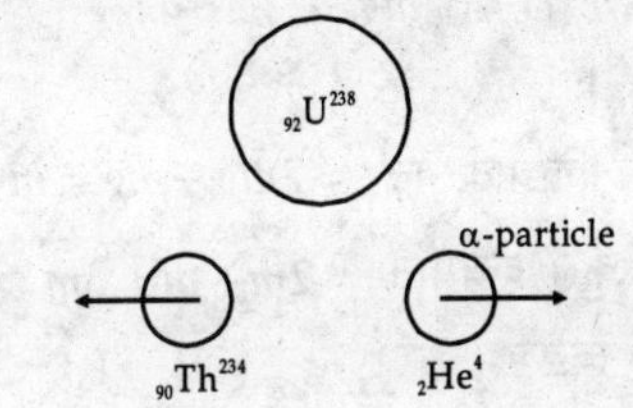

अतः $_{92}U^{238} \rightarrow _{90}Th^{234} + _2He^4$

या $M_{234}\vec{\mathbf{v}}_{234} + M_\alpha \vec{\mathbf{v}}_\alpha = 0$

या $\vec{\mathbf{v}}_{234} = -\frac{M_\alpha}{M_{234}}\vec{\mathbf{v}}_\alpha = -\frac{4}{234}\vec{\mathbf{v}}_\alpha$

तथा $\frac{K_\alpha}{K_{Th}} = \frac{M_{234}}{M_\alpha} = \frac{234}{4}$

(iii) चिकनी क्षैतिज मेज पर रखे तथा स्प्रिंग से सम्बद्ध M_A व M_B द्रव्यमान के गुटकों को दबाकर या खींचकर छोड़ने पर निकाय का रेखीय संवेग संरक्षित रहता है।

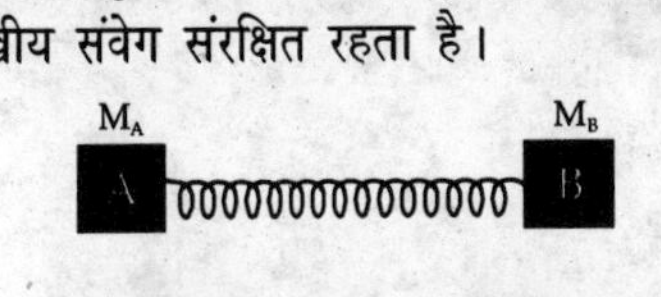

प्रारम्भिक संवेग = 0,

अन्तिम संवेग $= M_A\vec{\mathbf{v}}_A + M_B\vec{\mathbf{v}}_B = 0$

$$\vec{\mathbf{v}}_B = -\frac{M_A}{M_B}\vec{\mathbf{v}}_A$$

तथा $\frac{K_A}{K_B} = \frac{M_B}{M_A}$

(*iv*) **प्रतिक्षेप बल (Recoil Force)** यदि तोप से m द्रव्यमान के n गोले t समय में छोड़े जाते हैं तो प्रतिक्षेप बल F = संवेग परिवर्तन की दर = प्रतिक्रिया बल = प्रणोद (thrust) $= \frac{nmv}{t} N$

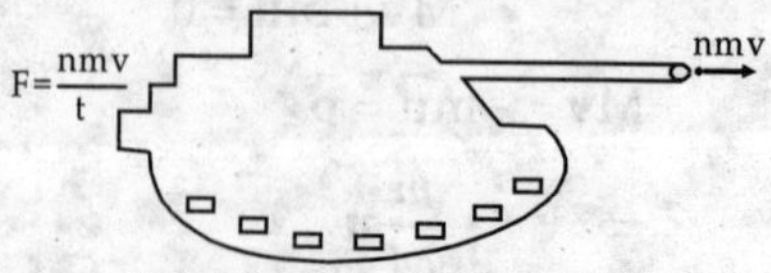

घिरनी (Pulley)

घिरनी पर आधारित प्रश्न खिंचाव बल (pulling force) की संकल्पना से हल किये जा सकते हैं।

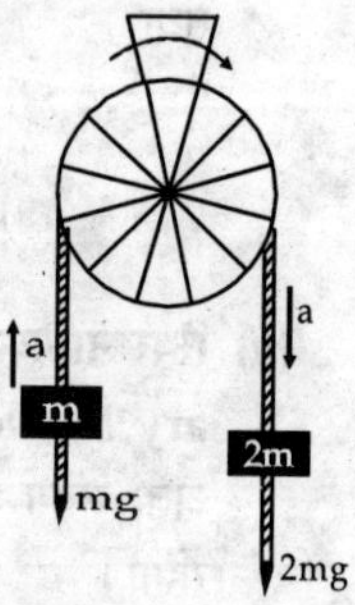

माना दो असमान द्रव्यमान m तथा $2m$, चिकनी द्रव्यमानहीन घिरनी के ऊपर से गुजरने वाली तथा लम्बाई में न बढ़ने वाली डोरी के दो सिरों से चित्रानुसार बँधे हैं। हमें निकाय का त्वरण ज्ञात करना है। माना द्रव्यमान $2m$ इसके भार $2mg$ के बराबर बल से नीचे खींचा जा रहा है। इसी प्रकार द्रव्यमान m को बल mg से ऊपर की ओर खींचा जा रहा है।

कुल खिंचाव बल $= 2mg - mg = mg$

तथा कुल द्रव्यमान $= 2m + m = 3m$

$\therefore$ निकाय का त्वरण

$$a = \frac{\text{कुल खिंचाव बल}}{\text{कुल खींचा गया द्रव्यमान}} = \frac{mg}{3m} = \frac{g}{3}$$

जुड़े पिण्डों की गति (Motion of Connected Bodies)

(*i*) घिरनी से लटके असमान द्रव्यमान ($m_1 > m_2$):

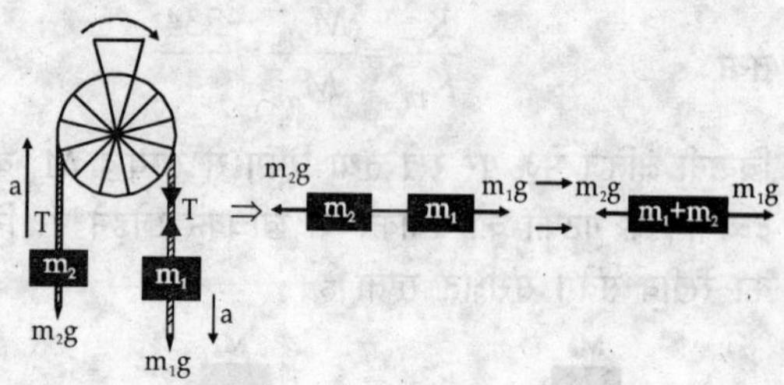

$$m_1g - T = m_1a \quad ...(i)$$

$$T - m_2g = m_2a \quad ...(ii)$$

$$\text{त्वरण} = a = \frac{(m_1 - m_2)g}{m_1 + m_2}$$

अतः $a < g$

$$\text{तनाव} = T = \left(\frac{2m_1m_2}{m_1 + m_2}\right)g$$

(*ii*) लटके पिण्ड द्वारा क्षैतिज सतह पर त्वरित पिण्ड :

$$T = m_2a \quad ...(i)$$

$$m_1g - T = m_1a \quad ...(ii)$$

$$\text{त्वरण} = a = \left(\frac{m_1}{m_1 + m_2}\right)g$$

$$\text{तनाव} = T = \left(\frac{m_1m_2}{m_1 + m_2}\right)g$$

(*iii*) चिकने आनत तल पर गति :

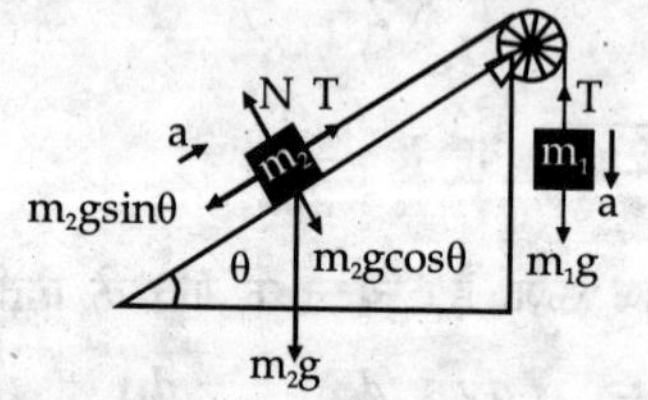

$$m_1g - T = m_1a \quad ...(i)$$

$$T - m_2g\sin\theta = m_2a \quad ...(ii)$$

$$\therefore \quad a = \left(\frac{m_1 - m_2\sin\theta}{m_1 + m_2}\right)g$$

तथा $$T = \frac{m_1m_2(1 + \sin\theta)g}{(m_1 + m_2)}$$

घर्षण (Friction)

जैसा कि हम जानते हैं कि घर्षण, सम्पर्क में दो वस्तुओं के बीच सम्पर्क बल का समान्तर घटक होता है। वास्तव में ये बल मूल रूप से व्यवहार में विद्युत चुम्बकीय हैं।

घर्षण बल, दो ठोसों के बीच, एक ठोस तथा द्रव के बीच या दो प्रकार के द्रवों के बीच कार्य करता है। द्रवों द्वारा आरोपित घर्षण बल (Frictional force), श्यान बल (viscous force) कहलाता है। जब दो वस्तुएँ एक-दूसरे पर फिसलती हैं, तब घर्षण बल गतिज घर्षण (kinetic friction) कहलाता है। परन्तु जब तक वस्तु गति नहीं करती तब तक घर्षण बल का परिमाण हमारे द्वारा पिण्ड पर आरोपित बल के परिमाण के ही बराबर रहता है तथा इसकी दिशा आरोपित बल की दिशा के ही विपरीत होती है। इस घर्षण बल को स्थैतिक घर्षण बल (static frictional force) कहते हैं।

घर्षण के सम्बन्ध में निम्नलिखित बिन्दुओं पर ध्यान दीजिए :

(i) यदि वस्तु स्थिर है तथा इस पर कोई खिंचाव बल आरोपित नहीं है तो इस पर घर्षण बल शून्य होता है।

(ii) यदि वस्तु को खींचने के लिये उस पर बल लगाया जाता है तथा यह गति नहीं करती तब आरोपित बल के समान परिमाण का घर्षण बल, बल की विपरीत दिशा में कार्य करता है। अतः घर्षण, बल स्वतः समायोज्य (self adjusting) है। इसके अतिरिक्त चूँकि वस्तु स्थिर है अतः घर्षण, गतिज घर्षण कहलाता है।

(iii) आरोपित बल को थोड़ा सा बढ़ाने पर वस्तु गति नहीं करती। इससे तात्पर्य है कि स्थैतिक घर्षण बल भी बढ़कर पुनः आरोपित बल के नये मान के बराबर हो जाता है। इस प्रकार जैसे-जैसे आरोपित बल का मान बढ़ता हैं, स्थैतिक घर्षण बल भी बढ़ता जाता है। स्थैतिक घर्षण बल के इस अधिकतम मान को 'सीमान्त घर्षण बल' (limiting frictional force) कहते हैं।

(iv) यह सीमान्त घर्षण बल (F_L), लम्बवत् प्रतिक्रिया (N) पर निर्भर करता है। अतः

$$F_L \propto N$$

या $$F_L = \mu_s N$$

यहाँ, μ, स्थैतिक घर्षण गुणांक (coefficient of static friction) है तथा यह विमाहीन राशि है।

(v) यदि आरोपित बल और अधिक बढ़ाया जाये तो गति का विरोध करने वाला घर्षण बल, गतिज (kinetic) या सर्पी (sliding) घर्षण बल कहलाता है। प्रयोगात्मक रूप से गतिज घर्षण बल, सीमान्त घर्षण बल से कम होता है।

अतः $$f_k = \mu_k N$$

यहाँ, μ_k को गतिज घर्षण गुणांक (coefficient of kinetic or dynamic friction) कहते हैं। μ_k का मान μ_s से कम होता है।

वस्तुनिष्ठ प्रश्न

1. यदि वृत्ताकार गति करते हुए किसी कण का द्रव्यमान, चाल व वृत्ताकार पथ की त्रिज्या सभी में 50% की वृद्धि कर दी जाए तो, कण को वृत्ताकार पथ में रखने के लिये आवश्यक बल में कितने प्रतिशत की वृद्धि करनी होगी?

(a) 225% (b) 125%
(c) 150% (d) 100%

2. दो भार w_1 तथा w_2 एक भारहीन डोरी के दोनों सिरों पर बँधे हैं जो एक घर्षणहीन घिरनी पर से जा रही है। यदि घिरनी समान त्वरण g से ऊपर की ओर ले जाई जाये, तो डोरी में तनाव होगा :

(a) $\frac{4w_1w_2}{w_1+w_2}$ (b) $\frac{2w_1w_2}{w_1+w_2}$
(c) $\frac{w_1w_2}{w_1+w_2}$ (d) $\frac{w_1w_2}{2(w_1+w_2)}$

3. एक 5 ग्राम द्रव्यमान की गोली 100 ms^{-1} की चाल से एक लकड़ी के गुटके में 6 cm तक घुस जाती है। तब गोली द्वारा गुटके पर आरोपित औसत बल है :

(a) 8300 N (b) 417 N
(c) 930 N (d) शून्य

4. न्यूटन के गति के नियमों के द्वारा :

(a) प्रथम नियम से द्वितीय और तृतीय नियम प्राप्त कर सकते हैं
(b) तृतीय नियम से प्रथम व द्वितीय नियम प्राप्त कर सकते हैं
(c) द्वितीय नियम से प्रथम व तृतीय नियम प्राप्त कर सकते हैं
(d) गति के तीनों नियम एक-दूसरे पर निर्भर नहीं करते

5. θ कोण के चिकने नत-समतल पर एक पिण्ड रखा है। यह नत-समतल लिफ्ट के फर्श पर स्थित है। यदि लिफ्ट a मंदन से नीचे आ रही हो, तो, नत-समतल के सापेक्ष गुटके का त्वरण होगा :

(a) $(g+a)\sin\theta$ (b) $(g-a)$
(c) $g\sin\theta$ (d) $(g-a)\sin\theta$

6. पतवारयुक्त स्थिर नाव पर रखे हुए पंखे से उसके पाल पर हवा फेंकी जाती है। नाव :

(a) स्थिर रहेगी
(b) चारों ओर घूमने लगेगी
(c) फेंकी गई हवा की दिशा के विपरीत दिशा में गति करेगी
(d) फेंकी गई हवा की दिशा में गति करेगी

7. m द्रव्यमान के एक ब्लॉक को नीचे की ओर वेग v_0 प्रदान करके एक आनत तल पर छोड़ दिया जाता है, (घर्षण गुणांक = 0.6)] ब्लॉक :

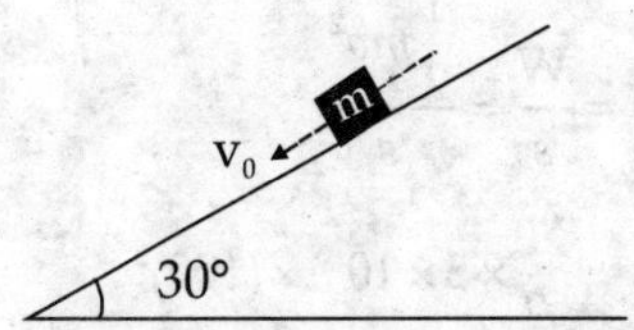

(a) नियत वेग v_0 से नीचे की ओर गति करता रहेगा
(b) नीचे की ओर त्वरित होगा
(c) मंदित होगा व रुक जाएगा
(d) पहले नीचे की ओर त्वरित होगा व फिर मंदित होकर विराम में आ जाएगा

8. 10 kg व 20 kg के दो पिण्ड एक भारहीन स्प्रिंग से चित्रानुसार जुड़े हुए हैं। 20 kg वाले पिण्ड पर 200 N का बल लगाया जाता है। चित्र में दिखाई गई स्थिति में 10 kg वाले पिण्ड का त्वरण 12 ms^{-2} है। 20 kg भार वाले पिण्ड का त्वरण होगा :

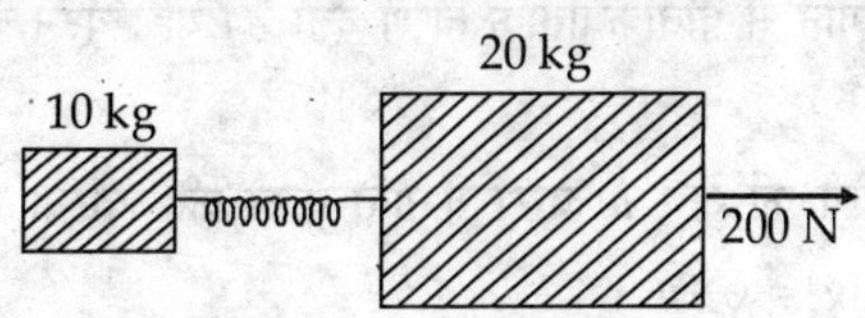

(a) 12 ms^{-2} (b) 4 ms^{-2}
(c) 10 ms^{-2} (d) शून्य

9. द्रव्यमान M व m के पिण्ड एक भारहीन डोरी द्वारा बँधे हैं तथा एक बल F द्वारा घर्षणरहित तल पर खींचे जाते हैं। डोरी में तनाव होगा :

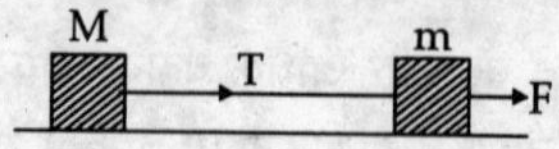

(a) $\dfrac{FM}{(m+M)}$ (b) $\dfrac{F}{(M+m)}$

(c) $\dfrac{FM}{m}$ (d) $\dfrac{Fm}{(M+m)}$

10. 80 kg का एक मनुष्य 320 kg की एक ट्रॉली में खड़ा है। ट्रॉली घर्षण रहित क्षैतिज पहियों पर खड़ी है। यदि व्यक्ति ट्रॉली में $1\ \text{ms}^{-1}$ की चाल से चलना प्रारम्भ कर दे, तो 4 s पश्चात् उसका जमीन के सापेक्ष विस्थापन होगा :

(a) 5 m
(b) 4.8 m
(c) 3.2 m
(d) 3.0 m

उत्तरमाला

1. (b): $F=\dfrac{mv^2}{r} \Rightarrow F'=\dfrac{\left(\dfrac{3m}{2}\right).\left(\dfrac{3v}{2}\right)^2}{\left(\dfrac{3r}{2}\right)} \Rightarrow F'=\dfrac{9}{4}F$

अतः $\left(\dfrac{F'-F}{F}\right)\times 100=\dfrac{5F}{4F}\times 100=125\%$

2. (a): $T=\dfrac{2m_1m_2}{(m_1+m_2)}(g+a)$

$T=\dfrac{2m_1m_2(g+g)}{m_1+m_2}$; $T=\dfrac{4m_1m_2}{m_1+m_2}g=\dfrac{4w_1w_2}{w_1+w_2}$

3. (b): $W=F\times s$

$\Rightarrow \quad F=\dfrac{W}{s}=\dfrac{\frac{1}{2}mv^2}{s}$

$=\dfrac{\frac{1}{2}\times 5\times 10^{-3}\times(100)^2}{6\times 10^{-2}}=417\text{ N}$

4. (c): न्यूटन के द्वितीय नियम से, $\vec{F}=m\vec{a}$

यदि $F=0$, तो $a=0$

$F_1=ma_1, F_2=ma_2$

यदि नेट बल शून्य हो, तो $F_1=F_2 \Rightarrow a_1=a_2$ यह न्यूटन का प्रथम नियम है

अब यदि किसी पिण्ड पर बल लगाया जाये, तो समीकरण $\vec{F}=m\vec{a}$ से कुछ त्वरण उत्पन्न होता है। पिण्ड समान परिमाण के विपरीत बल लगाने से प्रतिक्रियात्मक त्वरण देता है। यह न्यूटन का तृतीय नियम है।

5. (a): नीचे की ओर a त्वरण से गति करने की अवस्था में प्रभावी त्वरण $g'=g-a$

प्रश्न के अनुसार लिफ्ट मंदन $(-a)$ से नीचे आ रही है एवं गुटका नत-तल पर है, अतः $g'=(g+a)\sin\theta$

6. (a): पंखे की हवा द्वारा लगाया गया नाव पर बल आन्तरिक है।

7. (c): $(f_s)_{\max}=\mu.N=\mu mg\cos 30°=\dfrac{(0.6)mg.\sqrt{3}}{2}$

खींचने वाला बल $F=\dfrac{mg}{2}$

यहाँ $F<(f_s)_{\max}$

अतः कण पहले मंदित होगा तथा विराम में आ जाएगा।

8. (b): 20 kg पिण्ड का त्वरण $=\dfrac{20-10}{20+10}\times 12=4\ \text{ms}^{-2}$

9. (d): $T=Ma, F-T=ma$

या $\dfrac{T}{M}=\dfrac{F-T}{m}$

$\Rightarrow \quad T=\dfrac{MF}{M+m}$

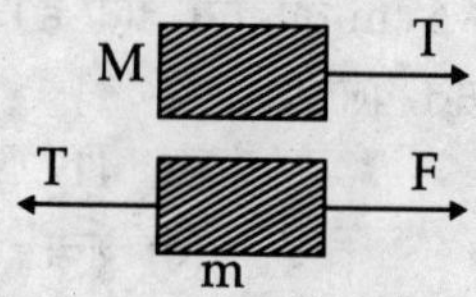

10. (c): माना ट्रॉली का जमीन के सापेक्ष वेग v_T एवं व्यक्ति का जमीन के सापेक्ष वेग $v_P=v_T+1$

अतः रैखिक संवेग संरक्षण के सिद्धांत से

$320\times v_T+80(v_T+1)=0$

$\Rightarrow \quad v_T=-0.2\text{ms}^{-1}$

अतः

$v_P=1-0.2=0.8\text{ms}^{-1}$

विस्थापन $=v_P\times t=0.8\times 4=3.2\text{ m}$

●●●

अध्याय

6

कार्य, ऊर्जा एवं शक्ति (Work, Energy and Power)

कार्य (Work)

जब किसी वस्तु की स्थिति में परिवर्तन उस पर लगाये गये बल के कारण होता है तो कहा जाता है कि वस्तु पर कार्य किया गया है। यह एक अदिश राशि है।

कार्य का मात्रक एस. आई. प्रणाली में जूल तथा सी.जी.एस. प्रणाली में अर्ग है। कार्य का प्रयोगात्मक मात्रक कि. वाट घण्टा है। 1 कि. वाट घण्टा = 3.6×10^6 जूल (J) और 1J = 10^7 अर्ग

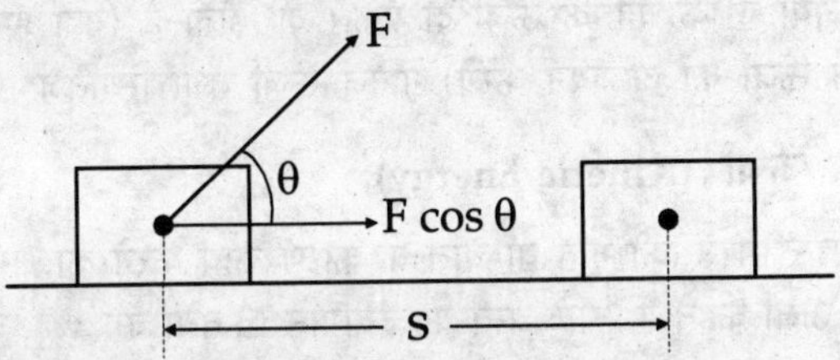

सदिश रूप में बल द्वारा किया गया कार्य बल $(\vec{F})$ तथा विस्थापन $(\Delta \vec{s})$ के गुणनफल के बराबर होता है।

अतः $W = \vec{F}.\vec{s} = Fs\cos\theta$ ....(i)

यदि $\theta = 0°$ हो

$W = Fs$ ....(ii)

महत्वपूर्ण तथ्य

1. कार्य एक अदिश राशि है। इसका द्विविमीय सूत्र $[ML^2T^{-2}]$ और एस. आई. मात्रक न्यूटन मीटर (N-m) या जूल है। सी. जी.एस. प्रणाली में कार्य का मात्रक अर्ग है। कार्य का प्रयोगात्मक मात्रक कि.वा. घण्टा (kWh) तथा अणु एवं नाभिकीय भौतिकी में इलेक्ट्रॉन वोल्ट (eV) है।

   1 kWh = 3.6×10^9 J

   1 eV = 1.6×10^{-19} J

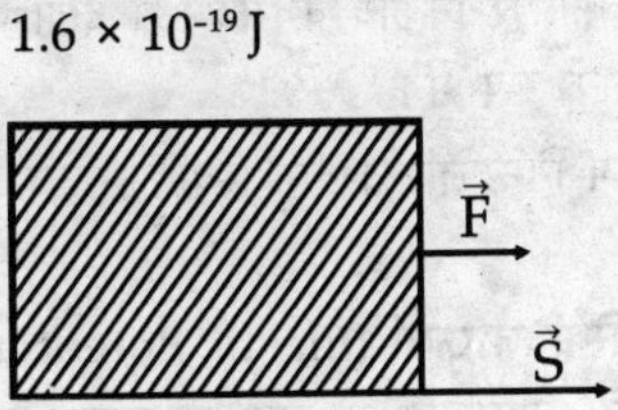

(a) धनात्मक कार्य

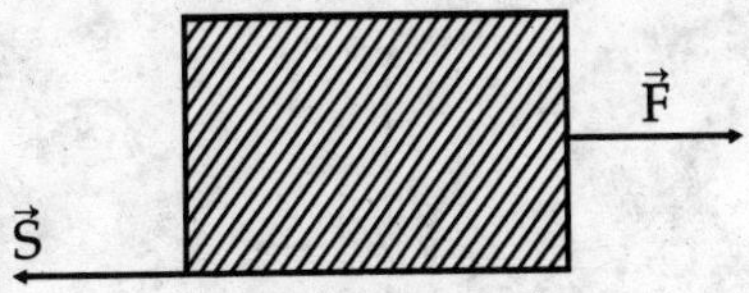

(b) ऋणात्मक कार्य

2. कार्य धनात्मक (Positive work), ऋणात्मक (Negative) तथा शून्य (0) हो सकता है।

   (a) **धनात्मक कार्य :** यदि $0° \le \theta \le 90°$ तब $W > 0$ अर्थात कार्य धनात्मक है।

   (b) **ऋणात्मक कार्यः** यदि $90° < \theta \le 180°$ तब $W < 0$ अर्थात् कार्य ऋणात्मक है

   (c) **शून्य कार्य :** यदि $\theta = 90°$ तब $W = 0$ अर्थात् कार्य शून्य है।

नोट–यदि कोई व्यक्ति किसी वस्तु को जमीन से ऊपर उठाता है तब उपरिमुखी बल के द्वारा किया गया कार्य धनात्मक होगा परन्तु वस्तु पर गुरुत्वाकर्षण बल (अधोमुखी बल) द्वारा किया गया कार्य ऋणात्मक होगा।

3. यदि किसी वस्तु पर अनेक बल कार्यरत हों तब

   $W = W_1 + W_2 + W_3 + \ldots\ldots\ldots$

   या $W = \int \vec{F_1} \cdot d\vec{s} + \int \vec{F_2} \cdot d\vec{s} + \ldots.$

   या $W = \int (\vec{F_1} + \vec{F_2} + \ldots).d\vec{s}$ या

   $W = \int \vec{F_R}\, d\vec{s} \left[\text{as } F_R = \sum \vec{F}\right]$

   जहाँ $\vec{F_R}$ = परिणामी बल

   अर्थात वस्तु पर आरोपित अनेक बलों द्वारा इसके वस्तु के स्थानान्तरण के द्वारा किए गए कार्य, परिणामी बल द्वारा किये गए कार्य के बराबर होता है। यदि वस्तु संतुलन की स्थिति में या गति में हो तब $W = \sum W = 0$

   ($\therefore$ संतुलन के लिए $F_R = 0$)

4. चूँकि $W = \int \vec{F} \cdot d\vec{s}$ अतः यदि $d\vec{s} = 0, W = 0$ अर्थात् यदि वस्तु का स्थानांतरण शून्य है। तो चाहे बल कुछ भी आरोपित हो, किया गया कार्य शून्य ही होगा।

5. चूँकि $\int F ds \cos\theta$ अतः $W = 0$ यदि $\theta = 90^o$

6. यदि वस्तु खुरदरी सड़क पर क्षैतिज दिशा में चल रही है, तब

- प्रतिक्रिया बल R या mg द्वारा वस्तु पर किया गया कार्य, $W_1 = 0$, क्योंकि बल तथा विस्थापन एक दूसरे के अभिलम्बवत् है जैसा कि चित्र में दिखाया गया है।
- खींचने वाले बल F द्वारा वस्तु पर किया गया कार्य, $W_2 = F s \cos 0^o = + Fs$

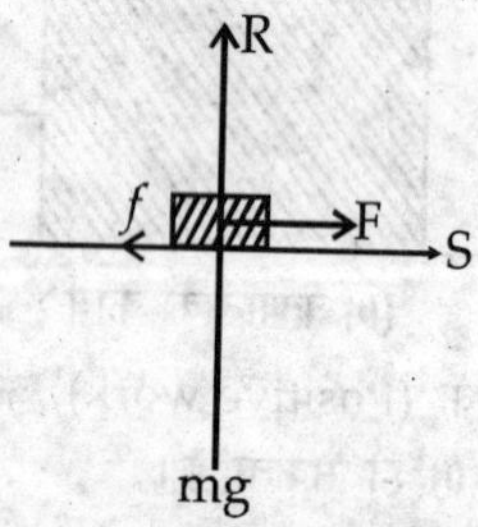

- घर्षण बल F द्वारा वस्तु पर किया गया कार्य, $W_3 = Fs \cos 180^o = -Fs$
- वस्तु पर लगने वाले सभी बलों द्वारा किया गया नेट कार्य $W_{net} = W_1 + W_2 + W_3 + ...$
$= 0 + Fs - Fs = 0$

7. स्प्रिंग बल के द्वारा किया गया कार्य

- स्प्रिंग बल $F = -kx$ जहाँ k स्प्रिंग का बल नियतांक (Force constant) तथा x स्प्रिंग की लम्बाई में वृद्धि या संकुचन है। यदि $x = 0$ तो $F = 0$.

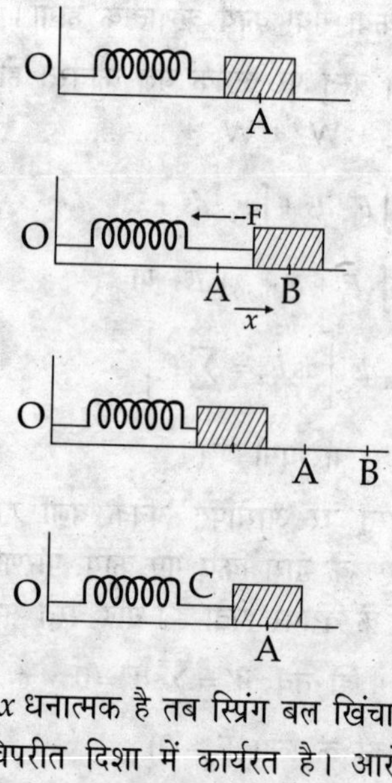

- यदि x धनात्मक है तब स्प्रिंग बल खिंचाव बल F विस्थापन के विपरीत दिशा में कार्यरत है। आरोपित बल F द्वारा किया गया कार्य $= \frac{1}{2}kx^2$ तथा स्प्रिंग बल द्वारा वस्तु पर किया गया कार्य $W = -\frac{1}{2}kx^2$
- यदि x ऋणात्मक है तथा F धनात्मक है, इस दशा में भी बल F तथा विस्थापन x विपरीत दिशा में है, अतः स्प्रिंग बल द्वारा वस्तु पर किया गया कार्य $W = -\frac{1}{2}kx^2$ तथा आरोपित बल F द्वारा स्प्रिंग पर किया गया कार्य $= \frac{1}{2}kx^2$

ऊर्जा (Energy)

किसी वस्तु के कार्य करने की क्षमता को उस वस्तु की ऊर्जा कहते हैं। जब हम कहते हैं कि किसी वस्तु में ऊर्जा है अर्थात् वह कार्य कर सकती है, यही कारण है कि ऊर्जा एक अदिश राशि है। ऊर्जा और कार्य का एक दीविमीय सुत्र $[ML^2T^{-2}]$ तथा मात्रक जूल (J) है।

ऊर्जा के अनेक रूप हैं–जैसे यांत्रिक ऊर्जा (Mechanical energy), उष्मीय ऊर्जा (Heat energy), विद्युत ऊर्जा (Electric energy), ध्वनी ऊर्जा (Sound energy) तथा रासायनिक ऊर्जा (Chemical energy), प्रकाश ऊर्जा (Light energy)। एक प्रकार की ऊर्जा दूसरे प्रकार की ऊर्जा में परिवर्तित हो सकती है। चित्र द्वारा प्रदर्शित किया गया है कि यांत्रिक ऊर्जा दो प्रकार की होती है (यहाँ हम केवल यांत्रिक ऊर्जा का अध्ययन करेंगे) गतिज ऊर्जा तथा स्थितिज ऊर्जा।

गतिज ऊर्जा (Kinetic Energy)

किसी वस्तु में उसकी गति या चाल के कारण कार्य करने की क्षमता को गतिज ऊर्जा कहते हैं। यदि वस्तु का द्रव्यमान m तथा वेग v है, तो वस्तु की गतिज ऊर्जा उस कार्य के बराबर होती है, जो उस वस्तु को विरामावस्था से वर्तमान अवस्था में लाने में किया गया है। गतिज ऊर्जा का अंकित मान K.E. $= \frac{1}{2}mv^2$

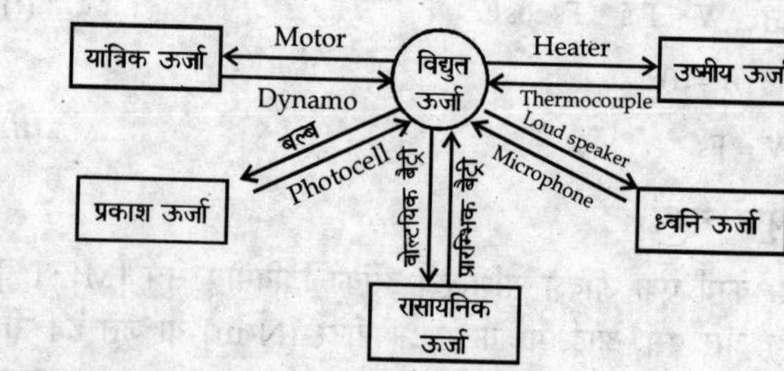

स्थितिज ऊर्जा (Potential Energy)

किसी वस्तु में उसकी स्थिति के कारण कार्य करने की क्षमता को स्थितिज ऊर्जा कहते हैं।

गतिज ऊर्जा को पूरे निकाय के संदर्भ में देखा जाना चाहिए न कि सिर्फ वस्तु विशेष के रूप में।

भौतिकी में हम निम्नलिखित तीन स्थितिज ऊर्जाओं पर विचार करते हैं–

1. **प्रत्यास्थ स्थितिज ऊर्जा (Elastic Potential Energy):** वस्तु में उसकी प्रत्यास्थता के गुण के कारण उपस्थित ऊर्जा को प्रत्यास्थ स्थितिज ऊर्जा कहते हैं। यदि स्प्रिंग बल $F = -kx$ हो तो स्प्रिंग की प्रत्यास्थ स्थितिज ऊर्जा

$U=\frac{1}{2}kx^2$ जहाँ k = नियतांक बल और x = वृद्धि संकुचन है।

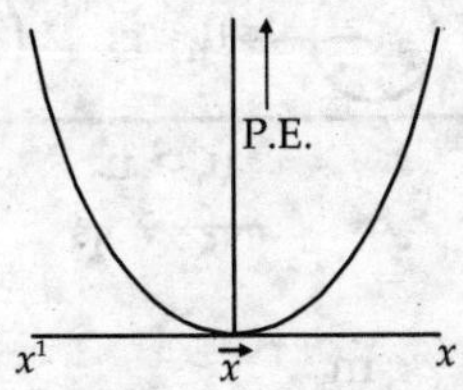

2. **वैद्युत स्थितिज ऊर्जा (Electric Potential Energy):** निर्वात में r दूरी से विलगित दो बिन्दु आवेशों q_1 व q_2 की वैद्युत स्थितिज ऊर्जा $U=\frac{1}{4\pi\varepsilon_0}\frac{q_1q_2}{r}$ जहाँ $\frac{1}{4\pi\varepsilon_0}=9.0\times10^9\ Nm^2/C^2$
3. **गुरुत्वीय स्थितिज ऊर्जा (Gravitational Potential Energy):** पृथ्वी तल से h ऊँचाई पर स्थित m द्रव्यमान के पिण्ड की गुरुत्वीय स्थितिज ऊर्जा

   $W = mg\,h$

कार्य-ऊर्जा प्रमेय (Work-Energy Theorem)

यह प्रमेय कार्य को गतिज ऊर्जा के साथ जोड़ने का एक बहुत ही महत्वपूर्ण माध्यम है। इसके अनुसार सभी बलों (संरक्षी, असंरक्षी, बाहरी या आन्तरिक) द्वारा किसी वस्तु पर किया गया कार्य उसके गतिज ऊर्जा में परिवर्तन के बराबर होता है।

अतः $W=\Delta K=K_2-K_1$

या $K_2=K_1+W$

अर्थात् (नेट किये गये कार्य के पश्चात् की गतिज ऊर्जा)

= (नेट कार्य के पूर्व की गतिज ऊर्जा) + (नेट किया गया कार्य)

यदि W धनात्मक है तब $K_2 - K_1$ = + ve

अर्थात् $K_2 > K_1$ अथवा गतिज ऊर्जा बढ़ेगी या इसके विपरीत यह प्रमेय अजड़त्वीय तन्त्रों के लिए भी लागू हो सकती है। अजड़त्वीय तन्त्र में यह इस प्रकार लिखी जाती है।

सभी बलों (कथित बल को शामिल करते हुए) द्वारा किया गया कार्य = अजड़त्वीय तन्त्र में गतिज ऊर्जा में परिवर्तन

शक्ति (Power)

किसी मशीन या व्यक्ति द्वारा कार्य करने की दर को शक्ति कहते हैं।

अर्थात् $P=\frac{W}{t}=\frac{\vec{F}\cdot\vec{S}}{t}$

$\therefore\ P=\vec{F}\cdot\vec{V}=Fv\cos\theta$

या बल F द्वारा विस्थापन $d\vec{r}$ में किया गया कार्य $dw=\vec{F}.d\vec{r}$

अतः बल द्वारा प्राप्त तात्क्षणिक शक्ति

$$P=\frac{dw}{dt}=\vec{F}.\frac{d\vec{r}}{dt}=\vec{F}.\vec{v}=Fv\cos\theta$$

अतः शक्ति बल तथा वेग के अदिश गुणनफल के बराबर होती है।

शक्ति एक अदिश राशि है। इसका द्विविमीय सूत्र $[ML^2T^{-3}]$ है। इसका एस.आई. मात्रक वॉट (W) तथा सी.जी.एस. प्रणाली में मात्रक अर्ग प्रति से. है।

$$1W = 1Js^{-1} = 10^7\ erg\ s^{-1}$$

शक्ति का दूसरा प्रचलित मात्रक अश्व शक्ति (Horse Power) है।

$$1\ HP = 746\ W$$

संघट्ट (Collision)

दो वस्तुओं या कणों के मध्य अन्योन्य क्रिया को टक्कर या संघट्ट कहते हैं। टक्करों के दौरान कणों का स्पर्श करना आवश्यक नहीं है तथा सभी प्रकार की टक्करों में रेखीय संवेग संरक्षण का नियम निश्चिततया प्रभावी होता है, जबकि यांत्रिक ऊर्जा संरक्षण का नियम लागू होना आवश्यक नहीं है।

संवेग संरक्षण का नियम (Law of Conservation of Momentum)

एक ही दिशा में नापे गये दो पिण्डों के संवेगों का योग उनके संघट्ट के कारण नहीं बदलता है।

अर्थात् संघट्ट से पूर्व संवेग = संघट्ट के बाद का वेग

माना m_1 व m_2 द्रव्यमान के दो गोले एक ही दिशा में क्रमशः u_1 व u_2 वेगों से गति करते हुए संघट्ट करते हैं तथा संघट्ट के बाद उसी दिशा में उनके वेग क्रमशः v_1 व v_2 है, तो

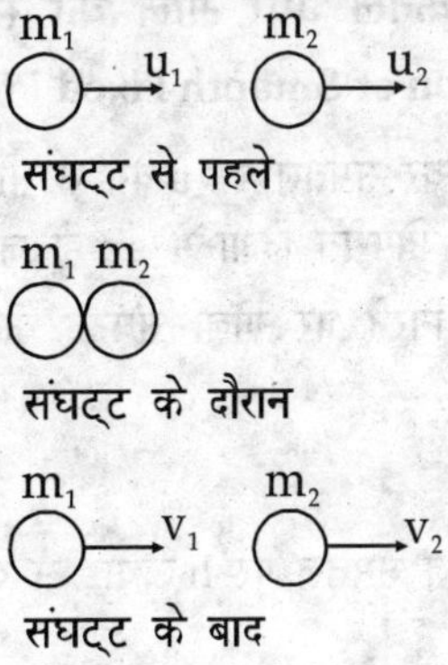

$$m_1u_1+m_2u_2 = m_1v_1+m_2v_2$$

प्रत्यानयन गुणांक (Coefficient of Restitution/Resilience)

$$\text{प्रत्यानयन गुणांक} = \frac{\text{संघट्ट के बाद सापेक्ष वेग}}{\text{संघट्ट से पहले सापेक्ष वेग}}=\frac{v_2-v_1}{u_1-u_2}$$

e का मान सदैव 1 से कम रहता है।

पूर्णतः प्रत्यास्थ संघट्ट के लिए, e = 1

पूर्णतः अप्रत्यास्थ संघट्ट के लिए e = 0

अप्रत्यास्थ टक्कर के लिए, 0 < e < 1

दो गोलों का सीधा संघट्ट (Direct Collision of Two Spheres)

माना m_1 व m_2 द्रव्यमान के दो गोले क्रमशः u_1, u_2 वेगों से एक ही दिशा में चलते हुए सीधे टकराते हैं और संघट्ट के पश्चात् उसी दिशा में क्रमशः v_1 व v_2 वेगों से चलने लगते है

$$v_1 = \frac{(m_1 - m_2)u_1}{m_1 + m_2} + \frac{2m_2u_2}{m_1 + m_2}$$

$$v_2 = \frac{(m_2 - m_1)u_2}{m_1 + m_2} + \frac{2m_1u_1}{m_1 + m_2}$$

पुनः गतिज ऊर्जा में हानि $= -\Delta k$

अतः हानि $= -\Delta k = k_2 - k_1$

$$= \frac{1}{2}\left(\frac{m_1m_2}{m_1 + m_2}\right)(1 - e^2)(u_1 - u_2)^2$$

$$\Rightarrow \quad \Delta k = \frac{1}{2}\left(\frac{m_1m_2}{m_1 + m_2}\right)(e^2 - 1)(u_1 - u_2)^2$$

नोट–

1. यदि दूसरा गोला पहले गोले की दिशा में विपरीत चल रहा हो, तो u_2 के स्थान पर $-u_2$ लेते हैं। यदि वह विराम में हों, तो $u_2 = 0$ लेते हैं।
2. यदि $m_1 = m_2$ हो, तो
   $v_1 = u_2$, $v_2 = u_1$ तथा $e = 1$

अतः यदि दो पूर्णतया प्रत्यस्थ गोलों का सीधा संघट्ट हो, तो संघट्ट के पश्चात् उनके वेग परस्पर बदल जाते हैं।

चिकने स्थिर एकतल और गोले का सीधा संघट्ट (Direct Collision of Smooth Fixed Plane and a Sphere)

यदि गोला किसी स्थिर समतल पर u वेग से सीधा टकराये, तो टकराने के बाद उसका वेग विपरीत दिशा में eu हो जाता है।

h ऊँचाई से गिरने पर गोला संघट्ट के बाद e^2h ऊँचाई तक उछलेगा

नोट–

किसी प्रत्यास्थ क्षैतिज समतल पर h ऊँचाई से एक गेंद गिरती है। यदि प्रत्यानयन गुणांक e हो, तो उछलना बन्द होने तक गेंद कुल दूरी $\frac{1+e^2}{1-e^2}h$ तय करेगी तथा उछलना पूरा बन्द होने तक का कुल समय $\frac{1+e^2}{1-e^2}\sqrt{\frac{2h}{g}}$ होगा।

पूर्णतः अप्रत्यास्थ संघट्ट (Perfectly Inelastic Collision)

इस प्रकार के संघट्टों में पिण्ड/गोला टक्कर से पहले एक दूसरे पर अनिर्भर रहते हैं तथा टक्कर के पश्चात् संयुक्त होकर एक निकाय के रूप में चलते हैं।

स्थिति I : जब पिण्ड समान दिशा में चल रहे हैं

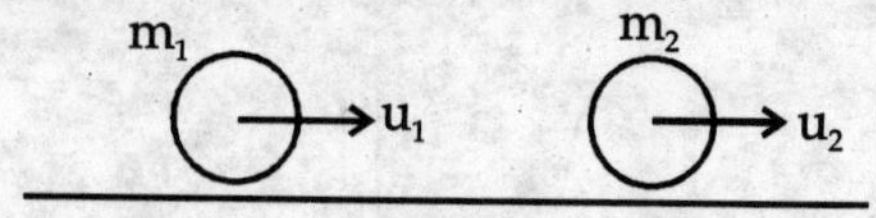

$u_1 > u_2$
संघट्ट से पूर्व

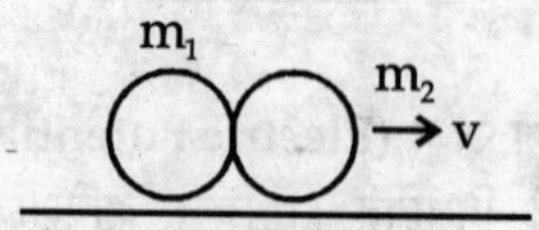

$u_1 > u_2$
संघट्ट के बाद

माना टक्कर के पश्चात दोनों गोलों का संयुक्त वेग v है। तब संवेग संरक्षण के नियम से

$$m_1u_1 + m_2u_2 = (m_1 + m_2)v$$

$$\Rightarrow \quad v = \frac{m_1u_1 + m_2u_2}{m_1 + m_2}$$

पुनः गतिज ऊर्जा में हानि $-\Delta k$ है, अतः

हानि $= -\Delta k = k_2 - k_1$

$$\Rightarrow \text{ हानि } = -\Delta k = \frac{1}{2}m_1u_1^2 + \frac{1}{2}m_2u_2^2 - \frac{1}{2}(m_1 + m_2)v^2$$

$$\Rightarrow \text{ हानि } = -\Delta k = \frac{1}{2}\left(\frac{m_1m_2}{m_1 + m_2}\right)(u_1 + u_2)^2$$

स्थिति II: जब पिण्ड विपरीत दिशा में जा रहे हों, संवेग के संरक्षण के नियम से,

$$m_1u_1 + m_2(-u_2) = (m_1 + m_2)v$$

$$\Rightarrow \quad v = \frac{m_1u_1 - m_2u_2}{m_1 + m_2}$$

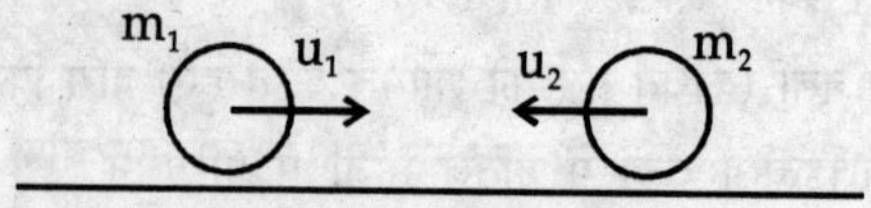

$u_1 > u_2$
संघट्ट से पूर्व

पुनः गतिज ऊर्जा में हानि $-\Delta k$ है, अतः

हानि $= -\Delta k = k_2 - k_1$

$$= \left[\frac{1}{2}m_1u_1^2 + \frac{1}{2}m_2u_2^2\right] - \frac{1}{2}(m_1 + m_2)v^2$$

$$\Rightarrow \text{ हानि } = -\Delta k = \frac{1}{2}\left(\frac{m_1m_2}{m_1 + m_2}\right)(u_1 + u_2)^2$$

वस्तुनिष्ठ प्रश्न

1. द्रव्यमान M को एक डोरी की सहायता से नियत त्वरण g/2 से x दूरी तक नीचे किया जाता है। डोरी द्वारा किया गया कार्य होगाः

(a) $M g x$ (b) $\frac{1}{2}M g x^2$

(c) $\frac{1}{2}M g x$ (d) $M g x^2$

2. m द्रव्यमान का एक पिण्ड t_1 समय में वेग v प्राप्त कर लेता है। इस पिण्ड पर t समय तक किया गया कार्य, समय t के फलन के रूप में होगाः

(a) $\frac{1}{2}\frac{mv}{t_1}\cdot t^2$ (b) $\frac{mv}{t_1}\cdot t^2$

(c) $\frac{1}{2}\left(\frac{mv}{t_1}\right)^2\cdot t^2$ (d) $\frac{1}{2}\frac{mv^2}{t_1^2}\cdot t^2$

3. यदि किसी पिण्ड के संवेग को n से गुणा कर दिया जाये तो उसकी गतिज ऊर्जा हो जायेगीः

(a) n times (b) $2n$ times

(c) $\sqrt{n}$ times (d) n^2 times

4. m द्रव्यमान के एक ब्लॉक को एक क्षैतिज सतह के अनुदिश, क्षैतिज से θ कोण पर लगे बल द्वारा खींचा जाता है। यदि ब्लॉक एक समान वेग से चलता है व इसका विस्थापन d है तथा घर्षण ग्रणांक μ है, तो बल द्वारा किया गया कार्य हैः

(a) $\frac{\mu m g d}{\cos\theta+\mu\sin\theta}$ (b) $\frac{\mu m g d\cos\theta}{\cos\theta+\mu\sin\theta}$

(c) $\frac{\mu m g d}{\cos\theta-\mu\sin\theta}$ (d) $\frac{\mu m g d\cos\theta}{\cos\theta-\mu\cos\theta}$

5. एक वस्तु किसी अन्य वस्तु पर रखी है जो एक बाह्य बल के द्वारा त्वरित हो रही है, तो भूमि के सापेक्ष, घर्षण बल द्वारा ऊपर वाली वस्तु पर किया गया कार्य होगाः

(a) ऋणात्मक (b) शून्य

(c) धनात्मक (d) इकाई

6. एक वस्तु गुरुत्व के अधीन गिर रही है, जब इसकी गुरुत्वीय स्थितिज ऊर्जा में U की कमी होती है, तो इसकी चाल V है। वस्तु का द्रव्यमान होगाः

(a) $\frac{2U}{V}$ (b) $\frac{U}{2V}$

(c) $\frac{2U}{V^2}$ (d) $\frac{U}{2V^2}$

7. एक बल के अन्तर्गत 2 किग्रा की एक वस्तु इस प्रकार से गति करती है कि इसकी स्थिति $x=\frac{t^3}{3}$ से दी जाती है, जहाँ x मीटर में व t सेकण्ड में है। प्रथम दो सेकण्डों में बल द्वारा किया गया कार्य हैः

(a) 1.6 J (b) 16 J

(c) 160 J (d) 1600 J

8. एक स्थिति में निर्भर बल $F=7-2x+3x^2$ N एक 2 kg की वस्तु पर कार्य करके इसे $x=0$ से $x=5$ मी तक विस्थापित कर देता है, किया गया कार्य (जूल में है):

(a) 10 (b) 270

(c) 35 (d) 135

9. किसी वस्तु का संवेग p व गतिज ऊर्जा E है। यदि इसका संवेग $2p$ हो जाए तो इसकी गतिज ऊर्जा होगी :

(a) $\frac{E}{2}$ (b) $3E$

(c) $2E$ (d) $4E$

10. m_1 व m_2 द्रव्यमान के दो पिण्डों की गतिज ऊर्जायें समान हैं। यदि p_1 व p_2 उनके क्रमिक संवेग हों, $p_1 : p_2$ का मान तुल्य होगाः

(a) $m_1 : m_2$ (b) $m_2 : m_1$

(c) $\sqrt{m_1} : \sqrt{m_2}$ (d) $m_1^2 : m_2^2$

उत्तरमाला

1. (c): $Mg-T=M\frac{g}{2}, T=\frac{Mg}{2}$

स्प्रिंग द्वारा किया गया कार्य, $W=Tx$

$W=\frac{1}{2}Mgx$

2. (d): $W=F\cdot s$

t सेकण्ड में तय की गयी दूरी $s=\frac{1}{2}at^2$

अतः $W=F.s=(ma)\left(\frac{1}{2}at^2\right)=\frac{1}{2}ma^2t^2$

$v = at_1$ या $a = \dfrac{v}{t_1}$ से

$$\therefore\ W = \frac{1}{2}\frac{mv^2}{t_1^2}t^2$$

3. (d): गतिज ऊर्जा $E_k = \dfrac{p^2}{2m}$

$$\therefore\ \frac{E_{k_1}}{E_{k_2}} = \frac{p_1^2}{p_2^2} \Rightarrow \frac{E_{k_1}}{E_{k_2}} = \left(\frac{p}{np}\right)^2$$

$\dfrac{E_{k_1}}{E_{k_2}} = \dfrac{1}{n^2}$ अर्थात् n^2 गुनी हो जाएगी।

4. (b): $F\cos\theta = \mu(mg - F\sin\theta)$

$$F = \frac{\mu mg}{(\cos\theta + \mu\sin\theta)}$$

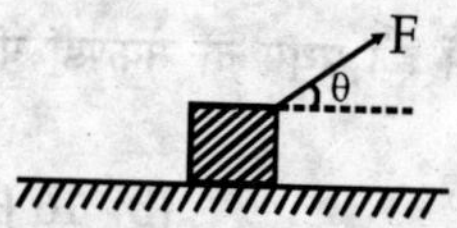

$$\therefore\ W = (F\cos\theta)\cdot d$$

$$W = \frac{\mu mg\cos\theta}{(\cos\theta + \mu\sin\theta)}d$$

5. (c): ऊपर वाली वस्तु पर घर्षण बल, गति की दिशा में लगेगा। अतः घर्षण बल का विस्थापन के बीच कोण शून्य अर्थात् न्यूनकोण होगा।

$W = Fs\cos\theta$ के अनुसार कार्य धनात्मक होगा।

6. (c): ऊर्जा संरक्षण के नियम से

स्थितिज ऊर्जा में कमी = गतिज ऊर्जा में वृद्धि

$$\mathrm{U} = \frac{1}{2}m\mathrm{V}^2$$

$$\Rightarrow m = \frac{2\mathrm{U}}{\mathrm{V}^2}$$

7. (b): $W = \int F\cdot dx$

$$\therefore\ F = ma = \frac{dv}{dt} = m\frac{d^2x}{dt^2} = m\frac{d^2}{dt^2}\left(\frac{t^3}{3}\right)$$

$$= m \times 2t = 2 \times 2t = 4t$$

$$\therefore\ W = \int_0^2 (4t)t^2 dt = 4.\left[\frac{t^4}{4}\right]_0^2$$

$W = 16$ J

8. (c): $W = \int_0^5 F\cdot dx$

$$= \int_0^5 (7 - 2x + 3x^2)\,dx$$

$$= \left|7x - \frac{2x^2}{2} + \frac{3x^3}{3}\right|_0^5$$

$$= \left|7x - x^2 + x^3\right|_0^5$$

$$= 7(5-0) - (5^2 - 0^2) + (5^3 - 0^2)$$

$$= 7(5) - (5)^2 + (5)^3$$

$\therefore$ W = 135 J

9. (d): $E = \dfrac{p^2}{2m} \Rightarrow E \propto p^2$

$$\frac{E_2}{E_1} = \left(\frac{p_2}{p_1}\right)^2 = \left(\frac{2p}{p}\right)^2$$

$$\Rightarrow\ E_2 = 4E$$

10. (c): संवेग $p = \sqrt{2mE_k}$

दोनों पिण्डों की गतिज ऊर्जायें ($\mathrm{E_k}$) समान हैं।

$$\therefore\ \frac{p_1}{p_2} = \sqrt{\frac{m_1}{m_2}} = \sqrt{m_1} : \sqrt{m_2}$$

●●●

अध्याय

7 घूर्णन गति तथा जड़त्व आघूर्ण (Rotational Motion and Moment of Inertia)

द्रव्यमान केन्द्र (Centre of Mass)

जब कभी एक निकाय गतिमान हो एवं उसके एक बिन्दु पर निकाय का सम्पूर्ण द्रव्यमान केन्द्रित हो, तब उस बिन्दु की गति सम्पूर्ण निकाय के बराबर होती है। इस बिन्दु को द्रव्यमान केन्द्र (Centre of Mass) कहते हैं।

कणों के निकाय के लिए द्रव्यमान केन्द्र (Centre of Mass for a System of Particles)

n कणों के निकाय के लिए जिसके स्थिति निर्देशांक क्रमशः $(x_1 y_1 z_1)$, (x_2, y_2, z_2)....., $(x_n y_n z_n)$ है जैसा कि चित्र में दर्शाया गया है।

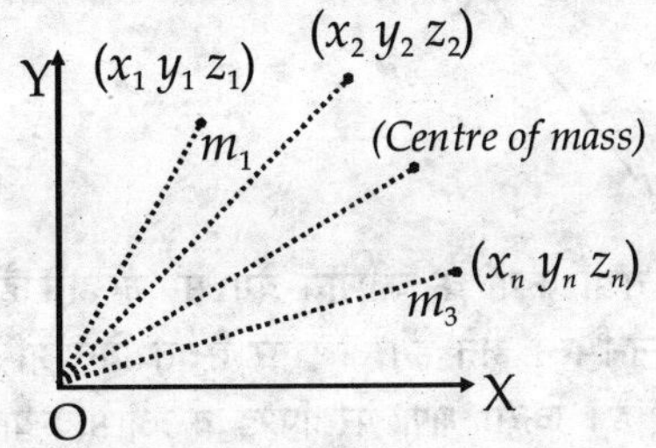

द्रव्यमान केन्द्र की स्थिति

$$X_{cm} = \frac{m_1x_1 + m_2x_2 + ... + m_nx_n}{m_1 + m_2 + ... + m_n} \text{ या } x_{cm} = \frac{\sum m_i x_i}{M}$$

$$Y_{cm} = \frac{m_1y_1 + m_2y_2 + ... + m_ny_n}{m_1 + m_2 + ... + m_n} \text{ या } Y_{cm} = \frac{\sum m_i y_i}{M}$$

$$Z_{cm} = \frac{m_1z_1 + m_2z_2 + ... + m_nz_n}{m_1 + m_2 + ... + m_n} \text{ या } Z_{cm} = \frac{\sum m_i z_i}{M}$$

यहाँ M निकाय का सम्पूर्ण द्रव्यमान हैं।

ठोस पिण्डों का द्रव्यमान केन्द्र (Centre of Mass of Solid Bodies)

माना कि एक ठोस पिण्ड सतत् द्रव्यमान वितरण रखता है। इस निकाय के द्रव्यमान केन्द्र की गणना समाकलन द्वारा की जा सकती है।

$$x_{cm} = \frac{\int xdm}{\int dm}; y_{cm} = \frac{\int ydm}{\int dm}; z_{cm} = \frac{\int zdm}{\int dm}$$

नोट–

1. कणों के निकाय का द्रव्यमान केन्द्र वहाँ केन्द्रित होता है जहाँ उस निकाय का अधिकतम द्रव्यमान केन्द्रित हो।
2. किसी पिण्ड का द्रव्यमान केन्द्र, पिण्ड के बाहर या पिण्ड पर स्थित हो सकता है। जैसे वलय का द्रव्यमान केन्द्र उसके केन्द्र में होता है न कि पिण्ड पर।
3. **दो कणों का निकाय (Two Particles System):** r दूरी से पृथक m_1 तथा m_2 द्रव्यमान के दो कणों के निकाय का द्रव्यमान केन्द्र उनके बीच में स्थित होता है। किसी भी एक कण से द्रव्यमान केन्द्र की दूरी (x) कण के द्रव्यमान (m) के व्युत्क्रमानुपाती होता है।

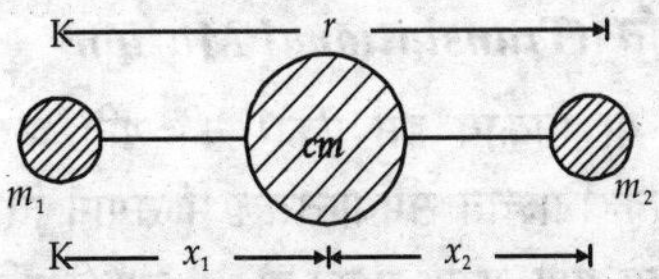

अर्थात् $x \propto \frac{1}{m} \Rightarrow \frac{x_1}{x_2} = \frac{m_2}{m_1}$

$$\Rightarrow m_1x_1 = m_2x_2 \Rightarrow x_1 = \left(\frac{m_2}{m_2 + m_1}\right)r$$

तथा $x_2 = \left(\frac{m_1}{m_2 + m_1}\right)r$

यहाँ x_1= cm की m_1 से दूरी, x_2= cm की m_2 से दूरी

यदि $m_1 = m_2, x_1 = x_2 = \frac{r}{2}$ अर्थात् द्रव्यमान केन्द्र, समान द्रव्यमान कणों के ठीक मध्य में स्थित होता है।

इसी प्रकार, यदि $m_1 < m_2, x_1 > x_2$ तथा $m_1 > m_2, x_1 < x_2$ अर्थात् द्रव्यमान केन्द्र अधिक द्रव्यमान कण के निकट होता है।

$$x_1 = \frac{m_2r}{m_1 + m_2} \text{ तथा } x_2 = \frac{m_1r}{m_1 + m_2}$$

द्रव्यमान केन्द्र की गति एवं त्वरण (Velocity and Acceleration of Centre of Mass)

द्रव्यमान केन्द्र का त्वरण वेग (instantaneous velocity)

$$\vec{V}_{cm} = \frac{m_1\vec{v}_1 + m_2\vec{v}_2 + ... + m_n\vec{v}}{M}$$

या $\vec{\mathbf{V}}_{cm} = \dfrac{\vec{\mathbf{P}}_{system}}{M}$

यहाँ $\vec{\mathbf{P}}_m$ द्रव्यमान केन्द्र का रेखीय सम्पूर्ण संवेग है।

अर्थात्

$$\text{द्रव्यमान केन्द्र की गति} = \frac{\text{निकाय का सम्पूर्ण संवेग}}{\text{निकाय का सम्पूर्ण द्रव्यमान}}$$

द्रव्यमान केन्द्र की गति को समय t के सापेक्ष अवकलन (differentiate) करके त्वरण (acceleration) प्राप्त कर सकते हैं।

$$\vec{a}_{cm} = \frac{m_1\vec{a}_1 + m_2\vec{a}_2 + \ldots m_n\vec{a}_n}{M}$$

या $\vec{a}_{cm} = \dfrac{\sum \vec{F}_{ext}}{M}$

यहाँ $\vec{F}_{ext}$ निकाय के कणों पर आरोपित बलों का सदिश जोड़ है।

दृढ़ पिण्ड की व्यापक गति
(General Motion of a Rigid Body)

किसी दृढ़ पिण्ड की गति सामान्यतः दो प्रकार की होती हैः स्थानान्तरीय गति तथा घूर्णन गति।

स्थानान्तरीय गति (Translational Motion)

यदि कोई पिण्ड या निकाय इस प्रकार की गति करता है कि उसके प्रत्येक कण का एक निश्चित समयान्तराल में समान विस्थापन हो अर्थात् समान दिशा में चली गयी दूरियाँ समान हो, तो उसकी गति को स्थानान्तरीय गति कहते हैं।

किसी कार्तीय निर्देश फ्रेम (cartesian reference frame) के सापेक्ष किसी क्षण पर पिण्ड की स्थिति व्यक्त करने के लिए तीन चरों x, y, z की आवश्यकता होती है। इन तीनों चरों को स्थानान्तरीय स्वतंत्रता की कोटियाँ (translational degrees of freedom) कहते हैं।

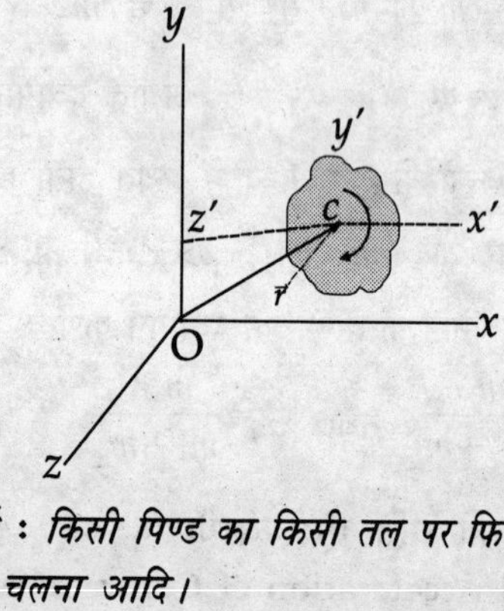

उदाहरणार्थ : *किसी पिण्ड का किसी तल पर फिसलना, व्यक्ति का किसी तल पर चलना आदि।*

घूर्णन गति (Rotational Motion)

यदि कोई पिण्ड अथवा निकाय किसी स्थिर अक्ष के परितः इस प्रकार गति करता है कि उसके सभी कण वृत्तीय पथों पर चलते हैं ताकि निश्चित समयान्तराल में प्रत्येक कण का कोणीय विस्थापन समान हो, तो उसकी गति को घूर्णन गति कहते हैं। इन समस्त वृत्तीय पथों के केन्द्रों को मिलाने वाली रेखा को घूर्णन अक्ष (axis of rotation) कहते हैं।

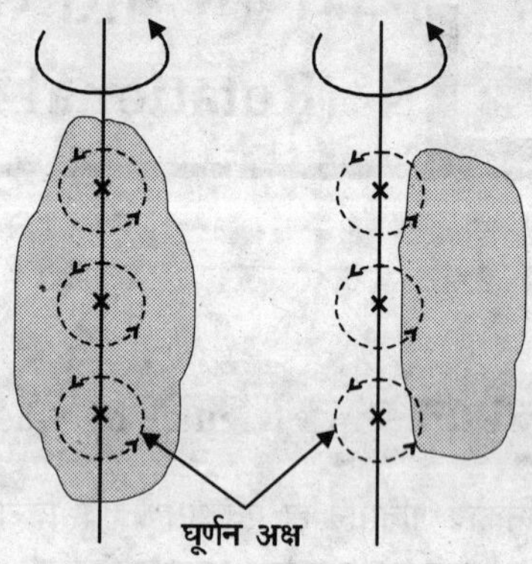

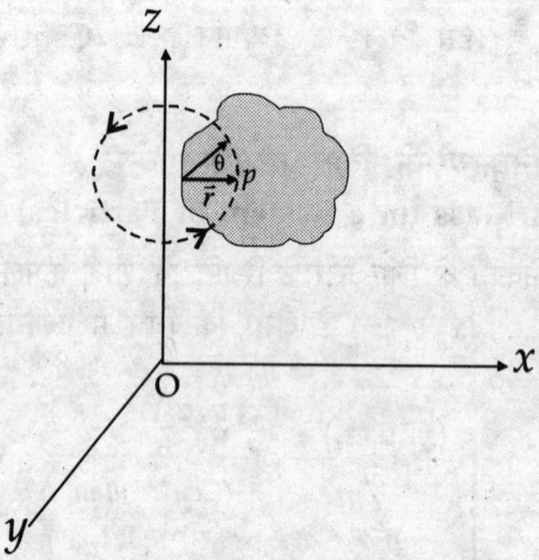

पिण्ड के सभी कणों के कोणीय वेग समान होते हैं। परन्तु इनके रेखीय वेग भिन्न-भिन्न होते हैं। अक्ष पर स्थित बिन्दुओं के लिये रेखीय वेग शून्य होते हैं। किसी क्षण पर पिण्ड के अभिविन्यास (orientation) को तीन चरों जिन्हें घूर्णन स्वतंत्रता की कोटियाँ कहते हैं, से व्यक्त किया जा सकता है।

कोणीय वेग (Angular Velocity)

$$\vec{\mathbf{v}} = \vec{\omega} \times \vec{r} \;\Rightarrow \vec{\omega} = \frac{\vec{v}}{\vec{r}} \text{ या } \frac{d\theta}{dt}$$

अर्थात् कोणीय वेग वह सदिश राशि है जिसकी दिशा (गति के तल के लम्बवृत्) दक्षिणवर्ती हाथ के नियम से दी जाती है। इसका मात्रक रेडियन प्रति सेकण्ड है।

बल आघूर्ण (Turning Effect of Force or Torque)

जिस तरह स्थानान्तरीय गति प्राप्त करने के लिए बल की आवश्यकता होती है उसी तरह घूर्णन गति को प्राप्त करने के लिए बल आघूर्ण की आवश्यकता होती है। पिण्ड को किसी अक्ष के परितः घूमाने की प्रवृत्ति को जिस राशि द्वारा मापा जाता है उसे बल आघूर्ण कहते हैं। इसे प्रतीक τ(tau) से प्रदर्शित करते हैं। इसका एस.आई. मात्रक न्यूटन मीटर है और द्विविमीय सूत्र $[ML^2T^{-2}]$ है।

$\vec{\tau}$ = बल × लम्बवत् दूरी

$\Rightarrow \quad \vec{\tau} = \vec{F} \times \vec{r}$

यहाँ $\vec{r}$ किसी बिन्दु O के परितः स्थिति सदिश (position vector) है तथा $\vec{F}$ बल है।

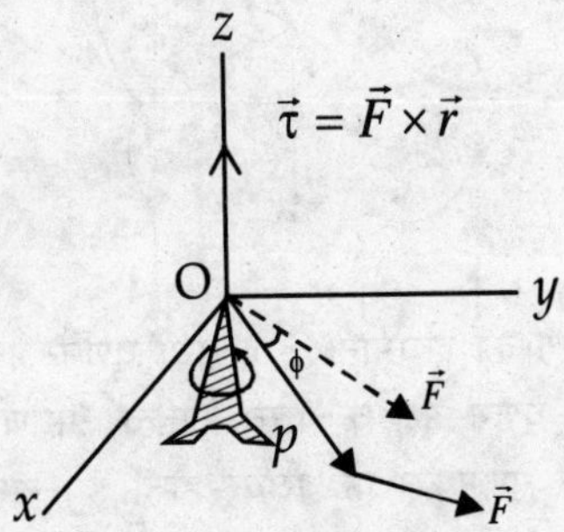

यह एक सदिश राशि है तथा क्रास गुणन (cross product) के नियमानुसार इसकी दिशा $\vec{r}$ तथा $\vec{F}$ दोनों के लम्बवृत है।

घूर्णन गति में, शक्ति = $P = \tau\omega$

तथा रेखीय गति में, शक्ति = $P = Fv$

कोणीय संवेग (Angular Momentum)

जब कोई पिण्ड रेखीय गति करता है तो उस पिण्ड की लम्बवत् दूरी घूर्णन अक्ष से तथा रेखीय वेग के गुणनफल को रेखीय संवेग कहते हैं। यदि पिण्ड किसी अक्ष के परितः घूम रहा है तो उस अक्ष के परितः पिण्ड के कणों के रेखीय संवेगों के आघूर्णों के योग को उस पिण्ड का उस अक्ष के परितः कोणीय संवेग कहते हैं। इसे L से प्रदर्शित करते हैं।

$\vec{L} = \vec{r} \times \vec{p} = pr\sin\phi$, यहाँ r किसी विशेष क्षण पर स्थिति सदिश है।

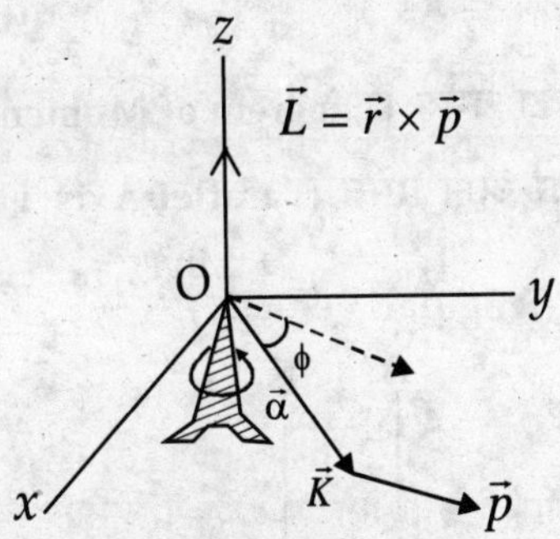

न्यूटन के गति के दूसरे नियम से

$$\vec{\tau}_{ext.}(total) = \frac{d\vec{L}(total)}{dt} = \frac{d}{dt}\left(\vec{L}_1 + \vec{L}_2 + ... + \vec{L}n\right)$$

दृढ़ पिण्ड का बल आघूर्ण तथा कोणीय त्वरण (Torque and Angular Acceleration of a Rigid Body)

दृढ़ पिण्ड का कोणीय त्वरण घूर्णन अक्ष के अनुदिश बल आघूर्ण के घटकों के योग के सीधे समानुपाती होता है।

अतः $\alpha = \dfrac{\tau}{\sum_{i=1}^{n} m_i r_i^2} = \dfrac{\tau}{I}$

या $\vec{\tau} = I\vec{\alpha}$

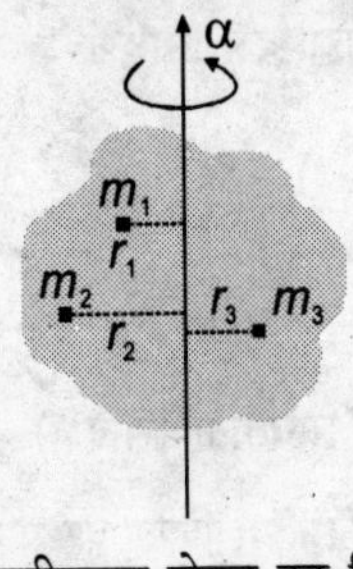

ध्यान रहे उपरोक्त समीकरण केवल दृढ़ पिण्डों के लिए ही सत्य है। क्योंकि यदि पिण्ड दृढ़ नहीं हैं तो पिण्ड के विभिन्न कणों के लिए कोणीय त्वरण α के मान भिन्न होते हैं।

नियत त्वरण से होने वाली रेखीय तथा कोणीय गति के बीच तुलनात्मक संबंध

नियत रेखीय त्वरण से रेखीय त्वरण *(Constant acc. with constant linear acc.)*	**नियत कोणीय त्वरण से घूर्णन गति** *(Rotational motion with constant angular acc.)*
a = नियतांक	α = नियतांक
$v = u + at$	$\omega = \omega_0 + \alpha t$
$s = s_0 + ut + \frac{1}{2}at^2$	$\theta = \theta_0 + \omega_0 t + \frac{1}{2}\alpha t^2$
$v^2 = u^2 + 2a(s - s_0)$	$\omega^2 = \omega_0^2 + 2\alpha(\theta - \theta_0)$

कोणीय संवेग–संरक्षण का सिद्धांत (Law of Conservation of Angular Momemtum)

हम जानते हैं, एक कण का निर्देशांक बिन्दु O के परितः कोणीय संवेग

$$\vec{\mathbf{L}} = \vec{\mathbf{r}} \times \vec{\mathbf{p}} \qquad ...(i)$$

यहाँ $\vec{\mathbf{p}}$, कण का रेखीय संवेग तथा $\vec{\mathbf{r}}$, निर्देश बिन्दु O के सापेक्ष स्थिति सदिश है।

समीकरण (*i*) को t के सापेक्ष अवकलन करने पर

$$\frac{d\vec{\mathbf{L}}}{dt} = \vec{\mathbf{r}} \times \frac{d\vec{\mathbf{p}}}{dt} + \frac{d\vec{\mathbf{r}}}{dt} \times \vec{\mathbf{p}} \qquad ...(ii)$$

यहाँ $\dfrac{d\vec{\mathbf{p}}}{dt} = \vec{\mathbf{F}}$

तथा $\dfrac{d\vec{\mathbf{r}}}{dt} = \vec{\mathbf{v}}$

$\therefore \quad \dfrac{d\vec{\mathbf{L}}}{dt} = \vec{\mathbf{r}} \times \vec{\mathbf{F}} \times \vec{\mathbf{v}} \times \vec{\mathbf{P}}$

अब, $\vec{\mathbf{v}} \times \vec{\mathbf{P}} = 0$ क्योंकि $\vec{\mathbf{v}}$ एक-दूसरे के समान्तर हैं।

$\therefore \quad \dfrac{d\vec{\mathbf{L}}}{dt} = \vec{\mathbf{r}} \times \vec{\mathbf{F}} = \vec{\tau}$

या $\quad \vec{\tau} = \dfrac{d\vec{\mathbf{L}}}{dt}$

यदि $\tau = 0$ अर्थात् बाह्य बल आघूर्ण शून्य हो तब

$$\frac{d\vec{\mathbf{L}}}{dt} = 0$$

या $\vec{\mathbf{L}} =$ नियतांक

$$\vec{L}_1 + \vec{L}_2 + ... + \vec{L}_n = \text{नियतांक (सदिश)}$$

अतः ''जब किसी निकाय या पिण्ड पर परिणामी बाह्य बल आघूर्ण शून्य होता है, तो निकाय या पिण्ड का कोणीय संवेग नियत रहता है।'' यही कोणीय संवेग संरक्षण का नियम है।

घूर्णन गतिज ऊर्जा (Rotational Kinetic Energy)

माना एक दृढ़ पिण्ड किसी अक्ष के परितः ω कोणीय वेग से घूम रहा है। पिण्ड के जो अनेकों कण ω कोणीय वेग से r_1, r_2.... त्रिज्या के वृत्तीय पर घूम रहे हैं।

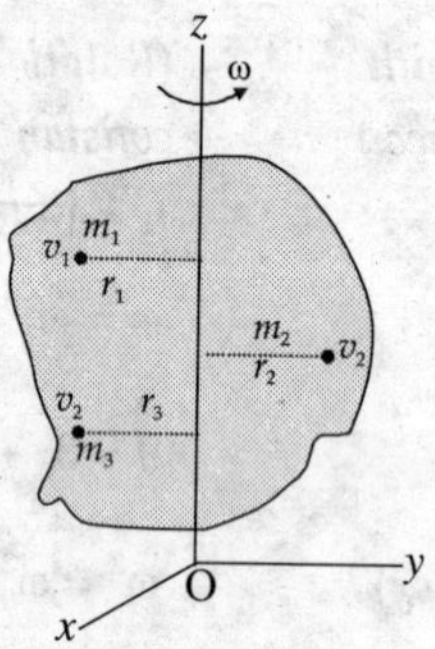

दृढ़ पिण्ड की गतिज ऊर्जा

$$K.E = \frac{1}{2}m_1v_1^2 + \frac{1}{2}m_2v_2^2 + \frac{1}{2}m_3v_3^2....$$

$$= \frac{1}{2}m_1(r_1\omega)^2 + \frac{1}{2}m_2(r_2\omega)^2 + \frac{1}{2}m_3(r_3\omega)^2 + ...$$

$$= \frac{1}{2}\left[m_1r_1^2 + m_2r_2^2 + ...\right]\omega^2$$

$$K.E = \frac{1}{2}\left(\sum_{i=1}^{n} m_ir_i^2\right) w^2 \frac{1}{2}I\omega^2$$

I का मान $= \sum_{i=1}^{n} m_ir_i^2$ को जड़त्व आघूर्ण कहते हैं तथा $\frac{1}{2}I\omega^2 =$ घूर्णन की गतिज ऊर्जा

जड़त्व आघूर्ण (Moment of Inertia)

प्रत्येक पिण्ड, जो किसी अक्ष के चारों ओर घूर्णन करने के लिये स्वतंत्र है, अपनी वर्तमान विरामावस्था अथवा घूर्णी अवस्था में ही रहने की प्रवृत्ति रखता है। यदि हम उसकी वर्तमान अवस्था में परिवर्तन करने का प्रयत्न करें तो पिण्ड इसका विरोध करता है। पिण्ड के इस गुण को यह कहकर व्यक्त किया जाता है कि पिण्ड में घूर्णन-अक्ष (axis of rotation) के परितः 'जड़त्व-अघूर्ण' होता है।

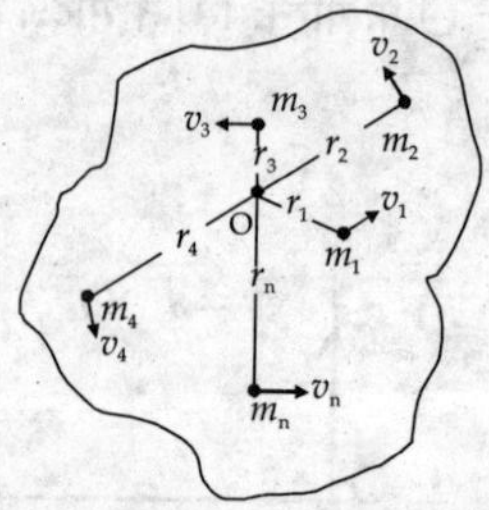

यदि किसी कण का द्रव्यमान m है तथा घूर्णन अक्ष से उसकी दूरी r है, तब कण का घूर्णन-अक्ष के परितः जड़त्व आघूर्ण I, द्रव्यमान m तथा दूरी r वर्ग के गुणनफल के बराबर होता है। अर्थात्

$$I = mr^2$$

चित्र में एक पिण्ड दिखाया गया है जो कि पिण्ड के एक बिन्दु O से गुजरने वाली तथा पिण्ड के तल के लम्बवत् अक्ष के चारों ओर घूर्णन कर रहा है। यदि पिण्ड के कणों के द्रव्यमान m_1, m_2, m_3... हों तथा उनकी घूर्णन-अक्ष से दूरियाँ क्रमशः r_1, r_2, r_3... हो तो पिण्ड का घूर्णन-अक्ष के परितः जड़त्व आघूर्ण

$$I = m_1r_1^2 + m_2r_2^2 + m_3r_3^2 + ... = \sum_{i=1}^{n} m_ir_i^2$$

यदि पिण्ड में पदार्थ का अविच्छिन्न वितरण (continuous distribution) हो, तब

$$I = \int r^2 dm,$$

यहाँ dm, पिण्ड के एक अनन्त-सूक्ष्म अवयव (infinitesimally-small element) का द्रव्यमान है जो कि घूर्णन-अक्ष से r लम्बवत् दूरी पर है।

जड़त्व आघूर्ण का प्रमेय (Theorem of Moment of Inertia)

***(a)* समानांतर अक्ष प्रमेय (Parallel Axis Theorem)**

$$I_{AB} = I_{KL} + Mh^2$$

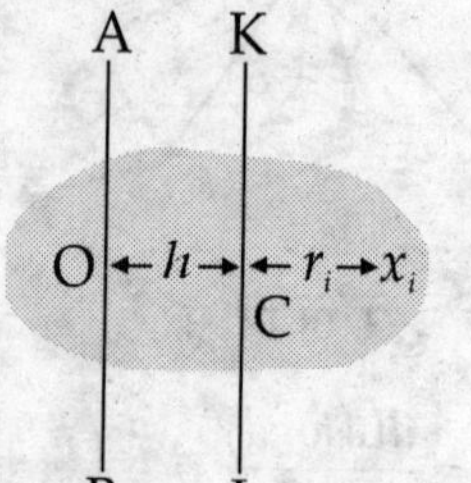

***(b)* लम्बवत् अक्ष प्रमेय (Perpendicular Axis Theorem)**

$$I_z = I_x + I_y$$

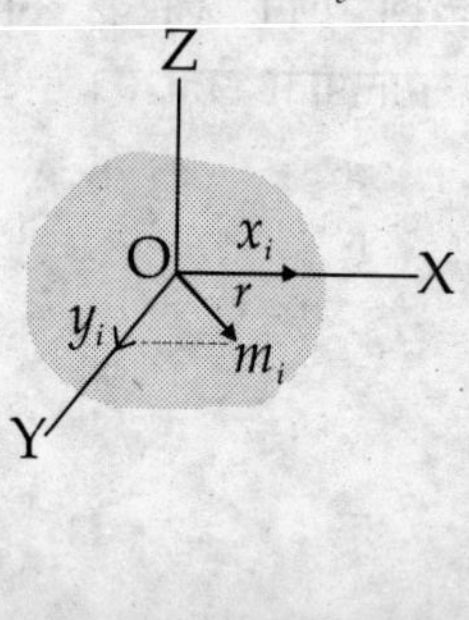

कुछ वस्तुओं का जड़त्व आघूर्ण
(Moment of Inertia of Some Bodies)

	वस्तु	अक्ष	जड़त्व आघूर्ण
1.	एकसमान छड़ (लम्बाई-l)	छड़ के केन्द्र पर लम्बवत्	$\frac{1}{12}ML^2$
2.	एकसमान आयताकार प्लेट (लम्बाई-L); चौड़ाई-B)	प्लेट के केन्द्र पर लम्बवत्	$\frac{M}{12}\left(L^2+B^2\right)$
3.	एकसमान वृत्ताकार छल्ला (त्रिज्या-R)	सतह के लम्बवत् और केन्द्र से	MR^2
4.	एकसमान वत्ताकार डिस्क (त्रिज्या-R)	सतह के लम्बवत् और केन्द्र से	$\frac{1}{2}MR^2$
5.	खोखला बेलन (त्रिज्या-R)	बेलन का अक्ष	MR^2
6.	ठोस बेलन (त्रिज्या-R)	बेलन का अक्ष	$\frac{1}{2}MR^2$
7.	खोखला गोला (त्रिज्या-R)	व्यास	$\frac{2}{3}MR^2$
8.	ठोस गोला (त्रिज्या-R)	व्यास	$\frac{2}{5}MR^2$

लोटनिक गति

संयुक्त स्थानान्तरीय तथा घूर्णन गतियाँ–जब सतह के सापेक्ष में पिण्ड एवं सतह के बीच सम्पर्क बिन्दु नियत हो।

लोटनिक गति (स्थानान्तरीय + घूर्णन)

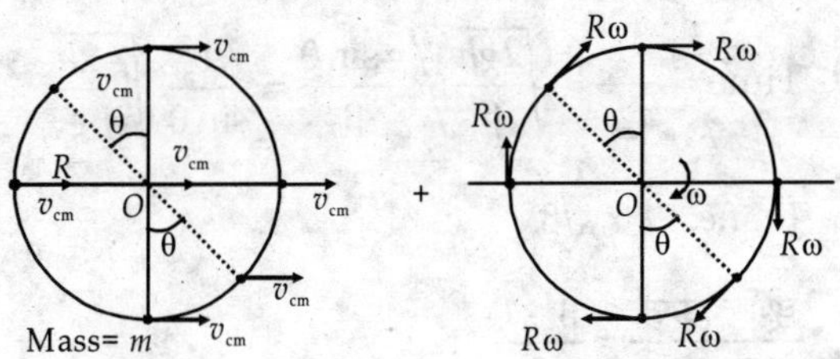

शुद्ध स्थानान्तरीय गति   शुद्ध घूर्णन गति

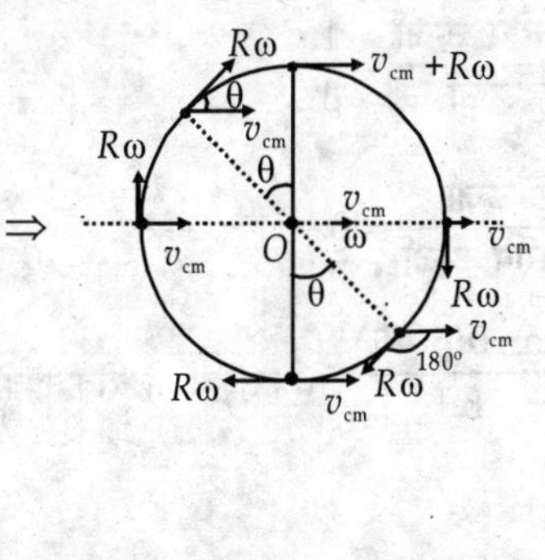

स्थिति I: आगे की ओर फिसलन

$v_{cm} > R\omega$

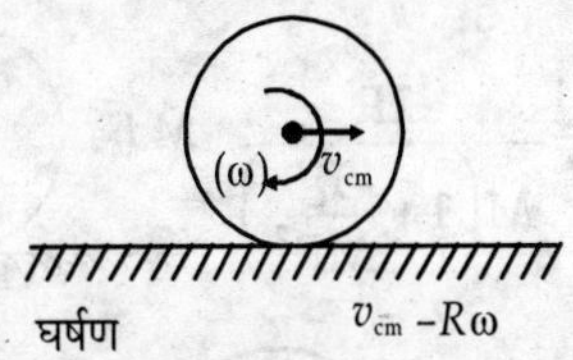

स्थिति II: पीछे की ओर फिसलन

$v_{cm} < R\omega$

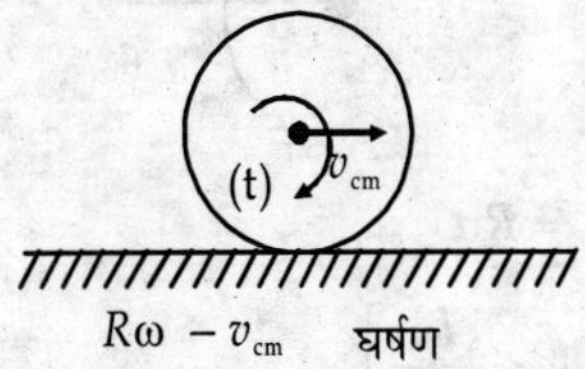

स्थिति III: शुद्ध लोटनिक गति

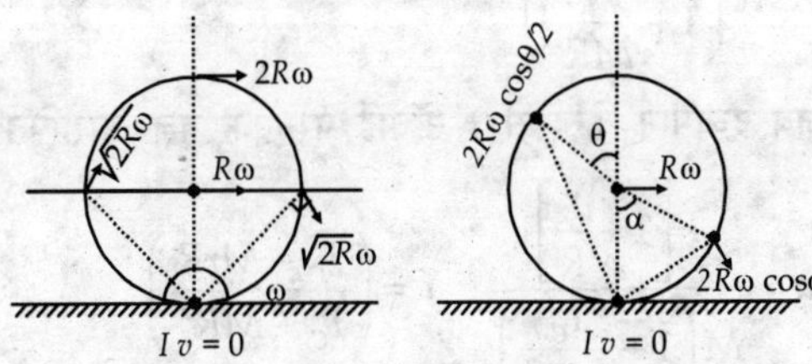

तत्क्षण घूर्णन केन्द्र   तत्क्षण घूर्णन केन्द्र

उपयोग–

(a) जब पिण्ड के द्रव्यमान केन्द्र पर आरोपित एक बल

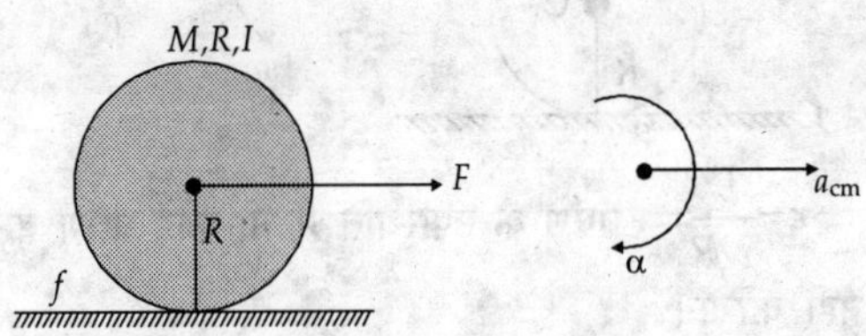

$a_{cm} = R\alpha$ ...(1) लोटनिक गति के लिए शर्त

$F - f = Ma$ ...(2)

$fR = I\alpha$ द्रव्यमान केन्द्र के परितः बल आघूर्ण

$f = \frac{I\alpha}{R}$ ...(3)

(1), (2) तथा (3) से,

$$F = Ma + f = Ma + \frac{I\alpha}{R} = Ma\left(1+\frac{I}{MR^2}\right)$$

$$a = \frac{F}{M\left(1+\frac{I}{MR^2}\right)}$$

(3) से $f = \frac{Ia}{R^2} = \frac{I}{R^2}\left[\frac{F}{M\left(1+\frac{I}{MR^2}\right)}\right] = \frac{F}{\left(1+\frac{MR^2}{I}\right)} \le \mu mg$

फिसलने से रोकने के लिए

(b) जब पिण्ड के बाहरी कोर पर बल आरोपित हो

$$a_{cm} = \frac{2F}{M\left(1+\frac{I_C}{MR^2}\right)}$$

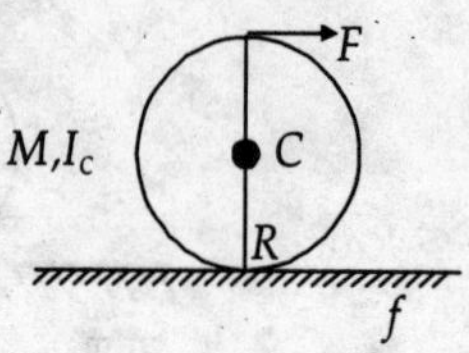

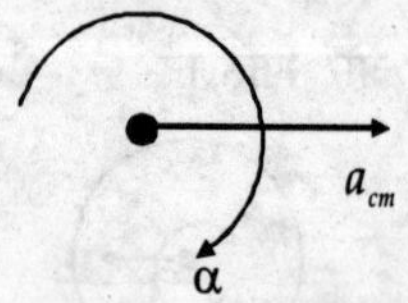

यहाँ $a_{cm} = R\alpha$

$$f = \frac{F\left[1-\frac{I}{MR^2}\right]}{\left(1+\frac{I}{MR^2}\right)} \le \mu mg$$ फिसलने से रोकने के लिए,

(c) जब द्रव्यमान केन्द्र से r ऊँचाई पर एक बल आरोपित हो,

$$a = \frac{F\left[1+\frac{r}{R}\right]}{M\left(1+\frac{I_C}{MR^2}\right)}; \quad f = \left(\frac{I_C - MrR}{I_C + MR^2}\right)$$

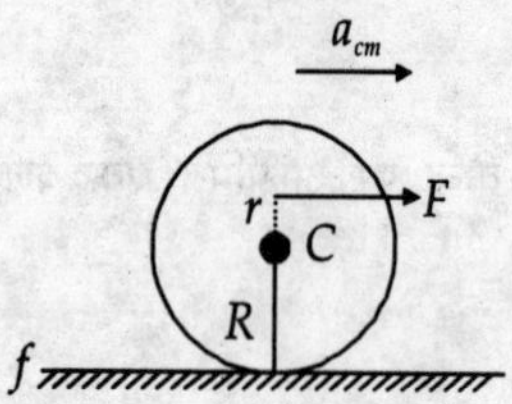

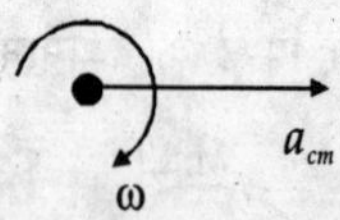

$\Rightarrow r = \frac{I_C}{MR} \Rightarrow$ घर्षण के उपस्थिति में भी कोई घर्षण बल कार्य नहीं करेगा।

(i) यदि $r < \frac{I_C}{MR} \Rightarrow$ पीछे की दिशा में कार्यरत घर्षण बल

(ii) यदि $r > \frac{I_C}{MR} \Rightarrow$ आगे की दिशा में कार्यरत घर्षण बल

(d) $\tau = F \times R = I\alpha$

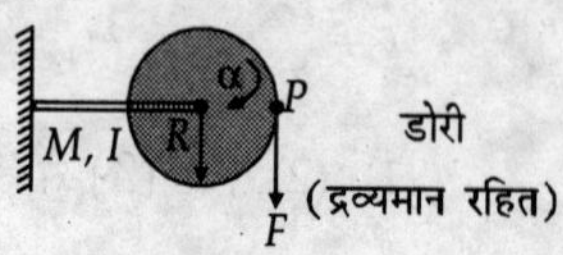

$$\alpha = \frac{FR}{I}$$

$$a_P = R\alpha = \frac{FR^2}{I}$$

(e) $$a = \left(\frac{M_2 - M_1}{M_2 + M_1 + \frac{I}{2}}\right)g$$

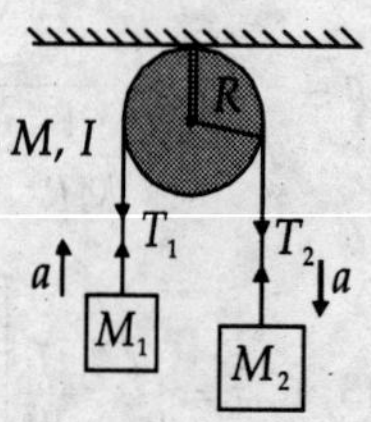

$T_2 > T_1$

$M_2 > M_1$

(f) $a = \frac{Mg}{M+\frac{I}{R^2}}, \alpha = \frac{a}{R}$

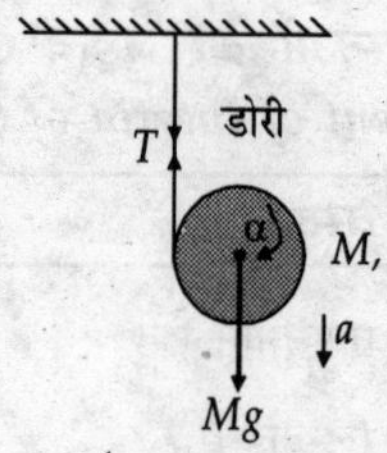

(g) $a = \frac{Mg}{M+\frac{I}{R^2}}, \alpha = \frac{a}{R}$

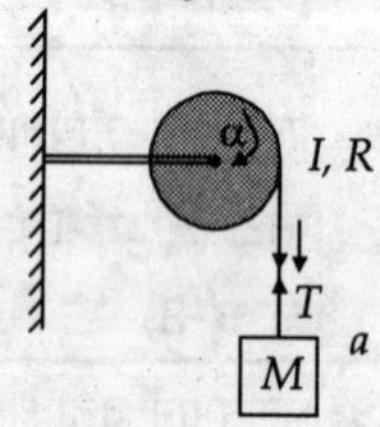

आनत समतल पर लोटनिक गति
(Rolling Motion on an Inclined Plane)

चित्र में क्षैतिज से θ कोण बनाता हुआ एक आनत समतल है जिस पर द्रव्यमान m तथा त्रिज्या r का एक पिण्ड शुद्ध लोटनिक गति कर रहा है। किसी क्षण t पर, पिण्ड किसी ऊँचाई h पर है। माना वह पिण्ड उस ऊँचाई से छोड़ा जाता है। ऊर्जा-संरक्षण के सिद्धांत से,

(a) $mgh = \frac{1}{2}I\omega^2 + \frac{1}{2}mv_{cm}^2$

कुल ऊर्जा = घूर्णन + स्थानान्तरीय

(b) $\beta = 1 + \frac{I}{MR^2}$

या $I = MK^2$ यहाँ $K \rightarrow$ radius of gyration

(c) $a_{cm} = \frac{g\sin\theta}{\beta}$

(d) $v_{cm} = \sqrt{\frac{2gh}{\beta}}$

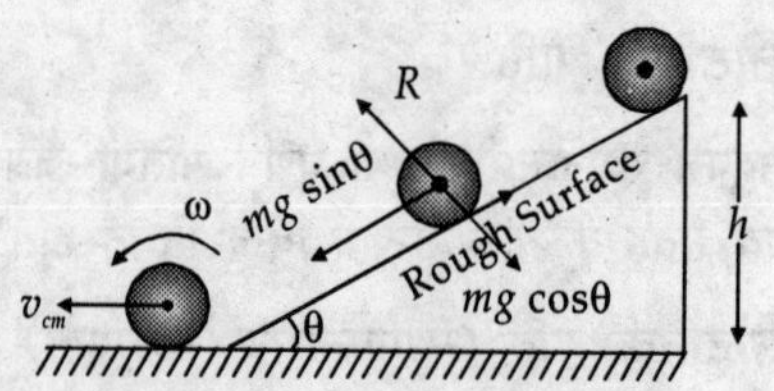

(e) $\text{Time} = \frac{v_{cm}}{a_{cm}} = \sqrt{\frac{2gh}{\beta}} \Big/ \frac{g\sin\theta}{\beta} = \frac{1}{\sin\theta}\sqrt{\beta\frac{2h}{g}}$

व i.e. $t \propto \sqrt{\beta}$

(f) $\frac{\text{घूर्णन ऊर्जा}}{\text{कुल ऊर्जा}} = \frac{\beta - 1}{\beta}$

(g) $\frac{\text{स्थानान्तरीय ऊर्जा}}{\text{कुल ऊर्जा}} = \frac{1}{\beta}$

(h) $\frac{\text{घूर्णन ऊर्जा}}{\text{स्थानान्तरीय ऊर्जा}} = \beta - 1$

(i) $\mu \ge \frac{g\tan\theta(\beta - 1)}{\beta}$ (फिसलन से रोकने के लिए)

वस्तुनिष्ठ प्रश्न

1. एक ठोस गोला, खोखला गोला व डिस्क, (सभी का द्रव्यमान व त्रिज्यायें समान है) आनत तल के ऊपरी बिन्दु पर रखे गये हैं, तो कौन-सी वस्तु तल तक पहुँचने में न्यूनतम समय लेगी?

(a) ठोस गोला

(b) खोखला गोला

(c) डिस्क

(d) सभी वस्तुयें समान समय लेंगी

2. R त्रिज्या एवं M द्रव्यमान का एक ठोस बेलन नत तल पर बिना फिसले हुए लुढ़क रहा है। इसके द्रव्यमान केन्द्र का वेग जब यह तल के आधार पर पहुँचता है, होगाः

(a) $\sqrt{2gh}$ (b) $\sqrt{\frac{4}{3}gh}$

(c) $\sqrt{\frac{3}{4}gh}$ (d) $\sqrt{\frac{3g}{h}}$

3. यदि पृथ्वी क्षण भर में सिकुड़कर वर्तमान त्रिज्या की आधी हो जाये, तो एक दिन में घण्टे होंगेः

(a) 6 hours (b) 12 hours

(c) 18 hours (d) 24 hours

4. m द्रव्यमान की एक वस्तु नत तल पर नीचे की ओर फिसल रही है और v वेग से तल के निचले छोर पर पहुँचती है। यदि यही वस्तु छल्ले के रूप में होती और तल पर लुढ़कती हुई नीचे पहुँचती तो इसका वेग होता :

(a) v (b) $\sqrt{2}\,v$

(c) $\frac{1}{\sqrt{2}}v$ (d) $\sqrt{\frac{2}{5}}\,v$

5. द्रव्यमान M अचर वेग से x- अक्ष के समान्तर एक रेखा में गति कर रहा है। मूल बिन्दु या z-अक्ष के सापेक्ष इसका कोणीय संवेग है :

(a) शून्य (b) स्थिरांक

(c) बढ़ जायेगा (d) घट जायेगा

6. एक गोलीय गेंद मेज पर बिना फिसले लुढ़क रही है तो इसकी ऊर्जा का कितना भाग घूर्णन गति से सम्बन्धित है?

(a) $\frac{2}{5}$ (b) $\frac{2}{7}$

(c) $\frac{3}{5}$ (d) $\frac{3}{7}$

7. एक नत तल क्षैतिज से 30° का कोण बनाता है। इस पर एक ठोस गोला विरामावस्था से लुढ़कना प्रारम्भ करता है, तो इसका रेखीय त्वरण होगाः

(a) $\frac{g}{3}$ (b) $\frac{2g}{3}$

(c) $\frac{5g}{7}$ (d) $\frac{5g}{14}$

8. T आकार की एकसमान आकृति जिसका द्रव्यमान 3M है, का इसके तल के लम्बवत् व बिन्दु O के परितः जड़त्व आघूर्ण होगा :

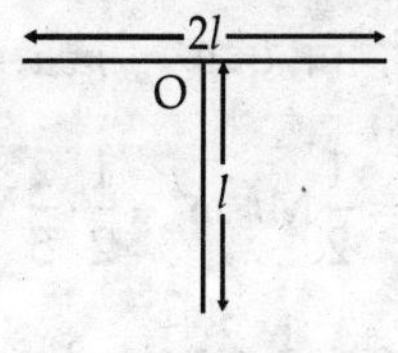

(a) $\frac{2}{3}Ml^2$ (b) Ml^2

(c) $\frac{Ml^2}{3}$ (d) इनमें से कोई नहीं

9. M द्रव्यमान व $2a$ व्यास के चार गोलों के केन्द्र b भुजा के वर्ग के चारों कोनों पर रख दिये गये हैं। इस निकाय का किसी भी अक्ष के सापेक्ष जड़त्व आघूर्ण होगाः

(a) $\frac{4}{5}Ma^2 + 2Mb^2$ (b) $\frac{8}{5}Ma^2 + 2Mb^2$

(c) $\frac{8}{5}Ma^2$ (d) $\frac{4}{5}Ma^2 + 4Mb^2$

10. एक फ्लाई-व्हील के व्यास में यदि 1% की वृद्धि की जाये तो उसके केन्द्र से गुजरने वाली अक्ष के सापेक्ष जड़त्व आघूर्ण में प्रतिशत वृद्धि होगीः

(a) 2% (b) 2.5%

(c) 1.5% (d) 3%

उत्तरमाला

1. (d): a सभी वस्तुओं के लिये समान है।

2. (b): नीचे घूमते हुए बेलन की कुल ऊर्जा

$$E_r = \frac{1}{2}Mv^2\left(\frac{K^2}{r^2}+1\right) = \frac{3}{4}Mv^2\left(\because K^2 = \frac{r^2}{2}\right)$$

$$\therefore \frac{3}{4}Mv^2 = Mgh$$

या $v \cong \sqrt{\frac{4}{3}gh}$

3. (a): कोणीय संवेग संरक्षण से, $I_1\omega_1 = I_2\omega_2$

$$\frac{2}{5}MR^2\frac{2\pi}{24} = \frac{2}{5}\frac{MR^2}{4}\frac{2\pi}{T'} \text{ घण्टे } = 6 \text{ घण्टे}$$

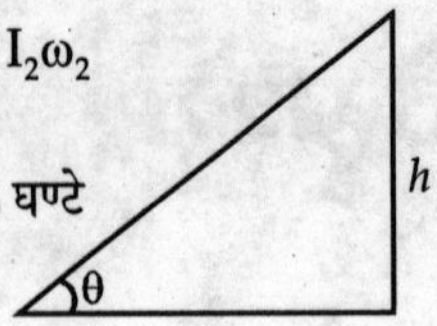

4. (c): v पिण्ड $= \sqrt{2gh}$

$$v \text{ वलय } = \sqrt{\frac{2gh}{\left(1+\frac{K^2}{r^2}\right)}} = \frac{v \text{ पिण्ड}}{\sqrt{1+\frac{K^2}{r^2}}}$$

वलय के लिये $\frac{K^2}{r^2} = 1 \Rightarrow v\text{वलय} = \frac{v\text{पिण्ड}}{\sqrt{2}} = \frac{v}{\sqrt{2}}$

5. (b):

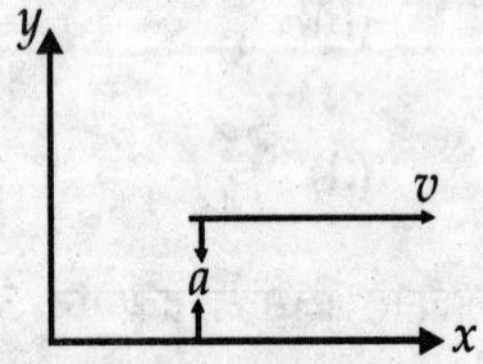

चूँकि पिण्ड x-अक्ष के समानान्तर चल रहा है, a = स्थिरांक, z-अक्ष के परित, कोणीय संवेग = mva = स्थिरांक

6. (b): कुल ऊर्जा $= \frac{1}{2}Mr^2\omega^2 + \frac{1}{2}\cdot\frac{2}{5}Mr^2\omega^2$

घूर्णन गतिज ऊर्जा $= \frac{1}{2}\cdot\frac{2}{5}Mr^2\omega^2$

$$\therefore \frac{\text{घूर्णन गतिज ऊर्जा}}{\text{कुल ऊर्जा}} = \frac{1/5}{7/10} = \frac{2}{7}$$

7. (d):

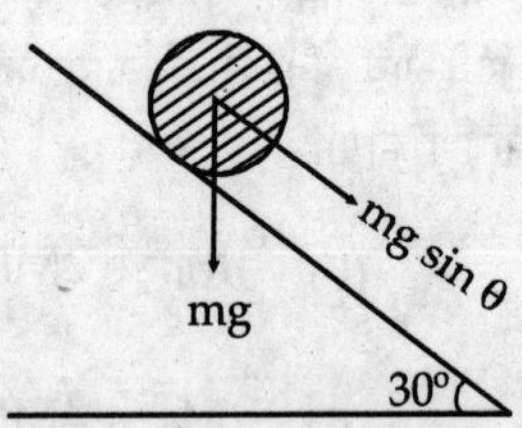

$mgl\sin\theta + \frac{1}{2}mv_{CM}^2 + \frac{1}{2}\cdot\frac{2}{5}mr^2\cdot\frac{v_{CM}^2}{r^2} =$ नियतांक समय के सापेक्ष अवकलन करने पर

$$mg\sin\theta.\frac{dl}{dt} + \frac{1}{2}m\cdot 2v_{CM}\frac{dv}{dt} + \frac{1}{5}m2v_{CM}\cdot\frac{dv}{dt} = 0$$

$$\Rightarrow \frac{dv}{dt} = \frac{5}{7}g\sin\theta = \frac{5}{14}g$$

8. (b): $I_0 = \frac{(2M)(2l)^2}{12} + \left\{\frac{Ml^2}{12} + M\left(\frac{l}{2}\right)^2\right\}$

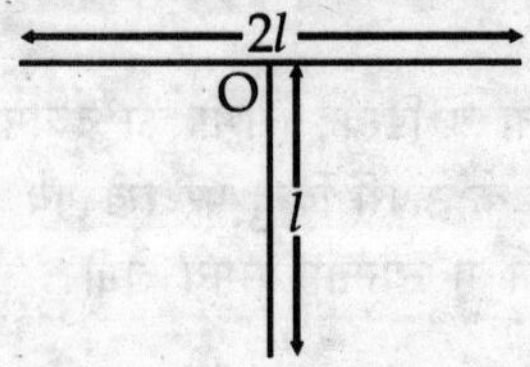

$I_0 = Ml^2$

9. (b): प्रत्येक गोले A तथा B का जड़त्व आघूर्ण उसके केन्द्र से गुजरने वाले अक्ष के परितः $\frac{2}{5}Ma^2$ है। इसी प्रकार C तथा D का जड़त्व आघूर्ण उसके केन्द्र से गुजरने वाले अक्ष के परितः $= \frac{2}{5}Ma^2$

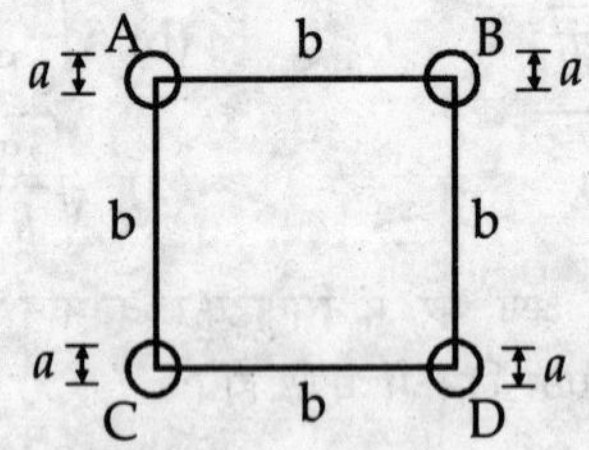

अब C तथा D गोले b दूरी पर है,

$\therefore$ समान्तर अक्ष की प्रमेय से, C या D का जड़त्व आघूर्ण $\left(= \frac{2}{5}Ma^2 + Mb^2\right)$

$\therefore$ AB के चारों गोलों का जड़त्व आघूर्ण

$$= 2\left[\frac{2}{5}Ma^2 + \left(\frac{2}{5}Ma^2 + Mb^2\right)\right] = \frac{8}{5}Ma^2 + 2Mb^2$$

10. (a): फ्लाई व्हील का जड़त्व आघूर्ण $I = MR^2$

या $\log I = \log M + 2\log R$

अवकलन करने पर,

$$\frac{dI}{I} = 0 + 2\frac{dR}{R}$$

जड़त्व आघूर्ण में % परिवर्तन

$$= \left(\frac{dI}{I}\times 100\right) = 2\left(\frac{dR}{R}\times 100\right)$$

$$= 2\times 1\% = 2\%$$

●●●

अध्याय

8 गुरुत्वाकर्षण (Gravitation)

न्यूटन का गुरुत्वाकर्षण का नियम (Newtons' Law of Gravitation)

न्यूटन ने सन् 1665 में बल का एक नियम (law of force) प्रतिपादित किया जिसे न्यूटन का गुरुत्वाकर्षण का नियम कहते हैं। यह नियम इस प्रकार है, "ब्राह्माण्ड में प्रत्येक कण (पिण्ड), किसी भी अन्य कण को अपनी ओर आकर्षित करते हुए उस पर आकर्षण बल लगाता है, जिसे गुरुत्वाकर्षण बल अथवा गुरुत्वीय बल (gravitational force) कहते हैं। इस बल का परिमाण दोनों कणों के द्रव्यमानों के गुणनफल के अनुक्रमानुपाती तथा उनके बीच की दूरी के वर्ग के व्युत्क्रमानुपाती होता है"।

माना इन कणों के द्रव्यमान m_1 व m_2 तथा इनके बीच की दूरी r है। तब इनके बीच लगने वाले गुरुत्वाकर्षण बल F, का परिमाण

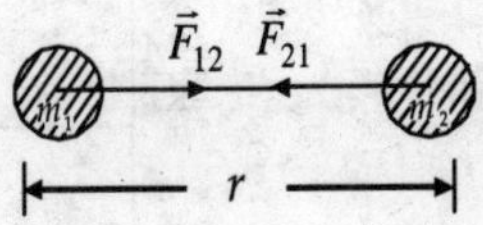

या $$F = G\frac{m_1 m_2}{r^2}$$

यहाँ G एक स्थिरांक है, जिसे सार्वत्रिक गुरुत्वाकर्षण स्थिरांक (universal gravitational constant) कहते हैं। G का मान

$$G = 6.67 \times 10^{-11} Nm^2 kg^{-2} = 6.67 \times 10^{-8}\, dyne\, cm^2 g^{-2}$$

G का द्विविमीय सूत्र $[M^{-1} L^3 T^{-2}]$ है।

F की दिशा, दोनों कणों को मिलाने वाली रेखा के अनुदिश होती है।

गुरुत्वीय त्वरण (Acceleration due to Gravity)

गुरुत्वाकर्षण के कारण पृथ्वी प्रत्येक वस्तु पर एक आकर्षण बल आरोपित करती है, जिसकी दिशा सदैव पृथ्वी की ओर होती है। इस आकर्षण बल को गुरुत्व बल (force due to gravity) कहते हैं। न्यूटन की गति के द्वितीय नियम के अनुसार, इस गुरुत्व बल के कारण वस्तु में त्वरण उत्पन्न होता है। जिसे गुरुत्व बल द्वारा उत्पन्न त्वरण अथवा गुरुत्वीय त्वरण (acceleration due to gravity) कहते हैं। इसे 'g' से प्रदर्शित करते हैं। पृथ्वी की सतह के निकट इसका मान 9.8 ms^{-2} होता है।

माना पृथ्वी का द्रव्यमान M तथा त्रिज्या R है, तब पृथ्वी की सतह पर रखी m द्रव्यमान की वस्तु पर आकर्षण बल

$$F = \frac{GMm}{R^2}$$

न्यूटन के नियमानुसार, गुरुत्वीय त्वरण

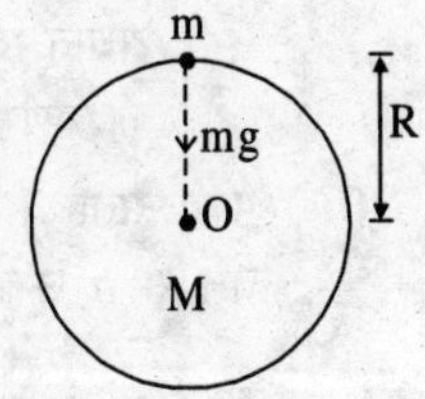

$$g = \frac{F}{m} = \frac{GMm}{mR^2} = \frac{GM}{R^2}$$

या $$g = \frac{GM}{R^2}$$

इस सूत्र में m नहीं आता है। इससे स्पष्ट है कि g का मान वस्तु के द्रव्यमान पर निर्भर नहीं करता है। अतः यदि भिन्न-भिन्न द्रव्यमानों की दो वस्तुएँ किसी ऊँचाई से, मुक्त रूप से गिराई जाती है, तो दोनों में उत्पन्न गुरुत्वीय त्वरण समान होंगे।

पृथ्वी का द्रव्यमान, $M = \dfrac{gR^2}{G} = 6.018 \times 10^{24}$ kg

गुरुत्वीय त्वरण 'g' के मान में परिवर्तन (Variation in Value of Acceleration due to Gravity, g)

g का मान पृथ्वी की सतह पर एक स्थान से दूसरे स्थान पर परिवर्तित होता है। पृथ्वी सतह से ऊपर या नीचे जाने पर भी g के मान में परिवर्तन होता है। g के मान में परिवर्तन निम्नलिखित कारणों से होता है :

(i) **पृथ्वी के आकार के कारण (Due to Shape of Earth):** पृथ्वी पूर्ण रूप से गोलाकार (spherical) नहीं है। यह दोनों ध्रुवों पर कुछ दबी हुई अर्थात् चपटी (flat) है। भूमध्य रेखा पर इसकी त्रिज्या ध्रुवों पर इसकी त्रिज्या से लगभग 21 km अधिक है। अतः 'g' का मान पृथ्वी सतह पर भूमध्य रेखा पर न्यूनतम तथा ध्रुवों पर अधिकतम होता है।

(ii) **पृथ्वी के घूर्णन के कारण (Due to Rotation of Earth):** पृथ्वी के घूर्णन की चाल बढ़ने पर, g का मान कम हो जाता है। λ अक्षांश पर गुरुत्वीय त्वरण, $g_\lambda = g - R\omega^2 \cos^2 \lambda$

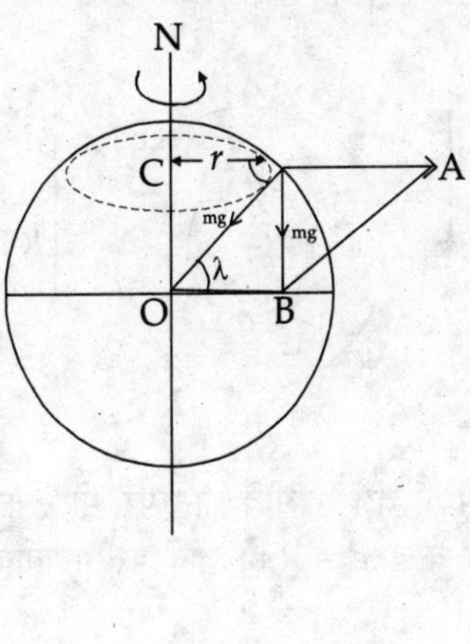

उपरोक्त व्यंजक से निम्नलिखित निष्कर्ष निकलते हैं :

(a) ध्रुवों पर $\lambda = 90°$

$$\therefore \quad g_\lambda = g \text{ (अधिकतम)}$$

अर्थात् ध्रुवों पर गुरुत्वीय त्वरण के मान पर पृथ्वी की घूर्णन गति का कोई प्रभाव नहीं पड़ता।

(b) भूमध्य रेखा अथवा विषुवत् रेखा पर $\lambda = 0°$

$$\therefore \quad g_\lambda = g - R\omega^2 \text{ (न्यूनतम)}$$

अर्थात् विषुवत् रेखा पर गुरुत्वीय त्वरण के मान पर पृथ्वी की घूर्णन गति का अधिकतम प्रभाव होता है।

***(iii)* पृथ्वी सतह से ऊपर (Above Earth's Surface):** पृथ्वी तल से h ऊँचाई पर गुरुत्वीय त्वरण

$$g' = \frac{g}{\left(1+\frac{h}{R}\right)^2}$$

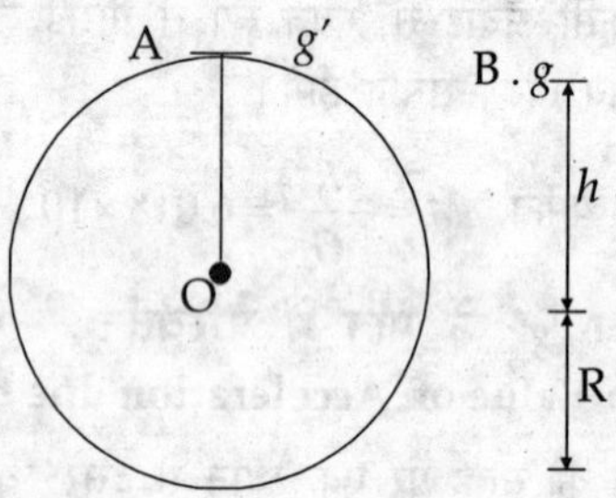

अतः $g' < g$

अर्थात् पृथ्वी तल से ऊँचाई h के बढ़ने पर गुरुत्वीय त्वरण g का मान घटता जाता है।

पुनः $$g' = g\left(1+\frac{h}{R}\right)^{-2}$$

या $$g' \approx g\left(1-\frac{2h}{R}\right) \text{ यदि } h << R$$

***(iv)* पृथ्वी सतह से नीचे (Below Earth's Surface):** पृथ्वी तल से d गहराई पर गुरुत्वीय त्वरण

$$g' = g\left(1-\frac{d}{R}\right)$$

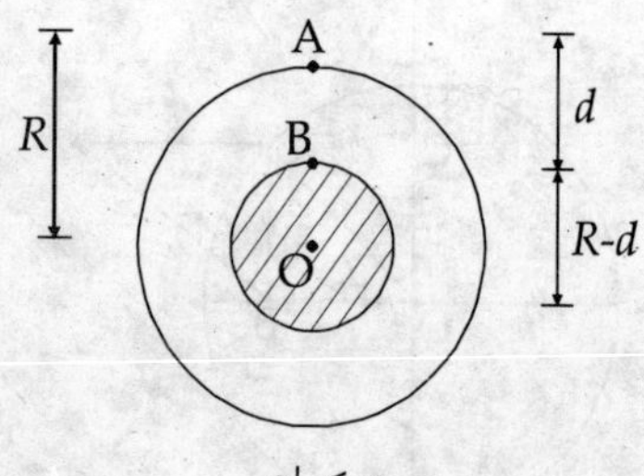

अतः $g' < g$

अर्थात् पृथ्वी तल से नीचे जाने पर भी g का मान घटता है। पृथ्वी के केन्द्र $d = R$ हो जाने पर गुरुत्वीय त्वरण शून्य हो जाता है।

गुरुत्वीय विभव (Gravitational Potential)

एकांक द्रव्यमान को अनन्त से गुरुत्वीय क्षेत्र के अन्दर किसी बिन्दु तक लाने में गुरुत्वीय बल द्वारा किये गये कार्य का ऋणात्मक मान ही उस बिन्दु पर गुरुत्वीय विभव कहलाता है। गुरुत्वीय विभव को 'V' से प्रदर्शित करते हैं। माना परीक्षण द्रव्यमान m को अनन्त से किसी बिन्दु पर लाने में प्राप्त कार्य W है, तब

$$V = \frac{W}{m}$$

चूँकि कार्य प्राप्त होता है, अतः यह ऋणात्मक है। अतः गुरुत्वीय विभव सदैव ऋणात्मक होता है।

गुरुत्वीय विभव की एस.आई. इकाई जूल प्रति किग्रा. तथा सी.जी.एस. इकाई अर्ग प्रति ग्राम है। इसका द्विविमीय सूत्र $[M^0L^2T^{-2}]$ है।

एकसमान ठोस गोले के कारण विभव (Potential due to Uniform Solid Sphere)

स्थिति I: $r > R$, R गोले की त्रिज्या है।

$$V_{(r)} = -\frac{GM}{r}$$

स्थिति II: $r = R$,

$$V_{(r)} = -\frac{GM}{r}$$

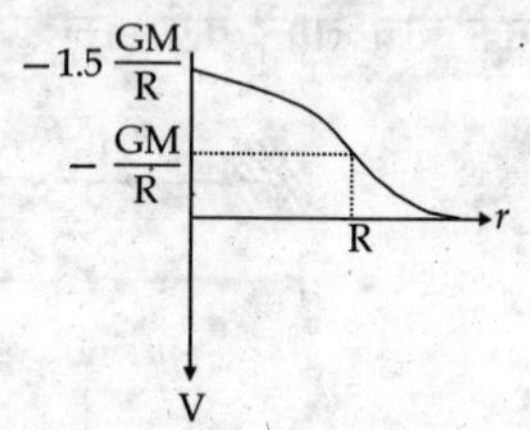

स्थिति III: $r < R$,

$$V_{(r)} = -\frac{GM}{R^3}(1.5R - 0.5r^2)$$

तीनों स्थितियाँ चित्रानुसार प्रदर्शित हैं।

एकसमान पतले गोलीय कोश के कारण विभव (Potential due to Uniform Thin Spherical Shell)

स्थिति I: $r > R$, R कोश की त्रिज्या है।

$$V = \frac{-GM}{r^2}$$

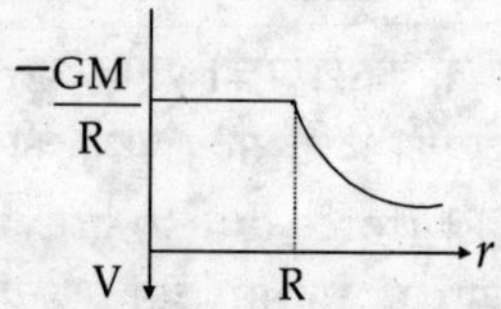

स्थिति II: $r = R$, R, $V = -\frac{GM}{R}$

स्थिति III: $r < R$, $V = \frac{-GM}{R}$

गुरुत्वीय क्षेत्र (Gravitational Field)

किसी भी कण का किसी अन्य कण पर गुरुत्वीय बल का प्रभाव उस कण (कार्यकारी) के चारों तरफ केवल कुछ सीमित स्थान तक ही सीमित

रहता है; उसके बाहर नहीं। यह सीमित स्थान ही उस कण का गुरुत्वीय क्षेत्र कहलाता है।

यदि $\vec{E}$ गुरूत्वीय क्षेत्र बल तथा V गुरूत्वीय विभव है, तो

$$E = -\frac{dv}{dr}$$

गुरुत्वीय क्षेत्र बल (Gravitational Field Strength)

गुरुत्वीय क्षेत्र में स्थित एकांक द्रव्यमान द्वारा अनुभव बल गुरुत्व क्षेत्र की तीव्रता कहलाता है। इसे $\vec{E}$ से निरुपित करते हैं।

अतः $$\vec{E} = \frac{F}{m} = \frac{GM}{r^2}$$

गुरुत्वीय क्षेत्र बल का एस.आई. मात्रक न्यूटन प्रति किग्रा या मीटर प्रति वर्ग सेकण्ड तथा सी.जी.एस. मात्रक डाईन प्रति ग्राम या सेमी. प्रति वर्ग सेकण्ड है। इसका द्विविमीय सूत्र $[M^0LT^{-2}]$ *है।*

गुरुत्वीय स्थितिज ऊर्जा (Gravitational Potential Energy)

गुरुत्वीय क्षेत्र में स्थित किसी कण की स्थितिज ऊर्जा उस कार्य के बराबर होती है जो उस कण को एक निर्देश स्थिति (reference position) से वर्तमान स्थिति तक लाने में किया जाता है। यह निर्देश स्थिति आकर्षणकारी-द्रव्यमान (gravitating mass) से अनन्त दूरी पर ली जाती है यहाँ कण की स्थितिज ऊर्जा को शून्य माना जाता है।

इस प्रकार, यदि आकर्षणकारी-द्रव्यमान M से r दूरी पर m द्रव्यमान का एक कण स्थित है, तो कण की स्थितिज ऊर्जा

$$\therefore U(r) = -\int_{\infty}^{r} -\frac{GMm}{r^2}\,dr = \left[-\frac{GMm}{r}\right]_{\infty}^{r} = -\frac{GMm}{r}$$

यह आकर्षणकारी-द्रव्यमान से r दूरी पर कण की गुरुत्वीय स्थितिज ऊर्जा है। ऋण चिह्न यह प्रकट करता है कि किसी परिमित दूरी पर स्थितिज ऊर्जा ऋणात्मक है, अर्थात् जैसे-जैसे कण को (अनन्त से) आकर्षणकारी-द्रव्यमान की ओर लाया जाता है, कण की स्थितिज ऊर्जा (शून्य) घटती जाती है।

जैसा कि हम जानते हैं,

$$Y_{(r)} = \frac{-Gm}{r}$$

अतः $U(r) = V_{(r)} \times m$

$\Rightarrow$ गुरुत्वीय स्थितिज ऊर्जा = गुरुत्वीय विभव × वस्तु का द्रव्यमान

पृथ्वी तल पर गुरुत्वीय स्थितिज ऊर्जा (Gravitational Potential Energy at Earth's Surface)

द्रव्यमान m के गुरुत्वीय क्षेत्र में, M से r दूरी पर स्थित द्रव्यमान m की गुरुत्वीय स्थितिज ऊर्जा

$$U(r) = -\frac{GMm}{r}$$

पृथ्वी का समस्त बाह्य पिण्डों के लिये व्यवहार इस प्रकार का होता है जैसे कि पृथ्वी का सम्पूर्ण द्रव्यमान M इसके केन्द्र पर संकेन्द्रित हो। अतः पृथ्वी-तल के समीप स्थित द्रव्यमान m को पृथ्वी से पृथ्वी की त्रिज्या R के बराबर दूरी पर माना जा सकता है। तब, पृथ्वी के आकर्षण के कारण द्रव्यमान m की स्थितिज ऊर्जा

$$U(R) = -\frac{GMm}{R}$$

पृथ्वी तल पर विभव (Potential at Earth's Surface)

$$V = \frac{U(R)}{m} = -\frac{GM}{R}$$

ग्रहों की गति (Planetary Motion)

ग्रह सूर्य के चारों ओर सूर्य के गुरुत्वीय आकर्षण के कारण घूमते हैं। इन ग्रहों के पथ दीर्घवृत्ताकार होते हैं जिनके एक फोकस पर सूर्य होता है। फिर भी, दीर्घ-अक्ष तथा लघु-अक्ष के बीच अन्तर बड़ा नहीं होता है। सौर मण्डल के ग्रहों में प्लूटो के लिये यह अन्तर बड़ा होता है तथा केवल 3% होता है। अतः पथ वृत्ताकार माने जा सकते हैं।

माना सूर्य का द्रव्यमान M तथा ग्रह का द्रव्यमान m है। सूर्य का द्रव्यमान ग्रह के द्रव्यमान से कई गुना अधिक है। अतः सूर्य को जड़त्वीय निर्देश तन्त्र (inertial frame of reference) माना जा सकता है।

कक्षीय चाल (Orbital Speed)

माना कक्ष की त्रिज्या r है तथा कक्षा में ग्रह की चाल v_0 है। न्यूटन के गुरुत्व के नियम के अनुसार,

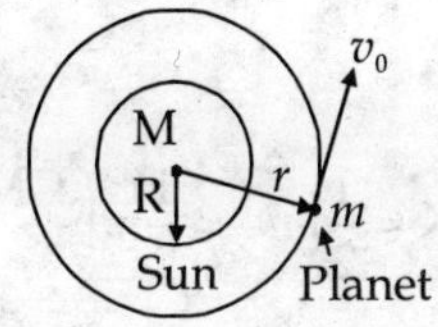

$$\frac{GMm}{r^2} = m\left(\frac{v_0^2}{r}\right)$$

या $$v_0 = \sqrt{\frac{GM}{r}}$$

या $$v_0 \propto \frac{1}{\sqrt{r}} \quad ...(i)$$

अतः कक्षा की त्रिज्या बढ़ने पर कक्षीय चाल घट जाती है।

आवर्तकाल (Time Period)

चक्रण का आवर्तकाल (T) है,

$$T = \frac{2\pi r}{v_0} = \frac{2\pi r}{\sqrt{\frac{GM}{r}}} = 2\pi\sqrt{\frac{r^3}{GM}}$$

$$\Rightarrow T = \frac{2\pi}{R}\sqrt{\frac{r^3}{g}} \quad ...(ii) \quad (\because GM = gR^2)$$

***निष्कर्ष* (Conclusion)**

उपरोक्त व्यंजक (*ii*) से हम निष्कर्ष निकाल सकते हैं कि

$$T \propto r^{3/2} \quad \text{या} \quad T^2 \propto r^3$$

(यह केपलर का तृतीय नियम है)

कोणीय संवेग (Angular Momentum)

$$L = mvr = \sqrt{m^2 GMr}$$

उपग्रह की ऊँचाई पृथ्वी तल से (Height or Attitude of Satellite above the Earth Surface)

$$T = \frac{2\pi}{R}\sqrt{\frac{r^3}{g}} = \frac{2\pi}{R}\sqrt{\frac{(R+h)^3}{g}}$$

$$\Rightarrow \quad T^2 = \frac{4\pi^2 (R+h)^3}{R^2 g} \quad \Rightarrow \quad R+h = \left(\frac{T^2R^2g}{4\pi^2}\right)^{1/3}$$

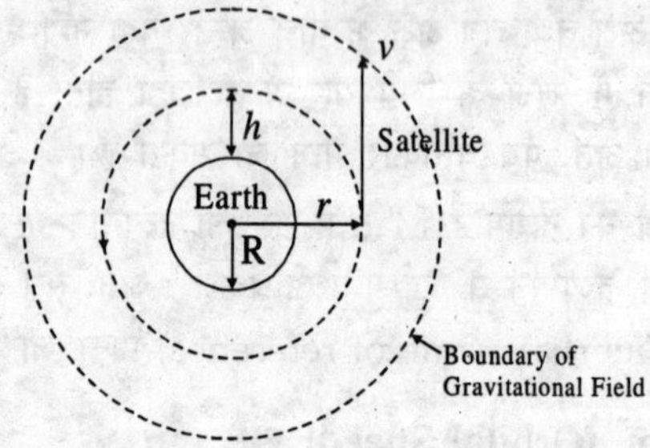

$$\Rightarrow \quad h = \left(\frac{T^2R^2g}{4\pi^2}\right)^{1/3} - R$$

ऊर्जा (Energy)

ग्रह की गतिज ऊर्जा, $K = \frac{1}{2}mv^2 = \frac{1}{2}m\left(\frac{GM}{r}\right)$

या $$K = \frac{1}{2}\frac{GMm}{r}$$

सूर्य-ग्रह निकाय की गुरुत्वीय स्थितिज ऊर्जा

$$U = -\frac{GMm}{r}$$

सूर्य-ग्रह निकाय की कुल यांत्रिक ऊर्जा

$$E = K + U = \frac{GMm}{2r} - \frac{GMm}{r} \quad \text{या} \quad E = -\frac{GMm}{2r}$$

यह ऊर्जा नियत तथा ऋणात्मक है, अर्थात् निकाय बद्ध (closed) है। अतः जितना ग्रह दूर होगा उतनी ही अधिक कुल ऊर्जा होगी।

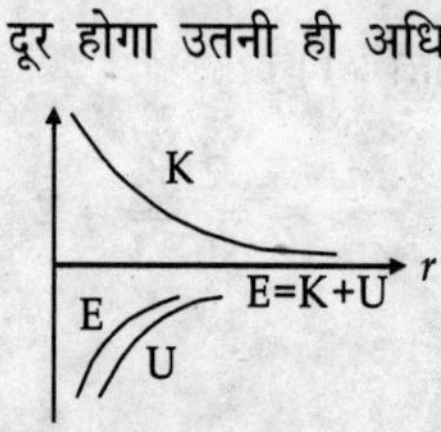

पलायन ऊर्जा (Escape Energy)

पृथ्वी की सतह पर रखे पिण्ड की बंधन ऊर्जा $\frac{GMm}{R}$ है, यदि यह ऊर्जा पिण्ड को गतिज ऊर्जा के रूप में दे दी जाये, तो वह गुरुत्व क्षेत्र को पार कर अंतरिक्ष में चला जायेगा। अतः यदि v_e पिण्ड का पलायन वेग है, तब

$$\frac{1}{2}mv_e^2 = \frac{GMm}{R}$$

$$\Rightarrow \quad v_e = \sqrt{2gR} \qquad \left(\because g = \frac{GM}{R^2}\right)$$

$g = 9.8\ ms^{-2}$ तथा $R = 6.4 \times 10^6 m$ उपरोक्त सूत्र में रखने पर,

$$v_e \approx 11.2 kms^{-1}$$

अतः पिण्ड को पृथ्वी से अनन्त दूर भेजने के लिये उसे 11.2 $km\text{-}s^{-1}$ की चाल से फेंकना चाहिये।

उपग्रह (Satellite)

जिस प्रकार ग्रह (planets) सूर्य के चारों ओर अपनी-अपनी कक्षाओं में परिक्रमण करते हैं, उसी प्रकार कुछ आकाशीय पिण्ड ऐसे भी हैं जो ग्रहों के चारों ओर परिक्रमण करते रहते हैं। इन्हें उपग्रह (satellite) कहते हैं।

उदाहरण के लिये, चन्द्रमा, पृथ्वी के चारों ओर परिक्रमण करता है, अतः यह पृथ्वी का एक उपग्रह है। इसी प्रकार कुछ अन्य ग्रहों के भी उपग्रह हैं।

आजकल पृथ्वी के चारों ओर कृत्रिम उपग्रह स्थायी कक्षाओं में स्थापित किये जा सकते हैं। यह कार्य बहुक्रम रॉकेटों (multi-stage rocket) द्वारा किया जाता है। उचित समय पर उपग्रह से रॉकेट निकालकर उसे पृथ्वी की कक्षा में स्थापित कर देते हैं। इस प्रकार उपग्रह पृथ्वी के चारों ओर घूमने लगता है।

उपरोक्त सभी समीकरणें, उपग्रहों के लिये भी सत्य हैं यहाँ, M पृथ्वी का द्रव्यमान तथा m उपग्रह का द्रव्यमान है।

भू-स्थिर उपग्रह (Geostationary Sattellite)

यदि किसी कृत्रिम उपग्रह की वृत्तीय कक्षा पृथ्वी के विषुवतीय तल (equatorial plane) में पृथ्वी से इतनी ऊँचाई पर हो कि उपग्रह का परिक्रमण काल ठीक पृथ्वी के अपनी अक्ष के परितः परिक्रमण काल (24 घण्टे) के बराबर हो, तो वह उपग्रह पृथ्वी के सापेक्ष स्थिर होगा। इस प्रकार के उपग्रह को 'भू-स्थिर' अथवा 'तुल्यकाली उपग्रह' (geo-stationary or synchronous satellite) कहते हैं। यह उपग्रह किसी निश्चित स्थान के सापेक्ष स्थिर रहते हुए वहाँ के चित्र पृथ्वी को भेज सकता है। इस प्रकार के उपग्रह से दूरदर्शन संकेतों (T.V. signals) को परावर्तित करके दूरदर्शन के कार्यक्रमों को सुदूर स्थित दूरदर्शन सैटों पर दिखाया जाता है।

भू-स्थिर उपग्रह की ऊंचाई ज्ञात करने के लिए हम निम्नलिखित सूत्र लेते हैं—

$$h = \left(\frac{T^2R^2g}{4\pi^2}\right)^{1/3} - R$$

$R = 6.4 \times 10^6$ m, $g = 9.8$ ms^{-2}, T = 24 hrs.

= 24 × 60 × 60 sec. रखने पर,

$h = 3.6 \times 10^7$ m = 36000 km.

केप्लर के नियम (Keplers Laws)

कोपरनिकस (Copernicus) के खगोलीय प्रेक्षणों के आधार पर केप्लर ने सूर्य की परिक्रमा करने वाले ग्रहों की गति के सम्बन्ध में निम्नलिखित

तीन नियम प्रतिपादित किये। जिन्हें ग्रहों की गति के केप्लर के नियम (Kepler's laws of planetary motion) कहा जाता है।

1. केप्लर का प्रथम नियम या कक्षाओं का नियम (Kepler's First Law or Law of Orbits)

इस नियम के अनुसार "प्रत्येक ग्रह सूर्य के परितः दीर्घवृत्ताकार (elliptical) पथ पर गति करता है तथा सूर्य उस दीर्घवृत्त के किसी एक फोकस (नाभि) पर होता है।"

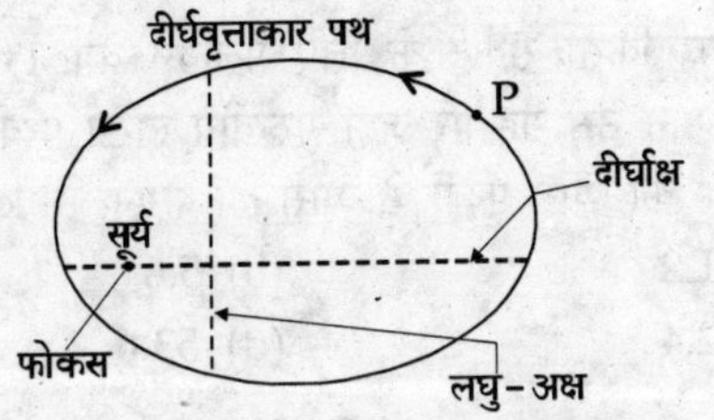

2. केप्लर का द्वितीय नियम या क्षेत्रीय चाल का नियम (Kepler's Second Law Law of Areal Velocity)

इस नियम के अनुसार, "किसी भी ग्रह को सूर्य से मिलाने वाली रेखा, अर्थात् ग्रह का सूर्य के सापेक्ष त्रिज्य-वेक्टर, समान समयान्तरालों में समान क्षेत्रफल तय (sweep) करती है; अर्थात् ग्रह की क्षेत्रीय चाल (areal velocity) नियत रहती है।

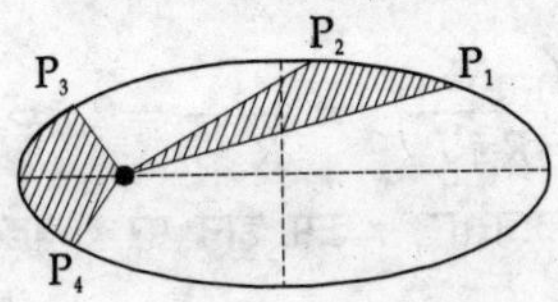

$$\frac{P_1P_2}{t} < \frac{P_3P_4}{t}$$

3. केप्लर का तृतीय नियम या परिक्रमण कालों का नियम (Kepler's Third Law/Law of Periods)

सूर्य के चारों ओर किसी ग्रह द्वारा एक पूरा चक्कर लगाने में लगा समय अर्थात् ग्रह का सूर्य के परितः परिक्रमण काल T (period of revolution) का वर्ग, उसकी दीर्घवृत्ताकार कक्षा के अर्द्ध-दीर्घाक्ष (semi-major axis of the elliptical orbit) r, की तृतीय घात के अनुक्रमानुपाती होता है।

अर्थात् $T^2 \propto r^3$

बंधन ऊर्जा (Binding Energy)

एक बंद (closed) निकाय की कुल यांत्रिक (स्थितिज + गतिज) ऊर्जा ऋणात्मक होती है। कुल यांत्रिक ऊर्जा का मापांक निकाय की बंधन ऊर्जा कहलाती है। यह वह ऊर्जा है, जिसके कारण निकाय बद्ध होता है या निकाय के विभिन्न भाग एक-दूसरे से सम्बद्ध होते हैं।

माना द्रव्यमान m का एक पिण्ड, पृथ्वी की सतह पर रखा है। पृथ्वी की त्रिज्या R तथा द्रव्यमान M है। तब पिण्ड की गतिज ऊर्जा $K = 0$ तथा पिण्ड की स्थितिज ऊर्जा $U = -\frac{GMm}{R}$ है।

अतः पिण्ड की कुल यांत्रिक ऊर्जा

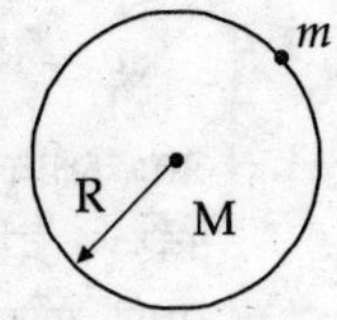

$$E = K + U = 0 - \frac{GMm}{R} \text{ या } E = -\frac{GMm}{R}$$

$\therefore$ बंधन ऊर्जा $= |E| = \frac{GMm}{R}$

अतः ऊर्जा के कारण ही पिण्ड से सम्बद्ध है।

यदि यह ऊर्जा पिण्ड को दे दी जाये, तो पिण्ड पृथ्वी से सम्बद्ध नहीं रहेगा, यह पृथ्वी के गुरुत्व क्षेत्र को पार कर जायेगा।

वस्तुनिष्ठ प्रश्न

1. m_1 व m_2 $(m_1 > m_2)$ द्रव्यमान के दो उपग्रह पृथ्वी के चारों ओर क्रमशः r_1 $(r_1 > r_2)$ त्रिज्याओं वाली वृत्ताकार कक्षाओं में चक्कर लगा रहे हैं। उनके वेगों v_1 तथा v_2 के बारे में निम्नलिखित में से कौन-सा कथन सत्य है?

(a) $v_1 = v_2$ (b) $v_1 < v_2$

(c) $v_1 > v_2$ (d) $\frac{v_1}{r_1} = \frac{v_2}{r_2}$

2. द्रव्यमान M व त्रिज्या R के एक समान वलय के केन्द्र पर :

(a) गुरुत्वीय क्षेत्र व विभव दोनों शून्य होंगे

(b) गुरुत्वीय क्षेत्र शून्य होगा परन्तु विभव $\frac{GM}{R}$ होगा

(c) गुरुत्वीय क्षेत्र शून्य होगा परन्तु विभव $-\frac{GM}{R}$ होगा

(d) गुरुत्वीय क्षेत्र $\frac{GM}{R^2}$ होगा परन्तु विभव $-\frac{GM}{R}$ होगा

3. M द्रव्यमान का एक उपग्रह पृथ्वी तल से h ऊँचाई पर चक्कर लगा रहा है। R पृथ्वी की त्रिज्या तथा 'g' पृथ्वी का गुरुत्वीय त्वरण है। उपग्रह की कक्षीय चाल होगी :

(a) $\frac{gR^2}{R+h}$ (b) gR

(c) $\frac{gR}{R+h}$ (d) $\sqrt{\frac{gR^2}{R+h}}$

4. किसी क्षण रॉकेट का भार 100 kg है। यदि यह 5 किग्रा. प्रति सेकण्ड गैस 400 ms^{-1} की चाल से निकालता है, तो इस पर लगने वाला त्वरण होगा : (g = 10 ms^{-2})

(a) 20 ms^{-2} (b) 10 ms^{-2}

(c) 2 ms^{-2} (d) 1 ms^{-2}

5. पृथ्वी के चारों ओर वृत्ताकार मार्ग में घूमने वाले उपग्रह की कुल (गतिज + स्थितिज) ऊर्जा E_0 है। इसकी स्थितिज ऊर्जा होगी:

(a) $-E_0$ (b) 1.2 E_0

(c) $2E_0$ (d) E_0

6. पृथ्वी की सतह से कितनी ऊँचाई पर गुरुत्वीय क्षेत्र, सतह के मान का 75% रह जाएगा?

(a) R (b) 2R

(c) 3R (d) 4R

7. पृथ्वी के चारों ओर घूमता हुआ उपग्रह पलायन करेगा यदिः

(a) इसकी चाल में 41% की वृद्धि की जाए

(b) इसकी चाल में $\sqrt{1.5}$ गुना कर दी जाए

(c) इसकी गतिज ऊर्जा दोगुनी कर दी जाये

(d) इनमें से कोई नहीं

8. पृथ्वी तल से h ऊँचाई पर g के मान में उतना ही परिवर्तन होता है जितना पृथ्वी के भीतर x गहराई पर (x तथा $h << R_e$) जबकिः

(a) $x = h$ (b) $x = 2h$

(c) $x = \dfrac{h}{2}$ (d) $x = h^2$

9. दो ग्रहों के औसत घनत्व समान हैं परन्तु त्रिज्यायें R_1 तथा R_2 हैं। यदि इन पर गुरुत्वीय त्वरण क्रमशः g_1 तथा g_2 हों, तो :

(a) $g_1/g_2 = R_1/R_2$ (b) $g_1/g_2 = R_2/R_1$

(c) $g_1/g_2 = R_1^2/R_2^2$ (d) $g_1/g_2 = R_1^3/R_2^3$

10. पृथ्वी पर किसी रॉकेट के लिए पलायन वेग 11.2 km/s है। इसका मान उस ग्रह पर जहाँ गुरुत्वीय त्वरण पृथ्वी का दोगुना है तथा ग्रह का व्यास पृथ्वी के व्यास का दोगुना है, kms^{-1} में होगाः

(a) 11.2 (b) 5.6

(c) 22.4 (d) 53.6

उत्तरमाला

1. (b): कक्षीय वेग के सूत्र $v_0 = \sqrt{\dfrac{GM}{R+h}}$

$$\therefore\ v_0 = R\sqrt{\frac{g}{R+h}}\quad \left[\because \frac{GM}{R^2} = g\right]$$

अतः कक्षीय वेग द्रव्यमान पर निर्भर नहीं करता है। यह पृथ्वी की सतह से दूरी पर निर्भर करता है। अतः यह स्पष्ट है कि जो उपग्रह अधिक त्रिज्या की कक्षा में गति कर रहा है, उसका कक्षीय वेग कम होगा। अतः $v_1 < v_2$ (चूँकि $r_1 > r_2$)

2. (c): $I_c = 0$; $V_c = \dfrac{-GM}{R}$

3. (d): $\dfrac{mv^2}{R+h} = \dfrac{GM_{em}}{(R+h)^2}; g = \dfrac{GM_e}{R^2}$

$$\Rightarrow v = \sqrt{\left(\frac{GM_e}{R+h}\right)} \Rightarrow v = \sqrt{\left(\frac{gR^2}{R+h}\right)}$$

4. (b): रॉकेट का त्वरण $a = \left(\dfrac{\Delta m}{\Delta t}\right)\dfrac{v}{m} - g$

$$= \frac{5}{100}\cdot\left(\frac{400}{1}\right) - 10 = 10\ \text{ms}^{-2}$$

5. (c): कुल ऊर्जा = गतिज ऊर्जा + गुरुत्वीय स्थितिज ऊर्जा

$$E_0 = \frac{1}{2}mv^2 - \frac{GMm}{r}$$

तथा $\dfrac{mv^2}{r} = \dfrac{GMm}{r^2}$ या $\dfrac{1}{2}mv^2 = \dfrac{GMm}{2r}$

अतः $E_0 = \dfrac{GMm}{2r} - \dfrac{GMm}{r} = -\dfrac{GMm}{2r}$

$\therefore$ स्थितिज ऊर्जा (PE) $= -\dfrac{GMm}{r} = 2E_0$

6. (a): $\because$ $g' = g\left(\dfrac{R}{R+h}\right)^2$

$$\therefore\ \frac{100-75}{100}g = g\left(\frac{R}{R+h}\right)^2$$

$$\Rightarrow \frac{g}{4} = g\left(\frac{R}{R+h}\right)^2 \Rightarrow \frac{R}{R+h} = 2 \Rightarrow h = R$$

7. (a): सूत्र के अनुसार, r कम होने पर v बढ़ता है,

व $v \propto \dfrac{1}{\sqrt{r}}$; $v_e = \sqrt{2}\,v_0$

वेग में प्रतिशत परिवर्तन $= \left(\dfrac{v_e - v_o}{v_0}\right)\times 100$

$$= (1.414 - 1)\times 100 = 0.414\times 100 = 41\%$$

8. (b): पृथ्वी की सतह से h ऊँचाई पर g का मान $g' = g\left(1 - \dfrac{2h}{R}\right)$

पृथ्वी की सतह से x गहराई पर g का मान $g' = g\left(1 - \dfrac{x}{R}\right)$

दिया है, $g\left(1 - \dfrac{2h}{R}\right) = g\left(1 - \dfrac{x}{R}\right)$

हल करने पर, $x = 2h$

9. (a): $g = \dfrac{GM}{R^2} = \dfrac{G\frac{4}{3}\pi R^3\rho}{R^2} \Rightarrow g = \dfrac{4}{3}\pi G\rho(R)$

$$\Rightarrow g\ \alpha\ R \Rightarrow \frac{g_1}{g_2} = \frac{R_1}{R_2}$$

10. (c): $v_e = \sqrt{2g_eR_e}$ तक $v_p = \sqrt{2g_pR_p}$

अतः $v_p = v_e\sqrt{\left(\dfrac{g_pR_p}{g_eR_e}\right)}$ दिया है $g_p = 2g_e$ तथा $R_p = 2R_e$

अतः $v_p = 2v_e = 2\times 11.2 = 22.4\ \ \text{kms}^{-1}$

●●●

अध्याय 9

प्रत्यास्थता (Elasticity)

प्रत्यास्थता (Elasticity)

किसी वस्तु के पदार्थ का वह गुण, जिसके कारण वस्तु किसी विरूपक बल के द्वारा अपनी आकृति तथा आकार में होने वाले परिवर्तन का विरोध करती है तथा विरूपक बल हटा लेने पर अपनी प्रारम्भिक अवस्था में आ जाती है अथवा आने का प्रयास करती है, प्रत्यास्थता (elasticity) कहलाती है।

प्रतिबल (Stress)

जब एक पिण्ड पर बाह्य बल लगाया जाता है, तो पिण्ड के प्रत्येक अनुप्रस्थ काट पर आन्तरिक क्रिया बल क्रियाशील हो जाता है, जिसे प्रत्यानयन बल (restoring force) कहते हैं यह बल पिण्ड को उसकी प्रारम्भिक अवस्था में जाने से रोकता है। साम्य अवस्था में पिण्ड के एकांक पृष्ठ क्षेत्रफल पर लगने वाले प्रत्यानयन बल को ही प्रतिबल (Stress) कहते हैं। साम्य स्थिति में इस प्रत्यानयन बल का मान विरूपक (बाह्य) बल के बराबर होता है। अतः प्रतिबल की मान विरूपक (बाह्य) बल द्वारा ही की जाती है।

$$\text{अतः} \quad \text{प्रतिबल} = \frac{\text{प्रत्यानयन बल}}{\text{क्षेत्रफल}}$$

SI पद्धति में इसका मात्रक Nm^{-2} तथा CGS पद्धति में dyne cm^{-2} है।

वस्तु पर लगाये गये विरूपक बल के अनुसार प्रतिबल तीन प्रकार का होता है :

अभिलम्ब प्रतिबल (Normal Stress)

यदि किसी छड़ की अनुप्रस्थ काट का क्षेत्रफल A हो तथा उस पर एक विरूपक बल F, छड़ की लम्बाई के अनुदिश तथा अनुप्रस्थ काट के लम्बवत् लगा हो, तो इस दशा में छड़ में उत्पन्न प्रतिबल को अनुदैर्ध्य प्रतिबल अथवा अभिलम्ब प्रतिबल कहते हैं।

$$\text{अनुदैर्ध्य प्रतिबल} = \frac{F}{A}$$

अनुदैर्ध्य प्रतिबल दो प्रकार का होता है :

(a) तनन प्रतिबल (Tensile Stress): जब विरूपक बल के कारण छड़ की लम्बाई में वृद्धि होती है, तो छड़ में उत्पन्न प्रतिबल को तनन प्रतिबल कहते हैं।

(b) संपीडक प्रतिबल (Compressive Stress): जब विरूपक बल के कारण छड़ की लम्बाई में संपीड़न होता है, तो छड़ में उत्पन्न प्रतिबल को संपीड़क प्रतिबल कहते हैं।

स्पर्शरेखीय प्रतिबल (Tangential Stress)

जब एक वस्तु पर स्पर्शरेखीय रूप से बल लगाया जाता है, तो इसे अपरूपक अथवा स्पर्श रेखीय प्रतिबल कहते हैं।

$$\text{स्पर्श रेखीय प्रतिबल} = \frac{F}{A}$$

विकृति (Strain)

जब किसी वस्तु पर कोई विरूपक बल लगाया जाता है, तो वस्तु के आकार अथवा आकृति में कुछ परिवर्तन हो जाता है अथवा वस्तु विकृत (strained) हो जाती है। वस्तु के आकार में होने वाले भिन्नात्मक परिवर्तन को 'विकृति' कहते हैं। इसे प्राय ε से प्रदर्शित करते हैं। अतः

$$\varepsilon = \frac{\Delta x}{x}$$

यहाँ, Δx वस्तु की विमा (dimension) में परिवर्तन है तथा x प्रारम्भिक विमा है।

(i) अनुदैर्ध्य विकृति (Longitudinal Strain):

$$\text{अनुदैर्ध्य विकृति} = \frac{\text{लम्बाई में } (\Delta l) \text{ परिवर्तन}}{\text{प्रारम्भिक लम्बाई } (l)}$$

(ii) आयतनात्मक विकृति (Volumetric Strain):

$$\text{आयतनात्मक विकृति} = \frac{\text{आयतन में परिवर्तन } (\Delta V)}{\text{प्रारम्भिक आयतन } V}$$

(iii) अपरूपक विकृति (Shearing Strain):

$$\text{अपरूपक विकृति}, \ \theta = \frac{\Delta L}{L}$$

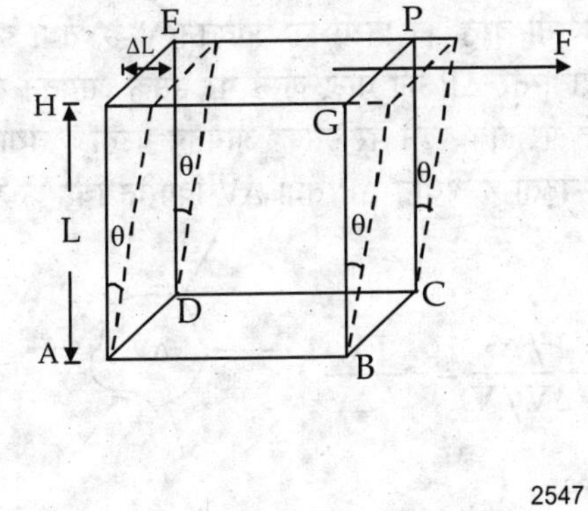

हुक का नियम (Hooke's Law)

हुक के नियमानुसार, "लघु विकृतियों की सीमा के अन्दर किसी वस्तु में उत्पन्न प्रतिबल उसमें उत्पन्न विकृति के समानुपाती होता है।" अर्थात्

प्रतिबल $\propto$ विकृति या प्रतिबल = (E) (विकृति)

यहाँ, $E\left(=\dfrac{\text{प्रतिबल}}{\text{विकृति}}\right)$ एक नियतांक है जिसे प्रत्यास्थता गुणांक (modulus of elasticity) कहते हैं।

वस्तु पर आरोपित बल के व्यवहार के कारण, प्रत्यास्थता गुणांक को तीन वर्गों में विभाजित किया गया है।

यंग प्रत्यास्थता गुणांक (Young's Modulus of Elasticity)

लघु विकृति के लिए, किसी वस्तु में उत्पन्न अभिलम्ब प्रतिबल तथा अनुदैर्ध्य विकृति के अनुपात को उस वस्तु के पदार्थ का यंग प्रत्यास्थता गुणांक (Y) कहते हैं।

$$Y=\frac{\text{अभिलम्ब प्रतिबल}}{\text{अनुदैर्ध्य विकृति}}$$

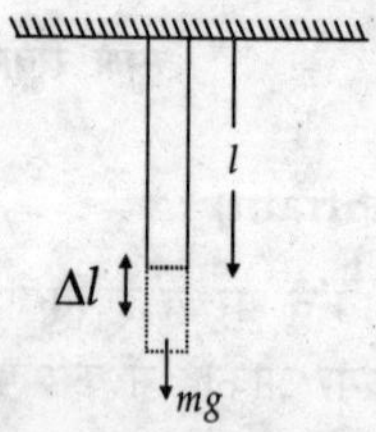

माना किसी तार की लम्बाई l तथा त्रिज्या r है तथा इसके एक सिरे को किसी दृढ़ आधार से लटका कर, दूसरे सिरे पर एक बल F लगाने पर, लघु विकृति के लिए, उसकी लम्बाई में Δl की वृद्धि हो जाती है। तब

$$Y=\frac{F/A}{\frac{\Delta l}{l}}=\frac{Fl}{\pi r^2\Delta l}\qquad (\because A=\pi r^2)$$

यदि तार के सिरे से लटकाया गया द्रव्यमान M हो, तो $F = Mg$

$$\therefore\qquad Y=\frac{Mgl}{\pi r^2\Delta l}$$

आयतनात्मक प्रत्यास्थता गुणांक (Bulk Modulus)

लघु विकृति के लिए, किसी वस्तु में उत्पन्न आयतन अथवा अभिलम्ब प्रतिबल तथा आयतन विकृति के अनुपात को उस वस्तु के पदार्थ का आयतनात्मक प्रत्यास्थता गुणांक (K) कहते हैं।

$$\therefore\qquad K=\frac{\text{अभिलम्ब प्रतिबल}}{\text{आयतन विकृति}}$$

माना किसी वस्तु का प्रारम्भिक आयतन V है, तथा इस पर लगे दाब P में दाबान्तर ΔP की वृद्धि करने पर इसके आयतन में हुई कमी ΔV है (वस्तु पर दाब बढ़ने पर इसका आयतन घटता है तथा दाब घटने पर आयतन बढ़ता है अर्थात् ΔP तथा ΔV विपरीत चिह्न के होते हैं) तब

$$K=\frac{F/A}{-\Delta V/V}=-\frac{FV}{A\Delta V}$$

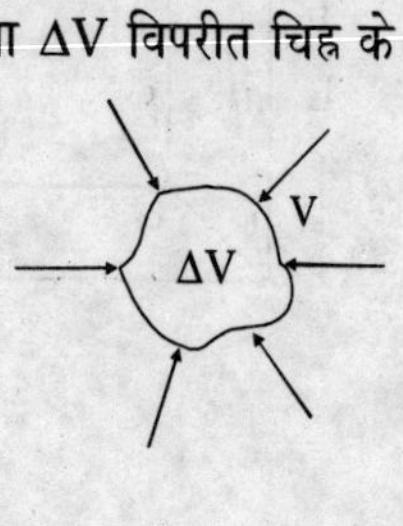

$$\Rightarrow\quad K=-\frac{PV}{\Delta V}$$

संपीड्यता *(Compressibility)*: किसी पदार्थ के आयतनात्मक प्रत्यास्थता गुणांक (K) के व्युत्क्रम को उस पदार्थ की संपीड्यता कहते हैं।

$$\text{संपीड्यता}=\frac{1}{\text{आयतनात्मक प्रत्यास्थता गुणांक}}$$

$$\therefore\quad \text{संपीड्यता}=\frac{1}{B}=-\frac{\Delta V}{PV}$$

दृढ़ता गुणांक (Modulus of Rigidity)

लघु विकृतियों के लिए किसी वस्तु में उत्पन्न स्पर्शरेखीय प्रतिबल तथा अपरूपक विकृति के अनुपात को उस वस्तु के पदार्थ का दृढ़ता गुणांक कहते हैं।

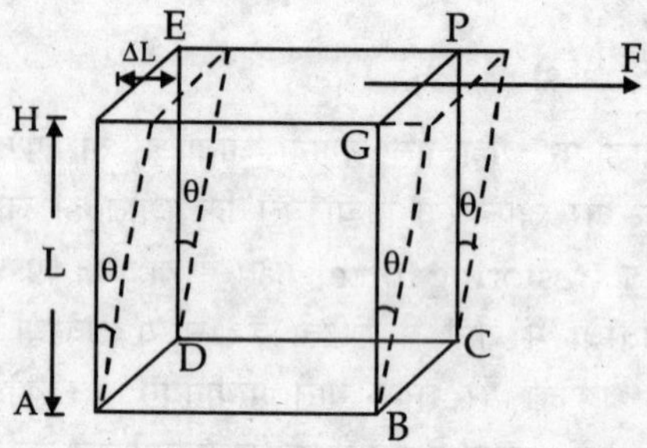

$$\therefore\qquad \eta=\frac{F/A}{\theta}=\frac{FL}{A\Delta L}$$

दृढ़ता केवल ठोसों में ही होती है क्योंकि केवल ठोस ही अपने आकार में हुए परिवर्तन का विरोध करते हैं, द्रव तथा गैस नहीं।

प्रतिबल-विकृति वक्र (Stress-Strain Curve)

एक ठोस के लिए अभिलम्ब प्रतिबल (तनन या संपीडक) तथा अभिलम्ब विकृति के बीच ग्राफ चित्रानुसार प्रदर्शित है।

विकृति के कम मान के लिए, वक्र रेखा है, अतः प्रारम्भिक भाग OP एक सरल रेखा है, अतः प्रतिबल तथा विकृति का अनुपात नियत है। इस भाग में हुक के नियम का पालन होता है। बिन्दु P पर प्रतिबल के मान को समानुपाती सीमा (limit of proportionality) कहते हैं।

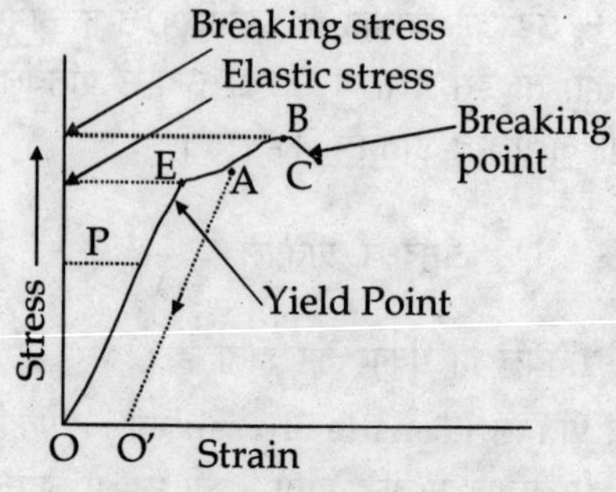

OP → Proportional limit
OPE → Elastic region
EABC → Plastic region

विकृति में थोड़ी वृद्धि होने पर अर्थात् भाग (PE) के वक्र होने के कारण प्रतिबल, विकृति के समानुपाती नहीं है और उनका अनुपात क्रमशः घटता जाता है। परन्तु बल को हटा लेने पर तार पुनः अपनी प्रारम्भिक लम्बाई को प्राप्त कर लेता है। तार का यह व्यवहार बिन्दु E तक रहता है। बिन्दु E को प्रभाव बिन्दु (yield point) कहते हैं। वक्र का भाग OPE तार का प्रत्यास्थ व्यवहार (elestic behaviour) प्रदर्शित करता है। इस भाग को प्रत्यास्थ क्षेत्र (elastic region) कहते हैं।

प्रत्यास्थता सीमा E के बाहर तार को खींचने पर, भाग EA में, विकृति बहुत तेजी से बढ़ती है। बिन्दु A पर, बल को हटा लेने पर तार अपनी प्रारम्भिक लम्बाई में नहीं लौटता है, बल्कि उसकी लम्बाई में कुछ स्थायी विकृति (वृद्धि) हो जाती है।

तार पर लगे बल को और आगे धीरे-धीरे बढ़ाने पर भी तार की लम्बाई में वृद्धि बहुत तेजी से होती है (भाग AB)। बिन्दु B पर प्रतिबल का मान अधिकतम होता है। बिन्दु B पर पहुँचने के बाद विकृति बढ़ती रहती है चाहे तार पर से बल हटा लिया जाये। BC भाग में तार का पदार्थ एक श्यान तरल की तरह बहने लगता है। तथा एक बिन्दु C तक पहुँचते-पहुँचते टूट जाता है। बिन्दु C को विभंजन बिन्दु (Breaking Point) कहते हैं। भाग EABC तार के पदार्थ का प्लास्टिक व्यवहार प्रदर्शित करता है, इसे प्लास्टिक क्षेत्र कहते हैं।

खिंचे हुए तार में संचित स्थितिज ऊर्जा (Potential Energy Stored in a Stretched Wire)

जब एक तार खींचा जाता है, तो उसे अन्तराणविक बलों के विरुद्ध कार्य करना पड़ता है। यह कार्य तार की प्रत्यास्थ स्थितिज ऊर्जा (elastic potential energy) के रूप में संचित हो जाता है। माना एक बल F के परिणामस्वरूप l लम्बाई के तार में वृद्धि Δl है। तार का अनुप्रस्थ काट क्षेत्रफल A है। तार में संचित स्थितिज ऊर्जा

$$U = \frac{1}{2}k(\Delta l)^2$$

यहाँ $$k = \frac{YA}{l}$$

$\therefore$ $$U = \frac{1}{2}\frac{YA}{l}(\Delta l)^2$$

तार की प्रति एकांक आयतन प्रत्यास्थ स्थितिज ऊर्जा

$$u = \frac{U}{\text{आयतन}}$$

या $$u = \frac{\frac{1}{2}\frac{YA}{l}(\Delta l)^2}{Al}$$

या $$u = \frac{1}{2}\left(\frac{\Delta l}{l}\right)\left(Y \times \frac{\Delta l}{l}\right)$$

या $$u = \frac{1}{2}(\text{विकृति})(Y \times \text{विकृति})$$

या $$u = \frac{1}{2}(\text{विकृति})(Y \times \text{विकृति})$$

या $$u = \frac{1}{2}\text{विकृति} \times \text{प्रतिबल}$$

या $$u = \frac{1}{2} \times Y \times (\text{विकृति})^2$$

ऊष्मीय प्रतिबल तथा विकृति (Thermal Stress and Strain)

जब किसी वस्तु के ताप को बढ़ाया अथवा घटाया जाता है, तो वस्तु में प्रसार अथवा संपीड़न होता है। यदि वस्तु के प्रसार या संपीड़न को मुक्त रूप से होने दिया जाये तो कोई प्रतिबल उत्पन्न नहीं होता। परन्तु यदि वस्तु के विरूपण को रोका जाये, तो वस्तु में कुछ प्रतिबल उत्पन्न हो जाते हैं, इने प्रतिबलों को ऊष्मीय प्रतिबल कहते हैं तथा संगत विकृतियों को ऊष्मीय विकृति कहते हैं।

चित्रानुसार, माना एक छड़ AB का ताप t तक बढ़ाया जाता है। माना l, A, Y तथा α छड़ के लिये प्रांचल (parameters) हैं।

छड़ की लम्बाई Δl बढ़ जाती है, यदि यह दो आधारों पर कसी हुई न हो।

$$\Delta l = l\alpha t$$

परन्तु यदि छड़ दोनों सिरों पर कसी है, तो छड़ में संपीड़न विकृति उत्पन्न हो जाती है। अतः ऊष्मीय विकृति

$$\varepsilon = \frac{\Delta l}{l} = \frac{l\alpha t}{l} = \alpha t$$

अतः ऊष्मीय प्रतिबल $= Y\varepsilon = Y\alpha t$ (प्रतिबल $= Y \times$ विकृति)

आधारों पर बल

$$F = YA\alpha t$$

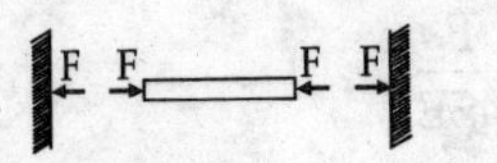

इस बल की दिशा चित्रानुसार होगी।

प्वॉयसन अनुपात (Poisson's Ratio)

जब तार पर अनुदैर्ध्य (longitudinal) बल आरोपित किया जाता है, तो इसकी लम्बाई बढ़ जाती है परन्तु त्रिज्या घट जाती है।

अतः एक अकेले बल से दो विकृतियाँ उत्पन्न होती हैं :

(i) अनुदैर्ध्य विकृति (longitudinal strain) $= \dfrac{\Delta l}{l}$

(ii) पार्श्वीय विकृति (lateral strain) $= -\dfrac{\Delta R}{R}$

इन दोनों विकृतियों के अनुपात को प्वॉयसन अनुपात (Poisson's ratio) कहते हैं। इसे 'σ' से प्रदर्शित करते हैं।

$\therefore$ $$\sigma = \frac{\text{पार्श्वीय विकृति}}{\text{अनुदैर्ध्य विकृति}} = \frac{-\Delta R/R}{\Delta l/l}$$

दो विकृतियों का अनुपात होने के कारण σ का कोई मात्रक नहीं होता है तथा यह एक विमाहीन राशि है। σ प्रत्यास्थता नियतांक है,

प्रत्यास्थता गुणांक नहीं (क्योंकि गुणांक, प्रतिबल तथा विकृति का अनुपात होता है) किसी पदार्थ के लिए σ का सैद्धान्तिक मान (theoretical value) −1 तथा $\frac{1}{2}$ के बीच होता है अर्थात् $-1 < \sigma < \frac{1}{2}$.

परन्तु इसका प्रायोगिक मान (experimental value) सदैव धनात्मक 0 से $\frac{1}{2}$ के मध्य होता है अर्थात् $0 < \sigma < \frac{1}{2}$, σ का मान पदार्थ पर निर्भर करता है।

विभिन्न प्रत्यास्थता नियतांकों के बीच सम्बन्ध (Relation among Different Elastic Constants)

प्रत्यास्थता गुणांक केवल तीन हैं-Y, K तथा η, एवं प्रत्यास्थता नियतांक चार हैं- Y, K, η तथा σ। ये चारों प्रत्यास्थता नियतांक निम्न सम्बन्धों द्वारा एक-दूसरे से सम्बन्धित हैं :

$$Y = 3K(1-2\sigma) \text{ तथा } Y = 2\eta(1+\sigma)$$

$$\frac{9}{Y} = \frac{1}{K} + \frac{3}{\eta} \text{ तथा } \sigma = \frac{3k-2\eta}{2\eta+6k}$$

वस्तुनिष्ठ प्रश्न

1. जब किसी एक समान तार से एक निश्चित भार लटकाया जाता है, तो एक सेमी लम्बाई की वृद्धि होती है। यदि उसी पदार्थ एवं लम्बाई के तार के साथ वही भार लटकाया जाये, तो उसकी लम्बाई में वृद्धि होगी यदि तार का व्यास आधा कर देते हैं :

(a) 0.5 cm (b) 2 cm
(c) 4 cm (d) 8 cm

2. एक एकसमान प्रत्यास्थ तख्तों के किसी एक पृष्ठ पर F बल लगाने से यह गति करने लगता है। पृष्ठ का क्षेत्रफल S, पदार्थ का यंग प्रत्यस्थता गुणांक E है, तो बल की दिशा में उत्पन्न औसत विकृति है :

(a) $\frac{F}{SE}$ (b) $\frac{F}{2SE}$
(c) $\frac{F}{4SE}$ (d) शून्य

3. किसी गैस की रुद्धोष्म प्रत्यास्थता, तुल्य होती है:

(a) γ × घनत्व
(b) γ × आयतन
(c) γ × दाब
(d) γ × वि. ऊष्मा

4. धातु के ब्लॉक पर $10^5 \, Nm^{-2}$ का वायुमण्डलीय दाब लग रहा है, जब इस ब्लॉक को निर्वात में रखा जाता है, तो इसके आयतन में भिन्नात्मक परिवर्तन होगा : (धातु का आयतन प्रत्यास्थता गुणांक $1.25 \times 10^{11} Nm^{-2}$).

(a) 4×10^{-7} (b) 2×10^{-7}
(c) 8×10^{-7} (d) 1×10^{-7}

5. एक मीटर लम्बे तार को तोड़ने के लिये न्यूनतम 40 kg भार की आवश्यकता है तो उसी पदार्थ के दोगुनी मोटाई तथा 6 मीटर लम्बे तार को तोड़ने के लिये आवश्यक न्यूनतम भार होगा:

(a) 80 kg (b) 240 kg
(c) 200 kg (d) 80/3 kg

6. एक ही पदार्थ के चार तारों को समान बल से खींचा जाता है। तारों की विमायें नीचे दी हुई हैं, किस तार की लम्बाई में वृद्धि अधिकतम होगी?

(a) व्यास 1 mm व लम्बाई 1 m
(b) व्यास 2 mm व लम्बाई 2 m
(c) व्यास 0.5 mm व लम्बाई 0.5 m
(d) व्यास 3 mm व लम्बाई 3 m

7. अनुप्रस्थ क्षेत्रफल A व लम्बाई L वाले स्टील के एक दण्ड को ऊर्ध्वाधर लटकाया गया है, दण्ड के मध्य बिन्दु पर प्रतिबल होगा :
(स्टील का घनत्व ρ है)

(a) $\frac{L}{2A}\rho g$ (b) $\frac{L\rho g}{2}$
(c) $\frac{LA}{\rho g}$ (d) $L\rho g$

8. L लम्बाई, A अनुप्रस्थ परिच्छेद के भारतीय रबर कार्ड को ऊर्ध्वाधर लटकाया जाता है। रबर का घनत्व D एवं यंग मापांक E है तथा उसकी लम्बाई में वृद्धि l है, तो l होगी:

(a) L^2Dg/E (b) $L^2Dg/2E$
(c) $L^2Dg/4E$ (d) L

9. एक प्रत्यास्थ तार के लिये प्रति एकांक आयतन में सम्पन्न कार्य है या तने हुए तार में प्रत्यास्थ ऊर्जा है:

(a) (प्रतिबल × विकृति) (b) $\frac{1}{2}$ (प्रतिबल × विकृति)
(c) 2 (प्रतिबल × विकृति) (d) प्रतिबल/विकृति

10. सम्पन्न कार्य की गणना कीजिए, यदि एक तार पर Mg भार लटकाने से लम्बाई में वृद्धि l हो जाती है :

(a) Mgl (b) शून्य
(c) $Mgl/2$ (d) $2Mgl$

उत्तरमाला

1. (c): लम्बाई में वृद्धि $\Delta l = \frac{F.l}{AY}$

दोनों स्थितियों में, समान भार, समान पदार्थ के समान लम्बाईयों के तारों पर लटकाया जाता है,

$\therefore \quad \Delta l \propto \frac{1}{A}$

$\Rightarrow \frac{l_1}{l_2} = \frac{A_2}{A_1} \Rightarrow \frac{l_1}{l_2} = \left(\frac{\pi r_2}{\pi r_1}\right)^2$

$\Rightarrow \frac{l_1}{l_2} = \left(\frac{r_2}{r_1}\right)^2 \Rightarrow \left(\frac{1}{2}\right)^2$

$\therefore \quad l_2 = 4l_1 = 4 \times 1 = 4$ सेमी

2. (b): सिरे A से x दूरी पर तनाव

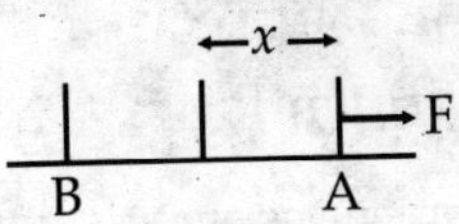

$F_x = F - \frac{F}{L}x$

यंग प्रत्यास्थता गुणांक $E = \frac{\frac{F_x}{S}}{\frac{dl}{dx}} = \frac{F_x}{S} \times \frac{dx}{dl}$

$\therefore \quad dl = \frac{\int_0^L F\left(1 - \frac{x}{L}\right)dx}{ES} = \frac{\left|Fx - \frac{x^2}{2L}\right|_0^L}{ES}$

$\Rightarrow \quad \Delta l = \frac{F \cdot L}{2ES}$

$\therefore$ औसत विकृति $\frac{\Delta l}{L} = \frac{F}{2ES}$

3. (c): रुद्धोष्म परिवर्तन के लिए, $PV^\gamma = K$

$P\gamma V^{\gamma-1}dV + V^\gamma dP = 0$

$\Rightarrow \quad \gamma P = -\frac{dP}{dV/V}$

4. (c): $P = 10^5 nm^{-2}, K = \frac{P}{\Delta V/V}$

$\therefore \quad \frac{\Delta V}{V} = \frac{P}{K} = \frac{10^5}{1.25 \times 10^{11}} = 8 \times 10^{-7}$

5. (d): यंग प्रत्यास्थता गुणांक $Y = \frac{FL}{Al} = \frac{MgL}{\pi r^2 l}$

$\therefore \quad \frac{40 \times 1}{\pi r^2 l} = \frac{6 \times w}{\pi(2r)^2 l}$

$\Rightarrow \quad w = \frac{160}{6} = \frac{80}{3}$ किग्रा

6. (c): लम्बाई में वृद्धि $l = \frac{F \cdot L}{AY} = \left(\frac{F}{\pi Y}\right)\frac{L}{r^2}$

0.5 मिमी व्यास व 0.5 मी. लम्बाई वाले तार के लिये $\left(\frac{L}{r^2}\right)$ अधिकतम है।

7. (b): मध्य बिन्दु पर तनाव $T = \frac{AL\rho g}{2}$

प्रतिबल $= \frac{T}{A} = \frac{1}{2}L\rho g$

8. (b): कार्ड की लम्बाई में वृद्धि उसके अपने ही भार के कारण होती है, जो उसके गुरुत्व केन्द्र पर कार्य करता है।

बल $F = mg = VDg = ALDg$

$\therefore$ लम्बाई में वृद्धि $l = \frac{F \cdot L/2}{YA} = \frac{ALDgL}{2EA} = \frac{L^2Dg}{2E}$

9. (b): $\frac{\text{किया गया कार्य}}{\text{आयतन}} =$ प्रत्यास्थ स्थितिज ऊर्जा

$= \frac{1}{2}\frac{\sigma^2}{E} = \frac{1}{2}\sigma \cdot \frac{\sigma}{E}$

$\Rightarrow \quad \frac{\text{किया गया कार्य}}{\text{आयतन}} = \frac{1}{2} \times$ प्रतिबल $\times$ विकृति

10. (c): कुल किया गया कार्य $= \frac{1}{2} \times$ प्रतिबल $\times$ विकृति $\times$ आयतन

$= \frac{1}{2}\frac{Mg}{A} \times \frac{l}{L} \times AL = \frac{1}{2}Mgl$

●●●

अध्याय

10

तरल यांत्रिकी
(Fluid Mechanics)

तरल (A Fluid)

द्रव्य को हम मुख्यतः तीन वर्गों में बाँट सकते हैं, (a) ठोस (b) द्रव तथा (c) गैस। ठोसों में अन्तराण्विक बल (intermolecular forces) इतना शक्तिशाली होता है कि ठोसों का आकार सरलता से परिवर्तित नहीं होता। द्रवों में यह बल अपेक्षाकृत कमजोर होता है अतः उनका आकार सरलता से परिवर्तित हो जाता है। परन्तु इनका आयतन (volume) तथा घनत्व सरलता से नहीं बदला जा सकता। गैसों में अन्तराण्विक बल बहुत कमजोर होता है अतः इनका आकार तथा घनत्व सरलता से बदल जाता है। द्रवों तथा गैसों को संयुक्त रूप से तरल (fluids) कहते हैं अर्थात् वह जो बह सकता है।

द्रव का घनत्व (Density of Liquid)

$$\text{घनत्व} = \frac{\text{द्रव्यमान}}{\text{आयतन}}$$

अर्थात् किसी पदार्थ का घनत्व (ρ) उसके प्रति एकांक आयतन का द्रव्यमान होता है।

या $$\rho = \frac{m}{V}$$

इसका SI मात्रक $kg\ m^{-3}$ तथा CGS मात्रक $g\ cm^{-3}$ है।

आपेक्षिक घनत्व (Relative Density)

आपेक्षिक घनत्व या विशिष्ट गुरुत्व (specific gravity) पदार्थ के घनत्व तथा 4°C पर जल के घनत्व के अनुपात को कहते हैं। अतः

$$\text{आपेक्षिक घनत्व (R.D.)} = \frac{\text{पदार्थ का घनत्व}}{4°C \text{ पर जल का घनत्व}}$$

यह एक शुद्ध अनुपात है, अतः इसका कोई मात्रक नहीं है।

तरल दाब (Fluid Pressure)

यदि एक बर्तन में तरल भरा हो उसमें एक छिद्र किया जाये तो तरल छिद्र से बाहर निकलने लगता है। परन्तु यदि छिद्र को समान आकार के ढ़क्कन से ढ़क दिया जाये तो ढ़क्कन अपनी स्थिति में रहता है यदि उस पर बाह्य बल आरोपित किया जाये। इससे स्पष्ट है कि तरल ढ़क्कन पर बाहर की ओर एक बल लगाता है। यदि ढ़क्कन का क्षेत्रफल ΔS है तथा तरल द्वारा आरोपित दाब ΔF है, तब छिद्र पर दाब

$$P = \lim_{\Delta S \to 0} \frac{\Delta F}{\Delta S} = \frac{dF}{dS}$$

इसका SI मात्रक Nm^{-2} या Pascal तथा CGS मात्रक $dyne/cm^2$ है।

वायुमण्डली दाब (Atomspheric Pressure, P_0)

यह पृथ्वी के वायुमण्डल का दाब है। यह मौसम तथा ऊँचाई के साथ परिवर्तित होता है। समुद्री तल पर सामान्य दाब 1.013×10^5 पास्कल (Pa) है।

अतः 1 वायुमण्डल $= 1.013 \times 10^5\,Pa$

आर्किमिडीज का सिद्धान्त (Archimedes' Principle)

जब किसी वस्तु को किसी द्रव में पूर्ण या आंशिक रूप से डुबोया जाता है, तो द्रव द्वारा वस्तु पर ऊपर की ओर एक बल लगता है, जिसे उत्प्लावन बल (buoyant force) कहते हैं। यह वस्तु द्वारा हटाये गये द्रव के भार के बराबर होता है।

किसी वस्तु को किसी द्रव में पूर्ण रूप से या आंशिक रूप से डुबोने पर वस्तु के भार में कमी प्रतीत होती है, वस्तु के भार में यह आभासी कमी वस्तु द्वारा हटाये गये द्रव के भार के बराबर होती है।

यह परिणाम ही आर्किमिडीज का सिद्धान्त है।

उत्प्लावन बल (F) का परिणाम

$$F = V\rho_l g$$

यहाँ V = ठोस का निमग्न (immersed) आयतन

ρ_l = द्रव का घनत्व

g = गुरुत्वीय त्वरण

प्लवन के नियम (Laws of Floatation)

माना कोई वस्तु जिसका आयतन V तथा घनत्व ρ_s है, ρ_l घनत्व के द्रव में तैर रही है। माना V_i वस्तु का द्रव में डूबा भाग है।

वस्तु की साम्यावस्था के लिये,

भार = उत्प्लावन बल

$$\therefore \quad V\rho_s g = V_i \rho_l g$$

या $$\frac{V_i}{V} = \frac{\rho_s}{\rho_l}$$

द्रव में डूबे आयतन का प्रतिशत

$$= \frac{V_i}{V} \times 100 = \frac{\rho_s}{\rho_l} \times 100$$

अब तीन स्थितियाँ उत्पन्न होती हैं :

(*i*) यदि $\rho_s < \rho_l$, वस्तु का कुछ भाग द्रव में डूबेगा।

(*ii*) यदि $\rho_s = \rho_l$, वस्तु का सम्पूर्ण भाग द्रव में डूब जायेगा। अतः वस्तु द्रव में जहाँ है वहीं तैरती रहेगी।

(*iii*) यदि $\rho_s > \rho_l$, वस्तु तली पर पहुँच जायेगी।

तरल प्रवाह (Flow of Fluids)

द्रव (तरल) का प्रवाह दो प्रकार का होता है :

धारा रेखी प्रवाह (Stream Line Flow)

द्रव का धारा रेखी प्रवाह एक व्यवस्थित प्रवाह है। जिसमें द्रव के प्रवाह का एक क्रम होता है अर्थात् प्रत्येक कण उसी पथ का अनुसरण करता है, जिस पर उससे पहला कण चलता है।

अर्थात् यह एक नियमित (regular) प्रवाह है। कण द्वारा चले गये पथ को धारा रेखा (stream line) कहते हैं। धारा रेखा के किसी बिन्दु पर खींची गई स्पर्श रेखा उस बिन्दु पर द्रव के वेग की दिशा को प्रदर्शित करती है। स्पष्ट है कि दो धारा रेखायें एक-दूसरे को काटती नहीं हैं, क्योंकि यदि वे काटती हैं, तो उनके कटान बिन्दु पर द्रव के वेग की दो दिशायें होंगी, जो द्रव की साम्य अवस्था में सम्भव नहीं है।

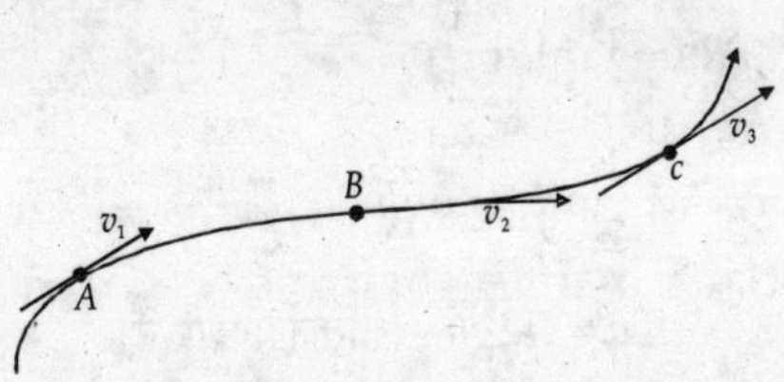

चित्रानुसार, विभिन्न बिन्दुओं पर वेग भिन्न है, अतः

$\vec{v}_1 =$ नियत, $\vec{v}_2 =$ नियत, $\vec{v}_3 =$ नियत

परन्तु $\vec{v}_1 \neq \vec{v}_2 \neq \vec{v}_3$

विक्षुब्ध प्रवाह (Turbulent Flow)

द्रव का विक्षुब्ध प्रवाह एक अनियमित तथा अव्यस्थित प्रवाह है। इसमें द्रव के प्रवाह का कोई क्रम नहीं होता अर्थात् द्रव का प्रत्येक कण किसी भी पथ पर चलने के लिए स्वतन्त्र होता है। इस प्रवाह में द्रव के अन्दर भँवर धारायें उत्पन्न हो जाती हैं।

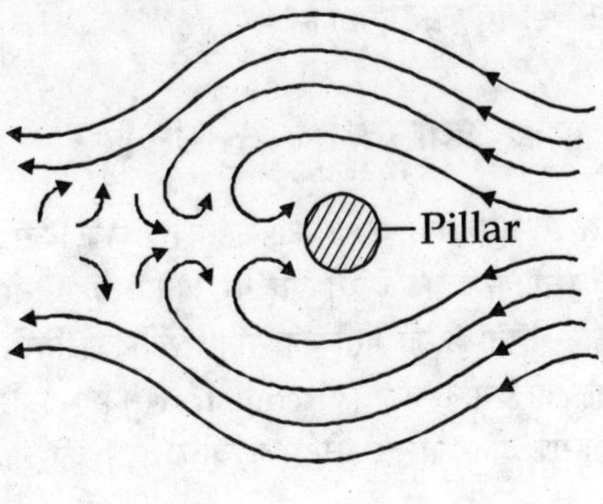

अविरतता का सिद्धान्त (Principle of Continuity)

जब कोई असंपीड्य तथा अश्यान द्रव किसी 'असमान' अनुप्रस्थ-परिच्छेद क्षेत्रफल वाली नली में धारा रेखी प्रवाह में बह रहा हो, तो नली में प्रत्येक स्थान पर नली के अनुप्रस्थ परिच्छेद के क्षेत्रफल (a) तथा उस स्थान पर द्रव के वेग (v) का गुणनफल नियत रहता है, अर्थात् av = नियतांक।

यह समीकरण द्रव की बहती हुई दिशा में द्रव्यमान के संरक्षण (conservation of mass) को दर्शाती है।

द्रव के अविरत प्रवाह के समीकरण (av= नियतांक) से निम्न निष्कर्ष निकलते हैं :

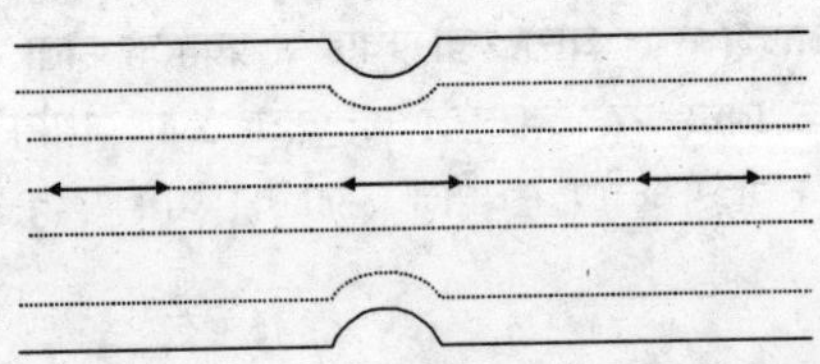

1. नली के चौड़े भाग में धारा रेखायें दूर-दूर तथा संकीर्ण भाग में पास-पास होती हैं। अतः दूर-दूर वाली धारा रेखायें द्रव के कम वेग को तथा पास-पास वाली धारा रेखायें अधिक वेग को प्रदर्शित करती हैं।
2. किसी नली में, इसके एक सिरे पर किसी समयान्तराल में जितना द्रव (आयतन अथवा द्रव्यमान) प्रवेश करता है, नली के दूसरे सिरे से, उसी समयान्तराल में उतना ही द्रव बाहर निकलता है, यदि नली से द्रव नहीं रिसता है।

बहते द्रव की ऊर्जा (Energy of a Flowing Liquid)

बहते हुए द्रव में निम्न तीन प्रकार की ऊर्जायें होती हैं :

(*i*) दाब ऊर्जा (Pressure Energy): माना किसी बर्तन की तली पर, बर्तन में भरे द्रव के कारण क्षेत्रफल a पर आरोपित दाब P है।

द्रव की दाब ऊर्जा = किया गया कार्य

= बल × विस्थापन = Pax

द्रव का आयतन ax है।

अतः द्रव के एकांक आयतन की दाब ऊर्जा $= \frac{Pax}{ax} = P$

(*ii*) गतिज ऊर्जा (Kinetic Energy): यदि m द्रव्यमान का द्रव v चाल से बह रहा हो, तब इस द्रव की गतिज ऊर्जा $= \frac{1}{2}mv^2$

द्रव के एकांक आयतन का द्रव्यमान द्रव के घनत्व ρ के बराबर होता है।

$$= \frac{\frac{1}{2}mv^2}{V} = \frac{1}{2}\rho v^2$$

तथा द्रव के एकांक द्रव्यमान की गतिज ऊर्जा $= \frac{1}{2}v^2$

(*iii*) **गुरुत्वीय स्थितिज ऊर्जा (Gravitational Potential Energy):** यदि m द्रव्यमान के द्रव का गुरुत्व केन्द्र पृथ्वी तल से h ऊँचाई पर हो, तो m द्रव्यमान के इस द्रव की गुरुत्वीय स्थितिज ऊर्जा = mgh

अतः द्रव के एकांक आयतन की गुरूत्वीय स्थितिज ऊर्जा $=\frac{mgh}{V}=Pgh$ तथा द्रव के एकांक द्रव्यमान की गुरुत्वीय स्थितिज ऊर्जा = gh

बरनौली की प्रमेय (Bernoulli's Theorem)

इस प्रमेय के अनुसार, "जब कोई असंपीड्य तथा अश्यान द्रव अथवा गैस अर्थात् आदर्श तरल धारा रेखी प्रवाह में प्रवाहित होता है, तो उसके पथ के प्रत्येक बिन्दु पर, द्रव/तरल की कुल ऊर्जा अर्थात् दाब ऊर्जा, गतिज ऊर्जा तथा गुरुत्वीय स्थितिज ऊर्जा का योग सदैव नियत रहता है"। अतः

$$P+\frac{1}{2}\rho v^2+\rho gh = \text{नियतांक}$$

यहाँ सभी प्रतीक अपने सामान्य अर्थों में हैं। इनमें से ($P = \rho gh$) को 'स्थैतिक दाब' (static pressure) तथा $\frac{1}{2}\rho v^2$ को 'स्थितिज दाब' (dynamic pressure) कहते हैं।

प्रवाहित द्रव के दाब शीर्ष, वेग शीर्ष तथा गुरुत्वीय शीर्ष (Pressure Head, Velocity Head and Gravitational Head)

बरनौली के समीकरण को ρg से भाग करने पर,

$$\frac{P}{\rho g}+\frac{1}{2}\frac{v^2}{g}+h = \text{नियतांक}$$

अथवा दाब शीर्ष + वेग शीर्ष + गुरुत्वीय शीर्ष = नियतांक

जहाँ $\frac{P}{\rho g}$ को दाब शीर्ष (pressure head), $\frac{v^2}{2g}$ को वेग अथवा गतिज शीर्ष (velocity or kinetic head) तथा h को गुरुत्वीय अथवा स्थितिज शीर्ष (gravitational or potential head) कहते हैं। इनके योग को सम्पूर्ण शीर्ष (total head) कहते हैं। अतः बरनौली प्रमेय को दूसरे रूप में निम्न प्रकार व्यक्त किया जाता है :

"आदर्श द्रव/तरल के धारा रेखी प्रवाह में पथ के प्रत्येक बिन्दु पर, द्रव/तरल के दाब शीर्ष, वेग शीर्ष तथा गुरुत्वीय शीर्ष का योग सदैव नियत रहता है।"

द्रव/तरल के एकांक द्रव्यमान की ऊर्जा के पदों में, बरनौली प्रमेय के अनुसार,

$$\frac{P}{\rho}+\frac{1}{2}v^2+gh = \text{नियतांक}$$

यहाँ सभी प्रतीक अपने सामान्य अर्थों में हैं।

अतः स्पष्ट है कि बरनौली प्रमेय बहते द्रव/तरल के यांत्रिक ऊर्जा संरक्षण नियम का ही एक अन्य रूप है।

द्रव का बहिःस्राव वेग : टौरिसली का नियम (Velocity of Efflux of a Liquid : Torricelli's Law)

माना H ऊँचाई वाली एक टंकी में ρ घनत्व का कोई द्रव भरा है। द्रव के स्वतंत्र तल से h गहराई पर टंकी की दीवार में एक छिद्र (orifice) है। टंकी में द्रव के स्वतंत्र तल तथा छिद्र दोनों पर वायुमण्डलीय दाब पड़ रहा है।

इसलिये द्रव का स्वतंत्र पृष्ठ लगभग विराम अवस्था में होगा। अतः द्रव के स्वतंत्र पृष्ठ पर द्रव की गतिज ऊर्जा शून्य है। केवल स्थितिज ऊर्जा है जबकि छिद्र से निकलने वाले द्रव में गतिज ऊर्जा तथा स्थितिज ऊर्जा दोनों हैं।

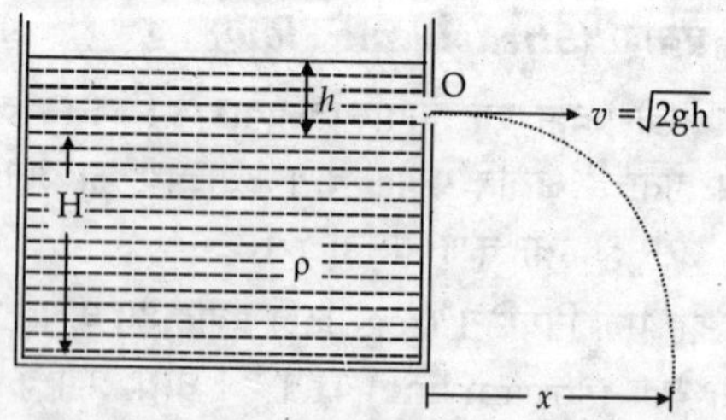

माना छिद्र से निकलने वाले द्रव का बहिःस्राव वेग v है। तब बरनौली प्रमेय के अनुसार, द्रव के स्वतंत्र तल पर तथा छिद्र के प्रत्येक बिन्दु पर द्रव के एकांक आयतन की कुल ऊर्जा समान होगी अर्थात्

$$P+0+\rho gh = P+0+\frac{1}{2}\rho v^2$$

या $$\frac{1}{2}\rho v^2 = \rho gh$$

या $$v=\sqrt{2gh} \quad \text{(क्षैतिज दिशा में)}$$

इस सूत्र की स्थापना सर्वप्रथम टौरिसली ने की थी, इसलिए इसे टौरिसली प्रमेय अथवा टौरिसली का नियम भी कहते हैं।

टंकी की दीवार में किसी छिद्र से द्रव के बहिःस्राव का वेग उस वेग के बराबर होता है जो द्रव अपने स्वतंत्र तल से छिद्र तक (= h) मुक्त रूप से गिरने में प्राप्त करता है।

$S = ut + \frac{1}{2}at^2$ का उपयोग करते हुए

$$h' = 0 + \frac{1}{2}gt^2 \Rightarrow t = \sqrt{\frac{gh'}{g}}$$

$$S = vt = \sqrt{2gh}\times\sqrt{2h'/g} = 2\sqrt{hh'}$$

श्यानता (Viscosity)

श्यानता, तरल में आन्तरिक घर्षण को कहते हैं। जब किसी तरल (द्रव) की एक पर्त उसी तरल की दूसरी पर्त पर फिसलती है, तो उनके बीच घर्षण बल कार्य करता है जो पर्तों की सापेक्ष गति का विरोध करता है। यह घर्षण बल ही श्यान बल (viscous force) है। श्यान प्रवाह का सरलतम उदाहरण दो समान्तर प्लेटों के बीच तरल की गति है।

माना कोई द्रव काँच की क्षैतिज AB पर धारा रेखी प्रवाह में बह रहा है। यह द्रव बहुत-सी क्षैतिज परतों का बना हुआ माना जा सकता है। द्रव का वेग कम होने की स्थिति में काँच की प्लेट के सम्पर्क वाली द्रव की परत का वेग लगभग शून्य माना जा सकता है, क्योंकि काँच की प्लेट विराम अवस्था में है। जैसे-जैसे काँच की प्लेट से ऊपरी परतों की दूरी बढ़ती है, इन परतों का वेग भी बढ़ता जाता है तथा द्रव के स्वतंत्र पृष्ठ CD का वेग अधिकतम हो जाता है।

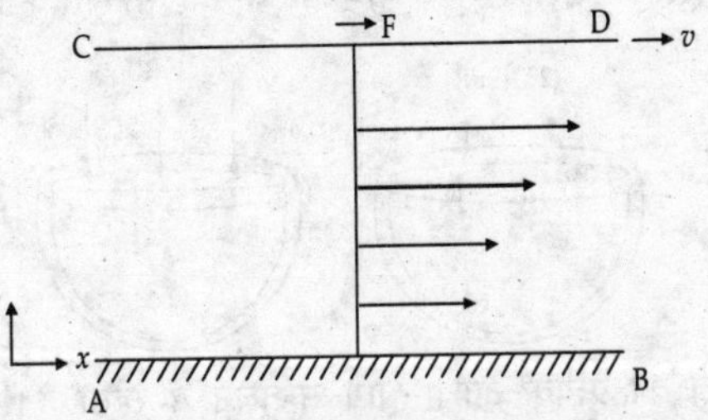

न्यूटन के अनुसार, बहते हुए किसी द्रव की किन्हीं दो परतों के बीच कार्य करने वाला स्पर्शरेखीय श्यान बल F, उन परतों के सम्पर्क क्षेत्रफल A तथा उनके बीच वेग प्रवणता $\frac{dv}{dx}$ के समानुपाती होता है अर्थात्,

$$F \propto A \quad \text{तथा} \quad F \propto \frac{dv}{dx}$$

या $$F = -\eta A \frac{dv}{dx}$$

यहाँ η, अनुक्रमानुपाती नियतांक है, जिसे द्रव (तरल) का श्यानता गुणांक कहते हैं।

η का SI मात्रक Ns m^{-2} है। यह डेका प्वॉइज या पास्कल सेकण्ड भी कहलाता है।

1 डेका प्वॉइज = 1 Ns m^{-2} = 10 *Poise*

स्टोक्स नियम तथा सीमान्त वेग (Stokes' Law and Terminal Velocity)

किसी समांगी (homogeneous) तरल माध्यम में जब कोई पिण्ड वेग v से गति करता है तो पिण्ड के सम्पर्क वाला तरल माध्यम भी वेग v से गति करने लगता है लेकिन माध्यम का वह भाग जो पिण्ड से दूर है, विरामावस्था में रहता है। अतः पिण्ड के समीप के माध्यम की विभिन्न परतों के बीच आपेक्षिक गति उत्पन्न हो जाती है, जिसके कारण श्यान बल प्रभावकारी हो जाता है। तब माध्यम द्वारा पिण्ड पर एक श्यान बल आरोपित होता है जो पिण्ड की गति का विरोध करता है।

इसका मान पिण्ड के बढ़ते हुए वेग के साथ बढ़ता जाता है और एक स्थिति में विरोधी श्यान बल का मान पिण्ड की गति देने वाले प्रभावी बल के बराबर हो जाता है। इस दशा में पिण्ड पर नेट बल शून्य हो जाता है। अतः पिण्ड नियत वेग से गति करता है जिसे पिण्ड की 'अन्तिम चाल' अथवा 'सीमान्त चाल' (terminal speed) कहते हैं।

स्टोक्स ने यह सिद्ध किया कि यदि r त्रिज्या का एक सूक्ष्म गोला किसी अनन्त विस्तार वाले पूर्णतः समांग श्यान माध्यम (द्रव अथवा गैस) में सीमान्त चाल v से गति करे, तो गोले पर कार्य करने वाला श्यान बल

$$F = 6\pi \eta r v$$

यहाँ η इस माध्यम का 'श्यानता गुणांक' है।

यह स्टोक्स का नियम है।

माना r त्रिज्या का एक गोला (घनत्व ρ), σ घनत्व के माध्यम (द्रव अथवा गैस) में स्वतंत्रता पूर्वक गिर रहा है। जिसका घनत्व σ है। जब यह सीमान्त वेग v प्राप्त कर लेता है, इस पर दो बल कार्य करते हैं।

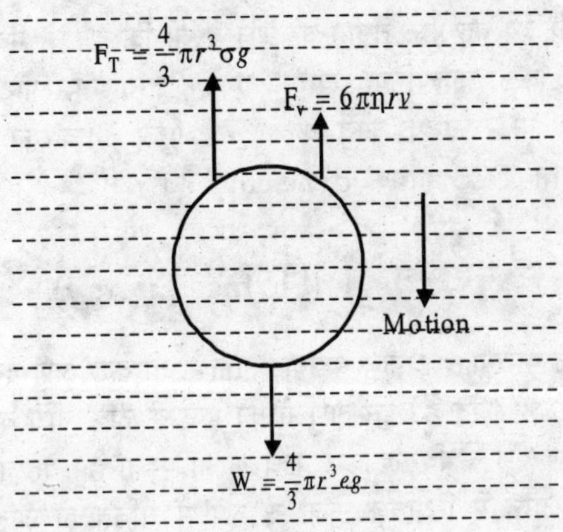

(i) श्यान बल (ऊपर की ओर)

$$F_v = 6\pi\eta r v_t$$

(ii) प्रभावी बल (नीचे की ओर)

$$= \frac{4}{3}\pi r^3(\rho - \sigma)g$$

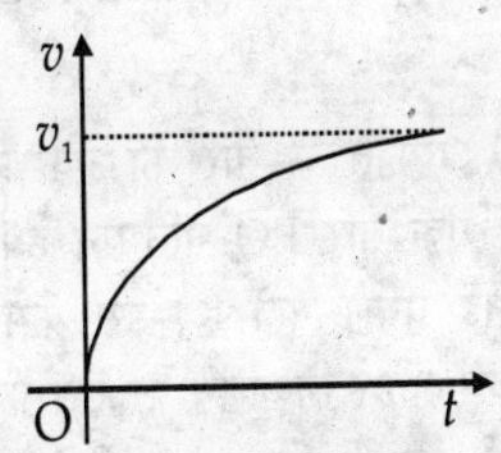

इस स्थिति में इस पर नेट बल

या $$6\pi \eta r v_t = \frac{4}{3}\pi r^3(\rho - \sigma)g$$

या $$v_t = \frac{2}{9}\frac{r^2(\rho - \sigma)g}{\eta}$$

पृष्ठ तनाव (Surface Tension)

प्रत्येक द्रव के मुक्त पृष्ठ में सिकुड़ कर न्यूनतम क्षेत्रफल धारण करने की प्रवृत्ति होती है, ऐसा प्रतीत होता है जैसे मानो यह तनाव की अवस्था में हो। पृष्ठ के इस तनाव को, द्रव का 'पृष्ठ तनाव' कहते हैं।

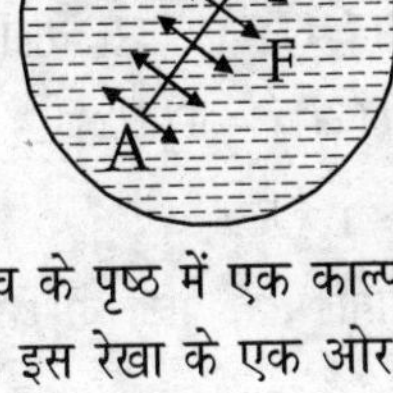

माना कि किसी द्रव के पृष्ठ में एक काल्पनिक रेखा AB किसी भी दिशा में खींची गयी है। इस रेखा के एक ओर का पृष्ठ दूसरी ओर वाले

पृष्ठ पर घर्षण बल (pulling force) F लगाता है। यह बल रेखा AB की एकांक लम्बाई पर कार्य करने वाले बल का परिमाण ही द्रव के पृष्ठ तनाव की माप है। यदि AB की लम्बाई l हो तथा इसके किसी भी ओर कार्य करने वाला सम्पूर्ण बल F हो, तो पृष्ठ तनाव

$$T = \frac{F}{l}$$

किसी द्रव का पृष्ठ तनाव वह बल है जो कि द्रव के मुक्त पृष्ठ पर खींची गई किसी काल्पनिक रेखा की एकांक लम्बाई पर पृष्ठ के तल में तथा रेखा के लम्बरूप कार्य करता है। पृष्ठ तनाव का SI मात्रक Nm^{-1} तथा CGS मात्रक dyne cm^{-1} है।

पृष्ठ ऊर्जा (Surface Energy)

जब द्रव के पृष्ठ का क्षेत्रफल बढ़ाया जाता है, तो कुछ अणु द्रव के भीतर से पृष्ठ पर आ जाते हैं। इन अणुओं को पृष्ठ के ठीक नीचे वाले अणुओं के आकर्षण बल के विरूद्ध कुछ कार्य करना पड़ता है। यह कार्य निर्मित हुए नवीन पृष्ठ में स्थितिज ऊर्जा के रूप में संचित हो जाता है। इस प्रकार द्रव पृष्ठ में स्थित अणु अपनी स्थिति के कारण कुछ अतिरिक्त ऊर्जा रखते हैं। द्रव पृष्ठ के प्रति एकांक क्षेत्रफल की इस ऊर्जा को द्रव की 'पृष्ठ-ऊर्जा' कहते हैं।

द्रव के स्वतंत्र पृष्ठ का विस्तार करने में आवश्यक कार्य (Work Done in Expanding the Free Surface of a Liqiud)

देखा जा सकता है U आकृति के तार का एक फ्रेम ABCD लेते हैं जिस पर लम्बाई l का एक तार PQ गतिमान हैं। माना तार ABCD तथा PQ के बीच कोई घर्षण नहीं है। इस फ्रेम तथा तार PQ को साबुन के घोल में डुबाकर बाहर निकालने पर इस फ्रेम तथा गतिमान तार PQ के मध्य साबुन की एक फिल्म बन जाती है, जिसमें दो मुक्त पृष्ठ होते हैं। फ्रेम को क्षैतिज तल में रखते हैं। पृष्ठ तनाव के कारण फिल्म, तार PQ पर एक बल T (2l) बायीं ओर लगाती है।

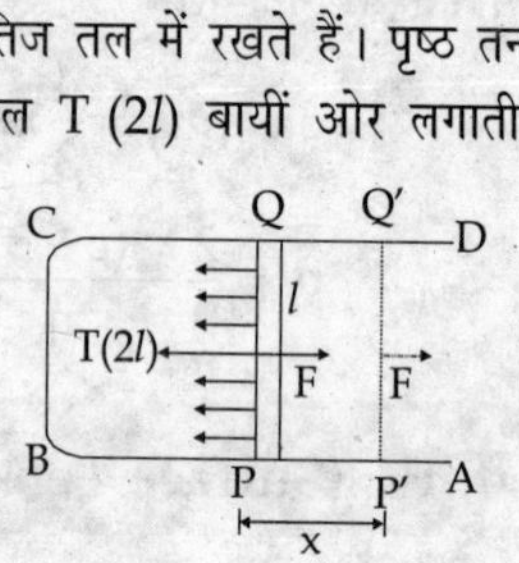

जिसके फलस्वरूप तार PQ बायीं ओर चलने लगता है। तार PQ को साम्यावस्था में रखने के लिए इस पर एक बाह्य बल F दाहिनी ओर लगाना पड़ता है। इस स्थिति में,

$$F = T\,(2l)$$

यहाँ, T साबुन के घोल का पृष्ठ तनाव है।

बाह्य बल F द्वारा तार को Δx दूरी चलाने में किया गया कार्य,

$$W = Fx = T(2l)x = T(2lx)$$

या

$$W = TA$$

यहाँ $A(= 2\,lx)$ दोनों मुक्त पृष्ठों के क्षेत्रफल में हुई नेट वृद्धि

बुलबुले तथा द्रव बूँद के भीतर अतिरिक्त दाब (Excess Pressure Inside a Bubble or Liqiud Drop)

साबुन के बुलबुले तथा द्रव बूँद के भीतर तथा बाहर दाबान्तर का कारण पृष्ठ तनाव है।

साबुन के बुलबुले के भीतर अतिरिक्त दाब (Excess Pressure Inside Soap Bubble)

साबुन के बुलबुले के दो पृष्ठ वायु के सम्पर्क में होते हैं।

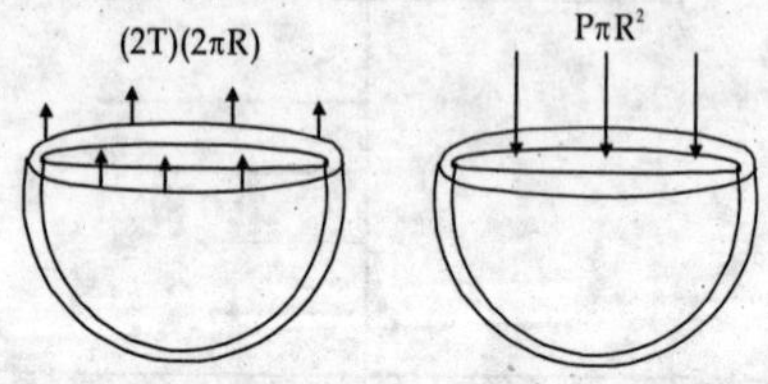

बुलबुले का प्रत्येक आधा भाग सन्तुलन में रहता है। निचला भाग चित्र में दर्शाया गया है। चपटे वृत्ताकार सतह पर जहाँ यह ऊपरी आधे भाग से जुड़ा है, बल निम्न है :

(a) पृष्ठ तनाव बल = (2T) (2πR) (ऊपर की ओर)

(b) दाबान्तर के कारण बल $= P.\pi R^2$ (नीचे की ओर)

सन्तुलन की स्थिति में,

$$(2T)(2\pi R) = (P)(\pi R^2)$$

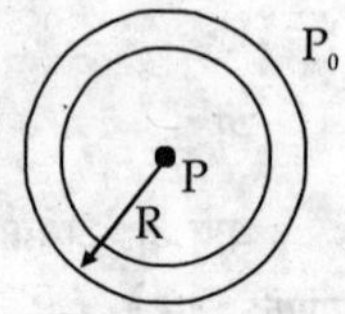

या
$$P = \frac{4T}{R}$$

द्रव बूँद के भीतर अतिरिक्त दाब (Excess Pressure Inside a Liquid Drop)

एक द्रव बूँद की केवल एक पृष्ठीय फिल्म होती है। अतः पृष्ठ तनाव बल T(2π R) है। अतः सन्तुलन की स्थिति में,

$$T(2\pi R) = P(\pi R^2) \text{ या } P = \frac{2T}{R}$$

स्पर्श-कोण (Angle of Contact)

द्रव व ठोस के किसी स्पर्श-बिन्दु से द्रव के पृष्ठ पर खींची गई स्पर्श-रेखा तथा ठोस के पृष्ठ पर द्रव के भीतर की ओर खींची गई स्पर्श-रेखा के बीच बने कोण को उस ठोस तथा द्रव के लिये 'स्पर्श-कोण' कहते हैं।

जो द्रव ठोस को भिगोते हैं उनके लिये स्पर्श-कोण न्यूनकोण होता है तथा जो द्रव ठोस को नही भिगोते उनके लिये स्पर्श-कोण अधिक कोण होता है।

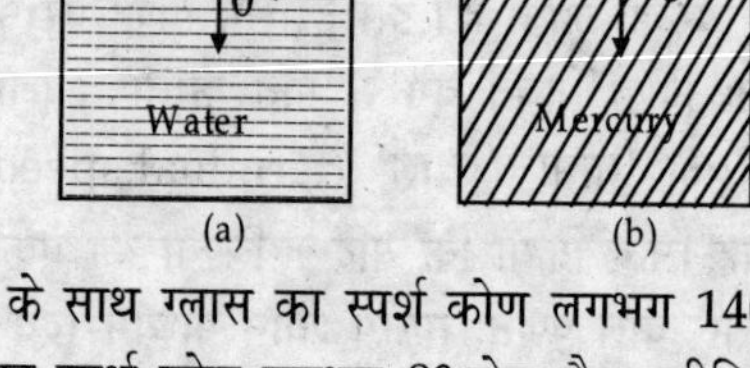

(a) (b)

मरकरी के साथ ग्लास का स्पर्श कोण लगभग 140° तथा पानी के साथ ग्लास का स्पर्श कोण लगभग 8° होता है। इसीलिए शुद्ध पानी के साथ ग्लास का स्पर्श कोण 0° लिया जाता है।

केशिकत्व (Capillarity)

केशनली को जल में सीधी खड़ी रखने पर उसमें द्रव के ऊपर चढ़ने या नीचे उतरने की घटना को केशिकत्व कहते हैं। जो द्रव काँच को भिगोते हैं (अर्थात् जिनके लिये स्पर्श-कोण न्यूनकोण है) वे काँच की केशनली में ऊपर चढ़ते हैं। जो द्रव काँच को नहीं भिगोते (अर्थात् जिनके लिये स्पर्श-कोण अधिककोण है) वे केशनली में नीचे उतर जाते हैं।

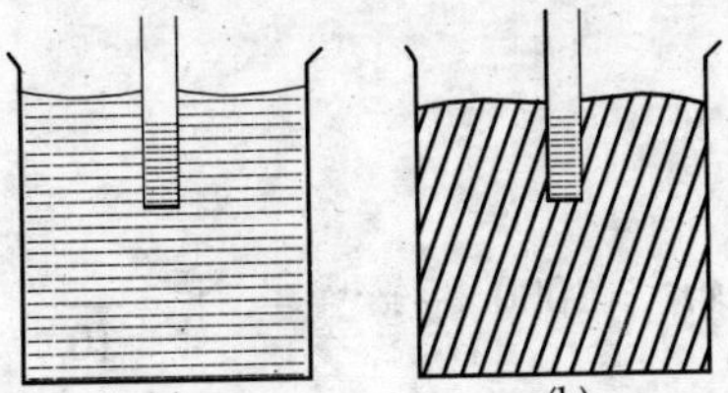
(a) (b)

(*i*) केशिकत्व का कारण द्रव के मुक्त पृष्ठ के अवतल पार्श्व पर आधिक्य दाब $\left(=\frac{2T}{R}\right)$ ही है।

(*ii*) नली में चढ़े द्रव स्तम्भ की ऊँचाई $h=\frac{2T\cos\theta}{r\rho g}$ (Ascent formula)

अतः किसी निश्चित द्रव तथा काँच की भिन्न-भिन्न केशनली के लिए, $r_1h_1=r_2h_2$

(*iii*) नली में नीचे उतरे द्रव स्तम्भ की गहराई

$$h=\frac{2T\cos\theta}{r\rho g}$$

(*iv*) यदि केशनली को ऊर्ध्वाधर से α कोण पर झुका दिया जाये, तो भी नली में द्रव के मुक्त तल की ऊर्ध्व ऊँचाई h ही होगी, परन्तु नली में चढ़े द्रव की लम्बाई बढ़कर h, हो जाती है, जहाँ

$$h'=\frac{h}{\cos\alpha}=\frac{1}{\cos\theta}.\frac{2T\cos\theta}{r\rho g}$$

यहाँ सभी प्रतीक अपने सामान्य अर्थों में हैं।

वस्तुनिष्ठ प्रश्न

1. दो छोटी-छोटी बूँदें मिलकर एक बड़ी बूँद बनाती हैं, इस प्रक्रिया में :

(a) ऊर्जा मुक्त होती है
(b) ऊर्जा अवशोषित होती है
(c) ऊर्जा न तो मुक्त होती है और न ही अवशोषित
(d) कुछ द्रव्यमान ऊर्जा में परिवर्तित होता है

2. 2.8 मिमी व्यास की एक बूँद 125 समान बूँदों में विभक्त हो जाती है। ऊर्जा में परिवर्तन होगा (द्रव का पृष्ठ तनाव 75 डाइन/सेमी है) :

(a) शून्य (b) 19 erg
(c) 46 erg (d) 74 erg

3. तेल से भरे बर्तन (तेल का घनत्व = 0.85×10^3 किग्रा/मी^{3}) में 0.2 मी की गहराई पर 26×10^{-6} मी व्यास की एक गुहा है। यदि तेल का पृष्ठ तनाव 26×10^{-3} न्यूटन प्रति मीटर है व तेल के पृष्ठ के ऊपर वायु का दाब मरकरी के 76 सेमी स्तम्भ के बराबर है, तो गुहा के भीतर दाब होगा (मरकरी का घनत्व = 13.6×10^3 किग्रा/मी^{3}) :

(a) 1.03×10^5 Nm^{-2}
(b) 1.07×10^5 Nm^{-2}
(c) 1.17×10^5 Nm^{-2}
(d) 3.07×10^5 Nm^{-2}

4. चित्र में दिखायी गयी हाइड्रॉलिक प्रेस M द्रव्यमान को 5 मिमी ऊपर उठाने में प्रयुक्त की जाती है (छोटे पिस्टन पर 500 J कार्य करके)। बड़े पिस्टन का व्यास 10 सेमी है, जबकि छोटे पिस्टन का व्यास 2 सेमी है। M का मान है (g = 10 मी/से^{2}) :

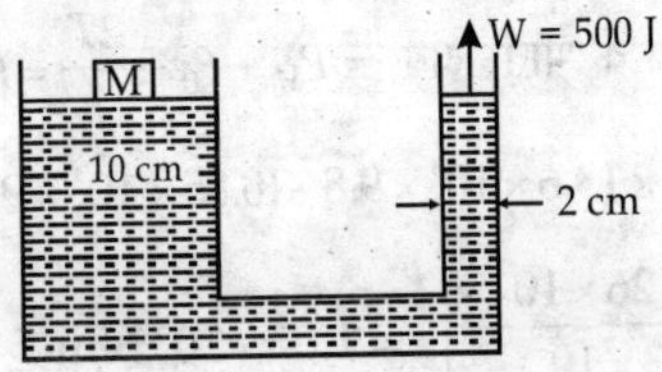

(a) 10^4 kg (b) 10^3 kg
(c) 100 kg (d) 10^5 kg

5. साबुन के बुलबुले (त्रिज्या = r) को फूँक मारकर इतना बड़ा बनाया गया है कि उसका व्यास दोगुना हो जाये। यदि पृष्ठ तनाव T हो, तो इस कार्य में आवश्यक ऊर्जा होगी :

(a) $4\pi r^2$T (b) $2\pi r^2$T
(c) $12\pi r^2$T (d) $24\pi r^2$T

6. एक द्रव बूँद की पृष्ठ ऊर्जा E है। इसको 1000 समान बूँदों में फुहारित किया जाता है, तो इसकी पृष्ठ ऊर्जा हो जाती है :

(a) E (b) 10 E
(c) 100 E (d) 1000 E

7. साबुन के एक बुलबुले का दाब में आधिक्य साबुन के दूसरे बुलबुले का 3 गुना है, उनके आयतनों का अनुपात है :

(a) 1 : 3 (b) 1 : 9
(c) 1 : 27 (d) 1 : 81

8. किसी केशनली में पानी 10 सेमी ऊँचाई तक चढ़ता है, उसी नली में पारे का तल 3.112 सेमी नीचे दबता है। पानी तथा पारे के पृष्ठ तनावों का अनुपात होगा, जबकि पारे का घनत्व 13.6 ग्राम/घन सेमी तथा स्पर्श-कोण 135° है :

(a) 1 : 0.15 (b) 1 : 3
(c) 1 : 6 (d) 1.5 : 1

9. एक एकसमान बर्तन को 900 किग्रा/मी³ घनत्व वाले द्रव से भरा गया है। द्रव के कारण बर्तन की तली पर लगने वाला बल है $(g = 10\,ms^{-2})$

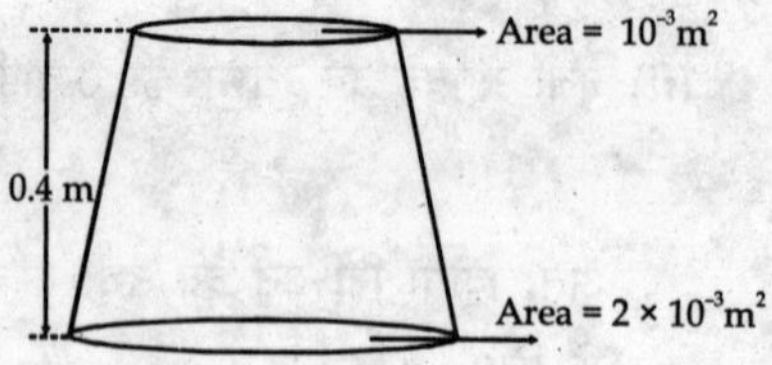

(a) 3.6 N (b) 7.2 N
(c) 9.0 N (d) 12.6 N

10. R त्रिज्या की एक गोलीय बूँद 8 समान बूँदों में विभक्त हो जाती है। यदि पृष्ठ तनाव T हो तो इस प्रक्रिया में किया गया कार्य होगा :

(a) $2\pi R^2T$ (b) $3\pi R^2T$
(c) $4\pi R^2T$ (d) πR^2T

उत्तरमाला

1. **(a):** किया गया कार्य $= T\Delta A = T(A_2 - A_1)$
यहाँ $A_2 < A_1$ अतः ΔA ऋणात्मक है
$\therefore$ किया हुआ कार्य भी ऋणात्मक है
$\therefore$ ऊर्जा निष्कासित होती है।

2. **(d):** $R = (N)^{1/3} r, N = 125, R = 5r$
$\because$ $R = 1.4$ मिमी $\therefore$ $r = 0.28$ मिमी, $E = T\,\Delta A$
दिया है, $Y = 75$ डाइन/सेमी
$\therefore$ $E = T[N \cdot 4\pi r^2 - 4\pi R^2]$
हल करने पर, $E = 74$ अर्ग

3. **(b):** गुहा के भीतर दाब $= P_M + P_0 + \frac{2T}{r} = he_m g + \rho_{ail} gh + \frac{2T}{r}$
$= 0.76 \times 13.6 \times 10^3 \times 9.8 + (0.85 \times 10^3 \times 9.8 \times 0.2)$
$+ \left(\frac{2 \times 26 \times 10^{-3}}{13 \times 10^{-6}}\right) = 1.07 \times 10^5\,Nm^{-2}$

4. **(a):** $\because$ M, 5 मिमी ऊपर चढ़ता है व द्रव का आयतन नियत रहता है।
$\therefore$ $\pi \times (5 \times 10^{-2})^2 (5 \times 10^{-3}) = \pi \times (1 \times 10^{-2})^2 x$
$\Rightarrow$ $x = 125 \times 10^{-3}\,m$
माना बल F छोटे पिस्टन पर 500 जूल कार्य करता है।
$Fx = 500,\ F = \frac{500}{125 \times 10^{-3}} = 4 \times 10^3\,N$
पास्कल के नियम से
$Mg = \frac{F(5 \times 10^{-2})^2}{(1 \times 10^{-2})^2} = 4 \times 10^3 \times 25 = 10^5\,N$
$\Rightarrow$ $M = 10^4\,kg$

5. **(d):** पृष्ठ क्षेत्रफल को बढ़ाने में किया गया कार्य
$T\Delta A = T(4\pi r_1^2 - 4\pi r_2^2) = T4\pi r^2(4-1) = 12\pi r^2 T$
$[\because r_1 = 2r;\ r_2 = r]$
चूँकि बुलबुले में दो फिल्म होती हैं अतः किया गया कुल कार्य
$2 \times 12\pi r^2 T = 24\pi r^2 T.$

6. **(b):** $E = T \cdot 4\pi r^2$ ...(*i*)
$E' = T \cdot 1000 \times 4\pi r'^2$ ...(*ii*)
तथा $\frac{4}{3}\pi r^3 = 1000 \times \frac{4}{3}\pi r'^3 \Rightarrow r' = \frac{r}{10}$
$\therefore$ $E' = T \times 1000 \times 4\pi\left(\frac{r}{10}\right)^2$ (समीकरण (*iii*) से)
$= 10\,T \cdot 4\pi r^2 = 10E$ (समीकरण (*i*) से)

7. **(c):** पहले बुलबुले में अतिरिक्त दाब $P_1 = \frac{4T}{r_1}$ या $P_1 r_1 = 4T$
दूसरे बुलबुले में अतिरिक्त दाब $P_2 = \frac{4T}{r_2}$ या $P_2 r_2 = 4T$
$\therefore$ $\frac{P_1}{P_2} = \frac{r_2}{r_1}$
चूँकि $P_1 = 3P_2 \therefore 3r_1 = r_2$
प्रथम बुलबुले का आयतन, $V_1 \propto r_1^3$
द्वितीय बुलबुले का आयतन, $V_2 \propto r_2^3 \propto 27r_1^3$
$\therefore$ $\frac{V_1}{V_2} = \frac{1}{27} = 1:27$

8. **(c):** $rh\rho g = 2T\cos\theta \Rightarrow \frac{h_1\rho_1}{h_2\rho_2} = \frac{T_1\cos\theta_1}{T_2\cos\theta_2}$
$\Rightarrow$ $\frac{10 \times 1}{3.112 \times 13.6} = \frac{T_1\cos 0^o}{T_2\cos 135^o} \Rightarrow \frac{T_1}{T_2} = \frac{1}{6}$

9. **(b):** तली पर बल = बेलनाकार बर्तन में द्रव का भार

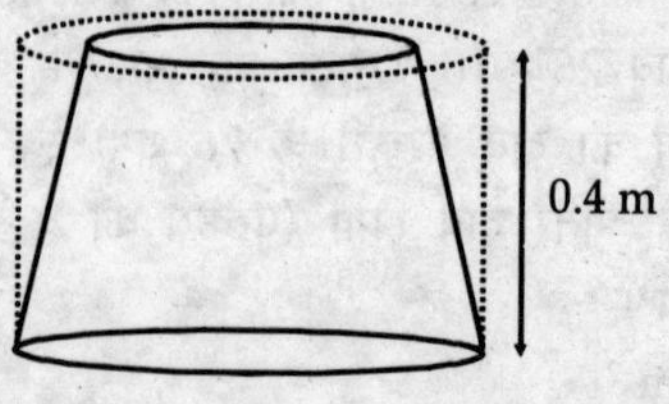

$= A \times F = Ah\rho g = 2 \times 10^{-3} \times 0.4 \times 900 \times 10 = 7.2N$

10. **(c):** $R^3 = 8r^3 \Rightarrow r = \frac{R}{2}$
किया गया कार्य $= T\Delta A = T(4\pi r^2 \times 8 - 4\pi R^2)$
$= 4\pi R^2 T\left[\frac{8}{4} - 1\right] = 4\pi R^2 T$

●●●

अध्याय

11 तरंगें (Waves)

तरंगें (Waves)

तरंग एक विक्षोभ (disturbance) है जो द्रव्य/माध्यम के वास्तविक संचरण के बिना ही माध्यम के एक स्थान से दूसरे स्थान तक ऊर्जा तथा संवेग का संचरण करती है। तरंगें मुख्य रूप से तीन प्रकार की होती हैं :

यांत्रिक अथवा प्रत्यास्थ तरंगें (Mechanical or Elastic Waves)

ये वे तरंगें हैं जिनके संचरण के लिए भौतिक माध्यम (physical medium) की उपस्थिति आवश्यक है। इन तरंगों की चाल माध्यम के इन गुणों पर निर्भर करती है। उदाहरण के लिए ध्वनि तरंगें, किसी रस्सी में उत्पन्न तरंगें, भूकम्प तरंगें (seismic waves), जल (द्रव्य) में उत्पन्न तरंगें, आदि। माध्यम की अनुपस्थिति में इन तरंगों का संचरण सम्भव नहीं है। यांत्रिक तरंगें दो प्रकार की होती हैं।

अनुप्रस्थ तरंग गति (Transverse Wave Motion)

1. तरंग गति में माध्यम के कण तरंग संचरण की दिशा के लम्बवत् माध्य स्थिति अथवा साम्य स्थिति के परितः दोलन करती हैं।

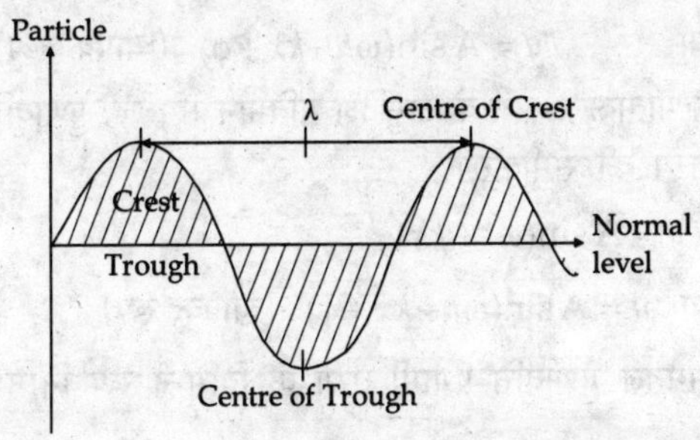

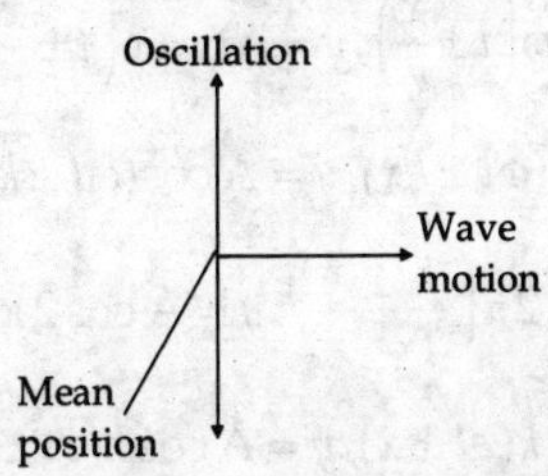

2. कण का वेग हमेशा तरंग गति के लम्बवत् होता है।
3. किसी रस्सी में उत्पन्न तरंगें हमेशा अनुप्रस्थ होती हैं।
4. ये Polarised नहीं हो सकते।
5. यह गैस एवं तरल में सम्भव नहीं हैं क्योंकि इनमें अपरूपण गुणांक या दृढ़ता गुणांक नगण्य होता है।
6. ठोस में,

$$v = \sqrt{\frac{\eta}{\rho}}, \ \eta = \text{दृढ़ता गुणांक (modulus of rigidity)}$$

अनुदैर्ध्य तरंग गति (Longitudinal Wave Motion)

1. तरंग गति में माध्यम के कण तरंग संचरण की दिशा में होती हैं।
2. कण का वेग तरंग गति के समानान्तर या असमान्तर होता है।
3. ये तनी हुई रस्सियों में उत्पन्न नहीं हो सकता।
4. ये Polarised हो सकते हैं।
5. यह ठोस, तरल या गैस में होता है।
6. ठोस में, $v = \sqrt{\dfrac{k + \frac{4}{3}\eta}{\rho}}$,

   k = आयतनात्मक प्रत्यास्थता गुणांक (bulk modulus of elasticity)

   η = दृढ़ता गुणांक (modulus of rigidity)

वैद्युत चुम्बकीय तरंगें (Electromagnetic Waves)

वे तरंगें जिनके संचरण के लिए माध्यम की उपस्थिति अनिवार्य नहीं है। जैसे प्रकाश तरंगें, पराबैंगनी किरणें, रेडियो तरंगें, उष्मीय तरंगें, गामा तरंगें, आदि।

- वैद्युत चुम्बकीय तरंगें अयांत्रिक होती हैं।
- वैद्युत चुम्बकीय तरंगें आयाम से प्रभावित नहीं होते हैं।
- वैद्युत चम्बकीय तरंगों के गुण हमेशा अनुप्रस्थ होते हैं।
- ये तरंगे खाली स्थान में 3×10^8 ms^{-1} वेग के साथ चलती हैं।

प्रगामी तरंगें (Progressive Waves)

वह तरंग जो बिना आयाम परिवर्तित किये स्वतंत्र रूप से एक ही दिशा में चलती हैं, प्रगामी तरंग कहलाती है। एक प्रगामी तरंग अनुप्रस्थ या अनुदैर्ध्य हो सकती है।

प्रगामी तरंगों के अभिलक्षण (Characteristics of Progressive Waves)

(*i*) **तरंग चाल/वेग (Wave Speed/Velocity):** यह वह चाल है जिससे एक प्रगामी तरंग माध्यम में गमन करती है अतः
$v = \nu\lambda$
यहाँ ν आवृत्ति तथा λ तरंगदैर्ध्य है।

(*ii*) **कण का वेग (Particle Velocity):** कण के विस्थापन परिवर्तन की दर, कण का वेग है। अधिकतम कण-वेग या वेग-आयाम है

$$u_{max} = r\omega$$

(*iii*) **कण का त्वरण (Particle Acceleration):** कण का तात्क्षणिक त्वरण $a = -\omega^2 y$ तथा $a_{max} = -\omega^2 r$

कण का अधिकतम त्वरण, त्वरण-आयाम कहलाता है।

(*iv*) **कला (Phase):** प्रगामी तरंग की समीकरण में, ज्या (sine) का कोणांक (argument) तरंग की कला कहलाता है। अतः

$$\phi = 2\pi\left(\frac{t}{T} - \frac{x}{\lambda}\right)$$

तरंग फलन (Wave Function)

यह तरंग के द्वारा उत्पन्न विक्षोभ का गणितीय विवरण है। किसी रस्सी के लिए तरंग फलन एक सदिश विस्थापन है जबकि ध्वनि तरंगों के लिए यह एक अदिश दाब है।

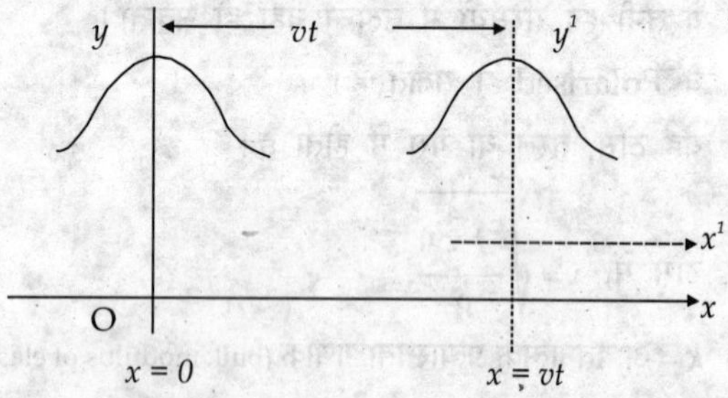

फ्रेम $x'y'$ में

$$y' = t(x')$$

$$y' = y, x' = x - vt$$

अतः $y = f(x - vt)$

व्यापक रूप में,

$$y = f(x \pm vt)$$

- यदि $y = f(x + vt)$, तो तरंगें ऋणात्मक $x-$ दिशा में v वेग से गतिमान रहती हैं।
- यदि $y = f(x - vt)$, तो तरंगें धनात्मक $x-$ दिशा में v वेग से गतिमान रहती हैं।
- यदि $y = f(x \pm vt)^2, y = f(\sqrt{x \pm vt})$

  या $f = (x \pm vt)^3$, सभी मान्य तरंग समीकरणें हैं।
- $y = f(\sqrt{x} \pm \sqrt{vt}), y = f(x^2 \pm v^2 t)$

  या $f(x^3 \pm v^3 t)$, ये सभी तरंग समीकरणें नहीं हैं।

तरंग गति का वेग (Velocity of Wave Motion)

वैद्युत चुम्बकीय तरंग का वेग = $C = \dfrac{1}{\sqrt{\mu_o \varepsilon_o}}$

समतल प्रगामी गुणावृत्ति तरंग
(Plane Progressive Harmonic Waves)

(*i*) यदि गतिमान तरंग $(x - vt)$ का ज्या (sine) या कोज्या (cosine) फलन है, तो तरंग समतल प्रगामी तरंग कहलाती है।

अतः $y(x,t) = A\sin k(x - vt)$

$y(x,t) = A\cos k(x - vt)$

यहाँ, $k = \dfrac{2\pi}{\lambda} =$ दूरी 2π में तरंगदैर्ध्यों की संख्या

= तरंग संख्या या संचरण नियतांक

अतः $\quad y(x,t) = A\sin\dfrac{2\pi}{\lambda}(x - vt)$

$= A\sin(kx - \omega t)$

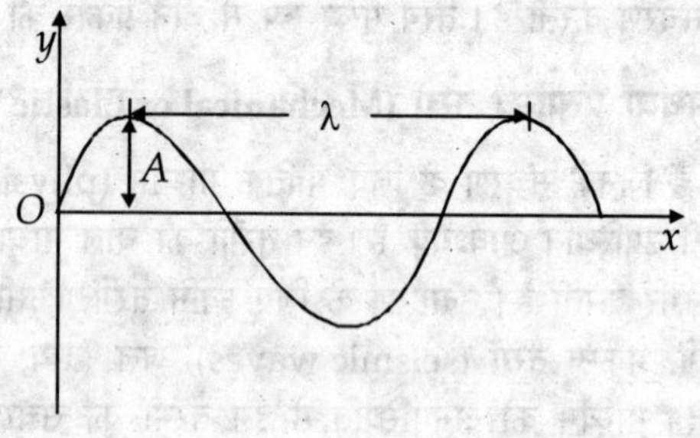

यहाँ $\omega = kv = \dfrac{2\pi v}{\lambda}$

(*ii*) धनात्मक x-अक्ष के अनुदिश गतिमान समतल, गुणावृत्ति प्रगामी तरंग की समीकरण

$y = A\sin(\omega t - kx)$

या $\qquad y = A\sin(\omega t - kx + \phi)$ (व्यापक रूप)

(*iii*) ऋणात्मक x-अक्ष के अनुदिश गतिमान समतल, गुणावृत्ति प्रगामी तरंग की समीकरण

$y = A\sin(\omega t + kx)$

या $y = A\sin(\omega t + kx + \phi)$ (व्यापक रूप)

(*iv*) समतल गुणावृत्ति प्रगामी तरंग के विभिन्न रूप निम्न हैं:

$$y = A\sin\omega\left(t \pm \frac{x}{v}\right), y = A\cos\omega\left(t \pm \frac{x}{v}\right)$$

$$y = A\sin(\omega t \pm kx), y = A\cos(\omega t \pm kx)$$

$$y = A\sin 2\pi\left(\frac{t}{T} + \frac{x}{\lambda}\right), y = A\cos 2\pi\left(\frac{t}{T} + \frac{x}{\lambda}\right)$$

$$y = A\sin k(vt \pm x), y = A\cos k(vt \pm x)$$

(*v*) ज्या या कोज्या फलन का गुणांक अर्थात् A, तरंग का आयाम दर्शाता है जबकि कोणांक $(\omega t \pm kx)$ कला प्रदर्शित करता है।

(*vi*) समतल प्रगामी गुणावृत्ति तरंग में दो आवर्तिता होती है; पहली समय में (आवर्तकाल T से प्रदर्शित) तथा दूसरी आकाश में (तरंगदैर्ध्य λ से प्रदर्शित) तथा दोनों निम्न सम्बन्धानुसार होते हैं : $\lambda = vT$

ध्वनि तरंग (Sound Waves)

ध्वनि तरंगें, अनुदैर्ध्य तरंगें हैं। ये तरंगें 332 ms^{-1} (लगभग) की चाल से चलती हैं।

इन्हें निम्नलिखित वर्गों में बाँटा जा सकता है :

(*i*) **अपश्रव्य तरंगें (Infrasonic Waves) :** 20 हर्ट्ज से कम आवृत्ति की अनुदैर्ध्य तरंगें अपश्रव्य तरंगें कहलाती हैं। ये तरंगें सुनी नहीं जा सकती। ये तरंगें केवल सांपों द्वारा सुनी जा सकती हैं।

(*ii*) **श्रव्य तरंगें (Audible Waves) :** 20 हर्ट्ज से 2000 हर्ट्ज के बीच आवृत्ति की अनुदैर्ध्य तरंगें, श्रव्य तरंगें कहलाती हैं। ये तरंगें मानव कानों द्वारा सुनी जा सकती हैं।

(*iii*) **पराश्रव्य तरंगें (Ultrasonic Waves) :** 2000 हर्ट्ज से अधिक आवृत्ति की तरंगें पराश्रव्य तरंगें कहलाती हैं। ये तरंगें अतिश्रव्य तरंगें (supersonic waves) भी कहलाती हैं।

यांत्रिक तरंग की गति (Velocity of Mechanical Waves)

तनी हुई रस्सी में अनुप्रस्थ तरंगें—

T = रस्सी में तनाव

μ = द्रव्यमान प्रति इकाई लम्बाई

D = रस्सी का व्यास

ρ = घनत्व

$$v=\sqrt{\frac{T}{\mu}}=\sqrt{\frac{\text{प्रतिबल}}{\text{घनत्व}}}=\frac{2}{D}\sqrt{\frac{T}{\pi\rho}}$$

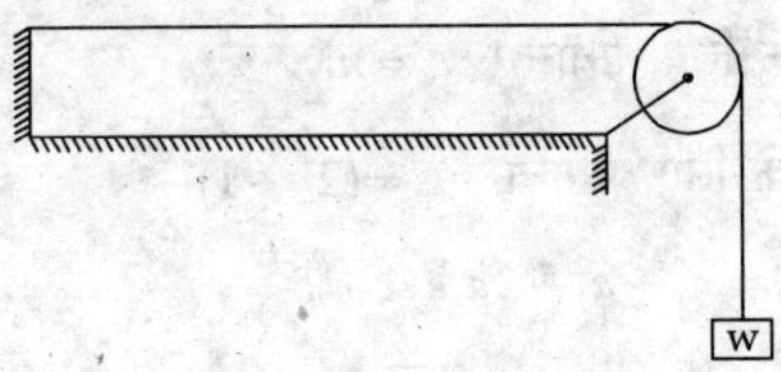

ध्वनि वेग के लिए न्यूटन का सूत्र (Newton's Formula for Velocity of Sound)

न्यूटन ने गैस में ध्वनि के वेग का सूत्र निकालने के लिए निम्नलिखित सूत्र का प्रयोग किया।

$$v=\sqrt{\frac{K_{iso}}{\rho}} \quad ...(i)$$

$$\because\ K_{iso}=-\frac{\Delta P}{\Delta v/v}=P$$

(–) चिन्ह यह दर्शाता है कि जब दाब बढ़ेगा तब आयतन घटेगा।

$$\therefore\ v=\sqrt{\frac{P}{\rho}} \quad ...(ii)$$

न्यूटन के सूत्र में त्रुटि (Error in Newtons Formula)

समीकरण (ii) में दिया गया सूत्र ध्वनि वेग का मान N.T.P. पर निकालने के लिए हैं

$$v=\sqrt{\frac{h\rho_{ig}g}{\rho_{air}}}=\sqrt{\frac{0.76\times13.6\times10^3\times9.8}{1.293}}=280\ ms^{-1}$$

किन्तु ν का प्रयोगात्मक मान (experimental value) हवा में NTP पर 332 ms^{-1} है। दोनों मानो के बीच का अंतर 52 ms^{-1} है, जिसकी त्रुटि प्रतिशत $\frac{52}{332}\times100=15.7\%$

इतनी बड़ी त्रुटि को प्रयोगात्मक त्रुटि के तौर पर नहीं ले सकते।

लाप्लास का संशोधन (Laplace's Correction)

लाप्लास के अनुसार, गैसों में ध्वनि की चाल का सूत्र निम्न सूत्र से निकलता है।

$$\nu=\sqrt{\frac{k_{adi}}{\rho}} \quad ...(iii)$$

$$\because\ k_{adi}=-\frac{\Delta P}{\Delta v/v}=\gamma P$$

$$\therefore\ \nu=\sqrt{\frac{\gamma P}{\rho}} \quad ...(iv)$$

यहाँ $\gamma=\frac{cp}{cv}$ है।

तरंग गति में ऊर्जा (Energy in Wave Motion)

प्रत्येक तरंग गति के साथ ऊर्जा सम्बद्ध है। तरंग गति में ऊर्जा को ध्यान में रखते हुए हम निम्नलिखित पदों पर विचार करते हैः

(*i*) ऊर्जा घनत्व (U)

(*ii*) शक्ति (P)

(*iii*) तीव्रता (I)

ऊर्जा घनत्व (Energy Density)

तरंग जिस माध्यम से गुजरती है उस माध्यम के एकांक आयतन की कुल यांत्रिक ऊर्जा (गतिज + स्थितिज) ऊर्जा घनत्व कहलाती है।

प्रति एकांक आयतन की गतिज ऊर्जा

$$\Delta K=\frac{1}{2}\rho\omega^2A^2\cos^2(kx-\omega t)$$

प्रति एकांक आयतन की स्थितिज ऊर्जा

$$\Delta U=\frac{1}{2}\rho\omega^2A^2\cos^2(kx-\omega t)$$

अतः ऊर्जा घनत्व

$$U=\Delta E=\rho\omega^2A^2\cos^2(kx-\omega t)$$

$$=\frac{1}{2}\rho\omega^2A^2$$

शक्ति (Power)

यदि हम डोरी में अनुप्रस्थ तरंग पर विचार करें, तो तात्क्षणिक दर जिस पर डोरी के अनुदिश ऊर्जा स्थानान्तरित होती है, शक्ति कहलाती है। अतः

$$P = \text{ऊर्जा} \times \text{आयतन}$$

$$= \frac{1}{2}\rho\omega^2 A^2 \times sy \;\; = \frac{1}{2}\rho\omega^2 A^2 sy$$

यहां S अनुप्रस्थ-काट क्षेत्रफल तथा y विस्थापन है।

तीव्रता (Intensity)

प्रति एकांक समय में डोरी के प्रति एकांक अनुप्रस्थ-काट क्षेत्रफल में प्रवाहित ऊर्जा तरंग की तीव्रता कहलाती है। अत :

$$I = \frac{\text{शक्ति}}{\text{अनुप्रस्थ - काट क्षेत्रफल}} = \frac{P}{S}$$

अतः $I = \frac{1}{2}\rho\omega^2 A^2 y$

तरंगों का परावर्तन व पारगमन (Reflection and Transmission of Waves)

जब ध्वनि तरंगों के दो माध्यमों को अलग करने वाली सीमा पर आपतित होती है, तो इसका एक अंश प्रारम्भिक माध्यम में वापस लौट जाता है जबकि शेष आंशिक रूप से अवशोषित हो जाता है व आंशिक रूप से दूसरे माध्यम में पारगमित हो जाता है।

अभिलक्षणिक (Characteristics)

(a) ध्वनि के परावर्तन व पारगमन में, तरंग की आवृत्ति अपरिवर्तित रहती है, अर्थात् $\omega_i = \omega_r = \omega_t = \omega$ ।

(b) आपतित किरण, परावर्तित किरण, अभिलम्ब तथा अपरिवर्तित किरण सभी समान तल में होते हैं।

(c) ध्वनि के परावर्तन में,
आपतन कोण = परावर्तन कोण

(d) ध्वनि के अपरावर्तन में,
$$\frac{\sin i}{\sin t} = \frac{v_i}{v_t}$$

(e) किसी सघन आयाम अथवा दृढ़ आधार अथवा कसे सिरे से परावर्तन में परावर्तित विस्थापन-तरंग का व्युत्क्रमण (inversion) हो जाता है। अर्थात् यदि आपतित तरंग $y = -A \sin(\omega t + kx)$ है, तब परावर्तित तरंग $y = -A \sin(\omega t + kx) = A_r \sin(\omega t + kx + \pi)$ होगी अर्थात् सघन माध्यम से परावर्तन होने पर विस्थापन तरंग कला में π से परिवर्तित हो जाती है जबकि विरल माध्यम से परावर्तन में तरंग की कला में कोई व्युत्क्रमण नहीं होता है।

(f) परावर्तन में, तरंग का आयाम तथा तीव्रता घट सकते हैं।

(g) जब एक अनुप्रस्थ तरंग सघन माध्यम से परावर्तित होती है, तो, गर्त, शृंग में तथा शृंग, गर्त में परिवर्तित हो जाते हैं।

(h) जब एक अनुप्रस्थ तरंग विरल माध्यम से परिवर्तित होती है, तो परावर्तन के पश्चात् शृंग व गर्त व्युत्क्रमित नहीं होते।

(i) जब एक अनुदैर्ध्य तरंग सघन माध्यम से परावर्तित होती है, तो संपीडन तथा विरलन प्रभावित नहीं होते।

(j) जब एक अनुदैर्ध्य तरंग विरल माध्यम से परावर्तित होती है, तो संपीडन, विरलन में तथा विरलन, संपीडन में बदल जाते हैं।

तरंगों का अध्यारोपण (Superposition of Waves)

किसी क्षण माध्यम में किसी कण पर परिणामी तरंग फलन (resultant wave function)y, उस क्षण कण पर उपस्थित उन सभी तरंगों के तरंग फलनों $y_1, y_2, y_3...$ आदि का बीजगणितीय योग (algebraic sum) होता है।

अर्थात् $y = y_1 + y_2 + y_3 + ...$

इस सिद्धांत को तरंगों के अध्यारोपण का सिद्धांत कहते हैं। दो तरंगों के अध्यारोपण से व्यतिकरण (interference), विस्पन्द (beats) तथा अप्रगामी तरंगें (stationary waves) आदि प्रभाव उत्पन्न होते हैं।

व्यतिकरण (Interference)

जब समान आवृत्ति की दो तरंगें किसी माध्यम में समान दिशा में जाती हैं, तब उनके अध्यारोपण के कारण किसी बिन्दु पर प्राप्त परिणामी तरंग, दोनों तरंगों की तीव्रताओं के योग से भिन्न होती है। यह परिघटना व्यतिकरण कहलाती है।

उच्चिष्ठ के लिये, पथान्तर $\Delta = n\lambda$

निम्निष्ठ के लिए, पथान्तर $\Delta = (2n-1)\frac{\lambda}{2}$

तीव्रता $O = a_1^2 + a_2^2 + 2a_1 a_2 \cos\delta$

$$= I_1 + I_2 + 2\sqrt{I_1 I_2}\cos\delta$$

महत्तम तीव्रता, $I_{max} = (a_1 + a_2)^2$

न्यूनतम तीव्रता, $I_{min} = (a_1 - a_2)^2$

विस्पन्द (Beats)

जब लगभग अलग आवृत्ति की दो ध्वनि तरंगें बराबर वेग के साथ उत्पन्न की जाती हैं तो परिणामी ध्वनि तरंग की तीव्रता समय के साथ बढ़ती तथा घटती हैं। ध्वनि की तीव्रता में यह परिवर्तन विस्पन्दों की परिघटना कहलाती है।

दो क्रमागत विस्पदों के बीच समयान्तराल विस्पन्द काल (beat period) कहलाता है तथा प्रति सेकण्ड विस्पन्दों की संख्या विस्पन्द आवृत्ति (beat frequency) कहलाती है।

यदि v_1 व v_2 $(v_1 > v_2)$ दो तरंगों की आवृत्तियाँ है तब विस्पन्द आवृत्ति

$$b = v_1 - v_2$$

अप्रगामी तरंगें (Stationary Waves)

जब दो समरूप ध्वनि प्रगामी तरंगें किसी माध्यम में एक ही समय में विपरीत दिशाओं में चलती हैं तो उनके अध्यारोपण से एक नई प्रकार की तरंग उत्पन्न हो जाती है जो माध्यम में स्थिर प्रतीत होती है। इस तरंग को अप्रगामी तरंग कहते हैं।

(*i*) माना दो तरंगें निम्न हैं :

$y_1 = A\sin(\omega t - kx)$

तथा $y_2 = A\sin(\omega t + kx)$

उनका योग $y = y_1 + y_2$

या $y = A[\sin(\omega t - kx) + \sin(\omega t + kx)]$

$= 2A\cos kx \sin \omega t$

इस समीकरण का रूप $f(x \pm vt)$ अथवा $f(x \pm bt)$ जैसा नहीं है। अतः यह गतिमान तरंग को प्रदर्शित नहीं करती। अतः यह समीकरण अप्रगामी तरंग को प्रदर्शित करती है।

(*ii*) अप्रगामी तरंगों की समीकरणें निम्न चार प्रकार की हैं:

$y = \pm A\sin kx \cos\omega t$

$y = \pm A\sin \omega t \cos kx$

$y = \pm A\sin kx \sin \omega t$

$y = \pm A\cos kx \cos \omega t$

(*iii*) वे बिन्दु जिनके लिये विस्थापन शून्य है निस्पन्द (nodes) कहलाते हैं व इनके लिये

$\cos kx = 0$

या $kx = \frac{\pi}{2}, \frac{3\pi}{2}, \frac{5\pi}{2}, \ldots$

या $x = \frac{\lambda}{4}, \frac{3\lambda}{4}, \frac{5\lambda}{4}, \ldots$ $\left[\because k = \frac{2\pi}{\lambda}\right]$

इससे स्पष्ट है कि प्रगामी तरंग में दो क्रमागत निस्पन्दों के बीच की दूरी $(\lambda/2)$ है तथा ये निश्चित दूरी पर हैं।

(*iv*) वे बिन्दु जिनके लिये विस्थापन अधिकतम है, प्रस्पन्द (anti-nodes) कहलाते हैं व इनके लिये

$\cos kx = \pm 1$

या $kx = 0, \pi, 2\pi, 3\pi, \ldots$

या $x = 0, \frac{\lambda}{2}, \frac{2\lambda}{2}, \frac{3\lambda}{2}, \ldots$ $\left[\because k = \frac{2\pi}{\lambda}\right]$

इससे स्पष्ट है कि दो क्रमागत प्रस्पन्दों के बीच की दूरी $(\lambda/2)$ है व ये भी समान निश्चित दूरी पर हैं।

(*v*) अप्रगामी तरंग व्यतिकरण का ही एक उदाहरण है। निस्पन्द से तात्पर्य विनाशी व्यतिकरण से तथा प्रस्पन्द का तात्पर्य संपोषी व्यतिकरण से है।

(*vi*) दृष्टि निर्बन्धता (persistance of vision) के कारण ये तरंगें लूपों में प्रतीत होती हैं। लूप में सभी कण समान कला में होते हैं। परन्तु क्रमागत लूपों में कण कला में π कोण से पृथक होते हैं।

(*vii*) अप्रगामी तरंगें अनुप्रस्थ या अनुदैर्ध्य हो सकती हैं।

(*viii*) चूँकि अप्रगामी तरंगों में निस्पन्द स्थायी रूप से विराम में होते हैं अतः इनके द्वारा ऊर्जा का प्रवाह नहीं होता।

(*ix*) विपरीत दिशाओं में गतिमान दो समरूप तरंगें भी अप्रगामी तरंगें उत्पन्न करेंगे यद्यपि उनके आयाम असमान हों।

अप्रगामी तरंग अनुपात (SWR)

$$\frac{A_{max}}{A_{min}} = \frac{A_i + A_r}{A_i - A_r}$$

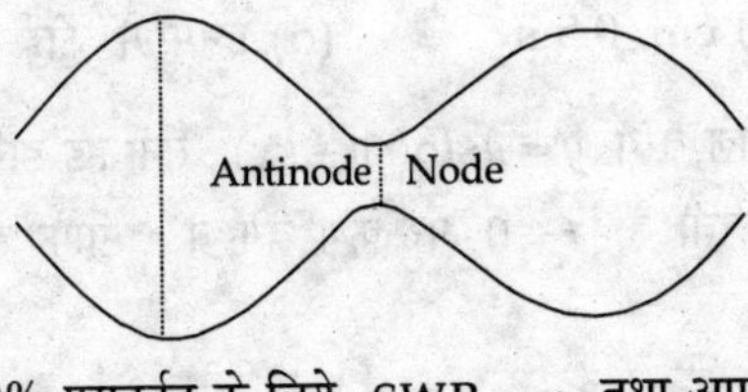

100% परावर्तन के लिये, SWR = ∞ तथा अपवर्तन के लिये, SWR = 1 ।

वस्तुनिष्ठ प्रश्न

1. डोरी के अनुदिश चलती हुई किसी तरंग का समीकरण

$y = \frac{p^3}{p^2 + (px - qt)^2}$ है, जहाँ $p = 2$ इकाई व $q = 0.5$ इकाई है। तरंग के संचरण की दिशा है:

(a) + y-अक्ष के अनुदिश
(b) – x-अक्ष के अनुदिश
(c) + x-अक्ष के अनुदिश
(d) इनमें से कोई नहीं

2. दो दृढ़ आधारों के बीच कसी, 2 m लम्बी रस्सी, दो लूपों में कम्पन कर रही है। निस्पन्दों व प्रस्पन्दों के बीच की दूरी होगी :

(a) 50 cm (b) 10 cm
(c) 100 cm (d) 200 cm

3. यदि तरंग $y = A\cos(\omega t + kx)$, x-अक्ष के अनुदिश गतिमान है, तो $t = 0$ व $t = 2s$ पर स्पंद की आकृतिः

(a) असमान है (b) समान है
(c) समान हीं हो सकती (d) इनमें से कोई नहीं

4. एक प्रगामी तरंग का समीकरण $y = a \sin (628t - 31.4x)$ है, जहाँ दूरी को cm में तथा समय को s में नापा गया है, तो तरंग का वेग होगाः

(a) 314 cms^{-1} (b) 628 cms^{-1}
(c) 20 cms^{-1} (d) 400 cms^{-1}

5. 350 हर्ट्ज आवृत्ति के दो ध्वनि श्रोत A तथा B समान कला में कम्पन कर रहे हैं तथा उनके द्वारा भेजी गई तरंगों के अन्तर्गत कण P कम्पन कर रहा है। P पर पहुँचने वाली तरंगें यदि एक ही सरल रेखा के अनुदिश मानी जा सकें तथा यदि उनके द्वारा P पर आरोपित सरल आवर्त गतियों के आयाम क्रमशः 0.3 mm तथा 0.4 mm हों, तो P के परिणामी स. आ. ग. का आयाम क्या होगा, जबकि $AP - BP = 25$ cm तथा ध्वनि का वेग 350 ms^{-1} है?

(a) 0.7 mm (b) 0.1 mm
(c) 0.2 mm (d) 0.5 mm

6. एक 10 m लम्बी तनी हुई डोरी में अप्रगामी तरंगें उत्पन्न की जाती है। यदि डोरी 5 खण्डों में कम्पन करती है व तरंग वेग 20 ms^{-1} है, तो आवृत्ति होगीः

(a) 2 Hz (b) 4 Hz
(c) 5 Hz (d) 10 Hz

7. एक प्रगामी तरंग का समीकरण $y = 8 \sin \pi \ (0.02x - 4t)$ है, जिसमें y तथा x को cm में और t को s में नापा गया है, तो तरंगदैर्ध्य λ तथा आवर्तकाल T के मान होंगे, क्रमशः

(a) 50 cm, 25 s (b) 0.02 cm, 4 s
(c) 100 cm, 0.5 s (d) इनमें से कोई नहीं

8. एक समतल तरंग $y = a \sin(\omega t - kx)$, तनी हुई डोरी के अनुदिश कम्पन करती है, $t = 0$ पर कण वेग व x ग्राफ होगाः

(a) 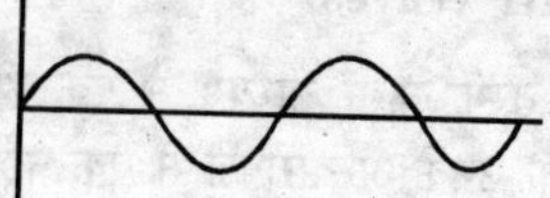

(b) 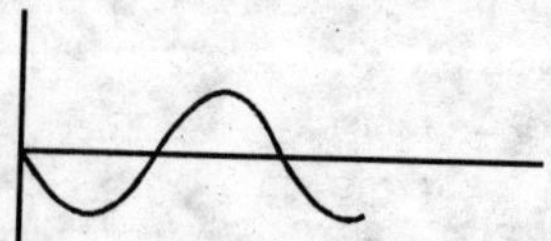

(c) 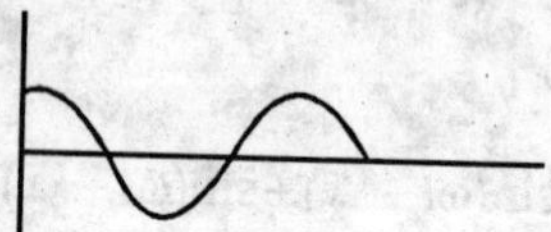

(d) 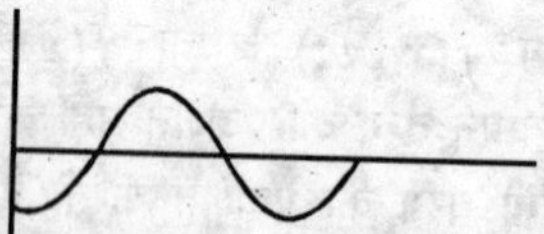

9. दो ध्वनि श्रोतों की आवृत्तियाँ 256 हर्ट्ज तथा 260 हर्ट्ज है। यदि इन दोनों स्रोतों के अन्तर्गत किसी बिन्दु पर $t = 0$ पर ध्वनि की तीव्रता अधिकतम हो, तो $t = 1/16$ सेकन्ड पर, उस बिन्दु पर कलान्तर होगाः

(a) शून्य (b) π
(c) π/2 (d) π/4

10. एक डोरी के अनुदिश किसी अनुप्रस्थ तरंग का समीकरण $y = 3\sin\left[2\pi\left(\frac{x}{20} - \frac{t}{0.01}\right)\right]$ है जहाँ x व y cm में है व t s में है। तरंग वेग हैः

(a) 20 ms^{-1} (b) 30 ms^{-1}
(c) 15 ms^{-1} (d) 25 ms^{-1}

उत्तरमाला

1. (c): $t = 0$ पर, $y = \frac{p^3}{(p^2 + p^2x^2)} = \frac{p}{1 + x^2}$

$y = f(px - qt), y = f(\omega t - kx)$

यहाँ t व x के चिन्ह परस्पर विपरीत है अतः दिशा $+x$- अक्ष के अनुदिश है।

2. (a): ∵ $\frac{\lambda}{2} = 1$

∴ $\lambda = 2\,\text{m}$

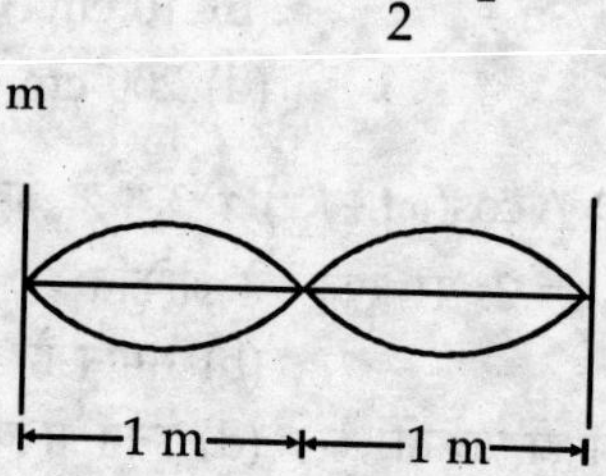

अतः निकटतम निस्पन्द व प्रस्पन्द के बीच की दूरी

$$= \frac{\lambda}{4} = \frac{2}{4} = \frac{1}{2}\text{m} = 50\,\text{cm}$$

3. (b): $t = 0$ पर व $t = 2$s पर, x-y ग्राफ की आकृति समान है। अतः विकल्प (b) सही है।

4. (c): $\omega = 2\pi f = 628 \Rightarrow f = 100$ Hz

$\frac{2\pi}{\lambda} = 31.4 \Rightarrow \lambda = 0.2$

∴ $v = f\lambda = 100 \times 0.2 = 20\,\text{cms}^{-1}$

5. (d): $\lambda = \frac{v}{f} = 1\,\text{m}$

$$\phi = \frac{2\pi}{\lambda} \times (x) = \frac{2\pi}{1} \times \left(\frac{25}{100}\right) = \frac{\pi}{2}$$

$$\therefore \quad A = \sqrt{(a_1)^2 + (a_2)^2 + 2a_1a_2\cos\phi}$$

$$= \sqrt{(0.3)^2 + (0.4)^2 + 2(0.3)(0.4)\cos\pi/2}$$

$$= 0.5\text{mm}$$

6. (c): $f = \frac{v}{\lambda} = \frac{pc}{2l} = 5 \times \frac{20}{2 \times 10} = 5$ हर्ट्ज

7. (c): दिए गए समीकरण, $y = 8\sin\pi(0.02x - 4t)$

की तुलना मानक समीकरण से करने पर,

$$y = a\sin\left(\frac{2\pi t}{T} - \frac{2\pi x}{\lambda}\right)$$

$$\frac{2\pi x}{\lambda} = 0.02\pi x$$

$$\therefore \quad \lambda = \frac{2}{0.02} = 100\text{cm}$$

तथा $\frac{2\pi t}{T} = 4\pi t$

$$\therefore \quad T = \frac{1}{2} = 0.5s$$

8. (a): $y = a\sin(\omega t - kx)$

$$\therefore \quad \frac{\partial y}{\partial t} = a\omega\cos(\omega t - kx)$$

$t = 0$ पर, $\frac{\partial y}{\partial t} = a\omega\cos(-kx)$

$$= a\omega\cos kx$$

9. (c): दो लगातार विस्पन्दों के बीच का समयान्तराल

$$T = \frac{1}{f_1 - f_2} = \frac{1}{260 - 256} = \frac{1}{4}s$$

अतः $t = \frac{1}{16} = \frac{T}{4}s$

समयान्तर $= \frac{T}{2\pi} \times$ कलान्तर

$$\Rightarrow \frac{T}{4} = \frac{T}{2\pi} \times \phi \Rightarrow \phi = \frac{\pi}{2}$$

10. (a): दिया गया समीकरण

$$y = 3\sin\left[2\pi\left(\frac{x}{20} - \frac{t}{0.01}\right)\right]$$

दिए गए समीकरण की तुलना, मानक समीकरण से करने पर,

$$y = a\sin\left[2\pi\left(\frac{x}{\lambda} - \frac{t}{T}\right)\right]$$

$$a = 3cm, \lambda = 20cm$$

$f = \frac{1}{T} = 100$ हर्ट्ज

$$\therefore \quad v = \lambda f = \frac{20 \times 100}{100} = 20\text{ms}^{-1}$$

●●●

अध्याय

12 ऊष्मा का स्थानान्तरण (Transfer of Heat)

ऊष्मा का एक स्थान से दूसरे स्थान पर स्थानान्तरण तीन सम्भव विधियों से किया जा सकता है। चालन (conduction), संवहन (convection) तथा विकिरण (radiation)। पहली दो विधियों में ऊष्मा स्थानान्तरण के लिये माध्यम की आवश्यकता होती है। विकिरण विधि के लिये कोई प्रतिबन्ध आवश्यक नहीं है। यह ऊष्मा स्थानान्तरण की सबसे तीव्र विधा (mode) है, जिसमें ऊष्मा एक स्थान से दूसरे स्थान तक विद्युतचुम्बकीय विकिरण (electromagnetic radiation) के रूप में स्थानान्तरित होती है।

चालन (Conduction)

जब किसी वस्तु के विभिन्न भागों में तापान्तर होता है तो वस्तु के ऊँचे ताप वाले कण अपने निकट के अपेक्षाकृत नीचे ताप वाले कणों को परस्पर सम्पर्क से ऊष्मा देते हैं। अतः ऊष्मा ऊँचे ताप वाले भाग से नीचे ताप वाले भाग की ओर जाने लगती है। ऊष्मा के संरचण की इस प्रक्रिया को, जिसमें वस्तु के कण अपने स्थान से नहीं हटते, 'चालन' कहते हैं।

ऊष्मा चालन के सम्बन्ध में निम्नलिखित बिन्दु ध्यान देने योग्य हैं :

(a) किसी पृष्ठ क्षेत्रफल A की छड़ में t समय में प्रवाहित ऊष्मा की मात्रा

$$\Delta Q = KA\frac{\Delta T}{\Delta x}\Delta t$$

यहाँ K = ऊष्मा चालकता गुणांक (coefficient of heat conduction)

$\frac{\Delta T}{\Delta x}$ सूत्र में −ve चिह्न ऊष्मा प्रवाह की दिशा के अनुदिश ताप में कमी को प्रदर्शित करता है।

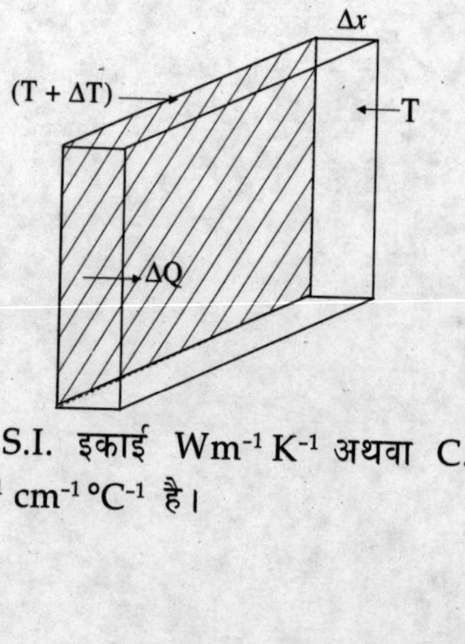

K की S.I. इकाई $Wm^{-1}K^{-1}$ अथवा C.G.S. इकाई Cal. $S^{-1}\ cm^{-1}\ {}^{\circ}C^{-1}$ है।

(b) ऊष्मा चालकता गुणांक 'K' तथा वैद्युत चालकता 'σ' के बीच निम्न सम्बन्ध हैं।

$$\frac{K}{\sigma} \propto T \quad \text{या} \quad \frac{KA}{\sigma T} = \text{नियतांक}$$

इस सम्बन्ध के अनुसार प्रत्येक धातु के लिये $\frac{K}{\sigma}$ का मान समान रहता है तथा ताप T के समानुपाती होता है।

(c) माना दो छड़ों के ऊष्मा चालकता गुणांक K_1 व K_2, लम्बाई l_1 व l_2 तथा अनुप्रस्थ काट का क्षेत्रफल A समान हैं। स्थायी अवस्था (steady state) में छड़ों के सिरों के ताप क्रमशः T_1 व T_1 हैं तथा संधि का ताप T है। तब

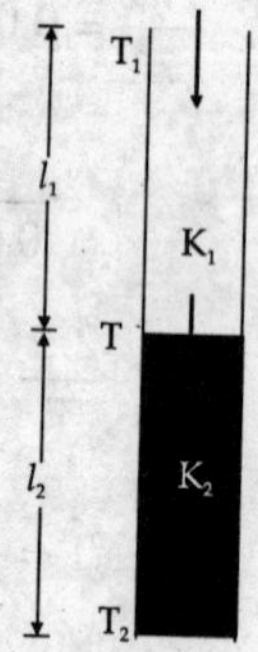

$$T = \frac{K_1 T_1 l_1 + K_2 T_2 l_2}{K_1 l_2 + K_2 l_1}$$

(d) ऊष्मामिति चालकता (thermometric conductivity) अथवा विसरणता (diffusivity), ऊष्मा चालकता गुणांक तथा पदार्थ के प्रति एकांक क्षेत्रफल की ऊष्मा धारिता के अनुपात के बराबर होता है। अतः

$$\text{विसरणता } D = \frac{K}{(mC)/V} = \frac{K}{(m/V)C} = \frac{K}{\rho C}$$

यहाँ $\rho = \frac{m}{V} =$ पदार्थ का घनत्व

(e) वस्तु द्वारा, ऊष्मा के प्रवाह में उत्पन्न बाधा (hindrance) ऊष्मीय प्रतिरोध (thermal resistance) कहलाता है।

$$R = \frac{\text{तापान्तर}(\Delta T)}{\text{ऊष्मीय धारा (H)}} = \frac{\Delta T}{H} = \frac{l}{KA}$$

(f) यदि विभिन्न छड़ें श्रेणी क्रम में जुड़ी हैं, तब

$H_1 = H_2 = H_3$

तथा ऊष्मीय प्रतिरोध

$R_S = R_1 + R_2 + R_3$

इसी प्रकार छड़ों के समान्तर क्रम में, $\Delta T_1 = \Delta T_2 = \Delta T_3$

तथा $\frac{1}{R_p} = \frac{1}{R_1} + \frac{1}{R_2} + \frac{1}{R_3}$

(g) ऊष्मीय धारा

$$H = \frac{dQ}{dt} = \frac{\Delta V}{R} \quad \left(\text{यहाँ } R = \frac{l}{KA}\right)$$

प्रतिरोध में प्रवाहित धारा

$$i = \frac{dq}{dt} = \frac{\Delta V}{R} \quad \left(\text{यहाँ } R = \frac{l}{\sigma A}\right)$$

संवहन (Convection)

यद्यपि चालन द्रवों तथा गैसों में भी होता है, इन माध्यमों में ऊष्मा का अभिगमन महत्वपूर्ण रूप से संवहन द्वारा होता है। इस प्रक्रिया में ऊष्मा स्थानान्तरण माध्यम के पदार्थिक कणों के एक स्थान से दूसरे स्थान पर चले जाने के कारण होता है। यह प्रक्रम दो प्रकार का होता है :

(i) **प्राकृतिक संवहन (Natural Convection):** यह दो सतहों पर घनत्व के अन्तर के कारण होता है तथा यह गुरुत्व (gravity) के परिणामस्वरूप है क्योंकि गुरुत्व के कारण गर्म हल्के कण ऊपर उठते हैं तथा ठण्डे भारी कण उनका स्थान लेने लगते हैं। यह प्रक्रिया तब तक चलती रहती है जब तक सम्पूर्ण पदार्थ एक ही ताप पर नहीं आ जाता।

(ii) **अधिकृत संवहन (Forced Convection):** जब एक तरल (fluid) को गर्म वस्तु से ऊष्मा लेने के लिये बाध्य किया जाता है तब संवहन प्रक्रिया अधिकृत संवहन कहलाती है। इस स्थिति में न्यूटन का शीतलन का नियम लागू होता है जिसके अनुसार गर्म वस्तु द्वारा ऊष्मा-हानि की दर, वस्तु के पृष्ठ क्षेत्रफल तथा वस्तु व उसको घेरने वाले तरल (परिवेश) के बीच तापान्तर के समानुपाती होती है। अर्थात्

$$H \propto A(T - T_0)$$

$$H = -hA(T - T_0)$$

यहाँ h = अनुक्रमानुपाती नियतांक

T = वस्तु का ताप

T_0 = परिवेश का ताप

विकिरण (Radiation)

किसी गर्म स्रोत से ऊष्मा (ऊर्जा) विद्युतचुम्बकीय तरंगों के रूप में भी संचरित होती है। इसे 'विकिरण' कहते हैं। इसके लिये माध्यम की आवश्यकता नहीं होती (यदि बीच में कोई माध्यम हो, तो वह गर्म नहीं होता)। सूर्य से पृथ्वी पर ऊष्मा विकिरण द्वारा ही आती है।

अवशोषकता एवं उत्सर्जकता (Absorptivity and Emissivity)

अवशोषण क्षमता 'a_λ' (Absorptive Power)

किसी वस्तु पृष्ठ द्वारा किसी समय में अवशोषित विकिरण ऊर्जा की मात्रा तथा उसी समय में उस पर आपतित कुल विकिरण ऊर्जा की मात्रा के अनुपात की 'अवशोषण क्षमता' अथवा 'अवशोषण गुणांक' a_λ कहते हैं। चूँकि a_λ एक अनुपात है, अतः इसका कोई मात्रक नहीं है।

$$a_\lambda = \frac{\text{कुल अवशोषित ऊष्मा}}{\text{कुल आपतित ऊष्मा}}$$

उत्सर्जन क्षमता 'e_λ' (Emissive Power)

किसी पृष्ठ के प्रति एकांक क्षेत्रफल द्वारा 1 सेकण्ड में उत्सर्जित कुल विकिरण ऊर्जा की मात्रा को उस पृष्ठ की 'उत्सर्जित क्षमता' e_λ कहते हैं। इसका मात्रक $Jm^{-2}\,s^{-1}$ या Wm^{-2} है।

आदर्श कृष्ण पिण्ड (Perfectly Black Body)

आदर्श कृष्ण पिण्ड अथवा कृष्णिका वह वस्तु है जो अपने पृष्ठ पर गिरने वाले सम्पूर्ण विकिरण को पूर्ण रूप से अवशोषित कर लेती है चाहे उसकी तरंगदैर्ध्य कुछ भी हो। आदर्श कृष्णिका के लिये $a_\lambda = 1$

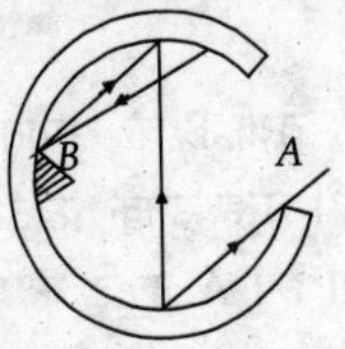

चूँकि λ के सभी मानों के लिये a_λ का मान 1 ही है, अतः आदर्श कृष्णिका के लिये, $a_\lambda = 1$

एक आदर्श कृष्णिका, एक आदर्श विकिरण (ideal radiator) भी होती है। कोई भी ज्ञात पदार्थ पूर्ण रूप से आदर्श कृष्णिका नहीं है। आदर्श कृष्णिका का सबसे महत्वपूर्ण व्यवहारिक प्रदर्शन एक दोहरी दीवार वाला धातु का गोला है जिसमें एक संकीर्ण छिद्र A होता है। यह छिद्र A एक आदर्श कृष्ण पिण्ड की तरह कार्य करता है। शंकु B विकिरण के बाहर जाने की सभी सम्भावनाओं को समाप्त कर देता है।

किरचॉफ का नियम (Kirchhoff's Law)

किसी निश्चित ताप पर सभी पृष्ठों के लिये उत्सर्जन क्षमता तथा अवशोषण क्षमता की निष्पत्ति समान होती है। यह किरचॉफ का नियम कहलाता है।

$$e_\lambda d\lambda = a_\lambda d\theta \qquad ...(i)$$

एक आदर्श कृष्ण पिण्ड के लिए,

$$a_\lambda = 1 \quad \text{तथा} \quad e_\lambda = E_\lambda$$

$$\therefore \quad E_\lambda d\lambda = d\theta \qquad ...(ii)$$

समीकरण *(ii)* से समीकरण *(i)* को भाग देने पर

$$\frac{e_\lambda}{E_\lambda} = a_\lambda \quad \Rightarrow \quad \frac{e_\lambda}{a_\lambda} = E_\lambda$$

यहाँ E= ताप T पर कृष्णिका की उत्सर्जन क्षमता $= \sigma T^4$

उपरोक्त व्यंजक से हम देखते हैं कि $e_\lambda \propto a_\lambda$ अर्थात् एक विशेष तरंगदैर्ध्य के लिए अच्छे अवशोषक समान तरंगदैर्ध्य के अच्छे उत्सर्जक होते हैं।

स्टीफन का नियम (Stefan's Law)

स्टीफन ने सन् 1879 में एक नियम का प्रतिपादन किया जिसे 'स्टीफन का नियम' कहते हैं। इस नियम के अनुसार, "किसी कृष्णिका के एकांक पृष्ठ क्षेत्रफल से प्रति सेकण्ड उत्सर्जित होने वाली विकिरण ऊर्जा उसके परम ताप की चतुर्थ घात के अनुक्रमानुपाती होती है।" अतः

$$E \propto T^4 \text{ या } E = \sigma T^4$$

यहाँ σ एक नियतांक है, इसे स्टीफन का नियतांक कहते हैं। इसका मान $5.67 \times 10^{-8}\, Wm^{-2}\, k^{-4}$ है।

वेन्स-विस्थापन नियम (Wein's Displacement Law)

$$\lambda_m = \frac{b}{T}$$

यहाँ b एक नियतांक है, इसे वेन्स का नियतांक कहते हैं। इसका मान 2.898×10^{-3} mK है।

न्यूटन का शीतलन नियम (Newton's Law of Cooling)

इस नियम के अनुसार, "यदि वस्तु का ताप T वातावरण के ताप T_0 से थोड़ा ही अधिक है तब वस्तु के ठण्डे होने की दर $-\frac{dT}{dt}$ उनके बीच तापान्तर के अनुक्रमानुपाती होती है।

$$E \propto (T - T_0)$$

वस्तुनिष्ठ प्रश्न

1. दो भिन्न धातुओं A तथा B के आयताकार टुकड़ों का काट क्षेत्र और लम्बाई एक हैं। उन्हें उनके काट क्षेत्रों को स्पर्श करते हुए एक साथ रखा जाता है। A टुकड़े के एक सिरे का ताप 100°C और B के दूसरे सिरे का ताप 0°C रखा जाता है। यदि A और B के चालकता गुणांक 1 : 3 के अनुपात में हैं, तो उनके अन्तरापृष्ठ पर जहाँ A और B स्पर्श करते हैं, का स्थाई अवस्था में ताप होगा :

(a) 25°C (b) 50°C
(c) 75°C (d) 100°C

2. 25 सेमी लम्बी और 8.8 वर्ग सेमी अनुप्रस्थ क्षेत्रफल की एक छड़ में ऊष्मा प्रवाहित हो रही है। छड़ के पदार्थ का ऊष्मा चालकता गुणांक 1.2×10^{-2} किलो कैलोरी/मी × से ×°C है तथा स्थायी अवस्था पर छड़ के सिरों के मध्य तापान्तर 100°C है, तो (*i*) छड़ की ताप-प्रवणता (°C/ मीटर) में, (*ii*) छड़ पर तप्त सिरे से 10 सेमी दूर बिन्दु का ताप (°C में) एवं (*iii*) ऊष्मा प्रवाह की दर (किलो-कैलोरी/सेकण्ड) में क्या होगी?

(a) $-400, 60, 4.224 \times 10^{-3}$
(b) $410, 62, 4.004 \times 10^{-3}$
(c) $-390, 58, 4.139 \times 10^{-3}$
(d) $405, 64, 4.447 \times 10^{-3}$

3. एक दीवार दो परतों A और B की बनी है। इन परतों की मोटाई समान है परन्तु पदार्थ अलग-अलग हैं। A के पदार्थ की ऊष्मा चालकता B से दोगुनी है। तापीय साम्य अवस्था में दीवार के सिरों का तापान्तर 36°C है, परत A के सिरों पर तापान्तर होगा :

(a) 6°C (b) 12°C
(c) 18°C (d) 24°C

4. गर्म पानी प्रथम 10 मिनट में 60° सेन्टीग्रेड से 50° सेन्टीग्रेड तक ठंडा होता है तथा दूसरे 10 मिनट में 42° सेन्टीग्रेड तक ठंडा होता है। पानी के निकटवर्ती वातावरण का ताप होगा :

(a) 5° °C (b) 10° °C
(c) 15° °C (d) 20° °C

5. K_1 और K_2 ऊष्मा चालकता की दो दीवारें सम्पर्फ में हैं तथा उनकी क्रमशः मोटाई d_1 और d_2 है। स्थिर अवस्था में उनके बाह्य सिरों के ताप T_1 और T_2 हैं, तो अन्तः सन्धि का ताप होगा :

(a) $\frac{K_1T_1d_2 + K_2T_2d_1}{K_1d_2 + K_2d_1}$ (b) $\frac{K_1T_1 + K_2T_2}{d_1 + d_2}$
(c) $\left(\frac{K_1d_1 + K_2d_2}{T_1 + T_2}\right)T_1T_2$ (d) $\frac{K_1d_1T_1 + K_2d_2T_2}{K_1d_1 + K_2d_2}$

6. एक चकती समान मोटाई की ताँबे और पीतल की चकतियों से बनी है, इनकी ऊष्मा चालकताओं का अनुपात 1 : 4 है। यदि पीतल का धरातल 100°C पर और ताँबे का 0°V पर है, तो अन्तः सन्धि का ताप होगा :

(a) 80°C (b) 20°C
(c) 60°C (d) 40°C

7. एक धातु की गेंद का ताप 527°C और पृष्ठीय क्षेत्रफल 200 सेमी² है। इसे 27°C के अन्य पात्र में रखा गया है। यदि धातु की उत्सर्जन क्षमता 0.4 है, तो ऊष्मा हानि की दर होगी :
$(\sigma = 5.57 \times 10^{-8}\ J/m^2 - s - K^4)$

(a) लगभग 108 J (b) लगभग 168 J
(c) लगभग 182 J (d) लगभग 192 J

8. दो भिन्न धातुओं की समान प्लेटों को जोड़कर एक प्लेट बनाई जाती है, जिसकी मोटाई प्रत्येक प्लेट की मोटाई से दोगुनी है। यदि प्लेटों के ऊष्मा चालकता गुणांक क्रमशः 2 इकाई और 3 इकाई हैं, तो संयोजित प्लेट का ऊष्मा चालकता गुणांक होगा :

(a) 5 units (b) 2.4 units
(c) 1.5 units (d) 1.2 units

9. एक पूर्ण कृष्ण पिण्ड का ताप 727°C तथा उसका पृष्ठीय क्षेत्रफल 0.1 m² है। यदि स्टीफन नियतांक 5.67×10^{-8} वाट/मी²-से-K⁴ है, तो मिनट ऊष्मा का विकिरण होगा :

(a) 8,100 Cal. (b) 81,000 Cal.
(c) 810 Cal. (d) 81 Cal.

10. दो समकेन्द्रीय बड़े गोलाकार पिण्ड एक-दूसरे से अल्प दूरी पर हैं (दोनों गोलाकार कृष्ण पिण्ड उत्सर्जक है)। इन्हें क्रमशः 200 K एवं 300 K के ताप पर रखा जाता है। दोनों के मध्य के स्थान में निर्वात् किया गया है। दोनों गोलाकार पिण्डों के मध्य ऊर्जा विनिमय की दर होगी : $(\sigma = 5.672 \times 10^{-8}\ Wm^{-2}K^{-4})$

(a) 368.68 Vm^{-2} (b) 3686.8 Vm^{-2}
(c) 36.868 Vm^{-2} (d) 36868 Vm^{-2}

उत्तरमाला

1. (a): अन्तरापृष्ठ पर ताप $= \frac{K_1 \times 100 + 3K_1 \times 0}{K_1 + 3K_1} = \frac{100}{4} = 25^\circ C$

2. (a): (i) छड़ की ताप-प्रवणता $= \frac{-d\theta}{dx}$

$= -\frac{100}{0.25} = -400^\circ$ °C/ मीटर

(ii) छड़ पर तप्त सिरे से 10 सेमी पर तापक्रम में कमी

$= -400 \times 0.1 = 40^\circ C$

$\therefore$ तप्त सिरे का ताप $= 100 - 40 = 60^\circ C$

(iii) ऊष्मा प्रवाह की दर $\frac{Q}{t} = \frac{KA(\theta_1 - \theta_2)}{x}$

$= \frac{1.2 \times 10^{-2} \times 8.8 \times 10^{-4} \times 100}{0.25}$

$= 4.224 \times 10^{-3}$ Js^{-1}

3. (b): दिया है: $\theta_1 - \theta_2 = 36$ °C ...(i)

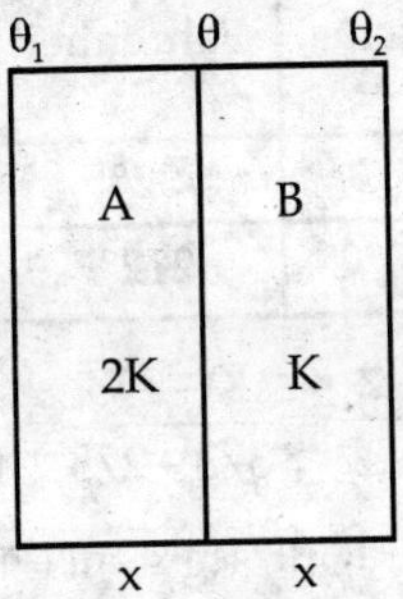

केन्द्रीय फलक का ताप $\theta = \frac{2K\theta_1 + K\theta_2}{3K}$

$\Rightarrow \theta_2 = 3\theta - 2\theta_1$ ...(ii)

समी. (i) और (ii) से, $\theta_1 - 3\theta + 2\theta_1 = 36$

या $3(\theta_1 - \theta) = 36$

$\therefore$ $(\theta_1 - \theta) = 12^\circ C$

4. (b): न्यूटन के शीतलन नियम से,

प्रथम अवस्था में, $\frac{60-50}{10} = K\left[\frac{60+50}{2} - \theta\right]$

$\Rightarrow 1 = K(55 - \theta)$ ...(i)

द्वितीय अवस्था में, $\frac{50-42}{10} = K\left[\frac{50+42}{2} - \theta\right]$

$\Rightarrow 0.8 = K(46 - \theta)$ ...(ii)

भाग देने पर, $\frac{1}{0.8} = \frac{55-\theta}{46-\theta}$

$\Rightarrow 46 - \theta = 44 - 0.8\theta \Rightarrow \theta = 10^\circ C$

5. (a): $\frac{dQ}{dt} = \frac{K_1 A(\theta - T_1)}{d_1} = \frac{K_2 A(T_2 - \theta)}{d_2}$

$\Rightarrow K_2 d_1 (T_2 - \theta) = K_1 d_2 (\theta - T_1)$

$\Rightarrow \theta = \frac{K_2 d_1 T_2 + K_1 d_2 T_1}{K_2 d_1 + K_1 d_2}$

6. (a): $\theta = \frac{K_1 d_2 T_1 + K_2 d_1 T_2}{K_1 d_2 + K_2 d_1}$

यहाँ $d_1 = d_2, T_1 = 0^\circ C,\ T_2 = 100^\circ C,$

$\frac{K_1}{K_2} = \frac{1}{4} = \frac{0 + K_2 \times 100}{K_1 + K_2} = \frac{4}{5} \times 100 = 80^\circ C$

7. (c): T = 527 + 273 = 800 K;

T_0 = 27 + 273 = 300 K

वस्तु द्वारा प्रति सेकण्ड ऊष्मा हानि की दर

$R = \sigma EA(T^4 - T_0^4)$

$= 5.67 \times 10^{-8} \times 0.4 \times 200 \times 10^{-4} \times [(800)^4 - (300)^4]$

= 182 Js^{-1} लगभग

8. (b): $\frac{A(\theta_1 - \theta_2)}{\frac{d_1}{K_1} + \frac{d_2}{K_2}} = \frac{A(\theta_1 - \theta_2) \times K}{d_1 + d_2}$

दिया है $d_1 = d_2 = d$, तब

$\therefore \frac{d}{K_1} + \frac{d}{K_2} = \frac{2d}{K}$

$\Rightarrow \frac{1}{K_1} + \frac{1}{K_2} = \frac{2}{K}$

$\therefore \frac{1}{2} + \frac{1}{3} = \frac{2}{K}$

$\Rightarrow K = 2 \times \frac{6}{5} = 2.4$

9. (b): W = Aσ t T^4 = 0.1 × 5.67 × 10^{-8} ×60 × $(1000)^4$

मिनट ऊष्मा का विकिरण $= \frac{W}{J} = \frac{0.1 \times 5.67 \times 6 \times 10^5}{4.2}$

= 81000 K

10. (a): संचरित ऊर्जा की मात्रा

$E = \sigma(T^4 - T_0^4) = 5.672 \times 10^{-8}[(300)^4 - (200)^4]$

= 368.68 Vm^{-2}

अध्याय

13 ऊष्मागतिकी (Thermodynamics)

विज्ञान की इस शाखा में हम ऊर्जा के अन्य कणों जैसे यांत्रिकी, रासायनिक, विद्युत, चुम्बकीय आदि में ऊष्मीय ऊर्जा के स्थानान्तरण का अध्ययन करते हैं।

ऊष्मा (Heat)

एक गर्म पिण्ड की आंतरिक ऊर्जा उसी तरह के दूसरे ठण्डे पिण्ड की आंतरिक ऊर्जा की अपेक्षा अधिक होती है। अर्थात् ऊष्मा वह ऊर्जा है जो एक वस्तु में तापान्तर के कारण उत्पन्न होती है तथा सदैव ऊँचे ताप वाली वस्तु से कम ताप वाली वस्तु की ओर प्रवाहित होती है।

ऊष्मा की इकाइयाँ निम्न होती हैं–

(i) ब्रिटिश थर्मल यूनिट (BTU)–ऊष्मा की वह मात्रा जो एक पौंड तापमान को 1°F बढ़ाने के लिए आवश्यक होती है, ब्रिटिश थर्मल यूनिट कहलाती है।

(ii) कैलोरी (Calorie)–ऊष्मा की वह मात्रा जो एक ग्राम पानी के तापमान को 1°C बढ़ाने के लिए आवश्यक होती है, कैलोरी कहलाती है।

(iii) किलो कैलोरी (Kilo Calorie)–यह कैलोरी की बड़ी इकाई है। ऊष्मा की वह इकाई जो 1 किलोग्राम पानी के तापमान को 1°C बढ़ाने के लिए आवश्यक होती है, किलो कैलोरी कहलाती है।

(iv) सी.एच.यू. (CHU)–ऊष्मा की वह मात्रा जो एक पौंड के तापमान को 1°C बढ़ाने के लिए आवश्यक होती है, सेंटीग्रेड हीट यूनिट (CHU) कहलाती है।

$$1 \text{ CHU} = 1 \text{ Pound} \times 1°\text{C} = 453.6 \text{ Calorie}$$

$$= \frac{9}{5} \text{ BTU}$$

उष्मागतिकी का शून्यवाँ नियम (Zeroth Law of Thermodynamics): यदि दो निकाय A एवं B ऊष्मीय साम्यावस्था में (Thermal equilibrium) में हों तथा A एवं C ऊष्मीय साम्यवस्था में हों तो B एवं C ऊष्मीय साम्यावस्था में होंगी।

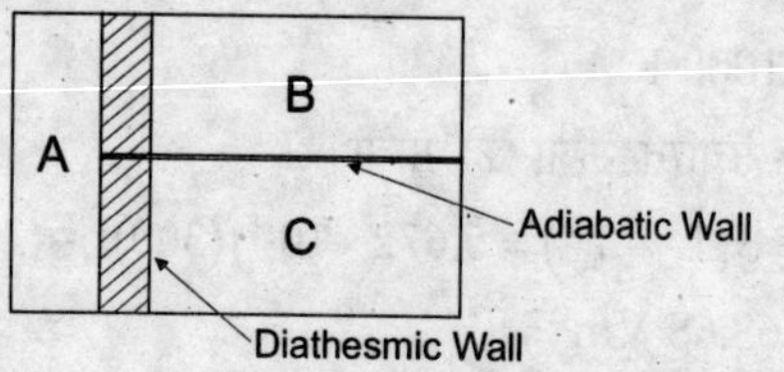

दो निकाय यदि ऊष्मीय साम्यावस्था में हों तो कहा जाता है कि दोनों निकाय का तापमान एक है। अतः यहाँ एक निश्चित अदिश (scalar) भौतिक राशि होनी चाहिये जो कि ऊष्मीय साम्यावस्था में सभी निकायों के लिये समरूप (identical) हो। यह राशि (अदिश), ताप है।

माना ऊष्मीय साम्यावस्था में निकायों A, B तथा C के लिये

$$T_A = T_B = T_C$$

अतः ताप (Temperature) किसी वस्तु के लिये वह भौतिक राशि है जो वस्तु की गर्माहट एवं ठण्डेपन की माप निर्धारित करती है तथा ऊष्मा-प्रवाह के लये उत्तरदायी है।

Name of scale	Celsius	Fahrenheit	Kelvin	New
F.P.of H_2O	0°C	32°F	273°K	FP°T
B.P.of H_2O	100°C	212°F	373°K	BP°T

$$\frac{C-0}{100-0} = \frac{F-32}{212-32} = \frac{K-273}{373-273} = \frac{T-FP}{BP-FP}$$

यदि T_C, T_F और T_R किसी वस्तु के ताप का मान क्रमशः सेल्शियस स्केल, फॉरेनहाइट स्केल तथा रीऊमर स्केल पर हैं तो

$$\frac{T_C - 0}{100} = \frac{T_F - 32}{180} = \frac{T_R - 0}{80}$$

ऊष्मीय प्रसार (Thermal Expansion)

जब किसी पदार्थ को गर्म करते हैं तब उस पदार्थ का तापमान बढ़ता है। रेखीय प्रसार के प्रभाव से पदार्थ के अनेक भौतिक गुणों में बदलाव आता है। इनमें से एक पदार्थ के आकार (size) में वृद्धि होती है। इसे पदार्थ का ऊष्मीय प्रसार कहते हैं। ऊष्मीय प्रसार विभिन्न पदार्थों के लिए अलग-अलग होता है। यह तीन प्रकार का होता है : (a) ठोसों का प्रसार, (b) द्रवों का प्रसार तथा (c) गैसों का प्रसार

(i) यदि वस्तु की केवल लम्बाई बढ़ती है तो यह रैखीय प्रसार गुणांक α कहलाता है।

$$\alpha = \frac{\Delta L}{L\Delta T}$$

या $$L_\theta = L_0(1+\alpha T)$$

(*ii*) यदि वस्तु का केवल क्षेत्रफल बढ़ता है तो यह क्षेत्रीय प्रसार गुणांक β कहलाता है।

$$\beta = \frac{\Delta A}{A\Delta T} \text{ या } A_\theta = A_0(1+\beta T)$$

(*iii*) यदि वस्तु का केवल आयतन बढ़ता है तो यह धनात्मक प्रसार गुणांक γ कहलाता है।

$$\gamma = \frac{\Delta V}{V\Delta T} \text{ या } V_\theta = V_0(1+\gamma T)$$

- यदि पदार्थ का प्रसार हर दिशा में समान हो

$$\gamma = 3\alpha, \beta = 2\alpha \text{ या } \alpha : \beta : \gamma = 6 : 3 : 2$$

- यदि *x*-अक्ष, *y*-अक्ष तथा *z*-अक्ष के परितः रैखिक प्रसार गुणांक क्रमशः $\alpha_x, \alpha_y, \alpha_z$ हो तब

  0° और 4° के बीच जल के γ ऋणात्मक $\gamma = \alpha_x + \alpha_y + \alpha_z$ तथा $C_P < C_V$ होता है।
- 4°C पर पानी का घनत्व अधिकतम होता है।
- $V_\theta = V_0(1+\gamma\theta)$

$$\Rightarrow \quad \frac{m}{\rho_\theta} = \frac{m}{\rho_0}(1+\gamma\theta) \quad \Rightarrow \rho_\theta \approx \rho_0(1-\gamma\theta)$$

- दो छड़ जिनकी लम्बाई L_1 तथा L_2 है साथ-साथ रखे हैं यदि तापमान में वृद्धि से छड़ों के बीच की लम्बाई के अन्तर में कोई परिवर्तन नहीं होता है, तब

$$L_1\alpha_1 = L_2\alpha_2 \text{ या } \frac{L_1}{L_1 - L_2} = \frac{\alpha_2}{\alpha_1 - \alpha_2}.$$

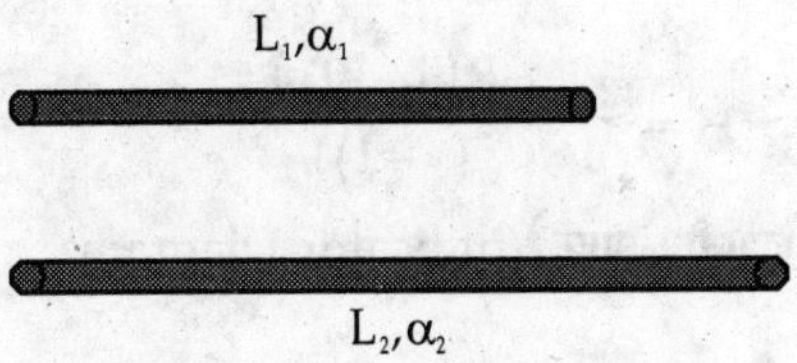

- काँच का रैखिक प्रसार गुणांक $= \alpha_g$

  तरल का आयतन प्रसार गुणांक $= \gamma_l$

  तापमान के बढ़ने के साथ बह कर बाहर गिरने वाले तरल का आयतन $= V_0\left[1+(\gamma_l - \gamma_g)\Delta\theta\right] = V_0\left[1+(\gamma_l - 3\alpha_g)\Delta\theta\right]$

  $= V_0\left[1-\gamma_a\Delta\theta\right]$

  $\gamma_a =$ आभासी प्रसार का गुणांक $= \gamma_l - \gamma_g = \gamma_l - 3\alpha_g$

स्वातन्त्र्य कोटियाँ (Degrees of Freedom)

किसी कण की स्वातन्त्र्य कोटियों की संख्या यह दर्शाती है कि कण कितनी स्वतन्त्र (independent) गतियाँ कर सकता है अथवा वह कितनी स्वतन्त्र विधियों द्वारा ऊर्जा-विनिमय (energy exchange) कर सकता है? इसे N से प्रदर्शित करते हैं। यदि निकाय में A स्वतन्त्र कण हैं तथा R उनके बीच प्रतिबन्धों की संख्या है, तब स्वातन्त्र्य कोटियाँ N = 3A − R

(*i*) एक-परमाणुक गैस (Monoatomic gas) के अणु के लिये

A = 1 तथा R = 0

अतः N = 3

(*ii*) द्वि-परमाणुक गैस (Diatomic gas) के अणु के लिये

A = 2 तथा R = 1 (सामान्य ताप पर)

अतः N = 5

(*iii*) त्रि-परमाणुक गैस (Triatomic gas) के अणु के लिये

A = 3 तथा R = 2 या A = 3 तथा R = 3 या N = 6

अतः N = 7

विशिष्ट ऊष्मा की संकल्पना (Concept of Specific Heat)

किसी वस्तु को दी गई अथवा वस्तु द्वारा प्राप्त ऊष्मा वस्तु के द्रव्यमान तथा ताप-परिवर्तन के गुणनफल के बराबर होती है, अर्थात् दी गई ऊष्मा (ΔQ):

(*i*) द्रव्यमान (*m*) के समानुपाती है

(*ii*) ताप वृद्धि (ΔT) के समानुपाती है

$$\Delta Q \propto m\Delta T \Rightarrow \Delta Q = mc\Delta T$$

यहाँ *c*, वस्तु की विशिष्ट ऊष्मा (specific heat) है। इसका मान विभिन्न पदार्थों के लिये भिन्न होता है। *C* की S.I. इकाई $J\,kg^{-1}\,K^{-1}$ है और C.G.S. इकाई $Cal.\,g^{-1}K^{-1}$ है।

1 J = 4.18 cal.

$\therefore$ 1 cal. $g^{-1}\,K^{-1}$ = 4180 $J\,kg^{-1}\,K^{-1}$

गैस की मोलर विशिष्ट ऊष्मा (Molar Specific Heat of Gas)

माना अणुक-द्रव्यमान M की *m* ग्राम गैस किसी पात्र में भरी है। पात्र में गैस के मोलों की संख्या *n* है। माना गैस को ΔQ ऊष्मा देने पर उसके ताप में वृद्धि ΔT है, तब

$$c = \frac{1}{m}\frac{\Delta Q}{\Delta t} \text{ पुनः } n = \frac{m}{M}$$

$$\Rightarrow \quad m = n\,M$$

$$\Rightarrow \quad c = \frac{1}{Mn}\frac{\Delta Q}{\Delta t} \Rightarrow C = Mc = \frac{1}{n}\left(\frac{\Delta Q}{\Delta t}\right)$$

ये दो प्रकार की होती है :

(*i*) **नियत आयतन पर विशिष्ट ऊष्मा (C_V) (Specific Heat at Constant Volume):** जब नियत आयतन पर गैस को ऊष्मा दी जाती है तो दी गई ऊष्मा आन्तरिक ऊर्जा को बढ़ा देती है, इसके अलावा कोई कार्य नहीं किया जाता।

$C_V = Mc_v$

(*ii*) **नियत दाब पर विशिष्ट ऊष्मा (C_p) (Specific Heat at Constant Pressure):** जब नियत दाब पर गैस को ऊष्मा दी जाती है, तो ऊष्मा का एक भाग गैस की आन्तरिक ऊर्जा

को बढ़ा देता है तथा शेष भाग बाह्य कार्य करने में चला जाता है। अतः समान मात्रा में गैस की आन्तरिक ऊर्जा को बढ़ाने के लिये वस्तु को अधिक ऊष्मा देनी होगी। अतः हम कह सकते हैं कि $C_p > C_v$

$$C_p = M_{C_p} \therefore \gamma = \frac{C_p}{C_v} = \frac{M_{C_p}}{M_{C_v}} = \frac{C_p}{C_v}$$

ऊष्मागतिकी का प्रथम नियम
(First Law of Thermodynamics)

ऊष्मागतिकी का प्रथम नियम (first law of thermodynamics) ऊर्जा संरक्षण के नियम का सामान्य रूप है जो आंतरिक ऊर्जा (internal energy) में सम्भव परिवर्तन दर्शाता है।

इस नियम के अनुसार, "किसी निकाय को दी गई ऊष्मा (dQ), उस निकाय द्वारा किये गये बाह्य कार्य (dW) तथा उसकी आंतरिक ऊर्जा में वृद्धि (dU) के योग के बराबर होती है अर्थात्

$$dQ = dU + dW$$

$\Rightarrow$ $dQ = dU + Pdv$

$\Rightarrow$ $dU = dQ - Pdv$

dQ तथा dW यथार्थ अवकलन नहीं है। अर्थात् dQ तथा dW पथ पर निर्भर करते हैं तथा कभी भी अन्तिम तथा प्रारम्भिक मानों के अन्तर द्वारा नहीं व्यक्त किये जा सकते हैं जबकि dU यथार्थ अवकलन है। यह एक अवस्था फलन (state function) हैं तथा अन्तिम तथा प्रारम्भिक मानों के अन्तर द्वारा व्यक्त किया जा सकता है।

प्रथम नियम का प्रयोग करते समय सही चिह्न परिपाटी का प्रयोग होना चाहिये :

(a) निकाय द्वारा प्राप्त ऊष्मा धनात्मक होती है।

(b) निकाय द्वारा लुप्त ऊष्मा ऋणात्मक होती है।

(c) आंतरिक ऊर्जा में वृद्धि धनात्मक होती है।

(d) आंतरिक ऊर्जा में कमी ऋणात्मक होती है।

(e) प्रसार के दौरान निकाय द्वारा किया गया कार्य धनात्मक होता है।

(f) संपीड़न के दौरान निकाय पर किया गया कार्य ऋणात्मक होता है।

ऊष्मागतिकी प्रक्रम (Thermodynamic Process)

(*i*) गलनांक प्रक्रम (Melting Process)

$dQ = dU + dW$

$\therefore mL = dU + 0$

$\Rightarrow$ $dU = mL$

(W = 0 यहाँ आयतन लगभग नियत रहता है)

(*ii*) क्वथनांक प्रक्रम (Boiling Process)

$dQ = dU + dW$

$\therefore mL = dU + P(V_2 - V_1)$

$\Rightarrow$ $dU = mL - P(V_2 - V_1)$

V_2= वाष्प का आयतन, V_1= तरल का आयतन

(*iii*) मेयर सूत्र (Mayer's Formula)

जब V = नियतांक, $dV = 0 \Rightarrow W = PdV = 0$

$dQ = dU + dW$

$\Rightarrow$ $C_v dT = dU + 0$

$\Rightarrow$ $dU = C_v dT$

जब P = नियतांक, $dW' = PdV$, $dQ' = C_p \% dT$

$dQ' = dU' + dW'$

$\Rightarrow$ $C_p dT = dU' + PdV = C_v dT + RdT$

$\Rightarrow$ $C_p = C_v + R$

(*iv*) समतापीय प्रक्रम (Isothermal Process)

PV = K; T = constant; $\Delta T = 0$

$$C = \frac{\Delta Q}{m(\Delta T)}, W = 2.303\ RT_{10}\left(\frac{V_2}{V_1}\right)$$

$\therefore$ $C = \infty$

V_2= final volume, V_1 = initial volume

$$H = 2.303\ \frac{RT}{J}\log_{10}\left(\frac{v_2}{v_1}\right)$$

(*v*) रुद्धोष्म प्रक्रम (Adiabatic Process)

$PV^\gamma = K$ या $TV^{\gamma-1} = K$ या $P^{1-\gamma}T^\gamma = K$

$$dQ = 0 \quad [\because C = \frac{\Delta Q}{m(\Delta T)}, C = 0]$$

$$W = \frac{P_1V_1 - P_2V_2}{\gamma - 1} = \frac{R(T_1 - T_2)}{\gamma - 1}$$

$$H = \frac{W}{J} = \frac{R(T_1 - T_2)}{(\gamma - 1)J}$$

प्रदर्शनीय ग्राफ (Indicator Diagram)

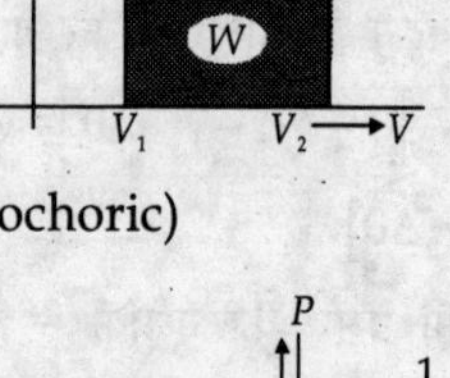

समआयतनिक (Isochoric)

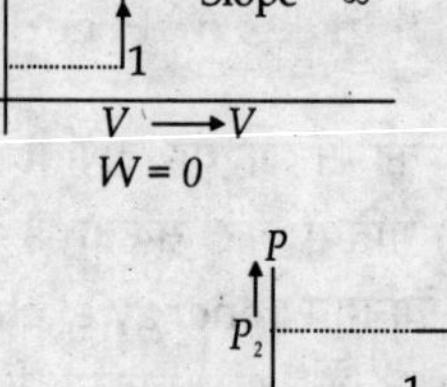

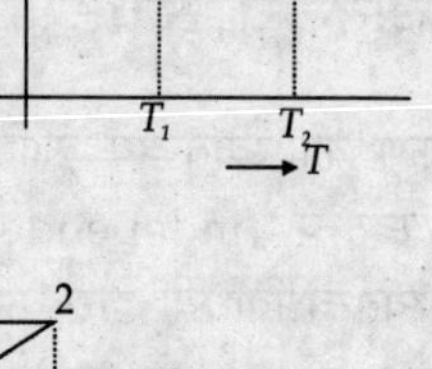

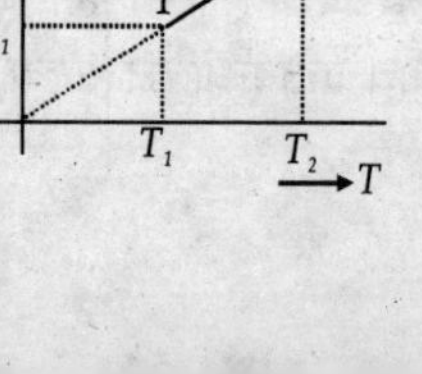

समदाबीय (Isobaric)

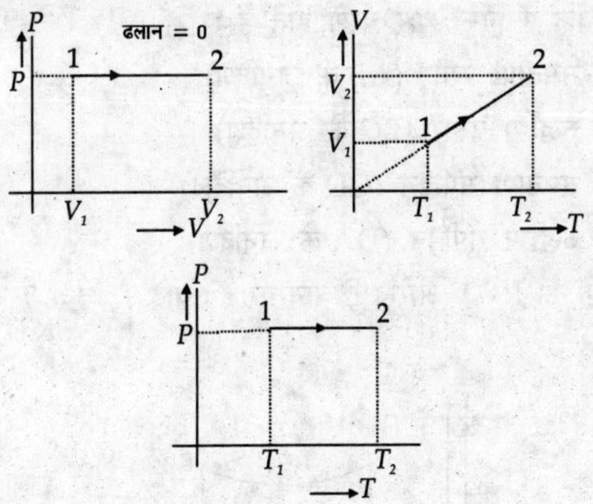

समतापीय (Isothermal)

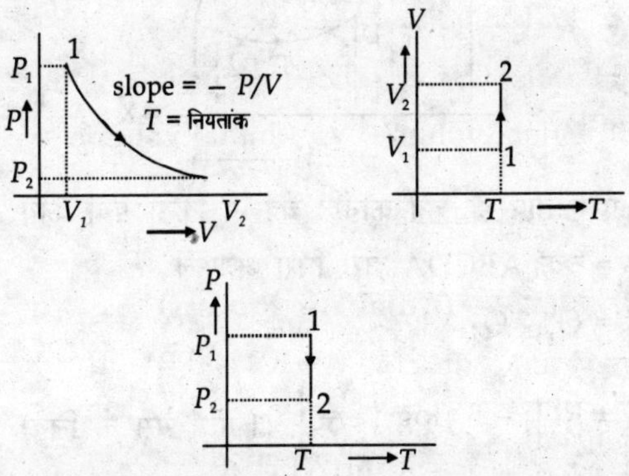

$$W = 2.303nRT\log\left(\frac{V_2}{V_1}\right)$$

रुद्धोष्म (Adiabatic)

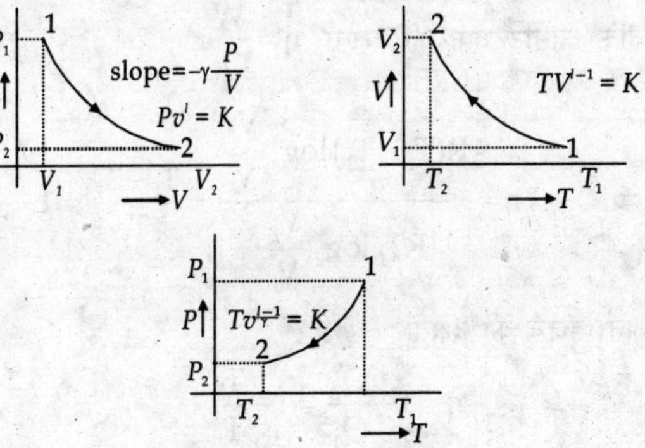

P – V Graph for Different Gases

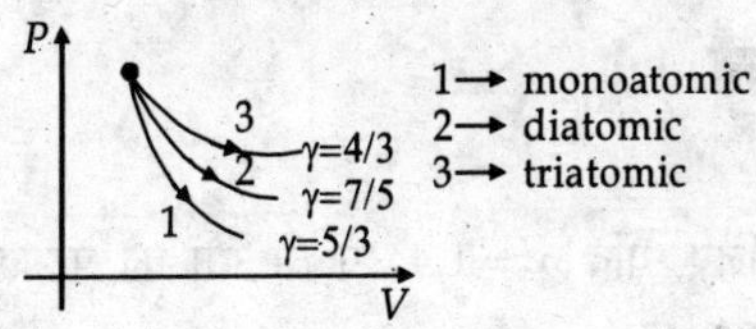

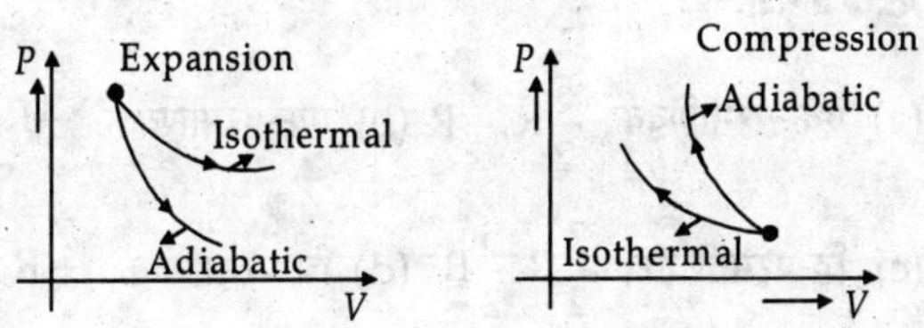

प्रसार (Expansion)

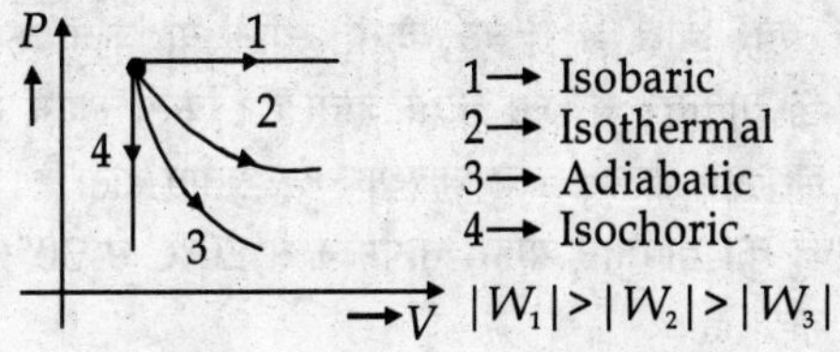

संकुचन (Compression)

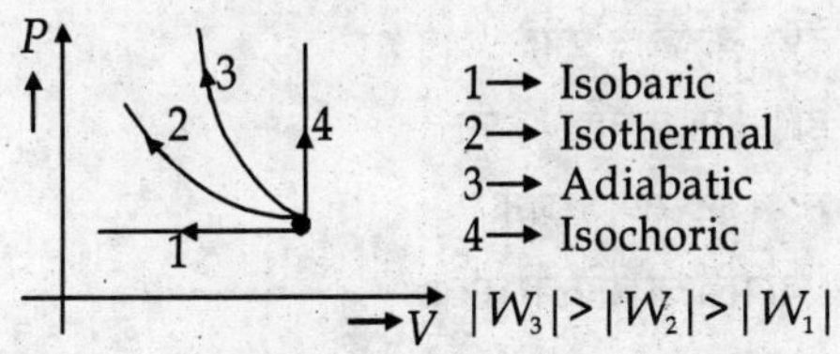

ऊष्मागतिकी का द्वितीय नियम (Second Law of Thermodynamics)

ऊष्मागतिकी का द्वितीय नियम प्रथम नियम का पूरक है। इसके अनुसार ऊष्मा का सम्पूर्ण रूप से यांत्रिक ऊर्जा में परिवर्तन असंभव है। आंशिक रूप में ऊष्मा के कार्य में परिवर्तन के लिये यही आवश्यक है कि उच्च ताप पर स्रोत (source) से ऊष्मा ली जाये और उस ऊष्मा का कुछ भाग, कार्य में परिवर्तित हो तथा शेष भाग, निम्न ताप पर किसी वस्तु/सिंक (sink) को दिया जाये अर्थात् ऊष्मा के कार्य में रूपान्तरण के लिये ऊष्मा का प्रवाह होना आवश्यक प्रतिबन्ध है, जो स्रोत तथा सिंक के तापान्तर के कारण ही होता है।

केल्विन के अनुसार, "ऊष्मा का सम्पूर्ण रूप से कार्य में परिवर्तन असम्भव है।" इस कथन पर ऊष्मा इंजन (heat engine) आधारित है।

ऊष्मा इंजन (Heat Engine)

ऊष्मा इंजन ऐसी युक्ति है, जो ऊष्मा को यांत्रिक कार्य में परिवर्तित करती है।

ऊष्मीय इंजन की दक्षता

$$\eta = \frac{\text{कार्यकारी पदार्थ द्वारा किया गया कार्य}}{\text{कार्यकारी पदार्थ को दी गयी ऊष्मा}}$$

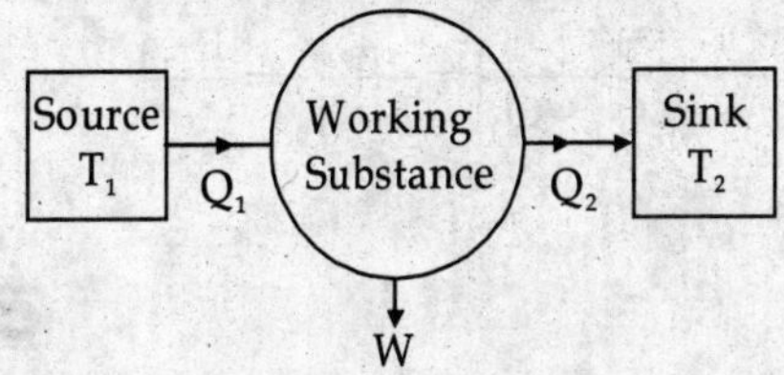

$$= \frac{W}{Q_1} = \frac{Q_1 - Q_2}{Q_2} = 1 - \frac{Q_2}{Q_1}$$

$$\%\eta = \frac{W}{Q_1} \times 100$$

$$= \left(1 - \frac{Q_2}{Q_1}\right) \times 100 = \left(1 - \frac{T_2}{T_1}\right) \times 100$$

रेफ्रिजरेशन (Refrigeration)

रेफ्रिजरेशन एक विधि है जिसमें किसी स्थान या वस्तु का तापमान, वायुमण्डल के तापमान से कम किया जाता है। किसी स्थान या वस्तु से ऊष्मा हटा ली जाये तो वह वस्तु या स्थान ठंडा प्रतीत होता है। रेफ्रिजरेशन के द्वारा वस्तु का तापमान बाहरी तापमान से 20°C से 30°C तक कम कर दिया जाता है।

रेफ्रिजरेशन की सामान्य विधियाँ निम्नलिखित हैं–

(a) वेपर कम्प्रैसन रेफ्रिजरेशन

(b) ड्राइ आइस रेफ्रिजरेशन

(c) स्टीमजेट रेफ्रिजरेशन

(d) एवापोरेटिव रेफ्रिजरेशन

(e) एअर एक्सपैन्शन रेफ्रिजरेशन

(f) वेपर एब्जॉर्पृशन रेफ्रिजरेशन

(g) आइस रेफ्रिजरेशन

(h) द्रव गैस रेफ्रिजरेशन

(i) गैस थ्रॉटलिंग रेफ्रिजरेशन

प्रशीतित्र (Refrigerator)

यह ऊष्मा इंजन का व्युत्क्रम है। यह ठण्डी वस्तु से ऊष्मा लेता है तथा कुछ कार्य करने के पश्चात् बची ऊष्मा को गर्म वस्तु को दे देता है।

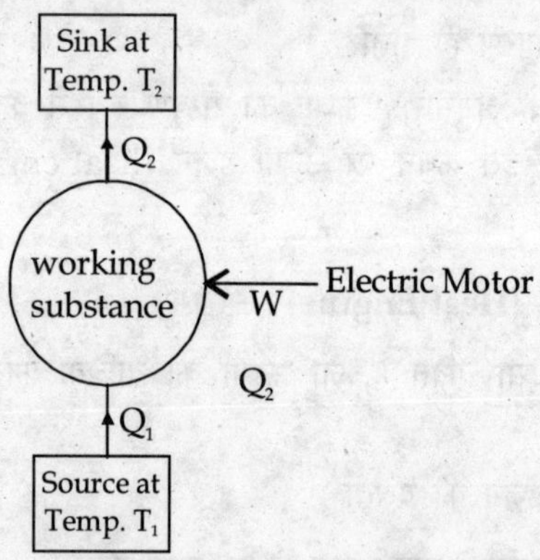

प्रशीतित्र का कार्यशीलता गुणांक (Coefficient of Performance)

$$\beta = \frac{Q_2}{W} = \frac{Q_2}{Q_1 - Q_2} = \frac{T_2}{T_1 - T_2} = \frac{1-\eta}{\eta}$$

कॉर्नोट इंजन (Carnot Engine)

कॉर्नोट चक्र में निम्न चार चरण होते हैं :

(*i*) समतापी प्रसार (AB के अनुदिश)

(*ii*) रुद्धोष्म प्रसार (BC के अनुदिश)

(*iii*) समतापी संपीड़न (CD के अनुदिश)

(*vi*) रुद्धोष्म संपीड़न (DA के अनुदिश)

चक्र का P – V आरेख चित्रानुसार है। यदि T_1 तथा T_2 स्रोत तथा सिंक

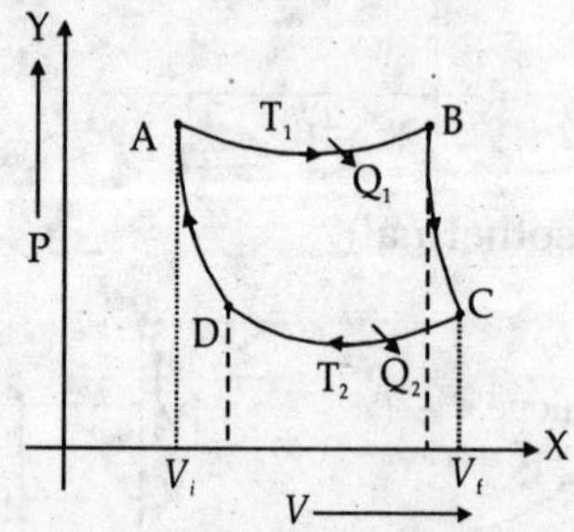

के परम ताप हों, तब कॉर्नोट चक्र में किया गया कार्य

W = चक्र ABCDA द्वारा घिरा क्षेत्रफल

$$W = Q_1 - Q_2$$

$$W = R(T_1 - T_2)\log_e\left(\frac{V_f}{V_i}\right) \quad \text{(1 मोल गैस के लिये)}$$

स्रोत द्वारा ली गयी ऊष्मा

$$Q_1 = W_1 = RT_1 \log\left(\frac{V_f}{V_i}\right)$$

चूँकि कॉर्नोट चक्र की दक्षता $\eta = \dfrac{W}{Q_1}$

$$\Rightarrow \quad \eta = \frac{R(T_1 - T_2)\log_e \frac{V_f}{V_i}}{RT_1 \log_e \frac{V_f}{V_i}} = \frac{T_1 - T_2}{T_1} = 1 - \frac{T_2}{T_1}$$

अतः इंजन की दक्षता

$$\eta = 1 - \frac{Q_2}{Q_1} = 1 - \frac{T_2}{T_1}$$

वस्तुनिष्ठ प्रश्न

1. एक द्वि-परमाण्विक गैस में स्थानान्तरीय, घूर्णी तथा काम्पनिक (translatory, rotatory and vibratory) स्वतन्त्रता की कोटियाँ पाई जाती हैं तब C_P/C_V का मान होगा :
(a) 1.66
(b) 1.4
(c) 1.29
(d) 1.33

2. गैस के लिए, यदि $\gamma = 1.4$ हो तो गैस की परमाणुकता C_P व C_V क्रमशः हैं:
(a) एक-परमाण्विक, $\frac{5}{2}R, \frac{3}{2}R$ (b) एक-परमाण्विक, $\frac{7}{2}R, \frac{5}{2}R$
(c) द्वि-परमाण्विक, $\frac{7}{2}R, \frac{5}{2}R$ (d) त्रि-परमाण्विक, $\frac{7}{2}R, \frac{5}{2}R$

3. यदि अधिक दाब पर गैस से भरा सिलिण्डर फट जाये, तो गैस में परिवर्तन :
(a) उत्क्रमणीय रुद्धोष्म परिवर्तन तथा ताप में कमी
(b) उत्क्रमणीय रुद्धोष्म परिवर्तन तथा ताप में वृद्धि
(c) अनुत्क्रमणीय रुद्धोष्म परिवर्तन तथा ताप में कमी
(d) अनुत्क्रमणीय रुद्धोष्म परिवर्तन तथा ताप में वृद्धि

4. किसी पात्र में एक मोल ऑक्सीजन तथा दो मोल नाइट्रोजन 300 K ताप पर मिश्रित हैं। ऑक्सीजन तथा नाइट्रोजन के एकांक अणु की औसत घूर्णन गतिज ऊर्जाओं में अनुपात होगा :
(a) 1 : 1
(b) 1 : 2
(c) 2 : 1
(d) दोनों अणुओं के जड़त्व आघूर्णों पर निर्भर करता है

5. किसी ऊष्मागतिकी निकाय को एक अवस्था A से दूसरी अवस्था B पर लाने पर यदि निकाय को दी गई ऊष्मा Q हो तथा निकाय द्वारा किया गया कार्य W हो, तो आन्तरिक ऊर्जा में परिवर्तन है :
(a) Q + W (b) Q – W
(c) Q (d) (Q – W)/2

6. ऑक्सीजन की मोलर विशिष्ट ऊष्मा स्थिर दाब पर C_P = 7.2 कैलोरी/मोल °C तथा R = 8.3 जूल/मोल-K है। स्थिर आयतन 10°C से 20°C तक ऑक्सीजन के 5 मोल को गर्म किये जाने पर ली गई ऊष्मा की मात्रा होगी (लगभग) :
(a) 25 कैलोरी (b) 50 कैलोरी
(c) 260 कैलोरी (d) 500 कैलोरी

7. गैस के दो मोल में रुद्धोष्म परिवर्तन द्वारा गैस की आन्तरिक ऊर्जा 2J से कम हो जाती है, प्रक्रम में गैस पर किया गया कार्य होगा :
(a) 1 J (b) –1 J
(c) 2 J (d) –2J

8. नियत दाब पर एक आदर्श एक-परमाण्विक गैस के एक मोल को एक वायुमण्डल दाब पर 0°C से 100°C तक गर्म किया जाता है। उसकी आन्तरिक ऊर्जा में परिवर्तन होगा:
(a) 6.56 J (b) 832 J
(c) 1248 J (d) 20.80 J

9. रुद्धोष्म प्रसार में ताप को T से T_1 तक परिवर्तित करने पर सम्पन्न कार्य होता है:
(a) $R(T-T_1)$ (b) $\frac{R}{\gamma-1}(T-T_1)$
(c) RT (d) $R(T-T_1)(\gamma-1)$

10. –10°C की 1 gm बर्फ को 100°C की वाष्प में परिवर्तित किया गया, तो कार्य होगा :
(a) 3045 J (b) 6056 J
(c) 721 J (d) 616 J

उत्तरमाला

1. (d): स्वतंत्रता की कोटि f = 3 (स्थानान्तरणीय) + 2 (घूर्णी) + 1 (कम्पनिक) = 6

एवं $\frac{C_P}{C_V}=\gamma=1+\frac{2}{f}=1+\frac{2}{6}=\frac{4}{3}=1.33$

2. (c): $\gamma=1+\frac{2}{f}\Rightarrow 1.4=1+\frac{2}{f}$ ⇒ स्वतन्त्रता की कोटि $f = 5$ जोकि द्वि-परमाण्विक गैस के लिए होती है एवं इसके लिये $C_P=\frac{7}{2}R$ एवं $C_V=\frac{5}{2}R$

3. (c): गैस सिलिण्डर शीघ्र फट जाता है, यह अनुत्क्रमणीय रुद्धोष्म परिवर्तन है तथा प्रसार के विरुद्ध जो कार्य किया जाता है वह ताप कम कर देता है।

4. (a): द्वि-परमाण्विक गैस के लिए औसत घूर्णी गतिज ऊर्जा

$=2\times\frac{1}{2}kT=kT$

चूँकि दोनों गैसें द्वि-परमाण्विक तथा समान तापक्रम पर हैं, अतः अभीष्ट अनुपात = 1 : 1

5. (b): चूँकि निकाय द्वारा कार्य किया गया है, अतः कार्य धनात्मक होगा।

$Q=W+\Delta U \Rightarrow \Delta U=Q-W$

6. (c): दिया है : R = 8.3 जूल/मोल-K

$R=\frac{8.3}{4.2}$ कैलोरी/मोल-K = 2 कैलोरी/मोल-K

$C_V=C_P-R=(7.2-2)=5.2$ कैलोरी/मोल °C

$\therefore H = n\,C_V\,dT = 5\times 5.2\times(20-10) = 260$ K

7. (d): $dQ=0=-2+dW\Rightarrow dW=2$ J

⇒ गैस द्वारा किया गया कार्य = 2 J

⇒ गैस पर किया गया कार्य = –2 J

8. (c): $dU=C_V dT, C_V=\frac{3}{2}R$

$\therefore dU=\frac{3}{2}R(100-0)=\frac{3}{2}\times 8.31\times 100=1248\,J$

9. (b): रुद्धोष्म परिवर्तन के लिये, $dQ = 0$

$\Rightarrow dQ=dW+dU\Rightarrow dW=-dU$

अब $dU=C_V dT$

$\therefore dW=-C_V dT=-\frac{R}{\gamma-1}dT=\frac{R}{\gamma-1}(T-T_1)$

10. (a): W = JQ = 4.2 (0.5 × 10 + 1×80 + 1×100 + 1× 540)
= 725 × 4.2 = 3045 J

●●●

अध्याय 14

गैसों का अणुगति सिद्धान्त (Kinetic Theory of Gases)

बॉयल का नियम (Boyle's Law)

स्थिर तापमान पर गैस की निश्चित मात्रा का आयतन उसके दबाव के व्युत्क्रमानुपाती होता है।

$$V \propto \frac{1}{P} \Rightarrow PV = K$$

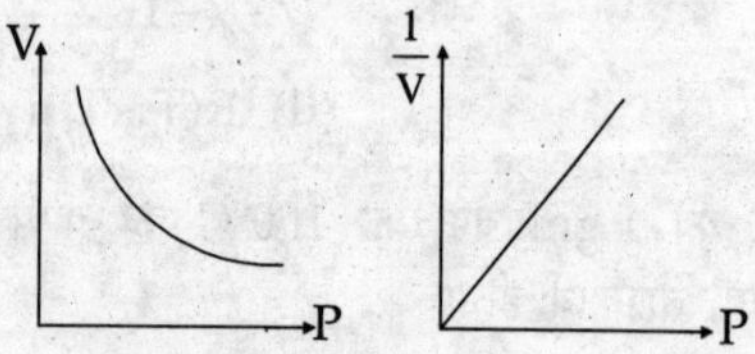

चार्ल्स का नियम (Charles' Law)

स्थिर दाब पर गैस की किसी मात्रा का आयतन उसके तापमान के अनुक्रमानुपाती होता है।

$$V \propto T \Rightarrow \frac{V}{T} = K$$

रेनॉल्ट का नियम (Regnault's Law)

इस नियम के अनुसार गैस की दो विशिष्ट ऊष्माएें C_P (स्थिर दाब पर विशिष्ट ऊष्मा) और C_V (स्थिर आयतन पर विशिष्ट ऊष्मा) तापमान और दबाव के परिवर्तन के साथ परिवर्तित नहीं होती है।

$$P \propto T \Rightarrow \frac{P}{T} = K$$

उपरोक्त सभी सूत्रों में K एक नियतांक है।

आदर्श गैस (Ideal Gas or Perfect Gas)

आदर्श गैस वह गैस है जो तापमान और दाब की सभी स्थितियों के अन्तर्गत सभी गैस के नियमों का पालन कठोरता से करती है।

ताप व दाब की प्रत्येक अवस्था में, जो गैस गैसीय नियमों का पालन करती है, उसे आदर्श गैस कहते हैं।

प्रकृति में कोई भी वास्तविक गैस आदर्श नहीं है परन्तु कम अणुभार वाली गैसें जैसे H_2, O_2, N_2 तथा He को व्यवहारिक उद्देश्यों के लिए लगभग आदर्श माना जा सकता है।

आदर्श गैस के गुण निम्नलिखित हैं:

(i) इनके गुण अनन्त सूक्ष्म होते हैं जिनके मध्यअन्तराणविक बल शून्य होता है जिसके कारण इन्हें द्रवित नहीं किया जा सकता है।

(ii) इनके दाब प्रसार गुणांक (β) तथा आयतन प्रसार गुणांक (α) बराबर होता हैं तथा प्रत्येक का मान $\frac{1}{273}$ प्रति °C होता है।

(iii) आदर्श गैस की आन्तरिक ऊर्जा केवल ताप पर निर्भर करती है तथा समतापी प्रक्रम के लिए आन्तरिक ऊर्जा में परिवर्तन शून्य होता है।

(iv) इनकी विशिष्ट ऊष्माएँ (C_P व C_V) ताप पर निर्भर नहीं करती हैं।

आदर्श गैस समीकरण (Standard or Perfect Gas Equation)

निश्चित द्रव्यमान के आयतन, दाब तथा ताप में परस्पर सम्बन्ध प्रदर्शित करने वाला सम्बन्ध आदर्श गैस समीकरण कहलाता है।

गैस की मात्रा	गैस समीकरण
1 मोल	$PV = RT$
μ मोल	$PV = nRT$, यहाँ $n = \frac{\text{गैस का द्रव्यमान } (m)}{\text{गैस का अणुभार (M)}}$
1 ग्राम	$PV = rT$, यहाँ $r = \frac{R}{M}$
m ग्राम	$PV = mrT$
1 अणु	$PV = kT$, यहाँ $k = \frac{R}{N}$
n अणु	$PV = nkT$

गैसों के अणुगति सिद्धान्त की परिकल्पनाएँ (Assumption of Kinetic Theory of Gases)

अणुगति सिद्धान्त के आधार पर आदर्श गैस के लिए

(i) प्रत्येक गैस के अणु दृढ़, अत्यन्त सूक्ष्म, पूर्णतः गोल तथा प्रत्यास्थ व वैद्युत उदासीन होते हैं। इनका स्वयं का आयतन गैस के सम्पूर्ण आयतन की तुलना में नगण्य होता है।

(*ii*) पात्र के अन्दर गैस के अणु सभी संभव दिशाओं में निरन्तर गति करते रहते हैं। जिसके कारण पात्र में अणुओं का वितरण एकसमान रहता है।

(*iii*) दो अणुओं के मध्य टक्कर पूर्णतः प्रत्यास्थ होने के कारण गतिज ऊर्जा तथा रेखीय संवेग संरक्षित रहता है।

(*iv*) गैस के अणुओं के दूर-दूर होने पर अणुओं के मध्य कोई बल नहीं लगता है। अतः अणु दो टक्करों के बीच नियत चाल से सरल रेखा में गति करते हैं। परन्तु जब गैस का कोई अणु, किसी अन्य अणु के अत्यन्त समीप आ जाता है तो उनके मध्य एक प्रतिकर्षण बल लगता है जिससे अणु की चाल तथा गति की दिशा बदल जाती है।

(*v*) अणुओं की पारस्परिक टक्करों में लगा समय, अणुओं द्वारा दो क्रमागत टक्करों के बीच चली दूरी में लगे समय की तुलना में नगण्य होता है।

(*vi*) गैस के अणुओं के द्रव्यमान नगण्य तथा वेग बहुत अधिक होने के कारण गैस के अणुओं की गति पर गुरुत्वीय प्रभाव नगण्य होता है।

(*vii*) गैसों के द्वारा पात्र की दीवारों पर आरोपित दाब, गैस के अणुओं के दीवारों से टकराने पर संवेग स्थानान्तरण के कारण होता है।

आदर्श गैस का दाब (Pressure of an Ideal Gas)

यदि किसी गैस के अणु का द्रव्यमान m तथा गैस के V आयतन में n अणु हों तथा परमताप T पर अणुओं की वर्ग-माध्य-मूल वेग V_{rms} है तब गैस का दाब

$$P=\frac{1}{3}\frac{mn}{V}v^2_{rms}=\frac{1}{3}\frac{M}{V}v^2_{rms}\ [\because M=mn]$$

$$P=\frac{1}{3}\rho v^2_{rms} \quad P=\frac{2}{3}E$$

(यहाँ E गैस के एकांक आयतन की गतिज ऊर्जा है)

गैस के अणुओं का वर्ग-माध्य-मूल चाल (RMS Speed of Gas Molecule)

(*i*) यदि गैस के n अणुओं के वेग क्रमशः $v_1, v_2, v_3 ... v_n$ है तो अणुओं का वर्ग-माध्य-मूल चाल

$$v_{rms}=\sqrt{\frac{v_1^2+v_2^2+v_3^2+....v_N^2}{n}}$$

(*ii*) यदि गैस का परमताप T तथा M अणुभार M हो तो 1 मोल आदर्श गैस के लिए

$$v_{rms}=\sqrt{\frac{3RT}{M}}$$

(*iii*) यदि गैस के एक अणु का द्रव्यमान m हो तो

$$v_{rms}=\sqrt{\frac{3kT}{m}}$$ (यहाँ k बोल्ट्समैन नियतांक है)

यदि गैस का परमताप शून्य हो जाए ($T = 0$) तो उनके अणु गतिहीन हो जाएंगे ($v_{rms} = 0$), चूँकि v_{rms} का ऋणात्मक मान सम्भव नहीं है। अतः परम शून्य ताप से नीचे कोई ताप सम्भव नहीं है।

गैस के अणुओं की गतिज ऊर्जा तथा ताप (Kinetic Energy of Molecules of Gas and Temperature)

(*i*) यदि गैस के 1 मोल का द्रव्यमान अर्थात् गैस का अणुभार M हो तो 1 मोल गैस की गतिज ऊर्जा

$$E=\frac{3}{2}RT$$

(*ii*) गैस के अणु की औसत गतिज ऊर्जा

$$E=\frac{3}{2}\frac{RT}{N}=\frac{3}{2}kT$$

स्वातन्त्र्य कोटियाँ (Degrees of Freedom)

किसी कण की स्वातन्त्र्य कोटियों की संख्या यह प्रदर्शित करती है कि कण कितनी स्वतन्त्र गतियाँ कर सकता है, अथवा वह कितनी स्वतन्त्र विधियों द्वारा ऊर्जा विनिमय कर सकता है। इसे N से प्रदर्शित करते हैं। यदि निकाय में A स्वतन्त्र कण है तथा उनके बीच प्रतिबन्धों की संख्या R है तब स्वातन्त्र्य कोटियाँ $N = 3A - R$

ऊर्जा सम-विभाजन का नियम (Law of Equi-partition of Energy)

मैक्सवेल के अनुसार "तापीय साम्यावस्था में किसी ऊष्मागतिक निकाय की सम्पूर्ण आन्तरिक गतिज ऊर्जा निकाय की सभी स्वातन्त्र्य कोटियों में समान रूप से वितरित होती है तथा प्रत्येक अणु की प्रत्येक स्वातन्त्र्य कोटि से सम्बद्ध माध्य आन्तरिक गतिज ऊर्जा $\frac{1}{2}kT$ होती है"।

यदि किसी आदर्श गैस के अणु की स्वातन्त्र्य कोटियाँ f है तब 1 मोल आदर्श गैस की परमताप T पर कुल आन्तरिक ऊर्जा

$$U=\frac{1}{2}fkT\times N=\frac{1}{2}fRT \quad \left(\because k=\frac{R}{N}\right)$$

माध्य मुक्त पथ (Mean Free Path)

किसी गैस के अणु द्वारा गैस के अन्य अणुओं से होने वाली दो क्रमागत टक्करों (collisions) के मध्य अणु द्वारा सरल रेखा में चली गयी औसत दूरी को माध्य मुक्त पथ कहते हैं।

इसे λ से प्रदर्शित करते हैं।

(*i*) यदि अणु द्वारा t समय में क्रमागत टक्करों के बीच तय किये गये पथों की लम्बाइयाँ क्रमशः $\lambda_1, \lambda_2, \lambda_3 ..... \lambda_n$ हो तब माध्य मुक्त पथ

$$\lambda=\frac{\lambda_1+\lambda_2+\lambda_3+.....\lambda_n}{n}$$

$$= \frac{\vec{v}t}{N} = \frac{S}{N}$$

यहाँ N टक्करों में अणु द्वारा चली कुल दूरी S है।

(*ii*) यदि अणु का व्यास d तथा गैस के एकांक आयतन में अणुओं की संख्या n है तो

$$\lambda = \frac{1}{\sqrt{2}\pi d^2 n}$$

(*iii*) यदि प्रत्येक अणु का द्रव्यमान m है तब

$$= \frac{m}{\sqrt{2}\pi d^2 mn}$$

$$\lambda = \frac{m}{\sqrt{2}\pi d^2 \rho}$$ (यहाँ $mn = \rho$ गैस का घनत्व है)

(*iv*) यदि गैस का श्यानता गुणांक η, घनत्व ρ तथा औसत वेग (अणुओं का) v_{av} है तब

$$\lambda = \frac{3\eta}{\rho v_{av}}$$

(*v*) गैस के अणुओं के माध्य मुक्त पथ की अन्य कारकों (factors) पर निर्भरता निम्नलिखित है–

(a) गैस के द्रव्यमान के अनुक्रमानुपाती अर्थात् $\lambda \propto m$

(b) गैस के परमताप के अनुक्रमानुपाती अर्थात् $\lambda \propto T$

(c) गैस के दाब के व्युत्क्रमानुपाती अर्थात् $\lambda \propto \frac{1}{P}$

(d) गैस के घनत्व के व्युत्क्रमानुपाती अर्थात् $\lambda \propto \frac{1}{\rho}$

वस्तुनिष्ठ प्रश्न

1. एक बन्द बर्तन में भरी गैस का ताप 1°C बढ़ाया जाता है। ताप वृद्धि से इसका दाब 0.4% बढ़ जाता है। गैस का प्रारम्भिक ताप होगा

(a) 250°C (b) 100°C
(c) −75°C (d) −23°C

2. एक पात्र में 10 वायुमण्डल दाब तथा 27°C ताप पर एक आदर्श गैस भरी है। पात्र से आधी गैस निकाल दी जाती है तथा शेष गैस का ताप 87°C तक बढ़ाया जाता है। पात्र में गैस का दाब होगा

(a) 5 वायुमण्डल (b) 8 वायुमण्डल
(c) 6 वायुमण्डल (d) 7 वायुमण्डल

3. आदर्श गैस समीकरण $PV = nRT$ में R का मान निर्भर करता है

(a) ρ (b) V
(c) T (d) किसी पर भी नहीं

4. 100 सेमी लम्बाई की क्षैतिज एक समान नली, जिसे दोनों सिरों पर सील किया गया है, के मध्य में 10 सेमी पारे का स्तम्भ है। पारे के स्तम्भ के दोनों ओर वायु का ताप तथा दाब क्रमशः 31°C तथा पारे का 76 सेमी है। यदि एक सिरे पर वायु स्तम्भ को 0°C पर तथा दूसरे को 273°C पर रखा जाए तो 0°C पर वायु का दाब होगा (पारे के स्तम्भ पर सेमी में)

(a) 76 (b) 68.2
(c) 102.4 (d) 122

5. जब धातु के किसी डिब्बे में बन्द गैस का ताप 27°C से 87°C तक बढ़ाया जाता है, तो उसका दाब, जब प्रारम्भ में 2 वायुमण्डलीय है, हो जाएगा

(a) 1.0 वायुमण्डलीय (b) 1.6 वायुमण्डलीय
(c) 2.4 वायुमण्डलीय (d) 3.6 वायुमण्डलीय

6. एक ग्राम अणु गैस के लिये गैस समीकरण $pV = RT$ में स्थिरांक R का मान लगभग है

(a) 2 Cal. $mol^{-1} K^{-1}$
(b) 10 Cal. $mol^{-1} K^{-1}$
(c) 0.2 Cal. $mol^{-1} K^{-1}$
(d) 200 Cal. $mol^{-1} K^{-1}$

7. एक 2 लीटर वाले पात्र में पानी के ऊपर 25°C तथा 765 टॉर के बैरोमीटर दाब पर ऑक्सीजन को इकट्ठा किया जाता है। संचित ऑक्सीजन के मोलों की संख्या होगी
(25°C पर पानी का वाष्प दाब =24 टॉर)

(a) 9.79 (b) 7.97
(c) 0.0798 (d) 0.0797

8. एक पात्र में O_2 गैस भरी है। पात्र में दाब दोगुना करने पर ताप चार गुना हो जाता है तो उसका घनत्व कितने गुना हो जाएगा?

(a) 2 (b) 4
(c) $\frac{1}{4}$ (d) $\frac{1}{2}$

9. निश्चित द्रव्यमान की गैस का 100°C (373.15 K) ताप तथा एक वायुमण्डलीय दाब पर आयतन 100 सेमी^{3} है। 4 वायुमण्डलीय दाब और इतने ही ताप पर इसका आयतन होगा

(a) 100 cm^3 (b) 400 cm^3
(c) 25 cm^3 (d) 200 cm^3

10. स्थिर दाब पर 250 लीटर आदर्श गैस को 27°C से इतना गर्म किया जाता है कि उसका आयतन 500 लीटर हो जाता है। इसका अन्तिम ताप होगा

(a) 54°C (b) 300°C
(c) 327°C (d) 600°C

उत्तरमाला

1. (d): स्थिर आयतन पर $P \propto T$

$$\frac{P_1}{P_2} = \frac{T_1}{T_2} \Rightarrow \frac{P}{1.004P} = \frac{T}{T+1}$$

$$\Rightarrow T+1 = 1.004T \Rightarrow 1 = 0.004T$$

$$\Rightarrow T = 250K = -23^\circ C$$

2. (c): $pV = nRT$ से $\frac{p'V}{pV} = \frac{n'RT'}{nRT}$

$$\Rightarrow \frac{p'}{p} = \frac{(n/2)}{n} \times \frac{(87+273)}{(27+273)}$$

$$\Rightarrow p = p \times \frac{1}{2} \times \frac{360}{300} = 10 \times 0.6 = 6 \text{ वायुमण्डल}$$

3. (d): $PV = nRT$ में R एक सार्वत्रिक गैस नियतांक है जोकि P, V, T आदि पर निर्भर नहीं करता है।

4. (b): स्थिर आयतन पर $P \propto T$ से

$$\frac{P_1}{P_2} = \frac{T_1}{T_2} \Rightarrow \frac{76}{P_2} = \frac{304}{273}$$

$$\Rightarrow P_2 = 68.2 \text{ सेमी (पारा स्तम्भ)}$$

5. (c): स्थिर आयतन पर, $P \propto T$ से

$$\frac{P_1}{P_2} = \frac{T_1}{T_2} \Rightarrow \frac{2}{P_2} = \frac{300}{360}$$

$$\Rightarrow P_2 = \frac{12}{5} = 2.4 \text{ वायुमण्डल}$$

6. (a): NTP पर 1 मोल गैस के लिए

$$R = \frac{PV}{nT} = \frac{1.01 \times 10^5 \times 22.4 \times 10^{-3}}{1 \times 273.15}$$

$= 8.31$ जूल मोल$^{-1}$K^{-1}

$$= \frac{8.31}{4.18} = 2 \text{ कैलोरी-मोल}^{-1}\text{K}^{-1}$$

7. (c): ऑक्सीजन के कारण दाब

$= 765 - 24 = 741$ टॉर

$= 741 \times 1$ मिमी पारे का दाब

$= 741 \times 1.013 \times 10^5$ न्यूटन मी$^{-2}$

ऑक्सीजन के मोलों की संख्या

$$n = \frac{PV}{RT} = \frac{741 \times 1.013 \times 10^5 \times 2 \times 10^{-3}}{8.3 \times (25+273)}$$

$$= 0.0798$$

8. (d): $\rho v = \eta RT$ से $P\frac{m}{\rho} = \frac{m}{M}RT \Rightarrow \rho \propto \frac{P}{T}$

$$\frac{\rho_1}{\rho_2} = \frac{P_1}{P_2} \times \frac{T_2}{T_1} = \frac{P}{2P} \times \frac{4T}{T} = 2$$

$$\Rightarrow \rho_2 = \frac{\rho_1}{2}$$

9. (c): $\frac{P_1V_1}{T_1} = \frac{P_1V_2}{T_2}$ से

$$\Rightarrow \frac{1 \times 100}{373.15} = \frac{4 \times V_2}{373.15} \Rightarrow V_2 = 25 \text{ सेमी}^3$$

10. (c): स्थिर दाब पर $V \propto T$ से

$$\frac{T_2}{T_1} = \frac{V_2}{V_1} \Rightarrow T_2 = (27+273) \times \frac{500}{250}$$

$$T_2 = 300 \times 2 = 600K = 327^\circ C$$

●●●

अध्याय

15

किरण प्रकाशिकी
(Ray Optics)

प्रकाश का परावर्तन (Reflection of Light)

जब प्रकाश की एक किरण पॉलिश की गई सतह पर पड़ती है, तो वह समान माध्यम में वापस लौट जाती है। यह परिघटना परावर्तन (reflection) कहलाती है। परावर्तन में आवृत्ति, चाल तथा तरंगदैर्ध्य अपरिवर्तित रहती है परन्तु एक कलान्तर उत्पन्न हो सकता है जो कि परावर्तन पृष्ठ की प्रकृति पर निर्भर करता है।

प्रायोगिक रूप से पाया गया है कि आपतित तथा परावर्तित तरंगें दो माध्यमों की उभयनिष्ठ परिसीमा पर अभिलम्ब से समान कोण बनाती हैं। अतः परावर्तन के दो नियम दिये जाते हैं :

1. $\angle i = \angle r$
2. आपतित किरण, परावर्तित किरण तथा अभिलम्ब तीनों समान तल में होते हैं।

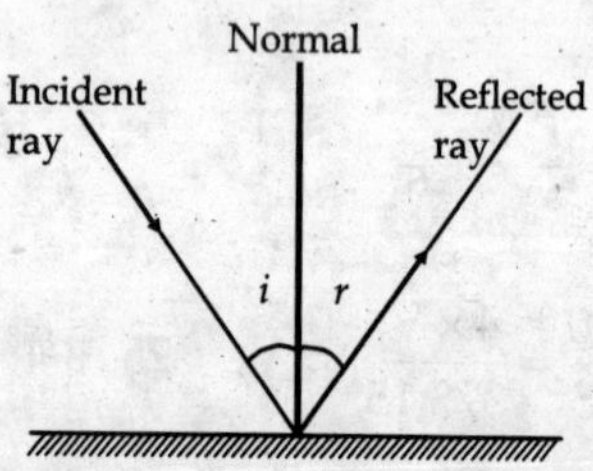

झुके हुए दर्पणों में प्रतिबिम्बों की संख्या (Number of Images in Inclined Mirrors)

माना दो समतल दर्पणों के बीच कोण θ है तथा n प्रतिबिम्बों की संख्या है, तब

$$n = \begin{cases} \dfrac{360}{\theta}, \text{ यदि } \dfrac{360}{\theta} \text{ विषम है।} \\ \dfrac{360}{\theta} - 1, \text{ यदि } \dfrac{360}{\theta} \text{ सम है।} \end{cases}$$

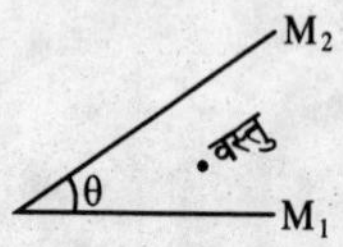

पुनः जब $\dfrac{360}{\theta}$ विषम है, तब

$$n = \begin{cases} \dfrac{360}{\theta} - 1, \text{ यदि वस्तु दोनों के कोण द्विभाजक पर सममित रूप से रखी है।} \\ \dfrac{360}{\theta}, \text{ यदि वस्तु असममित रूप से रखी है।} \end{cases}$$

गोलीय सतह से परावर्तन (Reflection from a Spherical Surface)

गोलीय दर्पण (Spherical Mirrors)

गोलीय दर्पण वे दर्पण हैं जिनकी परावर्तन सतह गोलीय होती है। गोलीय दर्पण दो प्रकार के होते हैं।

(*i*) **उत्तल दर्पण (Convex Mirror):** ऐसे दर्पण जिनमें परावर्तन उभरी हुई सतह से होता है, उत्तल दर्पण कहलाते हैं।

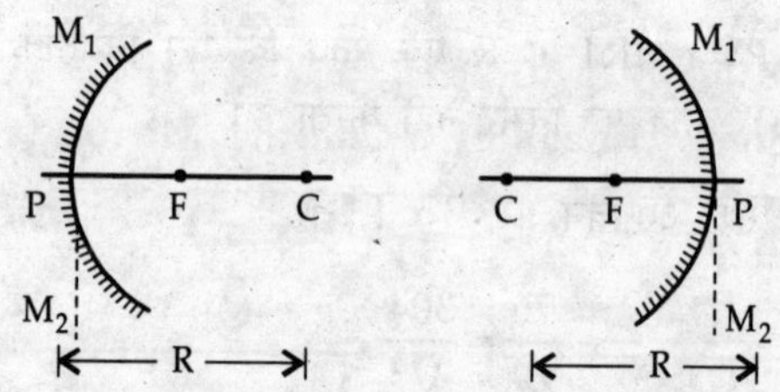

Concave mirror Convex mirror

(*ii*) **अवतल दर्पण (Concave Mirror):** ऐसे दर्पण जिनमें परावर्तन दबी हुई सतह से होता है, अवतल दर्पण कहलाते हैं।

गोलीय दर्पण से प्रतिबिम्ब बनाने के नियम (Laws for Formation of Image by Spherical Mirrors)

प्रतिबिम्ब बनाने के निम्नलिखित तीन नियम हैं :

(*i*) दर्पण के मुख्य अक्ष के समान्तर आने वाली प्रकाश की किरणें दर्पण से परावर्तन के पश्चात् दर्पण के फोकस से गुजरती हैं अथवा आती हुई प्रतीत होती हैं।

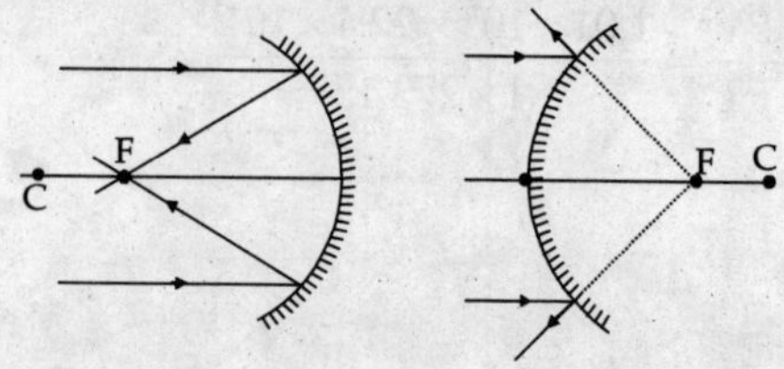

(*ii*) दर्पण के वक्रता केन्द्र से होकर आने वाली किरण परावर्तन के पश्चात् बाहरी मार्ग पर वापस लौट जाती है।

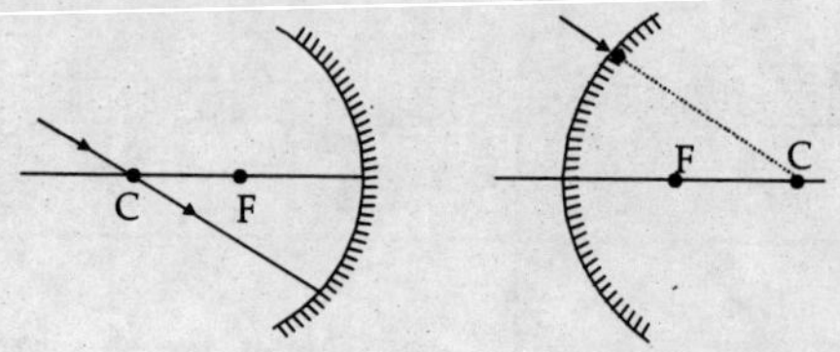

(*iii*) दर्पण के फोकस से होकर आने वाली किरणें परावर्तन के पश्चात् दर्पण के मुख्य अक्ष के समान्तर हो जाती हैं।

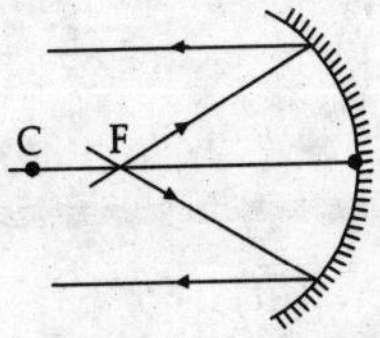

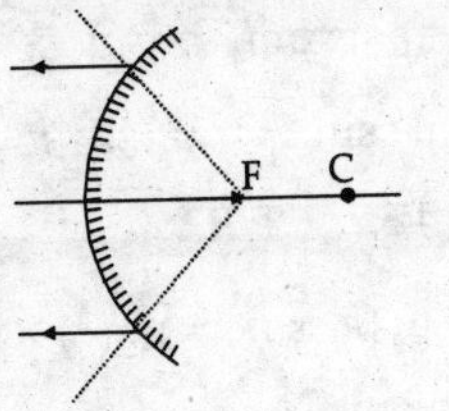

दर्पणों के लिये चिन्ह परिपाटी
(Sign Conventions for Mirrors)

चिह्न परिपाटी के अनुसार,

(*i*) मूल बिन्दु ध्रुव (*P*) पर होना चाहिये।

(*ii*) सभी दूरियाँ ध्रुव (*P*) से मापी जानी चाहिये।

(*iii*) वस्तु की दूरी को u से, प्रतिबिम्ब की दूरी को v से, फोकस दूरी को f से, तथा वक्रता त्रिज्या को R से, प्रकट करते हैं।

(*iv*) वस्तु दर्पण के सदैव बायीं ओर होनी चाहिये।

(*v*) u को सदैव ऋणात्मक, v को धनात्मक (आभासी प्रतिबिम्ब के लिये) अथवा ऋणात्मक (वास्तविक प्रतिबिम्ब के लिये) लिया जाता है।

(*vi*) निम्नलिखित आरेख में चिह्न परिपाटी का अनुप्रयोग प्रदर्शित है।

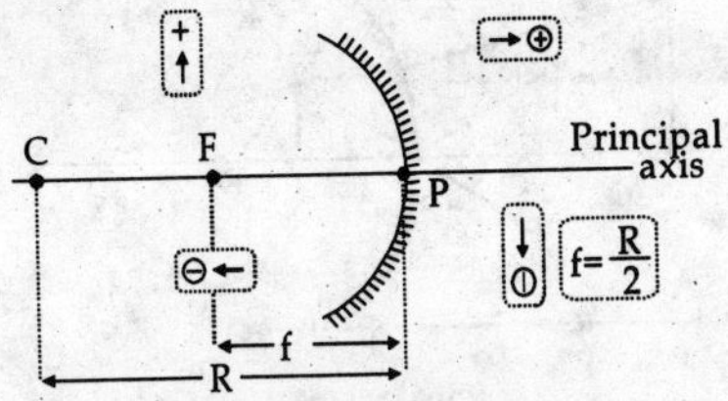

(a) Concave lens

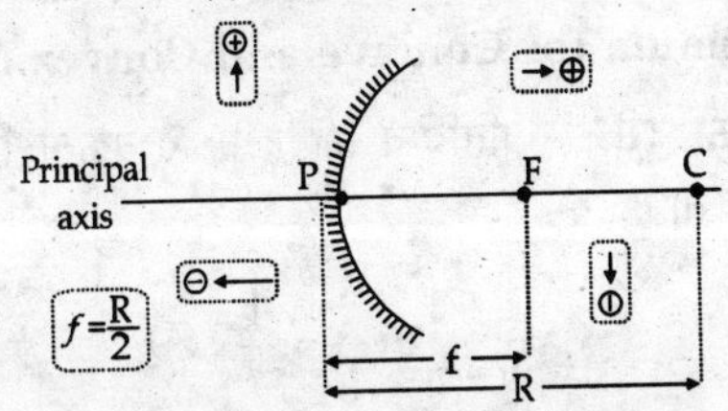

(b) Convex lens

अवतल दर्पण द्वारा प्रतिबिम्ब का बनना
(Formation of Image by a Concave Mirror)

वस्तु की स्थिति (Object position)	**किरण आरेख** (Ray diagram)	**प्रतिबिम्ब की स्थिति** (Position of image)	**प्रतिबिम्ब की प्रकृति एवं आकार** (Nature and size of image)
अनन्त पर	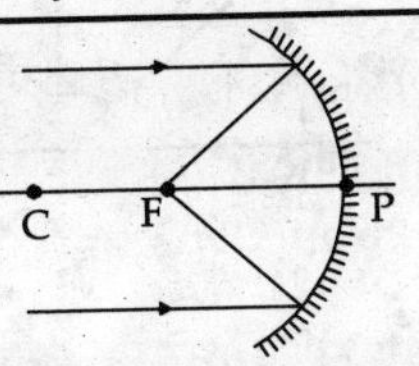	मुख्य फोकस (*F*) पर या फोकस तल में	वास्तविक, उल्टा व बहुत छोटा
C के परे	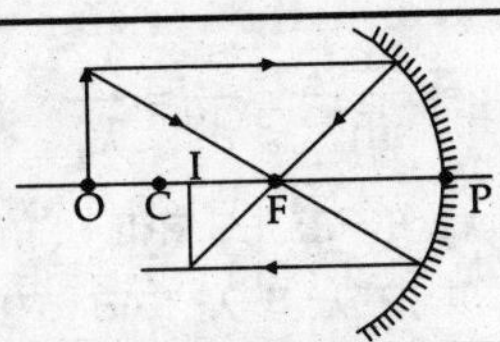	*F* व *C* के बीच	वास्तविक, उल्टा व छोटा
C पर	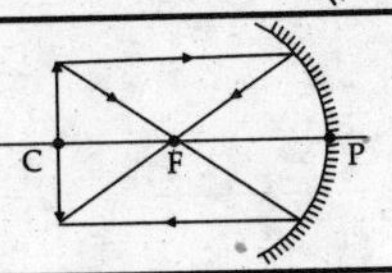	*C* पर	वास्तविक, उल्टा व वस्तु के बराबर
F व *C* के बीच	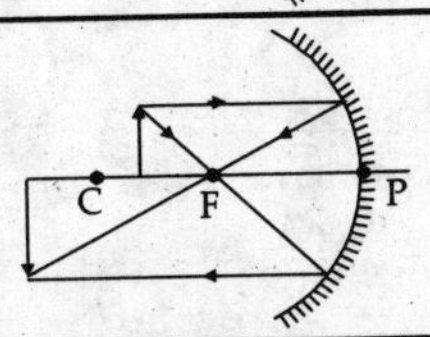	*C* के परे	वास्तविक, उल्टा व वस्तु से बड़ी
F पर या फोकस तल पर	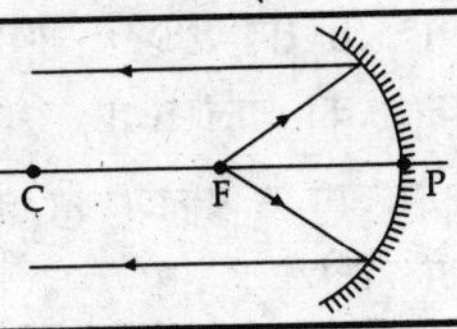	अनन्त पर	वास्तविक, उल्टा व वस्तु से बहुत बड़ी
F व *P* के बीच	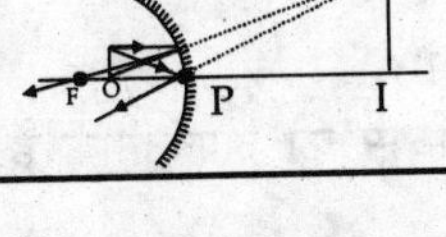	दर्पण के पीछे	आभासी, सीधा व आवर्धित (वस्तु से बहुत बड़ी)

उत्तल दर्पण द्वारा प्रतिबिम्ब का बनना
(Formation of Image by Convex Mirror)

प्रतिबिम्ब सदैव आभासी, सीधा व आवर्धित बनता है।

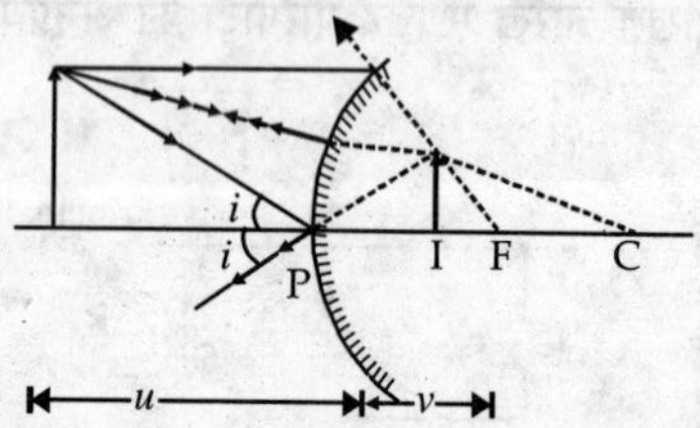

अवतल और उत्तल दर्पणों के लिए दर्पण के सूत्र
(Mirror Formula for Concave and Convex Mirrors)

यदि u वस्तु की दूरी, v प्रतिबिम्ब की दूरी, R वक्रता त्रिज्या और f फोकस दूरी है, तो

$$\frac{1}{v}+\frac{1}{u}=\frac{2}{R}=\frac{1}{f}$$

प्रकाश का अपवर्तन (Refraction of Light)

जब प्रकाश एक माध्यम, माना वायु, से दूसरे माध्यम, माना काँच, में जाता है तो एक भाग पहले माध्यम में वापस आ जाता है तथा शेष भाग दूसरे माध्यम में प्रवेश कर जाता है। जब यह दूसरे माध्यम से गुजरता है तो इसकी संचरण दिशा परिवर्तित हो जाती है। यह या तो अभिलम्ब की ओर झुक जाती है या अभिलम्ब से दूर हट जाती है। यह परिघटना (phenomenon) अपवर्तन कहलाती है। अपवर्तन के दो नियम हैं :

1. आपतित किरण (incident ray), आपतन बिन्दु पर अभिलम्ब (normal) व अपवर्तित किरण (refracted ray) तीनों एक ही तल में होते हैं।

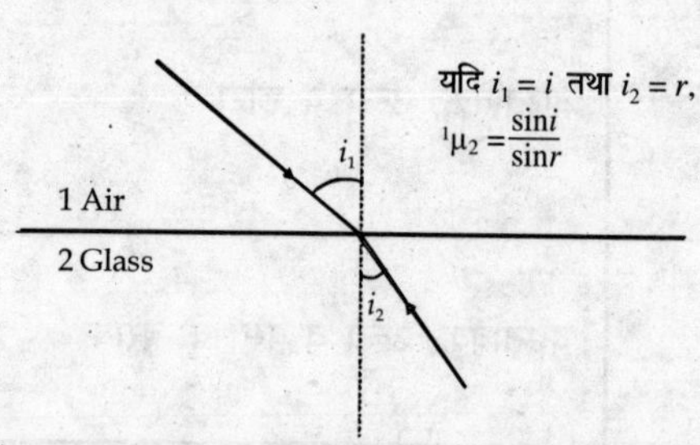

2. आपतन कोण की ज्या ($\sin i$) व अपवर्तन कोण की ज्या ($\sin r$) का अनुपात एक नियतांक होता है, जिसे दूसरे माध्यम का पहले माध्यम के सापेक्ष अपवर्तनांक कहते हैं।

$${}^1\mu_2 = \frac{\sin i}{\sin r}\frac{\mu_2}{\mu_1}$$

इस नियम को स्नेल का नियम भी कहते हैं।

कुछ महत्वपूर्ण बिन्दु (Some Important Points):

(a) यदि माध्यम 1 निर्वात (vacuum) है, तो ${}^1\mu_2$, माध्यम 2 का (माध्यम 1 के सापेक्ष) अपवर्तनांक कहलाता है तथा इसे μ_2 या μ (यदि कोई अन्य माध्यम उपस्थित नहीं है) से प्रकट करते हैं।

(b) अब स्नेल के नियमानुसार,

$$\mu \sin i = \text{नियतांक} \qquad ...(i)$$

दो माध्यमों के लिये,

$$\mu_1 \sin i_1 = \mu_2 \sin i_2 \qquad ...(ii)$$

वेक्टर रूप में,

$$\mu_1(\hat{e}_1 \times \hat{\mathbf{n}}) = \mu_2(\hat{e}_2 \times \hat{\mathbf{n}}) \qquad ...(iii)$$

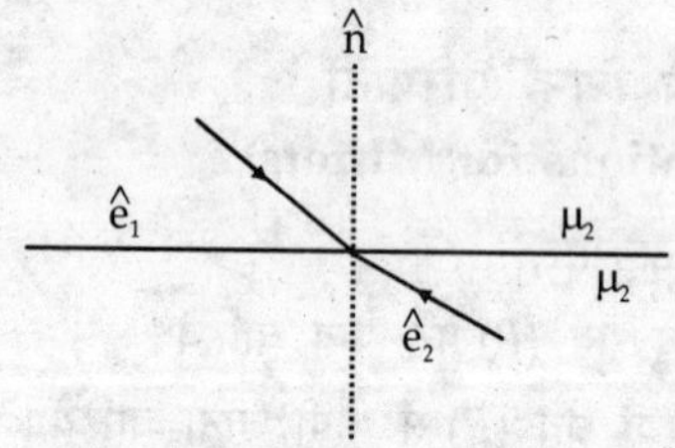

यहाँ $\hat{\mathbf{e}}_1$ = आपतित किरण के अनुदिश एकांक वेक्टर

$\hat{\mathbf{e}}_2$ = आपतित किरण के अनुदिश एकांक वेक्टर

$\hat{\mathbf{n}}$ = आयतन बिन्दु पर अभिलम्ब के अनुदिश एकांक वेक्टर

(c) समीकरण (ii) से हम देखते हैं कि यदि $\mu_2 > \mu_1$ तब $i_1 > i_2$ अर्थात् यदि प्रकाश की एक किरण विरल (rarer) से सघन (denser) माध्यम में जाती है तो यह अभिलम्ब की ओर झुक जाती है।

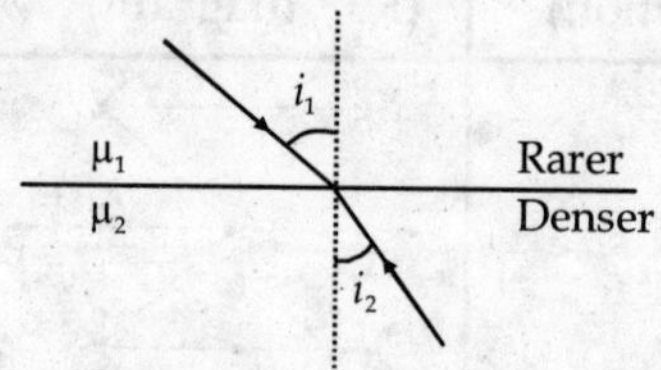

(d) स्नेल का नियम निम्न प्रकार लिखा जा सकता है।

$${}^1\mu_2 = \frac{\sin i_1}{\sin i_2} = \frac{v_1}{v_2} = \frac{\lambda_1}{\lambda_2} = \frac{\mu_2}{\mu_1} \qquad ...(iv)$$

यहाँ v_1 माध्यम 1 में तथा v_2 माध्यम 2 में प्रकाश की चाल है। इसी प्रकार λ_1 व λ_2 संगत तरंगदैर्ध्य हैं।

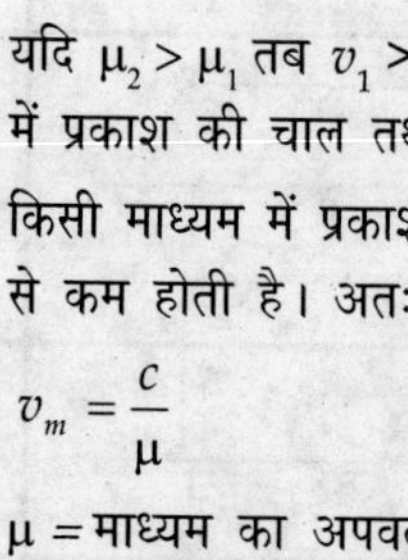

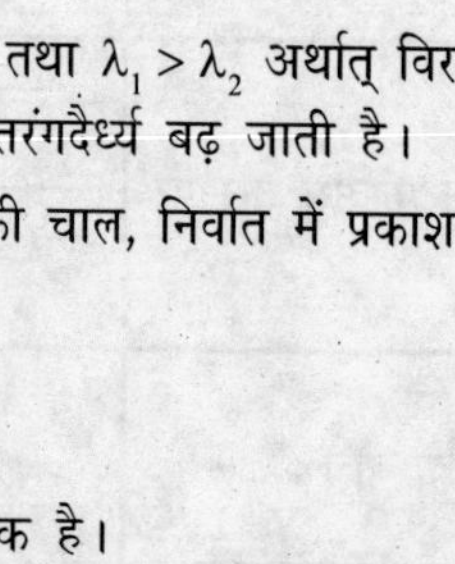

यदि $\mu_2 > \mu_1$ तब $v_1 > v_2$ तथा $\lambda_1 > \lambda_2$ अर्थात् विरल माध्यम में प्रकाश की चाल तथा तरंगदैर्ध्य बढ़ जाती है।

(e) किसी माध्यम में प्रकाश की चाल, निर्वात में प्रकाश की चाल से कम होती है। अतः

$$v_m = \frac{c}{\mu}$$

μ = माध्यम का अपवर्तनांक है।

गोलीय सतह द्वारा अपवर्तन
(Refraction from a Spherical Surface)

गोलीय सतह दो प्रकार की होती हैं :

(*i*) उत्तल (convex) (*ii*) अवतल (concave)

(*a*) जब एक किरण विरल (rarer) से सघन (denser) माध्यम में जाती है

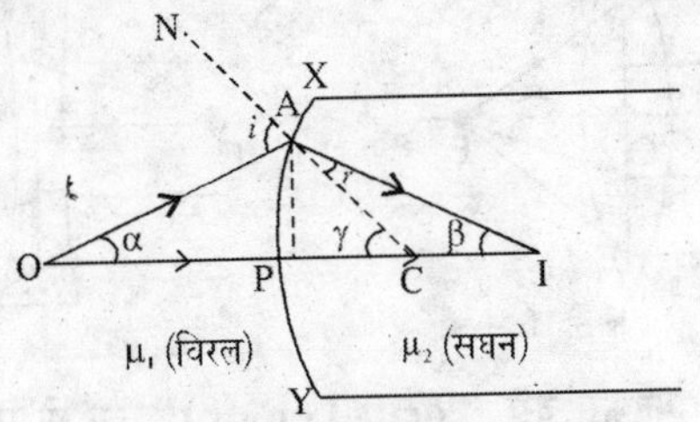

(*a*) उत्तल लेन्स (वास्तविक प्रतिबिम्ब)

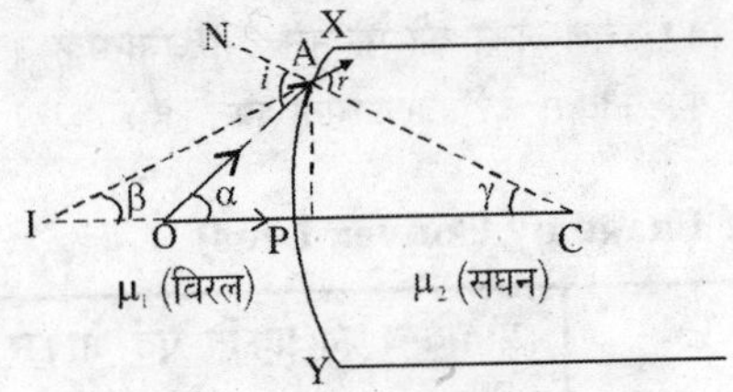

(*b*) उत्तल लेन्स (आभासी प्रतिबिम्ब)

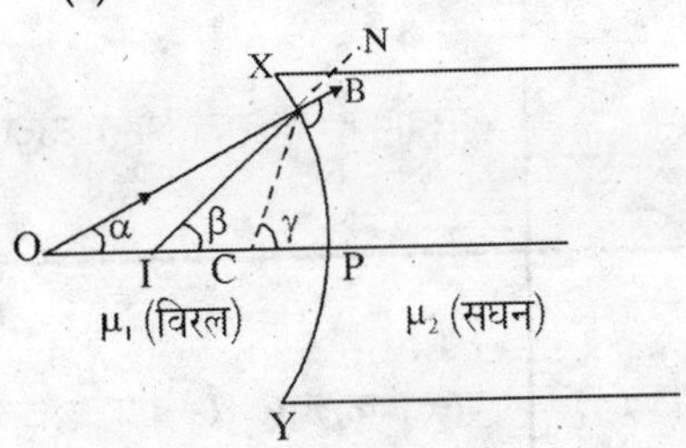

(*c*) अवतल लेन्स

दोनों ही पृष्ठों के लिए अपवर्तन का सूत्र निम्न होता है :

$$\frac{{}^1\mu_2}{v} - \frac{1}{u} = \frac{{}^1\mu_2 - 1}{R}$$

यहाँ ${}^1\mu_2$, पहले माध्यम के सापेक्ष दूसरे माध्यम का अपवर्तनांक है। यदि μ_1 व μ_2 क्रमशः पहले व दूसरे माध्यम के अपवर्तनांक हैं, तब

$$\frac{\mu_2}{v} - \frac{\mu_1}{u} = \frac{\mu_2 - u_1}{R}$$

(*b*) जब एक किरण सघन (denser) से विरल (rarer) माध्यम में जाती है

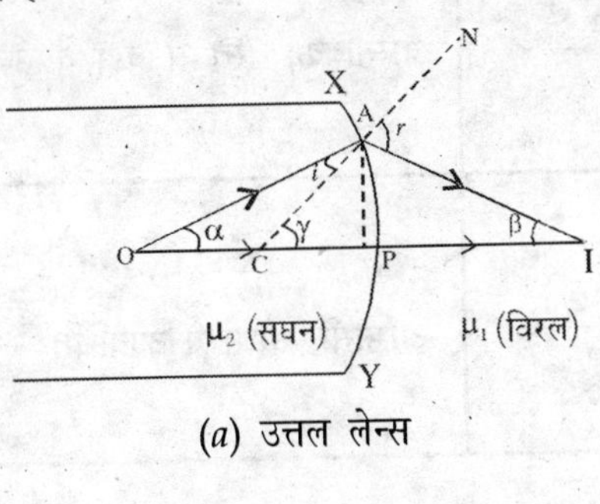

(*a*) उत्तल लेन्स

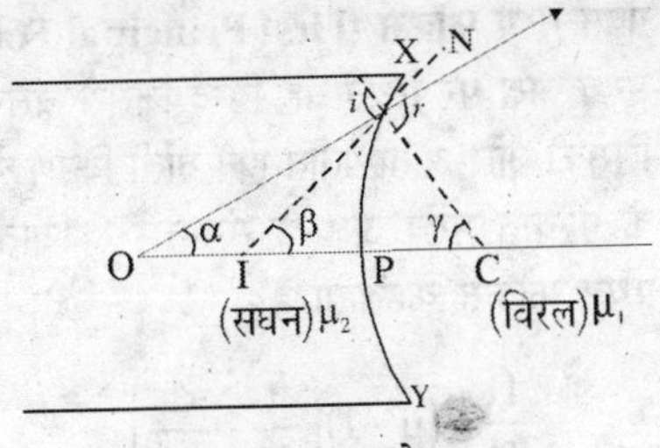

(*b*) अवतल लेन्स

दोनों ही पृष्ठों के लिए अपवर्तन का सूत्र निम्न होता है–

$$\frac{\mu_1}{v} - \frac{\mu_2}{u} = \frac{\mu_1 - \mu_2}{R}$$

लेन्स (Lens)

लेन्स दो गोलीय सतहों से घिरा पारदर्शी माध्यम होता है। लेन्स दो प्रकार के होते हैं :

1. उत्तल लेन्स (Convex Lens): दोनों ओर से उभरी हुई सतहों से घिरे पारदर्शी माध्यम को उत्तल लेन्स कहते हैं।

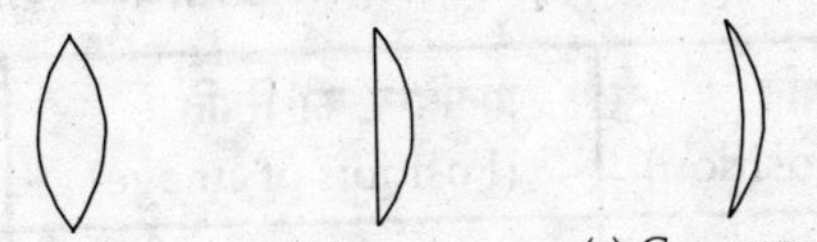

(a) Bi-convex (b) Plano-convex (c) Convexco-convex

2. अवतल लेन्स (Concave Lens): दोनों ओर से दबी हुई सतहों से घिरे पारदर्शी माध्यम को अवतल लेन्स कहते हैं।

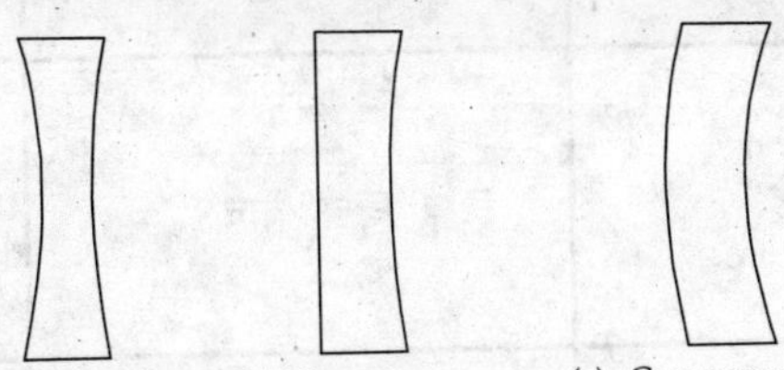

(a) Bi-concave (b) Plano-concave (c) Convexco-concave

लेन्सों से संबंधित कुछ परिभाषाएँ
(Some Definitions Related to Lenses)

(*i*) **प्रकाशिक केन्द्र (Optical Centre):** यदि लेन्स पर प्रकाश की कोई किरण इस प्रकार आपतित हो कि लेन्स से अपवर्तित होकर बाहर निकलने पर निर्गत किरण, आपतित किरण के समान्तर हो, तो अपवर्तित किरण लेन्स की मुख्य अक्ष को जिस बिन्दु पर काटती है अथवा काटती हुई प्रतीत होती है, उसे लेन्स का प्रकाशिक केन्द्र कहते हैं।

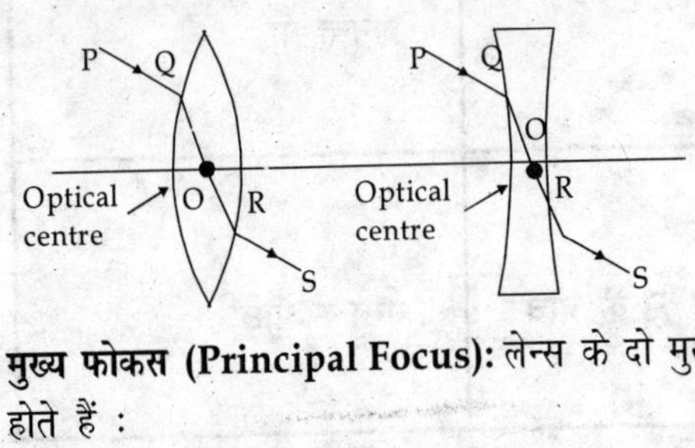

(*ii*) **मुख्य फोकस (Principal Focus):** लेन्स के दो मुख्य फोकस होते हैं :

(a) प्रथम मुख्य फोकस (First Principal Focus): लेन्स की मुख्य अक्ष पर स्थित वह बिन्दु जिससे चलने वाली अथवा जिसकी ओर आती प्रतीत होने वाली किरणें लेन्स से अपवर्तन के पश्चात् मुख्य अक्ष के समान्तर हो जाती हैं, लेन्स का प्रथम फोकस कहलाता है।

$$\frac{1}{f_1}=(\mu-1)\left(\frac{1}{R_1}-\frac{1}{R_2}\right)$$

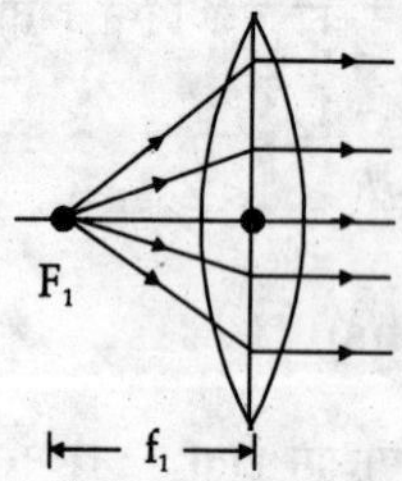

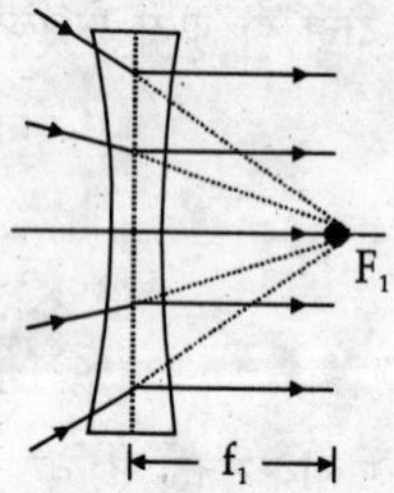

(b) द्वितीय मुख्य फोकस (Second Principal Focus): लेन्स के मुख्य अक्ष के समान्तर आने वाली प्रकाश की किरणें लेन्स से अपवर्तन के पश्चात् जिस बिन्दु पर मिलती हैं या जिस बिन्दु से आती हुई प्रतीत होती हैं, लेन्स का द्वितीय फोकस कहलाता है।

$$\frac{1}{f_2}=(\mu-1)\left(\frac{1}{R_1}-\frac{1}{R_2}\right)$$

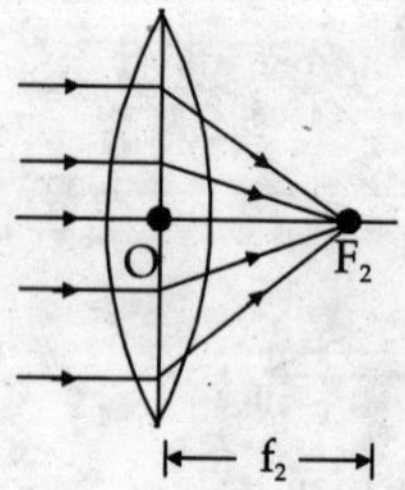

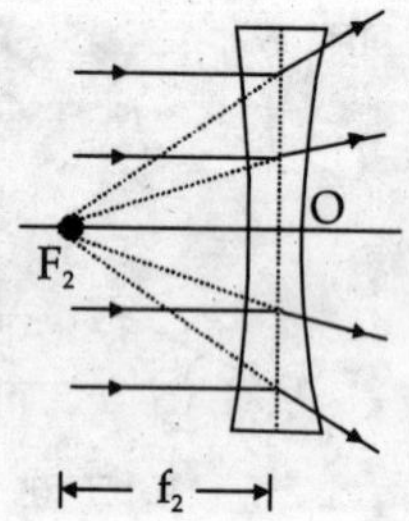

(c) फोकस दूरी (Focus Length): लेन्स के प्रकाशिक केन्द्र व फोकस के बीच की दूरी को लेन्स की फोकस दूरी कहते हैं। उत्तल लेन्स की फोकस दूरी धनात्मक व अवतल लेन्स की फोकस दूरी ऋणात्मक होती है।

उत्तल लेन्स द्वारा प्रतिबिम्ब का बनाना (Formation of Image by Convex Lens)

वस्तु की स्थिति (Object position)	**प्रतिबिम्ब की स्थिति** (Position of image)	**किरण आरेख** (Ray diagram)	**प्रतिबिम्ब की प्रकृति एवं आकार** (Nature and size of image)
अनन्त पर	F_2 पर	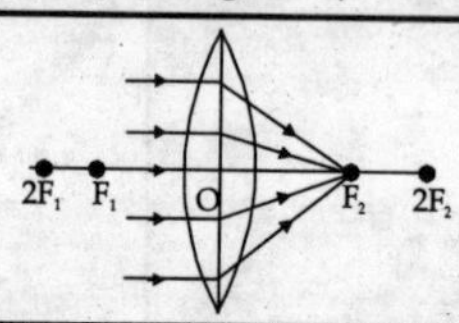	वास्तविक, वस्तु से बहुत छोटा व उल्टा
$2F_1$ के पीछे	F_2 व F_1 के बीच	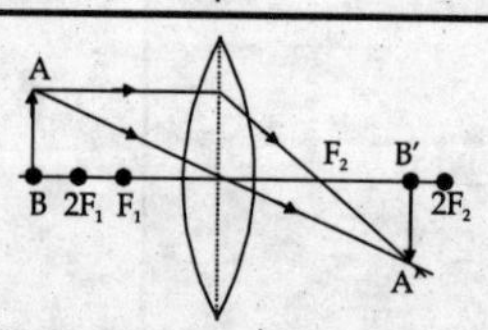	वास्तविक, वस्तु से बड़ा व उल्टा
$2F_1$ पर	$2F_2$ पर	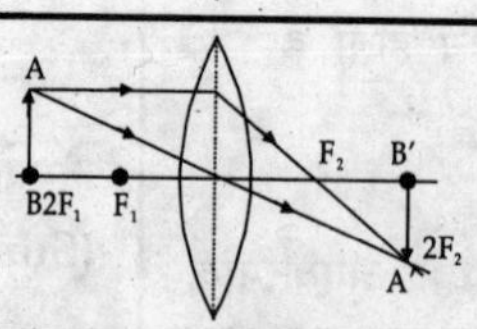	वास्तविक, वस्तु के बराबर व उल्टा
F_1 व F_2 के बीच	$2F_2$ के पीछे	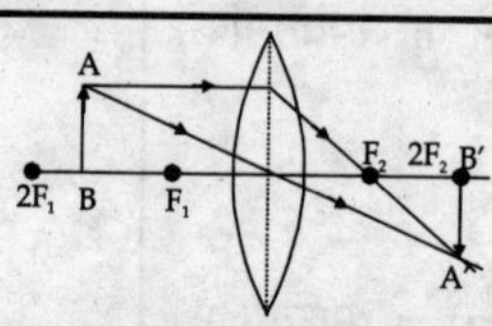	वास्तविक, वस्तु से बड़ा व उल्टा
F_1 पर	अनन्त पर	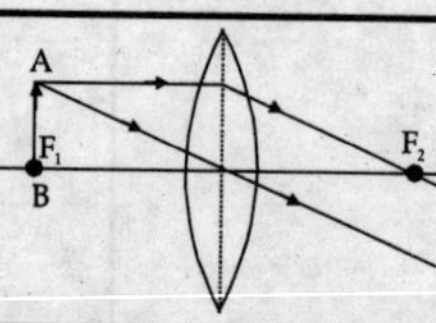	वास्तविक, वस्तु से बड़ा व उल्टा
लेन्स व F_1 के बीच	वस्तु के पीछे	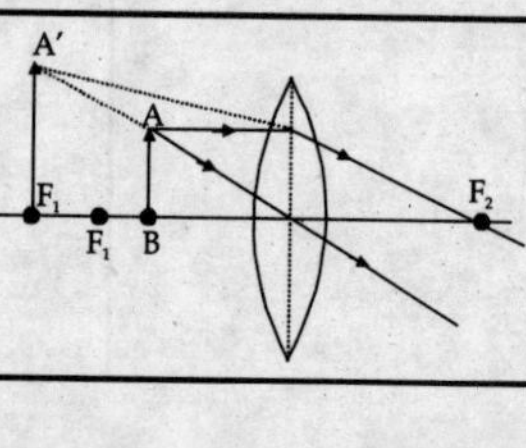	आभासी, सीधा व आवर्धित

लेन्स का आवर्धन (Magnification of Lens)

एक लेन्स द्वारा उत्पन्न पार्श्विक (lateral) या रेखीय (linear) आवर्धन m निम्नलिखित सूत्र से दिया जाता है।

$$m = \frac{\text{प्रतिबिम्ब की ऊँचाई}}{\text{वस्तु की ऊँचाई}} = \frac{I}{O}$$

एक वस्तु OO' का उत्तल लेन्स द्वारा प्राप्त वास्तविक प्रतिबिम्ब II' चित्रानुसार है।

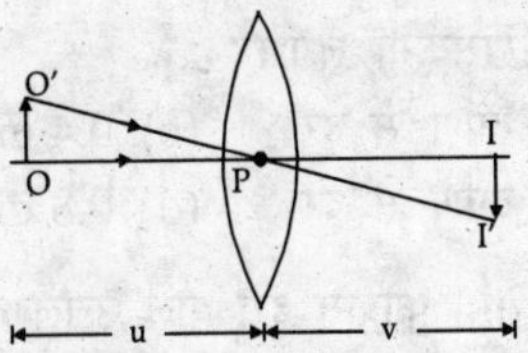

$$\frac{\text{प्रतिबिम्ब की ऊँचाई II'}}{\text{वस्तु की ऊँचाई (OO')}} = \frac{v}{u}$$

v व u के मान उचित चिह्नों के साथ प्रतिस्थापित करने पर

$$\frac{II'}{OO'} = \frac{I}{-O} = \frac{-v}{u}$$

या $$\frac{I}{O} = m = \frac{v}{u}$$

अतः $$m = \frac{v}{u}$$

प्रिज्म द्वारा अपवर्तन (Refraction through a Prism)

प्रिज्म, अपवर्तक सतहों से घिरा एक ठोस पारदर्शी त्रिभुजाकार माध्यम होता है। अपवर्तक सतहों के मध्य का कोण प्रिज्म कोण 'A' कहलाता है।

माना PQR काँच के एक प्रिज्म का मुख्य परिच्छेद है। प्रिज्म के पृष्ठ पर किरण आपतित होने पर आपतन कोण i है तथा निर्गत कोण e है।

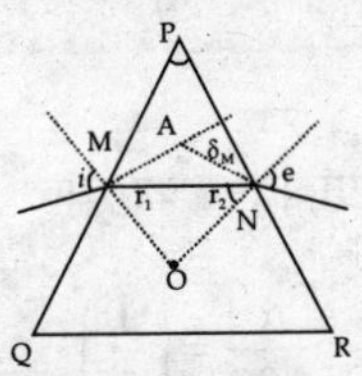

(i) यदि μ प्रिज्म के पदार्थ का अपवर्तनांक है, तब

$$\mu = \frac{\sin i}{\sin r_1} = \frac{\sin e}{\sin r_2}$$

(ii) आपतित किरण तथा निर्गत किरण के बीच का कोण विचलन कोण (angle of deviation) δ_m कहलाता है। प्रिज्म द्वारा अपवर्तन की क्रिया में

$$i + e = A + \delta \quad \text{तथा} \quad r_1 + r_2 = A$$

(iii) **न्यूनतम विचलन (Minimum Deviation):** किसी दिये हुए प्रिज्म के लिये विचलन कोण का मान प्रिज्म पर आधरित प्रकाश किरण के आपतन कोण पर निर्भर करता है। परिवर्तन चित्र में प्रदर्शित है। एक आपतन कोण के लिये विचलन न्यूनतम δ_m है। इस मान के लिये

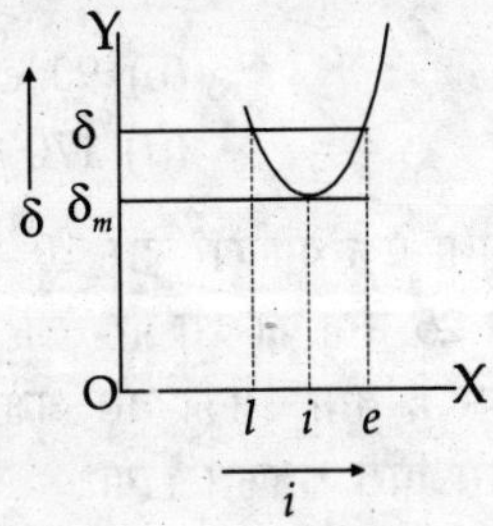

$$i = e$$

$$\Rightarrow \quad r_1 = r_2 = r$$

$$\therefore \quad r = \frac{A}{2}$$

पुनः $$\delta = \delta_m = (i + i) - A$$

या $$i = \frac{A + \delta_m}{2}$$

$$\therefore \quad \mu = \frac{\sin i}{\sin r} \quad \text{या} \quad \mu = \frac{\sin\left(\frac{A + \delta_m}{2}\right)}{\sin \frac{A}{2}}$$

(iv) यदि प्रिज्म का अपवर्तन कोण छोटा है, तब कोण r_1 व r_2 भी छोटे होंगे। अतः

$$\mu = \frac{i}{r_1} \quad \text{तथा} \quad \mu = \frac{e}{r_2}$$

या $$i + e = \mu(r_1 + r_2)$$

या $$A + \delta = \mu A$$

या $$\delta = (\mu - 1)A$$

वस्तुनिष्ठ प्रश्न

1. एक मीनार के पाद से क्षैतिज सतह पर एक समतल दर्पण 60 मीटर की दूरी पर रखा जाता है। मीनार की चोटी और दर्पण में उसका प्रतिबिम्ब एक-दूसरे से 90° का कोण बनाते हैं। मीनार की ऊँचाई होगी :

(a) 30 m (b) 60 m
(c) 90 m (d) 120 m

2. 100 सेमी फोकस दूरी वाले अवतल दर्पण से सूर्य का प्रतिबिम्ब बन रहा है, जो 30° का कोण बनाता है। सूर्य के प्रतिबिम्ब का व्यास होगा :

(a) 1.74 cm (b) 0.87 cm
(c) 0.435 cm (d) 100 cm

3. एक अवतल दर्पण की फोकस दूरी 50 सेमी है। एक वस्तु को कहाँ रखा जाये कि उसका वास्तविक व उल्टा प्रतिबिम्ब दोगुने आकार का बने?
(a) 75 cm (b) 72 cm
(c) 63 cm (d) 50 cm

4. एक आदमी की ऊँचाई 180 सेमी है। उसकी आँखें उसके सिर की चोटी से 10 सेमी नीचे है। अपनी पूरी ऊँचाई पैर के अँगूठे से सिर तक देखने के लिये वह अपने से 1 मीटर दूरी पर रखे एक समतल दर्पण का उपयोग करता है। समतल दर्पण की न्यूनतम ऊँचाई होगी :
(a) 180 cm (b) 90 cm
(c) 85 cm (d) 170 cm

5. 3 सेमी भुजा वाला एक वर्गाकार तार 10 सेमी फोकस दूरी वाले अवतल दर्पण से 25 सेमी की दूरी पर रखा गया है। वर्ग का केन्द्र दर्पण के अक्ष पर है तथा उसका तल अक्ष के लम्बवत् है। तार के प्रतिबिम्ब द्वारा घिरा क्षेत्रफल होगाः
(a) 4 cm^2 (b) 6 cm^2
(c) 16 cm^2 (d) 36 cm^2

6. एक छोटी रेखीय वस्तु जिसकी लम्बाई l है, f फोकस दूरी वाले अवतल दर्पण के सामने उसके ध्रुव से u दूरी पर रखी है। प्रतिबिम्ब का आकार लगभग होगा :
(a) $l\left(\frac{u-f}{f}\right)^{1/2}$ (b) $l\left(\frac{u-f}{f}\right)^{2}$
(c) $l\left(\frac{f}{u-f}\right)^{1/2}$ (d) $l\left(\frac{f}{u-f}\right)^{2}$

7. 36 सेमी वक्रता त्रिज्या वाले अवतल दर्पण से एक वस्तु का काल्पनिक प्रतिबिम्ब वस्तु की आकृति से तीन गुना बनता है। वस्तु की दर्पण से दूरी होगी :
(a) 5 cm (b) 12 cm
(c) 10 cm (d) 20 cm

8. किसी अवतल दर्पण से एक बिन्दु-बिम्ब 10 सेमी की दूरी पर रखा है और इसका वास्तविक प्रतिबिम्ब दर्पण से 20 सेमी की दूरी पर बनता है। यदि बिम्ब को दर्पण की ओर 0.1 सेमी खिसकाया जाये तो प्रतिबिम्ब खिसकेगा लगभग :
(a) 0.4 cm दर्पण से दूर (b) 0.4 cm दर्पण की ओर
(c) 0.8 cm दर्पण से दूर (d) 0.8 cm दर्पण की ओर

9. एक वस्तु 10 सेमी फोकस दूरी वाले उत्तल दर्पण से 20 सेमी की दूरी पर स्थित है। दर्पण के द्वारा बना प्रतिबिम्ब है :
(a) वास्तविक तथा दर्पण से 20 cm दूर
(b) आभासी तथा दर्पण से 20 cm दूर
(c) आभासी तथा दर्पण से $\frac{20}{3}$ cm दूर
(d) वास्तविक तथा दर्पण से $\frac{20}{3}$ cm दूर

10. एक बिन्दुवत् वस्तु 30 सेमी फोकस दूरी वाले उत्तल दर्पण से 30 सेमी की दूरी पर स्थित है। तब इसका प्रतिबिम्ब बनेगा :
(a) अनन्त पर
(b) फोकस पर
(c) ध्रुव पर
(d) दर्पण से 15 सेमी पीछे की ओर

उत्तरमाला

1. (b): $\tan 45° = \frac{h}{60}$

$\Rightarrow \quad h = 60\ m$

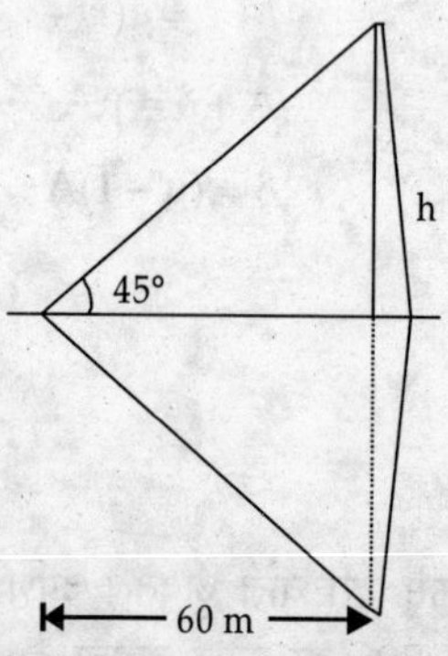

2. (b): दर्पण पर सूर्य के प्रतिबिम्ब के द्वारा बनाया गया कोण

$$= 30' = \left(\frac{1}{2}\right)^{\circ} = \frac{\pi}{360} \text{ रेडियन}$$

यदि x सूर्य के प्रतिबिम्ब का व्यास है

तब $\frac{\text{चाप}}{\text{त्रिज्या}} = \frac{x}{100} = \left(\frac{1}{2}\right)^{\circ} = \frac{\pi}{360}$

$\therefore \quad x = \frac{100\pi}{360} = 0.87 \text{ cm}$

3. (a): वास्तविक प्रतिबिम्बों के लिये, आवर्धन

$$m = \frac{f}{u-f}$$

$\therefore \quad \frac{2x}{x} = \frac{50}{u-50}$

या $2u - 100 = 50$

या $2u = 150$

$\therefore \quad u = 75 cm$

4. (b): दर्पण की लम्बाई $= \frac{1}{2}(10+170) = 90$ cm

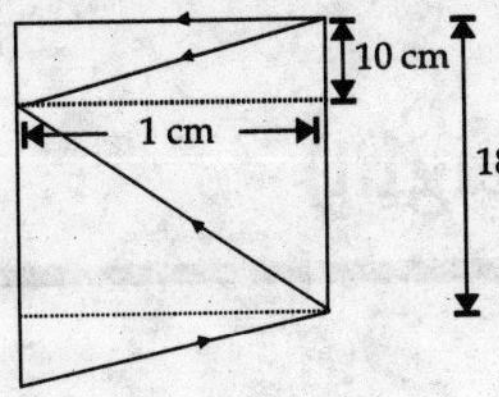

5. (a): $m = \frac{I}{O} = \frac{f}{u-f} = \frac{10}{25-10} = \frac{10}{15} = \frac{2}{3}$

$\frac{\text{प्रतिबिम्ब का क्षेत्रफल}}{\text{वस्तु का क्षेत्रफल}} = m^2$

$\Rightarrow$ प्रतिबिम्ब का क्षेत्रफल = m^2 × वस्तु का क्षेत्रफल

$= \left(\frac{2}{3}\right)^2 \times 3^2 = 4$ cm^2

6. (d): $\frac{1}{u}+\frac{1}{v}=\frac{1}{f}$

u के सापेक्ष अवकलन करने पर

$-\frac{1}{u^2}-\frac{1}{v^2}.\frac{dv}{du}=0$ {f नियतांक है}

$\Rightarrow \quad \frac{dv}{du} = -\frac{v^2}{u^2}$

परंतु $\quad m = \frac{v}{u} = \frac{f}{u-f}$

$\therefore \frac{dv}{du} = -\left(\frac{f}{u-f}\right)^2$

या $\frac{\text{प्रतिबिम्ब की लम्बाई}}{\text{वस्तु की लम्बाई}} = \left(\frac{f}{u-f}\right)^2$ अंकित रूप से

या $\frac{dI}{l} = \left(\frac{f}{u-f}\right)^2$

या $dI = l\left(\frac{f}{u-f}\right)^2$

7. (b): $m = \frac{I}{O} = -\frac{v}{u}$

$\Rightarrow \quad -\frac{v}{u} = 3 \qquad (I = 3O)$

$\Rightarrow \quad v = -3u$

तथा $f = \frac{R}{2} = \frac{36}{2} = 18$ cm

$\therefore \quad \frac{1}{f} = \frac{1}{v}+\frac{1}{u}$

$\Rightarrow \quad \frac{1}{18} = \frac{1}{-3u}+\frac{1}{u}$

$\Rightarrow \quad u = 12$ cm

8. (a): दर्पण के लिये

$\frac{1}{f} = \frac{1}{v}+\frac{1}{u}$

$\Rightarrow \quad \frac{1}{f} = \frac{1}{-20}+\frac{1}{-10}$

$\Rightarrow \quad f = -\frac{20}{3}$ cm

यदि वस्तु दर्पण की ओर 0.1 सेमी चलती हो तब

$u = (10-0.1) = 9.9$ cm

अतः पुनः दर्पण के सूत्र से

$\frac{1}{-20/3} = \frac{1}{v'}+\frac{1}{-9.9} \Rightarrow v' = 20.4$ cm

अर्थात् प्रतिबिम्ब दर्पण 0.4 सेमी दूरी पर विस्थापित हो जायेगा।

9. (c): $u = -20$ cm, $f = +10$ cm

$\frac{1}{f} = \frac{1}{v}+\frac{1}{u}$

$\Rightarrow \quad \frac{1}{+10} = \frac{1}{v}+\frac{1}{(-20)}$

$\Rightarrow \quad v = \frac{20}{3} cm$ (आभासी प्रतिबिम्ब)

10. (d): $u = -30$ cm, $f = +30$ cm

दर्पण सूत्र से,

$\frac{1}{f} = \frac{1}{v}+\frac{1}{u}$

$\Rightarrow \quad \frac{1}{+30} = \frac{1}{v}+\frac{1}{(-30)}$

$v = 15$ cm (दर्पण के पीछे)

●●●

अध्याय

16

प्रकाश का व्यतिकरण और विवर्तन (Interference and Diffraction of Light)

व्यतिकरण (Interference)

जब किसी माध्यम में एक ही आवृत्ति की दो तरंगें एक साथ एक ही दिशा में जाती हैं, तो उनके अध्यारोपण से माध्यम के विभिन्न बिन्दुओं पर परिणामी तीव्रता उन तरंगों की अलग-अलग तीव्रताओं के योग से भिन्न होती है। कुछ बिन्दुओं पर परिणामी तरंग की तीव्रता अधिक तथा कुछ बिन्दुओं पर बहुत कम पायी जाती हैं इस घटना को व्यतिकरण (interference) कहते हैं। जब तरंगें समान कला में मिलती हैं अर्थात् प्रकाश की तीव्रता अधिकतम होती है, तब व्यतिकरण को संपोषी व्यतिकरण (constructive interference) कहते हैं। जब तरंगें विपरीत कला में मिलती हैं अर्थात् प्रकाश की तीव्रता न्यूनतम होती है, तब व्यतिकरण को विनाशी व्यतिकरण (destructive interference) कहते हैं।

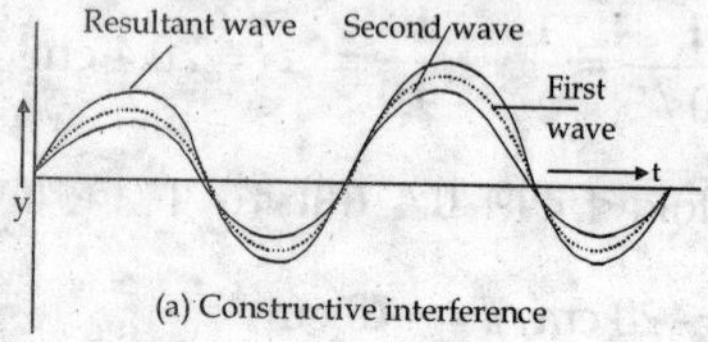

(a) Constructive interference

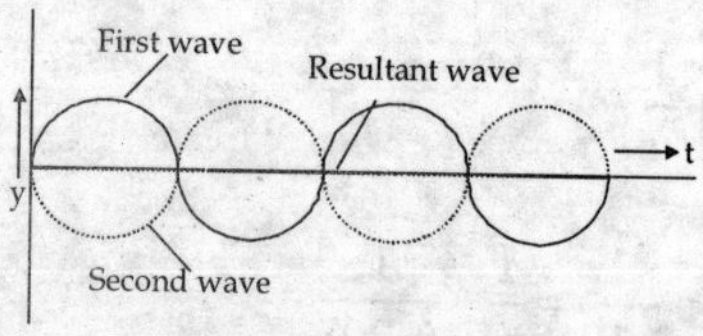

(b) Destructive interference

फ्रिन्जों का विस्थापन (Displacement of Fringes)

यदि t मोटाई तथा μ अपवर्तनांक की एक पतली पारदर्शी पट्टिका किसी एक व्यतिकारी तरंगों (माना S_1P में) के पथ में रख दी जाये तब वायु में प्रभावी पथ का मान $(\mu-1)t$ से बढ़ जाता है। वायु में प्रभावी पथान्तर

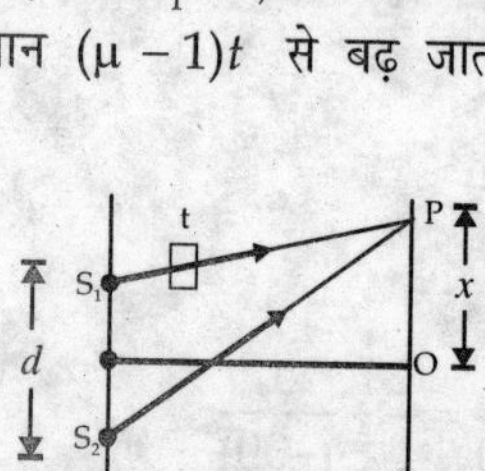

$$= S_2P - [S_1P + (\mu-1)t]$$

$$= (S_2P - S_1P) - (\mu-1)t = \frac{dx_n}{D} - (\mu-1)t$$

उच्चिष्ठ के लिये

$$d\frac{x_n}{D} - (\mu-1)t = n\lambda$$

या $$x_n = \frac{D}{d}[n\lambda + (\mu-1)t]$$

फ्रिन्ज की चौड़ाई $\beta = x_{n+1} - x_n = \frac{D\lambda}{d}$

अतः फ्रिन्ज की चौड़ाई अपरिवर्तित रहती है। पट्टिका की अनुपस्थिति में उच्चिष्ठ की स्थिति

$$(x_n)_{t=0} = \frac{nD\lambda}{d}$$

फ्रिन्जों का विस्थापन

$$\Delta x = x_n - (x_n)_{t=0}$$

$$= \frac{D}{d}[n\lambda + (\mu-1)t] - \frac{nD\lambda}{d}$$

$$= \frac{D}{d}(\mu-1)t = \frac{\beta}{\lambda}(\mu-1)t$$

विवर्तन (Diffraction)

जब प्रकाश तरंगें छोटे छिद्र या अवरोध के तीक्ष्ण किनारों पर पड़ती हैं, तो प्रकाश ऋजुरेखीय पथ से विचलित हो जाता है अर्थात् किनारों पर आंशिक रूप से मुड़ जाता है। इस प्रकार किनारों से मुड़ना प्रकाश का विवर्तन (diffraction) कहलाता है।

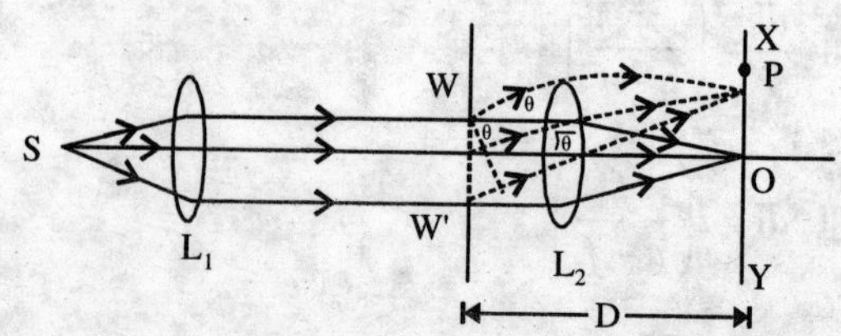

$\text{Sin } \theta_n = \frac{n\lambda}{a}$ n^{th} द्वितीय निम्निष्ठ के लिए (for n^{th} Secondary min.)

$\text{Sin } \theta_n = (2n+1)\frac{\lambda}{2a}$ n^{th} द्वितीय उच्चिष्ठ के लिए (for n^{th} Secondary max.)

सुप्रेक्ष्य विवर्तन (appreciable diffraction) होने के लिये विवर्तक वस्तु (diffracting body) का आकार तथा तरंग की तरंगदैर्ध्य समान कोटि की होनी चाहिए।

प्रकाश का ध्रुवण (Polarisation of Light)

सामान्यतः प्रकाश की तरंग में वैद्युत वेक्टर के कम्पन तरंग की गति के लम्बवत् तल में प्रत्येक दिशा में सममित रूप से होते हैं। जब प्रकाश की कोई तरंग टूरमैलीन क्रिस्टल (एक विशेष प्रकार का क्रिस्टल) पर डाली जाती है, तो तरंग के केवल वे कम्पन ही बाहर निकल पाते हैं, जो क्रिस्टल की अक्ष के समान्तर होते हैं। इस प्रकार निर्गत तरंग में कम्पन की गति की दिशा के लम्बवत् तल में होते हैं। ऐसी तरंग को समतल ध्रुवीय तरंग (plane polarised wave) कहते हैं और इस घटना को 'प्रकाश का ध्रुवण' कहते हैं।

अध्रुवित तथा ध्रुवित प्रकाश
(Unpolarised and Polarised Light)

(*i*) अध्रुवित प्रकाश में वैद्युत वेक्टर के कम्पन प्रकाश के चलने की दिशा के लम्बवत् तल में सममित रूप से सभी दिशाओं में होतेहैं।

(*ii*) ध्रुवित प्रकाश में वैद्युत वेक्टर के कम्पन प्रकाश की किरण के चलने की दिशा के लम्बवत् तल में होते हैं, परन्तु ये सभी दिशाओं में सममित रूप से न होकर एक ही दिशा में होते हैं।

समतल ध्रुवित प्रकाश के कम्पन का तल तथा ध्रुव का तल (Plane of Vibration and Plane of Polarisation of a Plane Polarised Light)

कम्पन तल (Plane of Vibration)

किसी समतल-ध्रुवित प्रकाश का कम्पन तल वह तल है जिसमें प्रकाश के संचरण की दिशा एवं प्रकाश के कम्पन (अर्थात् विद्युतचुम्बकीय तरंग के विद्युत क्षेत्र के कम्पन) की दिशा हेाती है। चित्रानुसार प्रदर्शित समतल-ध्रुवित प्रकाश का कम्पन तल ABCD है, क्योंकि प्रकाश के संचरण की दिशा OO' तथा कम्पन की दिशा (तीरों के अनुदिश) दोनों इसी तल में हैं।

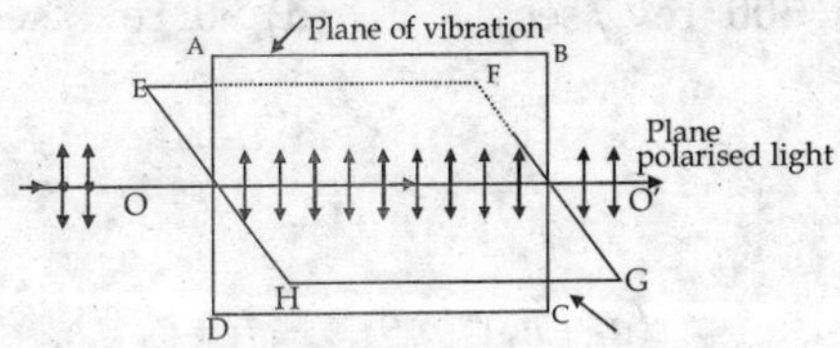

ध्रुवण तल (Plane of Polarisation)

किसी समतल-ध्रुवित प्रकाश का ध्रुवण तल वह तल है जिसमें प्रकाश के संचरण की दिशा तो होती है लेकिन कोई कम्प्न नहीं होता है। ध्रुवण तल सदैव कम्पन तल के लम्बवत् होता है। समतल-ध्रुवित प्रकाश का ध्रुवण तल EFGH है तथा तलों ABCD व EFGH की कटान रेखा OO' प्रकाश संचरण की दिशा प्रदर्शित करती है।

वस्तुनिष्ठ प्रश्न

1. यंग के व्यतिकरण के प्रयोग में उच्चिष्ठ और निम्नष्ठ की तीव्रताओं का अनुपात 9 : 1 है, तो कला-सम्बद्ध स्रोतों के आयामों का अनुपात होगा :

(a) 9 : 1 (b) 3 : 1
(c) 2 : 1 (d) 1 : 1

2. यंग के द्वि-स्लिट प्रयोग में 4360 Å तथा 5460 Å तरंगदैर्ध्य के नीले व हरे प्रकाश प्रयोग किये जाते हैं। यदि चौथी दीप्त फ्रिन्ज की केन्द्रीय फ्रिन्ज से दूरी x हो, तो :

(a) x (नीला)= x (हरा) (b) x (नीला) > x (हरा)
(c) x (हरा)> x (नीला) (d) $\frac{x(\text{नीला})}{x(\text{हरा})}=\frac{5460}{4360}$

3. चित्र में यंग का द्वि-स्लिट प्रयोग दर्शाया गया है। चित्र में O के एक ओर Q पहली दीप्त फ्रिन्ज की स्थिति है। O के दूसरी ओर P, Q के सापेक्ष ग्यारहवीं फ्रिन्ज की स्थिति है। यदि प्रयुक्त प्रकाश की तरंगदैर्ध्य 6000×10^{-10} मीटर हो, तो पथान्तर S_1B होगा :

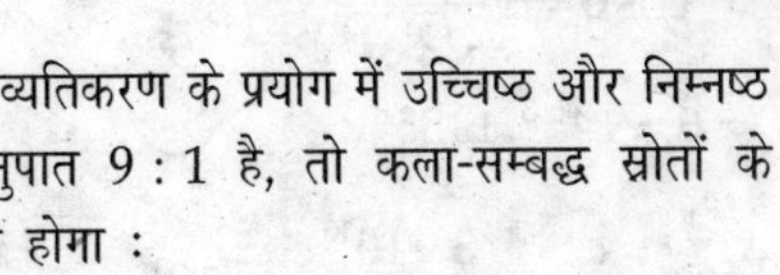

$\theta = 3°$
$\sin\theta = 0.0.523$
$\tan\theta = 0.524$

(a) $6\times10^{-6}m$ (b) $3.144\times10^{-7}m$
(c) $6.2\times10^{-5}m$ (d) $3.138\times10^{-7}m$

4. दो ससंजक एकवर्णीय प्रकाश किरणों की तीव्रताएँ क्रमशः I और 4I हैं, इनके अध्यारोपण से उच्चिष्ठ और निम्निष्ठ पर सम्भव तीव्रताएँ होगी :

(a) 5I और I (b) 5I और 3I
(c) 9I और I (d) 9I और 3I

5. यदि किसी स्लिट की चौड़ाई 3 मिमी हो, तो प्रकाश की किरण (तरंगदैर्ध्य 500 नैनोमीटर) के लिए वह दूरी क्या होगी जिस तक पुँज का फैलाव सार्थक न हो?

(a) 5 m (b) 20 m
(c) 15 m (d) 18 m

6. संपोषी व्यतिकरण के लिए पथान्तर होना चाहिये : (λ = प्रकाश की तरंगदैर्ध्य)

(a) $\frac{\lambda}{2}$ का सम गुणक
(b) $\frac{\lambda}{2}$ का विषम गुणक
(c) $\frac{\lambda}{2}$ का सम अथवा विषम गुणक
(d) उपरोक्त में से कोई नहीं

7. दो ध्रुवकों की ध्रुवण दिशाएँ समान्तर हैं, तब उनसे I_m तीव्रता का प्रकाश निकलता है। यदि उनकी ध्रुवण दिशाओं के मध्य कोण θ हो, तो यह तीव्रता $\frac{I_m}{2}$ हो जाती है। θ का मान होगा :

(a) $\pm 45°$ तथा $\pm 180°$ (b) $\pm 60°$

(c) $\pm 105°$ (d) $\pm 45°$ तथा $\pm 135°$

8. 3000 Å मात्रक के तरंगदैर्ध्य के प्रकाश की आवृत्ति होगी:

(a) 10^{15} rev./sec (b) 9×10^{13} rev./sec

(c) 300 rev./sec (d) 90 rev./sec

9. सोडियम प्रकाश के साथ द्वि-स्लिट प्रयोग में, स्लिटें एक दूसरे से 0.589 मीटर दूरी पर है, तो केन्द्रीय उच्चिष्ठ से तीसरे उच्चिष्ठ का कोणीय अन्तराल है : (दिया है λ = 589 मिमी)

(a) $\sin^{-1}(0.33\times10^{8})$ (b) $\sin^{-1}(0.33\times10^{-6})$

(c) $\sin^{-1}(3\times10^{-8})$ (d) $\sin^{-1}(3\times10^{-6})$

10. द्वि-स्लिट प्रयोग में सोडियम प्रकाश (λ = 5890Å) के लिए व्यतिकरण फ्रिन्जों की कोणीय चौड़ाई 0.20° है तो फ्रिन्जों की कोणीय चौड़ाई में 10 प्रतिशत वृद्धि के लिये तरंगदैर्ध्य में आवश्यक परिवर्तन होगा :

(a) 589 Å की वृद्धि (b) 589 Å की कमी

(c) 6479 Å की वृद्धि (d) शून्य

उत्तरमाला

1. (c): $\frac{I_{max}}{I_{min}} = \frac{(a_1+a_2)^2}{(a_1-a_2)^2} = \frac{9}{1}$ या $\frac{a_1+a_2}{a_1-a_2} = 3$

हल करने पर, $a_1 : a_2 = 2:1$

2. (c): nवीं फ्रिन्ज की दूरी $x_n = \frac{n\lambda D}{d}$ अर्थात् $x_n \propto \lambda$

$\therefore \quad \frac{x_{n_1}}{x_{n_2}} = \frac{\lambda_1}{\lambda_2} \Rightarrow \frac{x(\text{नीला})}{x(\text{हरा})} = \frac{4360}{5460}$

$\Rightarrow \quad x(\text{हरा}) > x(\text{नीला})$

3. (a): पथान्तर $S_1B = m\lambda$

जहाँ m = फ्रिन्जों की संख्या = 10

$\therefore \quad S_1B = 10\times6000\times10^{-10}m = 6\times10^{-6}m$

4. (c): $a_1 = \sqrt{I}, a_2 = 2\sqrt{I}$

अधिकतम आयाम के लिए, $(a_1+a_2) = 3\sqrt{I}$

$\therefore \quad I_{max} = (a_1+a_2)^2 = 9I$

न्यूनतम आयाम के लिए, $(a_1-a_2) = -\sqrt{I}$

$\therefore \quad I_{min} = (a_1-a_2)^2 = I$

5. (d): वह दूरी जिस तक पुँज का फैलाव सार्थक न हो, फ्रस्नल दूरी (Fresnel distance) Z_F कहलाती है।

अतः $Z_F = \frac{a^2}{\lambda} = \frac{3\times10^{-3}\times3\times10^{-3}}{500\times10^{-9}} = \frac{9}{5}\times10 = 18m$

6. (a): संपोषी व्यतिकरण के लिये, $\cos\theta = \cos0° = 2n\pi$

$\frac{2\pi}{\lambda}\times$ पथान्तर $= 2n\pi$

$\therefore$ पथान्तर $= n\lambda$

7. (d): $I_1 = I_0\cos^2 0° = I_m$

$I_2 = I_0\cos^2\theta = \frac{I_m}{2}$

$\therefore \quad \frac{I_0}{I_0\cos^2\theta} = \frac{I_m}{I_m/2}$

$\Rightarrow \quad \frac{1}{\cos^2\theta} = 2$

$\Rightarrow \quad \cos^2\theta = \frac{1}{2}$

$\therefore \quad \cos\theta = \pm\frac{1}{\sqrt{2}}$

$\Rightarrow \quad \theta = \pm45°, \pm135°$

8. (a): आवृत्ति $= \frac{c}{\lambda} = \frac{3\times10^{10}}{3000\times10^{-8}} = 10^{15}$ चक्र/सेकण्ड

$(\because 3000Å = 3000\times10^{-8}cm)$

9. (d): $d\sin\theta = n\lambda \Rightarrow \sin\theta = \frac{n\lambda}{d}$

यहाँ $n = 3$ व $\lambda = 5890Å$

$\sin\theta = \frac{3\lambda}{d} = \frac{3\times589\times10^{-9}}{0.589} = 3\times10^{-6}$

$\Rightarrow \quad \theta = \sin^{-1}(3\times10^{-6})$

10. (a): कोणीय फ्रिन्ज चौड़ाई $\theta = \frac{\lambda}{d}\times\lambda$ का मान बढ़ाने पर θ के मान में समान वृद्धि होगी अतः यहाँ λ का मान 10% से बढ़ाया जाना चाहिये

अर्थात् % वृद्धि $= \frac{10}{100}\times5890 = 589Å$

●●●

अध्याय 17 स्थिर वैद्युतिकी (Electrostatics)

वैद्युत आवेश (Electric Charge)

एक परमाणु में एक छोटा भारी नाभिक होता है जिसमें प्रोटॉन तथा न्यूट्रॉन होते हैं। एक प्रोटॉन का द्रव्यमान 1.673×10^{-27} kg होता है, जबकि एक न्यूट्रॉन का द्रव्यमान आपेक्षिक रूप से अधिक 1.675×10^{-27} kg होता है। नाभिक के चारों ओर कक्षीय इलेक्टॉनों का विसरित बादल होता है। एक इलेक्टॉन का द्रव्यमान 9.11×10^{-31} kg होता है।

द्रव्यमान के समान वैद्युत आवेश प्रोटॉनों और न्यूटॉनों का आन्तरिक गुण है। एक प्रोटॉन पर धनात्मक आवेश तथा एक इलेक्टॉन पर समान मात्रा में ऋणात्मक आवेश होता है। एक न्यूटॉन पर नेट वैद्युत आवेश शून्य होता है। प्रोटॉन पर आवेश $+e$ तथा इलेक्टॉन पर $-e$ होता है।

$e = 1.6 \times 10^{-19}$ कूलॉम

एक वस्तु जिस पर समान मात्रा में धनात्मक तथा ऋणात्मक आवेश हो, वैद्युत उदासीन कहलाती है।

आवेश का संरक्षण (Conservation of Charge)

जब दो वस्तुएँ परस्पर रगड़ी जाती हैं दोनों वस्तुओं पर एक साथ विपरीत आवेश उत्पन्न होते हैं। उदाहरणार्थ, जब कॉच की छड़ को रेशम से रगड़ते हैं, तो जितना धन आवेश कॉच की छड़ पर उत्पन्न होता है, ठीक उतना ही आवेश रेशम पर उत्पन्न हो जाता है।

इस प्रकार दोनों वस्तुओं पर उत्पन्न आवेश की कुल मात्रा शून्य है। वस्तुओं को रगड़ने से पहले भी उन पर कुल आवेश शून्य ही था इससे यह स्पष्ट है कि आवेश न तो उत्पन्न किया जा सकता है और न ही नष्ट किया जा सकता है। आवेश का केवल स्थानान्तरण किया जाता है। यह 'आवेश संरक्षण का नियम' (law of conservation of charge) कहलाता है।

मूल आवेश एवं आवेश का क्वाण्टीकरण (Fundamental Charge and Quantisation of Charge)

प्रकृति में आवेश सदैव एक निश्चित न्यूनतम मान के गुणज के रूप में उत्पन्न होता है। इसे आवेश का 'क्वाण्टीकरण अथवा परमाणुकता' (Quantisation or Atomicity of Charge) कहते हैं। न्यूनतम आवेश को मूल आवेश (Fundamental Charge) e कहते हैं। अतः

$q = \pm ne$ जहाँ n = 1, 2, 3, 4, ...

अतः एक आवेशित वस्तु चाहे छोटी हो या बड़ी उस पर आवेश सदैव e के पूर्ण गुणज में होगा जैसे $e, 2e, 3e, 4e$ ...... आदि। किसी वस्तु पर आवेश e की भिन्न कभी नहीं होगा।

वैद्युत आवेश एक अदिश राशि है। CGS पद्धति में इसका मात्रक स्टैट-कूलॉम तथा विद्युत मात्रक ab-कूलॉम है। SI पद्धति में आवेश का मात्रक कूलॉम है।

$$1 \text{ कूलॉम } = \frac{4.8 \times 10^{-10}}{1.6 \times 10^{-19}} \text{ स्टैट-कूलॉम}$$

$= 3 \times 10^{9}$ स्टैट-कूलॉम (esu) कूलॉम के लिये प्रतीक 'C' है।

कूलॉम का नियम

सन् 1785 में वैद्युत बल के परिमाण के बारे में वैज्ञानिक कूलॉम ने एक नियम प्रतिपादित किया जिसे 'कूलॉम का नियम' कहते हैं।

इस नियम के अनुसार, दो स्थिर बिन्दु आवेश के बीच लगने वाला आकर्षण अथवा प्रतिकर्षण बल दोनों आवेशों की मात्राओं के गुणनफल के अनुक्रमानुपाती तथा उनके बीच की दूरी के वर्ग के व्युत्क्रमानुपाती होता है। यह बल उन आवेशों को मिलाने वाली रेखा के अनुदिश होता है। यदि आवेशों के चिन्ह समान हैं तब बल प्रतिकर्षण का होगा तथा यदि आवेशों के चिन्ह विपरीत हैं तब बल आकर्षण का होगा।

इस प्रकार यदि दो बिन्दु आवेश q_1 व q_2 एक दूसरे से r दूरी पर स्थित हों, तो उनके बीच लगने वाले बल का परिमाण

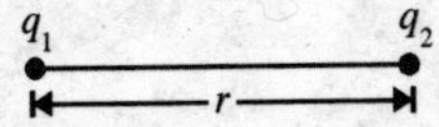

$$F \propto q_1 q_2$$

$$F \propto \frac{1}{r^2} \Rightarrow F = \frac{1}{4\pi\varepsilon_0}\frac{q_1 q_2}{r^2} \text{ या } F_{air} = k\frac{q_1 q_2}{r^2}$$

जहाँ $k\left(=\frac{1}{4\pi\varepsilon_0}\right)$ अनुक्रमानुपाती नियतांक है जिसका मान प्रयोग में आने वाली मात्रक पद्धति पर निर्भर करता है। SI पद्धति में k का मान 9×10^9 Nm^{2}C^{-2} है,

जहाँ ε_0 एक अन्य नियतांक है। अतः नियतांक ε_0 (एपसाइलन जीरो) को 'निर्वात की वैद्युतशीलता' (permittivity of free space) कहते हैं इसका मान है,

$$\varepsilon_0 = 8.854 \times 10^{-12} \text{ C}^2\text{N}^{-1}m^{-2}$$

यदि निर्वात् (अथवा वायु) के स्थान पर दोनों आवेशों के मध्य कोई कुचालक पदार्थ रखा हो तब उनके बीच लगने वाला बल निम्न सूत्र के अनुसार होगाः

$$F = \frac{1}{4\pi\varepsilon_0 K}\frac{q_1 q_2}{r^2}$$

जहाँ K एक विमाहीन नियतांक है जिसे उस पदार्थ का 'परावैद्युतांक' (dielectric constant) अथवा 'विशिष्ट परावैद्युतता' (specific inductive capacity) कहते हैं तथा कुचालक पदार्थ के 'परावैद्युत' (dielectric) कहते हैं।

निर्वात (अथवा वायु) के लिए $K = 1$ होता है, यह K का न्यूनतम मान है। अन्य पदार्थों के लिए $K > 1$ होता है। जल के लिए $K = 81$ होता है। चालक (conductor) पदार्थ के लिए K का मान अनन्त होता है।

उपरोक्त सूत्र में $\varepsilon_0 K$ के स्थान पर केवल ε भी लिखा जा सकता है। ε को उस परावैद्युत की 'वैद्युतशीलता' (permittivity) कहते हैं।

वेक्टर स्वरूप (Vector Form)

माना दो समान बिन्दु आवेश q_1 व q_2, किसी माध्यम में एक दूसरे से r दूरी पर क्रमशः बिन्दु A व B पर स्थित हैं। ये दोनों आवेश समान प्रकृति के होने के कारण एक दूसरे पर प्रतिकर्षण बल लगाते हैं। माना आवेश q_1 पर, आवेश q_2 द्वारा लगाया गया बल F_{12} तथा आवेश q_2 पर आवेश q_1 द्वारा लगाया गया बल F_{21} है। माना q_1 से q_2 की ओर एकांक वेक्टर $\hat{r}_{12}$ है तथा q_2 से q_1 की ओर एकांक वेक्टर $\hat{r}_{21}$ है। तब

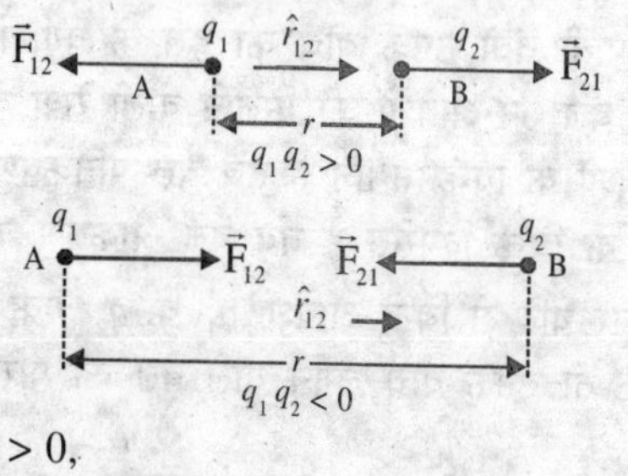

यदि $q_1 q_2 > 0$,

$$\vec{F}_{21} = \frac{kq_1q_2}{r^2}\hat{r}_{12}, \text{ तथा } \vec{F}_{12} = \frac{kq_1q_2}{r^2}\hat{r}_{21}.$$

यदि $q_1 q_2 < 0$,

$$\vec{F}_{21} = \frac{kq_1q_2}{r^2}\hat{r}_{12}, \text{ तथा } \vec{F}_{12} = \frac{kq_1q_2}{r^2}\hat{r}_{12}$$

परन्तु $\vec{r}_{21} = -\vec{r}_{12}$

$$\therefore \quad \vec{F}_{21} = -\vec{F}_{12} \text{ या } F = \frac{1}{4\pi\varepsilon_0}\frac{|q_1||q_2|}{r^2}$$

वैद्युत क्षेत्र (Electric Field)

एक आवेशित कण किसी दूरी पर रखे अन्य गण के साथ सीधे क्रिया प्रतिक्रिया नहीं कर सकता। एक आवेश अपने चारों और घिरे आकाश (space) के कुछ स्थान में एक ऐसा क्षेत्र उत्पन्न करता है, जिसमें उस आवेश के वैद्युत प्रभाव क्रियाशील एवं प्रभावशाली होते हैं।

अतः किसी आवेश के चारों ओर वह स्थान अथवा क्षेत्र जिसमें एक अन्य आवेश वैद्युत प्रभाव का अनुभव करता है, वैद्युत क्षेत्र (electric field) कहलाता है।

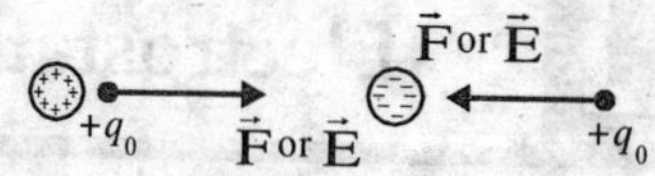

$$\vec{E} = \lim_{q_0 \to 0}\frac{\vec{F}}{q_0}$$

वैद्युत क्षेत्र एक सदिश राशि है। किसी बिन्दु पर वैद्युत क्षेत्र को निम्न तीन प्रकार से व्यक्त किया जाता है।

1. बिन्दु स्थिति के सदिश फलन (vector function of position of the point) द्वारा–इसे $\vec{E}$ से प्रदर्शित करते है तथा वैद्युत क्षेत्र की तीव्रता (Intensity of electric field) कहते हैं :
2. बिन्दु की स्थिति के आदेश फलन (scalar function of position of the point) द्वारा–इसे V से प्रदर्शित करते हैं तथा वैद्युत विभव (electric potential) कहते हैं।
3. ग्राफीय विधि द्वारा वैद्युत बल रेखाओं (electric lines of force) से।

वैद्युत बल रेखायें (Electric Lines of Force)

वैद्युत क्षेत्र के प्रदर्शन के लिये फैराडे ने वैद्युत बल रेखाओं का सूत्र दिया। उसके अनुसार, वैद्युत बल रेखा वैद्युत क्षेत्र में खीचा गया वह काल्पनिक, निष्कोण वक्र (smooth curve) है जिस पर एक स्वतन्त्र व पृथक्कृत (isolated) एकांक धन आवेश चलता है। अतः हम किसी भी वैद्युत क्षेत्र को वैद्युत बल रेखाओं द्वारा प्रदर्शित कर सकते हैं। वैद्युत क्षेत्र में किसी बिन्दु पर इन रेखाओं के लम्बवत् स्थित तल में एकांक क्षेत्रफल से गुजरने वाली बल रेखाओं की संख्या, उस बिन्दु पर वैद्युत क्षेत्र की तीव्रता के अनुक्रमानुपाती होती है। अतः जिस स्थान पर वैद्युत बल रेखायें पास-पास होती हैं वहाँ वैद्युत क्षेत्र की तीव्रता अधिक होती है, जैसे सतह A पर। तथा जिस स्थान पर बल रेखायें दूर-दूर होती है, उस स्थान पर वैद्युत क्षेत्र की तीव्रता कम होती है जैसे सतह B पर (चित्र में)।

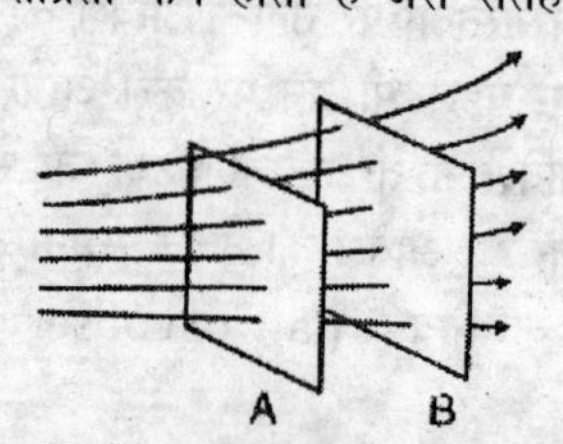

वैद्युत बल रेखाओं के निम्नलिखित गुण (characteristic) हैं:

(*i*) वैद्युत बल रेखायें धनात्मक आवेश से प्रारम्भ होती हैं तथा ऋणात्मक आवेश पर समाप्त होती हैं।

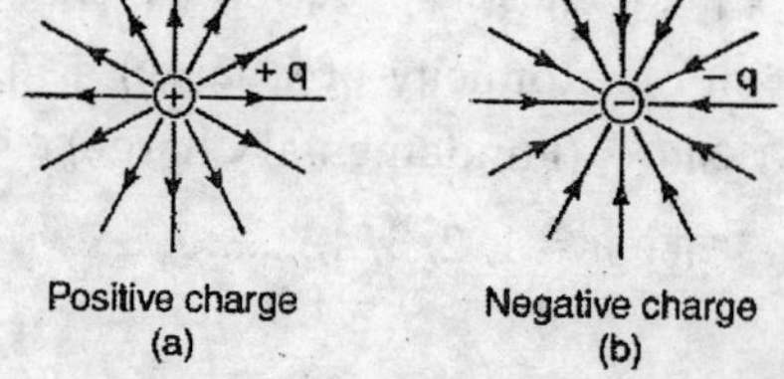

Positive charge (a) Negative charge (b)

(*ii*) वैद्युत बल रेखायें धन आवेश से शुरु होकर ऋण आवेश पर समाप्त होती हैं, चित्र (a)। ये रेखायें बन्द पाश (closed loop) नहीं बनाती है। दो धन आवेशों से चलने वाली बल रेखायें चित्र (b) में प्रदर्शित हैं।

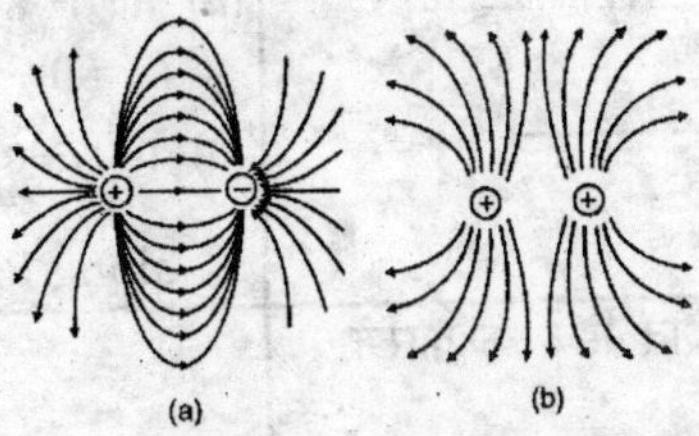

(*iii*) यह एक काल्पनिक रेखा है जिसके किसी बिन्दु पर खींची गयी स्पर्श रेखा, उस बिन्दु पर परिणामी वैद्युत क्षेत्र की दिशा प्रदर्शित करती है।

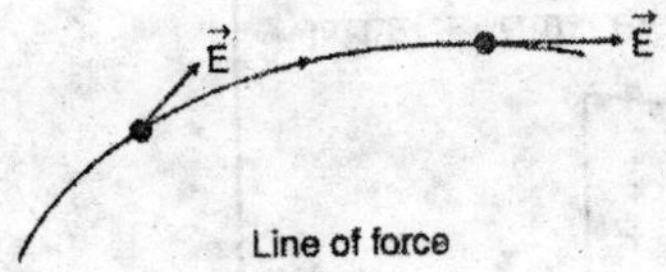

(*iv*) एक बिन्दु आवेश q से उत्पन्न हुई बल रेखाओं की संख्या $\dfrac{q}{\varepsilon_0}$ होती है।

(*v*) दो बल रेखायें एक-दूसरे को नहीं काटती हैं, क्योंकि यदि वे काटती हैं, तो उनके कटान बिन्दु पर दोनों बल रेखाओं पर दो स्पर्श रेखायें खींची जा सकती हैं अर्थात् उस बिन्दु पर N^2 दो वैद्युत क्षेत्र की दो दिशायें प्रदर्शित होगी, जो असंभव है। (N^2 क्षेत्र की दिशा केवल एक ही होती है एक से अधिक नहीं)।

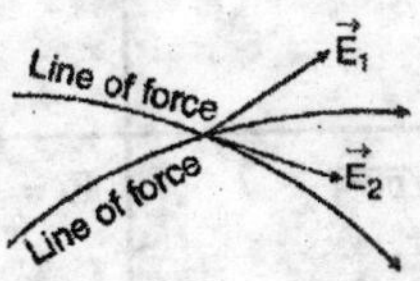

(*vi*) दो समान धनात्मक आवेशों के लिये वैद्युत बल रेखायें आवेशों को मिलाने वाली अक्ष के परितः घूर्णन सममितता रखती हैं।

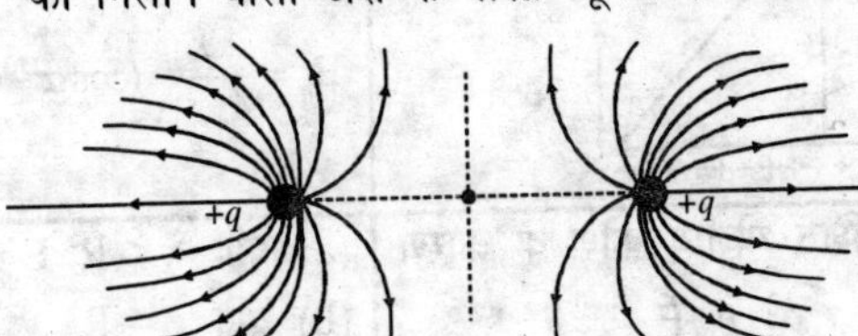

(*vii*) समान परिणाम के एक धनात्मक बिन्दु आवेश व एक ऋणात्मक बिन्दु आवेश के लिए वैद्युत बल रेखायें कागज के तल में दोनों आवेशों को मिलाने वाली अक्ष के परितः घूर्णन सममितता रखती हैं।

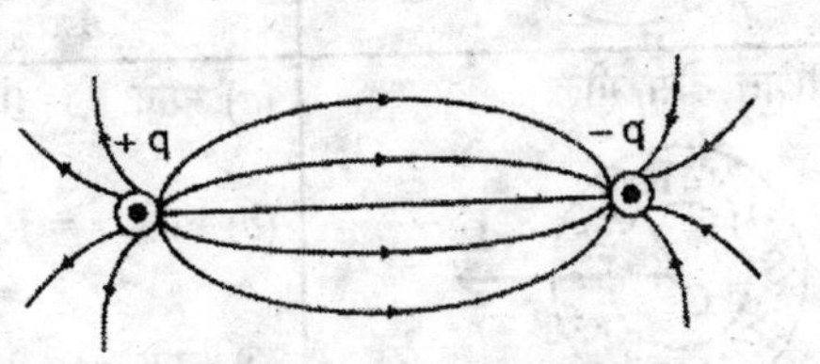

वैद्युत द्विध्रुव (Electric dipole)

(*viii*) किसी धन आवेश से निकलने वाली अथवा ऋण आवेश की ओर जाने वाली बल रेखाओं की संख्या, आवेश के परिणाम के अनुक्रमानुपाती होती है। (चित्र देखें)। आवेश $+2q$ से 16 बल रेखायें निकलती हैं तथा आवेश $-q$ पर केवल 8 रेखायें पहुँचती हैं।

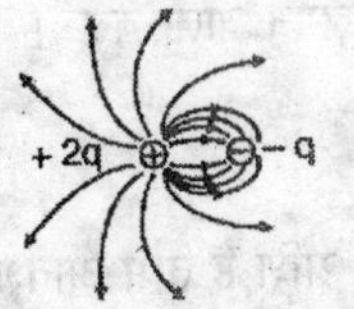

(*ix*) धन आवेशित अनन्त लम्बी चादर के कारण वैद्युत बल रेखायें चादर पर लम्ब होती हैं।

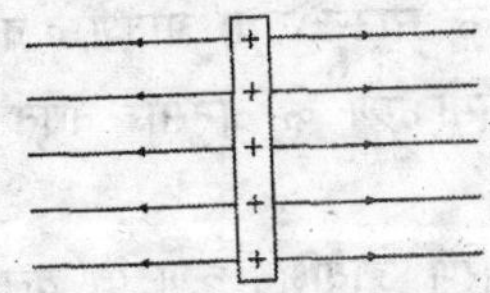

(*x*) बल रेखायें लम्बाई के अनुदिश सिकुड़ने (contraction) की प्रवृत्ति रखती हैं, जिससे यह निष्कर्ष निकलता है कि विपरीत आवेशों के मध्य आकर्षण होता है।

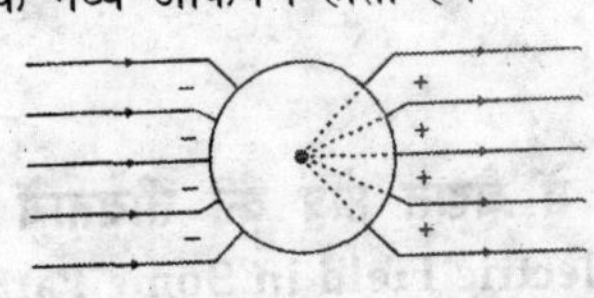

(*xi*) बल रेखायें पार्श्वीय प्रसार (lateral expansion) अर्थात् लम्बाई के लम्बवत् दिशा में फैलने की प्रवृत्ति रखती हैं, जिससे यह प्रतीत होता है कि समान आवेशों के बीच प्रतिकर्षण होता है।

(*xii*) किसी चालक के भीतर कोई वैद्युत रेखा नहीं होती। वैद्युत बल रेखायें चालक की सतह के लम्बवत होती हैं। उदाहरण के लिये यदि चालक गोले को किसी क्षेत्र में रखा जाये जहाँ वैद्युत क्षेत्र उपस्थिति हो तब गोले पर प्रेरित आवेश उत्पन्न हो जाता है।

(*xiii*) वैद्युत बल रेखा की दिशा में वैद्युत विभव (electric potential) घट जाता है।

(*xiv*) एकसमान वैद्युत क्षेत्र (uniform electric field) में बल रेखायें समान्तर तथा समान दूरी पर होती हैं।

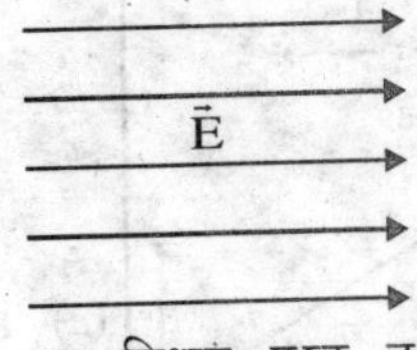

(*xv*) बल रेखायें सम विभव पृष्ठ तथा चालक की सतह (equipotential surface and surface of a conductor) के सदैव लम्बवत् होती हैं।

(*xvi*) एकसमान वैद्युत क्षेत्र में धन आवेशित कण का प्रारम्भिक वेग शून्य अथवा बल रेखा की दिशा में है तो कण बल रेखा की दिशा में गति करेगा अन्यथा नहीं।

वैद्युत क्षेत्र की तीव्रता (Intensity of Electric Field)

वैद्युत क्षेत्र में किसी बिन्दु पर क्षेत्र का मान अर्थात् क्षेत्र की तीव्रता ज्ञात करने के लिए उस बिन्दु पर एक छोटा धन परीक्षण आवेश (small positive test-charge) q_0 रखते हैं। इस आवेश पर एक बल लगेगा। वैद्युत क्षेत्र में किसी बिन्दु पर रखे परीक्षण आवेश पर लगने वाले बल तथा परीक्षण आवेश के मान की निष्पत्ति को उस बिन्दु पर वैद्युत क्षेत्र की तीव्रता $\vec{E}$ कहते है। अतः यदि वैद्युत क्षेत्र में किसी बिन्दु पर रखे परीक्षण आवेश q_0 पर लगने वाला बल $\vec{F}$ हों तो उस बिन्दु पर वैद्युत क्षेत्र की तीव्रता $\vec{E} = \frac{\vec{F}}{q_0}$

बल $\vec{F}$ एक सदिश राशि है तथा आवेश q_0 एक अदिश राशि है। अतः वैद्युत क्षेत्र की तीव्रता $\vec{E}$ भी एक सदिश राशि है, जिसकी दिशा वैद्युत क्षेत्र में उस बिन्दु पर रखे धन आवेश पर लगने वाले बल की होती है।

बल $\vec{F}$ का मात्रक 'न्यूटन' तथा आवेश q_0 का मात्रक 'कूलॉम' है।

अतः उपरोक्त समीकरण के अनुसार वैद्युत क्षेत्र $\vec{E}$ का मात्रक 'न्यूटन/कूलॉम' होगा।

वैद्युत क्षेत्र के कारण आवेशित कण पर बल वैद्युत क्षेत्र में किसी बिन्दु पर क्षेत्र की तीव्रता $\vec{E}$ ज्ञात होने पर हम उस बिन्दु पर स्थित किसी भी आवेश q पर लगने वाले बल $\vec{F}$ को निम्न सम्बन्ध से ज्ञात कर सकते हैं

$\vec{F} = q\vec{E}$

विशेष स्थितियों में वैद्युत क्षेत्र की तीव्रतायें
(Intensity of Electric Field in Some Particular Cases)

क्र. निकाय	वैद्युत क्षेत्र की तीव्रता
1. विलगित आवेश के कारण वैद्युत क्षेत्र की तीव्रता 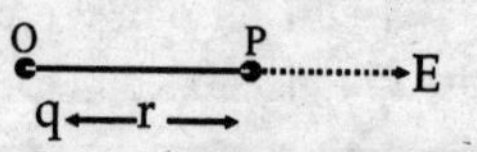	$E = \frac{1}{4\pi\varepsilon_0} \cdot \frac{q}{r^2}$
2. द्विध्रुव के कारण (a) 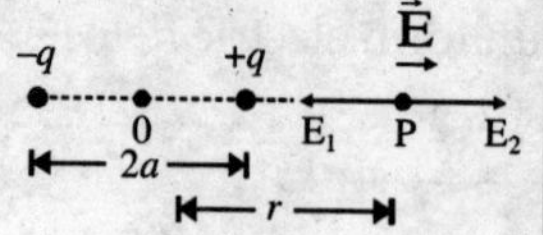 (b) 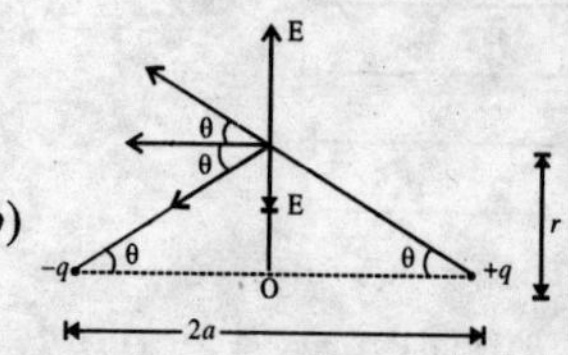 (c) 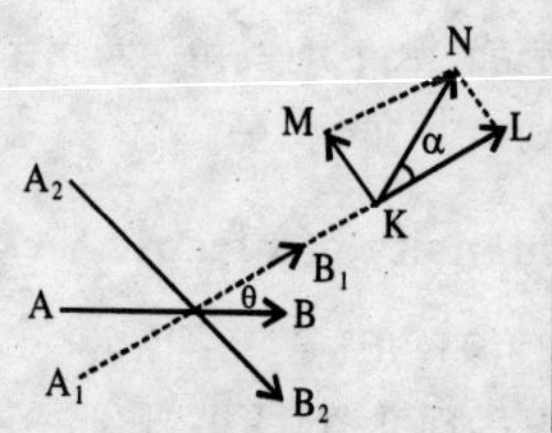	(a) $E_{\|} = \frac{1}{4\pi\varepsilon_0} \cdot \frac{2\vec{p}}{r^3}$ (b) $E_{\perp} = \frac{1}{4\pi\varepsilon_0} \cdot \frac{\vec{p}}{r^3}$ (c) $E = \frac{1}{4\pi\varepsilon_0} \frac{p\sqrt{3\cos^2\theta + 1}}{r^3}$; $\tan\alpha = \frac{1}{2}\tan\theta$
3. एक आवेश के कारण 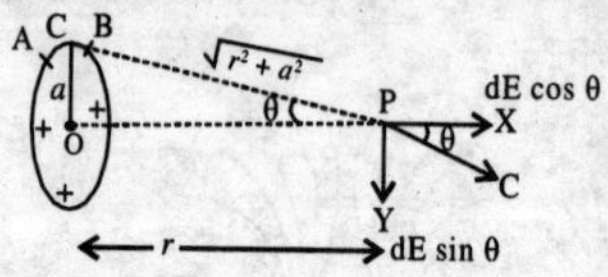	$E = \frac{1}{4\pi\varepsilon_0} \frac{qr}{(r^2 + a^2)^{3/2}}$ (a) यदि P केन्द्र पर हो $(r = 0)$, (b) यदि $\vec{E}=0$ $r>>a$, ; $\vec{E} = \frac{q}{4\pi\varepsilon_0 r^2}$, along Px
4. एक आवेशित डिके के कारण 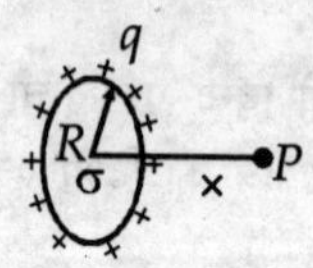	$E = \frac{\sigma}{2\varepsilon_0}\left[1 - \frac{x}{\sqrt{x^2 + R^2}}\right]$
5. एक आवेशित चादर के कारण 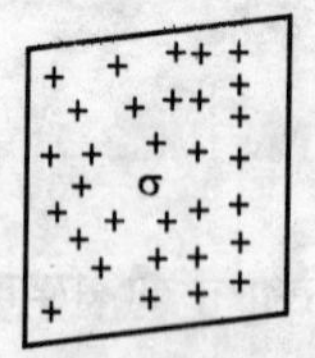	$E = \frac{\sigma}{2\varepsilon_0}$
6. एक आवेशित अनन्त लम्बी छड़ के कारण 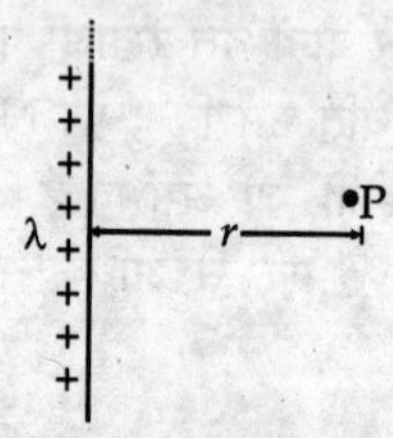	$E = \frac{\lambda}{2\pi\varepsilon_0 r}$
7. आवेशित निश्चित लम्बे तार के कारण 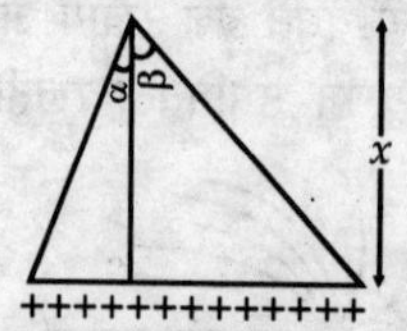	$E_{\perp} = \frac{\lambda}{4\pi\varepsilon_0 x}(\sin\alpha + \sin\beta)$ $E_{\|} = \frac{\lambda}{4\pi\varepsilon_0 x}(\cos\alpha - \cos\beta)$
8. आवेशित गोलीय कोश के कारण 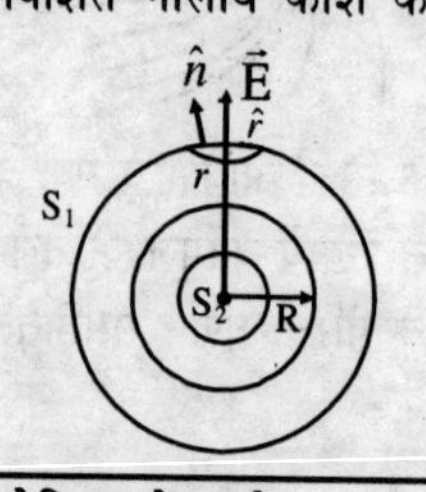	(a) यदि $r < R$, $E = 0$ (b) यदि $r = R$ $E = \frac{q}{4\pi\varepsilon_0 R^2} = \frac{\sigma}{\varepsilon_0}$ (c) यदि $r > R$ $E = \frac{q}{4\pi\varepsilon_0 R^2}$
9. आवेशित ठोस गोला 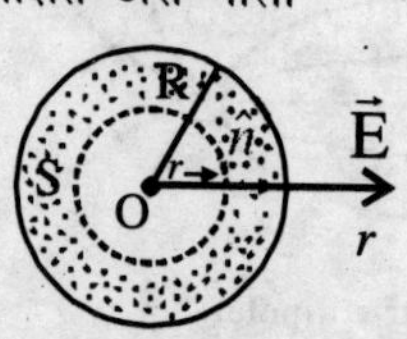	(a) यदि $r = 0$, $E = 0$ (b) यदि $r = R$, $E = \frac{R\rho}{3\varepsilon_0}$ (c) यदि $r < R$, $E = \frac{r\rho}{3\varepsilon_0}$

वैद्युत विभव एवं वैद्युत विभवान्तर (Electric Potential and Electric Potential Difference)

वैद्युत विभव (Electric Potential)

किसी आवेश द्वारा उत्पन्न वैद्युत क्षेत्र को दो प्रकार से व्यक्त किया जा सकता है:

(i) क्षेत्र के किसी बिन्दु पर क्षेत्र की तीव्रता $\vec{E}$ के द्वारा

(ii) वैद्युत विभव V के द्वारा।

'वैद्युत क्षेत्र में किसी बिन्दु पर वैद्युत विभव, किसी परीक्षण आवेश को अनन्त से उस बिन्दु तक लाने में किये गये कार्य तथा परीक्षण-आवेश के मान की निष्पत्ति के बराबर होता है'।

यदि एक परीक्षण-आवेश q_0 को अनन्त से किसी बिन्दु तक लाने में प्रतिकर्षण बल F के विरुद्ध W कार्य करना पड़े तो उस बिन्दु पर वैद्युत विभव

$$V = \frac{W}{q_0}$$

चूँकि W तथा q_0 अदिश राशियाँ हैं, अतः विभव भी एक अदिश राशि है। वैद्युत विभव का मात्रक जूल/कूलॉम या न्यूटन मीटर कूलॉम है, इसे वोल्ट (V) भी कहते हैं।

वैद्युत विभवान्तर (Electric Potential Difference)

'वैद्युत क्षेत्र में किसी परीक्षण आवेश को एक बिन्दु से दूसरे बिन्दु तक ले जाने में किये गये कार्य तथा परीक्षण आवेश के मान की निष्पत्ति को उन बिन्दुओं के बीच विभवान्तर कहते हैं। यदि परीक्षण आवेश q_0 को बिन्दु A से बिन्दु B तक ले जाने में किया गया कार्य W हो, तो A व B के बीच विभवान्तर

$$V_B - V_A = \frac{W_{AB}}{q_0}$$

चूँकि कार्य W तथा आवेश q_0 दोनों ही अदिश राशियाँ है, अतः विभवान्तर $V_B - V_A$ भी एक अदिश राशि होगी। वैद्युत विभवान्तर का मात्रक विभव के मात्रक के ही समान है अर्थात् वोल्ट।

वैद्युत स्थितिज ऊर्जा (Electric Potential Energy)

दो (अथवा अधिक) वैद्युत आवेश एक-दूसरे को आकर्षित अथवा प्रतिकर्षित करते हैं। अतः आवेशों को एक-दूसरे से दूर ले जाने में, अथवा एक-दूसरे के समीप लाने में, कुछ कार्य करना पड़ता है। यह कार्य उन आवेशों के निकाय में स्थितिज ऊर्जा के रूप में संचित हो जाता है। इसे निकाय की 'वैद्युत स्थितिज ऊर्जा' कहते हैं। इसकी परिभाषा निम्न प्रकार दी जाती है:

बिन्दु आवेशों के किसी निकाय की वैद्युत स्थितिज ऊर्जा उस कार्य के बराबर होती है जो उन आवेशों को अनन्त दूरी (अर्थात् शून्य ऊर्जा की स्थिति) से उनकी स्थितियों तक लाकर, आवेशों के उस निकाय की रचना करने में किया जाता है। इसे प्रायः U से प्रदर्शित किया जाता है। निर्वात में r दूरी पर स्थित दो बिन्दु आवेशों q_1 व q_2 के निकाय की वैद्युत स्थितिज ऊर्जा,

$$U = \frac{1}{4\pi\varepsilon_0}\frac{q_1 q_2}{r}$$

यदि दोनों आवेश समान प्रकार के हो तो एक-दूसरे को प्रतिकर्षित करते हैं। तब उन्हें एक-दूसरे के समीप लाने में प्रतिकर्षण बल के विरुद्ध कार्य करना पड़ता है जिससे निकाय की वैद्युत स्थितिज ऊर्जा बढ़ती है। इसके विपरीत, उन्हें एक-दूसरे से दूर ले जाने में स्वयं निकाय से कार्य प्राप्त होता है जिससे निकाय की स्थितिज ऊर्जा घटती है।

वैद्युत स्थितिज ऊर्जा एक अदिश राशि है। वैद्युत स्थितिज ऊर्जा का मात्रक जूल और इलेक्ट्रोन वोल्ट है।

$$1\text{eV} = 1.6 \times 10^{-19}\ \text{J}$$

नोट–

यदि तीन आवेश $q_1, -q_2, +q_3$ एक त्रिभुज के तीन कोनों पर हैं, तो निकाय की वैद्युत स्थितिज ऊर्जा

$$U = \frac{1}{4\pi\varepsilon_0}\left[\frac{(q_1)(-q_2)}{r_{12}} + \frac{(-q_2)(q_3)}{r_{23}} + \frac{(q_1)(q_3)}{r_{13}}\right]$$

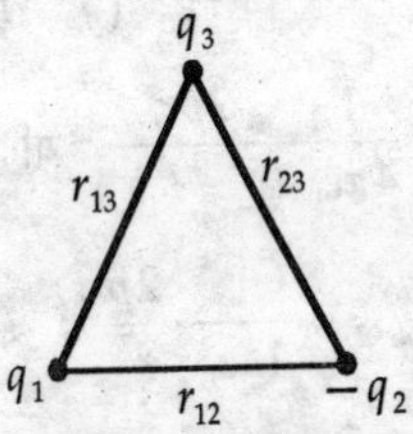

वैद्युत द्विध्रुव (Electric Dipole)

वैद्युत द्विध्रुव वह निकाय (system) है जिसमें दो बराबर, परन्तु विपरीत प्रकार के बिन्दु-आवेश एक-दूसरे से अल्प दूरी पर स्थित होते हैं। किसी एक आवेश तथा दोनों आवेशों के बीच की अल्प दूरी के गुणनफल को 'वैद्युत द्विध्रुव का आघूर्ण' (electric dipole moment) p कहते हैं।

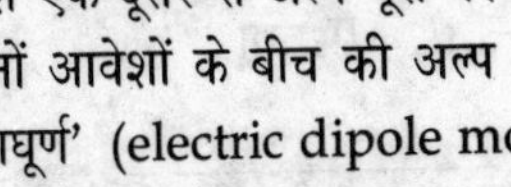

माना कि वैद्युत द्विध्रुव के आवेश $-q$ व $+q$ कूलॉम हैं तथा उनके बीच की अल्प दूरी $2l$ मीटर है। तब वैद्युत द्विध्रुव का आघूर्ण

$$p = q \times 2\,l = 2ql$$

वैद्युत द्विध्रुव के कारण वैद्युत विभव तथा क्षेत्र (Electric Potential and Field due to an Electric Dipole)

माना एक द्विध्रुव y- अक्ष के अनुदिश रखा है तथा इसका केन्द्र, मूल बिन्दु पर है, तब बिन्दु $A(x, y, z)$ पर इस द्विध्रुव के कारण वैद्युत विभव

$$V = \frac{1}{4\pi\varepsilon_0}\left[\frac{q}{\sqrt{x^2+(y-l)^2+z^2}} - \frac{q}{\sqrt{x^2+(y+l)^2+z^2}}\right]$$

$$E_x = -\frac{\partial V}{\partial x}, E_y = -\frac{\partial V}{\partial y} \text{ तथा } E_z = -\frac{\partial V}{\partial z}$$

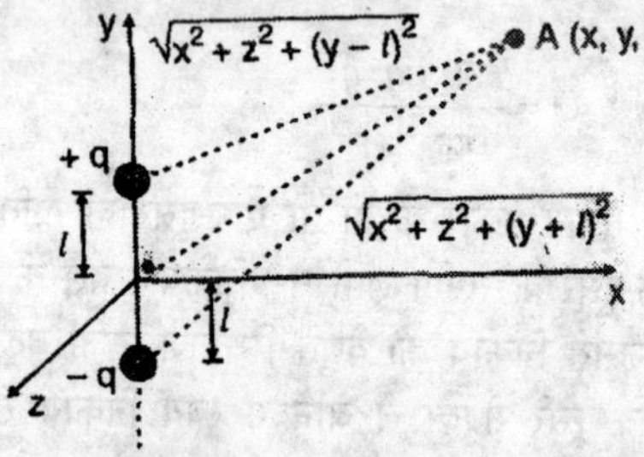

(*i*) **द्विध्रुव की अक्ष पर :** $x = 0, z = 0$

(a) $$V = \frac{1}{4\pi\varepsilon_0}\frac{p}{(y^2 - l^2)}$$

$$= \frac{1}{4\pi\varepsilon_0}\cdot\frac{p}{r^2 - l^2} \text{ यदि } y = r$$

$$\text{या } V_{axial} \approx \frac{1}{4\pi\varepsilon_0}\frac{P}{r^2} \text{ यदि } r >> l$$

(b) $E_x = 0 = E_z$ तथा

$$E = E_y = \frac{1}{4\pi\varepsilon_0}\cdot\frac{2py}{(y^2 - l^2)^2} \;(\vec{p} \text{ के अनुदिश})$$

$$= \frac{1}{4\pi\varepsilon_0}\frac{2pr}{(r^2 - l^2)^2} \text{ यदि } y = r$$

$$E_{axial} \approx \frac{1}{4\pi\varepsilon_0}\cdot\frac{2p}{r^3} \; r >> l$$

(*ii*) **द्विध्रुव की लम्बद्विभाजक (perpendicular bisector) (निरक्षीय रेखा) पर :**

x- अक्ष के अनुदिश $y = 0, z = 0$

(a) $V_{b\,bisector} = 0$

$E_x = 0, E_z = 0$ तथा

(b) $$E_y = -\frac{1}{4\pi\varepsilon_0}\frac{p}{(x^2 + l^2)^{3/2}}$$

$$\text{या } E = \frac{1}{4\pi\varepsilon_0}\frac{p}{(r^2 + l^2)^{3/2}} \;(\vec{p} \text{ के विपरीत})$$

$$\approx \frac{1}{4\pi\varepsilon_0}\cdot\frac{p}{r^3} \; r >> l$$

(*iii*) **ध्रुवीय निर्देशांकों (r, θ) पर :**

(a) $$V = \frac{1}{4\pi\varepsilon_0}\cdot\frac{p\cos\theta}{r^2}$$

(b) $$E_r = -\frac{\partial V}{\partial r}$$

$$= \frac{1}{4\pi\varepsilon_0}\cdot\frac{2p\cos\theta}{r^3}$$

$$E_\theta = -\frac{1}{r}\cdot\frac{\partial V}{\partial \theta} = \frac{1}{4\pi\varepsilon_0}\cdot\frac{p\sin\theta}{r^3}$$

$$E = \sqrt{E_r^2 + E_\theta^2}$$

$$= \frac{p}{4\pi\varepsilon_0 r^3}\sqrt{1 + 3\cos^2\theta}$$

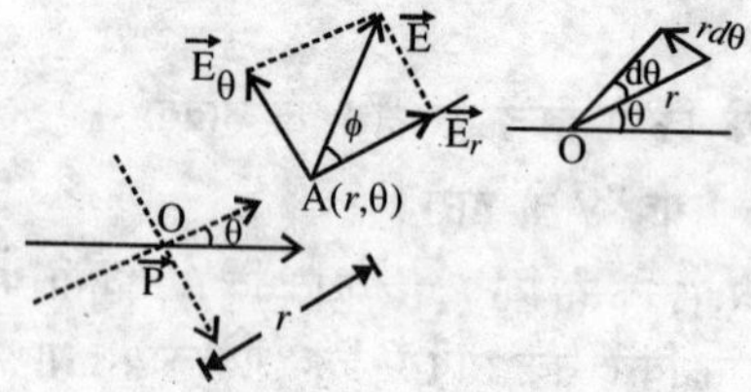

(c) $$\tan\phi = \frac{\tan\theta}{2}$$

एक समान वैद्युत क्षेत्र में रखा वैद्युत द्विध्रुव (Electric Dipole in Uniform Electric Field)

(*i*) यदि वैद्युत द्विध्रुव वैद्युत क्षेत्र के अनुसार स्थित है तो द्विध्रुव पर नैट बल शून्य होता है।

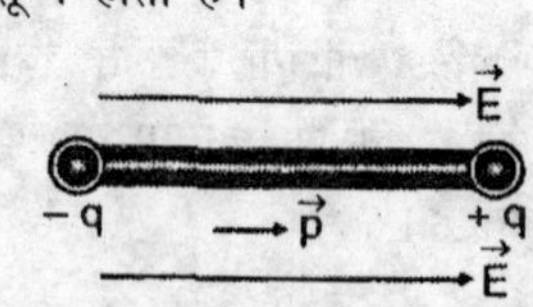

(*ii*) वैद्युत क्षेत्र में क्षेत्र से θ कोण पर रखे वैद्युत द्विध्रुव पर आरोपित बल आघूर्ण

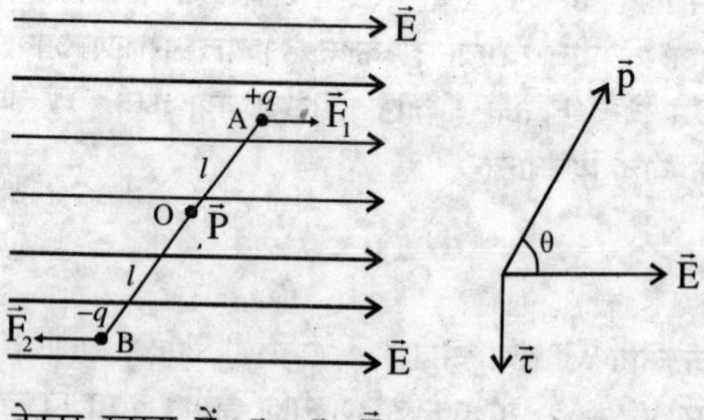

वेक्टर स्वरूप में, $\vec{\tau} = \vec{p} \times \vec{E}$

(a) $\theta = 90°$ पर, $\tau = pE\sin 90° = pE$

(b) $\theta = 0°$ या $180°$ पर,

$\tau = p\,E\sin 0°$ or $pE\sin 180° = 0$

(*iii*) द्विध्रुव को वैद्युत क्षेत्र में θ कोण पर घुमाने में किया गया कार्य

$W_1 = pE(\cos\theta_1 - \cos\theta_2)$

(a) यदि इसे $\theta_1 = 90°$ से $\theta_2 = 180°$ तक घुमाया गया है, तो $W_2 = pE(\cos 90° - \cos 180°) = pE$

(b) यदि इसे $\theta_1 = 180°$ से $\theta_2 = 270°$ तक घुमाया गया है, तो $W_3 = pE(\cos 180° - \cos 270°) = -pE$

(c) यदि इसे $\theta_1 = 270°$ से $\theta_2 = 360°$ तक घुमाया गया है, तो $W_4 = pE(\cos 270° - \cos 360°) = -pE$

(*iv*) द्विध्रुव को क्षेत्र से θ कोण घुमाने में द्विध्रुव की वैद्युत स्थितिज ऊर्जा $U_\theta = -pE\cos\theta$

वेक्टर स्वरूप में, $U_\theta = -\vec{p}\cdot\vec{E}$

(a) यदि $\theta = 0^\circ$, तब $U = -pE$ (न्यूनतम), अतः द्विध्रुव वैद्युत क्षेत्र में स्थायी सन्तुलन (stable equilibrium) में होता है।

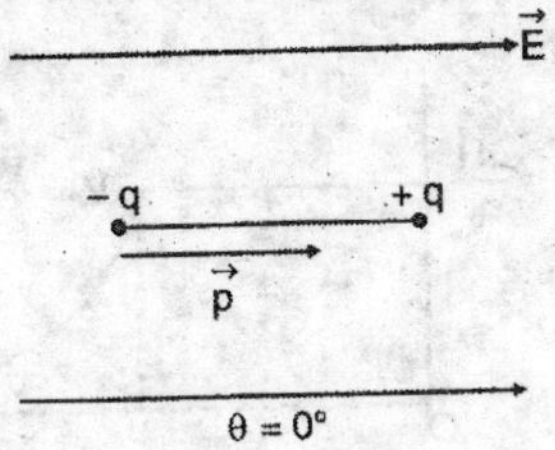

$U = -pE$

(b) यदि $\theta = 90^\circ$ या 270°, तब $U = 0$

(c) यदि $\theta = 180^\circ$, तब $U = pE$ (अधिकतम)

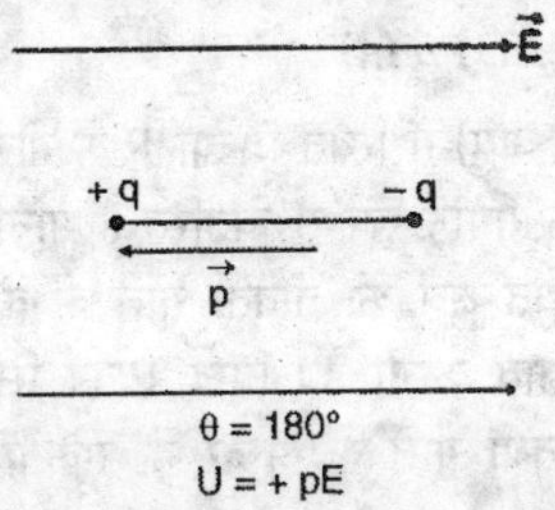

अतः इस स्थिति में द्विध्रुव अस्थायी सन्तुलन (unstable equilibrium) में होता है।

गॉस का प्रमेय (Gauss' Theorem)

गॉस का प्रमेय स्थिरविद्युतिकी (electrostatics) में किसी काल्पनिक बन्द पृष्ठ (जिसे 'गॉसियन पृष्ठ' भी कहते हैं) से गुजरने वाले वैद्युत फ्लक्स तथा पृष्ठ द्वारा परिबद्ध कुल आवेश के बीच सम्बन्ध बताता है। इस प्रमेय के अनुसार, किसी वैद्युत क्षेत्र में रखे किसी बन्द पृष्ठ से घिरे आयतन में उपस्थित नैट आवेश (q) का $\frac{1}{\varepsilon_0}$ गुना होता है अर्थात्

$$\phi_E = \oint \vec{E}\cdot d\vec{S} = \frac{q}{\varepsilon_0} \quad ...(i)$$

यहाँ q, उस बन्द पृष्ठ से घिरे आयतन में उपस्थित सभी आवेशों के बीजगणितीय योग से है। यदि वैद्युत क्षेत्र निर्वात (अथवा वायु) के अतिरिक्त किसी अन्य माध्यम में हो तो उपरोक्त फ्लक्स का व्यंजक निम्न प्रकार होगा :

$$\phi_E = \oint \vec{E}\cdot d\vec{S} = \frac{q}{K\varepsilon_0} \quad ...(ii)$$

K, माध्यम का परावैद्युतांक है। गॉस के नियम सरल रूप निम्न प्रकार है।

$$ES = \frac{q}{\varepsilon_0} \quad ...(iii)$$

परन्तु गॉस के नियम का यह रूप दो शर्तों में ही प्रयोग किया जा सकता है :

(1) पृष्ठ के प्रत्येक बिन्दु पर वैद्युत क्षेत्र या तो लम्बवत हो या स्पर्शरेखीय

(2) वैद्युत क्षेत्र का परिमाण प्रत्येक बिन्दु पर जहाँ यह सतह पर लम्बवत है, एक नियत मान E (माना) रखता हो।

गॉस प्रमेय के अनुप्रयोग
(Applications of Gauss' Theorem)

गॉस की प्रमेय, आवेशों के किसी निकाय अथवा आवेशों के सममित संतत वितरण के कारण वैद्युत क्षेत्र ज्ञात करने में बहुत उपयोगी हैं।

(*i*) **बिन्दु आवेश के कारण वैद्युत क्षेत्र :**

समीकरण (*iii*) से, $ES = \frac{q}{\varepsilon_0}$

यहाँ S = गोले का क्षेत्रफल $= 4\pi r^2$

तथा q = गॉसियन सतह से बद्ध नेट आवेश

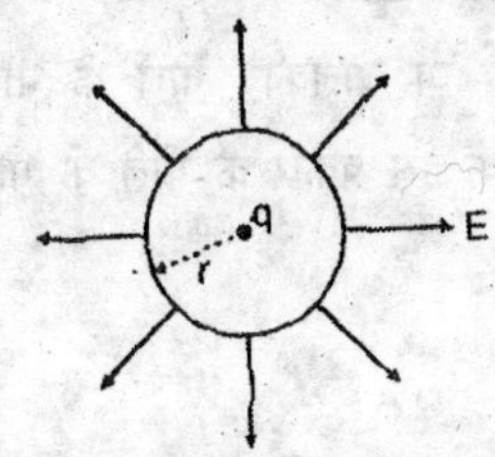

$$\therefore \quad E(4\pi r^2) = \frac{q}{\varepsilon_0} \text{ या } E = \frac{1}{4\pi\varepsilon_0}\cdot\frac{q}{r^2}$$

(*ii*) **रेखीय आवेश वितरण के कारण वैद्युत क्षेत्र :** माना एक लम्बे रेखीय आवेश का रेखीय आवेश घनत्व l है। इस रेखीय आवेश से r दूरी पर एक बिन्दु पर वैद्युत क्षेत्र ज्ञात करने के लिये माना एक 'गॉसियन सतह', एक बेलन है जिसकी लम्बाई l तथा त्रिज्या r है तथा इसकी अक्ष रेखीय आवेश की अक्ष पर सम्पाती है।

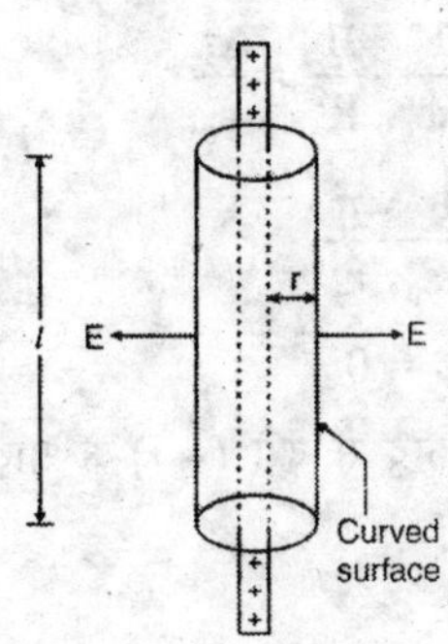

गॉस के नियम से, $ES = \frac{q}{\varepsilon_0}$

यहाँ S = वक्राकार सतह का क्षेत्रफल $= (2\pi rl)$

तथा q = बेलन को घेरने वाला कुल आवेश $= \lambda l$

$$\therefore \quad E(2\pi r l) = \frac{\lambda l}{\varepsilon_0}$$

$$\therefore \quad E = \frac{\lambda}{2\pi\varepsilon_0 r}$$

अर्थात् $E \propto r$

अतः E-r ग्राफ एक समकोणीय अतिपरवलय है, जैसा कि चित्र में प्रदर्शित है।

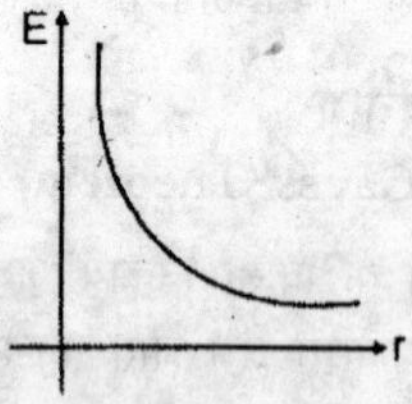

एकसमान रूप से आवेशित गोलीय कोश या ठोस चालक गोल के कारण वैद्युत क्षेत्र तथा विभव (Electric Field and Potential of a Uniformly Charged Spherical Shell or Conducting Sphere)

वैद्युत क्षेत्र (Electric Field)

आवेशित गोलीय कोश या चालकीय गोले के भीतर प्रत्येक बिन्दु पर, वैद्युत क्षेत्र $\vec{E} = 0$, चूँकि इस प्रकार के गोले के भीतर कोई आवेश नहीं होता।

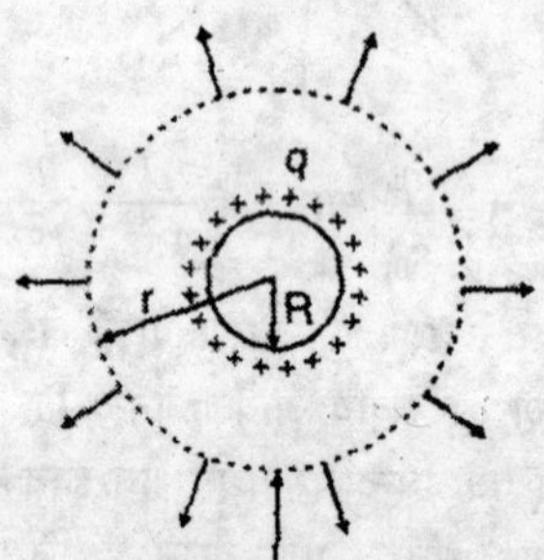

Gaussian surface

$$E_{\text{आंतरिक}} = 0$$

$$E_{\text{पृष्ठीय}} = \frac{1}{4\pi\varepsilon_0} \cdot \frac{1}{R^2} = \frac{\sigma}{\varepsilon_0}$$

$$E_{\text{वाह्य}} = \frac{1}{4\pi\varepsilon_0} \cdot \frac{q}{r^2}$$

तथा E केन्द्र $= 0$

वैद्युत क्षेत्र (E), केन्द्र से दूरी $(-r)$ के साथ चित्रानुसार परिवर्तित होता है।

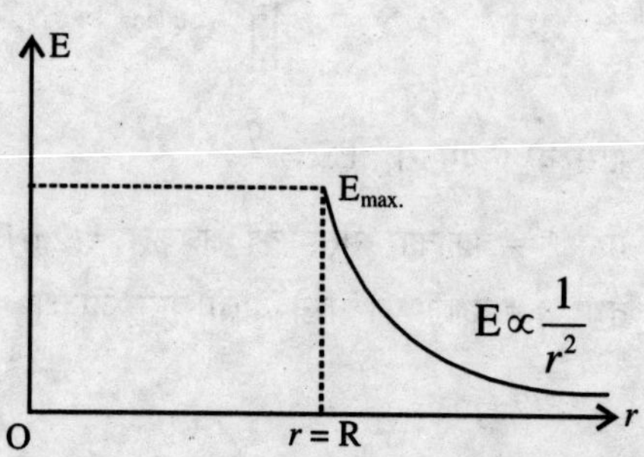

विभव (Potential)

$$V_{\text{आंतरिक}} = V_{\text{पृष्ठीय}} = V_{\text{केन्द्र}} = \frac{1}{4\pi\varepsilon_0} \cdot \frac{q}{R}$$

तथा $V_{\text{बाह्य}} = \frac{1}{4\pi\varepsilon_0} \cdot \frac{q}{r}$

विभव (V), केन्द्र से दूरी r के साथ चित्रानुसार परिवर्तित होता है।

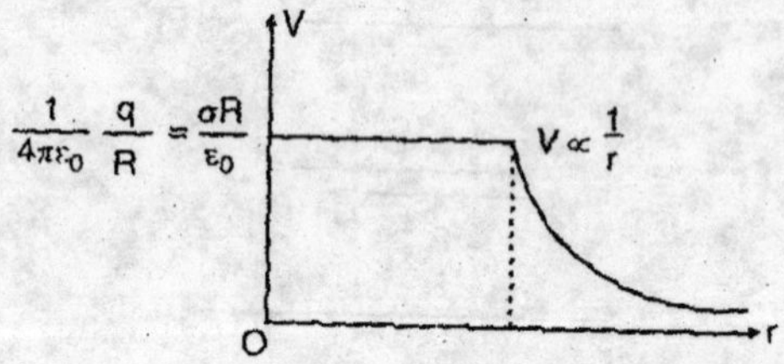

एकसमान रूप से आवेशित अचालक ठोस गोले के कारण वैद्युत क्षेत्र तथा विभव (Electric Field and Potential due to a Uniformly Non-conducting Charged Sphere)

वैद्युत क्षेत्र (Electric Field)

माना निर्वात (अथवा वायु) में स्थित त्रिज्या R के गोले के सम्पूर्ण आयतन में एक आवेश q एक समान रूप से वितरित हैं माना इस आवेशित गोले के कारण उत्पन्न वैद्युत क्षेत्र की तीव्रता गोले के केन्द्र O से r दूरी पर स्थित बिन्दु P पर ज्ञात करनी है। बिन्दु P की स्थिति गोले के बाहर, गोले की सतह पर तथा गोले के अन्दर हो सकती है।

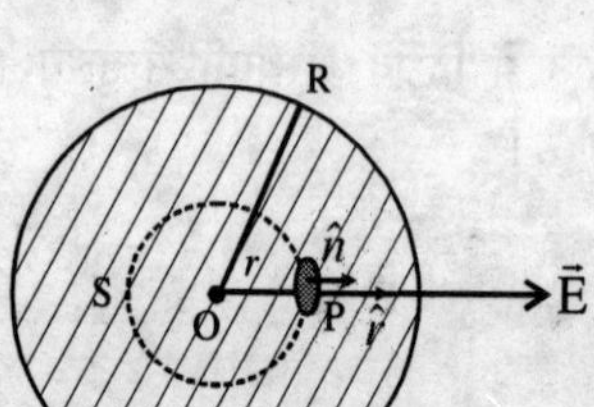

$$\text{अतः} \quad E_{\text{आंतरिक}} = \frac{r\rho}{3\varepsilon_0}$$

$$E_{\text{पृष्ठीय}} = \frac{R\rho}{3\varepsilon_0}$$

$$E_{\text{बाह्य}} = \frac{1}{4\pi\varepsilon_0} \cdot \frac{q}{r^2} \quad \text{तथा} \quad E_{\text{केन्द्र}} = 0$$

वैद्युत क्षेत्र (E) का गोले के केन्द्र से दूरी r के साथ परिवर्तन चित्रानुसार प्रदर्शित है।

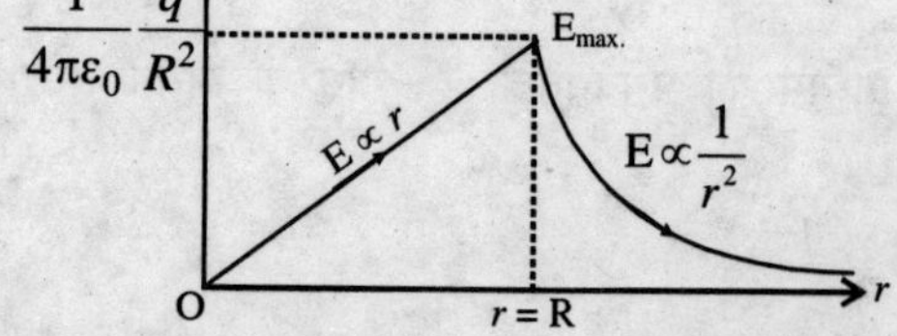

विभव (Potential)

एकसमान आवेशित ठोस गोले के लिये,

$$V_{\text{बाह्य}} = \frac{1}{4\pi\varepsilon_0}\cdot\frac{q}{r}$$

$$V_{\text{पृष्ठीय}} = \frac{1}{4\pi\varepsilon_0}\cdot\frac{q}{R}$$

$$V_{\text{आंतरिक}} = \frac{1}{4\pi\varepsilon_0}\cdot\frac{q}{R}\left[\frac{3}{2}-\frac{1}{2}\frac{r^2}{R^2}\right]$$

$$\text{तथा } V_{\text{केन्द्र}} = \frac{1}{4\pi\varepsilon_0}\cdot\frac{3q}{2R}$$

विभव (V) का केन्द्र से बिन्दु की दूरी (r) के साथ परिवर्तन चित्रानुसार है:

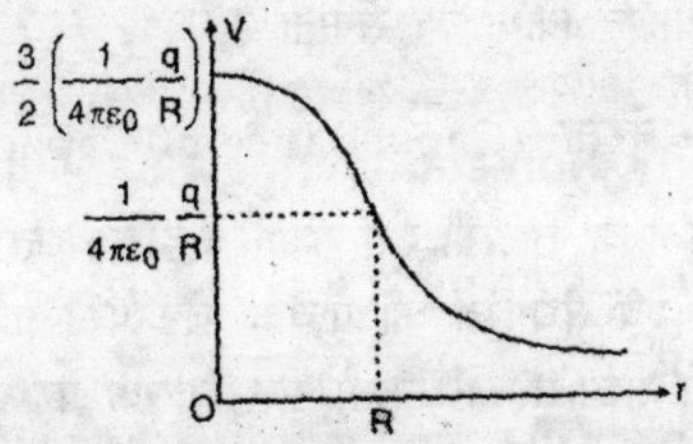

वैद्युत धारिता (Electrical Capacitance)

किसी वस्तु को आवेशित (धन अथवा ऋण) करने में स्रोत को आकर्षण अथवा प्रतिकर्षण बल के विरुद्ध कार्य करना पड़ता है। यह कार्य उस वस्तु में वैद्युत स्थितिज ऊर्जा के रूप में संचित हो जाता है अथवा वस्तु की वैद्युत स्थितिज ऊर्जा बढ़ जाती है। अतः आवेशित वस्तु में आवेश तथा ऊर्जा का संचय होता है।

"किसी वस्तु की धारिता का तात्पर्य उस वस्तु द्वारा आवेश तथा ऊर्जा संचय करने की क्षमता से है।"

जब किसी विलगित (isolated) वस्तु को आवेश q दिया जाता है तो इसके विभव में परिवर्तन हो जाता है। यह विभव परिवर्तन V वस्तु को दिये गये आवेश के अनुक्रमानुपाती होता है अर्थात्

$$V \propto q \qquad ...(i)$$

$$\text{अथवा } V = \frac{q}{C}$$

यहाँ V वस्तु के विभव में होने वाला परिवर्तन है इसे ΔV के स्थान पर लिखा गया है।

दूसरे शब्दों में किसी वस्तु के विभव में परिवर्तन करने के लिये आवश्यक आवेश की मात्रा (q) विभव परिवर्तन V के अनुक्रमानुपाती होती है अर्थात्

$$q \propto V$$

$$\text{अथवा } q = CV$$

$$\text{या } C = \frac{q}{V} \qquad ...(ii)$$

समी (i) में $\frac{1}{C}$ तथा (ii) में C अनुक्रमानुपाती नियतांक हैं। इस नियतांक को वस्तु की धारिता (capacitance) कहते हैं।

धारिता का SI मात्रक फैरड (F) है।

$$1 \text{ फैरड } = \frac{1 \text{ कूलॉम}}{1 \text{ वोल्ट}} = 1C/V$$

1 माइक्रो फैरड (1μF) = 10^{-6} फैरड (F)

1 पीको फैरड (1 pF) = 10^{-12} फैरड (F)

पृथक गोलीय चालक की धारिता
(Capacitance of an Isolated Spherical Conductor)

जब एक गोलीय चालक जिसकी त्रिज्या R है, को आवेश q दिया जाता है, तब इस पर विभव

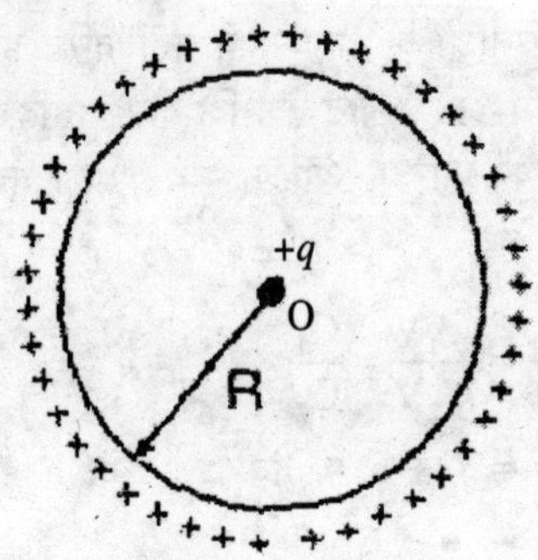

$$V = \frac{1}{4\pi\varepsilon_0}\cdot\frac{q}{R} \Rightarrow \frac{q}{v} = 4\pi\varepsilon_0 R$$

$$\text{या चूँकि } C = \frac{q}{V}$$

अतः गोलीय चालक की धारिता

$$C = 4\pi\varepsilon_0 R$$

आवेशित चालक की स्थितिज ऊर्जा
(Potential Energy of a Charged Conductor)

किसी चालक को आवेशित करने में स्रोत द्वारा किया गया कार्य ही चालक के समीपस्थ वैद्युत क्षेत्र में स्थितिज ऊर्जा के रूप में संचित हो जाता है।

सामान्यतः यदि धारिता C के एक संधारित्र को आवेश q देकर विभव V तक आवेशित किया जाता है तो चालक की स्थितिज ऊर्जा

$$U = \frac{1}{2}CV^2 = \frac{1}{2}\frac{q^2}{C} = \frac{1}{2}qV$$

आवेशों का पुनर्वितरण में ऊर्जा का ह्रास
(Loss of Energy during Redistribution of Charges)

माना कि दो पृथक्कृत चालकें A व B को जिनकी धारितायें क्रमशः C_1 व C_2 हैं, q_1 व q_2 आवेश देने पर उनके विभव क्रमशः V_1 व V_2 हो जाते हैं तब

$$q_1 = C_1V_1 \text{ तथा } q_2 = C_2V_2$$

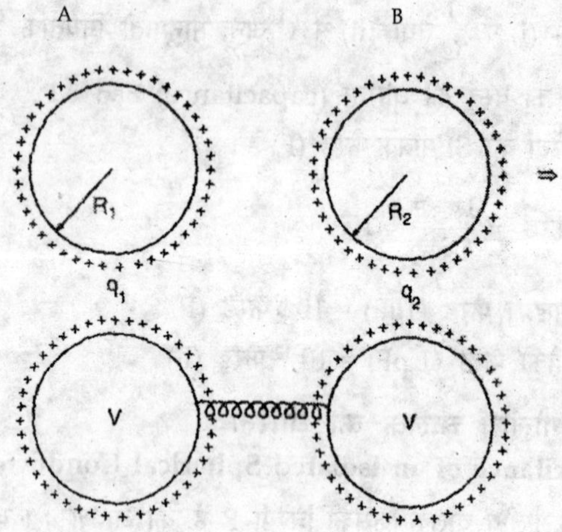

दोनों चालकों को एक पतले तार द्वारा जोड़ने पर इन चालकों में आवेश उनकी धारिताओं के अनुपात में पुनर्वितरित हो जाते हैं। आवेश तब तक पुनर्वितरित होते हैं जब तक कि दोनों के विभव समान नहीं हो जाते। माना उन पर अन्तिम आवेश q'_1 व q'_2 हैं। तब,

$$q' \propto C$$

या $$\frac{q'_1}{q'_2} = \frac{C_1 V}{C_2 V} = \frac{C_1}{C_2}$$

चूँकि $q = q_1 + q_2$ है, तब

$$q'_1 = \left(\frac{C_1}{C_1 + C_2}\right)(q_1 + q_2)$$

तथा $$q'_2 = \left(\frac{C_2}{C_1 + C_2}\right)(q_1 + q_2)$$

दोबारा, चूँकि $q = q_1 + q_2 = C_1 V_1 + C_2 V_2$

तथा $q' = q'_1 + q'_2 = (C_1 + C_2)V$ है, तब

$$V = \frac{C_1 V_1 + C_2 V_2}{C_1 + C_2}$$

$$\text{समान विभव} = \frac{\text{कुल आवेश}}{\text{कुल क्षमता}}$$

दो पृथक्कृत चालकों को जोड़ने से पहले,

$$E_1 = \frac{1}{2} C_1 V_1^2 + \frac{1}{2} C_2 V_2^2$$

दो पृथक्कृत चालकों को जोड़ने के बाद,

$$E_2 = \frac{1}{2}(C_1 + C_2) \left(\frac{C_1 V_1 + C_2 V_2}{C_1 + C_2}\right)^2$$

आवेशों के पुनर्वितरण में सदैव ऊर्जा की हानि होती है। ऊर्जा ह्रास

$$\Delta U = E_1 - E_2 = \frac{C_1 C_2}{2(C_1 + C_2)}(V_1 - V_2)^2$$

जो कि धनात्मक है, *i.e.*,

$E_1 - E_2 > 0$ या $E_1 > E_2$.

संधारित्र (Capacitors)

संधारित्र एक ऐसी युक्ति, प्रबन्ध अथवा समायोजन है जिसके द्वारा किसी चालक के आकार में परिवर्तन किये बिना, चालक की धारिता बढ़ायी जा सकती है तथा चालक पर वैद्युत आवेश एवं ऊर्जा की अधिक मात्रायें संचित की जा सकती हैं।

"वास्तव में संधारित्र किसी भी आकार के दो ऐसे चालकों का युग्म है जो कि एक-दूसरे के समीप हो तथा जिन पर बराबर व विपरीत आवेश हों।" परिपथ आरेख में संधारित्र प्रदर्शित किया गया है।

संधारित्र के दोनों चालकों को बैट्री के विपरीत सिरों से जोड़ने पर संधारित्र को आवेशित किया जा सकता है।

संधारित्र की धारिता (Capacitance of Capacitor)

संधारित्र की धारिता का तात्पर्य, उस संधारित्र द्वारा वैद्युत ऊर्जा (स्थितिज ऊर्जा के रूप में) एवं संधारित्र की प्रत्येक प्लेट पर आवेश संचय करने की क्षमता से है। संधारित्र के किसी एक चालक पर उपस्थित आवेश (q) के परिमाण तथा इसके दोनों चालकों के बीच विभवान्तर (V) के परिमाण के अनुपात को संधारित्र की धारिता (C) कहते हैं।

अर्थात् $C = \frac{q}{V}$

समान्तर प्लेट संधारित्र (Parallel Plate Capacitor)

समान्तर प्लेट संधारित्र समान आकार की एक निश्चित दूरी से पृथक दो धात्विक प्लेटों से बना होता है। इसके एक सिरे पर $+q$ आवेश तथा दूसरी प्लेट पर $-q$ आवेश होता है।

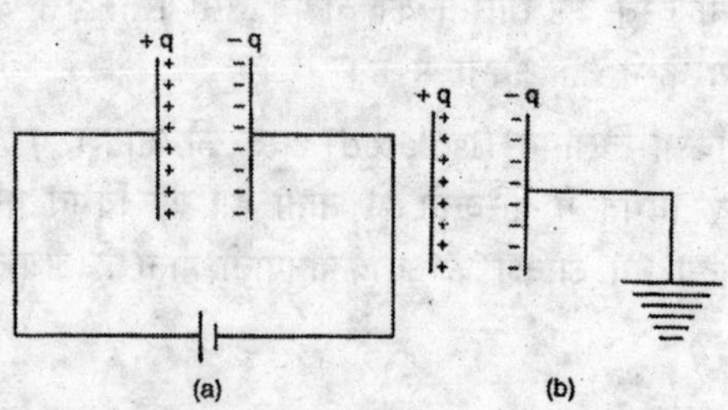

समान्तर प्लेट संधारित्र की धारिता

$$C = \frac{\varepsilon_0 A}{d}$$

जहाँ, A = प्रत्येक प्लेट का क्षेत्रफल, d = दोनों प्लेटों के बीच की दूरी, ε_0 = निर्वात की वैद्युतशीलता।

आवेशित संधारित्र में संचित ऊर्जा तथा ऊर्जा घनत्व (Energy Stored and Energy Density in Charged Capacitor)

एक आवेशित संधारित्र वैद्युत स्थितिज ऊर्जा संचित करता है, जो इसको आवेशित करने में किये गये कार्य के बराबर होती है। यदि आवेशन एक बैट्री द्वारा किया जाता है तो बैट्री की रासायनिक ऊर्जा संचित होती है।

यदि किसी समय t पर, संधारित्र पर आवेश q हो तथा संधारित्र का विभव V हो, तो आवेशित संधारित्र में संचित ऊर्जा

$$U = \frac{1}{2}CV^2 = \frac{1}{2}\frac{q^2}{C} = \frac{1}{2}qV$$

समांतर प्लेट संधारित्र में ऊर्जा घनत्व (Energy density) निम्न सूत्र के द्वारा ज्ञात की जाती है।

$$u = \frac{U}{V} = \frac{\frac{1}{2}CV^2}{Ad} = \frac{1}{2}\varepsilon_0 E^2$$

यहाँ U संचित ऊर्जा तथा V आयतन है।

गोलाकार संधारित्र (Spherical Capacitor)

एक गोलाकार संधारित्र, क्रमशः a तथा b $(> a)$ त्रिज्या के दो संकेन्द्रीय गोलाकार चालकों से बना होता है।

स्थिति I : यदि बाह्य गोला भू-सम्पर्कित है, तो

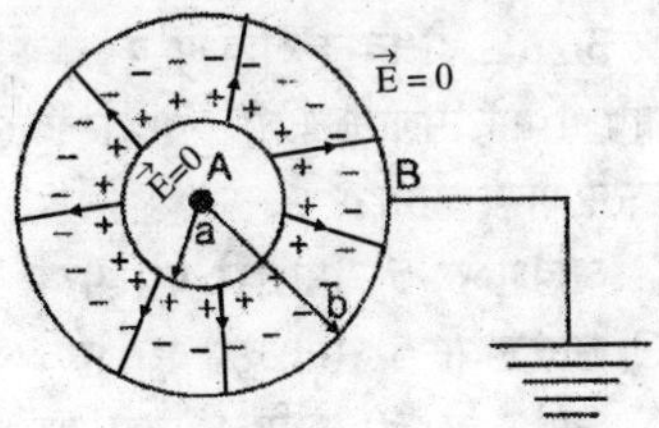

धारिता $C = \frac{4\pi\varepsilon_0 ab}{(b-a)}$

स्थिति II : यदि आंतरिक गोला भू-सम्पर्कित है, तथा बाहरी गोला आवेश q से आवेशित किया जाये तो $C = \frac{4\pi\varepsilon_0 b^2}{(b-a)}$

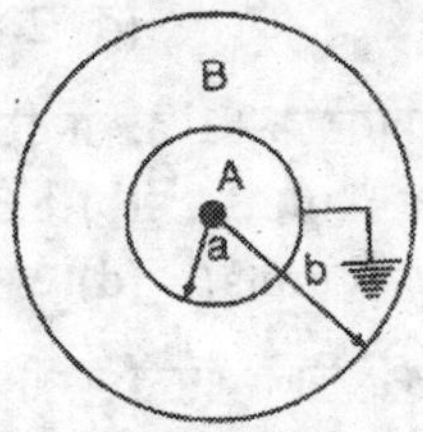

बेलनाकार संधारित्र (Cylindrical Capacitor)

इस संधारित्र में एक ठोस अथवा खोखला बेलनाकार चालक A, एक समअक्षीय (coaxial) खोखले बेलनाकार चालक B से घिरा होता है। माना बेलनों की लम्बाइयाँ l तथा त्रिज्यायें क्रमशः a तथा b हैं जहाँ $a < b$। माना अन्दर वाले बेलन को $+q$ तथा बाहर वाले बेलन को $-q$ आवेश दिये गये हैं।

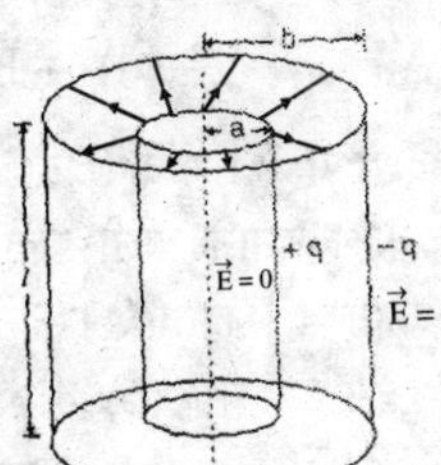

बेलनाकार संधारित्र की धारिता

$$C = \frac{2\pi\varepsilon_0 l}{\ln\left(\frac{b}{a}\right)} = \frac{2\pi\varepsilon_0 l}{2.303\log_{10}\left(\frac{b}{a}\right)}$$

संधारित्रों का संयोजन (Combination of Capacitors)

संधारित्रों को प्रमुखतः दो प्रकार से जोड़ा जाता है:

(i) श्रेणी संयोजन (Series Combination) : श्रेणी संयोजन में सभी प्लेटों पर आवेश समान होता है।

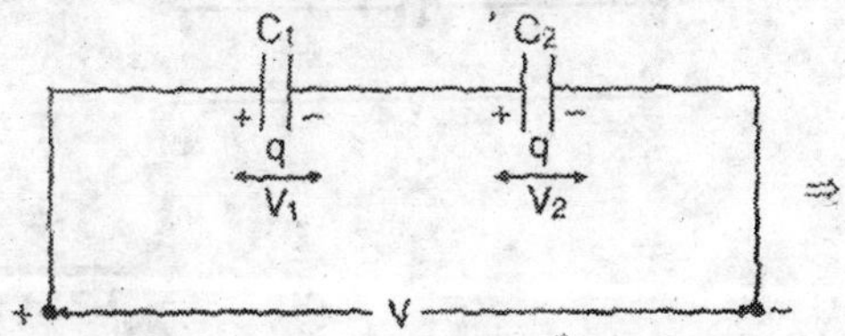

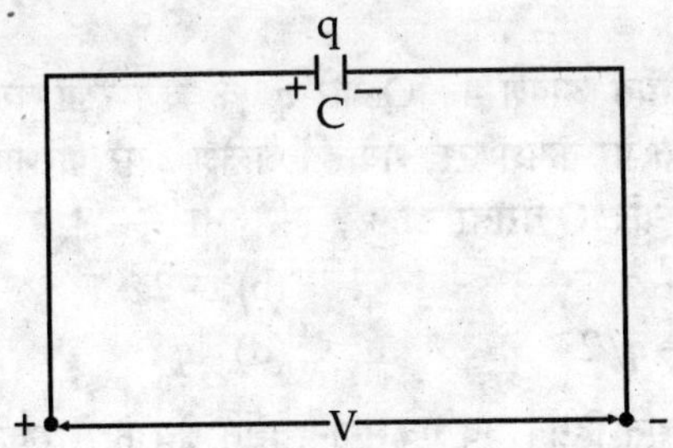

विभव का वर्गीकरण धारिता के व्युत्क्रमानुपात में होता है (चूँकि $V = \frac{q}{C}$ या $V \propto \frac{1}{C}$। चित्रानुसार यदि दो संधारित्रों C_1 तथा C_2 के सिरों पर विभवान्तर V आरोपित करें तब $\frac{V_1}{V_2} = \frac{C_2}{C_1}$

या $V_1 = \left(\frac{C_2}{C_1 + C_2}\right)V$ तथा $V_2 = \left(\frac{C_1}{C_1 + C_2}\right)V$ पुनः चित्रानुसार,

$$V = V_1 + V_2$$

या $\frac{q}{C} = \frac{q}{C_1} + \frac{q}{C_2}$

या $\frac{1}{C} = \frac{1}{C_1} + \frac{1}{C_2}$

या $C = \frac{C_1 C_2}{C_1 + C_2}$

यहाँ, C तुल्य धारिता (equivalent capacitance) है। यदि n संधारित्र श्रेणी क्रम में जुड़े हों, तब तुल्य धारिता

$$\frac{1}{C} = \frac{1}{C_1} + \frac{1}{C_2} + \frac{1}{C_3} + \ldots$$

(ii) समान्तर संयोजन (Parallel Combination) : चित्रानुसार प्रदर्शित अवस्था समान्तर संयोजन कहलाती है। समान्तर संयोजन में प्रत्येक संधारित्र के सिरों पर विभवान्तर समान होता है तथा

कुल आवेश q उनकी धारिताओं के अनुपात में वर्गीकृत होता है (चूँकि $q = CV$ या $q \propto C$)।

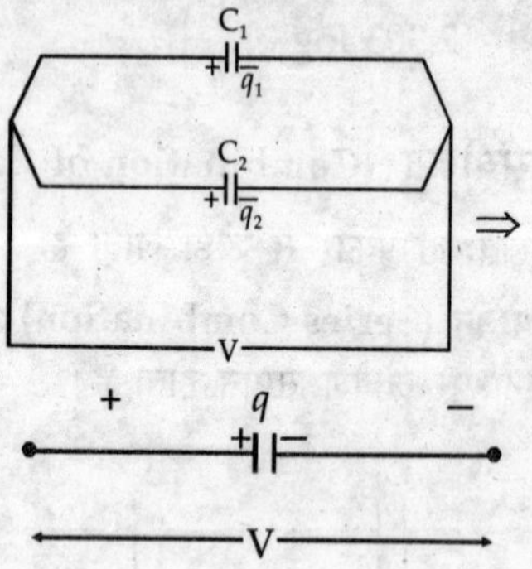

अतः $\frac{q_1}{q_2} = \frac{C_1}{C_2}$

या $q_1 = \left(\frac{C_1 q}{C_1 + C_2}\right)$ तथा $q_2 = \left(\frac{C_2 q}{C_1 + C_2}\right)$

चित्रानुसार, $q = q_1 + q_2$

या $CV = C_1V + C_2V$

या $C = C_1 + C_2$

यहाँ, C तुल्य धारिता (Equivalent Capacitance) है।

यदि n संधारित्र श्रेणी क्रम में जुड़े हों, तब

$C = C_1 + C_2 + C_3 + ...$

वस्तुनिष्ठ प्रश्न

1. तीन वैद्युत आवेश $4q$, Q और q एक ऋजु रेखा पर 0, $l/2$ और l स्थिति पर क्रमशः रखे गये हैं। आवेश q पर परिणामी बल शून्य होगा, यदि Q बराबर हो :

(a) $-q$ (b) $-2q$

(c) $-q/2$ (d) $4q$

2. एक वैद्युत द्विध्रुव जब एकसमान वैद्युत क्षेत्र E में रखा जाता है तो उसकी स्थितिज ऊर्जा न्यूनतम होने के लिए उसके द्विध्रुव आघूर्ण की धनात्मक दिशा व वैद्युत क्षेत्र E की दिशा के बीच का कोण होता है :

(a) π (b) $\pi/2$

(c) शून्य (d) $3\pi/2$

3. दो समान आवेश Q परस्पर कुछ दूरी पर रखे हैं उनको मिलाने वाली रेखा के केन्द्र पर q आवेश रखा गया है। तीनों आवेशों का निकाय सन्तुलन में होगा यदि q का मान हो:

(a) $-Q/2$ (b) $-Q/4$

(c) $+Q/4$ (d) $+Q/2$

4. ABC एक समबाहु त्रिभुज है। प्रत्येक शीर्ष पर $+q$ आवेश रखा गया है। बिन्दु O पर वैद्युत क्षेत्र की तीव्रता होगी :

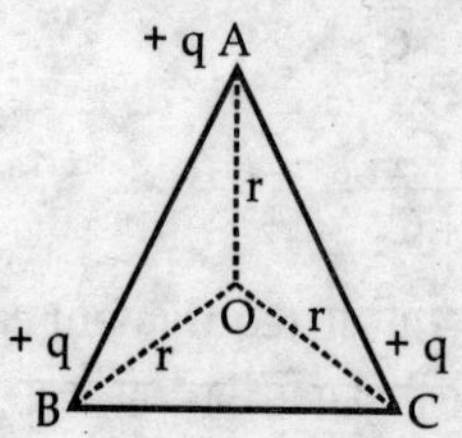

(a) $\frac{1}{4\pi\varepsilon_0} \cdot \frac{q}{r^2}$ (b) $\frac{1}{4\pi\varepsilon_0} \cdot \frac{q}{r}$

(c) शून्य (d) $\frac{1}{4\pi\varepsilon_0} \cdot \frac{3q}{r^2}$

5. 25 μC और 36 μC दो बिन्दु आवेशों के मध्य की दूरी 11 सेमी है। दोनों आवेशों को मिलाने वाली रेखा के किस बिन्दु पर वैद्युत क्षेत्र की तीव्रता शून्य होगी?

(a) 25 μC आवेश से 5 सेमी की दूरी पर

(b) 36 μC आवेश से 5 सेमी की दूरी पर

(c) 25 μC आवेश से 10 सेमी की दूरी पर

(d) 36 μC आवेश से 11 सेमी की दूरी पर

6. वायु की अवरोधकता $E = 3 \times 10^6$ Vm^{-1} की वैद्युत तीव्रता पर टूट जाती है। कूलॉम मात्रक में 5 मी व्यास के गोलाकार को अधिकतम आवेश जो दिया जा सकता है :

(a) 2×10^{-2} (b) 2×10^{-3}

(c) 2×10^{-4} (d) 2×10^{-5}

7. शुद्ध जल का परावैद्युतांक 81 है, तो इसकी वैद्युतशीलता होगी :

(a) 7.17×10^{-10} units (b) 8.86×10^{-12} units

(c) 1.02×10^{-13} units (d) उपरोक्त में से कोई नहीं

8. प्रति इकाई आवेश q वाले अनन्त लम्बी नली का उसकी अक्ष से r दूरी पर वैद्युत क्षेत्र तीव्रता होती है :

(a) r^2 के अनुक्रमानुपाती (b) r^3 के अनुक्रमानुपाती

(c) r के व्युत्क्रमानुपाती (d) r^2 के व्युत्क्रमानुपाती

9. दो बिन्दु आवेश Q व $-3Q$ एक-दूसरे से कुछ दूरी पर रखे हैं। यदि Q स्थिति पर वैद्युत क्षेत्र E हो तो स्थिति $-3Q$ पर यह होगा :

(a) $-E$ (b) $E/3$

(c) $-3E$ (d) $-E/3$

10. वैद्युत क्षेत्र E, x-दिशा में है। यदि 0.2 C के आवेश को x-अक्ष के साथ 60° का कोण बनाने वाली रेखा पर 2 मीटर दूरी तक चलाया जाये, तो कार्य 4 J होता है। E का मान क्या है?

(a) $\sqrt{3}$ NC^{-1} (b) 4 NC^{-1}

(c) 5 NC^{-1} (d) 20 न्यूटन/कूलॉम

उत्तरमाला

1. (a): $4q$ और q के बीच बल,

$$F_1 = \frac{1}{4\pi\varepsilon_0}\cdot\frac{4q\times q}{l^2}$$

Q और q के बीच बल,

$$F_2 = \frac{1}{4\pi\varepsilon_0}\cdot\frac{Q\times q\times 4}{l^2}$$

हम जानते हैं $F_1 + F_2 = 0$

या $\frac{4q^2}{l^2} = -\frac{4Qq}{l^2} \Rightarrow Q = -q$

2. (c): स्थितिज ऊर्जा $= -pE\cos\theta$

जब $\theta = 0^\circ$, तब स्थितिज ऊर्जा $= -pE$

3. (b): Q और Q के बीच बल $F_1 = \frac{1}{4\pi\varepsilon_0}\times\frac{Q^2}{4x^2}$

q और Q के बीच बल : $F_2 = \frac{1}{4\pi\varepsilon_0}\times\frac{qQ}{x^2}$

q के सन्तुलन के लिये, $F_1 + F_2 = 0$

$\Rightarrow \frac{Q^2}{4x^2} = \frac{-qQ}{x^2}$ या $q = \frac{-Q}{4}$

4. (c): गॉस नियम से $\oint E.ds = \frac{\text{बन्द आवेश}}{\varepsilon_0}$

एवं गॉसियन पृष्ठ द्वारा केन्द्र पर बन्द आवेश नहीं होगा।

अत : $\oint E\cdot ds = 0 \Rightarrow E = 0$

5. (a): माना कि एक बिन्दु पर वैद्युत क्षेत्र शून्य है, तब $P = 0$ पर वैद्युत क्षेत्र के लिए

$\frac{25\times 1}{x^2} = \frac{36\times 1}{(0.11-x)^2}$ या $\frac{5}{x} = \frac{6}{(0.11-x)}$

या $0.55 - 5x = 6x$ या $0.55 = 11x$

$\therefore\ x = 0.05$ मीटर $= 5$ cm

6. (b): $E = \frac{1}{4\pi\varepsilon_0}\times\frac{q}{r^2} = 9\times 10^9\times\frac{q}{r^2}$

$$\therefore\ q = \frac{E\times r^2}{9\times 10^9} = \frac{3\times 10^6\times(2.5)^2}{9\times 10^9} = 2.0833\times 10^{-3}$$

q को 2.0833×10^{-3} कूलॉम से कम होना चाहिये।

दिये गए विकल्पों में 2×10^{-3} कूलॉम अधिकतम आवेश है जो कि 2.0833×10^{-3} से कम है।

7. (a): मुक्त आकाश में परावैद्युतशीलता

$\varepsilon_0 = 8.854\times 10^{-12}$ कूलॉम²/न्यूटन मीटर²

अब $\varepsilon = K\varepsilon_0 = 81\times 8.854\times 10^{-12}$

$= 7.17\times 10^{-10}$ MKS units

8. (c): गॉस नियम के अनुसार, $\oint ds = 2\pi rl; E =$ नियतांक

$\therefore\ E\cdot 2\pi rl = \frac{ql}{\varepsilon_0} \Rightarrow E = \frac{q}{2\pi\varepsilon_0 r}$ अर्थात् $E \propto \frac{1}{r}$

9. (d): •+Q ←—— x ——→ −3Q•

आवेश Q पर,

$$E = \frac{-3Q}{4\pi\varepsilon_0 x} \Rightarrow x = \frac{-3Q}{4\pi\varepsilon_0 E}$$

जहाँ E −3Q आवेश के कारण है।

आवेश −3Q पर E' को +Q आवेश के कारण लेते हैं

$$\therefore\ E' = \frac{Q}{4\pi\varepsilon_0 x}$$

x का मान रखने पर,

$$E' = \frac{Q\times 4\pi\varepsilon_0 E}{4\pi\varepsilon_0(-3Q)} \Rightarrow E' = -\frac{E}{3}$$

10. (d): $W = qV = q\vec{E}\cdot\vec{d}$

$\Rightarrow\ 4 = 0.2\times E\times(2\cos 60^\circ) = 0.2\,E\times(2\times 0.5)$

$\therefore\ E = \frac{4}{0.2} = 20$ NC⁻¹

●●●

अध्याय

18 धारा वैद्युतिकी (Current Electricity)

वैद्युत धारा (Electric Current)

किसी पृष्ठ से आवेश के प्रवाह को वैद्युत धारा कहते हैं। सभी गतिमान आवेशों द्वारा धारा स्थापित नहीं होती है।

यदि किसी पृष्ठ के किसी क्षेत्रफल से नेट आवेश Δq, समयान्तराल Δt में पृष्ठ के लम्बवत एक ओर से दूसरी ओर स्थानान्तरित होता है तो उस क्षेत्रफल से गुजरने वाली औसत वैद्युत धारा

$$i_{av} = \frac{\Delta q}{\Delta t}$$

इस क्षेत्रफल से गुजरने वाली धारा का तात्क्षणिक मान

$$i = \lim_{\Delta t \to 0} \frac{\Delta q}{\Delta t} = \frac{dq}{dt}$$

वैद्युत धारा का SI मात्रक ऐम्पियर है।

वैद्युत धारा के सन्दर्भ में निम्न तथ्य महत्वपूर्ण हैं:

अन्तर्राष्ट्रीय पद्धति के अनुसार, धारा की दिशा धन आवेशों के चलने की दिशा अर्थात् वैद्युत दिशा में तथा ऋण आवेशों के चलने की दिशा के विपरीत होती है।

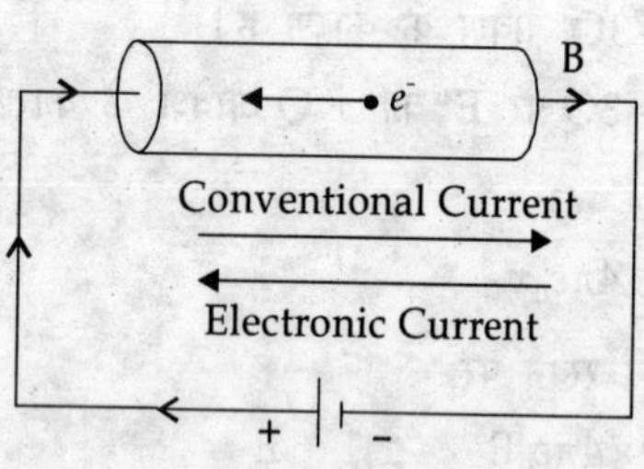

वैद्युत धारा के प्रकार (Types of Electric Current)

(*i*) **स्थिर धारा या नियत धारा** (Steady Current or Constant Current) : किसी पृष्ठ से गुजरने वाली इस प्रकार की धारा का परिमाण समय के साथ नहीं बदलता है।

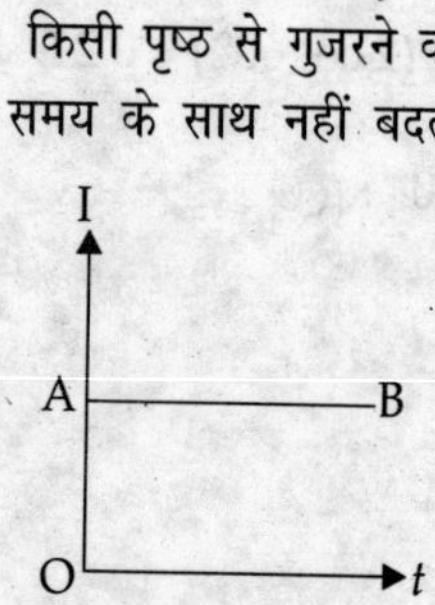

$\therefore \quad q = It$

(*ii*) **चर या क्षणिक धारा** (Variable or Transient Current): किसी पृष्ठ से गुजरने वाली इस प्रकार की धारा का परिमाण समय के साथ बदलता है।

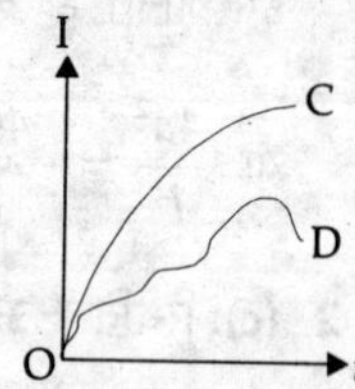

अर्थात् $\quad I = f(t)$

या

$$I = \lim_{\Delta t \to 0} \frac{\Delta q}{\Delta t} = \frac{dq}{dt}$$

(*iii*) **दिष्ट धारा** (Direct Current-DC) : जिस धारा का परिमाण एवं दिशा नियत रहती है उसे दिष्ट धारा कहते हैं। यदि धारा की दिशा नियत तथा परिमाण परिवर्ती हो तो उसे परिवर्ती दिष्ट धारा कहते हैं, उदाहरणार्थः संधारित्र की आवेशन तथा निरावेशन क्रिया में प्रवाहित धारा।

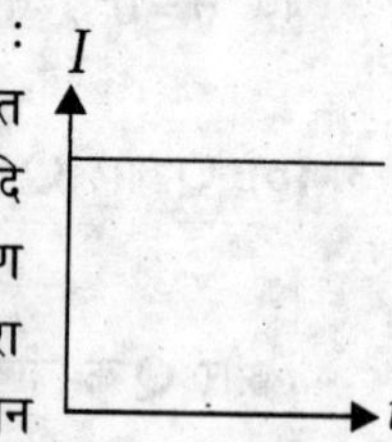

(*iv*) **प्रत्यावर्ती धारा** (Alternating Current-AC) : वह धारा जिसका परिमाण तथा दिशा समय के साथ परिवर्तनशील होते हैं तथा एक निश्चित समय T (दोलनकाल अथवा आवर्तकाल) के बाद अपनी पूर्व अवस्था में आ जाते हैं, प्रत्यावर्ती धारा (AC) कहलाती है। T/2 समय के लिए धारा ऋणात्मक होती है। धारा तथा समय के बीच वक्र एक ज्या (अथवा कोज्या) वक्र होता है। इसका आयाम नियत रहता है।

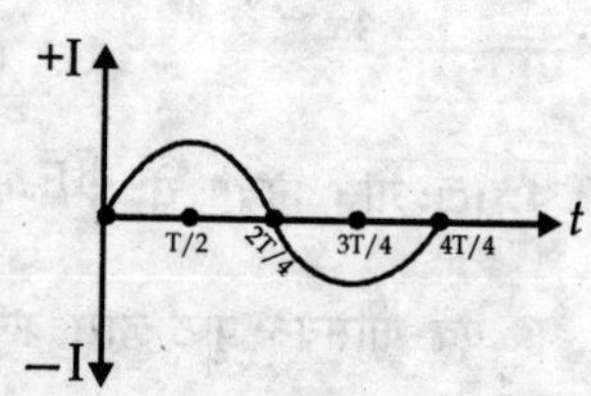

अनुगमन वेग (Drift Velocity)

जब एक चालक के सिरों पर वैद्युत क्षेत्र लगाया जाता है तो वैद्युत क्षेत्र मुक्त इलेक्ट्रॉनों को तार की लम्बाई के अनुदिश एक नियत वेग प्रदान करता है इस वेग को अनुगमन वेग v_d कहते हैं। यह $10^{-5}\ ms^{-1}$ के क्रम का होता है। चालक में बहने वाली धारा

$$i = neAv_d \quad \text{या} \quad v_d = \frac{i}{neA}$$

यहाँ, n = प्रति एकांक आयतन में गतिमान इलेक्ट्रॉनों की संख्या

A = अनुप्रस्थ-काट का क्षेत्रफल

धारा घनत्व (Current Density)

यदि किसी चालक में किसी बिन्दु P पर एक अनन्त सूक्ष्म क्षेत्रफल ΔS के लम्बवत् अर्थात् वेक्टर क्षेत्रफल $\Delta \vec{S}$ की दिशा में कोई धारा ΔI प्रवाहित होती हो, तो उस बिन्दु पर धारा घनत्व $\vec{J}$ का औसत मान,

$$J = \frac{I}{A} = nev_d$$

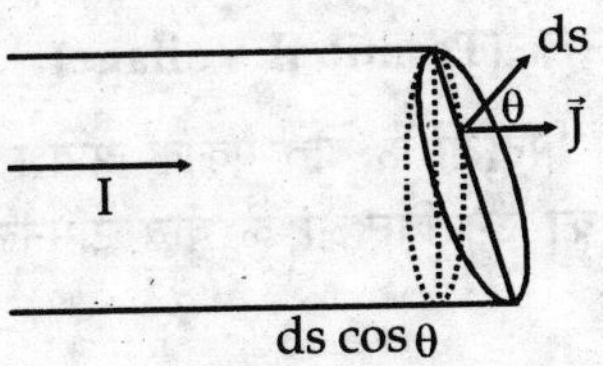

या $$<J> = \frac{\Delta I}{\Delta S}\hat{n}$$

अतः धारा घनत्व का तात्क्षणिक मान (instantaneous value)

$$J = \lim_{\Delta S \to 0} \frac{\Delta I}{\Delta S} = \frac{dI}{dS}$$

यदि क्षेत्रफल dS, धारा की दिशा के लम्बवत् न हो तो धारा की दिशा के लम्बवत् क्षेत्रफल $dS\cos\theta$ होगा, तब

$$J = \frac{dI}{dS\cos\theta}$$

अथवा $dI = JdS\cos\theta = \vec{J}\cdot d\vec{S}$

$$I = \int_s \vec{J}\cdot d\vec{S}$$

धारा घनत्व का मात्रक ऐम्पियर प्रति वर्ग मीटर (Am^{-2}) है।

प्रतिरोध एवं ओम का नियम (Resistance and Ohm's Law)

कुछ पदार्थों विशेष रूप से धातुओं में, दिये गये ताप पर $\vec{J}, \vec{E}$ के लगभग सीधे समानुपाती होता है तथा परिमाणों E तथा J का अनुपात एक नियतांक होता है। यह अनुपात प्रतिरोधकता ρ (resistivity) कहलाता है यह सम्बन्ध ओम का नियम कहलाता है।

अतः प्रतिरोधकता (अथवा विशिष्ट प्रतिरोध)

$$\rho = \frac{E}{J}$$

प्रतिरोधकता का SI मात्रक Ω-m है।

प्रतिरोधकता का व्युत्क्रम (reciprocal), चालकता σ (conductivity) कहलाती है।

अतः $\sigma = \frac{1}{\rho}$

इसका मात्रक $(\Omega - m)^{-1}$ या सीमैन प्रति मीटर (Sm^{-1}) है।

वे पदार्थ जो ओम के नियम का पालन करते हैं। ओमीय चालक (ohmic conductor) या रेखीय चालक (linear conductor) कहलाता है। वे पदार्थ जो ओम के नियम का पालन नहीं करते अन-ओमीय चालक (non-ohmic conductor) या अरेखीय चालक (non-linear conductor) कहलाते हैं।

प्रतिरोध (Resistance)

माना एक चालक तार का एकसमान क्षेत्रफल A तथा लम्बाई l है। माना V तार के सिरों के बीच विभवान्तर है।

यदि धारा घनत्व $\vec{J}$ तथा वैद्युत क्षेत्र $\vec{E}$ के परिमाण चालक में प्रत्येक स्थान पर नियत रहे तो कुल धारा $i = JA$

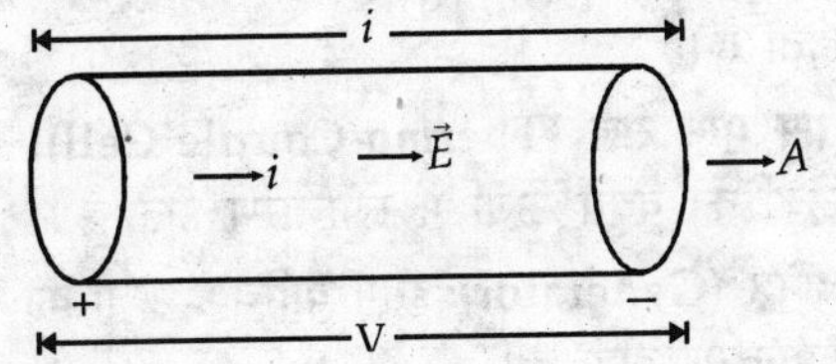

तथा $V = El$

$$\therefore \frac{V}{i} = \frac{El}{JA} = \frac{\rho l}{A} \qquad \left[\because \rho = \frac{E}{J}\right]$$

यहाँ $\rho\frac{l}{A}$, ओमीय पदार्थों के लिये नियत रहता है। यह प्रतिरोध R कहलाता है।

अतः $R = \frac{V}{i}$

एक विशेष चालक के लिये प्रतिरोध R इसके पदार्थ की प्रतिरोधकता ρ के साथ निम्न प्रकार सम्बन्धित है।

$$R = \rho\frac{l}{A}$$

अतः समीकरण $V = iR$ ओम का नियम (Ohm's law) कहलाती है। प्रतिरोध (R) का SI मात्रक ओम (Ohm) है।

$$1 \text{ ओम} = \frac{1 \text{ वोल्ट}}{1 \text{ ऐम्पियर}} \Rightarrow 1\Omega = \frac{1\,V}{1\,A}$$

वैद्युत सेल (Electric Cell)

वैद्युत सेल एक ऐसी युक्ति है जो रासायनिक ऊर्जा को वैद्युत ऊर्जा में परिवर्तित करके, किसी परिपथ में आवेश के प्रवाह को निरन्तर बनाये रखती है। इसमें विभिन्न धातुओं की दो छड़ें होती हैं जिन्हे 'इलेक्ट्रोड्स' (electrodes) अथवा 'प्लेटें' कहते हैं। ये एक द्रव में डूबी रहती हैं जिसे 'विद्युत-अपघट्य' कहते हैं। सेल के भीतर विद्युत-अपघट्य में ऐसी रासायनिक क्रिया होती है जिससे प्लेटों पर आवेशों की पूर्ति होती रहती है तथा तार में आवेश-प्रवाह (वैद्युत धारा) बना रहता है। इस प्रकार सेल रासायनिक ऊर्जा को वैद्युत ऊर्जा में बदलती रहती है।

ऊर्जा के रूप के अनुसार सेल कई प्रकार के होते हैं जैसेः

(i) **वैद्युत रासायनिक सेल (Electrochemical Cell) :** इसमें रासायनिक ऊर्जा में रूपान्तरण होता है। ये दो प्रकार के होते हैं:

(a) **प्राथमिक सेल (Primary Cells):** इनमें होने वाली रासायनिक क्रिया व्युत्क्रमणीय (irreversible) होती है। अतः इन्हें पुनः आवेशित नहीं किया जा सकता है। जैसे—लेक्लांशे सेल, डेनियल सेल एवं शुष्क सेल।

(b) **द्वितीयक सेल (Secondary Cells):** इनमें होने वाली रासायनिक क्रिया व्युत्क्रमणीय (reversible) होती है। अतः इन्हें पुनः आवेशित किया जा सकता है। जैसे-सीसा संचायक सेल (lead accumulator) तथा क्षारीय संचायक सेल (alkali accumulator)।

(*ii*) **फोटो सेल (Photo Cell):** इसमें विकिरण ऊर्जा, प्रकाश, आदि (radiant energy, light, etc.) का वैद्युत ऊर्जा में रूपान्तरण होता है।

(*iii*) **ताप युग्म सेल (Thermo-Couple Cell):** इसमें ऊष्मीय ऊर्जा का वैद्युत ऊर्जा में रूपान्तरण होता है।

(*iv*) **जनित्र (Generator):** इसमें यान्त्रिक ऊर्जा का वैद्युत ऊर्जा में रूपान्तरण होता है।

दो या अधिक सेलों के संयोग को बैटरी कहते हैं।

विद्युत वाहक बल (Electromotive Force)

किसी सम्पूर्ण वैद्युत परिपथ में एकांक आवेश को प्रवाहित करने में सेल द्वारा आवेश पर किये गये कार्य अर्थात् आवेश को दी गई ऊर्जा को सेल का विद्युत वाहक बल (electromotive force) कहते हैं। इसे प्रायः अक्षर E अथवा ε से प्रदर्शित करते हैं।

विद्युत वाहक बल प्रत्येक सेल का एक लाक्षणिक होता है जो सेल में प्रयुक्त प्लेटों तथा विद्युत-अपघट्य की प्रकृति पर निर्भर करता है। विद्युत-अपघट्य की मात्रा तथा प्लेटों के आकार अथवा उनके बीच की दूरी का इस पर प्रभाव नहीं पड़ता।

यदि किसी परिपथ में q कूलॉम आवेश प्रवाहित होने में सेल द्वारा दी गई ऊर्जा (किया गया कार्य) W जूल हो तो सेल का वि. वा. ब.

$E = \frac{W}{q}$ वि. वा. ब. का मात्रक जूल/कूलॉम है जिसे 'वोल्ट' कहते हैं।

नोट–सेल का विद्युत वाहक बल कोई बल नहीं है बल्कि यह परिपथ में आवेश के प्रवाह के लिये सेल द्वारा प्रति एकांक आवेश को दी जाने वाली ऊर्जा है। अतः इसे विद्युत वाहक बल न कहकर केवल emf कहना ही उचित है।

आन्तरिक प्रतिरोध (Internal Resistance)

सेल के अन्दर उपस्थित वैद्युत अपघट्य पदार्थ द्वारा, सेल के अन्दर आवेश के प्रवाह में, डाले गये विरोध अथवा रुकावट को ही सेल का आन्तरिक प्रतिरोध कहते हैं। इसे सामान्यतः प्रतीक r द्वारा प्रदर्शित किया जाता है। इसका मात्रक ओम (Ω) होता है। सेल द्वारा आवेश को दी जाने वाली ऊर्जा का कुछ भाग इस आन्तरिक प्रतिरोध के कारण स्वयं सेल के अन्दर व्यय हो जाता है जिससे आवेश/धारा के बहने पर सेल में उपस्थित अपघट्य पदार्थ का ताप बढ़ जाता है।

सेल के इस आन्तरिक प्रतिरोध (r) का मान निम्नलिखित कारकों पर निर्भर करता है:

(*i*) वैद्युत अपघट्य की प्रकृति, इलेक्ट्रोडों के पदार्थ की प्रकृति तथा इनकी आयु पर। इनकी आयु बढ़ जाने पर अर्थात् सेल के पुराने हो जाने पर r का मान बढ़ जाता है।

(*ii*) सेल की दोनों प्लेटों के बीच की दूरी के अनुक्रमानुपाती होता है।

(*iii*) सेल में स्थित प्लेटों के अपघट्य के अन्दर डूबे हुए भागों के क्षेत्रफल के व्युत्क्रमानुपाती होता है।

(*iv*) वैद्युत अपघट्य की सान्द्रता (concentration) के अनुक्रमानुपाती होता है।

(*v*) अपघट्य के ताप के बढ़ने पर, आन्तरिक प्रतिरोध घटता है।

टर्मिनल विभवान्तर (Terminal Voltage)

किसी परिपथ के दो बिन्दुओं के बीच एकांक आवेश को प्रवाहित करने में किये गये कार्य को उन बिन्दुओं के बीच टर्मिनल विभवान्तर (V) कहते हैं।

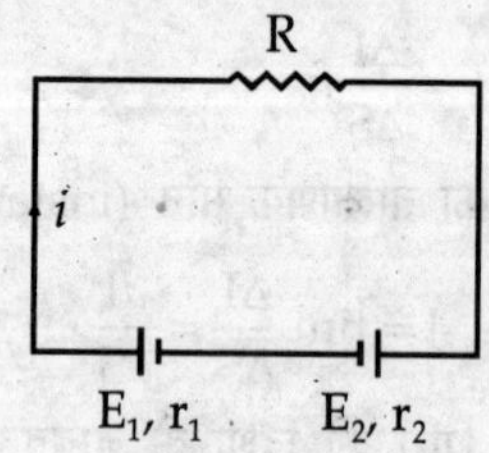

जब एक बैटरी को आवेशित किया जाता है तो टर्मिनल विभवान्तर इसके वि. वा. ब. से बड़ा होता है।

अर्थात् $V = E + ir$

पहले सेल के सिरों पर विभवान्तर

$V_1 = E_1 + ir_1$

दूसरे सेल के सिरों पर विभवान्तर

$V_2 = E_2 - ir_2$

प्रतिरोधों का संयोग (Combination of Resistances)

श्रेणी क्रम में (In Series)

चित्रानुसार माना तुल्य प्रतिरोध R है, तब

$R = R_1 + R_2$

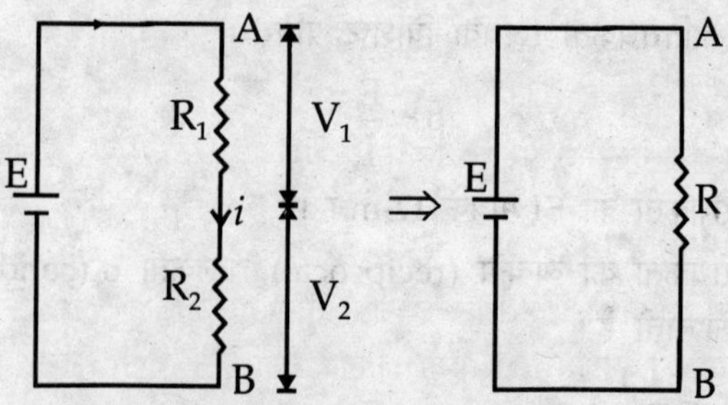

यदि n प्रतिरोध श्रेणी क्रम में जुड़े हों, तब

$R = R_1 + R_2 + \ldots\ldots + R_n$

(a) श्रेणी क्रम में i समान रहती है।

(b) चित्रानुसार

$V = V_1 + V_2$

(c) $V_1 \propto R_1$ तथा $V_2 \propto R_2$

समान्तर क्रम में (In Parallel)

चित्रानुसार माना तुल्य प्रतिरोध R है, तब

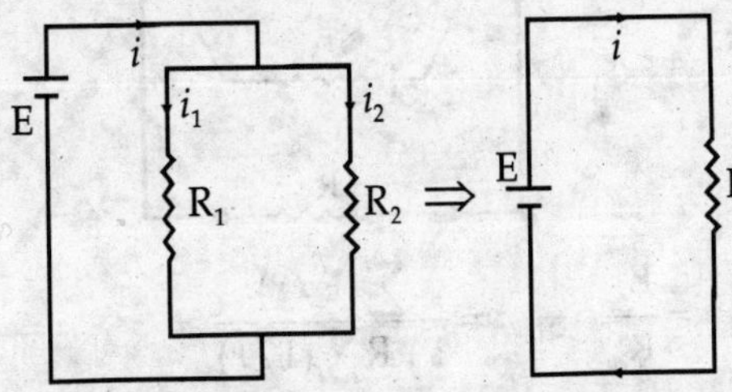

$$\frac{1}{R}=\frac{1}{R_1}+\frac{1}{R_2}$$

यदि n प्रतिरोध समान्तर क्रम में जुड़े हों, तब

$$\frac{1}{R}=\frac{1}{R_1}+\frac{1}{R_2}+.....+\frac{1}{R_n}$$

(a) समान्तर क्रम में V नियत रहता है।

(b) चित्रानुसार $i=i_1+i_2$

(c) $i_1 \propto \frac{1}{R_1}$ तथा $i_2 \propto \frac{1}{R_2}$

किरचॉफ का नियम (Kirchhoff's Law)

कई परिपथ सरल श्रेणी-समान्तर संयोगों में नहीं प्राप्त किये जा सकते हैं। चित्र में दो परिपथ इस प्रकार वियोजित नहीं किये जा सकते।

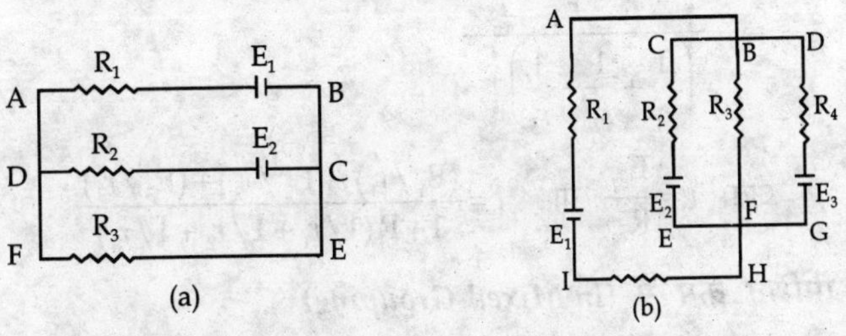

इस प्रकार के परिपथों को किरचॉफ के दो नियमों की सहायता से हल किया जा सकता है।

पहले हम दो पदों पर विचार करेंगे।

सन्धि (Junction)

एक परिपथ में सन्धि एक बिन्दु है जहाँ तीन या अधिक चालक मिलते हैं। सन्धियों को नोड (node) या शाखा बिन्दु (branch points) भी कहते हैं। चित्र (a) में बिन्दु D तथा C सन्धियाँ हैं। इसी प्रकार चित्र (b) में बिन्दु B तथा F सन्धियाँ हैं।

लूप (Loop)

एक लूप एक बन्द चालक पथ होता है। चित्र (a) में ABCDA, DCEFD तथा ABEFA लूप हैं। इसी प्रकार चित्र (b) में CBFEC, BDGFB लूप हैं।

किरचॉफ के नियम के निम्नलिखित दो कथन हैं:

सन्धि नियम (Junction Rule)

किसी सन्धि में धाराओं का बीजगणितीय योग शून्य होता है।

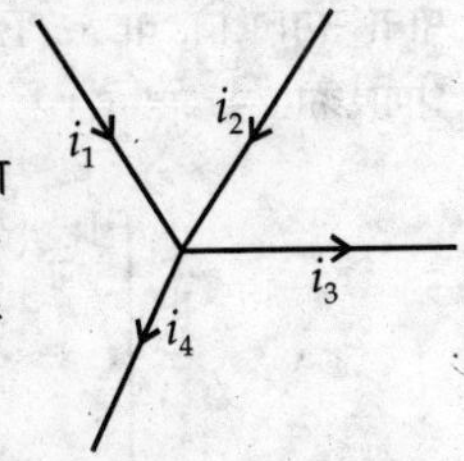

अतः $\sum_{\text{junction}} i=0$

यह नियम निम्न प्रकार भी परिभाषित होता है, "परिपथ में किसी बिन्दु की ओर निर्देशित धाराओं का योग, बिन्दु से दूर की ओर धाराओं के योग के बराबर होता है। अतः

$$i_1+i_2=i_3+i_4$$

सन्धि नियम वास्तव में वैद्युत आवेश के संरक्षण पर आधारित है।

लूप-नियम (Loop Rule)

वि. वा. बलों तथा प्रतिरोधी के किसी बन्द लूप में विभवान्तरों का बीजगणितीय योग शून्य होता है।

अतः $\sum_{\text{closed loop}} \Delta V=0$

किरचॉफ का द्वितीय नियम इस तथ्य पर आधारित है कि **वैद्युतस्थैतिक बल संरक्षी** होते हैं।

किरचॉफ के इस द्वितीय नियम का प्रयोग करते समय विभवान्तरों के परिवर्तनों को ज्ञात करने के लिए निम्नलिखित नियमों का अनुसरण करना चाहिए:

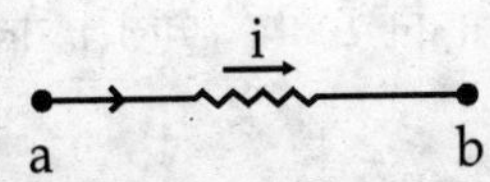

$\Delta V = V_b - V_a = -iR$

(a)

(*i*) किसी प्रतिरोध पर धारा की दिशा में चलते हुए, प्रतिरोध पर विभव परिवर्तन ऋणात्मक (–iR) होता है, चित्र (a)।

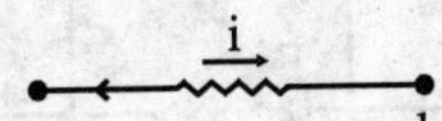

$\Delta V = V_b - V_a = +iR$

(b)

(*ii*) किसी प्रतिरोध पर धारा की विपरीत दिशा में चलते हुए, प्रतिरोध पर विभव परिवर्तन धनात्मक (+iR) होता है, चित्र (b)।

(*iii*) किसी बैटरी अथवा emf स्रोत पर इसके ऋणात्मक इलेक्ट्रोड से धनात्मक इलेक्ट्रोड की ओर चलने पर, विभव में परिवर्तन धनात्मक (+ E) होता है, चित्र (c)।

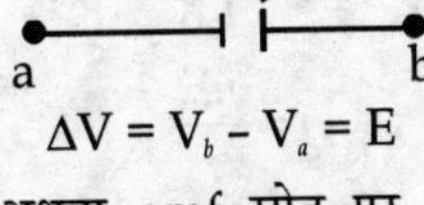

$\Delta V = V_b - V_a = E$

(*iv*) किसी बैटरी अथवा emf स्रोत पर इसके धनात्मक सिरे से ऋणात्मक सिरे की ओर चलने पर, विभव में परिवर्तन ऋणात्मक (– E) होता है, चित्र (d)।

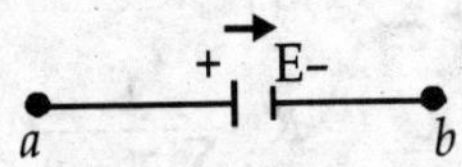

$\Delta V = V_b - V_a = -E$

सेलों का संयोग (Combination of Cells)

श्रेणी क्रम में (In Series Grouping)

माना समान वि. वा. ब. E तथा आन्तरिक प्रतिरोध r के n सेल चित्रानुसार श्रेणी क्रम में जुड़े हैं।

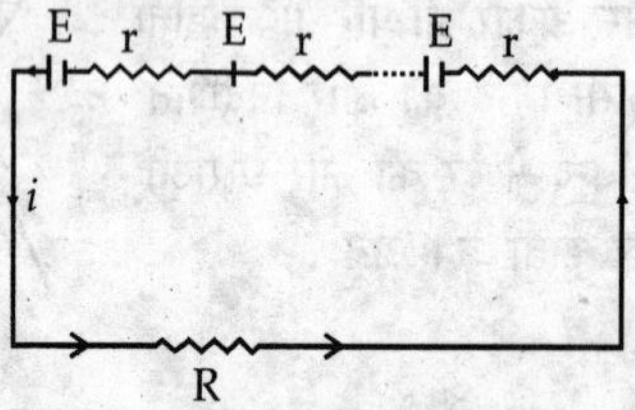

तब, नेट वि. वा. ब. = nE

कुल प्रतिरोध = nr + R

परिपथ में धारा $i = \frac{\text{नेट वि. वा. ब.}}{\text{कुल प्रतिरोध}}$ या $i = \frac{nE}{nr + R}$

(*a*) यदि R >> nr, $i = \frac{nE}{R}$

(*b*) यदि R << nr, $i = \frac{nE}{nr} = \frac{E}{r}$

समान्तर क्रम में (In Parallel Grouping)

यहाँ तीन स्थितियाँ सम्भव हैं।

स्थिति I : माना समान *E* तथा *r* वाले *n* सेल चित्रानुसार समान्तर क्रम में जुड़े हैं।

नेट वि. वा. ब. = *E*

कुल प्रतिरोध $= \frac{r}{n} + R$

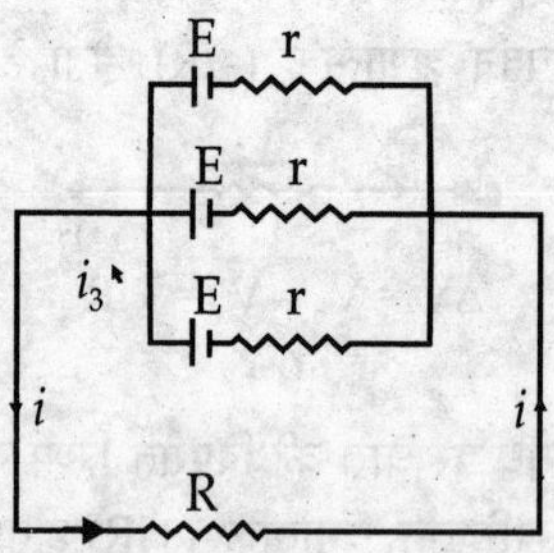

अतः $i = \frac{\text{नेट वि. वा. बल}}{\text{कुल प्रतिरोध}}$ या $i = \frac{E}{R + r/n} = \frac{nE}{nR + r}$

(*a*) यदि R >> r, $i = \frac{nE}{nR} = \frac{E}{R}$

(*b*) यदि R << r, $i = \frac{nE}{r}$

स्थिति II : माना प्रत्येक सेल के E तथा r भिन्न हैं तब नेट

वि. वा. ब. = $E_{eq} = \frac{\sum(E/r)}{\sum(1/r)}$

कुल प्रतिरोध $= R_{eq} = R + \frac{1}{\sum(1/r)}$

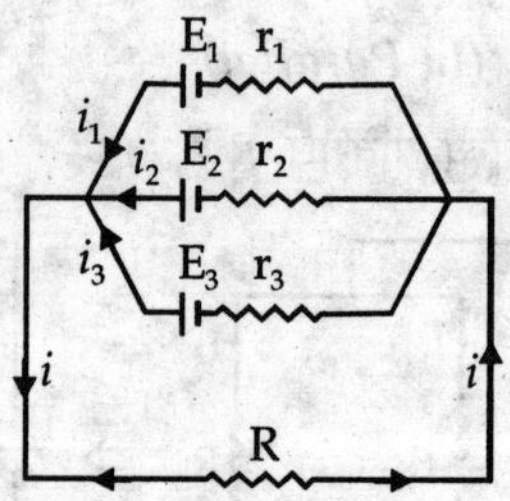

अतः $i = \frac{E_{eq}}{R_{eq}}$ या $i = \frac{\sum(E/r)}{1 + R\sum(1/r)}$

स्थिति III : यह अत्यन्त सामान्य स्थिति है जिसमें सेलों के E तथा r भिन्न होते हैं तथा कुछ सेलों के धनात्मक टर्मिनल अन्य सेलों के ऋणात्मक टर्मिनल से जुड़े होते हैं।

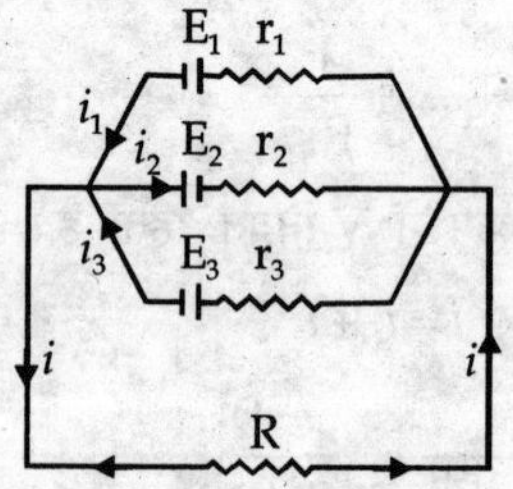

नेट वि. वा. ब. $= E_{eq} = \frac{(E_1/r_1) - (E_2/r_2) + (E_3/r_3)}{\left(\frac{1}{r_1} + \frac{1}{r_2} + \frac{1}{r_3} + ...\right)}$

कुल प्रतिरोध $= R_{eq} = R + 1/(1/r_1 + 1/r_2 + 1/r_3)$

$$= \frac{1 + R\left(\frac{1}{r_1} + \frac{1}{r_2} + \frac{1}{r_3}\right)}{\left(\frac{1}{r_1} + \frac{1}{r_2} + \frac{1}{r_3}\right)}$$

अतः $i = \frac{E_{eq}}{R_{eq}}$ या $i = \frac{(E_1/r_1) - (E_2/r_2) + (E_3/r_3)}{1 + R(1/r_1 + 1/r_2 + 1/r_3)}$

मिश्रित क्रम में (In Mixed Grouping)

समान सेलों का मिश्रित क्रम चित्रानुसार है। प्रत्येक पंक्ति में सेलों की संख्या n तथा कुल स्तम्भों की संख्या m है। तब

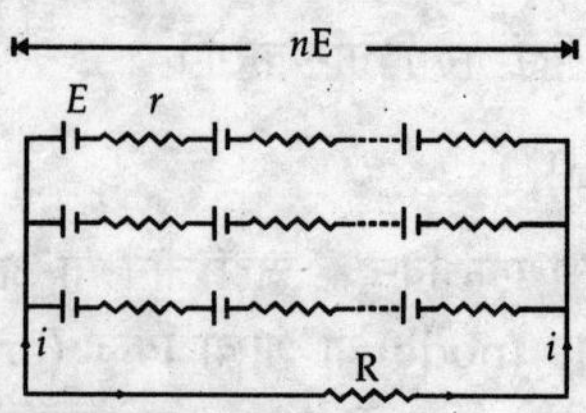

नेट वि. वा. ब. = nE

कुल आन्तरिक प्रतिरोध $= \frac{nr}{m}$, कुल बाह्य प्रतिरोध = R

∴ परिपथ में कुल प्रतिरोध = R + $\frac{nr}{m}$

∴ बाह्य प्रतिरोध R में धारा $i = \frac{nE}{R + \frac{nr}{m}} = \frac{mnE}{mR + nr}$

वस्तुनिष्ठ प्रश्न

1. निम्न चित्र में A व B के बीच विभवान्तर है :

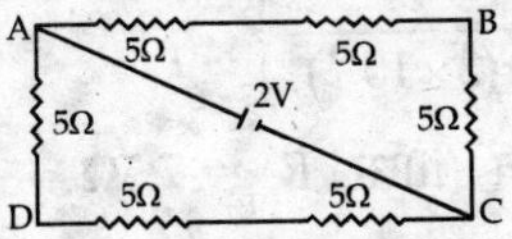

(a) $\frac{2}{3}$V (b) $\frac{8}{9}$V

(c) $\frac{4}{3}$V (d) 2V

2. एक चलकुण्डली धारामापी को 0.03 ऐम्पियर तक पढ़ने वाले अमीटर में बदलने के लिये $4r$ प्रतिरोध का शंट लगाना पड़ता है, जबकि उसे 0.06 ऐम्पियर तक पढ़ने वाले अमीटर में बदलने के लिये r प्रतिरोध का शंट लगाना पड़ता है। बिना शंट के इस धारामापी में कितनी धारा भेजी जा सकती है?

(a) 0.01 Ampere (b) 0.02 Ampere

(c) 0.03 Ampere (d) 0.04 Ampere

3. चित्र में पाँच प्रतिरोध जुड़े हैं। x और y बिन्दुओं के बीच तुल्य प्रतिरोध होगा:

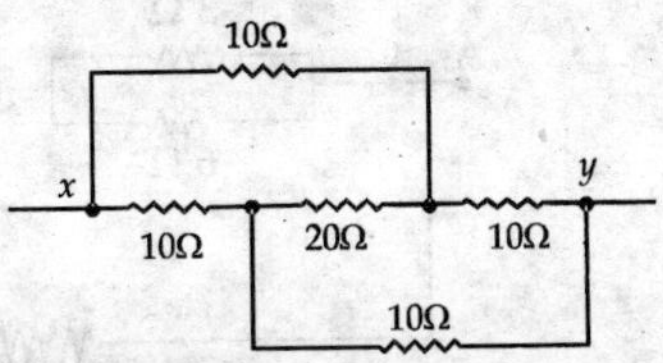

(a) 10Ω

(b) 20Ω

(c) 22Ω

(d) 50Ω

4. ताँबे में इसका प्रत्येक परमाणु एक इलेक्ट्रॉन मुक्त करता है। यदि 1 मिमि व्यास के ताँबे के तार में 1.1 A की धारा बह रही है, तो इलेक्ट्रॉनों का लगभग अनुगमन वेग होगा: (ताँबे का घनत्व = 9×10^3 kgm^{-3} एवं परमाणु भार = 63)

(a) 0.3 ms^{-1} (b) 0.1 ms^{-1}

(c) 0.2 ms^{-1} (d) 0.2 ms^{-1}

5. चित्र में अमीटर का पाठ्यांक होगा:

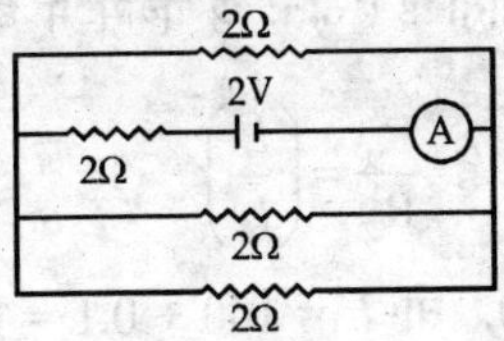

(a) 1/8 A (b) 3/4 A

(c) 1/2 A (d) 2 A

6. एक वैद्युत केबिल में 9 मिमी त्रिज्या का केवल एक ताँबे का तार है इसका प्रतिरोध 5 ओम है। इस केबिल को 6 विभिन्न वैद्युतरोधी ताँबे के तारों से, जिनमें प्रत्येक की त्रिज्या 3 मिमी है, प्रतिस्थापित (replace) किया गया है। केबिल का कुल प्रतिरोध होगा:

(a) 7.5 Ω (b) 45 Ω

(c) 90 Ω (d) 270 Ω

7. चित्र में P, Q बिन्दुओं के बीच परिणामी प्रतिरोध होगा:

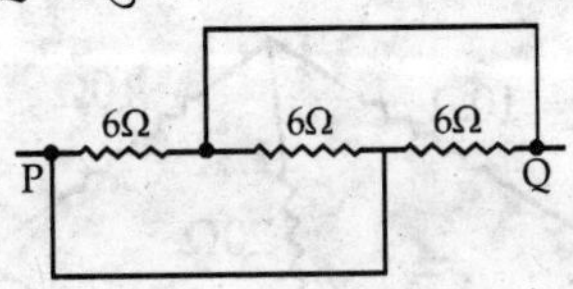

(a) 2 Ω (b) 3 Ω

(c) 6 Ω (d) 18 Ω

8. चित्र में A, B बिन्दुओं के बीच में परिणामी प्रतिरोध होगा:

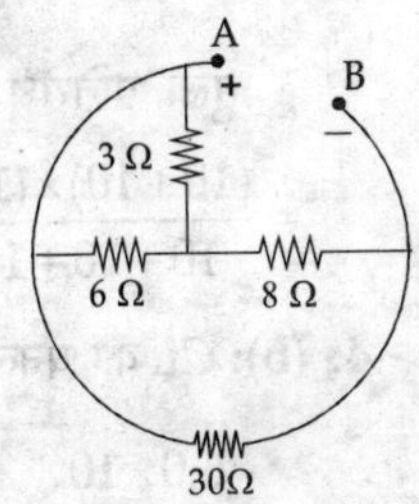

(a) 3.4 Ω

(b) 5 Ω

(c) 6 Ω

(d) 7.5 Ω

9. एक रैखिक चालक में जिसकी अनुप्रस्थ काट असमान है, स्थिर धारा बह रही है। चालक की किसी काट में से प्रति सेकण्ड प्रवाहित आवेश की मात्रा:

(a) काट के क्षेत्रफल के समानुपाती है

(b) काट के क्षेत्रफल के व्युत्क्रमानुपाती है

(c) क्षेत्रफल पर निर्भर नहीं है

(d) चालक की लम्बाई पर निर्भर है

10. यदि एक ताँबे के तार को खीचकर 0.1% लम्बाई बढ़ा दी जाती है, तो इसके प्रतिरोध में प्रतिशत वृद्धि होगी :

(a) 0.2% (b) 2%

(c) 1% (d) 0.1%

उत्तरमाला

1. (c): दिया गया परिपथ चित्रानुसार बदलता है।

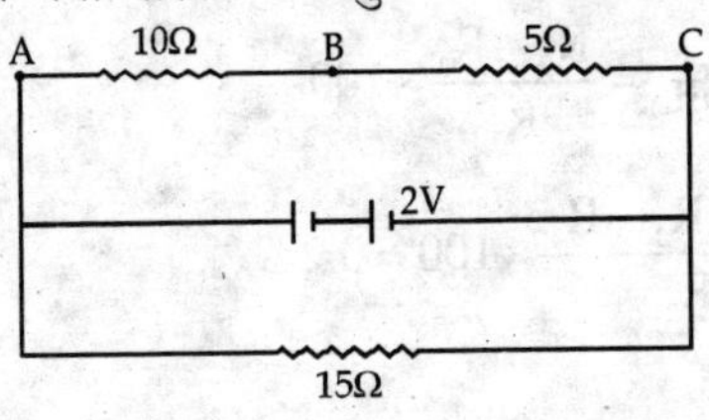

माना 10Ω व 5Ω पर वोल्टेज क्रमशः V_1 व V_2 हैं, तो

$$V_1 + V_2 = 2V \quad ...(i)$$

$$\frac{V_1}{10} = \frac{V_2}{5} \quad ...(ii)$$

(श्रेणीक्रम में धारा समान होगी)

(i) में $V_1 = 2V_2$ रखने पर, $\Rightarrow V_2 = \frac{2}{3}V$

$\therefore$ A व B के बीच विभवान्तर $= V_1 = \frac{4}{3}V$

2. (b): $\frac{i_g}{i} = \frac{S}{S+G} \Rightarrow i_g G = (i - i_g)S$

$\therefore \quad i_g G = (0.03 - i_g)4r$ तथा $i_g G = (0.06 - i_g)r$

$\therefore \quad (0.03 - i_g)4r = (0.06 - i_g)r$

$\Rightarrow \quad 0.12 - 4i_g = 0.06 - i_g \quad \Rightarrow i_g = 0.02A$

3. (a): यह व्हीटस्टोन सेतु है, इसलिये 20 Ω प्रतिरोध में से धारा नहीं बहेगी।

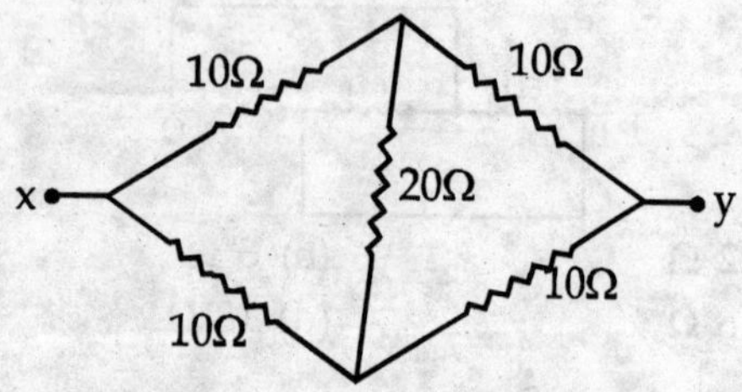

$\therefore$ तुल्य प्रतिरोध

$$= \frac{(10+10)\times(10+10)}{10+10+10+10} = \frac{20\times 20}{40} = 10\Omega$$

4. (b): Cu का घनत्व = 9×10^3 किग्रा/मी³ (1 मी³ Cu का द्रव्यमान)

$\because \quad 6.0\times10^{23}$ परमाणुओं का द्रव्यमान $= 63\times10^{-3}$ किग्रा

$\therefore$ प्रति मी³ में इलेक्ट्रॉनों की संख्या

$$= \frac{6.0\times10^{23}}{63\times10^{-3}} \times 9\times10^3 = 8.5\times10^{28}$$

अनुगमन वेग

$$v_d = \frac{I}{neA} = \frac{1.1}{8.5\times10^{28}\times1.6\times10^{-19}\times\pi\times(0.5\times10^{-3})^2}$$

$= 0.1\, ms^{-1}$

5. (b): XY में प्रतिरोध $\frac{2}{3}\Omega$ है

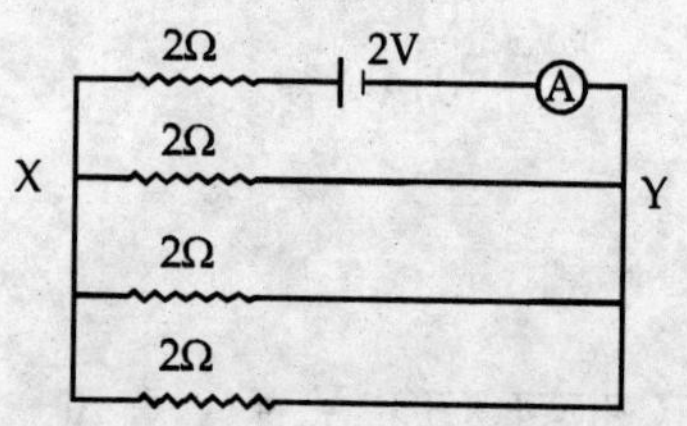

कुल प्रतिरोध $= 2 + \frac{2}{3} = \frac{8}{3}\Omega$

धारा (अमीटर का पाठ्यांक) $= \frac{2\times3}{8} = \frac{6}{8} = \frac{3}{4}A$

6. (a): एक तार के लिये: $5 = \frac{\rho l}{\pi\times(9\times10^{-3})^2}$ ...(i)

6 वैद्युतरोधी तारों के समान्तर क्रम संयोजन के लिये

$$R_{eq} = \frac{1}{6}\times\left\{\frac{\rho l}{\pi(3\times10^{-3})^2}\right\} ...(ii)$$

समीकरण (i) व (ii) से, $R_{eq} = 7.5\Omega$

7. (a): दिया हुआ परिपथ चित्रानुसार बनेगा।

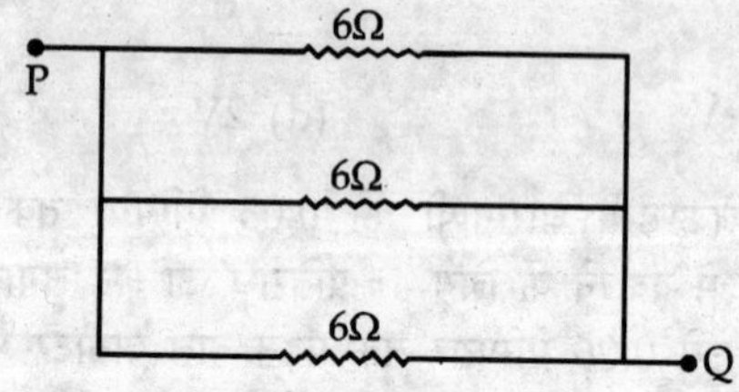

$\therefore$ कुल प्रतिरोध $= \frac{R}{3} = \frac{6}{3} = 2\Omega$

8. (d): दिया हुआ परिपथ चित्रानुसार बनेगा।

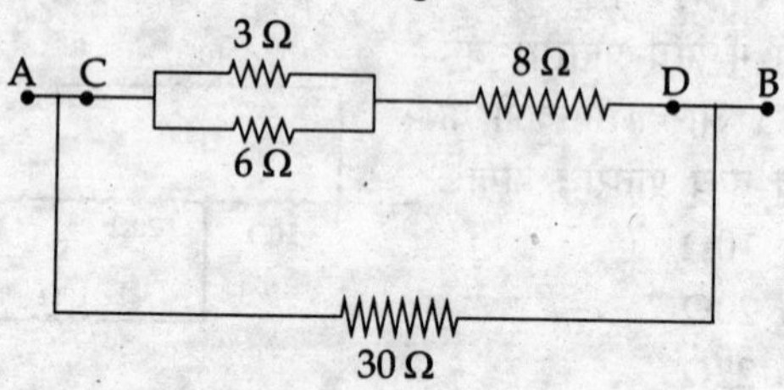

C और D के बीच परिणामी प्रतिरोध $= \frac{3\times6}{3+6} + 8 = 10\,\Omega$

परिपथ के अनुसार,

10 Ω और 30 Ω समांतर है, अतः $R_{AB} = \frac{10\times30}{10+30} = 7.5\,\Omega$

9. (c): चूँकि $i = \frac{q}{t}$ अतः धारा क्षेत्रफल पर निर्भर नहीं करती है क्योंकि एक चालक को चालक के कुछ भागों के श्रेणी संयोजन के रूप में लिया जाता है। अतः श्रेणीक्रम में धारा समान रहती है।

10. (a): हम जानते हैं $\frac{R_1}{R_2} = \left(\frac{l_1}{l_2}\right)^2$

माना $l_1 = 100$, तो $l_2 = 100 + 0.1 = 100.1$

$\therefore \quad \frac{R_1}{R_2} = \left(\frac{100}{100.1}\right)^2 \Rightarrow \frac{R_2}{R_1} = \left(\frac{100.1}{100}\right)^2 = 1.002$

$\Rightarrow \quad R_2 = 1.002 R_1$

% परिवर्तन $= \frac{R_2 - R_1}{R_1}\times100$

$= \frac{1.002R_1 - R_1}{R_1}\times100 = 0.2\%$

●●●

अध्याय

19

धारा का ऊष्मीय तथा रासायनिक प्रभाव
(Thermal and Chemical Effects of Current)

धारा का ऊष्मीय प्रभाव
(Heating Effect of Current)

जब एक आवेश dq, एक विभवान्तर V के आर-पार गति करता है, तब किया गया कार्य

$$dW = V\,dq$$

यह कार्य, आवेशों की स्थितिज ऊर्जा में हानि को प्रदर्शित करता है। समय dt में आवेश dq का प्रवाह, अर्थात्

धारा $$I = \frac{dq}{dt}$$

$$\Rightarrow \quad dq = I\,dt$$
$$\Rightarrow \quad dW = VI\,dt$$

यदि नियत धारा I, समय t तक प्रवाहित हो, तब

$$W = VI\,t$$

पुनः ओम के नियमानुसार

$$V = IR$$

$$\Rightarrow \quad W = I^2\,Rt = \frac{V^2}{R}t = VIt$$

यह कार्य, चालक के अणुओं की यादृच्छिक (random) गति की ऊर्जा में परिवर्तित हो जाता है। इस प्रकार चालक में प्रवाहित वैद्युत धारा चालक में ऊष्मीय ऊर्जा (Thermal energy) उत्पन्न करती है, तथा चालक गर्म हो जाता है। यह घटना (phenomenon) जूल का धारा का ऊष्मीय प्रभाव (Joule's Heating Effect of Current) कहलाता है।

यदि सारा कार्य ऊर्जा में परिवर्तित हो जाता है, तो उत्पन्न ऊष्मा का मान, $H = W = I^2\,Rt$ जूल $= \frac{I^2Rt}{4.18}$ कैलोरी

$$(\because 1 \text{ कैलोरी} = 4.18\text{ J})$$

शक्ति (Power)

वैद्युत परिपथ में कृत कार्य की दर को शक्ति कहते हैं। अतः शक्ति,

$$P = \frac{W}{t} = VI = I^2R = \frac{V^2}{R}$$

शक्ति का मात्रक ऐम्पियर-वोल्ट या वॉट है।

1 kW = 1000 W

1 MW = 10^6 W

1 HP = 746 W

वैद्युत ऊर्जा (Electric Energy)

वैद्युत शक्ति और समय के गुणनफल को वैद्युत ऊर्जा कहते हैं, अर्थात्

$$W = VIt = P\cdot t$$

ऊर्जा की सामान्य इकाई वॉट - सेकण्ड या जूल है परन्तु सुविधा के लिये विद्युत ऊर्जा (बड़ी राशि के मापन में) को किलोवाट घण्टा (kWh) में मापा जाता है।

1 kWh = P (किलोवाट में) × t (घण्टे में)

$$1kWh = 1000 \times 3600\text{J}$$

$$1kWh = 3.6 \times 10^6\text{ J}$$

घरों में वैद्युत युक्तियाँ (जैसे–फ्रिज, बल्ब, टी.वी. आदि) समान्तर क्रम में जोड़े जाते हैं तथा विद्युत ऊर्जा किलोवाट घण्टा में मापी जाती है।

$$\text{यूनिटों (kWh) की संख्या} = \frac{\text{वाट} \times \text{घण्टे}}{1000}$$

शक्ति स्थानान्तरण नियम (Power Transformation Rules)

(i) जब बल्ब समान्तर क्रम में जुड़े हैं :

माना R_1, R_2, R_3..., समान वोल्टेज पर लगे बल्बों के प्रतिरोध हैं तथा उनमें शक्ति क्षय P_1, P_2, P_3... हैं।

तब $R_1 = \frac{V^2}{P_1}, R_2 = \frac{V^2}{P_2}, R_3 = \frac{V^2}{P_3}, ...$

$$\Rightarrow \quad P_1 = \frac{V^2}{R_1}, P_2 = \frac{V^2}{R_2}, P_3 = \frac{V^2}{R_3} ....$$

समान्तर क्रम में, माना उनका तुल्य प्रतिरोध R है,

$$\frac{1}{R} = \frac{1}{R_1} + \frac{1}{R_2} + \frac{1}{R_3} + ...$$

$$\therefore \quad P = \frac{V^2}{R} = V^2\left(\frac{1}{R_1} + \frac{1}{R_2} + \frac{1}{R_3} + ...\right)$$

$$\Rightarrow \quad P = \frac{V^2}{R_1} + \frac{V^2}{R_2} + \frac{V^2}{R_3}$$

$$\therefore \quad P = P_1 + P_2 + P_3$$

(*ii*) जब बल्व श्रेणी क्रम में जुड़े हैं:

श्रेणी क्रम में समान बल्बों का प्रतिरोध

$R = R_1 + R_2 + R_3 + ...$

अतः नेट शक्ति क्षय

$$\therefore \quad \frac{V^2}{P} = \frac{V^2}{P_1} + \frac{V^2}{P_2} + \frac{V^2}{P_3} + ...$$

$$\Rightarrow \quad \frac{1}{P} = \frac{1}{P_1} + \frac{1}{P_2} + \frac{1}{P_3}$$

अधिकतम शक्ति स्थानान्तरण प्रमेय (Maximum Power Transfer Theorem)

माना परिपथ चित्रानुसार है:

R के दोनों सिरों पर शक्ति क्षय I^2R

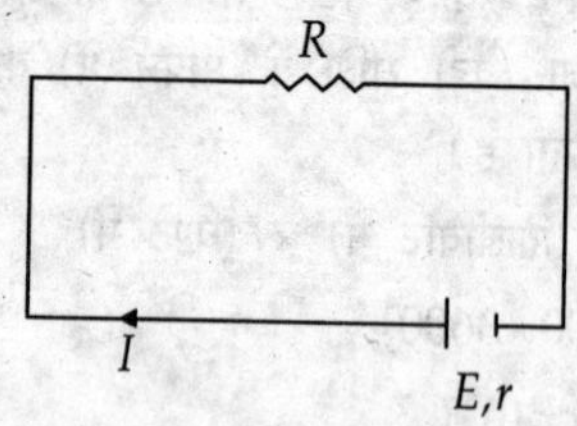

यहाँ $\quad I = \frac{E}{R+r}$

$$\therefore \quad P = I^2 R = \frac{E^2 R}{(R+r)^2}$$

$$\Rightarrow \quad P = \frac{E^2 R}{(R-r)^2 + 4Rr}$$

P के अधिकतम होने के लिये,

$R - r = 0 \Rightarrow R = r \quad \therefore P_{max} = \frac{E^2}{4R} = \frac{E^2}{4r}$

अतः परिपथ के बाह्य प्रतिरोध के सिरों पर अधिकतम शक्ति क्षय के लिये परिपथ का नैट बाह्य प्रतिरोध नेट आंतरिक प्रतिरोध के बराबर होना चाहिये।

ताप-वैद्युतिकी (Thermoelectricity)

सीबेक प्रभाव (Seebeck Effect)

सन् 1822 में सीबेक ने देखा कि दो विभिन्न धातुओं से बने परिपथ में एक वि.वा.ब. उत्पन्न किया जा सकता है यदि उसकी विभिन्न सन्धियों को अलग-अलग तापों पर रखें। यह प्रभाव सीबेक प्रभाव कहलाता है। दो धातुएँ तापयुग्म (thermocouple) बनाती हैं तथा इस परिपथ में उत्पन्न वि.वा.ब., ताप-वि.वा.बा. (thermo-emf) कहलाता है।

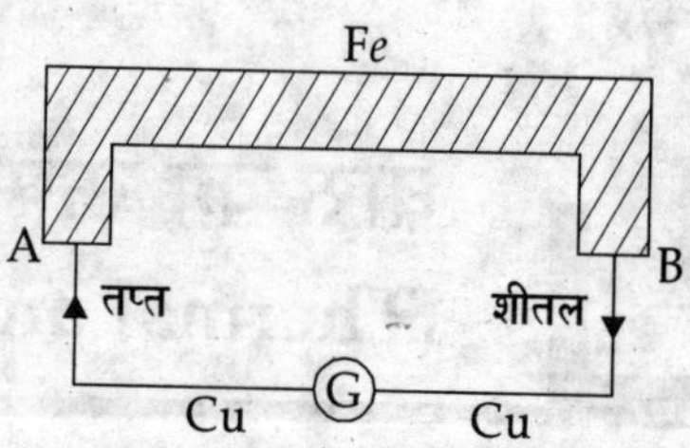

ताप वि.वा.बा. पूर्णतया उत्क्रमणीय होता है, अर्थात् यदि तप्त तथा शीतल सन्धि आपस में बदल दी जायें तो धारा की दिशा भी बदल जाती है। ताप वि.वा.ब. का मान कुछ माइक्रोवोल्ट प्रति डिग्री तापान्तर के क्रम का होता है।

ताप-वैद्युत अनुक्रम (Thermoelectric Series)

सीबेक ने अनुक्रम के रूप में कुछ धातुएँ व्यवस्थित की जिसे ताप-वैद्युत अनुक्रम कहते हैं। यह अनुक्रम निम्न प्रकार हैं :

Bi, Ni, Co, Pd, Pt, U, Cu, Mn, Ti, Hg, Pb, Sn, Cr, Mo, Rh, Ir, Au, Ag, Zn, W, Cd, Fe, As, Sb, Te इत्यादि। ताप विद्युत वाहक बल का मान प्रयुक्त की गई धातुओं की प्रकृति पर व दोनों सन्धियों के तापान्तर पर निर्भर करता है। इसका अधिकतम मान Sb-Bi ताप-युग्म के लिये 1.2 मिली वोल्ट होता है।

ताप वि.वा.ब. का तापान्तर के साथ परिवर्तन (Variation of Thermo-emf with Temperature Difference)

यदि शीतल सन्धि को 0°C पर रखा जाये तथा तप्त सन्धि का ताप धीरे-धीरे बढ़ाया जाये, तब यह पाया जाता है कि ताप वि.वा.ब. *E* पहले बढ़ता है तथा महत्तम मान तक पहुँचकर शून्य हो जाता है।

वह ताप जिस पर ताप वि.वा.बा. महत्तम हो जाता है, उदासीन ताप (neutral temperature) 'T_n' कहलाता है तथा जिस ताप पर इसकी दिशा परिवर्तित होती है, वह ताप व्युत्क्रमण ताप (temperature of inversion) 'T_i' कहलाता है। अतः

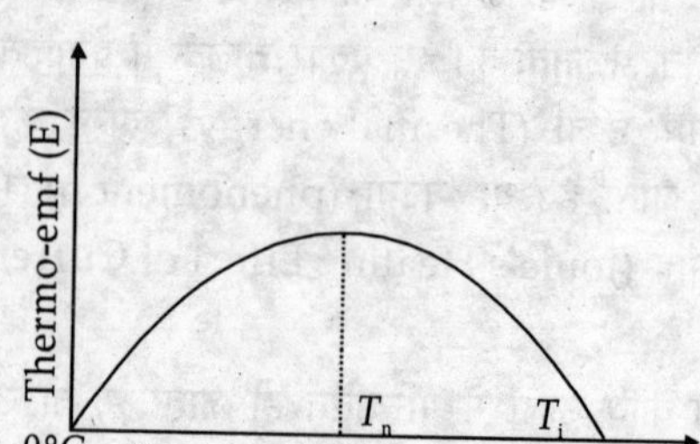

$$T_i - T_n = T_n - T_c \quad \Rightarrow T_n = \frac{T_i + T_c}{2}$$

यहाँ $\quad T_i$ = व्युत्क्रमण ताप

T_n = उदासीन ताप

T_c = शीतल सन्धि का ताप

वि. वा. ब. तथा तापान्तर के बीच ग्राफ चित्रानुसार प्रदर्शित है। वि. वा. ब. निम्न व्यंजक से दिया जाता है।

$$E = a + bt + ct^2$$

पैल्टियर प्रभाव (Peltier Effect)

यह प्रभाव सीबेक प्रभाव का विलोम (converse) है। यदि ताप-युग्म में धारा प्रवाहित की जाती है, तो सन्धि पर ऊष्मा अवशोषित होती है अथवा मुक्त होती है। धारा की दिशा बदलने पर, ऊष्मीय प्रभाव भी उत्क्रमित हो जाता है।

जब एक ऐम्पियर धारा प्रवाहित की जाती है तो सन्धि पर अवशोषित अथवा मुक्त ऊष्मा की मात्रा को पैल्टियर गुणांक (Peltier coefficient) कहते हैं। इसे 'π' से प्रदर्शित करते हैं। इसका मात्रक जूल/कूलॉम या वोल्ट है।

अतः $\pi = \frac{\Delta H}{\Delta Q} = \frac{\text{पैल्टियर ऊष्मा}}{\text{स्थानान्तरित आवेश}}$

ताप-वैद्युतिकी के नियम (Laws of Thermoelectricity)

इसके दो नियम हैं :

(*i*) **मध्य तापों का नियम (Law of Intermediate Temperatures):** एक ताप-युग्म जिसकी सन्धियों के ताप क्रमशः T_1 व T_3, है, का ताप वि. वा. ब. $[E]_{T_1}^{T_3}$, T_1 व T_2 तापों पर वि. वा. ब. $[E]_{T_1}^{T_2}$ तथा T_2 व T_3 तापों पर वि. वा. ब. $[E]_{T_2}^{T_3}$ के योग के बराबर होता है अर्थात्

$$[E]_{T_1}^{T_3} = [E]_{T_1}^{T_2} + [E]_{T_2}^{T_3}$$

यह नियम किन्हीं भी मध्य तापों के लिये लागु होता है :

$$[E]_{T_1}^{T_n} = [E]_{T_1}^{T_2} + [E]_{T_2}^{T_3} + \ldots + [E]_{T_{n-1}}^{T_n}$$

(*ii*) **मध्य धातुओं का नियम (Law of Intermediate Metals):** धातुओं A तथा C से बने ताप-युग्म में उत्पन्न ताप वि. वा. ब. (E_{AC}), A व B से प्राप्त ताप-युग्म के वि. वा. ब. (E_{AB}) तथा B व C से प्राप्त ताप-युग्म के वि. वा. ब. (E_{BC}) के योग के बराबर होता है, अर्थात्

$$E_{AC} = E_{AB} + E_{BC}$$

इसके लिये यह आवश्यक है कि प्रत्येक स्थिति में दोनों संधियों के बीच तापान्तर समान रहे।

यह नियम किन्हीं भी दो मध्य धातुओं के लिये लागू होता है।

$$E_{AZ} = E_{AB} + E_{BC} + \ldots + E_{YZ}$$

वैद्युत धारा का रासायनिक प्रभाव (Chemical Effect of Electric Current)

जब वैद्युत धारा अम्लों व क्षारों के विलयनों में से गुजरती है, विलयन अपने आयनों में विभक्त हो जाता है। वैद्युत धारा के इस प्रभाव को वैद्युत धारा का रासायनिक प्रभाव (Chemical effect) कहते हैं।

वह क्रिया जिसके द्वारा एक द्रव आयनों में टूट जाता है (जब उसमें धारा प्रवाहित की जायें), वैद्युत अपघटन (electrolysis) कहलाती है तथा यह द्रव, जो वैद्युत धारा का प्रवाह करता है, उसे वैद्युत अपघट्य (electrolyte) कहते हैं। इस द्रव में डूबी तथा बैट्री से जुड़ी दो प्लेटें इलैक्ट्रोड (electrode) कहलाती है। बैट्री के धनात्मक टर्मिनल से जुड़े इलैक्ट्रोड को ऐनोड (anode) तथा ऋणात्मक टर्मिनल से जुड़े इलैक्ट्रोड को कैथोड (cathode) कहते हैं। बर्तन जिसमें वैद्युत अपघट्य तथा इलैक्ट्रोड रहते हैं, वोल्टामीटर (voltameter) कहलाता है।

फैराडे के वैद्युत अपघटन सम्बन्धी नियम (Faraday's Laws of Electrolysis)

फैरोड ने 1834 में वैद्युत अपघटन से सम्बन्धित दो नियम दियेः

(*i*) **प्रथम नियम (First Law):** वैद्युत अपघटन की प्रक्रिया में इलैक्ट्रोडों पर मुक्त हुए पदार्थ का द्रव्यमान, वैद्युत अपघटन में प्रवाहित आवेश के समानुपाती होता है, अर्थात्

$m \propto q$

या $\qquad m = zq \qquad \ldots(i)$

यहाँ z एक नियतांक है, इसे वैद्युत रासायनिक तुल्यांक (electrochemical equivalent, E.C.E.) कहते हैं। सामान्यतः किसी भी वस्तु के E.C.E. को ग्राम प्रति कूलॉम (gc^{-1}) में लिखते हैं।

यदि एक वैद्युत धारा I, t समय तक प्रवाहित की जाती है, तब

$q = \text{I}t$

$\therefore \qquad m = z\text{I}t \qquad \ldots(ii)$

समीकरण (*i*) तथा (*ii*) द्वारा

$z = \frac{m}{q} =$ प्रति एकांक प्रवाहित आवेश पर मुक्त द्रव्यमान

(*ii*) **द्वितीय नियम (Second Law):** यदि वैद्युत धारा की समान मात्रा विभिन्न वैद्युत अपघट्यों में समान समय के लिये प्रवाहित की जांये तो इलैक्ट्रोडों पर मुक्त हुए पदार्थ का द्रव्यमान, उनके रासायनिक तुल्यांकों (Chemical equivalents) के समानुपाती होता है।

अतः $\qquad m \propto E \qquad \ldots(iii)$

$\therefore \qquad \frac{m_1}{m_2} = \frac{E_1}{E_2}$ यदि $q_1 = q_2$

E तथा z के बीच सम्बन्ध; फैराडे नियतांक (Relation between E and z; Fardays' Constant)

समीकरण (*i*) तथा (*iii*) द्वारा

$$\frac{m_1}{m_2} = \frac{z_1}{z_2}$$

तथा $\qquad \frac{m_1}{m_2} = \frac{E_1}{E_2}$

यदि $q_1 = q_2$

या $\frac{z_1}{z_2} = \frac{E_1}{E_2} = \ldots\ldots \Rightarrow \frac{E}{z} =$ नियतांक

यहाँ नियतांक $\frac{E}{z}$, फैराडे नियतांक F कहलाता है।

$$\therefore \quad \frac{E}{z} = F$$

फैराडे नियतांक सार्वत्रिक (universal) नियतांक है। इसका मात्रक आवेश के समान है तथा इसका मान 96500 कूलॉम है। अतः

$$1 \text{ F} = 96500 \text{ C}$$

फैराडे के वैद्युत अपघटन के नियमों में प्रयुक्त विभिन्न नियतांकों के सम्बन्ध में निम्न बिन्दु ध्यान रखने योग्य हैं :

(a) रासायनिक तुल्यांक (E) का मान पदार्थ के आणविक भार (A) तथा इसकी संयोजकता (V) के अनुपात के बराबर है। अतः

$$E = \frac{A}{V}$$

(b) एक फैराडे वह आवेश है जो वैद्युत अपघटन में पदार्थ का एक ग्राम तुल्यांक मुक्त करता है। इसका अर्थ है कि यदि वैद्युत अपघटन में 96500 C आवेश प्रवाहित किया जाये तो किसी पदार्थ का 1 ग्राम तुल्यांक द्रव्यमान मुक्त होगा।

वस्तुनिष्ठ प्रश्न

1. 50 वाट शक्ति के 10 बल्बों को 10 घण्टे प्रतिदिन जलाने पर 30 दिन में कितने किलोवाट घण्टा वैद्युत ऊर्जा व्यय होगी?
(a) 1500 (b) 15000
(c) 15 (d) 150

2. 100 वाट शक्ति के एक बल्ब को 6 घण्टे प्रतिदिन जलाया जाता है। 7 दिन में कितने यूनिट ऊर्जा व्यय होगी?
(a) 2.3 (b) 4.2
(c) 4.6 (d) 5.2

3. 2 ओम एवं $\frac{2}{3}$ ओम के दो प्रतिरोध 3 वोल्ट की बैटरी के समान्तर क्रम में जुड़े हैं, तो प्रति मिनट उत्सर्जित ऊर्जा का मान होगा:
(a) 360 J
(b) 900 J
(c) 810 J
(d) 1080 J

4. एक बल्ब पर 220 V, 100 W लिखा है। जब इसे 100 V के स्रोत से जोड़ा जाता है, तो इसके द्वारा व्यय शक्ति होगी:
(a) 50 W
(b) 75 W
(c) 90 W
(d) 25 W

5. 60 W एवं 100 W के वैद्युत बल्बों में फिलामेन्ट की लम्बाईयाँ बराबर हैं, तब:
(a) 100 W वाले बल्ब का फिलामेन्ट मोटा है
(b) 60 W वाले बल्ब का फिलामेन्ट मोटा है
(c) दोनों बल्बों के फिलामेन्ट समान मोटाई के हैं
(d) भिन्न लम्बाई के फिलामेन्ट लेकर ही भिन्न शक्ति के बल्ब बनाये जा सकते हैं

6. दो बल्ब जिनके प्रतिरोध 1 : 2 के अनुपात में हैं, श्रेणी क्रम में जोड़े गये हैं। इनमें व्यय वैद्युत शक्ति का अनुपात होगा:
(a) 1 : 2 (b) 2 : 1
(c) 1 : 1 (d) 1 : 4

7. एक 25 W, 220 V बल्ब तथा 100 W, 200 V बल्ब को 440 V की लाइन के साथ श्रेणी क्रम में जोड़ा गया है, तो कौन-सा बल्ब फ्यूज होगा?
(a) 100 V का
(b) 25 V का
(c) कोई बल्ब फ्यूज नहीं होगा
(d) दोनों बल्ब फ्यूज हो जायेंगे

8. दो समान लम्बाई के हीटर के तार पहले श्रेणी क्रम में तथा बाद में समान्तर क्रम में जोड़े जाते हैं। दोनों स्थितियों में उत्पन्न ऊष्मा का अनुपात है:
(a) 2 : 1 (b) 1 : 2
(c) 4 : 1 (d) 1 : 4

9. एक वैद्युत केतली में दो कुण्डली हैं। जब इनमें से एक में धारा प्रवाहित करते हैं, तो केतली में भरा जल 6 मिनट में उबल जाता है किन्तु जब दूसरी कुण्डली में धारा प्रवाहित करते हैं, तो जल 3 मिनट में ही उबल जाता है। यदि दोनों कुण्डलियों को श्रेणी क्रम में जोड़कर धारा प्रवाहित करें, तो अब जल को उबलने में कितना समय लगेगा?
(a) 3 min. (b) 6 min.
(c) 2 min. (d) 9 min.

10. दो बल्ब जिनमें से प्रत्येक 40 W का है, समान्तर क्रम में जुड़े हैं। संयोजन द्वारा व्यय शक्ति होगी :
(a) 20 W (b) 60 W
(c) 80 W (d) 100 W

उत्तरमाला

1. (d): व्यय ऊर्जा $= \frac{\text{वाट} \times \text{घण्टा}}{1000}$ = किलोवाट घण्टा

$\therefore$ 30 दिनों में व्यय ऊर्जा

$= \frac{10 \times 50 \times 10}{1000} \times 30 = 150 \text{ kWh}$

2. (c): व्यय ऊर्जा = शक्ति × समय

= 100 × 6 × 7 वॉट - घण्टा

$= \frac{100 \times 6 \times 7}{1000}$ किलो वॉट घण्टा

= 4.2 यूनिट

3. (d): कुल ऊर्जा, $P = \frac{V^2}{R_1} + \frac{V^2}{R_2} = V^2\left(\frac{R_1 + R_2}{R_1 R_2}\right)$

$= 3^2 \frac{\left(\frac{2}{3}+2\right)}{\left(\frac{2}{3}\times 2\right)} = 9 \times \frac{8}{4} = 18 \text{ Js}^{-1}$

$\therefore$ प्रति मिनट उत्सर्जित ऊर्जा होगी = 18 × 60 J = 1080 J

4. (d): बल्ब का प्रतिरोध

$R = \frac{V^2}{P} \Rightarrow \frac{220 \times 220}{100} = 484\Omega$

जब 110 वोल्ट से जोड़ दिया जाता है तब व्यय शक्ति

$P' = \frac{V^2}{R} = \frac{110 \times 110}{484} = 25W$

5. (a): प्रतिरोध $R \propto \frac{1}{A} \propto \frac{1}{r^2}$

मोटे तार के लिये R का मान कम व पतले तार के लिए R का मान अधिक होगा। लेकिन सामर्थ्य $P \propto \frac{1}{R'}$ अतः 100 वाट के बल्ब का प्रतिरोध कम होगा अर्थात् इसका फिलामेन्ट मोटा होगा।

6. (a): दोनों वैद्युत बल्ब श्रेणी क्रम में हैं, अतः उनमें बहने वाली धारा का मान समान होगा।

अतः $P \propto R \quad (\because P = i^2 R)$

$\Rightarrow \frac{P_1}{P_2} = \frac{R_1}{R_2} = \frac{1}{2}$

7. (b): 25 वाट बल्ब का प्रतिरोध $R = \frac{V^2}{P} = \frac{220 \times 220}{25} = 1936\Omega$

धारा $= \frac{V}{R} = \frac{220}{1936} = 0.11$ ऐम्पियर

100 वाट बल्ब का प्रतिरोध $R' = \frac{V^2}{P'} = \frac{220 \times 220}{100} = 484\,\Omega$

धारा $= \frac{V}{R'} = 220/484 = 0.45$ ऐम्पियर

8. (d): $R_S = R + R = 2R$

$R_P = \frac{R \times R}{R + R} = \frac{R}{2}$

जैसा कि हम जानते हैं

$H = \frac{V^2 t}{R} \Rightarrow H \propto \frac{1}{R}$

$\therefore \frac{H_S}{H_P} = \frac{R_P}{R_S} = \frac{R/2}{2R} = \frac{1}{4}$

9. (d): $H = \frac{V^2 t}{R} \Rightarrow R \propto t$

$\therefore \frac{R_1}{R_2} = \frac{t_1}{t_2} \Rightarrow \frac{R_1}{R_2} = \frac{6}{3} = \frac{2}{1}$

जब कुण्डलियाँ श्रेणी क्रम में जुड़ती हैं तब कुल प्रतिरोध होगा $R' = R_1 + R_2$

$\therefore \frac{R_1}{R_1 + R_2} = \frac{6}{x} \Rightarrow \frac{2}{2+1} = \frac{6}{x}$

$\Rightarrow 2x = 18 \qquad \Rightarrow x = 9$ min.

10. (c): दिया है $P = \frac{V^2}{R} = 40$

जब बल्ब समान्तर क्रम में हैं, तो प्रभावी प्रतिरोध $\frac{R}{2}$ होगा।

$\therefore P' = \frac{V^2}{R/2} = \frac{2V^2}{R} = 2 \times 40 = 80 \text{ W}$

●●●

अध्याय

20

वैद्युत धारा का चुम्बकीय प्रभाव (Magnetic Effect of Electric Current)

चुम्बकीय क्षेत्र की संकल्पना (Concept of Magnetic Field)

एक धारावाही चालक के चारों ओर का वह क्षेत्र जिसमें चुम्बकीय प्रभाव का अनुभव होता है, चुम्बकीय क्षेत्र कहलाता है।

चुम्बकत्व (Magnetics) में किसी बिन्दु पर चुम्बकीय क्षेत्र की गणना के लिये मूलभूत (basically) दो विधि हैं। इनमें से एक बायोट-सेवर्ट (Biot-Savart's) नियम है जो किसी बिन्दु पर अनन्त सूक्ष्म (infinitestimal) धारावाही तार के कारण चुम्बकीय क्षेत्र दर्शाता है तथा अन्य ऐम्पियर (Ampere's) का नियम है जो स्थायी धारा (steady current) वाले अधिक सममित रचना (highly symmetric configuration) के चुम्बकीय क्षेत्र की गणना में लाभदायक है।

बायो-सेवर्ट नियम (Biot-Savart's Law)

इस नियम के अनुसार, "लम्बाई dl के सूक्ष्म धारा अवयव के कारण बिन्दु P पर चुम्बकीय क्षेत्र $d\vec{\mathbf{B}}$ पर परिमाण

$$dB = |d\vec{\mathbf{B}}|$$

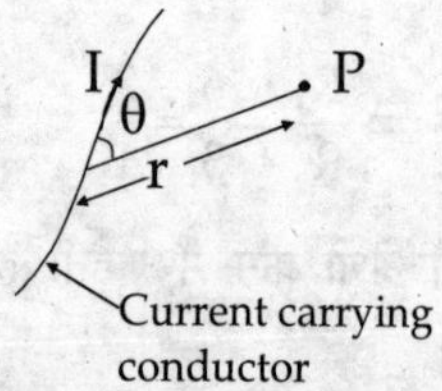

$$= \frac{\mu_0}{4\pi}\frac{Idl\sin\theta}{r^2}$$ वेबर/मीटर² या टेस्ला

यहाँ, μ_0 एक नियतांक है तथा इसे मुक्त आकाश की पारगम्यता (permeability) कहते हैं। इसका मान $4\pi \times 10^{-7}$ वेबर/ऐम्पियर-मीटर है।

बायो-सेवर्ट नियम के अनुप्रयोग (Applications of Biot-Savart's Law)

बायो-सेवर्ट नियम के कुछ अनुप्रयोगों पर विचार करते हैं:

(*i*) एक पतले सीधे चालक के कारण चुम्बकीय क्षेत्र

$$V = \frac{\mu_0 I}{4\pi d}(\sin\theta_1 + \sin\theta_2)$$

(a) अनन्त लम्बे तार के लिये,

$$\theta_1 = \theta_2 = 90°$$

$$\therefore \quad B = \frac{\mu_0 I}{2\pi d}$$

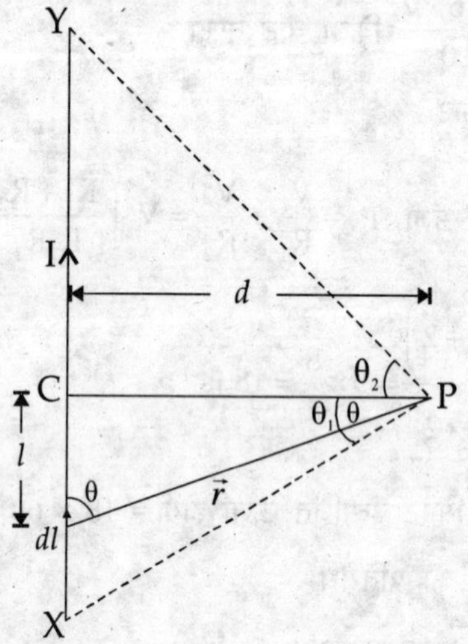

(b) जब तार अनन्त की आधी लम्बाई का है,

$$\theta_1 = 0 \text{ तथा } \theta_2 = \frac{\pi}{2}$$

$$\therefore \quad B = \frac{\mu_0 I}{4\pi d}\left(\sin 0° + \sin\frac{\pi}{2}\right)$$

या $$B = \frac{\mu_0 I}{4\pi d}$$

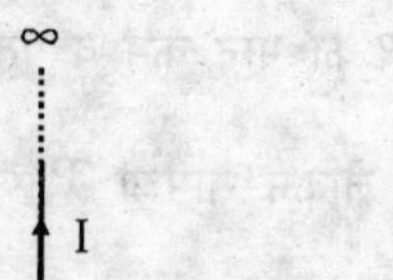

(c) $B \propto \frac{1}{d}$ अर्थात् अनन्त लम्बे, सीधे तार के लिये B-d ग्राफ चित्रानुसार एक समकोणीय अतिपरवलय होता है।

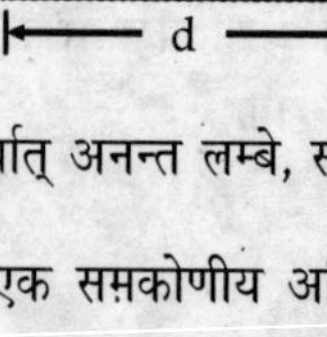

(*ii*) *N* फेरों की वृत्ताकार कुण्डली की अक्ष पर चुम्बकीय क्षेत्र

$$B = \frac{\mu_0 NIR^2}{2(R^2 + x^2)^{3/2}}$$

यहाँ R= कुण्डली की त्रिज्या

x= बिन्दु P की केन्द्र से दूरी

I= कुण्डली में धारा

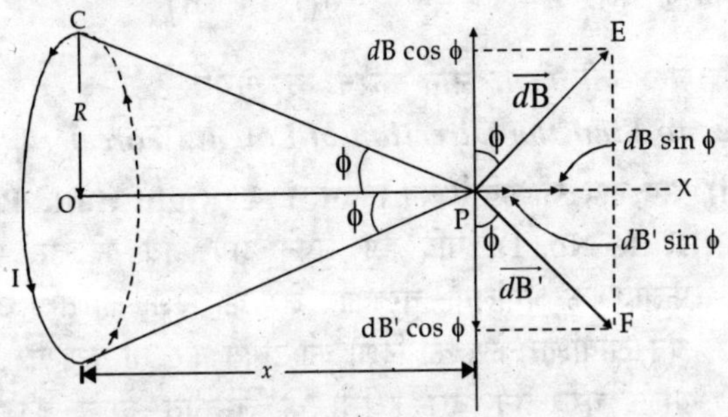

(a) लूप के केन्द्र पर, $x = 0$

$$\therefore \quad B = \frac{\mu_0 NI}{2R}$$

(b) $x >> R$ के लिये, $x^2 + R^2 \approx x^2$

$$B = \frac{\mu_0 NIR^2}{2x^3} = \left(\frac{\mu_0}{4\pi}\right)\left(\frac{2NI\pi R^2}{x^3}\right) = \left(\frac{\mu_0}{4\pi}\right)\left(\frac{2M}{x^3}\right)$$

यहाँ M = लूप का चुम्बकीय आघूर्ण

$N I A = N I \pi R^2$

(c) वृत्त के चाप द्वारा वृत्त के केन्द्र पर उत्पन्न चुम्बकीय क्षेत्र

$$B = \left(\frac{\mu_0 I}{4\pi R}\right)\theta = \frac{\mu_0}{4\pi}\left(\frac{I}{R}\right)\theta$$

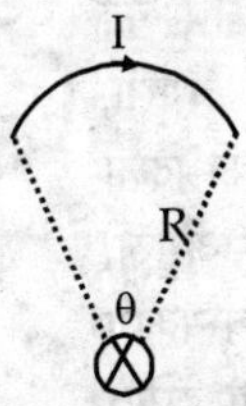

(*iii*) परिनालिका की अक्ष के अनुदिश क्षेत्र

$$B = \frac{\mu_0 NI}{2}(\cos\theta_2 - \cos\theta_1)$$

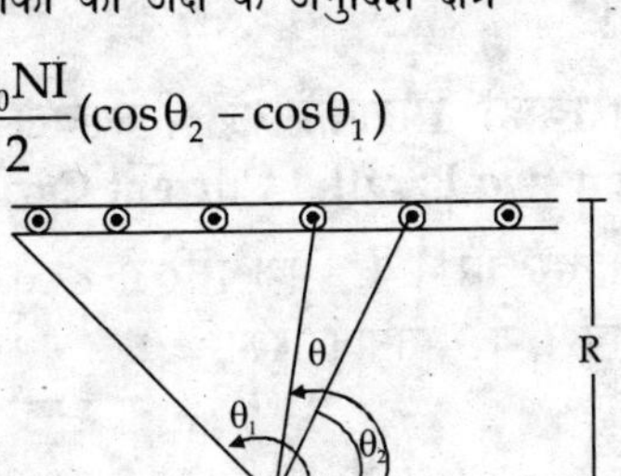

(a) लम्बी परिनालिका के लिये

अर्थात् $\theta_1 = 180°$ तथा $\theta_2 = 0°$

$$B = \mu_0 NI$$

(b) परिनालिका के सिरों पर

$\theta_2 = 0°,\ \theta_1 = 90°$

$$\therefore \quad B = \frac{1}{2}\mu_0 NI$$

एम्पियर का परिपथीय नियम (Ampere's Circuital Law)

इस नियम के अनुसार, "किसी बिन्दु पथ या परिपथ के अनुदिश चुम्बकीय क्षेत्र के रेखीय समाकलन (linear integral) का मान, उस पथ से घिरे पृष्ठ से गुजरने वाली कुल धारा के मान का μ_0 गुना होता है।"

अतः $$\oint \vec{B}.d\vec{l} = \mu_0(I_{net})$$

इसका सरलतम रूप है,

$$Bl = \mu_0 I_{net}$$

यह समीकरण निम्न शर्तों में ही प्रयोग किया जाता है:

(a) बन्द पथ के प्रत्येक बिन्दु पर

$\vec{B} \,||\, d\vec{l}$

(b) बन्द पथ के प्रत्येक स्थान पर चुम्बकीय क्षेत्र का परिमाण समान रहता है।

गतिमान बिन्दु आवेश का चुम्बकीय क्षेत्र (Magnetic Field of a Moving Point Charge)

$\vec{v}$ वेग से गतिमान एक आवेश q से स्थिति सदिश $\vec{r}$ पर एक बिन्दु P पर चुम्बकीय क्षेत्र सदिश निम्न सूत्र से दिया जाता है।

$$\vec{B} = \frac{\mu_0}{4\pi}\frac{q}{r^3}(\vec{v} \times \vec{r})$$

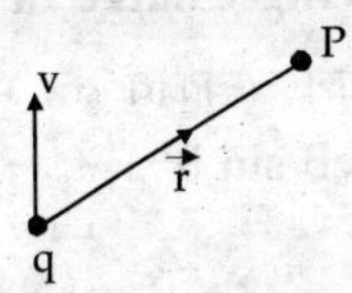

इस समीकरण के सन्दर्भ में दो बिन्दु निम्नलिखित हैं :

(a) $\vec{B}$ का परिमाण है

$$B = \frac{\mu_0}{4\pi}\frac{qv\sin\theta}{r^2}$$

यहाँ $\theta = 0°$ पर शून्य तथा $\theta = 90°$ पर अधिकतम है।

(b) यदि q धनात्मक है तो $\vec{B}$ की दिशा $\vec{v} \times \vec{r}$ के विपरीत है।

धारावाही चालक पर चुम्बकीय क्षेत्र में बल (Force on a Current Carrying Conductor in a Magnetic Field)

जब एक धारावाही चालक चुम्बकीय क्षेत्र में रखा जाता है तब चालक में प्रवाहित धारा की दिशा तथा चुम्बकीय क्षेत्र की दिशा के लम्बवत् दिशा में चालक पर एक बल कार्य करता है। यह बल लॉरेन्ज बल (Lorentz force) कहलाता है।

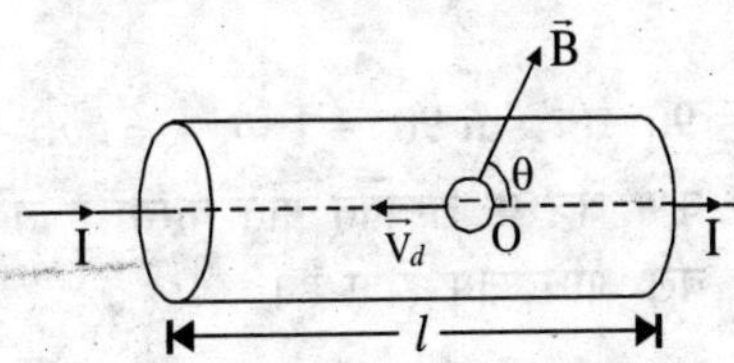

इस बल की दिशा या तो फ्लेमिंग के बायें हाथ के नियम या दायें हाथ की हथेली के नियम से ज्ञात की जा सकती है।

चुम्बकीय बल $F = I\,l\,B \sin\theta$

वेक्टर रूप में, $\vec{F} = I(\vec{l} \times \vec{B})$

यहाँ, B = चुम्बकीय क्षेत्र की तीव्रता

I = चालक में धारा

l = चालक की लम्बाई

θ = चालक की लम्बाई तथा चुम्बकीय क्षेत्र की दिशा के बीच का कोण

$\therefore F = I\,lB \sin\theta$

स्थितियाँ :

1. यदि $\theta = 90°$ या $\sin\theta = 1$

   तब $F = I\,l\,B$ (अधिकतम)

   अतः बल अधिकतम होगा जब धारावाही चालक चुम्बकीय क्षेत्र के लम्बवत् है।

2. यदि $\theta = 0°$ या $180°$ या $\sin\theta = 0$,

   तब $F = I\,l\,B \times 0 = 0$ (न्यूनतम)

   अतः बल शून्य होगा जब धारावाही चालक चुम्बकीय क्षेत्र के समान्तर है।

गतिमान आवेश पर चुम्बकीय क्षेत्र में बल (Force on a Moving Charge in Magnetic Field)

जब एक आवेशित कण चुम्बकीय क्षेत्र में गति करता है, तब इस पर कार्यरत बल, $F = qvB \sin\theta$

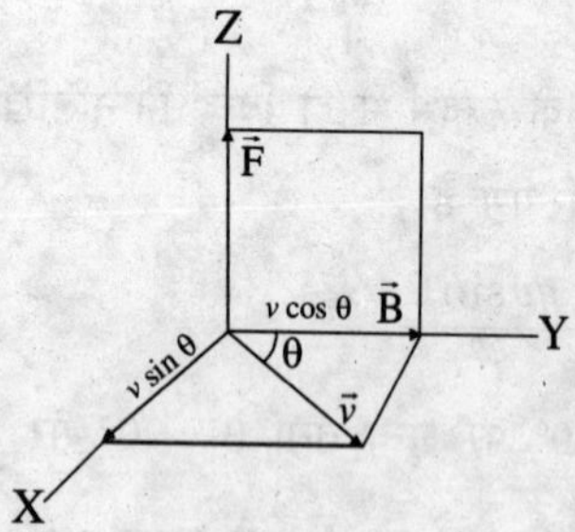

वेक्टर रूप में, $\vec{F} = q(\vec{v} \times \vec{B})$

स्थितियाँ :

1. यदि $v = 0$, तब $F = 0$ अर्थात् चुम्बकीय क्षेत्र में स्थिर आवेश पर कोई बल कार्य नहीं करता।
2. यदि $\theta = 0°$ या $180°$, तब $F = 0$ अर्थात् जब आवेश क्षेत्र के समान्तर गति करता है, तब उस पर कोई बल आरोपित नहीं होता।
3. यदि $\theta = 90°$ तब $\sin 90° = 1$ या $F = qvB$ अर्थात् जब आवेशित कण क्षेत्र के लम्बवत् गति करता है तब क्षेत्र द्वारा आरोपित बल अधिकतम होता है।

लॉरेन्ज बल (Lorentz Force)

जब एक आवेशित कण वैद्युत और चुम्बकीय क्षेत्र में गति करता है, तब इसके द्वारा किया गया बल लॉरेन्ज बल कहलाता है।

वैद्युत क्षेत्र के द्वारा बल, $\vec{F}_E = q\vec{E}$

चुम्बकीय क्षेत्र के द्वारा बल, $\vec{F}_M = q\left(\vec{v} \times \vec{B}\right)$

लॉरेन्ज बल, $\vec{F} = \vec{F}_E = \vec{F}_M = q\left(\vec{E} + \vec{v} \times \vec{B}\right)$

लॉरेन्ज बल की दिशा ज्ञात करने के नियम (Rules to Find the Direction of Lorentz Force)

(i) दायें हाथ की हथेली का नियम नं. 1 (Right Hand Palm Rule No. 1): यदि हम अपने दायें हाथ को इस प्रकार फैलाएँ कि अँगुलियाँ, चुम्बकीय क्षेत्र की दिशा को तथा अँगूठा धन आवेशित कण की दिशा को इंगित करे, तो कण पर लगने वाला चुम्बकीय बल हथेली के लम्बवत् बाहर की ओर (normally outward to the palm) दिष्ट होता है।

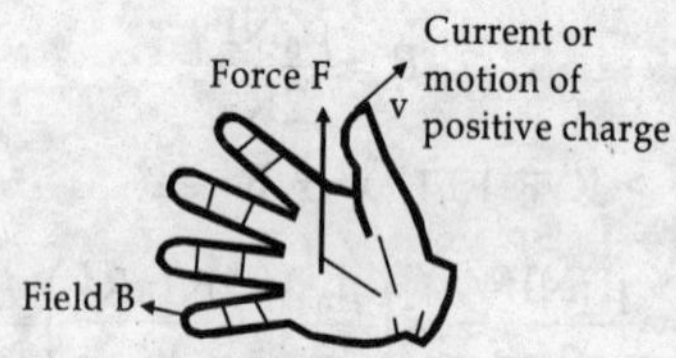

(ii) फ्लेमिंग के बायें हाथ का नियम (Fleming's Left Hand Rule): इस नियम के अनुसार, यदि हम अपने बायें हाथ के अँगूठे, तर्जनी अँगुली (fore-finger) व मध्य अँगुली को इस प्रकार समायोजित करें कि अँगूठा, दोनों अँगुलियों के लम्बवत् रहे तथा तर्जनी अँगुली, चुम्बकीय क्षेत्र की दिशा को तथा मध्य अँगुली, धन आवेशित कण की दिशा को इंगित करे, तो अँगूठा, कण पर लगने वाले चुम्बकीय बल की दिशा को इंगित करता है।

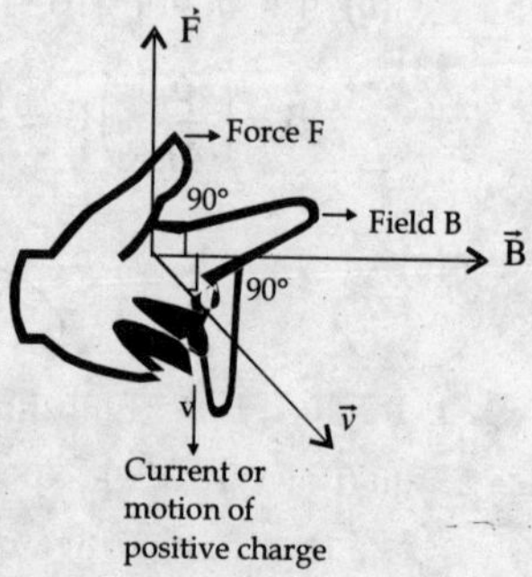

दो समान्तर धारावाही चालकों के बीच बल (Force between two Parallel Current Carrying Wires)

माना दो लम्बे समान्तर तार 1 व 2 एक-दूसरे से r दूरी पर रखे हैं तथा उनमें क्रमशः धारायें i_1 व i_2 समान दिशा में बह रही हैं।

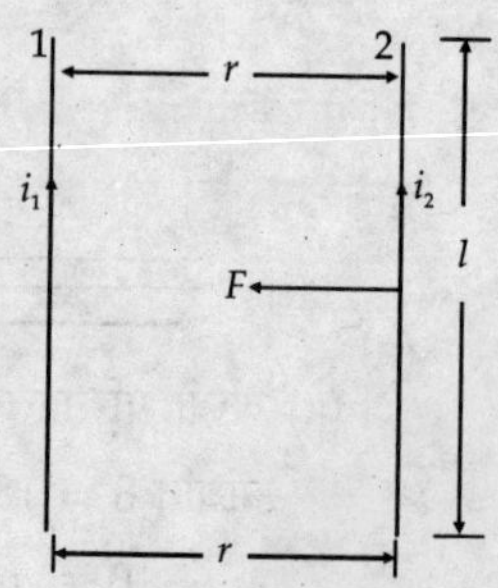

तार–2 की प्रति एकांक लम्बाई पर तार–1 के कारण बल

$$\frac{F}{l} = \frac{\mu_0}{2\pi}\frac{i_1 i_2}{r}$$

यही समान बल तार–2 के कारण तार–1 पर आरोपित होगा।

वस्तुनिष्ठ प्रश्न

1. आयनों की एक किरण-पुँज $2 \times 10^5 \, ms^{-1}$ के वेग से 4×10^{-2} टेस्ला के चुम्बकीय क्षेत्र में क्षेत्र की दिशा के लम्बवत् प्रवेश करती है। यदि आयन पर विशिष्ट आवेश 5×10^7 कूलॉम/किग्रा है, तो इसके द्वारा बनाये गये वृत्ताकार पथ की त्रिज्या होगी :

(a) 0.10 m (b) 0.16 m
(c) 0.20 m (d) 0.25 m

2. एक सीधे एवं अनन्त लम्बाई के पतले ट्यूब में से i ऐम्पियर की धारा बह रही है, तब ट्यूब के भीतर किसी बिन्दु पर चुम्बकीय प्रेरण का मान होगाः

(a) अनन्त
(b) शून्य
(c) $\frac{\mu_0}{4\pi} \cdot \frac{2i \sin\theta}{r}$ Tesla
(d) $\frac{2i}{r}$ Tesla

3. एक इलेक्ट्रॉन व एक प्रोटॉन के संवेग बराबर हैं। ये एकसमान चुम्बकीय क्षेत्र में क्षेत्र के लम्बवत् प्रवेश करते हैं। यदि इनके वृत्तीय पथों की त्रिज्यायें क्रमशः r_e व r_p हैं, तो :

(a) $\frac{r_e}{r_p} = 1$ (b) $\frac{r_e}{r_p} = \frac{m_p}{m_e}$
(c) $\frac{r_e}{r_p} = \sqrt{\frac{m_p}{m_e}}$ (d) $\frac{r_e}{r_p} = \sqrt{\frac{m_e}{m_p}}$

4. r त्रिज्या एवं n लपेटों वाली वृत्ताकार कुण्डली में से i धारा प्रवाहित हो रही है। यदि चुम्बकीय क्षेत्र कुण्डली के तल के लम्बवत् हैं, तो कुण्डली से h दूरी पर चुम्बकीय क्षेत्र का मान केन्द्र पर चुम्बकीय क्षेत्र से कम होगाः

(a) $\frac{3}{2}\frac{h^2}{r^2}$ (b) $\frac{2}{3}\frac{h^2}{r^2}$
(c) $\frac{3}{2}\frac{r^2}{h^2}$ (d) $\frac{2}{3}\frac{r^2}{h^2}$

5. हीलियम नाभिक (α-कण) 0.8 मीटर त्रिज्या के वृत्त के केन्द्र पर चुम्बकीय क्षेत्र का मान होगाः

(a) $\frac{10^{-19}}{\mu_0}$ (b) $10^{-19}\mu_0$
(c) $2 \times 10^{-10}\mu_0$ (d) $\frac{2 \times 10^{-10}}{\mu_0}$

6. एक प्रोटॉन (द्रव्यमान $=1.67 \times 10^{-27}$ किग्रा व आवेश $=1.6 \times 10^{-19}$ कूलॉम) 2 वेबर/मी^{2} के चुम्बकीय क्षेत्र में 3.4×10^7 मी/से के वेग से लम्बवत् प्रवेश करता है। प्रोटॉन का त्वरण होगाः

(a) $6.5 \times 10^{15} \, ms^{-1}$
(b) $6.5 \times 10^{13} \, ms^{-2}$
(c) $6.5 \times 10^{11} \, ms^{-2}$
(d) $6.5 \times 10^9 \, ms^{-2}$

7. हाइड्रोजन परमाणु में इलेक्ट्रॉन 0.53×10^{-10} मीटर त्रिज्या के पथ में 6.6×10^{15} चक्कर प्रति सेकण्ड की चाल से परिक्रमण कर रहा है। तो इसके केन्द्र पर चुम्बकीय क्षेत्र का मान होगाः

(a) 140 Tesla (b) 12.5 Tesla
(c) 1.4 Tesla (d) 0.14 Tesla

8. दो कणों A एवं B पर समान आवेश हैं। इन्हें समान विभवान्तर से त्वरित करने के पश्चात् एक साथ चुम्बकीय क्षेत्र में भेजा जाता है तब ये R_1 एवं R_2 त्रिज्या के वृत्ताकार पथ पर गति करते हैं। A एवं B कणों के द्रव्यमानों का अनुपात हैः

(a) $\left(\frac{R_1}{R_2}\right)^{1/2}$ (b) $\frac{R_2}{R_1}$
(c) $\left(\frac{R_1}{R_2}\right)^2$ (d) $\frac{R_1}{R_2}$

9. तार की एक लम्बाई L में स्थायी धारा I बह रही है। इसे पहले एक वृत्ताकार लूप में मोड़ा जाता है और फिर इसी तार को छोटी त्रिज्या के दो लूप में मोड़ दिया जाता है। इसमें से उतनी ही धारा प्रवाहित करने पर इसके केन्द्र पर चुम्बकीय क्षेत्र होगाः

(a) इसके पूर्व मान का चौथाई (b) अपरिवर्तित
(c) पूर्व मान का चार गुना (d) पूर्व मान का आधा

10. एक q आवेश, r मीटर त्रिज्या के वृत्ताकार पथ पर n चक्कर प्रति सेकण्ड की चाल से गति करता है, तो वृत्त के केन्द्र पर चुम्बकीय क्षेत्र होगाः

(a) $\frac{2\pi q}{nr} \times 10^{-7}$ N/Am
(b) $\frac{2\pi q}{r} \times 10^{-7}$ N/Am
(c) $\frac{2\pi nq}{r} \times 10^{-7}$ N/Am
(d) $\frac{2\pi q}{r}$ N/Am

उत्तरमाला

1. (a): चूँकि $\frac{mv^2}{R} = Bqv$ या

$R = \frac{mv}{Bq} = \frac{v}{B\left(\frac{q}{m}\right)}$

यहाँ $\frac{q}{m} = 5\times10^7$ कूलॉम/किग्रा,

$v = 2 \times 10^5$ ms^{-1}

B = 4 × 10^{-2} टेस्ला

अतः $R = \frac{2\times10^5}{4\times10^{-2}\times5\times10^7} = \frac{1}{10}$ m = 0.1 m

2. (b): ऐम्पियर के नियमानुसार $\oint \vec{B}\cdot d\vec{l} = 0$

$\Rightarrow \vec{B}\cdot d\vec{l} \Rightarrow \vec{B} = 0$

3. (a): कक्षा की त्रिज्या $r = \frac{mv}{qB} = \frac{p}{qB} \Rightarrow r \propto \frac{1}{q}$

4. (a): केन्द्र पर चुम्बकीय क्षेत्र की तीव्रता

$B_1 = \frac{\mu_0}{4\pi}\times\frac{2\pi ni}{r} = \frac{\mu_0}{2}\cdot\frac{ni}{r}$

केन्द्र से h दूरी पर क्षेत्र

$B_2 = \frac{\mu_0}{4\pi}\cdot\frac{2\pi nir^2}{(r^2+h^2)^{3/2}} = \frac{\mu_0}{2}\cdot\frac{nir^2}{r^3\left(1+\frac{h^2}{r^2}\right)^{3/2}}$

$= B_1\left(1+\frac{h^2}{r^2}\right)^{-3/2} = B_1\left(1-\frac{3}{2}\cdot\frac{h^2}{r^2}\right)$ (द्विपद प्रमेय द्वारा)

5. (b): $i = \frac{q}{t} = \frac{2\times1.6\times10^{-19}}{2}$ A $= 1.6\times10^{-19}$ A

$\therefore\ B = \frac{\mu_0 i}{2r} = \frac{\mu_0\times1.6\times10^{-19}}{2\times0.8} = \mu_0\times10^{-19}$

6. (a): $qvB = F = ma$

$\therefore\ a = \frac{qvB}{m} = \frac{1.6\times10^{-19}\times3.4\times10^7\times2}{1.67\times10^{-27}}$

$= 6.5\times10^{15}\ ms^{-2}$

7. (b): $i = qv$

तथा $B = \frac{\mu_0 i}{2r}$

$= \frac{\mu_0 qv}{2r} = \frac{4\pi\times10^{-7}\times1.6\times10^{-19}\times6.6\times10^{15}}{2\times0.53\times10^{-10}}$

$= \frac{2\pi\times1.6\times6.6}{5.3} = 12.5$ Tesla

8. (c): पथ की त्रिज्या

$R = \frac{mv}{qB}$

जैसे $\frac{1}{2}mv^2 = qE\ \therefore\ v = \sqrt{\frac{2qE}{m}}$

अतः $R = \frac{\sqrt{2qEm^2/m}}{qB} = \frac{\sqrt{2qEm}}{qB}$

अर्थात् $R \propto \sqrt{m}$

$\therefore\ \frac{m_A}{m_B} = \left(\frac{R_1}{R_2}\right)^2$

9. (c): कुण्डली में $B = \frac{\mu_0 Ni}{2r}$

$B \propto \frac{N}{r} \Rightarrow \frac{B_2}{B_1} = \frac{N_2}{N_1}\times\frac{r_1}{r_2}$

$2\pi r_1 = 2\times2\pi r_2 \Rightarrow r_1 = 2r_2$

$\therefore\ \frac{B_2}{B_1} = \frac{2}{1}\times\frac{2r_2}{r_2} = 4 \Rightarrow B_2 = 4B_1$

10. (c): वृत्त के केन्द्र पर चुम्बकीय क्षेत्र

$= \frac{\mu_0}{4\pi}\times\frac{2\pi i}{r}$

$= 10^{-7}\times\frac{2\pi(nq)}{r} = \frac{2\pi nq}{r}\times10^{-7}$ N/Am

●●●

अध्याय

21 विद्युतचुम्बकीय प्रेरण एवं प्रत्यावर्ती धारा (Electromagnetic Induction and Alternating Current)

विद्युतचुम्बकीय प्रेरण (Electromagnetic Induction)

जब कभी एक वैद्युत धारा एक चालक से होकर बहती है तो चालक को घेरने वाले परिवेश में एक चुम्बकीय क्षेत्र उत्पन्न हो जाता है। इसके विपरीत जब चालक को घेरने वाला चुम्बकीय क्षेत्र चालक के सापेक्ष गतिमान होता है तब यह चालक में इलेक्ट्रॉनों की गति उत्पन्न करता है। यह परिघटना जिसमें किसी चालक में वि. वा. ब. तथा धारा प्रेरित होती है, विद्युतचुम्बकीय प्रेरण (electromagnetic induction) कहलाती है।

किसी बिन्दु पर चुम्बकीय फ्लक्स रेखा घनत्व (magnetic flux-line density) अर्थात् फ्लक्स रेखा के लम्बवत् पृष्ठ के एकांक क्षेत्रफल से गुजरने वाली फ्लक्स रेखाओं की संख्या ही उस बिन्दु पर चुम्बकीय क्षेत्र की तीव्रता $\vec{B}$ को व्यक्त करती है। चुम्बकीय फ्लक्स को सामान्यतः ϕ_B से प्रदर्शित करते हैं। पृष्ठ क्षेत्रफल A से गुजरने वाला चुम्बकीय फ्लक्स ϕ_B उस क्षेत्रफल से लम्बवत् गुजरने वाली चुम्बकीय प्रेरण रेखाओं की कुल संख्या के बराबर होता है।

गणितीय रूप से, चुम्बकीय फ्लक्स $\phi_B = \sum \vec{B} \cdot \Delta \vec{A}$

$$\therefore \quad \phi_B = \int_S \vec{B} \cdot d\vec{A} = \vec{B} \cdot \vec{A} = BA \cos\theta$$

SI पद्धति में चुम्बकीय फ्लक्स का मात्रक वेबर तथा CGS पद्धति में मैक्सवल है।

$$1 \text{ Wb} = 10^8 \text{ M}x$$

(a) यदि $\theta = 90°$,

$\theta = 90°;\ \phi_B = 0$

$\therefore \phi_B = BA \cos 90° = 0$

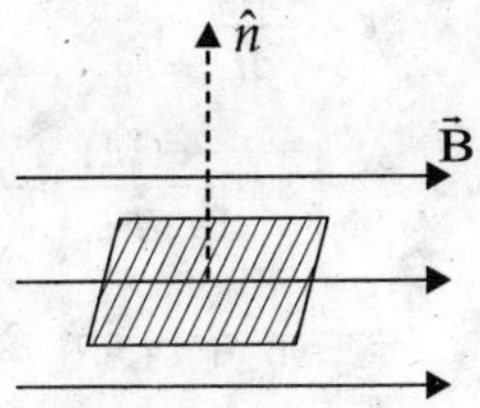

(b) यदि $\theta = 0°$,

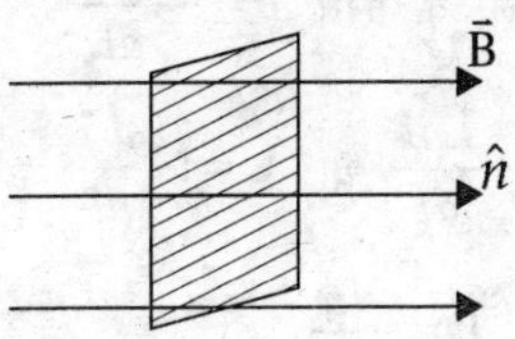

$\theta = 0°;\ \phi_B = \text{max.}$

$\therefore \phi_B = BA \cos 0° = BA =$ उच्चतम

विद्युतचुम्बकीय प्रेरण के फैराडे के नियम (Faraday's Laws of Electromagnetic Induction)

प्रथम नियम (First Law)

"जब कभी परिपथ से सम्बद्ध चुम्बकीय फ्लक्स में परिवर्तन होता है, तब इसमें वि. वा. ब. प्रेरित हो जाता है।" परिपथ यदि बन्द है तो वि. वा. ब. के कारण परिपथ में एक वैद्युत धारा भी प्रेरित हो जाती है।

द्वितीय नियम (Second Law)

"परिपथ में प्रेरित वि. वा. ब. का परिमाण परिपथ से सम्बद्ध नैट चुम्बकीय फ्लक्स ϕ के समय के सापेक्ष परिवर्तन की दर के क्रमानुपाती होता है।"

प्रेरित वि. वा. ब. (अथवा प्रेरित धारा) की दिशा इस प्रकार है कि यह उस परिवर्तन का विरोध करती है जिससे यह स्वयं उत्पन्न हुई है। यह कथन लेन्ज का नियम (Lenz's law) कहलाता है।

गणितीय रूप से,

$$e = -\frac{N\,d\phi}{dt}$$

यहाँ N = कुण्डली में फेरों की संख्या

यदि परिपथ का प्रतिरोध R है, तब

$$I = \frac{e}{R} = -\frac{N}{R}\frac{d\phi}{dt}$$

dt समय में प्रेरित आवेश

$$dq = I dt = -\frac{N}{R}\frac{d\phi}{dt}dt = -\frac{N\,d\phi}{R} \Rightarrow \Delta q = -\frac{N\Delta\phi}{R}$$

$$\therefore \quad \Delta q = -\frac{\text{फ्लक्स में नेट परिवर्तन}}{\text{प्रतिरोध}}$$

लेन्ज का नियम (Lenz's Law)

लेन्ज का नियम ऊर्जा संरक्षण पर आधारित है तथा यह कुण्डली में प्रेरित वि. वा. ब. तथा धारा की दिशा दर्शाता है।

जब एक चुम्बक का N- ध्रुव किसी कुण्डली की ओर [चित्र (a)] जाता है तो प्रेरित धारा उस दिशा में बहती है ताकि वह चुम्बक के कुण्डली की ओर आने का विरोध कर सके। यह केवल तभी सम्भव है जबकि चुम्बक के निकट वाला सिरा उत्तरी ध्रुव की भाँति व्यवहार करे जो कि कुण्डली में वामावर्त (anticlockwise) धारा के कारण उत्पन्न होता है।

अतः दो समान ध्रुवों के बीच प्रतिकर्षण चुम्बक की कुण्डली की ओर गति का विरोध करता है।

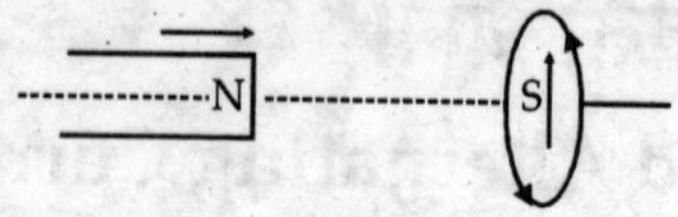

(a)

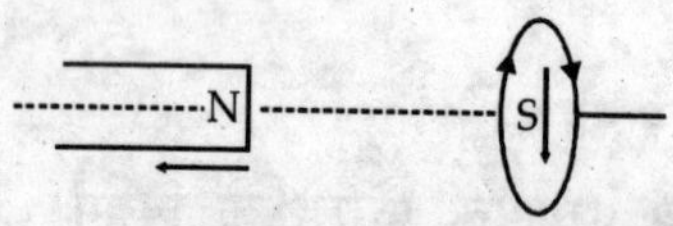

(b)

इसी प्रकार जब चुम्बक कुण्डली से दूर जाती है तब कुण्डली में प्रेरित धारा की दिशा इस प्रकार होती है कि वह चुम्बक का कुण्डली से दूर जाने का विरोध करती है जोकि केवल तभी सम्भव है यदि कुण्डली में धारा दक्षिणावर्त (clockwise) बहे। इस स्थिति में चुम्बक के पास वाला कुण्डली का सिरा *S*- ध्रुव की भाँति व्यवहार करता है। अतः चित्र (b) के अनुसार दो विपरीत ध्रुवों के बीच आकर्षण बल चुम्बक के दूर जाने का विरोध करता है। प्रत्येक स्थिति में चुम्बक को गति कराने में कार्य करना पड़ता है। अतः यह यांत्रिक कार्य है जो कि कुण्डली में वैद्युत ऊर्जा के रूप में प्रकट होता है। अतः कुण्डली में उत्पन्न प्रेरित वि. वा. ब. अथवा प्रेरित धारा ऊर्जा संरक्षण के नियम के संगत हैं।

प्रेरित वि.वा.ब. (Induced emf)

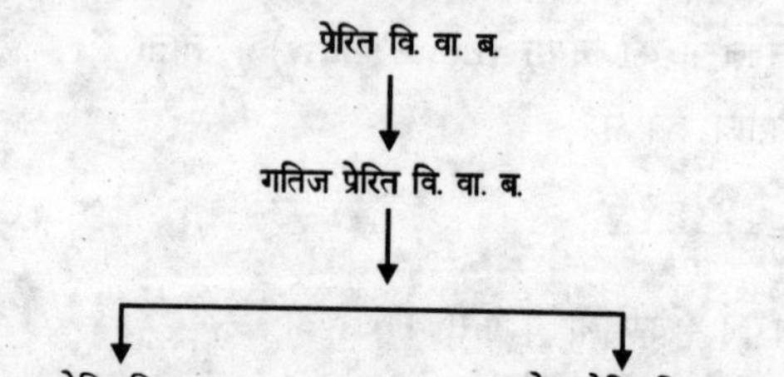

गतिज प्रेरित वि.वा.ब. (Dynamically Induced emf)

माना एक पतली चालक छड़ *ab* (लम्बाई *l*) एकसमान चुम्बकीय क्षेत्र $\vec{B}$ को कागज के तल के लम्बवत् नीचे की ओर दिष्ट है, में $\vec{v}$ से दायीं ओर गतिमान है।

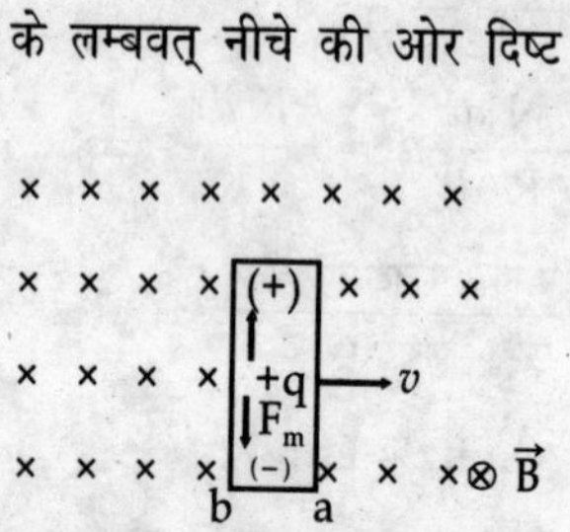

फ्लेमिंग के बायें हाथ के नियम से छड़ में एक आवेश वाहक (*q*) चुम्बकीय बल *qv*B अनुभव करता है जो *b* से *a* की ओर दिष्ट होता है।

जबकि एक इलेक्ट्रॉन छड़ की लम्बाई के अनुदिश *a* से *b* की ओर बल *ev*B अनुभव करता है। इस बल के कारण छड़ के मुक्त इलेक्ट्रॉन *a* से *b* की ओर गति करते हैं जिसके परिणामस्वरूप सिरा *b* ऋणात्मक तथा सिरा *a* धनात्मक हो जाता है। इसके कारण छड़ के अनुदिश विभवान्तर स्थापित हो जाता है। यह वि. वा. ब. है। तुल्य सेल चित्र में प्रदर्शित है।

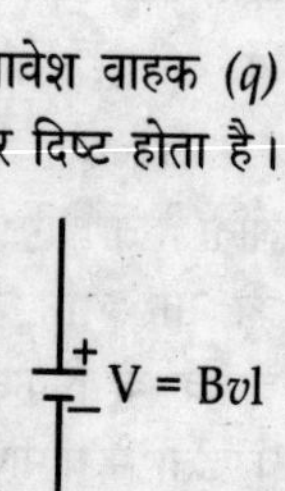

यदि छड़ में उत्पन्न वैद्युत क्षेत्र E है, तब $E = \frac{V}{l}$ यहाँ V, छड़ के सिरों पर प्रेरित वि. वा. ब. है। आवेशों की साम्यावस्था में,

वैद्युत बल = चुम्बकीय बल

$eE = Bev$ या $E = vB$

$\therefore$ प्रेरित वि. वा. ब. $V = El = Bvl$

यदि छड़ चुम्बकीय क्षेत्र से θ कोण पर गति करे, तब प्रेरित वि. वा. बल $= Bvl \sin\theta$

$\therefore$ प्रेरित वि. वा. ब. $= Bvl \sin\theta$

प्रेरित धारा की दिशा फ्लेमिंग के दायें हाथ के नियम से दी जाती है।

स्व-प्रेरित वि. वा. ब. (Self-Induced emf)

जब एक परिपथ में बहने वाली धारा में परिवर्तन होता है, तब परिपथ से सम्बद्ध फ्लक्स में भी परिवर्तन होता है। परिणामस्वरूप परिपथ में प्रेरित वि. वा. ब. स्थापित हो जाता है। यह घटना स्व-प्रेरण (self-induction) कहलाती है तथा उत्पन्न वि. वा. ब.; पश्च वि.वा.ब. (black emf) या स्व-प्रेरित वि. वा. ब. (self-induced emf) कहलाता है।

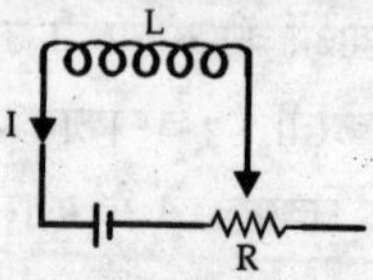

यदि परिपथ में बहने वाली धारा *I* है, तब परिपथ से सम्बद्ध वि. वा. ब. $\phi \propto I$

या $\phi = LI$

यहाँ, *L* कुण्डली का स्व-प्रेरण गुणांक (coefficient of self induction) है। इसका मात्रक हेनरी (H) है।

हम जानते हैं

$$e = \frac{-d\phi}{dt}$$

$$\therefore \quad e = \frac{-d(LI)}{dt} = -L\frac{dI}{dt}$$

कुण्डली में N फेरों के लिये, $e = -\frac{Nd\phi}{dt}$

$\therefore$ समान कुण्डली के लिये $e = -\frac{LdI}{dt}$

$$\therefore \quad -\frac{Nd\phi}{dt} = -\frac{LdI}{dt} \quad \text{या} \quad L = N\frac{d\phi}{dI}$$

सरलतम रूप में, $L = \frac{N\phi}{I}$

एक वैद्युत परिपथ में स्व-प्रेरकत्व (self-inductance) यांत्रिक गति में जड़त्व (inertia) के तुल्य है। अतः कुण्डली का स्व-प्रेरकत्व, इसमें बहने वाली धारा के विरोध करने की क्षमता की माप है।

अन्योन्य प्रेरित वि.वा.ब. (Mutually-Induced emf)

माना कुण्डलियाँ C_1 तथा C_2 एक-दूसरे के पास इस प्रकार रखी जाती हैं कि यदि कुण्डली C_1 में धारा प्रवाहित की जाये, तो कुण्डली C_2, कुण्डली C_1 के चुम्बकीय क्षेत्र में हो अथवा इसके विलोमतः जब कभी कुण्डली (C_1) में प्रवाहित धारा परिवर्तित होती है तो निकट वाली कुण्डली (C_2) से सम्बद्ध चुम्बकीय फ्लक्स भी परिवर्तित होता है। इसके कारण कुण्डली C_2 में प्रेरित वि. वा. ब. तथा इस प्रकार प्रेरित धारा उत्पन्न हो जाती है। यह परिघटना अन्योन्य प्रेरण (mutual induction) कहलाती है।

परिपथ जिसमें धारा परिवर्तित होती है, प्राथमिक (primary) परिपथ कहलाता है जबकि निकट वाला परिपथ जिसमें वि. वा. ब. प्रेरित होता है, द्वितीय (secondary) परिपथ कहलाता है।

यदि किसी क्षण पर प्राथमिक कुण्डली में बहने वाली धारा I_1 है, तब द्वितीयक कुण्डली से सम्बद्ध फ्लक्स

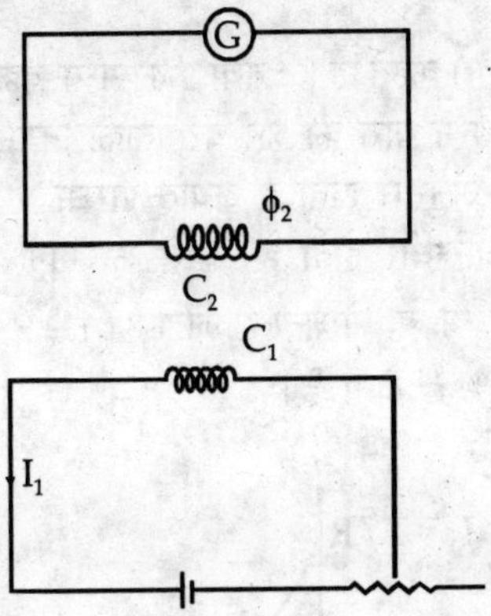

$\phi_2 \propto I_1$ या $\phi_2 \propto MI_1$

यहाँ M, कुण्डली का अन्योन्य प्रेरकत्व (mutual inductance) है। द्वितीय कुण्डली में प्ररित वि. वा. ब.

$$e = -\frac{d\phi_2}{dt}$$

$$\therefore \quad e = -\frac{d}{dt}(MI_1) = -\frac{M\,dI_1}{dt} \text{ तथा } M = \frac{\phi_2}{I_1}$$

स्वप्रेरकत्व के समान, अन्योन्य प्रेरकत्व का मात्रक हेनरी (H) है।

चुम्बकीय युग्म गुणांक (Coefficient of Magnetic Coupling)

यदि प्राथमिक तथा द्वितीयक कुण्डली के स्वप्रेरण गुणांक क्रमशः L_1 तथा L_2 हों तथा प्राथमिक कुण्डली द्वारा उत्पन्न चुम्बकीय फ्लक्स सम्पूर्ण रूप से द्वितीयक कुण्डली के साथ सम्बद्ध हो, तब इन दोनों कुण्डलियों के मध्य अन्योन्य प्रेरण गुणांक

$$M = \sqrt{L_1 L_2}$$

परन्तु यह स्थिति वास्तव में सम्भव नहीं है, क्योंकि इस समायोजन में कुछ फ्लक्स क्षय होने की सम्भावनाएँ सदैव बनी रहती हैं। ऐसी स्थिति में उपरोक्त सम्बन्ध $M = \sqrt{L_1 L_2}$ यथार्थ रूप से सन्तुष्ट नहीं होता है। इसके स्थान पर एक नया सम्बन्ध $M = k\sqrt{L_1 L_2}$ ले लेते हैं।

जहाँ $k = M/\sqrt{L_1 L_2}$ दोनों कुण्डलियों के मध्य युग्म गुणांक (coefficient of coupling) कहलाता है।

आदर्श स्थिति में $k = 1$ होगा जबकि किसी भी प्रकार के फ्लक्स का क्षय नहीं हो रहा है। इस स्थिति को गाढ़ युग्मन (tight coupling) कहते हैं। जब k का मान 1 से काफी कम हो, तो इसे अल्प युग्मन (loose coupling) कहते हैं। अन्य सामान्य स्थितियों में $k < 1$ होता है।

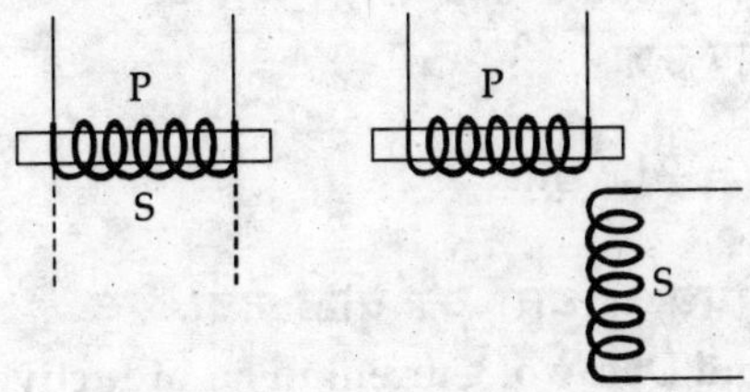

(a) उच्चतम k (b) न्यूनतम k

चुम्बकीय क्षेत्र में ऊर्जा घनत्व (Energy Density in a Magnetic Field)

माना r त्रिज्या, l लम्बाई की एक परिनालिका में फेरों की संख्या n है। यदि परिनालिका में i धारा प्रवाहित की जाये, तो परिनालिका के अन्दर उत्पन्न चुम्बकीय क्षेत्र,

$$B = \mu_0 ni$$

परिनालिका में संचित चुम्बकीय ऊर्जा $U_B = \frac{1}{2}Li^2$

परिनालिका का स्व-प्रेरकत्व, $L = \mu_0 n^2 Al$

सभी प्रतीक अपने सामान्य अर्थों में हैं।

परिनालिका के अन्दर उपस्थित चुम्बकीय क्षेत्र आयतन $= Al$ अतः चुम्बकीय क्षेत्र के एकांक आयतन में उपस्थित ऊर्जा

$$u_B = \frac{U_B}{Al} = \frac{\frac{1}{2}Li^2}{Al} = \frac{1}{2Al}(\mu_0 n^2 Al)\left(\frac{B}{\mu_0 n}\right)^2$$

$$\Rightarrow \quad u_B = \frac{B^2}{2\mu_0}$$

अतः निर्वात (अथवा वायु) में उपस्थित चुम्बकीय क्षेत्र में एकांक आयतन में $\frac{B^2}{2\mu_0}$ जूल/मीटर^3 चुम्बकीय ऊर्जा होती है। किसी अन्य माध्यम में इसका मान $\frac{B^2}{2\mu}$ होता है।

प्रेरक में संचित ऊर्जा (Energy Stored in an Inductor)

जब एक प्रेरक में धारा बहती है तब इसमें चुम्बकीय क्षेत्र उत्पन्न हो जाता है तथा इसमें चुम्बकीय ऊर्जा संचित हो जाती है।

माना i = धारा का तात्क्षणिक मान

e = किसी क्षण प्रेरित वि. वा. ब. $= -L\frac{di}{dt}$

अतः समय dt में कृत कार्य

$$dW = eidt = \left(L\frac{di}{dt}\right) idt = Lidi$$

अधिकतम स्थायी धारा i उत्पन्न करने में कृत कार्य

$$W = \int_0^i Lidi = \frac{1}{2}Li^2 \quad \therefore \quad W = \frac{1}{2}Li^2$$

यह कार्य कुण्डली में ऊर्जा के रूप में संचित हो जाता है। अतः संचित चुम्बकीय ऊर्जा

$$U = W = \frac{1}{2}Li^2 \text{ जूल}$$

प्रेरकीय परिपथ में धारा की वृद्धि तथा क्षय (Growth and Decay of Current in an Inductive Circuit)

(*i*) जब स्विच (switch) S_2 को $t = 0$ पर खुला रखकर, S_1 को बन्द किया जाता है, तब R-L परिपथ में धारा i का मान बढ़ने लगता है। समय t पर धारा i का मान निम्न सूत्र से दिया जाता है

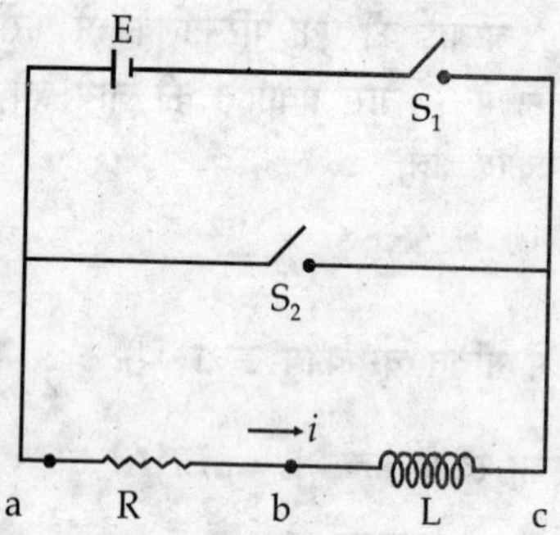

$$i = i_0(1 - e^{-Rt/L}) = (1 - e^{-t/\tau})$$

यहाँ $\tau\left(= \frac{L}{R}\right)$ को L-R परिपथ का कालांक (time constant) कहते हैं। t तथा i के मध्य वक्र चित्र में प्रदर्शित है। परिपथ में धारा की वृद्धि चरघातांकी नियम (exponential law) के अनुसार होती है अर्थात् प्रारम्भ में वृद्धि तेज से तथा बाद में धीरे-धीरे होती है। धारा का मान अधिकतम $\left(i_0 = \frac{E}{R}\right)$ हो जाने पर, विरोधी वि. वा. ब. शून्य हो जाता है। $t = \tau$ पर, $i = 0.632 i_0$ या 63.2 % i_0 होता है।

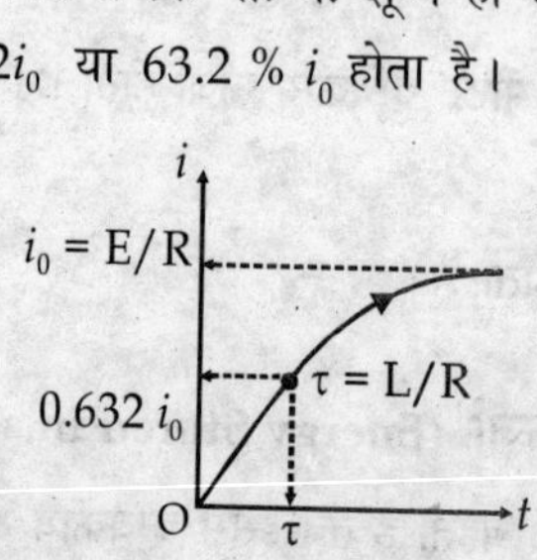

(*ii*) चित्र में समय $t = 0$ पर कुन्जी S_2 को बन्द करने के तुरन्त बाद कुन्जी S_1 को खोल देने पर, परिपथ में धारा i का मान अपने प्रारम्भिक मान i_0 से घटने लगता है तथा परिपथ में धारा का मान शून्य होने में कुछ समय लग जाता है। समय t पर, परिपथ में प्रवाहित धारा i का मान निम्नलिखित सूत्र द्वारा ज्ञात किया जा सकता है:

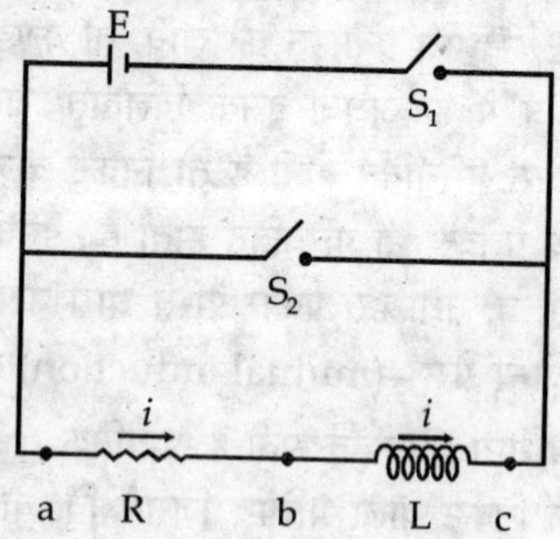

$$i = i_0 e^{-Rt/L} = i_0 e^{-t/\tau}$$

यहाँ $T\left(= \frac{L}{R}\right)$ को L-R परिपथ का कालांक (time constant) कहते हैं। t तथा i के मध्य वक्र चित्र में प्रदर्शित है। परिपथ में धारा का क्षय चरघातांकी नियम (exponential law) के अनुसार होता है अर्थात् प्रारम्भ में क्षय तेजी से तथा बाद में धीरे-धीरे होता है। धारा का मान शून्य हो जाने पर विरोधी वि. वा. ब. भी शून्य हो जाता है। $t = \tau$ पर, $i = 0.368 i_0$ या 36.8% i_0 होता है।

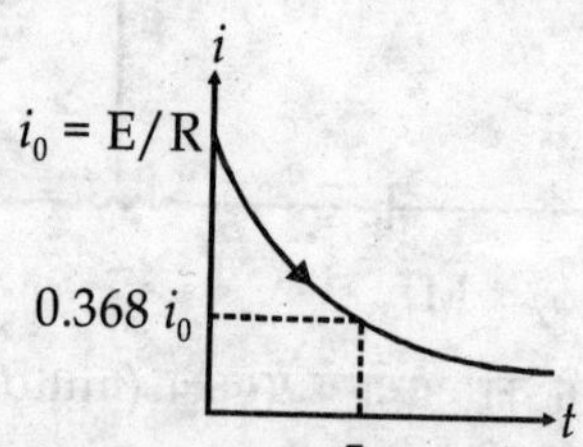

L-C परिपथ में वैद्युत दोलन (Oscillations in L-C Circuit)

हम जानते हैं कि संधारित्र में ऊर्जा वैद्युत क्षेत्र में संचित होती है परन्तु प्रेरक चुम्बकीय क्षेत्र में ऊर्जा संचित करता है। एक L-C परिपथ में L प्रेरकत्व का प्रतिरोधहीन प्रेरक तथा संधारित्र C होता है। यह टैंक परिपथ (tank circuit) के नाम से भी जाना जाता है।

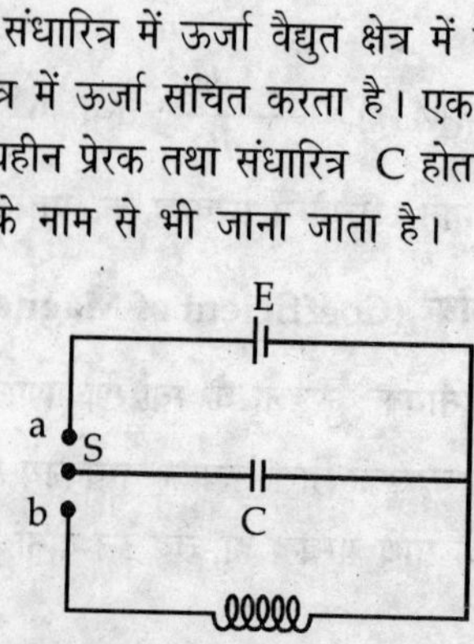

चित्र में L-C परिपथ प्रदर्शित है। जब स्विच S, का सम्पर्क टर्मिनल a से किया जाता है, तो संधारित्र आवेशित होने लगता हैं जब संधारित्र पूर्ण रूप से आवेशित हो जाता है तब स्विच S का सम्पर्क *a* से तोड़कर, *b* से कर देते हैं। प्रारम्भ में संधारित्र में संचित वैद्युत ऊर्जा

$$U_E = \frac{q_0^2}{2C}$$

संधारित्र तब प्रेरक के द्वारा निरावेशित होने लगता है। अतः प्रक्रिया निम्न चित्रानुसार होगी।

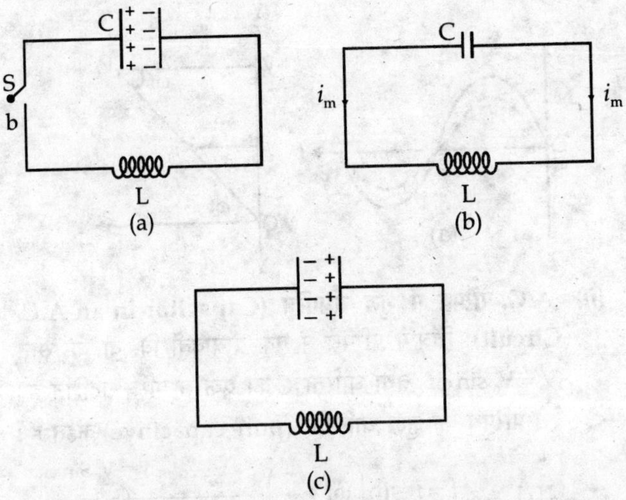

जैसे ही धारा शून्य से बढ़ती है, यह चित्र (b) के अनुसार, प्रेरक में चुम्बकीय क्षेत्र उत्पन्न करती है। जब संधारित्र पूर्ण रूप से निरावेशित हो जाता है तथा संधारित्र की प्लेटों के बीच विभवान्तर शून्य हो जाता है, तो धारा अधिकतम i_0 हो जाती है। इस क्षण पर प्रेरक में संचित ऊर्जा $U_B = \frac{1}{2}Li_0^2$ तथा संधारित्र में संचित ऊर्जा शून्य ($U_E = 0$) हो जाती है।

संधारित्र के विसर्जित हो जाने पर धारा i_0 बिल्कुल शून्य नहीं हो जाती बल्कि कुछ समय तक उसी दिशा में घटते हुए बहती है तथा चुम्बकीय क्षेत्र भी घटता है। जिससे संधारित्र विपरीत दिशा में आवेशित होने लगता है, [चित्र (c)]। संधारित्र के पूर्णतः आवेशित हो जाने पर परिपथ में धारा पुनः शून्य हो जाती है। इस स्थिति में $U_B = 0$ तथा $U_E = \frac{1}{2}\frac{q_0^2}{C}$ हो जाती है। अतः प्रेरकत्व में संचित चुम्बकीय ऊर्जा पुनः संधारित्र की प्लेटों के बीच वैद्युत ऊर्जा के रूप में संचित हो जाती है।

अब संधारित्र विपरीत दिशा में विसर्जित होता है, तथा परिपथ में धारा का मान पुनः विपरीत दिशा में शून्य से बढ़ने लगता है तथा धारा के अधिकतम हो जाने पर $U_B = \frac{1}{2}Li_0^2$ तथा $U_E = 0$। इस प्रकार, संधारित्र के आवेशन विसर्जन की यह क्रिया लगातार चलती रहती है, तथा L-C परिपथ में वैद्युत धारा पहले फिर दूसरी दिशा में उसी अधिकतम मान तक बढ़कर पुनः शून्य तक घटती है। इस प्रकार, L-C परिपथ में वैद्युत दोलन होते रहते हैं।

दोलनों की आवृत्ति (Frequency of Oscillations)

L-C परिपथ में दोलन की आवृत्ति संधारित्र की धारिता C तथा प्रेरकत्व L के मानों पर निर्भर करती है। यदि परिपथ का प्रतिरोध नगण्य हो, तो परिपथ में वैद्युत दोलनों की आवृत्ति,

$$f = \frac{1}{2\pi\sqrt{LC}}$$

I, U_E तथा U_B के लिए सामान्य व्यंजक (General Expression for I, U_E and U_B)

हम जानते हैं– $q = q_0 \cos\omega t$

जहाँ $\omega = \frac{1}{\sqrt{LC}} \Rightarrow I = \frac{dq}{dt} = -\omega q_0 \sin\omega t$

$\therefore\ I = -\omega q_0 \sin\omega t$

$$U_E = \frac{q^2}{2C} = \frac{q_0^2 \cos^2 \omega t}{2C}$$

$$U_B = \frac{1}{2}LI^2 = \frac{1}{2}L(-\omega q_0 \sin\omega t)^2 = \frac{1}{2}Lq_0^2 \times \frac{1}{LC}\sin^2 \omega t$$

$$\Rightarrow U_B = \frac{q_0^2}{2C}\sin^2 \omega t$$

$$\therefore U_B + U_E = \frac{q_0^2}{2C}\left(\sin^2 \omega t + \cos^2 \omega t\right) = \frac{q_0^2}{2C}$$

L-C दोलन में ऊर्जा-समय ग्राफ

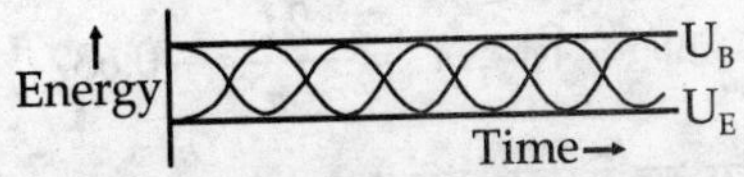

प्रत्यावर्ती धारा : प्रस्तावना (Alternating Current : Introduction)

समय के साथ परिवर्ती धारा अथवा वोल्टता अपने परिवर्तन के नियमानुसार आवर्ती (periodic) अथवा अन-आवर्ती (non-periodic) हो सकती है। धारा अथवा वोल्टता के आवर्ती होने पर धारा या वोल्टता प्रत्यावर्ती कहलाती है यदि इसका आयाम नियत रहे तथा इसका एकान्तर (alternate) अर्द्धचक्र धनात्मक तथा ऋणात्मक हों। यदि धारा अथवा वोल्टता समय के साथ ज्या (sine) या कोज्या (cosine) फलनों के रूप में परिवर्तित होते हैं तब धारा या वोल्टता ज्यावक्रीय (sinusoidal) कहलाती हैं।

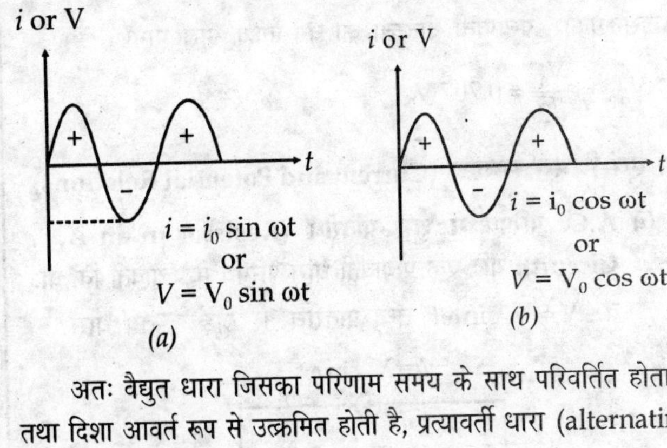

अतः वैद्युत धारा जिसका परिणाम समय के साथ परिवर्तित होता है तथा दिशा आवर्त रूप से उत्क्रमित होती है, प्रत्यावर्ती धारा (alternating current) कहलाती है।

प्रत्यावर्ती धारा का तात्क्षणिक मान

$i = i_0 \sin\omega t$ या $i = i_0 \cos\omega t$

यहाँ, i_0 प्रत्यावर्ती धारा का शिखरमान (peak value) है।

इसी प्रकार वोल्टता, जिसका परिमाण समय के साथ परिवर्तित होता है तथा दिशा आवर्त रूप से उत्क्रमित होती है, प्रत्यावर्ती वोल्टता (alternating voltage) कहलाती है।

प्रत्यावर्ती वोल्टता का तात्क्षणिक मान

$$V = V_0 \sin \omega t \quad \text{या} \quad V = V_0 \cos \omega t$$

प्रत्यावर्ती धारा एवं वोल्टता के माध्य एवं वर्ग माध्य मूल मान (Mean and Root Mean Square Value of Alternating Current and Voltage)

माध्य अथवा औसत मान (Mean or Average Value)

प्रत्यावर्ती धारा में धारा की दिशा और मान दोनों ही आवर्त रूप से परिवर्तित होते हैं। एक पूरे चक्र के लिये प्रत्यावर्ती धारा का औसत मान शून्य होता है। पहले अर्द्ध-चक्र के लिये धारा का औसत मान

$$i_m = \frac{2i_0}{\pi} = 0.637\, i_0$$

दूसरे अर्द्ध चक्र के लिये, $i_m = -\frac{2i_0}{\pi} = -0.637\, i_0$

जहाँ, i_0 धारा का शिखर मान है।

इसी प्रकार प्रत्यावर्ती वोल्टता का अर्द्ध-चक्रों के लिये मान निम्न प्रकार हैः

$$V_m = \frac{2V_0}{\pi} = 0.637\, V_0 \quad \text{तथा} \quad V_m = \frac{2V_0}{\pi} = -0.637\, V_0$$

वर्ग-माध्य-मूल मान (Root-Mean-Square Value)

प्रत्यावर्ती धारा के एक पूरे-चक्र के लिये धारा के वर्ग के औसत मान के वर्गमूल को धारा वर्ग-माध्य-मूल मान (rms value) कहते हैं। इसे i_{rms} से प्रदर्शित करते हैं।

$$i_{rms} = \frac{i_0}{\sqrt{2}} = 0.707\, i_0$$

इसी प्रकार, प्रत्यावर्ती वोल्टता का वर्ग-माध्य -मूल मान

$$V_{rms} = \frac{V_0}{\sqrt{2}} = 0.707\, V_0$$

धारा एवं विभव सम्बन्ध (Current and Potential Relations)

***(i)* A.C. परिपथ में शुद्ध प्रतिरोध (Resistor in an A.C. Circuit):** यदि एक प्रत्यावर्ती धारा परिपथ में प्रत्यावर्ती वि. वा. ब. $V = V_0 \sin \omega t$ तथा प्रतिरोध R जुड़े हैं, तब धारा

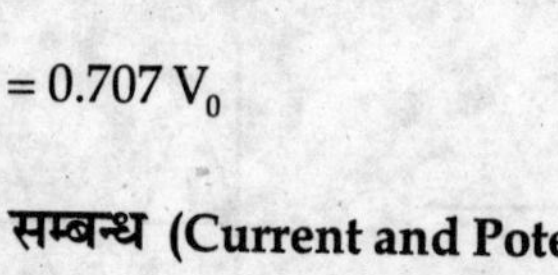

$$i = \frac{V}{R} = \frac{V_0}{R} \sin \omega t = i_0 \sin \omega t$$

यदि परिपथ में केवल शुद्ध प्रतिरोध है, तब चित्र (a) के अनुसार, वोल्टेज तथा धारा समान कला में होंगे।

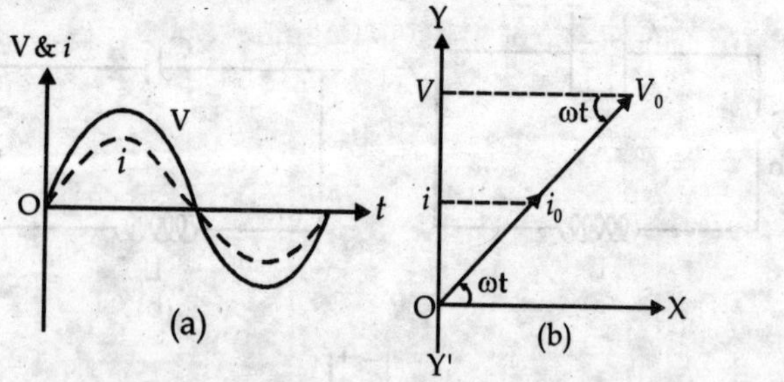

***(ii)* A.C. परिपथ में शुद्ध संधारित्र (Capacitor in an A.C. Circuit):** चित्र में परिपथ में एक प्रत्यावर्ती वि. वा. ब. स्रोत $V = V_0 \sin \omega t$ तथा धारिता C का एक संधारित्र प्रदर्शित है। ऐसे परिपथ को शुद्ध धारितीय (pure capacitive) कहते हैं।

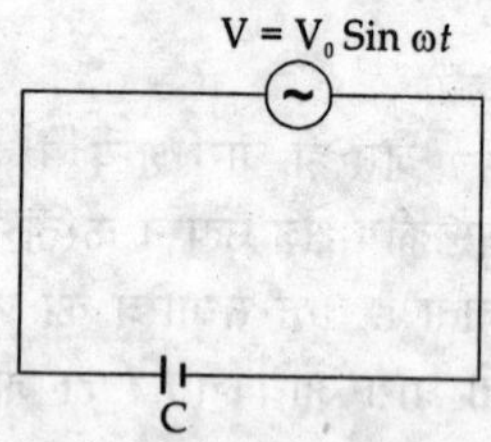

धारा $\quad i = i_0 \sin\left(\omega t + \frac{\pi}{2}\right)$

$= i_0 \cos \omega t$

जहाँ $\; i_0 = \frac{V_0}{1/\omega C}$

उपरोक्त समीकरण से स्पष्ट है कि प्रभावी प्रतिरोध (effective resistance) $\frac{1}{\omega C} (= X_C)$ परिपथ का धारितीय प्रतिघात (capacitive reactance) है। इसका मात्रक ओम (Ω) है।

इस परिपथ में धारा, वोल्टेज से 90° या $\left(\frac{\pi}{2}\right)$ अग्रगामी (leading) है।

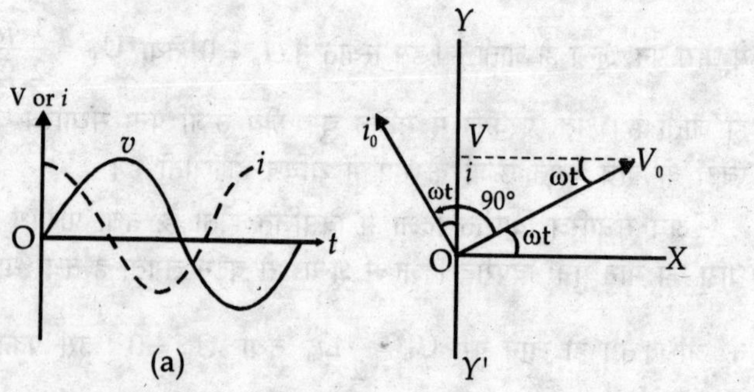

***(iii)* A.C. परिपथ में शुद्ध प्रेरकत्व (Inductor in an A.C. Circuit):** चित्र में एक परिपथ में एक प्रत्यावर्ती वि. वा. ब. $V = V_0 \sin \omega t$ तथा स्वप्रेरकत्व L की शुद्ध प्रेरकत्व वाली कुण्डली प्रदर्शित है।

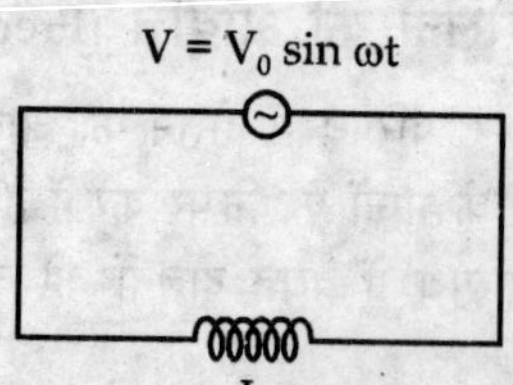

धारा $\; i = i_0 \sin(\omega t - \pi/2)$

जहाँ $\; i_0 = \frac{V_0}{\omega L}$

उपरोक्त समीकरण से स्पष्ट है कि प्रभावी प्रतिरोध $\omega L (= X_L)$

परिपथ का प्रेरकीय प्रतिघात (inductive reactance) है। इसका मात्रक भी ओम (Ω) है। चित्र (a) से स्पष्ट है कि धारा, वोल्टेज से $\frac{\pi}{2}$ पश्चगामी (lagging) है।

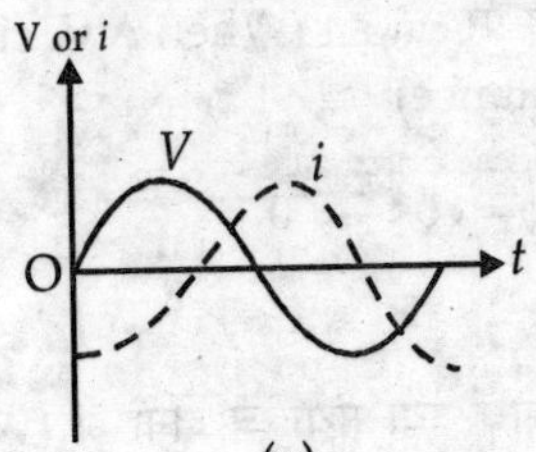

(a)

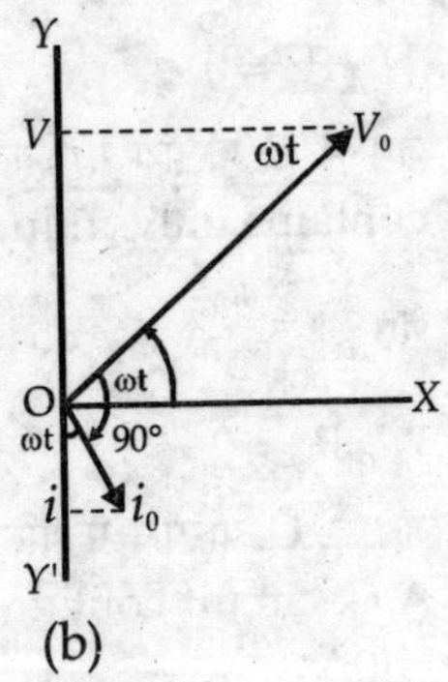

(b)

श्रेणी R-L परिपथ (Series R-L Circuit)

किसी A.C. परिपथ में प्रतिरोध के सिरों पर विभवान्तर, धारा के साथ कला में होता है तथा प्रेरकत्व के सिरों पर विभवान्तर धारा से कला में 90° अग्रगामी होता है।

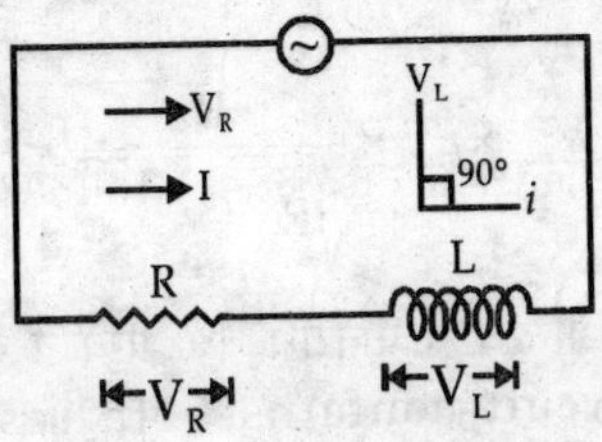

माना कला आरेख में धारा धनात्मक X-अक्ष के अनुदिश ली गई है। V_R को X-अक्ष के अनुदिश तथा V_L को धनात्मक Y-अक्ष के अनुदिश लिया गया है।

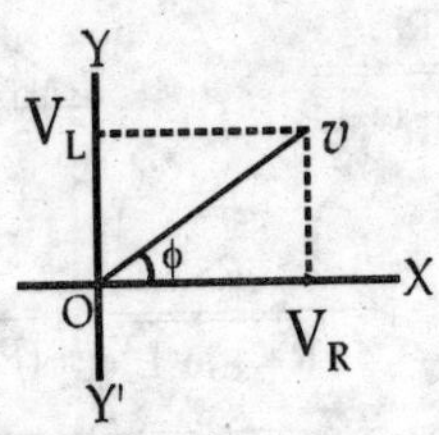

अतः चित्र के अनुसार

$$V = V_R + jV_L = iR + j(iX_L)$$

$$= iR + j(i\omega L) \quad (\because X_L = \omega L) \quad = iZ$$

यहाँ $Z = R + jX_L = R + j(\omega L)$, परिपथ की प्रतिबाधा (impedance) है। प्रतिबाधा का परिमाण

$$|Z| = \sqrt{R^2 + (\omega L)^2}$$

विभवान्तर धारा से कला में माना ϕ कोण से अग्रगामी है, तब

$$\phi = \tan^{-1}\left|\frac{V_L}{V_R}\right| = \tan^{-1}\left(\frac{X_L}{R}\right)$$

या $\phi = \tan^{-1}\left(\frac{\omega L}{R}\right)$

श्रेणी R-C परिपथ (Series R-C Circuit)

किसी A.C. परिपथ में संधारित्र के सिरों पर विभवान्तर, धारा से कला में 90° पश्चगामी होता है।

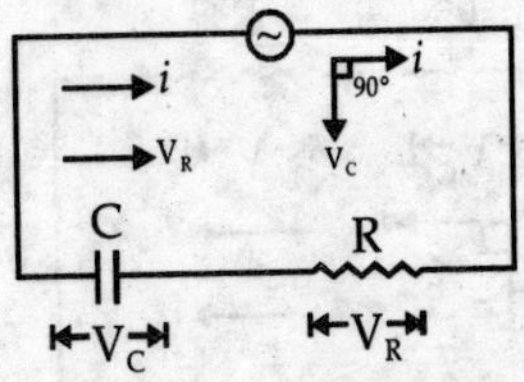

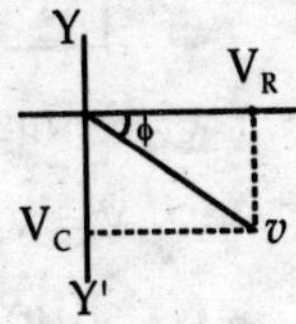

माना कला आरेख में धारा को धनात्मक X-दिशा में लिया गया है। तब V_R धनात्मक X-दिशा में तथा V_C ऋणात्मक Y-दिशा में होगा।

अतः $V = V_R - jV_C$

$$= iR - j(iX_C) \quad = iR - j\left(\frac{i}{\omega C}\right) \qquad \left[\because X_c = \frac{1}{WC}\right]$$

$$= iz$$

यहाँ $Z = R - jX_C = R - j\left(\frac{1}{\omega C}\right)$, परिपथ की प्रतिबाधा है।

प्रतिबाधा का परिमाण $|Z| = \sqrt{R^2 + \left(\frac{1}{\omega C}\right)^2}$

विभवान्तर, धारा से कला में माना ϕ कोण से पश्चगामी है,

तब $\phi = \tan^{-1}\left|\frac{V_C}{V_R}\right| = \tan^{-1}\left(\frac{X_C}{R}\right) = \tan^{-1}\left(\frac{1/\omega C}{R}\right)$

या $\phi = \tan^{-1}\left(\frac{1}{\omega RC}\right)$

श्रेणी L-C परिपथ (Series L-C Circuit)

किसी A.C. परिपथ में प्रेरकत्व के सिरों पर विभवान्तर, धारा से कला में 90° अग्रगामी होता है। जबकि संधारित्र के सिरों पर विभवान्तर धारा से कला में 90° पश्चगामी होता है।

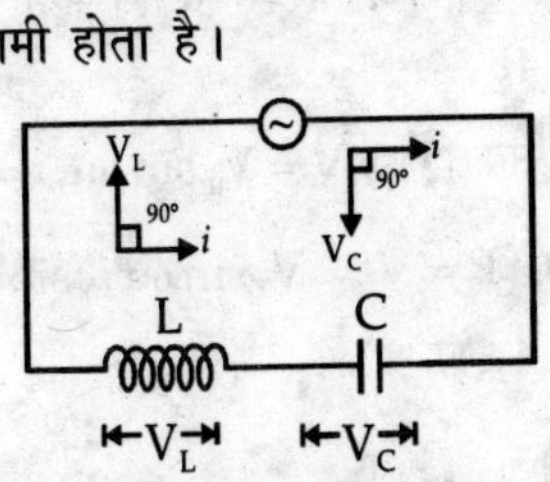

माना कला आरेख में धारा धनात्मक X-दिशा के अनुदिश ली गई है। तब X_L धनात्मक Y-दिशा में तथा V_C ऋणात्मक Y-दिशा में होगा।

अतः $V = jV_L - jV_C = j(iX_L) - j(iX_C) = j[i(X_L - X_C)]$

यहाँ Z = प्रतिबाधा $= j(X_L - X_C)$

$$= j\left(\omega L - \frac{1}{\omega C}\right) \Rightarrow |Z| = \sqrt{\left(\omega L - \frac{1}{\omega C}\right)^2}$$

या $|Z| = \omega L - \frac{1}{\omega C}$

अतः परिणामी विभवान्तर धारा से 90° अग्रगामी होता है।

श्रेणी L-C-R परिपथ (Series L-C-R Circuit)

प्रेरकत्व के सिरों पर विभवान्तर धारा से 90° अग्रगामी होता है जबकि संधारित्र के सिरों पर विभवान्तर, धारा 90° पश्चगामी होता है।

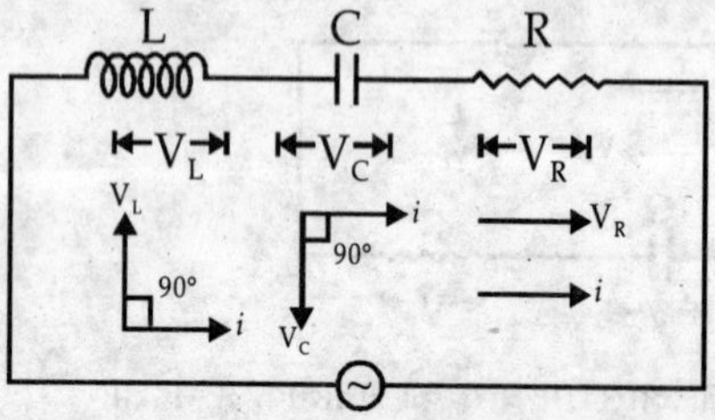

L-C-R परिपथ का कला आरेख चित्र में प्रदर्शित है।

अतः $V = V_R + jV_L - jV_C = iR + j(iX_L) - j(iX_C)$

$= iR + j[i(X_L - X_C)] = iZ$

यहाँ प्रतिबाधा

$$Z = R + j(X_L - X_C) = R + j\left(\omega L - \frac{1}{\omega C}\right)$$

अतः प्रतिबाधा का परिमाण

$$|Z| = \sqrt{R^2 + \left(\omega L - \frac{1}{\omega C}\right)^2}$$

तथा विभवान्तर, धारा से मात्र ϕ कोण से अग्रगामी है, तब

$$\phi = \tan^{-1}\left|\frac{V_L - V_C}{V_R}\right| = \tan^{-1}\left(\frac{X_L - X_C}{R}\right)$$

या $$\phi = \tan^{-1}\left(\frac{\omega L - \frac{1}{\omega C}}{R}\right)$$

A.C. परिपथ में शक्ति (Power in an A.C. Circuit)

किसी परिपथ में कार्य किये जाने की दर शक्ति (power) कहलाती है। A.C. परिपथ में धारा तथा वि. वा. ब. समान कला में होना आवश्यक नहीं हैं।

अतः हम लिख सकते हैं, $V = V_0 \sin \omega t, i = i_0 \sin(\omega t - \phi)$

तात्क्षणिक क्षमता, $P = Vi = V_0 \sin \omega t\, i_0 \sin(\omega t - \phi)$

$$P_{av} = V_{rms} i_{rms} \cos\phi$$

$$\therefore \quad P_{av} = \frac{V_0}{\sqrt{2}} \frac{i_0}{\sqrt{2}} \cos\phi$$

यहाँ $\cos\phi = \frac{R}{Z}$, A.C. परिपथ का शक्ति गुणांक (power factor) है।

विभिन्न स्थितियाँ

(*i*) जब A.C. परिपथ में केवल प्रतिरोध है (when A.C. circuit contains only resistance): जब $\phi = 0$, $\therefore \cos\phi = 1$

$$\therefore \quad P_{av} = V_{rms} \times i_{rms} = V_{rms} \times \frac{V_{rms}}{R} = \frac{V_{rms}^2}{R}$$

(*ii*) जब A.C. परिपथ में केवल संधारित्र है (when A.C. circuit contains only capacitor) :

जब $\phi = \frac{\pi}{2}$, $\quad \therefore \quad \cos\phi = \cos\left(-\frac{\pi}{2}\right) = 0$

$\therefore \quad P_{av} = 0$

(*iii*) जब A.C. परिपथ में केवल प्रेरकत्व है। (When A.C. circuit contains only inductance):

जब $\phi = \frac{\pi}{2}$, $\therefore \quad \cos\phi = \cos\frac{\pi}{2} = 0$

$\therefore \quad P_{av} = 0$

(*iv*) जब A.C. परिपथ में प्रतिरोध तथा संधारित्र दोनों हों (When A.C. circuit contains resistance and capacitance both) :

तब $\tan\phi = \frac{1}{\omega CR} = \frac{1/\omega C}{R}$

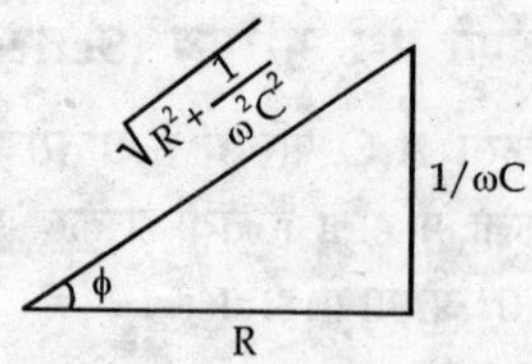

तथा $\cos\phi = \frac{R}{\sqrt{R^2 + \frac{1}{\omega^2 C^2}}}$

$$\therefore \quad P_{av} = V_{rms} \times i_{rms} \times \frac{R}{\sqrt{R^2 + \frac{1}{\omega^2 C^2}}} = \frac{V_{rms}^2 R}{\left(R^2 + \frac{1}{\omega^2 C^2}\right)}$$

(*v*) जब A.C. परिपथ में प्रतिरोध तथा प्रेरकत्व दोनों हों (When A.C. circuit contains both resistance and inductance)

तब $\tan\phi = \frac{\omega L}{R}$ तथा

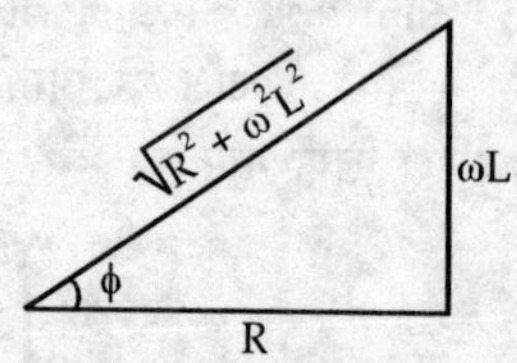

$\cos\phi = \frac{R}{\sqrt{R^2 + \omega^2 L^2}}$

$\therefore$

$$P_{av} = V_{rms} \times i_{rms} \times \frac{R}{\sqrt{R^2 + \omega^2 L^2}} = \frac{V_{rms}^2 R}{(R^2 + \omega^2 L^2)}$$

(*vi*) जब A.C. परिपथ में प्रेरकत्व, संधारित्र तथा प्रतिरोध हैं (When A.C. circuit contains inductance, capacitance and resistance) :

तब $\quad \tan\phi = \frac{\omega L - \frac{1}{\omega C}}{R}$

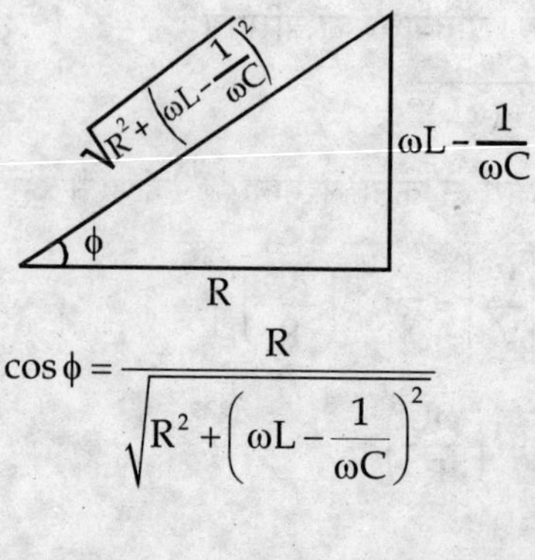

तथा $$\cos\phi = \frac{R}{\sqrt{R^2 + \left(\omega L - \frac{1}{\omega C}\right)^2}}$$

$$P_\omega = V_{rms} \times i_{rms} \times \frac{R}{\sqrt{R^2 + \left(\omega L - \frac{1}{\omega C}\right)^2}}$$

$$= \frac{V_{rms}^2 \times R}{R^2 + \left(\omega L - \frac{1}{\omega C}\right)^2}$$

समान्तर अनुनादी परिपथ (Parallel Resonant Circuit)

चित्र में एक समान्तर परिपथ दर्शाया गया है जिसमें प्रतिरोध R तथा प्रेरकत्व L श्रेणी क्रम में लगे हैं तथा यह संयोग संधारित्र C के साथ समान्तर क्रम में है। इस संयोग को प्रत्यावर्ती स्रोत $V = V_0 \sin \omega t$ के साथ जोड़ देते हैं।

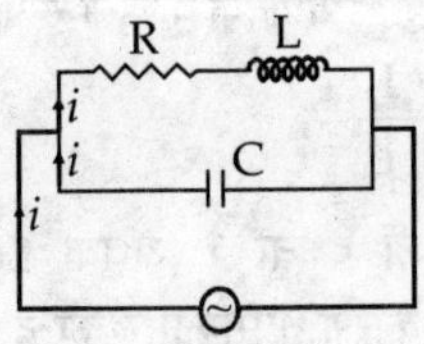

$V = V_0 \sin \omega t$

चित्रानुसार $i = i_L + i_C$

या $\frac{V}{Z} = \frac{V}{R + j\omega L} + \frac{V}{-j/\omega C}$

$$= \frac{V}{R + j\omega L} - \frac{(\omega C)V}{j} = \frac{V}{R + j\omega L} - \frac{j(\omega C)V}{j^2}$$

$$= \frac{V}{R + j\omega L} + j(\omega C)V \quad \left[\because\ j^2 = -1\right]$$

$$\frac{1}{Z} = \frac{1}{R + j\omega L} + j\omega C$$

$\frac{1}{Z}$, प्रवेश्यता (admittance) 'Y' कहलाती है।

अतः $Y = \frac{1}{Z} = \frac{R - j\omega L}{R^2 + \omega^2 L^2} + j\omega C$

$$= \frac{R + j(\omega C R^2 + \omega^3 L^2 C - \omega L)}{R^2 + \omega^2 L^2}$$

$$\therefore\ |Y| = \frac{\sqrt{R^2 + (\omega C R^2 + \omega^3 L^2 C - \omega L)^2}}{R^2 + \omega^2 L^2}$$

प्रवेश्यता न्यूनतम होगी, यदि

$$\omega C R^2 + \omega^3 L^2 C - \omega L = 0$$

या $\omega = \sqrt{\frac{1}{LC} - \frac{R^2}{L^2}} \quad \therefore \quad f = \frac{\omega}{2\pi} = \frac{1}{2\pi}\sqrt{\frac{1}{LC} - \frac{R^2}{L^2}}$

यह अनुनादी आवृत्ति (resonance frequency) कहलाती है। अनुनादी आवृत्ति पर प्रवेश्यता न्यूनतम होगी तथा प्रतिबाधा अधिकतम होगी। अतः समान्तर परिपथ इस आवृत्ति को स्रोत से परिपथ में प्रवाहित होने से रोक देता है। इस कारण यह परिपथ अस्वीकारी परिपथ (rejector circuit) कहलाता है।

गुणता कारक (Quality Factor)

संधारित्र में धारा के शिखर मान तथा स्रोत के शिखर मान के अनुपात को गुणता कारक (quality factor) 'Q' कहते हैं।

अतः $Q = \frac{V_0 \omega C}{V_0 CR / L} = \frac{\omega L}{R}$

यह वास्तव में धारा प्रवर्धन की माप है।

ट्रांसफॉर्मर (Transformer)

ट्रांसफॉर्मर एक युक्ति है जो अधिक धारा पर कम प्रत्यावर्ती वोल्टेज को कम धारा पर अधिक प्रत्यावर्ती वोल्टेज में बदलने में प्रयुक्त होती है अथवा इसके विलोमतः।

सिद्धान्त (Principle)

यह अन्योन्य प्रेरण के सिद्धान्त पर आधारित है अर्थात् यदि दो कुण्डलियाँ प्रेरकत्व युग्म में (inductively coupled) कर दी जाये तथा उसमें से एक में धारा या चुम्बकीय फ्लक्स परिवर्तित हो, तब दूसरी कुण्डली में प्रेरित वि. वा. ब. उत्पन्न हो जाता है।

ट्रांसफॉर्मर मुख्यतः दो प्रकार के होते हैं:

- **उच्चायी ट्रांसफॉर्मर (Step-up Transformer):** ये ट्रांसफॉर्मर, निम्न प्रत्यावर्ती वोल्टता को उच्च वोल्टता में बदलते हैं।
- **अपचायी ट्रांसफॉर्मर (Step-down Transformer):** ये ट्रांसफॉर्मर उच्च प्रत्यावर्ती वोल्टता को निम्न वोल्टता में बदलते हैं।

रचना (Construction)

एक ट्रांसफॉर्मर के निम्नलिखित तीन भाग होते हैं : *(i)* पटलित कोर, *(ii)* प्राथमिक कुण्डली, *(iii)* द्वितीयक कुण्डली। इसमें कच्चे लोहे से सिलिकन स्टील (silicon steel) की पृथक्कृत (insulated) पत्तियों में बना एक आयताकार कोर होता है। कच्चा लोहा या सिलिकन स्टील दोनों लौह-चुम्बकीय पदार्थ होते हैं, अतः ये चुम्बकीय बल रेखाओं को केन्द्रित करके ऊर्जा के क्षय को कम करते हैं। इसके अलावा कोर में उत्पन्न भंवर धाराओं के प्रभाव को कम करने के उद्देश्य से इसे पटलित बनाया जाता है। कोर की एक भुजा पर ताँबे के तारों की एक कुण्डली लिपटी रहती है जिसे प्राथमिक कुण्डली (primary coil) कहते हैं।

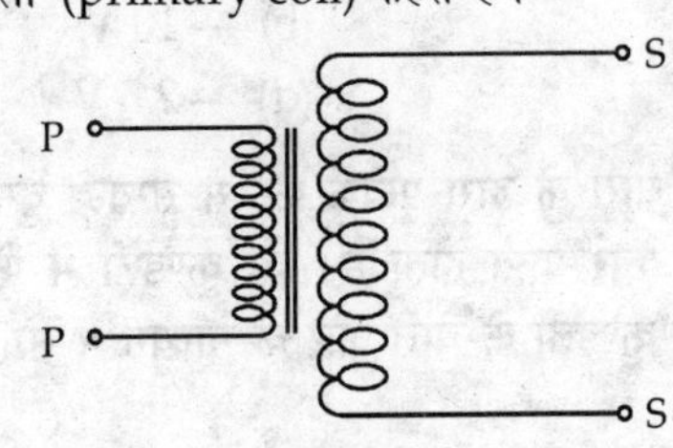

(a) उच्चायी

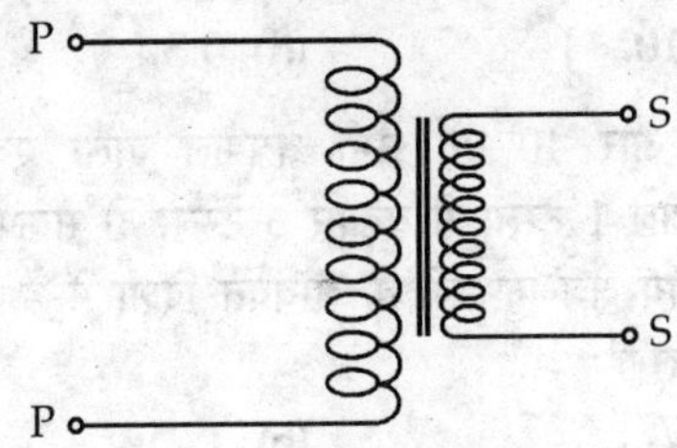

(b) अपचायी

प्राथमिक कुण्डली के सामने वाली दूसरी भुजा पर एक और कुण्डली लिपटी रहती है जिसे द्वितीयक कुण्डली (secondary coil) कहते हैं। यदि द्वितीयक कुण्डली में फेरों की संख्या प्राथमिक कुण्डली में फेरों की संख्या से अधिक है अर्थात् $n_s > n_p$ तो ट्रांसफॉर्मर उच्चायी (step-up) कहलाता है, [चित्र (*a*)] और यदि द्वितीयक कुण्डली में फेरों की संख्या प्राथमिक कुण्डली के फेरों की संख्या से कम है अर्थात् $n_s < n_p$ तो ट्रांसफॉर्मर अपचायी, (step-down) कहलाता है, [चित्र (b)]।

परिणमन अनुपात (Transformation Ratio)

यदि प्राथमिक कुण्डली में फेरों की संख्या n_p, द्वितीयक कुण्डली में फेरों की संख्या n_s तथा प्रत्येक फेरे से सम्बद्ध फ्लक्स ϕ है, तब आदर्श ट्रांसफॉर्मर के लिये

$$e_p = -n_p \frac{\Delta\phi}{\Delta t} \quad \text{तथा} \quad e_s = -n_s \frac{\Delta\phi}{\Delta t}$$

अतः $\dfrac{e_s}{e_p} = \dfrac{n_s}{n_p}$

यदि प्राथमिक कुण्डली का प्रतिरोध नगण्य हो तथा ऊर्जा का कोई क्षय न हो तो प्राथमिक कुण्डली में उत्पन्न प्रेरित विद्युत वाहक बल e_p प्राथमिक कुण्डली में लगाये गये विभवान्तर V_p के बराबर होगा। इसके अतिरिक्त यदि द्वितीयक परिपथ खुला हो अर्थात् उसका प्रतिरोध अनन्त हो तो द्वितीयक कुण्डली के सिरों के मध्य उत्पन्न प्रेरित विद्युत वाहक बल e_s इन सिरों के बीच प्राप्त विभवान्तर V_s के बराबर होगा।

अतः $\dfrac{V_s}{V_p} = \dfrac{e_s}{e_p} = \dfrac{n_s}{n_p} = r$

राशि *r*, परिणमन अनुपात (transformation ratio) कहलाती है। उच्चायी ट्रांसफॉर्मर के लिये *r* का मान 1 से अधिक तथा अपचायी ट्रांसफॉर्मर के लिये 1 से कम होता है।

दक्षता (Efficiency)

$$\text{ट्रांसफॉर्मर की दक्षता} = \frac{\text{द्वितीयक कुण्डली से प्राप्त ऊर्जा}}{\text{प्राथमिक कुण्डली से प्राप्त ऊर्जा}}$$

$$= \frac{\text{निर्गत शक्ति}}{\text{निवेशी शक्ति}} = \frac{V_s I_s}{V_p I_p}$$

आदर्श ट्रांसफॉर्मर की दक्षता 1 (अथवा 100%) होती है। परन्तु वास्तव में ऊर्जा हानि के कारण, ट्रांसफॉर्मर की दक्षता 1 (अथवा 100%) से कम ही होती है।

वस्तुनिष्ठ प्रश्न

1. 0.3 मीटर लम्बी एक परिनालिका में फेरों की संख्या 2000 है। इसके अनुप्रस्थ काट का क्षेत्रफल 1.2×10^{-3} मी² है। इसके केन्द्रीय भाग पर एक कुण्डली के 300 फेरे लगाये गये हैं। यदि प्रारम्भ की 2 ऐम्पियर की धारा को 0.25 सेकण्ड में विपरीत कर दिया जाता है, तो कुण्डली में प्रेरित वि.वा. बल होगा :

(a) 6×10^{-4} V (b) 4.8×10^{-3} V
(c) 6×10^{-2} V (d) 48 mV

2. 2 हेनरी की चेक कुण्डली में प्रवाहित धारा 2 ऐम्पियर प्रति सेकण्ड से घटती है, तो कुण्डली पर उत्पन्न वि.वा.ब. है :

(a) 10 V (b) −10 V
(c) 2.5 V (d) −2.5 V

3. 2 ऐम्पियर धारा के द्वारा प्रत्येक फेरे से सम्बद्ध चुम्बकीय फ्लक्स 5×10^{-5} वेबर प्राप्त होता है। इस कुण्डली में फेरों की संख्या 100 है, तो कुण्डली के चारों ओर के माध्यम में संग्रहित चुम्बकीय ऊर्जा होगीः

(a) 5 J (b) 5×10^{-7} J
(c) 5×10^{-3} J (d) 0.5 J

4. 100 फेरे और 40 वर्ग सेमी क्षेत्रफल वाली एक कुण्डली में चुम्बकीय क्षेत्र 1 टेस्ला से बढ़कर 6 टेस्ला दो सेकण्ड में हो जाता है। चुम्बकीय क्षेत्र कुण्डली के लम्बवत् दिशा में है। इसमें उत्पन्न वि. वा. बल है:

(a) 10^4 V (b) 1.2^4 V
(c) 1.0 V (d) 10^{-2} V

5. 50 चक्कर वाली एक वृत्ताकार कुण्डली की त्रिज्या 3 सेमी है, कुण्डली का क्षेत्रफल, चुम्बकीय क्षेत्र के साथ लम्ब दिशा में है, चुम्बकीय क्षेत्र *B* का मान 2 मिली सेकेण्ड में 0.10 टेस्ला से 0.35 टेस्ला तक बढ़ता है, तो प्रेरित विद्युत वाहक बल का औसत मान कुण्डली में होगा :

(a) 1.77 V
(b) 17.7 V
(c) 177 V
(d) 0.177 V

6. L_1 और L_2 स्वप्रेरकत्व वाली दो कुण्डलियों को एक-दूसरे के निकट इस तरह रखा जाता है कि सम्पूर्ण फ्लक्स एक-दूसरे के साथ सम्बन्धित रहते हैं, यदि अन्योन्य प्रेरकत्व गुणांक *M* है, तोः

(a) $M = L_1 L_2$ (b) $M = \dfrac{L_1}{L_2}$
(c) $M = \sqrt{L_1 L_2}$ (d) $M = (L_1 L_2)^2$

7. 5 हेनरी प्रेरकत्व और 10 ओम प्रतिरोध के परिपथ में 15 वोल्ट का वि. वा. बल लगाया गया है। समय $t = \infty$ और $t = 1$ सेकण्ड पर प्रवाहित होने वाली धाराओं का अनुपात होगा :

(a) $\dfrac{e^{1/2}}{e^{1/2}-1}$ (b) $\dfrac{e^2}{e^2-1}$
(c) $1-e^{-1}$ (d) e^{-1}

8. एक छोटा चुम्बक एक कुण्डली के अक्ष के अनुदिश है तथा चुम्बक की कुण्डली से दूरी 80 सेमी है। इस स्थिति में चुम्बक के कारण कुण्डली की फ्लक्स ग्रंथिका 4×10^{-5} वेबर-फेरे है। यदि चुम्बक को 0.08 s में कुण्डली की ओर 40 सेमी खिसकाया जाता है, तो इस गति की स्थिति में कुण्डली में औसत प्रेरित वि.वा. बल होगाः

(a) 0.5 mV (b) 1 mV
(c) 7 mV (d) 3.5 mV

9. एक वायुयान के पंखों के बाह्य सिरों के मध्य दूरी 50 मीटर है, वह क्षैतिज तल में 360 किमी/घंटे की गति से उड़ रहा है। उस स्थान पर पृथ्वी के चुम्बकीय क्षेत्र का ऊर्ध्वाधर घटक 2.0×10^{-4} वेबर/मी² है, तो पंखों के सिरों के मध्य विभवान्तर होगाः

(a) 0.1 V (b) 1.0 V
(c) 0.2 V (d) 0.01 V

10. एक कुण्डली में 0.1 s में धारा के मान 4A से बदलकर शून्य हो जाता है। यदि प्रेरित वि. वा. बल 100 V वोल्ट है तो कुण्डली का स्वप्रेरकत्व होगाः

(a) 2.5 H (b) 25 H
(c) 400 H (d) 40 H

उत्तरमाला

1. (d): प्रेरित वि. वा. बल

$$e = M\frac{di}{dt} = \frac{\mu_0 N_1 N_2 A}{l} \times \frac{di}{dt}$$

$$= \frac{4\pi \times 10^{-7} \times 2000 \times 300 \times 1.2 \times 10^{-3}}{0.3} \times \frac{(-2)-2}{0.25}$$

$$= -48.2 \times 10^{-3}\,V = -48 mV \Rightarrow |e| = 48\ mV$$

2. (a): $\frac{di}{dt} = -2$ ऐम्पियर/सेकण्ड, $L = 5$ हेनरी

$$\therefore\ e = -L\frac{di}{dt} = 5 \times 2 = 10V$$

3. (c): $N\phi = Li \Rightarrow L = \frac{N\phi}{i}$

चुम्बकीय क्षेत्र की ऊर्जा

$$= \frac{1}{2}Li^2 = \frac{1}{2} \times \frac{N\phi}{i} \times i^2 = \frac{1}{2}N\phi i$$

$$= \frac{1}{2} \times 100 \times 5 \times 10^{-5} \times 2 = 5 \times 10^{-3}\ J$$

4. (c): $\phi_1 = NBA = 100 \times 1 \times 40 \times 10^{-4} = 4 \times 10^{-1}$ वेबर

$\phi_2 = 100 \times 6 \times 40 \times 10^{-4} = 24 \times 10^{-1}$ वेबर

$$\therefore\ e = \frac{d\phi}{dt} = \frac{2.4 - 0.4}{2} = 1v$$

5. (b): $\phi_1 = 50 \times 0.1 \times \pi \times (3 \times 10^{-2})^2 = 141.3 \times 10^{-4}$ वेबर

$\phi_2 = 50 \times 0.35 \times \pi \times (3 \times 10^{-2})^2 = 494.5 \times 10^{-4}$ वेबर

$$\therefore\ e = \frac{d\phi}{dt} = \frac{494.5 - 141.3}{20} = 17.7\ V$$

6. (c): $M = \frac{e_2}{di_1/dt} = \frac{e_1}{di_2/dt}$

$$e_1 = -L_1\frac{di_1}{dt}, e_2 = -L_2\frac{di_2}{dt}$$

$$M^2 = \frac{e_1 e_2}{\left(\frac{di_1}{dt}\right)\left(\frac{di_2}{dt}\right)} = L_1 L_2 \Rightarrow M = \sqrt{L_1 L_2}$$

7. (b): $I = I_0(1 - e^{-Rt/L})$

$t = \infty$ सेकण्ड पर,

$$I = I_\infty = \frac{E}{R}(1 - e^{-\infty}) = \frac{15}{10} = 1.5$$

$t = 1$ सेकण्ड पर,

$$I_1 = 1.5(1 - e^{-R/L}) = 1.5(1 - e^{-2})$$

$$\therefore\ \frac{I_\infty}{I_1} = \frac{1.5}{1.5(1 - e^{-2})} = \frac{e^2}{e^2 - 1}$$

8. (d): $\phi \propto \frac{1}{d^2} \Rightarrow \frac{\phi_2}{\phi_1} = \left(\frac{d_1}{d_2}\right)^3$

$$\Rightarrow\ \phi_2 = (80/40)^3 \times 4 \times 10^{-5} = 32 \times 10^{-5}\ \text{वेबर}$$

$$\therefore\ \Delta\phi = \phi_2 - \phi_1 = 28 \times 10^{-5}\ \text{वेबर}$$

$$\therefore\ e = -\frac{\Delta\phi}{\Delta t} = \frac{-28 \times 10^{-5}}{8 \times 10^{-2}} = -3.5 \times 10^{-3}\ V$$

$$\Rightarrow\ |e| = 3.5\ mV$$

9. (b): $V = 360\,km/h = 360 \times \frac{5}{18}\,m/s = 100\ m/s$

पंखों के सिरों के बीच विभवान्तर

$$= Blv = 2 \times 10^{-4} \times 50 \times 100 = 1\,V$$

10. (a): $e = L\frac{di}{dt} \Rightarrow 100 = L \times \frac{4}{0.1} \Rightarrow L = 2.5H$

●●●

अध्याय

22 विद्युतचुम्बकीय तरंगें (Electromagnetic Waves)

यदि वैद्युत क्षेत्र समय के साथ परिवर्तित होता है, तो चुम्बकीय क्षेत्र उत्पन्न करता है तथा समय के साथ परिवर्तित चुम्बकीय क्षेत्र, वैद्युत क्षेत्र उत्पन्न करता है। मैक्सवेल (Maxwell) ने बताया कि प्रकृति में एक तरंग निहित हैं जिसमें समय तथा त्रिविमीय क्षेत्र (space) के साथ परिवर्तित वैद्युत तथा चुम्बकीय क्षेत्र होते हैं जो एक-दूसरे के लिये स्रोत का कार्य करते हैं। यह तरंग विद्युतचुम्बकीय तरंग (electromagnetic wave) कहलाती है। इस तरंग में वैद्युत तथा चुम्बकीय क्षेत्र दोनों परस्पर लम्बवत् होते हैं तथा तरंग संचरण की दिशा के भी लम्बवत् होते हैं।

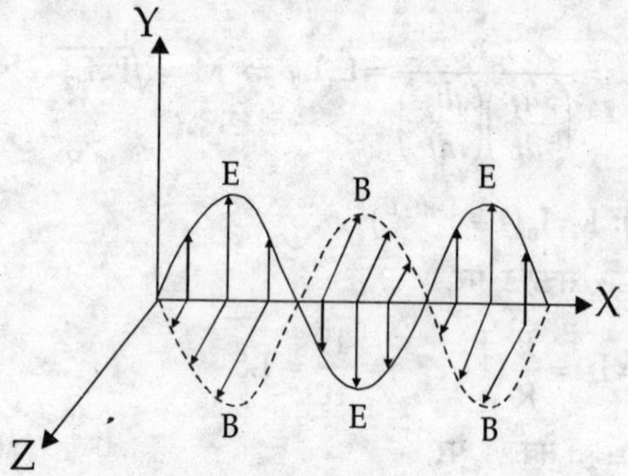

मैक्सवेल ने विद्युतचुम्बकीय तरंगों की चाल निम्न सूत्र से व्यक्त की

$$c = \frac{1}{\sqrt{\mu_0 \varepsilon_0}} \text{ (निर्वात में)}$$

तथा $v = \frac{1}{\sqrt{\mu\varepsilon}}$ (किसी माध्यम में)

विद्युतचुम्बकीय तरंगों के गुण (Properties of Electromagnetic Waves)

(i) विद्युतचुम्बकीय तरंगों में वैद्युत क्षेत्र $\vec{E}$, चुम्बकीय क्षेत्र $\vec{B}$ तथा संचरण $\vec{R}$ परस्पर लम्बवत् होते हैं।

(ii) विद्युतचुम्बकीय तरंगें प्रकृति में अनुप्रस्थ (transverse) हैं। ये प्रकाश की चाल से चलती हैं। निर्वात में इनकी चाल निम्न होती है :

$$c = \frac{1}{\sqrt{\mu_0 \varepsilon_0}}$$

समदैशिक (isotropic) माध्यम में, इनकी चाल

$$v = \frac{1}{\sqrt{\mu\varepsilon}} = \frac{1}{\sqrt{\mu_0 \mu_r \varepsilon_0 \varepsilon_r}}$$

$$\Rightarrow \quad v = \frac{1}{\sqrt{\mu_r \varepsilon_r}} \cdot \frac{1}{\sqrt{\mu_0 \varepsilon_0}} = \frac{c}{n}$$

यहाँ $n = \sqrt{\mu_r \varepsilon_r}$ माध्यम का अपवर्तनांक

μ_r = माध्यम की पारगम्यता (permeability of medium)

ε_r = माध्यम की आपेक्षिक वैद्युतशीलता (relative permittivity of medium)

(iii) **प्वाइन्टिंग सदिश** (Poynting vector)

$$\vec{S} = \vec{E} = \vec{H}$$

तरंग संचरण की दिशा के अनुदिश प्रति सेकण्ड प्रति एकांक क्षेत्रफल पर प्रवाहित ऊर्जा की दिशा प्रदर्शित करता है।

(iv) विद्युतचुम्बकीय तरंग में E, B व c निम्न प्रकार सम्बन्धित हैं।

$$E = Bc$$

(v) मुक्त आकाश में, वैद्युत स्थैतिक ऊर्जा घनत्व, स्थिर चुम्बकीय ऊर्जा घनत्व के बराबर होता है।

औसत वैद्युत ऊर्जा घनत्व = औसत चुम्बकीय ऊर्जा घनत्व

$$\mu_E = \frac{1}{4}\varepsilon_0 E_0^2 = \frac{1}{4}\varepsilon_0 (cB_0)^2 = \frac{1}{4}\varepsilon_0 c^2 B_0^2 = \frac{1}{4}\frac{\varepsilon_0 B_0^2}{\varepsilon_0 \mu_0}$$

$$= \frac{B_0^2}{4\mu_0} = \mu_B$$

कुल औसत ऊर्जा घनत्व = $u_E + u_B = 2u_E = 2u_B$

$$= \frac{1}{2}\varepsilon_0 E_0^2 = \frac{B_0^2}{2\mu_0} \text{ (मुक्त आकाश में)}$$

(vi) माध्यम में, वैद्युत ऊर्जा घनत्व $= \frac{1}{2}\varepsilon E^2$

चुम्बकीय ऊर्जा घनत्व $= \frac{B^2}{2\mu}$

कुल ऊर्जा घनत्व $= \frac{1}{2}\varepsilon E^2 + \frac{B^2}{2\mu}$

(vii) वैद्युत तथा चुम्बकीय क्षेत्र निम्नलिखित तरंग समीकरणों को संतुष्ट करते हैं क्योंकि मैक्सवेल की तृतीय तथा चतुर्थ समीकरणों से प्राप्त की जाती है :

$$\frac{\partial^2 E}{\partial x^2} = \mu_0 \varepsilon_0 \frac{\partial^2 E}{\partial t^2} \quad \Rightarrow \quad \frac{\partial^2 B}{\partial x^2} = \mu_0 \varepsilon_0 \frac{\partial^2 B}{\partial t^2}$$

(*viii*) x-अक्ष के अनुदिश गतिमान समतल विद्युतचुम्बकीय तरंग (plane electromagnetic wave) के वैद्युत तथा चुम्बकीय क्षेत्रों की समीकरणें निम्नलिखित प्रकार से लिखी जाती हैं :

$$E = E_0 \sin(kx - \omega t)$$

$$B = B_0 \sin(kx - \omega t)$$

यहाँ, $\omega = 2\pi f$ = तरंग की कोणीय आवृत्ति

$k = \frac{2\pi}{\lambda}$ = संचरण नियतांक

(*ix*) विद्युतचुम्बकीय तरंगों में संवेग होता है अतः ये पृष्ठों पर दाब (P) डाल सकती है, यह दाब **विकिरण दाब** (radiation pressure) कहलाता है। यदि प्वाइन्टिंग सदिश $\vec{S}$ की एक विद्युतचुम्बकीय तरंग अवशोषक सतह पर गिरती है, तब

$$P = \frac{S}{c}$$

पूर्ण परावर्तक सतह के लिये, $P = \frac{2S}{c}$

(*x*) विद्युतचुम्बकीय क्षेत्र का वैद्युत सदिश सभी प्रकाशित प्रभावों के लिये उत्तरदायी है। इस कारण वैद्युत सदिश, प्रकाश सदिश (light vector) कहलाता है।

मैक्सवेल की समीकरणें (Maxwell's Equations)

मैक्सवेल ने सन् 1865 में विद्युतचुम्बत्व के विषय को, वैद्युतस्थैतिक (electrostatics) तथा स्थिरचुम्बकत्व (magnetostatics) के नियमों को मिलाकर सूत्रित (formulate) किया। मैक्सवेल का विद्युतचुम्बकीय सिद्धान्त चार समीकरणों पर आधारित है।

मैक्सवेल की समीकरणें प्रायोगिक प्रेक्षणों पर आधारित हैं तथा समस्त विद्युतचुम्बकीय परिघटनाओं की व्याख्या करती हैं। किसी परावैद्युत तथा चुम्बकीय पदार्थ की अनुपस्थिति में, मैक्सवेल की समीकरणें को समाकल रूप में निम्न प्रकार लिखा जाता हैः

(*a*) गॉस का स्थिर वैद्युतिकी नियमः

$$\oint_S \vec{E}.d\vec{S} = \frac{q}{\varepsilon_0} \quad ...(i)$$

इस समीकरण में $q, \vec{E}$ का स्रोत है। यह समीकरण स्थिर तथा गतिमान दोनों आवेशों के लिये सत्य है।

(*b*) गॉस का चुम्बकीय नियमः गॉस के चुम्बकीय नियम के अनुसार किसी बन्द पृष्ठ से गुजरने वाला चुम्बकीय फ्लक्स शून्य होता है। यह इंगित करता है कि स्वतंत्र चुम्बकीय ध्रुवों का कोई अस्तित्व नहीं होता। किसी पृष्ठ द्वारा परिबद्ध आयतन में विपरीत चुम्बकीय ध्रुव बराबर-बराबर हैं जिससे कि नेट ध्रुव-सामर्थ्य शून्य होती है। (इसके विपरीत, स्वतंत्र वैद्युत-आवेशों का अस्तित्व होता है)। यह समीकरण यह भी दर्शाती है कि चुम्बकीय बल-रेखाओं का न तो आदि होता है ओर न अन्त। वे बन्द वक्र होती हैं।

$$\oint_S \vec{B}.d\vec{s} = 0$$

(*c*) विद्युत-चुम्बकीय प्रेरण का फैराडे नियमः इसके अनुसार, एक परिवर्ती चुम्बकीय-क्षेत्र द्वारा वैद्युत क्षेत्र उत्पन्न होता है।

$$\oint \vec{E} d\vec{l} = -\frac{d\phi_B}{dt} = -\frac{d}{dt}\left[\oint_S \vec{B}\, d\vec{s}\right]$$

(*d*) मैक्सवेल द्वारा संशोधित ऐम्पियर का नियमः इसके अनुसार न केवल चालन-धारा, बल्कि परिवर्तित वैद्युत-फ्लक्स भी चुम्बकीय क्षेत्र उत्पन्न करता है। इस प्रकार, i तथा $d\phi_E / dt$ दोनों ही $\vec{B}$ के स्रोत हैं।

$$\oint \vec{B} d\vec{l} = \mu_0\left(i + \varepsilon_0 \frac{d\phi_e}{dt}\right) = \mu_0\left(i_0 + \varepsilon_0 \frac{d}{dt}\int_S \vec{E}\cdot d\vec{s}\right)$$

(*e*) लॉरेन्ज बलः $\vec{F} = q\left(\vec{E} + \vec{v} \times \vec{B}\right)$

विद्युतचुम्बकीय स्पेक्ट्रम (Electromagnetic Spectrum)

विभिन्न विद्युतचुम्बकीय तरंगों को विद्युतचुम्बकीय चित्र में दर्शाया गया है। किन्हीं दो पास-पास वाली विद्युतचुम्बकीय तरंगों के बीच कोई स्पष्ट पृथकरण-रेखा नहीं है। सभी प्रकार के विद्युतचुम्बकीय विकिरण त्वरित आवेशों द्वारा उत्पन्न होते हैं।

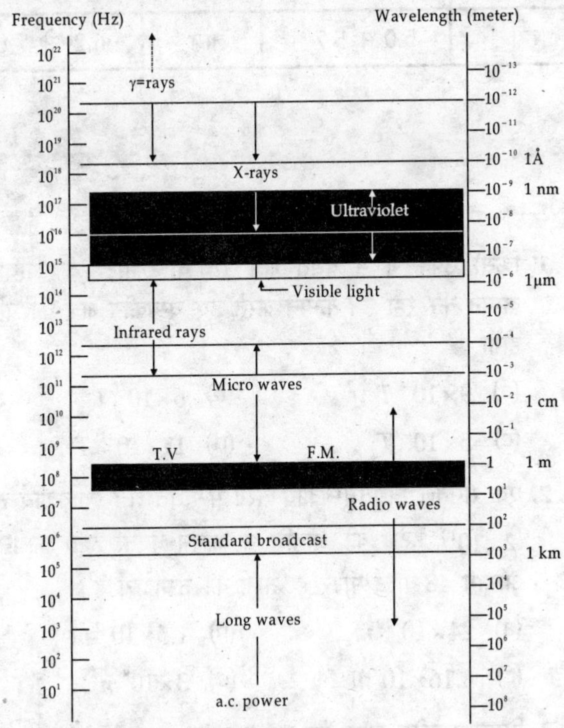

(*i*) रेडियो तरंगें (Radio Waves): रेडियो तरंगों की तरंगदैर्ध्य 10 m से 10^4 m तक होती है। ये रेडियो तथा टी. वी. संचरण में प्रयुक्त होती हैं।

(*ii*) सूक्ष्म अथवा माइक्रो तरंगें (Micro Waves): इनकी तरंगदैर्ध्य 10^{-3} m से 0.3 m तक होती है। इनकी कम तरंगदैर्ध्य होने के कारण ये रडार में, उपग्रहों तथा लम्बी दूरी वाले बेतार संचार में तथा माइक्रोवेव ओवन में प्रयुक्त होती हैं।

(iii) **अवरक्त तरंगें (Infra-red Waves):** इनकी तरंगदैर्ध्य 8×10^{-7} m से 3×10^{-5} मी (दृश्य प्रकाश की सबसे बड़ी तरंगदैर्ध्य) तक होती है। ये तरंगें अधिकतर पदार्थों द्वारा अवशोषित होती जाती हैं तथा परिणामतः इनका ताप बढ़ जाता है। ये तरंगें काँच द्वारा अवशोषित पौध घरों में पौधों को गर्म रखने में, कोहरे व धुंध के पार देखने में, *IR* फोटोग्राफी में, रिमोट कन्ट्रोल में, शरीर के भागों की सिकाई करने में प्रयोग की जाती हैं।

(iv) **दृश्य प्रकाश (Visible Light):** यह विद्युतचुम्बकीय तरंगों का परिचित (most familiar) रूप है। इन्हें मानव नेत्रों द्वारा देखा जा सकता है। इनका तरंगदैर्ध्य क्रम 4×10^{-7} m (बैंगनी) से 8×10^{-7} (लाल) तक होता है। मानव नेत्र की अधिकतम संवेदिता (sensitivity) $5.6 \times 10^{-7} m$ तरंगदैर्ध्य पर होती है।

दृश्य स्पेक्ट्रम

रंग	तरंगदैर्ध्य, λ (m) $\times 10^{-7}$	रंग	तरंगदैर्ध्य, λ (m) $\times 10^{-7}$
बैंगनी	4.0 से 4.5	पीला	5.7 से 5.9
नीला	4.5 से 5.0	संतरी	5.9 से 6.2
हरा	5.0 से 5.7	लाल	6.2 से 7.8

(v) **पराबैंगनी किरणें (Ultra-violet Rays):** इन तरंगों का तरंगदैर्ध्य क्रम $6 \times 10^{-10} m$ से $4 \times 10^{-7} m$ तक है। सूर्य पराबैंगनी प्रकाश (UV) का एक महत्वपूर्ण स्रोत है। सूर्य का अधिकतम पराबैंगनी प्रकाश वायुमण्डल की ओजोन पर्त (ozone layer) द्वारा अवशोषित हो जाता है। इनमें γ–किरणों वाले सभी गुण होते हैं परन्तु भेदन क्षमता बहुत कम होती है। ये किरणें अदृश्य लिखाई, नकली दस्तावेजों, अँगुली के निशानों का पता लगाने में, खाने की वस्तुओं के संरक्षण में, कीड़े मारने तथा प्रकाश संश्लेषण में प्रयुक्त होती हैं।

(vi) **X-किरणें (X-rays):** चिकित्सा अनुप्रयोगों (medical applications) के कारण, हम इन किरणों से भली भाँति परिचित हैं। इनकी तरंगदैर्ध्य परास $10^{-11} m$ से $3 \times 10^{-8} m$ तक होती है। इनमें γ–किरणों वाले सभी गुण हैं, परन्तु भेदन क्षमता कम है। शरीर में टूटी-हड्डी एवं मूल्यवान वस्तु का पता लगाने में तथा परमाणु के भीतरी इलेक्ट्रॉन कोश की संरचना जानने में इनका प्रयोग होता है।

(vii) **गामा-किरणें (Gamma Rays):** ये रेडियोएक्टिव नाभिकों द्वारा उत्सर्जित होती हैं। इन किरणों की तरंगदैर्ध्य $6 \times 10^{-14} m$ से $10^{-11} m$ तक होती है। इनकी भेदन क्षमता बहुत अधिक है। ये किरणें कैंसर के इलाज के लिये प्रयुक्त होती हैं।

वस्तुनिष्ठ प्रश्न

1. किसी उपकरण में वैद्युत क्षेत्र 18 वोल्ट/मीटर के आयाम से कम्पन कर रहा है। कम्पन करते हुए चुम्बकीय क्षेत्र का परिमाण होगा :

(a) $9 \times 10^{-9} T$ (b) $6 \times 10^{-8} T$
(c) $5 \times 10^{-9} T$ (d) $11 \times 10^{-11} T$

2. एक समतल विद्युतचुम्बकीय तरंग में वैद्युत क्षेत्र ज्यावक्रीय रूप से 2×10^{10} हर्ट्ज की आवृत्ति से कम्पन करता है व कम्पनों का आयाम 48 वोल्ट/मीटर है, तरंग की तरंगदैर्ध्य है :

(a) $24 \times 10^{-10} m$ (b) $1.5 \times 10^{-2} m$
(c) $4.16 \times 10^{8} m$ (d) $3 \times 10^{8} m$

3. विद्युतचुम्बकीय तरंगों का वेग समान्तर होता है :

(a) $\vec{\mathbf{B}} \times \vec{\mathbf{E}}\ K$ (b) $\vec{\mathbf{E}} \times \vec{\mathbf{B}}\ K$
(c) $\vec{\mathbf{E}}\ K$ (d) $\vec{\mathbf{B}}\ K$

4. व्यंजक $\mu_0 \varepsilon_0$ का मात्रक है :

(a) ms^{-1} (b) m^{-2}-s^{-2}
(c) s^2-m^{-2} (d) $s^2 m^{-3}$

5. टी. वी. के किसी टॉवर की ऊँचाई 100 *m* है। टी. वी. प्रसारण कितनी जनसंख्या तक पहुँच पाएगा यदि टॉवर के चारों ओर औसत जनसंख्या घनत्व 1000 km^{-2} है? (पृथ्वी की त्रिज्या $= 6.37 \times 10^6 m$)

(a) 4 Lac (b) 4 Billion
(c) 40000 Million (d) 40 Lac

6. एक ज्यावक्रीय तरंग में, किसी निश्चित बिन्दु को अधिकतम विस्थापन की स्थिति से गति करने में 0.17 *s* का समय लगता है, तरंग की आवृत्ति है :

(a) 2 hz (b) 0.36 Hz
(c) 2.84 Hz (d) 2.48 Hz

7. टेलीविजन के सिग्नल प्रेक्षक तक भू-तरंग (ground waves) द्वारा पहुँचते हैं। सिगनलों की परास, *R* ट्रांसमीटर टॉवर की ऊँचाई *h* पर किस प्रकार निर्भर करती है?

(a) h (b) $h^{1/2}$
(c) $h^{-1/2}$ (d) h^{-1}

8. निम्न में से कौन-सा सम्बन्ध सही है?

(a) $\sqrt{\varepsilon_0 E_0} = \sqrt{\mu_0} B_0$ (b) $\sqrt{\mu_0 \varepsilon_0} = B_0 / E_0$
(c) $E_0 = \sqrt{\mu_0 \varepsilon_0 B_0}$ (d) $\sqrt{\mu_0 E_0} = \sqrt{\varepsilon_0 B_0}$

9. विद्युतचुम्बकीय विकिरण के एक बिन्दु स्रोत की औसत निर्गत शक्ति 800 W है। स्रोत से 4 m की दूरी पर वैद्युत क्षेत्र का अधिकतम मान होगा :

(a) 64.7 Vm^{-1} (b) 57.8 Vm^{-1}
(c) 56.72 Vm^{-1} (d) 54.77 Vm^{-1}

10. तरंग की आवृत्ति 6×10^{15} हर्ट्ज है। वह तरंग है :

(a) रेडियो तरंग
(b) माइक्रो तरंग
(c) X-किरण
(d) इनमें से कोई नहीं

उत्तरमाला

1. (b): $c = \dfrac{E_0}{B_0}$

$$B_0 = \frac{E_0}{c} = \frac{18}{3\times10^8} = 6\times10^{-8}T$$

2. (b): वेग $c = \nu\lambda$

$$3\times10^8 = 2\times10^{10}\times\lambda$$

$$\Rightarrow \lambda = \frac{3\times10^8}{2\times10^{10}} = 1.5\times10^{-2}$$

3. (b): स्पष्टत: $\vec{E}\times\vec{B} = K$

4. (c): $\dfrac{1}{\sqrt{\mu_0\varepsilon_0}}$ का मात्रक = मी/से

या $\sqrt{\mu_0\varepsilon_0}$ का मात्रक = से/मी

$\therefore$ $\mu_0\varepsilon_0$ का मात्रक = से²/मी²

5. (b): टी. वी. सिगनलों द्वारा तय की गयी लगभग दूरी $d = \sqrt{2hR_e}$

$$= \sqrt{2\times100\times6.37\times10^6}$$

$$= 3.57\times10^4$$

जनसंख्या = πd^2

$$= 3.14\times(3.57\times10^4)^2 = 4 \text{ Billion}$$

6. (a): तरंग का आवर्तकाल $T = 0.17\times4 = 0.68s$

$$\therefore \text{ आवृत्ति} = \frac{1}{\text{आवर्तकाल}} = \frac{1}{0.67} = 1.47Hz$$

7. (b): परास $R = \sqrt{2hR_e}$

R_e = पृथ्वी की त्रिज्या

$\therefore$ $R \propto h^{1/2}$

8. (b): विद्युतचुम्बकीय तरंगों का वेग

$$= \frac{1}{\sqrt{\mu_0\varepsilon_0}}$$

$\therefore$ विद्युत का चुम्बकीय क्षेत्रों में विद्युतचुम्बकीय तरंगों का वेग

$$= \frac{E_0}{B_0}$$

$$\therefore \frac{1}{\sqrt{\mu_0\varepsilon_0}} = \frac{E_0}{B_0} \Rightarrow \sqrt{\mu_0\varepsilon_0} = \frac{B_0}{E_0}$$

9. (d): $I = \dfrac{P}{4\pi r^2} = \dfrac{E_0^2}{2\mu_0 c}$

$$\therefore \quad E_0 = \sqrt{\frac{P\,\mu_0 c}{2\pi r^2}}$$

$$= \sqrt{\frac{800\times4\pi\times10^{-7}\times3\times10^8}{2\pi\times16}}$$

$$= 54.77\ W/m$$

10. (d): रेडियो तरंगों का आवृत्ति परिसर 10^3 से 10^9 हर्ट्ज होता है। माइक्रो तरंगों का आवृत्ति परिसर 10^8 से 10^{12} हर्ट्ज होता है। X-किरणों का आवृत्ति परिसर 10^{16} से 10^{20} हर्ट्ज होता है। अतः दी गयी आवृत्ति इनमें से किसी तरंग की नहीं है।

●●●

अध्याय

23

इलेक्ट्रॉन्स एवं फोटॉन (Electrons and Photon)

कैथोड किरणें (Cathode Rays)

कैथोड किरणें सर विलियम क्रुक द्वारा खोजी गई तथा ये इलेक्ट्रॉनों की एक धारा है। ये विसर्जन नलिका (discharge tube) में कैथोड से ऐनोड की ओर चलने वाले अधिक चाल के ऋणात्मक आवेशित कण होते हैं।

कैथोड किरणों के गुण (Properties of Cathode Rays)

(i) कैथोड किरणें सीधी रेखाओं में चलती हैं।

(ii) कैथोड किरणें विसर्जन नलिका में प्रयुक्त गैस तथा इलेक्ट्रॉड की प्रकृति पर निर्भर नहीं करती हैं। अतः कैथोड किरणों के लिए $\frac{e}{m}$ एक सार्वत्रिक नियतांक है जिसका मान 1.7592×10^{11} कूलॉम/किग्रा है।

(iii) ये वैद्युत तथा चुम्बकीय क्षेत्रों में विक्षेपित हो जाती हैं।

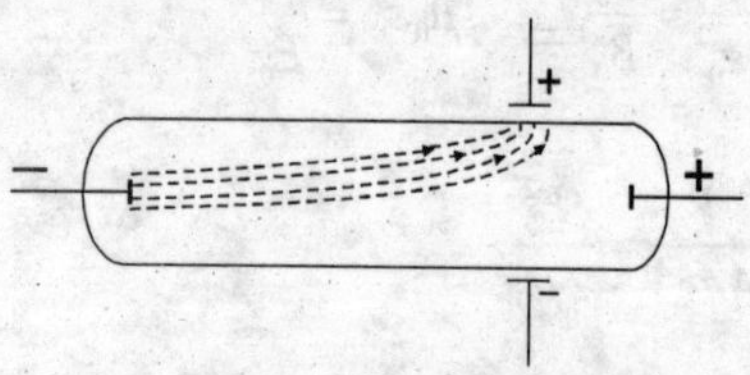

(a) Cathode rays deflected by E.F.

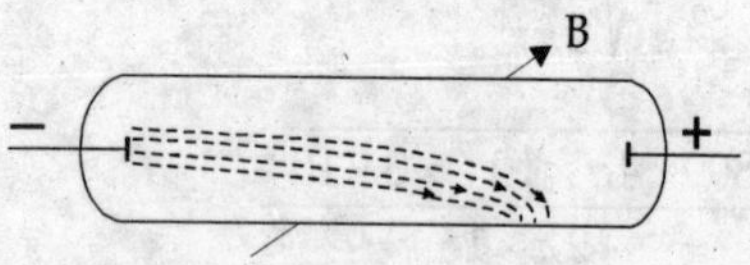

(b) Cathode rays deflected by M.F.

(iv) इनकी विभेदन क्षमता अधिक होती है तथा ये कम मोटाई की चादरों को भेद देती हैं।

(v) ये अधिक परमाणु भार तथा अधिक गलनांक के लक्ष्य (target) पर टकराकर X-किरणें उत्पन्न करती हैं।

(vi) ये कुछ निश्चित पदार्थों में प्रतिदीप्ति (fluorescence) तथा स्फुरदीप्ति (phosphorescence) उत्पन्न करती हैं तथा फोटोइलेक्ट्रिक प्लेट को प्रभावित करती हैं।

(vii) इनकी आयनीकरण क्षमता कम होती है तथा जिस गैस से गुजरती है उसे आयनीकृत कर देती हैं।

(viii) ये अधिक वेग, संवेग तथा ऊर्जा के साथ सीधी रेखा में चलती है तथा अपने पथ पर रखी अपारदर्शी वस्तु की छाया उत्पन्न करती हैं।

(ix) ये जिस पदार्थ पर गिरती हैं उसे गर्म कर देती है।

(x) ये यांत्रिक दाब उत्पन्न करती हैं अतः ये छोटे पैडल चक्र को घुमा देती है।

(xi) ये भौतिक तथा रासायनिक परिवर्तन कर सकती हैं।

(xii) ये उचित व्यवस्था के अन्तर्गत व्यतिकरण (interference) तथा विक्षेपण (diffraction) की घटना प्रदर्शित करती है। अतः ये तरंगों की भांति व्यवहार करती हैं।

इलेक्ट्रॉन की खोज (Discovery of Electron)

1897 में जे.जे. थॉमसन ने कैथोड किरणों की खोज की। ये किरणें वास्तव में तीव्र गतिमान ऋणात्मक आवेशित कण हैं। थॉमसन ने इन्हें इलेक्ट्रॉन नाम दिया।

समान्तर वैद्युत क्षेत्र में इलेक्ट्रॉन की गति (Motion of Electron in Parallel Electric Field)

यदि m द्रव्यमान तथा e आवेश का एक इलेक्ट्रॉन E तीव्रता के एकसमान वैद्युत क्षेत्र में गति करे, तब

(i) इलेक्ट्रॉन पर बल $F = eE$

(ii) जब इलेक्ट्रॉन वैद्युत क्षेत्र की दिशा या विपरीत दिशा से प्रक्षेपित किया जाता है, तो इसका पथ एक सरल रेखा होती है।

(iii) वैद्युत क्षेत्र की तीव्रता

$$E = \frac{V}{d} = \frac{\text{प्लेटों के बीच विभवान्तर}}{\text{प्लेटों के बीच की दूरी}}$$

(iv) इलेक्ट्रॉन पर आरोपित त्वरण

$$a = \frac{F}{m} = \frac{eE}{m}$$

वैद्युत क्षेत्र के लम्बवत् आवेशित कण (इलेक्ट्रॉन) की गति (Motion of Charged Particle (Electron) Perpendicular to Electric Field)

यदि m द्रव्यमान तथा e आवेश का एक इलेक्ट्रॉन E तीव्रता के वैद्युत क्षेत्र के लम्बवत् (y-दिशा में) प्रक्षेपित किया जाता है, तब

(i) इलेक्ट्रॉन द्वारा अनुभव बल

$$F = eE$$

(ii) क्षैतिज वेग v_x से वैद्युत क्षेत्र की l लम्बाई तय करने में इलेक्ट्रॉन द्वारा लगा समय

$$t = \frac{l}{v_x}$$

(iii) गति की दिशा के लम्बवत् उत्पन्न त्वरण

$$a = \frac{F}{m} = \frac{eE}{m}$$

(iv) l दूरी तय करने के पश्चात् गति की दिशा के लम्बवत् (x-दिशा में) इलेक्ट्रॉन का विक्षेपण

$$y = \frac{1}{2}at^2 = \frac{1}{2}\left(\frac{eE}{m}\right)\left(\frac{l}{v_x}\right)^2$$

अतः वैद्युत क्षेत्र में इलेक्ट्रॉन का पथ परवलय होगा।

(v) क्षेत्र से निकलने पर इलेक्ट्रॉन के वेग का ऊर्ध्वाधर घटक v_y है :

$$v_y = at = \left(\frac{eE}{m}\right)t = \left(\frac{V}{d}\right)\left(\frac{e}{m}\right)\left(\frac{l}{v_x}\right)$$

(vi) परिणामी वेग

$$v = \sqrt{v_x^2 + v_y^2}$$

तथा $\theta = \tan^{-1}\left(\frac{v_y}{v_x}\right)$

इलेक्ट्रॉन के विशिष्ट आवेश $\left(\frac{e}{m}\right)$ का मान ज्ञात करने की थॉमसन की विधि (Thomson's Method for Determining Specific Charge $\left(\frac{e}{m}\right)$ of an Electron)

जे.जे. थॉमसन ने 1897 में क्रॉसिंग वैद्युत तथा चुम्बकीय क्षेत्रों की संकल्पना द्वारा $\frac{e}{m}$ का मान ज्ञात किया। उसने पाया कि इलेक्ट्रॉन के लिये $\frac{e}{m}$ का मान एक नियतांक है तथा यह विसर्जन नलिका में गैस या कैथोड या ऐनोड़ के पदार्थ पर निर्भर नहीं करता है। यदि E तथा B परस्पर लम्बवत् हैं तथा इलेक्ट्रॉन पुँज इन दोनों क्षेत्रों के लम्बवत् वेग से प्रवेश करता है तथा अविक्षेपित रहता है, तब

$$\vec{F}_e = \vec{F}_m$$

या $eE = evB$

या $v = \frac{E}{B}$ ...(i)

यदि r केवल चुम्बकीय क्षेत्र में इलेक्ट्रॉन के पथ की त्रिज्या है, तब

$$r = \frac{mv}{eB} \text{ या } \frac{e}{m} = \frac{v}{rB} = \frac{E}{rB^2}$$

E, r तथा B के मान प्रतिस्थापित करने पर इलेक्ट्रॉनों के लिये विशिष्ट आवेश $\frac{e}{m}$ का मान ज्ञात किया जा सकता है।

प्रकाश वैद्युत प्रभाव (Photoelectric Effect)

निश्चित न्यूनतम आवृत्ति (या अधिकतम तरंगदैर्ध्य) की प्रकाश (या विकिरण) ऊर्जा का धात्विक सतह पर गिरकर, उससे इलेक्ट्रॉनों के उत्सर्जन की घटना को प्रकाश-वैद्युत प्रभाव कहते हैं। यह घटना सन् 1988 में हालवाश (Hallwash) द्वारा देखी गई। प्रकाश-वैद्युत उत्सर्जन के लिये प्रयुक्त धातु का कार्य फलन (work function) न्यूनतम होना चाहिये। उदाहरणार्थ-एल्किल धातुएँ (alkali metals), सीजियम (cesiun) को प्रकाश-वैद्युत प्रभाव के लिये सबसे उपयुक्त माना गया है।

प्रकाश-वैद्युत प्रभाव के नियम (Laws of Photoelectric Effect)

प्रकाश वैद्युत प्रभाव के निम्न नियम हैं-

(i) प्रत्येक उत्सर्जक धातु के लिये एक निश्चित न्यूनतम आवृत्ति ν_0 (या अधिकतम तरंगदैर्ध्य λ_0) होती है जिसे आपतित विकिरण की देहली आवृत्ति (threshold frequency) कहते हैं। इस देहली आवृत्ति से नीचे प्रकाश इलेक्ट्रॉनों का उत्सर्जन नहीं होता है चाहे आपतित प्रकाश की तीव्रता कितनी भी अधिक क्यों न हो।

(ii) प्रकाश के धातु के पृष्ठ पर गिरते ही इलेक्ट्रॉन उत्सर्जित होने लगते हैं अर्थात् प्रकाश के पृष्ठ पर आपतित होने और पृष्ठ से फोटो इलेक्ट्रॉन के उत्सर्जित होने में समय पश्चात् [(time lag ($<10^{-9}$ s)] बहुत कम होती है।

(iii) उत्सर्जित फोटो इलेक्ट्रॉनों की अधिकतम गतिज ऊर्जा आपतित प्रकाश की आवृत्ति बढ़ाने पर बढ़ती जाती है। यह आपतित प्रकाश की तीव्रता पर निर्भर नहीं करती है।

(iv) किसी धात्विक पृष्ठ से फोटो इलेक्ट्रॉनों की दर आपतित प्रकाश की तीव्रता के अनुक्रमानुपाती होती है तथा यह आपतित प्रकाश की आवृत्ति पर निर्भर नहीं करती है।

(v) उत्सर्जित फोटो इलेक्ट्रॉनों का अधिकतम वेग (या अधिकतम गतिज ऊर्जा) आपतित प्रकाश की तीव्रता पर निर्भर नहीं करताहै।

प्रकाश-वैद्युत प्रभाव के नियमों की व्याख्या (Explanation of Laws of Photoelectric Effect)

प्रकाश-वैद्युत प्रभाव के नियमों की व्याख्या प्रकाश के तरंग सिद्धान्त द्वारा नहीं की जा सकी। बाद में आइन्सटीन की प्रकाश-वैद्युत समीकरण द्वारा इसकी व्याख्या सफलतापूर्वक की गई। इसके अनुसार, वैद्युत चुम्बकीय विकिरण (electgromagnetic radiation) की ऊर्जा तरंग्राम (wavefront) पर $h\nu$ ऊर्जा के तरंग पैकिटों के रूप में चलती है, यहाँ ν विकिरण की आवृत्ति तथा h प्लांक नियतांक (Planck's constant) है।

ऊर्जा का प्रत्येक पैकेट (packet) प्रकाश की चाल से चलता है। आइन्सटीन की फोटॉन संकल्पना की धारायें निम्न प्रकार हैं :

(i) प्रकाश-वैद्युत प्रभाव, दो कणों के संघट्ट का परिणाम है जिसमें एक आपतित प्रकाश का फोटॉन तथा दूसरा प्रकाशीय धातु का इलेक्ट्रॉन है।

(ii) प्रकाशीय धातु का इलेक्ट्रॉन नाभिक से, कूलॉमीय आकर्षण बलों के द्वारा बधा रहता है। इलेक्ट्रॉन को इसके बंधन से मुक्त करने में आवश्यक न्यूनतम ऊर्जा धातु का कार्यफलन ($w = h\nu_0$) कहलाती है।

(*iii*) आपतित फोटॉन अकेले इलेक्ट्रॉन से क्रिया करता है तथा अपनी ऊर्जा दो भागों में खोता है :

(*a*) इलेक्ट्रॉन को नाभिक से मुक्त करने में

(*b*) उत्सर्जित इलेक्ट्रॉन को गतिज ऊर्जा देने में

(*iv*) प्रकाश-वैद्युत प्रभाव की दक्षता (efficiency) 1% से कम होती है अर्थात् 1% से कम फोटॉन फोटो इलेक्ट्रॉन उत्सर्जित कर पाते हैं।

अतः फोटॉन द्वारा दी गई ऊर्जा = उत्सर्जित इलेक्ट्रॉन की अधिकतम गतिज ऊर्जा + धातु का कार्यफलन

या $$h\nu = \frac{1}{2}mv_{max}^2 + W$$

या $$\frac{1}{2}mv_{max}^2 = h\nu - W \quad ...(i)$$

यदि आपतित फोटॉन की ऊर्जा, पृष्ठ के कार्यफलन के ठीक बराबर हो जाये तो धात्विक पृष्ठ की गतिज ऊर्जा शून्य होती है।

समीकरण (i) आइन्सटीन की प्रकाश-वैद्युत समीकरण है।

समीकरण (i) में W = $h\nu_0$ रखने पर,

$$\frac{1}{2}mv_{max}^2 = h\nu - h\nu_0$$

या $$\frac{1}{2}mv_{max}^2 = \frac{hc}{\lambda} - \frac{hc}{\lambda_0}$$

प्रकाश का क्वाण्टम सिद्धांत (Quantum Theory of Light)

प्रकाश का क्वाण्टम सिद्धान्त आइन्सटीन द्वारा प्रतिपादित किया गया। इस सिद्धान्त के अनुसार, "प्रकाश कम ऊर्जा के बण्डलो के रूप में संचरित होता है।" प्रत्येक बण्डल फोटॉन कहलाता है तथा यह ऊर्जा रखता है जो निम्न सूत्र से दी जाती है।

$$E = h\nu = \frac{hc}{\lambda}$$

यहाँ ν आवृत्ति, λ प्रकाश की तरंगदैर्ध्य तथा *h* प्लांक नियतांक है जिसका मान 6.62×10^{-34} *Js* है तथा $c = 3 \times 10^8 ms^{-1}$ है।

$$p = mc = \frac{h\nu}{c} = \frac{h}{\lambda}$$

फोटॉन का विराम द्रव्यमान, $m_0 = 0$

फोटॉन का गतिज द्रव्यमान

$$m = \frac{h\nu}{c^2} = \frac{h}{c\lambda}$$

वस्तुनिष्ठ प्रश्न

1. किसी धातु के लिए कार्य-फलन 5 eV है, तो उसकी देहली तरंगदैर्ध्य लगभग होगी :

(a) 2000 Å (b) 2500 Å
(c) 3000 Å (d) 5000 Å

2. एक धातु का कार्य-फलन 3.45 eV है। फोटॉन की अधिकतम तरंगदैर्ध्य कितनी होनी चाहिये जिससे कि धतु से फोटो इलेक्ट्रॉन निकल सके?

(a) 3587 Å (b) 3858 Å
(c) 3758 Å (d) इनमें से कोई नहीं

3. नेत्र हरे रंग को (λ = 5000 Å) संसूचित कर लेता है। इससे 5×10^4 फोटॉन/m^2 सेकण्ड के जानकारी होती है। जबकि कान 10^{-3} वाट/m^2 शक्ति का संसूचन करता है। कौन अधिक सुग्राही है तथा कितने गुना है?

(a) नेत्र 5.05 गुना अधिक सुग्राही है
(b) कान 5.05 गुना अधिक सुग्राही है
(c) दोनों समान रूप से 1 : 1 अनुपात में सुग्राही हैं
(d) नेत्र 10^{-1} गुना अधिक सुग्राही है

4. 5000 Å तरंगदैर्ध्य वाले फोटॉन का संवेग होगा :

(a) $1.3 \times 10^{-27} kg - ms^{-1}$ (b) $1.3 \times 10^{-28} kg - ms^{-1}$
(c) $4 \times 10^{29} kg - ms^{-1}$ (d) $4 \times 10^{-18} kg - ms^{-1}$

5. एक फोटॉन, एक इलेक्ट्रॉन और एक यूरेनियम नाभिक सभी की समान तरंगदैर्ध्य है, इनमें से सबसे अधिक ऊर्जा होगी :

(a) फोटॉन की
(b) इलेक्ट्रॉन की
(c) यूरेनियम नाभिक की
(d) तरंगदैर्ध्य और कणों के गुण पर निर्भर

6. 2000 Å की पराबैंगनी विकिरण निकिल धातु पर आपतित होती है। निकिल का कार्य-फलन 5.01 eV है, तो उत्सर्जित इलेक्ट्रॉन की अधिकतम चाल होगी :

(a) $3 \times 10^8 ms^{-1}$ (b) $6.44 \times 10^5 ms^{-1}$
(c) $10.36 \times 10^5 ms^{-1}$ (d) उपरोक्त में से कोई नहीं

7. 100 eV गतिज ऊर्जा वाले इलेक्ट्रॉन की धारा की तरंग लम्बाई क्या होगी? [$h = 6.6 \times 10^{-34}$ जूल-सेकण्ड, $1eV = 1.6 \times 10^{-19}$ जूल, $m_e = 9.1 \times 10^{-31}$ किग्रा]

(a) 4.8 Å (b) 3.6 Å
(c) 1.2 Å (d) 2.4 Å

8. एक प्रकाश-वैद्युत प्रयोग में 4000 Å के आपतित प्रकाश के लिए निरोधी विभव 2 V है। यदि आपतित प्रकाश बदलकर 3000 Å का कर दिया जाये, तो निरोधी विभव होगा :

(a) 2 V (b) 2 V से कम
(c) शून्य (d) 2 V से अधिक

9. 6.2 eV का पराबैंगनी प्रकाश ऐलुमिनियम सतह (कार्य-फलन 4.2 eV) पर पड़ता है। उत्सर्जित तीव्रतम इलेक्ट्रॉन की गतिज ऊर्जा (जूल) में लगभग होगी :

(a) 3.2×10^{-21}

(b) 3.2×10^{-19}

(c) 3.2×10^{-17}

(d) 3.2×10^{-15}

10. जे. जे. थॉमसन के प्रयोग में यदि आरोपित वैद्युत क्षेत्र एवं चुम्बकीय क्षेत्र क्रमशः E एवं B हैं और त्वरित विभवान्तर V है, तो इलेक्ट्रॉन के e/m के लिए व्यंजक है: (जहाँ V कैथोड तथा ऐनोड के बीच विभवान्तर है):

(a) $\frac{e}{m}=\frac{EB}{2V}$ (b) $\frac{e}{m}=\frac{E^2}{2VB^2}$

(c) $\frac{e}{m}=\frac{E}{2VB}$ (d) $\frac{e}{m}=\frac{2VE^2}{B^2}$

उत्तरमाला

1. (b): $\frac{hc}{\lambda}=W=5\times1.6\times10^{-19}$

$$\Rightarrow \quad \lambda=\frac{6.62\times10^{-34}\times3\times10^8}{5\times1.6\times10^{-19}}\cong 2500\text{Å}$$

2. (a): $h\nu_0=W_0$ या $\frac{hc}{\lambda_0}=W_0$ या $\lambda_0=\frac{ch}{W_0}$

$$\therefore \quad \lambda_0=\frac{3\times10^8\times6.6\times10^{-34}}{3.45\times1.6\times10^{-19}}$$

$$=3.587\times10^{-7}=3587\text{Å}$$

3. (a): नेत्र के द्वारा प्राप्त ऊर्जा $E=\frac{nhc}{\lambda}$

$$=\frac{5\times10^4\times6.67\times10^{-34}\times3\times10^8}{500\times10^{-10}}=0.200\times10^{-13}\text{ Wm}^{-2}$$

इसलिये आँख $\frac{1}{0.200}=5.00$ के मान से संवेदनशील है।

4. (a): $\lambda=\frac{h}{mv}\therefore mv=\frac{h}{\lambda}=\frac{6.62\times10^{-34}}{5000\times10^{-10}}$

$=1.3\times10^{-27}\,kg-ms^{-1}$

5. (a): $\lambda=\frac{h}{mv}=\frac{h}{\sqrt{2mE}},\ \therefore E=\frac{h^2}{2m\lambda^2}$

चूँकि λ का मान सभी के लिए समान है अतः $E\propto\frac{1}{m}$

अतः कम संहति के कण के लिए ऊर्जा अधिकतम होगी।

6. (b): $\frac{1}{2}mv^2=\frac{hc}{\lambda}-W_0$

$$=\left(\frac{3\times10^8\times6.6\times10^{-34}}{2000\times10^{-10}}\right)-(5.01\times1.6\times10^{-19})$$

$=(9.9-8.016)\times10^{-19}$

$=1.884\times10^{-19}$

$$\therefore \quad v^2=\frac{1.884\times10^{-19}\times2}{m}=\frac{1.884\times10^{-19}\times2}{9.1\times10^{-31}}$$

$$\therefore \quad v=6.44\times10^5\,ms^{-1}$$

7. (c): हम जानते हैं कि

$KE=\frac{p^2}{2m};\ \therefore p=\sqrt{2m\times KE}$

अब $\lambda=\frac{h}{mv}=\frac{h}{p}=\frac{h}{\sqrt{2m\times KE}}$

$$\lambda=\frac{6.6\times10^{-34}}{\sqrt{2\times9.1\times10^{-31}\times100\times1.6\times10^{-19}}}$$

$=1.22\times10^{-10}m=1.2\text{Å}$

8. (d): $KE+W=E$

$\Rightarrow \quad W=E-KE$

उसी धातु के लिए W स्थिर रहता है।

$\therefore \quad E_1-(KE)_1=E_2-(KE)_2=$ स्थिरांक

$=\frac{hc}{\lambda}-eV=$ स्थिरांक

λ में कमी करने पर $\frac{hc}{\lambda}$ का मान बढ़ेगा, अतः V बढ़ेगा।

9. (b): $E=KE+W_0$

$\therefore \quad KE=E-W_0$

$=6.2-4.2=2\text{eV}$

$=2\times1.6\times10^{-19}\text{J}=3.2\times10^{-19}\text{J}$

10. (b): यदि ऐनोड को दिया जाने वाला विभव V है, तब इलेक्ट्रॉनों की ऊर्जा

$\frac{1}{2}mv^2=eV$ या $v=\sqrt{\frac{2eV}{m}}$ परन्तु $\frac{E}{B}=v$

$$\therefore \quad \frac{E}{B}=\sqrt{\frac{2eV}{m}}\Rightarrow\frac{e}{m}=\frac{E^2}{2VB^2}$$

●●●

अध्याय 24

परमाणु, कण एवं नाभिक (Atoms, Molecule and Nuclei)

बोहर का परमाणु मॉडल (Bohr's Atomic Model)

सन् 1913 में नील बोहर (Niel Bohr) ने एक परमाणु मॉडल प्रस्तुत किया जो प्लांक तथा आइन्सटीन द्वारा प्रतिपादित विकिरण के क्वाण्टम सिद्धान्त (quantum theory) पर आधारित था। उन्होंने रदरफोर्ड के परमाणु मॉडल की कमियों को दूर किया था। इसके लिये उन्होंने निम्नलिखित परिकल्पनायें (postulates) प्रस्तुत कीः

(i) इलेक्ट्रान 'केवल' उन्हीं कक्षाओं में जा सकते हैं जिनमें उनका कोणीय संवेग (angular momentum) $h/2\pi$ का पूर्ण गुणज हो, जहाँ h प्लांक का सार्वत्रिक नियतांक (Planck's universal constant) है।

अतः $mvr = \frac{nh}{2\pi}$

जहाँ n एक पूर्णांक है ($n = 1, 2, 3, ...$) जिसे कक्षा की 'क्रम संख्या' अथवा 'मुख्य क्वाण्टम संख्या' (principal quantum number) कहते हैं। इसी समीकरण को 'बोहर का क्वाण्टीकरण प्रतिबन्ध' (Bohr's quantisation condition) कहते हैं।

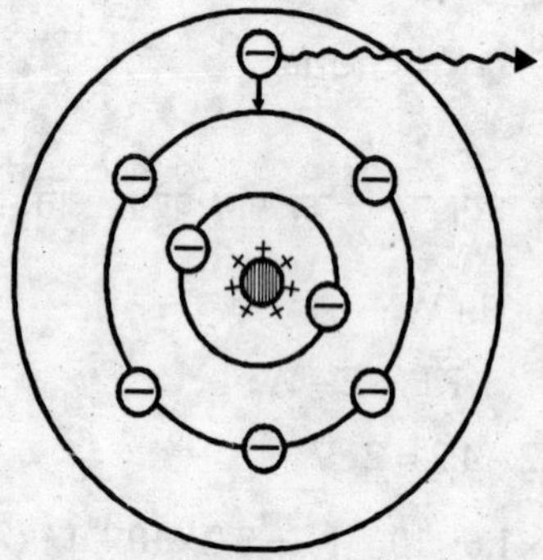

(ii) स्थायी कक्षाओं में घूमते समय इलेक्ट्रॉन ऊर्जा का उत्सर्जन 'नहीं' करते, यद्यपि उनमें अभिकेन्द्र त्वरण होता है। अतः परमाणु का स्थायित्व बना रहता है।

(iii) जब परमाणु को किसी कारणवश बाहर से ऊर्जा मिलती है तो उसका कोर इलेक्ट्रॉन अपनी निश्चित कक्षा को छोड़कर किसी ऊँची कक्षा में चला जाता है। परमाणु की यह अवस्था 'उत्तेजित' अवस्था (excited state) कहलाती है।

यदि ऊँची कक्षा में इलेक्ट्रॉन की ऊर्जा E_2 हो तथा नीची कक्षा में E_1 हो, तो उत्सर्जित तरंगों की आवृत्ति ν निम्न समीकरण के अनुसार होती हैः

$$h\nu = E_2 - E_1 \quad \text{अथवा} \quad \nu = \frac{E_2 - E_1}{h}$$

बोहर मॉडल के अनुसार विभिन्न प्रॉचल (Various Parameters According to Bohr's Model)

(i) n वें कक्षक की त्रिज्या

$$r = \frac{n^2 h^2}{4\pi^2 m KZ e^2} = \frac{\varepsilon_0 n^2 h^2}{\pi m Z e^2}$$

(ii) n वें कक्षक में इलेक्ट्रॉन की कक्षीय चाल

$$v = \frac{2\pi Kze^2}{nh} = \frac{Ze^2}{2nh\varepsilon_0} = \frac{c}{137}\frac{z}{n}$$

(c = प्रकाश की चाल)

(iii) इलेक्ट्रॉन की कक्षीय आवृत्ति

$$f = \frac{v}{2\pi r} = \frac{Kze^2}{nhr} = \frac{me^4 z^2}{4\varepsilon_0^2 n^3 h^3}$$

(iv) इलेक्ट्रॉन का आवर्तकाल

$$T = \frac{1}{f} = \frac{4\varepsilon_0^2 n^3 h^3}{me^4 Z^2}$$

या $T = \left(1.52 \times 10^{-16}\right) \times \frac{n^3}{Z^2}$

(v) इलेक्ट्रॉन की गतिज ऊर्जा

$$K = \frac{1}{2}mv^2 = \frac{1}{2}\frac{Kze^2}{r} = \frac{mZ^2 e^4}{8\varepsilon_0^2 n^2 h^2}$$

(vi) इलेक्ट्रॉन की स्थितिज ऊर्जा

$$U = -\frac{Kze^2}{r} - \frac{mZ^2 e^4}{4\varepsilon_0^2 n^2 h^2}$$

(vii) कुल ऊर्जा

(a) $E = K + U = -\frac{mZ^2 e^4}{8\varepsilon_0^2 n^2 h^2}$

(b) $E_n = -\frac{Z^2 R h c}{n^2} = -13.6\left(\frac{Z}{n}\right)^2 eV$

यहाँ $R = \frac{me^4}{8\varepsilon_0^2 ch^3}$ (रिडबर्ग नियतांक)

हाइड्रोजन स्पेक्ट्रम के लिये, Z = 1

अतः यदि $n = 1$, $E_1 = R$ch जूल या $-13.6\ eV$

यदि $n = 2$, $E_2 = -\frac{Rch}{4}$ जूल या $-3.4\ eV$

यदि n = 3, $E_3 = -\frac{Rch}{9}$ जूल या $-1.51\ eV$

(viii) स्पेक्ट्रल रेखा की उत्पत्ति क्रमशः

यदि E_1 एवं E_2 इलेक्ट्रॉन की n_1 कक्ष एवं n_2 कक्ष में कुल ऊर्जा है तब

$$h\nu = E_2 - E_1 = -\frac{Z^2Rhc}{n_2^2} + \frac{Z^2Rhc}{n_1^2}$$

$$\Rightarrow \quad \frac{hc}{\lambda} = z^2\ Rhc\left(\frac{1}{n_1^2} - \frac{1}{n_2^2}\right)$$

$$\Rightarrow \quad \frac{1}{\lambda} = Z^2\ R\left(\frac{1}{n_1^2} - \frac{1}{n_2^2}\right)$$

यहाँ $R\left(= \frac{me^4}{8\varepsilon_0^2 ch^3}\right)$ एक नियतांक है जिसे 'रिडबर्ग का नियतांक' (Rydberg Constant) कहते हैं तथा इसका मान $1.097 \times 10^7 m^{-1}$ है।

हाइड्रोजन स्पेक्ट्रम (Hydrogen Spectrum)

बॉमर ने हाइड्रोजन के स्पेक्ट्रम का अध्ययन किया। इस स्पेक्ट्रम में काली पृष्ठ भूमि (back ground) पर पृथक-पृथक चमकीली रेखायें होती हैं।

इन रेखाओं को $H_\alpha, H_\beta, H_\gamma, H_\delta$... कहते हैं।

बॉमर ने सन् 1885 में यह ज्ञात किया कि बॉमर श्रेणी की सभी रेखाओं की तरंगदैर्ध्य (λ) निम्न समीकरण के द्वारा प्रदर्शित की जा सकती है:

$$\frac{1}{\lambda} = R\left(\frac{1}{2^2} - \frac{1}{n_2^2}\right), n_2 = 3,4,5,...$$

बॉमर श्रेणी की कई रेखायें स्पेक्ट्रम के दृश्य भाग (visible part) में होती है। स्पेक्ट्रम के अदृश्य भाग में भी अन्य श्रेणियाँ प्राप्त की गई हैं जैसे लाइमन श्रेणी (Lyman series) पराबैंगनी (ultra-violet) भाग में तथा पाश्चन, ब्रैकेट व फुण्ड श्रेणियाँ (Paschen, Brackett and Pfund series) अवरक्त (infra-red) भाग में इन विभिन्न श्रेणियों की रेखाओं की तरंगदैर्ध्य निम्नलिखित व्यापक सूत्रों से प्रदर्शित की जा सकती हैं:

***(i)* लाइमन श्रेणी (Lyman series) के लिए (n_1 = 1);**

$$\frac{1}{\lambda} = R\left[\frac{1}{1^2} - \frac{1}{n_2^2}\right], \text{ जहाँ } n_2 = 2,3,4,...$$

***(ii)* बॉमर श्रेणी (Balmer series) के लिए (n_1 = 2);**

$$\frac{1}{\lambda} = R\left[\frac{1}{2^2} - \frac{1}{n_2^2}\right], \quad n_2 = 3,4,5,...$$

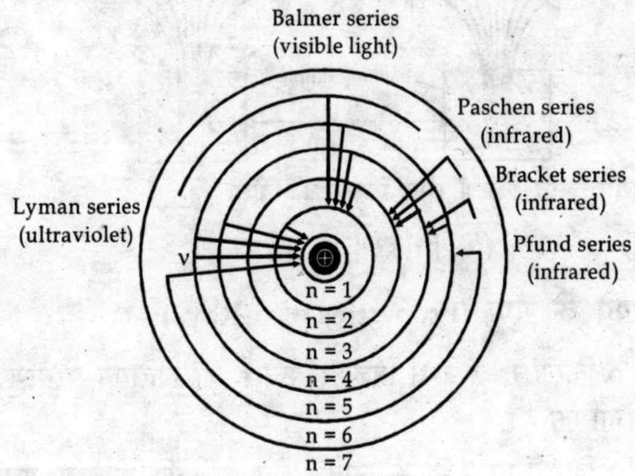

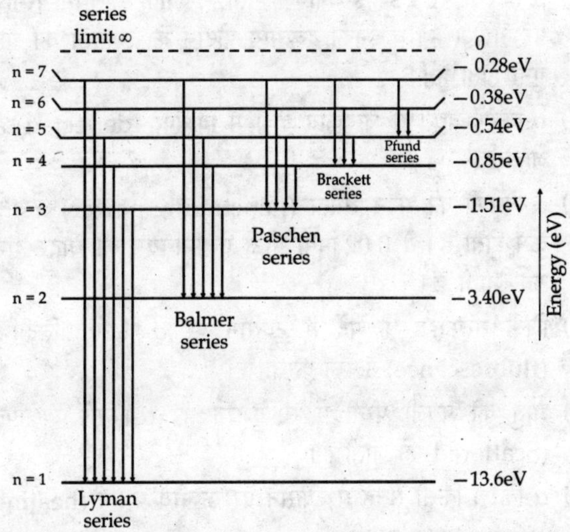

***(iii)* पाश्चन श्रेणी (Paschen series) के लिए (n_1 = 3);**

$$\frac{1}{\lambda} = R\left[\frac{1}{3^2} - \frac{1}{n_2^2}\right], \text{ जहाँ } n_2 = 4,5,6,...$$

***(iv)* ब्रैकेट श्रेणी (Brackett series) के लिए ($n_1 = 4$);**

$$\frac{1}{\lambda} = R\left[\frac{1}{4^2} - \frac{1}{n_2^2}\right], \text{ जहाँ } n_2 = 5,6,7,...$$

***(v)* फुण्ड श्रेणी (Pfund series) के लिए (n_1 = 5);**

$$\frac{1}{\lambda} = R\left[\frac{1}{5^2} - \frac{1}{n_2^2}\right], \text{ जहाँ } n_2 = 6,7,8,...$$

रेडियोएक्टिवता (Radioactivity)

हेनरी बेक्वारेल (Henry Becquerel) ने सन् 1896 में रेडियोएक्टिवता की खोज की।

कुछ तत्वों से स्वतः ही अदृश्य किरणें निकलती रहती हैं। ऐसे पदार्थों को रेडियोएक्टिव पदार्थ कहते हैं व इस घटना को रेडियाएक्टिवता कहते हैं तथा निकलने वाली किरणों को रेडियोएक्टिव किरणें कहते हैं।

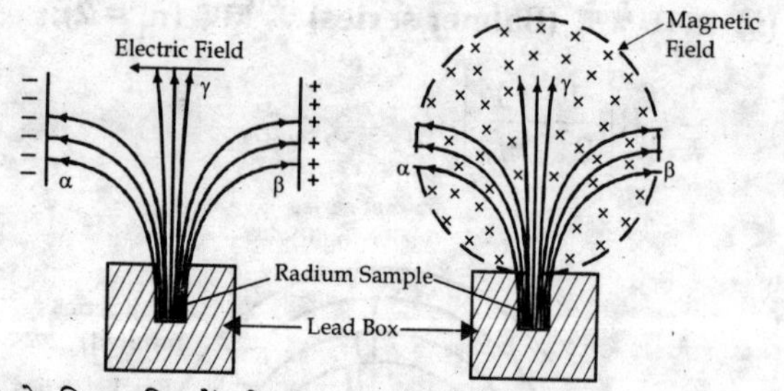

रेडियोएक्टिव किरणें तीन प्रकार की होती हैं:

(*i*) α-किरणें, (*ii*) β-किरणें, (*iii*) γ-किरणें

α-किरणों के गुण (Properties of α-Rays)

(*i*) α-किरणें α-कणों से मिलकर बनी हैं जो हीलियम परमाणु का नाभिक है।

(*ii*) α-किरणों पर 2 इकाई धनावेश होता है, जोकि हीलियम परमाणु पर आवेश है। व इनका द्रव्यमान प्रोटॉन के द्रव्यमान का चार गुना होता है।

(*iii*) α-किरणें वैद्युत व चुम्बकीय क्षेत्रों में विक्षेपित (deflected) हो जाती हैं।

(*iv*) α-किरणों की भेदन क्षमता (penetrating power) अत्यन्त कम होती है। ये 0.02 मिमी मोटी ऐलुमिनियम की चादर द्वारा रुक जाती हैं।

(*v*) जिंक सल्फाइड के पर्दे से टकराने पर α-किरणें प्रतिदीप्ति (fluorescence) उत्पन्न करती हैं।

(*vi*) धातु की पतली पन्नी में से गुजरने पर α-किरणें विक्षेपित (Scattered) हो जाती हैं।

(*vii*) α-किरणें किसी सतह से टकराने पर ऊष्मीय प्रभाव (heating effect) उत्पन्न करती हैं।

(*viii*) α-किरणें जिस गैस में से होकर गुजरती हैं उसका आयनीकरण कर (ionisation) देती हैं।

(*ix*) α- किरणों की चाल, प्रकाश की चाल का $\frac{1}{10}$ भाग होती है।

(*x*) α- किरणें कुछ पदार्थों में कृत्रिम रेडियोएक्टिवता उत्पन्न कर सकती हैं।

(*xi*) α- कण उत्सर्जन से नाभिक का आकार घट जाता है। चित्र (*a*), (*b*) व (*c*)।

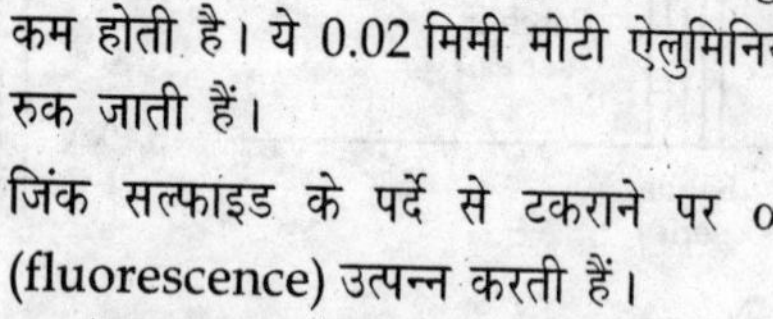

(a) Alpha decay (Nucleus too large) (b) α-particle (c) Emission of alpha particle reduces size of nucleus

(*xii*) α- कणों का स्पेक्ट्रम विविक्त रेखिल स्पेक्ट्रम होता है। जिन नाभिकों से α-कण उत्सर्जित होते हैं, उन नाभिकों में भी विविक्त ऊर्जा-स्तर होते हैं। α-कण उत्सर्जन की व्याख्या क्वाण्टम यान्त्रिकीय सुरंगन प्रभाव (quantum mechanical tunnelling effect) द्वारा की गई है।

β-किरणों के गुण (Properties of β-Rays)

(*i*) β- किरणें अत्यन्त तीव्र गति (प्रकाश की चाल का 33% से 99%) से चलने वाले इलेक्ट्रॉन हैं।

(*ii*) β- किरणों पर 1 इकाई ऋणावेश होता है जो कि इलेक्ट्रॉन पर आवेश है।

(*iii*) β- किरणें वैद्युत व चुम्बकीय क्षेत्रों में विक्षेपित हो जाती हैं।

(*iv*) β- किरणें जिस गैस में से होकर गुजरती हैं उसका आयनीकरण (ionisation) कर देती हैं परन्तु इनकी आयनीकरण क्षमता (ionisation power) α- किरणों की आयनीकरण क्षमता की अपेक्षा $\frac{1}{100}$ गुनी होती है।

(*v*) β- किरणों की भेदन क्षमता, α- किरणों की भेदन क्षमता की लगभग 100 गुनी होती है।

(*vi*) β-किरणें भी जिंक सल्फाइड के पर्दे से टकराने पर प्रतिदीप्ति उत्पन्न करती हैं।

(*vii*) β- किरणें फोटोग्राफिक फिल्म को प्रभावित करती हैं।

(*viii*) β- किरणें कृत्रिम रेडियोएक्टिवता उत्पन्न कर सकती हैं।

(*ix*) एक ही रेडियोएक्टिव पदार्थ से उत्सर्जित β-कणों में गतिज ऊर्जा, शून्य तथा निश्चित उच्चतम मान के बीच अविरत रूप से वितरित (continuous distribution of kinetic energy) होती है। तथा यह उच्चतम मान भिन्न-भिन्न पदार्थों के लिये भिन्न-भिन्न होता है। अतः β- कणों की परास (range) निश्चित नहीं होती है जबकि α- कणों की परास निश्चित होती है।

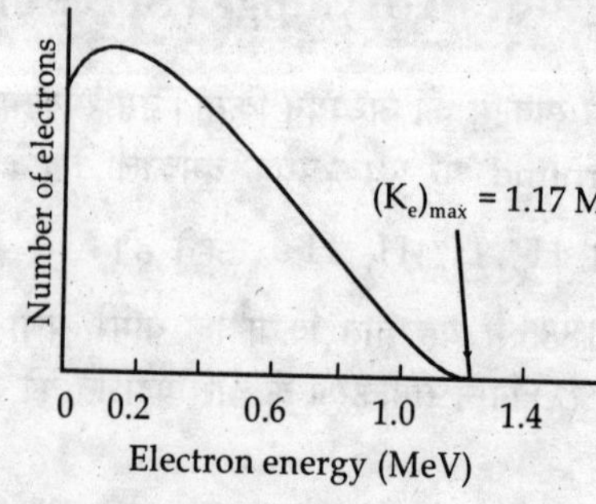

γ-किरणों के गुण (Properties of γ-Rays)

(*i*) γ-किरणों का कोई द्रव्यमान नहीं होता। इनकी प्रकृति अधात्विक है।

(*ii*) γ-किरणों पर कोई आवेश नहीं होता।

(*iii*) γ- किरणें वैद्युत व चुम्बकीय क्षेत्रों में विक्षेपित नहीं होती हैं।

(*iv*) γ-किरणों की आयनीकरण क्षमता α- किरणों व β-किरणों की अपेक्षा काफी कम होती है।

(*v*) γ- किरणों की चाल प्रकाश की चाल के बराबर होती है।

(*vi*) γ-किरणों की भेदन क्षमता काफी अधिक होती है। ये 30 सेमी मोटी लोहे की चादर के पार निकल जाती हैं।

(*vii*) γ- किरणें β- किरणों से ज्यादा फोटोग्राफिक फिल्म को प्रभावित करती हैं।

(*viii*) γ- किरणें जिस सतह पर गिरती हैं उसमें से इलेक्ट्रॉनों का उत्सर्जन हो जाता है।

(*ix*) γ-किरणें किसी सतह से टकराने पर ऊष्मीय प्रभाव उत्पन्न करती हैं।

(*x*) γ-किरणों का स्पेक्ट्रम रेखिल, विविक्त स्पेक्ट्रम होता है। इससे नाभिकीय ऊर्जा स्तरों के बारे में जानकारी प्राप्त होती है।

रेडियोएक्टिव क्षय नियम (Radioactive Decay Law)

रेडियोएक्टिव क्षय वास्तव में यादृच्छिक (random) प्रक्रिया है। 'किसी भी क्षण रेडियोएक्टिव परमाणुओं के क्षय होने की दर उस क्षण उपस्थित परमाणुओं की संख्या के अनुक्रमानुपाती होती है'।

अर्थात् $\left(-\frac{dN}{dt}\right) \propto N$ या $\left(-\frac{dN}{dt}\right) = \lambda N$

जहाँ λ क्षय नियतांक (decay constant) है।

पुनः $\frac{dN}{N} = -\lambda dt$

समाकलन करने पर, $N = N_0 e^{-\lambda t}$

जहाँ $N_0, t = 0$ पर प्रारम्भिक नाभिकों की संख्या है। यह फलन चित्र में प्रदर्शित है।

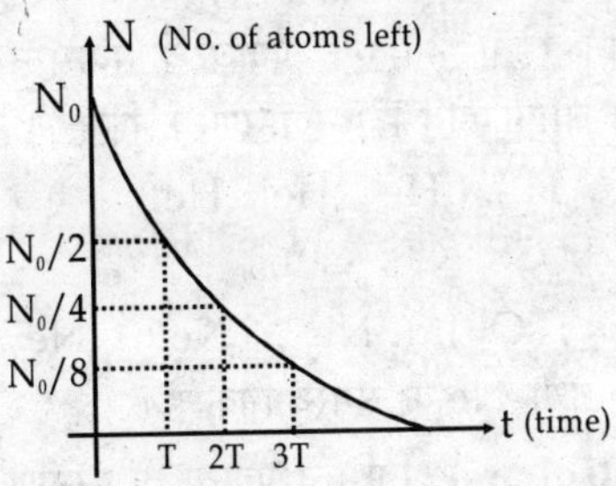

अर्द्ध-आयु (Half-Life)

वह समयान्तराल जिसके अन्तर्गत किसी रेडियोएक्टिव पदार्थ की मात्रा अर्थात् उसके परमाणुओं (नाभिकों) की संख्या रेडियोएक्टिव क्षय के फलस्वरूप घटकर अपने प्रारम्भिक मान की आधी रह जाती है, वह रेडियोएक्टिव पदार्थ की अर्द्ध-आयु ($T_{1/2}$) कहलाती है।

अतः जब $t = T_{1/2}$, तब $N = N_0/2$ चूँकि

$$\frac{N_0}{2} = N_0 e^{-\lambda T_{1/2}}, \ \lambda T_{1/2} = \ln(2) = 0.6931$$

$$\therefore \ T_{1/2} = \frac{0.6931}{\lambda}$$

माध्य आयु अथवा औसत आयु (Mean Life or Average Life)

किसी नाभिक के क्षय का समय शून्य से लेकर अनन्त तक कुछ भी हो सकता है। सभी नाभिकों की आयु के औसत को रेडियोएक्टिव पदार्थ की औसत आयु या माध्य आयु कहते हैं। इसे प्रायः τ से प्रदर्शित करते हैं। किसी रेडियोएक्टिव पदार्थ की औसत आयु क्षय नियतांक (λ) के व्युत्क्रम के बराबर होती है अर्थात्

$$\tau = \frac{1}{\lambda} = \frac{T_{1/2}}{0.6931} = 1.44 \ T_{1/2}$$

रेडियोएक्टिव पदार्थ की सक्रियता (Activity of Radioactive Substance)

रेडियोएक्टिव पदार्थ की क्षय दर *R*, प्रति सेकण्ड क्षय संख्या के बराबर होती है। चूँकि

$$-\frac{dN}{dt} \propto N \text{ या } -\frac{dN}{dt} = \lambda N$$

अतः $R = -\frac{dN}{dt}$ या $R \propto N$ या $R = \lambda N$ या $R = \lambda N_0 e^{-\lambda t}$

$\therefore \ R = R_0 e^{-\lambda t}$

जहाँ $R_0 = \lambda N_0, t = 0$ पर रेडियोएक्टिव पदार्थ की सक्रियता है।

सक्रियता का समय के साथ ग्राफ चित्रानुसार है।

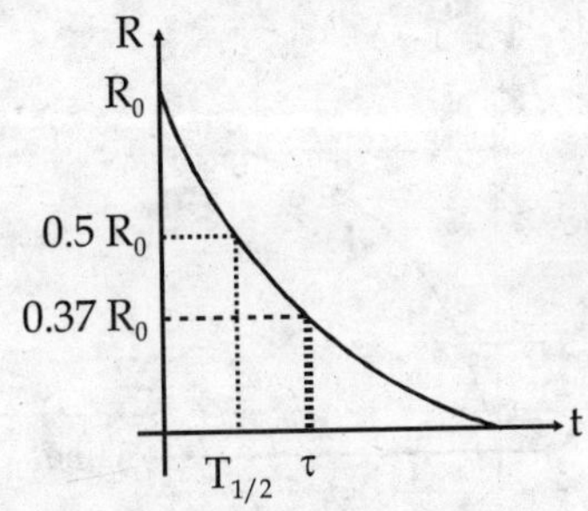

सक्रियता के मात्रक (Units of Activity)

क्षय दर के लिये मात्रक बेक्वारेल (Bq) है परन्तु क्यूरी (Ci) तथा रदरफोर्ड (Rd) प्रायोगात्मक रूप से प्रयोग किये जाते हैं।

1 Bq = 1 विघटन प्रति सेकण्ड,

1 Ci = 3.7×10^{10} Bq

तथा 1 Rd = 10^6 Bq

कुछ महत्वपूर्ण बिन्दु (Some Important Points)

(a) *n* अर्द्ध-आयुओं के पश्चात्

(*i*) शेष नाभिकों की संख्या $= N_0\left(\frac{1}{2}\right)^n$

(*ii*) शेष नाभिकों की भिन्न $= \left(\frac{1}{2}\right)^n$ तथा

(*iii*) शेष नाभिकों का प्रतिशत $= (100)\left(\frac{1}{2}\right)^n$

(b) t समय पश्चात् विघटित नाभिकों की संख्या

$= N_0 - N = N_0 - N_0 e^{-\lambda t} = N_0(1 - e^{-\lambda t})$

संगत ग्राफ चित्रानुसार है।

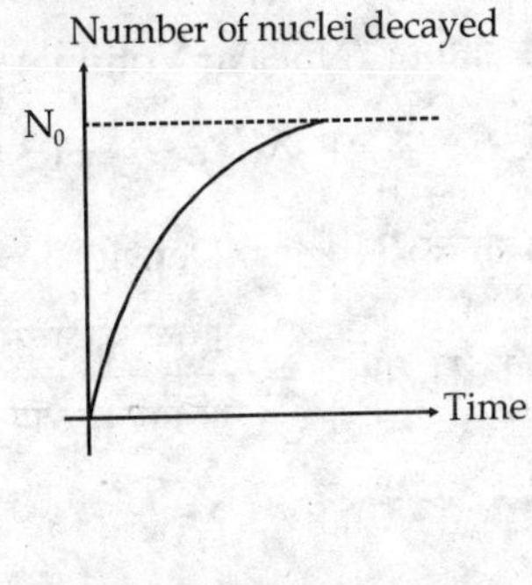

(c) एक नाभिक के t समय तक रहने के लिये प्रायिकता

$$P = \frac{N}{N_0} = \frac{N_0 e^{-\lambda t}}{N_0} = e^{-\lambda t}$$

संगत ग्राफ चित्रानुसार है।

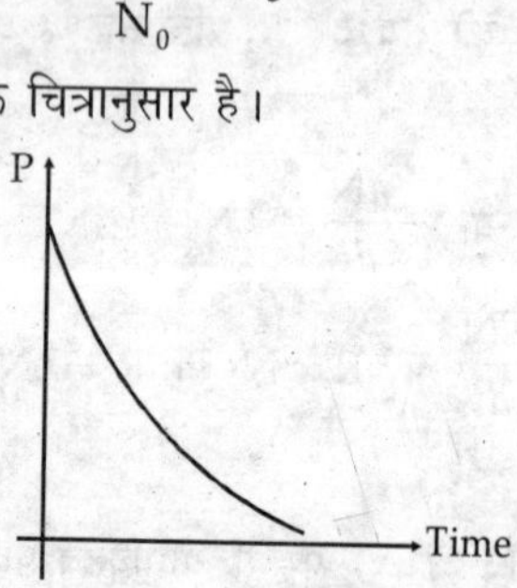

(d) एक नाभिक के t समय में विघटित होने की प्रायिकता

$$P' = 1 - P = 1 - e^{-\lambda t}$$

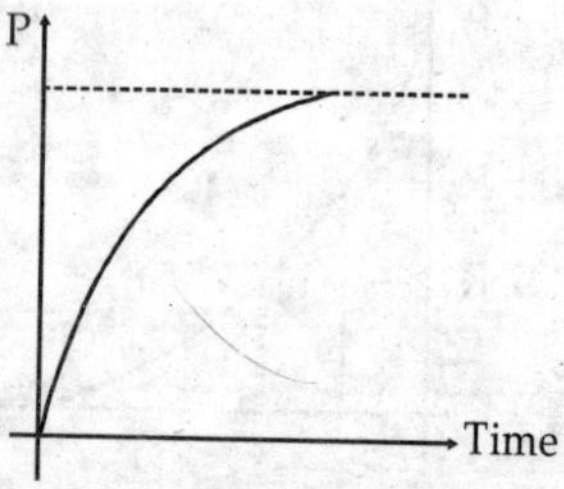

नाभिक का संगठन (Composition of Nucleus)

प्रत्येक पदार्थ परमाणुओं से बना होता है। परमाणु का समस्त द्रव्यमान तथा धनात्मक आवेश बहुत छोटे क्षेत्र में संघनित होता है। इस क्षेत्र को नाभिक कहते हैं। नाभिक की त्रिज्या 10^{-15} मीटर से 10^{-14} मीटर की कोटि की होती है। नाभिक में प्रोटॉन तथा न्यूट्रॉन होते हैं, जिन्हें न्यूक्लिऑन (nucleons) कहते हैं।

प्रोटॉनों की संख्या = परमाणु क्रमांक (Z)

= द्रव्यमान संख्या या न्यूक्लिऑन संख्या (A) – परमाणु क्रमांक (Z)

= A – Z

अतः नाभिक को $_ZX^A$ से प्रदर्शित किया जाता है।

नाभिक के गुण (Properties of Nucleus)

नाभिकीय गुण निम्न प्रकार हैं

(*i*) नाभिकीय आकार (Nuclear Size) :

(*a*) नाभिक का आकार फर्मी (1 फर्मी = 10^{-15} मीटर) के क्रम का होता है।

(*b*) नाभिक की त्रिज्या $R = R_0 A^{1/3}$

जहाँ $R_0 = 1.1 \times 10^{-5}$ मीटर तथा A द्रव्यमान संख्या है।

(*ii*) नाभिकीय आयतन (Nuclear Volume) :

$$V = \frac{4}{3}\pi R^3 = \frac{4}{3}\pi (R_0 A^{1/3})^3 = \frac{4}{3}\pi R_0^3 A$$

(*iii*) नाभिकीय घनत्व (Nuclear Density):

(a) नाभिक का घनत्व $= \dfrac{\text{नाभिक का द्रव्यमान}}{\text{नाभिक का आयतन}}$

$$\rho = \frac{Am}{\frac{4}{3}\pi R_0^3 A} = \frac{m}{\frac{4}{3}\pi R_0^3}$$

अर्थात, नाभिकीय पदार्थ का घनत्व, द्रव्यमान संख्या पर निर्भर नहीं करता है।

$m = 1.66 \times 10^{-29}$ किग्रा एवं $R_0 = 1.1 \times 10^{-15}$ मीटर रखने पर

$P = 2.98 \times 10^{17}$ किग्रा/मीटर^3

परमाणु द्रव्यमान मात्रक (*Atomic Mass Unit*)

यह कार्बन ($_6C^{12}$) समस्थानिक के द्रव्यमान का (1/12) वां भाग है। इसे amu अथवा प्रायः 'u' से प्रदर्शित करते हैं।

$$1\,amu = \frac{1.992678 \times 10^{-26}}{12} \text{ किग्रा}$$

$= 1.660565 \times 10^{-27}$ किग्रा = 931 MeV

समस्थानिक, समभारी एवं समन्यूट्रॉनिक (Isotopes, Isobars and Isotones)

समस्थानिक (Isotopes) : समान पदार्थ के परमाणु जिनके समान परमाणु क्रमांक होते हैं परन्तु द्रव्यमान संख्या भिन्न होती है, समस्थानिक कहलाते हैं। चूँकि इनमें समान संख्या में प्रोटॉन होते हैं अतः इनकी आवर्त सारणी में स्थिति समान रहती है। एक पदार्थ के विभिन्न समस्थानिकों के रासायनिक गुण समान होते हैं। उदाहरण के लिए,

($_1H^1$, $_1H^2$, $_1H^3$), ($_2He^3$, $_2He^4$, $_2He^6$),

($_6C^{10}$, $_6C^{11}$, $_6C^{12}$, $_6C^{13}$, $_6C^{14}$),

($_8O^{16}$, $_8O^{17}$, $_8O^{18}$), ($_{10}Ne^{20}$, $_{10}Ne^{21}$, $_{10}Ne^{22}$) आदि क्रमशः H, He, C, O तथा Ne के समस्थानिक हैं।

समभारी (Isobars) : विभिन्न पदार्थों के परमाणु जिनकी द्रव्यमान संख्या समान होती है परन्तु परमाणु क्रमांक भिन्न होते हैं, समभारी कहलाते हैं। चूँकि इनके परमाणु क्रमांक भिन्न हैं अतः आवर्त सारणी में इनकी स्थितियाँ भिन्न होती हैं तथा इनके रासायनिक गुण भी भिन्न होते हैं।

उदाहरण के लिए,

($_1H^3$ तथा $_2He^3$), ($_{10}Ne^{22}$ तथा $_{11}Na^{22}$),

($_{11}Na^{24}$ तथा $_{12}Mg^{24}$), ($_6C^{14}$ तथा $_7N^{14}$),

($_{20}Ca^{40}$ तथा $_{18}Ar^{40}$) आदि समभारी हैं।

समन्यूट्रॉनिक (Isotones) : विभिन्न पदार्थों के परमाणु जिनके नाभिक में न्यूट्रॉनों की संख्या भिन्न होती है, समन्यूट्रॉनिक कहलाते हैं। उदाहरण के लिये, ($_1H^3$, $_2He^4$), ($_6C^{14}$, $_8O^{16}$), ($_{11}Na^{23}$, $_{12}Mg^{24}$), ($_{17}Cl^{37}$, $_{19}K^{39}$), ($_{19}K^{39}$, $_{20}Ar^{40}$) समन्यूट्रॉनिक हैं।

बन्धन ऊर्जा (Binding Energy)

किसी नाभिक की बन्धन ऊर्जा वह न्यूनतम ऊर्जा है जो नाभिक के न्यूक्लिऑन को अनन्त दूरी तक अलग-अलग करने के लिये आवश्यक हैं। बन्धन ऊर्जा की संकल्पना को द्रव्यमान-ऊर्जा सम्बन्ध, $\Delta E = \Delta mc^2$ से भी समझा जा सकता है जहाँ Δm विलगित न्यूक्लिऑनों के कुल द्रव्यमान तथा स्थानी नाभिक के द्रव्यमान का अन्तर है।

नाभिक $_ZX^A$ की बन्धन ऊर्जा

$$E_b = [Zm_p + (A-Z)m_n - m_N]c^2 \;.....(i)$$

जहाँ m_p = प्रोटॉन का द्रव्यमान, m_n = न्यूट्रॉन का द्रव्यमान तथा m_N = नाभिक $_zX^A$ का द्रव्यमान।

नाभिकीय विखण्डन (Nuclear Fission)

किसी भारी नाभिक के दो या दो से अधिक छोटे-छोटे नाभिकों में टूटने की प्रक्रिया को नाभिकीय विखण्डन कहते हैं।

प्रत्येक विखण्डन प्रक्रिया में बहुत बड़े स्तर पर ऊर्जा ($\approx 190\,MeV$) मुक्त होती है।

निम्नलिखित अभिक्रिया में यूरेनियम (Z = 92, A = 235) के नाभिक पर तीव्रगामी न्यूट्रॉनों की बमबारी करके विखण्डन प्रक्रिया दर्शायी गयी है।

$$_{92}U^{235} + _0n^1 \longrightarrow _{92}U^{236} \longrightarrow _{56}Ba^{141} +$$
$$_{36}Kr^{92} + 3_0n^1 + 200{\cdot}4\text{ MeV (ऊर्जा)}$$

नाभिकीय विखण्डन की घटना में विखण्डित नाभिकों का कुल द्रव्यमान, बड़े नाभिक के द्रव्यमान से कम होता है। द्रव्यमानों का यह अन्तर ही, नाभिकीय विखण्डन के दौरान उत्पन्न होने वाली ऊर्जा में परिवर्तित होता है।

नाभिकीय विखण्डन की शृंखला अभिक्रिया (Chain Reaction of Nuclear Fission)

यूरेनियम के नाभिक का विखण्डन करने के लिये केवल एक न्यूट्रॉन की आवश्यकता होती है परन्तु विखण्डन के फलस्वरूप हमें तीन न्यूट्रॉन प्राप्त होते हैं जो अन्य यूरेनियम के नाभिकों का विखण्डन कर सकते हैं। जिसके फलस्वरूप हमें 9 न्यूट्रॉन प्राप्त होंगे, इस प्रकार नाभिकीय विखण्डन की एक शृंखला बन जाती है इसे शृंखला अभिक्रिया (Chain reaction) कहते हैं।

यह दो प्रकार की होती है:

(i) नियन्त्रित (Controlled) शृंखला अभिक्रिया

(ii) अनियन्त्रित (Uncontrolled) शृंखला अभिक्रिया

नाभिकीय संलयन (Nuclear Fusion)

जब दो अथवा अधिक हल्के नाभिक अति उच्च चाल से गति करते हुए परस्पर संयुक्त होकर एक भारी नाभिक बनाते हैं तो इस प्रक्रिया को 'नाभिकीय संलयन' कहते हैं। संलयन से प्राप्त नाभिक का द्रव्यमान, संलयन करने वाले नाभिकों के योग से कम होता है तथा द्रव्यमान की यह क्षति ऊर्जा के रूप में प्राप्त हो जाती है।

उदाहरण के लिए,

(a) $_1H^2 + _1H^2 \longrightarrow _2He^4 + 24\,MeV$ (ऊर्जा)

$_1H^2 + _1H^3 \longrightarrow _2He^4 + _0n^1 + 12.6\text{ MeV}$

$_1H^2 + _1H^2 \longrightarrow _2He^3 + _0n^1 + 3.35\text{ MeV}$

(b) दो डयूट्रॉनों ($_1H^2$, भारी हाइड्रोजन नाभिक) को संलयित करके एक ट्राइटॉन/ट्राइटियम का नाभिक) बनाया जा सकता है। इसके लिए अभिक्रिया निम्नलिखित होगी–

$_1H^2 + _1H^2 \longrightarrow _1H^3 + _1H^1 + 4.0\,MeV$ (ऊर्जा)

इस प्रकार बनी ट्राइट्रॉन ($_1H^3$) पुनः एक तीसरे डयूट्रॉन से संलयित होकर एक हीलियम नाभिक बना सकती है:

$_1H^3 + _1H^2 \longrightarrow _2He^4 + _0n^1 + 17.6\,MeV$ (ऊर्जा)

इस प्रकार, दोनों अभिक्रियाओं में तीन डयूट्रॉन संलयित होकर एक हीलियम नाभिक ($_2He^4$), एक प्रोटॉन ($_1H^1$) तथा एक न्यूट्रॉन ($_0n^1$) बनाते हैं तथा 21.6 MeV ऊर्जा मुक्त होती है जो कि प्रोटॉन ($_1H^1$) तथा न्यूट्रॉन ($_0n^1$) की गतिज ऊर्जा के रूप में होती है।

उपरोक्त संलग्नों से प्राप्त ऊर्जा (21.6 MeV), U^{235} के एक नाभिक के विखण्डन से प्राप्त ऊर्जा (190 MeV) से काफी कम है। इससे ऐसा लगता है कि संलयन से प्राप्त ऊर्जा विखण्डन से प्राप्त ऊर्जा से कम होती है। परन्तु ऐसी बात नहीं है। 1 ग्राम भारी हाइड्रोजन के नाभिकों (डयूट्रॉनों) की संख्या, 1 ग्राम U^{235} में U^{235} के नाभिकों की संख्या से बहुत अधिक होती है। अतः भारी हाइड्रोजन के नाभिकों के संलयन से प्राप्त ऊर्जा, उतने ही द्रव्यमान के U^{235} के विखण्डन से प्राप्त ऊर्जा से कहीं अधिक होती है।

वस्तुनिष्ठ प्रश्न

1. निम्न नाभिकीय अभिक्रिया में Z और A के क्रमशः मान होंगे:

$_{92}U^{235} + _0n^1 \rightarrow _{51}Xe^{140} + _ZSr^A + 2_0n^1 +$ फोटॉन

(a) $Z = 39, A = 92$ (b) $Z = 37, A = 93$
(c) $Z = 38, A = 95$ (d) $Z = 41, A = 94$

2. निम्न नाभिकीय अभिक्रिया में M दर्शाता है:

$_2He^4 + _ZX^A \rightarrow _{Z+2}Y^{A+3} + _{2n}M^x$

(a) इलेक्ट्रॉन (b) पॉजिट्रॉन
(c) प्रोटॉन (d) न्यूट्रान

3. मूल रेडियोएक्टिव का पाँच अर्द्ध-आयु के पश्चात् कितने प्रतिशत शेष बचता है?

(a) 0.3% (b) 1%
(c) 2.75% (d) 3.125%

4. हीलियम के द्वितीय इलेक्ट्रॉन के लिए आयनन विभव है :

(a) 13.6 eV (b) 27.2 eV
(c) 54.4 eV (d) 100 eV

5. रेडियम की अर्द्ध-आयु 1620 वर्ष है तथा इसका परमाणु भार 226 किलोग्राम प्रति किलो मोल है। इसके एक ग्राम के नमूने से प्रति सेकण्ड क्षय होने वाले परमाणुओं की संख्या होगी :

(a) 3.61×10^{10} (b) 3.6×10^{12}
(c) 3.11×10^{15} (d) 31.1×10^{15}

6. U^{235} और U^{238} में अन्तर है:
(a) U^{238} में 3 प्रोटॉन कम होते हैं
(b) U^{238} में 3 प्रोटॉन एवं 3 इलेक्ट्रान अधिक होते हैं
(c) U^{238} में 3 न्यूट्रान एवं 3 इलेक्ट्रान अधिक होते हैं
(d) इनमें से कोई नहीं

7. हाइड्रोजन स्पेक्ट्रम की प्रत्येक में तरंगदैर्ध्य की ऊपरी तथा निचली सीमाएँ होती हैं। स्पेक्ट्रमी श्रेणी जिसकी तरंगदैर्ध्य की ऊपरी सीमा है, 18752 Å है, वह होगी :
(a) बॉमर श्रेणी (b) लाइमन श्रेणी
(c) पाश्चन श्रेणी (d) फुण्ड श्रेणी

8. हाइड्रोजन परमाणु की कक्षा में इलेक्ट्रॉन चौथी कक्षा से दूसरी कक्षा में कूदता है। रिडबर्ग रियतांक $R = 10^5$ प्रति सेमी है। उत्सर्जित विकिरण की तरंगदैर्ध्य होगी :
(a) 4970 Å (b) 5050 Å
(c) 5120 Å (d) 5330 Å

9. किसी दिये गये रेडियोएक्टिव पदार्थ में 10^6 नाभिक हैं। उसकी अर्द्ध-आयु 20 सेकण्ड है, तो 10 सेकण्ड के पश्चात् शेष नाभिकों की संख्या होगी :
(a) 1×10^5 (b) 2×10^5
(c) 7×10^5 (d) 11×10^5

10. रेडियोएक्टिव रेडॉन की अर्द्ध-आयु 3.8 दिन है। एक रेडॉन नमूने का $\frac{1}{20}$ भाग कितने समय पश्चात् बिना क्षय के शेष बचेगा? $(\log_{10} e = 0.4343)$
(a) 7.5 days (b) 16.5 days
(c) 33.5 days (d) 76.5 days

उत्तरमाला

1. (d): $235 + 1 = 140 + A + 2 \Rightarrow A = 94$
तथा $92 + 0 = 51 + Z + 0 \Rightarrow Z = 41$

2. (d): आवेश व द्रव्यमान संरक्षण से
$4 + A = A + 3 + x \Rightarrow x = 1$
तथा $2 + Z = Z + 2 + 2n \Rightarrow n = 0$
$\therefore$ M न्यूट्रॉन है।

3. (d): पाँच अर्द्ध-आयु के बाद बचे परमाणु $= N = N_0\left(\frac{1}{2}\right)^5 = \frac{N_0}{32}$

परमाणु प्रतिशत $= \frac{100}{32} = 3.125\%$

4. (c): आयनन विभव $= \frac{+Z^2 \times 13.6}{1^2}$
He के लिये, Z = 2
अतः आयनन विभव $= 2^2 \times 13.6 = 54.4\, eV$

5. (a): $\frac{dN}{dt} = \lambda N$

$\lambda = \frac{0.6931}{T_{1/2}} = \frac{0.6931}{1620 \times 365 \times 24 \times 60 \times 60}$ तथा

$N = \frac{6.023 \times 10^{23}}{226}$

$\therefore \frac{dN}{dt} = \frac{0.6931 \times 6.023 \times 10^{23}}{1620 \times 365 \times 24 \times 60 \times 60 \times 226}$
$= 3.61 \times 10^{10}$

6. (d): U^{238} तथा U^{235} यूरेनियम के समस्थानिक हैं। अन्तर केवल न्यूट्रॉन संख्या का है जबकि प्रोटॉन संख्या समान रहती है।

7. (c): $\frac{1}{\lambda} = R\left(\frac{1}{n_1^2} - \frac{1}{n_2^2}\right)$

$\therefore \frac{1}{n_1^2} - \frac{1}{n_2^2} = \frac{1}{R\lambda} = \frac{1}{1.097 \times 10^7 \times 18752 \times 10^{-10}}$

$= 0.0486 = \frac{7}{144} = \frac{1}{3^2} - \frac{1}{4^2}$

यह मान $n_1 = 3$ तथा $n_2 = 4$ के लिये प्राप्त होता है जो कि पाश्चन श्रेणी है।

8. (d): $\frac{1}{\lambda} = R\left(\frac{1}{2^2} - \frac{1}{4^2}\right) = 10^5 \times \frac{3}{16} = \frac{10^5}{5.33}$

$\Rightarrow \lambda = 5.33 \times 10^{-5}\text{cm} = 5330$ Å

9. (c): $N = N_0\left(\frac{1}{2}\right)^{t/T_{1/2}} = 10^6\left(\frac{1}{2}\right)^{10/20} = \frac{10^6}{\sqrt{2}} = 7.07 \times 10^5$

10. (b): $N = N_0 e^{-\lambda t}$ से

$\frac{N}{N_0} = \frac{1}{20}$ तथा $\lambda = \frac{0.6931}{3.8}$

मान रखने पर, $20 = e^{\frac{0.6931 \times t}{3.8}}$

या $\log 20 = \frac{0.6931 \times t}{3.8} \log_{10} e$

या $1.3010 = \frac{0.6931 \times t \times 0.4343}{3.8}$

$\therefore$ $t = 16.5$ days.

●●●

रसायन विज्ञान

अध्याय 1

परमाणु संरचना (Atomic Structure)

परमाणु संरचना

- द्रव्य की संरचना अत्यन्त सूक्ष्म मूल कण (Fundamental particles) परमाणुओं से हुई है। जॉन डाल्टन (1808 ई.) ने परमाणुवाद के सिद्धांत का प्रतिपादन किया जिसके अनुसार परमाणु द्रव्य का अविभाज्य कण माना गया। रासायनिक परिवर्तनों (Chemical Changes) में भी इन कणों की सर्वसमिका (Identity) नष्ट नहीं होती।
- परमाणु परस्पर मिलकर अणु (Molecules) बनाते हैं तथा रासायनिक परिवर्तनों या अभिक्रियाओं में इन्हीं अणुओं में परिवर्तन होते हैं।
- बीसवीं शताब्दी के प्रारम्भ में जे. जे. थॉमसन (J.J. Thomson), रदरफोर्ड (Rutherford) तथा अन्य वैज्ञानिकों ने प्रयोगों द्वारा डाल्टन के परमाणुवाद का खण्डन किया तथा सिद्ध कर दिया कि परमाणु विभाज्य है। इसकी एक निश्चित संरचना होती है तथा परमाणु में कई प्रकार के मौलिक कण (Fundamental particles) विद्यमान रहते हैं। ये मौलिक कण मुख्यतः इलेक्ट्रॉन, प्रोटॉन तथा न्यूटॉन हैं। यह स्थायी कण भी कहलाते हैं। यह परमाणु के बाहर स्वतन्त्र अवस्था में रह सकते हैं।

1. परमाणु दो भागों से बना होता है–
   (*i*) **नाभिक (Nucleus)**– यह दो प्रकार के कणों से बना होता है।
   प्रोटॉन– इकाई धन आवेश युक्त कण और द्रव्यमान हाइड्रोजन परमाणु के बराबर
   न्यूट्रॉन– आवेशहीन व द्रव्यमान प्रोटॉन के समान।
   (*ii*) **नाभिक का बाह्यू भाग (Extra-nuclear part)**– इसमें केवल इलेक्ट्रॉन होते हैं। इलेक्ट्रॉन, उपेक्षणीय भार के इकाई ऋण आवेशयुक्त कण हैं। ये नाभिक के चारों ओर शैलों या कोशों में गतिशील रहते हैं।

तालिका 1: मूल कणों के मुख्य अभिलक्षण

मूल कण (Fundamental Particle)	प्रतीक (Symbol)	आवेश (Charge)	द्रव्यमान (mass)	द्रव्यमान (amu) में	खोजकर्त्ता (Discoverer)
इलेक्ट्रॉन	$-1^{e°}$	-1.602×10^{-19} कूलॉम	9.1091×10^{-28} ग्राम	0.000548	जे.जे. थॉमसन
प्रोटॉन	$-1^{H'}$	$+1.602 \times 10^{-19}$ कूलॉम	1.6725×10^{-24} ग्राम	1.00757	रदरफोर्ड
न्यूट्रॉन	n	विद्युत उदासीन (0 कूलॉम)	1.6748×10^{-24} ग्राम	1.00893	चैडविक

2. परमाणु क्रमांक (Atomic number)
   = नाभिक में प्रोटॉनों की सं.
   = परमाणु में इलेक्ट्रॉनों की सं.
   परमाणु भार या द्रव्यमान संख्या
   (Atomic weight or mass number) = नाभिक में प्रोटॉनों की संख्या + नाभिक में न्यूट्रॉनों को संख्या = न्यूक्लिआन की संख्या प्रोटॉन व न्यूट्रॉन को सामूहिक रूप से न्यूक्लिआन कहा जाता है।
   न्यूट्रॉन संख्या = परमाणु भार (द्रव्यमान संख्या)– परमाणु क्रमांक।
   परमाणु क्रमांक को Z, परमाणु भार को A व द्रव्यमान संख्या को M से व्यक्त करते हैं।
3. धन आवेशयुक्त परमाणुओं अर्थात् धनायन (Cation) में प्रोटॉनों की संख्या = परमाणु क्रमांक
   इलेक्ट्रॉनों की संख्या = परमाणु क्रमांक – विस्थापित इलेक्ट्रॉनों की संख्या (आयन पर धनावेश की सं.)
4. ऋण आवेशयुक्त परमाणुओं अर्थात् ऋणायन (anion) में प्रोटॉनों की संख्या = परमाणु क्रमांक
   इलेक्ट्रॉनों की संख्या = परमाणु क्रमांक + ग्रहण की गई इलेक्ट्रॉनों की संख्या (आयन पर ऋणावेश की संख्या)
5. उदासीन परमाणु में प्रोटॉन व इलेक्ट्रॉन की संख्या बराबर होती है। इलेक्ट्रॉन की संख्या = परमाणु क्रमांक
6. किसी परमाणु X को जिसका परमाणु क्रमांक Z तथा परमाणु भार A है, इस प्रकार प्रदर्शित किया जा सकता हैं : $_{Z}X^{A}$
7. विभिन्न कक्षाओं में इलेक्ट्रॉन वितरण की बोर-बरी योजना (Bohr-Bury scheme) निम्नवत् हैं–
   (*i*) किसी कक्षा, कोश या शैल में अधिकतम इलेक्ट्रॉन संख्या $2n^2$ हो सकती है। जहाँ n = कोश की संख्या। इस प्रकार प्रथम, द्वितीय, तृतीय व चतुर्थ कोश में अधिकतम इलेक्ट्रॉन की संख्या क्रमशः 2, 8, 18, 32 होगी।

(*ii*) सबसे बाह्य कोश में अधिकतम और उपान्तय कोश (Penultimate or last but one) में अधिकतम 18 इलेक्ट्रॉन रह सकते हैं।

(*iii*) नये कोश का बनना प्रारम्भ हो जाता है जब बाह्यतम कोश में 8 इलेक्ट्रॉन हो जाते हैं।

(*iv*) सबसे अन्दर के कोश में 2 इलेक्ट्रॉन तथा उसके अन्दर के कोश में 9 इलेक्ट्रॉन से अधिक तब तक नहीं भरे जा सकते जब तक कि अन्दर के शेष सभी कोशों में इलेक्ट्रॉनों की संख्या $2n^2$ के अनुसार पूरी न हो गयी हो।

उदाहरण – Se (Z = 21) का इलेक्ट्रॉनिक विन्यास 2, 8, 9, 2, है न कि 2, 8, 8, 3।

(*v*) किसी भी कोश में 32 से अधिक इलेक्ट्रॉन नहीं हो सकते हैं।

8. सम-न्यूट्रॉनिक परमाणु (Isotones)– भिन्न-भिन्न तत्वों के वे परमाणु जिनके नाभिक में न्यूट्रॉन की संख्या समान होती है परस्पर सम-न्यूट्रॉनिक कहलाते हैं।

उदाहरण–$_{15}P^{31}$, $_{16}S^{32}$ क्योंकि प्रत्येक में 16 न्यूट्रॉन है।

9. सम-इलेक्ट्रॉनिक परमाणु व आयन (Isoelectronic atoms and ions)– ऐसे परमाणु व आयन जिनमें इलेक्ट्रॉनों की कुल संख्या समान होती है अर्थात इलेक्ट्रॉनिक विन्यास समान होते हैं, परस्पर सम इलेक्ट्रॉनिक कहलाते हैं। उदाहरण– Na^+, Mg^{++}, F^- व Ne सम इलेक्ट्रानिक है क्योंकि प्रत्येक में 10 इलेक्ट्रॉन है।

10. संयोज्य इलेक्ट्रॉन (Valence electrons)– बाह्यतम शैल में स्थित इलेक्ट्रॉन संख्या को संयोज्य इलेक्ट्रॉन कहते हैं। जैसे– Na (2, 8, 1) में संयोज्य इलेक्ट्रॉन 1 है। ये इलेक्ट्रॉन ही रासायनिक संयोजन में भाग लेते हैं।

11. संयोजकता (Valency)– निकटतम निष्क्रिय गैस का विन्यास प्राप्त करने के लिए किसी तत्व का परमाणु जितने इलेक्ट्रॉन त्यागता या ग्रहण करता है या जितने इलेक्ट्रॉन का साझा करता है, इलेक्ट्रॉन की वह संख्या उस तत्व की संयोजकता कहलाती है। यह धनात्मक या ऋणात्मक दोनों हो सकती हैं।

इलेक्ट्रॉनिक विन्यास (Electronic Configuration)

1. उपकोशों में इलेक्ट्रॉनों का वितरण– बोर ने नाभिक की ओर से कक्षाओं का क्रम 1, 2, 3, 4 आदि या K, L, M, N आदि रखा। इनको शैल, कोश, कक्षा, ऊर्जा स्तर कहा गया। प्रत्येक कक्षा, कोश, शैल या ऊर्जा स्तर को एक या एक से अधिक उपकोशों (सबशैलों) में विभाजित किया गया है। इन्हें *s*, *p*, *d* और *f* सबशैल कहते हैं। इनमें क्रमशः अधिकतम 2, 6, 10 और 14 इलेक्ट्रॉन हो सकते हैं। सबशैलों को पुनः आर्बिटलों में विभाजित किया गया है। s – सबशैल में केवल एक आर्बिटल होता हैं। p – सबशैल में तीन आर्बिटल होते हैं। इन्हें क्रमशः P_x, P_y तथा P_z आर्बिटल कहते हैं। *d*– सबशैल में 5 तथा *f* – सबशैल में 7 आर्बिटल होते है। *d*– सबशैल के आर्बिटलों को d_{xy}, d_{yz}, d_{xx}, $d_{x^2-y^2}$ तथा d_{z^2} आर्बिटल कहते हैं।

एक आर्बिटल में अधिकतम 2 इलेक्ट्रॉन रहते हैं। जो एक दूसरे से विपरीत दिशा में चक्रण करते हैं। इलेक्ट्रॉनिक विन्यास लिखने के लिए सबशैल के नाम से पहले उस सबशैल की संख्या लिखते हैं तथा सबशैल के नाम के ऊपर दाहिनी ओर लिखी संख्या उस शैल में इलेक्ट्रॉन की संख्या है अतः इसे nl^e से व्यक्त कर सकते हैं।

जहाँ n = मुख्य कोश की संख्या, l = उपकोश अर्थात् *s*, *p*, *d*, *f*, *e* = उपकोश में उपस्थित इलेक्ट्रॉन की संख्या।

2. ऑफबाऊ नियम (Aufbau Principle) – ऑफबाऊ नियम के अनुसार "विभिन्न अर्बिटलों में इलेक्ट्रॉनों का प्रथम प्रवेश उपलब्ध निम्नतम ऊर्जा वाले आर्बिटलों में होता है और एक-एक करके इलेक्ट्रॉन ऊर्जा के बढ़ते क्रम वाले अर्बिटलों में प्रवेश करते हैं। विभिन्न आर्बिटलों में प्रवेश तब तक चालू रहता है जब तक सभी इलेक्ट्रॉन (नाभिकीय आवेश के बराबर) आर्बिटलों में स्थान न पा जाये।" उपकोशों में इलेक्ट्रॉनों का वितरण बढ़ती ऊर्जा के क्रम में होता है– जो निम्न प्रकार हैं

$1s < 2s < 2p < 3s < 3p < 4s < 3d < 4p < 5s < 4d < 5p < 6s < 4f < 5d < 6p < 7s < 5f < 6d < 7p$

इस वितरण योजना के अपवाद निम्न है–

(*i*) परमाणु क्रमांक 24, 29, 41, 42, 44, 45, 47, 78, 79 में अन्तिम *s* – उपकोश का इलेक्ट्रॉन *d*–उपकोश में चला जाता है।

(*ii*) परमाणु क्रमांक 46 के अन्तिम *s* – उपकोश के दोनों अगले *d*– उपकोश में चले जाते हैं।

तालिका 2: तत्वों के इलेक्ट्रॉनिक विन्यास (Electronic Configurations of the Elements)

प॰ क्र॰	तत्व	1*s*	2*s*	2*p*	3*s*	3*p*	3*d*	4s	4*p*	4*d*	4*f*	5s	5*p*	5*d*	5*f*
1.	H	1													
2.	He	2													
3.	Li	2	1												
4.	Be	2	2												
5.	B	2	2	1											
6.	C	2	2	2											
7.	N	2	2	3											
8.	O	2	2	4											
9.	F	2	2	5											

[Table Contd.

Table Contd.]

प॰ क्र॰	तत्व	1*s*	2*s*	2*p*	3*s*	3*p*	3*d*	4s	4*p*	4*d*	4*f*	5s	5*p*	5*d*	5*f*	6*s*	6*p*	6*d*	6f	7s
10.	Ne	2	2	6																
11.	Na	2	2	6	1															
12.	Mg	2	2	6	2															
13.	Al	2	2	6	2	1														
14.	Si	2	2	6	2	2														
15.	P	2	2	6	2	3														
16.	S	2	2	6	2	4														
17.	Cl	2	2	6	2	5														
18.	Ar	2	2	6	2	6														
19.	K	2	2	6	2	6		1												
20.	Ca	2	2	6	2	6		2												
21.	Sc	2	2	6	2	6	1	2												
22.	Ti	2	2	6	2	6	2	2												
23.	V	2	2	6	2	6	3	2												
24.	Cr	2	2	6	2	6	5	1												
25.	Mn	2	2	6	2	6	5	2												
26.	Fe	2	2	6	2	6	6	2												
27	Co	2	2	6	2	6	7	2												
28.	Ni	2	2	6	2	6	8	2												
29.	Cu	2	2	6	2	6	10	1												
30.	Zn	2	2	6	2	6	10	2												
31.	Ga	2	2	6	2	6	10	2	1											
32.	Ge	2	2	6	2	6	10	2	2											
33.	As	2	2	6	2	6	10	2	3											
34.	Se	2	2	6	2	6	10	2	4											
35.	Br	2	2	6	2	6	10	2	5											
36.	Kr	2	2	6	2	6	10	2	6											
37.	Rb	2	2	6	2	6	10	2	6			1								
38.	Sr	2	2	6	2	6	10	2	6			2								
39.	Y	2	2	6	2	6	10	2	6	1		2								
40.	Zr	2	2	6	2	6	10	2	6	2		2								
41.	Nb	2	2	6	2	6	10	2	6	4		1								
42.	Mo	2	2	6	2	6	10	2	6	5		1								
43.	Tc	2	2	6	2	6	10	2	6	5		2								
44.	Ru	2	2	6	2	6	10	2	6	7		1								
45.	Rh	2	2	6	2	6	10	2	6	8		1								
46.	Pd	2	2	6	2	6	10	2	6	10										
47.	Ag	2	2	6	2	6	10	2	6	10		1								
48.	Cd	2	2	6	2	6	10	2	6	10		2								
49.	In	2	2	6	2	6	10	2	6	10		2	1							
50.	Sn	2	2	6	2	6	10	2	6	10		2	2							
51.	Sb	2	2	6	2	6	10	2	6	10		2	3							
52.	Te	2	2	6	2	6	10	2	6	10		2	4							
53.	I	2	2	6	2	6	10	2	6	10		2	5							
54.	Xe	2	2	6	2	6	10	2	6	10		2	6							
55.	Cs	2	8	18	2	6	10		2	6		1								
56.	Ba	2	8	18	2	6	10		2	6		2								
57.	La	2	8	18	2	6	10		2	6	1	2								
58.	Ce	2	8	18	2	6	10	1	2	6	1	2								
59.	Pr	2	8	18	2	6	10	3	2	6		2								
60.	Nd	2	8	18	2	6	10	4	2	6		2								

[Table Contd.

Table Contd.]

प० क्र०	तत्व	1s	2s	2p	3s	3p	3d	4s	4p	4d	4f	5s	5p	5d	5f	6s	6p	6d	6f	7s
61.	Pm	2	8	18	2	6	10	5	2	6		2								
62.	Sm	2	8	18	2	6	10	6	2	6		2								
63.	Eu	2	8	18	2	6	10	7	2	6		2								
64.	Gd	2	8	18	2	6	10	7	2	6	1	2								
65.	Tb	2	8	18	2	6	10	9	2	6		2								
66.	Dy	2	8	18	2	6	10	10	2	6		2								
67.	Ho	2	8	18	2	6	10	11	2	6		2								
68.	Er	2	8	18	2	6	10	12	2	6		2								
69.	Tm	2	8	18	2	6	10	13	2	6		2								
70.	Yb	2	8	18	2	6	10	14	2	6		2								
71.	Lu	2	8	18	2	6	10	14	2	6	1	2								
72.	Hf	2	8	18	2	6	10	14	2	6	2	2								
73.	Ta	2	8	18	2	6	10	14	2	6	3	2								
74.	W	2	8	18	2	6	10	14	2	6	4	2								
75.	Re	2	8	18	2	6	10	14	2	6	5	2								
76.	Os	2	8	18	2	6	10	14	2	6	6	2								
77.	Ir	2	8	18	2	6	10	14	2	6	7	2								
78.	Pt	2	8	18	2	6	10	14	2	6	9	1								
79.	Au	2	8	18	2	6	10	14	2	6	10	1								
80.	Hg	2	8	18	2	6	10	14	2	6	10	2								
81.	Tl	2	8	18	2	6	10	14	2	6	10		2	1						
82.	Pb	2	8	18	2	6	10	14	2	6	10		2	2						
83.	Bi	2	8	18	2	6	10	14	2	6	10		2	3						
84.	Po	2	8	18	2	6	10	14	2	6	10		2	4						
85.	At	2	8	18	2	6	10	14	2	6	10		2	5						
86.	Rn	2	8	18	2	6	10	14	2	6	10		2	6						
87.	Fr	2	8	18	2	6	10	14	2	6	10		2	6		1				
88.	Ra	2	8	18	2	6	10	14	2	6	10		2	6		2				
89.	Ac	2	8	18	2	6	10	14	2	6	10		2	6	1	2				
90.	Th	2	8	18	2	6	10	14	2	6	10		2	6	2	2				
91.	Pa	2	8	18	2	6	10	14	2	6	10	2	2	6	1	2				
92.	U	2	8	18	2	6	10	14	2	6	10	3	2	6	1	2				
93.	Np	2	8	18	2	6	10	14	2	6	10	5	2	6		2				
94.	Pu	2	8	18	2	6	10	14	2	6	10	6	2	6		2				
95.	Am	2	8	18	2	6	10	14	2	6	10	7	2	6		2				
96.	Cm	2	8	18	2	6	10	14	2	6	10	7	2	6	1	2				
97.	Bk	2	8	18	2	6	10	14	2	6	10	8	2	6	1	2				
98.	Cf	2	8	18	2	6	10	14	2	6	10	10	2	6		2				
99.	Es	2	8	18	2	6	10	14	2	6	10	11	2	6		2				
100.	Fm	2	8	18	2	6	10	14	2	6	10	12	2	6		2				
101.	Md	2	8	18	2	6	10	14	2	6	10	13	2	6		2				
102.	No	2	8	18	2	6	10	14	2	6	10	14	2	6		2				
103	Lr	2	8	18	2	6	10	14	2	6	10	14	2	6	1	2				
104.	Rf	2	8	18	2	6	10	14	2	6	10	14	2	6	2	2				
105.	Db	2	8	18	2	6	10	14	2	6	10	14	2	6	3	2				
106.	Sg	2	8	18	2	6	10	14	2	6	10	14	2	6	4	2				
107.	Bh	2	8	18	2	6	10	14	2	6	10	14	2	6	5	2				
108.	Hs	2	8	18	2	6	10	14	2	6	10	14	2	6	6	2				
109.	Mt	2	8	18	2	6	10	14	2	6	10	14	2	6	7	2				
110.	Ds	2	8	18	2	6	10	14	2	6	10	14	2	6	8	2				
111.	Uuu	2	8	18	2	6	10	14	2	6	10	14	2	6	10	1				
112.	Uub	2	8	18	2	6	10	14	2	6	10	14	2	6	10	2				

समभारिक (Isobars)– "तत्वों के ऐसे परमाणुओं को जिनके परमाणु भार समान हों। परन्तु परमाणु क्रमांक भिन्न-भिन्न हो समभारिक कहलाते हैं।" इस प्रकार ऐसे नाभिकों में न्यूक्लियानों की कुल संख्या समान होती है, प्रोटॉन तथा न्यूटॉन की संख्या भिन्न होती है।

$_{18}Ar^{40}$, $_{19}K^{40}$ व $_{20}Ca^{40}$ समभारिक है। इन सबके परमाणु क्रमांक अलग अलग हैं किन्तु द्रव्यमान संख्याएं बराबर है।

डी ब्रोगली समीकरण व हाइजेनबर्ग का अनिश्चितता सिद्धान्त (de Broglie Equation and Heisenberg's Uncertainty Principle)

डी ब्रोगली समीकरण– यदि m द्रव्यमान का एक सूक्ष्म कण (इलेक्ट्रॉन, प्रोटॉन, न्यूट्रॉन, परमाणु आदि) v वेग से गतिमान है तो उसके तंरग-दैर्ध्य λ और संवेग $P = mv$ में निम्न सम्बन्ध होता है–

$$\lambda = \frac{h}{p} = \frac{h}{mv} \text{ (}h = \text{प्लांक नियतांक)}$$

उपरोक्त समीकरण को डी ब्रोगली समीकरण और λ को डी ब्रोगली तरंग-दैर्ध्य कहते हैं।

त्वरित इलेक्ट्रॉन के तंरग-दैर्ध्य और विभव में सम्बन्ध

स्थिर विद्युत विभव V से त्वरित इलेक्ट्रॉन eV ऊर्जा उपार्जित करता है जहाँ e इलेक्ट्रॉन का आवेश है। त्वरित इलेक्ट्रॉन की eV ऊर्जा को उसकी गतिज ऊर्जा $E_k = {}^1/_2\, mv^2$ में बदलने पर

$$eV = \frac{1}{2}mv^2 \quad \text{या} \quad v = \sqrt{\frac{2eV}{m}}$$

जहाँ m इलेक्ट्रॉन का द्रव्यमान और v उसका वेग है। इस समीकरण और डी ब्रोगली समीकरण से भिन्न समीकरण प्राप्त होती है–

$$\lambda = \frac{h}{\sqrt{2meV}}$$

हाइजेनबर्ग का अनिश्चितता सिद्धान्त– इस सिद्धान्त के अनुसार, "किसी गतिशील अति सूक्ष्म कण की स्थिति (Position) और वेग (Velocity) दोनों का एक साथ यथार्थ (Exact) निर्धारण असम्भव है।" अनिश्चितता सिद्धान्त को गणितीय रूप में निम्न समीकरण द्वारा व्यक्त करते हैं–

$$(\Delta p)(\Delta k) = h/4\pi$$

अनिश्चितता सिद्धान्त से यह स्पष्ट है कि यदि इलेक्ट्रॉन कण की स्थिति बिल्कुल ठीक-ठीक निर्धारित की जाती है तो उसके वेग में अनिश्चितता होगी और यदि इलेक्ट्रॉन तरंग का वेग बिल्कुल ठीक-ठीक निर्धारित किया जाता है तो उसकी स्थिति में अनिश्चितता होगी।

क्वांटम संख्या (Quantum Numbers)

"किसी इलेक्ट्रॉन विशेष की और ऊर्जा की पूर्ण जानकारी प्राप्त करने के लिए जो नियतांक प्रयोग किये जाते हैं, उन्हें क्वांटम संख्या (Quantum Numbers) कहते हैं।" क्वांटम संख्या चार होती है :

(i) **मुख्य क्वांटम संख्या (Principal Quantum Number)–** इस क्वांटम संख्या द्वारा इलेक्ट्रॉन के उस ऊर्जा स्तर या शैल का बोध होता है जिसमें इलेक्ट्रॉन नाभिक के चारों ओर घूमता है। इसे 'n' संकेताक्षर द्वारा प्रदर्शित किया जाता है। n का मान 1, 2, 3, 4 कोई भी पूर्ण संख्या हो सकती है। इन शैलों को K, L, M, N आदि अक्षरों से भी प्रदर्शित करते हैं। यदि मुख्य क्वांटम संख्या n है तो उसमें कक्षकों (orbitals) की संख्या n^2 होती हैं।

(ii) **दिंगशी क्वांटम संख्या (Azimuthal Quantum Number)–** यह संख्या इलेक्ट्रॉन के उप ऊर्जा-स्तर या उपकोश को दर्शाता है। इस क्वांटम संख्या को '1' संकेताक्षर द्वारा प्रदर्शित किया जाता है। 1 का मान 0 से $(n - 1)$ तक होता है।

किसी n के लिये दिंगशी क्वांटम संख्या (1) के मानों की कुल संख्या (उपकोशों की कुल संख्या) मुख्य क्वांटम संख्या (n) के बराबर होती है।

किसी भी उपकोश में अधिकतम $2(2l + l)$ इलेक्ट्रॉन हो सकते हैं।

यदि $n = 2$ तो $l = 0$ से $(2 - 1)$ तक $= 0$ से 1 तक $= 0, 1$ यदि $l = 0$ तो इलेक्ट्रॉन के सबशैल की s सबशैल, यदि $l = 1$ तो इलेक्ट्रोन के सबशैल को p सबशैल, यदि $l = 2$ तो इलेक्ट्रॉन के सबशैल को d सबशैल, यदि तो $l = 3$ तो इलेक्ट्रॉन के सबशैल को f सबशैल कहते हैं। इस प्रकार s, p, d, f के लिये l के मान क्रमशः 0, 1, 2 और 3 होते हैं।

(iii) **चुम्बकीय क्वांटम संख्या (Magnetic Quantum Number)–** यह क्वांटम संख्या किसी सबशैल के ऑर्बिटलों को प्रदर्शित करती है।

इस क्वांटम संख्या को 'm' संकेताक्षर के ऑर्बिटलों को प्रदर्शित करने के लिए किया जाता है।

इसका मान –1 से +1 तक होता है।

किसी l के लिए m के मानों की कुल संख्या (ऑर्बिटलों की कुल संख्या) $(2\,l + 1)$ होती है।

किसी n के लिए m के कुल मान n^2 होते हैं।

यदि $l = 0$ तो $m = (2 \times 0 + 1) = 1$ अतः s उपकोश में एक ऑर्बिटल होगा।

यदि $l = 1$ तो $m\ (2 \times 1 + 1) = 3$ अतः p उपकोश में तीन ऑर्बिटल होंगे।

P उपकोश को तीन ऑर्बिटल px, py, ps से निरूपित करते हैं।

यदि $l = 2$ तो $m = (2 \times 2 + 1) = 5$

d उपकोश को पाँच ऑर्बिटल से निरूपित करते हैं।

f उपकोश में सात ऑर्बिटल होते हैं।

(iv) **चक्रण या स्पिन क्वांटम संख्या (Spin Quantum Number)–** यह क्वांटम संख्या कक्षक में इलेक्ट्रॉन के चक्रण की दिशा को प्रदर्शित करती है। इस क्वांटम संख्या को संकेताक्षर 's' से प्रदर्शित करते हैं। यह चक्रण दक्षिणावर्त (Clock-wise) अथवा वामावर्त (Anticlock-wise) हो सकता है। अतः एक चुम्बकीय क्वांटम संख्या (m) के लिये दो चक्रण क्वांटम संख्याएं होती हैं। दक्षिणावर्त स्पिन को $\left[+{}^1/_2\right]$ व वामावर्त स्पिन को $\left[-{}^1/_2\right]$ द्वारा प्रदर्शित करते हैं।

किसी n के लिये s के कुल मान $2n^2$ होते हैं। किसी कक्षक का पहला इलेक्ट्रॉन Clock-wise spin का तथा दूसरा इलेक्ट्रॉन anti-clock-wise spin का माना जाता है।

विभिन्न इलेक्ट्रानों के लिए क्वांटम संख्याओं का निर्धारण– प्रथम दिये गये तत्व का इलेक्ट्रॉनिक विन्यास *s, p, d, f* में लिख लेते हैं। इससे *n* का मान तुरन्त ज्ञात हो जाता है। यदि इलेक्ट्रॉन *s*– उपकोश में है तो $l = 0$ यदि *p* में है तो $l = 1$ इसी प्रकार *d* तथा *f* के लिये *l* के संगत मान क्रमशः 2 तथा 3 होंगे। अब *l* के मान के आधार पर *m* के मान ज्ञात किये जा सकते हैं। तदनुसार प्रत्येक *m* के लिये *s* के मान + ½ या – ½ होते हैं। चुम्बकीय क्वांटम संख्या (*m*) का निर्धारण निम्नांकित प्रकार से किया जाता है

(*i*) यदि $l = 0$ (*s* – सबशैल) तो $m = 0$
अर्थात् *s* – सबशैल के दोनों इलेक्ट्रानों के लिये *m* का मान 0 होता है।

(*ii*) यदि $l = 1$ (*p* – सबशैल) तो $m = -1, 0, +1$ इसका अर्थ है कि *p* – सबशैल के पहले तथा चौथे इलेक्ट्रॉनों के लिये $m = -1$ दूसरे तथा पाँचवें इलेक्ट्रॉन के लिये $m = 0$ तथा तीसरे व छठवें इलेक्ट्रॉन के लिए $m = +1$ है।

(*iii*) यदि $l = 2$ (*d*– सबशैल) तो $m = -2, -1, 0, +1, +2$
अतः *d*– सबशैल में *m* के मान इस प्रकार होंगे।

पहले तथा छठवें इलेक्ट्रॉन के लिये	$m = -2$
दूसरे तथा सातवें इलेक्ट्रॉन के लिये	$m = -1$
तीसरे तथा आठवें इलेक्ट्रॉन के लिये	$m = 0$
चौथे तथा नौवें इलेक्ट्रॉन के लिये	$m = +1$
पाँचवें तथा दसवें इलेक्ट्रॉन के लिये	$m = +2$

चक्रण क्वांटम संख्या के निर्धारण में किसी आर्बिटल में पहले इलेक्ट्रॉन के लिए *s* का मान $+^1/_2$ और दूसरे के लिये $-^1/_2$ होता है। *s* – सबशैल का प्रथम इलेक्ट्रॉन, *p* – सबशैल के प्रथम तीन इलेक्ट्रॉन, *d*– सबशैल के प्रथम पाँच इलेक्ट्रॉन तथा *f*– सबशैल के प्रथम सात इलेक्ट्रॉन के लिये *s* का मान $+^1/_2$ तथा शेष के लिये *s* का मान $-^1/_2$ होता है।

- शैल, सबशैल तथा आर्बिटल क्रमशः मुख्य, दिगंशी, चुम्बकीय तथा चक्रण क्वांटम संख्या से प्रदर्शित होते हैं।

पाउली का अपवर्जन नियम (Pauli Exclusion Principle)

"किसी परमाणु में किन्हीं दो इलेक्ट्रॉनों के लिये चारों क्वाटम संख्याओं के मान एक समान नहीं हो सकते।" अर्थात् यदि किन्हीं दो इलेक्ट्रॉनों के लिये *n, l* व *m* के समान हैं तो *s* का मान पहले इलेक्ट्रॉन के लिये $+^1/_2$ तथा दूसरे इलेक्ट्रॉन के लिये $-^1/_2$ होगा। हीलियम ($_2He^4$) की इलेक्ट्रॉनिक संरचना $1s^2$ है। इसमें ($_2He^4$)

प्रथम इलेक्ट्रॉन	**द्वितीय इलेक्ट्रॉन**
$n = 1$	$n = 1$
$l = 0$	$l = 0$
$m = 0$	$m = 0$
$s = +^1/_2$	$s = -^1/_2$

$(n + 1)$ नियम – इलेक्ट्रॉनों का ऑर्बिटलों में भरना $(n + 1)$ नियम के अनुसार होता है जो ऑफबाऊ नियम पर आधारित है। इस नियम के अनुसार–

(*i*) एक नया इलेक्ट्रॉन उस कक्षक में प्रवेश करता है जहाँ $(n + 1)$ का मान सबसे कम होता है।

(*ii*) यदि $(n + 1)$ का मान दो या दो से अधिक कक्षकों में समान होता है तो नया इलेक्ट्रॉन उस कक्षक में प्रवेश करता है जहाँ *n* का मान सबसे कम होता है।

- 4*p* तथा 5*f* में जाने से पूर्व केवल एक इलेक्ट्रॉन क्रमशः 5*d* तथा 6*f* में अवश्य जाता है। 3*d* ऑर्बिटल से इलेक्ट्रॉन पहले 4*s* ऑर्बिटल में आते हैं।
- जब किसी *d* उपकोश में 4 या 9 इलेक्ट्रॉन आ जाते हैं तो अधिक स्थायित्व के लिए उससे अगली कक्षा का एक इलेक्ट्रॉन उसके *d* उपकोश में चला जाता है। परमाणु क्रमांक 24, 29, 47 आदि के इलेक्ट्रॉनिक विन्यास इस तथ्य के उदाहरण हैं।

हुण्ड का नियम (Hund's Principle)

किसी तत्व के परमाणु के उप-ऊर्जा स्तरों के विभिन्न कक्षकों में इलेक्ट्रॉन हुण्ड के नियमानुसार भरे जाते हैं। हुण्ड के नियमानुसार, "समान ऊर्जा वाले कक्षकों (Orbitals) में पहले एक-एक इलेक्ट्रॉन प्रवेश करते हैं। यह युग्मित तब तक नहीं होते जब तक कि सभी आर्बिटलों में एक-एक इलेक्ट्रॉन न हो जायें। इलेक्ट्रॉन जब युग्मित होते हैं तो युग्म के दोनों इलेक्ट्रॉन विपरीत चक्रण के होते हैं।" *s*– आर्बिटल में दूसरे इलेक्ट्रॉन के प्रवेश पर, *p* ऑर्बिटल में चौथे इलेक्ट्रॉन के प्रवेश पर, *d* ऑर्बिटल में छठवें इलेक्ट्रॉन के प्रवेश पर तथा *f*– ऑर्बिटल में आठवें इलेक्ट्रॉन के प्रवेश पर ही युग्मन होता है।

s, p, d, f उपकोशों के कक्षकों में इलेक्ट्रॉन निम्न प्रकार से रहते हैं–

s उपकोश की एक कक्षक 

p उपकोश की एक कक्षक 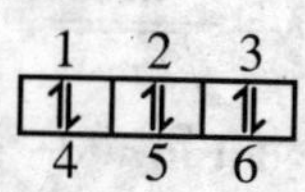 (p^6)

d उपकोश की एक कक्षक 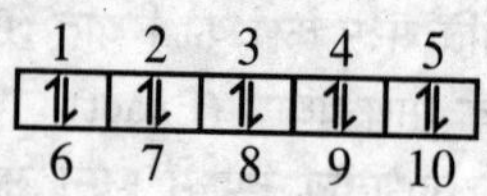 (d^{10})

f उपकोश की एक कक्षक

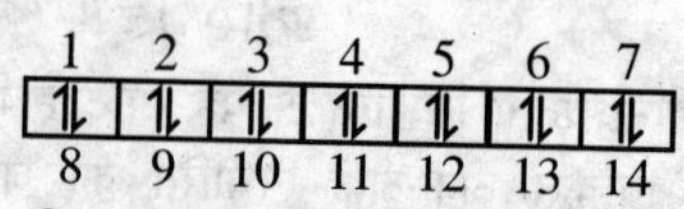 (f^{14})

जिन पदार्थों में केवल युग्मित इलेक्ट्रॉन (Paired electron) होते हैं वे प्रतिचुम्बकीय (diamagnetic) कहलाते हैं। Na^+, Mg^{++}, Al^{+++} आदि निरूपक तत्वों के धनायन और उनके यौगिक प्रतिचुम्बकीय होते हैं।

जिन पदार्थों में एक या अधिक अयुग्मित इलेक्ट्रॉन (Unpaired electron) होते हैं, वे अनुचुम्बकीय (Paramagnetic) कहलाते हैं। संक्रमण तत्वों के आयनों (Mn^{2+}, Fe^{2+}, Ni^{2+}) और यौगिकों में साधारणतः अयुग्मित इलेक्ट्रॉन उपस्थित होते हैं। अतः वे अनुचुम्बकीय होते हैं।

तत्व की आवर्त सारणी में स्थिति व संयोजकता ज्ञात करना

1. सामान्यतः तत्व की आवर्त सारणी में स्थिति निम्नवत् ज्ञात की जा सकती है–

(*a*) सर्वप्रथम तत्व के परमाणु का इलेक्ट्रॉनिक विन्यास लिखते हैं।

(*b*) आवर्त (Period) की संख्या ज्ञात करना – तत्व के परमाणु के बाह्यतम कोश की मुख्य क्वांटम संख्या उस तत्व के लिए आवर्त संख्या व्यक्त करती है।

(*c*) समूह या वर्ग (Group) संख्या ज्ञात करना–

(*i*) वह तत्व जिसके परमाणु का अन्तिम शैल पूर्ण हो, अर्थात् आठ इलेक्ट्रॉन (ns^2np^6) हों तब वर्ग संख्या शून्य होगी अर्थात वह शून्य वर्ग (Zero group) का तत्व होगा।

(*ii*) जिस तत्व के परमाणु का केवल बाह्यतम शैल अपूर्ण होता है– उस तत्व की वर्ग संख्या बाह्यतम शैल में उपस्थित इलेक्ट्रॉनों की संख्या के बराबर होगी तथा उपवर्ग *A* होगा।

(*iii*) ऐसे तत्व जिनके परमाणु के दो बाह्यतम शैल अपूर्ण होते हैं– उन तत्वों को संक्रमण तत्व (Transition element) कहते हैं। ये उपवर्ग के तत्व होते हैं। इनकी वर्ग संख्या निकालने के लिए निम्न व्यजंक है–

X = दो बाह्यतम शैलों (अपूर्ण कोशों) में उपस्थित इलेक्ट्रॉनों की कुल संख्या– 8 वर्ग संख्या = संख्या X की ईकाई (यहाँ X एक पूर्णांक है)

- यदि X = 8, 9 या 10 है तब इस तत्व की वर्ग संख्या VIII होगी।
- यदि यह योग 11 या 12 है तो वर्ग संख्या क्रमशः IB या IIB होगी।
- $(n-1)d$ आर्बिटल में 10 इलेक्ट्रॉन हों तो यह संक्रमण तत्व होता है और वर्ग संख्या *s* – आर्बिटल में उपस्थित इलेक्ट्रॉनों के बराबर होती है।

तत्व के *s*, *p*, *d*, *f* रूपी विन्यास से उस तत्व की आवर्त सारणी में स्थित निम्न प्रकार ज्ञात करते हैं–

अन्तिम *s* कोश संख्या → आवर्त संख्या

अन्तिम कोश संख्या → ब्लाक

विन्यास के अन्तिम उपकोश में e^- → वर्ग संख्या

s^1	s^2	d^1	d^2	d^3	d^4	d^5	$d^6d^7d^8$
IA	IIA	IIIB	IVB	VB	VIB	VIIB	VIII
d^9 IB	d^{10} IIB	p^1 IIIA	p^2 IVA	p^3 VA	p^4 VIA	p^5 VIIA	p^6 0

तत्व जिनके परमाणु क्रमांक 24, 29, 31 से 45, 57, 78 व 79 है, में अन्तिम s कोश का एक इलेक्ट्रॉन अपने से पूर्व *d*–उपकोश में चला जाता हैं। अतः इनका वर्ग-विन्यास अनुसार बताये गये वर्ग से 1 कम होगा। जैसे क्रोमियम(24) में इलेक्ट्रॉनिक विन्यास $3d^44s^2$ न होकर $3d^54s^1$ हो जाता है। 4s का इलेक्ट्रॉन 3*d* में चला जाता है। तत्व जिसका परमाणु क्रमांक 46 में अन्तिम s उपकोश के दोनों इलेक्ट्रॉन अपने से पूर्व के उपकोश में चले जाते हैं। अतः इसका वर्ग-विन्यास द्वारा बताये गये वर्ग से दो कम होगा।

2. तत्व की संयोजकता ज्ञात करना– तत्व की संयोजकता उसके वर्ग (समूह) से ज्ञात की जा सकती है। शून्य वर्ग के तत्व की संयोजकता शून्य होती है। किसी तत्व के बाह्यतम कोश में जितने इलेक्ट्रॉन होते हैं। वही उसकी धन संयोजकता होती है। तत्वों की ऋण संयोजकता उनके वर्ग संख्या में से 8 घटाकर ज्ञात करते हैं। जैसे– यदि तत्व छठे या सातवें समूह में है। तो इनकी ऋण संयोजकता (6 – 8) = –2 तथा (7 – 8) = –1 है।

जिन तत्वों के दो बाह्यतम कोश अपूर्ण होते हैं अर्थात् संक्रमण तत्व है, वे परिवर्ती संयोजकता प्रदर्शित करते हैं। न्यूनतम संयोजकता *ns* उपकोश में उपस्थित इलेक्ट्रॉनों की संख्या के बराबर होती है जबकि अधिकतम संयोजकता *ns* तथा $(n-1)d$ उपकोशों में इलेक्ट्रॉनों की संख्या के योग के बराबर होती है।

वस्तुनिष्ठ प्रश्न

1. किसी भी परमाणु में किन्हीं दो इलेक्ट्रॉनों की चारों क्वाण्टम संख्यायें समान नहीं हो सकतीं। यह नियम दिया गया था–

(*a*) हुण्ड के द्वारा (*b*) हाइजेनबर्ग के द्वारा

(*c*) पाउली के द्वारा (*d*) शॉडिनजर के द्वारा

2. *Mn* के एक परमाणु (परमाणु क्रमांक 25 एवं परमाणु भार 55) के केन्द्रक में होंगे–

(*a*) 55 प्रोटॉन (*b*) 55 न्यूटॉन

(*c*) 25 न्यूट्रॉन (*d*) 25 प्रोटॉन

3. "इलेक्ट्रॉनों जैसे छोटे कणों की स्थिति तथा वेग का साथ-साथ तथा सही निर्धारण नहीं किया जा सकता" यह कथन है–

(*a*) हाइजेनबर्ग का अनिश्चितता सिद्धान्त

(*b*) ऑफबाऊ सिद्धान्त

(*c*) पॉउली का अपवर्जन सिद्धान्त

(*d*) इलेक्ट्रॉन के तरंग प्रकृति की डि ब्रॉग्ली धारणा

4. न्यूट्रिनों में होता है–

(*a*) आवेश +1, द्रव्यमान 1

(*b*) आवेश 0, द्रव्यमान 0
(*c*) आवेश –1 तथा द्रव्यमान 1
(*d*) आवेश 0, द्रव्यमान 1

5. $2p$-उपकोश में कक्षकों की संख्या है–
(*a*) 1 (*b*) 2
(*c*) 3 (*d*) 6

6. ऑफबाऊ सिद्धान्त निम्नलिखित में कक्षकों के भरने की ठीक व्यवस्था नहीं देता है–
(*a*) *Cu* तथा *Zn* (*b*) *Co* तथा *Ni*
(*c*) *Mn* तथा *Cr* (*d*) *Cu* तथा *Cr*

7. एक d-कक्षक में समायोजित होने वाले इलेक्ट्रॉनों की अधिकतम संख्या है–
(*a*) 6 (*b*) 10
(*c*) 2 (*d*) 4

8. वे नाभिक जिनकी द्रव्यमान संख्याएँ समान होती हैं परन्तु परमाणु क्रमांक भिन्न होते हैं, कहलाते हैं–
(*a*) समभारिक (*b*) समस्थानिक
(*c*) समन्यूट्रॉनिक (*d*) समावयवी

9. He^+ तथा Li^{2+} आयन की प्रथम कक्षा में इलेक्ट्रॉन की गति का अनुपात है–
(*a*) 3 : 2 (*b*) 2 : 3
(*c*) 1 : 1 (*d*) 2 : 1

10. एक इलेक्ट्रॉन (द्रव्यमान = 9.1×10^{-28} ग्राम) के वेग का 0.001% तक सही मान 3.0×10^4 सेमी से$^{-1}$ है। उसके स्थान की अनिश्चितता होगी–
(अनिश्चितता व्यंजक में h, π प्रयोग कीजिये, $h = 6.626 \times 10^{-27}$ अर्ग-सेकण्ड)
(*a*) 1.92 सेमी (*b*) 7.729 सेमी
(*c*) 5.76 सेमी (*d*) 3.84 सेमी

11. He^+ स्पैक्ट्रम में $n = 4$ से $n = 2$ इलेक्ट्रॉन संक्रमण हाइड्रोजन परमाणु में किस संक्रमण के संगत (corresponding) है?
(*a*) $n = 2$ से $n = 1$ (*b*) $n = 3$ से $n = 1$
(*c*) $n = 3$ से $n = 2$ (*d*) $n = 4$ से $n = 2$

12. हाइड्रोजन की बामर श्रेणी की प्रथम लाइन की तरंग संख्या 152000 सेमी$^{-1}$ है। Li^{2+} आयन की बामर श्रेणी की प्रथम लाइन की तरंग संख्या होगी–
(*a*) 15200 सेमी$^{-1}$ (*b*) 60800 सेमी$^{-1}$
(*c*) 76000 सेमी$^{-1}$ (*d*) 136800 सेमी$^{-1}$

13. रिडबर्ग नियतांक का मान 109670 सेमी$^{-1}$ मानते हुए, हाइड्रोजन वर्णक्रम की लाइमन श्रेणी की सबसे अधिक तरंग-दैर्ध्य की लाइन है–
(*a*) 949.8Å (*b*) 1025.8Å
(*c*) 972.6Å (*d*) 1215.8Å

14. किसी इलेक्ट्रॉन के लिए $n = 4$ तथा $m = -2$ के लिये असत्य कथन बताइये–
(*a*) इलेक्ट्रॉन d– कक्षक में हो सकता है
(*b*) इलेक्ट्रॉन चतुर्थ मुख्य कोश में उपस्थित है
(*c*) इलेक्ट्रॉन के चक्रण की दिशा $+\frac{1}{2}$ दिशा है
(*d*) इसकी ऊर्जा $3d$–के इलेक्ट्रॉन से कम है

15. परमाणविक हाइड्रोजन के स्पैक्ट्रम की कौन-सी श्रेणी की रेखायें दृश्य क्षेत्र में पड़ती हैं–
(*a*) बामर (*b*) पाश्चन
(*c*) ब्रैकेट (*d*) लाइमन

16. 10 ग्राम कैल्सियम कार्बोनेट में प्रोटानों की कुल संख्या है–(एवोगाड्रो संख्या = 6.023×10^{23})–
(*a*) 1.5057×10^{24} (*b*) 2.0478×10^{24}
(*c*) 3.0115×10^{24} (*d*) 4.0950×10^{24}

17. निम्न में से किसके अनुसार इलेक्ट्रॉन पहले निम्नतर ऊर्जा स्तर को जायेंगे और तब उच्च ऊर्जा स्तरों को–
(*a*) ऑफबाऊ नियम
(*b*) पाउली का अपवर्जन सिद्धान्त
(*c*) हुण्ड का नियम
(*d*) हाइजेनबर्ग का अनिश्चितता सिद्धान्त

18. निम्न में से $2p$ कक्षकों के लिये कौन-सा सही है?
(*a*) $n = 1, l = 2$ (*b*) $n = 1, l = 0$
(*c*) $n = 2, l = 1$ (*d*) $n = 2, l = 0$

19. Mn^{2+} आयन (*Mn* की परमाणु की संख्या 25) का न्यूनतम ऊर्जा अवस्था में इलेक्ट्रॉन विन्यास (बाह्यतम) है।
(*a*) $3d^5\ 4s^0$ (*b*) $3d^4\ 4s^1$
(*c*) $3d^3\ 4s^2$ (*d*) $3s^2\ 4s^2\ 4p^2$

20. *Ca* की परमाणु संख्या 20 तथा परमाणु संहति 40 है। निम्न में से कौन-सा कथन *Ca* परमाणु के लिये सत्य नहीं है?
(*a*) इलेक्ट्रॉनों की संख्या न्यूट्रॉनों की संख्या के बराबर है
(*b*) न्यूक्लिऑनों की संख्या इलेक्ट्रॉनों की दो गुनी है
(*c*) प्रोट्रॉनों की संख्या न्यूट्रॉनों की संख्या की आधी है
(*d*) न्यूक्लिऑनों की संख्या परमाणु संख्या की दो गुनी है

उत्तरमाला

1	2	3	4	5	6	7	8	9	10
(*c*)	(*d*)	(*a*)	(*b*)	(*c*)	(*d*)	(*c*)	(*a*)	(*b*)	(*b*)
11	**12**	**13**	**14**	**15**	**16**	**17**	**18**	**19**	**20**
(*a*)	(*d*)	(*d*)	(*d*)	(*a*)	(*c*)	(*a*)	(*c*)	(*c*)	(*c*)

अध्याय

2 रेडियोएक्टिवता तथा नाभिकीय ऊर्जा (Radioactivity and Nuclear Energy)

रेडियोएक्टिवता (Radioactivity)

- सन् 1896 ई॰ में फ्रांसीसी वैज्ञानिक हेनरी बेकरल ने रेडियोएक्टिवता की खोज की। बेकरल ने देखा कि यूरेनियम लवण के कुछ रवों को जब काले कागज में लिपटी फोटोग्राफिक प्लेट के ऊपर रखा जाता है तो फोटोग्राफिक प्लेट पर रवे की आकृति का चित्र बन जाता है। बेकरल ने निष्कर्ष निकाला कि यूरेनियम लवण से अदृश्य किरणें उत्सर्जित होती हैं जो काले कागज को प्रभावित कर देती हैं।
- इन किरणों में कुछ निम्नलिखित विशिष्ट गुण होते है।
  - *(i)* यह किरणें धातुओं की पतली चादर के पार निकल जाती है।
  - *(ii)* गैसों को आयनित कर देती है।
  - *(iii)* जिंक सल्फाइड जैसे पदार्थ में प्रतिदीप्ति (Phosphorescence) (अँधेरे में चमकना) उत्पन्न कर देती है।
  - *(iv)* X- किरणों के समान फोटोग्राफिक प्लेट को प्रभावित कर देती है। ये किरणें बेकरल किरणें अथवा रेडियोएक्टिव किरणें कहलाती हैं। ऐसे पदार्थ जो स्वतः एक विशेष प्रकार की अदृश्य वेधी (Penetrating) किरणें उत्सर्जित करती हैं, रेडियोएक्टिव पदार्थ कहलाते हैं।

    रेडियोएक्टिव तत्वों के नाभिक अस्थायी होते हैं। उनमें स्वतः विघटन से अल्फा (α), बीटा (β) तथा गामा (γ) किरणें उत्सर्जित होती हैं।

रेडियोएक्टिव किरणों के गुण (Properties of Radioactive Rays)

रेडियोएक्टिव किरणें α , β एवं γ किरणों के गुणों को तालिका 1 में दिया गया है।

नाभिकीय विघटन (Nuclear Decay)

किसी तत्व के परमाणु नाभिक के विघटित होने को नाभिकीय विघटन कहा जाता है। रेडियोएक्टिव तत्वों में नाभिकीय विघटन स्वतः होता है परन्तु अन्य तत्वों में नाभिकीय विघटन स्वतः नहीं होता है उसमें तीव्रगामी कणों की बौछार करके कृत्रिम रूप से नाभिकीय विघटन कराया जाता है।

अर्ध-आयु (Half-life)

किसी रेडियोएक्टिव तत्व का द्रव्यमान जितने समय में आधा रह जाता है, उसे उस तत्व की अर्ध-आयु कहते हैं।

रेडियोएक्टिव तत्व की अर्ध-आयु कुछ सेकण्डों से लेकर लाखों वर्षों तक हो सकती है। उदाहरणार्थ, पोलोनियम के एक समस्थानिक ($_{84}PO^{214}$) की अर्ध-आयु मात्र 10^{-4} सेकण्ड होती है, जबकि यूरेनियम के समस्थानिक ($_{92}U^{235}$) की अर्ध-आयु 4.5×10^9 वर्ष होती है। रेडियोएक्टिव पदार्थ की अर्ध-आयु किसी भी परिवर्तन द्वारा बदली नहीं जा सकती। वह सदैव एक समान होती है।

अर्ध-आयु ($t_{1/2}$) और विघटन स्थिरांक k में सम्बन्ध (Relation between Half-life and Decay Constant)– किसी रेडियोएक्टिव विघटन प्रक्रिया का विघटन स्थिरांक (k) निम्न समीकरण द्वारा व्यक्त किया जाता है–

$$k = \frac{2.303}{t}\log\frac{a}{a-X}$$

जहां $(a - X)$ = रेडियोएक्टिव पदार्थ की t समय बाद शेष बची मात्रा,

k = विघटन स्थिरांक या रेडियोएक्टिव स्थिरांक

जब $(a-X) = \frac{a}{2} t = t_{1/2}$ (अर्ध-आयु)

$$k = \frac{2.303}{t_{1/2}}\log\frac{a}{a/2}$$

$$k = \frac{2.303}{t_{1/2}}\log 2 \quad (\therefore \log 2 = 0.3010)$$

$$k = \frac{0.6932}{t_{1/2}}$$

$$t_{1/2} = \frac{0.6932}{k}$$

इस समीकरण से यह ज्ञात होता है कि किसी रेडियोएक्टिव पदार्थ की अर्ध-आयु ($t_{1/2}$) केवल उसके विघटन स्थिरांक k पर निर्भर करती है, पदार्थ की मात्रा व अन्य पदार्थ की मात्रा व अन्य कारणों (Factors) पर निर्भर नहीं करती है।

नाभिकीय विघटन के प्रकार (Types of Nuclear Decay)

(i) **α– विघटन (Alpha Decay)–** α– कणों या He नाभिक के उत्सर्जित होने की प्रक्रिया को α विघटन कहते हैं। चूँकि α– कण में दो प्रोटॉन तथा दो न्यूट्रॉन होते हैं, अतः यह किसी परमाणु के नाभिक में से उत्सर्जित होता है। α–कणों के निकलने के पश्चात् जो नाभिक बनता है उसके द्रव्यमान तथा आवेश में दो की कमी आ जाती है।

तालिका 1: अल्फा (α), बीटा (β) एवं गामा (γ) किरणों के गुण

गुण	α–किरणें	β–किरणें	γ– किरणें
1. प्रकृति	धनावेशित α– कणों से बनी हैं α–कण पर 2 इकाई धनावेश होता है तथा α– कण का भार हीलियम परमाणु नाभिक के भार के बराबर अर्थात् 4 amu होता है। α- कण हीलियम परमाणु का नाभिक होता है। इसे $_2He^4$ या α संकेत से व्यक्त करते हैं।	ऋणावेशित β– कणों से बनी है। β–कण इलेक्ट्रॉन होते हैं। β– कण को β– या $_{-1}e^{\circ}$ संकेत से प्रदर्शित करते हैं।	*X*- किरणों के सदृश विद्युत-चुम्बकीय विकिरण कहते हैं। γ– किरणों का तरंग दैर्ध्य 1Å के लगभग होता है।
2. वेग	α– किरणों का वेग प्रकाश के वेग का 1/10 अर्थात् 3×10^9 सेमी/सेकण्ड होता है।	β–किरणों का वेग $2.79 \times 9\ 10^{10}$ सेमी/सेकण्ड होता है।	γ–किरणों का वेग प्रकाश के वेग के बराबर होता है।
3. बेधन क्षमता	α–किरणें 0.002 सेमी मोटी ऐलुमिनियम की चादर को भेद सकती है।	β–किरणें 0.2 सेमी मोटी ऐलुमिनियम की चादर को भेद सकती है।	γ–किरणें 1 सेमी मोटी ऐलुमिनियम की चादर को भेद सकती हैं
4. वैद्युत और चुम्बकीय क्षेत्रों का प्रभाव	वैद्युत क्षेत्र में α– किरणें ऋण आवेशित प्लेट की ओर मुड़ जाती है। ये किरणें चुम्बकीय क्षेत्र में भी विक्षेपित होती हैं	वैद्युत क्षेत्र में β–किरणें धन आवेशित प्लेट की ओर मुड़ जाती है।	γ–किरणें विद्युत उदासीन होती हैं। इन किरणों पर वैद्युत और चुम्बकीय क्षेत्रों का कोई प्रभाव नहीं पड़ता है।
5. आयनकारी क्षमता	गैसों को आयनित (Ionise) करती है। इनकी आयनक ारी क्षमता β–किरणों की अपेक्षा 100 गुनी तथा γ–किरणों की अपेक्षा 10,000 गुनी अधिक होती है।	गैसों को आयनित करती हैं। इनकी आयनकारी क्षमता γ–किरणों की अपेक्षा 100 गुनी अधिक होती है।	गैसों को आयनित करती हैं। इनकी आयनकारी क्षमता α-किरणों की अपेक्षा 1/10000 और β–किरणों की अपेक्षा 1/100 गुनी होती है।
6. फोटोग्राफिक प्लेट पर प्रभाव	अधिक काला कर देती हैं।	काला कर देती है।	काला कर देती हैं।
7. स्फुरदीप्ति गुण	पैदा कर सकती है।	α– कणों से कम होती है।	α तथा β किरणों से कम होती है।

उदाहरण

$$_{90}U^{238} \xrightarrow{\alpha-\text{विघटन}} {}_{90}Th^{234} + {}_2He^4$$

(ii) **β–विघटन (β– decay)–** β–कण ऋणावेशित इलेक्ट्रॉन कण हैं। चूँकि इलेक्ट्रॉन पर एक ऋण आवेश होता है अतः β विघटन के पश्चात् किसी नाभिक का परमाणु एक यूनिट बढ़ जाता है, परन्तु परमाणु द्रव्यमान अपरिवर्तित रहता है। उदाहरण–

$$_6C^{14} \xrightarrow{\beta-\text{विघटन}} {}_7N^{14} + {}_{-1}e^0$$

इस अभिक्रिया में समभारी (Isobars) उत्पन्न होते हैं। चूँकि इस अभिक्रिया में नाभिक का द्रव्यमान बढ़ रहा है, अतः ऊर्जा उत्पन्न होगी।

(iii) **γ–विघटन (γ–decay)–** γ–किरणें एक प्रकार की विद्युत चुम्बकीय विकिरण हैं जो नाभिकीय आवेश के पुनर्वितरित होने से उत्पन्न होती हैं। गामा किरणें उच्च ऊर्जा फोटोन होती हैं, परन्तु गामा किरणों की तरंग दैर्ध्य, फोटोनों की तरंग दैर्ध्य से काफी छोटी होती हैं। गामा कणों के उत्पन्न होने से नाभिक के आवेश तथा द्रव्यमान में कोई परिवर्तन नहीं होता, परन्तु इसका विन्यास बदल जाता है।

(iv) **नाभिकीय विखण्डन (Nuclear Fission)–** जर्मन वैज्ञानिक हान (Hahn) और स्ट्रासमन (Strassman) ने सर्वप्रथम यह देखा कि यूरेनियम-235 जैसे भारी तत्व पर जब न्यूट्रॉनों की बमबारी की जाती है तब इसका नाभिक अपार ऊर्जा के साथ लगभग दो बराबर भागों में टूट जाता है। किसी भारी तत्व के परमाणु के नाभिक के दो भागों में टूट जाने की घटना को नाभिकीय विखण्डन कहते हैं और इससे प्राप्त अपार ऊर्जा को नाभिकीय ऊर्जा (Nuclear Energy) कहते हैं। इसी सिद्धान्त पर परमाणु बम (Atom Bomb) बनाया जाता है।

$_{92}U^{235} + _0n^1 \rightarrow _{56}Ba^{141} + _{36}Kr^{92} + 3\ _0n^1 +$ ऊर्जा (= 200 MeV)

इस प्रकार जो न्यूट्रॉन बनते हैं वे ऊर्जा में परिवर्तित हो जाते हैं, जबकि शेष विस्फोट करके और अधिक $_{90}U^{235}$ को विखण्डित करते हैं। इस प्रकार एक शृंखला क्रिया (Chain Reaction) प्रारम्भ हो जाती है।

किसी भारी नाभिक में उपस्थित अत्यधिक प्रोट्रॉनों में होने वाले प्रतिकर्षण के कारण नाभिकीय विखण्डन होता है। दो छोटे नाभिकों में उपस्थित विद्युत स्थैतिक प्रतिकर्षण एक बड़े नाभिक में उत्पन्न प्रतिकर्षण से कम होता है, अतः जब नाभिकीय बल अत्यधिक हो जाता है तब यह विखण्डित हो जाता है। विखण्डन वो प्रक्रिया है, जो ब्रह्मांड में करोड़ों साल से चली आ रही है। विखण्डन का प्रयोग नाभिकीय बमों द्वारा ऊर्जा उत्पन्न करने में किया जाता है।

(*v*) **नाभिकीय संलयन (Nuclear Fusion)–** वह नाभिकीय अभिक्रिया जिसमें दो बहुत हल्के नाभिक परस्पर संयुक्त होकर भारी नाभिक बनाते हैं, नाभिकीय संलयन कहलाती है। नाभिकीय संलयन प्रक्रिया में द्रव्यमान क्षति अधिक होने के कारण बहुत अधिक ऊर्जा उत्पन्न होती है जिसकी मात्रा नाभिकीय विखण्डन में उत्पन्न ऊर्जा से कई गुना अधिक होती है। संलयन प्रक्रियाएं साधारण ताप पर नहीं होती है, क्योंकि धनावेशित नाभिक एक दूसरे को प्रतिकर्षित (Repel) करते हैं। नाभिकों का संलयन बहुत ऊंचे ताप (लगभग एक करोड़ डिग्री) पर होती है। नाभिकीय संलयन क्रियाओं को ताप-नाभिकीय अभिक्रियाएं (Thermo-Nuclear Reaction) कहते हैं, क्योंकि ये क्रियाएं बहुत ऊंचे ताप (Temperature) पर होती हैं।

हाइड्रोजन बम नाभिकीय संलयन क्रिया पर आधारित है। प्रथम हाइड्रोजन बम सन् 1952 में अमेरिकन वैज्ञानिकों ने बनाया। हाइड्रोजन बम में ड्यूटीरियम और ट्राइटियम के नाभिकों का संलयन होता है और बहुत अधिक ऊर्जा मुक्त होती है। संलयन क्रिया को प्रारम्भ कराने के लिए पहले परमाणु बम में विस्फोट कराया जाता है। परमाणु बम विस्फोट से कुछ क्षण के लिए कई लाख डिग्री का ताप उत्पन्न हो जाता है और इस ताप पर संलयन क्रिया प्रारम्भ हो जाती है। संलयन क्रिया बहुत तीव्र चाल से होती है और कुछ ही क्षणों में प्रचण्ड विस्फोट हो जाता है।

संलयन विस्फोट- यह विस्फोट परमाणु बम के विस्फोट से कई गुना अधिक विध्वंसक होता है।

(*vi*) **कॉस्मिक किरणें (Cosmic Rays)–** अन्तरिक्ष वातावरण में कई उच्च ऊर्जा इलेक्ट्रॉन, प्रोटॉन तथा जटिल नाभिकों का उत्सर्जन होता है, ये कण ब्रह्मांड में भ्रमण करते रहते हैं, तथा इन्हीं को कॉस्मिक किरणें (cosmic rays) कहते हैं। इनमें से कुछ कण पृथ्वी तक पहुँच जाते हैं। जैसे ही ये कण हमारे वायुमण्डल के संपर्क में आते हैं, पाइऑन (Pions) तथा म्यूऑन (Muons) उत्पन्न होते हैं। वायुमण्डल में आने पर इन कणों की गति धीमी हो जाती है, अतः जितनी तेज हमारी गति होगी, उतनी ही अधिक कास्मिक किरणें हमें दिखाई देंगी।

रेडियोएक्टिव विघटन का मात्रक क्यूरी (Curie) है, तथा इसे प्रति सेकण्ड होने वाली विघटन की मात्रा से प्रदर्शित करते हैं।

तालिका 2: न्यूक्लीय रिएक्टर के घटक

नाभिकीय ईधन (Nuclear fuel)	मंदक (Moderator)	शीतलक (Coolant)	ऊष्मा उत्सर्जन की विधि (Method of Heat Removal)
स्वाभाविक यूरेनियम	भारी जल, बेरीलियम, बेरीलियम ऑक्साइड या ग्रेफाइट	साधारण जल, भारी जल, कार्बनिक द्रव, हीलियम, कार्बनडाइ-ऑक्साइड	शीतलक का परिसंचरण, बाह्य ऊष्मा परिचालक में
यूरेनियम	पहले के समान, साधारण जल तथा कार्बनिक द्रव	पहले के समान या सोडियम	पहले के समान तथा द्रव ईधन का परिसंचरण
यूरेनियम-235 या प्लूटोनियम-239	कोई भी नहीं	सोडियम	बाह्य ऊष्मा परिवर्तक में शीतलक का परिसंचरण

उदाहरण– 1gram, Ra^{226} में परमाणु की संख्या $= \frac{1}{226} \times 6.023 \times 10^{23}$,

चूँकि 1 ग्राम = 1.38×10^{-11} प्रति सेकण्ड, इसलिए प्रति सेकंड विघटन की संख्या (1g of Ra^{226} = $2.665 \times 10^{21} \times 1.38 \times 10^{-11}$ = 3.68×10^{10})

अतः 1 क्यूरी (ci) = 3.68×10^{10} विघटन प्रति सेकण्ड। कोई भी रेडियोऐक्टिव पदार्थ जिसके विघटन की दर 3.68×10^{10} होती है, उसकी सक्रियता 1 क्यूरी (Curie) या 1 मिलीक्यूरी (millicurie) 1 mci = 3.68×10^{7} विघटन प्रति सेकण्ड या 3.68×10^{4} विघटन प्रति सेकण्ड = 1 माइक्रो क्यूरी होती है।

नाभिकीय बंधन ऊर्जा एवम् द्रव्यमान क्षति

(Nuclear Binding Energy and Mass Defect)

एस्टॉन (Aston) ने सन् 1926 में सर्वप्रथम यह पाया कि द्रव्यमान स्पेक्ट्रोग्राफ (Mass Spectrograph) से प्राप्त तत्वों के समस्थानिक परमाणु भार पूर्णाकों के बहुत समीप थे। इस अन्तर को प्रदर्शित करने के लिए "Packing Fraction" शब्द का प्रयोग किया गया। अतः

$$\text{Packing Fraction} = \frac{\text{समस्थानिक परमाणु भार}}{\text{द्रव्यमान संख्या}} \times 10^4$$

जहाँ द्रव्यमान संख्या एक पूर्णांक है। इसका ऋण मान नाभिक स्थिरता को व्यक्त करता है, जबकि धन मान (Positive Value)

अस्थिरता को व्यक्त करता है। इसके अध्ययन के पश्चात् हमें नाभिकों की सापेक्ष स्थिरता का ज्ञान मिलता है, द्रव्यमान क्षति तथा बंधन ऊर्जा, इसी के दो मुख्य उदाहरण हैं।

द्रव्यमान क्षति (Mass Defect)– जैसा कि यह ज्ञात है कि प्रोटॉन का द्रव्यमान 1.00728 डाल्टन तथा न्यूट्रॉन का द्रव्यमान 1.00867 डाल्टन होता है, अगर हम इन दो कणों को मिलाकर ड्यूटीरियम नाभिक बनाएं तो नाभिक का द्रव्यमान प्रोटॉन तथा न्यूट्रॉन के द्रव्यमान के योग के बराबर अर्थात् 2.01595 डाल्टन होगा, जबकि हम जानते हैं कि नाभिक का द्रव्यमान 2.014102 डाल्टन होता है। अतः 0.00185 डाल्टन की क्षति हुई। जैसा कि हम जानते हैं कि 1 Dalton = 931.4 MeV, इसलिए यह क्षति 1.72 MeV के बराबर होगी।

न्यूक्लियर रिएक्टर (परमाणु भट्टी) (Nuclear Reactor)

यह एक विशेष प्रकार की भट्टी है जिसमें $_{92}U^{235}$ का नियन्त्रित (Controlled) नाभिकीय विखण्डन कराया जाता है और विखण्डन से निर्मुक्त ऊर्जा पूर्ण नियंत्रण में रखी जाती है। इस ऊर्जा का उपयोग जन-हित में किया जा सकता है। प्रथम रिएक्टर सन् 1942 में अमेरिका में बनाया गया था।

समूह विस्थापन नियम (Group Displacement Rule)

सोडी तथा फैजन्स (1913) ने α तथा β किरणों के निकलने के संबंध में एक नियम दिया, जिसे सोडी का समूह विस्थापन नियम कहते हैं।

α-किरणों का निष्कासन (Emission of α-Rays)– जब किसी परमाणु के नाभिक से α कण ($_2He^4$) निकलता है तो यह नाभिक से 4 मात्रक भार व 2 मात्रक धनात्मक आवेश दूर करता है। इस प्रकार परमाणु भार 4 व परमाणु क्रमांक 2 कम हो जाता है। अतः नया तत्त्व मूल तत्त्व से आवर्त सारणी में 2 समूह पीछे हट जाता है।

$$_{92}U^{238} \xrightarrow{-\alpha} {}_{90}Th^{234}$$

β-किरणों का निष्कासन (Emission of β-Rays)– β-किरणों के निकलने का अर्थ है–एक ऋणात्मक आवेश, परंतु कोई भार नहीं (क्योंकि β-कण या इलेक्ट्रॉन का द्रव्यमान अमाननीय है)। जब एक ऋणात्मक आवेश घटता है तब एक धनात्मक आवेश बढ़ता है। नये तत्त्व का परमाणु क्रमांक संख्या में 1 बढ़ता है और परमाणु भार नहीं बदलता है। दूसरे शब्दों में नये तत्त्व का स्थान आवर्त सारणी में एक समूह बढ़ता है।

$$_{90}Th^{234} \xrightarrow{-\beta} {}_{91}Pa^{234}$$

एक β किरण के परिवर्तन द्वारा समभारिक का निर्माण तथा α किरण के परिवर्तन व 2β किरण के परिवर्तन से मूल तत्त्व के समस्थानिक बनते हैं।

रेडियोएक्टिव समस्थानिक (Radioactive Isotopes)

किसी तत्त्व के ऐसे समस्थानिक जिनके नाभिक स्वतः विघटित होकर अक्रिय किरणें उत्सर्जित करते रहते हैं, रेडियोएक्टिव समस्थानिक कहलाते हैं। उदाहरण, हाइड्रोजन के तीन समस्थानिकों $_1H^1$, $_1H^2$ और $_1H^3$ में केवल $_2He^3$ रेडियोएक्टिव हैं।

$$_1H^3 \xrightarrow{\text{समस्थानिक}} {}_2He^3 + {}_{-1}e^0 \ (t_{1/2} = 12.4 \text{ वर्ष})$$

$$_6C^{14} \xrightarrow{\text{समस्थानिक}} {}_7N^{14} + {}_{-1}e^0 \ (t_{1/2} = 5570 \text{ वर्ष})$$

रेडियोएक्टिव समस्थानिक के अनुप्रयोग (Applications of Radioactive Isotopes)

1. **खनिज तथा पत्थरों (चट्टानों) की आयु के निर्धारण में –** खनिजों तथा चट्टानों की आयु का निर्धारण भी रेडियोएक्टिवता के द्वारा हो सकता है। इनमें उपस्थित लेड अयस्क में लेड समस्थानिक की उपलब्धता का निर्धारण कर लिया जाता है जो यूरेनियम तथा थोरियम विघटन के अन्तिम उत्पाद हैं। सबसे पुराने खनिज की आयु 4.5×10^9 वर्ष आंकी गई है। अतः पृथ्वी की आयु कम से कम इतने वर्ष है।
2. **रेडियोकार्बन डेटिंग–** वातावरण में उपस्थित कार्बन डाईआक्साइड में $_6C^{12}$ तथा $_6C^{14}$ समस्थानिक निश्चित अनुपात में रहते हैं। $_6C^{14}$ समस्थानिक रेडियोएक्टिव होता है। पौधे वातावरण से CO_2 अवशोषित करते हैं तथा सेलुलोज का निर्माण करते हैं। जीवित पौधों में $_6C^{12}$ तथा $_6C^{14}$ का वही अनुपात रहता है जो वातावरण में उपस्थित CO_2 में रहता है। पेड़ के सूखने अथवा कटने पर $_6C^{14}$ धीरे-धीरे विघटित होने लगता है। अतः मृत पेड़ की कार्बन β-एक्टिवता का अध्ययन करने पर पेड़ की आयु का पता चल जाता है।
3. **औषधि विज्ञान में**–रेडियोएक्टिव समस्थानिकों का उपयोग निम्न प्रकार का होता है। जिन रेडियो समस्थानिकों से β-किरण अथवा γ-किरण उत्सर्जित होती हैं उन्हें शरीर में बहुत कम मात्रा में प्रविष्ट कराकर यह ज्ञात किया जा सकता है कि शरीर में उस तत्त्व का अवशोषण किस प्रकार होता है।
   - (*i*) शरीर में आयोडीन थोड़ी मात्रा में प्रवेश कराई जाती है तो अन्य तन्तुओं की अपेक्षा यह थायराइड में विशेष रूप से अवशोषित हो जाती है। आयोडीन के $_{53}I^{131}$ समस्थानिक से β–कण उत्सर्जित होते हैं तथा इसका अर्ध-आयुकाल 8 दिन होता है। इस समस्थानिक की β सक्रियता मापकर थायराइड ग्रंथि का आकार, सक्रियता तथा थायराइड कैंसर (Cancer) का उपचार करने के लिए किया जाता है। रेडियो I^{131} का उपयोग ब्रेन ट्यूमर (brain tumour) का आकार तथा स्थान ज्ञात करने के लिए भी किया जाता है।
   - (*ii*) फॉस्फोरस हड्डियों तथा रक्त में विशेष रूप से अवशोषित होता है। अतः रेडियो फॉस्फोरस को शरीर में प्रविष्ट कराकर हड्डियों तथा रक्त विकार के बारे में जानकारी प्राप्त की जाती है।
   - (*iii*) शरीर के किसी भी भाग में रक्त प्रवाह में रूकावट का पता लगाने के लिए नस में रेडियो Na^{24} प्रविष्ट कराया जाता है। यदि शरीर में कहीं भी रक्त प्रवाह में रूकावट नहीं है तो रेडियो एक्टिवता लगातार तेजी से बढ़कर एक घण्टे में अधिकतम हो जाती है। यदि रक्त प्रवाह में कहीं रूकावट है तो रेडियोएक्टिवता धीरे-धीरे बढ़ती जाती है।

(*iv*) रेडियो $_{15}P^{32}$, $_{27}Co^{60}$ तथा रेडियम का उपयोग कैंसर के उपचार के लिए भी किया जाता है।

4. कृषि में

(*i*) कृषि में फॉस्फोरस का उपयोग खाद के रूप में किया जाता है। बाजार में अनेक फास्फेट खादें उपलब्ध हैं। रेडियो फास्फोरस द्वारा यह पता लगाया जा सकता है कि किसी एक प्रकार की भूमि में फॉस्फेट खाद डालने से उस भूमि में कितना फॉस्फोरस अवशोषित हुआ है। इससे भूमि की आवश्यकतानुसार उपयुक्त फॉस्फोरस खाद का चुनाव किया जाता है।

(*ii*) फसलों तथा जानवरों के लिए अनेक कीड़े हानिकारक है। इन्हें रेडियो समस्थानिकों द्वारा नष्ट किया जाता है।

(*iii*) गेहूँ तथा चावल के अधिक उपजाऊ बीज, उन पर न्यूट्रॉन तथा गामा विकिरण डालकर तैयार किये जाते है।

5. उद्योगों में– उद्योगों में रेडियोएक्टिव समस्थानिक अत्यंत उपयोगी हैं। वायुयानों (aeroplanes) में ईंधन के रिसने का पता रेडियो समस्थानिक मिलाने से लग जाता है।

बाल बियरिंग तथा गियरों (Gears) की जाँच भी रेडियोएक्टिव ट्रेसर की सहायता से की जाती है। बियरिंग तथा गियर के पदार्थ में रेडियो एक्टिव स्टील की थोड़ी मात्रा दी जाती है। बियरिंग के घिसने का अनुमान चिकना करने वाले तेल (Lubricating oil) में समय-समय पर रेडियोएक्टिवता की जाँच करके लगा लिया जाता है। एलिन पर रेडियोकोबाल्ट से उत्सर्जित γ–किरणों की बमबारी कराके पॉलिथीन बनाते हैं जो बहुत अच्छा विद्युतरोधी (Insulator) है तथा केबिल आदि बनाने में प्रयुक्त होता है।

6. नाभिकीय अनुसंधान में– रेडियो समस्थानिक नाभिकीय विघटन, प्रकाश-संश्लेषण (Photosynthesis) आदि के अध्ययन में प्रयुक्त किये जाते हैं।

वस्तुनिष्ठ प्रश्न

1. किसी टूटे घर से प्राप्त लकड़ी के नमूने में C^{14} (अर्द्ध-जीवन काल 6000 वर्ष) की रेडियो-ऐक्टिवता ताजी लकड़ी की लगभग आधी है अतः टूटा हुआ घर है–
(*a*) 12000 वर्ष पुराना (*b*) 9000 वर्ष पुराना
(*c*) 6000 वर्ष पुराना (*d*) 3000 वर्ष पुराना

2. यदि द्रव्यमान संख्या 238 तथा परमाणु क्रमांक 92 के किसी तत्व ने क्रमानुसार 6 α-कण तथा 4 β-कण उत्सर्जित किये तो परिणामी तत्व के लिये होगा–
(*a*) परमाणु क्रमांक 88 तथा द्रव्यमान संख्या 232
(*b*) परमाणु क्रमांक 92 तथा द्रव्यमान संख्या 214
(*c*) परमाणु क्रमांक 84 तथा द्रव्यमान संख्या 226
(*d*) परमाणु क्रमांक 84 तथा द्रव्यमान संख्या 214

3. एक तत्व के समस्थानिक के होते हैं–
(*a*) समान रासायनिक तथा भिन्न भौतिक गुण
(*b*) समान रासायनिक तथा भौतिक गुण
(*c*) समान भौतिक तथा भिन्न रासायनिक गुण
(*d*) भिन्न भौतिक तथा रासायनिक गुण

4. किसी रेडियोएक्टिव पदार्थ की अर्द्ध-आयु 5 वर्ष है। 15 वर्ष में इसकी जितनी मात्रा विघटित हो जायेगी वह प्रारम्भिक मात्रा की होगी–
(*a*) 0.33 (*b*) 0.875
(*c*) 0.125 (*d*) 0.75

5. हाइड्रोजन के रेडियोधर्मी समस्थानिक ट्राइटियम द्वारा निम्न का उत्सर्जन होता है–
(*a*) α-कण का (*b*) β-कण का
(*c*) γ-गामा कण का (*d*) न्यूट्रॉनों का

6. ^{40}K समस्थानिक ^{40}Ca समस्थानिक में रूपान्तरित होता है। इसमें जो रेडियोधर्मी क्षय होता है, वह है–
(*a*) α–क्षय
(*b*) β–क्षय
(*c*) उपरोक्त (*a*) तथा (*b*) दोनों
(*d*) इलेक्ट्रॉन अधिग्रहण

7. यदि किसी रेडियोएक्टिव तत्व की मात्रा बढ़ा कर दो गुनी कर दी जाये, तो प्रति इकाई समय विघटन होगा–
(*a*) अपरिवर्तित (*b*) घटकर आधा
(*c*) बढ़कर $\sqrt{2}$ गुना (*d*) दुगुना

8. किसी रेडियो-समस्थानिक की रेडियो-धर्मिता निम्न के साथ बदलती है–
(*a*) ताप (*b*) दाब
(*c*) रासायनिक वातावरण (*d*) उपरोक्त में कोई नहीं

9. "परमाणविक द्रव्यमान"(amu) बराबर है–
(*a*) प्रोटॉन के द्रव्यमान के
(*b*) हाइड्रोजन परमाणु के द्रव्यमान के
(*c*) C-12 परमाणु के द्रव्यमान के
(*d*) C-12 परमाणु के द्रव्यमान का $1\frac{1}{2}$

10. एक प्राकृतिक रेडियोएक्टिव पदार्थ से निकलने वाली किरणें चुम्बकीय क्षेत्र द्वारा एक दिशा में विचलित होती है, वह होगी–
(*a*) निश्चित रूप से α-किरणें
(*b*) निश्चित रूप से β-किरणें
(*c*) दोनों α तथा β-किरणें
(*d*) α या β-किरणों में से कोई भी

11. अभिक्रिया –

$_5B^8 \rightarrow {}_4Be^8 + {}_{+1}e^0$ होने का कारण है–

(*a*) ऐल्फा क्षय (*b*) बीटा क्षय

(*c*) पॉजिट्रॉन क्षय (*d*) इलेक्ट्रॉन अधिग्रहण

12. द्रव्यमान तथा ऊर्जा की तुल्यता का सम्बन्ध निम्न के द्वारा दिया गया–

(*a*) क्यूरी (*b*) आइन्सटाइन

(*c*) बोर (*d*) रदरफोर्ड

13. समीकरण $_3Li^6 + {}_1H^2 \rightarrow 2\,{}_2He^4$ + ऊर्जा, प्रदर्शित करता है–

(*a*) तत्व का संश्लेषण (*b*) तत्वांतरण

(*c*) संलयन अभिक्रिया (*d*) नाभिकीय विखण्डन

14. $_{92}U^{238}$ से क्रमशः दो α और चार β-कणों के निकलने पर कौन-सा न्यूक्लिअस प्राप्त होता है–

(*a*) $_{90}Th^{230}$ (*b*) $_{94}Pu^{230}$

(*c*) $_{88}Ra^{230}$ (*d*) $_{92}U^{230}$

15. कई α तथा β-कणों के निकल जाने के पश्चात $_{92}U^{238}$ स्थायी रूप से $_{82}Pb^{206}$ में बदल जाता है। इस प्रक्रिया में निकले हुए α-कणों की संख्या है

(*a*) 10 (*b*) 5

(*c*) 8 (*d*) 32

16. समस्थानिक तत्वों में होता है–

(*a*) निम्न परमाणु क्रमांक

(*b*) समान द्रव्यमान संख्या

(*c*) भिन्न द्रव्यमान संख्या

(*d*) भिन्न द्रव्यमान तथा परमाणु संख्यायें

17. $_{11}Na^{24}$ से β-कणों के क्षय से इस समस्थानिक की उत्पति होती है–

(*a*) $_{12}Mg^{24}$ (*b*) $_{12}Na^{24}$

(*c*) $_6C^{14}$ (*d*) $_7N^{13}$

18. परमाणु बम के विस्फोट में बहुत अधिक ऊर्जा उत्पन्न होने का कारण है–

(*a*) भारी परमाणुओं का हल्के में परिवर्तन

(*b*) प्रारम्भिक पदार्थ से उत्पादों की कम मात्रा

(*c*) न्यूट्रॉनों का मुक्त होना

(*d*) नाभिकीय संलयन

19. लकड़ी के एक नमूने में C^{14}/C^{12} अनुपात, जीवित पौधे में इसी अनुपात का 1/8 पाया गया। यदि $_6C^{14}$ की अर्द्ध-आयु 6000 वर्ष हो तो लकड़ी की आयु है–

(*a*) 750 वर्ष (*b*) 48000 वर्ष

(*c*) $(6000)^{1/8}$ वर्ष (*d*) 18000 वर्ष

20. कौन-सा सही कथन है–

(*a*) अर्द्ध-आयु काल ताप पर निर्भर करता है

(*b*) β-कण परमाणु के नाभिक से निकलते हैं

(*c*) α-किरणों की गतिज ऊर्जा सबसे कम होती है

(*d*) γ-किरणें चुम्बकीय क्षेत्र से विक्षेपित होती हैं

21. अधिकतम प्राचीन भौगोलिक निर्माण की आयु निर्धारित होती है–

(*a*) पोटेशियम-आर्गन विधि द्वारा

(*b*) कार्बन-14 अंकन विधि द्वारा

(*c*) रेडियम-सिलिकन विधि द्वारा

(*d*) यूरेनियम-लैड विधि द्वारा

22. एक द्रव्यमान स्पेक्ट्रोग्राफ एक उपकरण है जो उन कणों की पहचान तथा उन्हें भिन्न करने में सक्षम है–

(*a*) विभिन्न भारों के

(*b*) विभिन्न आवेश की मात्रा वाले कणों को

(*c*) क्रमशः धनात्मक तथा ऋणात्मक आवेश वालों को

(*d*) आवेश/द्रव्यमान अनुपात के विभिन्न मानों के कणों को

23. एक पदार्थ को 2 घण्टे के लिए रखा जाता है तथा इस समय के दौरान 3/4 विघटित हो जाता है। पदार्थ की अर्द्ध-आयु है–

(*a*) 2 घण्टे (*b*) 1 घण्टा

(*c*) 30 घण्टे (*d*) 4 घण्टे

24. असत्य कथन है–

(*a*) कृत्रिम रेडियोएक्टिवता की खोज आइरेन क्यूरी ने की

(*b*) कम अर्द्ध-आयु काल के रेडियोएक्टिव तत्व से अधिक तीव्रता के घातक विकिरण निकलते हैं

(*c*) रेडियोएक्टिव तत्व का अर्द्ध-आयु काल नाभिक के संघटन पर निर्भर करता है

(*d*) इनमें से कोई नहीं

25. निम्नलिखित में से कौन-सी नाभिकीय क्रिया *n*, *p* टाइप है–

(*a*) $_{13}Al^{27} + {}_2He^4 \rightarrow {}_{15}P^{30} + {}_0n^1$

(*b*) $_7N^{14} + {}_0n^1 \rightarrow {}_6C^{14} + {}_1H^1$

(c) $_4Be^9 + {}_2He^4 \rightarrow {}_6C^{12} + {}_0n^1$

(*d*) $_{11}Na^{23} + {}_1H^1 \rightarrow {}_{12}Mg^{23} + {}_0n^1$

उत्तरमाला

1	2	3	4	5	6	7	8	9	10
(*c*)	(*d*)	(*a*)	(*c*)	(*b*)	(*b*)	(*d*)	(*d*)	(*d*)	(*d*)
11	**12**	**13**	**14**	**15**	**16**	**17**	**18**	**19**	**20**
(*c*)	(*b*)	(*b*)	(*d*)	(*c*)	(*c*)	(*a*)	(*b*)	(*d*)	(*b*)
21	**22**	**23**	**24**	**25**					
(*d*)	(*d*)	(*b*)	(*d*)	(*b*)					

अध्याय 3

रासायनिक बंधन (Chemical Bonding)

- वैज्ञानिकों द्वारा Valency (संयोजकता) शब्द का उपयोग सर्वप्रथम तत्त्वों की संयोजन क्षमता (Combining Power or Capacity) को एक संख्या के रूप में प्रदर्शित करने के लिए किया गया था।
- परन्तु अब इस शब्द का उपयोग दो बातों के लिए किया जाता है–(*i*) तत्त्व की संयोजन क्षमता को एक पूर्ण संख्या के रूप में प्रदर्शित करने के लिए, (*ii*) उन बलों के लिए जो अणुओं में परमाणुओं को एक-दूसरे से बांधे रखते हैं। इन बलों को संयोजक बल या रासायनिक बंधन (Chemical Bonds) कहते हैं।

संयोजकता का इलेक्ट्रॉनिक सिद्धान्त (Electronic Theory of Valency)

1916 में कॉसल (Kossel) ने अकार्बनिक और लुईस (Lewis) ने कार्बनिक यौगिकों में रासायनिक बंधों की प्रकृति की व्याख्या करने के लिए संयोजकता का एक सिद्धान्त प्रस्तुत किया, जो तत्त्वों के इलेक्ट्रॉनिक विन्यास पर आधारित है। इस सिद्धान्त को संयोजकता का इलेक्ट्रॉनिक सिद्धान्त या अष्टक नियम (Octet Rule) कहते हैं। इस सिद्धान्त के अनुसार–

1. जिन तत्त्वों के बाह्य कोश में 8 इलेक्ट्रॉन होते हैं वे रासायनिक रूप से अक्रिय (Inert) होते हैं, क्योंकि 8 इलेक्ट्रॉन विन्यास अर्थात् अष्टक (Octet) विन्यास एक स्थायी (Stable) अवस्था है। अक्रिय गैस तत्त्वों के बाह्य कोश में 8 इलेक्ट्रॉन होते हैं जो कि एक स्थायी अवस्था है। ऐसी व्यवस्था के कारण ही उत्कृष्ट गैस तत्त्व निष्क्रिय (Inactive) होते हैं। हीलियम के कोश में दो इलेक्ट्रॉन होते हैं, यह भी एक स्थायी व्यवस्था है। जब प्रथम कोश ही बाह्य कोश होता है तो 2 इलेक्ट्रॉन विन्यास एक स्थायी व्यवस्था होती है।
2. जिन तत्त्वों के बाह्य कोश में 8 इलेक्ट्रॉन नहीं हैं, वे रासायनिक संयोग द्वारा उत्कृष्ट गैस अर्थात् 8 इलेक्ट्रॉन की स्थायी संरचना (Stable Octet Structure) प्राप्त करने का प्रयत्न करते हैं।

परमाणु कई प्रकार की उत्कृष्ट गैसों की स्थायी संरचना प्राप्त कर सकते हैं। इनमें दो महत्त्वपूर्ण प्रक्रियाएं इस प्रकार है–

(*i*) परमाणु अपने बाह्य कोश से एक या अधिक इलेक्ट्रॉन दूसरे परमाणु को देकर अथवा दूसरे परमाणुओं से इलेक्ट्रॉन लेकर उत्कृष्ट गैस की स्थायी संरचना प्राप्त कर सकता है।

(*ii*) परमाणु अपने बाह्य कोश के इलेक्ट्रॉनों का दूसरे परमाणु के इलेक्ट्रॉनों के साथ साझा (Sharing) करके उत्कृष्ट गैस की स्थायी संरचना प्राप्त कर सकता है।

रासायनिक बंध के प्रकार (Types of Chemical Bonds)

स्थायी संरचना प्राप्त करने के इन दोनों ढंगों से दो मुख्य प्रकार के रासायनिक बंध (Chemical Bonds) बनते हैं–

1. **वैद्युतसंयोजक या आयनिक बंध (Electrovalent or Ionic Bonds)** – परमाणुओं के मध्य इलेक्ट्रॉनों के स्थानान्तरण (Transfer of Electrons) से जो बंध बनते हैं, उन्हें वैद्युत संयोजक बंध या आयनिक बंध कहते हैं।

   जब एक परमाणु से दूसरे परमाणु में इलेक्ट्रॉनों का स्थानान्तरण होता है तो परमाणु विपरीत आवेशित आयनों में बदल जाते हैं और विपरीत आवेशित आयन परस्पर स्थिर वैद्युत् बलों (Electrostatic Forces) द्वारा बंध जाते हैं। विपरीत आवेशित आयनों को जो बल परस्पर बांधे रखता है, उसे ही आयनिक बंध (Ionic Bond) कहते हैं। उदाहरण–सोडियम तथा क्लोरीन के संयोग में सोडियम के पास एक संयोजी इलेक्ट्रॉन है तथा क्लोरीन के पास सात संयोजी इलेक्ट्रॉन है। सोडियम के पास एक इलेक्ट्रॉन अधिक होने के कारण यह उस इलेक्ट्रॉन को क्लोरीन को देकर निकटतम निष्क्रिय गैस निऑन (2,8) की रचना प्राप्त करना चाहता है तथा क्लोरीन एक इलेक्ट्रॉन ग्रहण कर निष्क्रिय गैस आर्गन (2,8,8) का विन्यास प्राप्त करना चाहता है। अतः क्लोरीन एक इलेक्ट्रॉन लेकर ऋणावेशित हो जाता है और एक इलेक्ट्रॉन देने के कारण सोडियम पर धनावेश आ जाता है।

सोडियम 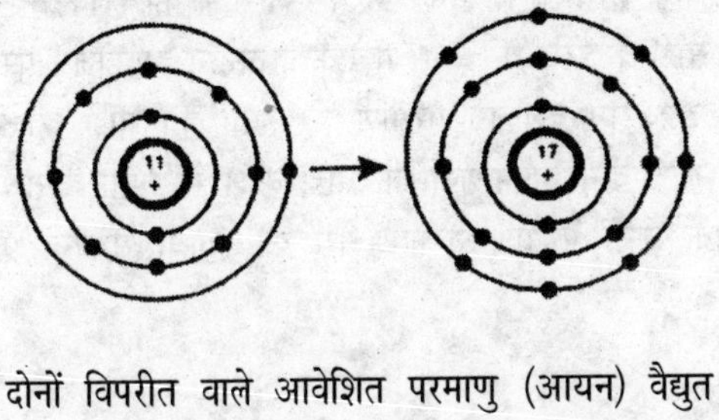 क्लोरीन

चित्र में दोनों विपरीत वाले आवेशित परमाणु (आयन) वैद्युत स्थैतिक (Electrostatic) बल रेखाओं द्वारा परस्पर बंधे रहते हैं।

2. **सह-संयोजक बंध (Covalent Bonds)** – परमाणुओं के मध्य इलेक्ट्रॉन युग्मों की साझेदारी से जो बंध बनते हैं, उन्हें सह-संयोजक बंध कहते हैं।

सह-संयोजकता समान तथा असमान (Similar and Dissimilar) परमाणुओं में हो सकती है। यदि बंधन एक इलेक्ट्रॉन युग्म (One Electron Pair) के कारण होता है तो इसको एकांकी बंध (Single Bond) कहते हैं तथा सीधी रेखा (–) द्वारा प्रदर्शित करते हैं।

यदि बंध दो इलेक्ट्रॉन युग्म या तीन इलेक्ट्रॉन युग्म द्वारा होता है तो इसे क्रमशः द्विबंध (Double Bond) तथा त्रिबंध (Triple Bond) कहते हैं तथा इन्हें क्रमशः (=) तथा (≡) द्वारा प्रदर्शित किया जाता है। उदाहरण

(*i*) **हाइड्रोजन अणु का बनना–** हाइड्रोजन के परमाणु में एक संयोजकता इलेक्ट्रॉन है जब यह बंधन होता है तब दो हाइड्रोजन परमाणु अपने-अपने इलेक्ट्रॉन के साझे द्वारा हीलियम की संरचना प्राप्त कर लेते हैं तथा एकांकी बंध (Single Bond) स्थापित हो जाता है।

$H + H \rightarrow H : H$ या $H - H$

(*ii*) **ऑक्सीजन अणु का बनना–** ऑक्सीजन परमाणु में 6 संयोजी इलेक्ट्रॉन हैं तथा इसकी संरचना 2,6 है जब दोनों परमाणु संयोग करते हैं तो दो-दो इलेक्ट्रॉनों (प्रत्येक परमाणु द्वारा) का साझा कर 2,8 का स्थायी विन्यास ग्रहण कर लेते हैं तब ये द्विबंध (Double bond) द्वारा बंध जाते हैं।

$:\ddot{O}:+:\ddot{O}:\rightarrow :\ddot{O}::\ddot{O}:$ या $O = O$

(*iii*) **नाइट्रोजन अणु का बनना–** इस अणु के बनने में प्रत्येक नाइट्रोजन परमाणु, 2,5 के विन्यास में से तीन-तीन इलेक्ट्रॉन लगाकर 2,8 का स्थायी विन्यास ग्रहण करते हैं तथा इन तीनों युग्म इलेक्ट्रॉनों द्वारा त्रिबन्ध (Triple bond) स्थापित होता है।

$:N\vdots+\vdots N:\rightarrow :N\vdots\vdots N:$ या $N \equiv N$

जिन यौगिक के अणुओं में परमाणु परस्पर सह-संयोजक बंधों द्वारा जुड़े रहते हैं, उन्हें सह-संयोजक यौगिक (Covalent Compounds) कहते हैं। जैसे–HCl, H_2O, SO_2, NH_3, CO_2, CH_4 आदि यौगिक सह-संयोजक यौगिक हैं। हाइड्रोजन क्लोराइड में हाइड्रोजन परमाणु जब क्लोरीन परमाणु के साथ संयोग करता है तो उनके मध्य एक साझे का इलेक्ट्रॉन युग्म बन जाता है। साझे के इलेक्ट्रॉन युग्म में एक इलेक्ट्रॉन हाइड्रोजन परमाणु का और एक इलेक्ट्रॉन क्लोरीन परमाणु का होता है। साझे का इलेक्ट्रॉन युग्म एक साथ दोनों परमाणुओं के बाह्य कोश में रहता है तथा इसको साझा करके दोनों परमाणु उत्कृष्ट गैस की स्थायी संरचना प्राप्त कर लेते हैं।

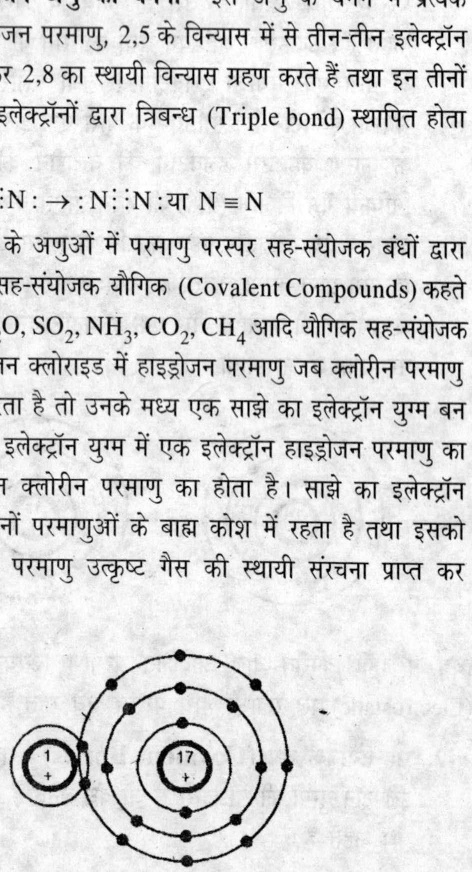

उप-सहसंयोजक बंध (Coordinate Bond) में केवल अंतर इतना है कि इलेक्ट्रॉन का साझा केवल एक परमाणु द्वारा होता है। इस प्रकार की सहसंयोजकता में एक परमाणु के पास एक इलेक्ट्रॉन युग्म होता है जो इस युग्म को साझे में देता है, उसे दाता (Donor) कहते हैं। जो परमाणु उस इलेक्ट्रॉन युग्म को ग्रहण करता है, उसे ग्राही (Acceptor) कहते हैं। उदाहरण, अमोनिया के अणु में नाइट्रोजन परमाणु पर एक एकाकी इलेक्ट्रॉन युग्म है अतः अमोनिया का अणु (अर्थात् NH_3 का नाइट्रोजन परमाणु) इलेक्ट्रॉन युग्मदाता है।

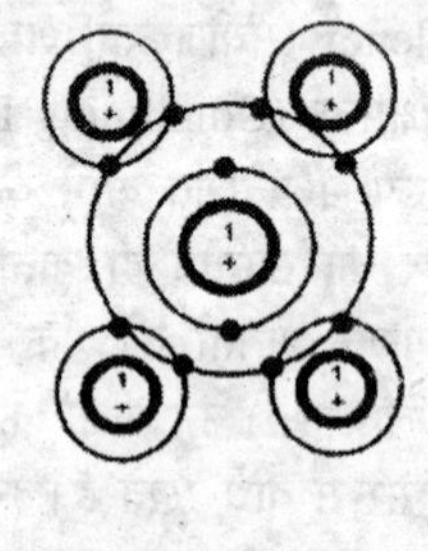

अणु की आकृतियां (Shapes of Molecules)

सह-संयोजक बंध के कुछ दूसरे रोचक गुणों को बताने के लिए जल एक अच्छा उदाहरण है। जल के अणु को H_2O से व्यक्त करते हैं न कि सरल रेखा में H-O-H । यह संयोजक बंध दिशात्मक होता है अथवा इन बंधों के चारों ओर निश्चित ज्यामिति होती है। ऐसा आयनिक बंधों के लिए नहीं होता क्योंकि उनमें बंध आवेश आकर्षण को निरूपित करते हैं। ये आवेश आकर्षण सभी दिशाओं में समान रूप से प्रबल होता है। जल में, दो बंधों के बीच का कोण 105° है, अमोनिया (NH_3) में भी ऐसा ही होता है जहाँ त्रिसंयोजक नाइट्रोजन सह-संयोजक के रूप में तीन H- परमाणुओं के साथ बंधित होता है। मीथेन (CH_4) के अणु में, चर्तु-संयोजक कार्बन चार H-परमाणुओं के साथ सह-संयोजक रूप से बंधित है।

अमोनिया तथा मीथेन चतुष्फलकीय (Tetrahedral) हैं जबकि जल अणु एक विकृत चतुष्फलक है।

सह-संयोजक अणुओं की कुछ निश्चित आकृतियां–

(*i*) Carbon Dioxide (CO_2)– रेखीय (Linear)

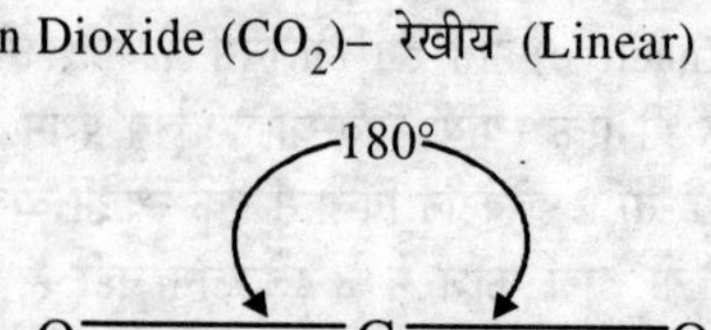

चित्र: CO_2 *अणु की प्रकृति*

(*ii*) Ethylene Molecule (C_2H_4)– समतलीय (Planar)

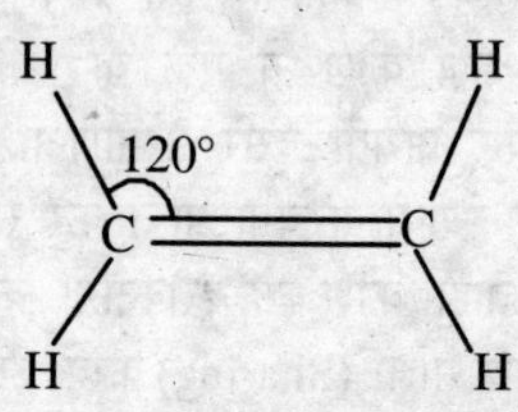

चित्र: C_2H_2 *अणु की आकृति*

(*iii*) Carbon Tetrachloride (CCl_4)–चतुष्फलकीय (Tetrahedral)

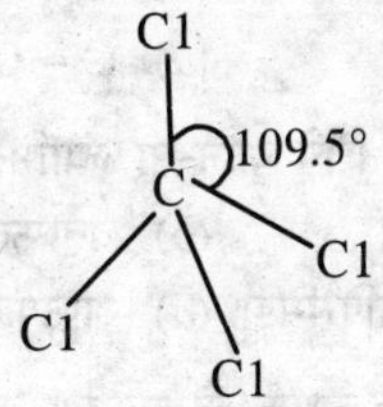

चित्र: CCl_4 *अणु की आकृति*

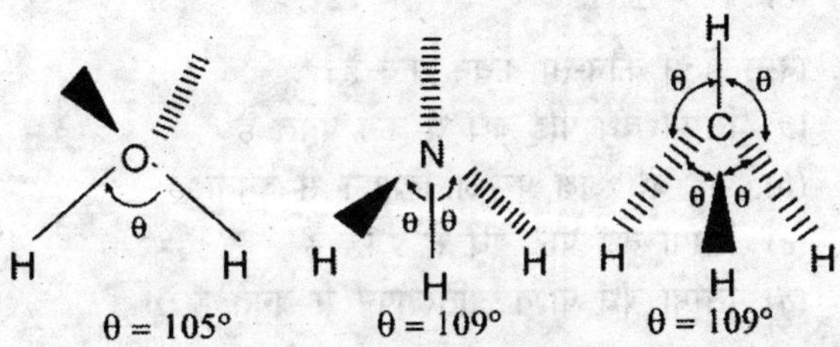

चित्र: *अमोनिया तथा मीथेन चतुष्फलकीय है तथा जल अणु एक विकृत चतुष्फलक है।*

(*iv*) Tetramine Copper Molecule $[Cu\ (NH_3)_4]^{2+}$ वर्गाकार समतली (Square Plannar)

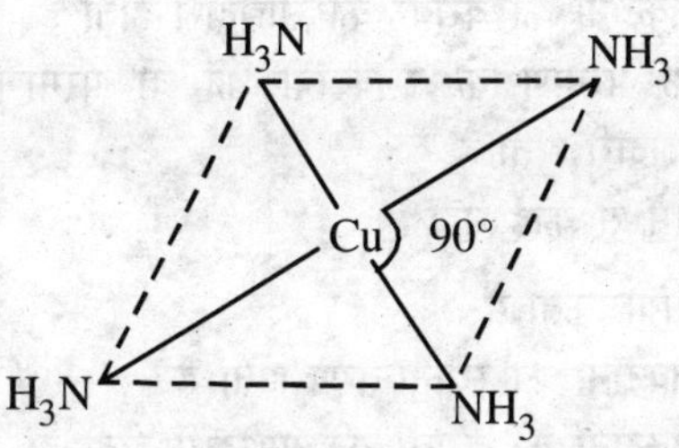

चित्र: $[Cu(NH_3)_4]^{2+}$ *अणु की आकृति*

(*v*) Phosphorus Pentachloride (PCl_5)–त्रिकोणीय द्विपिरामिड (Trigonal Bipyramidal)

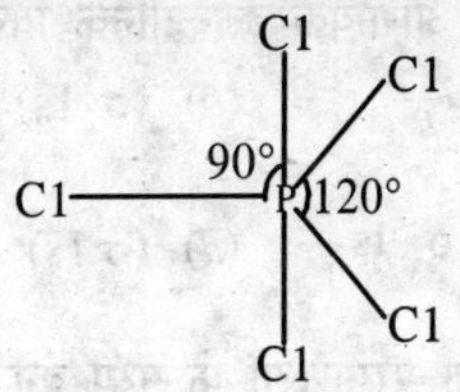

चित्र: PCl_5 *अणु की आकृति*

(*vi*) Sulphur Hexafluoride (SF_6)–अष्टफलकीय (Octahedral)

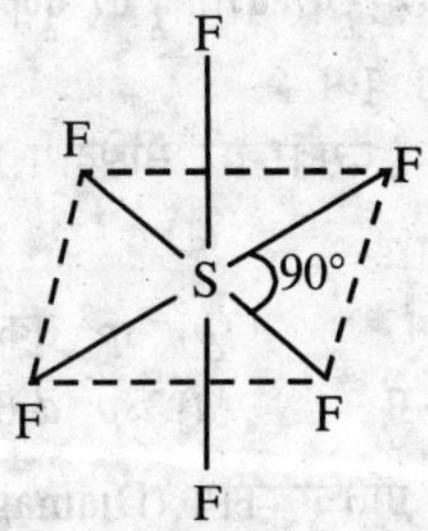

चित्र: SF_6 *अणु की आकृति*

कार्बन परमाणु सामान्यतया दूसरे परमाणुओं के साथ केवल सह-संयोजक बंध ही बनाता है। अपनी 4-संयोजकता के साथ वह दूसरे कार्बन परमाणुओं के साथ आबंधों की एक शृंखला बनाता है, जो लम्बे धागे के समान होते हैं, उनका अणु भार अधिक होता है। पॉलीथीन या पॉलीऐथिलीन एक ऐसा उदाहरण है, जो हजारों $CH_2 - CH_2 - CH_2 - CH_2 - CH_2$ समूहों (प्रत्येक एक चतुष्फलक, Tetrahedron) की लंबी माला के समरूप है। ये समूह सह-संयोजक C–C आबंधों द्वारा परस्पर गुंथे हुए हैं। ऐसे अणुओं को बहुलक (Polymer) कहते हैं। बहुलक सख्त, मजबूत तथा रेशेदार होते हैं। बहुलक की यह संरचना एवं गुण, पॉलीथीन से चादरें तथा धागे बनाने में सहायक होते हैं। प्लास्टिक की थैली, जिसमें बहुत से शहरों में डेरी का दूध तथा अन्य वस्तुएं बेची जाती हैं, पॉलीथीन की बनी होती है। ये कम भार की फिर भी मजबूत, जलरोधक (Waterproof) तथा सुविधाजनक है। उक्त सभी गुण सह-संयोजक बंध के कारण ही होता है। कुछ दूसरे मुख्य बहुलक हैं–नॉयलॉन (Nylon), पॉलिएस्टर (Polyster), पॉलीविनाइल क्लोराइड (Polyvinyl Chloride) और निओप्रीन (कृत्रिम रबड़) (Neoprene) आदि।

वस्तुनिष्ठ प्रश्न

1. किस विचारधारा द्वारा स्पष्ट किया जा सकता है कि *o*-नाइट्रोफीनोल, *p*-नाइट्रोफीनोल से अधिक वाष्पशील है?
(*a*) संयुग्मन (*b*) अनुनाद
(*c*) हाइड्रोजन बंध (*d*) त्रिविम विन्यासी बन्ध

2. जल में विलेय यौगिक है–
(*a*) CS_2 (*b*) C_2H_5OH
(*c*) CCl_4 (*d*) $CHCl_3$

3. $[Co(H_2O)_6]^{2+}$ में अयुग्मित इलेक्ट्रॉन हैं–
(*a*) 5 (*b*) 2
(*c*) 3 (*d*) 4

4. H_2SO_4 अणु में होते हैं–
(*a*) केवल सहसंयोजक बंध
(*b*) सहसंयोजक तथा आयनिक बंध
(*c*) सहसंयोजक तथा उप-सहसंयोजक बंध
(*d*) सहसंयोजक, आयनिक तथा उप-सहसंयोजक बंध

5. एक वैद्युत संयोजक यौगिक बना होता है–
(*a*) विद्युत आवेशित अणुओं से
(*b*) उदासीन अणुओं से
(*c*) उदासीन परमाणुओं से
(*d*) विद्युत आवेशित परमाणु अथवा परमाणु समूहों से

6. H_2^+ आयन का आणविक इलेक्ट्रॉनिक विन्यास है–

(*a*) $(\sigma\, 1s)^2$ (*b*) $(\sigma\, 1s)^1$

(*c*) $(\sigma\, 1s)^2 \left(\overset{*}{\sigma}\ 1s\right)^1$ (*d*) $(\sigma\, 1s)^2 \left(\overset{*}{\sigma}\ 1s\right)^2$

7. दो समान अधातु परमाणुओं के मध्य बने बंध में इलेक्ट्रॉन युग्म होता है–

(*a*) दोनों के मध्य असमान साझेदारी में

(*b*) एक परमाणु से दूसरे परमाणु पर पूर्णतया स्थानान्तरित होकर

(*c*) समान चक्रण युग्म

(*d*) दोनों के मध्य बराबर की साझेदारी में

8. त्रिकोणीय आकृति है–

(*a*) *sp* संकरण में (*b*) sp^2 संकरण में

(*c*) sp^3 संकरण में (*d*) $sp^3 d$ संकरण में

9. निम्न में कौन-सा प्रतिचुम्बकीय (Diamagnetic) है?

(*a*) O_2^{+1} (*b*) O_2

(*c*) O_2^{-1} (*d*) O_2^{-2}

10. NH_4Cl में बंध है–

(*a*) सह-संयोजी

(*b*) आयनिक तथा सह-संयोजी

(*c*) सह-संयोजी, उप-सहसंयोजी तथा आयनिक

(*d*) केवल आयनिक

11. dsp^2 संकरण के लिये निम्न में से कौन-सा ज्यामितीय विन्यास है?

(*a*) वर्ग समतलीय

(*b*) चतुष्फलकीय

(*c*) पंचकोणीय द्विपिरैमिडी

(*d*) अष्टफलकीय

12. सहसंयोजी यौगिकों की तुलना में विद्युत संयोजी यौगिकों का होता है–

(*a*) निम्न गलनांक तथा निम्न क्वथनांक

(*b*) निम्न गलनांक तथा उच्च क्वथनांक

(*c*) उच्च गलनांक तथा निम्न क्वथनांक

(*d*) उच्च गलनांक तथा उच्च क्वथनांक

13. सबसे कम बंध दूरी है–

(*a*) C – C (*b*) C = C

(*c*) C ≡ C (*d*) C – C = C – C

14. $sp^3 d^3$ संकरण के लिये कौन-सा ज्यामितीय विन्यास है?

(*a*) वर्ग समतलीय (*b*) चतुष्फलकीय

(*c*) पंचकोणीय द्विपिरैमिडी (*d*) अष्टफलकीय

15. एक *s* तथा एक *p* कक्षक के संकरण का कोण है–

(*a*) 180° (*b*) 120°

(*c*) 109° 28′ (*d*) 72°

16. निम्न में से कौन-सा कथन सत्य है?

(*a*) सिग्मा बंध पाई बंध से कम प्रबल है

(*b*) पाई बंध अक्ष पर अतिव्यापन से बनता है

(*c*) सिग्मा बंध पाई बंध से प्रबल है

(*d*) सिग्मा बंध पार्श्व अतिव्यापन से बनते हैं

17. निम्न में से किसका क्वथनांक न्यूनतम है?

(*a*) NH_3 (*b*) PH_3

(*c*) SbH_3 (*d*) BiH_3

18. सहसंयोजकता में–

(*a*) इलेक्ट्रॉनों का स्थानान्तरण होता है

(*b*) इलेक्ट्रॉनों की बराबर की साझेदारी होती है

(*c*) एक परमाणु के इलेक्ट्रॉनों की दो परमाणुओं के मध्य साझेदारी होती है

(*d*) इनमें से कोई नहीं

19. उप-सहसंयोजकता में–

(*a*) इलेक्ट्रॉनों का स्थानान्तरण होता है

(*b*) इलेक्ट्रॉनों की बराबर की साझेदारी होती है

(*c*) एक परमाणु के इलेक्ट्रॉनों की दो परमाणुओं के मध्य साझेदारी होती है

(*d*) हाइड्रोजन बंध बनता है

20. निम्नलिखित में सबसे कम बंध कोण है–

(*a*) NH_3 (*b*) H_2O

(*c*) BeF_2 (*d*) CH_4

उत्तरमाला

1	2	3	4	5	6	7	8	9	10
(*c*)	(*b*)	(*c*)	(*c*)	(*d*)	(*b*)	(*d*)	(*b*)	(*d*)	(*c*)
11	**12**	**13**	**14**	**15**	**16**	**17**	**18**	**19**	**20**
(*a*)	(*d*)	(*c*)	(*c*)	(*a*)	(*c*)	(*b*)	(*b*)	(*c*)	(*b*)

अध्याय 4

ऑक्सीकरण एवं अपचयन
(Oxidation and Reduction)

ऑक्सीकरण (Oxidation)

ऑक्सीकरण की इलेक्ट्रॉनिक सिद्धान्त के अनुसार ऑक्सीकरण वह क्रिया है जिसमें कोई परमाणु या आयन एक या एक से अधिक इलेक्ट्रॉन त्याग करता है। जिसके कारण उसका धन आवेश बढ़ जाता है।

उदाहरण –$Na \rightarrow Na^+ + 1e^-$

$Zn \rightarrow Zn^{2+} + 2e^-$

$Sn^{2+} \rightarrow Sn^{4+} + 2e^-$

$Fe^{2+} \rightarrow Fe^{3+} + 1e^-$

$Sn^{2+} \rightarrow Sn^{4+} + 2e^-$

$Hg \rightarrow Hg^+ + 1e^-$

$Hg^+ \rightarrow Hg^{2+} + 1e^-$

$MnO_4^{2-} \rightarrow MnO_4^- + 1e^-$

उपरोक्त समीकरण में MnO_4^{2-} इलेक्ट्रॉन त्याग कर कम ऋण आवेशित आयन में परिवर्तित हो जाता है। अतः जो केवल ऑक्सीकरण प्रदर्शित करता है उसे ऑक्सीकरण अर्द्ध क्रिया (Oxidation half reaction) कहते हैं।

अतः ऑक्सीकरण वह प्रक्रिया है जिसमें धनात्मक संयोजकता बढ़ती है तथा ऋणात्मक संयोजकता घटती है।

ऑक्सीकारक (Oxidising Agents)

ऑक्सीकारक वे पदार्थ हैं जो अन्य पदार्थों को ऑक्सीजन दे सकते हैं अथवा जिनमें ऐसे परमाणु/परमाणुओं का समूह रहता हैं जो इलेक्ट्रॉन ग्रहण कर सकता है।

उदाहरणः

(i) ओजोन

$PbS + 4O_3 \rightarrow PbSO_4 + 4O_2$

(ii) हैलोजन्स

$H_2S + F_2 \rightarrow 2HF + S$

$H_2S + Cl_2 \rightarrow 2HCl + S$

$SO_2 + Br_2 + H_2O \rightarrow H_2SO_4 + 2HBr$

$SO_2 + I_2 + 2H_2O \rightarrow H_2SO_4 + 2HI$

(iii) ऑक्सीजन (वायु) $C + O_2 \rightarrow CO_2$

$S + O_2 \rightarrow SO_2$

अपचयन (Reduction)

अपचयन की क्रिया में परमाणु अथवा आयन इलेक्ट्रॉन ग्रहण करते हैं जिसके कारण धनावेश कम हो जाता है क्योंकि परमाणु ऋणायन में बदल जाता है।

उदाहरण – $S + 2e^- \rightarrow S^{2-}$

$Fe^{2+} + 2e^- \rightarrow Fe$

$Sn^{4+} + 2e^- \rightarrow Sn^{2+}$

$Sn^{2+} + 2e^- \rightarrow Sn$

$Zn^{2+} + 2e^- \rightarrow Zn$

जिन क्रियाओं में परमाणु अथवा आयन इलेक्ट्रॉन ग्रहण करते हैं उसे अपचयन अर्ध क्रिया (Reduction Half Reaction) कहते हैं।

इस प्रकार अपचयन में धनात्मक संयोजकता घटती है तथा ऋणात्मक संयोजकता बढ़ती है।

अपचायक (Reducing Agents)

अपचायक वे पदार्थ हैं जिनमें ऐसे पदार्थ अथवा परमाणुओं का समूह रहता है जो इलेक्ट्रॉन त्याग कर सकते हैं।

उदाहरण –

(i) सल्फर डाइऑक्साइड [$SO_2 + H_2SO_4$]

$SO_2 + 2H_2O + Br_2 \rightarrow H_2SO_4 + 2HBr$

(ii) हाइड्रोजन [$H_2 \rightarrow H_2O$]

$CuO + H_2 \rightarrow Cu + H_2O$

$Fe_2(SO_4)_3 + 2H \rightarrow 2FeSO_4 + H_2SO_4$

ऑक्सीकरण-अपचयन अभिक्रियाएँ (Oxidation-Reduction Reactions)

इन अभिक्रियाओं में ऑक्सीकरण और अपचयन दोनों साथ-साथ होता है। किसी भी रासायनिक तंत्र में जितना ऑक्सीकरण होगा उतना अपचयन भी होगा क्योंकि ऑक्सीकरण में जितने इलेक्ट्रॉन निकलते हैं उतने ही इलेक्ट्रॉन अपचयन में ग्रहण किये जाते हैं। इस प्रकार यदि ऑक्सीकरण अर्ध क्रिया तथा अपचयन अर्ध क्रिया को एक साथ मिला दिया जाए तो यह ऑक्सीकरण-अपचयन क्रिया है।

उदाहरण –

$Na \rightarrow Na^+ + 1e^-$ (ऑक्सीकरण अर्ध अभिक्रिया)

$Cl + 1e^- \rightarrow Cl^-$ (अपचयन अर्ध अभिक्रिया)

$Na + Cl \rightarrow NaCl$ (ऑक्सीकरण-अपचयन)

इस अभिक्रिया में सोडियम परमाणु इलेक्ट्रॉन त्यागता है जो क्लोरीन परमाणु द्वारा ग्रहण किया जाता है अतः सोडियम का ऑक्सीकरण होता है। यह तभी सम्भव है जब क्लोरीन इलेक्ट्रॉन ग्रहण कर लेता है, इसलिए क्लोरीन ऑक्सीकारक है। क्लोरीन इलेक्ट्रॉन ग्रहण करके Cl^- आयन में परिवर्तित हो जाती है इस प्रकार क्लोरीन का अपचयन होता है तथा सोडियम अपचायक है।

ऑक्सीकरण-अपचयन अभिक्रियाओं को रेडॉक्स (Redox reactions) अभिक्रियाएं भी कहते हैं।

अतः वह पदार्थ जिनका ऑक्सीकरण होता है अपचायक तथा जिनका अपचयन होता है उसे ऑक्सीकारक कहते हैं।

कुछ पदार्थ ऑक्सीकारक एवं अपचायक दोनों का कार्य करते हैं।

उदाहरण –

(*i*) $SO_2 \rightarrow S + 2O$ (ऑक्सीकारक)
सल्फरडाइऑक्साइड
$SO_2 + H_2O + O \rightarrow H_2SO_4$ (अपचायक)

(*ii*) $2HNO_2 \rightarrow 2NO + H_2O + O$ (ऑक्सीकारक)
$HNO_2 + O \rightarrow HNO_3$ (अपचायक)

(*iii*) $H_2O_2 \rightarrow H_2O + O$ (ऑक्सीकारक)
हाइड्रोजन परऑक्साइड
$H_2O_2 + O \rightarrow H_2O + O_2$ (अपचायक)

ऑक्सीकरण संख्या (Oxidation Number)

"एक यौगिक के अणु में उपस्थित किसी तत्व के एक परमाणु पर विद्युत आवेशों की संख्या को, उस तत्व की ऑक्सीकरण संख्या कहते हैं।"

ऑक्सीकरण संख्या (Oxidation number) को धन तथा ऋण दोनों प्रकार के चिन्हों द्वारा व्यक्त किया जाता है। किसी उदासीन परमाणु की ऑक्सीकरण संख्या शून्य होती है।

ऑक्सीकरण संख्या ज्ञात करने के नियम

निम्नलिखित नियमों के द्वारा किसी परमाणु की ऑक्सीकरण संख्या ज्ञात करते हैं।

1. मुक्त अवस्था या अबन्धित अवस्था (Free & uncombined state) या समान परमाणु वाले यौगिक के अणु में उपस्थित तत्व की ऑक्सीकरण संख्या शून्य होती है। **उदाहरण**–H_2 में H, Cl_2 में Cl, P_4 में P व Na आदि के सभी परमाणुओं की ऑक्सीकरण संख्या शून्य होती है।
2. आवेशयुक्त परमाणुओं या मूलकों की ऑक्सीकरण संख्या का योग = सम्बन्धित धन या ऋण आवेशों की संख्या। अर्थात् Na^+, Cu^{++}, Al^{+++} आयनों की ऑक्सीकरण संख्याएं क्रमशः +1, +2, +3 हैं, जबकि NH_4^+, SO_4^{--}, PO_4^{3-} आयनों की ऑक्सीकरण संख्या क्रमशः +1, –2, तथा –3 है।
3. हाइड्रोजन की ऑक्सीकरण संख्या उसके यौगिकों में सामान्यतः +1 है परन्तु धात्विक हाइड्राइडों (जैसे CaH_2 में) में इसका मान –1 होता है।
4. ऑक्सीजन (केवल परॉक्साइडों (–O–O–) को छोड़कर जिसमें इसकी आ. संख्या –1 व F_2O में +2 है) की ऑक्सीकरण संख्या सामान्यतः उसके यौगिक में –2 होती है।
5. सभी धातुओं की ऑक्सीकरण संख्या प्रायः धनात्मक होती है।
6. जटिल यौगिकों में उदासीन लिगेन्ड की ऑक्सीकरण संख्या, जैसे जटिल यौगिक $[Cu(NH_3)_4]SO_4$ में, NH_3 की ऑक्सीकरण संख्या शून्य होती है।
7. किसी संकर आयन जैसे $[Fe(CN)_6]_4-$ में उपस्थित सभी परमाणुओं की ऑक्सीकरण संख्याओं का योग उस संकर आयन पर उपस्थित आवेश के बराबर होता है।
8. किसी बहुपरमाणुक आयन में उपस्थित सभी परमाणुओं की ऑक्सीकरण संख्या का योग आयन पर उपस्थित आवेश के बराबर होता है।
   उदाहरण SO_4^{--} में S की आ.स. + 4 (O की आ.स.) = –2
9. क्षारीय धातुओं (Na,K आदि) के यौगिकों में इसकी ऑक्सीकरण संख्या +1 होती है। क्षारीय मृदा धातुओं (Mg, Ca, Sr, Ba आदि) के यौगिकों में इनकी ऑक्सीकरण संख्या +2 होती है।
10. हैलोजन समूह में फ्लुओरीन की ऑक्सीकरण संख्या इसके प्रत्येक यौगिक में –1 होती है। शेष हैलोजनों (Cl, Br, I) की ऑक्सीकरण संख्या –1 से +7 तक होती है। यौगिकों में हैलोजनों का बंधन आक्सीजन से है तो हैलोजन की ऑक्सीकरण संख्या धनात्मक होती है जैसे HClO में Cl का आ. सं. + 1 है।
11. उदासीन अणुओं में सभी तत्वों के परमाणुओं की ऑक्सीकरण संख्याओं का योग सदैव शून्य होता है।
12. ऑक्सीकरण संख्या का मान धनात्मक पूर्ण संख्या, ऋणात्मक पूर्ण संख्या, शून्य अथवा भिन्नांक (fraction) हो सकता है।

ऑक्सीकरण-अपचयन में ऑक्सीकरण संख्या तथा इलेक्ट्रॉन परिवर्तन को निम्नानुसार (तालिका) व्यक्त किया जा सकता है।

तालिका

क्रम स. S.No.	पद (Term)	ऑक्सीकरण संख्या (Oxidation No.)	इलेक्ट्रॉन (Electron)
1.	ऑक्सीकरण	बढ़ती है	निकलते हैं
2.	अपचयन	घटती है	जुड़ते हैं
3.	ऑक्सीकारक	घटती है	ग्रहण करता है
4.	अपचायक	बढ़ती है	त्यागता है

ऑक्सीकरण संख्या के आधार पर तुल्यांकी भार ज्ञात करना (Calculation of Equivalent Weight on the basis of Oxidation Number)

(*i*) **ऑक्सीकारकों का तुल्यांकी भार :** किसी ऑक्सीकारक का तुल्यांकी भार, उसके अणुभार का वह भाग है जिसमें रासायनिक अभिक्रिया में एक यूनिट ऑक्सीकरण संख्या की कमी होती है।

$$\text{ऑक्सीकारक का तुल्यांकी भार} = \frac{\text{ऑक्सीकारक का अणुभार}}{\text{ऑक्सीकरण संख्या में कमी} \times n}$$

जहाँ '*n*' यौगिक के एक अणु में तत्व के परमाणुओं की संख्या जिसकी ऑक्सीकरण संख्या परिवर्तित हो रही है।

उदाहरण–पोटेशियम परमैंगनेट ($KMnO_4$) का तुल्यांकी भार ज्ञात करना।

पोटेशियम परमैंगनेट का तुल्यांकी भार अम्लीय माध्यम में : सल्फ्युरिक अम्ल की उपस्थिति में ($KMnO_4$) का अपचयन मैंगनस सल्फेट में हो जाता है।

$$2KMnO_4 + 3H_2SO_4 = K_2SO_4 + 2MnSO_4 + 3H_2O + 5O + 2$$

अर्थात् $\overset{+7}{KMnO_4} \rightarrow \overset{+2}{MnSO_4}$

ऑक्सीकरण संख्या में कमी = 7– 2 = 5

$KMnO_4$ में Mn परमाणुओं की संख्या $n = 1$

पोटेशियम परमैंगनेट का तुल्यांकी भार

$$= \frac{KMnO_4 \text{ का अणुभार}}{\text{ऑक्सीकरण संख्या में कमी} \times n}$$

$$= \frac{39.0 + 55 + 4 \times 16}{5 \times 1} = \frac{158}{5} = 31.6$$

पोटेशियम परमैंगनेट का तुल्यांकी भार क्षारीय माध्यम में : क्षारीय माध्यम में अभिक्रिया का समीकरण निम्न है–

$$2\overset{+7}{KMnO_4} + 2KOH = 2\overset{+6}{K_2MnO_4} + H_2O + O$$

अर्थात् $2KMnO_4 \rightarrow 2K_2MnO_4$

ऑक्सीकरण संख्या में कमी = 7 – 6 = 1; $KMnO_4$ के Mn परमाणुओं की संख्या $n = 1$

पोटेशियम परमैंगनेट का तुल्यांकी भार

$$= \frac{KMnO_4 \text{ का अणुभार}}{\text{ऑक्सीकरण संख्या में कमी} \times n} = \frac{158}{1 \times 1} = 158$$

पोटेशियम परमैंगनेट का तुल्यांकी भार उदासीन माध्यम में: उदासीन माध्यम में अभिक्रिया समीकरण निम्न है–

$$2KMnO_4 + H_2O = 2MnO_2 + 2KOH + 3O$$

अर्थात् $KMnO_4 \rightarrow MnO_2$

ऑक्सीकरण संख्या में कमी = 7 – 4 = 3 ; $KMnO_4$ में Mn परमाणु की संख्या $n = 1$

पोटेशियम परमैंगनेट का तुल्यांकी भार

$$= \frac{KMnO_4 \text{ का अणुभार}}{\text{ऑक्सीकरण संख्या में कमी} \times n} = \frac{158}{3 \times 1} = 52.66$$

(*ii*) **अपचायकों का तुल्यांकी भार :** किसी अपचायक का तुल्यांकी भार उसके अणुभार में एक यूनिट ऑक्सीकरण संख्या (Oxidation number) में वृद्धि होती है।

$$\text{अपचायक का तुल्यांकी भार} = \frac{\text{यौगिक का अणुभार}}{\text{आ. स. में वृद्धि} \times n}$$

जहाँ '*n*' यौगिक के एक अणु में इस तत्व के परमाणुओं की संख्या है जिसकी ऑक्सीकरण संख्या परिवर्तित हो रही है।

उदाहरण–फेरस अमोनियम सल्फेट का तुल्यांकी भार ज्ञात करना?

फेरस अमोनियम सल्फेट की H_2SO_4 की उपस्थिति में $KMnO_4$ से अभिक्रिया निम्न है–

$$2KMnO_4 + 8H_2SO_4 + 10\,[FeSO_4(NH_4)_2SO_4 6H_2O]$$
$$= K_2SO_4 + 2MnSO_4 + 5Fe_2(SO_4)_3 + 10(NH_4)_2SO_4 + 68H_2O$$

अर्थात् $\overset{2+}{Fe^{++}} \rightarrow \overset{3+}{Fe^{+++}}$

ऑक्सीकरण संख्या में वृद्धि = 3 – 2 = 1 ; $FeSO_4$ में Fe परमाणुओं की संख्या n = 1

$FeSO_4\,(NH_4)_2SO_4\,6H_2O$ का अणुभार = (56 + 32 + 64) + [(2 × 18) + 32 + 64] + 6 [18] = 392

फेरस अमोनियम सल्फेट का तुल्यांकी भार

$$= \frac{FeSO_4(NH_4)_2SO_4.6H_2O \text{ का अणुभार}}{\text{आ. स. में वृद्धि} \times n}$$

$$= \frac{392}{1 \times 1} = 392$$

ऑक्सीकरण-अपचयन अभिक्रियाओं को संतुलित करना (Balancing of Oxidation-Reduction Reactions)

1. ऑक्सीकरण संख्या विधि (Oxidation Number Method): इस विधि से रासायनिक अभिक्रिया (समीकरण) का संतुलन निम्नानुसार किया जाता है :

(*i*) दिये गये (Significant) असंतुलित समीकरण में प्रत्येक तत्व की ऑक्सीकरण संख्या का मान ज्ञात करके समीकरण के दोनों ओर सार्थक असंतुलित परमाणुओं की ऑक्सीकरण संख्या सम्बन्धित परमाणु के ऊपर लिखते हैं।

(*ii*) ऑक्सीकारक एवं अपचायक के एक-एक अणु के सार्थक परमाणुओं के परमाणु की ऑक्सीकरण संख्या में हुई वृद्धि और कमी को ज्ञात किया जाता है।

(*iii*) उसके बाद ऑक्सीकारक के प्रभावी तत्व की ऑक्सीकरण संख्या में हुई कमी की संख्या को अपचायक से गुणा करते हैं तथा अपचायक के प्रभावी तत्व की ऑक्सीकरण संख्या में हुई वृद्धि की संख्या को ऑक्सीकारक से गुणा कर देते हैं।

(*iv*) हाइड्रोजन परमाणुओं को सन्तुलित करने के लिये H_2O अणु का उपयोग करते हैं।

(*v*) समीकरण के दोनों ओर आवेश को बराबर करने के लिये अम्लीय माध्यम में H^+ आयन, क्षारीय माध्यम में OH^- आयन तथा उदासीन माध्यम में H^+ या OH^- आयन का उपयोग किया जाता है।

(*vi*) अतः इस प्रकार प्राप्त समीकरण संतुलित होता है।

उदाहरण– $Cu + HNO_3 \rightarrow Cu(NO_3)_2 + NO_2 + H_2O$

उपरोक्त समीकरण को ऑक्सीकरण संख्या विधि से संतुलित करना।

(*i*) प्रत्येक तत्व की ऑक्सीकरण संख्या प्रति परमाणु लिखने पर

0 + 1 + 5 + 2 + 2 + 5 – 2 + 4 – 2 + 1 – 2

$Cu + HNO_3 \rightarrow Cu(NO_3)_2 + NO_2 + H_2O$

(*ii*) कॉपर का कॉपर नाइट्रेट में ऑक्सीकरण हो रहा है। ऑक्सीकरण का अर्द्ध-समीकरण निम्न है:

$\overset{0}{Cu} \rightarrow \overset{+2}{Cu}(NO_3)_2$

ऑक्सीकरण संख्या में वृद्धि = 2 यूनिट प्रति कॉपर परमाणु

HNO_3 का NO_2 में अपचयन हो रहा है।

अपचयन का अर्द्ध-अभिक्रिया समीकरण निम्न है :

$\overset{+5}{HNO_3} \rightarrow \overset{+4}{NO_2}$

ऑक्सीकरण संख्या में कमी = 1 यूनिट प्रति HNO_3 अणु

(*iii*) परिवर्तन 2 : 1 के अनुपात में है। परिवर्तन को समाप्त करने के लिये Cu व HNO_3 को क्रमशः 1 व 2 का गुणा करके जोड़ने पर निम्न समीकरण होगा–

$Cu + 2HNO_3 \rightarrow Cu(NO_3)_2 + 2NO_2$

(*iv*) इस क्रिया में नाइट्रेट आयन कॉपर से संयोग करके कॉपर लवण बनाते हैं, इसलिये दो नाइट्रेट आयन HNO_3 के दो अणुओं से प्राप्त होंगे। इसलिये HNO_3 के 2 अणुओं की और आवश्यकता होगी।

$Cu + 4HNO_3 \rightarrow Cu(NO_3)_2 + 2NO_2$

(*v*) H व O के परमाणुओं की संख्या बराबर करने के लिये बायीं ओर $2H_2O$ जोड़ने पर

$Cu + 4HNO_3 = Cu(NO_3)_2 + 2NO_2 + 2H_2O$

उपरोक्त समीकरण संतुलित समीकरण है।

2. **आयन-इलेक्ट्रॉन विधि (Ion-electron Method):** आयन-इलेक्ट्रॉन विधि से समीकरण का संतुलन निम्नलिखित पदों के अनुसार किया जाता है।

(*i*) ऑक्सीकरण व अपचयन क्रियाओं को अर्द्ध-समीकरण के रूप में अलग-अलग लिखते हैं।

(*ii*) प्रत्येक अर्द्ध-समीकरण में O व H के अतिरिक्त अन्य सभी तत्वों के परमाणुओं का गुणांकों द्वारा संतुलन करते हैं।

(*iii*) अर्ध-अभिक्रिया समीकरण के जिस ओर ऑक्सीजन की कमी हो उधर H_2O जोड़ कर दोनों ओर ऑक्सीजन सन्तुलित कर लेते हैं।

(*iv*) अर्द्ध-अभिक्रियाओं के जिस ओर हाइड्रोजन की कमी हो उधर H^+ जोड़कर दोनों ओर के हाइड्रोजन को संतुलित कर लेते हैं।

(*v*) अर्द्ध-समीकरण के जिस ओर ऋण आवेश की कमी हो उधर इलेक्ट्रॉन (e^-) जोड़कर दोनों ओर के आवेश समान कर लेते हैं।

(*vi*) यदि अभिक्रिया क्षारीय माध्यम में होती है तो अर्द्ध-समीकरण में दोनों ओर पर्याप्त OH^- जोड़ते हैं जिससे वहाँ उपस्थित H^+ से छुटकारा मिल जाय। H^+ और OH^- को संयुक्त करके H_2O का अणु बनाते हैं और समीकरण में केवल एक ओर जल का अणु जोड़ या घटा देते हैं।

(*vii*) इस प्रकार प्राप्त दोनों संतुलित अर्द्ध-समीकरण को इस प्रकार जोड़ते हैं कि अर्द्ध-अभिक्रिया के बायीं ओर उपस्थित इलेक्ट्रॉन दूसरी अभिक्रिया के दाहिनी ओर उपस्थित इलेक्ट्रॉन से निरक्षित (Cancel) हो जाय। अतः प्रत्येक अर्द्ध-समीकरण को जोड़ने से पहले किसी उचित संख्या से गुणा करना होगा।

(*viii*) समीकरण में बायीं और दाहिनी ओर के कुल विद्युत आवेश तथा विभिन्न तत्वों के परमाणुओं की संख्या बराबर हो, यह प्राप्त समीकरण में जांच लेनी चाहिए।

(*ix*) इस प्रकार प्राप्त समीकरण संतुलित होता है।

वस्तुनिष्ठ प्रश्न

1. नाइट्रोजन निम्न परास में भिन्न ऑक्सीकरण अवस्थाएँ प्रदर्शित करता है–

(*a*) 0 से + 5 (*b*) – 3 से + 5
(*c*) – 5 से + 3 (*d*) – 3 से + 3

2. ऋणायनों $SO_3^{2\ominus}$, $S_2O_4^{2\ominus}$ एवं $S_2O_6^{2\ominus}$ में सल्फर की ऑक्सीकरण अवस्थाएँ निम्न क्रम में हैं–

(*a*) $SO_3^{2\ominus} < S_2O_4^{2\ominus} < S_2O_6^{2\ominus}$

(*b*) $S_2O_4^{2\ominus} < S_2O_6^{2\ominus} < SO_3^{2\ominus}$

(*c*) $S_2O_6^{2\ominus} < S_2O_4^{2\ominus} < SO_3^{2\ominus}$

(*d*) $S_2O_4^{2\ominus} < SO_3^{2\ominus} < S_2O_6^{2\ominus}$

3. उपसहसंयोजक यौगिक $K_4[Ni(CN)_4]$ में निकिल की ऑक्सीकरण अवस्था है–

(*a*) –1 (*b*) 0
(*c*) +1 (*d*) + 2

4. अम्लीय माध्यम में $H_2C_2O_4 + KMnO_4$ की क्रिया में Mn की ऑक्सीकरण संख्या में परिवर्तन है–

(*a*) 7 से 5 (*b*) 2 से 7
(*c*) 5 से 7 (*d*) 7 से 2

5. अभिक्रिया $MnO_4^{\ominus} + C_2O_4^{2\ominus} + H^{\oplus} \rightarrow Mn^{2\oplus} + CO_2 + H_2O$ में संतुलित अवस्था में अभिकारकों का सही गुणांक है–

	$MnO_4^{\ominus}$	$C_2O_4^{2\ominus}$	$H^{\oplus}$
(*a*)	2	5	16
(*b*)	16	5	2
(*c*)	2	16	5
(*d*)	5	16	2

6. यौगिकों का युग्म जिसमें दोनों धातुएँ उच्चतम सम्भव ऑक्सीकरण अवस्था में हैं–

(*a*) $[Fe(CN)_6]^{3\ominus}$, $[Co(CN)_6]^{3\ominus}$

(*b*) CrO_2Cl_2, $MnO_4^{\ominus}$

(c) TiO_3, MnO_2
(d) $[Co(CN)_6]^{3\ominus}, MnO_2$

7. कौन-ऑक्सीकारक एवं अपचायक दोनों की तरह कार्य करता है–
(a) HNO_3 (b) $K_2Cr_2O_7$
(c) $KMnO_4$ (d) H_2O_2

8. किस यौगिक में ऑक्सीजन की ऑक्सीकरण संख्या + 2 है?
(a) H_2O_2 (b) CO_2
(c) H_2O (d) OF_2

9. अम्लीय माध्यम में $KMnO_4$ का ऑक्जेलिक अम्ल द्वारा अपचयन होने पर Mn की ऑक्सीकरण संख्या बदलती है। इसका परिणाम है–
(a) 7 से 2 (b) 6 से 2
(c) 5 से 2 (d) 4 से 2

10. समीकरण संतुलित कीजिए
$XZn + NO_3^{\ominus} + YH^+ \rightarrow XZn^{2\oplus} + NH_4^{\oplus} + ZH_2O$ X, Y, Z हैं–
(a) 4, 10, 3 (b) 3, 8, 3
(c) 3, 10, 3 (d) 4, 3, 10

11. किसमें ऑक्सीकरण एवं अपचयन दोनों होते हैं–
(a) $NaBr + HCl \rightarrow NaCl + HBr$
(b) $HBr + AgNO_3 \rightarrow AgBr + HNO_3$
(c) $H_2 + Br_2 \rightarrow 2HBr$
(d) $CaO + H_2SO_4 \rightarrow CaSO_4 + H_2O$

12. नाइट्रोजन की ऑक्सीकरण अवस्था किसमें सर्वाधिक है–
(a) N_3H (b) NH_2OH
(c) N_2H_4 (d) NH_3

13. फॉस्फोरस की तीन महत्वपूर्ण ऑक्सीकरण अवस्थाएँ हैं–
(a) – 3, + 3 एवं + 5 (b) –3, + 3 व –5
(c) –3, + 4 व – 4 (d) – 3, + 3 व + 4

14. किसमें फॉस्फोरस की ऑक्सीकरण संख्या + 1 है–
(a) H_3PO_3 (b) H_3PO_4
(c) H_3PO_2 (d) $H_4P_2O_7$

15. मैंगनीज की सबसे अधिक ऑक्सीकरण संख्या उसके इस यौगिक में है–
(a) MnO_2 (b) Mn_3O_4
(c) $KMnO_4$ (d) K_2MnO_4

16. किसमें हैलोजन की ऑक्सीकरण अवस्था + 4 है–
(a) Cl_2O_3 (b) ClO_2
(c) Cl_2O_6 (d) I_2O_5

17. निम्नलिखित एक रेडॉक्स अभिक्रिया है–
(a) $NaCl + KNO_3 \rightarrow NaNO_3 + KCl$
(b) $CaC_2O_4 + 2HCl \rightarrow CaCl_2 + H_2C_2O_4$
(c) $Ca(OH)_2 + 2NH_4Cl \rightarrow CaCl_2 + 2NH_3 + 2H_2O$
(d) $2K[Ag(CN)_2] + Zn \rightarrow K_2[Zn(CN)_4] + 2Ag$

18. कौन-सा एक क्षारकीय एवं अपचायक है–
(a) HPO_3 (b) H_3PO_3
(c) H_3PO_2 (d) $H_4P_2O_7$

19. आयोडोमीटरी के द्वारा $K_2Cr_2O_7$ विलयन को प्रयुक्त करके $Na_2S_2O_3$ के मानकीकरण (standardization) में, $K_2Cr_2O_7$ का तुल्यांकी भार है–
(a) $\frac{\text{अणुभार}}{2}$ (b) $\frac{\text{अणुभार}}{6}$
(c) $\frac{\text{अणुभार}}{3}$ (d) अणुभार के बराबर

20. जब $KMnO_4$ एक ऑक्सीकारक की भांति व्यवहार करता है तथा अंत में $MnO_4^{2-}, MnO_2, Mn_2O_3$ और Mn^{2+} बनाता है तो प्रत्येक में स्थानान्तरित इलेक्ट्रॉनों की संख्या क्रमशः है–
(a) 4, 3, 1, 5 (b) 1, 5, 3, 7
(c) 1, 3, 4, 5 (d) 3, 5, 7, 1

उत्तरमाला

1	2	3	4	5	6	7	8	9	10
(b)	(d)	(b)	(d)	(a)	(b)	(d)	(d)	(a)	(a)
11	**12**	**13**	**14**	**15**	**16**	**17**	**18**	**19**	**20**
(c)	(a)	(a)	(a)	(c)	(b)	(d)	(c)	(b)	(c)

अध्याय
5

रासायनिक साम्य (Chemical Equilibrium)

रासायनिक साम्य

अभिक्रियाओं में एक अथवा एक से अधिक पदार्थ कार्य करते हैं एवं नए पदार्थ बनते हैं। क्रिया करने वाले पदार्थ अभिकारक (Reactant) एवं प्राप्त होने वाले पदार्थ उत्पाद (Product) कहलाते हैं। अभिक्रियाओं की दिशा के आधार पर इन्हें दो भागों में विभाजित किया गया है :

- **अनुत्क्रमणीय अभिक्रियाएँ (Irreversible Reactions)–** वे अभिक्रियाएं जिनमें अभिकारक (Reactants) क्रिया पूर्ण होने तक उत्पाद (Products) में बदलते हैं एवं उत्पाद पुनः अभिकारकों में परिवर्तित नहीं होते, अनुत्क्रमणीय अभिक्रियाएँ कहलाती हैं। ये क्रियाएँ केवल अग्र दिशा (Forward direction) में चलकर पूर्णता को प्राप्त होती है। इन अभिक्रियाओं को उत्पाद की तरफ करते हुये एक तीर $(\rightarrow)$ से प्रदर्शित करते हैं।

  अभिकारक (Reactants) $\rightarrow$ उत्पाद (Product)

  उदाहरण के लिए सिल्वर नाइट्रेट $(AgNO_3)$ के विलयन में सोडियम क्लोराइड (NaCl) का विलयन मिलाने पर सिल्वर क्लोराइड (AgCl) का सफेद अवक्षेप एवं $NaNO_3$ प्राप्त होता है परन्तु $NaNO_3$ पुनः AgCl से क्रिया नहीं करता है। इस प्रकार यह अभिक्रिया केवल अग्र दिशा में चलकर पूर्ण हो जाती है।

  $$AgNO_3 + NaCl \rightarrow \underset{\text{सफेद अवक्षेप}}{AgCl\downarrow} + NaNO_3$$

- **उत्क्रमणीय अभिक्रियाएं (Reversible Reactions)–** जब अग्र एवं विपरीत दोनों ही अभिक्रियाओं का वेग बराबर हो जाता है तो इस अवस्था को रासायनिक साम्य की अवस्था (State of Chemical Equilibrium) कहते हैं।

  रासायनिक साम्य अवस्था में ऐसा प्रतीत होता है कि अभिक्रिया बन्द हो गई है परन्तु वास्तविकता में अभिक्रिया दोनों दिशाओं में लगातार समान वेग से होती रहती है तथा इस स्थिति में अभिकारकों एवं उत्पादों की सान्द्रताएँ निश्चित (Constant) हो जाती है। उत्क्रमणीय अभिक्रियाओं को तीर के चिह्न के स्थान पर अग्र एवं विपरीत तीर अथवा उत्क्रमणीयता $(\rightleftharpoons)$ के चिह्न से प्रदर्शित करते हैं।

  $$\text{अभिकारक} \underset{\text{विपरीत अभिक्रिया}}{\overset{\text{अग्र अभिक्रिया}}{\rightleftharpoons}} \text{उत्पाद}$$

उदाहरण के लिए जब लाल तप्त (Red hot) लोहे पर भाप (Steam) प्रवाहित की जाती है तो Fe_3O_4 एवं H_2 गैस प्राप्त होती है।

$$3Fe + 4H_2O \rightarrow Fe_3O_4 + 4H_2$$

रासायनिक साम्य की प्रमुख विशेषताएँ (Important Characteristics of Chemical Equilibrium)

- रासायनिक साम्य केवल उत्क्रमणीय अभिक्रियाओं में ही स्थापित होता है।
- अभिकारकों की सान्द्रता बढ़ाने पर साम्य अग्र दिशा में तथा उत्पादों की सान्द्रता बढ़ाने पर साम्य विपरीत दिशा में विस्थापित (Shift) हो जाता है। इस प्रकार रासायनिक साम्य गतिशील (Dynamic) होता है।
- ताप, दाब अथवा पदार्थों के सान्द्रण में परिवर्तन करने पर रासायनिक साम्य की स्थिति भी परिवर्तित हो जाती है।
- रासायनिक साम्य पर अग्र एवं विपरीत अभिक्रियाओं का वेग समान होता है।
- रासायनिक साम्य पर अभिक्रिया की मुक्त ऊर्जा परिवर्तन (free energy change, ΔG) का मान शून्य होता है।
- रासायनिक साम्य पर उपस्थित अभिकारकों एवं उत्पादों की सान्द्रताएँ निश्चित (Constant) हो जाती है, समय के साथ परिवर्तन नहीं होती है।
- उत्प्रेरक अग्र एवं विपरीत अभिक्रियाओं को समान रूप से प्रभावित करता है। अतः उत्प्रेरक साम्यावस्था को परिवर्तित नहीं करता है। उत्प्रेरक की उपस्थिति से साम्यावस्था शीघ्र प्राप्त हो जाती है।

रासायनिक साम्य के प्रकार (Types of Chemical Equilibrium)

रासायनिक साम्य दो प्रकार के होते हैं–

1. **समांगी साम्य (Homogeneous Equilibrium)–** जब रासायनिक साम्य में उपस्थित सभी अभिकारक एवं उत्पाद एक ही प्रकार की भौतिक अवस्था में होते हैं तो इन्हें समांगी साम्य कहते हैं। जैसे–

   (*i*) $PCl_{3(g)} + Cl_{2(g)} \rightleftharpoons PCl_{5(g)}$

   (*ii*) $H_{2(g)} + I_{2(gas)} \rightleftharpoons 2HI_{(g)}$

   यहाँ सभी पदार्थ गैसीय अवस्था में हैं।

2. **विषमांगी साम्य (Heterogeneous Equilibrium)–** जब साम्य में उपस्थित अभिकारक एवं उत्पाद दो या दो से अधिक भौतिक अवस्थाओं में रहते हैं तो इसे विषमांगी साम्य कहा जाता है, जैसे–

   $$CaCO_{3(s)} \rightleftharpoons CaO_{(s)} + CO_{2(g)}$$

यहाँ पर $CaCO_3$ एवं CaO ठोस अवस्था में हैं तथा CO_2 गैसीय अवस्था में हैं।

$$3Fe_{(s)} + 4H_2O_{(g)} \rightleftharpoons Fe_3O_{4(s)} + 4H_{2(g)}$$

सक्रिय द्रव्यमान (Active Mass)

"किसी पदार्थ के सक्रिय द्रव्यमान से अभिप्राय उसके आणविक सान्द्रण से होता है अर्थात् इससे तात्पर्य है कि एक लीटर में उपस्थित मोलों की संख्या"। इसको प्रदर्शित करने के लिए प्रतीक या सूत्र को एक बड़े कोष्ठक में रख देते हैं।

$$\text{A का सक्रिय द्रव्यमान } [A] = \frac{\text{A के मोलों की संख्या}}{\text{विलयन का आयतन (लीटर में)}}$$

$$\frac{\text{A की ग्राम में मात्रा A का अणुभार}}{\text{सम्पूर्ण आयतन (लीटर में)}} = \frac{W}{m \times v \text{ (लीटर में)}}$$

द्रव्य अनुपाती क्रिया का नियम
(Law of Mass Action)

"निश्चित ताप पर किसी पदार्थ की क्रिया का वेग उस पदार्थ के सक्रिय द्रव्यमान (Active mass) के अनुक्रमानुपाती होता है और रासायनिक अभिक्रिया का वेग अभिकारकों के सक्रिय द्रव्यमानों के गुणनफल के अनुक्रमानुपाती होता है।"

निश्चित ताप पर एक सामान्य उत्क्रमणीय अभिक्रिया इस प्रकार है–

$$A + B \rightleftharpoons C + D$$

स्पष्ट है कि साम्य में A, B, C तथा D की सक्रिय मात्राएं या आणविक सान्द्रण क्रमशः [A], [B], [C] तथा [D] है। द्रव्य-अनुपाती क्रिया नियम के अनुसार,

अग्र अभिक्रिया की गति α [A] [B] = K [A] [B]

जहाँ K_1 अग्र अभिक्रिया का वेग-स्थिरांक (Velocity Constant) है।

इसी प्रकार, उत्क्रम अभिक्रिया का वेग α [C] [D] = K_2 [C] [D]

जहाँ K_2 उत्क्रम अभिक्रिया का वेग-स्थिरांक है।

साम्यावस्था में अग्र अभिक्रिया का वेग = उत्क्रम अभिक्रिया का वेग

अतः $K_1 [A] [B] = K_2 [C] [D]$

$$\text{या } \frac{[C][D]}{[A][B]} = \frac{K_1}{K_2} = K_c$$

चूंकि K_1 व K_2 स्थिरांक है इसलिए K_c भी स्थिरांक होगा। K_c को साम्य-स्थिरांक (Equilibrium Constant) कहते हैं। साम्य स्थिरांक का मान किसी ताप पर निश्चित होता है।

यदि साम्य अभिक्रिया निम्न प्रकार हो

$$n_1A + n_1B \rightleftharpoons m_2C + m_2D$$

जहाँ n_1, n_2 और m_1, m_2 क्रमशः A, B, C और D के अणुओं की संख्याएं हैं, तो

$$K_c = \frac{[C]^{m_1}[D]^{m_2}}{[A]^{n_1}[B]^{n_2}}$$

K_p व K_c में सम्बन्ध (Relation between K_p & K_c)

गैसीय अभिक्रियाओं में गैसों का सान्द्रण उनके आंशिक दाब के अनुक्रमानुपाती होता है। अतः गैसों के लिये सांद्रण के स्थान पर आंशिक दाबों का प्रयोग भी किया जाता है। आंशिक दाबों का प्रयोग करने से द्रव्य-अनुपाती क्रिया के नियम का निम्न समीकरण है–

$$K_p = \frac{[P_C]^{m_1}[P_D]^{m_2}}{[P_A]^{n_1}[P_B]^{n_2}}$$

अभिक्रिया $m_1 A(g) + m_2 B(g) \rightleftharpoons m_1 C(g) + n_2D(g)$ के लिए K_p व K_c में निम्न सम्बन्ध है:

$$K_p = K_c(RT)^{(n_1+n_2)-(m_1+m_2)}$$

या $K_p = K_c (RT)^{\Delta n}$

जहाँ Δn = (उत्पादों के अणुओं की कुल संख्या–अभिकारकों की कुल संख्या) जब अभिकारक अणु और परिणामी अणुओं की संख्या बराबर होती है अर्थात् $\Delta n = o$ तो

$$K_p = K_c(RT)^o = K_c$$

K_p का मात्रक = (वायुमण्डल)$^{\Delta n}$, K_c का मात्रक = (मोल/लीटर)$^{\Delta n}$

समांग गैसीय अभिक्रयाएं
(Homogenous Gaseous Reaction)

हाइड्रोजन आयोडाइड का निर्माण-हाइड्रोजन तथा आयोडीन के संयोग से होता है। हाइड्रोजन आयोडाइड का निर्माण समीकरण निम्न है–

$$H_2 + I_2 \rightleftharpoons 2HI$$

मान लिया स्थिर तापक्रम पर हाइड्रोजन का a ग्राम-अणु या मोल आयोडीन के b ग्राम-अणु के साथ v आयतन के बर्तन में अभिक्रिया कर सन्तुलन स्थापित करते हैं और x ग्राम-अणु हाइड्रोजन, x ग्राम-अणु आयोडीन से संयोग कर 2x ग्राम अणु हाइड्रोजन आयोडाइड में परिवर्तित हो जाता है।

$$H_2 + I_2 \rightleftharpoons 2HI$$

मोल प्रारम्भ में	a	b	o
मोल साम्यावस्था में	(a – x)	(b – x)	2x

यदि पात्र का सम्पूर्ण आयतन V है तो साम्यावस्था पर मोलर सान्द्रण

$$[H_2] = (a - x)/v,\ [I_2] = (b - x)/v,\ [HI] = 2x/v$$

द्रव्य अनुपाती क्रिया नियम को अभिक्रिया $H_2 + I_2 \rightleftharpoons 2HI$ पर लगाने पर

$$K_c = \frac{[HI^2]}{[H_2][I_2]} = \frac{(2x/v)^2}{(a-x)/v \times (b-x)/v} = \frac{4x^2}{(a-x)(b-x)}$$

इस अभिक्रिया के लिए साम्य स्थिरांक का कोई मात्रक नहीं होता है।

हाइड्रोजन आयोडाइड का विघटन–हाइड्रोजन आयोडाइड के विघटन का समीकरण निम्न है–

$$2HI \rightleftharpoons H_2 + I_2$$

समीकरण से ज्ञात है कि हाइड्रोजन आयोडाइड के 2 मोल विघटित होकर हाइड्रोजन एक मोल और आयोडीन का एक मोल देते हैं। मान लिया

कि हाइड्रोजन आयोडाइड का a मोल प्रारंभ में लिया गया और साम्यावस्था में इसका x मोल विघटित हो गया। अतः हाइड्रोजन आयोडाइड विघटित होकर $\frac{x}{2}$ मोल हाइड्रोजन व $\frac{x}{2}$ मोल आयोडीन देगा।

$$2HI \rightleftharpoons H_2 + I_2$$

	$2HI$	H_2	I_2
मोल प्रारम्भ में	a	o	o
मोल साम्यावस्था में	$(a-x)$	$\frac{x}{2}$	$\frac{x}{2}$

यदि पात्र का सम्पूर्ण आयतन V है तो साम्यावस्था पर मोलर सांद्रण

$$[HI] + \frac{a-x}{v}, [H_2] = \frac{a}{2v}, [I_2] = \frac{x}{2v}$$

अतः द्रव्य अनुपाती क्रिया नियम को अभिक्रिया $2HI \rightleftharpoons H_2 + I_2$ पर लगाने पर

$$K_c = \frac{x/2v \times x/2v}{\left[(a-x)/v^2\right]} = \frac{x^2}{2(a-x)^2}$$

वियोजन की मात्रा और घनत्व

(Degree of Dissociation & Density)

किसी पदार्थ के कुल अणुओं (मोलों) का वह अंश जो साम्यावस्था पर वियोजित होता है उसे वियोजन की मात्रा कहते हैं।

$$\text{वियोजन की मात्रा } (a) = \frac{\text{वियोजित अणुओं (मोलों) की संख्या}}{\text{वियोजन से पूर्व अणुओं (मोलों) की कुल संख्या}}$$

जिन अभिक्रियाओं में वियोजन के साथ-साथ अणुओं की संख्या में परिवर्तन होता है उनके घनत्व में भी परिवर्तन होता है। यदि वियोजन के पूर्व वाष्प घनत्व 'D' है और वियोजन के पश्चात् वाष्प घनत्व 'd' है तब उस पदार्थ की वियोजन की मात्रा

$$a = \frac{D-d}{d(n-1)}$$

जहाँ n मोलों की वह संख्या है जो पदार्थ के एक मोल के वियोजन से मिलती है।

वस्तुनिष्ठ प्रश्न

1. $2HCl(g) \rightleftharpoons H_2(g) + Cl_2(g)$ के लिए साम्यावस्था स्थिरांक 1×10^{-5} है। यदि H_2 एवं Cl_2 की साम्यावस्था सांद्रताएँ क्रमशः 1.2×10^{-3} M व 1.2×10^{-4} M हैं तब HCl की सांद्रता है–

(*a*) 12×10^{-4} M (*b*) 12×10^{-3} M
(*c*) 12×10^{-2} M (*d*) 12×10^{-1} M

2. किस ताप पर अभिक्रिया $H_2 + I_2 \rightleftharpoons 2HI$ में साम्यावस्था पर H_2, I_2 एवं HI क्रमशः 2 ग्राम, 9.525 ग्राम एवं 44.8 ग्राम होगा–

(*a*) 32.67 (*b*) 31.05
(*c*) 34.08 (*d*) 36.02

3. किसी रासायनिक अभिक्रिया में साम्यावस्था स्थापित होती है, जब–

(*a*) विपरीत अभिक्रिया रूक जाती है
(*b*) अभिकर्मक तथा उत्पाद की सांद्रता बराबर हो जाती है
(*c*) अग्र एवं प्रतीप अभिक्रिया का वेग बराबर हो जाता है
(*d*) अभिक्रिया ऊष्मा उत्पादन के लिये रूक जाती है

4. $PCl_3(g) + Cl_2(g) \rightleftharpoons PCl_5(g)$ के लिए K_c का मान 250°C पर 26 है। इसी ताप पर K_p का मान होगा–

(*a*) 0.61 (*b*) 0.57
(*c*) 0.83 (*d*) 0.46

5. ला शातेलिये सिद्धान्त के अनुसार जब ठोस $\rightleftharpoons$ द्रव साम्यावस्था में ऊष्मा दी जाती है, तो–

(*a*) ठोस की मात्रा कम होती है
(*b*) द्रव की मात्रा कम होती है
(*c*) तापक्रम बढ़ता है
(*d*) तापक्रम घटता है

6. यदि $H_2(g) + \frac{1}{2}S_2(s) \rightleftharpoons H_2S(g)$ एवं

$H_2(g) + Br_2(g) \rightleftharpoons 2HBr(g)$

के साम्य स्थिरांक क्रमशः K_1 एवं K_2 हैं। अभिक्रिया

$Br_2(g) + H_2S(g) \rightleftharpoons 2HBr(g) + \frac{1}{2}S_2(g)$

का साम्य स्थिरांक होगा–

(*a*) $K_1 \times K_2$ (*b*) K_1 / K_2
(*c*) K_2 / K_1 (*d*) $K_2 + K_1$

7. $H_2(g) + I_2(g) \rightleftharpoons 2HI(g)$ में निम्नलिखित सही है–

(*a*) $K_p = K_c$ (*b*) $K_p > K_c$
(*c*) $K_p < K_c$ (*d*) इनमें से कोई नहीं

8. अभिक्रिया $2C(s) + O_2(g) \rightleftharpoons 2CO(g)$ में CO एवं O_2 के आंशिक दाब क्रमशः 8 atm. एवं 4 atm. हैं। इसका साम्य स्थिरांक ज्ञात कीजिए–

(*a*) 16 (*b*) 24
(*c*) 8 (*d*) 2

9. PCl_5 के ऊष्मीय वियोजन में, जब PCl_5 की आधी मात्रा वियोजित पायी गयी तब गैसीय साम्यावस्था में निकाय में आंशिक दाब 1

वायुमण्डल पाया गया। अभिक्रिया का साम्यावस्था स्थिरांक (K_p) वायुमण्डल में है–

(*a*) 0.25 (*b*) 0.50
(*c*) 1.00 (*d*) 0.33

10. गतिक साम्यावस्था पर समान दर पर दो परिवर्तन पाये जाते हैं। साम्यावस्था के दोनों ओर द्रव्यमान परिवर्तन नहीं होता है। केवल जब–

(*a*) $\Delta G = -1$ (*b*) $\Delta G = +1$
(*c*) $\Delta G = 2$ (*d*) $\Delta G = 0$

11. $CH_3COOH + H_2O \rightleftharpoons H_3O^{\oplus} + CH_3COO^{\ominus}$ के लिए साम्यावस्था स्थिरांक K है–

(*a*) $K = \dfrac{[H_3O^+]\cdot[H_2O]}{[CH_3COO^-]\cdot[CH_3COOH]}$

(*b*) $K = \dfrac{[H_3O^{\oplus}][CH_3COO^{\ominus}]}{[H_2O][CH_3COOH]}$

(*c*) $K = \dfrac{[H_2O][H_2O]}{[CH_3COOH][CH_3COO^{\ominus}]}$

(*d*) $K = \dfrac{[H_2O][CH_3COO^{\ominus}]}{[H_3O^+][CH_3COOH]}$

12. एक मोल AB, एक यौगिक CD के एक मोल के साथ समीकरण $AB + CD \rightarrow AD + CB$ के अनुसार क्रिया करता है। साम्यावस्था स्थापित होने पर AB एवं CD प्रत्येक में $\frac{3}{4}$ मोल का परिवर्तन AD एवं CB में होना पाया गया। आयतन में कोई परिवर्तन नहीं होता है तब अभिक्रिया के लिए साम्यावस्था स्थिरांक है–

(*a*) $\frac{9}{16}$ (*b*) $\frac{1}{9}$
(*c*) $\frac{16}{9}$ (*d*) 9

13. गैसीय अभिक्रिया, $A + B \rightleftharpoons 2C + D + Q$ 'D' के सर्वाधिक पक्ष में होती है–

(*a*) निम्न ताप एवं उच्च दाब
(*b*) उच्च ताप एवं उच्च दाब
(*c*) उच्च ताप एवं निम्न दाब
(*d*) निम्न ताप एवं निम्न दाब

14. किसी उत्क्रमणीय अभिक्रिया में, उत्प्रेरक–

(*a*) प्रतीप अभिक्रिया की सक्रियण ऊर्जा बढ़ाता है
(*b*) अग्र अभिक्रिया की सक्रियण ऊर्जा बढ़ाता है
(*c*) अग्र एवं प्रतीप दोनों अभिक्रियाओं की सक्रियण ऊर्जा घटाता है
(*d*) अग्र अभिक्रिया की सक्रियण ऊर्जा घटाता है

15. किसी अभिक्रिया के लिए यदि $K_p > K_c$ हो तब अग्र अभिक्रिया के पक्ष में है–

(*a*) निम्न दाब (*b*) उच्च दाब
(*c*) उच्च ताप (*d*) निम्न ताप

16. किसी चूना भट्टी में, CO_2 की उच्च लब्धि प्राप्त करने हेतु कौन-सा मापन लिया जा सकता है?

(*a*) CaO निकालना
(*b*) अधिक $CaCO_3$ मिलाना
(*c*) उच्च ताप नियंत्रित करना
(*d*) CO_2 निकालना

17. $A_2(g) + B_2(g) \rightleftharpoons 2AB(g); \Delta H = +ve$ यह–

(*a*) दाब द्वारा बढ़ता है
(*b*) 1000 atm दाब पर पाया जाता है
(*c*) उच्च ताप पर पाया जाता है
(*d*) उच्च दाब एवं ताप पर पाया जाता है

18. यदि $2AB \rightleftharpoons A_2 + B_2$ के लिए साम्य स्थिरांक 49 है तब $AB \rightleftharpoons \frac{1}{2}A_2 + \frac{1}{2}B_2$ का साम्य स्थिरांक क्या है?

(*a*) 0.01 (*b*) 2401
(*c*) 49 (*d*) 7

19. $PCl_3(g) + Cl_2(g) \rightleftharpoons PCl_5(g)$ अभिक्रिया के लिए 452°C पर K_c का मान 26 मोल/लीटर है, इसी ताप पर K_p का मान क्या होगा?

(*a*) 0.506 atm (*b*) 5.06 atm
(*c*) 0.0506 atm (*d*) इनमें से कोई नहीं

20. एक गैस अभिक्रिया $C_2H_4 + H_2 \rightarrow C_2H_6; \Delta H = -32.7$ kcal के लिए C_2H_4 की सांद्रता कम की जा सकती है–

(*a*) दाब बढ़ाकर (*b*) ताप घटाकर
(*c*) H_2 की मात्रा बढ़ाकर (*d*) उपरोक्त सभी द्वारा

उत्तरमाला

1	2	3	4	5	6	7	8	9	10
(*c*)	(*a*)	(*c*)	(*a*)	(*a*)	(*c*)	(*a*)	(*a*)	(*d*)	(*d*)
11	**12**	**13**	**14**	**15**	**16**	**17**	**18**	**19**	**20**
(*b*)	(*d*)	(*d*)	(*c*)	(*a*)	(*d*)	(*c*)	(*d*)	(*d*)	(*d*)

अध्याय

6 गैसीय अवस्था (Gaseous State)

- किसी गैस की निश्चित मात्रा का आयतन उसके दबाव व तापक्रम पर निर्भर करता है। ताप और दबाव के किसी निश्चित परिवर्तन के लिए उनके आयतनों में परिवर्तन समान होता है।
- गैसों का आयतन दबाव बढ़ाने या तापक्रम घटाने पर कम हो जाता है तथा दबाव घटाने या तापक्रम बढ़ाने पर बढ़ जाता है।
- आयतन में उपरोक्त परिवर्तन दो नियमों के अनुसार होता है–

(*i*) बॉयल का नियम (Boyle's law)

(*ii*) चार्ल्स का नियम (Charle's law)

बॉयल का नियम (Boyle's Law)

यह नियम स्थिर तापक्रम पर किसी गैस के आयतन व दबाव में सम्बन्ध स्थापित करता है। इस नियम के अनुसार, **''स्थिर तापक्रम पर किसी गैस की निश्चित मात्रा का आयतन उसके दबाव का प्रतिलोमानुपाती (Inversely Proportional) होता है।''**

यदि स्थिर तापक्रम पर किसी गैस की निश्चित मात्रा का आयतन V तथा दबाव P है तो इस नियम के अनुसार,

$V \propto \frac{1}{P}$ या PV = एक स्थिरांक (a constant)

या $P_1V_1 = P_2V_2$

उदाहरण –740 mm. दबाव पर किसी गैस का आयतन 190 ml. है। यदि तापक्रम स्थिर रहे तो 760 mm. दबाव पर उसका आयतन क्या होगा?

$P_1 = 740$ mm. $\quad P_2 = 760$ mm.

$V_1 = 190$ ml. $\quad V_2 = ?$

बॉयल के नियमानुसार,

$P_1V_1 = P_2V_2$

$\therefore 740 \times 190 = 760 \times V2$

या $V_2 = \frac{740 \times 190}{760} = 185$ ml.

चार्ल्स का नियम (Charles' Law)

यह नियम स्थिर दबाव पर किसी गैस के तापक्रम व आयतन में सम्बन्ध स्थापित करता है। इसके अनुसार, **''स्थिर दबाव पर, किसी गैस की निश्चित मात्रा का आयतन, तापक्रम के 1°C बढ़ाने या घटाने पर, अपने 0°C के आयतन का 1/273 भाग क्रमशः बढ़ या घट जाता है।''**

यदि स्थिर दबाव पर, किसी गैस की निश्चित मात्रा का आयतन 0°C पर V_0 c.c. है तो इस नियम के अनुसार,

1°C पर आयतन $= V_0 + \frac{V_0 \times 1}{273}$ ml.

–1°C पर आयतन $= V_0 - \frac{V_0 \times 1}{273}$ ml.

–273°C पर आयतन $= V_0 - \frac{V_0 \times 273}{273}$ ml.

$= 0$ ml.

इस प्रकार –273°C पर गैस का आयतन शून्य (Zero) हो जाता है, अर्थात् इस तापक्रम पर गैस, गैस नहीं रहती, ठोस या द्रव हो जाती है। यह तापक्रम **परम शून्य** (Absolute Zero) कहलाता है। परम शून्य को प्रारम्भिक तापक्रम मानकर तापक्रम मापने की पद्धति को **परम ताप पद्धति** (Absolute Temperature Scale) कहते हैं जिसमें तापक्रम °A या °K में प्रदर्शित किया जाता है और सेण्टीग्रेड ताप में 273 जोड़ने पर प्राप्त होता है।

TA = t°c + 273

अतः t_1°C पर आयतन,

$$V_1 = V_0 + \frac{V_0 \times t_1}{273} = V_0\left(\frac{273 + t_1}{273}\right) = \frac{V_0T_1}{273}$$

व t_2°C पर आयतन,

$$V_2 = V_0 + \frac{V_0 \times t_1}{273} = V_0\left(\frac{273 + t_2}{273}\right) = \frac{V_0T_2}{273}$$

$$\therefore \quad \frac{V_1}{V_2} = \frac{\frac{V_0T_1}{273}}{\frac{V_0T_2}{273}} = \frac{V_0T_1}{273} \times \frac{273}{V_0T_2} = \frac{T_1}{T_2}$$

या $\frac{V_1}{T_1} = \frac{V_2}{T_2}$

या $\frac{V}{T}$ = एक स्थिरांक

या $V \propto T$

अतः चार्ल्स के नियम की परिभाषा निम्न प्रकार भी हो सकती है :

''स्थिर दबाव पर, किसी गैस की निश्चित मात्रा का आयतन उसके परम ताप का समानुपाती होता है।''

परम ताप (Absolute Temperature)

–273°C ताप को परम शून्य कहते हैं।

- परम शून्य को शून्य मानकर परिकलित ताप को परम ताप कहते हैं। इसको TA या Tk से व्यक्त करते हैं।
- किसी ताप को सेग्रे. पद्धति (सेल्सियस ताप) से परम ताप (केल्विन) पद्धति (Absolute Temperature Scale) में बदलने हेतु निम्न सूत्र का प्रयोग करते हैं।

TA या TK = t°C + 273

मानक ताप व दाब
(Standard Temperature and Pressure)

मानक ताप 0°C या 273 K तथा मानक दाब पारे के 76 सेमी. या 760 मिमि. के बराबर होता है।

घनत्व तथा परम ताप में सम्बन्ध
(Relation Between Density and Absolute Temperature)

स्थिर दाब पर गैस का घनत्व परम ताप के व्युत्क्रमानुपाती होता है जिसका गणितीय रूप निम्नानुसार है–

$d_1T_1 = d_2\,T_2$

उदाहरण– 27°C पर एक गैस का आयतन 200 मिली है। बताइये कि स्थिर दाब और –23°C पर इसका क्या आयतन होगा?

हल– दिया है : V_1 = 200 मिली, V_2 = V मिली

$T_1 = (27 + 273) = 300K,\ \ T_2 = (-23 + 273) = 250\ K$

चार्ल्स के नियम से : $\frac{V_1}{T_1} = \frac{V_2}{T_2}$

या $\frac{200}{300} = \frac{V}{250}$

नवीन आयतन, $V = \frac{250 \times 200}{300} = 166.7$ मिली

वस्तुनिष्ठ प्रश्न

1. यदि P, V, M, T तथा R दाब, आयतन, अणुभार, ताप तथा गैस नियतांक को प्रदर्शित करते हैं, तो आदर्श गैस का घनत्व है–

(*a*) $\frac{RT}{PM}$ (*b*) $\frac{P}{RT}$
(*c*) $\frac{M}{V}$ (*d*) $\frac{PM}{RT}$

2. नियॉन का घनत्व निम्न पर सर्वाधिक होगा–

(*a*) S.T.P (*b*) 0°C, 2 atm
(*c*) 273°C, 1 atm (*d*) 273°C, 2 atm

3. मिथेन (CH_4 = 1) की तुलना में एक वाष्पशील पदार्थ का वाष्प घनत्व 4 है। इसका अणुभार होगा–

(*a*) 8 (*b*) 2
(*c*) 64 (*d*) 128

4. एक गैस का अणु भार 44 है। S.T.P. पर 2.2 ग्राम गैस का आयतन होगा–

(*a*) 22.4 लीटर (*b*) 2.24 लीटर
(*c*) 11.2 लीटर (*d*) 1.12 लीटर

5. S.T.P. पर 273 मिली गैस का ताप 27°C तथा दाब 600 मिमी कर दिया गया। गैस का आयतन हो जायेगा–

(*a*) 273 मिली (*b*) 300 मिली
(*c*) 380 मिली (*d*) 546 मिली

6. किसी गैस के विसरण की दर होती है–

(*a*) इसके घनत्व के अनुक्रमानुपाती
(*b*) इसके अणुभार के अनुक्रमानुपाती
(*c*) इसके अणुभार के वर्गमूल के अनुक्रमानुपाती
(*d*) इसके अणुभार के वर्गमूल के व्युत्क्रमानुपाती

7. दो गैसों के अणु भारों का अनुपात 9 : 16 है। इनकी विसरण की गतियों का अनुपात होगा–

(*a*) 3 : 4 (*b*) 4 : 3
(*c*) 9 : 16 (*d*) 16 : 9

8. ऐवोगाड्रो संख्या अणुओं की वह संख्या है जो कि उपस्थित होती है–

(*a*) हाइड्रोजन के 22.4 लीटर में
(*b*) 22.4 लीटर ऑक्सीजन में
(*c*) किसी भी गैस के 22.4 लीटर में
(*d*) S.T.P पर किसी भी गैस के 22.4 लीटर में

9. परम ताप को निम्न प्रकार से परिभाषित किया जाता है–

(*a*) वह ताप जिस पर सभी प्रकार की आणविक गतियाँ थम जाती हैं
(*b*) वह ताप जिस पर हीलियम उबलती है
(*c*) वह ताप जिस पर जल उबलता है
(*d*) उपरोक्त सभी

10. किसी गैस का घनत्व 1 वायुमण्डल तथा 27°C पर d है। दाब स्थिर रहते हुए, किस ताप पर उसका घनत्व 0.75 d हो जायेगा–

(*a*) 400 K (*b*) 300 K
(*c*) 20°C (*d*) 30°C

11. मिथेन तथा ऑक्सीजन के समान भारों को 25°C पर एक खाली पात्र में मिश्रित किया गया है। ऑक्सीजन द्वारा डाले जाने वाले दाब का भाग है–

(*a*) $\frac{1}{3}$ (*b*) $\frac{1}{2}$
(*c*) $\frac{2}{3}$ (*d*) $\frac{1}{3} \times \frac{273}{298}$

12. हाइड्रोजन की विसरण दर लगभग है–

(*a*) हीलियम से आधी (*b*) हीलियम से 1.1 गुनी

(*c*) हीलियम से दुगुनी (*d*) हीलियम से 4 गुनी

13. चूंकि कार्बन, नाइट्रोजन तथा ऑक्सीजन के परमाणु भार क्रमशः 12, 14 तथा 16 हैं, इसलिए निम्न गैस के युग्मों में कौन-सी समान दर पर विसरित होगी?

(*a*) कार्बन डाई-ऑक्साइड तथा नाइट्रस ऑक्साइड

(*b*) कार्बन डाई-ऑक्साइड तथा नाइट्रोजन परऑक्साइड

(*c*) कार्बन डाई-ऑक्साइड तथा कार्बन मोनोऑक्साइड

(*d*) कार्बन डाई-ऑक्साइड तथा नाइट्रिक ऑक्साइड

14. हीलियम तथा आर्गन एक अणुक गैसें हैं तथा उनके परमाणु भार क्रमशः 4 तथा 40 हैं। समान स्थितियों में हीलियम अर्धपारगम्य झिल्ली के द्वारा विसरित होगी–

(*a*) आर्गन से 3.16 गुना तेज

(*b*) आर्गन से 7.32 गुना तेज

(*c*) आर्गन से 1.58 गुना तेज

(*d*) आर्गन से 10 गुना तेज

15. गैस A का घनत्व गैस B से 4 गुना है। यदि A का अणु भार M है तो B का अणु भार होगा–

(*a*) 2M (*b*) 4M

(*c*) M/2 (*d*) M/4

16. गतिज सिद्धान्त के विचार हैं–

(*a*) परमाणु अविभाज्य है

(*b*) गैसें एक साधारण अनुपात में संयुक्त होती हैं

(*c*) किसी गैस के अणुओं पर गुरुत्व का कोई प्रभाव नहीं होता

(*d*) इनमें से कोई नहीं

17. हीलियम का परमाणु भार हाइड्रोजन का 4 गुना है। हाइड्रोजन की तुलना में इसकी विसरण दर है–

(*a*) दुगुनी (*b*) आधी

(*c*) $1/\sqrt{2}$ गुनी (*d*) $\frac{1}{4}$ गुनी

18. A तथा B दो गैसों की विसरण दरों का अनुपात 1 : 6 है। A की तुलना में B का घनत्व होगा–

(*a*) 6 (*b*) 12

(*c*) 1/36 (*d*) 18

19. किसी गैस की आणविक गति है–

(*a*) परम ताप के अनुक्रमानुपाती

(*b*) परम ताप के वर्ग के अनुक्रमानुपाती

(*c*) परम ताप के वर्गमूल के अनुक्रमानुपाती

(*d*) परम ताप पर निर्भर नहीं करती

20. गैसों के गतिज सिद्धान्त से यह विदित होता है कि गैसीय समूह की कुल गतिज ऊर्जा निर्भर होती है–

(*a*) गैस के ताप पर

(*b*) गैस के दाब पर

(*c*) गैस के आयतन पर

(*d*) गैस के ताप, दाब व आयतन पर

21. 1 वायुमण्डल तथा 300 K पर किसी गैस के एक लीटर का भार 2 ग्राम है। यदि दाब 0.75 वायुमण्डल कर दिया जाये तो निम्नलिखित में से किस ताप पर उसी गैस के 1 लीटर का भार 1 ग्राम होगा–

(*a*) 900 K (*b*) 800 K

(*c*) 600 K (*d*) 450 K

22. जब 40 c.c. थोड़ी नम हाइड्रोजन क्लोराइड गैस को 20 c.c. अमोनिया गैस के साथ मिलाया जाता है तो उसी ताप व दाब पर गैस का अन्तिम आयतन होगा–

(*a*) 20 c.c. (*b*) 40 c.c.

(*c*) 60 c.c. (*d*) 100 c.c.

23. एक पात्र में छोटे छिद्र से 50 मिली हाइड्रोजन गैस 20 गैस 20 मिनट में विसरित हो जाती है। 40 मिली ऑक्सीजन को विसरित होने में समय लगेगा–

(*a*) 12 मिनट (*b*) 64 मिनट

(*c*) 8 मिनट (*d*) 32 मिनट

24. शुष्क अमोनिया की एक बोतल तथा शुष्क हाइड्रोजन क्लोराइड की बोतल को दोनों सिरों पर खुली हुई एक लम्बी नली द्वारा जोड़ा गया, सर्वप्रथम बनने वाला अमोनियम क्लोराइड का छल्ला होगा–

(*a*) नलों के बीच में

(*b*) हाइड्रोजन क्लोराइड बोतल के पास

(*c*) अमोनिया बोतल के पास

(*d*) नली की पूरी लम्बाई में

25. वान्डर वाल समीकरण में उन आदर्श गैसों की अवस्था के लिए एक राशि जो अंतरआण्विक बलों के लिए है। वह है–

(*a*) (V – b) (*b*) RT

(*c*) $(P + a/V^2)$ (*d*) $(RT)^{-1}$

उत्तरमाला

1	2	3	4	5	6	7	8	9	10
(*d*)	(*b*)	(*c*)	(*d*)	(*c*)	(*d*)	(*b*)	(*d*)	(*a*)	(*a*)
11	**12**	**13**	**14**	**15**	**16**	**17**	**18**	**19**	**20**
(*a*)	(*b*)	(*a*)	(*a*)	(*d*)	(*c*)	(*c*)	(*c*)	(*c*)	(*a*)
21	**22**	**23**	**24**	**25**					
(*d*)	(*a*)	(*b*)	(*b*)	(*c*)					

अध्याय

7 ठोस अवस्था (Solid State)

ठोस

- ठोस के आयतन तथा आकृति दोनों निश्चित होते हैं।
- ठोस दो प्रकार के होते हैं– वास्तविक ठोस (क्रिस्टलीय ठोस) तथा स्यूडोठोस (अक्रिस्टलीय ठोस)।

वास्तविक ठोस (क्रिस्टलीय ठोस) : एक क्रिस्टलीय ठोस की विशेषता एक निश्चित क्रिस्टल संरचना, एक निश्चित गलनांक एवं संलयन की निश्चित ऊष्मा द्वारा ज्ञात की जाती है।

स्यूडोठोस (अक्रिस्टलीय ठोस): इसके संघटक कण एक क्रम में व्यवस्थित न होकर अव्यवस्थित होते हैं। इसलिए इनकी कोई निश्चित ज्यामितीय आकृति नहीं होती है। इसे अतिप्रशीतित द्रव भी कहा जा सकता है।

उदाहरण–पिन, रबड़, कांच, प्रोटीन, स्टार्च, प्लास्टिक आदि।

तालिका 1: क्रिस्टलीय तथा अक्रिस्टलीय ठोसों में तुलना

क्रम संख्या	गुण	क्रिस्टलीय ठोस	अक्रिस्टलीय ठोस
1.	आकृति	इनका एक निश्चित तथा नियमित ज्यामितीय आकृति होता है।	इनकी निश्चित ज्यामितीय आकृति नहीं होती है।
2.	गलनांक	इनका गलनांक तीव्र (निश्चित) होता है।	ये ताप के विस्तृत परिसर में गलते हैं। ये भी सामान्यतः
3.	सम्पीड्यता (Compressibility)	ये दृढ़ तथा असंपीड्य होते हैं।	दृढ़ होते हैं तथा बहुत अधिक मात्रा तक संपीड्य नहीं किये जा सकते। ग्रेफाइट अपनी सामान्य संरचना के कारण कोमल होता है।
4.	तीव्र किनारे वाले यंत्र से काटना	ये स्पष्ट विदलन (Cleavage) देते हैं अर्थात् ये समतल पृष्ठों वाले दो टुकड़ों में टूट जाते हैं।	ये स्पष्ट विदलन नहीं देते हैं अर्थात् ये अस्पष्ट आकृति के दो टुकड़ों में टूट जाते हैं।
5.	समदैशिकता (Isotropic) तथा विषमदैशिकता (Anisotropic)	इनकी यांत्रिकी तथा विद्युत गुण, मापन की दिशा पर निर्भर करती है। अर्थात् ये विषमदैशिकती होते हैं।	इनके भौतिक गुण सभी दिशाओं में समान रहते हैं क्योंकि संघटक अव्यवस्थित होते हैं। अर्थात् समदैशिक होते हैं।
6.	गलन की ऊष्मा	इनकी गलन ऊष्मा निश्चित होती है।	इनकी गलन ऊष्मा अनिश्चित होती है।

अन्तरिक्ष जालक तथा इकाई सेल (Space Lattice and Unit Cell)

- अन्तरिक्ष में अनन्त बिन्दुओं (परमाणुओं, आयनों या अणुओं) की नियमित व्यवस्था को जालक (Lattice) या अन्तरिक्ष-जालक (Space Lattice) कहते हैं।
- अन्तरिक्ष जालक, परिभाषित करने वाले नियतांकों (Parameters) की संख्या के आधार पर एक विमीय, द्विविमीय तथा त्रिविमीय हो सकता है।

तालिका 2: अन्तरिक्ष जालक को व्यक्त करने वाले पैरामीटर्स

	जालक के प्रकार	दोहराने वाली दूरियाँ	अन्तर्-पृष्ठीय कोण	परिभाषित करने वाले पैरामीटर्स
1.	एक विमीय	a	–	केवल एक Repeat दूरी
2.	द्वि-विमीय	a, b	γ	दो Repeat दूरियाँ तथा एक अन्तर्पृष्ठीय कोण
3.	त्रि-विमीय	a, b, c	α, β, γ	तीन Repeat दूरियाँ तथा तीन अन्तर्पृष्ठीय कोण

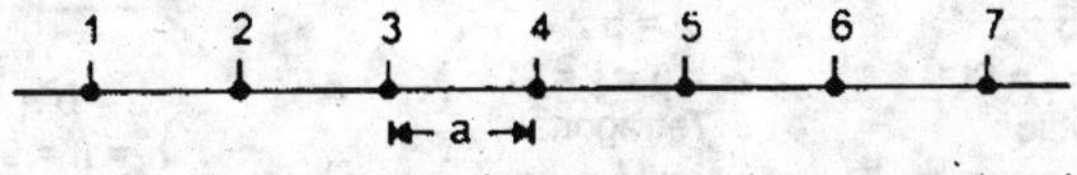

One dimensional lattice (e.g., arrangement of equidistant telegraphic poles along a railway track)

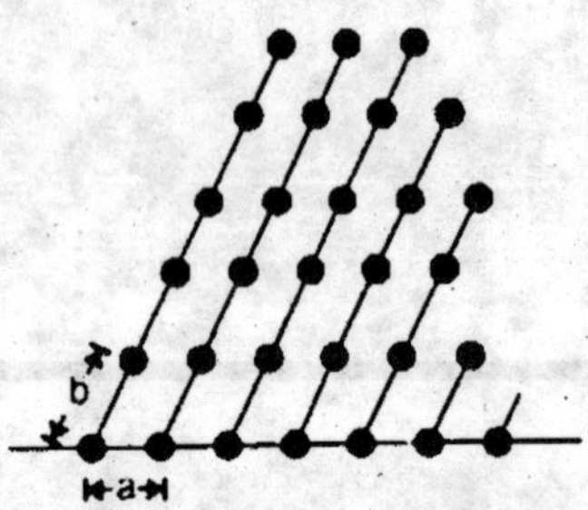

Two dimensional lattice (e.g,. a wall paper)

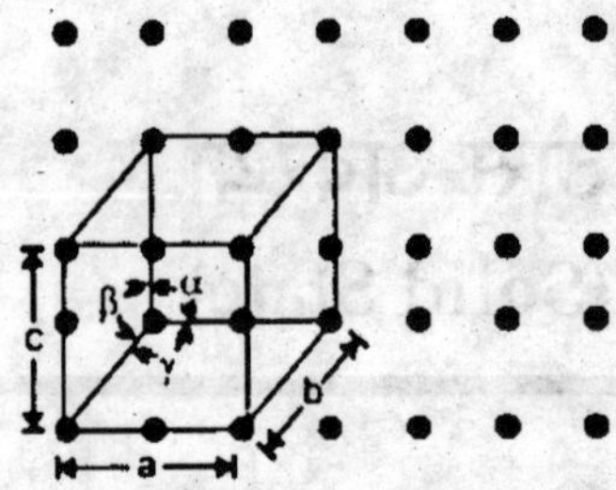

Three dimensional lattice (found in crystals)

चित्र: *तीन प्रकार के जालक*

तालिका 3: सात प्रकार के क्रिस्टल निकायों की विशेषतायें

निकाय	अधिकतम सममितता तत्व	अक्षें तथा कोण	उदाहरण
1. घनाकार या सतत् (Regular)	9 तल 13-अक्ष 1 केन्द्र	$a = b = c$ $\alpha = \beta = \gamma = 90°$	NaCl, KCl, CaF_2, ZnS, Cu_2O, हीरा, एलम, Pb, Ag, Au, Hg
2. चतुष्फलकीय (Tetragonal)	5 तल 5-अक्ष	$a = b \neq c$ $\alpha = \beta = \gamma = 90°$	SnO_2, ZnO_2, TiO_2, $NiSO_4$, $ZrSiO_4$, सफेद टिन
3. हैक्सागोनल (Hexagonal)	7-तल 7-अक्ष	$\alpha = \beta \neq c$ $\alpha = \beta = 90°, \gamma = 120°$	ZnO, PbI_2, CdS, HgS, ग्रेफाइट, बर्फ, बेराईल Mg, Zn, Cd
4. त्रिभुजीय (Trigonal)	7-तल 7-अक्ष	$a = b = c$ $\alpha = \beta = \gamma \neq 90°$	$NaNO_3$, $CaSO_4$, कैल्साइट, क्वार्टज, As, Sb, Bi
5. ऑर्थोरोम्बिक (Rhombic)	3-तल 3-तल	$a \neq b \neq c$ $\alpha = \beta = \gamma = 90°$	KNO_3, K_2SO_4, $PbCO_3$, $BaSO_4$, रोम्बिक सल्फर, $MgSO_4.7H_2O$
6. मोनोक्लीनिक	1-तल 1-अक्ष	$a \neq b \neq c$ $\alpha = \gamma = 90°, \beta \neq 90°$	$Na_2SO_4.10H_2O$, $Na_2B_4O_7.10H_2O$, $CaSO_4.2H_2O$, मोनोक्लीनिक सल्फर
7. ट्राइक्लीनिक	कोई तल नहीं कोई अक्ष नहीं	$a \neq b \neq c$ $\alpha \neq \beta \neq \gamma \neq 90°$	$CuSO_4.5H_2O$, $K_2Cr_2O_7$, H_3BO_3

क्रिस्टल निकाय (Crystal Systems)

- तत्वों के सममिति के 7 विभिन्न प्रकार के संयोग क्रिस्टल निकाय (तंत्र) कहलाते हैं।
- ये क्रिस्टल निकाय इकाई सेल की भुजाओं (a, b व c) तथा इकाई सेल की भुजाओं के बीच के कोणों में अलग-अलग होते हैं।
- घनीय तथा त्रिभुजीय क्रिस्टलों में इकाई सेल की भुजाएं तीनों बराबर होती हैं।
- सातों क्रिस्टल निकाय, उनकी सममितता तत्वों, तीनों अक्षों के अनुगत इकाई सेल के dimensions (a, b, c) तथा अक्षों के बीच तीनों कोणों (α, β, γ) की सारणी में दिया गया है तथा चित्र में इन सभी को प्रदर्शित किया गया है।

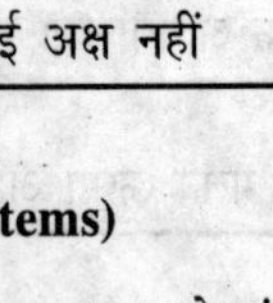

$a = b = c$
$\alpha = \beta = \gamma = 90°$
Cubic

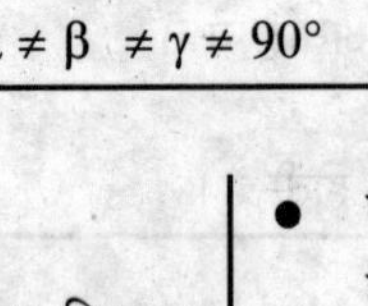

$a = b \neq c$
$\alpha = \beta = \gamma = 90°$
Tetragonal

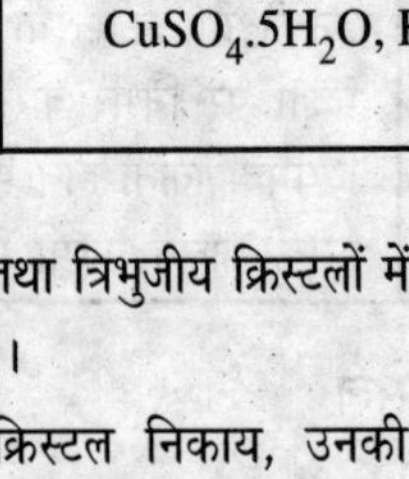

$a = b \neq c$
$\alpha = \beta = 90°$
$\gamma = 120°$
Hexagonal

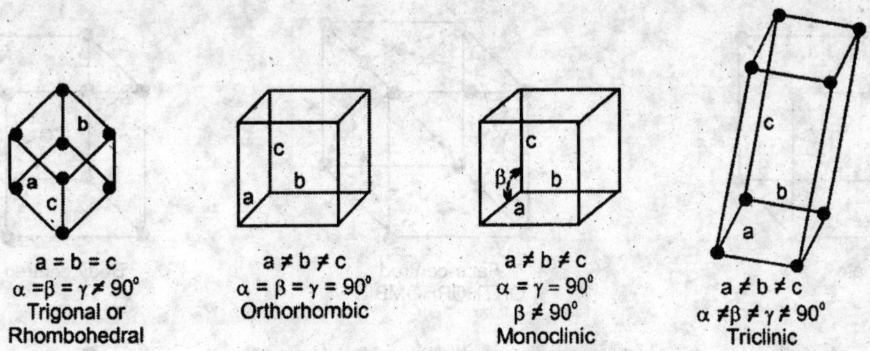

चित्रः *सात प्रकार के क्रिस्टल निकाय*

इकाई-सेल (Unit Cell)

अल्पतम दोहराने वाली इकाई जिससे जालक बनता है, इकाई सेल कहलाता है। त्रिविमीय में इकाई-सेलों की बार-बार पुनरावृत्ति होती है और परिणाम क्रिस्टल के अन्तरिक्ष-जालक के पूर्ण होने के रूप में आता है।

- इस प्रकार, इकाई-सेल, वास्तव में, सबसे छोटा नमूना है जो सम्पूर्ण क्रिस्टल की रचना को निरूपित करता है।
- कोई भी क्रिस्टल इकाई-सेलों की अनिश्चित संख्या से बना होता है। इकाई सेल की आकृति निम्न प्रकार की हो सकती है–

(*i*) **साधारण या प्रिमिटिव (Simple or Primitive) :** इस प्रकार के इकाई सेलों में बिन्दु (अणु, परमाणु या आयन), इकाई सेलों के केवल कोनों पर उपस्थित होते हैं।

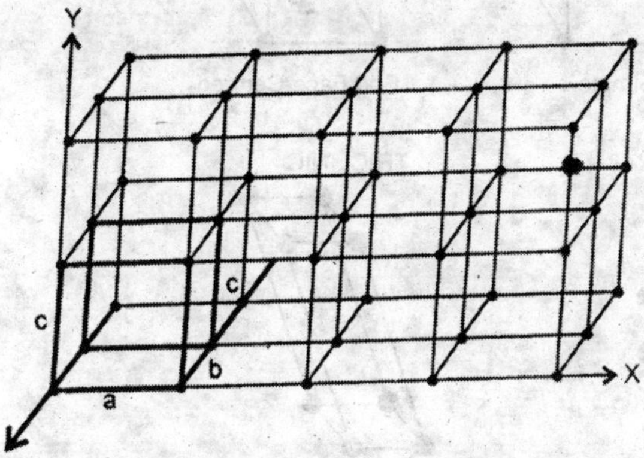

चित्रः *अन्तरिक्ष जालक तथा इकाई सेल*

(*ii*) **पृष्ठ-केन्द्रित (Face-Centered) :** इस प्रकार के इकाई सेलों में बिन्दु इकाई सेल के कोनों तथा प्रत्येक पृष्ठ के केन्द्र पर स्थित होते हैं।

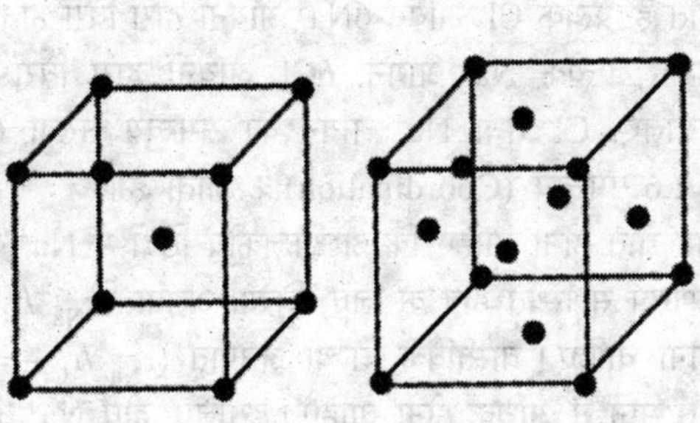

(a) Simple **(b) Face-centred**

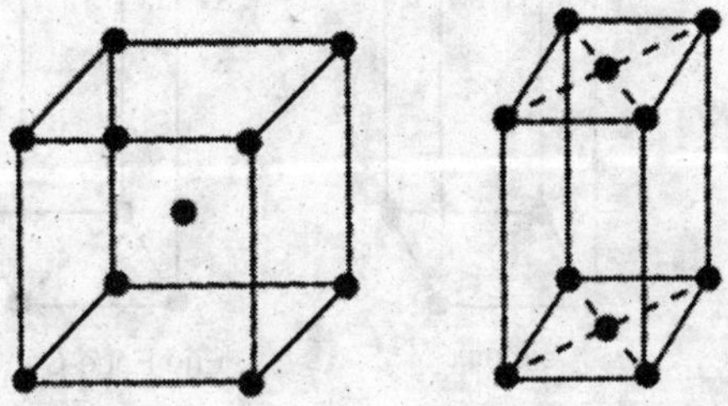

(c) Body-centred **(d) End-centred**

चित्रः *चार प्रकार की इकाई सेल*

(*iii*) **बॉडी-केन्द्रित (Body-centered) :** इसमें, बिन्दु इकाई सेल के कोनों पर तथा एक अतिरिक्त बिन्दु इकाई सेल के बॉडी केन्द्र (Body centre) पर स्थित होते हैं।

(*iv*) **सिरा-पृष्ठ केन्द्रित (End face centered) :** इसमें बिन्दु इकाई सेल के कोनों तथा दोनों सिरों के केन्द्रों पर स्थित होते हैं।

ब्रेविस जालक (Bravais Lattice)

ब्रेविस ने दिखलाया कि सातों क्रिस्टल निकायों में इकाई सेलों को नियमित त्रिविमीय क्रम से 14 भिन्न-भिन्न तरीकों से लगाया जा सकता है। इन व्यवस्थाओं को अन्तरिक्ष जालक या ब्रेविस लैटिस कहते हैं। विभिन्न क्रिस्टल निकायों से सम्बन्धित 14 ब्रेविस-लैटिसों को चित्र में प्रदर्शित किया गया है।

14 ब्रेविस लेटिस, ऊपर वर्णित चारों इकाई सेलों में से किसी एक से संबंधित हो सकते हैं।

सोडियम क्लोराइड (खनिज नमक) प्रकार की संरचना

सोडियम क्लोराइड संरचना Na^+ तथा Cl^- ऑयनों से बनी होती है। सोडियम ऑयनों की संख्या Cl^- के समान होती है। Na^+ तथा Cl^- ऑयनों की त्रिज्यायें 95 pm तथा 181 pm होती हैं जो 0.524 त्रिज्या अनुपात देती है।

$$\frac{r_{Na^+}}{r_{Cl^-}} = \frac{95\text{pm}}{181\text{pm}} = 0.524$$

NaCl के लिए 0.524 त्रिज्या अनुपात अष्टफलकीय रिक्त देती है। इस प्रकार इस संरचना की विशेषतायें अग्रलिखित हैं–

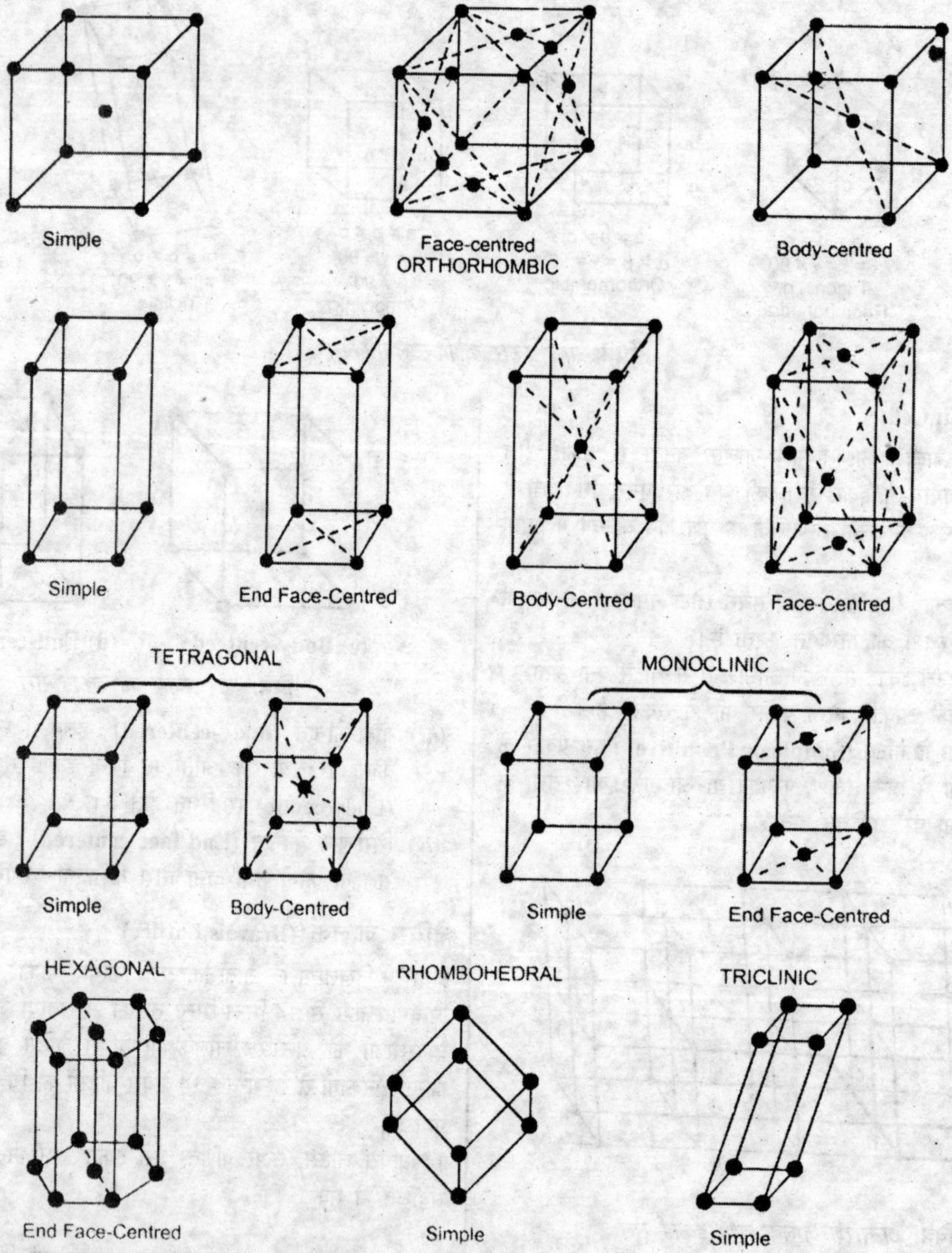

चित्र: *चौदह ब्रेविस जालक*

(i) क्लोराइड ऑयन (आकार में बड़े होने के कारण) घन निबिड़ संकुलन (*ccp*) में व्यवस्थित होते हैं। इस व्यवस्था में, Cl– ऑयन कोनों पर तथा घन के प्रत्येक फलक के केन्द्र पर स्थित होते हैं। याद रखिये कि यह व्यवस्था फलक केन्द्रित घन व्यवस्था के सन्दर्भ में भी होती है।

(ii) सोडियम ऑयन अष्टफलकीय छिद्रों में उपस्थित होते हैं।

(iii) चूंकि *ccp* संरचना में अष्टफलकीय छिद्रों की संख्या, ऋणायनों की संख्या के समान होती है, प्रत्येक अष्टफलकीय छिद्र Na^+ ऑयन द्वारा पूर्ण होता है ताकि सोडियम क्लोराइड का सूत्र NaCl हो अर्थात् NaCl की Stoichiometry 1 : 1 है।

(iv) चूंकि प्रत्येक क्लोराइड ऑयन के चारों ओर छह अष्टफलकीय छिद्र होते हैं, प्रत्येक Cl^- ऑयन $6Na^+$ ऑयनों द्वारा घिरा होता है। इसी प्रकार, प्रत्येक Na^+ ऑयन, $6Cl^-$ ऑयनों द्वारा घिरा होता है। इसलिए, Cl^- तथा Na^+ ऑयन की समन्वय संख्या 6 है। यह 6 : 6 समन्वय (Coordination) कहलाता है।

(v) यह ज्ञात होना चाहिए कि अष्टफलकीय छिद्रों में Na^+ ऑयनों के पूर्णरूप से स्थित होने के लिए, त्रिज्या अनुपात r_{Na^+}/r_{Cl^-}–0.414 होना चाहिए। वास्तविक त्रिज्या अनुपात (r_{Na^+}/r_{Cl^-} = 0.524) इस मान से अधिक होना चाहिए। इसलिए, दीर्घ Na^+ ऑयनों को स्थान देने के लिए, Cl– ऑयन कुछ खिसक जाते हैं अर्थात् एक

तालिका 4: विभिन्न प्रकार के ठोसों (क्रिस्टलों) की विशेषतायें

विशेषतायें	आयनिक	धात्विक	सहसंयोजक	अणु
1. संघटक कण (जालक बिन्दुओं पर उपस्थित इकाईयाँ)	धन तथा ऋणायन	इलेक्ट्रॉनों के 'समुद्र' में धनायन	परमाणु	अणु
2. आबन्धक बल	ऑयनों के मध्य विद्युत स्थैतिक आकर्षण	धनायनों तथा इलेक्ट्रॉनों के समुद्र में विद्युत स्थैतिक आकर्षण	प्रबल सह-संयोजक बन्ध	दुर्बल वान्डरवॉल बल द्विध्रुव-द्विध्रुव बल
3. कठोरता	कठोर	परावर्ती	अधिक कठोर, ग्रेफाइट के अतिरिक्त जो होता है मुदु	बहुत मृदु
4. भंगुरता	भंगुर	बहुत कम	मध्यम	कम
5. गलनांक	उच्च	उच्च के अनुकूल	बहुत उच्च	निम्न
6. विद्युत चालकता	कुचालक (गलित अवस्था में चालक)	सुचालक	ग्रेफाइट के अतिरिक्त	कुचालक कुचालक
7. विलेयता	ध्रुवीय विलायकों में विलेय तथा अध्रुवीय विलायकों में अविलेय	ध्रुवीय तथा अध्रुवीय विलायकों में अविलेय	ध्रुवीय विलायकों में अविलेय तथा अध्रुवीय विलायकों में सामान्यतः विलेय	दोनों में विलेय तथा अविलेय
8. उदाहरण	NaCl, ZnS, KNO_3, CaO	धातुएँ तथा मिश्र धातुएँ	हीरा, ग्रेफाइट, S, क्वार्ट्ज, SiO_2, SiC आदि।	H_2, CO_2, H_2O, N_2, CCl_4, उत्कृष्ट गैसें, I_2, शर्करा।

दूसरे को स्पर्श नहीं करते हैं तथा विसरित फलक केन्द्रित जालक बनाते हैं।

(*vi*) सोडियम क्लोराइड के एकांक सेल में 4 सोडियम ऑयन तथा 4 क्लोराइड ऑयन होते हैं जो निम्न प्रकार ज्ञात किये जाते हैं।

(*vii*) दाब प्रयुक्त करने पर, NaCl संरचना (6 : 6 समन्वय) से CsCl संरचना (8 : 8 समन्वय) में परिवर्तित हो जाती है।

Na^+ ऑयनों की संख्या की गणना

यह चित्र से स्पष्ट है कि किसी सेल के कोनों पर $12Na^+$ ऑयन तथा केन्द्र में एक होता है। अब, कोने पर स्थित प्रत्येक Na^+ ऑयन चार एकांक सेलों के साझे में होता है तथा इस प्रकार प्रति एकांक सेल योगदान

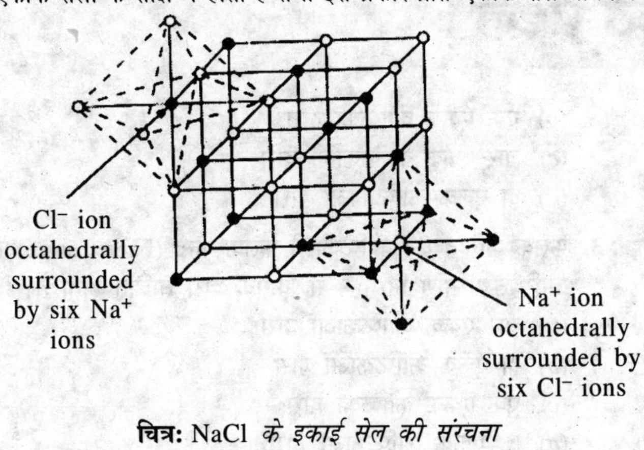

चित्र: NaCl *के इकाई सेल की संरचना*

$\frac{1}{4}$ है, जबकि पिण्ड केन्द्र पर प्रत्येक ऑयन केवल एक एकांक सेल को योगदान देता है तथा इस प्रकार इसका योगदान केवल एक एकांक सेल में होता है तथा इस प्रकार इसका योगदान एकांक सेल के लिए 1 है।

∴ प्रति एकांक सेल Na^+ ऑयनों की कुल संख्या

$$=\left(\frac{1}{4}\times 12\right)+1\times 1=3+1=4$$

Cl^- ऑयनों की संख्या की गणना

चित्र से यह माना जाता है कि एकांक सेल के कोनों पर 8 क्लोराइड ऑयन तथा फलकों पर 6 होते हैं। अब, यह देखा जा सकता है कि किनारे पर स्थित प्रत्येक Cl– ऑयन आठ एकांक सेलों के साझे में होता है तथा इस प्रकार इसका एक एकांक सेल के लिए योगदान $\frac{1}{8}$ है। इसी प्रकार, किसी फलक पर प्रत्येक Cl– ऑयन दो एकांक सेलों के साझे में होता है, इसलिए इसका एक एकांक सेल के लिए योगदान $\frac{1}{8}$ है।

∴ प्रति एकांक सेल Cl^- ऑयनों की कुल संख्या

$$=\left(8\times\frac{1}{8}\right)+\left(6\times\frac{1}{2}\right)=1+3=4$$

इस प्रकार प्रति एकांक सेल में NaCl इकाईयों की संख्या 4 है।

तालिका 5: आयनिक ठोसों की विभिन्न संरचनाओं का सारांश

क्रिस्टल संरचना	संक्षिप्त व्याख्या	समन्वय संख्या	प्रति एकांक सेल में एकांकों की संख्या	उदाहरण
1. खनिज नमक (NaCl प्रकार)	*ccp* में Cl^- ऑयन, Na^+ ऑयन सभी अष्टफलकीय रिक्त प्राप्त करते हैं।	Na+ 6 Cl– 6	4	Li, Na, K तथा Rb हैलाइड, NH_4Cl, NH_4Br, NH_4I, AgF, AgCl, AgBr, MgO, CaO, TiO, FeO, NiO
2. जिंक ब्लेंड (ZnS-प्रकार)	*ccp* में S^{2-} ऑयन, Zn^{2+} ऑयन एकान्तर क्रम में चतुष्फलकीय रिक्त प्राप्त करते हैं।	Zn^{2+} 4 S^{2-} 4	4	ZnS, BeS, CuCl, CuBr, CuI, AgI, HgS
3. वुर्टजाइट (ZnS-प्रकार)	*hcp* में S^{2-} ऑयन, Zn^{2+}ऑयन एकान्तर क्रम में चतुष्फलकीय रिक्त प्राप्त करते हैं।	Zn^{2+}4 S^{2+} 4	4	Zns, ZnO, CdS, BeO
4. सीजियम क्लोराइड (CsCl-प्रकार)	*bcp* में Cl^- ऑयन, Cs^+ ऑयन घन के पिण्ड में	Cs^+ 8 Cl^- 81		CsCl, CsBr, CsI, CsCN, CaS
5. फ्लोराइट (CaF_2- प्रकार)	*ccp* में Ca^{2+} ऑयन, F^- ऑयन सभी चतुष्फलकीय रिक्त प्राप्त करते हैं।	Ca^{2+} 8 F^- 4	4	CaF_2, SrF_2, BaF_2 $BaCl_2$, $SrCl_2$, CdF_2, HgF_2
6. प्रति फ्लोराइट (Li_2O-प्रकार)	*ccp* में O^{2-} ऑयन, Li^+ ऑयन सभी चतुष्फलकीय बिन्दु प्राप्त करते हैं।	Li^+ 4 O^{2-} 8	4	K_2O, Na_2O, K_2S, Na_2S

(*viii*) चित्र से, यह स्पष्ट है कि NaCl प्रकार के क्रिस्टल की इकाई सेल के कोने की लम्बाई 2(r + R) है।

NaCl प्रकार की इकाई सेल के कोने की लम्बाई (a)

$$= 2\left[\begin{matrix}\text{धनायन की}\\\text{आयनिक त्रिज्या}\end{matrix} + \begin{matrix}\text{ऋणायन की}\\\text{आयनिक त्रिज्या}\end{matrix}\right]$$

या $a = 2\,(r_{Na+} + r_{Cr-})$

इस प्रकार Na^+ और Cl^- आयनों के बीच दूरी $= \frac{1}{2} \times a$

इस प्रकार की संरचना अधिकांश क्षारीय धातु हैलाइडों, क्षारीय मृदा ऑक्साइडों तथा सल्फाइडों, NH_4Cl, NH_4Br, NH_4I, AgCl, AgBr तथा AgI की होती है।

फेरस ऑक्साइड की भी सोडियम क्लोराइड प्रकार की संरचना होती है जिसमें O^{2-} ऑयन *ccp* में व्यवस्थित होते हैं तथा Fe^{2+} ऑयन अष्टफलकीय छिद्र प्राप्त करते हैं। ऑक्साइड अज्यामितीय होते हैं तथा इसका संघटन $Fe_{0.95}O$ होता है। इसकी इस मान्यता के आधार पर व्याख्या की जा सकती है कि कुछ Fe^{2+} ऑयन, Fe^{3+} ऑयनों के दो तिहाई द्वारा विस्थापित होते हैं।

वस्तुनिष्ठ प्रश्न

1. अधिकतर क्रिस्टल विखण्डन (Cleavage) प्रदर्शित करते हैं क्योंकि उनके परमाणु, आयन या अणु–
(*a*) दुर्बल रूप से बंधे होते हैं
(*b*) प्रबल रूप से बंधे होते हैं
(*c*) वृतीय सममित (Spherically Symmetrical) होते हैं
(*d*) तलों (Planes) में व्यवस्थित होते हैं

2. सरल घन एकक कोष्ठिका में कोनों (Corners) पर स्थित प्रत्येक बिन्दु निम्न में से किसके द्वारा साझित (Shared) होता है?
(*a*) आठ एकक कोष्ठिकाओं द्वारा
(*b*) एक एकक कोष्ठिका द्वारा
(*c*) चार एकक कोष्ठिकाओं द्वारा
(*d*) दो एकक कोष्ठिकाओं द्वारा

3. फलक केन्द्रित घन कोष्ठिका में फलक केन्द्र (Face Centre) पर उपस्थित परमाणु निम्न में से किसके द्वारा साझित होता है?
(*a*) चार एकक कोष्ठिकाओं द्वारा
(*b*) दो एकक कोष्ठिकाओं द्वारा
(*c*) एक एकक कोष्ठिका द्वारा
(*d*) छः एकक कोष्ठिकाओं द्वारा

4. ठोस हाइड्रोजन में अन्तराणविक बल हैं–
(*a*) हाइड्रोजन बन्ध (*b*) वान्डर वाल बल
(*c*) सहसंयोजी बन्ध (*d*) उप-सहसंयोजी बन्ध

5. निम्नलिखित में से कौन विषम दैशिकता (Anisotropy) प्रदर्शित करेगा?
(*a*) काँच (*b*) लकड़ी
(*c*) कागज (*d*) बेरियम क्लोराइड

6. ऑर्थोरोम्बिक क्रिस्टल के लिये $a \neq b \neq c$, अक्षीय कोण (Axial Angle) हैं–
(*a*) $\alpha = \beta \neq \gamma \neq 90°$ (*b*) $\alpha = \beta = \gamma = 90°$
(*c*) $\alpha \neq \beta \neq \gamma = 90°$ (*d*) $\alpha = \gamma = 90°, \beta \neq 90°$

7. षट्कोणीय सुसंकुलित व्यवस्था में एक परत (layer) में प्रत्येक गोले (Sphere) के निकटतम पड़ौसियों (Neighbours) की संख्या होगी–
(*a*) 6 (*b*) 4
(*c*) 8 (*d*) 12

8. घनीय सुसंकुलित व्यवस्था को यह भी कहते हैं–
(*a*) षट्कोणीय सुसंकुलित संरचना
(*b*) फलक केन्द्रित घनीय संरचना
(*c*) अन्तः केन्द्रित घनीय संरचना
(*d*) इनमें से कोई नहीं

9. यदि सुसंकुलित जालक संरचना निर्मित करने वाले गोले की त्रिज्या R तथा चतुष्फलकीय रिक्ति (Hole) की त्रिज्या r हो तो, दोनों में सम्बन्ध है–
(*a*) r = 1.55 R (*b*) r = 0.225 R
(*c*) r = 0.732 R (*d*) r = 0.414 R

10. एक सुसंकुलित जालक में अष्टफलकीय तथा चतुष्फलकीय रिक्तियों की संख्या का अनुपात होगा–
(*a*) 2 : 1 (*b*) 1 : 1
(*c*) 1 : 2 (*d*) 3 : 1

11. पोटेशियम फ्लोराइड की संरचना NaCl जैसी है। यदि कोष्ठिका कोर की लम्बाई '*a*' cm है तो K^+ आयनों के मध्य दूरी होगी–
(*a*) 2*a* cm (*b*) *a*/4 cm
(*c*) 4*a* cm (*d*) *a*/2 cm

12. पोटेशियम की bcc संरचना होती है। इसके निकटतम परमाणुओं के मध्य दूरी 4.52 Å है। इसका परमाणु भार 39 है। इसका घनत्व होगा–
(*a*) 454 kg m^{-3} (*b*) 804 kg m^{-3}
(*c*) 852 kg m^{-3} (*d*) 912 kg m^{-3}

13. धातु अधिक्य दोष में ऋणायन रिक्ति में फँसे इलेक्ट्रॉनों को कहते हैं–
(*a*) चलायमान (Mobile) इलेक्ट्रॉन
(*b*) फँसे हुए इलेक्ट्रॉन (Trapped Electrons)
(*c*) संयोजी इलेक्ट्रॉन
(*d*) F-केन्द्र

14. उपलब्ध आयतन का वह अधिकतम भाग जो हीरे में कार्बन परमाणुओं द्वारा भरा जा सकता है, होगा–
(*a*) 0 . 52 (*b*) 0 . 74
(*c*) 0 . 32 (*d*) 0 . 68

15. जब दो $[SiO4]^{4-}$ यूनिटों में एक ऑक्सीजन परमाणु उभयनिष्ठ (Common) होता है तो सिलिकेट को कहते हैं–
(*a*) शृंखला सिलिकेट (*b*) शीट सिलिकेट
(*c*) पाथरोसिलिकेट (*d*) ऑर्थोसिलिकेट

16. एक कार्बनिक यौगिक ऑर्थोरोम्बिक पद्धति में क्रिस्टलित होता है। इसके यूनिट सैल की विमायें a = 12 Å, b = 15 Å तथा c = 2Å. यदि क्रिस्टल का घनत्व 1.5 gm प्रति *c.c.* हो तथा प्रति यूनिट सेल अणुओं की संख्या दो हो, तो यौगिक का अणुभार होगा–
(*a*) 195 (*b*) 180
(*c*) 210 (*d*) 162

17. ऐनायनों के सुसंकुलित जालक में निम्न में से किस कैटायन की समन्वयन संख्या 6 होगी–
(*a*) Cs^+ (1.69Å), Cl^- (1.81Å)
(*b*) Mg^{2+} (0.66Å), O^{--} (1.40Å)
(c) K^+ (1.33Å), F^- (1.36Å)
(*d*) X^+ (0.5Å), Y^- (1.71Å)

18. जिंक ब्लैण्ड संरचना में S^{--} आयन *ccp* व्यवस्था बनाते हैं जबकि Zn^{++} आयन उपस्थित होते हैं–
(*a*) सभी चतुष्फलकीय रिक्तियों में
(*b*) सभी अष्टफलकीय रिक्तियों में
(*c*) आधी चतुष्फलकीय रिक्तियों में
(*d*) सभी घनीय रिक्तियों में

19. क्रिस्टल का Size निर्भर करता है–
(*a*) अवयवी कणों के Size पर
(*b*) इसकी ज्यामिति पर
(*c*) एकक कोष्ठिका के साइज पर
(*d*) इसके निर्माण की दर पर

20. NaCl के क्रिस्टल में Na^+ तथा Cl^- आयनों के मध्य दूरी 280 pm है। एकक कोष्ठिका के कोर की लम्बाई होगी–
(*a*) $280\sqrt{3}$ pm (*b*) 140 pm
(*c*) $280\sqrt{2}$ pm (*d*) 560 pm

उत्तरमाला

1	2	3	4	5	6	7	8	9	10
(*d*)	(*a*)	(*b*)	(*b*)	(*d*)	(*b*)	(*a*)	(*b*)	(*b*)	(*c*)
11	**12**	**13**	**14**	**15**	**16**	**17**	**18**	**19**	**20**
(*d*)	(*d*)	(*d*)	(*b*)	(*c*)	(*d*)	(*b*)	(*c*)	(*d*)	(*d*)

अध्याय 8

उत्प्रेरण
(Catalysis)

उत्प्रेरण

- सर्वप्रथम 1835 में वर्जीलियस ने विभिन्न बाहरी पदार्थों के विभिन्न रासायनिक अभिक्रियाओं पर प्रभाव का व्यवस्थित अध्ययन किया तथा उन्होंने ऐसे पदार्थों के लिए उत्प्रेरक नाम दिया।
- वे पदार्थ जो रासायनिक अभिक्रिया के पश्चात् रासायनिक एवं मात्रात्मक रूप में अपरिवर्तित रहते हुए, रासायनिक अभिक्रिया की दर में परिवर्तन कर देते हैं उन्हें उत्प्रेरक कहते हैं तथा उक्त परिघटना को उत्प्रेरण कहते हैं।
- वर्धक उत्प्रेरक की सक्रियता बढ़ा देते हैं जब कि विष, उत्प्रेरक की सक्रियता घटा देते हैं।

उदाहरण– अमोनिया के हैबर प्रक्रम द्वारा उत्पादन में मालिब्डेनम लोहे के लिए वर्धक का कार्य करता है। इस अभिक्रिया में मालिब्डेनम उत्प्रेरक की तरह प्रयुक्त होता है।

अभिक्रिया– $N_2 + 3H_{2(g)} \rightarrow 2NH_{3(g)}$

उत्प्रेरण (Catalysis)

समांगी उत्प्रेरण (Homogeneous Catalysis) | विषमांगी उत्प्रेरण (Heterogeneous Catalysis)

समांगी उत्प्रेरण (Homogeneous Catalysis)

जब अभिक्रिया एवं उत्प्रेरक समान प्रावस्था (अर्थात् द्रव या गैस) में हों तो प्रक्रम समांगी उत्प्रेरण कहलाता है। उदाहरण–

(*i*) हाइड्रोक्लोरिक अम्ल द्वारा प्रदत्त H^+ आयनों से मिथाइल ऐसीटेट का जल अपघटन उत्प्रेरित होता है।

$$CH_3COOCH_{3(l)} + H_2O_{(l)} \xrightarrow{HCl_{(aq)}}$$

$$CH_3COOCH_{(aq)} + CH_3OH_{(aq)}$$ अभिक्रिया एवं उत्प्रेरक दोनों ही समान प्रावस्था में हैं।

(*ii*) शर्करा का जल अपघटन, सल्फ्युरिक अम्ल द्वारा प्रदत्त H^+ आयनों से उत्प्रेरित होता है।

$$\underset{\text{विलयन}}{C_{12}H_{22}O_{11(aq)} +} H_2O_{(l)} \xrightarrow{H_2SO_{4(l)}}$$

$$\underset{\text{ग्लूकोस}}{C_6H_{12}O_{6(aq)}} + \underset{\text{फ्रक्टोस}}{C_6H_{12}O_{6(aq)}}$$

अभिक्रिया एवं उत्प्रेरक दोनों समान प्रावस्था में हैं।

(*iii*) सीसा कक्ष विधि (लेड चेंबर प्रक्रम) में नाइट्रोजन के ऑक्साइडों की उत्प्रेरक की तरह उपस्थिति में, सल्फर डाइऑक्साइड का डाइऑक्सीजन के साथ अभिक्रिया द्वारा सल्फर डाइऑक्साइड में ऑक्सीकरण–

$$2SO_{2(g)} + O_{2(g)} \xrightarrow{NO_{(g)}} 2SO_{3(g)}$$

अभिक्रिया, सल्फर डाइऑक्साइड तथा ऑक्सीजन एवं उत्प्रेरक नाइट्रिक ऑक्साइड सभी समान प्रावस्था में हैं।

विषमांगी उत्प्रेरण (Heterogeneous Catalysis)

उत्प्रेरकी प्रक्रम जिसमें अभिक्रियक एवं उत्प्रेरक भिन्न प्रावस्थाओं मे होते हैं, विषमांगी उत्प्रेरण कहलाता है।

(*i*) ओस्टवाल्ड प्रक्रम में, प्लेटिनम गेज की उपस्थिति में, अमोनिया का नाइट्रिक ऑक्साइड में ऑक्सीकरण–

$$4NH_{3(g)} + 5O_{2(g)} \xrightarrow{Pt_{(s)}} 4NO_{(g)} + 6H_2O_{(g)}$$

अभिक्रियक गैसीय प्रावस्था में हैं जबकि उत्प्रेरक ठोस प्रावस्था में हैं।

(*ii*) Pt की उपस्थिति में सल्फर डाइऑक्साइड का सल्फर ट्राइऑक्साइड में ऑक्सीकरण– $2SO_{2(g)} \xrightarrow{Pt_{(s)}} 2SO_{3(g)}$

अभिक्रियक गैसीय प्रावस्था में है जबकि उत्प्रेरक ठोस अवस्था में है।

(*iii*) सूक्ष्म विभाजित निकेल उत्प्रेरक की उपस्थिति में वनस्पति तेलों का हाइड्रोजन के साथ-संयोजन

$$\text{वनस्पति तेल}(l) + H_2(g) \xrightarrow{Ni(s)} \text{घी } (s)$$

अभिक्रियकों में से एक द्रव प्रावस्था में है जबकि दूसरा गैसीय प्रावस्था में है और उत्प्रेरक ठोस प्रावस्था में है।

(*iv*) हैबर प्रक्रम में सूक्ष्म विभाजित लोहे की उपस्थिति में अमोनिया बनने में डाइनाइट्रोजन एवं डाइहाइड्रोजन के मध्य संयोजन–

$$N_2(g) + 3H_2(g) \xrightarrow{Fe(s)} 2NH_3(g)$$

अभिक्रियक गैसीय प्रावस्था में हैं जबकि उत्प्रेरक ठोस प्रावस्था में है।

विषमांगी उत्प्रेरण का अधिशोषण सिद्धांत

उत्प्रेरण क्रिया उत्प्रेरक की सतह पर केंद्रित होती है। क्रियाविधि में अग्रलिखित पाँच पद सम्मिलित होते हैं–

(*i*) उत्प्रेरक की सतह पर अभिक्रियकों का विसरण,

(*ii*) उत्प्रेरक की सतह पर अभिक्रियक अणुओं का अधिशोषण,

(*iii*) एक मध्यवर्ती निर्माण द्वारा उत्प्रेरक की सतह पर रासायनिक अभिक्रिया का होना

(*iv*) उत्प्रेरक सतह से अभिक्रिया उत्पादों का विशोषण होने के बाद सतह का दोबारा अधिक अभिक्रिया होने के लिए उपलब्ध कराना।

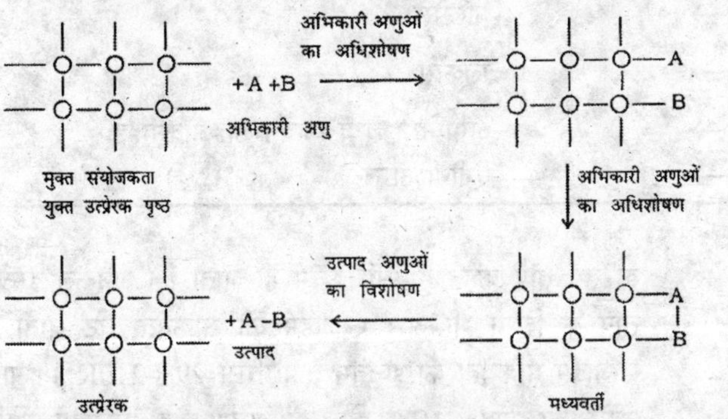

चित्रः *अभिकारी अणुओं का अधिशोषण, मध्यवर्ती का बनना एवं उत्पादों का विशोषण।*

(*v*) अभिक्रिया उत्पादों का उत्प्रेरक की सतह से दूर विसरण।

उत्प्रेरक की सतह पर मुक्त संयोजकताएं होती हैं, जैसा स्थूल के आंतरिक भाग में नहीं है। यह संयोजकताएं रासायनिक आकर्षण बलों के लिए स्थान उपलब्ध करवाती हैं। जब कोई गैस एक ऐसी सतह के संपर्क में आती है तो इसके अणु शिथिल रासायनिक संयोजन के कारण वहाँ बँध जाते हैं। यदि अलग प्रकार के अणु पास-पास अधिशोषित हो जाएं तो एक दूसरे से अभिक्रिया कर सकते हैं जिससे नए अणु बन जाते हैं। इस प्रकार बने अणु सतह को नए अभिक्रियक अणुओं के लिए छोड़ते हुए वाष्पीकृत हो जाते हैं।

उपरोक्त सिद्धान्त से यह स्पष्ट होता है कि अभिक्रिया के अंत में उत्प्रेरक का द्रव्यमान एवं रासायनिक संघटन क्यों अपरिवर्तित रहता है तथा यह कम मात्रा में भी कैसे प्रभावी होता है। यह उत्प्रेरक वर्धक एवं उत्प्रेरक विष की क्रिया को स्पष्ट नहीं करता।

ठोस उत्प्रेरकों की महत्वपूर्ण विशेषताएं

(*i*) **सक्रियता–** बहुत सीमा तक उत्प्रेरक की सक्रियता रसावशोषण की प्रबलता पर निर्भर करती है। सक्रिय होने के लिए अभिक्रियक, उत्प्रेरक पर पर्याप्त प्रबलता से अधिशोषित होने चाहिए। तथापि वे इतनी प्रबलता से अधिशोषित नहीं होने चाहिए कि वे गतिहीन हो जाएं एवं अन्य अभिक्रियकों के लिए उत्प्रेरक की सतह पर कोई स्थान रिक्त न रहे। हाइड्रोजन अभिक्रियाओं के लिए यह पाया गया है कि उत्प्रेरकी सक्रियता आवर्तसारणी में वर्ग 5 से वर्ग 11 के तत्वों तक बढ़ती है, जिनमें वर्ग 7 से 9 के तत्व अधिकतम सक्रियता दर्शाते हैं।

$$2H_2(g) + O_2(g) \xrightarrow{Pt} 2H_2O(l)$$

(*ii*) **वरणात्मकता (चयनात्मकता)–** किसी उत्प्रेरक की वरणात्मकता उसकी किसी अभिक्रिया को दिशा देकर एक विशेष उत्पाद बनाने की क्षमता है। उदाहरणार्थ H_2 एवं CO से प्रारंभ करके एवं भिन्न उत्प्रेरकों के प्रयोग से हम भिन्न-भिन्न उत्पाद प्राप्त कर सकते हैं।

(*i*) $CO(g) + 3H_2(g) \xrightarrow{Ni} CH_4(g) + H_2O(g)$

(*ii*) $CO(g) + 2H_2(g) \xrightarrow{Cu/ZnO-Cr_2O_3} CH_3OH(g)$

(*iii*) $CO(g) + H_2(g) \xrightarrow{Cu} HCHO(g)$

इस प्रकार यह निष्कर्ष निकलता है कि, उत्प्रेरक के कार्य की प्रकृति अत्यधिक विशिष्ट होती है, अर्थात कोई पदार्थ एक विशेष अभिक्रिया के लिए ही उत्प्रेरक हो सकता है, सभी अभिक्रियाओं के लिए नहीं। इसका अर्थ यह है कि एक पदार्थ जो एक अभिक्रिया में उत्प्रेरक का कार्य करता है अन्य अभिक्रियाओं को उत्प्रेरित करने में असमर्थ हो सकता है।

जिओलाइटों का आकार वरणात्मक उत्प्रेरण

वह उत्प्रेरकी अभिक्रिया जो उत्प्रेरक की रंध्र संरचना एवं अभिक्रिया एवं उत्पाद अणुओं के साइज (आकार) पर निर्भर करती है, आकार वरणात्मक उत्प्रेरण कहलाती है। जिओलाइट अच्छे आकार के वरणात्मक उत्प्रेरक हैं। यह सिलिकेटस के त्रिविमीय नेटवर्क वाले सूक्ष्मरंध्री ऐलुमिनो सिलिकेट होते हैं जिनमें कुछ सिलिकन परमाणु ऐलुमिनियम के परमाणुओं द्वारा प्रतिस्थापित होकर Al–O–Si ढाँचा बनाते हैं। जिओलाइटों में होने वाली अभिक्रियाएं अभिक्रियक तथा उत्पाद अणुओं के आकार एवं आकृति के साथ-साथ जिओलाइट के सरंध्रों एवं कोटरों पर (Cavities) निर्भर करती हैं। जिओलाइट प्रकृति में पाए जाते हैं उत्प्रेरक वरणात्मकता के लिए संश्लेषित भी किए जाते हैं।

जिओलाइट पेट्रोरसायन उद्योग में हाइड्रोकार्बनों के भंजन एवं समावयवन में उत्प्रेरक के रूप में प्रयुक्त किए जा रहे हैं। ZSM-5 पेट्रोलियम उद्योग में प्रयुक्त होने वाला एक महत्वपूर्ण जिओलाइट उत्प्रेरक है जो कि ऐल्कोहॉल का निर्जलीकरण करके हाइड्रोकार्बनों का मिश्रण बनाता है और उन्हें गैसोलीन (पेट्रोल) में परिवर्तित कर देता है।

एन्जाइम उत्प्रेरण

एन्जाइम जटिल नाइट्रोजनी कार्बनिक यौगिक हैं जो जीवित पौधों एवं जन्तुओं द्वारा उत्पन्न किए जाते हैं। वास्तविक रूप में ये उच्च अणु द्रव्यमान वाले प्रोटीन अणु हैं जो जल में कोलॉइडी विलयन बनाते हैं। ये बहुत प्रभावी उत्प्रेरक होते हैं जो अनेक, विशेष रूप से प्राकृतिक प्रक्रमों से सबंधित अभिक्रियाओं को उत्प्रेरित करते हैं। जंतुओं एवं पौधों में जीवन प्रक्रम के अनुरक्षण के लिए होने वाली अनेक शारीरिक अभिक्रियाएं, एन्जाइमों द्वारा उत्प्रेरित होती हैं। अतः एन्जाइमों के लिए जैवरासायनिक उत्प्रेरक शब्द का प्रयोग होता है एवं उत्प्रेरण की परिघटना जैवरासायनिक उत्प्रेरण कहलाती है।

कई एन्जाइम जीवित कोशिकाओं से परिशुद्ध क्रिस्टलीय अवस्था में प्राप्त किए गए हैं परंतु प्रयोगशाला में पहला एन्जाइम 1969 में संश्लेषित किया गया था।

एन्जाइम उत्प्रेरित अभिक्रियाओं के कुछ उदाहरण

(*i*) **ग्लूकोस का ऐथिल ऐल्कोहॉल में परिवर्तन–** जाइमेज एन्जाइम ग्लूकोस का एथिल ऐल्कोहॉल एवं कार्बन डाइऑक्साइड में परिवर्तित कर देता है।

$$\underset{\text{ग्लूकोस}}{C_6H_{12}O_6(aq)} \xrightarrow{\text{जाइमेज}} \underset{\text{एथिल ऐल्कोहॉल}}{2C_2H_5OH(aq)} + 2CO_2(g)$$

तालिका 1: कुछ प्रमुख एन्जाइमी अभिक्रियाएं

एन्जाइम	स्रोत	एन्जाइमी अभिक्रियाएं		
इन्वर्टेज	यीस्ट	सूक्रोस	→	ग्लूकोस तथा फ्रक्टोज
जाइमेज	यीस्ट	ग्लूकोस	→	एथिल ऐल्कोहॉल तथा कार्बन डाइऑक्साइड
डायस्टेज	माल्ट	स्टार्च	→	माल्टोस
माल्टेज	यीस्ट	माल्टोस	→	ग्लूकोस
यूरिएज	सोयाबीन	यूरिया	→	अमोनिया तथा कार्बन डाइऑक्साइड
पेप्सिन	आमाशय	प्रोटीन	→	ऐमीनो अम्ल

(*ii*) **इक्षु-शर्करा (सूक्रोस) का प्रतिलोमन–** इन्वर्टेज एन्जाइम इक्षु-शर्करा (सूक्रोस) को ग्लूकोस एवं फ्रक्टोज में परिवर्तित कर देता है।

$$\underset{\text{इक्षु-शर्करा (सूक्रोस)}}{C_{12}H_{22}O_{11}}(aq) + H_2O(l) \xrightarrow{\text{इन्वर्टेस}} \underset{\text{ग्लूकोस}}{C_6H_{12}\ O_6}\ (aq) + \underset{\text{फ्रक्टोज}}{C_6H_2P_6}\ (aq)$$

(*iii*) **दुग्ध का दही में परिवर्तन–** यह एक एन्जाइमिक अभिक्रिया है जो कि दही में उपस्थित लेक्टोबैसिलस एन्जाइम द्वारा होती है।

(*iv*) **यूरिया का अमोनिया एवं कार्बन डाइऑक्साइड में अपघटन–** यूरिएज एन्जाइम अपघटन को उत्प्रेरित करता है।

$$NH_2CONH_2\ (aq) + H_2O(l) \xrightarrow{\text{यूरिएज}} 2NH_3\ (g) + CO_2\ (g)$$

(*v*) **माल्टोस का ग्लूकोस में परिवर्तन–** माल्टेज एन्जाइम माल्टोस को ग्लूकोस में परिवर्तित कर देता है।

$$\underset{\text{माल्टोस}}{C_{12}H_{22}\ O_{11}}(aq) + H_2O(l) \xrightarrow{\text{माल्टेज}} \underset{\text{ग्लूकोस}}{2C_6\ H_{12}O_6}\ (aq)$$

(*vi*) **स्टार्च का माल्टोस में परिवर्तन–** डायस्टेज एन्जाइम स्टार्च को माल्टोस में परिवर्तित कर देता है।

$$2\left(\underset{\text{स्टार्च}}{C_6H_{10}\ O_5}\right)_n (aq) + H_2O(l) \xrightarrow{\text{डायस्टेज}} \underset{\text{माल्टोस}}{nC_{12}\ H_{22}O_{11}}(aq)$$

एन्जाइम उत्प्रेरण के अभिलक्षण

(*i*) **सर्वोत्तम दक्षता–** एन्जाइम का एक अणु अभिक्रियक के दस लाख अणुओं को प्रति मिनट परिवर्तित कर सकता है।

(*ii*) **उच्च विशिष्ट प्रकृति–** प्रत्येक एन्जाइम की विशिष्टता किसी की एक अभिक्रिया के लिए होती है। उदाहरणार्थ एन्जाइम यूरिएज, केवल यूरिया के जल अपघटन को उत्प्रेरित करता है। यह किसी अन्य एमाइड के जल अपघटन को उत्प्रेरित नहीं करता है।

(*iii*) **इष्टतम ताप (Optimum temperature) पर सर्वाधिक सक्रिय–** एन्जाइम उत्प्रेरित अभिक्रिया की दर एक निश्चित ताप पर जिसे इष्टतम ताप कहते हैं, अधिकतम हो जाती है। अनुकूल इस्टतम ताप के किसी भी ओर एन्जाइम की सक्रियता घट जाती है। एन्जाइम सक्रियता का इष्टतम ताप परास 298–210K है। मानव शरीर का ताप 310K होने के कारण यह एन्जाइम-उत्प्रेरित अभिक्रियाओं के लिए उपयुक्त होता है।

(*iv*) **इष्टतम pH पर सर्वाधिक सक्रिय–** एन्जाइम उत्प्रेरित अभिक्रिया की दर एक निश्चित pH पर जिसे इष्टतम pH कहते हैं, अधिकतम होती है। इसका मान 5–7 के मध्य होता है।

(*v*) **सक्रियक एवं सहएन्जाइमों की उपस्थिति में वर्धमान सक्रियता–** एन्जाइम की सक्रियता कुछ पदार्थों की उपस्थिति में, जिन्हें सहएन्जाइम कहते हैं, बढ़ जाती है। यह देखा गया है कि जब थोड़ा सा अप्रोटीन (जैसे विटामिन), एन्जाइम के साथ उपस्थित होता है तो, एन्जाइम की उत्प्रेरकी महत्वपूर्ण रूप से बढ़ जाती है। सक्रियक साधारणतया धात्विक आयन जैसे Na^+, Mn^{2+}, Co^{2+}, Cu^{2++} आदि होते हैं। ये धात्विक आयन एन्जाइम अणुओं से दुर्बल रुप से आबंधित होने पर उत्प्रेरकी सक्रियता बढ़ा देते हैं। एमिलेज सोडियम क्लोराइड की उपस्थिति में उत्प्रेरकीय रुप में बहुत सक्रिय होता है।

(*vi*) **संदमक एवं विष का प्रभाव–** सामान्य उत्प्रेरकों के समान एन्जाइम भी कुछ पदार्थों की उपस्थिति में संदमित एवं विषाक्त हो जाते हैं। संदमक अथवा विष, एन्जाइम की सतह पर उपस्थित सक्रिय क्रियात्मक समूहों से अन्योन्यक्रिया करके एन्जाइमों की उत्प्रेरकी सक्रियता को प्रायः कम या पूरी तरह समाप्त कर देते हैं। मानव शरीर में कई औषधों का प्रयोग उनके एन्जाइम को संदमित करने के गुण से सबंधित होता है। शरीर में कई औषधों की क्रिया एन्जाइम संदमक से संबंधित होती है।

एन्जाइम उत्प्रेरण की क्रियाविधि

एन्जाइम के कोलॉइडी कणों की सतहों पर बहुत सारे कोटर होते हैं। ये कोटर अभिलक्षणिक आकृति के होते हैं एवं इनमें सक्रिय समूह जैसे– $-NH_2$, –COOH, –SH, –OH, आदि होते हैं। यह सतह पर उपस्थित सक्रिय केंद्र होते हैं। अभिक्रियक के अणु जिनकी परिपूरक आकृति होती है, इन कोटरों में एक ताले में चाबी के समान फिट हो जाते हैं। सक्रिय समूहों की उपस्थिति के कारण एक सक्रियत संकुल बनता है जो विघटित

होकर उत्पाद देता है। उपरोक्तानुसार, एन्जाइम उत्प्रेरित अभिक्रिया दो पदों में सम्पन्न होती है।

$$E + S \rightleftharpoons [E - S] \rightarrow E + P$$

पद 1– सक्रियत संकुल बनाने के लिए एन्जाइम का सबस्ट्रेट से आबंधन $E + S \rightarrow ES$

पद 2– उत्पाद बनाने के लिए सक्रियत संकुल का विघटन $ES \rightarrow E + P$

उद्योगों में उत्प्रेरण

उद्योगों में उत्प्रेरण की उपयोगिता का बोध कराने के लिए सारणी में कुछ महत्वपूर्ण तकनीकी उत्प्रेरक प्रक्रम दिए गए हैं।

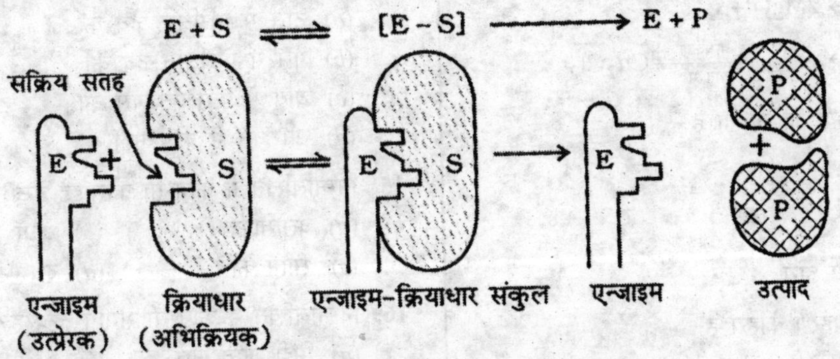

चित्र: *एन्जाइम उत्प्रेरित अभिक्रियाओं की क्रियाविधि*

तालिका 2: कुछ औद्योगिक प्रक्रम एवं उत्प्रेरक

प्रक्रम	उत्प्रेरक
1. सल्फ्यूरिक अम्ल के उत्पादन के लिए संस्पर्श प्रक्रम (Contact Process) $2SO_2\,(g) + O_2(g) \rightarrow 2SO_3\,(g)$ $SO_3\,(g) + H_2SO_4\,(aq) \rightarrow \underset{\text{ओलियम}}{H_2S_2O_7}\ (l)$ $H_2S_2O_7\,(l) + H_2O\,(l) \rightarrow 2H_2SO_4\,(aq)$	प्लैटिनीकृत ऐस्बेस्टॉस या वैनेडियम पेन्टाऑक्साइड (V_2O_5) ताप 673 K–723 K
2. अमोनिया उत्पादन के लिए हैबर प्रक्रम $N_2\,(g) + 3H_2\,(g) \rightarrow 2NH_3\,(g)$	सूक्ष्म विभाजित लोहा, मॉलिब्डेनम वर्धक के रूप में; अवस्थाएं– 200bar दाब तथा 723–773 K ताप
3. नाइट्रिक अम्ल के उत्पादन के लिए ओस्टवाल्ड प्रक्रम $4NH_3\,(g) + 5O_2\,(g) \rightarrow 4NO\,(g) + 6H_2O\,(g)$ $2NO\,(g) + O_2\,(g) \rightarrow 2NO_2\,(g)$ $4NO_2\,(g) + 2H_2O(l) + O_2\,(g) \rightarrow 4HNO_3\,(aq)$	प्लैटिनीकृत ऐस्बेस्टॉस – ताप 573K

वस्तुनिष्ठ प्रश्न

1. कोलॉइड तथा क्रिस्टलाभ के मध्य अन्तर है–
(*a*) व्यास का (*b*) कणों के आकार का
(*c*) त्रिज्या का (*d*) विलेयता का

2. निलम्बन, वास्तविक विलयन तथा कोलॉयडी विलयन में कणों के आकार का क्रम है–
(*a*) निलम्बन > कोलॉयडी > वास्तविक विलयन
(*b*) वास्तविक विलयन > निलम्बन > कोलॉयडी
(*c*) निलम्बन > कोलॉयडी = वास्तविक विलयन
(*d*) उपरोक्त में कोई नहीं

3. कोलॉयडी अवस्था में, कणों का आकार होता है–
(*a*) 1 से 10 Å (*b*) 20 से 50 Å
(*c*) 10 से 1000 Å (*d*) 1 से 280 Å

4. कोलॉयडी कणों का आकार निम्नलिखित श्रेणी का होता है–
(*a*) 10^{-7} से 10^{-6} सेमी. तक
(*b*) 10^{-7} से 10^{-5} सेमी. तक
(*c*) 10^{-4} सेमी. से ऊपर
(*d*) उपरोक्त में कोई नहीं

5. कोलॉयडी कणों का आकार है–

(*a*) 1 $m\mu$ से 200 $m\mu$ (*b*) 10 $m\mu$ से 20 $m\mu$

(*c*) 0.05 $m\mu$ से 0.1 $m\mu$ (*d*) 25 $m\mu$ से 30 $m\mu$

6. निम्नलिखित में से कौन-सी अभिक्रिया कोलॉयडी विलयन देती है?

(*a*) $Cu + HgCl_2 \rightarrow CuCl_2 + Hg$

(*b*) $2HNO_3 + 3H_2S \rightarrow 3S + 4H_2O + 2NO$

(*c*) $2Mg + CO_2 \rightarrow 2MgO + C$

(*d*) $Cu + CuCl_2 \xrightarrow[\text{की उपस्थिति में}]{\text{HCl की अधिकता}} Cu_2Cl_2$

7. कोलॉइडों को शुद्ध किया जा सकता है–

(*a*) पेप्टीकरण द्वारा

(*b*) स्कंदन द्वारा

(*c*) डायलिसिस द्वारा

(*d*) ब्रीडिंग आर्क विधि द्वारा

8. कोलॉयडी तन्त्र का उदाहरण कोहरा है–

(*a*) गैस में परिक्षिप्त द्रव

(*b*) गैस में परिक्षिप्त गैस

(*c*) गैस में परिक्षिप्त ठोस

(*d*) द्रव में परिक्षिप्त ठोस

9. कौन-सा प्राकृतिक कोलॉइड है?

(*a*) सोडियम क्लोराइड (*b*) यूरिया

(*c*) केन शर्करा (*d*) रक्त

10. दूध है–

(*a*) दूध में परिक्षिप्त वसा (*b*) जल में परिक्षिप्त वसा

(*c*) वसा में परिक्षिप्त जल (*d*) तेल में परिक्षिप्त जल

11. दूध एक कोलॉइड है जिसमें–

(*a*) द्रव में द्रव परिक्षिप्त होता है।

(*b*) द्रव में ठोस परिक्षिप्त होता है।

(*c*) द्रव में गैस परिक्षिप्त होता है।

(*d*) जल में कुछ चीनी परिक्षिप्त होती है।

12. धुआँ उदाहरण है–

(*a*) द्रव में परिक्षिप्त गैस

(*b*) ठोस में परिक्षिप्त गैस

(*c*) गैस में परिक्षिप्त ठोस

(*d*) ठोस में परिक्षिप्त ठोस

13. मक्खन एक कोलॉयड है, बनता है जब

(*a*) जल में परिक्षिप्त वसा

(*b*) जल में परिक्षिप्त वसा गोलाणु

(*c*) वसा में परिक्षिप्त जल

(*d*) उपरोक्त में कोई नहीं

14. एरोसॉल एक कोलॉयडी तन्त्र है–

(*a*) ठोस में परिक्षिप्त द्रव का

(*b*) गैस में परिक्षिप्त द्रव का

(*c*) वायु में परिक्षिप्त गैस का

(*d*) उपरोक्त में कोई नहीं

15. निम्नलिखित में कौन-सा कोलॉइड तन्त्र नहीं है?

(*a*) क्लोरोफिल (*b*) धुआँ

(*c*) रंगीन काँच (*d*) दूध

16. निम्नलिखित में कौन-सा समांग तन्त्र है?

(*a*) मिट्टी युक्त जल

(*b*) डबल रोटी

(*c*) कंकरीट

(*d*) जल में चीनी का विलयन

17. किसी द्रव प्रावस्था में कोलॉइडी निलम्बन को कहा जाता है–

(*a*) जैल (*b*) समांग विलयन

(*c*) सॉल (*d*) एरोसॉल

18. यदि परिक्षिप्त प्रावस्था द्रव है तथा परिक्षेपण माध्यम ठोस है, तो कोलॉइड कहलाता है–

(*a*) सॉल (*b*) जैल

(*c*) पॉयस (इमल्सन) (*d*) झाग

19. एक कोलॉयडी तन्त्र जिसमें गैस के बुलबुले द्रव में परिक्षिप्त होते हैं। कहलाता है–

(*a*) झाग (*b*) सॉल

(*c*) एरोसॉल (*d*) पॉयस (इमल्सन)

20. पॉयस एक कोलॉयडी तन्त्र है जिसमें निहित है–

(*a*) दो ठोस

(*b*) दो द्रव

(*c*) एक गैस तथा एक ठोस

(*d*) एक गैस तथा एक द्रव

उत्तरमाला

1	2	3	4	5	6	7	8	9	10
(*b*)	(*a*)	(*c*)	(*b*)	(*a*)	(*b*)	(*c*)	(*a*)	(*d*)	(*b*)
11	**12**	**13**	**14**	**15**	**16**	**17**	**18**	**19**	**20**
(*a*)	(*c*)	(*c*)	(*b*)	(*a*)	(*d*)	(*c*)	(*b*)	(*a*)	(*b*)

अध्याय 9

विलयन (Solution)

विलयन

- दो या दो से अधिक पदार्थों के परस्पर मिश्रण से, जो समांगी मिश्रण (Homogeneous Mixture) प्राप्त होता है, विलयन कहलाता है।
- विलयन कई प्रकार के होते हैं। जैसे–ठोस का द्रव में विलयन, द्रव का गैस में, गैस का द्रव में विलयन, द्रव का ठोस में विलयन, द्रव का द्रव में विलयन व गैस का गैस में विलयन आदि।

विलेय व विलायक (Solute and Solvent)

- जब दो पदार्थ एक विलयन बनाते हैं तब एक पदार्थ दूसरे में घुलता है। अल्प मात्रा में उपस्थित होने वाला पदार्थ विलेय (Solute) तथा दूसरा विलायक (Solvent) कहलाता है।
- विलायक कई प्रकार के होते हैं लेकिन अधिक डाई इलेक्ट्रिक नियतांक वाले पदार्थ सबसे अधिक विलायक माने जाते हैं।
- जल का डाई इलेक्ट्रिक नियतांक अधिक होने के कारण इसे उत्तम विलायक माना जाता है तथा इसे सार्वत्रिक विलायक (Universal Solvent) भी कहते हैं लेकिन कुछ कार्बनिक व अन्य पदार्थों जैसे–कपूर, गंधक, सल्फर, घी, नेफ्थलीन आदि जल में अविलेय होते हैं। ऐसे पदार्थों के लिए अन्य विलायकों का प्रयोग किया जाता है।
- कुछ महत्वपूर्ण विलायक तथा उनमें विलेय पदार्थ निम्न हैं-

विलायक	विलेय पदार्थ
(*i*) जल	नमक, चीनी, फिटकरी, नीला थोथा (कॉपर-सल्फेट), एल्कोहल
(*ii*) एसीटोन	वार्निश, कारडाइट, क्लोडियन, रेयान, सेल्युलोस, कृत्रिम रेशम
(*iii*) ऐल्कोहल	वार्निश, पॉलिश, कपूर, चमड़ा, लाख, आयोडीन
(*iv*) कार्बन टेट्रा क्लोराइड	तेल, वसा, घी, मोम आदि।
(*v*) ईथर	चर्बी, मोम, तेल
(*vi*) नैप्था	रबड़
(*vii*) तारपीन का तेल	पेंट व रेजिन
(*viii*) कार्बन डाइसल्फाइड	गंधक, फास्फोरस आदि।

विलायकों के उपयोग (Uses of Solvent)

विलायकों का दैनिक जीवन में महत्वपूर्ण उपयोग है। आयोडीन को स्प्रिट में घोलकर विभिन्न प्रकार की औषधियां जैसे–टिंचर आयोडीन, आयोडेक्स आदि बनाये जाते हैं। बेंजीन व पेट्रोल का प्रयोग निर्जल धुलाई (Dry Cleaning) के रूप में किया जाता है। रबड़ का नैष्था में विलयन बनाकर विभिन्न प्रकार के दैनिक जीवन के कार्यों जैसे–साईकिल आदि के पंक्चर आदि जोड़ने में इसका प्रयोग किया जाता है। कार्बनिक यौगिक एथिल ऐसीटेट का प्रयोग औद्योगिक क्षेत्र में विलायक के रूप में बहुत अधिक किया जाता है। ऐल्कोहल से विभिन्न प्रकार के सुगन्धित इत्र बनाये जाते हैं। बेन्जीन, तेल, वसा, रबड़ का अच्छा विलायक है इसलिए इसका उपयोग उद्योगों में विलायक के रूप में किया जाता है। यदि विलेय तथा विलायक किसी विलयन में समान अवस्था में नहीं है तो विलयन का वह घटक जो विलयन की अवस्था के समान अवस्था में होगा, विलायक कहलायेगा तथा दूसरा घटक विलेय कहलायेगा।

परन्तु, यदि दोनों घटक अर्थात् विलेय तथा विलायक समान अवस्था में हों तो वह घटक जो अधिक मात्रा में होगा, विलायक तथा कम मात्रा वाला घटक विलेय कहलाएगा।

यदि किसी विलयन में उपस्थित विलेय के कण धन तथा ऋण आवेशित हो तो वह विलयन विद्युत धारा प्रवाहित करने में सक्षम होता है। ऐसे विलेय विद्युत अपघट्य कहलाते हैं। यदि विलेय अणुओं तथा आयनों का मिश्रण हो तो यह विद्युत धारा को संचालित तो करेगा परन्तु अत्यंत क्षीणता से, इस प्रकार के विलेय पदार्थ दुर्बल विद्युत अपघट्य कहलाते हैं तथा यदि विलेय कण केवल अणुओं के बने हों तो ये अनअपघट्य कहलाते हैं। सामान्य लवण एक विद्युत अपघट्य है, CH_2COOH (ऐसीटिक अम्ल) एक दुर्बल विद्युत अपघट्य तथा ग्लूकोस एक अनअपघट्य है।

विभिन्न प्रकार के विलयन (Different Types of Solution)

विलयन के प्रकार	उदाहरण
गैस में गैस	O_2 तथा N_2 गैस का मिश्रण
गैस में द्रव	क्लोरोफार्म, वाष्प तथा N_2 गैस का मिश्रण
गैस में ठोस	कपूर की वाष्प तथा N_2 का मिश्रण
द्रव में गैस	जल में घुलित O_2 गैस
द्रव में द्रव	जल में घुलित एथिल एल्कोहल
द्रव में ठोस	चीनी तथा जल का मिश्रण
ठोस में गैस	H_2 का पैलेडियम में विलयन
ठोस में द्रव	सोडियम तथा पारा (Mercury) अमलगम
ठोस में ठोस	सोने में घुलित तांबा

विलयनों की सान्द्रता (Concentration of Solutions)

1. नॉर्मलता (N) – यह विलयन के प्रति लीटर में उपस्थित विलेय के ग्राम तुल्यांकों (ग्राम में तुल्यांकी भार) को संख्या के रूप में परिभाषित करते हैं। नॉर्मलता की इकाई ग्राम तुल्यांक लीटर[1] है। नॉर्मलता ताप के साथ परिवर्तित होती है। जब विलयन को x गुना तनु किया जाता है, तो इसकी नार्मलता x गुना बढ़ जाती है।

(i) $N = \dfrac{\text{विलेय के ग्रा. तु. की संख्या}}{\text{विलयन का आयतन लीटर में}}$

(ii) $N = \dfrac{\text{विलयन में प्रति लीटर विलेय का भार}}{\text{विलेय का ग्रा. तु. भार}}$

(iii) $N = \dfrac{\text{विलयन का भार}}{\text{विलेय का ग्रा. तु. भार}} \times \dfrac{1000}{\text{विलयन का मिली. में आयतन}}$

(iv) $N = \dfrac{\text{विलेय के मि. तुल्यांकों की संख्या}}{\text{विलयन की मिली. में आयतन}}$

(v) $N = \dfrac{\text{विलेय का प्रतिशत} \times 10}{\text{विलेय का ग्रा.तु. भार}}$

(vi) $N = \dfrac{\text{विलयन की ग्रा. ली}^{-1}\text{ में सान्द्रता}}{\text{विलेय का ग्राम तुल्यांकी भार}}$

(vii) $N = 10 \times \text{विलयन का वि. गुरूत्व} \times \dfrac{\text{विलेय का \%भार}}{\text{विलेय का ग्राम तुल्यांकी भार}}$

(viii) $N_1 V_1 = N_2 V_2$ या एक पदार्थ के ग्रा. तुल्यांकों की संख्या = दूसरे पदार्थ के तुल्यांकों की संख्या

(ix) जब समान विलेय के दो विलयनों को मिश्रित किया गया, तब मिश्रण की नार्मलता (N) है।

$$N = \frac{V_1N_1 + V_2N_2}{V_1 + V_2}$$

(x) N_1 नार्मलता के V_1 मिली. से N_2 नार्मलता के V_2 मिली. विलयन को प्राप्त करने के लिए प्रयुक्त जल का आयतन अर्थात् $(V_2 - V_1)$

$$V_2 - V_1 = \left(\frac{N_1 - N_2}{N_2}\right)V_1$$

(xi) यदि किसी अम्ल के W ग्रा. को, N नार्मलता क्षार के V मिली. द्वारा पूर्णतः उदासीन किया जाता है, तो

$$\frac{\text{अम्ल का भार}}{\text{अम्ल का ग्रा. तु. भार}} = \frac{VN}{1000}$$

इसी प्रकार,

$$\frac{\text{क्षार का भार}}{\text{क्षार का ग्रा. तु. भार}} = \frac{\text{अम्ल का आयतन} \times \text{अम्ल की N}}{1000}$$

(xii) जब N_a नॉर्मलता के V_a मिली. अम्ल को, N_b नॉर्मलता के V_b मिली. क्षार के साथ मिश्रित किया जाता है तो

(अ) यदि $V_aN_a = V_bN_b$ (विलयन उदासीन है)

(ब) यदि $V_aN_a > V_bN_b$ (विलयन अम्लीय है)

(स) यदि $V_bN_b > V_aN_a$ (विलयन क्षारीय है)

(xiii) अम्लीय मिश्रण की नॉर्मलता $= \dfrac{V_aN_a - V_bN_b}{(V_a + V_b)}$

क्षारीय मिश्रण की नॉर्मलता $= \dfrac{V_bN_b - V_aN_a}{(V_a + V_b)}$

विभिन्न नॉर्मलता विलयनों के सामान्य निरूपण निम्न प्रकार हैं–

N = नॉर्मल विलयन 5 N = पेण्टा नॉर्मल

10N = डेका नॉर्मल N/2 = सेमी नॉर्मल

N/10 = डेसी नॉर्मल N/5 = पेण्टी नॉर्मल

यह भी याद रखिये कि नॉर्मलता $= \dfrac{\text{ग्राम/लीटर में शक्ति}}{\text{ग्राम तुल्यांकी भार}}$

2. मोलरता (Molarity) – विलेय के मोलों की संख्या जो एक लीटर विलयन में घुली होती है विलयन की मोलरता कहलाती है। इसे 'M' से व्यक्त करते हैं। यदि 1 लीटर विलयन में विलेय का 1 ग्राम अणु (मोल) घुला हो तो विलयन की मोलरता एक होगी तथा विलयन की मोलरता में सान्द्रता 1M होगी।

(i) $M = \dfrac{\text{विलेय की मोल संख्या (n)}}{\text{विलयन का लीटर में आयतन}}$

(ii) $M = \dfrac{\text{विलयन में प्रतिलीटर विलेय का भार}}{\text{विलेय का अणु भार}}$

(iii) $M = \dfrac{\text{विलेय का भार}}{\text{विलेय का अणु भार}} \times \dfrac{1000}{\text{विलयन का मिली. में आयतन}}$

(iv) $M = \dfrac{\text{विलेय के मिली मोलों की संख्या}}{\text{विलयन का मिली में आयतन}}$

(v) $M = \dfrac{\text{विलेय का प्रतिशत} \times 10}{\text{विलेय का अणुभार}}$

(vi) $M = \dfrac{\text{विलयन की ग्रा. 1 ली. में सान्द्रता}}{\text{विलेय का अणुभार}}$

(vii) $M = \dfrac{10 \times \text{विलयन का विशि. गुरु.} \times \text{विलेय का \% भार}}{\text{विलेय का अणुभार}}$

(viii) $M_1 V_1 = M_2 V_2$ (तनुता नियम)

(ix) $\dfrac{M_1V_2}{n_1} = \dfrac{M_2V_2}{n_2}$

(x) यदि समान विलेय के दो विलयनों को मिश्रित किया जाये तो परिणामी विलयन की मोलरता है

$$M = \frac{V_1M_1 + V_2M_2}{(V_1 + V_2)}$$

(*xi*) M_1 मोलरता के V_1 मिली. से M_2 मोलरता का विलयन प्राप्त करने के लिए प्रयुक्त जल का आयतन

$$V_2 - V_1 = \left[\frac{M_1 - M_2}{M_2}\right] V_1$$

नॉर्मलता तथा मोलरता में सम्बन्ध

$$\text{नॉर्मलता} = \text{मोलरता} \times \frac{\text{अणुभार}}{\text{तुल्यांकी भार}}$$

3. **फार्मलता** – यह विलयन के प्रति लीटर में उपस्थित सूत्रभार की ग्रामों में संख्या है। जब सूत्रभार, अणुभार के समान होता है, तो फार्मलता तथा मोलरता समान होते हैं।

4. **मोललता (Molality)** – विलेय के मोलों की संख्या जो 1000 ग्राम विलायक में घुली होती है। उसे विलयन की मोललता कहते हैं। इसे m से व्यक्त करते हैं। यदि किसी विलयन में विलेय का एक मोल घुला हो तो विलयन की मोललता एक होगी तथा विलयन की मोललता में सान्द्रता 1m होगी।

$$m = \frac{\text{विलेय की मोल संख्या}}{\text{विलायक की मात्रा (kg)}}$$

$$m = \frac{\text{विलेय की मात्रा/विलेय का अणुभार}}{\text{विलायक की मात्रा (kg)}}$$

मोललता की इकाई किग्रा.$^{-1}$ है। मोललता, ताप के साथ परिवर्तित नहीं होती है। मोलल विलयनों की सान्द्रता मोलर विलयनों की अपेक्षा कम होती है।

(*i*) $m = \frac{\text{विलेय की ग्रा. मोलों की संख्या}}{\text{विलायक का किग्रा. में भार}}$

(*ii*) $m = \frac{\text{विलेय का भार} \times 1000}{\text{विलेय का अणुभार} \times \text{विलायक का ग्रा. में भार}}$

(*iii*) $m = \frac{\text{विलेय की मिली मोलों की संख्या}}{\text{ग्रा. में विलायक का भार}}$

(*iv*) $m = \frac{10 \times \text{विलेयता}}{\text{विलेय का अणुभार}}$

$$m = \frac{1000 \times \text{विलेय का \% भार } (x)}{(100 - x) \times \text{विलेय का अणुभार}}$$

$$m = \frac{1000 \times \text{मोलरता}}{(100 \times \text{विशि.गुरूत्व}) - (\text{मोलरता} \times \text{विलेय का अणुभार})}$$

5. **मोल प्रभाज** – यह एक घटक (अर्थात् विलेय या विलायक) की मोल संख्या तथा विलयन अर्थात् दोनों घटकों की कुल मोल संख्या का अनुपात है। इसे सामान्यतः अक्षर x द्वारा निरूपित किया जाता है। इस प्रकार विलयन, जिसमें विलेय के n_1 मोल तथा विलायक के n_2 मोल हैं। इसमें विलेय का मोल प्रभाज (x_1) तथा विलायक का मोल प्रभाज (x_2) होगा।

$$x_1 = \frac{n_1}{n_1 + n_2} \qquad x_2 = \frac{n_2}{n_1 + n_2}$$

उदाहरण के लिए, विलयन, जिसमें एल्कोहल के 1 मोल तथा जल के 4 मोल हैं, इसमें ऐल्कोहल का मोल प्रभाज 1/5 तथा जल का 4/5 होगा तथा $x_1 + x_2 = 1$

विलयन की मोललता (m) तथा विलेय के मोल प्रभाज (x_1) में सम्बन्ध $x_1 = \frac{m}{55.5 + m}$

मोललता तथा मोल प्रभाज विलयन के ताप की भिन्नता पर निर्भर नहीं होते।

6. **ग्राम प्रति मिली लीटर**– यह विलयन एक मिली लीटर (सेमी^{3}) में उपस्थित विलेय की ग्रामों में संख्या है। विलयन के प्रति लीटर में ग्रामों की संख्या (dm^3) को भी प्रयुक्त किया जाता है।

हिमांक का अवनमन (Depression of Freezing Point)

$\Delta T_f = K_f m$ [ΔT_f = F.P. में कमी, K_f = molal depression, constt. m = molality]

W ग्राम पदार्थ को किसी विलायक के w ग्राम में घोलने पर यदि विलायक के हिमांक में $\Delta T°$ की कमी होती है तो पदार्थ का अणुभार

$M = \frac{100Kw}{\Delta TW}$ (K = विलायक का अणु अवनमन स्थिरांक)

$M = \frac{1000Kw}{\Delta TW}$ (K = विलायक का मोलल अवनमन स्थिरांक)

$$\text{मोलल अवनमन स्थिरांक} = \frac{0.02T^2}{L}$$

$$\text{मोलल अवनमन स्थिरांक} = \frac{0.002 \times T^2}{L}$$

T = द्रव का हिमांक परम ताप में

L = गलन की गुप्त ऊष्मा

अपसामान्य अणु भार (Abnormal Molecular Weight)

परासरण दाब, वाष्प-दाब का अवनमन, क्वथनांक का उन्नयन तथा हिमांक का अवनमन सभी अणुसंख्य गुणधर्म (Colligative properties) हैं जो विलयन में विलेय के कणों की संख्या पर आधारित है। अतः इन सभी विधियों से ज्ञात किये अणुभार भी विलयन में विलेय के अणुओं की संख्या पर निर्भर करते हैं। जिन पदार्थों के अणु घुलने पर वियोजित (जैसे अकार्बनिक लवण) अथवा संगुणित (जैसे C_6H_5COOH) हो जाते हैं, उनके प्रायोगिक अणु भारों और सूत्रानुसार गणना किये गये अणु भारों के मानों में अंतर आता है।

वियोजन पर अणुसंख्या गुण धर्म बढ़ जाता है और संगुणन पर घट जाता है। यह अपसामान्य व्यवहार (abnormal behaviour) कहलाता है। अपसामान्यता (abnormality) की व्याख्या Van't Hoff Factor (*i*) से की जाती है।

$$i = \frac{\text{वियोजन के पश्चात कणों की संख्या}}{\text{कणों की सामान्य संख्या}}$$

$$= \frac{\text{प्रेक्षित (observed) परासरण प्रभाव (osmotic effect)}}{\text{गणना द्वारा परासरण प्रभाव}}$$

यहां परासरण प्रभाव (Osmotic Effect) से तात्पर्य परासरण दाब, वाष्प-दाब का अवनमन, क्वथनांक का उन्नयन तथा हिमांक के अवनमन से है। चूंकि ये अणुसंख्यक गुण धर्म अणुभार के व्युत्क्रमानुपाती (Inversely Proportional) होते हैं।

$$i = \frac{\text{रासायनिक सूत्र द्वारा गणना किया अणुभार}}{\text{प्रेक्षित (observed) अणुभार}}$$

गैसों की विलेयता (Solubility of Gases)

गैसें परस्पर पूर्णतः मिश्रणीय होती हैं। गैसें ठोसों तथा द्रवों में भी मिश्रणीय होती है। उदाहरण : सोडा जल में CO_2 उच्च दाब पर पानी में घुली रहती है। इसी प्रकार जल में उपस्थित O_2 जलीय जीवन के लिए महत्वपूर्ण होती है। गैस की ठोस में विलेयता का सबसे अच्छा उदाहरण पैलेडियम में H_2 gas का मिश्रण होती है।

हेनरी के नियम के अनुसार

"किसी गैस की द्रव में विलेयता गैस के दाब के अनुक्रमानुपाती होती है।"

$$x \propto p$$

जहाँ, x = गैस की विलेयता

p = गैस का दाब

$$\boxed{x = K_H p}$$

K_H = हेनरी का नियतांक

किसी गैस की द्रव में विलेयता माध्यम के ताप तथा दाब पर निर्भर करती है। डाल्टन ने भी इसी परिकल्पना को दिया। यदि हम विलेयता के बजाय गैस के मोल प्रभाजों को लें तो गैस का आभासी दाब (*Partial Pressure*) = $K_H x$ गैस के विलेयन में मोल प्रभाज के बराबर होता है।

अतः $\boxed{P = K_H \times x}$

x = मोल प्रभाज

यदि हम x (मोल प्रभाज तथा P (आभासी दाब) के बीच एक ग्राफ खींचे तो वह निम्न प्रकार से मिलता है–

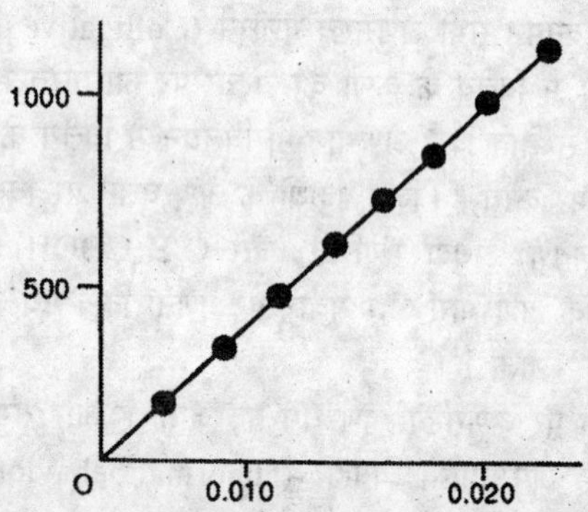

चित्र

293K ताप पर HCl गैस की साइक्लो हेक्सेन में विलेयता। रेखा की ढलान (Slope) हेनरी नियतांक K_H को दर्शाती है। विभिन्न गैसों के लिए K_H का मान भिन्न-भिन्न होता है। अतः हम यह कह सकते हैं कि K_H का मान गैसों की प्रकृति पर निर्भर करता है।

गैस	तापमान/K	K_H/K_{bar}
He	293	144.97
H_2	293	69.16
N_2	293	76.48
N_2	303	88.48
O_2	293	34.86
O_2	393	46.82

अतः K_H का मान जितना अधिक होगा, उस गैस की द्रव में विलेयता उतनी कम होगी। K_H का मान N_2 तथा O_2 के लिए ताप बढ़ने पर बढ़ता है। अतः इनकी विलेयता ताप बढ़ने पर घटती है।

हेनरी नियम के अनुप्रयोग (Application of Henry's law)

1. CO_2 गैस की ठंडे पेय (Soft drinks) में विलेयता बढ़ाने के लिए।
2. गोताखोरों को दिल के दर्द से बचाने के लिए, तनु O_2 गैस को अल्पविलेय He गैस के साथ मिलाकर, सांस दिलायी जाती है (Breathing Gas) फेफड़ों में जहाँ O_2 उच्च दाब पर वायु के साथ मिली रहती है, हीमोग्लोबिन ऑक्सीजन के साथ मिलकर ऑक्सीहीमोग्लोबिन बनाती है। ऊतकों में जहाँ O_2 का आंशिक दाब कम रहता है, ऑक्सीहीमोग्लोबिन मुक्त हो जाती है तथा कोशिकीय क्रियाओं में उपयोग की जाती है।

ठोस विलयन (Solid Solution)

जब दो ठोस घटक मिलकर विलयन बनाते हैं तो वह ठोस विलयन कहलाता है। ये दो प्रकार के होते हैं–

1. प्रतिस्थापनीय ठोस विलयन (Substitutional Solid Solution)
2. अन्तराली ठोस विलयन (Interstitial Solid Solution)

प्रतिस्थापनीय ठोस विलयन वे होते हैं जिनमें एक पदार्थ के परमाणु, अणु अथवा आयन दूसरे पदार्थ के क्रिस्टल जालक में से समान प्रजाति को विस्थापित कर देते हैं, उदाहरण - तांबा, पीतल, स्टील इत्यादि।

अन्तराली ठोस विलयन वे होते हैं जिनमें एक ही प्रकार के अणु क्रिस्टल जालक में स्थित अणुओं के बीच में रहते हैं।

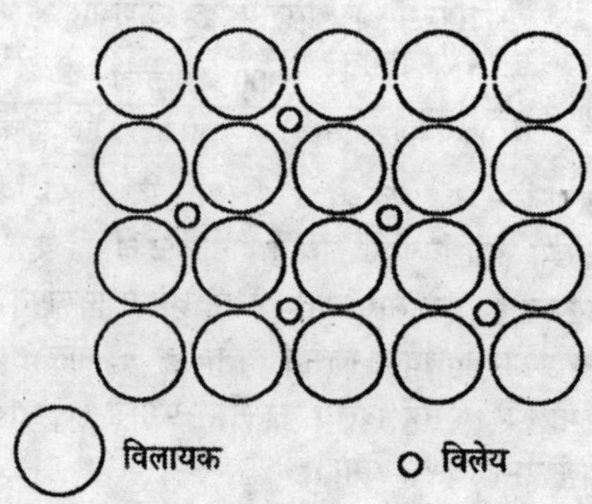

चित्र

ठोस-द्रव विलयन (Solid-Liquid Solution)

NaCl तथा जल, ग्लूकोस या यूरिया तथा जल वाष्प दाब किसी दिए गए ताप पर द्रव द्वारा उत्पन्न दाब को वाष्प दाब (Vapour Pressure) कहते हैं।

यदि विलेय अवाष्पशील हो तो विलयन का वाष्प दाब शुद्ध विलायक से कम पाया जाता है, अतः घट जाता है। यह वाष्प दाब का अवनमन (Lowering of Vapour Pressure) कहलाता है।

राउल्ट का नियम (Raoult's Law) – फ्रेंच रासायनिक फ्रैन्कोइस मैरी राउल्ट ने सन् 1986 में देखा कि अवाष्पशील विलेय के विलयन में विलायक का आंशिक वाष्प दाब $P_{solution}$ विलायक के मोल प्रभाज के अनुक्रमानुपाती होता है।

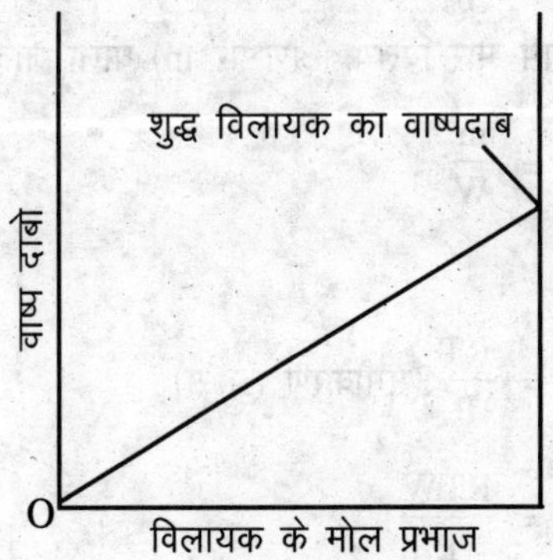

चित्र

यदि कोई विलयन प्रत्येक सान्द्रण के लिए राउल्ट के नियम का पालन करे तो इसका वाष्प दाब एक सीधी रेखा में बढ़ेगा।

अतः $P_{solution} = X_{solvent} P^\circ_{solvent}$ ...(1)

जहाँ P° = विलायक का वाष्प दाब (राउल्ट का नियम)

$$X_{solvent} = \frac{P_{solution}}{P^\circ_{solvent}} \quad ...(2)$$

समीकरण संख्या (2) को दोनों तरफ 1 से घटाने पर

$$1 - \frac{P_{solution}}{P^\circ_{solvent}} = 1 - X_{solvent} = X_{solute}$$

अथवा $\boxed{\frac{P^\circ - P}{P^\circ} = X}$

P° – P = वाष्प दाब में अवनमन

वाष्पशील घटकों के लिए राउल्ट का नियम (Raoult's Law for Volatile Substances)

यदि किसी विलयन के घटक A तथा B हैं तथा उनके मोल प्रभाज x_A तथा x_B हों तो उनके आंशिक दाब P_A तथा P_B उनके मोल प्रभाजों के अनुक्रमानुपाती होंगे।

$P_A \propto x_A$, $P_B \propto x_B$

अथवा

$P_A = P_A^\circ x_A$, $P_B = P_B^\circ x_B$

जहाँ P°_A तथा P°_B क्रमशः शुद्ध घटक A तथा B के वाष्प दाब हैं। इस प्रकार "किसी वाष्पशील द्रव के विलयन में प्रत्येक घटक का वाष्प दाब उसके मोल प्रभाज के अनुक्रमानुपाती होता है"।

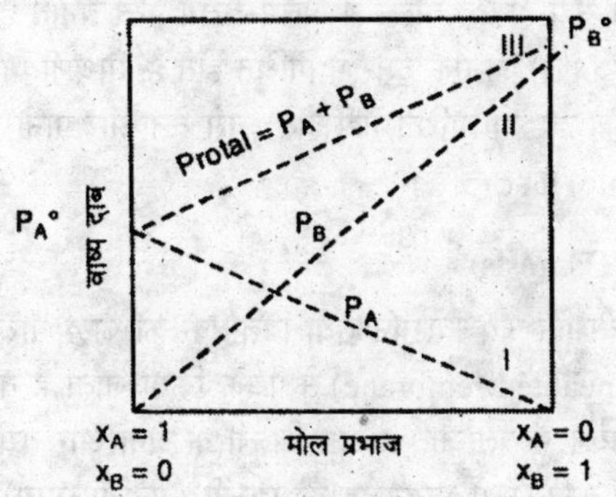

चित्र

वे विलयन, जो राउल्ट नियम का पालन करते हैं, आदर्श विलयन (Ideal Solution) कहलाते हैं तथा वे विलयन जो राउल्ट नियम का पालन नहीं करते अनादर्श (Non-ideal Solution) विलयन कहलाते हैं।

संतृप्त विलयन (Saturated Solution)

वह विलयन जिसमें और अधिक विलेय न घोला जा सके, संतृप्त विलयन कहलाता है।

क्रिस्टलीकरण (Crystallisation) – क्रिस्टलीकरण करने के लिए सर्वप्रथम संतृप्त विलयन के अघुलित भाग को छानकर पृथक् कर लेते हैं। तत्पश्चात् इसका तापमान घटाते जाते हैं। इस प्रकार क्रिस्टलों का निर्माण हो जाता है। इसके पश्चात् विलायक को उबालते हैं। सर्वप्रथम छोटे क्रिस्टल बनते हैं जिनका आकार धीरे-धीरे बढ़कर बड़ा हो जाता है।

विलेयता (Solubility) – किसी दिए हुये ताप पर संतृप्त विलयन में विलेय की सान्द्रता, विलेय की विलेयता कहलाती है। इसे ग्राम प्रति लीटर या मोल प्रति लीटर में व्यक्त करते हैं। किसी पदार्थ की विलेयता ताप पर निर्भर करती है। ताप बढ़ाने पर विलेयता भी बढ़ती है परन्तु गैसों के लिए ताप बढ़ाने पर विलेयता घटती है।

क्वथनांक तथा हिमांक (Boiling and Freezing Point) – किसी विलयन का क्वथनांक शुद्ध विलायक से अधिक होता है परन्तु किसी विलयन का हिमांक शुद्ध विलायक से कम होता है। इसे क्रमशः क्वथनांक में उच्चयन (Elevation in Boiling Point) तथा हिमांक का नियमन (Depression in Freezing Point) कहते हैं। इसलिए हम बर्फ की सतह पर थोड़ा सा नमक लगा देते हैं ताकि वह जल्दी पिघल जाए। बर्फीली सड़कों को पिघलाने के लिए नमक का छिड़काव कर देते हैं तथा आटोमोबाइल में Antifreez जैसे कि एथिल एल्कोहल या ग्लाइकल मिला दिया जाता है जिससे इसका हिमांक कम हो जाता है।

मिश्रणीय व अमिश्रणीय विलयन (Miscible and Immiscible Solutions)

दैनिक जीवन में हम विभिन्न प्रकार के विलयनों से परिचित हैं। उदाहरणार्थ, सामान्य लवण (सोडियम क्लोराइड) और शर्करा पानी में तो घुल जाते हैं परन्तु तेल में नहीं घुलते। मोम पानी में नहीं घुलता, परन्तु पेट्रोल में घुल जाता है। जब दो द्रव विलयन बनाने में भाग लेते हैं तो समांगी मिश्रण

बनाने की क्षमता द्रवों की प्रकृति पर निर्भर करती है। उदाहरणार्थ एल्कोहल अर्थात् ईथेनॉल और पानी एक दूसरे में घुलते हैं। जैसे कि स्नेहक तेल (Lubricating oil) तथा पेट्रोल में होता है लेकिन तेल तथा पानी मिश्रित नहीं होते हैं बल्कि ये अलग-अलग परतें बनाते हैं। द्रव (जैसे पानी और एथेनॉल) जो एक दूसरे में मिश्रित होते हैं, मिश्रणीय (Miscible) कहलाते हैं। वे द्रव जो मिश्रित नहीं होते (जैसे तेल और पानी) अमिश्रणीय (Immiscible) कहलाते हैं।

परासरण (Osmosis)

यह देखा गया कि जब विलयन तथा विलायक को अर्द्ध पारगम्य झिल्ली (Semipermeable Membrane) से पृथक् किया जाता है तब विलायक के अणु विलयन में चले जाते हैं और झिल्ली के दोनों ओर बराबर सान्द्रता हो जाती है। कॉपर फेरो सायनाइड की झिल्ली (अर्द्ध पारगम्य) एक विशेष प्रकार की झिल्ली होती है जिसमें जल के अणु विलयन में पहुंच जाते हैं। इस प्रकार विलायक का विलयन में अथवा कम सान्द्रता के विलयन में अधिक सान्द्रता के विलयन से अर्द्धपारगम्य झिल्ली प्रवाह 'परासरण' कहलाता है।

परासरण दाब (Osmotic Pressure)– परासरण दाब की परिभाषा निम्न प्रकार से दी जा सकती है–

एक बैटरी पात्र, जिसकी दीवारों पर कॉपर फेरोसायनाइड जमा है, 1% चीनी का विलयन लेते हैं। इसको एक लम्बी कांच की नली से एक रबड़ की सहायता से जोड़ लेते हैं। बैटरी को आसुत जल में डाल देते हैं। परासरण होता है तथा जल झिल्ली के द्वारा प्रवेश करके नली में विलयन का तल बढ़ा देता है। इस प्रकार ''परासरण दाब उस द्रव स्थैतिक दाब (Hydrostatic Pressure) के तुल्य होता है जो किसी विलयन को अर्द्धपारगम्य झिल्ली द्वारा विलयन से पृथक् करने में उत्पन्न होता है।''

परासरण दाब के अणुभार – वान्ट हाफ के तनु विलयनों के सिद्धान्त के अनुसार विलयन के लिए–

$$PV = RT$$

जबकि P = विलयन का परासरण दाब

V = विलयन का वह आयतन जिसमें विलेय का 1 ग्राम अणुभार घुला हो।

R = विलयन का स्थिरांक जिसका मान 0.0821 वायुमंडल है

T = परमताप

इस प्रकार

$$PV = RT$$

$$V = \frac{RT}{P} \quad \ldots(i)$$

यदि W ग्राम भार विलेय (अणुभार m) घोला जाता है तब

$$V = \frac{m}{W}$$

इसलिए

$$\frac{m}{W} = \frac{RT}{P} \text{ (समीकरण } (i) \text{ से)}$$

$$m = \frac{RTW}{P}$$

$$m = \frac{0.0821 \times T \times W}{P} \quad \ldots(ii)$$

यदि W, T और P ज्ञात हो तो विलेय के अणुभार को सरलता से निर्धारित किया जा सकता है।

वस्तुनिष्ठ प्रश्न

1. समुद्र के जल के नीले वर्ण का कारण होता है–
(*a*) नीले प्रकाश का समुद्र जल की अशुद्धियों द्वारा परावर्तन
(*b*) समुद्र जल द्वारा नीले प्रकाश का परावर्तन
(*c*) जल अणुओं द्वारा नीले प्रकाश का प्रकीर्णन
(*d*) जल अणुओं द्वारा नीले वर्ण के अतिरिक्त अन्य वर्णों का अवशोषण

2. 13.5 ग्राम SO_2Cl_2 में मोलों की संख्या है–
(S = 32.0; O = 16.0; Cl = 35.5)
(*a*) 0.1 (*b*) 0.2
(*c*) 0.3 (*d*) 0.4

3. यदि 0.09 N HCl विलयन का 5.00 मिली जल के 100 मिली को उदासीन करे तो जल प्रतिदर्श में कार्बोनेट कठोरता का मान क्या होगा?
(*a*) 4.5 मिलीग्राम तुल्य/लीटर
(*b*) 4.7700 मिलीग्राम तुल्य/लीटर
(*c*) 0.042 मिलीग्राम तुल्य/लीटर
(*d*) 1.80 मिलीग्राम तुल्य/लीटर

4. भारानुसार 70% शुद्धता वाले आर्थोफॉस्फोरिक अम्ल विलयन की, जिसका गुरुत्व 1.54 है, नार्मलता होगी–
(H = 1.0; O = 16.0; P = 31.0)
(*a*) 11N (*b*) 22N
(*c*) 33N (*d*) 44N

5. बेन्जीन तथा टॉलूईन का एक मिश्रण बनता है–
(*a*) एक आदर्श घोल (*b*) एक अनादर्श घोल
(*c*) निलंबन (*d*) पायस (इमल्शन)

6. मोलरता के विषय में सही सम्बन्ध है–
(*a*) $\frac{\text{विलेय के मिली मोलों की संख्या}}{\text{विलयन का लीटर में आयतन}}$
(*b*) $\frac{\text{विलायक के मोलों की संख्या}}{\text{विलयन में मोलों की कुल संख्या}}$

(c) $\frac{\text{विलेय के मोलों की संख्या}}{\text{विलायक के मोलों की संख्या}}$

(d) $\frac{\text{घुलित विलेय के मोलों की संख्या}}{\text{विलयन का लीटर में आयतन}}$

7. 10 मिली N HCl, 20 मिली $\frac{N}{2}$ H_2SO_4 तथा 30 मिली $\frac{N}{3}$ HNO_3 एक साथ मिश्रित किये जाते हैं। परिणामी विलयन की नॉर्मलता होगी–

(a) N/2 (b) 0.6 N
(c) N/20 (d) N/20

8. बेन्जीन में घुलित बेन्जोइक अम्ल दर्शाता है–
(a) इसका सामान्य अणुभार
(b) इसके सामान्य अणुभार का आधा
(c) इसके सामान्य अणुभार का दुगुना
(d) सामान्य अणुभार का चौथाई

9. किसी बन्द पात्र में द्रव का वाष्प दाब निर्भर होता है–
(a) ताप पर
(b) द्रव की मात्रा पर
(c) पात्र के पृष्ठ क्षेत्रफल पर
(d) इन सभी पर

10. निम्न में सत्य कथन है–
(a) 0.1 M $Ca(NO_3)_2$ तथा 0.3 M ग्लूकोज समपरासरी विलयन है
(b) मोलरता को मोल प्रतिलीटर में व्यक्त करते हैं
(c) जल तथा एथेनॉल का मिश्रण राऊल्ट के नियम से धनात्मक विचलन प्रदर्शित करता है
(d) ये सभी सत्य हैं

11. वह ताप जिस पर द्रव का वाष्प दाब, वाह्म दाब के बराबर होता है, कहलाता है–
(a) क्वथनांक (b) हिमांक
(c) क्रान्तिक ताप (d) बॉयल ताप

12. स्थिर क्वाथी (ऐजियोट्रोपिक) मिश्रण है–
(a) जो विभिन्न तापों पर उबलते हैं
(b) आदर्श विलयन
(c) जो अपने संघटन में परिवर्तित हुए बिना आसुत होते हैं
(d) दो अमिश्रणीय द्रवों का मिश्रण

13. किसी दिये हुए ताप पर यदि शुद्ध विलायक का वाष्प दाब P_0 तथा विलयन का वाष्प दाब P_s है, तो विलयन के वाष्प दाब का आपेक्षिक अवनमन होगा–
(a) $(P_0 - P_s)/P_0$ (b) $(P_s - P_0)/P_0$
(c) P_0/P_s (d) $(P_0 + P_s)/P_s$

14. निम्न में मोलर विलयन कौन-सा है?
(a) 100 मिली विलयन में 5.85 ग्राम NaCl
(b) 100 मिली विलयन में 6.4 ग्राम ऐथेनॉल
(c) 1000 मिली विलयन में 3.2 ग्राम मेथेनॉल
(d) 500 मिली विलयन में 5.55 ग्राम $CaCl_2$

15. 100 मिली 3.2 M NaCl विलयन से 0.4M NaCl विलयन बनाने के लिए निम्न में से क्या किया जाना चाहिए?
(a) 5.85 ग्राम NaCl मिलाना
(b) 20 मिली जल डालना
(c) 700 मिली जल मिलाना
(d) 10 मिली जल वाष्पित करना

16. NTP पर एक लीटर जलवाष्प में उपस्थित जल के अणुओं की संख्या है–
(a) 18 (b) 6.023×10^{23}
(c) 18×1000 (d) $6.023 \times 10^{23}/22.4$

17. निम्नलिखित में से किन विलयन युग्मों के परासरण दाब समान हैं–
(a) 0.01M $Ba(NO_3)_2$ तथा 0.1M $CaCl_2$
(b) 0.1M ग्लूकोज तथा 1M यूरिया
(c) 1M सोडियम सल्फेट तथा 1M जिंक क्लोराइड
(d) 0.2M सूक्रोस तथा 0.2M NaCl

18. 2N-HCl का मोलर सान्द्रण उतना ही होगा जितना–
(a) 1.0 NH_2SO_4 (b) 2 NH_2SO_4
(c) 0.5 NH_2SO_4 (d) 4 NH_2SO_4

19. विलायकों X तथा Y का विलयन आदर्श विलयन होगा यदि अंतराणुक बल–
(a) X – X तथा Y – Y = X – Y
(b) X – X तथा Y – Y < X – Y
(c) X – X तथा Y – Y > X – Y
(d) अंतराणुक बल पर निर्भर नहीं है

20. दो द्रवों A तथा B को मिलाने पर उनके अणुओं के मध्य हाइड्रोजन बंध बनता है। परिणामी विलयन प्रदर्शित करेगा–
(a) राऊल्ट नियम से ऋणात्मक विचलन
(b) राऊल्ट नियम से धनात्मक विचलन
(c) कोई विचलन नहीं
(d) आयतन में कोई परिवर्तन नहीं

उत्तरमाला

1	2	3	4	5	6	7	8	9	10
(c)	(a)	(a)	(c)	(a)	(d)	(a)	(c)	(a)	(d)
11	12	13	14	15	16	17	18	19	20
(a)	(c)	(a)	(a)	(c)	(d)	(c)	(d)	(a)	(a)

अध्याय

10 ऊष्मा–रसायन (Thermochemistry)

ऊष्मा रसायन

- **एन्थैल्पी (Enthalpy)**– "स्थिर दाब पर ऊष्मा परिवर्तनों के लिये प्रयुक्त होने वाले सरल फलन को ऊष्मा अंश या पूर्ण ऊष्मा या एन्थैल्पी (enthalpy) कहते हैं।" इसे ΔH अक्षर द्वारा प्रदर्शित किया जाता है। ऊष्माक्षेपी अभिक्रियाओं के लिए $\Delta H = -Q$ तथा ऊष्माशोषी अभिक्रियाओं के लिए $\Delta H = +Q$।
- **अभिक्रिया ऊष्मा (Heat of Reaction)**– "कैलोरी में ऊष्मा की वह मात्रा है जो किसी रासायनिक अभिक्रिया में प्रदर्शित अभिकारकों के सम्पूर्ण मोलों की अभिक्रिया के फलस्वरूप उत्पन्न होती है या अवशोषित होती है।

  अभिक्रिया उष्मा = उत्पादकों की एनथैल्पी – अभिकारकों की एन्थैल्पी $\Delta H = Hp-HR$
- **दहन ऊष्मा (Heat of Combustion)**– "निश्चित ताप पर किसी यौगिक के 1 मोल का पूर्ण दहन करने पर उत्पन्न ऊष्मा को दहन ऊष्मा कहते हैं।

  कार्बन के दहन की उष्मा का रासायनिक समीकरण निम्न है:

  $C_{(s)} + O_{2(g)} \rightarrow CO_{2(g)} + 94.3$ kcal

  कार्बन की दहन ऊष्मा $(\Delta H_c) = -94.3$ kcal
- **संभवन ऊष्मा (Heat of Formation)**– "किसी यौगिक का अपने तत्वों से एक ग्राम-अणु या मोल बनने में जो एन्थैल्पी में परिवर्तन (ΔH) होता है अथवा ऊष्मा उत्सर्जित या अवशोषित होती है, उसे यौगिक की संभवन ऊष्मा या उत्पादन ऊष्मा कहते हैं।" हाइड्रोजन व क्लोरीन से HCl बनने की अभिक्रिया का ऊष्मा रासायनिक समीकरण निम्न है–

  $H_{2(g)} + Cl_{2(g)} \rightarrow 2CHl_{(g)} + 44.0$ kcal

  समीकरण से स्पष्ट है कि 44.0 kcal ऊष्मा 2 मोल HCl के बनने पर निकलती है। अतः 1 मोल HCl के बनने पर 22.0 kcal ऊष्मा निकलेगी।

  अतः HCl की संभवन ऊष्मा $(\Delta H_f) = -22.0$ kcal
- **उदासीनीकरण ऊष्मा (Heat of Neutralisation)**– "तनु विलयन में किसी अम्ल की एक ग्राम-तुल्यांक मात्रा को किसी क्षारक की 1 ग्राम-तुल्यांक मात्रा से उदासीन करने पर जो एन्थैल्पी में परिवर्तन होता है वह उदासीनीकरण ऊष्मा कहलाती है।"

  $HCl_{(aq)} + NaOH_{(aq)} \rightarrow NaCl_{(aq)} + H_2O + 13700$ कैलोरी

  प्रबल अम्ल व प्रबल क्षार की उदासीनीकरण ऊष्मा $(\Delta H_N) = -13.7$ kcal
- **हेस का स्थिर ऊष्मा योग नियम (Hess's Law of Constant Heat Summation)**– इस नियम के अनुसार – "कोई रासायनिक अभिक्रिया सीधे एक पद में करायी जाये या एक से अधिक माध्यमिक पदों में, अभिक्रिया में एन्थैल्पी परिवर्तन का मान समान रहता है।"

  उदाहरण–

  एक पद विधि : $C + O_2 \rightarrow CO_2 + X$ kcal

  दो पद विधि : $C + \frac{1}{2}O_2 \rightarrow CO_2 + Y$ kcal

  $CO + \frac{1}{2}O_2 \rightarrow CO_2 + Z$ kcal

  अतः $X = Y + Z$

  हेस नियम से ऊष्मा रासायनिक समीकरणों को बीजीय समीकरणों के सदृश जोड़ा, घटाया या गुणा किया जाता है।

  मानक अवस्था में प्रत्येक तत्व की एन्थैल्पी शून्य मानी जाती है।
- **स्थिर आयतन या स्थिर दाब पर अभिक्रिया की ऊष्मा में सम्बन्ध (Relation in Heat of Reaction at Constant Volume and Constant Pressure)**– यदि अभिक्रिया स्थिर दाब पर होती है तथा आयतन में प्रसार होता है तो गैस द्वारा कार्य किया जाता है तथा इसमें अभिक्रिया ऊष्मा का कुछ भाग व्यय हो जाता है। यदि आयतन में संकुचन होता है तो गैस पर कार्य होता है जिससे अभिक्रिया ऊष्मा में वृद्धि हो जाती है।

जिन अभिक्रियाओं में केवल ठोस या द्रव पदार्थ भाग लेते है उनमें आयतन परिवर्तन ΔV नगण्य होता है अतः इस प्रकार की अभिक्रियाओं के लिए Q_P और Q_V के मान लगभग बराबर होते हैं।

स्थिर दाब और स्थिर आयतन पर किसी अभिक्रिया की ऊष्मा में निम्न सम्बन्ध होता है:

$H_p = H_v \Delta nRt$

या $Q_p = Q_v \Delta nRt$

जहाँ, H_p = स्थिर दाब पर अभिक्रिया ऊष्मा

H_v = स्थिर आयतन पर अभिक्रिया ऊष्मा

R = मोल गैस-नियतांक

Δn = अभिक्रिया में अणुओं की संख्या या वृद्धि में कमी

- R का मान 2 कैलोरी, 2×10^{-3} किलोकैलोरी या 8.31 जूल लेते हैं। जिस मात्रक में H_p व H_v का मान होता है उसी मात्रक में R का मान लेते हैं।

वस्तुनिष्ठ प्रश्न

1. जल का वाष्पन है–
(*a*) उष्माक्षेपी प्रक्रम
(*b*) उष्माशोषी प्रक्रम
(*c*) एक प्रक्रम जिसमें उष्मा परिवर्तन नहीं होता है।
(*d*) एक प्रक्रम जिसमें रासायनिक अभिक्रिया होती है

2. यदि ΔH पूर्ण ऊर्जा में परिवर्तन है तथा ΔE आन्तरिक ऊर्जा में परिवर्तन है तो एक गैसीय अभिक्रिया में–
(*a*) ΔH, ΔE से सदा अधिक होता है
(*b*) $\Delta H < \Delta E$ तभी होता है जब उत्पादों के मोलों की संख्या अभिकर्मकों के मोलों की संख्या से अधिक होती है
(*c*) ΔH सदा ΔE से कम होता है
(*d*) $\Delta H < \Delta E$ तभी होता है जब उत्पादों के मोलों की संख्या अभिकर्मकों के मोलों की संख्या से कम होती है

3. निम्न अभिक्रिया के लिए 298°K पर
$C_2H_{4(g)} + 3O_{2(g)} \rightarrow 2CO_{2(g)} + 2H_2O_{(l)}$
$\Delta E = -4415$ kJ यदि R = 0.0084 kJ प्रति डिग्री है तो ΔH–
(*a*) – 1400 kJ (*b*) – 4420 kJ
(*c*) – 1410 kJ (*d*) – 1430 kJ

4. दिया हुआ है कि–
$2C_{(s)} + 2O_{2(g)} = 2CO_{2(g)}$
$\Delta H = -787$ kJ
$H_{2(g)} + \frac{1}{2}O_{2(g)} \rightarrow H_2O_{(l)}$
$\Delta H = -286$ kJ
$C_2H_{2(g)} + 2\frac{1}{2}O_{2(g)} = 2CO_{2(g)} + H_2O_{(l)}$
$\Delta H = -1310$ kJ
ऐसीटिलीन की उत्पादन ऊष्मा है–
(*a*) + 1802 kJ (*b*) – 1802 kJ
(*c*) – 800 kJ (*d*) + 237 kJ

5. स्थिर ताप तथा स्थिर आयतन में किसी अभिक्रिया के लिए अवशोषित या क्षेपित ऊष्मा है–
(*a*) ΔH (*b*) ΔE
(*c*) $P\Delta V$ (*d*) उपरोक्त में से कोई नहीं

6. अभिक्रिया
$2C_6H_{6(l)} + 15O_{2(g)} \rightarrow 12CO_{2(g)} + 6H_2O_{(l)}$ के लिए 25°C पर स्थिर दाब पर अभिक्रिया और स्थिर आयतन पर अभिक्रिया ऊष्मा का अन्तर kJ में होगा–
(*a*) – 7.43 (*b*) + 3.72
(*c*) – 3.72 (*d*) + 7.43

7. संभवन ऊष्मा के निम्नलिखित मानों में से किसके द्वारा यह दर्शाया जाता है कि उत्पाद सबसे कम स्थिर है?
(*a*) – 94 kcal (*b*) – 231.6 kcal
(*c*) + 21.4 kcal (*d*) + 64.8 kcal

8. C_2H_2, C (ग्रेफाइट) और $H_2(g)$ की मोलर दहन ऊष्माएँ क्रमशः – 310.62 kcal, – 94.05 kcal और – 68.32 kcal हैं, तो $C_2H_{2(g)}$ की मानक संभवन ऊष्मा होगी–
(*a*) + 54.2 (*b*) – 54.2
(*c*) + 68.32 (*d*) – 68.32

9. द्रव जल की संभवन ऊष्मा – 285.9 kJ होती है। मानक अवस्था में द्रव जल को वाष्प में बदलने के लिए ऊष्मा का अन्तर ΔH, –40.6 kJ है। अभिक्रिया $H_{2(g)} + \frac{1}{2}O_{2(g)} \rightarrow H_2O_{(g)}$ में ΔH का मान होगा–
(*a*) + 245.3 kJ (*b*) + 326.5 KJ
(*c*) + 326.5 KJ (*d*) – 245.3 kJ

10. यदि विषम लम्बाक्ष और एकनताक्ष सल्फर अपररूपों की दहन ऊष्मायें क्रमशः 70960 और 71030 कैलोरी हैं तो विषमलम्बाक्ष सल्फर के एकनताक्ष सल्फर में रूपान्तरण की ऊष्मा होगी–
(*a*) 70960 कैलोरी (*b*) 71030 कैलोरी
(*c*) – 70 कैलोरी (*d*) + 70 कैलोरी

11. $H_2 + \frac{1}{2}O_2 \rightarrow H_2O; \Delta H = -68.39k$ कैलोरी,
$K + H_2O +$ जल $\rightarrow KOH_{(aq)} + \frac{1}{2}H_2; \Delta H = -48k$ कैलोरी,
$KOH +$ जल $\rightarrow KOH_{(aq)}; \Delta H = -14k$ कैलोरी। KOH की उत्पादन ऊष्मा (H) कैलोरी में है–
(*a*) – 68.39 + 48 – 14
(*b*) – 68.39 – 48 + 14
(*c*) 68.39 – 48 + 14
(*d*) 68.39 + 48 + 14

12. कैलोरी इसके बराबर है–
(*a*) 0.4184 जूल (*b*) 4.184 जूल
(*c*) 41.84 जूल (*d*) 418.4 जूल

13. अभिक्रिया $C(s) + \frac{1}{2}O_2(g) \rightarrow CO(g)$ तथा $CO_{(g)} + \frac{1}{2}O_2 \rightarrow CO_{2(g)}$ के लिए ΔH का मान क्रमशः 100 तथा 200 KJ हैं। अभिक्रिया $C(s) + O_{2(g)} \rightarrow CO_{2(g)}$ के लिए ΔH का मान होगा–
(*a*) 50 kJ (*b*) 100 kJ
(*c*) 150 kJ (*d*) 300 kJ

14. यदि जल के वाष्पन की ऐन्थैल्पी 186.5 kJ mol^{-1} है तब इसके वाष्पन की एन्ट्रॉपी होगी–

(a) 0.5 JK^{-1} मोल$^{-1}$ (b) 1.0 JK^{-1} मोल$^{-1}$
(c) 1.5 JK^{-1} मोल$^{-1}$ (d) 2.0 JK^{-1} मोल$^{-1}$

15. ऊष्मा-रासायनिक क्रियाओं C (ग्रेफाइट) $+\frac{1}{2}O_2 = CO, \Delta H =$ -110.5 kJ तथा $CO+\frac{1}{2}O_2 = CO_2, \Delta H = -283.2\,kJ$ से C (ग्रेफाइट) + $O_2 = CO_2$ की अभिक्रिया ऊष्मा है–
(a) − 393.7 kJ (b) + 393.7 kJ
(c) − 172.7 kJ (d) + 172.7 kJ

16. ऐलिफैटिक थायॉल (thiol) के 298 K पर दहन के प्रतिफल निम्न हैं–
(a) $CO_{2(g)}, H_2O_{(g)}$ और $SO_{2(g)}$
(b) $CO_{2(g)}, H_2O_{(l)}$ और $SO_{2(g)}$
(c) $CO_{2(l)}, H_2O_{(l)}$ और $SO_{2(g)}$
(d) $CO_{2(g)}, H_2O_{(l)}$ और $SO_{2(l)}$

17. ऊष्माक्षेपी अभिक्रिया में–
(a) ऊष्मा निकाय द्वारा परिवेश से ली जाती है
(b) ΔE ऋणात्मक होता है
(c) ΔH धनात्मक होता है
(d) $\Delta H_R > \Delta H_p$

18. एक बन्द निकाय का लाक्षणिक गुण है–
(a) $\Delta E > 0$ (b) $\Delta E < 0$
(c) $\Delta E = 0$ (d) $\Delta E \neq 0$

19. आर्गन के एक परमाणुक अणु में होती है–
(a) केवल कम्पन ऊर्जा
(b) घूर्णन ऊर्जा
(c) ट्रॉन्सलेशनल (translational) ऊर्जा
(d) उपरोक्त में से कोई नहीं

20. अणुओं AB, AC, AD तथा AX की संभवन ऊष्माएँ क्रमशः − 268.3, − 68.3, + 22.8 तथा + 300 kJ मोल$^{-1}$ है। सबसे अधिक स्थायी यौगिक है–
(a) AX (b) AB
(c) AD (d) AC

21. निम्नलिखित में से कौन सा ऊष्मागतिकी फलन (Thermo dynamic function) नहीं है?
(a) कार्य
(b) एन्ट्रॉपी
(c) आन्तरिक ऊर्जा
(d) समायतनीय दशाओं में अवशोषित ऊष्मा

22. किस क्रिया के लिए ऐन्थैल्पी परिवर्तन के ऋणात्मक होने की सम्भावना है?
(a) $Cl_{(g)} \rightarrow Cl^+ + e^-$
(b) $Cl^-_{(g)} + aq \rightarrow Cl^-_{(aq)}$
(c) $\frac{1}{2}Cl_{2(g)} \rightarrow Cl_{(g)}$
(d) $Br_{2(l)} \rightarrow 2Br_{2(g)}$

23. अभिक्रिया ऊष्माओं y_1 तथा y_2 के विषय में क्या सत्य है?
$H_{2(g)} + \frac{1}{2}O_{2(g)} \rightarrow H_2O_{(l)} + y_1$ kJ
$H_{2(g)} + \frac{1}{2}O_{2(g)} \rightarrow H_2O_{(l)} + y_2$ kJ
(a) $y_1 = y_2$ (b) $y_2 > y_1$
(c) $y_1 > y_2$ (d) $y_2 = 2y_1$

24. अभिक्रिया $N_{2(g)} + 3H_{2(g)} \rightarrow 2\,NH_{3(g)}$ के लिए कौन सा तथ्य लागू होता है?
(a) $\Delta H = \Delta E$ (b) $\Delta H = \Delta E - 2RT$
(c) $\Delta H > \Delta E$ (d) $\Delta H = \Delta E + 2RT$

25. बर्फ के गलन की गुप्त ऊष्मा 80 कैलोरी प्रति ग्राम है। 1 मोल बर्फ के पिघलने में हुआ एन्ट्रॉपी परिवर्तन होगा–
(a) 4.4 कैलोरी K^{-1} (b) 80 कैलोरी K^{-1}
(c) 5.4 कैलोरी K^{-1} (d) 1440 कैलोरी K^{-1}

26. निम्न में से किस रासायनिक अभिक्रिया के लिए स्थिर दाब पर कार्य ऋणात्मक होगा?
(a) $N_{2(g)} + 3H_{2(g)} \rightarrow 2\,NH_{3(g)}$
(b) $KOH_{(aq)} + HNO_{3(aq)} \rightarrow KNO_{3(aq)} + H_2O$
(c) $N_2O_{4(g)} \rightarrow 2NO_{2(g)}$
(d) $N_{2(g)} + O_{2(g)} \rightarrow 2\,NO_{(g)}$

27. H_2, Cl_2 तथा HCl की बन्ध वियोजन ऊष्मायें क्रमशः 104, 59 और 103 किलो कैलोरी हैं। HCl की संभवन ऐन्थैल्पी किलो कैलोरी में होगी–
(a) 22.5 (b) 31.5
(c) 11.5 (d) 43.0

28. CH_4, C_2H_4 तथा C_2H_2 की दहन ऊष्मायें क्रमशः 213, 370 तथा 308 किलो कैलोरी प्रति मोल हैं। इनमें सर्वोत्तम ईंधन है–
(a) C_2H_2
(b) CH_4
(c) C_2H_4
(d) सभी समान रूप से श्रेष्ठ हैं

29. किसी यौगिक के इसके तत्वों से निर्माण की संभवन ऊष्मा ΔH ऋणात्मक है। जब इस अणु को इसके तत्वों में वियोजित किया जाता है तो ΔH धनात्मक है। प्रथम पद में मुक्त ऊष्मा द्वितीय पद में अवशोषित ऊष्मा के सदैव बराबर होती है। यह कहलाता है–
(a) जूल का नियम (b) लेवोशिए-लाप्लास नियम
(c) हैस का नियम (d) बॉयल-वान्ट हॉफ नियम

30. मोलर HCl तथा H_2SO_4 विलयनों के समान आयतनों का तनु NaOH के द्वारा उदासीनीकरण किया जाता है जिससे क्रमशः '*x*' तथा '*y*' किलोकैलोरी ऊष्माएँ मुक्त होती हैं। निम्नलिखित में से कौन सा सत्य है?

(*a*) $x = y/2$ (*b*) $x = y$

(*c*) $y = \frac{x}{2}$ (*d*) इनमें से कोई नहीं

31. सही सम्बन्ध है–

(*a*) $\Delta E = \Delta H - \Delta nRT$

(*b*) $\Delta G = \Delta H - \Delta S + ve$

(*c*) $W_{max} = 2.303\ nRT \log V_2/V_1$

(*d*) ये सभी सही है

32. ताप व दाब की किसी भी दशा में एक प्रक्रम का होना असम्भव है यदि–

(*a*) ΔH धनात्मक है, तथा ΔS ऋणात्मक है

(*b*) ΔH ऋणात्मक है, तथा ΔS धनात्मक है

(*c*) ΔH ऋणात्मक है, तथा ΔS भी ऋणात्मक है

(*d*) दोनों ΔH और ΔS धनात्मक है

33. प्रक्रम $I_2(s) \rightarrow 2I(g)$ के लिये–

(*a*) ΔH तथा ΔS दोनों धनात्मक है

(*b*) ΔH धनात्मक है, ΔS ऋणात्मक है

(*c*) ΔH ऋणात्मक है, ΔS भी ऋणात्मक है

(*d*) ΔH ऋणात्मक है, ΔS धनात्मक है

34. एक वायुमण्डल दाब पर जल का वाष्पीकरण निम्न प्रकार से दर्शाते हैं; $H_2O(l) \rightarrow H_2O(g)$ इस प्रक्रम के लिए $\Delta H = + 45.0$ kJ तथा $\Delta S = + 120.0\ Jk^{-1}$ है। बताइये किस ताप पर द्रव जल तथा जल वाष्प 1 atm दाब पर साम्य पर होगी–

(*a*) 272 K (*b*) 370 K

(*c*) 373 K (*d*) 375 K

35. अभिक्रिया $Ag_2O_{(s)} \rightarrow 2Ag_{(s)} + \frac{1}{2}O_{2(g)}$ के लिए ΔH का मान 30.0 kJ मोल$^{-1}$ व ΔS का मान (1 atm दाब पर) 0.06 kJ K^{-1} मोल$^{-1}$ है। उस ताप की गणना करो जिस पर ΔG का मान शून्य होगा–

(*a*) 500 K (*b*) 300 K

(*c*) 273 K (*d*) 400 K

36. प्रक्रम $X \rightarrow Y$ के लिए दिया गया है–

ΔH + ve, ΔS – ve और TΔS > ΔH

निम्नलिखित में से सत्य कथन है–

(*a*) अभिक्रिया $X \rightarrow Y$ स्वपोषी होगी

(*b*) अभिक्रिया $Y \rightarrow X$ स्वपोषी होगी

(*c*) अभिक्रिया $Y \rightarrow X$ स्वपोषी नहीं होगी

(*d*) ये सभी असत्य हैं

37. अभिक्रियाओं $2HgO_{(s)} \rightarrow 2Hg_{(l)} + O_{2(g)}$ तथा $H_2O_{(l)} \rightarrow H_2O_{(s)}$ के लिए ΔS का क्रमशः चिह्न होगा–

(*a*) ऋणात्मक, धनात्मक (*b*) धनात्मक, धनात्मक

(*c*) ऋणात्मक, ऋणात्मक (*d*) धनात्मक, ऋणात्मक

38. अभिक्रिया $aA + bB \rightarrow cC + dD + y$ कि जूल प्रदर्शित करती है कि–

(*a*) निकाय परिवेश से ऊर्जा ग्रहण करता है

(*b*) अभिकारक अणुओं द्वारा ऊर्जा का त्याग होता है

(*c*) अभिकारक अणु ऊर्जा ग्रहण करते हैं

(*d*) ऊर्जा परिवर्तन नहीं होता है

39. $H_2O + H_2O \rightarrow H_3O^+ + OH^-$ की ΔH निम्न के तुल्य होती है–

(*a*) प्रबल अम्ल व प्रबल क्षारक की उदासीनीकरण ऊष्मा

(*b*) दुर्बल अम्ल व दुर्बल क्षारक की उदासीनीकरण ऊष्मा

(*c*) शून्य

(*d*) लवण की जलयोजन ऊष्मा

40. N_2O व NO की ऐन्थैल्पी क्रमशः 82 व 90 किलो जूल/मोल है। अभिक्रिया $2N_2O_{(g)} + O_{2(g)} \oplus 4NO_{(g)}$ की ऐन्थैल्पी (कि. जूल) है–

(*a*) – 16 (*b*) 88

(*c*) 8 (*d*) 196

41. $S_{(R)}$ व $S_{(M)}$ की दहन ऊष्माएं क्रमशः –20 और – 30 किलो कैलोरी है। $S_{(R)} \rightarrow S_{(M)}$ के संक्रमण (transition) की ऊर्जा ज्ञात करो–

(*a*) – 10 (*b*) + 10

(*c*) + 50 (*d*) – 50 किलो कैलोरी

42. ऊष्माशोषी प्रक्रम है–

(*a*) $KNO_{3(s)} + aq \rightarrow KNO_{3(aq)}$

(*b*) $H_2SO_4 + aq \rightarrow H_2SO_{4(aq)}$

(*c*) $NaOH_{(s)} + aq \rightarrow NaOH_{(aq)}$

(*d*) $CaO_{(s)} + aq \rightarrow Ca(OH)_2$

43. एक विलगित निकाय परिवेश से विनिमय (exchange) करता है–

(*a*) केवल ऊर्जा का

(*b*) केवल द्रव्य का

(*c*) न ऊर्जा का और न द्रव्य का

(*d*) द्रव्य एवं ऊर्जा दोनों का

44. यदि किसी द्रव के वाष्प किसी ताप पर उसके साथ साम्यावस्था में हों तो उनकी (वाष्प की) मोलर एन्ट्रॉपी–

(*a*) द्रव के बराबर होगी (*b*) द्रव से कम होगी

(*c*) द्रव से अधिक होगी (*d*) शून्य होगी

45. सामान्यतया एक ऊष्माक्षेपी अभिक्रिया के स्वपोषी (spontaneous) होने के लिये ताप होना चाहिए–

(*a*) उच्च (*b*) शून्य

(*c*) निम्न (*d*) इनमें से कोई नहीं

46. C तथा CO की दहन ऊष्माएं क्रमशः –390 तथा –278 kJ मोल$^{-1}$ हैं। CO की संभवन ऐन्थैल्पी kJ मोल$^{-1}$ में ज्ञात करो–

(*a*) – 112 (*b*) 112
(*c*) 668 (*d*) – 668

47. 500 K पर जल के वाष्पन की गुप्त ऊष्मा 10 kcal मोल$^{-1}$ है। इसी ताप पर जल के 3 मोलों के लिये ΔE में परिर्वतन की गणना करो–
(*a*) 13 kcal (*b*) – 13 kcal
(*c*) 27 kcal (*d*) – 27 kcal

48. निम्नलिखित तालिका में परमाणु C तथा परमाणुओं A, B, D तथा E के मध्य बने एकल सहसंयोजी बन्ध की वियोजन ऊष्माएं दी गई हैं–

बन्ध	बन्ध ऊष्मा	बंध	बंध ऊष्मा
C–A	240	C–D	276
C–B	382	C–E	486

(*a*) A (*b*) B
(*c*) D (*d*) E

49. निम्नलिखित अभिक्रिया पर विचार कीजिये–
$C_{18}H_{36(g)} + 27O_{2(g)} \rightarrow 18CO_{2(g)} + 18H_2O_{(g)}$
ΔH, ΔS तथा ΔG के चिह्न (signs) हैं
(*a*) –, +, – (*b*) –, –, –
(*c*) +, –, – (*d*) +, +, –

50. अभिक्रिया $NaOH + HCl \rightarrow NaCl + H_2O$ के लिए उदासीनीकरण ऊष्मा 57.1 kJ मोल$^{-1}$ है। जब 0.25 मोल NaOH को 0.25 मोल HCl के साथ अनुमापित (titrate) किया जाता है तो मुक्त ऊष्मा क्या होगी?
(*a*) 22.5 kJ mol^{-1} (*b*) 57.1 kJ mol^{-1}
(*c*) 14.3 kJ mol^{-1} (*d*) 28.6 kJ mol^{-1}

51. समान दशाओं में आयतन द्वारा एक मोलर (1M) पोटेशियम हाइड्रॉक्साइड और एक मोलर (1M) नाइट्रिक अम्ल का कौन-सा मिश्रण अधिकतम ताप उत्पन्न करता है?
(*a*) 20–70 (*b*) 25–75
(*c*) 50–50 (*d*) 75–25

52. यदि $H^+ + OH^- \rightarrow H_2O + 13.7$ kcal, तो एक क्षार द्वारा H_2SO_4 के एक ग्राम मोल के पूर्ण उदासीनीकरण की ऊष्मा होगी–
(*a*) 13.6 kcal (*b*) 27.4 kcal
(*c*) 6.05 kcal (*d*) – 3.425 kcal

53. $C_{(g)} + 2Cl_{2(g)} \rightarrow CCl_{4(g)}$ $\Delta H = -198$ kcal
यदि Cl–Cl बन्ध ऊर्जा 57 kcal/mol है तो C–Cl बंध ऊर्जा होगी–
(*a*) 78 kcal/mol (*b*) 141 kcal/mol
(*c*) 156 kcal/mol (*d*) 84 kcal/mol

54. अभिक्रिया
$H_{2(g)} + Br_{2(g)} \rightarrow 2HBr_{(g)}$; $\Delta S° = 20.1$ J K^{-1} में $Br_{2(g)}$ की एन्ट्रॉपी की गणना करो। दिया है H_2 और HBr की एन्ट्रॉपी क्रमशः 130.6 और 198.5 JK^{-1} हैं–
(*a*) 246.3 JK^{-1} (*b*) 123.15 JK^{-1}
(*c*) 24.63 JK^{-1} (*d*) 201 JK^{-1}

55. 25°C पर तथा स्थिर दाब पर मिथेन की सम्भवन ऊष्मा 18500 कैलोरी है। स्थिर आयतन पर अभिक्रिया ऊष्मा होगी–
दिया है $C + 2H_2 \rightarrow CH_4 + 18500$ कैलोरी
Qp = 18500 cal, R = 2 cal.
(*a*) 19096 cal (*b*) 18798 cal
(*c*) 18202 cal (*d*) 17904 cal

उत्तरमाला

1	2	3	4	5	6	7	8	9	10
(*b*)	(*d*)	(*b*)	(*d*)	(*b*)	(*a*)	(*d*)	(*a*)	(*d*)	(*c*)
11	**12**	**13**	**14**	**15**	**16**	**17**	**18**	**19**	**20**
(*b*)	(*b*)	(*d*)	(*a*)	(*a*)	(*b*)	(*b*)	(*d*)	(*c*)	(*b*)
21	**22**	**23**	**24**	**25**	**26**	**27**	**28**	**29**	**30**
(*a*)	(*b*)	(*c*)	(*b*)	(*c*)	(*c*)	(*a*)	(*b*)	(*b*)	(*a*)
31	**32**	**33**	**34**	**35**	**36**	**37**	**38**	**39**	**40**
(*d*)	(*a*)	(*a*)	(*d*)	(*a*)	(*b*)	(*d*)	(*b*)	(*a*)	(*d*)
41	**42**	**43**	**44**	**45**	**46**	**47**	**48**	**49**	**50**
(*b*)	(*a*)	(*c*)	(*c*)	(*c*)	(*a*)	(*c*)	(*d*)	(*a*)	(*b*)
51	**52**	**53**	**54**	**55**					
(*c*)	(*b*)	(*a*)	(*a*)	(*a*)					

अध्याय

11 तत्त्वों का आवर्ती वर्गीकरण (Periodic Classification of Elements)

परिचय

- अठारहवीं शताब्दी के वैज्ञानिकों ने सर्वप्रथम यह पाया कि कुछ तत्वों में भौतिक तथा रासायनिक गुण मिलते-जुलते हैं। फिर उन्नीसवीं शताब्दी में तत्वों का वर्गीकरण प्रारम्भ हुआ। जब जर्मन रसायनज्ञ जॉन डोवेनियर (John Dobereiner) ने तत्वों को तीन समूहों में व्यवस्थित किया, इन समूहों को "Triads" कहा गया। ये पहले ऐसे वैज्ञानिक थे, जिन्होंने तत्वों के परमाणु भारों के परिकलन के लिए पहली बार गणितीय सम्बन्ध दिया।
- सन् 1864 में एक अंग्रेजी रसायनज्ञ जॉन न्यूलैण्ड (John Newland) ने तत्वों को उनके परमाणु भारों के बढ़ते हुए क्रम में व्यवस्थित किया, जिनमें प्रत्येक आठवें तत्व का गुण प्रथम तत्व के गुण के समान था। इस सम्बन्ध को अष्टक नियम (Law of Octave) कहा गया।
- सन् 1960 में जर्मन रसायनज्ञ लॉथर मेयर (Lother Mayer) ने तत्वों को उनके परमाणु आयतनों के आधार पर वर्गीकृत किया।

मैण्डलीव का आवर्त नियम (Mendeleev's Periodicity Rule)

- तत्वों का प्रथम आवर्ती वर्गीकरण रशियन मैण्डलीव (Mendeleev) की देन है। आधुनिक आवर्त सारणी मैण्डलीव द्वारा प्रस्तुत आवर्त सारणी का ही आधुनिक रूप है।
- लगभग 100 वर्ष पूर्व 60 से भी कम तत्त्व ज्ञात थे, परन्तु अब तक 118 तत्त्वों की खोज की जा चुकी है।
- मैण्डलीव ने ज्ञात किया कि यदि तत्त्वों को उनके परमाणु भार के बढ़ते हुये क्रम में रखा जाता है तो उनके गुणों में आवर्तिता (Periodicity) होती है। इस प्रकार के गुणों तथा भार के सम्बन्ध को उन्होंने आवर्त नियम का रूप दिया, जिसके अनुसार– "तत्त्वों के भौतिक तथा रासायनिक गुण उनके परमाणु भार के आवर्त फलन हैं।"

आधुनिक आवर्त सारणी (Modern Periodic Table)

मोजले (Mosley) ने 1911 में तत्त्वों के वर्गीकरण में सुधार किया तथा आवर्त नियम इस प्रकार दिया–

"तत्त्वों के भौतिक तथा रासायनिक गुण उनके परमाणु क्रमांकों के आवर्ती फलन (Periodic Function) होते हैं।

इस नियम के अनुसार तत्त्वों का मूल लक्षण (Fundamental Property) उनका परमाणु क्रमांक (Atomic Number) है न कि परमाणु भार (Atomic Weight)।

रांग (Rang), वर्नर (Warner), बरी (Bury) एवं कई अन्य रसायनज्ञों ने इलेक्ट्रॉनिक विन्यासों को तत्त्वों के वर्गीकरण का आधार मानकर एक आवर्त सारणी निर्मित की जिसे दीर्घाकार या प्रवर्धित सारणी (Long Form or Extended Form of Periodic Table) कहते हैं। आवर्त सारणी (Periodic Table) में 7 क्षैतिज आवर्त एवं 8 लम्बवत् समूह (Groups) हैं। आठवें समूह को शून्य समूह कहा जाता है। शेष I से VII तक नामांकित हैं, सारणी को देखने से ज्ञात होता है कि समान गुणों की इस बारम्बारता को आवर्तता कहते हैं।

कोष्ठक में लिखे तत्त्वों के सभी समस्थानिक रेडियोएक्टिव होते हैं तथा इनका मान सबसे अधिक अर्ध-आयु वाले समस्थानिक के परमाणु द्रव्यमान के बराबर होता है।

दीर्घाकार आवर्त-सारणी के मुख्य लक्षण (Main Characteristics of Long Form Periodic Table)

दीर्घाकार आवर्त सारणी के मुख्य लक्षण इस प्रकार हैं:

इस आवर्त सारणी (Periodic Table) में 7 क्षैतिज कॉलम और 18 खड़े कॉलम हैं

सात क्षैतिज कॉलम 7 आवर्त (Periods) हैं, जिनमें तत्त्व परमाणु क्रमांक के बढ़ते हुए क्रम में रखे हुए हैं।

प्रत्येक आवर्त की एक नई मुख्य क्वाण्टम संख्या के बाह्य कोश में इलेक्ट्रॉन भरना शुरू होता है और बाह्य कोश पूर्ण होने के साथ आवर्त्त समाप्त हो जाता है।

किसी आवर्त की क्रम संख्या उस आवर्त्त के तत्त्वों के बाह्य कोश की मुख्य क्वाण्टम संख्या होती है। विभिन्न आवर्तों में तत्त्वों की संख्या इस प्रकार हैं–

आवर्त		तत्त्वों की संख्या	तत्त्व	बाह्य कोश की मुख्य क्वाण्टम संख्या
अतिलघु	1	2	H(1) से He (2)	1
लघु	1	8	Li (3) से Ne (10)	2
लघु	3	8	Na (11) से Ar (18)	3
दीर्घ	4	18	K (19) से Kr (36)	4
दीर्घ	5	18	Rb (37) से Xe (54)	5
अतिदीर्घ	6	32	Cs (55) से Rn (86)	6
अतिदीर्घ	7,19	अपूर्ण	Fr (87) से Ha (105)	7

दीर्घाकार आवर्त सारिणी

(Long Form Periodic Table)

s–Block Elements ($n s^{1-2}$) | *d*–Block Elements $(n-1)d^{1-10} n s^{0-2}$ (Transition Metals) | *p*–Block Elements ($ns^2 p^{1-6}$)

	s^1	s^2	d^1s^2	d^2s^2	d^3s^2	d^5s^1	d^5s^2	d^6s^2	d^7s^2	d^8s^2	$d^{10}s^1$	$d^{10}s^2$	s^2p^1	s^2p^2	s^2p^3	s^2p^4	s^2p^5	s^2p^6
→ Groups / Periods ↓	1 or IA	2 or IIA	3 or IIIB	4 or IVB	5 or VB	6 or VIB	7 or VIIB	Group 8–10 VIIIB			11 or IB	12 or IIB	13 or IIIB	14 or IVB	15 or VB	16 or VIB	17 or VIIB	18 or VIIB
1 (1*s*)	H 1												Metalloids and Non-metals					He 2
	Active Metals																	
2 (2*s* 2*p*)	Li 3	Be 4											B 5	C 6	N 7	O 8	F 9	Ne 10
3 (3*s* 3*p*)	Na 11	Mg 12											Al 13	Sl 14	P 15	S 16	Cl 17	Ar 18
4 (4*s* 3*d* 4*p*)	K 19	Ca 20	Sc 21	Ti 22	V 23	Cr 24	Mn 25	Fe 26	Co 27	Ni 28	Cu 29	Zn 30	Ga 31	Ge 32	As 33	Se 34	Br 35	Kr 36
5 (5*s* 4*d* 5*p*)	Rb 37	Sr 38	Y 39	Zr 40	Nb 41	Mo 42	Tc 43	Ru 44	Rh 45	Pd 46	Ag 47	Cd 48	In 49	Sn 50	Sb 51	Te 52	I 53	Xe 54
6 6*s*(*f*)5*d*6*p*	Cs 55	Ba 56	La* 57	Hf 72	Ta 73	W 74	Tc 43	Os 76	Ir 77	Pt 78	Au 79	Hg 80	Tl 81	pb 82	Bi 83	Po 84	At 85	Rn 86
7 7*s* (5*f*) 6*d*	Fr 87	Ra 88	Ac** 89	Unq 104	Unp 105	Unh 106	Uns 107	Uno 108	Une 109	Unn 110		Eka-mercury 112						

f–Block Elements (Inner Transitions Elements) $(n-2) f^{1-14} (n-1) d^{0-1} n s^2$

Lanthanides 4*f*	Ce 58	Pr 59	Nd 60	Pm 61	Sm 62	Eu 63	Gd 64	Dy 65	Dy 66	Ho 67	Er 68	Tm 69	Yb 70	Lu 71
Actinides 5*f*	Th 90	Pa 91	U 92	Np 93	Pu 94	Am 95	Cm 96	Bk 97	Cf 98	Es 99	Fm 100	Md 101	No 102	Lr 103

आवर्त-6 के 14 तत्त्व, Ce (58) से Lu (71) तथा आवर्त-7 के 14 तत्त्व, Th (90) से Lr (103) तक सारणी के बाहर नीचे की ओर दो श्रेणियों में रखे हुए हैं, जिन्हें क्रमशः लैन्थेनाइड श्रेणी (4f) और ऐक्टिनाइड श्रेणी (5f) के तत्त्व कहते हैं। प्रत्येक आवर्त का प्रथम क्षार धातु (ns^1) और अंतिम तत्त्व अक्रिय गैस (ns^2, np^6) है। प्रथम आवर्त में $H(1s^1)$ और $He\ (1s^1)$ है। आवर्त 7 अभी अपूर्ण है। सारणी के खड़े कॉलम तत्त्वों के उपवर्ग या सब ग्रुप (Sub-group) हैं। सारणी में उपवर्गो के क्रम इस प्रकार हैं–IA, IIA, IIIA, IVA, VA, VIIA, VIII, IB, IIB, IIIB, IVB, VB, VIB, VIIB और अंत में O वर्ग VIII के तत्व तीन खड़े कॉलमों में रखे हुए हैं।

किसी उपवर्ग (Sub-Group) के सभी तत्त्वों के बाह्यकोश का इलेक्ट्रॉनिक विन्यास एक समान होता है और उनके गुणों में समानता होती है। उपवर्ग में नीचे की ओर आने पर कोशों की संख्या क्रम से बढ़ती जाती है, जिसके फलस्वरूप तत्त्वों के गुण में क्रमिक परिवर्तन होते हैं।

आवर्त सारणी में इलेक्ट्रॉनिक विन्यासों के अनुसार तत्त्वों के चार खण्ड (Blocks) हैं–

(*i*) **s-ब्लॉक तत्त्व (*s*-Block Elements)–** जिन तत्त्वों में विभेदी इलेक्ट्रॉन (Differentiating Electron) अर्थात् अंतिम इलेक्ट्रॉन बाह्य कोश के *s*-आर्बिटल में प्रवेश करता है, उन्हें *s*-ब्लॉक तत्त्व कहते हैं। उपवर्ग IA (H, Li, Na आदि) और IIA (Be, Mg, Ca आदि) के तत्त्व s-ब्लॉक तत्त्व हैं।

(*ii*) *p*– ब्लॉक तत्त्व–जिन तत्वों में विभेदी इलेक्ट्रॉन बाह्य कोश (*n*) के *p* आर्बिटल में प्रवेश करता है, उन्हें *p*– ब्लॉक तत्त्व कहते हैं। उपवर्ग III (B, Al आदि), IVB (C, Si आदि), VB (B, P आदि), VIB (O,S आदि), VII B(F, Cl, Br आदि) और वर्ग O के तत्व *p*– ब्लॉक तत्त्व हैं।

(*iii*) *d*– ब्लॉक तत्त्व–जिन तत्त्वों में विभेदी इलेक्ट्रॉन बाह्य कोश (*n*) से पिछले कोश के *d*–आर्बिटलों में प्रवेश करता है, उन्हें *d*– ब्लॉक तत्त्व कहते हैं। वर्ग IIIA, IVA, VA, VIA, VIIA, VIIIA और IB व IIB के तत्त्व *d*– ब्लॉक तत्त्व हैं।

(*iv*) *f*– ब्लॉक तत्त्व–लैन्थेनाइड श्रेणी के तत्त्वों में 4*f* आर्बिटलों में तथा ऐक्टिनाइट श्रेणी के तत्त्वों में 5*f* आर्बिटलों में इलेक्ट्रॉन भरते हैं।

आवर्ती गुण (Periodic Properties)

समूह (Group)– आवर्त सारणी में ऊपर से नीचे जाने पर समूह हैं अर्थात् खड़ी तालिकाएँ समूह को प्रदर्शित करती हैं। एक समूह के सभी तत्त्वों के गुण मिलते-जुलते होते हैं। उदाहरणतः प्रथम समूह के सभी तत्त्व धातुएँ हैं जैसे – Na, Rb, Cs, K इत्यादि। अतः प्रथम समूह क्षार धातुओं का समूह कहलाता है, क्योंकि हाइड्रॉक्साइड प्रबल क्षार बनाते हैं तथा द्वितीय समूह क्षारीय अर्ध धातुओं का समूह कहलाता है। ऑक्सीजन का प्रत्येक परमाणु क्षार धातुओं के दो परमाणुओं के साथ मिलकर ऑक्साइड बनाता है, जैसे–

$$4Na + O_2 \longrightarrow 2Na_2O$$

समूह 2 के सभी तत्त्व 1:1 के अनुपात में ऑक्सीजन के साथ संयोग करते हैं अर्थात् इस समूह के सभी तत्त्वों की संयोजकता 2 होती है, जैसे–

$$2Ba + O_2 \longrightarrow 2BaO$$

तीसरा समूह बोरॉन समूह कहलाता है, क्योंकि बोरॉन इस समूह का प्रतिनिधित्व करता है। ये सभी तत्त्व ऑक्सीजन के साथ 1½:1 के अनुपात में संयोग करते हैं, जैसे–

$$2Al + 3O_2 \longrightarrow 2Al_2O_3$$

समूह 4 कार्बन समूह कहलाता है, इस समूह के सभी तत्त्वों की संयोजकता 4 होती है। यह ऑक्सीजन के साथ 1:2 में संयोग करते हैं जैसे–

$$C + O_2 \longrightarrow CO_2$$

परमाणु संख्या (21–30), (39–48), (71–80) तथा 103 से आगे सभी तत्व संक्रमण तत्वों की श्रेणी में आते हैं। संक्रमण तत्व भी ऑक्सीजन के साथ क्रिया करते हैं, परन्तु इनमें कोई निश्चित क्रम नहीं पाया जाता है। इकत्तीसवां तत्त्व गैलियम (Gallium) है, जिसे आवर्त सारणी का सबसे महत्त्वपूर्ण तत्त्व माना जाता है, क्योंकि इस तत्त्व की खोज सर्वप्रथम मेण्डलीव ने की, इन्होंने गैलियम को एल्युमिनियम के बाद जगह दी तथा इसे एकाएल्युमिनियम (Eka–Aluminium) कहा, जिसके गुण बाद में गैलियम से मिलते-जुलते पाए गए जिसकी खोज कुछ सालों पश्चात् हुई।

आवर्त (Periods)– तत्त्वों की क्षैतिज पंक्ति को आवर्त कहते हैं। इनकी संख्या 6 होती है। आवर्त में जैसे-जैसे बाएं से दायीं तरफ बढ़ते हैं तत्त्वों की संयोजकता बढ़ती जाती है पहले तीन आवर्तों को लघु आवर्त (Short Periods) कहते हैं, क्योंकि इनमें तत्त्वों की संख्या 2 अथवा 8 से कम है। अगले चार आवर्तों को दीर्घ आवर्त कहते हैं, क्योंकि इनमें तत्त्वों की संख्या अधिक (18 या उससे अधिक) है। सारणी में 28 तत्त्वों की दो सारणियाँ हैं, इन सारणियों को लैन्थेनाइड (57 – 70) तथा एक्टिनाइट (89 – 102) कहते हैं। ये सभी मानव निर्मित तत्त्व हैं। इनमें से कोई भी तत्त्व जिसका परमाणु भार 83 है, इनका कोई भी समस्थानिक स्थायी नहीं होता है। अतः Bi से भारी सभी तत्त्व रेडियोएक्टिव होते हैं।

हाइड्रोजन की स्थिति सारणी में आपत्तिजनक है, क्योंकि इसके गुण प्रथम तथा सातवें, दोनों समूहों से मिलते-जुलते हैं।

आवर्त तथा समूहों में गुणों का परिवर्तन
(Variation of Properties in Periods and Groups)

(*i*) **संयोजकता (Valency)–** संयोजकता, किसी परमाणु के संयोजी कक्ष में उपस्थित इलेक्ट्रोनों की संख्या पर निर्भर करती है।

उदाहरणतः–

$$_{11}Na = 2,8,1$$

के संयोजी कक्ष में एक इलेक्ट्रॉन हैं, अतः इसकी संयोजकता एक होगी। कुछ तत्त्वों में जिनके संयोजी कक्षों में इलेक्ट्रॉनों की संख्या 8 से अधिक होती है, उनकी संयोजकता निम्न प्रकार से निकालते हैं–

8 – संयोजी इलेक्ट्रॉनों की संख्या = संयोजकता

आवर्त (Periods)– किसी आवर्त में बाएं से दाएं आगे बढ़ने पर संयोजकता हाइड्रोजन से हैलोजन तक पहले 1 से 8 तक बढ़ती है तथा पुनः 8 से 1 तक घटती हैं। किसी भी तत्त्व की संयोजकता उसकी समूह संख्या अथवा 8–समूह संख्या के बराबर होती है।

तत्वों से सम्बन्धित प्रमुख जानकारी

तत्व का नाम एवं परमाणु क्रमांक		आविष्कारक एवं खोज का वर्ष	परमाणु भार
1.	हाइड्रोजन (H)	एच. कैवेण्डिस (यू.के) (1766)	1.008
2.	हीलियम (He)	लोकेयर (यू.के) (1868)	4.00260
3.	लीथियम (Li)	जे.ए. अर्फेडेसन (स्वीडन) (1817)	6.941
4.	बेरेलियम (Be)	एच.एल. वाक्लेलिन (फ्रांस) (1798)	9.01218
5.	बोरॉन (B)	गैलुसाक, थेनार्ड, डेनी (स्वीडन) (1808)	10.81
6.	कार्बन (C)	प्रागैतिहासिक –	12.011
7.	नाइट्रोजन (N)	रदरफोर्ड (यू.के.) (1722)	14.00067
8.	ऑक्सीजन (O)	शीले और प्रीस्टले (1774)	15.9994
9.	फ्लोरीन (F)	एच. म्यायसन (फ्रांस) (1886)	18.98403
10.	नियॉन (Ne)	सौजे और टोवर्स (यू.के.)	20.179
11.	सोडियम (Na)	डेवी (यू.के.) (1807)	22.98977
12.	मैग्नीशियम (Mg)	डेवी (यू.के.) (1808)	24.305
13.	एल्यूमिनियम (Al)	ओर्स्टेड और बोलर (1825–27)	26.98154
14.	सिलिकन (Si)	बर्जीलियस (स्वीडन) (1824)	28.0855
15.	फास्फोरस (P)	एच. ब्रेण्ड (जर्मनी) (1669)	30.97376
16.	सल्फर (S)	प्रागैतिहासिक –	32.06
17.	क्लोरीन (Cl)	सी. डब्ल्यू शीले (स्वीडन) (1774)	35.453
18.	आर्गन (Ar)	रैमजे और रैले (यू.के.) (1894)	39.948
19.	पोटैशियम (K)	डेवी (यू.के) (1807)	39.10
20.	कैल्शियम (Ca)	डेवी (यू.के) (1808)	40.08
21.	स्कैण्डियम (Sc)	एल.एल. निल्सन (स्वीडन) (1879)	44.9559
22.	टाइटेनियम (Ti)	क्लैप्रोथ (जर्मनी) (1795)	47.90
23.	वेनेडियम (V)	सेफस्ट्राम (स्वीडन) (1830)	5.9415
24.	क्रोमियम (Cr)	वाक्वेलिन (फ्रांस) (1798)	51.996
25.	मैंगनीज (Mn)	जे.जी. जान (स्वीडन) (1774)	54.9380
26.	आयरन (Fe)	प्रागैतिहासिक (4000 ई.पू.)	55.847
27.	कोबाल्ट Co	जी. क्रेण्डट (1337)	58.9332
28.	निकिल (Ni)	ए.एफ. क्रासटेड्ट (स्वीडन) (1751)	58.7
29.	कॉपर (Cu)	प्रागैतिहासिक (8000 ई.पू.)	63.546
30.	जिंक (Zn)	ए. एस. मारग्राफ (जर्मनी) (1746)	65.38
31.	गैलियम (Ga)	एल. डी. ब्वाडस बाउड्रॉन (फ्रांस) (1875)	69.72
32.	जर्मेनियम (Ge)	सी.ए. विन्कलर (जर्मनी) (1886)	72.59
33.	आर्सेनिक (As)	एल्बर्टस मैग्नस (जर्मनी) (1220)	74.9216
34.	सिलीनियम (Se)	बर्जीलियस (स्वीडन) (1818)	78.96
35.	ब्रोमीन (Br)	ए.जे. बैलार्ड (फ्रांस) (1826)	79.904
36.	क्रिप्टॉन (Kr)	रैमजे और ट्रैवर्स (यू.के) (1898)	73.08
37.	रूबिडियम (Rb)	बुनसेन और किरचॉफ (जर्मनी) (1861)	85.4678
38.	स्ट्रांशियम (Sr)	क्रुकशैंक (यू.के) (1787)	87.62
39.	इट्रियम (Y)	जे. गैडोलीन (फिनलैण्ड) (1794)	88.9059
40.	जिर्कोनियम (Zr)	क्लैप्रोथ (जर्मनी) (1789)	91.22
41.	नायोबियम (Nb)	सी हैचेट (यू.के) (1801)	92.9064

Table contd.]

Table contd.]

	तत्व का नाम एवं परमाणु क्रमांक	आविष्कारक एवं खोज का वर्ष	परमाणु भार
42.	मॉलिब्डनम (Mo)	पी. जे. जेम (स्वीडन) (1781)	95.94
43.	टैक्नीशियम (Tc)	पेरियर (फ्रांस) (1937)	97
44.	रूथीनियम (Ru)	के. के. क्लाउस (सोवियत संघ) (1844)	101.07
45.	रोडियम (Rn)	वोलेस्टोन (यू.के) (1804)	102.9005
46.	पैलेडियम (Pd)	वोलेस्टोन (यू.के) (1803)	106.4
47.	सिल्वर Ag	प्रागैतिहासिक (4000 ई.पू.)	107.868
48.	कैडमियम (Cd)	एफ. स्ट्रोमेयर (जर्मनी) (1817)	112.41
49.	इण्डियम (In)	एफ. रिच एण्ड एच. टी. रिचर (जर्मनी) (1863)	114.82
50.	टिन (Sn)	प्रागैतिहासिक (3500 ई.पू.)	118.69
51.	एण्टीमनी (Sb)	ऐतिहासिक (1000 ई.पू.)	121.75
52.	टैल्यूरियम (Te)	एफ. जे. मूलर (आस्ट्रिया) (1783)	127.60
53.	आयोडीन (I)	वी. कोर्टोइज (फ्रांस) (1811)	126.9045
54.	जिनॉन (Xe)	रैमजे और ट्रेवर्स (यू.के) (1898)	131.30
55.	सीजियम (Cs)	बुनसेन और किरचांफ (जर्मनी) (1860)	132.9054
56.	बेरियम (Ba)	एच.डे.वी. (यू.के.) (1808)	137.33
57.	लैन्थेनम (La)	मोसान्डर (स्वीडन) (1839)	138.9055
58.	सीरियम (Ce)	बर्जीग्लियस, हिसिंगर और क्लैप्रोथ (1803)	140.12
59.	प्रैजियोडिमियम (Pr)	वेल्स वैच (आस्ट्रिया) (1885)	140.9077
60.	नियेडिमियम (Nd)	वेल्स वैच (आस्ट्रिया) (1885)	144.24
61.	प्रोमिथियम (Pm)	मेरिन्स्की, ग्लैण्डेनियम और कॉर्येल (सं.रा.अ.) (1845)	145
62.	समेरियम (Sm)	ब्वाइसबाउड्रान (1879)	150.4
63.	यूरोपियम (Eu)	इ.ए. डिमार्क्रे (फ्रांस) (1901)	151.96
64.	गैडोलिनियम (Nd)	मेरिस्नैक (स्विटजरलैण्ड) (1880)	157.25
65.	टर्बिअम (Tb)	मोसाण्डर (स्वीडन) (1843)	158.9254
66.	डिसप्रोसियम (Dy)	बिसवाउड्रान (फ्रांस) (1886)	162.50
67.	हॉलमियम (Ho)	जे.एल. सोरेट (फ्रांस) और क्लीव (स्वीडन) (1878–79)	164.904
68.	आर्बियम (Er)	मोसाण्डर (1843)	167.26
69.	थूलियम (Tm)	क्लीव (स्वीडन) (1879)	168.9343
70.	इटर्बियम (Yb)	मैरिग्नैंक (फ्रांस) (1878)	173.04
71.	ल्यूटिशियम (Lu)	जी. अर्बियन (फ्रांस) (1907)	174.97
72.	हॉफमियम (Hf)	डी. कोस्टर (नीदरलैण्ड्स) (1923)	178.49
73.	टैण्टेलम (Ta)	इकवर्ग (स्वीडन) (1802)	180.9479
74.	टंगस्टन (W)	डल्यूअर ब्रदर्स (1783)	188.85
75.	रीनियम (Re)	नोडैक, टैक और बर्ग (1925)	186.2
76.	ऑस्मियम (Os)	एस. टीनैण्ड (यू.के) (1804)	190.2
77.	इरीडियम (Ir)	एस. टीनैण्ड (यू.के) (1804)	192.22
78.	प्लैटीनम (Pt)	ए. डी. ओलावा (स्पेन) (1784)	195.09
79.	गोल्ड (Au)	प्रागैतिहासिक –	196.9665
80.	मर्करी (Ag)	ऐतिहासिक (1600 ई.पू.)	200.59
81.	थैलियम (Tl)	डब्ल्यू क्रूक्स (यू.के) (1861)	204.37
82.	लैड (Pb)	प्रागैतिहासिक –	207.2

[Table contd.

Table contd.]

तत्त्व का नाम एवं परमाणु क्रमांक		आविष्कारक एवं खोज का वर्ष	परमाणु भार
83.	बिस्मथ (Bi)	सी.एफ. ज्योफ्रे (फ्रांस) (1753)	208.9804
84.	पोलोनियम (Po)	मैडम क्यूरी (पोलैण्ड/फ्रांस) (1898)	209
85.	एस्टैटीन (At)	कोर्सन और मैकेन्जी (1940)	210
86.	रेडॉन (Rn)	एफ.ई. डार्न (1900)	222
87.	फ्रान्सियम (Fe)	म्ली.एम. पेरी (फ्रांस) (1939)	223
88.	रेडियम (Ra)	पियरेक्यूरी मैडम क्यूरी और बेमोन्ड (फ्रांस) (1898)	226
89.	ऐक्टिनियम (Ac)	ए. डेबियर्ने (फ्रांस) (1899)	227
90.	थोरियम (Th)	जे.जे. बर्जीलियम (स्वीडन) (1829)	232
91.	प्रोटैक्टिनियम (Pa)	हान, मिटनर, सोडी और क्रैन्सटन् (1917)	231
92.	यूरेनियम (U)	क्लैप्रोथ (जर्मनी) (1789)	238
93.	नेप्टूनियम (Np)	मिलन और एवेल्सन (सं. रा. अमेरिका) (1940)	237
94.	प्लूटोनियम (Pu)	सीबोर्ग, मिलन, कैनेडी और वाल (सं. रा अमेरिका) (1941 – 42)	244
95.	ऐमेरिशियम (Am)	सीबोर्ग, जैम्स और मोर्गन (सं. रा. अमेरिका) (1944 – 45)	243
96.	क्यूरियम (Cm)	सीबोर्ग और जेम्स (सं. रा. अमेरिका) (1944)	247
97.	बर्कैलियम (Bk)	थामसन, स्टीट्र, धीओसो और सीबोर्ग (सं. रा. अमेरिका) (1949)	247
98.	केलिफोर्नियम (Cf)	थामसन, स्टीट्र, धीओसो और सीबोर्ग (सं. रा. अमेरिका) (1950)	251
99.	आइन्सटाइनियम (Es)	धीओसो (सं. रा. अमेरिका) (1952)	254
100.	फर्मियम (Fm)	धीओसो (सं. रा. अमेरिका) (1953)	257
101.	मैण्डेल्मेवियम (Md)	धीओसो हार्वे, चेपिन, सीबोर्ग, थम्पसन (1955)	258
102.	नोबलियम (No)	धीओसो, सिकलेण्ड, वाल्टन, सीबोर्ग (1958)	255
103.	लारेन्सियम (Lw)	धीओसो सिकलेण्ड, वार्स और लैटिमर (1961)	260
104.	अननिलक्वैडियम (Unq)	ए. धीओसो, नूरसिया, हैरिस, इस्कोला (1969)	261
105.	अननिलपैण्टियम (Unp)	धीओसो, इस्कोला (1970)	262
106.	अननिलहैक्सियम (Unh)	धीओसो (1974)	263
107.	अननिलसेप्टियम (Uns)	मुन्जेनबर्ग (जर्मनी) (1981)	262
108.	अननिलअक्टियम (Uno)	मुन्जेनबर्ग (जर्मनी) (1984)	–
109.	अननिलेनियम (Une)	मुन्जेनबर्ग (जर्मनी) (1982)	266

समूह (Group)– समूह में ऊपर से नीचे जाने पर संयोजकता में कोई परिवर्तन नहीं होता, क्योंकि किसी समूह की समूह संख्या ही उस तत्त्व में उपस्थित संयोजी इलेक्ट्रॉनों की संख्या पर निर्भर करती है तथा ये संख्या किसी भी समूह में समान रहती है।

(ii) **परमाणु आकार (Atomic Size)–** किसी परमाणु की त्रिज्या को उसका परमाणु आकार कहते हैं। किसी नाभिक के केन्द्र से बाह्य कक्षा के बीच की दूरी को परमाणु त्रिज्या कहते हैं।

आवर्त (Periods)– आवर्त में बाएं से दाएं जाने पर परमाणु त्रिज्या घटती है। बाएं से दाएं जाने पर नाभिकीय आवेश बढ़ता है, क्योंकि परमाणु क्रमांक बढ़ता है। इलेक्ट्रॉनों की संख्या बढ़ती हैं किन्तु कोश की संख्या वही रहती है। इस प्रकार बाह्य कोश के इलेक्ट्रॉनों तथा नाभिक के बीच का आकर्षण बल बढ़ता जाता है, इसलिए परमाणु आकार भी घटता है।

समूह (Group)– जैसे-जैसे हम समूह में ऊपर से नीचे जाते हैं, परमाणु त्रिज्या बढ़ती जाती है। ऐसा इसलिए होता है, क्योंकि नीचे जाने पर कोशों की संख्या बढ़ती जाती है अर्थात् परमाणु का आकार भी बढ़ता जाता है।

(iii) **आयनन विभव तथा इलेक्ट्रॉन बंधुता (Ionisation Potential and Electron Affinity)–** किसी तत्त्व का रासायनिक गुण उस तत्त्व के इलेक्ट्रॉन त्याग करने या ग्रहण करने की क्षमता पर निर्भर करता है, जिसे आयनन विभव और इलेक्ट्रॉन बंधुता के रूप में परिकलित करते हैं।

(a) **आयनन विभव (Ionisation Potential)–** किसी तत्त्व से एक इलेक्ट्रॉन निकालने के लिए जितनी ऊर्जा की आवश्यकता होती है, उसे उस तत्त्व का आयनन विभव कहते हैं।

$$A_{(g)} + \text{I.E.} \longrightarrow A^{+}{}_{(g)} + e^{-}$$

एक परमाणु में जितने इलेक्ट्रॉन होते हैं, उतनी ही इसकी आयनन ऊर्जा होती है। जब एक परमाणु में एक से अधिक इलेक्ट्रॉन होते हैं तब हर एक इलेक्ट्रॉनों को निकालने के लिए अलग-अलग ऊर्जा देनी पड़ती है। पहले इलेक्ट्रॉन को निकालने के लिए आवश्यक

ऊर्जा प्रथम आयनन विभव, तथा एक धनावेशित आयन से दूसरे इलेक्ट्रॉन को निकालने के लिए आवश्यक ऊर्जा, द्वितीय आयनन विभव कहलाती है।

प्रथम आयनन विभव < द्वितीय आयनन विभव < तृतीय आयनन विभव $I^{st}.IE. < II^{nd}I.E < III^{rd}I.E.$

समूह में ऊपर से नीचे जाने पर आयनन विभव घटता है, क्योंकि बाह्य कोश में स्थित इलेक्ट्रॉन की नाभिक से दूरी बढ़ती जाती है। क्षार धातुओं का आयनन विभव सबसे कम तथा हैलोजन का सबसे अधिक होता है। अतः आवर्त में बाएं से दाएं जाने पर विभव बढ़ता है तथा समूह में ऊपर से नीचे जाने पर आयनन विभव घटता है, क्योंकि परमाणु आकार बढ़ता है, परन्तु कहीं-कहीं से मान घटता हुआ प्रतीत होता है।

द्वितीय आवर्त के तत्त्व	–Li	Be	B	C	N	O
आयनन विभव	–500	900	801	1085	1400	1314

दूसरे आवर्त के तत्त्वों के प्रथम आयनन विभव

प्रथम समूह	आयनन विभव (kj/mol)
Na	496
K	420
Rb	403
Cs	376

प्रथम समूह के प्रथम आयनन विभव

(*b*) इलेक्ट्रॉन बंधुता (Electron Affinity)– किसी उदासीन गैसीय परमाणु के एक इलेक्ट्रॉन ग्रहण करने में जो ऊर्जा परिवर्तन होता है, उसे उस परमाणु की इलेक्ट्रॉन बंधुता कहते हैं यह किसी गैसीय परमाणु के इलेक्ट्रॉन के प्रति आकर्षण की क्षमता को दर्शाती है।

$$Cl_{(g)} + e^{-} \longrightarrow Cl^{-}{(g)} + E.A.$$

इलेक्ट्रॉन बंधुता, इलेक्ट्रॉनिक विन्यास तथा परमाणु आकार पर निर्भर करती है। किसी समूह में इलेक्ट्रॉन बंधुता ऊपर से नीचे जाने पर घटती है, क्योंकि परमाणु आकार बढ़ता है तथा आवर्त में बाएं या दाएं जाने पर इलेक्ट्रोन बंधुता बढ़ती है। परन्तु कहीं-कहीं यह अपने क्रम से विचलित भी हो जाती है।

समूह संख्या	I		16		17	
	H	73				
	Li	57	O	141	F	333
			S	200	Cl	348
					Br	324
					I	295

(*iv*) धात्विक और अधात्विक गुण (Metalic and Non-Metallic Properties)– बोरॉन, सिलिकॉन, जर्मेनियम, आर्सेनिक, एन्टीमनी, टिल्यूरियम तथा पोलोनियम, में कुछ धातुओं तथा कुछ अधातुओं के गुण पाए जाते हैं। इसीलिए इन्हें अर्धधातुएं भी कहते हैं। धातुओं में तन्यता, भंगुरता तथा सुचालकता जैसे गुण पाए जाते हैं तथा इनमें इलेक्ट्रॉन त्यागने की क्षमता होती है। तत्त्वों का यह गुण आवर्त में आगे जाने पर घटता है तथा समूह में नीचे जाने पर बढ़ता है। धातुओं के बाह्य कोश में एक से तीन इलेक्ट्रॉन तक होते हैं। वे तत्त्व जिनके बाह्य कोश में उनके कोशों की संख्या के बराबर या उससे कम इलेक्ट्रॉन होते हैं, धातु कहलाते हैं। जबकि अधातुएं भंगुर, ठोस या गैसें एवं विद्युत के कुचालक होते हैं। अधातुओं के बाह्य कोश में चार में आठ इलेक्ट्रॉन होते है। टंगस्टन का क्वथनांक सबसे अधिक होता है, इसलिए इसका उपयोग बिजली के बल्ब के तन्तु बनाने में होता है।

प्रमुख बिन्दु (Important Points)

1. मरकरी एक ऐसी धातु है, जो कमरे के तापमान पर द्रव अवस्था में रहती है। यह बहुत जहरीली तथा घातक होती है।
2. आसमियम का घनत्व सबसे अधिक होता है।
3. रेडियम सबसे कम मात्रा में पायी जाने वाली धातु है।
4. हीरा सबसे कठोर पदार्थ है।
5. फ्लोरीन का उपयोग टूथपेस्ट बनाने में किया जाता है, जहाँ फ्लोरो फ्लोराइड आयनों में परिवर्तित हो जाता है।
6. सीज़ियम का प्रयोग विद्युत घड़ी बनाने में किया जाता है।
7. शुद्ध सिलिकन अर्ध-चालक की तरह काम करता है, इसलिए इसका प्रयोग विद्युत उपकरण बनाने में किया जाता है।
8. हीलियम का क्वथनांक सबसे कम होता है।
9. हाइड्रोजन पूरे ब्रह्मांड में सबसे अधिक मात्रा में पाया जाने वाले तत्त्व है।
10. फ्लोरीन सबसे अधिक विद्युत ऋणात्मक तत्त्व होता है।
11. क्लोरीन की इलेक्ट्रॉन बंधुता सबसे अधिक होती है।
12. हीलियम का आयनन विभव सबसे अधिक होता है।
13. सीजियम अथवा फ्रैन्सियम का आयनन विभव सबसे कम होता है।
14. ऑक्सीजन पृथ्वी पर सबसे अधिक मात्रा में पाया जाने वाला तत्त्व है।
15. हीलियम तथा फ्रैन्सियम क्रमशः सबसे छोटा तथा सबसे बड़ा परमाणु होता है।
16. बोरॉन का परमाणु आयतन सबसे छोटा होता है।
17. चाँदी विद्युत का सबसे अच्छा सुचालक है।
18. लीथियम सबसे हल्की धातु है, इसका घनत्व $0.54 \ g/cm^3$ होता है।
19. केवल ओजोन एक रंगीन गैस है, जिसकी गंध लहसुन जैसी होती है।
20. एल्युमीनियम सबसे कम मात्रा में पाए जाने वाला तत्त्व है।
21. H^- एवं I^- आयन क्रमशः सबसे छोटे तथा सबसे बड़े ऋण आयन हैं।
22. H^+ तथा Cs^+ सबसे छोटे तथा सबसे बड़े धनायन हैं।
23. सीजियम सबसे अधिक विद्युत धनात्मक तत्त्व है।
24. नाइट्रोजन वायुमण्डल में सबसे अधिक मात्रा में पाई जाती है।
25. लोहा सबसे अधिक मात्रा में पायी जाने वाली संक्रामक धातु है।

वस्तुनिष्ठ प्रश्न

1. हाइड्रोजन एक इलेक्ट्रॉन पृथक् करके H^+ बनाता है। इस गुण में यह इससे समानता प्रकट करता है–
(*a*) क्षार धातु (*b*) हैलोजन
(*c*) क्षारीय मृदा धातु (*d*) संक्रमण धातु

2. निम्न में से कौन-सा आयन जल में सर्वाधिक विलेय हाइड्राक्साइड बनायेगा–
(*a*) K^+ (*b*) Ni^{2+}
(*c*) Zn^{2+} (*d*) Al^{3+}

3. निम्न में से कौन से समूह के तत्वों के परमाणु सरलता से इलेक्ट्रॉन पृथक करते हैं–
(*a*) Li, Na, K (*b*) Cl, Br, I
(*c*) O, S, Se (*d*) N, P, As

4. एक आवर्त में अधिकतम आयनन विभव प्रकट करते हैं–
(*a*) क्षार धातु (*b*) अक्रिय गैसें
(*c*) प्रतिनिधि तत्व (*d*) हैलोजन

5. किसकी परमाणवीय त्रिज्या अधिकतम है–
(*a*) Al (*b*) Si
(*c*) P (*d*) Mg

6. आवर्त सारणी के दीर्घ रूप में होते हैं–
(*a*) आठ क्षैतिज पंक्तियाँ तथा सात ऊर्ध्वाधर कॉलम (columns)
(*b*) सात क्षैतिज पंक्तियाँ तथा अट्ठारह ऊर्ध्वाधर कॉलम
(*c*) सात क्षैतिज पंक्तियाँ तथा सात ऊर्ध्वाधर कॉलम
(*d*) आठ क्षैतिज पंक्तियाँ तथा आठ ऊर्ध्वाधर कॉलम

7. प्रवर्धित आवर्त-सारणी में वे तत्व जिनका वाह्य इलेक्ट्रॉनिक विन्यास ns^2np^5 होता है किस कॉलम में रखे गये हैं–
(*a*) दाहिनी ओर अन्तिम कॉलम में
(*b*) दाहिनी ओर अन्तिम से पहले कॉलम में
(*c*) बायीं ओर सबसे पहले वाले कॉलम में
(*d*) बायीं ओर दूसरे कॉलम में

8. 17 परमाणु क्रमांक वाला तत्व आवर्त सारणी के किस समूह में रखा जाएगा?
(*a*) प्रथम समूह में (*b*) पाँचवें समूह में
(*c*) आठवें समूह में (*d*) सातवें समूह में

9. यदि किसी तत्व की परमाणु संख्या 33 है तो वह आवर्त-सारणी में रखा जायेगा–
(*a*) पहले समूह में (*b*) तीसरे समूह में
(*c*) पाँचवें समूह में (*d*) सातवें समूह में

10. जिस तत्व का इलेक्ट्रानिक विन्यास $[Kr]4d^{10}4f^{14}5s^25p^65d^16s^2$ है, वह किस ब्लॉक का तत्व है–
(*a*) *s*–ब्लॉक (*b*) *p*–ब्लॉक
(*c*) *d*–ब्लॉक (*d*) *f*–ब्लॉक

11. निम्नांकित में से किसमें, गैसीय अवस्था से एक धन आवेशित गैसीय आयन बनाने में सर्वधिक ऊर्जा लगेगी–
(*a*) लीथियम परमाणुओं का 1 मोल
(*b*) सोडियम परमाणुओं का 1 मोल
(*c*) पोटेशियम परमाणुओं का 1 मोल
(*d*) रूबीडियम परमाणुओं का 1 मोल

12. आवर्त सारणी के IIA समूह की धातुओं Be, Mg, Ca, Sr का सबसे कम आयनी गुण का क्लोराइड निम्न धातु से बनेगा–
(*a*) Sr (*b*) Ca
(*c*) Mg (*d*) Be

13. कौन से तत्व विकर्ण सम्बन्ध प्रकट करते हैं–
(*a*) Li तथा Na (*b*) K तथा Na
(*c*) B तथा Si (*d*) Be तथा Mg

14. Mg^{++} की हाइड्रेशन ऊर्जा इससे अधिक है–
(*a*) Al^3+ (*b*) Na^+
(*c*) Be^{++} (*d*) Mg^3+

15. सोडियम बुन्सेन ज्वाला को सुनहरा पीला रंग देता है। यह इस कारण से होता है–
(*a*) सोडियम का न्यून आयन विभव
(*b*) सोडियम की प्रकाश संवेदनशीलता
(*c*) धात्विक सोडियम का पीली वाष्प में ऊर्ध्वपातन
(*d*) दृश्य क्षेत्र में अवशोषित विकिरण की ऊर्जा की अधिकता का उत्सर्जन

16. थैलियम भिन्न ऑक्सीकरण अवस्था प्रदर्शित करता है क्योंकि–
(*a*) यह एक संक्रमण धातु है
(*b*) इसमें निष्क्रिय युग्म प्रभाव है
(*c*) इसका उभयधर्मी लक्षण
(*d*) इसकी अधिक क्रियाशीलता

17. 40 परमाणु भार वाले किसी तत्व का इलेक्ट्रॉनिक विन्यास 2, 8, 8, है। इस तत्व के लिए निम्न में कौन-सा वाक्य उपयुक्त नहीं हैं–
(*a*) यह आवर्त सारणी के समूह से सम्बन्धित है
(*b*) इसमें 20 न्यूट्रॉन होते हैं
(*c*) इसके ऑक्साइड का सूत्र CO_2 है
(*d*) यह आवर्त सारणी के चौथे आवर्त से सम्बन्धित है

18. तत्व जिनकी सामान्यतः गुणक (multiple) ऑक्सीकरण अवस्थायें होती हैं तथा जिनके आयन अधिकतर रंगीन होते हैं–

(*a*) उपधातुएँ (*b*) संक्रमण तत्व
(*c*) अधातुएँ (*d*) गैसें

19. कोबाल्ट (Z = 27) परमाणु की तलस्थ अवस्था (Ground State) में ……… अयुग्मित इलेक्ट्रॉन होते हैं तथा इस प्रकार परमाणु ……… है–
(*a*) 2, प्रतिचुम्बकीय (*b*) 2, अनुचुम्बकीय
(*c*) 3, प्रतिचुम्बकीय (*d*) 3 अनुचुम्बकीय

20. अनुचुम्बकत्व किन अणुओं द्वारा प्रदर्शित किया जाता है–
(*a*) जो चुम्बकीय क्षेत्र में आकर्षित नहीं होते हैं
(*b*) जिनमें केवल युग्मित इलेक्ट्रॉन पाए जाते हैं
(*c*) जिनमें धनावेश होता है
(*d*) जिनमें अयुग्मित इलेक्ट्रॉन होते हैं

21. संक्रमण धातुएँ किस कारण प्रायः अनुचुम्बकीय होती हैं–
(*a*) उच्च गलनांक तथा क्वथनांक
(*b*) रिक्त कक्षकों की उपस्थिति
(*c*) तन्त्र में एक या अधिक अयुग्मित इलेक्ट्रॉनों की उपस्थिति
(*d*) IA तथा IIA समूह के तत्वों से कम विद्युत धनात्मक होती है

22. वे तत्व जो सामान्यतः बहु-ऑक्सीकरण अवस्था प्रदर्शित करते हैं जिनके आयन सामान्यतः रंगीन होते हैं, कहलाते हैं–
(*a*) धातु (*b*) संक्रमण तत्व
(*c*) अधातु (*d*) गैसें

23. लीथियम का रसायन बहुत कुछ मैग्नीशियम के समान है यद्यपि ये आवर्त सारणी के भिन्न समूहों में रखे गये हैं। इसका कारण है–
(*a*) दोनों प्रकृति में एक साथ पाये जाते हैं।
(*b*) दोनों का इलेक्ट्रॉनिक विन्यास समान है।
(*c*) इनके आवेश तथा आकार का अनुपात लगभग समान है
(*d*) दोनों का आकार लगभग समान है

24. आवर्त सारणी के ऊर्ध्वाधर समूह के तत्वों में साधारणतया–
(*a*) परमाणु क्रमांक समान होता है
(*b*) इलेक्ट्रॉनिक विन्यास समान होता है
(*c*) समस्थानिकों की संख्या समान होती है
(*d*) उनके परमाणुओं के वाह्य कोश में इलेक्ट्रॉनों की संख्या समान होती है

25. हैलोजन समूह में परमाणु क्रमांक की वृद्धि के अनुसार कौन-सी प्रवृत्ति काम करती है–
(*a*) आयनिक त्रिज्या घटती है
(*b*) इलेक्ट्रॉनों को खो देने की प्रवृत्ति घटती है
(*c*) आयनन विभव घटता है
(*d*) MX_2 में (जिनमें M = धातु तथा X हैलोजेन) सहसंयोजकता का गुण घटता है

26. 106 परमाणु क्रमांक का तत्व निम्न में रखा गया है–
(*a*) VI समूह (*b*) VI आवर्त
(*c*) V समूह (*d*) III समूह

27. तत्व जिनकी वाह्यतम तीन कक्षायें अपूर्ण होती हैं कहलाते हैं–
(*a*) *s*–ब्लॉक के तत्व (*b*) *d*–ब्लॉक के तत्व
(*c*) *p*–ब्लॉक के तत्व (*d*) *f*–ब्लॉक के तत्व

28. कौन-सा तत्त्व युग्म रासायनिक गुणों में समान है–
(*a*) Zr, Hf (*b*) Sn, Zr
(*c*) Cu, S (*d*) Na, Al

29. नाइट्रोजन की आयनन ऊर्जा ऑक्सीजन से अधिक होती है क्योंकि–
(*a*) नाइट्रोजन में आधे भरे हुए *p*–कक्षकों का अतिरिक्त स्थायित्व होता है
(*b*) नाइट्रोजन का आकार छोटा होता है
(*c*) नाइट्रोजन में इलेक्ट्रॉनों की संख्या कम होती है
(*d*) नाइट्रोजन कम विद्युतऋणात्मक होता है

30. संक्रमण तत्व किस ब्लॉक के तत्व होते हैं–
(*a*) *d*–ब्लॉक (*b*) *f*–ब्लॉक
(*c*) *s*–ब्लॉक (*d*) *p*–ब्लॉक

उत्तरमाला

1	2	3	4	5	6	7	8	9	10
(*a*)	(*a*)	(*a*)	(*b*)	(*d*)	(*b*)	(*b*)	(*d*)	(*c*)	(*d*)
11	**12**	**13**	**14**	**15**	**16**	**17**	**18**	**19**	**20**
(*a*)	(*d*)	(*c*)	(*b*)	(*d*)	(*b*)	(*c*)	(*b*)	(*d*)	(*d*)
21	**22**	**23**	**24**	**25**	**26**	**27**	**28**	**29**	**30**
(*c*)	(*b*)	(*c*)	(*d*)	(*c*)	(*a*)	(*d*)	(*a*)	(*d*)	(*a*)

अध्याय

12

हाइड्रोजन तथा इसके यौगिक (Hydrogen and its Compounds)

- हाइड्रोजन आवर्त सारणी का प्रथम तत्व है।
- हाइड्रोजन प्रकृति में मुक्त तथा संयुक्त दोनों अवस्थाओं में पाया जाता है।
- पृथ्वी की ऊपरी सतह में भार द्वारा लगभग 1% हाइड्रोजन होता है।
- मुक्त अवस्था में H_2 केवल वायुमण्डल में अल्प मात्रा में पायी जाती है।
- हाइड्रोजन (H_2) मुख्यतः संयुक्त अवस्था में पाया जाता है। इसके मुख्य स्रोत जल, अम्ल, कार्बनिक पदार्थ, अमोनिया, हाइड्रोजन सल्फाइड आदि है।

हाइड्रोजन के निर्माण की औद्योगिक विधियाँ

1. किसी अम्ल या क्षार की अल्प मात्रा (15 – 20%) से युक्त जल के विद्युत अपघटन द्वारा– हाइड्रोजन कैथोड पर (सामान्यतः आयरन) मुक्त होती है जबकि ऑक्सीजन (सह-उत्पाद) एनोड पर (सामान्यतः निकिल चढ़ी हुई ऑयरन की छड़) मुक्त होती है। एनोड तथा कैथोड एक एस्बेस्टॉस डायफ्राम द्वारा पृथक् होती है जो मुक्त हाइड्रोजन तथा ऑक्सीजन के मिश्रित होने को रोकती है।

(अ) $H_2SO_4 \rightleftharpoons 2H^+ + SO_4^{2-}$;

$H_2O \rightleftharpoons H^+ + OH^-$

कैथोड पर : $2H^+ + 2e^- \rightarrow 2H$

$H + H \rightarrow H_2 \uparrow$

एनोड पर : $4OH^- \rightarrow 4OH + 4e^-$

$4OH \rightarrow 2H_2O + O_2 \uparrow$

यह महत्त्वपूर्ण है कि सल्फेट ऑयन मुक्त नहीं होते हैं क्योंकि मुक्त विभव OH^- ऑयनों से बहुत अधिक होता है।

(ब) $4KOH \rightleftharpoons 4K + 4OH^-$

कैथोड पर : $4H^+ + 4e^- \rightarrow 4H$

$4H \rightarrow 2H_2$

एनोड पर : $4OH^- \rightarrow 4OH + 4e^-$

$4OH \rightarrow 2H_2O + O_2 \uparrow$

2. वाटर गैस से (बॉश प्रक्रम)– वाटर गैस CO तथा H_2 के समान आयतनों का मिश्रण है। यह 440–600° से. ग्रे. के ताप पर तप्त कोक के ऊपर अति तप्त जल वाष्प को प्रवाहित करने से प्राप्त होती है।

$$\underset{\text{लाल तप्त कोक}}{C} + \underset{\text{जल वाष्प}}{H_2O} \rightarrow \underbrace{CO + H_2}_{\text{वॉटर गैस}}$$

वाटर गैस को अब जलवाष्प के साथ मिश्रित करके 410–550° से.ग्रे. पर रखे उपयुक्त वर्धक (Cr_2O_3, ThO_2, आदि) के साथ उत्प्रेरक (Fe_2O_3) के ऊपर प्रवाहित किया जाता है।

$$\underbrace{CO + H_2}_{\text{वॉटर गैस}} + \underset{\text{जलवाष्प}}{H_2O} \xrightarrow[410-550°\text{से. ग्रे.}]{Fe_2O_3 + Cr_2O_3} CO_2 \uparrow + 2H_2$$

गैसीय मिश्रण को लगभग 25–30 वायुमण्डल दाब के अंतर्गत जल द्वारा धोकर CO_2 को निकाला जाता है।

3. प्राकृतिक गैस से– प्राकृतिक गैस, जो मुख्यतः मिथेन है, जलवाष्प के साथ मिलायी जाती है तथा 900° से. ग्रे. तक गर्म निकिल उत्प्रेरक के ऊपर से गुजारी जाती है, तब CO तथा H_2 का मिश्रण बनता है। CO को उपरोक्त प्रकार से विस्थापित किया जाता है।

$CH_4 + H_2O\ (\text{जलवाष्प}) \xrightarrow{\text{Ni या Cr}} CO + 3H_2$

या $CH_4 \xrightarrow{\text{उच्च ताप}} C + 2H_2$

$C_2H_6 \xrightarrow{\text{उच्च ताप}} 2C + 3H_2$

4. लैने का प्रक्रम–773–1050 K पर स्पोंजी (Spongy) लोहे के ऊपर भाप गुजारने पर।

$3Fe + 4H_2O \longrightarrow Fe_3O_4 + 4H_2$

उपयोग–

(*i*) यह वनस्पति घी (तेलों का वसा में हाइड्रोजनीकरण) के निर्माण में प्रयुक्त होती है।

(*ii*) यह अमोनिया, मेथिल एल्कोहल (CO से), (गैसोलीन संश्लेषित पेट्रोल), HCl आदि के निर्माण में प्रयुक्त होती है।

(*iii*) कोल गैस, वाटर गैस, तेल गैस आदि विभिन्न ईधन गैसों में हाइड्रोजन एक महत्वपूर्ण घटक के रूप में होता है।

(*iv*) अपने निम्न घनत्व के कारण, हाइड्रोजन गुब्बारों के भरने में तथा वायुयानों के लिए गैस के थैलों को भरने में प्रयुक्त होती है। कभी-कभी यह हीलियम द्वारा विस्थापित की जाती है।

5. यह भट्टियों में अपचायक वातावरण उत्पन्न करने के लिए प्रयुक्त होती है।

6. ऑक्सीहाइड्रोजन ज्वाला (ऑक्सीहाइड्रोजन टॉर्च) तथा परमाण्विक हाइड्रोजन ज्वाला (परमाण्विक हाइड्रोजन टॉर्च) स्टील तथा अन्य कठोर धातुओं के काटने तथा वैल्डिंग के लिए प्रयुक्त होती है।

हाइड्रोजन के विभिन्न रूप

चूँकि साधारण हाइड्रोजन द्विपरमाणुक अणु के रूप में होता है जो स्थायी होता है जिससे वह बहुत कम क्रियाशील होता है। हाइड्रोजन के विभिन्न ज्ञात सक्रिय रूप निम्नानुसार है–

1. **परमाण्विक हाइड्रोजन (Atomic Hydrogen)–** आण्विक हाइड्रोजन के उच्च ताप तथा निम्न दाब पर तापीय विघटन से परमाण्विक हाइड्रोजन बनती है। परमाण्विक हाइड्रोजन, साधारण को विद्युत आर्क में प्रवाहित करने से उत्पन्न होती है।

$$\underset{\text{अणु हाइड्रोजन}}{H_2} \xrightarrow[\text{(200° से.ग्रे.)}]{\text{विद्युत आर्क}} \underset{\text{परमाणु हाइड्रोजन}}{2H}, \ \Delta H = +104.5 \text{ कि. कैलोरी}$$

अभिक्रिया ऊष्माशोषी है तथा परमाणुओं में संचित होती है। इस प्रकार उत्पन्न परमाण्विक हाइड्रोजन, जब धात्विक सतह पर टकराती है, तो इसके परमाणु फिर से संयुक्त होकर ऊष्मा की एक बड़ी मात्रा के निष्कासन के साथ आण्विक हाइड्रोजन बनाती है।

$2H \rightarrow H_2 + 104.5$ कि. कैलोरी

इस प्रकार उत्पन्न ऊष्मा धातु का ताप 4000–5000°C तक बढ़ाने के लिए उपयुक्त होती है **(परमाण्विक हाइड्रोजन टॉर्च का सिद्धान्त)**

हाइड्रोजन को मरकरी-विकिरणों से विकिरित (Irradiating) करने पर भी परमाण्विक हाइड्रोजन बनाया जा सकता है।

$$Hg + h\nu \longrightarrow \underset{\text{उत्तेजित अवस्था}}{Hg^*}$$

$$H_2 + Hg^* \longrightarrow 2H + Hg$$

उपयोग–

(*i*) यह कुछ असंतृप्त कार्बनिक यौगिकों के हाइड्रोजनीकरण में प्रयुक्त होता है।

(*ii*) यह एक प्रबल अपचायक के रूप में प्रयुक्त होता है।

(*iii*) परमाणवीय हाइड्रोजन टार्च के फेब्रीकेशन में प्रयुक्त होता है।

2. **नवजात हाइड्रोजन (Nascent Hydrogen)–** पितृ में उत्पन्न हाइड्रोजन नवजात हाइड्रोजन (नमी उत्पन्न) कहलाता है। नवजात हाइड्रोजन साधारण आण्विक हाइड्रोजन से अधिक सक्रिय होता है।
3. **सक्रिय हाइड्रोजन (Active Hydrogen)–** सक्रिय हाइड्रोजन सामान्य ताप तथा 0.5 मिमी. दाब पर विद्युत विसर्जन में आण्विक हाइड्रोजन को प्रवाहित करके प्राप्त किया जाता है। सक्रिय हाइड्रोजन की अर्ध-आयु परमाण्विक हाइड्रोजन के समान (0.3 सेकेण्ड) होती है।
4. **आर्थो तथा पैरा हाइड्रोजन (Ortho and Para hydrogen)–** जब दो हाइड्रोजन परमाणु संयोग करके एक स्थायी अणु बनाते हैं तो इलेक्ट्रॉनों का चक्रण सदैव विपरीत दिशाओं में होता है (पाली अपवर्जन नियम) यद्यपि दो, प्रोटॉन का चक्रण या तो समान दिशा में या विपरीत दिशाओं में होता है।

जब दो प्रोटॉनों का चक्रण समान दिशा में होता है, तो अणु ऑर्थो हाइड्रोजन कहलाता है तथा जब प्रोटॉनों का चक्रण विपरीत दिशाओं में होता है तो बनने वाली हाइड्रोजन पैरा हाइड्रोजन कहलाती हैं। उपरोक्त हाइड्रोजन के दोनों अपरूप रासायनिक गुणों में समान होते हैं तथा क्वथनांक, विशिष्ट उष्मा तथा उष्मीय चालकताओं में भिन्न होते हैं।

हाइड्रोजन के समस्थानिक (Isotopes of Hydrogen)

द्रव्यमान संख्याओं 1, 2 तथा 3 के साथ हाइड्रोजन के तीन समस्थानिक रूप, परमाणु क्रमांक 1 से युक्त होते हैं। इनकी संरचनाएं निम्न प्रकार निरूपित हैं।

हाइड्रोजन (प्रोटियम)	**ड्यूटीरियम**
${}_1H^1$ या H	${}_1H^2$ या D
($p = 1, e = 1, n = 0$)	($p = 1, e = 1, n = 1$)
प्राप्ति* 99.984%	0.016%

ट्राइटियम

${}_1H^3$ या T

($p = 1, e = 1, n = 2$)

$10^{-15\%}$

हाइड्राइड (Hydrides)

हाइड्रोजन धातुओं तथा अधातुओं की एक संख्या से संयोग करके यौगिक बनाती है, जो हाइड्राइड कहलाते हैं। हाइड्राइड मुख्य रूप से तीन प्रकार के होते हैं।

(*i*) **आयनिक, लवण के समान या लवणीय हाइड्राइड (Ionic, salt like or Saline hydrides)–** ये उन धातुओं द्वारा बनते हैं जिनके विद्युतऋणात्मक मान बहुत कम होते हैं तथा हाइड्रोजन के अनुरूप विद्युत धनात्मक होते हैं अर्थात् क्षारीय तथा क्षारीय मृदा धातुएँ (Be तथा Mg के अतिरिक्त)। ये धातुओं से हाइड्रोजन परमाणु में इलेक्ट्रॉनों के स्थानान्तरण द्वारा बनते हैं तथा इनमें हाइड्रोजन H^- ऑयन के रूप में होती है जैसे LiH, CaH_2 आदि। ये आयनिक जालकों के साथ क्रिस्टलीय ठोस है, तथा लवणों के समान व्यवहार करते हैं।

(*ii*) **आण्विक या सहसंयोजक हाइड्राइड (Molecular or Covalent hydrides)–** ये उच्च विद्युत ऋणात्मक के तत्त्वों (जैसे अधातु) से बनते हैं जो हाइड्रोजन के साथ इलेक्ट्रॉनों का साझा करती है। अधिकांश स्थितियों में, बंध सहसंयोजक होते हैं यद्यपि कुछ स्थितियों में (उदाहरण HF) बंध आंशिक आयनिक होता है। ये आण्विक जालकों से युक्त होते हैं, अणु दुर्बल वॉन्डर वाल बलों से परस्पर बंधे होते हैं। ये हाइड्राइड मृदु, निम्न गलनांक तथा क्वथनांक युक्त होते हैं। इनकी विद्युत चालकता निम्न होती है। स्थायित्व, समूह में नीचे जाने पर घटता है, उदाहरण–

$NH_3 > PH_3 > AsH_3 > SbH_3 > BiH_3$

किसी आवर्त में, स्थायित्व हाइड्राइड बनाने वाले तत्त्व की बढ़ती हुई विद्युत ऋणात्मकता के साथ बढ़ता है। उदाहरण

$CH_4 < NH_3 < H_2O < HF$

(*iii*) **धात्विक या अन्तरालीय हाइड्राइड (Metallic Hydrides)–** यह Be, Mg (s-ब्लॉक तत्व) तथा संक्रमण (d-ब्लॉक) तत्वों द्वारा बनते हैं। ये अज्यामितीय यौगिक हैं तथा आसानी से हाइड्रोजन मुक्त करते हैं। यह प्रबल अपचायक के रूप में प्रयुक्त होते हैं।

जल (Water)

जल का आयनात्मक तथा भारात्मक संगठन क्रमशः 2 : 1 तथा 1 : 8 (H : O) है। शुद्ध जल की आयनन की मात्रा कम होने के कारण, यह विद्युत का अच्छा चालक नहीं है। जल का अधिकतम घनत्व 4°C पर है।

बर्फ, जल पर तैरता है क्योंकि इसका घनत्व जल से कम है जो इसकी क्रिस्टल संरचना में खाली स्थान होने के कारण है। बर्फ की क्रिस्टल संरचना एक नियमित हैक्सागन (Hexagon) है जिसके केन्द्र पर रिक्त स्थान होता है।

बर्फ की क्रिस्टल संरचना 4°C पर आंशिक रूप से टूट जाती है तथा इनके रिक्त स्थान जल के अणुओं द्वारा भर जाते हैं जिससे इसका घनत्व बढ़ जाता है।

क्षारीय धातुएं, ठण्डे जल से विस्फोटन के साथ क्रिया करती हैं तथा हाइड्रोजन गैस निकालती है। Ca, Sr तथा Ba जल से ठण्डे में धीमी अभिक्रिया तथा गर्म में तीव्र अभिक्रिया करके हाइड्रोजन गैस निकालते हैं। Mg भाप के साथ 100°C के ऊपर क्रिया करता है। Fe, Al तथा Zn तथा कोक भाप से 700 – 1000°C के बीच क्रिया करते हैं।

$$C + H_2O \xrightarrow{\text{गर्म}} CO + H_2$$

(H_2O एक ऑक्सीकारक का कार्य करता है)

$$F_2O + H_2O \longrightarrow 2HF + O2$$

[H_2O एक अपचायक का कार्य करता है।]

जल अणु की 104.5° के बंध कोण के साथ एक झुकी संरचना है।

आबन्ध कोण का सामान्य समचतुष्फलकीय बंध कोण (109°) से विचलन, जल के अणु में ऑक्सीजन परमाणु पर उपस्थित इलेक्ट्रॉनों के दो एकल युग्म (lone pair) के कारण होता है।

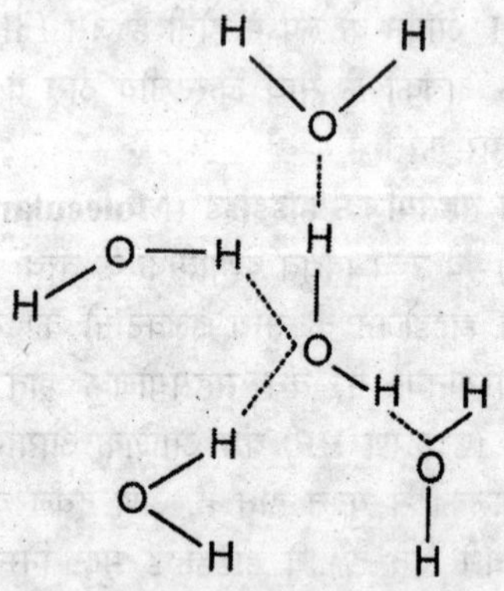

चित्र: H_2O *अणु में हाइड्रोजन-बंध*

भारी जल या ड्यूटीरियम ऑक्साइड (D_2O)

D_2O की खोज 1953 में यूरे ने की। साधारण जल भारी जल के एक प्रभाज (लगभग 6000 भागों में 1 भाग) से युक्त होता है।

भारी जल का अणु दो भारी हाइड्रोजन परमाणुओं (2_H या D) तथा एक ऑक्सीजन परमाणु से बना होता है इसलिये इसे ^2H_2O या D_2O के रूप में व्यक्त करते हैं। इसका अणुभार 20 है।

भारी जल (मुख्यत : D_2O^{16}) एक रंगहीन, गंधहीन तथा स्वादहीन द्रव है। इसके भौतिक स्थिरांक, साधारण जल से भिन्न होते हैं। कुछ भौतिक स्थिरांक निम्नलिखित तालिका में दिये गये हैं।

D_2O तथा H_2O के मध्य भौतिक स्थिरांकों में अंतर (*i*) ड्यूटीरियम के अत्यधिक नाभिकीय द्रव्यमान तथा (*ii*) D_2O के संगुणन की अत्यधिक मात्रा के कारण होता है।

तालिका 1: भारी जल (D_2O) तथा साधारण जल (H_2O) के कुछ भौतिक स्थिरांक

गुण	H_2O	D_2O
20° से. ग्रे. पर घनत्व	0.9982	1.1056
हिमांक	0° से. ग्रे.	3.8° से. ग्रे.
क्वथनांक	100° से. ग्रे.	101.42° से. ग्रे.
अधिकतम घनत्व का ताप	4° से. ग्रे.	11.6° से. ग्रे.

हाइड्रोजन परऑक्साइड (Hydrogen Peroxide (H_2O_2)

निर्माण की विधि

1. जलीय बेरियम परऑक्साइड (BaO_2) पर फास्फोरिक अम्ल या सल्फ्यूरिक अम्ल की क्रिया द्वारा–

(अ) $BaO_2.8H_2O + H_2SO_4 \rightarrow BaSO_4 \downarrow + H_2O_2 + 8H_2O$

यह महत्वपूर्ण है कि निर्जल बेरियम परऑक्साइड सल्फ्यूरिक अम्ल के साथ शीघ्रता से क्रिया नहीं करता, क्योंकि इसकी सतह पर अविलेय बेरियम सल्फेट की एक परत बनती है जो अम्ल की अग्र क्रिया को रोक देती है। इसलिए **जलीय बेरियम परऑक्साइड $BaO_2.8H_2O$ का प्रयोग करना चाहिए।**

(ब) $3BaO_2 + 2H_3PO_4 \rightarrow Ba_3(PO_4)_2 + 3H_2O_2$

$Ba_3(PO_4)_2 + 3H_2SO_4 \rightarrow 3BaSO_4 \downarrow + 2H_3PO_4$

ध्यान रखिये कि H_2SO_4 की अपेक्षा फॉस्फोरिक अम्ल को प्राथमिकता दी जाती है क्योंकि विलेय अशुद्धियों जैसे बेरियम परसल्फेट ($BaO_2.8H_2O + H_2SO_4$ की क्रिया से) की H_2O_2 को विघटित करने की प्रवृत्ति होती है जबकि H_3PO_4* एक रक्षक (H_2O_2 के लिए ऋणात्मक उत्प्रेरक) के रूप में कार्य करता है। बेरियम परऑक्साइड की अधिक मात्रा को प्रयुक्त नहीं करना चाहिए क्योंकि यह H_2O_2 को विघटित करने की प्रवृत्ति रखता है।

$BaO_2 + H_2O_2 \rightarrow BaO + H_2O + O_2$

दोनों स्थितियों में, $BaSO_4$ को छानकर विस्थापित किया जाता है तथा इसलिए इस विधि द्वारा लगभग शुद्ध H_2O_2 प्राप्त होता है।

2. 20% प्रशीतित सल्फ्यूरिक अम्ल विलयन में सोडियम परऑक्साइड की गणितीय मात्रा मिलाने पर **(मर्क का प्रक्रम)**

$Na_2O_2 + H_2SO_4 \rightarrow Na_2SO_4 + H_2O_2$

सोडियम सल्फेट को ठंडा करके हटाया जाता है जब $Na_2SO_4.10H_2O$ के क्रिस्टल पृथक होते हैं। उत्पाद सदैव सोडियम सल्फेट की अल्प मात्रा द्वारा अशुद्ध होता है। इस विधि द्वारा प्राप्त हाइड्रोजन परऑक्साइड विरंजन कार्यों के लिए प्रयुक्त होता है जहाँ Na_2SO_4 की उपस्थिति कोई समस्या उत्पन्न नहीं करती है।

इस विधि में सल्फयूरिक अम्ल को NaH_2PO_4 द्वारा विस्थापित किया जा सकता है।

$$\underset{\text{सोडि.परऑक्साइड}}{Na_2O_2} + \underset{\text{सोडि. डाइहाइड्रोजन फॉस्फेट}}{2NaH_2PO_4} \rightarrow \underset{\text{डाइसोडि. हाइड्रोजन सल्फेट ठण्डा करने पर क्रिस्टलित होता है}}{2Na_2HPO_4} + H_2O_2$$

संरचना (Structure)

H_2O_2 को दो संरचनाओं के मध्य साम्य रूप में निम्नानुसार व्यक्त किया जा सकता है।

$$H-\ddot{\underset{..}{O}}-\ddot{\underset{..}{O}}-H \rightleftharpoons \,_{H}^{H}\!\!>O\rightarrow O$$

H_2O_2 की संरचना खुली पुस्तक संरचना की तरह है। O – O – H आबन्ध कोण लगभग 101.5° पाया गया है। H_2O_2 में O – O एक बंध दूरी 1.48Å होता है।

उपयोग

(*i*) पर हाइड्रोल के नाम से दांत, कानों तथा घावों को धोने के लिए कीटाणुनाशी तथा प्रतिरोधी के रूप में प्रयुक्त होता है।

(*ii*) प्रयोगशाला में ऑक्सीकारक के रूप में

(*iii*) इन, बाल, पंख, हाथी दांत आदि के विरजंन हेतु।

(*iv*) Ti, V तथा Cr, ऑयनों को ज्ञात करने में जिसके साथ यह विशेष रंगों के परऑक्साइड बनाता है।

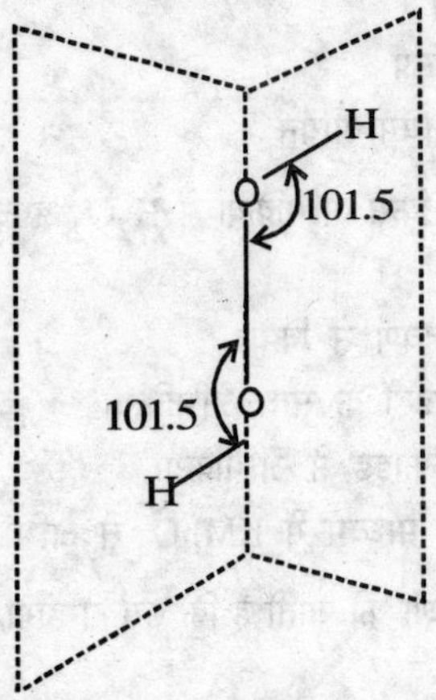

चित्र: H_2O_2 *की खुली किताब संरचना*

(*v*) राकेट ईंधन के लिए ऑक्सीकारक के रूप में प्रयुक्त होता है।

(*vi*) टारपीडो के लिए ईंधन के रूप में प्रयुक्त होता है।

वस्तुनिष्ठ प्रश्न

1. आसवन द्वारा जल के शोधन के लिये सबसे उपयुक्त है–

(*a*) मिट्टी के बर्तन (*b*) धातु के बर्तन

(*c*) सिलिका के बर्तन (*d*) प्लास्टिक के बर्तन

2. किस ताप और दाब की अवस्था में आणविक हाइड्रोजन से परमाणविक हाइड्रोजन प्राप्त करना अनुकूल होगा?

(*a*) अधिक ताप, अधिक दाब

(*b*) कम ताप, कम दाब

(*c*) अधिक ताप तथा कम दाब

(*d*) कम ताप, अधिक दाब

3. निम्न में से कौन-सा यौगिक जल में कठोरता उत्पन्न नहीं करता?

(*a*) $CaCl_2$ (*b*) $MgSO_4$

(*c*) Na_2SO_4 (*d*) $FeSO_4$

4. साधारण हाइड्रोजन का परमाणवीय हाइड्रोजन में परिवर्तन है–

(*a*) नाभिकीय अभिक्रिया

(*b*) एक ऊष्माशोषी अभिक्रिया

(*c*) एक ऊष्माक्षेपी अभिक्रिया

(*d*) एक विघटन अभिक्रिया

5. भारी जल प्राप्त किया जाता है–

(*a*) अधिक समय तक जल के वैद्युत अपघटन से

(*b*) जल में भारी लवण घोलकर

(*c*) जल के आसवन से

(*d*) जल से Ca तथा Mg की अशुद्धि पृथक करके

6. हाइड्रोजन परॉक्साइड को प्रयोगशाला में बनाने के लिये–

(*a*) MnO_2 को Dil. H_2SO_4 में डाला जाता है

(*b*) BaO_2 को CO_2 के जलीय घोल में डाला जाता है

(*c*) PbO_2 को अम्लीय $KMnO_4$ विलयन में डाला जाता है

(*d*) सोडियम परॉक्साइड को पानी के साथ उबाला जाता है

7. सल्फ्यूरिक अम्ल के 50% विलयन का वैद्युत अपघटन करने से प्राप्त होता है–

(*a*) O_2 (*b*) SO_2

(*c*) H_2O_2 (*d*) H_2O

8. हाइड्रोजन परॉक्साइड का औद्योगिक निर्माण निम्नलिखित किस क्रिया के आधार पर होता है?

(*a*) बेरियम परॉक्साइड पर सल्फ्यूरिक अम्ल की क्रिया

(*b*) सोडियम परॉक्साइड पर सल्फ्यूरिक अम्ल की क्रिया

(*c*) H_2SO_4 का वैद्युत-अपघटन

(*d*) हाइड्रोजन को ऑक्सीजन की अधिकता में जलाने की क्रिया

9. हाइड्रोजन परॉक्साइड को व्यापारिक मात्रा में बनाने के लिये साधारणतया किस विधि को प्रयुक्त करते हैं?

(*a*) वैद्युत अपघटन

(*b*) Na_2O_2 व H_2SO_4 की अभिक्रिया

(*c*) BaO_2 व H_2SO_4 की अभिक्रिया

(*d*) Na_2O_2 का जल अपघटन

10. हाइड्रोजन परॉक्साइड के लिये कौन-सा कथन असत्य है?

(*a*) शुद्ध H_2O_2 स्थायी होता है

(*b*) यह कभी-कभी अपचायक के रूप में कार्य करता है

(*c*) यह ऑक्सीकारक के रूप में कार्य करता है

(*d*) इसका जलीय विलयन दुर्बल क्षारीय है

11. त्रिपरमाणुक (Triatomic) हाइड्रोजन कहलाती है–

(*a*) ड्यूटीरियम

(b) हाइजोन
(c) ऑर्थो रूप
(d) हाइड्रोनियम आयन

12. निम्नलिखित किस अभिक्रिया में H_2O_2 अपचायक का कार्य करता है?
(a) फैरस लवण से क्रिया
(b) आयोडाइडों के साथ अभिक्रिया
(c) लैड सल्फाइड से अभिक्रिया
(d) अम्लीय माध्यम में $KMnO_4$ से अभिक्रिया

13. प्रोटॉन से आशा की जाती है कि उसका होगा/होगी बहुत अधिक–
(a) आवेश
(b) आयनन विभव
(c) जल-योजन (हाइड्रेशन) ऊर्जा
(d) त्रिज्या

14. क्रोमिक अम्ल तथा H_2O_2 की क्रिया से क्या बनता है?
(a) CrO_3, H_2O तथा O_2
(b) Cr_2O_3, H_2O तथा O_2
(c) CrO_5 तथा H_2O
(d) $H_2Cr_2O_7$, H_2O तथा O_2

15. ट्रिटियम का क्षय प्रतिफल (Decay Product) है–
(a) $_1H^2$ (b) $_1H^1$
(c) $_2He^3$ (d) $_2He^4$

16. H_2O_2 की संरचना क्या है?
(a) 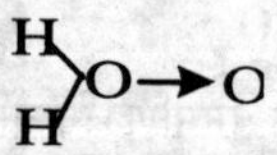
(b) H–O–O–H (सरल रेखा में)
(c) 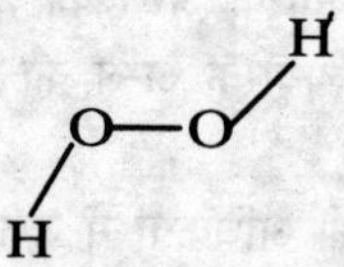
(< H –O–O = < O–O–H′ = 97° तथा O–O–H व O–O–H′ के तलों के मध्य 101° का कोण है।)
(d) 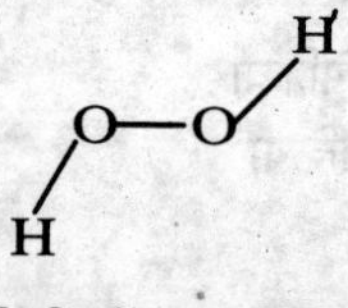
(< H–O–O = < O–O–H′ = 101.5° तथा चारों परमाणु एक तल में हैं।)

17. कोई तत्व हाइड्रोजन के साथ क्रिया करके यौगिक ‘A’ बनाता है जो जल के साथ अभिकृत होकर हाइड्रोजन देता है। वह तत्व हो सकता है–
(a) Ca (b) N
(c) Se (d) Cl

18. H_2O_2 की कौन-सी संरचना सही है?
(a) 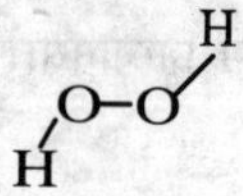 (b) 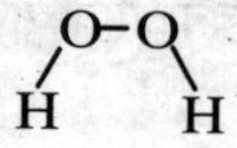
(c)  (d) H—O–O–H

19. हाइड्रोजन अन्य तत्वों के साथ संयोग करती है–
(a) एक इलेक्ट्रॉन खोकर
(b) एक इलेक्ट्रॉन ग्रहण करके
(c) एक इलेक्ट्रॉन की साझेदारी करके
(d) इलेक्ट्रॉन त्याग कर, ग्रहण करके अथवा साझेदारी करके

20. समीकरण $H_2S + H_2O_2 \rightarrow S + 2H_2O$ व्यक्त करती है–
(a) H_2O_2 का अम्लीय लक्षण
(b) H_2O_2 का क्षारीय लक्षण
(c) H_2O_2 का ऑक्सीकारक लक्षण
(d) H_2O_2 का अपचायक लक्षण

21. स्पीशीज जिनमें परॉक्साइड आयन नहीं हैं–
(a) PbO_2 (b) H_2O_2
(c) SrO_2 (d) BaO_2

22. H_2O_2 के 1.5N विलयन का आयतन सान्द्रण है–
(a) 4.8 (b) 8.4
(c) 3.0 (d) 8.0

23. यौगिक जो ऑक्सीकारक तथा अपचायक दोनों का कार्य कर सकता है–
(a) पोटेशियम परमैंगनेट (b) हाइड्रोजन परॉक्साइड
(c) बेरियम परॉक्साइड (d) पोटेशियम डाइक्रोमेट

24. हाइड्रोजन परॉक्साइड प्रयुक्त होता है–
(a) केवल ऑक्सीकारक के रूप में
(b) केवल अपचायक के रूप में
(c) केवल अम्ल के रूप में
(d) ऑक्सीकारक, अपचायक तथा अम्ल के रूप में

25. H_2O_2 के 10 आयतन का अर्थ है–
(a) STP पर H_2O_2 का 1 ml विलयन 10 ml O_2 निकालता है
(b) STP पर H_2O_2 का 10 gm विलयन 10 ml O_2 निकालता है
(c) STP पर H_2O_2 का 10 gm तुल्यांक 10 ml O_2 निकालता है
(d) STP पर H_2O_2 का 10 लीटर विलयन 10 ml O_2 निकालता है

26. परम शून्य पर–
(a) केवल पैरा हाइड्रोजन रहती है
(b) केवल ऑर्थो हाइड्रोजन रहती है
(c) ऑर्थो और पैरा दोनों हाइड्रोजन रहती हैं
(d) इनमें से कोई नहीं

27. हाइड्रोजन के लिये C_p/C_v अनुपात है–

(*a*) 1.40 (*b*) 1.67
(*c*) 1.33 (*d*) 1.20

28. ऑर्थो व पैरा हाइड्रोजन भिन्नता प्रदर्शित करती हैं–

(*a*) प्रोटॉनों की संख्या में
(*b*) अणु भार में
(*c*) प्रोटॉनों की चक्रण की प्रकृति में
(*d*) इलेक्ट्रॉनों के चक्रण की प्रकृति में

29. हाइड्रोजन परॉक्साइड के विषय में निम्नलिखित में से कौन-सा कथन सत्य नहीं है?

(*a*) यह पीले नीले रंग का श्यान (viscous) द्रव है
(*b*) यह अपचायक व ऑक्सीकारक दोनों की भांति कार्य कर सकता है
(*c*) इसमें उपस्थित दोनों हाइड्रॉक्सिल समूह एक ही तल में रहते हैं
(*d*) क्रिस्टलीय प्रावस्था में H_2O_2 अनुचुम्बकीय होता है

30. ट्रिटियम प्राप्त किया जाता है–

(*a*) गर्म कार्बन पर भाप प्रवाहित करके
(*b*) Al पर NaOH की क्रिया से
(*c*) Zn पर H_2SO_4 की क्रिया से
(*d*) नाभिकीय अभिक्रियाओं से

31. H_2O_2 का अपघटन एक प्रथम कोटि की अभिक्रिया है। प्रारम्भ में H_2O_2 का विलयन, जिसका अर्ध आयु काल 15 मिनट है, '16 आयतन' है। विलयन '1 आयतन' कब हो जायेगा–

(*a*) 120 मिनट के बाद
(*b*) 150 मिनट के बाद
(*c*) 60 मिनट के बाद
(*d*) 90 मिनट के बाद

32. जब H_2O_2 को $KMnO_4$ तथा H_2SO_4 के विलयन में मिलाया जाता है तो यह–

(*a*) ऑक्सीकारक का कार्य करता है
(*b*) अपचायक का कार्य करता है
(*c*) ऑक्सीकारक व अपचायक दोनों का कार्य करता है
(*d*) कोई अभिक्रिया नहीं देता है

33. हाइड्रोजन परॉक्साइड यह कार्य नहीं करता है–

(*a*) अपचयन (*b*) ऑक्सीकरण
(*c*) विरंजन (*d*) निर्जलीकरण

34. व्यापारिक '10 आयतन H_2O_2' एक ऐसा विलयन होता है जिसकी प्रबलता सन्निकट होती है–

(*a*) 30% (*b*) 3%
(*c*) 1% (*d*) 10%

35. निम्नलिखित में से कौन-सा कथन हाइड्रोजन के लिये सत्य नहीं है?

(*a*) इसका अणु द्विपरमाणुक है
(*b*) यह H^+ और H^- आयन दोनों के रूप में रहती है
(*c*) यही केवल ऐसा परमाणु है जिसके नाभिक में न्यूट्रॉन नहीं होता है
(*d*) भारी जल अस्थायी होता है क्योंकि हाइड्रोजन अपने समस्थानिक ड्यूटीरियम से प्रतिस्थापित हो जाती है

उत्तरमाला

1	2	3	4	5	6	7	8	9	10
(*c*)	(*c*)	(*c*)	(*b*)	(*a*)	(*b*)	(*c*)	(*c*)	(*a*)	(*d*)
11	**12**	**13**	**14**	**15**	**16**	**17**	**18**	**19**	**20**
(*b*)	(*d*)	(*c*)	(*c*)	(*c*)	(*c*)	(*a*)	(*a*)	(*d*)	(*c*)
21	**22**	**23**	**24**	**25**	**26**	**27**	**28**	**29**	**30**
(*b*)	(*b*)	(*b*)	(*d*)	(*a*)	(*a*)	(*a*)	(*c*)	(*d*)	(*d*)
31	**32**	**33**	**34**	**35**					
(*c*)	(*b*)	(*d*)	(*b*)	(*d*)					

अध्याय 13

धातुकर्म (Metallurgy)

धातुकर्म

- रसायन विज्ञान की वह शाखा जिसके अन्तर्गत अयस्कों से धातु पृथक्करण में प्रयुक्त होने वाली सम्पूर्ण वैज्ञानिक एवं प्रौद्योगिक प्रक्रिया का अध्ययन किया जाता है, धातुकर्म कहलाती है।

धातुओं की प्राप्ति (Occurrence of Metals)

- भूपर्पटी में तत्त्वों की उपलब्धता भिन्न-भिन्न होती है। इसमें ऐलुमिनियम की उपलब्धता अधिकतम है। यह भूपर्पटी में सर्वाधिक पाया जाने वाला तीसरा तत्व है (लगभग 8.3% भार में)। अभ्रक तथा मृत्तिका सहित अनेक आग्नेय खनिजों का यह प्रमुख घटक है।
- बहुत से रत्न प्रस्तर, Al_2O_3 के अशुद्ध रूप हैं एवं ये अशुद्धियाँ Cr (रूबी में) से Co (नीलम में) तक होती हैं।
- लोहा (आयरन) भूपर्पटी में पाई जाने वाली दूसरी धातु है। यह विभिन्न प्रकार के यौगिक बनाता है एवं इनके विभिन्न उपयोग इसे एक बहुत महत्वपूर्ण तत्व बनाते हैं। जैविक तंत्रों में भी लोहा आवश्यक तत्वों में से एक है।

तालिका 1: ऐलुमिनियम, आयरन, कॉपर तथा जिंक के मुख्य अयस्क

धातु का नाम	संघटन	अयस्क
ऐलुमिनियम	$AlO_x(OH)_{3-2x}$ (जहाँ $0 < x < 1$)	बॉक्साइट
	$[Al_2(OH)_4Si_2O_5]$	केयोलिनाइट (क्ले के रूप में)
आयरन	Fe_2O_3	हेमेटाइट
	Fe_3O_4	मेग्नेटाइट
	$FeCO_3$	सिडेराइट
	FeS_2	आयरन पाइराइट
कॉपर	$CuFeS_2$	कॉपर पाइराइट
	$CuCO_3.Cu(OH)_2$	मेलाकाइट
	Cu_2O	क्यूप्राइट
	Cu_2S	कॉपर ग्लान्स
जिंक	ZnS	जिंक ब्लेंड या स्फेलेराइट
	$ZnCO_3$	कैलामाइन
	ZnO	जिंकाइट

- ऐलुमिनियम, आयरन, कॉपर तथा जिंक के मुख्य अयस्क सारणी 1 में दिए गए हैं।
- ऐलुमिनियम के निष्कर्षण के लिए, बॉक्साइट का चयन किया जाता है। लोहे के लिए, सामान्यतः आयरन ऑक्साइड अयस्क लिए जाते हैं, जो कि प्रचुर मात्रा में उपलब्ध हों तथा प्रदूषित गैसें न बनाते हों।
- कॉपर तथा जिंक के लिए उपरोक्त सारणी में से अयस्कों की उपलब्धता तथा दूसरे संगत कारकों के आधार पर कोई भी अयस्क लिया जा सकता है। सांद्रण की क्रिया करने से पूर्व अयस्कों को श्रेणीकृत करके उचित आकार में तोड़ दिया जाता है।

अयस्कों का सांद्रण (Concentration of the Ores)

अवंछित पदार्थों; जैसे– रेत, क्ले आदि का अयस्कों से निष्कासन का प्रक्रम **अयस्क सांद्रण, प्रसाधन (सज्जीकरण) कहलाता** है। इसमें कई पद सम्मिलित होते हैं और इन पदों का चयन उपस्थित धातु के यौगिक एवं अप-अयस्क (गैंग) के भौतिक गुणों में अंतर पर निर्भर करता है। धातु का प्रकार, उपलब्ध सुविधाओं तथा पर्यावरणीय कारकों का भी ध्यान रखते हैं। कुछ महत्वपूर्ण प्रक्रियाएँ निम्नानुसार है–

1. **द्रवीय धावन विधि–** द्रवीय धावन विधि अयस्क तथा गैंग कणों के आपेक्षिक घनत्वों के अंतर पर निर्भर करती है। इस प्रकार यह **गुरुत्वीय पृथक्करण** का ही एक प्रकार है। इसी प्रकार के प्रक्रम में चूर्णित अयस्क को ऊपर की ओर बहती हुई जल की तेज धारा से धोते हैं जिससे हल्के गैंग के कण पानी के साथ बहकर बाहर निकल जाते हैं। फलःस्वरूप भारी अयस्क के कण शेष बच जाते हैं।
2. **चुंबकीय पृथक्करण विधि–** अयस्क के घटकों में चुंबकीय गुणों की भिन्नता पर यह विधि आधारित है। यदि अयस्क या गैंग (दोनों में से एक) चुंबकीय क्षेत्र की ओर आकर्षित हो सकता है तब इस प्रकार से पृथक्करण किया जाता है इसमें चूर्णित अयस्क को एक घूमते हुए पट्टे पर डाला जाता है जो कि चुंबकीय रोलर पर लगा रहता है।

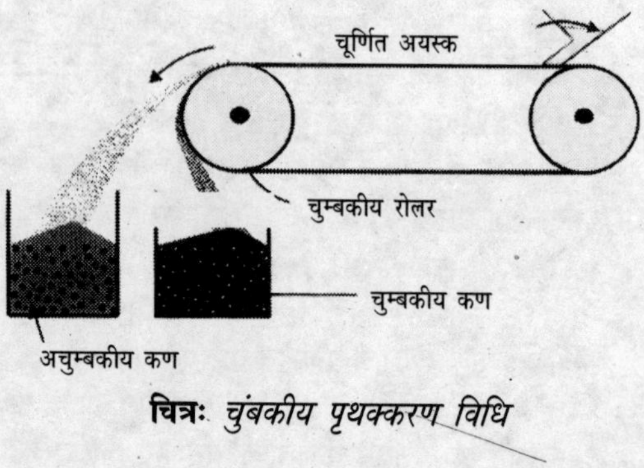

चित्रः *चुंबकीय पृथक्करण विधि*

3. फेन प्लवन विधि– इस विधि का प्रयोग सल्फाइड अयस्कों को गैंग से मुक्त करने के लिए किया जाता है। इस विधि में चूर्णित अयस्क का पानी के साथ निलंबन बनाया जाता है। इसमें **संग्राही** तथा **फेन-स्थायीकारी** मिला देते हैं। संग्राही अयस्क कणों की अक्लेदनीयता (non-wettability) को बढ़ा देते हैं तथा फेन-स्थायीकारी फेन को स्थायित्व देता है।

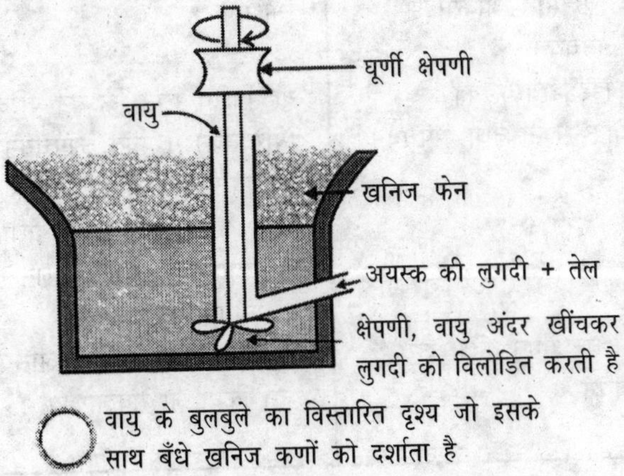

चित्रः *फेन प्लवन विधि*

अयस्क के कण तेल से तथा गैंग के कण जल से भींग जाते हैं। घूर्णित क्षेपणी मिश्रण को विडोलित करती है तथा इसमें वायु प्रवाहित करती है, जिसके फलस्वरूप फेन बनता है जिसमें अयस्क के कण एकत्र हो जाते हैं। फेन हल्का होता है जो मथकर निकाल लिया जाता है। इसे अयस्क के कणों को अलग करने के लिए सुखा देते हैं।

कभी-कभी तेल तथा जल के अनुपात को संयोजित करके अथवा अवनमकों का उपयोग करके दो सल्फाइड अयस्कों को पृथक् करना संभव होता हैः

उदाहरण– एक अयस्क में से जिंक सल्फाइड तथा लेड सल्फाइड को पृथक् करने के लिए सोडियम साइनाइड (NaCN) का प्रयोग करते हैं, जो कि चयनित रूप से ZnS को फेन में आने से रोकता है, लेकिन (PbS) को फेन में आने देता है।

4. निक्षालन– जब अयस्क किसी उपयुक्त विलायक में विलेय हो तब निक्षालन का उपयोग करते हैं।

उदाहरण–

(i) **बॉक्साइट से ऐलुमिना का निक्षालन–** ऐलुमिनियम के मुख्य अयस्क बॉक्साइट में अधिकांशतः SiO_2, आयरन ऑक्साइड तथा टाइटेनियम ऑक्साइड (TiO_2) की अशुद्धियाँ पाई जाती हैं। 473-523 K ताप तथा 35-36 bar दाब पर चूर्णित अयस्क को सांद्र सोडियम हाइड्रॉक्साइड विलयन से पाचित (digest) कर सांद्रित करते हैं जिससे Al_2O_3 सोडियम ऐलुमिनेट के रूप में एवं SiO_2, सोडियम सिलीकेट के रूप में निक्षालित हो जाता है और अशुद्धियाँ शेष बच जाती हैं।

$$Al_2O_3(s) + 2NaOH(aq) + 3H_2O(l) \rightarrow 2Na[Al(OH)_4](aq)$$

विलयन में CO_2 गैस प्रवाहित कर एलुमिनेट को उदासीन कर देते है एवं जलयोजित Al_2O_3 अवक्षेपित हो जाता है। इस अवस्था पर विलयन को ताजा बने हुए जलयोजित Al_2O_3 के नमूने से बीजरोपित करते हैं जो कि अवक्षेपण को प्रेरित करता है।

$$2Na[Al(OH)_4](aq) + CO_2(g) \rightarrow Al_2O_3.xH_2O(s) + 2NaHCO_3(aq)$$

सोडियम सिलिकेट विलयन में शेष रह जाता है तथा जलयोजित ऐलुमिना को छानकर, सुखाकर तथा गरम करके पुनः शुद्ध Al_2O_3 प्राप्त कर लिया जाता है।

$$Al_2O_3.xH_2O_{(s)}\ Al_2O_{3(s)} \xrightarrow{1470K} Al_2O_{3(s)} + xH_2O_{(g)}$$

(ii) **निक्षालन के अन्य उदाहरण–** चाँदी तथा सोने के धातुकर्म में धातुओं का निक्षालन वायु की (O_2 के लिए) उपस्थिति में सोडियम साइनाइड पोटैशियम साइनाइड के तनु विलयन से करते हैं जिसमें से धातु प्रतिस्थापन द्वारा बाद में प्राप्त कर ली जाती है।

$$4M(s) + 8CN^-(aq) + 2H_2O(aq) + O_2(g) \rightarrow 4[M(CN)_2]^-(aq) + 4OH^-(aq)$$

(M = Ag अथवा Au)

$$2[M(CN)_2]^-(aq) + Zn(s)\ [Zn(CN)_4]^{2-}(aq) + 2M(s)$$

सांद्रित अयस्कों से अशोधित धातुओं का निष्कर्षण

सांद्रित अयस्कों का ऐसे प्रारूपों में परिवर्तन करना आवश्यक होता है जो अपचयन के लिए उपयुक्त हों। सल्फाइड अयस्कों को अपचयन से पहले ऑक्साइड के रूप में परिवर्तित किया जाता है। ऑक्साइड सुगमता से अपचित होते हैं, इसलिए सांद्रित अयस्क से धातुओं का पृथक्करण निम्नवत दो पदों में होता है।

(a) ऑक्साइड में परिवर्तन

(b) ऑक्साइड का धातु में अपचयन

(a) ऑक्साइड में परिवर्तन

(i) **निस्तापन–** निस्तापन की प्रक्रिया में गरम करने पर वाष्पशील पदार्थ निष्कासित हो जाते हैं जिससे धातु ऑक्साइड शेष रह जाता है।

$$Fe_2O_3.xH_2O(s) \xrightarrow{\Delta} Fe_2O_3(s) + xH_2O(g)$$

$$ZnCO_3(s) \xrightarrow{\Delta} ZnO(s) + CO_2(g)$$

$$CaCO_3.MgCO_3(s) \xrightarrow{\Delta} CaO(s) + MgO(s) + 2CO_2(g)$$

(ii) **भर्जन–** भर्जन में अयस्क (ore) को वायु की नियमित आपूर्ति के साथ धातु के गलनांक से नीचे के तापमान पर एक भट्टी में गरम करते हैं।

सल्फाइड अयस्क के भर्जन की कुछ अभिक्रियाएँ निम्नानुसार है–

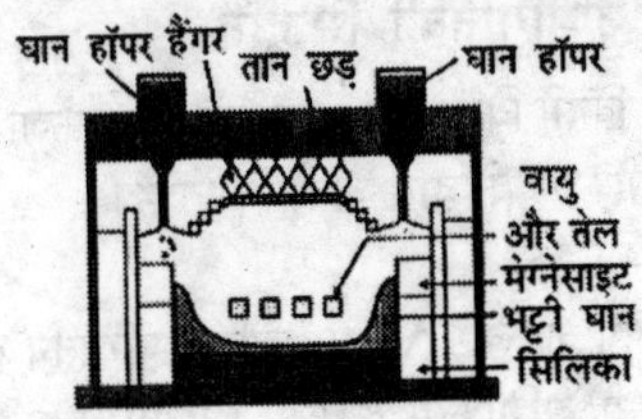

चित्रः *आधुनिक परावर्तनी भट्टी का अनुभाग*

तालिका 2: प्रमुख धातुओं की उपस्थिति तथा निष्कर्षण विधि का विवरण

क्र.स. धातुएं	उपस्थिति	निष्कर्षण की विधि	टिप्पणी
1. ऐलुमिनियम	(i) बॉक्साइट, $Al_2O_3.xH_2O$ (ii) क्रायोलाइट, Na_3AlF_6	गलित Na_3AlF_6 में विलेय Al_2O_3 का वैद्युतअपघटन	निष्कर्षण के लिए विद्युत के अच्छे स्रोत की आवश्यकता होती है।
2. आयरन	(i) हेमाटाइट, Fe_2O_3 (ii) मैग्नेटाइट, Fe_3O_4	वात्या भट्टी में CO तथा कोक के साथ ऑक्साइड का अपचयन	ताप 2170 K के आसपास होना चाहिए।
3. कॉपर (ताँबा)	(i) कॉपर पाइराइट, $CuFeS_2$ (ii) कॉपर ग्लान्स, Cu_2S (iii) मैलाकाइट, $CuCO_3.Cu(OH)_2$ (iv) क्युप्राइट, Cu_2O	सल्फाइड अयस्क का आंशिक भर्जन तथा अपचयन	यह विशेष रचना के बने परिवतित्र (परिवर्तक) में स्वतः अपचयन है। अपचयन आसानी से होता है निम्न कोटि के अयस्कों के हाइड्रोधातुकर्म में सल्फ्यूरिक अम्ल निक्षालन का भी उपयोग होता है।
4. जिंक	(i) जिंक ब्लैंड या स्फेलेराइट, Zns (ii) कैलामीन, $ZnCO_3$ (iii) जिंकाइट, ZnO	भर्जन तत्पश्चात् कोक द्वारा अपचयन	धातु का शोधन प्रभाजी आसवन द्वारा किया जा सकता है।

$$2ZnS + 3O_2 \rightarrow 2ZnO + 2SO_2$$
$$2PbS + 3O_2 \rightarrow 2PbO + 2SO_2$$
$$2Cu_2S + 3O_2 \rightarrow 2Cu_2O + 2SO_2$$

कॉपर के सल्फाइड अयस्कों को परावर्तनी भट्टी में गरम किया जाता है। यदि अयस्क में लोहा हो तो गरम करने से पहले इसमें सिलिका मिला देते हैं। आयरन ऑक्साइड आयरन सिलिकेट बनाकर धातु मल के रूप में, तथा ताँबा कॉपर मेट के रूप में प्राप्त होता है जिसमें Cu_2S तथा FeS उपस्थित होता है।

$$FeO + SiO_2 \rightarrow \underset{\text{धातुमल}}{FeSiO_3}$$

उत्पादित सल्फर डाईऑक्साइड सल्फ्यूरिक अम्ल के उत्पादन के लिए प्रयुक्त की जाती है।

(b) ऑक्साइड का धातु में अपचयन

धातु ऑक्साइड के अपचयन में प्रायः इसे किसी दूसरे पदार्थ के साथ गरम किया जाता है (C या CO या अन्य धातु) जो अपचायक का कार्य करता हैं अपचायक (जैसे कार्बन) धातु ऑक्साइड की ऑक्सीजन के साथ संयोग करते हैं।

$$M_xO_y + yC \rightarrow xM + yCO$$

कुछ धातु ऑक्साइड बहुत आसानी से अपचित हो जाते हैं जबकि दूसरों को उपचित करना कठिन होता है।

धातुकर्मिकी के उष्मागतिकी सिद्धांत

किसी प्रक्रम के लिए किसी विशिष्ट तापक्रम पर गिब्ज ऊर्जा में परिवर्तन, ΔG, को निम्नलिखित समीकरण के द्वारा व्यक्त करते हैं।

$$\Delta G = \Delta H - T\Delta S \quad ...(i)$$

जहाँ किसी प्रक्रम के लिए ΔH एन्थैल्पी में परिवर्तन तथा ΔS एन्ट्रॉपी में परिवर्तन है। किसी अभिक्रिया के लिए इस परिवर्तन को निम्नलिखित समीकरण के द्वारा व्यक्त किया जा सकता है।

$$\Delta G^{\ominus} = -RT\ln K \quad ...(ii)$$

जहाँ K, 'अभिकारक–उत्पाद' तंत्र के लिए, T ताप पर, एक साम्य स्थिरांक है।

समीकरण (ii) में ऋणात्मक ΔG धनात्मक K व्यक्त करता है और यह तभी संभव है जब अभिक्रिया उत्पादों की ओर अग्रसर हो। उपरोक्त तथ्यों के आधार पर हम निम्नलिखित निष्कर्ष निकालते हैं–

1. जब समीकरण (i) में ΔG का मान ऋणात्मक होगा, तभी अभिक्रिया अग्रसर होगी। यदि ΔS धनात्मक हो जाएगा तो तापक्रम, T बढ़ाने से $T\Delta S$ का मान बढ़ जाएगा ($\Delta H < T\Delta S$) तथा तब ΔG ऋणात्मक हो जाएगा।

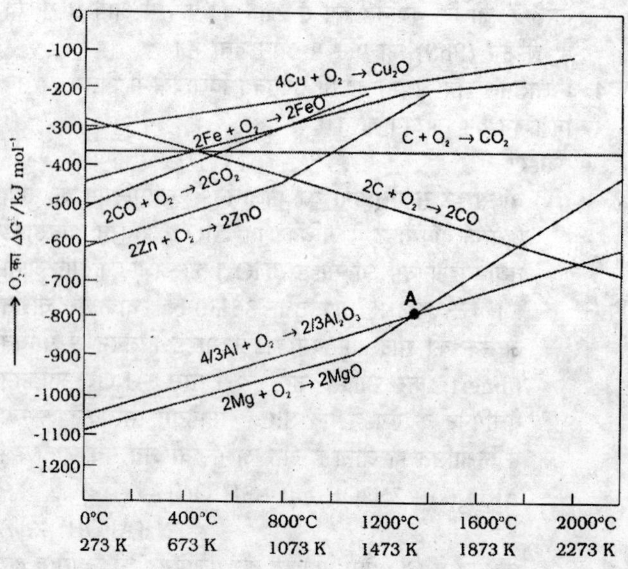

चित्रः *कुछ ऑक्साइडों के विरचन में गिब्ज ऊर्जा $\Delta G^{\ominus}$ तथा T के मध्य वक्र*

2. यदि किसी निकाय में दो अभिक्रियाओं के अभिकारकों तथा उत्पादों को साथ-साथ रखा जाए और दोनों संभव अभिक्रियाओं का परिणामी ΔG ऋणात्मक हो, तो समग्र अभिक्रिया संपन्न होगी। अतः प्रक्रम की व्याख्या में दो अभिक्रियाओं का युग्मन, इनके ΔG का योग प्राप्त करना तथा इसका परिमाण और चिह्न देखना सम्मिलित होता है। ऑक्साइडों के विरचन के लिए इस प्रकार के युग्मन को गिब्ज ऊर्जा $(\Delta G^\ominus)$ तथा T के बीच खींचे गए वक्र में व्यक्त किया गया है।

एलिंघम आरेख

एच. जे. टी. एलिंघम ने गिब्ज ऊर्जा का प्रथम आरेखी निरूपण किया। यह ऑक्साइडों के अपचयन में, अपचायक के चयन के लिए, प्रबल आधार प्रदान करता है जिसे एलिंघम आरेख कहते हैं। ऐसे आरेख हमें किसी अयस्क के ऊष्मीय अपचयन की संभावना की प्रागुक्ति करने में सहायता करते हैं। संभाव्यता की कसौटी यह है कि किसी दिए गए ताप पर अभिक्रिया की गिब्ज ऊर्जा ऋणात्मक होनी चाहिए।

(*i*) सामान्यतः एलिंघम आरेख तत्वों के ऑक्साइडों के विरचन के लिए $\Delta_f G^\ominus$ तथा T के मध्य वक्र है।

उदाहरण–

अभिक्रिया $2xM(s) + O_2(g) \rightarrow 2M_xO(s)$ के लिए

उपरोक्त अभिक्रिया में बाएं से दाएं जाने पर गैसों के उपभोग के कारण गैसीय मात्रा कम हो रही है जिससे ΔS का मान ऋणात्मक हो जाता है। इसके कारण ताप में वृद्धि होने के उपरांत भी ΔG उच्च मान की ओर बढ़ता है (सामान्यतया ताप में वृद्धि के साथ ΔG घटता है)। परिणामतः $M_xO(s)$ के विरचन की अधिकांश उपरोक्त अभिक्रियाओं के वक्रों का ढाल धनात्मक (+) होता है।

(*ii*) प्रावस्था परिवर्तन (ठोस $\rightarrow$ द्रव या द्रव $\rightarrow$ गैस) की स्थिति के अतिरिक्त प्रत्येक स्थिति में वक्र एक सीधी रेखा होती है। ढाल की धनात्मक दिशा में वृद्धि उस ताप को निदर्शित करता है जिस ताप पर ऐसा परिवर्तन होता है। उदाहरण–

Zn, ZnO वक्र में अचानक परिवर्तन गलनांक को निदर्शित करता है।

(*iii*) वक्र में एक ऐसा प्वाइंट है जिसके नीचे ΔG ऋणात्मक है। इस बिन्दु के ऊपर M_xO स्वयं विघटित हो जायेगा।

(*iv*) एक एलिंघम आरेख में साधारण धातुओं तथा कुछ उपचायकों के ऑक्सीकरण के लिए $\Delta G^\ominus$ के वक्र दिए जाते हैं। विभिन्न तापों पर $\Delta_f G^\ominus$ आदि के मान (ऑक्साइडों के विचरन के लिए) व्यक्त किये जाते हैं।

(*v*) ऐसे ही आरेख सल्फाइडों तथा हैलाइडों के लिए भी बनाये जाते हैं जिससे M_xS का अपचयन कठिन क्यों है यह स्पष्ट हो जाता है।

जब धातु ऑक्साइड अपचित होता है तो अपचायक अपना ऑक्साइड विरचित करता है। अपचायक की भूमिका $\Delta G^\ominus$ का इतना अधिक ऋणात्मक मान देने में है, जिससे दो अभिक्रियाओं (अपचायक का ऑक्सीकरण और धातु ऑक्साइड का अपचयन) के $\Delta G^\ominus$ का योग ऋणात्मक हो जाए।

धातु का ऑक्साइड अपचयन के दौरान विघटित होता है

$$M_xO(s) \rightarrow xM \text{ (ठोस या द्रव) } \frac{1}{2}O_2(g) \quad ...(iii)$$

अपचायक इस ऑक्सीजन को ग्रहण कर लेता है। समीकरण (*iii*) को धातु के ऑक्सीकरण की प्रतिलोम अभिक्रिया है और तब $\Delta_f G^\ominus$ का मान निम्न प्रकार से लिखा जा सकता है–

$$xM(s \text{ अथवा l}) + \tfrac{1}{2}O_2(g) \rightarrow M_xO(s)[\Delta G^\ominus_{(M,MxO)}] \quad ...(iv)$$

यदि ऑक्साइड का अपचयन समीकरण (*iii*) के अनुसार होता है तो अपचायक का ऑक्सीकरण भी होगा उदाहरण– C या CO.

$$C_{(s)} \tfrac{1}{2}O_2(g) \rightarrow CO(g)[\Delta G_{(C,CO)}] \quad ...(v)$$

$$CO_{(g)} + \tfrac{1}{2}O_{2(g)} \rightarrow CO_{2(g)}[\Delta G_{[CO.CO_2]} \quad ...(vi)$$

यदि अपचयन के लिए कार्बन लिया जाता है तो इस तत्व का CO_2 में पूर्ण ऑक्सीकरण भी हो सकता है–

$$\tfrac{1}{2}C(s) + \tfrac{1}{2}O_2(g) \rightarrow \tfrac{1}{2}CO(g)[\tfrac{1}{2}\Delta G_{(C,CO_2)}] \quad ...(vii)$$

उपरोक्त तीनों समीकरणों (*v*), (*vi*) एवं (*vii*) में से समीकरण (*iv*) घटाने पर

$$M_xO(s) + C(s) \rightarrow xM(s \text{ अथवा } l) + CO(g) \quad ...(viii)$$

$$M_xO(s) + CO(g) \rightarrow xM(s \text{ अथवा } l) + CO_2(g) \quad ...(ix)$$

$$M_xO(s) + \tfrac{1}{2}C(s) \rightarrow xM(s \text{ अथवा } l) + \tfrac{1}{2}CO_2(g) \quad ...(x)$$

ये अभिक्रियाएं धातु ऑक्साइड, M_xO के वास्तविक अपचयन को प्रदर्शित करती हैं जिसे हम निष्पादित करना चाहते हैं। सामान्यतः इन अभिक्रियाओं $\Delta_r G^\ominus$ के मान, इसी प्रकार संगत $\Delta_f G^\ominus$ का मान घटाकर प्राप्त किया जा सकता है।

अनुप्रयोग

1. **आयरन का इसके ऑक्साइड से निष्कर्षण–** आयरन के ऑक्साइड अयस्कों को निस्तापन/भर्जन के द्वारा सांद्रण के बाद चूना, पत्थर तथा कोक के साथ वात्या भट्टी (धमन भट्टी) में ऊपर से डाला जाता है। यहाँ ऑक्साइड धातु में अपचित हो जाता है। ऊष्मागतिकी हमें यह समझने में सहायता करती है कि कोक, ऑक्साइड को क्यों अपचित करता है तथा इस भट्टी का चयन क्यों किया जाता है। इस प्रक्रम में एक महत्त्वपूर्ण चरण अपचयन है–

$$FeO_{(s)} + C_{(s)} \rightarrow Fe_{(s/l)} + CO_{(g)} \quad ...(i)$$

इसे दो सामान्य अभिक्रियाओं के युग्म के रूप में देखा जा सकता है। इनमें से एक में FeO का अपचयन हो रहा है तथा दूसरे में C, CO में ऑक्सीकृत हो रहा है–

$$FeO(s) \rightarrow Fe(s) + \tfrac{1}{2}O_2(g)\ [\Delta G_{FeO,Fe}] \quad ...(ii)$$

$$C(s) + \tfrac{1}{2}O_2(g) \rightarrow CO(g)\ [\Delta G_{(C,CO)}] \quad ...(iii)$$

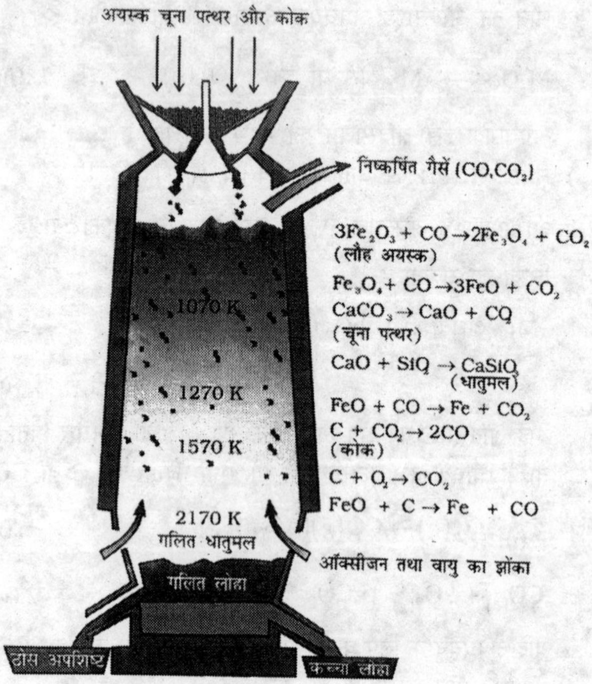

चित्रः *वात्या भट्टी*

सकल गिब्ज ऊर्जा में परिवर्तन निम्नलिखित प्रकार से होता है–

$$\Delta G_{(C,CO)} + \Delta G_{(FeO,\ Fe)} = \Delta_r G \qquad ...(iv)$$

स्वाभाविक है कि परिणामी अभिक्रिया तभी संपन्न होगी जब समीकरण (*iv*) में दायाँ पक्ष ऋणात्मक होगा। $\Delta G^{\ominus}$ तथा T के मध्य जो वक्र अभिक्रिया (*ii*) को निरूपित करता है, ऊपर की ओर जाता है तथा जो C–CO (C, CO रेखा) परिवर्तन को निरूपित करता है, वह नीचे की ओर जाता है लगभग 1073 *K* से अधिक ताप पर C, CO रेखा Fe, FeO रेखा के नीचे आ जाती है $[\Delta G_{(C,CO)} < \Delta G_{(Fe,\ FeO)}]$, अतः इस परिसर में कोक, FeO को उपचित करेगा और स्वयं CO में ऑक्सीकृत होगा। इसी प्रकार से Fe_3O_4 एवं Fe_2O_3 का CO द्वारा अपेक्षाकृत कम ताप पर अपचयन होता है।

वात्या भट्टी में आयरन ऑक्साइडों का अपचयन विभिन्न ताप परिसरों में होता है। भट्टी में निचले पेंदे से गर्म हवा प्रवाहित की जाती है एवं कोयले (कोक) के द्वारा निचले भाग का ताप लगभग 2200 K तक कर दिया जाता है इस प्रकार कोयले का दहन इस प्रक्रिया के लिए आवश्यक अधिकतर ऊष्मा की पूर्ति करता है। CO व ऊष्मा, भट्टी के ऊपरी भाग की तरफ बढ़ती है। भट्टी के ऊपरी भाग में कम ताप होता है तथा ऊपर से आने वाले आयरन के ऑक्साइड (Fe_2O_3 तथा Fe_3O_4) विभिन्न पदों में FeO में अपचित हो जाते हैं। अतः अपचयन अभिक्रियाएं निम्न ताप परिसरों व उच्च ताप परिसरों में सम्पादित होती है, जो $\Delta_r G^{\ominus}$ तथा *T* के मध्य वक्रों के संगत प्रतिच्छेदन बिंदुओं पर निर्भर करती है।

उक्त अभिक्रियाओं को संक्षेप में निम्नानुसार लिखा जा सकता है–

500 – 800*K* पर (वात्या भट्टी में निम्न ताप परिसर में)–

$$3Fe_2O_3 + CO \rightarrow 2Fe_3O_4 + CO_2 \qquad ...(v)$$

$$Fe_3O_4 + 4CO \rightarrow 3Fe + 4CO_2 \qquad ...(vi)$$

$$Fe_2O_3 + CO \rightarrow 2FeO + CO_2 \qquad ...(vii)$$

900 – 1500*K* पर (वात्या भट्टी में निम्न ताप परिसर में)–

$$C + CO_2 \rightarrow 2CO \qquad ...(viii)$$

$$FeO + CO \rightarrow Fe + CO_2 \qquad ...(ix)$$

चूना पत्थर भी CaO में अपघटित हो जाता है। सिलिकेट, अयस्क से अशुद्धियों को धातुमल के रूप में निकाल लेता है तथा धातुमल गलित अवस्था में लोहे से अलग हो जाता है।

वात्या भट्टी से प्राप्त लोहे में लगभग 4% कार्बन तथा अन्य अशुद्धियों, जैसे S, P, Si, Mn, सूक्ष्म मात्रा में पायी जाती है। यह कच्चे लोहे (पिग लोहा) के नाम से जाना जाता है तथा विभिन्न आकृतियों में ढाला जा सकता है। ढलवाँ लोहा, कच्चे लोहे से भिन्न होता है तथा इसे कच्चे लोहे को, रद्दी लोहे एवं कोक के साथ गरम हवा के द्वारा पिघलाकर बनाते हैं। यह अति कठोर और भंगुर होता है, तथा इसमें थोड़ा कम लगभग 3% कार्बन होता है।

अन्य अपचयन– वाणिज्यिक लोहे का शुद्धतम रूप पिटवाँ लोहा (आघातवर्ध्य लोहा) है और इसे हेमाटाइट की परत चढ़ी हुई परावर्तनी भट्टी में ढलवाँ लोहे की अशुद्धियों को ऑक्सीकृत करके बनाया जाता है। हेमाटाइट कार्बन को कार्बन मोनोऑक्साइड में ऑक्सीकृत कर देता है–

$$Fe_2O_3 + 3C \rightarrow 2Fe + 3CO$$

चूने के पत्थर को गालक के रूप में मिलाया जाता है जिससे सल्फर, सिलिकन तथा फॉस्फोरस ऑक्सीकृत होकर धातुमल में चले जाते हैं। धातु को निकाल कर, रोलरों पर से गुजार कर धातुमल से अलग कर लेते हैं।

2. **क्यूप्रस ऑक्साइड से ताँबे (कॉपर) का निष्कर्षण–** कॉपर के ऑक्साइड अयस्कों को कोक के साथ गरम करके सीधे धातु में अपचयित करना अधिक आसान होता है। बहुत से अयस्क सल्फाइड होते हैं तथा कुछ में लोहा भी हो सकता है। सल्फाइड अयस्कों का भर्जन/गलन करने पर ऑक्साइड प्राप्त होते हैं।

$$2Cu_2S + 3O_2 \rightarrow 2Cu_2O + 2SO_2 \qquad ...(i)$$

ऑक्साइड को कोक के द्वारा आसानी से धात्विक कॉपर में अपचित किया जा सकता है।

$$Cu_2O + C \rightarrow 2Cu + CO \qquad ...(ii)$$

वास्तविक प्रक्रम में, अयस्क को सिलिका मिलाने के बाद परावर्तनी भट्टी में गरम करते हैं। भट्टी में आयरन ऑक्साइड, आयरन सिलिकेट के रूप में धातुमल बनाता है तथा कॉपर, कॉपर मेट के रूप में प्राप्त होता है। इसमें Cu_2S तथा FeS होते हैं।

$$FeO + SiO_2 \rightarrow \underset{\text{धातुमल}}{FeSiO_3} \qquad ...(iii)$$

इसके बाद कॉपर मेट को, सिलिका परत चढ़े परिवर्तक में भर दिया जाता है और कुछ सिलिका भी मिलाते हैं तथा बचे हुए FeS_2, FeO तथा Cu_2S/Cu_2O को धात्विक कॉपर में परिवर्तित करने के लिए गरम वायु के झोंके प्रवाहित करते हैं।

उपरोक्त प्रक्रम में निम्नलिखित अभिक्रियाएं सम्पादित होती हैं–

$2FeS + 3O_2 \rightarrow 2FeO + 2SO_2$ ...(*iv*)

$FeO + SiO_2 \rightarrow FeSiO_3$ ...(*v*)

$2Cu_2S + 3O_2 \rightarrow 2Cu_2O + 2SO_2$ ...(*vi*)

$2Cu_2O + Cu_2S \rightarrow 6Cu + SO_2$ ...(*vii*)

प्राप्त ठोस कॉपर (ताँबा), SO_2 के निकलने के कारण फफोलेदार दिखता है, जिसके कारण इसे फफोलेदार ताँबा (ब्लिस्टर्ड कॉपर) कहते हैं।

3. **जिंक ऑक्साइड से जिंक का निष्कर्षण**– कोक द्वारा जिंक ऑक्साइड का अपचयन किया जाता है। इसमे कॉपर की स्थिति की अपेक्षा ताप अधिक रखा जाता है। तापन के लिए ऑक्साइड की कोक तथा मृदा के साथ छोटी-छोटी ईंटें बनाई जाती हैं।

$$ZnO + C \xrightarrow{\text{कोक } 673K} Zn + CO \qquad ...(viii)$$

धातु को आसवित कर तथा तीव्र शीतलन द्वारा एकत्र कर लेते हैं।

धातुकर्म का वैद्युत रसायन सिद्धांत

धातु आयनों के विलयन में अथवा गलित अवस्था में अपचयन में समान सिद्धान्त प्रभावी होते हैं। धातु के गलित लवण का अपचयन वैद्युतअपघटन द्वारा किया जाता है। ये विधियाँ वैद्युतरसायन सिद्धांत पर आधारित हैं जिसे निम्नलिखित समीकरण के द्वारा व्यक्त किया जा सकता है–

$$\Delta G^{\ominus} = -nE^{\ominus}F \qquad ...(i)$$

यहाँ *n* इलेक्ट्रॉनों की संख्या तथा $E^{\ominus}$ निकाय के रेडॉक्स युग्म का इलेक्ट्रोड विभव है। अधिक क्रियाशील धातुओं के लिए इलेक्ट्रोड विभव का मान अधिक ऋणात्मक होता है इसलिए उनका अपचयन कठिन होता है। यदि समीकरण (*i*) में दो $E^{\ominus}$ मानों में अंतर धनात्मक $E^{\ominus}$ के, एवं परिणामतः ऋणात्मक $\Delta G^{\ominus}$ के संगत हो, तो कम क्रियाशील धातु विलयन से बाहर तथा अधिक क्रियाशील धातु विलयन के अन्दर चली जाती है।

उदाहरण–

$Cu^{2+}(aq) + Fe(s) \rightarrow Cu(s) + Fe^{2+}(aq)$ ...(*ii*)

सामान्य वैद्युतअपघटन में M^{n+} आयन ऋणात्मक इलेक्ट्रोड (कैथोड) पर विसर्जित होते हैं और वहाँ निक्षेपित हो जाते हैं, उत्पादित धातु की क्रियाशीलता को ध्यान में रखते हुए सावधानियाँ रखी जाती हैं एवं उपयुक्त पदार्थों के इलेक्ट्रोड का उपयोग किया जाता है। कभी-कभी गलित पदार्थ को अधिक सुचालक बनाने के लिए गालक मिलाया जाता है।

ऐलुमिनियम

इसके धातुकर्म में, शुद्ध Al_2O_3 में Na_3AlF_6 या CaF_2 मिलाया जाता है, जिसके कारण मिश्रण का गलनांक कम हो जाता है और इसमें चालकता आ जाती है। गलित आधात्री (मैट्रिक्स) का वैद्युतअपघटन करते हैं। स्टील के कैथोड तथा ग्रैफाइट के ऐनोड उपयोग में लेते हैं। यहाँ धातु के अपचयन के लिए ग्रैफाइट के ऐनोड उपयोगी होते हैं। संपूर्ण अभिक्रिया निम्नानुसार होती है–

$2Al_2O_3 + 3C \rightarrow 4Al + 3CO_2$ ...(*iii*)

हॉल-हेरॉल्ट प्रक्रम के नाम से वैद्युतअपघटन की यह विधि प्रसिद्ध है। गलित द्रव्य का वैद्युतअपघटन एक वैद्युतअपघटनी सेल में, कार्बन इलेक्ट्रोड का प्रयोग करके किया जाता है। ऐनोड पर उत्सर्जित ऑक्सीजन

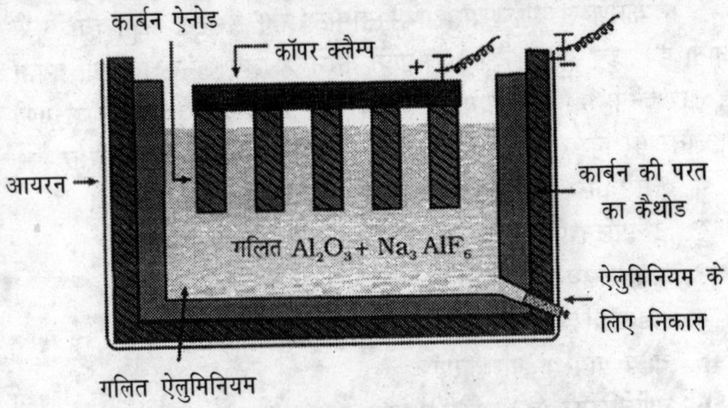

चित्रः *ऐलुमिनियम निष्कर्षण के लिए वैद्युत उपघटनी सेल*

ऐनोड के कार्बन से अभिक्रिया करके CO एवं CO_2 बनाती है। इस प्रकार ऐलुमिनियम के प्रत्येक किलोग्राम के उत्पादन के लिए कार्बन ऐनोड का लगभग 0.5 किलोग्राम कार्बन जल जाता है।

वैद्युतअपघटनी अभिक्रियाएं निम्नानुसार है–

कैथोड– Al^{3+} (गलित) $+ 3e^- \rightarrow Al(l)$ ...(*iv*)

ऐनोड– $C(s) + O^{2-}$ (गलित) $\rightarrow CO(g) + 2e^-$ ...(*v*)

$C(s) + 2O^{2-}$ (गलित) $\rightarrow CO_2(g) + 4e^-$ ...(*vi*)

निम्नकोटि (अपकृष्ट) अयस्कों तथा रद्दी धातु से कॉपर

निम्नकोटि (अपकृष्ट) अयस्कों से कॉपर का निष्कर्षण हाइड्रोधातुकर्म से करते हैं। इसे अम्ल या जीवाणु के उपयोग से निक्षालित किया जाता है तथा Cu^{2+} आयन युक्त विलयन की रद्दी लोहे या H_2 से क्रिया करते हैं [समीकरण (*i*), (*vii*)]

$Cu^{2+}(aq) + H_2(g) \rightarrow Cu(s) + 2H^+(aq)$ ...(*vii*)

ऑक्सीकरण–अपचयन

अपचयन के अतिरिक्त, कुछ निष्कर्षण विशेषतः अधातुओं के लिए, ऑक्सीकरण पर आधारित है। ऑक्सीकरण पर आधारित एक अति सामान्य उदाहरण– लवण-जल से क्लोरीन का निष्कर्षण (सामान्य लवण के रूप में क्लोरीन समुद्री जल में बहुतायत में उपलब्ध है)।

$$2Cl^-(aq) + 2H_2O(l) \rightarrow 2OH^-(aq) + H_2(g) + Cl_2(g)$$

इस अभिक्रिया के लिए $\Delta G^{\ominus}$ + 422kJ है। जब इसे $E^{\ominus}$ में परिवर्तित करते हैं ($\Delta G^{\ominus} = -nE^{\ominus}F$ का प्रयोग करते हुए) तब हम $E^{\ominus}$ + 2.2V प्राप्त करते हैं। स्वाभाविक रूप से इसके लिए 2.2V से अधिक बाह्य विद्युत वाहक बल (emf) की आवश्यकता होगी। लेकिन वैद्युतअपघटन में कुछ अन्य बाधक अभिक्रियाओं पर नियंत्रण के लिए अतिरिक्त विभव की आवश्यकता होती है। अतः Cl_2 वैद्युतअपघटन से प्राप्त होती है जिसमें H_2 तथा जलीय NaOH सहउत्पाद होते हैं।

सोने और चाँदी के निष्कर्षण में, धातुओं का निक्षालन CN^- के साथ किया जाता हैं। यह एक ऑक्सीकरण अभिक्रिया है ($Ag \rightarrow Ag^+$ या $Au \rightarrow Au^+$)। धातु को बाद में विस्थापन विधि द्वारा पुनः प्राप्त किया जाता है। इस अभिक्रिया में जिंक अपचायक के रूप में कार्य करता है–

$$4Au(s) + 8CN^-(aq) + 2H_2O(aq) + O_2(g) \rightarrow 4[Au(CN)_2]^-(aq) + 4OH^-(aq)$$

$$2[Au(CN)_2]^-(aq) + Zn(s) \rightarrow 2Au(s) + [Zn(CN)_4]^{2-}(aq)$$

निष्कर्षण से प्राप्त धातुओं में सामान्य रूप से कुछ अशुद्धियाँ पायी जाती है। उच्च शुद्धता की धातु प्राप्त करने के लिए अनेक विधियाँ प्रयोग में लाई जाती है। ये विधियाँ धातु एवं उसमें उपस्थित अशुद्धियों के गुणों मे अंतर पर निर्भर करती है जिनमें से कुछ मुख्य विधियाँ निम्नानुसार है–

1. आसवन
2. द्रावगलन परिष्करण
3. वैद्युतअपघटन
4. मंडल परिष्करण
5. वाष्प प्रावस्था परिष्करण
6. वर्णलेखिकी (क्रोमैटोग्रैफी) विधि

यहाँ इनका वर्णन संक्षेप में किया गया है।

1. **आसवन–** यह विधि कम क्वथनांक वाली धातुओं जैसे जिंक तथा पारद के लिए उपयोगी है। अशुद्ध धातु को वाष्पीकृत करके शुद्ध धातु को आसुत के रूप में प्राप्त किया जाता है।
2. **द्रावगलन परिष्करण–** कम गलनांक वाली धातु जैसे टिन को पिघलाकर ढालू सतह पर बहने दिया जाता है जिससे इस विधि के द्वारा अधिक गलनांक वाली अशुद्धियाँ अलग हो जाती है।
3. **वैद्युतअपघटनी शोधन–** इस विधि में अशुद्ध धातु को ऐनोड बनाते हैं। उसी धातु की शुद्ध धातु-पट्टी को कैथोड की तरह प्रयुक्त करके एक उपयुक्त वैद्युतअपघटनी विश्लेषित्र में रखते हैं जिसमें उसी धातु का लवण घुला रहता है। अधिक क्षारकीय धातु विलयन में रहती है तथा कम क्षारकीय धातुएं ऐनोड पंक में चली जाती है। इस प्रक्रम की व्याख्या, वैद्युत विभव की धारणा, अधिविभव तथा गिब्ज ऊर्जा के द्वारा भी की जाती है, ये अभिक्रियाएं निम्नानुसार है–

ऐनोड– $M \rightarrow M^{n+} + n\,e^-$

कैथोड– $M^{n+} + n\,e^- \rightarrow M$

वैद्युतअपघटनी विधि के द्वारा ताँबे का शोधन किया जाता है। अशुद्ध कॉपर, ऐनोड के रूप में तथा शुद्ध कॉपर पत्री, कैथोड के रूप में लेते हैं। कॉपर सल्फेट का अम्लीय विलयन वैद्युतअपघटनी होता है तथा वैद्युतअपघटन के वास्तविक परिणामस्वरूप, शुद्ध कॉपर ऐनोड से कैथोड की तरफ स्थानांतरित हो जाता है।

ऐनोड– $Cu \rightarrow Cu^{2+} + 2e^-$

कैथोड– $Cu^{2+} + 2e^- \rightarrow Cu$

फफोलेदार कॉपर से अशुद्धियाँ ऐनोड पंक के रूप में जमा होती है जिसमें एन्टीमनी, सिलीनियम, टेल्यूरियम, चाँदी, सोना, तथा प्लैटिनम मुख्य हैं। इन तत्वों की पुनः प्राप्ति से, शोधन की लागत की क्षतिपूर्ति हो सकती है। इसी प्रकार से जिंक का शोधन किया जा सकता है।

4. **मंडल परिष्करण–** यह इस सिद्धांत पर आधारित है कि अशुद्धियों की विलेयता धातु की ठोस अवस्था की अपेक्षा गलित अवस्था में अधिक होती है। अशुद्ध धातु की छड़ के एक किनारे पर एक वृत्ताकार गतिशील तापक फिट रहता है। तापक जैसे ही आगे की ओर बढ़ता है, गलित से शुद्ध धातु क्रिस्टलित होकर अशुद्धियाँ संलग्न गलित मंडल में चली जाती है।

कई बार इस प्रक्रिया को दोहराया जाता है तथा तापक को एक ही दिशा में बार-बार चलाते हैं। अशुद्धियाँ, छड़ के एक किनारे पर इकट्ठा हो जाती हैं। इसे काटकर अलग कर लेते हैं। यह विधि मुख्य रूप से अतिउच्च शुद्धता वाले अर्धचालकों तथा अन्य अतिशुद्ध धातुओं जैसे– जर्मेनियम, सिलिकॉन, बोरॉन, गैलियम तथा इंडियम को प्राप्त करने के लिए प्रमुख रूप से उपयोगी है।

5. **वाष्प प्रावस्था परिष्करण–** इस विधि में, धातु को वाष्पशील यौगिक में परिवर्तित करके दूसरी जगह एकत्र कर लेते हैं। तदोपरान्त इसे विघटित करके शुद्ध धातु प्राप्त करते हैं। इसके लिए दो आवश्यकताएं होती हैं–

(*i*) उपलब्ध अभिकर्मक के साथ धातु वाष्पशील यौगिक बनाती हो

(*ii*) वाष्पशील पदार्थ आसानी से विघटित हो जाए जिससे धातु आसानी से पुनः प्राप्त की जा सके।

उपरोक्त तकनीक को निम्नलिखित उदाहरण की सहायता से स्पष्ट किया जा सकता है।

निकल शोधन का मॉन्ड प्रक्रम– इस प्रक्रम में निकल को कार्बन मोनोक्साइड के प्रवाह में गरम करने से वाष्पशील निकल टेट्राकार्बोनिल संकुल बन जाता है–

$$Ni + 4CO \xrightarrow{330\text{–}350K} \left[Ni(CO)_4\right]$$

इस कार्बोनिल को और अधिक ताप पर गरम करते हैं, जिसके फलस्वरूप यह विघटित होकर शुद्ध धातु देता है।

$$\left[Ni(CO)_4\right] \xrightarrow{450\text{–}470K} Ni + 4CO$$

जर्कोनियम या टाइटेनियम शोधन के लिए वॉन-आरकैल विधि

यह विधि Zr तथा Ti जैसी कुछ धातुओं से अशुद्धियों की तरह उपस्थित संपूर्ण ऑक्सीजन तथा नाइट्रोजन को हटाने मे बहुत उपयोगी है। परिष्कृत धातु को निर्वातित पात्र में आयोडीन के साथ गरम किया जाता है। अधिक सहसंयोजी होने के कारण धातु आयोडाइड वाष्पीकृत हो जाता है।

$Zr + 2I_2 \rightarrow ZrI_4$

धातु आयोडाइड को विद्युतधारा द्वारा 1800 K ताप पर गरम किए गए टंगस्टन तंतु पर विघटित करते हैं। जिससे शुद्ध धातु तंतु पर जमा हो जाती है।

$ZrI_4 \rightarrow Zr + 2I_2$

6. **वर्णलेखिकी (क्रोमैटोग्राफी) विधियाँ–** यह विधि इस सिद्धांत पर आधारित है कि अधिशोषक पर मिश्रण के विभिन्न घटकों का अधिशोषण अलग-अलग होता है। मिश्रण को द्रव या गैसीय माध्यम में रखा जाता है जो कि अधिशोषक में से गुजरता है। स्तंभ में विभिन्न घटक भिन्न-भिन्न स्तरों पर अधिशोषित हो जाते हैं। बाद में अधिशोषित घटक उपयुक्त विलायकों द्वारा निक्षालित कर लिए जाते हैं। गतिशील माध्यम की भौतिक अवस्था, अधिशोषक पदार्थ की प्रकृति एवं गतिशील माध्यम के गमन के प्रक्रम पर भी निर्भर होने के कारण इसे वर्णलेखिकी नाम दिया गया। इस प्रकार की एक विधि में काँच की नली में, Al_2O_3 का एक स्तंभ बनाया जाता है तथा गतिशील माध्यम जिसमें अवयवों का विलयन उपस्थित होता है, द्रव प्रावस्था में होता है। यह स्तंभ-वर्णलेखिकी (कॉलम क्रोमैटोग्राफी) का एक उदाहरण है।

यह सूक्ष्म मात्रा में पाए जाने वाले तत्वों के शुद्धिकरण और शुद्ध किए जाने वाले तत्व तथा अशुद्धियों के रासायनिक गुणों में अधिक भिन्नता न होने की स्थिति में, शुद्धिकरण के लिए अत्यधिक उपयोगी होती है। अनेक वर्णलेखिकी तकनीक हैं जैसे कि पेपर वर्णलेखिकी, स्तंभ वर्णलेखिकी, गैस वर्णलेखिकी आदि। स्तंभ वर्णलेखिकी में प्रयुक्त प्रक्रम को चित्र द्वारा व्यक्त किया गया है।

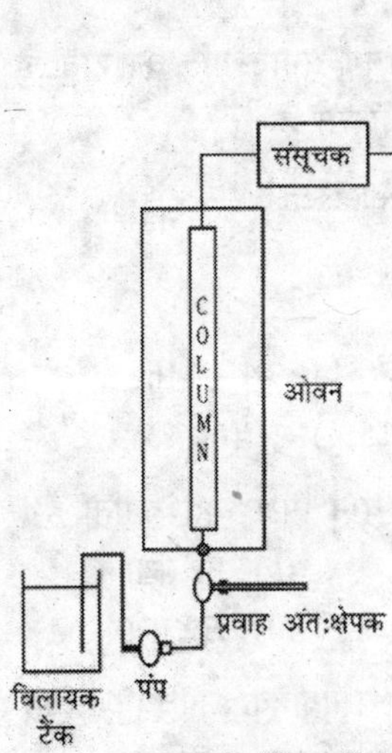

***(i)* औद्योगिक विधि**

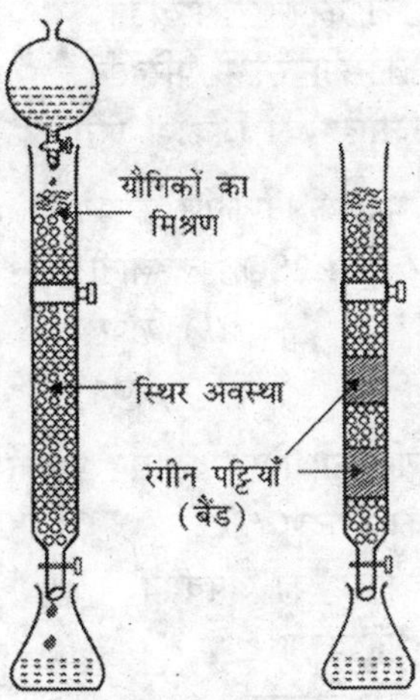

***(ii)* प्रयोगशाला विधि**

चित्रः *कालम क्रोमैटोग्राफी (कॉलम क्रोमैटोग्राफी) का व्यवस्थात्मक चित्र*

ऐलुमिनियम, कॉपर, जिंक, तथा लोहे के प्रमुख उपयोग

(i) ऐलुमिनियम पन्नी का उपयोग चॉकलेट के आवरण-पत्र (रैपर) के रूप में किया जाता है।

(ii) धातु की सूक्ष्म धूलि का उपयोग प्रलेपों (पेंट) व प्रलाक्षों (रोगन) में होता है

(iii) अत्यधिक क्रियाशील होने के कारण ऐलुमिनियम का उपयोग क्रोमियम तथा मैंगनीज के ऑक्साइडों से, उनके निष्कर्षण में किया जाता है।

(iv) ऐलुमिनियम के तारों का उपयोग विद्युत चालकों के रूप में किया जाता है। ऐलुमिनियम युक्त मिश्रधातु हल्की होने के कारण बहुत उपयोगी होती है।

(v) ताँबे का उपयोग विद्युत उद्योग में तार के लिए तथा जल और भाप के लिए पाइप बनाने में होता है।

(vi) इसका उपयोग कई प्रकार की मिश्रधातुओं में भी किया जाता है जो धातु से अधिक कठोर होती है। उदा. पीतल (जिंक के साथ), काँसा (टिन के साथ) तथा मुद्रा मिश्रधातु (निकल के साथ)।

(vii) जिंक का उपयोग जस्तेदार लोहा बनाने में किया जाता है। व्यापक मात्रा में इसका उपयोग बैटरियों में, कई मिश्रधातु घटकों में, जैसे– पीतल (Cu, 60%; Zn, 40%) तथा जर्मन सिल्वर (Cu, 25-30%; Zn, 25-30%; Ni, 40-50%) में होता है।

(viii) यशद रज का उपयोग रंजक सामग्री, प्रलेप आदि के उत्पादन में अपचायक के रूप में किया जाता है।

(ix) ढलवाँ लोहा, जो कि लोहे का सबसे महत्वपूर्ण प्रकार है, इसका उपयोग स्टोवों, रेलवे स्लीपरों, गटर पाइपों तथा खिलौने आदि को ढालने में होता है। इसका उपयोग पिटवाँ लोहे तथा इस्पात को बनाने में किया जाता है।

(x) पिटवाँ लोहे का उपयोग लंगरों, तारों, बोल्टों, चेनों तथा कृषि उपयोगी उपकरणों के बनाने में किया जाता है। स्टील (इस्पात) के अनेक उपयोग हैं। जब इसमें दूसरी धातुएं मिलाई जाती हैं तो मिश्रातु इस्पात प्राप्त होता है।

(xi) निकैल इस्पात का उपयोग रस्से बनाने, स्वचालित वाहनों तथा हवाई जहाजों के हिस्से, लोलक, मापक फीतों, कटाई के औजारों तथा संदलन मशीनों के बनाने में और स्टेनलेस स्टील का उपयोग साइकिलों, स्वचालित वाहनों इत्यादि के निर्माण में होता है।

वस्तुनिष्ठ प्रश्न

1. फेन प्लवन विधि का इनके धातु कर्म में उपयोग होता है–

(a) ऑक्साइड अयस्क *(b)* सल्फाइड अयस्क
(c) क्लोराइड अयस्क *(d)* अमलगम

2. भारत में पाया जाने वाला टाइटेनियम युक्त खनिज है–

(a) बॉक्साइड *(b)* डोलोमाइट
(c) कैल्कोपाइराइट *(d)* इलेमेनाइट

3. अयस्कों के सान्द्रण हेतु, फेन प्लवन प्रक्रम निम्न में से एक के व्यावहारिक प्रयोग का निरूपण है–

(a) अधिशोषण *(b)* अवशोषण
(c) स्कंदन *(d)* अवसादन

4. भर्जन का मुख्य कार्य है–

(a) वाष्पशील पदार्थ को हटाना

(b) ऑक्सीकरण
(c) अपचयन
(d) धातुमल

5. फेन प्लावन प्रक्रम इनके सान्द्रण में प्रयुक्त होता है–
(a) जल में विलेय अशुद्धियाँ
(b) जल सक्रिय कार्बनिक पदार्थ
(c) $MgSiO_3$
(d) सल्फाइड अयस्क

6. सत्य कथन है–
(a) बॉक्साइट, Al का एक अयस्क है
(b) मैगनेटाइट, Mn का एक अयस्क है
(c) हैमेटाइट, Mg का एक अयस्क है
(d) पायराइट, फॉस्फेट का एक अयस्क है

7. पृथ्वी पर पायी जाने वाली धातुओं में किसकी प्रतिशतता भार के अनुसार अधिकतम होती है?
(a) Fe (b) Al
(c) Si (d) Au

8. निम्नलिखित में से कौन-सा तत्व कमरे के ताप पर द्रव नहीं है?
(a) Ga (b) Ge
(c) Cs (d) Br

9. पिसे हुए चाँदी के अयस्क को NaCN के विलयन के साथ मिश्रित करके, मिश्रण में वायु को प्रवाहित करने पर मिलता है–
(a) AgCN (b) Ag
(c) $Ag(CN)_2$ (d) $Na[Ag(CN)_2]$

10. कॉपर के विद्युत अपघटनी विधि द्वारा शोधन में कुछ सोना भी प्राप्त होता है। सोना (gold) प्राप्त होता है–
(a) कैथोड पर
(b) कैथोड मड (cathode mud) में
(c) एनोड मड (anode mud) में
(d) वैद्युत-अपघट्य में

11. कौन-सी धातु अधिक तापमान पर काफी ताप उद्भव करते हुए हवा में जलती है?
(a) Cu (b) Hg
(c) Pb (d) Al

12. ऐप्सम लवण किसका हाइड्रेट है?
(a) मैग्नीशियम सल्फेट
(b) फैरस अमोनियम सल्फेट
(c) मैग्नीशियम अमोनियम सल्फेट
(d) कैल्सियम सल्फेट

13. ऐल्यूमिना के विद्युत अपघटन में क्रायोलाइट इस कारण प्रयुक्त होता है–
(a) यह ऐल्यूमिना का गलनांक कम करता है
(b) यह वैद्युत चालकता बढ़ाता है
(c) यह ऐनोड-प्रभाव को कम करता है
(d) यह ऐलूमिना की अशुद्धियों को दूर करता है

14. खुली भट्टी प्रक्रम (open hearth process) बेसेमर प्रक्रम की अपेक्षा–
(a) द्रुत प्रक्रम है
(b) मंद प्रक्रम है
(c) दोनों प्रक्रम लगभग समान गति की होती है
(d) बेसेमर प्रक्रम अविरत है

15. स्पीगैलाइजेन (spiegeleisen) है–
(a) Fe + Mn
(b) Mn + C
(c) Fe (60%) + C(5–15%) + Mn
(d) Fe + Mn (5–15%) + C(60%)

16. निम्न में से कौन-सा युग्म मिश्र धातु बनाता है?
(a) Zn तथा Pb (b) Fe तथा C
(c) Fe तथा Hg (d) Hg तथा Pt

17. निम्नलिखित के लिए रासायनिक अपचयन उचित नहीं है–
(a) बॉक्साइट का ऐलुमिनियम में परिवर्तन
(b) क्यूप्राइट का कॉपर में परिवर्तन
(c) हेमेटाइट का आयरन में परिवर्तन
(d) जिंक ऑक्साइड का जिंक में परिवर्तन

18. जिंक के लिए धात्विक निष्कर्षण में होने वाली अभिक्रिया $2ZnS + 3O_2 \rightarrow 2ZnO + 2SO_2$, कहलाती है–
(a) निस्तापन (b) खर्परण
(c) प्रगलन (d) भर्जन

19. मंडल परिष्करण प्रक्रम निम्न के लिए प्रयुक्त किया जाता है–
(a) अयस्क का सान्द्रण
(b) धातु ऑक्साइड का अपचयन
(c) धातु का शुद्धिकरण
(d) अयस्क का शुद्धिकरण

20. धातुमल निर्माण को प्रदर्शित करने वाली अभिक्रिया है–
(a) $Cu_2S + 2Cu_2O \rightarrow 6Cu + SO_2$
(b) $ZnCO_3 \rightarrow ZnO + CO_2$
(c) $Fe_2O_3 + 3C \rightarrow 2Fe + 3CO$
(d) $FeO + SiO_2 \rightarrow FeSiO_3$

21. कॉपर के (कॉपर पाइराइट से) धातुकर्म मे निम्नांकित में से कौन-सा पदार्थ धातुमल के रूप में प्राप्त होता है?
(a) $CaSiO_3$ (b) $Ca_3(PO_4)_2$
(c) $FeSiO_3$ (d) $MnSiO_3$

22. ऐल्यूमिनियम का खनिज निम्न में से कौन नहीं है?
(a) एनहाइड्राइट (b) बॉक्साइट
(c) कोरन्डम (d) डायस्पोर

23. स्वर्ण का शुद्धिकरण किया जाता है–
(*a*) पैटिन्सन प्रक्रम (*b*) पार्क प्रक्रम
(*c*) पैटर्सन प्रक्रम (*d*) मैकऑफ प्रक्रम

24. कौन-सा कथन सत्य है?
(*a*) MgO अपचयन C से होता है
(*b*) $MgCl_2$ का अपचयन Na से होता है
(*c*) कॉपर पाइराइटीज का सान्द्रण विद्युत चुम्बकीय प्रक्रम से करते हैं
(*d*) मैगनेटाइट, मैग्नीशियम का अयस्क है

25. जब लाल गर्म स्टील को वायु में धीरे-धीरे ठण्डा करने पर कुछ आयरन कार्बाइड अपघटित होकर लोहा और ग्रेफाइट देता है, तो यह अभिक्रिया कहलाती है–
(*a*) कठोरीकरण (*b*) एनीलीकरण
(*c*) टेम्परिंग (*d*) कार्बाइडीकरण

26. निम्न में से कौन मैगनेसाइट है?
(*a*) $MgCO_3$ (*b*) $MgCO_3.CaCO_3$
(*c*) $KCl.MgCl_2.6H_2O$ (*d*) $MgSO_4.H_2O$

27. मिश्र धातु है–
(*a*) एक अन्तराधातुक यौगिक
(*b*) एक ठोस पदार्थ जिसमें दो या अधिक धात्विक तत्व है
(*c*) एक ठोस पदार्थ जिसमें एक अधात्विक तत्व है
(*d*) एक ठोस पदार्थ जिसमें एक से अधिक अधात्विक तत्व है

28. जब बॉक्साइट में Fe_2O_3 अधिक मात्रा में उपस्थित हो तो धातु निष्कर्षण किया जाता है–
(*a*) हॉल विधि से
(*b*) बायर विधि से
(*c*) सर्पेक विधि से
(*d*) विद्युत अपघटनी विधि से

29. अम्लीय बेसेमर परिवर्तक की भीतरी सतह पर लगा होता है–
(*a*) सिलिका की उच्च ताप-सह ईंटों का अस्तर
(*b*) कैल्सियम सिलिकेट का अस्तर
(*c*) कैलसियम ऑक्साइड का अस्तर
(*d*) उपरोक्त में किसी का नहीं

30. साइमन्स मार्टिन खुली भट्टी द्वारा स्टील के निर्माण में प्रयुक्त ईंधन है–
(*a*) जल गैस (*b*) अर्धजल गैस
(*c*) पैट्रोल गैस (*d*) प्रोड्यूसर गैस

31. निम्न में, किसमें सबसे अधिक कार्बन होता है?
(*a*) ढलवाँ लोहा (*b*) पिटवाँ लोहा
(*c*) स्टील (*d*) कच्चा लोहा

32. नीले रंग का खनिज लापिस लाजुली (Lapis Lazuli) जिसे अर्द्ध मूल्यवान पत्थर की भांति प्रयुक्त किया जाता है, निम्नलिखित श्रेणी का खनिज है–
(*a*) सोडियम एल्यूमीनो सिलिकेट
(*b*) जिंक कोबाल्ट
(*c*) क्षारीय कॉपर कार्बोनेट
(*d*) प्रशियन नीला

33. ताँबे के निष्कर्षण में, बेसीमरीकरण में क्रिया होती है–
(*a*) $2FeS + 3O_2 \rightarrow 2FeO + 2SO_2$
(*b*) $FeO + SiO_2 \rightarrow FeSiO_3$
(*c*) $2Cu_2S + 3O_2 \rightarrow 2Cu_2O + 2SO_2$
(*d*) उपरोक्त सभी

34. ऐल्यूमिनियम की ऑक्सीजन के प्रति बहुत अधिक बंधुता है तथा उसका ऑक्सीकरण एक ऊष्माक्षेपी प्रक्रम है। इस तथ्य का निम्नांकित में उपयोग होता है–
(*a*) ऐल्यूमिनियम की पतली पन्नी बनाने में
(*b*) बर्तन बनाने में
(*c*) ड्यूरालुमिन मिश्रधातु में
(*d*) थर्माइट वेल्डिंग में

35. सोडियम 40% NaCl और 60% $CaCl_2$ के गलित मिश्रण के वैद्युत अपघटन के द्वारा बनाया जाता है क्योंकि–
(*a*) $CaCl_2$ विद्युत के चालन में सहायता करता है
(*b*) इस मिश्रण का गलनांक NaCl की अपेक्षा कम होता है
(*c*) Ca^{++} आयन Na को NaCl से विस्थापित कर सकता है
(*d*) Ca^{++} आयन NaCl को Na में अपचयित कर सकता है

उत्तरमाला

1	2	3	4	5	6	7	8	9	10
(*b*)	(*d*)	(*a*)	(*b*)	(*d*)	(*a*)	(*b*)	(*b*)	(*d*)	(*c*)
11	**12**	**13**	**14**	**15**	**16**	**17**	**18**	**19**	**20**
(*d*)	(*a*)	(*b*)	(*b*)	(*d*)	(*b*)	(*a*)	(*d*)	(*c*)	(*d*)
21	**22**	**23**	**24**	**25**	**26**	**27**	**28**	**29**	**30**
(*c*)	(*a*)	(*c*)	(*a*)	(*b*)	(*a*)	(*b*)	(*b*)	(*a*)	(*d*)
31	**32**	**33**	**34**	**35**					
(*a*)	(*a*)	(*d*)	(*d*)	(*b*)					

अध्याय 14

अक्रिय गैसें
(Inert Gases)

अक्रिय गैसें

- मेन्डेलीव की आवर्त सारणी के शून्य समूह (18)* में छः तत्व हीलियम (He), निऑन (Ne), आर्गन (Ar), क्रिप्टॉन (Kr), जीनॉन (Xe) तथा रेडॉन (Rn) हैं।
- शून्य समूह के पहले पाँच तत्व स्थाई हैं लेकिन आखिरी तत्व रेडॉन रेडियोएक्टिव तत्व है तथा रेडियम के रेडियोएक्टिव विघटन से बनता है।

$$^{226}_{88}Ra \rightarrow ^{226}_{86}Rn + ^{4}_{2}He$$

आवर्त सारणी में स्थान (Position in Periodic Table)– मेन्डेलीव ने जब तत्वों का वर्गीकरण किया था उस समय अक्रिय गैस ज्ञात नहीं थी। इसलिए मेन्डेलीव ने आवर्त सारणी में इनके लिए कोई स्थान नहीं रखा। अक्रिय गैसों की खोज के बाद इनके गुणों तथा परमाणु भार के आधार पर शून्य समूह सम्मिलित किया गया। शून्य समूह को सातवें समूह के प्रबल विद्युत ऋणात्मकता वाले हैलोजन तत्त्वों तथा प्रथम समूह के प्रबल विद्युत धनात्मक तत्व क्षारीय धातुओं के मध्य रखा गया है। यह स्थान उचित है क्योंकि हैलोजन जैसे विद्युत ऋणात्मक तत्त्वों से प्रबल विद्युत धनात्मक तत्वों की ओर बढ़ते हैं तो इन दोनों के मध्य संक्रमण के रूप में अक्रिय गैसें वर्ग का होना आवश्यक है।

VII A समूह विद्युत ऋणात्मक एक-संयोजी	0 (शून्य) समूह अक्रिय शून्य-संयोजी	IA विद्युत धनात्मक एक-संयोजी
–	He_2	Li_3
F_9	Ne_{10}	Na_{11}
Cl_{17}	Ar_{18}	K_{19}
Br_{35}	Kr_{36}	Rb_{37}
I_{53}	Xe_{54}	Cs_{55}
At_{85}	Rn_{86}	Fr_{87}

इलेक्ट्रॉनिक विन्यास
(Electronic Configuration)

अक्रिय गैसों का इलेक्ट्रॉनिक विन्यास निम्न है–

He_2 : $1s^2$

Ne_{10} : $1s^2, 2s^2\, 2p^6$

Ar_{18} : $1s^2, 2s^2\, 2p^6, 3s^2\, 3p^6$

Kr_{36} : $1s^2, 2s^2\, 2p^6, 3s^2\, 3p^6\, 3d^{10}, 4s^2\, 4p^6$

Xe_{54} : $1s^2, 2s^2\, 2p^6, 3s^2\, 3p^6\, 3d^{10}, 4s^2\, 4p^6\, 4d^{10}, 5s^2\, 5p^6$

Rn_{86} : $1s^2, 2s^2\, 2p^6, 3s^2\, 3p^6\, 3d^{10}, 4s^2\, 4p^6\, 4d^{10}, 5s^2\, 5p^6\, 5d^{10}\, 5f^{14}, 6s^2\, 6p^6$

अक्रिय गैसों के सामान्य गुण
(General Characteristics of Inert Gases)

1. **इलेक्ट्रॉनिक विन्यास (Electronic Configuration)–** सभी तत्वों (He को छोड़कर) के बाह्य कक्ष में 8 इलेक्ट्रॉन हैं जो कि स्थाई विन्यास है।
2. **भौतिक अवस्था (Physical State)–** यह रंगहीन, गन्धहीन, स्वादहीन तथा अज्वलनशील (Non-inflammable) गैसें हैं। यह जल में अविलेय हैं।
3. **एक परमाणुकता (Monoatomicity)–** सभी तत्त्व एक परमाणुक हैं। सभी गैसों के लिए Cp/Cv का मान 1.66 है।
4. **आयनन विभव (Ionisation Potential)–** बाह्य कक्ष का स्थाई विन्यास होने के कारण आवर्त में अक्रिय गैस का आयनन विभव सबसे अधिक होता है। समूह में ऊपर से नीचे की ओर बढ़ने पर आयनन विभव घटता है।
5. **गलनांक तथा क्वथनांक (Melting Points and Boiling Points)–** अक्रिय गैसों के गलनांक तथा क्वथनांक निम्न होते हैं। समूह में ऊपर से नीचे की ओर बढ़ने पर गलनांक तथा क्वथनांक बढ़ते जाते हैं।
6. **अधात्विक गुण (Non-metallic Character)–** ये तत्त्व अधातु हैं।
7. **वान्डर वाल्स त्रिज्याएँ (van der Waal's Radii)–** अक्रिय गैसों के परमाणुओं की त्रिज्याएँ वान्डर वाल्स त्रिज्याएँ होती हैं। समूह में ऊपर से नीचे की ओर बढ़ने पर वान्डर वाल्स त्रिज्याएँ बढ़ती जाती हैं।
8. **इलेक्ट्रॉन बन्धुता (Electron Affinity)–** अक्रिय गैसों के बाह्य कक्ष का विन्यास स्थाई होने के कारण इनकी इलेक्ट्रॉन बन्धुता शून्य होती है।

तालिका 1: अक्रिय गैसों के भौतिक गुण

गुण	हीलियम	निऑन	आर्गन	क्रिप्टॉन	जीनॉन	रेडॉन
परमाणु भार	4	20	40	84	132	222
वान्डर वाल्स त्रिज्याएँ (A°)	1.2	1.6	1.9	2.0	2.2	–
गलनांक (K)	3	24.6	83.8	115.9	161.3	202.0
क्वथनांक (K)	4.2	27.1	97.2	119.7	16.5	211.0
प्रथम आयनन विभव (cv)	24.6	21.6	15.8	14.0	12.1	10.8

तालिका 2: अक्रिय गैसों की खोज का उद्गम तथा खोजकर्ता

अक्रिय गैस	खोज का उद्गम	खोजकर्ता
1. हीलियम (Sun)	सौरमण्डल, रेडियोएक्टिव खनिज	फ्रेंकलैण्ड तथा लॉकयर (Frankland and Lockeyer) (1868)
2. निऑन (New)	वायु	विलियम रैमसे (William Ramsay) (1898)
3. आर्गन (Inert)	वायु	रैले (Rayleigh) (1894)
4. क्रिप्टॉन (Hidden)	वायु	विलियम रैमसे (William Ramsay) (1898)
5. जीनॉन (Strange)	वायु	विलियम रैमसे (William Ramsay) (1898)
6. रेडॉन (Radium emnation)	रेडियम का विघटन उत्पाद	डार्न (Dorn) (1902)

9. रासायनिक प्रकृति (Chemical Nature)– अक्रिय गैसें रासायनिक रूप से निष्क्रिय हैं। इसके मुख्य कारण हैं। (*i*) संवृत कोश विन्यास (*ii*) अधिक आयनन विभव तथा (*iii*) शून्य इलेक्ट्रॉन बन्धुता। जीनॉन का आयनन विभव अपेक्षाकृत अन्य अक्रिय गैसों से कम है इसलिए विशेष परिस्थितियों में यह फ्लुओरीन तथा ऑक्सीजन से संयोग करके जीनॉन फ्लुओराइड्स ऑक्साइड तथा ऑक्सीफ्लुओराइड्स बनाती है, उदाहरणार्थ– XeF_2, XeF_4, XeF_6, XeO_3, $XeOF_4$, XeO_2F_2, XeO_4, $NaXeO_6$, XeO_3F_2, आदि। क्रिप्टॉन तथा रेडॉन के फ्लुओराइड्स ज्ञात है; जैसे– KrF_2, KrF_4, RaF_2 आदि। He, Ne तथा Ar से अभी तक कोई यौगिक तैयार नहीं किया जा सका है।

अक्रिय गैसों की उपस्थिति (Occurrence of inert gases)– अक्रिय होने के कारण अक्रिय गैसें हमेशा स्वतंन्त्र अवस्था में पाई जाती है। इनके मुख्य स्रोत निम्न हैं।

1. वायुमण्डल (Atomosphere)– रेडॉन के अतिरिक्त अन्य सभी निष्क्रिय गैसें वायुमण्डल में पाई जाती हैं। वायु में उपस्थित गैसों का प्रतिशत निम्न तालिका में दिया गया है।

तालिका 3: वायु में उपस्थित गैसों का प्रतिशत

गैस	आयतन में प्रतिशतता	गैस	आयतन में प्रतिशतता	द्रव्यमान में प्रतिशतता
नाइट्रोजन	78.03	हीलियम	5.24×10^{-4}	3.70×10^{-5}
ऑक्सीजन	20.99	निऑन	1.82×10^{-3}	1.00×10^{-3}
कार्बन डाई–ऑक्साइड	0.03	आर्गन	9.34×10^{-1}	1.28
		क्रिप्टॉन	1.14×10^{-4}	2.80×10^{-4}
हाइड्रोजन	0.01	जीनॉन	8.7×10^{-6}	4.00×10^{-5}
		रेडॉन	–	–

2. प्राकृतिक गैस (Natural gas)– प्राकृतिक गैस हीलियम का एक मुख्य स्रोत है। यह शुष्क कुओं में पाई जाती है।

3. खनिज (Minerals)– हीलियम, यूरेनियम तथा थोरियम का रेडियोएक्टिव विघटन उत्पाद है। यह इनके खनिजों में पाई जाती है। जैसे– क्लीवाइट, मोनोजाइट, पिंच ब्लेण्डी आदि। यह इन खनिजों में ठोस विलयन के रूप में रहती है। मोनोजाइट अयस्क में He की मात्रा 1.0 से 25C.C. प्रतिग्राम रहती है। खनिज को निर्वात् में 1000°C पर गर्म करने अथवा अम्ल के साथ क्रिया कराने पर He गैस प्राप्त होती है।

4. झरने (Springs)– हीलियम, निऑन तथा आर्गन झरनों के जल में विलेय रहती है। इन विलेय अक्रिय गैसों की कुल प्रतिशतता लगभग 3.04 होती है जिसमें 1.84 प्रतिशत हीलियम रहती है।

5. रेडियम के रेडियोएक्टिव विघटन से– रेडियम के रेडियोएक्टिव विघटन से रेडॉन तथा हीलियम प्राप्त होते हैं।

$$^{226}_{88}Ra \rightarrow ^{222}_{86}Rn + ^{4}_{2}He$$

भौतिक गुण

(*i*) सभी रंगहीन, गन्धहीन तथा स्वादहीन गैसें हैं।

(*ii*) जल में अल्प विलेय हैं।

(*iii*) सभी गैसों को द्रवित किया जा सकता है। द्रवित गैसों के क्वथनांक परमाणु भार के बढ़ने पर बढ़ते हैं।

(*iv*) निम्न ताप पर यह नारियल के चारकोल द्वारा अधिशोषित हो जाती है।

(v) प्रत्येक अक्रिय गैस का विशिष्ट वर्णक्रम होता हैं जिससे इन्हें पहचाना जा सकता है।

(*vi*) यह एक परमाणुक (monoatomic) है। इनकी विशिष्ट ऊष्माओं का अनुपात $\left(\frac{CP}{CV}\right)=1.667$ होता है।

(*vii*) एक परमाणुक होने के कारण वाष्प घनत्व का दुगुना परमाणु भार तथा अणुभार होता है।

(*viii*) यह यौगिक नहीं बनाती है। इसलिए इनका तुल्यांकी भार नहीं होता है।

(*ix*) अक्रिय गैसों के परमाणुओं के मध्य क्षीण वान्डर वाल्स बल होने के कारण इनके गलनांक तथा क्वथनांक निम्न होते हैं।

रासायनिक गुण

अक्रिय गैसों के (हीलियम को छोड़कर $1s^2$) बाहय कक्ष का विन्यास ns^2np^6 होता है जो कि स्थाई है। स्थाई विन्यास होने के कारण इन तत्वों को इलेक्ट्रान ग्रहण करने तथा इलेक्ट्रॉन त्यागने की प्रवृति नहीं होती है। इसलिए यह रासायनिक रूप से अक्रिय गैस है। जीनॉन फ्लुओरीन तथा ऑक्सीजन के साथ संयोग करके विभिन्न फ्लुओराइड्स, ऑक्साइड्स तथा ऑक्सीफ्लुओंराइड्स बनाती है। जैसे– XeF_2, XeF_4, XeF_6, XeO_3, $XeOF_2$, $XeOF_4$, Na_4XeO_6, $XePTF_68H_2O$। क्रिप्टान तथा रेडॉन भी फ्लुओराइड्स बनाती है। जैसे– KrF_2, KrF_4, RnF_4।

अक्रिय गैसों के उपयोग (Uses of Inert gases)

अक्रिय गैसों के मुख्य उपयोग निम्न है–

1. हीलियम के उपयोग–

(*i*) यह बहुत हल्की तथा अज्वलनशील (Non-inflammable) होती है। इसलिए गुब्बारों तथा वायुयानों की टायरों में भरी होती है।

(*ii*) नाइट्रोजन की तुलना में हीलियम रक्त में कम विलेय है। इसलिए समुद्री गोताखोरों द्वारा हीलियम (80%) तथा ऑक्सीजन (20%) का मिश्रण सांस लेने के लिए उपयोग में लाया जाता है।

(*iii*) जो धातु शीघ्र ऑक्सीकृत हो जाते हैं उन्हे जोड़ने में निष्क्रिय वातावरण बनाने में।

(*iv*) हीलियम का क्वथनांक (– 268.83°C) बहुत कम होता है। इसलिए निम्न ताप करने के लिए भी उपयोग में लाई जाती है।

(*v*) हीलियम तथा ऑक्सीजन का मिश्रण दमा (Asthma) तथा अन्य साँस की बीमारी के मरीजों के लिए उपयोग में लाया जाता है।

2. निऑन के उपयोग– कम दाब पर निऑन गैस में विद्युत विसर्जन करने पर लाल रंग की दीप्ति उत्पन्न (red glow) होती है। यह प्रकाश बहुत आकर्षक होता है तथा कुहरे में भी चमकता है। इस गुण का उपयोग निऑन लैम्प बनाने में किया जाता है। इन लैम्पों का उपयोग मुख्य रूप से हवाई अड्डों पर किया जाता है। निऑन टयूबों का उपयोग विज्ञापनों के लिए भी किया जाता है। निऑन अन्य गैसों के साथ विभिन्न आकर्षक रंग देती है।

3. आर्गन के उपयोग–

(*i*) इसका उपयोग विद्युत बल्बों तथा रेडियो के बल्बों में भरने के लिए किया जाता है।

(*ii*) निष्क्रिय वातावरण बनाने के लिए भी इसका उपयोग किया जाता है।

4. क्रिप्टॉन के उपयोग– क्रिप्टॉन विद्युत विसर्जन नलियों में भरी जाती है।

5. जीनॉन तथा रेडॉन के उपयोग– जीनॉन का विशेष महत्व नहीं है। यह Y– किरण तथा न्यूटॉन विकिरण की पहचान करने में काम लाई जाती है।

रेडॉन अपने रेडियोधर्मी गुण के कारण कैंसर के इलाज में प्रयुक्त होती है।

वस्तुनिष्ठ प्रश्न

1. XeF_4 में 'Xe' की संकरण अवस्था है–

(*a*) sp^3d (*b*) sp^3d^2

(*c*) sp^3d^3 (*d*) sp^3

2. –180°C पर कोकोनट चारकोल किस मिश्रण को पृथक् करने में प्रयुक्त होता है–

(*a*) Ne तथा Kr (*b*) Ar तथा He

(*c*) He तथा Ne (*d*) Ar तथा Kr

3. गहरे समुद्री गोताखोरों द्वारा कृत्रिम श्वसन के लिये प्रयुक्त किया जाने वाला मिश्रण है–

(*a*) $CO_2 + O_2$ (*b*) $He + O_2$

(*c*) $N_2 + O_2$ (*d*) $He + N_2 + O_2$

4. XeF_6 की संरचना है–

(*a*) विकृत अष्टफलकीय (*b*) पिरामिडी

(*c*) चतुष्फलकीय (*d*) वर्गाकार द्विपिरामिडी

5. निम्न में से असत्य कथन है–

(*a*) Ar विद्युत बल्बों में प्रयुक्त होती है

(*b*) Kr रेडियोऐक्टिव विघटन से प्राप्त होती है

(*c*) Xe, XeF_6 बनाता है

(*d*) He का क्वथनांक उत्कृष्ट गैसों में निम्नतम् होता है

6. XeO_3 में Xe का संकरण तथा इसकी आकृति है–

(*a*) sp^3, पिरैमिडी (*b*) sp^2, समतली त्रिभुजीय

(*c*) sp, रेखीय (*d*) sp^2, चतुष्फलकीय

7. उत्कृष्ट गैसों के लिये Cp/Cv का मान है–

(*a*) 1.40 (*b*) 1.33

(*c*) 1.66 (*d*) 1.10

8. विसर्जन नलिका में हीलियम लेकर विद्युत विसर्जित करने पर उत्पन्न स्पीशीज में निम्नलिखित नहीं होती–

(*a*) He^+ (*b*) He_2

(*c*) He^{++} (*d*) उपरोक्त में से कोई नहीं

9. कौन-सी गुप्त गैस के नाम से जानी जाती है?

(*a*) Xe (*b*) Ne

(*c*) He (*d*) Kr

10. गैस गुब्बारों में हाइड्रोजन के बजाय हीलियम प्रयुक्त की जाती है क्योंकि–

(a) हीलियम हाइड्रोजन से हल्की है
(b) हीलियम अज्वलनशील है
(c) यह हाइड्रोजन से अधिक मात्रा में पायी जाती है
(d) इसके विपरीत होने की जाँच सरलता से की जा सकती है क्योंकि यह रेडियोऐक्टिव है

11. आदर्श गैस का इलेक्ट्रॉनिक विन्यास है–
(a) $1s^2, 2s^2 p^6$ (b) $1s^2, 2s^2 2p^6, 3s^1$
(c) $1s^2, 2s^2 2p^6, 3s^5$ (d) $1s^2, 2s^2 2p^1$

12. हीलियम को निर्वात् में फैलने देने से ऊष्मा उत्पन्न होती है। इसका कारण है–
(a) हीलियम एक आदर्श गैस है
(b) हीलियम एक निष्क्रिय गैस है
(c) हीलियम का व्युत्क्रम ताप, अत्यधिक कम है
(d) हीलियम का क्वथनांक, तत्वों में सबसे कम है

13. करौल अथवा ICI प्रक्रम से टाइटेनियम उत्पादन में प्रयुक्त अक्रिय गैस है–
(a) Ne (b) Ar
(c) Kr (d) Xe

14. निऑन का घनत्व अधिकतम होगा–
(a) सा. ता. दा. (b) 0°C, 2 वायुमण्डल
(c) 273°C, 1 वायुमण्डल (d) 273°C, 2 वायुमण्डल

15. चमकीले विद्युत विज्ञापनों में इस गैस का उपयोग होता है–
(a) जीनॉन (b) आर्गन
(c) निऑन (d) हीलियम

16. बाह्यतम इलेक्ट्रॉनिक विन्यास ns^2np^6 के तत्व हैं–
(a) क्षारीय मृदा तत्व (b) संक्रमण तत्व
(c) कैल्कोजन (d) उत्कृष्ट गैसें

17. अक्रिय गैस तत्वों का अन्तिम सदस्य है–
(a) हीलियम (b) निऑन
(c) आर्गन (d) रेडॉन

18. निम्न उत्कृष्ट गैसों में से कौन-सी न्यूनतम ध्रुवीकृत होती है?
(a) He (b) Xe
(c) Ar (d) Ne

19. कौन-सा समतलीय अणु है?
(a) XeO_4 (b) XeF_4
(c) $XeOF_4$ (d) XeO_2F_2

20. निम्न में से कौन-से दो सम-संरचनात्मक हैं?
(a) XeF_2, IF_2^- (b) NH_3, BF_3
(c) CO_3^{2-}, SO_3^{2-} (d) PCl_5, ICl_5

21. जीनॉन डाइफ्लोराइड के अणु में कितने एकाकी इलेक्ट्रॉन युग्म (lone pair of electrons) हैं?
(a) 2 (b) 3
(c) 4 (d) 1

22. $XeOF_4$ अणु की ज्यामिति होती है–
(a) वर्गाकार समतलीय (b) वर्गाकार पिरामिडी
(c) विकृत अष्टफलकीय (d) त्रिभुजी द्विपिरामिडी

23. पाइरेक्स काँच को प्रभावित करने वाला यौगिक है–
(a) XeF_4 (b) XeF_2
(c) XeF_6 (d) कोई नहीं

24. सर्वप्रथम उत्कृष्ट गैस यौगिक बनाया गया था निम्न के द्वारा–
(a) लोकेयर (b) रैमजे
(c) बार्टलैट (d) कैवेन्डिश

25. –100°C ताप पर कोकोनट चारकोल अधिशोषित करता है–
(a) Ar, Kr, Xe (b) Ne तथा Kr
(c) He तथा Ar (d) He तथा Ne

26. निम्न में से कौन-सा रेडियोथैरेपी (radiotherapy) में प्रयुक्त होता है?
(a) He (b) Xe
(c) Rn (d) Ar

27. नाभिकीय संलयन से बनता है–
(a) आर्गन (b) ड्यूटीरियम
(c) हीलियम (d) जीनॉन

28. उत्कृष्ट गैसों की संयोजकता है–
(a) शून्य (b) एक
(c) चार (d) आठ

29. किस उत्कृष्ट गैसों की आयनन ऊर्जा ऑक्सीजन के निकट होती है–
(a) Ar (b) Xe
(c) Kr (d) Rn

30. निम्न में असत्य कथन है–
(a) रेडॉन, रेडियम के क्षय से प्राप्त होती है
(b) हीलियम, एक निष्क्रिय गैस है
(c) दुर्लभ गैसों में जीनॉन सर्वाधिक क्रियाशील है
(d) वायुमण्डल में पायी जाने वाली दुर्लभ गैसों में हीलियम की सबसे अधिक बहुलता है

उत्तरमाला

1	2	3	4	5	6	7	8	9	10
(b)	(c)	(b)	(a)	(b)	(a)	(c)	(b)	(d)	(b)
11	**12**	**13**	**14**	**15**	**16**	**17**	**18**	**19**	**20**
(a)	(c)	(b)	(b)	(c)	(d)	(d)	(a)	(b)	(a)
21	**22**	**23**	**24**	**25**	**26**	**27**	**28**	**29**	**30**
(b)	(b)	(c)	(c)	(a)	(c)	(c)	(a)	(b)	(d)

अध्याय

15

कार्बधात्विक यौगिक एवं समन्वयन रसायन (Organometallic Compounds and Coordination Chemistry)

कार्बधात्विक यौगिक (Organometallic Compounds)

- वे यौगिक जिनमें एक या एक से अधिक धातु-कार्बन बन्ध उपस्थित रहते हैं उन्हें कार्बधात्विक यौगिक कहते हैं।
- उप-धातुओं (उदाहरणः जर्मेनियम, एन्टीमनी) एवं धातुओं (उदाहरणः बोरॉन, सिलिकॉन एवं फॉस्फोरस आदि) के कार्बन यौगिकों को भी इसी श्रेणी में रखा जाता है।
- **उदाहरण–** एल्किल मैग्नीशियम हैलाइड (ग्रिगनार्ड अभिकर्मक), डाइएल्किल कैडमियम, आदि कार्बधात्विक यौगिक हैं।

कार्बधात्विक यौगिकों का वर्गीकरण

कार्बधात्विक यौगिकों को दो भागों में विभक्त किया गया है–

1. **σ बंधित यौगिक (σ Bonded Compounds)–** इसमें धातु परमाणु व कार्बन परमाणु एक σ-बंध से जुड़े होते हैं। यह प्रायः उपधातु तत्वों से बनाए जाते हैं।

   उदाहरण–

   (*i*) $C_2H_5 - Mg - Br$ (एथिल मैग्नीशियम ब्रोमाइड)

   (*ii*) $(CH_3)_2Cd$ डाइमेथिल कैडमियम

2. **π बंधित यौगिक (π–Bonded Compounds)–** ये कार्बधात्विक यौगिक प्रायः संक्रमण धातुओं के द्वारा बनते हैं। धातु कार्बन बन्ध सरल सहसंयोजी बंध नहीं होता है, लेकिन दोनों के बीच π बन्ध होता है।

   उदाहरण– फैरोसीन, डाइबेन्जीन क्रोमियम आदि।

कार्बधात्विक यौगिकों का संश्लेषण (Synthesis of Organometallic Compounds)

इसके संश्लेषण की महत्वपूर्ण विधियाँ निम्नलिखित हैं:

(*i*) **कार्बएल्कली (कार्बक्षारीय धातु Organoalkali) यौगिकों का निर्माण–** ये यौगिक ऐल्किल हैलाइड तथा क्षार धातु को शुष्क ईथर विलायक में अभिकृत कराने से बनते हैं।

R – X	+ 2M	→	R – M + MX
(X = Cl, Br या I)	(M = Li, Na or K)		कार्बनिक यौगिक

(*ii*) **ग्रिगनार्ड अभिकर्मक–** ऐल्किल हैलाइडों को मैग्नीशियम (Mg) के साथ शुष्क ईथर में अभिकृत करने पर ग्रिगनार्ड अभिकर्मक प्राप्त होते हैं।

$$\underset{\text{ऐथिल हैलाइड}}{R - X} + Mg \xrightarrow{\text{शुष्क ईथर}} \underset{\text{ग्रिगनार्ड अभिक्रर्मक}}{R - Mg - X}$$

$$C_2H_5Br + Mg \xrightarrow[\text{ईथर}]{} \underset{\text{ऐथिल मैग्नीशियम हेलाइड}}{C_2H_5MgBr}$$

ऐरिल हैलाइड भी Mg के साथ टेट्राहाइड्रोफ्यूरान में अभिकृत किये जाने पर ग्रिगनार्ड अभिकर्मक बनाते हैं।

$$\underset{\text{ब्रोमोबेन्जीन}}{C_6H_5Br} + Mg \xrightarrow{\text{टेट्राहाइड्रोफ्यूरान}} \underset{\text{फेनिल मैग्नीशियम ब्रोमाइड}}{C_6H_5 - Mg - Br}$$

समन्वयन यौगिक (Co-ordination compound)

किसी संकुल आयन में, केन्द्रीय धातु आयन ऋणायनों या उदासीन अणुओं या दोनों प्रकार के अणुओं की एक निश्चित संख्या से घिरा होता है। इन ऋणायनों या उदासीन अणुओं को लिगैण्ड कहते हैं। ये केन्द्रीय परमाणु से दाता बंधों (dative or co-ordinate bonds) द्वारा आपस में जुड़े रहते हैं, इसलिए संकुल यौगिकों को प्रायः समन्वयन यौगिक भी कहा जाता है।

समन्वयन संख्या (Co-ordination number)

एकसंयोजी (monovalent) या एक दन्तुर (monodentate)– लिगैण्ड अणुओं की कुल संख्या अथवा केन्द्रीय धातु परमाणु या आयन से बंधित (bonded) दाता परमाणुओं (donor atoms) की कुल संख्या को केन्द्रीय परमाणु या आयन की समन्वयन संख्या कहते हैं। उदाहरण– संकुल $K_3[Al(C_2O_4)_3]$ में केन्द्रीय ऐल्यूमिनियम परमाणु की संख्या 6 है, क्योंकि ऑक्जेलेट लिगैण्ड ($C_2O_4^{--}$) के तीन अणुओं के 6 ऑक्सीजन परमाणु (दाता परमाणु) केन्द्रीय Al परमाणु से बंधित हैं।

समन्वयन क्षेत्र (Co-ordination sphere)– एक संकुल आयन में केन्द्रीय परमाणु या आयन को समन्वयित (Co-ordinated) लिगैण्ड आयनों या अणुओं के साथ बड़े कोष्ठक [ ] में लिखते हैं। इसी को सामूहिक रूप से समन्वयन क्षेत्र कहते हैं। बड़े कोष्ठक [ ] से बाहर के क्षेत्र को आयनन क्षेत्र (ionization sphere) कहा जाता है। उदाहरण के लिए, संकुल $[Co(NH_3)_5Br]SO_4$ में पाँच अमोनिया अणु तथा एक ब्रोमाइड आयन केन्द्रीय कोबाल्ट आयन से समन्वयित हैं। ये सभी समन्वयन क्षेत्र के अन्दर हैं।

संकुल आयन पर आवेश (Charge on complex ion)– किसी संकुल आयन पर उपस्थित आवेश का परिमाण, केन्द्रीय परमाणु आयन तथा लिगैण्ड अणुओं पर उपस्थित आवेशों का बीजगणितीय योग होता है। उदाहरण– संकुल आयन $[Fe(CN)_6]^{4-}$ पर –4 आवेश होता है। क्योंकि

केन्द्रीय फैरस आयन पर +2 इकाई आवेश तथा छः लिगैण्ड अणुओं अर्थात् 6 CN^- आयनों पर कुल –6 इकाई आवेश होता है।

अतः संकुल आयन पर उपस्थित कुल आवेश
= (केन्द्रीय परमाणु पर आवेश + लिगैण्ड अणुओं पर आवेश)
= (+2) + (–6) = –4

संलग्नी अथवा लिगैण्ड (Ligand)– कोई भी अणु अथवा आयन जिसमें कम से कम एक परमाणु पर कम से कम एक एकाकी इलेक्ट्रॉन युग्म (lone pair of electrons) उपस्थित होता है, लिगैण्ड की तरह व्यवहार करता है। एकाकी इलेक्ट्रॉन युग्म रखने वाला परमाणु दाता परमाणु (donor atom) कहलाता है। यह केन्द्रीय संक्रमण परमाणु या आयन को इलेक्ट्रॉन युग्म देकर उससे एक दाता बंध (dative bond) से जुड़ जाता है।

लिगैण्ड का वर्गीकरण

लिगैण्ड को निम्नानुसार वर्गीकृत किया जाता है–

1. आवेश के आधार पर (On the basis of charge)

(i) **उदासीन लिगैण्ड (Neutral Ligand)**

$\ddot{N}H_3, H_2\ddot{O}:, :CO, \ddot{N}O$, पिरीडीन ($C_5H_5N, P_y$)

$CH_2-\ddot{N}H_2$
…(ऐथिलीनडाइऐमीन, en), आदि।
$CH_2-\ddot{N}H_2$

(ii) **ऋणावेशित लिगैण्ड (Negative ligand)**

$F^-, Cl^-, Br^-, I^-, \bar{O}H, :C^- \equiv \ddot{N}, O^{--}, O_2^{--}$,
SO_4^{--}, CO_3^{--}, आदि।

(iii) **धनावेशित लिगैण्ड (+ ve ligands)**

$\bar{N}^+, \bar{N}H_2-\overset{+}{N}H_3$, आदि।

2. दाता परमाणुओं की संख्या के आधार पर (On the basis of number of donor atoms)–

(i) **एक-दन्तुर लिगैण्ड (unidentate or monodentate ligand)–** इनमें केवल एक दाता केन्द्र (donor site) होता है और केवल एक ही एकाकी इलेक्ट्रॉन युग्म केन्द्रीय परमाणु या आयन को दान करते हैं। इस प्रकार के लिगैण्ड केन्द्रीय परमाणु से केवल एक ही बिन्दु पर बँधे होते हैं। ऐसे लिगैण्ड को **एकदन्तुर** लिगैण्ड कहते हैं। **उदाहरणार्थ,** $F^-, Cl^-, Br^-, I^-, \bar{O}H, NH_3, H_2O, CO, NO, C_5H_5N$ (पिरीडीन), आदि।

(ii) **द्विदन्तुर लिगैण्ड (Bidentate ligand)–** वे लिगैण्ड अणु जिनमें दो दाता परमाणु होते हैं तथा केन्द्रीय परमाणु के साथ दो बिन्दुओं पर बँधे होते हैं, **द्विदन्तुर लिगैण्ड** कहलाते हैं।

उदाहरण–

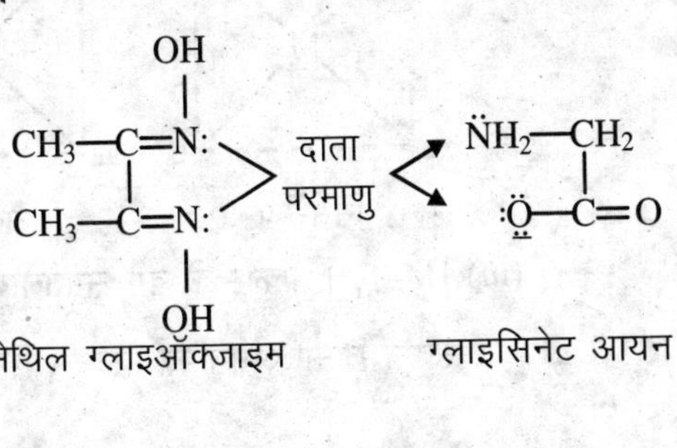

डाइमेथिल ग्लाइऑक्जाइम ग्लाइसिनेट आयन

(iii) **बहुदन्तुर लिगैण्ड (Polydentate ligand)–** वे अणु या आयन जिनमें दाता परमाणुओं की संख्या दो या दो से अधिक होती है, **बहुदन्तुर लिगैण्ड** कहलाते हैं। अतः तीन, चार, पाँच या छः दाता परमाणु रखने वाले लिगैण्ड क्रमशः त्रिदन्तुर (tridentate), चतुदन्तुर (tetradentate), पंचदन्तुर (pentadentate), षट्दन्तुर (Hexadentate) लिगैण्ड कहलाते हैं।

उदाहरण–

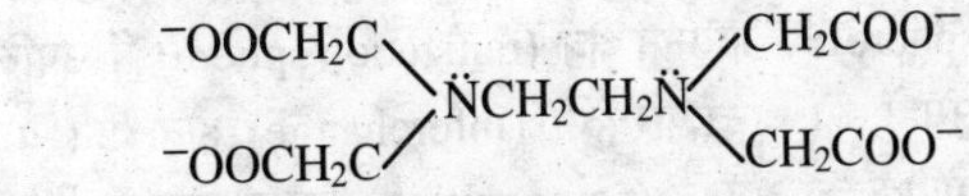

EDTA आयन षट्दन्तुर लिगैण्ड

कीलेटिंग लिगैण्ड (Chelating ligands)– द्विदन्तुर अथवा बहुदन्तुर लिगैण्ड एक ही केन्द्रीय परमाणु के साथ दो या अधिक दाता परमाणुओं द्वारा जुड़े रहते हैं; इस प्रकार एक वलय संरचना (ring structure) का संकुल बनता है। ऐसे लिगैण्ड को **कीलेटिंग लिगैण्ड** कहते हैं। परिणामी संकुल को कीलेट कहते हैं। **उदाहरण–** क्यूप्रिक आयन तथा ऐथिलीनडाइऐमीन के मध्य बना संकुल एक कीलेट (वलय संकुल, ring complex) होता है–

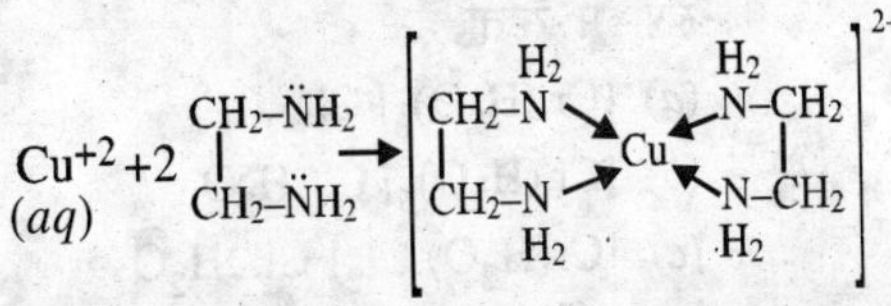

समन्वयन यौगिकों का निर्माण (Preparation of co-ordination compounds)– संकुलों का निर्माण सामान्यतया (generally) विस्थापन अभिक्रिया, रेडॉक्स अभिक्रिया और अभिकारकों के सीधे संयोग से किया जाता है।

उदाहरण– कॉपर सल्फेट के जलीय विलयन में अमोनिया का आधिक्य मिलाने पर गहरे नीले रंग का संकुल $[Cu(NH_3)_4]^{++}$ प्राप्त होता है। इस अभिक्रिया में कॉपर आयन से बंधित H_2O लिगैण्ड, NH_3 अणुओं के द्वारा विस्थापित हो जाते हैं।

$$\underset{\text{नीला विलयन}}{[Cu(H_2O)_4]SO_4} + 4NH_3 \rightarrow \underset{\text{गहरा नीला संकुल}}{[Cu(NH_3)_4]SO_4} + 4H_2O$$

धातु लवण को सीधे द्रव अमोनिया में डालकर धातु ऐमीन बनाए जा सकते हैं।

$$\underset{\text{लवण}}{NiCl_2} + \underset{\text{द्रव अमोनिया}}{6NH_3} \rightarrow \underset{\text{संकुल}}{[Ni(NH_3)_6]Cl_2}$$

$PtCl_2$ को ऐथिलीनडाइऐमीन में मिलाने पर $[Pt(en)_2]Cl_2$ बनता है।

समन्वयन संकुलों में समावयवता
(Isomerism in Co-ordination Complexes)

समान अणु सूत्रों, परन्तु भिन्न संरचना सूत्रों तथा गुणों वाले यौगिकों को समावयवी कहते हैं तथा इस घटना को समावयवता कहते हैं। अकार्बनिक समन्वयन यौगिक संरचनात्मक तथा त्रिविम (stereoisomerism) दोनों

प्रकार की समावयवताएँ प्रदर्शित करते हैं। जब केन्द्रीय परमाणु या आयन के चारों ओर लिगैण्ड अणुओं की आकाशीय व्यवस्था (spatial arrangement) में भिन्नता पाई जाती है, तो त्रिविम समावयवता उत्पन्न होती है।

A. संरचना समावयवता (Structural Isomerism)–
संरचना समावयवता निम्नवत् चार प्रकार की होती है।

1. **आयनन समावयवता (Ionization Isomerism)–** इस समावयवता का कारण समन्वयन क्षेत्र (co-ordination sphere) व आयनन क्षेत्र (ionization sphere) में उपस्थित समूहों का अन्तःपरिवर्तन (interchange) होता है। यद्यपि यौगिक का संघटन (composition) समान होता है, फिर भी वे विलयन में भिन्न-भिन्न आयन देते हैं। **उदाहरण–**
   (*a*) $[Pt(NH_3)_4Br_2]Cl_2$ तथा $[Pt(NH_3)_4Cl_2]Br_2$
   (*b*) $[Co(NH_3)_4Cl_2]NO_2$ तथा $[CO(NH_3)_4Cl(NO_2)]Cl$
   (*c*) $[Co(NH_3)_5NO_3]SO_4$ तथा $[Co(NH_3)_5SO_4]NO_3$
2. **हाइड्रेट समावयवता (Hydrate Isomerism)–** इस समावयवता का कारण समन्वयन क्षेत्र में लिगैण्ड के रूप में केन्द्रीय परमाणु से जुड़े जल के अणुओं की संख्या में अन्तर होना है। **उदाहरण–** $CrCl_3.6H_2O$ निम्नलिखित समावयवी रूपों में रहता है–
   (*a*) $[Cr(H_2O)_6]Cl_3$
   (*b*) $[Cr(H_2O)_5]Cl_2.H_2O$
   (*c*) $[Cr(H_2O)Cl_2]Cl.2H_2O$
3. **समन्वयन समावयवता (Co-ordination Isomerism)–** यह समावयवता उन समन्वयन यौगिकों में मिलती है जिनमें धनायन व ऋणायन दोनों ही समन्वयन संकुल (co-ordination complex) होते हैं। जब धनायन व ऋणायन दोनों ही संकुल आयन होते हैं तो समन्वयन क्षेत्र में लिगैण्ड अणुओं के विनिमय (interchange) के कारण समावयवता उत्पन्न होती है। **उदाहरण–** $[Co(NH_3)_6][Cr(CN)_6]$ तथा $[Cr(NH_3)_6][Co(CN)_6]$ समन्वयन समावयवी हैं। लिगैण्ड अमोनिया व सायनाइड समन्वयन क्षेत्रों में आपस में बदल गए हैं। यह समावयवता उन यौगिकों के द्वारा भी दर्शायी जाती है जिनमें धनायन व ऋणायन संकुलों में धातु समान होती है, जैसे–
   (*i*) $[Cr(NH_3)_6][Cr(CN)_6]$ तथा
   $[Cr(NH_3)_4(CN)_2][Cr(CN)_4(NH_3)_2]$
   (*ii*) $[Pt(NH_3)_4][PtCl_4]$ तथा
   $[PtCl(NH_3)_3][PtCl_3(NH_3)]$
4. **बंधन समावयवता (Linkage Isomerism)–** ऐम्बिडैन्ट (ambident) लिगैण्ड अणुओं में दो भिन्न परमाणु, दाता परमाणु (donor atom) की भाँति कार्य करते हैं। **उदाहरण–** SCN^- आयन में, सल्फर तथा नाइट्रोजन दोनों ही परमाणु केन्द्रीय धातु आयन को इलेक्ट्रॉन युग्म दान कर सकते हैं। यह समावयवता उत्पन्न करता है।
   उदाहरणार्थ, $[Co(NH_3)_5(NO_2)]Cl_2$ तथा $[Co(NH_3)_5(ONO)]Cl_2$ बंधन समावयवी है।

B. त्रिविम समावयवता (Stereoisomerism)– इन समावयवियों में समान परमाणु तथा समान परमाणु से परमाणु बंध उपस्थित होते हैं, लेकिन इनमें केन्द्रीय धातु परमाणु या आयन के परितः परमाणु या परमाणु समूहों की आकाशीय व्यवस्था में भिन्नता होती है। यह समावयवता उन संकुलों में पाई जाती है जिनमें केन्द्रीय परमाणु की समन्वयन संख्या 4 या 4 से अधिक होती है। त्रिविम समावयवतायें दो प्रकार की होती हैं–

1. **ज्यामितीय समावयवता (Geometrical Isomerism)–** वे संकुल जिनमें केन्द्रीय धातु आयन से जुड़े दो समान लिगैण्ड अणु उसके एक ही ओर (समपक्ष) होते हैं या एक दूसरे के निकट होते हैं, सिस (cis) समावयवी कहलाते हैं और वे समावयवी जिनमें दो समान लिगैण्ड अणु एक दूसरे से विपरीत दिशाओं (विपक्ष में) होते हैं, ट्रान्स (Trans-) समावयवी कहलाते हैं। समन्वयन संख्या 2 या 3 वाले संकुल, ज्यामितीय समावयवता प्रदर्शित नहीं करते हैं। समन्वय संख्या 4 तथा लिगैण्ड अणुओं की चतुष्फलकीय व्यवस्था वाले संकुल यौगिक भी ज्यामितीय समावयवता प्रदर्शित नहीं करते हैं। 'चार' समन्वयन संख्या वाले (Four co-ordinate) वर्ग समतलीय (square planar) तथा '6' समन्वयन संख्या वाले अष्टफलकीय संकुल ज्यामितीय समावयवता दर्शाते हैं। वर्ग समतलीय संकुलों में, स्थितियाँ 1, 4–, 2, 3–, 1, 2– तथा 3, 4–, एक दूसरे के सापेक्ष समपक्ष (सिस, Cis) हैं। स्थितियां 1, 3–तथा 2, 4 – एक-दूसरे के सापेक्ष विपक्ष (ट्रान्स, trans) है। अष्टफलकीय संकुलों में स्थितियाँ 1, 6–, 2, 4– तथा 3, 5– एक दूसरे के सापेक्ष विपक्ष या ट्रान्स होती हैं।
   (*i*) Ma_2b_2 प्रकार के वर्ग समतलीय संकुल सिस व ट्रान्स-रूपों में रहते हैं।

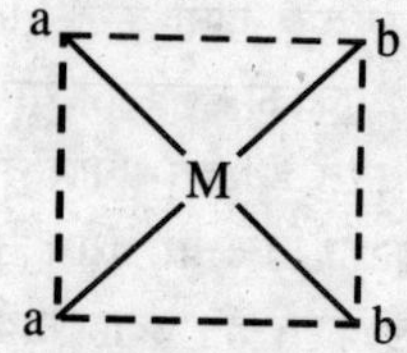

सिस रूप

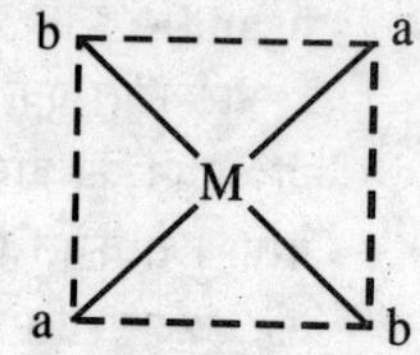

ट्रान्स रूप

   (*ii*) Ma_2bc प्रकार के वर्ग समतलीय संकुल भी सिस-ट्रान्स समावयवता प्रदर्शित करते हैं।

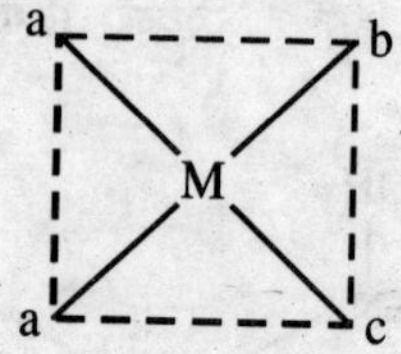

सिस-रूप

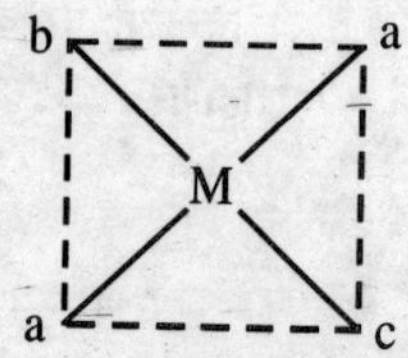

ट्रान्स-रूप

   (*iii*) $[M_{(ab)_2}]$ प्रकार के वर्ग समतलीय संकुल अर्थात् वे संकुल जिनमें असममित द्विदन्तुर लिगैण्ड उपस्थित होते

हैं, सिस-ट्रान्स समावयवता प्रदर्शित करते हैं। **उदाहरण–** बिस (ग्लाइसिनेटो) प्लेटिनम (II)

अर्थात् $[Pt(gly)_2]$

जहाँ $gly = \ddot{N}H_2 - CH_2 - COO^-$:

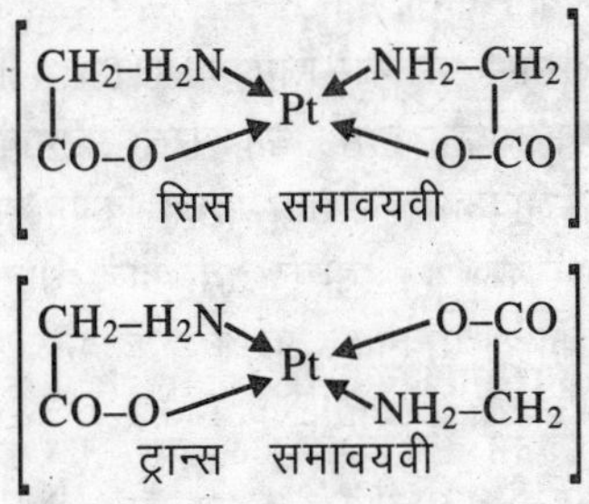

(*iv*) Ma_4, Ma_3b, Mab_3 प्रकार के संकुल ज्यामितीय समावयवता प्रदर्शित नहीं करते हैं क्योंकि लिगैण्ड अणुओं की आकाशीय स्थितियाँ किसी भी संकुल में तुल्य (equivalent) होती हैं।

(*v*) Ma_6 तथा Ma_5b प्रकार के अष्टफलकीय संकुल समावयवी रूपों में नहीं रहते हैं।

(*a*) Ma_4b_2, Ma_2b_4 या Ma_4bc प्रकार के अष्टफलकीय संकुल दो ज्यामितीय रूपों में पाए जाते हैं।

(*b*) Ma_3b_3 प्रकार के अष्टफलकीय संकुल केवल दो ज्यामितीय रूपों में रहते हैं। **उदाहरण–** $[Co(NH_3)_3Cl_3]$, $[Rh(Py)_3Cl_3]$ में सिस-समावयवी में सभी समान लिगैण्ड अणु अष्टफलक के समान फलक की स्थितियों पर उपस्थित होते हैं। इसको fac (facial से) समावयवी भी कहते हैं। इसका ट्रान्स समावयवी Mer (meridional) समावयवी कहलाता है।

(*c*) $\left[M_{(aa)_2b_2}\right]$ तथा $\left[M_{(aa)_2bc}\right]$ प्रकार के अष्टफलकीय संकुल भी सिस तथा ट्रान्स-समावयवी रूपों में रह सकते हैं।

(*c*) Mabcdef प्रकार के अष्टफलकीय संकुल 15 विभिन्न ज्यामितीय समावयवी रूपों में रहते हैं।

2. प्रकाशिक समावयवता (Optical isomerism)– इस प्रकार की समावयवता असममित अणु (chiral molecules) प्रदर्शित करते हैं। ये समावयवी एक दूसरे के अनध्यारोप्य (non-superimposable) समतल दर्पण प्रतिबिम्ब होते हैं। ये प्रकाश सक्रिय होते हैं और ध्रुवित प्रकाश के तल के बराबर परन्तु विपरीत दिशाओं में घूर्णन (rotate) करते हैं। वह समावयवी जो ध्रुवित प्रकाश के तल को बायीं ओर घुमाता है, लीवो रोटेटरी (leavo rotatory, *l*– या (–) रूप) कहलाता है जबकि दूसरा रूप जो कि ध्रुवित प्रकाश के तल को दायीं ओर घुमा देता है, डैक्स्ट्रो रोटेटरी (dextro rotatory, *d*- या (+) रूप) कहलाता है।

समन्वयन संख्या 4 व 6 के संकुल इस प्रकार की समावयवता दर्शाते हैं। अष्टफलकीय संकुल जिनमें द्विदन्तुर लिगैण्ड होते हैं, प्रकाशिक समावयवता प्रदर्शित करते हैं। **उदाहरण–** संकुल आयन $\left[Co(en)_3\right]^{3+}$ दो प्रकाश सक्रिय रूपों में रहता (exist) है।

समन्वयन यौगिकों में बंध
(Bonding in Co-ordination Compounds)

वर्नर समन्वयन सिद्धांत (Werner's co-ordinating theory)– अल्फ्रैड वर्नर (Alfred Werner) ने संकुल यौगिकों में बंध प्रकृति को समझाने के लिए 1892 में अपना सुप्रसिद्ध समन्वयन सिद्धान्त प्रस्तावित किया। इस सिद्धान्त के लिए वर्नर को 1913 में नोबल पुरस्कार से सम्मानित किया गया। संक्षेप में समन्वयन सिद्धान्त निम्नवत् हैं–

1. धातुएँ दो प्रकार की संयोजकताएँ प्रदर्शित करती हैं–
   (*i*) प्राथमिक, मुख्य या आयनित होने वाली संयोजकताएँ
   (*ii*) द्वितीयक अथवा आयनित न होने वाली संयोजकताएँ
2. (*i*) प्राथमिक संयोजकताएँ आयनित होने वाली होती हैं और केन्द्रीय धातु आयन की ऑक्सीकरण अवस्था के संगत (corresponding) होती हैं।
   (*ii*) द्वितीयक संयोजकताएँ आयनित नहीं होती हैं। ये केन्द्रीय धातु आयन की समन्वयन संख्या के संगत होती है। यह बंध संकुल आयनों में प्रदर्शित किया जाता है।
3. प्राथमिक संयोजकताएँ ऋणायनों द्वारा संतुष्ट होती है जबकि द्वितीय संयोजकताएँ उदासीन अणुओं, ऋणायनों अथवा धनायनों द्वारा संतुष्ट होती हैं। कभी-कभी ऋणायन दोनों प्रकार की संयोजकताओं को संतुष्ट करते हैं।
4. Ag^+ आयन के दो *sp* संकर कक्षक NH_3 अणु में N परमाणु के पूर्ण पूरित परमाणु कक्षक के साथ अतिव्यापन करते हैं।

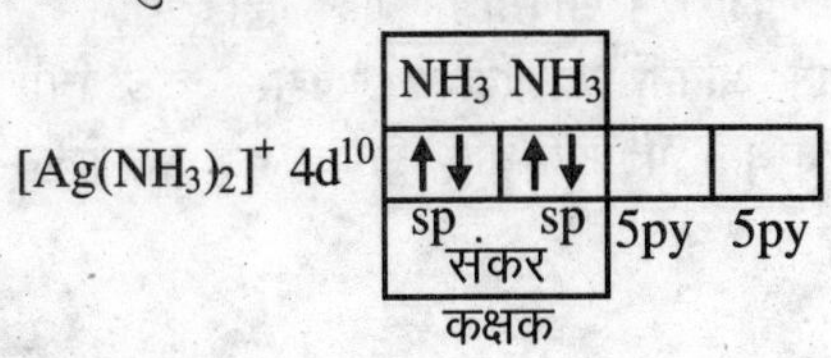

अतः इस संकुल में :

- Ag की ऑक्सीकरण अवस्था +1 है।
- सिल्वर की संकरण अवस्था *sp* है।
- संकुल की ज्यामिति रेखीय है–
- $[H_3N \rightarrow Ag \leftarrow NH_3]^+$
- बंध कोण 180° है।
- यह संकुल प्रतिचुम्बकीय (diamagnetic) है क्योंकि इसमें कोई भी अयुग्मित इलेक्ट्रॉन नहीं है।
- संकुल $[Ag(CN)_2]^-$ की ज्यामिति भी $[Ag(NH_3)_2$ जैसी है।

निकिल टेट्राकार्बोनिल $[Ni(CO)_4]$ का निर्माण

इस संकुल में Ni की ऑक्सीकरण अवस्था शून्य है अर्थात् इस संकुल के निर्माण में निकिल परमाणु $4s^2$ इलेक्ट्रॉन नहीं खोता है। कार्बन-मोनोऑक्साइड लिगैण्ड अणु $4s^2$ इलेक्ट्रॉनों को 3*d*-कक्षकों में

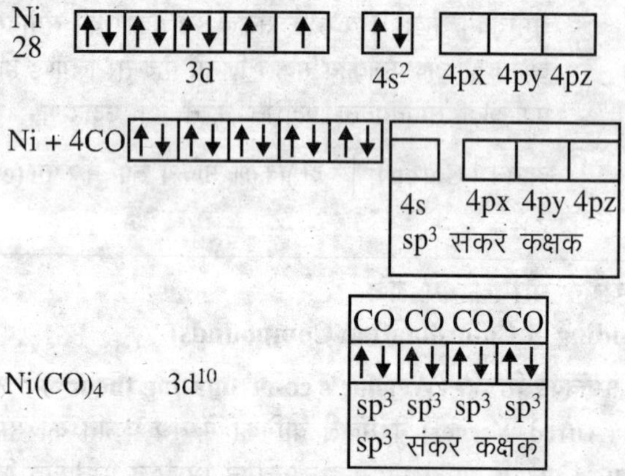

धकेल (push) देता है तथा सभी 3*d*-इलेक्ट्रॉनों का युग्मन हो जाता है। रिक्त 4*s* तथा तीन 4*p* कक्षकों का संकरण (hybridization) होता है जिसके फलस्वरूप चार sp^3 संकर कक्षक बनते हैं। इन sp^3 संकर कक्षकों में CO अणुओं द्वारा निकिल को दिए गए इलेक्ट्रॉन युग्म ग्रहण किए जाते हैं।

निकिल (28) का बाह्य इलेक्ट्रॉनिक विन्यास $3d^84s^2$ है।

- संकुल $[Ni(CO)_4]$ में निकिल की ऑ. सं. शून्य है।
- निकिल की संकरण अवस्था sp^3 है।
- निकिलटेट्राकार्बोनिल अणु की आकृति चतुष्फलकीय है।
- OC–Ni–CO बंध कोण 109° 28′ है।
- यह प्रतिचुम्बकीय संकुल है।

समन्वयन यौगिकों का महत्व
(Importance of Co-ordination Compounds)

(*i*) **जन्तु एवं वनस्पति जगत्–** हरे पौधों में उपस्थित क्लोरोफिल पोरफाइरिन इकाई में पायरोल नाभिक के साथ मैग्नीशियम का संकुल है। हीमोग्लोबिन, आयरन का एक संकुल है। यह लाल रक्त कणिकाओं में ऑक्सीजन वाहक है।

(*ii*) **धातु आयनों का रेडॉक्स व्यवहार–** कुछ लिगैण्ड अणुओं की उपस्थिति में कुछ धातु आयनों का ऑक्सीजन-अपचयन बदल जाता है। **उदाहरणार्थ,** लिगैण्ड जैसे NO_3^-, CO_3^{2-} की उपस्थिति में कोबाल्ट सरलता से +2 से +3 ऑक्सीकरण अवस्था में बदल जाता है। अधिकांश एन्जाइम जिनमें धातु आयन जैसे– Mo, Cu, Fe आदि होते हैं, बायो रसायन अभिक्रियाओं के उत्प्रेरण में इस गुण का उपयोग करते हैं।

(*iii*) **जल की कठोरता–** षट्दन्तुर लिगैण्ड EDTA, विभिन्न धातु आयनों के साथ संकुल बनाता है। यह सरल अनुमापन द्वारा जल की कठोरता के आकलन के लिए प्रयुक्त किया जाता है।

(*iv*) **धातुओं का निष्कर्षण–** सिल्वर तथा गोल्ड धातुओं का निष्कर्षण इनके अयस्कों से सायनाइड प्रक्रम में किया जाता है, जिसमें इन धातुओं के संकुल (complex) बनते हैं।

$$\underset{\text{अर्जेन्टाइट}}{Ag_2S} + \underset{0.7\%}{4NaCN_{(aq)}} \xrightarrow{\text{वायु}} \underset{\text{सोडियम अर्जेन्टोसायनाइड}}{2Na\left[Ag(CN)_2\right]_{(aq)}} + NA_2SO_{4(aq)}$$

$$2Na[Ag(CN)_2]_{(aq)} + Zn \rightarrow Na_2[Zn(CN)_4](aq) + 2Ag\downarrow$$

निकिल के शुद्धिकरण की मॉण्ड विधि में इसके संकुल निकिल टेट्राकार्बोनिल का उपयोग करते हैं।

(*v*) **धातुओं की विद्युत प्लेटिंग–** सिल्वर तथा गोल्ड के समन्वयन यौगिकों $Na[Ag(CN)_2]$ तथा $K[Au(CN)_2]$ का उपयोग धातुओं के विद्युत लेपन में किया जाता है। ये संकुल धातु आयन को कैथोड पर अपचयन के लिए नियंत्रित रूप में मुक्त करते हैं।

(*vi*) **उत्प्रेरकों के रूप में–** ऑलिफिनों के बहुलकीकरण में प्रयुक्त जीगलर-नाटा उत्प्रेरक (Zeigler-Natta Catalyst), $TiCl_4$ तथा R_3Al का समन्वयन संकुल होता है। विलकिन्सन उत्प्रेरक $(Ph_3P)_3RhCl$ को ऐल्कीनो के हाइड्रोजनीकरण में प्रयोग में लाते हैं।

(*vii*) **रसायनी उपचार में (In chemotherapy)–** सायनोकोबालमिन (विटामिन B_{12}), कोबाल्ट का समन्वयन संकुल होता है तथा रक्त-अल्पता (anaemia) के उपचार में उपयोगी है। प्लेटिनम संकुल सिस–$[pt(NH_3)_2Cl_2]$ को सिस-प्लेटिन कहते हैं तथा इसे कैन्सर के उपचार में प्रयुक्त करते हैं।

वस्तुनिष्ठ प्रश्न

1. वे अष्टफलकीय संकुल जो प्रकाशिक समावयवता दर्शाते हैं उनमें होते हैं–
(*a*) दो विपक्ष (trans) द्विदन्तुर लिगैण्ड
(*b*) सभी एकदन्तुर लिगैण्ड
(*c*) दो विपक्ष एकदन्तुर लिगैण्ड
(*d*) सभी द्विदन्तुर लिगैण्ड

2. ट्राइऑक्जालेटो संकुल प्रदर्शित करता है–
(*a*) प्रकाशिक समावयवता
(*b*) आयनीकरण समावयवता
(*c*) ज्यामितीय समावयवता
(*d*) लिंकेज समावयता

3. चतुष्फलकीय संकुलों में केन्द्रीय परमाणु का निम्न संकरण होता है–
(*a*) sp^2d (*b*) sp^3
(*c*) d^2sp^3 (*d*) sp^3d

4. संकुल $[Pt(NH_3)_2Cl_2]$ की ज्यामिति तथा चुम्बकीय गुण है–
(*a*) वर्ग समतलीय और प्रतिचुम्बकीय
(*b*) चतुष्फलकीय और प्रतिचुम्बकीय
(*c*) अष्टफलकीय और प्रतिचुम्बकीय
(*d*) वर्ग समतलीय और अनुचुम्बकीय

5. जीगलर विधि द्वारा पॉलिथीन के औद्योगिक उत्पादन में प्रयुक्त उत्प्रेरक है–

(*a*) टाइटेनियम टेट्राक्लोराइड और ट्राइफेनिलऐल्यूमिनियम
(*b*) टाइटेनियम टेट्राक्लोराइड और ट्राइमेथिलऐल्यूमिनियम
(*c*) टाइटेनियम डाइऑक्साइड
(*d*) टाइटेनियम आसो-प्रोपॉक्साइड

6. संकर आयन $\left[Co(NO_2)_6\right]^{3-}$ में कोबाल्ट की ऑक्सीजन अवस्था है–
(*a*) +2 (*b*) +3
(*c*) +1 (*d*) +2 और +3

7. निम्न में से कौन-सा द्विक लवण है?
(*a*) ग्लॉबर लवण (*b*) फिशर लवण
(*c*) रॉशल लवण (*d*) इनमें से कोई नहीं

8. $\left[Pt(NH_3)_4 Br_2\right]Cl_2$ का IUPAC नाम है–
(*a*) डाइक्लोरोडाइब्रोमोटेट्राऐमीनप्लेटिनम (IV)
(*b*) डाइक्लोरोटेट्राऐमीनप्लेटिनम (IV) ब्रोमाइड
(*c*) टेट्राऐमीनडाइब्रोमोप्लेटिनम (IV) क्लोराइड
(*d*) डाइक्लोराइडब्रोमो टेट्राऐमीन प्लेटिनम (VI) क्लोराइड

9. समन्वयन सिद्धान्त सर्वप्रथम किसके द्वारा प्रतिपादित किया गया था?
(*a*) कौसल और लुइस (*b*) लाइनस पॉलिंग
(*c*) वान्ट हॉफ (*d*) अल्फ्रेड वर्नर

10. निम्नलिखित संकरण से निम्न चक्रण (low spin) संकुल बनता है–
(*a*) sp^3d^2 (*b*) sp^3d
(*c*) d^2sp^3 (*d*) sp^3

11. संकुल $[Pt(NH_3)_4Cl_2]Br_2$ के विषय में असत्य कथन है–
(*a*) प्लेटिनम की ऑक्सीकरण अवस्था +2 है
(*b*) प्लेटिनम की समन्वयन संख्या 8 है
(*c*) यह ब्रोमाइड व क्लोराइड दोनों का परीक्षण देता है
(*d*) सभी असत्य हैं

12. निम्न में से कौन-सा उच्च चक्रण (High spin) संकुल है?
(*a*) $[Co(NH_3)_6]^{3+}$ (*b*) $[Fe(CN)_6]^{4-}$
(*c*) $[Ni(CN)_4]^{2-}$ (*d*) $[FeF_6]^{3-}$

13. गोल्ड-प्लेटिंग के लिये प्रयुक्त विद्युत अपघट्य है–
(*a*) $AuCl_3$ (*b*) $K[Au(CN)_2]$
(*c*) $HAuCl_4$ (*d*) इनमें से कोई नहीं

14. ट्राइमेथिल ऐल्यूमिनियम निम्न रूप में रहता है–
(*a*) द्वितयाणु (dimer) (*b*) एकलक (monomer)
(*c*) बहुलक (*d*) इनमें से कोई नहीं

15. निम्न में से किस संकर लवण के एक मोल को सिल्वर नाइट्रेट के आधिक्य के साथ अभिकृत करने पर सिल्वर क्लोराइड के तीन मोल प्राप्त होते हैं–
(*a*) $[Cr(H_2O)_6]Cl_3$ (*b*) $[Cr(H_2O)_3Cl_3]$
(*c*) $[Cr(H_2O)_4Cl_2]Cl$ (*d*) $[Cr(H_2O)_5Cl]Cl_2$

16. संकुल निर्माण का पता लगाने के लिए चालकता मापन अधिक उपयोगी होता है यदि
(*a*) संकुल पर कोई आवेश नहीं होता
(*b*) संकुल विलयन में आयन देता है
(*c*) संकुल उदासीन है
(*d*) संकुल में उदासीन लिगैण्ड उपस्थित हैं

17. EDTA के द्वारा संकुल के निर्माण में–
(*a*) $[H^+]$ बढ़ जाता है (*b*) $[H^+]$ कम हो जाता है
(*c*) pH बढ़ जाती है (*d*) कुछ नहीं होता है

18. द्वितीयक संयोजकताओं का आकाश (space) में उचित अभिविन्यास (orientation) होता है। यह समन्वयन संकुल को देता है–
(*a*) निश्चित ज्यामिति (*b*) वर्ग समतलीय आकृति
(*c*) ध्रुवीय प्रकृति (*d*) चतुष्फलकीय प्रकृति

19. समन्वयन संकुलों का निर्माण किया जाता है–
(*a*) सीधे संयोग से
(*b*) विस्थापन अभिक्रियाओं द्वारा
(*c*) ऑक्सीजन-अपचयन द्वारा
(*d*) इन सभी के द्वारा

20. लिंकेज समावयवी का उदाहरण है–
(*a*) $[Co(NH_3)_5Br]C_2O_4$ और $[Co(NH_3)_5C_2O_4]Br$
(*b*) $[Mn(CO)_5SCN]$ और $[Mn(CO)_5NCS]$
(*c*) $[Cr(NH_3)_5ONO]Cl_2$ और $[Cr(NH_3)_5NO_2]Cl_2$
(*d*) उपरोक्त सभी

उत्तरमाला

1	2	3	4	5	6	7	8	9	10
(*d*)	(*a*)	(*b*)	(*a*)	(*b*)	(*b*)	(*d*)	(*c*)	(*d*)	(*c*)
11	**12**	**13**	**14**	**15**	**16**	**17**	**18**	**19**	**20**
(*d*)	(*d*)	(*b*)	(*a*)	(*a*)	(*b*)	(*a*)	(*a*)	(*d*)	(*b*)

अध्याय

16

वर्गीकरण, नामकरण तथा समावयवता

(Classification, Nomenclature and Isomerism)

कार्बनिक यौगिकों का वर्गीकरण

- कार्बन बहुत बड़ी संख्या में यौगिक बनाता है। अतः उनके अध्ययन के लिए वर्गीकरण की एक सरल पद्धति की आवश्यकता है।
- कार्बन यौगिकों को निम्नलिखित तीन वर्गों में विभाजित किया जाता है।

1. ऐलिफैटिक
2. कार्बोसाइक्लिक
3. विषमचक्रीय

1. **ऐलिफैटिक यौगिक** – इस वर्ग में विवृत शृंखला वाले यौगिक आते हैं जिनमें कार्बन परमाणु परस्पर सीधी शृंखला में जुड़े रहते हैं। ऐलिफैटिक यौगिकों के कुछ उदाहरण निम्नलिखित हैं :

$CH_3 - CH_2 - CH_2 - CH_3$ $CH_3CH_2CH_2CH_2OH$
N–ब्यूटेन 1-ब्यूटेनॉल

$CH_3 - CH_2 - CH_2 - CH_2 - CHO$ CH_3CH_2COOH
पेन्टेनैल प्रोपेनोइक अम्ल

जिन ऐलिफैटिक यौगिकों में कार्बन परमाणु परस्पर एक आबन्ध द्वारा जुड़े होते हैं वे संतृप्त यौगिक कहलाते हैं। जैसा कि ऊपर दिखाया गया है। जिन ऐलिफैटिक यौगिकों में एक अथवा अधिक कार्बन परमाणु बहु-आबन्ध अर्थात् द्वि-आबंध अथवा त्रि-आबंध बनाते हैं वे असंतृप्त यौगिक कहलाते हैं। इस प्रकार के यौगिकों के उदाहरण नीचे दिए गए हैं :

$CH_3 - CH_2 - CH_2 = CH_2$ $CH_3–CH = CH - CH_2OH$
1–ब्यूटीन 2–ब्यूटीनॉल

CH3 – CH – C = CH
1 – ब्यूटाइन

2. **कार्बोसाइक्लिक यौगिक :** जैसा कि हम जानते हैं कि सभी कार्बनिक यौगिकों में कार्बन परमाणुओं की ऋजु शृंखला नहीं होती है बल्कि कुछ चक्रीय भी होते हैं। अतः वे यौगिक जिनमें कार्बन परमाणुओं के संवृत वलय होते हैं कार्बोसाइक्लिक यौगिक कहलाते हैं। कार्बोसाइक्लिक यौगिकों को दो वर्गों में उप-विभाजित किया जाता है।

(i) **ऐलिसाइक्लिक यौगिक :** जिन संवृत वाले कार्बोसाइक्लिक यौगिकों के गुणधर्म ऐलिफैटिक हाइड्रोकार्बनों के समान होते हैं उन्हें ऐलिसाइक्लिक यौगिक कहते हैं। इनमें संतृप्त और असंतृप्त ऐलिफैटिक यौगिक भी सम्मिलित हैं।

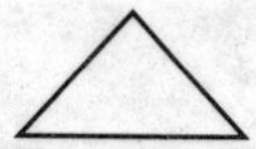
साइक्लोप्रोपेन

साइक्लोब्यूटेन

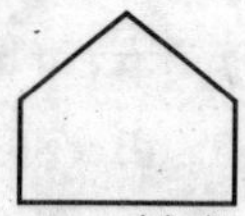
साइक्लोपेन्टेन

साइक्लोहेक्सेन

साइक्लोहेक्सीन

(ii) **ऐरोमैटिक यौगिक :** वे यौगिक जिनमें कार्बन परमाणुओं के संवृत वलयों में बहु-आबंध होते हैं लेकिन जो गुणधर्मों में असंतृप्त कार्बोसाइक्लिक यौगिकों की भांति व्यवहार नहीं करते हैं ऐरोमैटिक यौगिक कहलाते हैं। उनकी लाक्षणिक 'ऐरोमा' अथवा गंध होती है। इन यौगिकों के उदाहरण नीचे दिए गए हैं:

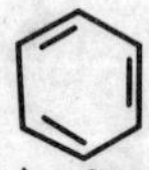
बेन्जीन

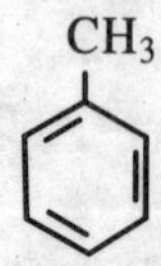

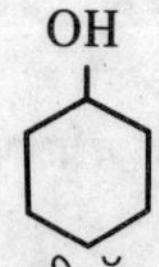

फीनॉल

बेन्जोइक अम्ल

3. **विषमचक्रीय यौगिक :** यह उल्लेखनीय है कि संवृत वलयों में सदैव केवल कार्बन परमाणु ही नहीं होते बल्कि N, S, O आदि अन्य परमाणु भी होते हैं। ये विषम, परमाणु कहलाते हैं। अतः वे यौगिक जिनके कम से कम एक वलय में कार्बन के अतिरिक्त एक अथवा अधिक अन्य परमाणु पाये जाते हैं। विषमचक्रीय यौगिक कहलाते हैं। इस वर्ग के प्रमुख उदाहरण निम्नलिखित हैं:

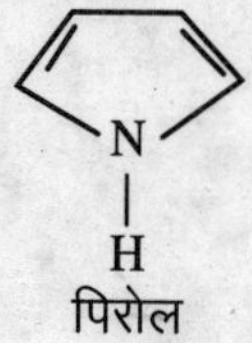

पिरोल

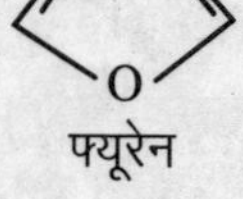

फ्यूरेन

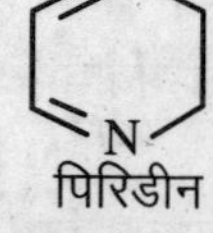

पिरिडीन

कार्बनिक यौगिकों का वर्गीकरण

- ऐलिफैटिक
  उदाहरण : *n*-ब्यूटेन
  1-ब्यूटेनॉल
  1-ब्यूटीन
- कार्बोसाइक्लिक
  - ऐलिसाइक्लिक
    उदाहरण : साइक्लोपेन्टेन
    साइक्लोहेक्सेन
    साइक्लोहेक्सीन
  - ऐरोमैटिक
    उदाहरण : बेन्जीन
    टॉलूईन
    फीनॉल
- विषमचक्रीय
  उदाहरण : पिरोल
  फ्यूरेन
  पिरिडीन

अभिक्रियाओं के प्रकार

कार्बनिक यौगिकों का विशिष्ट लक्षण उनका अध्रुवी और साथ ही अनायनी होना है। इसके अतिरिक्त कार्बनिक यौगिकों में परमाणु परस्पर सहसंयोजी आबंध द्वारा जुड़े होते हैं।

सहसंयोजी आबंध का निर्माण इलेक्ट्रॉनों के एक युग्म के सहभाजन से होता है। अतः सहसंयोजी आबंध का विखंडन हो सकता है। यह विखंडन दो प्रकार का होता है– समांश विखंडन और विषमांश विखंडन। **समांश विखंडन** में मुक्त मूलक उत्पन्न होते हैं। **विषमांश विखंडन** में आवेशित स्पीशीज उत्पन्न होती हैं। जिन्हें कार्ब-धनायन और कार्ब-ऋणायन कहते हैं। कार्ब-धनायन में धन आवेश और कार्ब-ऋणायन में ऋणआवेश होता है। आप जानते हैं कि जब कोई रासायनिक अभिक्रिया सम्पन्न होती है तो एक यौगिक दूसरे यौगिक में परिवर्तित हो जाता है। इस परिवर्तन में कुछ आबंध टूटते हैं और कुछ नये आबंध बनते हैं।

यह परिवर्तन एक से अधिक प्रकार से हो सकता है लेकिन सभी में इलेक्ट्रॉनों की भागीदारी आवश्यक है। अभिक्रिया निम्नलिखित विभिन्न प्रकार से संपन्न हो सकती है :

(*i*) प्रतिस्थापन
(*ii*) विलोपन
(*iii*) $>C=C<$ आबंध पर संकलन
(*iv*) आण्विक पुनर्विन्यास

अभिक्रियाओं के विभिन्न प्रकार उनकी क्रियाविधियों को समझने में सहायक होते हैं।

किसी अभिक्रिया की क्रिया विधि का अर्थ है उन चरणों की जानकारी प्राप्त करना जिनमें अभिकारकों के अणु उत्पादों में परिवर्तित हो जाते हैं।

सहसंयोजी आबंध का विभंजन

रासायनिक अभिक्रियाओं में एक अथवा अधिक रासायनिक आबंधों का विभंजन होता है और नये आबंध का निर्माण होता है। सहसंयोजी आबंध का विभंजन आबंध-विखंडन कहलाता है।

हम जानते हैं कि दो परमाणुओं से प्राप्त दो इलेक्ट्रॉनों के सहभाजन से सहसंयोजी आबंध बनता है।

आबंध-विभंजन अथवा आबंध-विखंडन के समय दो आबंधी परमाणुओं द्वारा दो इलेक्ट्रॉनों की समान अथवा असमान सहभाजन हो सकता है। अतः किसी अणु में सहसंयोजी आबंध का निम्नलिखित दो प्रकार से आबंध-विखंडन हो सकता है :

(क) A और B दो परमाणुओं में से प्रत्येक द्वारा एक इलैक्ट्रॉन प्राप्त करने से दो उदासीन स्पीशीज प्राप्त होते हैं।

$$A:B \longrightarrow A. + B.$$

जब सहसंयोजी आबंध के विखंडन में आबंधी इलेक्ट्रॉनों का समान सहभाजन होता है तो उसे समांश विखंडन कहते हैं।

(ख) अब नीचे C – C आबंध विखंडन पर विचार करें :

$$H_3C-CH_3 \longrightarrow .CH_3 + .CH_3$$

इस प्रक्रम में इलेक्ट्रॉन कार्बन परमाणु पर है। इस प्रकार बनी उदासीन स्पीशीज को मुक्त मूलक कहते हैं।

मुक्त मूलक उदासीन स्पीशीज होती हैं जिनमें अयुग्मित इलेक्ट्रॉन परमाणु पर होता है।

स्वतंत्र मूलक अल्पजीवी और अत्यधिक अभिक्रियाशील स्पीशीज होती हैं। उनके कुछ उदाहरण नीचे दिए गए हैं :

$.CH_3$, $.C_2H_5$ और $CH_3-\underset{\displaystyle CH_3}{\underset{|}{CH.}}$

(ग) इस प्रक्रम में दोनों आबंधी इलेक्ट्रॉनों को A अथवा B दो परमाणुओं में से कोई एक प्राप्त करता है :

$$A:B — A^- + B^+$$

$$A:B — A^+ + B^-$$

इस प्रकार के आबंध विखंडन से आयन बनते हैं और उसे विषमांश विखंडन कहते हैं।

आबंधी जब सहसंयोजी आबंध के विखंडन में इलेक्ट्रॉनों का असमान सहभाजन होता है तो उसे विषमांश विखंडन कहते हैं। जब उत्पन्न आयन के कार्बन परमाणु पर धन आवेश होता है तो वह उसे कार्बोनियम आयन अथवा कार्ब-धनायन कहते हैं।

$CH_3\overset{+}{C}H_2$
एथिल कार्बोनियम आयन

$CH_3-\underset{\displaystyle CH_3}{\underset{|}{\overset{+}{C}H_2}}$
आइसोप्रोपिल कार्बोनियम आयन

दूसरी ओर वह आयन जिसके कार्बन परमाणु पर ऋण आवेश होता है उसे कार्ब-ऋणायन कहते हैं।

$CH_3-\overset{-}{C}H_2$
एथिल कार्ब-ऋणायन

$\overset{-}{C}H_3$
मेथिल कार्ब-ऋणायन

इलेक्ट्रॉनस्नेही एवं नाभिकस्नेही

यह अभिकर्मक कभी-कभी आयन (धनायन अथवा ऋणायन) भी हो सकता है। धन आवेशित अभिकर्मक को इलेक्ट्रॉनस्नेही और ऋण आवेशित अभिकर्मक को नाभिकस्नेही कहते हैं।

इलेक्ट्रॉनस्नेही : इलेक्ट्रॉनस्नेही धन आवेशित स्पीशीज होता है तथा इलेक्ट्रॉन अन्वेषी होता है। यह उच्च इलेक्ट्रॉन घनत्व वाली स्थिति पर आक्रमण करता है। इसके उदाहरण H^+, NO_2^+, Br^+, Cl^+, Ag^+, आदि हैं।

नाभिकस्नेही : नाभिकस्नेही ऋण आवेशित स्पीशीज होता है जो नाभिक-अन्वेषी है। यह निम्न इलेक्ट्रॉन घनत्व वाली स्थिति पर आक्रमण करता है। इसके उदाहरण KOH, NH_2, CN, आदि हैं।

कुछ अभिकर्मक ऐसे हैं जिनमें एकाकी युग्म होते हैं उन्हें भी नाभिकस्नेही कहते हैं। इसके उदाहरण H_2O, NH_3 आदि हैं।

प्रतिस्थापन अभिक्रियायें

प्रतिस्थापन अभिक्रिया में किसी अणु का एक परमाणु अथवा समूह दूसरे परमाणु अथवा समूह द्वारा विस्थापित होता है। अभिक्रिया संश्लेषित कार्बनिक रसायनज्ञ के लिए बहुत महत्वपूर्ण है जो इसका उपयोग अनेक प्रकार के नाभिकस्नेही पदार्थों के साथ ऐल्किन हैलाइडों की अभिक्रियाओं में करते हैं जैसा कि नीचे दिखाया गया है।

इस अभिक्रिया में ऐलिफैटिक ऐल्किन हैलाइड हेलोजन(X) नाभिकस्नेही द्वारा विस्थापित कर दिया जाता है। विस्थापित होने वाले समूह को प्रस्थानक समूह और आक्रमणकारी समूह कहते हैं।

प्रतिस्थापन अभिक्रियाओं के कुछ उदाहरण इस प्रकार हैं:

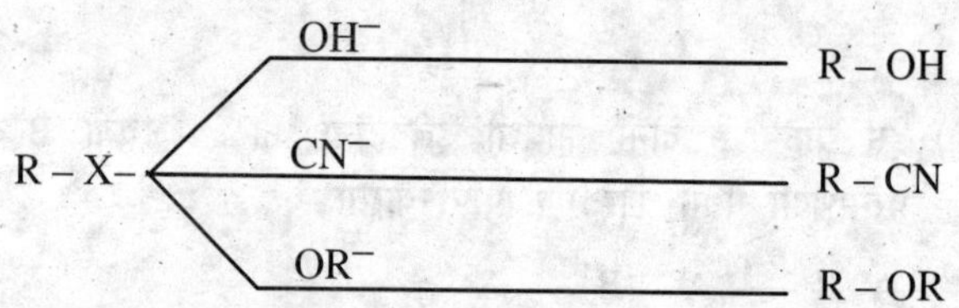

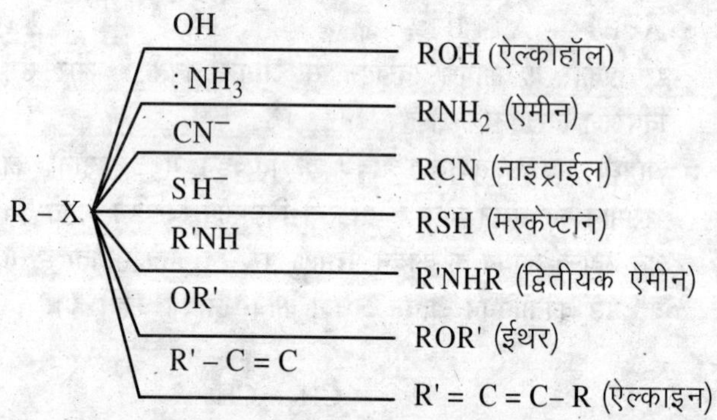

इलेक्ट्रानस्नेही ऐरोमैटिक प्रतिस्थापन

ऐलिफैटिक कार्बन परमाणु से जुड़ा परमाणु अथवा समूह नाभिकस्नेही द्वारा प्रतिस्थापित किया जा सकता है। इस प्रकार की अभिक्रिया नाभिकस्नेही प्रतिस्थापन द्वारा (SN^2 अथवा SN^1 मार्ग से) हो सकती है। एक अन्य प्रकार की प्रतिस्थापन अभिक्रिया भी है जो ऐरोमैटिक हाइड्रोकार्बन पर होती है। इसमें एक इलेक्ट्रॉनस्नेही अभिकर्मक ऐरोमैटिक वलय पर आक्रमण करता है क्योंकि वह इलेक्ट्रॉन समृद्ध होता है। इसमें प्रस्थानक समूह सदैव वलय का कोई हाइड्रोजन परमाणु होता है। हैलोजनीकरण और नाइट्रीकरण, ऐरोमैटिक प्रतिस्थापन की दो प्रमुख अभिक्रियाएं हैं।

हैलोजनीकरण : फैरिक हैलाइड उत्प्रेरक की उपस्थिति में बेन्जीन की क्लोरीन अथवा ब्रोमीन के साथ अभिक्रिया करने से क्लोरोबेन्जीन अथवा ब्रोमोबेन्जीन बनता है।

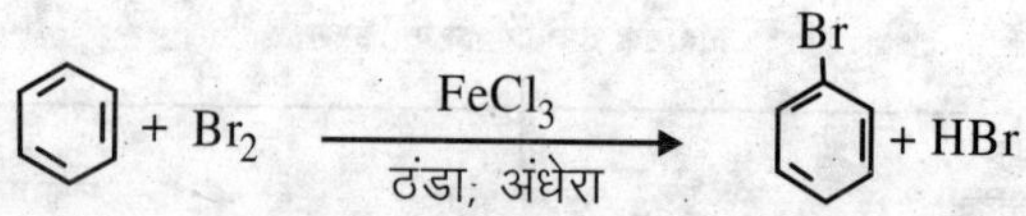

$FeCl_3$ जैसे उत्प्रेरक की अनुपस्थिति में यह अभिक्रिया नहीं होती है। जिसे सुईस अम्ल भी कहते हैं। हैलोजनीकृत हाइड्रोकार्बनों को बनाने की यह सामान्य अभिक्रिया है।

नाइट्रीकरण : नाइट्रोबेन्जीन को भी क्लोरोबेन्जीन और ब्रोमोबेन्जीन की भांति ही बनाया जा सकता है। जब नाइट्रिक अम्ल कम जल सांद्रता के साथ सल्फ्यूरिक अम्ल में आयनीकृत होता है तो नाइट्रोनियम आयन बनता है।

$$HNO_3 + H_2SO_4 \longrightarrow NO_2^+ + HSO_4^- + H_2O$$

यह इलेक्ट्रॉनस्नेही नाइट्रोनियम आयन स्पीशीज ऐरोमैटिक यौगिकों के नाइट्रोकरण के लिए महत्वपूर्ण है। इस प्रकार सान्द्र नाइट्रिक अम्ल और सल्फ्यूरिक अम्ल (1 : 2 अनुपात में) बेन्जीन के साथ क्रिया कर नाइट्रोबेन्जीन बनाता है। सल्फ्यूरिक अम्ल की अनुपस्थिति में अभिक्रिया धीमी गति से होती है।

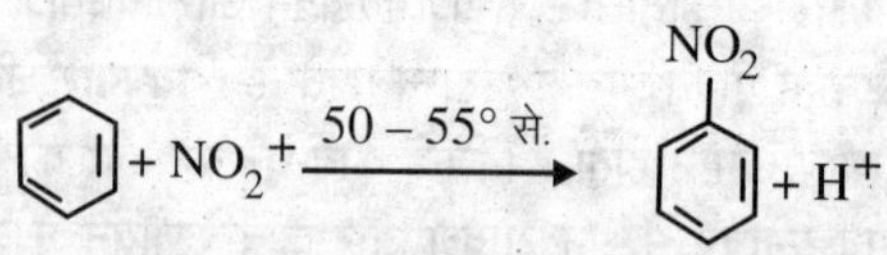

अभिक्रिया का तापमान 50 – 55° से. के बीच रखा जाता है। इससे अधिक ताप पर डाइनाइट्रोबेन्जीन बनता है। ऐरोमैटिक यौगिकों में प्रतिस्थापन अभिक्रिया इस प्रकार होती है:

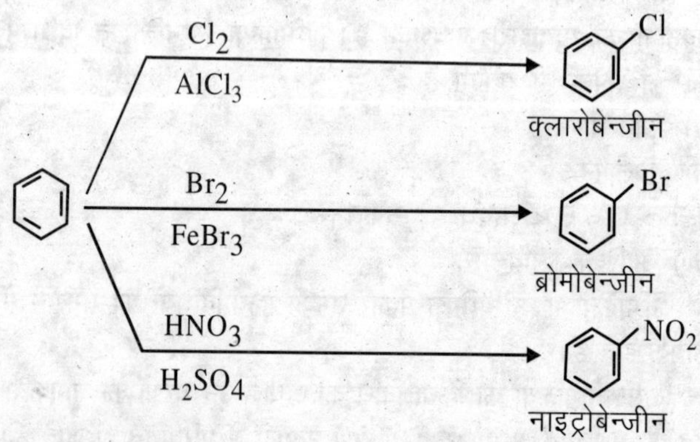

संकलन अभिक्रिया

ऐल्केन संतृप्त यौगिक हैं और रसायनतः अक्रिय होते हैं। दूसरी ओर ऐल्कीन अनेक अभिकर्मकों के प्रति अभिक्रियाशील होते हैं और प्राप्त उत्पाद संतृप्त यौगिक होते हैं। ऐल्कीन के >C=C< समूह में दो प्रकार के आबंध होते हैं। दो कार्बन परमाणुओं के बीच द्वि-आबंध एक σ (सिग्मा) आबंध और एक π (पाई) आबंध है। π (पाई) आबंध σ (सिग्मा) आबंध से कमजोर होता है और इस प्रकार ऐल्कीनों की अनेक रासायनिक अभिक्रियाओं में भाग लेता है। आप जानते हैं कि ब्रोमीन विलयन को असंतृप्त यौगिक में मिलाने पर उसका रंग लुप्त हो जाता है। यह निम्नलिखित अभिक्रिया के कारण होता है:

$$CH_2 = CH_2 + Br_2 \rightarrow \underset{Br}{\underset{|}{CH_2}} - \underset{Br}{\underset{|}{CH_2}}$$

(भूरा) (रंगहीन)

इस अभिकर्मक के अतिरिक्त हाइड्रोजन, हैलोजन अम्ल और क्लोरीन भी >C=C< द्वि-आबंध के साथ इसी प्रकार जुड़ते हैं।

> C = O पर नाभिकस्नेही संकलन

ऐल्डिहाइडों और कीटोनों का लाक्षणिक अभिलक्षकीय समूह में कार्बन और ऑक्सीजन के बीच असंतृप्त बंध होता है जिसे कार्बोनिल समूह कहते हैं। कार्बोनिल समूह की असंतृप्त प्रकृति से आप सोचेंगे कि ऐल्केन के समान ही संकलन अभिक्रियाएं करेगा लेकिन असमान परमाणु के कारण ऐसी संकलन अभिक्रियाओं के परिणाम भिन्न होंगे। कार्बोनिक समूह की ध्रुवीय प्रकृति के कारण नाभिकस्नेही अभिकर्मक कार्बन अणु पर आक्रमण करेगा। ऐल्डिहाइडों और कीटोनों की संकलन अभिक्रियाओं को संक्षेप में इस प्रकार प्रदर्शित किया जा सकता है।

$$> C = O + H^+ Y^- \longrightarrow \; >C\begin{matrix} OH \\ Y \end{matrix}$$

HY के सामान्य उदाहरण नीचे दिए गए हैं :

H – CN हाइड्रोजन सायनाइड

H – NHOH हाइड्रोक्सिल एमीन

हाइड्रोजन सायनाइड कार्बोनिक समूह से जुड़ कर सायनोहाइड्रिन बनाता है।

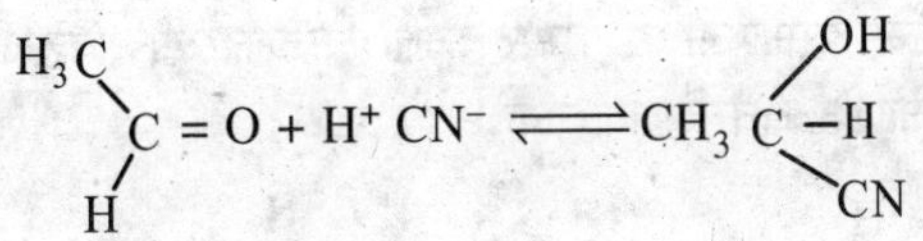

विलोपन अभिक्रिया

आप जानते हैं कि किसी ऐल्कीन के साथ अभिकर्मक के संकलन से संतृप्त यौगिक बनता है। इसकी उत्क्रमण अभिक्रिया में किसी संतृप्त यौगिक से ऐल्कीन भी बनाया जा सकता है। इस अभिक्रिया को विलोपन अभिक्रिया कहते हैं। विलोपन अभिक्रिया में संलग्न कार्बन परमाणुओं से एक छोटा अणु अलग हो जाता है और द्वि-आबंध बन जाता है। उदाहरण के लिए जब ऐल्कोहॉल को उत्प्रेरक के रूप में प्रयुक्त सांद्र अम्ल के साथ 130°C पर गर्म किया जाता है तो जल का एक अणु अलग हो जाता है और द्वि-आबंध बन जाता है।

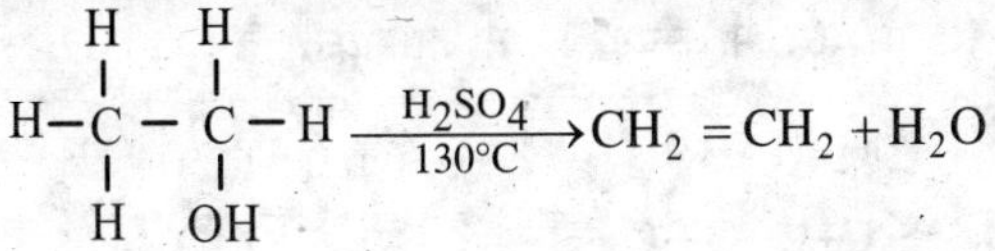

पुनर्विन्यास

पुनर्विन्यास के अंतर्गत अणु के हाइड्रोकार्बन ढांचे में मूलभूत परिवर्तन होता है। इस अभिक्रिया में एक परमाणु अथवा समूह एक स्थिति से दूसरी स्थिति की ओर गमन कर जाता है। उदाहरण के लिए लूईस अम्ल ($AlCl_3$) की उपस्थिति में 1-क्लोरोब्यूटेन का 2-क्लोरोब्यूटेन में पुनर्विन्यास हो जाता है।

$$CH_3 - CH_2 - CH_2 - CH_2Cl \xrightarrow{AlCl_3} CH_3 - CH_2 - \underset{Cl}{\underset{|}{\overset{CH}{}}} - CH_3$$

अभिलक्षकीय समूह : परिभाषा और प्रकार

कार्बन परमाणु की विशेषता है कि वह दूसरे कार्बन परमाणुओं और अन्य तत्वों के साथ सहसंयोजी बंध बनाता है। इस विशेष गुण के कारण ही असंख्य प्रकार के कार्बनिक यौगिक पाए जाते हैं। इन असंख्य प्रकार के कार्बनिक यौगिकों का सरलतापूर्वक अध्ययन करने के लिए उन्हें ऐसे समूहों अथवा वर्गों में विभाजित किया जाता है जिनकी संरचना में समानता होती है। ऐसा करने के लिए कार्बन शृंखला में एक अभिलक्षकीय समूह प्रविष्ट किया जाता है।

अभिलक्षकीय समूह

किसी हाइड्रोकार्बन के एक अथवा अधिक हाइड्रोजन परमाणुओं को अन्य परमाणुओं अथवा परमाणुओं के समूहों से प्रतिस्थापित कर सकते हैं। इसके परिणामस्वरूप बनने वाला यौगिक अक्रिय हाइड्रोकार्बन से अधिक अभिक्रियाशील होता है। परमाणुओं के इस विशिष्ट समूह जो अणु के गुणधर्मों के लिए उत्तरदायी होता है अभिलक्षकीय समूह कहलाता है। इस प्रकार हाइड्रोक्सिल समूह, जिसे – OH सूत्र द्वारा प्रदर्शित किया जाता है, कार्बनिक यौगिकों के उस वर्ग का अभिलक्षकीय समूह है जिन्हें ऐल्कोहॉल कहते हैं। एक अभिलक्षकीय समूह वाले सभी कार्बनिक यौगिकों की अनेक अभिक्रियाओं का एक साथ अध्ययन करना उपयोगी रहता है। तालिका–1 में कार्बनिक यौगिकों में उपस्थित कुछ अभिलक्षकीय समूह की सूची दी गई है। साथ ही उन यौगिकों के वर्गों के नाम भी दिए गए हैं जो उनसे प्राप्त होते हैं।

तालिका 1: सामान्य अभिलक्षकीय समूह

अभिलक्षकीय समूह		यौगिकों के वर्ग	
सूत्र	नाम	नाम	उदाहरण
–OH	हाइड्रोक्सिल	ऐल्कोहॉल	एथेनॉल
O ‖ –CH – OH	कार्बोक्सिल	अम्ल	ऐसीटिक अम्ल
> C = 0	कार्बोनिल	ऐल्डिहाइड और	कीटोन
	ऐसीटैल्डिहाइड	ऐसीटोन	
$-NH_2$	ऐमीनो	ऐमाइन	ऐथेनैमाइन
$-NO_2$	नाइट्रो	नाइट्रो यौगिक	नाइट्रोबेन्जीन
– CN	सायनो अथवा	सायनाइड अथवा	एथेननाइट्राइल
	नाइट्राइल	नाइट्राइल्स	
O ‖ – C – NH_2	ऐमाइड	ऐमाइड	बैन्जेनाइड
– O–	ईथर	ईथर	डाइएथिल ईथर
– SH	थाइओल	थाइओल	एथेनथाइओल

एक अभिलक्षकीय कार्बनिक यौगिकों की आई.यू.पी.ए.सी. नामपद्धति

जैसा कि पहले उल्लेख किया जा चुका है कि बहुत अधिक संख्या में कार्बनिक यौगिक ज्ञात है अतः संप्रेषण के लिए प्रत्येक कार्बनिक यौगिक का नाम देना आवश्यक है। प्रत्येक कार्बनिक यौगिक का नाम याद रखना संभव नहीं है। अतः प्रत्येक यौगिक का वर्गीकृत नाम देने की पद्धति अपनाई गयी जिसे आइ.यू.पी.ए.सी. नामपद्धति कहते हैं।

आइ.यू.पी.ए.सी. नामपद्धति का अध्ययन करने से पहले हम सजातीय शृंखला श्रेणी के बारे में पढ़ेंगे। प्रत्येक सजातीय श्रेणी को सामान्य नाम दिया गया है।

सजातीय श्रेणी : कार्बनिक रसायन के अध्ययन में कार्बन यौगिकों को अभिलक्षकीय समूहों के आधार पर विभाजित किया गया है। एक सजातीय श्रेणी के सदस्यों के भौतिक गुणधर्म भिन्न होते हैं लेकिन रासायनिक गुण धर्म समान होते हैं। किसी निकटस्थ सदस्य के अणु सूत्र में CH_2 समूह का अंतर होता है।

यौगिकों की श्रेणी जिसमें यौगिक का अणु सूत्र और उसके निकटवर्ती यौगिकों के अणु सूत्रों में CH_2 का अंतर होता है सजातीय श्रेणी कहलाती है।

उदाहरण के लिए CH_4, C_2H_6, C_3H_8, C_4H_{10} संतृप्त ऐलिफैटिक हाइड्रोकार्बनों की श्रेणी है जिसका सामान्य नाम ऐल्केन है।

C_2H_4, C_3H_6, C_4H_8, C_5H_{10} असंतृप्त ऐलिफैटिक हाइड्रोकार्बनों की श्रेणी है जिसका सामान्य नाम ऐल्कीन है। ऐसे ही उदाहरण अन्य कार्बनिक यौगिकों के हैं।

कार्बनिक यौगिकों के नामकरण (आइ.यू.पी.ए.सी.नाम पद्धति)

नियम को संक्षेप में इस प्रकार दिया गया है।

1. किसी यौगिक के नामकरण के पहले चरण में कार्बन परमाणुओं की दीर्घतम सतत शृंखला का निर्धारण किया जाता है।
2. कार्बन परमाणुओं की दीर्घतम सतत शृंखला का संख्यांकन उस सिरे से किया जाता है जिससे अभिलक्षकीय समूह को निम्नतम अंक प्राप्त हो।
3. प्रत्येक अभिलक्षकीय समूह में एक प्रत्यय होता है जिसे तालिका 2 में दिया गया है इस प्रत्यय को संगत ऐल्केन के अंत में 'एस' के स्थान पर लिखा जाता है। एक अभिलक्षकीय कार्बनिक यौगिकों में अन्तिम प्रत्यय, संख्यांकन को भी नियंत्रित करता है।
4. यदि कार्बन शृंखला शाखित हो तो संलग्न समूहों का नामकरण और संख्यांकन किया जाता है।
5. यौगिक का नाम लिखते समय प्रतिस्थापी को अकारादि क्रम में लिखा जाता हैं, जैसे ब्रोमो को क्लोरो से पहले लिखा जाता है।

तालिका 2: अभिलक्षकीय समूहों के प्रत्यय

यौगिक	अभिलक्षकीय	अनुलग्न
ईथिलीन	$>C=C<$	– ईन
ऐसीटलीन	$-C\equiv C-$	– आइन
एल्कोहॉल	$-OH$	– ऑल
ऐल्डिहाइड	$R(H)C=O$	– एल
कीटोन	$R(R)C=O$	– ओन
कार्बोक्सिलिक अम्ल	$-COOH$	– आइक
अम्ल क्लोराइड	$-COCl$	– ओनिल क्लोराइड
ऐमाइड	$-C(=O)-NH_2$	– ऐमाइड
एस्टर	$-C(=O)-OR$	– ओएट
एमीन	$-NH_2$	– ऐमीन
सायनाइड	$-CN$	– नाइट्राइल

कार्बनिक यौगिकों के नामों को दर्शाते कुछ उदाहरण निम्नलिखित हैं :

$CH_3-CH_2-CH_2-CH_3$	ब्यूटेन
$\overset{1}{C}H_3-\overset{2}{C}H=\overset{3}{C}H-\overset{4}{C}H_3$	2 – ब्यूटेन
$\overset{1}{C}H_2=\overset{2}{C}(CH_3)-\overset{3}{C}H_2-\overset{4}{C}H_3$	2 – मेथिल – 1 – ब्यूटेन
$\overset{3}{C}H_3-\overset{2}{C}\equiv\overset{1}{C}-H$	प्रोपाइन
$\overset{3}{C}H_3-\overset{2}{C}H(CH_3)-\overset{1}{C}H_2-OH$	2 – मेथिल – 1 – प्रोपेनॉल

समावयवता

मेथेन, एथेन और प्रोपेन आदि साधारण ऐल्केनों का केवल एक संरचना सिरा होता है। उनमें परमाणुओं को परस्पर केवल एक प्रकार ही संबद्ध किया जा सकता है जैसा कि नीचे दिखाया गया है :

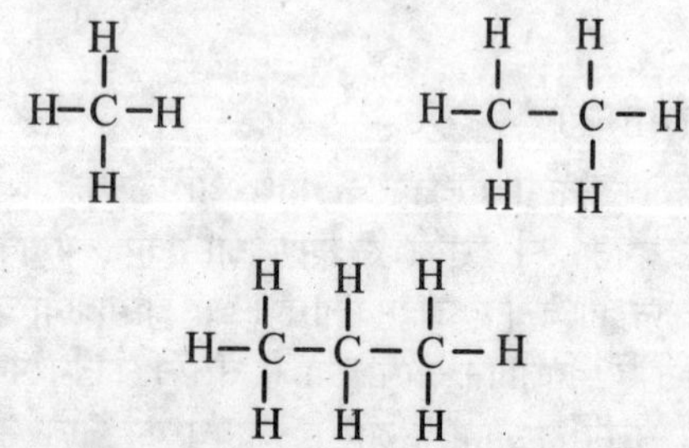

लेकिन आगामी हाइड्रोकार्बन ब्यूटेन (C_4H_{10}) में परमाणुओं को आपस में दो प्रकार से संबद्ध किया जा सकता है। उन्हें या तो एक शृंखला में संबद्ध किया जा सकता है जो ऋजु शृंखला कहलाती है अथवा उन्हें परस्पर शाखित शृंखला द्वारा भी संबद्ध किया जा सकता है।

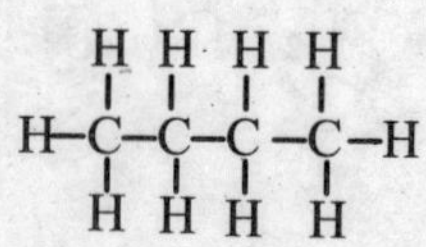

n– ब्यूटेन

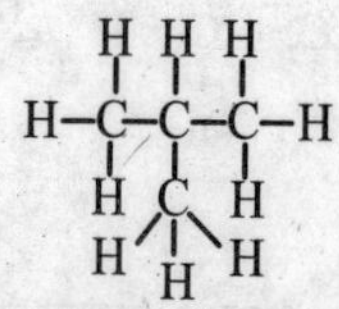

आइसोब्यूटेन

अतः दो प्रकार के ब्यूटेन होते हैं। वे भिन्न यौगिक होते हैं और भिन्न गुण धर्म प्रदर्शित करते हैं।

क्वथनांक

n – ब्यूटेन	– 0.5° से.
आइसोब्यूटेन	– 12° से.

वे भिन्न पदार्थ जिनका अणु सूत्र समान होता है लेकिन भौतिक अथवा रासायनिक गुणधर्म भिन्न होते हैं, समावयवी कहलाते हैं। यह सामान्य परिघटना समावयवता कहलाती है। दो प्रकार की समावयवता संभव है।

(*i*) संरचनात्मक समावयवता

(*ii*) त्रिविम समावयवता

वे यौगिक जिनका अणु सूत्र समान होता है लेकिन संरचना भिन्न होती है संरचनात्मक समावयव कहलाते हैं और यह परिघटना संरचनात्मक समावयवता कहलाती है। संरचनात्मक समावयवता तीन प्रकार की होती है: शृंखला समावयवता, अभिलक्षकीय समावयवता और स्थिति-समावयवता **शृंखला समावयवता** में समावयवों की कार्बन परमाणुओं की शृंखला में भिन्नता होती है :

$CH_3-CH_2-CH_2-CH_3$ (n-ब्यूटेन) $CH_3-CH(CH_3)-CH_3$ (आइसोब्यूटेन)

इस प्रकार ब्यूटेन में दो, पेन्टेन में तीन और हेक्सेन में पांच शृंखला समावयव होते हैं।

अभिलक्षकीय समावयवता में समावयव के समूह भिन्न होते हैं लेकिन उनके अणु सूत्र समान होते हैं।

C_2H_5OH (ऐथेनॉल) और CH_3-O-CH_3 (डाइमेथिल ईथर)

CH_3CH_2COOH (प्रोपनोइक अम्ल) और $CH_3-C(=O)-OCH_3$ (मेथिल एथेनोएट)

स्थिति समावयवता के अंतर्गत अलग-अलग समावयवों में अभिलक्षकीय समूह शृंखला में अलग-अलग स्थितियों में संलग्न रहते हैं। उदाहरणार्थ–

$CH_3CH_2CH_2OH$ (प्रोपेनोल) और $CH_3-CH(OH)CH_3$ (2–प्रोपेनोल)

$CH_3CH_2CH_2CH_2Cl$ (क्लोरोब्यूटेन) और $CH_3CH_2CH(Cl)CH_3$ (2 – क्लोरोब्यूटेन)

त्रिविम समावयवता में सभी परमाणु परस्पर एक ही क्रम में संबद्ध रहते हैं लेकिन उनका आकाशीय विन्यास भिन्न होता है। त्रिविम समावयवता दो प्रकार की होती है: ज्यामितीय समावयवता और प्रकाशिक समावयवता।

ज्यामितीय समावयवता

आप ऊपर पढ़ चुके हैं कि शृंखला में अथवा अभिलक्षकीय समूह की स्थिति में परिवर्तन कर विभिन्न यौगिक बनते हैं। ये यौगिक समावयव कहलाते हैं। इस प्रकार ब्यूटेन और आइसोब्यूटेन समावयव हैं जिनका अणु सूत्र समान है, लेकिन वे भिन्न यौगिक हैं। ये संरचनात्मक समावयव भी कहलाते हैं। दूसरे प्रकार की समावयवता में परमाणु परस्पर एक ही क्रम में संबद्ध रहते हैं लेकिन आकाश में उनका विन्यास भिन्न होता है। आइए 2-ब्यूटीन के दो समावयव के बारे में विचार करें जिनका आबंधन क्रम समान है। इन दो यौगिकों में द्वि-आबंध के चारों ओर आकाश में समूहों के विन्यास में भिन्नता होती है और **ये त्रिविम समावयव कहलाते हैं।**

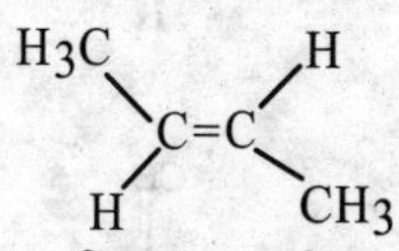
विपक्ष 2-ब्यूटीन

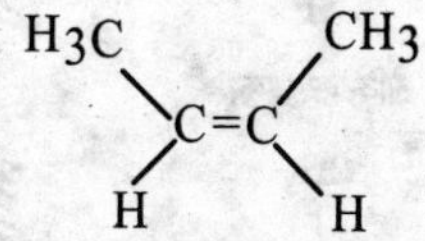
समपक्ष 2-ब्यूटीन

त्रिविम समावयवों की भिन्नता का कारण आकाश में उनके परमाणुओं के विन्यास से है। इस प्रकार समपक्ष-2 (जिसमें दो – CH_3 समूह एक ही ओर होते हैं) और विपक्ष 2-ब्यूटीन जिसमें दो CH_3 समूह द्वि आबंध के पृथक ओर होते हैं त्रिविम समावयव हैं। समपक्ष और विपक्ष–समावयवों को ज्यामितीय समावयव भी कहते हैं क्योंकि द्वि-आबंध पर उनके समूहों की ज्यामितियाँ भिन्न होती हैं।

समपक्ष- और विपक्ष-समावयवता का दूसरा उदाहरण 2-ब्यूटेनोइक अम्ल है।

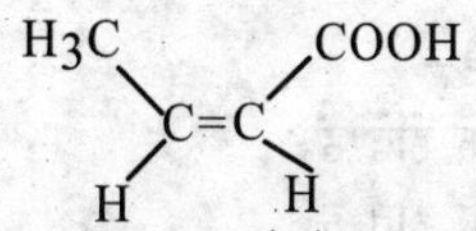
समपक्ष 2-ब्यूटेनोइक अम्ल

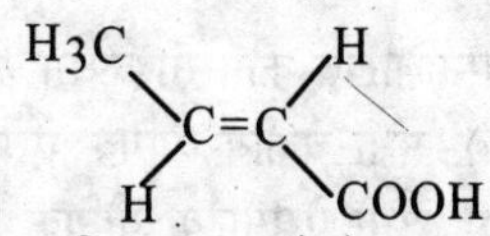
विपक्ष 2-ब्यूटेनोइक अम्ल

प्रकाशिक समावयवता

आपने पढ़ा कि ज्यामितीय समावयवता के अंतर्गत समपक्ष और विपक्ष समावयवों में समूह भिन्न रूप में व्यवस्थित रहते हैं। ये समावयव असंतृप्त यौगिक होते हैं क्योंकि इनमें कार्बन-कार्बन द्वि-आबंध होता है।

जब एक कार्बन परमाणु चार भिन्न समूहों से जुड़ा होता है तो उसे किरेल कार्बन परमाणु कहते हैं और जो किरेल (जिनमें चार भिन्न समूह नहीं होतें) हैं उसे अकिरेल कहते हैं। किरेल यौगिक को भी दो भिन्न तरीकों से व्यवस्थित किया जा सकता है। आइए 1, 2 डाइहाइड्रोक्सी प्रोपेन पर विचार करें।

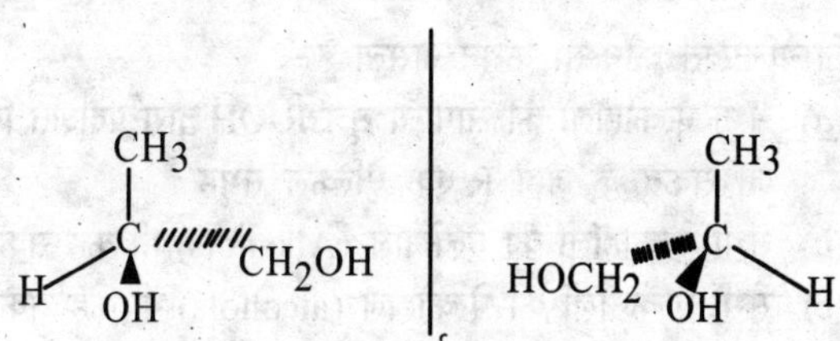
दर्पण

इन दो समावयवों में परमाणुओं का त्रिविम विन्यास भिन्न होता है जो कार्बन परमाणु चार भिन्न समूहों से संयुक्त रहता है असममित भी कहलाता है। यदि एक संरचना के आगे दर्पण रख दिया जाए तो आप उसका प्रतिबिम्ब देखेंगे। बिम्ब और उसका दर्पण प्रतिबिम्ब भिन्न होते हैं और दोनों अनध्यारोपी दर्पण प्रतिबिम्ब होते हैं। ये **प्रतिबिम्ब समावयव** कहलाते हैं। अकिरेल यौगिक में सदैव एक (प्रतिबिम्ब समावयव की अनध्यारोपी दर्पण प्रतिबिम्ब) होता है। किरेल यौगिक का सदैव एक दर्पण प्रतिबिम्ब होता है जो मूल अणु के समान होता है। ये दोनों अध्यारोपी होते हैं। प्रतिबिम्ब समावयव के अन्य उदाहरण हैं :

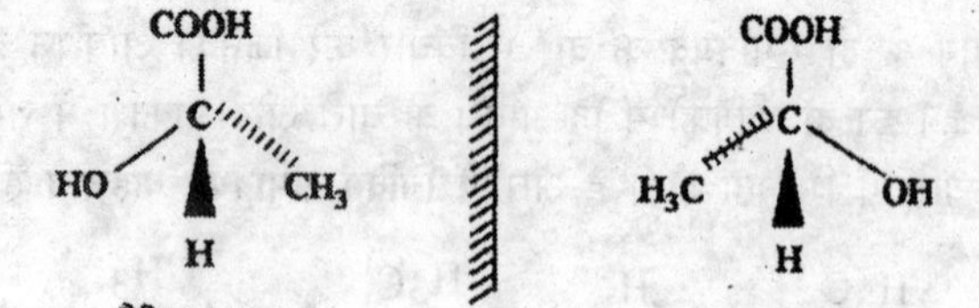

लैक्टिक अम्ल

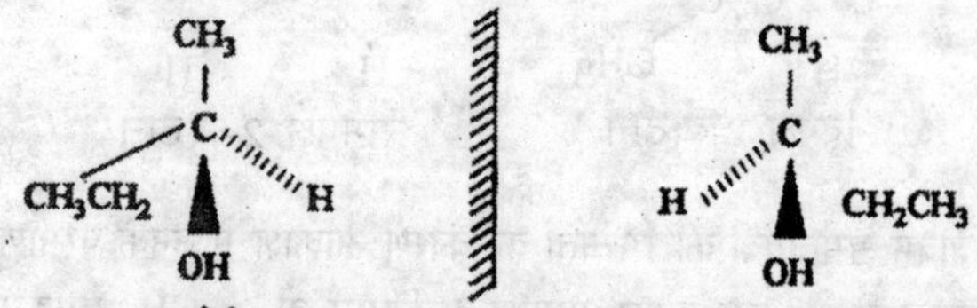

2-ब्यूटेनोल

उपर्युक्त यौगिकों के दो प्रतिबिम्ब समावयवों के भौतिक गुणधर्म समान होते हैं। उनमें ध्रुवित प्रकाश तल का घूर्णन विपरीत दिशाओं में होता है। समतल ध्रुवित प्रकाश वह प्रकाश है जो एक तल में कम्पन करता है। ध्रुवित प्रकाश के तल का घूर्णन ध्रुवण घूर्णकता कहलाता है। वह पदार्थ जो ध्रुवित प्रकाश के तल का घूर्णन कर सकता है ध्रुवण धूर्णन कहलाता है। वे यौगिक जो ध्रुवित प्रकाश के तल का घूर्णन दाहिने हाथ की ओर करते हैं, दक्षिणावर्ती कहलाते हैं। उन्हें d द्वारा प्रदर्शित किया जाता है। वे यौगिक जो ध्रुवित प्रकाश के तल का घूर्णन बायें हाथ की ओर करते हैं वामावर्ती कहलाते हैं और उन्हें l से प्रदर्शित किया जाता है।

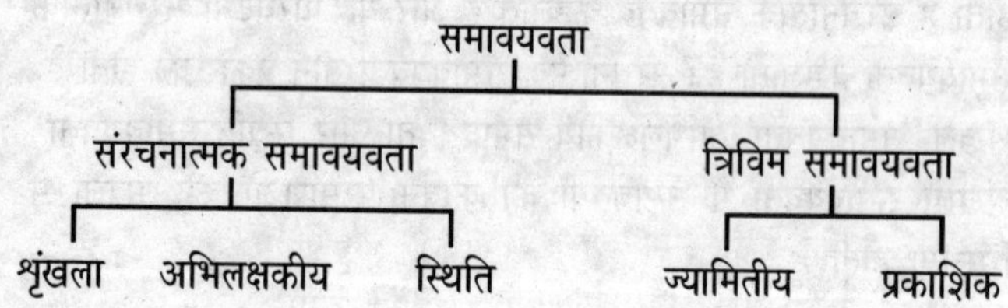

वस्तुनिष्ठ प्रश्न

1. निम्नलिखित कौन-सा कथन सत्य है–

(*a*) सभी चक्रीय यौगिक ऐरोमैटिक होते हैं
(*b*) सभी ऐरोमैटिक यौगिक चक्रीय होते हैं
(*c*) सभी चक्रीय यौगिक ऐलिसाइक्लिक होते हैं
(*d*) ऐलिसाइक्लिक यौगिक चक्रीय नहीं होते हैं

2. निम्नलिखित में ज्यामितीय समावयवता सम्भव है–

(*a*) ऐसीटोन ऑक्जीम
(*b*) ऐसीटोफीनोन ऑक्जीम
(*c*) बेन्जोफीनोन ऑक्जीम
(*d*) आइसोब्यूटाईलीन

3. $C_4H_{10}O$ के आइसोमेरिक ईथरों की कुल संख्या है–

(*a*) 1 (*b*) 2
(*c*) 3 (*d*) 4

4. निम्नलिखित कौन-सा कथन असत्य है–

(*a*) सभी ऐल्कोहॉलों को सामान्य सूत्र R-OH द्वारा प्रदर्शित किया जा सकता है जहाँ R एक ऐल्किल समूह है
(*b*) सभी ऐल्कोहॉलों को ऐल्केनॉल (Alkanols) भी कह सकते हैं
(*c*) सभी ऐल्केनॉलों को ऐल्कोहॉल (alcohols) भी कह सकते हैं
(*d*) $C_6H_5CH_2OH$ एक ऐल्कोहॉल नहीं है।

5. एल्डिहाइड समूह उपस्थित हो सकता है–

(*a*) केवल कार्बन-शृंखला के एक सिरे पर
(*b*) कार्बन-शृंखला के मध्य में
(*c*) कार्बन-शृंखला में किसी भी स्थान पर
(*d*) केवल शृंखला के कार्बन परमाणु संख्या 2 पर
(*e*) $C_6H_5CH_2OH$ एक ऐल्कोहॉल नहीं है।

6. यदि कार्बोनिल समूह की शेष दो संयोजकतायें दो ऐल्किल समूहों द्वारा संतुष्ट होती हैं तो यौगिक कहलाता है–

(*a*) ऐल्डिहाइड (*b*) कीटोन
(*c*) अम्ल (*d*) अम्ल ऐनहाइड्राइड

7.  का IUPAC नाम होगा–

(*a*) 7, 7-डाइमेथिल बाइसाइक्लो [3,1,1] हैप्टेन
(*b*) 2, 2-डाइमेथिल बाइसाइक्लो [5,4,1] हैप्टेन
(*c*) बाइसाइक्लो [4,2,2] डाइमेथिल हैप्टेन
(*d*) ट्राइसाइक्लो [3,2,1] हैप्टेन

8. अभिक्रिया

$$\underset{\text{“A”}}{CH_3CH_2-CO-CH_3} \xrightarrow{H_2/Ni} \underset{\text{“B”}}{CH_3CH_2CH(OH)CH_3}$$

में प्रतिफल 'B' होगा–

(*a*) किरल अणुओं का 50 : 50 मिश्रण
(*b*) केवल *d*-रूप
(*c*) केवल *l*-रूप
(*d*) *d*-रूप 75% + *l*-रूप 25%

9. अणु 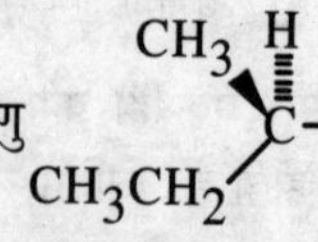 की किरलता (Chirality) है–

(*a*) S (*b*) R
(*c*) D (*d*) L

10. यौगिक 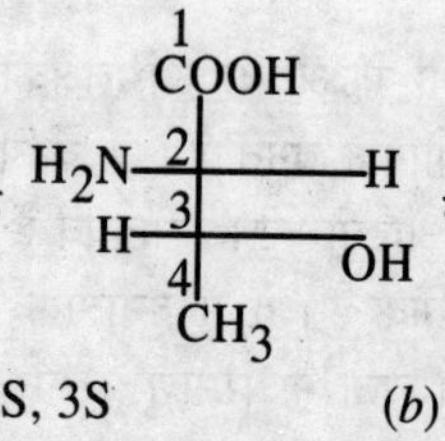 को R तथा S विन्यास दीजिये–

(*a*) 2S, 3S (*b*) 2R, 3R
(*c*) 2R, 3S (*d*) 2S, 3R

11. वे दो यौगिक समावयवी होते हैं–
(*a*) जिनके मूलानुपाती सूत्र समान होते हैं तथा एक यौगिक दूसरे का बहुलक (Polymer) होता है
(*b*) जिनके क्वथनांक व गलनांक समान होते हैं
(*c*) जिनको सरल भौतिक विधियों द्वारा एक दूसरे से अलग नहीं किया जा सकता है
(*d*) जिनके अणु सूत्र समान होते हैं परन्तु उनके अणुओं में परमाणुओं की व्यवस्थायें भिन्न होती हैं

12. $CH_3–CH(OH)–CH_2–CH_2–CH_3$ तथा $CH_3–CH_2–O–CH_2–CH_2–CH_3$ में समावयवी सम्बन्ध निम्नलिखित किस प्रकार की समावयवता से निर्धारित होता है–
(*a*) कार्बन कंकाल समावयवता (Carbon Skeleton Isomerism)
(*b*) स्थान समावयवता (Position Isomerism)
(*c*) क्रियात्मक समावयवता (Functional Isomerism)
(*d*) श्रृंखला समावयवता (Chain Isomerism)

13. निम्न में असत्य कथन है–
(*a*) यौगिक 2R, 3S, के प्रतिबिम्ब रूप का विन्यास 2S, 3S होगा
(*b*) प्रतिबिम्ब रूपों के बायो गुण भिन्न-भिन्न होते हैं
(*c*) प्रोपीन पर Br_2 का योगफल एक रैसेमिक मिश्रण होगा
(*d*) सभी सत्य हैं

14. एक कार्बनिक यौगिक का अणु सूत्र $C_6H_7NO_2$ है। इसमें छः कार्बन परमाणु एक चक्रीय श्रृंखला में उपस्थित हैं। इसमें दो द्विबंध हैं तथा एक नाइट्रो समूह प्रतिस्थापक की भाँति उपस्थित है। यौगिक–
(*a*) समचक्रीय है परन्तु ऐरोमेटिक नहीं है
(*b*) ऐरोमेटिक है परन्तु समचक्रीय नहीं है
(*c*) समचक्रीय है तथा ऐरोमेटिक है
(*d*) विषम चक्रीय है

15. यौगिक 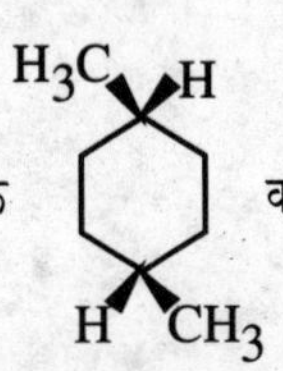 का IUPAC नाम है–
(*a*) सिम-1,4-डाइमेथिल साइक्लोहैक्सेन
(*b*) ट्रान्स-1,4-डाइमेथिल साइक्लोहैक्सेन
(*c*) 1,4-डाइहाइड्रोडाइमेथिलहैक्सेन
(*d*) इनमें से कोई नहीं

16. प्रतिबिम्ब रूपों (Enantiomorphs) के लिए कौन-सा कथन असत्य है–
(*a*) ये ध्रुवित प्रकाश के ध्रुवण तल का घूर्णन भिन्न दिशाओं में करते हैं
(*b*) सामान्यतः इनके भौतिक गुण समान होते हैं
(*c*) इनके क्रिस्टलों का आकार समान होता है
(*d*) इनके जैव गुण भिन्न होते हैं

17. ऐसीटोन के ईनोल रूप (Enol Form) में पाये जाते हैं–
(*a*) 9 σ बन्ध, 1 π बन्ध तथा 2 एकाकी इलेक्ट्रॉन युग्म
(*b*) 8 σ बन्ध, 2 π बन्ध तथा 2 एकाकी इलेक्ट्रॉन युग्म
(*c*) 10 α बन्ध, 1 π बन्ध तथा 1 एकाकी इलेक्ट्रॉन युग्म
(*d*) 9 σ बन्ध, 2π बन्ध तथा 1 एकाकी इलेक्ट्रॉन युग्म

18. ऐल्डिहाइडों तथा कीटोनों, दोनों में–
(*a*) कार्बोनिल समूह उपस्थित होता है
(*b*) ऐसा कार्बोनिल समूह उपस्थित होता है जो एक हाइड्रोजन परमाणु से जुड़ा होता है
(*c*) ऐसा कार्बोनिल समूह उपस्थित होता है जो कम से कम ऐल्किल समूह से जुड़ा होता है
(*d*) ऐसा कार्बोनिल समूह उपस्थित होता है जो दो ऐल्किल समूहों से जुड़ा होता है।

19. निम्नलिखित यौगिक का अणु किरल नहीं है–
(*a*) 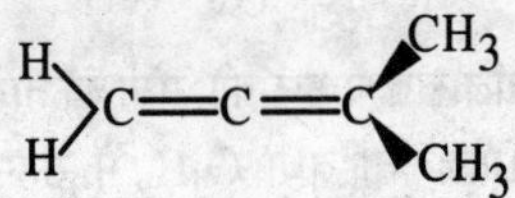
(*b*) 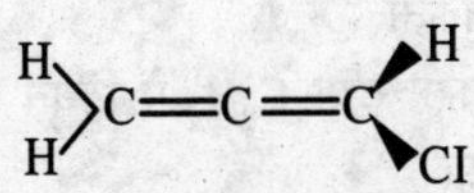
(*c*) $CH_3CH_2CH(D)CH_2Br$
(*d*) $C_6H_5CH(OH)CH_2C_6H_5$

20. श्रृंखला समावयवी के उदाहरण हैं–
(*a*) ऑर्थो तथा मेटाटॉल्विक अम्ल
(*b*) मेथिल ऐसीटेट एवं ऐथिल फॉर्मेट
(*c*) पेन्टेनोइक अम्ल तथा 2-मेथिलब्यूटेनोइक अम्ल
(*d*) 2-पेन्टेनोन तथा 3-पेन्टेनोन

21. फेनिल कार्बिनोल तथा क्लोरल के सूत्र क्रमशः हैं–
(*a*) $C_6H_5CH_2CH_2OH$ तथा $CHCl_2CHO$
(*b*) $C_6H_5CH_2OH$ तथा CCl_3CHO
(*c*) C_6H_5OH तथा Cl_2CHCHO
(*d*) C_6H_5CHO तथा $CHCl_2CHO$

22. निम्नलिखित में से किस यौगिक में आइसोप्रोपिल समूह उपस्थित है–
(*a*) 2, 2, 3, 3-टेट्रामेथिलपेन्टेन
(*b*) 2, 2-डाइमेथिलपेन्टेन
(*c*) 2, 2-ट्राइमेथिलपेन्टेन
(*d*) 2-मेथिलपेन्टेन

23. एक प्रकाशिक सक्रिय यौगिक के दो ग्राम को 10 मिली. विलयन में घोला गया। 25 सेमी. लम्बी पोलरीमीटर ट्यूब में इस यौगिक द्वारा उत्पन्न प्रेक्षित घूर्णन + 134° है। यौगिक का विशिष्ट घूर्णन है–
(*a*) + 67° (*b*) – 67°
(*c*) – 268° (*d*) + 268°

24. (+) मेन्डेलिक अम्ल का विशिष्ट घूर्णन + 158° है। 75%(–) मेन्डेलिक अम्ल तथा 25%(+) – मेन्डेलिक अम्ल के मिश्रण का प्रेक्षित विशिष्ट घूर्णन होगा–

(*a*) – 79° (*b*) + 79°
(*c*) – 158° (*d*) + 158°

25. निम्न यौगिक का R, S विन्यास है–

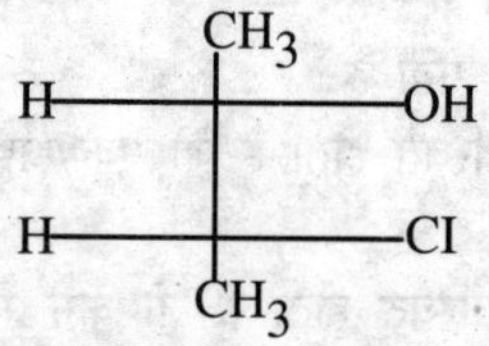

(*a*) 2R, 3R (*b*) 2S, 3R
(*c*) 2S, 3S (*d*) 2R, 3S

26. निम्नलिखित समूह में दाता बंध (Dative bond) नहीं होता है–

(*a*) –NC (*b*) $-NO_2$
(*c*) $-N_2Cl$ (*d*) उपरोक्त सभी

27. CaH_2 व C_2H_2 में निम्नलिखित प्रकार की संयोजकतायें होती हैं–

(*a*) CaH_2 में विद्युत संयोजकता तथा C_2H_2 में सह-संयोजकता
(*b*) दोनों में विद्युत संयोजकता
(*c*) CaH_2 में सह-संयोजकता तथा C_2H_2 में विद्युत संयोजकता
(*d*) दोनों में सह-संयोजकता

28. अणु सूत्र C_4H_7Cl के खुली शृंखला के समावयवियों, त्रिविम समावयवियों सहित की कुल संख्या है–

(*a*) 12 (*b*) 11
(*c*) 10 (*d*) 9

29. ऐसिड ऐन्हाइड्राइड में उपस्थित क्रियात्मक समूह है–

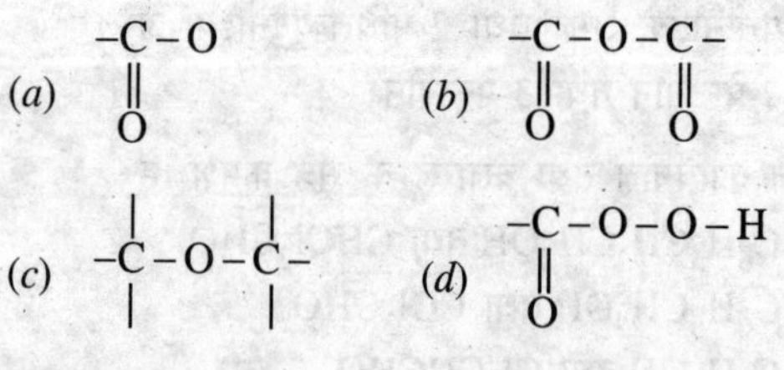

30. $CH_2(COOH)_2$ का IUPAC नाम है–

(*a*) मेलोनिक अम्ल
(*b*) 2-कार्बोक्सीऐथेनोइक अम्ल
(*c*) प्रोपेन-1, 3-डाइओइक अम्ल
(*d*) मेथेनडाइओइक अम्ल

31. निम्नलिखित में से कौन-सा युग्म त्रिविम समावयवता को प्रदर्शित करता है–

(*a*) ज्यामितीय समावयवता, स्थिति समावयवता
(*b*) ज्यामितीय समावयवता, कनफॉर्मेशनल समावयवता
(*c*) प्रकाशिक समावयवता, ज्यामितीय समावयवता
(*d*) प्रकाशिक समावयवता, मध्यावयवता

32. असत्य कथन है–

(*a*) असममित कार्बन परमाणुओं की संख्या में वृद्धि के साथ धूर्णन कोण (Angle of Rotation) बढ़ता है
(*b*) एक यौगिक का सिस (Cis) समावयवी ट्रांस समावयवी की अपेक्षा अधिक स्थायी होता है
(*c*) फ्यूमेरिक अम्ल गर्म करने पर फ्यूमेरिक ऐनहाइड्राइड बनाता है
(*d*) सभी कथन असत्य हैं

33. किसी सममित अणु से बिना रेजोल्यूशन (Resolution), एक प्रकाश सक्रिय यौगिक का उत्पादन कहलाता है–

(*a*) वाल्डन प्रतिलोमन (Walden Inversion)
(*b*) असममित संश्लेषण (Asymmetric Synthesis)
(*c*) आंशिक रैसेमीकरण (Partial Recemisation)
(*d*) इनमें से कोई नहीं

34. रैसेमिक मिश्रण के पृथक्करण की एक महत्वपूर्ण रासायनिक विधि में निम्न का निर्माण प्रयुक्त होता है–

(*a*) मीसो यौगिक (*b*) एनेन्शियोमर
(*c*) डाइस्टीरियोआइसोमर (*d*) ऐपीमर (Epimers)

35. वे समान संरचना समावयवी जिनमें वस्तु-प्रतिबिम्ब सम्बंध नहीं होता, कहलाते हैं–

(*a*) एनेन्शियोमर (Enantiomers)
(*b*) चलावयवी
(*c*) डाइस्टीरियोआइसोमर
(*d*) मध्यावयवी

उत्तरमाला

1	2	3	4	5	6	7	8	9	10
(*b*)	(*b*)	(*c*)	(*d*)	(*a*)	(*b*)	(*a*)	(*a*)	(*b*)	(*d*)
11	**12**	**13**	**14**	**15**	**16**	**17**	**18**	**19**	**20**
(*d*)	(*c*)	(*a*)	(*a*)	(*b*)	(*c*)	(*a*)	(*a*)	(*a*)	(*c*)
21	**22**	**23**	**24**	**25**	**26**	**27**	**28**	**29**	**30**
(*b*)	(*d*)	(*d*)	(*a*)	(*b*)	(*c*)	(*a*)	(*a*)	(*b*)	(*c*)
31	**32**	**33**	**34**	**35**					
(*c*)	(*d*)	(*b*)	(*c*)	(*c*)					

अध्याय 17

हाइड्रोकार्बन (Hydrocarbon)

हाइड्रोकार्बन

- केवल कार्बन और हाइड्रोजन तत्त्वों से बने यौगिकों को हाइड्रोकार्बन कहते हैं।
- कार्बन परमाणुओं की शृंखलाओं की प्रकृति के आधार पर हाइड्रोकार्बनों को दो वर्गों में विभक्त किया गया है।

(*i*) विवृतः शृंखला (अचक्रीय) अथवा ऐलीफैटिक हाइड्रोकार्बन

(*ii*) संवृत शृंखला (चक्रीय) अथवा कार्बोसाइक्लिक हाइड्रोकार्बन

हाइड्रोकार्बन
- अचक्रीय अथवा ऐलिफैटिक हाइड्रोकार्बन
  - ऐल्केन
  - ऐल्कीन
  - ऐल्काइन
- कार्बोसाइक्लिक अथवा चक्रीय हाइड्रोकार्बन
  - ऐलिसाइक्लिक हाइड्रोकार्बन
    - साइक्लोऐल्केन
    - साइक्लोऐल्कीन
    - साइक्लोऐल्काइन
  - ऐरोमैटिक हाइड्रोकार्बन

(*i*) **विवृत शृंखला यौगिक**– इस प्रकार हाइड्रोकार्बन में कार्बन परमाणु खुली (विवृत) शृंखला में व्यवस्थित रहते हैं। यह शृंखलाकृत अथवा शाखित हो सकती है लेकिन बन्द नहीं होती। ये हाइड्रोकार्बन अचक्रीय कहलाते हैं। आइए कुछ उदाहरण लेंगे–

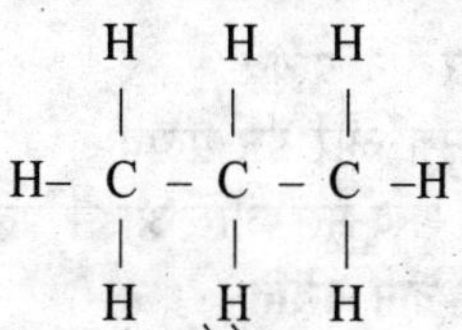

Or $CH_3CH_2–CH_3$

ऋजु शृंखला

प्रोपेन

विवृत शृंखला हाइड्रोकार्बन को ऐलिफैटिक हाइड्रोकार्बन भी कहा जाता हैं। ऐलिफैटिक हाइड्रोकार्बन तीन प्रकार के होते हैं।
ऐल्केन, ऐल्कीन, ऐल्काइन।

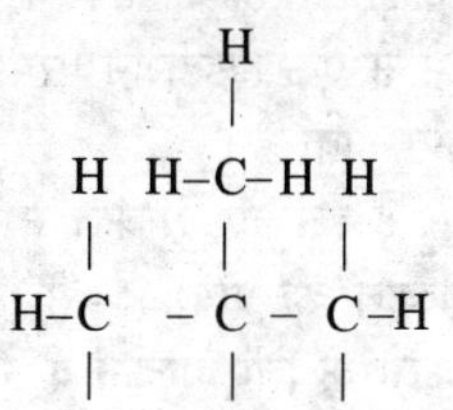

Or

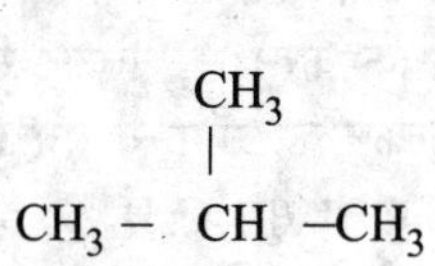

शाखित शृंखला

आइसो-ब्यूटेन

ऐल्केन– ये संतृप्त हाइड्रोकार्बन हैं। इनमें केवल कार्बन-कार्बन और कार्बन-हाइड्रोजन एकल आबंध होता है, जैसे CH_4 और C_2H_6।

ऐल्कीन– ये असंतृप्त हाइड्रोकार्बन हैं। इनमें कम से कम एक कार्बन-कार्बन द्वि-आबंध होता है,
उदाहरण– एथीन ($CH_2 = CH_2$)।

ऐल्काइन– ये भी असंतृप्त हाइड्रोकार्बन हैं। इनमें कम से कम एक कार्बन-कार्बन त्रि-आंबध होता है, उदाहरण– एथाईन (CH = CH)।

(*ii*) **संवृत शृंखला अथवा चक्रीय हाइड्रोकार्बन**– इस प्रकार के हाइड्रोकार्बनों में शृंखला बन्द होती है और अपने अणुओं में कार्बोसाइक्लिक वलयों को बनाती है। इन्हें दो श्रेणियों में विभक्त किया गया है–

(क) ऐलिसाइक्लिक हाइड्रोकार्बन और

(ख) ऐरोमैटिक हाइड्रोकार्बन

(क) **ऐलिसाइक्लिक हाइड्रोकार्बन**– इन यौगिकों में कार्बन परमाणुओं की वलय अथवा संवृत (बन्द) शृंखला होती है लेकिन ये विवृत शृंखला हाइड्रोकार्बनों के सदृश होते हैं। उन्हें साइक्लोऐल्केन, साइक्लोऐल्कीन और साइक्लोऐल्काइन में वर्गीकृत कर सकते हैं।

(ख) **ऐरोमैटिक हाइड्रोकार्बन**– ये हाइड्रोकार्बन सामूहिक रूप से ऐरीन कहलाते हैं। इनमें एक अथवा अधिक षट्कोणीय कार्बोक्सिलिक वलय होते हैं। ऐरोमैटिक नाम ग्रीक शब्द 'ऐरोमा' से लिया गया

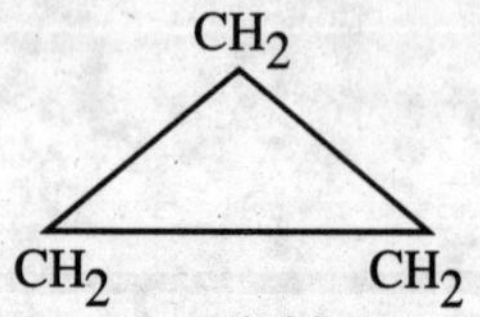

साइक्लोप्रोपेन

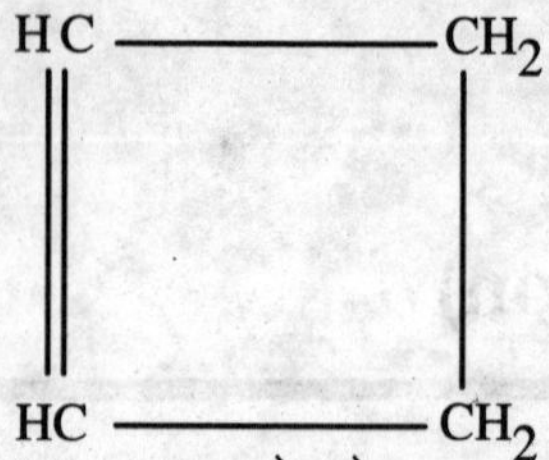

साइक्लोब्यूटेन

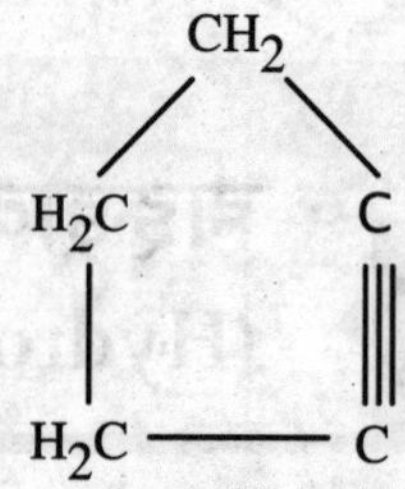

साइक्लोपेन्टाइन

है जिसका अर्थ है मीठी सुगंध क्योंकि इस वर्ग में आने वाले अधिकांश यौगिक में मीठी खुशबू होती है। सबसे पहले ज्ञात ऐरोमेटिक हाइड्रोकार्बनों में से बेन्जीन है। बेन्जीन वलय में एक और द्वि आबंधों वाली छः कार्बन चक्रीय शृंखला होती है।

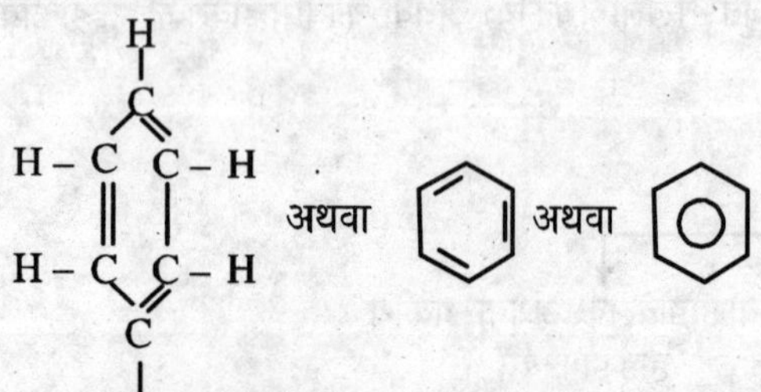

बेन्जीन

अन्य ऐरोमैटिक यौगिक बेन्जीन से व्युत्पन्न होते हैं। उदाहरण

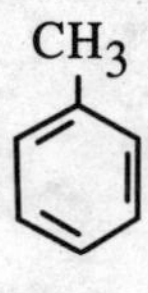

टॉलूईन

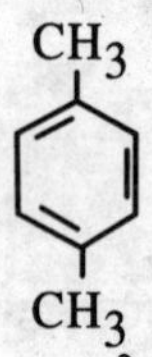

जाइलीन

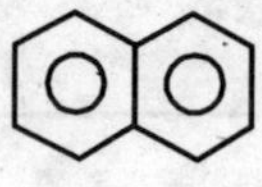

नैफ्थेलीन

आइ.यू.पी.ए.सी. नाम पद्धति

नामपद्धति शब्द का अर्थ है कार्बनिक यौगिकों के नाम रखने की पद्धति। आरम्भ में कार्बनिक यौगिकों का नाम, उनके स्रोत के नाम पर रखा जाता था जैसे मेथेन का नाम मार्श अथवा डेम्प फायर रखा गया था। कार्बनिक यौगिकों के ये नाम साधारण नाम अथवा रूढ़नाम कहलाते हैं। इनका नाम रखने का कोई क्रमबद्ध आधार नहीं था। विश्व में हाइड्रोकार्बनों के नामों में समानता और एकरूपता लाने के लिए रसायनज्ञों के अतंर्राष्ट्रीय संघ ने एक नामपद्धति तय की जिसे "इन्टरनेशनल यूनियन आफ प्योर एण्ड एप्लाइड केमिस्ट्री (IUPAC) पद्धति कहते हैं"। इस पद्धति को विस्तृत रूप से स्वीकार किया गया है और इसमें कार्बनिक यौगिकों के नामकरण के नियम दिए गये हैं।

अचक्रीय हाइड्रोकार्बनों की नाम पद्धति

(क) ऋजु शृंखला हाइड्रोकार्बन– इन हाइड्रोकार्बनों का नाम रखते समय हम दो बातों का ध्यान रखते हैं। पहला है शब्द मूल और दूसरा है प्रत्यय। शब्द मूल शृंखला में उपस्थित कार्बन परमाणुओं की संख्या बताता है। एक से चार कार्बन परमाणुओं वाली शृंखलाओं के लिए शब्द मूलों का उपयोग किया जाता है जबकि पांच अथवा अधिक कार्बन परमाणुओं वाली शृंखलाओं के लिए ग्रीक संख्या मूलों का उपयोग करते हैं। कुछ कार्बन शृंखलाओं के लिए आई यू पी ए सी शब्द निम्नलिखित हैं:

तालिका 1

शृंखला-लम्बाई	शब्द मूल	शृंखला लम्बाई	शब्द मूल
C_1	मेथ –	C_6	हेक्स –
C_2	एथ –	C_7	हेप्ट –
C_3	प्रोप –	C_8	ऑक्ट –
C_4	ब्यूट –	C_9	नोन –
C_5	पेन्ट –	C_{10}	डेक –

किसी भी कार्बन शृंखला के लिए सामान्य शब्द मूल एल्क (alk) है। आइ.यू.पी.ए.सी. नाम लिखने के लिए शब्द मूल में प्रत्यय लगाया जाता है जो हाइड्रोकार्बन में संतृप्ति अथवा असंतृप्ति को व्यक्त करता है। ये प्रत्यय निम्नलिखित हैं:

तालिका 2

यौगिक का वर्ग	प्रत्यय	सामान्य नाम
संतृप्त	– ऐन (ane)	ऐल्केन
असंतृप्त (> C = C <)	– ईन (ene)	ऐल्कीन
असंतृप्त (– C = C –)	– आइन (yne)	ऐल्काइन

कुछ उदाहरण

CH_4 मेथेन अर्थात मेथ शब्द मूल और ऐन प्रत्यय

$CH_3–CH_3$ एथेन अर्थात् शब्द-मूल और ऐन प्रत्यय

$CH_2 = CH_2$ एथीन अर्थात् एथ शब्द-मूल और ईन प्रत्यय

$CH_3 – C = CH$ प्रोपाइन अर्थात प्रोप शब्द-मूल और आइन प्रत्यय

(ख) शाखित शृंखला हाइड्रोकार्बनों की नाम पद्धति

शाखित शृंखला वाले हाइड्रोकार्बनों में कार्बन परमाणु ऋजु शृंखला के साथ-साथ पार्श्व शृंखला में भी उपस्थित रहते हैं। ऐल्किल पार्श्व शृंखला के कार्बन परमाणु ऐल्किल समूह अथवा ऐल्किल मूलक बनाते हैं। आइ.यू.पी.ए.सी. नाम में इन समूहों को उपसर्ग के रूप में प्रयोग किया जाता है। ऐल्केन में से एक हाइड्रोजन परमाणु को पृथक करने से ऐल्किल समूह प्राप्त होता है।

ऐल्केन का सामान्य सूत्र C_nH_{2n+2} है इसलिए ऐल्किल समूह का सामान्य सूत्र C_nH_{2n+1} हुआ। ऐल्किल को प्रायः R– से प्रदर्शित करते हैं। ऐल्किल का नामकरण करने के लिए एल्केन के नाम के एन प्रत्यय के स्थान पर 'इल' प्रत्यय लिखा जाता है।

शाखित शृंखला हाइड्रोजनों का नामकरण आइ.यू.पी.ए.सी. पद्धति के अग्रलिखित नियमों के अनुसार किया जाता है।

तालिका 3: समूह के कुछ उदाहरण

जनक श्रृंखला	सूत्र R-H	ऐल्किल समूह R–	नाम
मेथेन	CH_4	CH_3	मेथिल
ऐथेन	CH_3CH_3	$CH_3–CH_2$	एथिल
प्रोपेन	$CH_3CH_2CH_3$	$CH_3CH_2–CH_2–$	1–प्रोपिल (*n*–प्रोपिल)
	$CH_3 - CH - CH_3$	2–प्रोपिल (आइसो-प्रोपिल)	
ब्यूटेन	$CH_3CH_2CH_2CH_3$	$CH_3CH_2CH_2–CH_2$	1–ब्यूटिल *n*–ब्यूटिल
	$CH_3CH–CH_2$ (शाखा CH_3)		2–ब्यूटिल अथवा सेकि. ब्यूटिल अथवा आइसो-ब्यूटिल
आइसोब्यूटेन	$CH_3–CH(CH_3)–CH_3$	$CH_3 - C(CH_3) -$	टर ब्यूटिल

1. नियम : दीर्घतम श्रृंखला नियम– इस नियम के अनुसार कार्बन परमाणुओं की दीर्घतम संभावित श्रृंखला का चयन कर यौगिक का नाम इस एल्केन के व्युत्पन्न के रूप में रखा जाता है। यदि कोई बहु आबंध उपस्थित है तो चयन की गई श्रृंखला में बहुआबंध के कार्बन परमाणु अवश्य होने चाहिए। चयन की गई श्रृंखला में कार्बन परमाणुओं की संख्या शब्द मूल का निर्धारण करती है और संतृप्ति अथवा असंतृप्ति प्राथमिक प्रत्यय का निर्धारण करती है।

उदाहरण–

$$CH_3 - CH_2 - CH_2 - CH_2 - CH(CH_2 - CH_3) - CH_3$$

शब्द मूल-हेक्स
प्रत्यय-एन

$$CH_3 - CH - C(=CH_2) - CH_2–CH_3 \quad (CH \text{ पर } CH_3)$$

शब्द–मूल–ब्यूट
प्रत्यय–ईन

$$CH_3 - CH_2 \;\; {}_3CH - {}_4CH({}^5CH_3) - CH_3,\; {}_2CH - CH_3,\; {}_1CH_3$$

सही

$$\overset{1}{C}H_3 - \overset{2}{C}H_2 - \overset{3}{C}H(CH - CH_3)(CH_3) - \overset{4}{C}H(\overset{5}{C}H_3) - CH_3$$

गलत

शब्द मूल – पेन्ट
प्रत्यय – ऐन

यदि दो बराबर लंबाई की श्रृंखलाएं सभव हों, तो उस श्रृंखला का चयन किया जाता है जिसमें पार्श्व श्रृंखलाएं अधिक हों।

2. नियम : निम्नतम संख्या अथवा निम्नतम योग नियम– कार्बन श्रृंखला एक सिरे से दूसरे तक अरबी अंकों द्वारा गिनी जाती है और पार्श्व श्रृंखला की स्थिति उन कार्बन परमाणुओं की संख्या द्वारा अंकित की जाती है जिन पर वे संलग्न हैं। संख्याकंन इस प्रकार किया जाता है कि

(क) प्रतिस्थापित कार्बन परमाणुओं की निम्नतम संभावित संख्या हो।

(ख) विभिन्न ऐल्किल समूहों की स्थितियों को दर्शाने वाली संख्याओं का योग निम्नतम हो।

(ग) यदि श्रृंखला में कोई बहु-आबंध हो तो बहुआबंध में शामिल कार्बन परमाणुओं की निम्नतम संख्या हो, उदाहरण के लिए:

$$\overset{1}{C}H_3 - \overset{2}{C}H(CH_3) - \overset{3}{C}H_2 - \overset{4}{C}H_3$$
सही

$$\overset{4}{C}H_3 - \overset{3}{C}H(CH_3) - \overset{2}{C}H_2 - \overset{1}{C}H_3$$
गलत

$$\overset{1}{C}H_3 - \overset{2}{C}(CH_3)_2 - \overset{3}{C}H_2 - \overset{4}{C}H(CH_3) - CH_3$$
स्थितियों का योग = 2 + 2 + 4 = 8
सही

$$\overset{5}{C}H_3 - \overset{4}{C}(CH_3)_2 - \overset{3}{C}H_2 - \overset{2}{C}H(CH_3) - \overset{1}{C}H_3$$
स्थितियों का योग = 2 + 4 + 4 = 10
गलत

$$\overset{1}{C}H_3 - \overset{2}{C}H(CH_3) - \overset{3}{C}H = \overset{4}{C}H_2$$
सही

$$\overset{1}{C}H_3 - \overset{2}{C}H(CH_3) - \overset{3}{C}H = \overset{4}{C}H_2$$
गलत

यौगिक का नाम सामान्य रूप से निम्नलिखित अनुक्रम में लिखा जाता है। प्रतिस्थापी की स्थिति- प्रतिस्थापी का नाम, शब्द मूल, प्रत्यय

उदाहरण–

$$CH_3 - \overset{3}{C}H(\overset{2}{C}H_2 - \overset{1}{C}H_3) - \overset{4}{C}H_2 - \overset{5}{C}H_3$$

इस यौगिक का नाम 3 – मेथिल पेन्टेन लिखा जाएगा। प्रतिस्थापी मेथिल समूह 3 नम्बर की स्थिति पर है। इसमें शब्द मूल पेन्ट और प्रत्यय एन है

3. नियम : समान ऐल्किल समूहों का विभिन्न स्थितियों में नामकरण– यदि किसी यौगिक में एक से अधिक समान ऐल्किल विद्यमान समूह हों तो उनकी स्थितियों को निर्दिष्ट किया जाता है अलग-अलग उपसर्ग तथा प्रतिस्थापियों के नाम के पहले उपसर्ग द्वि (डाइ), त्रि (ट्राइ) लिखा जाता है। भिन्न स्थितियों को दर्शाने वाली दो संख्याओं को अल्पविराम द्वारा पृथक किया जाता है।

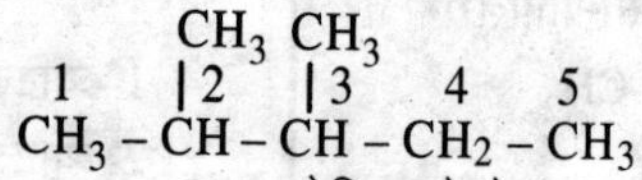

2, 3 डाइमेथिल पेन्टेन

4. नियम : विभिन्न ऐल्किल प्रतिस्थापियों का नामकरण– यदि यौगिक में भिन्न ऐल्किल प्रतिस्थापी उपस्थित हैं तो उनके नाम वर्ण क्रम में लिखे जाते हैं। किन्तु उपसर्ग डाइ, आदि को वरीयता के क्रम में नहीं लिखा जाता है।

उदाहरण–

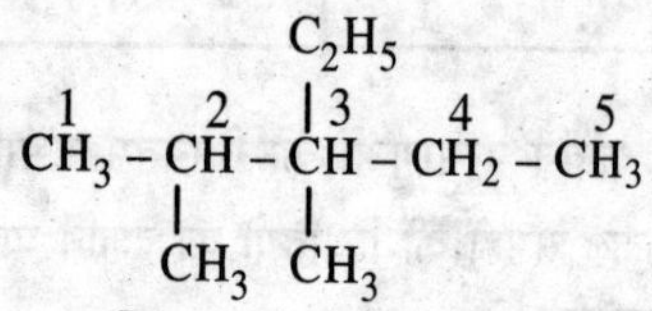

3 एथिल – 2 –3 डाइमेथिल पेन्टेन

5. नियम : जटिल ऐल्किल प्रतिस्थापी का नामकरण– यदि ऐल्किल प्रतिस्थापी भी शाखित है तो इसका नाम प्रतिस्थापी ऐल्किल समूह की भाँति रखा जाता है इसके लिए ऐल्किल समूह कार्बन परमाणुओं का अलग से इस भाँति संख्यांकन किया जाता है कि जनक शृंखला से सीधे जुड़े कार्बन परमाणु का संख्यांकन हो सके। इस प्रकार के प्रतिस्थापी का नाम कोष्ठक में दिया जाता है

उदाहरण

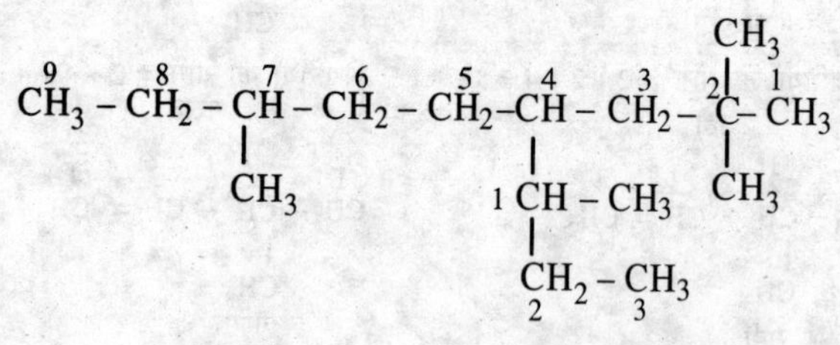

2, 2, 7, ट्राइमेथिल 1–4 (1– मेथिल प्रोपिल) नोनेन

चक्रीय हाइड्रोकार्बनों की नामकरण पद्धति

जैसा कि हम जानते हैं चक्रीय हाइड्रोकार्बनों को दो श्रेणियों में विभाजित किया जाता है– ऐलिसाइक्लिक और एरोमैटिक यौगिक।

(क) ऐलिसाइक्लिक यौगिकों का नामकरण

ये चक्रीय यौगिक होते हैं अर्थात् इनमें संवृत शृंखला होती है अतः ऐलिसाइक्लिक यौगिकों के नामकरण के लिए शब्द मूल से पहले 'साइक्लो' उपसर्ग लिखा जाता है। संरचना में संतृप्ति अथवा असंतृप्ति के अनुसार ऐन अथवा आइन प्रत्यय लिखे जाते हैं। कुछ उदाहरण इस प्रकार हैं:

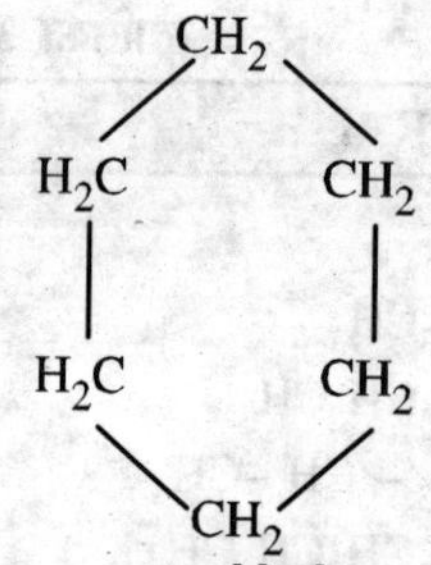

साइक्लोहेक्सेन

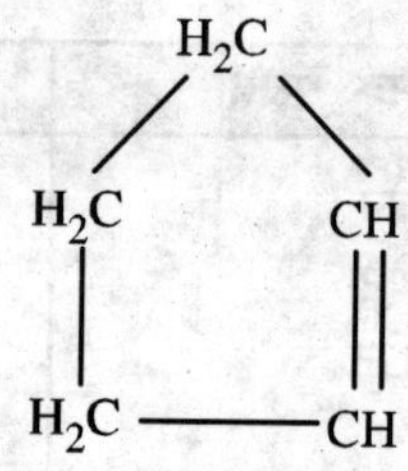

साइक्लोपेन्टीन

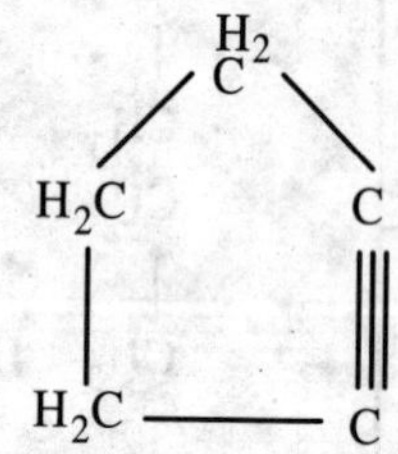

साइक्लोपेन्टाइन

यदि कोई प्रतिस्थापी उपस्थित है तो उसे किसी उपयुक्त उपसर्ग अथवा प्रत्यय से दर्शाया जाता है और उसकी स्थिति को वलय के कार्बन परमाणुओं की गिनती करके बताया जाता है। संख्यांकन इस भाँति किया जाता है कि प्रतिस्थापी की निम्नतम संख्या हो। उदाहरण

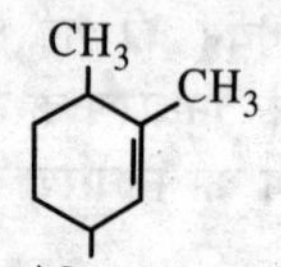

2, 3 – डाइमेथिल साइक्लो हेक्सीन

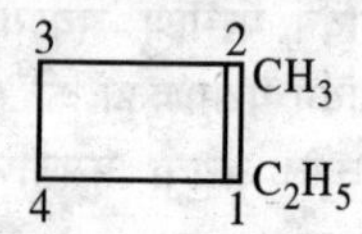

1, ऐथिल – 2 मेथिलसाइक्लो ब्यूटेन

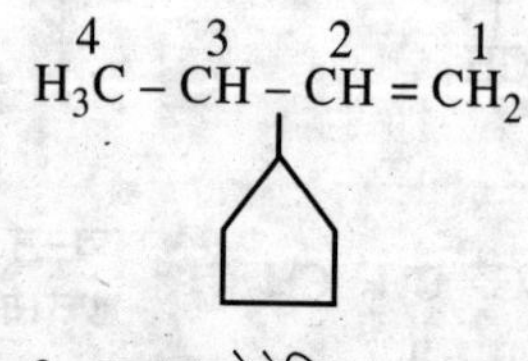

3– साइक्लोपेन्टिल –1– ब्यूटीन

(ख) ऐरोमैटिक यौगिकों का नामकरण

ये चक्रीय यौगिक होते हैं जिनमें एकान्तर स्थितियों में द्वि-आबंध होता है। सही अर्थों में द्वि आबंध की स्थिति निश्चित नहीं होती है और सदैव बदलती रहती है। अतः द्वि आबंध इन यौगिकों में स्थानगत नहीं होते हैं।

इस वर्ग के सबसे महत्वपूर्ण सदस्य बेन्जीन और उसके व्युत्पन्न हैं

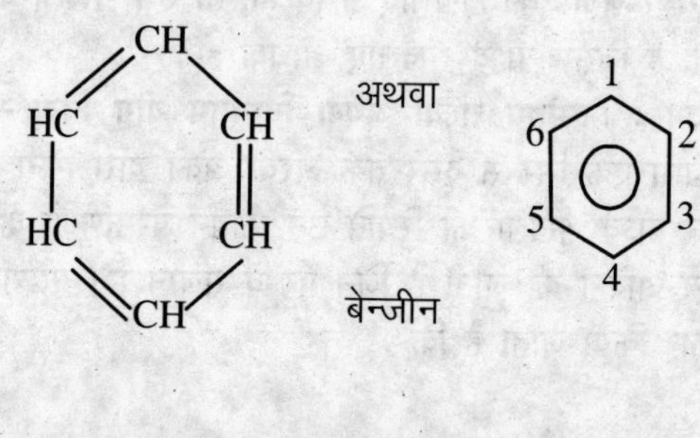

बेन्जीन

बेन्जीन के कार्बन परमाणुओं की गिनती 1 से 6 तक की जाती है जैसा कि ऊपर चित्र में दिखाया गया है। बेन्जीन वलय नाभिक कहलाता है और नाभिक से जुड़े CH, CH_2CH_3 आदि ऐल्किल समूह पार्श्व शृंखलाऐं कहलाती हैं। इसे निम्न रूप से दिखाया जा सकता है:

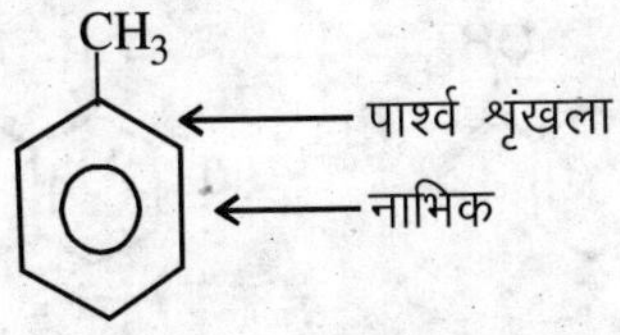

बेन्जीन केवल एक प्रतिस्थापित व्युत्पन्न बनाती है। यह 1, 2, 1, 3 और 1, 4 स्थितियों में तीन द्वि प्रतिस्थापित व्युत्पन्न बनाता है जो क्रमशः आर्थो (अथवा O–) मेटा (अथवा m –) और पैरा (or p –) व्युत्पन्न कहलाते हैं।

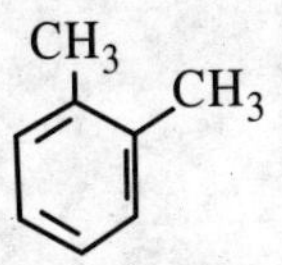

1, 2 अथवा आर्थो

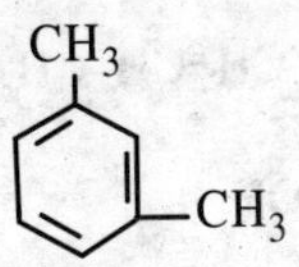

1, 3 अथवा मेटा

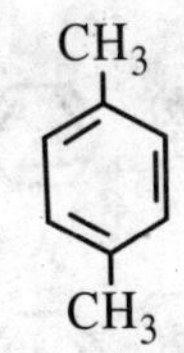

1, 4 अथवा पैरा

मार्कोनीकॉफ नियम

जब असममित ऐल्कीनों पर हैलोजन अम्लों का संकलन होता है तो हाइड्रोजन परमाणु उस कार्बन परमाणु के साथ संयुक्त होता है जिसमें हाइड्रोजन परमाणुओं की संख्या अधिक होती हैं।

$$\underset{\text{प्रोपेन}}{CH_3-CH=CH_2}+HBr\longrightarrow \underset{\text{2– ब्रोमो प्रोपेन}}{CH_3-\underset{\substack{|\\Br}}{CH}-CH_3}$$

$$\underset{\text{एथाइन}}{CH\equiv CH}+HBr\rightarrow \underset{\text{ब्रोमोएथीन}}{CH_2=\underset{\substack{|\\Br}}{CH}}\xrightarrow{+HBr}$$

$$\underset{\text{1,1– डाइब्रोमोएथेन}}{CH_3-\underset{\substack{|\\Br}}{CH}-Br}$$

यह अभिक्रिया यदि किसी परऑक्साइड (उदाहरणः बेन्जोइल परऑक्साइड) की उपस्थिति में होती है तो अभिक्रिया मार्कोनीकॉफ नियम के विपरीत होती हैं।

$$\underset{\text{प्रोपेन}}{CH_3-CH=CH_2}+HBr\xrightarrow[\text{परऑक्साइड}]{\text{बेन्जोइल}}$$

$$\underset{\text{1– ब्रोमोप्रोपेन}}{CH_3-CH_2-\underset{\substack{|\\Br}}{CH_2}}$$

तालिका 4: एल्केनों, ऐल्कीनों एवं ऐल्काइनों के मध्य विभेद करने वाले कुछ मुख्य परीक्षण

क्र.स.	परीक्षण	ऐल्केन	ऐल्कीन	ऐल्काइन
1.	कार्बन टेट्राक्लोराइड में घुली ब्रोमीन मिलाने पर	कोई परिवर्तन नहीं होता है।	Br_2 का लाल भूरा रंग लुप्त हो जाता है	Br_2 का लाल भूरा रंग लुप्त हो जाता है
2.	$KMnO_4$ का क्षारीय विलयन मिलाने पर (बेयर का अभिकर्मक)	कोई परिवर्तन नहीं होता है।	$KMnO_4$ का बैंगनी रंग लुप्त हो जाता है	$KMnO_4$ का बैंगनी रंग लुप्त हो जाता है।
3.	सिल्वर नाइट्रेट का अमोनियामय घोल मिलाने पर	कोई परिवर्तन नहीं होता है।	कोई परिवर्तन नहीं	सिल्वर ऐसीटिलाइड का सफेद अवशेष बनता है।
4.	क्यूप्रस क्लोराइड का अमोनियम घोल मिलाने पर	कोई परिवर्तन नहीं होता है।	कोई परिवर्तन नहीं	कॉपर ऐसीटिलाइट का लाल अवक्षेप बनता है।

वस्तुनिष्ठ प्रश्न

1. प्रोपेन के सम्भव ट्राइब्रोमो व्युत्पन्नों की संख्या है–

(*a*) 5 (*b*) 3
(*c*) 4 (*d*) 6

2. मेथेन के मुक्त मूलक क्लोरीकरण में कौन-सा पद सम्भव नहीं है–

(*a*) $Cl-Cl\xrightarrow{hv}\dot{C}l+\dot{C}l$

(*b*) $CH_4+\dot{C}\rightarrow CH_3+H-Cl$

(*c*) $\dot{C}H_3+Cl-Cl\rightarrow CH_3-Cl+\dot{C}l$

(*d*) $CH_4+\dot{C}l\rightarrow CH_3-Cl+\dot{H}$

3. सबसे अधिक स्थायी मुक्त मूलक है

(*a*) $CH_3-CH-\overset{\substack{CH_3\\|}}{\dot{C}}H-CH_3$

(*b*) $CH_2-CH_2-CH(CH_3)_2$

(*c*) $CH_3-CH_2-\overset{\substack{CH_3\\|}}{\dot{C}}-CH_3$

(*d*) $CH_3-\overset{\substack{CH_3\\|}}{\dot{C}}-CH_3$

4. कितनी ऐल्कीन हाइड्रोजनीकरण पर 2– मेथिलपेन्टेन देंगी–

(*a*) 4 (*b*) 5

(*c*) 2 (*d*) 6

5. सूत्र C_6H_{12} का वह कौन सा प्रकाश-सक्रिय हाइड्रोकार्बन है जो उत्प्रेरकीय हाइड्रोजनीकरण पर प्रकाश-अक्रिय हाइड्रोकार्बन उत्पन्न करता है–

(*a*) $CH_3-CH=CH-CH(CH_3)-CH_3$

(*b*) $CH_3-CH(C_2H_5)-CH=CH_2$

(*c*) $CH_3-CH=C(CH_3)-C_2H_5$

(*d*) $CH_2=C(CH_2-CH_3)-C_2H_5$

6. $RMgBr + CH_3CH_2CH_2OH \rightarrow$ हाइड्रोकार्बन (A); 'A' के एक ग्राम का N.T.P पर आयतन 1.4L है। अतः RMgBr है–

(*a*) C_6H_5MgBr (*b*) C_2H_5MgBr

(*c*) CH_3MgBr (*d*) $C_6H_{11}MgBr$

7. C_4H_8 का अणु वाली ऐल्कीन के अधिकतम समावयवियों की संख्या है–

(*a*) 2 (*b*) 3

(*c*) 4 (*d*) 5

8. C_6H_{14} अणु सूत्र की कौन-सी संरचना पाँच प्रकार के $C_6H_{13}Cl$ उत्पन्न करती है–

(*a*)  (*b*) 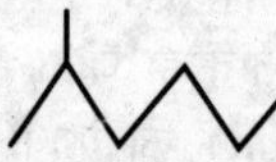

(*c*) 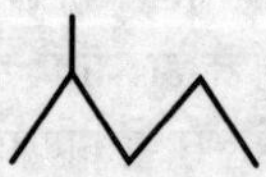 (*d*) 

9. $CCl_3-CH=CH_2 \xrightarrow{Cl_2+H_2O}$ प्रतिफल 'X'; "X" है–

(*a*) $CCl_3CH(OH)-CH_2(Cl_2)$

(*b*) $CCl_3-CH(Cl)-CH_2(OH)$

(*c*) $CCl_3-CH(Cl)-CH_2(Cl)$

(*d*) $CCl_3-CH(OH)-CH_2(OH)$

10.  $\xrightarrow{\text{तनु } KMnO_4/OH^-}$ A;A'A' का विन्यास होगा–

(*a*) 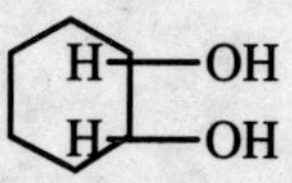

(*b*) 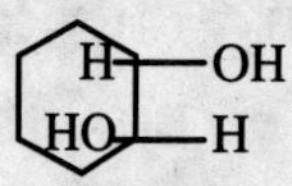

(*c*) दोनों (*a*) व (*b*) (*d*) इनमें से कोई नहीं

11. 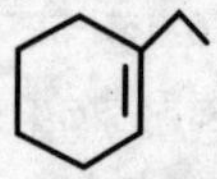 + $SO_2 \longrightarrow$ "X" : "X" है–

(*a*) 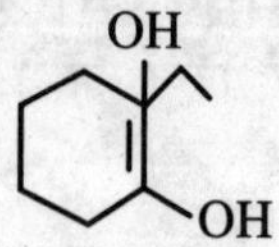

(*b*) 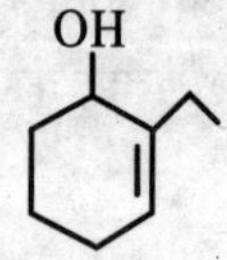

(*c*) 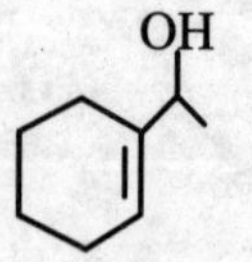

(*d*) 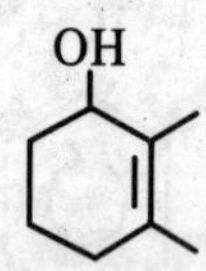

12. $C_6H_5-CH=CH-CH_3 \xrightarrow{H_2O/H^+}$ मुख्य प्रतिफल 'A' होगा–

(*a*) 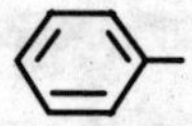 $-CH_2-CH(OH)CH_3$

(*b*) 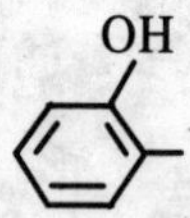 $-CH=CH-CH_3$

(*c*) 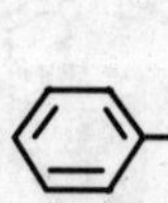 $-CH(OH)=CH_2-CH_3$

(*d*) OH–  $-CH=CH-CH_3$

13. 2 – ब्यूटेनॉल के निर्जलीकरण से 2 – ब्यूटीन का मुख्य प्रतिफल बनना निम्नलिखित में से किसके अनुसार होता है–

(*a*) मारकोनीकॉफ नियम (*b*) सेटजैफ नियम

(*c*) परॉक्साइड प्रभाव (*d*) एन्टि-मारकोनीकॉफ नियम

14. $CH_2=CH-CH_2-CH=CH_2 \xrightarrow{NBS}$ P,P है–

(*a*) $CH_2=CH-CH_2-CH=CHBr$

(*b*) $CH_2=CH-CH-CH_2=CH_2Br$

(*c*) $CH_2=CH-CH(Br)CH=CH_2$

(*d*) $CH_2=CH-CH_2-C(Br)=CH_2$

15. किस ऐल्कीन की हाइड्रोजनीकरण ऊष्मा सर्वाधिक होगी–

(*a*) $CH_3-CH=CH_2$

(*b*) $CH_3-CH=CH-CH_3$

(*c*) $(CH_3)_2C=CHCH_3$

(*d*) $(CH_3)_2C-C(CH_3)C_6H_5$

16. $CH_3-CH(Br)-CH(Br)-CH_3 \xrightarrow[\text{ऐसीटोन}]{NaI}$ A, A है–

(*a*) $CH_3-C\equiv C-CH_3$

(*b*) $CH_3-CH_2-CH=CH_2$

(*c*) $CH_3-CH=CH-CH_3$

(*d*) $CH_3CH(Br)CH(I)CH_3$

17. 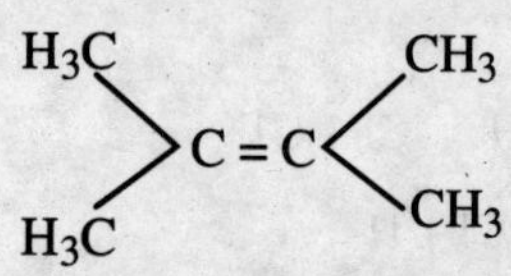

$\xrightarrow[\text{Heat}]{X+KOH}$

$$(H_3C)_2C=O + O=C(CH_3)_2$$

उपरोक्त अभिक्रिया में X है–

(a) HNO_3 (b) O_2
(c) O_3 (d) $KMnO_4$

18. अभिक्रिया

$CH_3-CH=CH-CH_3 \xrightarrow{CHCl_3/KOBu^t}$ प्रतिफल A ; A है–

(a) $CH_3-CH-CH-CH_3$ (दोनों CH से जुड़ा CH_2)

(b) $CH_3-CH-CH-CH_3$ (दोनों CH से जुड़ा CCl_2)

(c) $CH_3-CH(OBu^t)-CH(Cl)-CH_3$

(d) $CH_3-CH-CH-CH_3$ (दोनों CH से जुड़ा O)

19. B $\xleftarrow{Br_2}$  $\xrightarrow[H_2O_2]{OsO_4}$ A, प्रतिफल A तथा B हैं–

(a) 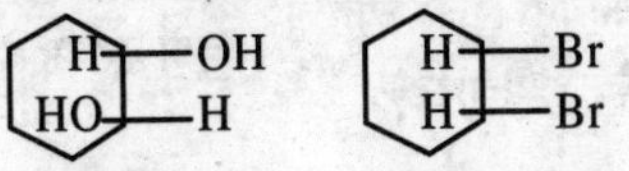

(b) 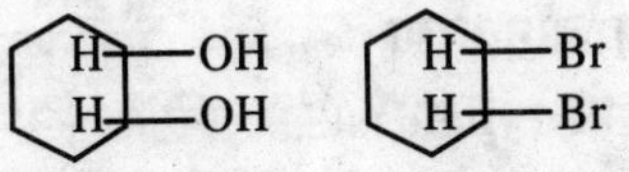

(c) 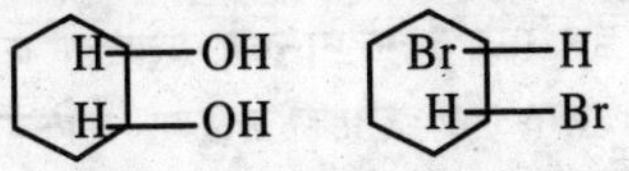

(d) 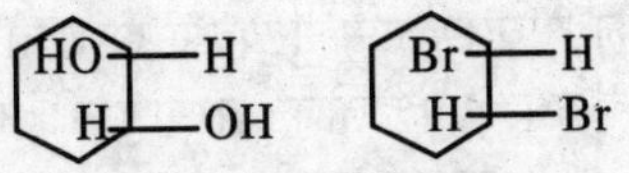

20. क्षारीय $KMnO_4$ के साथ साइक्लो-पेण्टीन की क्रिया से प्राप्त होता है–

(a) साइक्लोपेण्टेनॉल
(b) ट्रांस 1,2– साइक्लोपेण्टेनडाइऑल
(c) सिस 1,2– साइक्लोपेण्टेनडाइऑल
(d) सिस- और ट्रांस-1,2-साइक्लोपेण्टेनडाइऑल का 1 : 1 मिश्रण

21. अभिक्रिया $CH_3-CH=CH_2 \xrightarrow[(ii)H_2O]{(i)D^+}$ 'X' : 'X' है–

(a) $CH_3CH_2CH_2OH$
(b) $CH_3CH(OD)CH_2D$
(c) $CH_3-CH(OH)CH_2D$
(d) $CH_3-CH_2CH_2OD$

22. ऐसिटिलीन अणु में हैं–

(a) 5 सिग्मा बन्ध
(b) 4 सिग्मा तथा 1 पाई बन्ध
(c) 3 सिग्मा तथा 2 पाई बन्ध
(d) 2 सिग्मा तथा 3 पाई बन्ध

23. $CH_3-\overset{CH_3}{\overset{|}{C}}=CH-C(CH_3)_3 \xrightarrow{NaIO_4/KMnO_4}$ हैं–

(a) $CH_3-\overset{CH_3}{\overset{|}{C}}=O, HOOCC(CH_3)_3$
(b) $CH_3COCH_3, (CH_3)_3CHCHO$
(c) $CH_3COCH, (CH_3)_3C.COOH$
(d) $CH_3CH_2COOH, CH_3\overset{CH_3}{\overset{|}{C}}H_3-COOH$

24. प्रोपीन ($CH_3-CH=CH_2$) के ऑक्सीकरण से 1– प्रोपेनॉल प्राप्त किया जा सकता है। इस परिवर्तन के लिए उपयुक्त अभिकर्मक है–

(a) क्षारीय $KMnO_4$
(b) ऑसमियम टेट्रा-ऑक्साइड $(O_5O_4)/CH_2Cl_2$
(c) B_2H_6 तथा क्षारीय H_2O_2
(d) ओजोन तथा जिंक चूर्ण

25. $R-CH=CH_2+BrCCl_3 \xrightarrow{\text{परॉक्साइड}}$ प्रतिफल A; 'A' है–

(a) $R\underset{|}{C}H-CH_2Br$ (Cl)
(b) $R-\underset{|}{C}H \quad CH_2Cl$ (CCl_2Br)
(c) $R-\underset{|}{C}H-CH_2CCl_3$ (Br)
(d) $R-\underset{|}{C}H-CH_2Br$ (CCl_3)

उत्तरमाला

1	2	3	4	5	6	7	8	9	10
(a)	(d)	(d)	(a)	(b)	(c)	(c)	(c)	(b)	(a)
11	**12**	**13**	**14**	**15**	**16**	**17**	**18**	**19**	**20**
(c)	(c)	(b)	(c)	(a)	(c)	(d)	(b)	(c)	(c)
21	**22**	**23**	**24**	**25**					
(c)	(c)	(a)	(c)	(c)					

अध्याय

18 ऐल्केनों के हैलोजन व्युत्पन्न
(Halogen Derivatives of Alkanes)

- ऐल्केन में उपस्थित हाइड्रोजन परमाणुओं का हैलोजन परमाणुओं द्वारा प्रतिस्थापन किया जा सकता है। इन्हीं हैलोजन परमाणुओं युक्त ऐल्केनों को ऐल्केनों का हैलोजन व्युत्पन्न कहा जाता है।
- उक्त हैलोजन व्युत्पन्नों को उसमें उपस्थित हैलोजन परमाणुओं की संख्या के आधार पर इन्हें मोनो, डाइ, ट्राइ व टेट्रा हैलोजन व्युत्पन्न में विभक्त किया गया है।

मोनोहैलोजन व्युत्पन्न (ऐल्किल हैलाइड)
(Monohalogen Derivatives-Alkyl Halide)

वैसे यौगिक जो किसी ऐल्केन के एक हाइड्रोजन परमाणुओं को हैलोजन परमाणु द्वारा प्रतिस्थापन के बाद प्राप्त होते हैं, उसे मोनोहैलोजन व्युत्पन्न या ऐल्किल हैलाइड (Alkyl halide) कहते हैं।

ऐल्किल हैलाइडों का सामान्य सूत्र $C_nH_{2n+1}X$ या RX होता है। जहाँ पर R- ऐल्किल समूह तथा X हैलोजन परमाणु को प्रदर्शित करता है।

ऐल्किल हैलाइडों को हैलोजन परमाणु के कार्बन से जुड़ने के आधार पर प्राथमिक (1°), द्वितीयक (2°) या तृतीयक (3°) ऐल्किल हैलाइड में विभक्त किया गया है।

उदाहरण–

(*i*) $CH_3-CH_2-CH_2-Cl$
(प्राथमिक या 1° कार्बन)
n प्रोपिल क्लोराइड (1° एल्किल हैलाइड)

प्राथमिक या 1° ऐल्किल हैलाइड में हैलोजन परमाणु प्राथमिक कार्बन परमाणु से जुड़ा होता है।

(*ii*) $CH_3-\overset{\overset{CH_3}{|}}{C}H-Cl$
(द्वितीयक या 2° कार्बन)
आइसोप्रोपिल क्लोराइड
(2° ऐल्किल हैलाइड)

द्वितीयक या 2° ऐल्किल हैलाइड में हैलोजन परमाणु द्वितीयक कार्बन परमाणु से जुड़ा रहता है।

(*iii*) $CH_3-\underset{\underset{CH_3}{|}}{\overset{\overset{CH_3}{|}}{C}}-Cl$

तृतीयक या 3° कार्बन tert. ब्यूटिल क्लोराइड (3° ऐल्किल हैलाइड)

तृतीयक या 3° ऐल्किल हैलाइड में हैलोजन परमाणु तृतीयक कार्बन परमाणु से जुड़ा रहता है।

ऐल्किल हैलाइडों का नामकरण
(Nomenclature of Alkyl Halides)

(*i*) **साधारण पद्धति–** इस पद्धति में ऐल्किल हैलाइडों का नामकरण सम्बन्धित ऐल्किल समूह के हैलाइड के रूप में किया जाता है। ऐल्किल हैलाइडों का साधारण नाम मुख्यतया दो शब्दों से मिलकर बनता है– ऐल्किल समूह एवं हैलोजन परमाणु का नाम।

उदाहरण– CH_3I – मेथिल आयोडाइड
C_2H_5Cl – ऐथिल क्लोराइड

तालिका 1: ऐल्किल हैलाइडों के साधारण एवं IUPAC नाम

संरचनात्मक सूत्र	साधारण नाम	I.U.P.A.C. नाम
CH_3Cl	मेथिल क्लोराइड	क्लोरोमेथेन
CH_3CH_2Br	ऐथिल ब्रोमाइड	ब्रोमोमेथेन
$CH_3CH_2CH_2I$	*n*-प्रोपिल आयोडाइड	1-आयडो प्रोपेन
$CH_3CHBrCH_3$	आइसोप्रोपिल ब्रोमाइड	2-ब्रोमो प्रोपेन
$CH_3CH_2CH_2CH_2Cl$	*n*-ब्यूटिल क्लोराइड	1-क्लोरो ब्यूटेन
$CH_3-CHCl-CH_2-CH_3$	sec-ब्यूटिल क्लोराइड	2-क्लोरो ब्यूटेन
$CH_3-\underset{\underset{CH_3}{\vert}}{CH}-CH_2Cl$	आइसोब्यूटिल क्लोराइड	1-क्लोरो-2-मेथिल प्रोपेन
$CH_3-\underset{\underset{CH_3}{\vert}}{\overset{\overset{CH_3}{\vert}}{C}}-Cl$	ter-ब्यूटिल क्लोराइड	2-क्लोरो-2-मेथिल प्रोपेन

(*ii*) **I.U.P.A.C. पद्धति–** ऐल्किल हैलाइडों के आई.यू.पी.ए.सी. नाम जनक ऐल्केन में फ्लोरो, क्लोरो, ब्रोमो या आयडो अनुलग्नक का प्रयोग करके प्राप्त करते हैं। जटिल व्युत्पन्नों में हैलोजन परमाणु का शृंखला में स्थान उस कार्बन को न्यूनतम संख्या प्रदान करके दिया जाता है।

डाइहैलोजन व्युत्पन्न (Dihalogen Derivatives)

जब किसी ऐल्केन के दो हाइड्रोजन परमाणु, दो हैलोजन परमाणुओं द्वारा विस्थापित किये जाते हैं तो डाइ हैलोजन व्युत्पन्न प्राप्त होते हैं।

$$C_nH_{2n+2} \xrightarrow[+2x]{-2H} C_nH_{2n}X_2$$

ऐल्केन डाइ हैलोजन व्युत्पन्न

ट्राइहैलोजन व्युत्पन्न (Trihalogen Derivatives)

किसी ऐल्केन के तीन हाइड्रोजन परमाणु तीन हैलोजन परमाणुओं द्वारा विस्थापित किये जाते हैं तो ट्राइहैलोजन व्युत्पन्न (Trihalogen derivatives) प्राप्त होते हैं।

इन्हें $C_nH_{2n-1}X_3$ सूत्र से प्रदर्शित करते हैं।

उदाहरण–

(*i*) $CHCl_3$ (क्लोरोफार्म)

(*ii*) $CHBr_3$ (ब्रोमोफार्म)

(*iii*) CHI_3 (आयडोफार्म)

टेट्राहैलोजन व्युत्पन्न (Tetrahalogen Derivatives)

टेट्राहैलोजन व्युत्पन्न ऐल्केन के चार हाइड्रोजन-परमाणुओं के चार हैलोजन परमाणुओं के विस्थापन के बाद प्राप्त होते हैं।

उदाहरण–

(*i*) CCl_4 ट्रेटाक्लोरोमेथेन (कार्बन टेट्राक्लोराइड)

(*ii*) $CHCl_2-CHCl_2$ 1, 1, 2, 2-टेट्राक्लोरोऐथेन

ऐल्किल हैलाइड बनाने की सामान्य विधियाँ (General Methods of Preparation of Alkyl Halides)

ऐल्किल हैलाइड ऐल्कोहॉल प्राप्त किये जाने की सर्वाधिक प्रयोग की जाने वाली विधि है।

इसमें ऐल्कोहॉल का हाइड्रॉक्सिल समूह हैलोजन परमाणु द्वारा विस्थापित किया जाता है।

उदाहरण–

1. फॉस्फोरस हैलाइड के साथ अभिक्रिया– ऐल्कोहॉल, फॉस्फोरस हैलाइडों से क्रिया करके सम्बन्धित ऐल्किल हैलाइड देते हैं। जैसे–

(*i*) **PCl_5 के साथ–**

$$ROH + PCl_5 \longrightarrow RCl + POCl_3 + HCl$$

(RCl = ऐल्किल क्लोराइड; $POCl_3$ = फॉस्फोरस ऑक्सी क्लोराइड)

$$C_2H_5OH + PCl_5 \longrightarrow C_2H_5Cl + POCl_3 + HCl$$

(C_2H_5Cl = ऐथिल क्लोराइड)

(*ii*) **PCl_3 के साथ–**

$$3\,ROH + PCl_3 \longrightarrow 3RCl + H_3PO_3$$

(RCl = ऐल्किल फॉस्फोरस; H_3PO_3 = आर्थो क्लोराइड अम्ल)

$$3C_2H_5OH + PCl_3 \longrightarrow 3C_2H_5Cl + H_3PO_3$$

(C_2H_5Cl = ऐथिल क्लोराइड)

ऐल्किल आयोडाइड एवं ब्रोमाइड प्राप्त करने के लिए ऐल्कोहॉल की क्रिया लाल फॉस्फोरस (Red P) की उपस्थिति में आयोडीन अथवा ब्रोमीन से कराई जाती है।

(*a*) $2P + 3Br_2 \longrightarrow 2PBr_3$

$3CH_3OH + PBr_3 \longrightarrow 3CH_3Br + H_3PO_3$

मेथिल ऐल्कोहॉल मेथिल ब्रोमाइड

$$3C_2H_5OH + PBr_3 \xrightarrow[Br_2]{\text{लाल P}} 3C_2H_5Br + H_3PO_3$$

ऐथिल ब्रोमाइड

(*b*) $2P + 3I_2 \longrightarrow 2PI_3$

$3C_2H_5OH + PI_3 \longrightarrow 3C_2H_5I + H_3PO_3$

ऐथिल आयोडाइड

2. थायोनिल क्लोराइड के साथ (With Thionyl Chloride)– थायोनिल क्लोराइड ($SOCl_2$) के साथ ऐल्कोहॉल, पिरिडीन की उपस्थिति में क्रिया करके ऐल्किल हैलाइड बनाते हैं।

$$ROH + SOCl_2 \xrightarrow{\text{पिरिडीन}} SO_2\uparrow + HCl\uparrow + RCl$$

(ROH = ऐल्कोहॉल; RCl = ऐल्किल क्लोराइड)

$$C_2H_5OH + SOCl_2 \xrightarrow{\text{पिरिडीन}} SO_2\uparrow + HCl\uparrow + C_2H_5Cl$$

(C_2H_5OH = ऐथिल ऐल्कोहॉल; C_2H_5Cl = ऐल्किल क्लोराइड)

ऐल्किल हैलाइड प्राप्त करने की यह सर्वोत्तम विधि है क्योंकि SO_2 एवं HCl गैसीय अवस्था में होने के कारण मिश्रण से अलग हो जाते हैं एवं ऐल्किल हैलाइड शेष बचता है।

3. हैलोजन अम्लों के साथ अभिक्रिया द्वारा (Reaction with Halogen acids)– किसी निर्जलीकारक जैसे शुष्क जिंक क्लोराइड या सान्द्र सल्फ्यूरिक अम्ल की उपस्थिति में ऐल्कोहॉल, हैलोजन अम्लों से अभिक्रिया करके ऐल्किल हैलाइड देते हैं।

$$ROH + HX \longrightarrow RX + H_2O$$

ऐल्कोहॉल हैलोजन अम्ल ऐल्किल हैलाइड

ऐल्किल हैलाइडों के गुण (Properties of Alkyl Halide)

भौतिक गुण–

(*i*) ऐल्किल हैलाइडों के निम्न सदस्य जैसे मेथिल क्लोराइड एवं ऐथिल क्लोराइड रंगहीन गैस होती है। C_{18} तक अन्य सभी हैलाइड मीठी गन्ध वाले तेलीय द्रव होते हैं तथा उच्च सदस्य ठोस होते हैं।

(*ii*) ऐल्किल हैलाइड में कार्बन-हैलोजन बन्ध ध्रुवीय प्रकृति का होता है।

(*iii*) ऐल्किल हैलाइडों की ध्रुवीय प्रवृत्ति होने के कारण ऐल्किल हैलाइडों का क्वथनांक उनके सम्बन्धित ऐल्केनों की तुलना में अधिक होता है।

(*iv*) ऐल्किल हैलाइड ध्रुवीय होने के बावजूद जल में विलेय नहीं है जबकि ऐल्कोहॉल, ईथर एवं अन्य कार्बनिक विलायकों में विलेय होते हैं।

(*v*) ऐल्किल आयोडाइड एवं ब्रोमाइड जल से भारी होते हैं जबकि क्लोराइड एवं फ्लोराइड जल से हल्के होते हैं।

रासायनिक गुण–

(*i*) ऐल्किल हैलाइड अत्यधिक क्रियाशील होते हैं।

(*ii*) इनमें अभिक्रियाशीलता का गुण इनके अणुओं में ध्रुवीय कार्बन-हैलोजन $\left(\overset{\delta+}{C} - \overset{\delta-}{X}\right)$ बंध की उपस्थिति के कारण होता है।

(*iii*) इनमें ध्रुवणता का गुण निम्न क्रम में होता है–

$$C - Cl > C - Br > C - I$$

C – X बन्ध की अभिक्रियाशीलता का क्रम निम्न होता है–

$$C - I > C - Br > C - Cl$$

ऐसा C – I बंध की न्यूनतम विखण्डन ऊर्जा के कारण होता है।

(*iv*) ऐल्किल हैलाइडों में कार्बन-हैलोजन बंध ध्रुवीय होता है।

(*v*) हैलोजन परमाणु उच्च विद्युत ऋणात्मकता के कारण आंशिक ऋणावेश प्राप्त करता है एवं कार्बन परमाणु कम विद्युत ऋणी होने के कारण उतना ही धनावेश प्राप्त कर लेता है। अतः आंशिक धनावेश की उपस्थिति के कारण कार्बन परमाणु पर नाभिकस्नेही द्वारा आक्रमण किया जाता है।

(*vi*) ऐल्किल हैलाइड द्वारा विभिन्न कार्बनिक यौगिकों का निर्माण किया जा सकता है क्योंकि इसके हैलोजन परमाणु को आसानी से अन्य परमाणुओं एवं समूहों द्वारा विस्थापित किया जा सकता है।

सेटजैफ नियम (Saytzeff's Rule)

यदि ऐल्किल हैलाइड में दो β-कार्बन परमाणु हैं तो हैलोजन के साथ β-हाइड्रोजन का उस निकटवर्ती कार्बन परमाणु से विलोप होता है जिस पर हाइड्रोजन परमाणुओं की संख्या न्यूनतम होती है।

उदाहरण–

$$CH_3 - \overset{\beta}{C}H_2 - \underset{\underset{Cl}{|}}{CH} - \overset{\beta}{C}H_3 \xrightarrow[-HCl]{KOH_{(AlC)}}$$

2-क्लोरो ब्यूटेन

$$CH_3 - CH = CH - CH_3 + CH_3 - CH_2 - CH = CH_2$$

2-ब्यूटीन (80%) 1-ब्यूटीन (20%)

उपरोक्त अभिक्रिया में 2-ब्यूटीन मुख्य उत्पाद है– ऐथिल ब्रोमाइड या ब्रोमोऐथेन (Ethyl Bromide or Bromo Ethane) $CH_3 - CH_2 - Br$ या C_2H_5Br.

प्रयोगशाला विधि

ऐथिल ऐल्कोहॉल, सान्द्र सल्फ्यूरिक अम्ल एवं पोटैशियम ब्रोमाइड द्वारा– जब ऐथिल ऐल्कोहॉल को पोटैशियम ब्रोमाइड एवं सान्द्र सल्फ्यूरिक अम्ल के मिश्रण के साथ गर्म किया जाता है तो ऐथिल ब्रोमाइड (C_2H_5Br) प्राप्त होता है।

$$KBr + H_2SO_4 \longrightarrow KHSO_4 + HBr$$

$$C_2H_5OH + HBr \longrightarrow C_2H_5Br + H_2O$$

$$\underset{\text{ऐथिल ऐल्कोहॉल}}{C_2H_5OH} + \underset{\text{पोटैशियम ब्रोमाइड}}{KBr} + \underset{\text{सल्फ्यूरिक अम्ल}}{H_2SO_4} \xrightarrow{\text{गर्म}} \underset{\text{ऐथिल ब्रोमाइड}}{C_2H_5Br} + \underset{\text{पोटैशियम हाइड्रोजन सल्फेट}}{KHSO_4} + H_2O$$

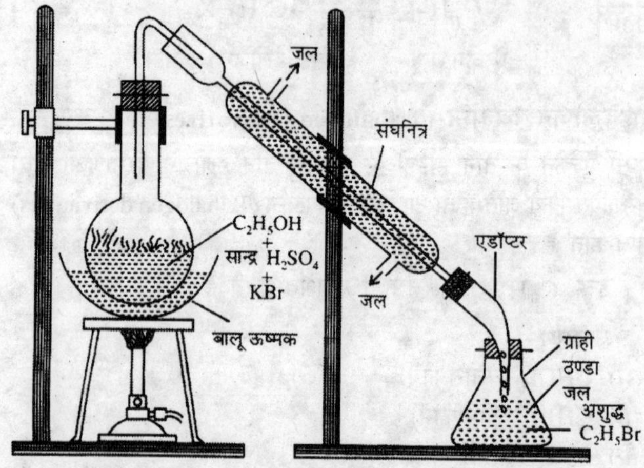

चित्र: *ऐथिल ब्रोमाइड बनाने की प्रयोगशाला विधि*

विधि– एक गोल पेंदी वाले फ्लास्क में 30 मिली ऐल्कोहॉल लेते हैं। इसके बाद 30 मिली सान्द्र सल्फ्यूरिक अम्ल धीरे-धीरे लगातार फ्लास्क को हिलाकर ठण्डा करते हुए मिलाते हैं। 50 ग्राम पोटैशियम ब्रोमाइड चूर्ण लगातार हिलाते हुए फ्लास्क में मिला देते हैं। अब फ्लास्क को संघनित्र (Condenser) एवं ग्राही (Receiver) से जोड़ देते हैं तथा फ्लास्क को धीरे-धीरे बालू ऊष्मक (Sand bath) पर रखकर गर्म करते हैं। ऐथिल ब्रोमाइड की प्राप्त वाष्प संघनित होकर ग्राही में ठंडे जल की निचली सतह पर एकत्रित हो जाती है। ऐथिल ब्रोमाइड एक तैलीय परत के रूप में ग्राही में अलग एकत्र रहता है जिसे पृथक्कारी फनल (Separating funnel) की सहायता से अलग कर लेते हैं। प्राप्त ऐथिल ब्रोमाइड (अशुद्ध) को सान्द्र HCl के साथ, फिर जल एवं 5% सोडियम बाई कार्बोनेट के साथ धोकर पुनः ठण्डे जल से धोते हैं। प्राप्त ऐथिल ब्रोमाइड को निर्जल कैल्सियम क्लोराइड के साथ सुखाकर पुनः P_2O_5 के साथ आसवित किया जाता है। आसवन के फलस्वरूप 38 – 39°C पर शुद्ध ऐथिल ब्रोमाइड प्राप्त हो जाता है।

उपयोग–

(*i*) औषधि निर्माण में।

(*ii*) स्थानिक निश्चेतक (Local anaesthetic) के रूप में।

(*iii*) एथिलीनी कारक (Ethylating agent) के रूप में कार्बनिक संश्लेषणों में।

(*iv*) विलायक के रूप में भी इसका प्रयोग किया जाता है।

ऐथिल ब्रोमाइड की मुख्य अभिक्रियाएँ

C_2H_5Br →

- $\xrightarrow{KOH(aq)}$ C_2H_5OH (ऐथिल ऐल्कोहॉल)
- moist silver oxide
- C_2H_5ONa or (शुष्क) Ag_2O → $C_2H_5OC_2H_5$ (डाइ ऐथिल ईथर)
- NaSH (Alc.) → C_2H_5SH (ऐथिल थायो ऐल्कोहॉल)
- Na_2S or C_2H_5SNA → $C_2H_5SC_2H_5$ (ऐथिल थायोईथर)
- KCN (Alc.) → $C_2H_5C\equiv N$ (ऐथिल सायनाइड)
- AgCN (Alc.) → $C_2H_5N\equiv C$ (ऐथिल आइसोसायनाइड)
- $NaNO_2$ (Alc.) → $C_2H_5-O-N=O$ (ऐथिल नाइट्राइट)
- $AgNO_2$ (Alc.) → $C_2H_5NO_2$ (नाइट्रो ऐथेन)
- CH_3COOAg → $CH_3COOC_2H_5$ (ऐथिल ऐसीटेट)
- $NaC\equiv CH$ → $C_2H_5C\equiv CH$ (1-ब्यूटाइन)
- NH_3(Alc.) → $C_2H_5NH_2$ $\xrightarrow{C_2H_5Br}$ $(C_2H_5)_2NH$ $\xrightarrow{C_2H_5Br}$ $(C_2H_5)_3N$ $\xrightarrow{C_2H_5Br}$ $(C_2H_5)_4NBr$
- NaI (Alc.) → C_2H_5I (ऐथिल आयोडाइड)
- KOH (Alc.) (गर्म) → C_2H_4 (ऐथिलीन)
- H ($LiAlH_4$) → C_2H_6 (ऐथेन)
- Mg (शुष्क ईथर) → C_2H_5MgBr (ऐथिल मैग्नीशियम ब्रोमाइड)
- Na (शुष्क ईथर) → $C_2H_5-C_2H_5$ (ब्यूटेन)
- Zn → $(C_2H_5)_2Zn$ (डाइ ऐथिल जिंक)
- C_6H_6 → $C_6H_5 . C_2H_5$ (ऐथिल बेंजीन)

क्लोरोफार्म (ट्राइक्लोरोमेथेन)

(Chloroform (Trichloro methane), $CHCl_3$)

- क्लोरोफार्म की खोज सर्वप्रथम लीबिग (Leibig) ने की।
- सिम्पसन (Simpson) ने सर्वप्रथम निश्चेतक के रूप में इसका उपयोग किया।

क्लोरोफार्म बनाने की प्रयोगशाला विधि

(Laboratory method of Chloroform Preparation)

ऐथिल ऐल्कोहॉल या एसीटोन के साथ ब्लीचिंग पाउडर की क्रिया द्वारा क्लोरोफार्म बनाया जाता है। 100 ग्राम ब्लीचिंग पाउडर को 200 मिली जल में घोलकर गाढ़ा पेस्ट बनाते हैं। इस पेस्ट को लीटर क्षमता वाले गोल पेंदी फ्लास्क में लेकर, 25 मिली ऐथिल ऐल्कोहॉल या ऐसीटोन मिलाते हैं तथा फ्लास्क को बालू उष्मक पर गर्म करते हैं जिससे क्लोरोफॉर्म एवं जल का मिश्रण आसवित होकर ग्राही में प्राप्त होता है। उक्त मिश्रण में ग्राही से पृथक्कारी फनल में लेकर क्लोरोफॉर्म की निचली सतह को मिश्रण से पृथक् कर लेते हैं। इस प्रकार प्राप्त क्लोरोफॉर्म को क्रमशः जल एवं सल्फ्यूरिक अम्ल से धोते हैं। उसके बाद निर्जल $CaCl_2$ के साथ सुखाते हैं। सुखाने के बाद पुनः आसवन करके 61°C पर शुद्ध क्लोरोफॉर्म प्राप्त कर लेते हैं।

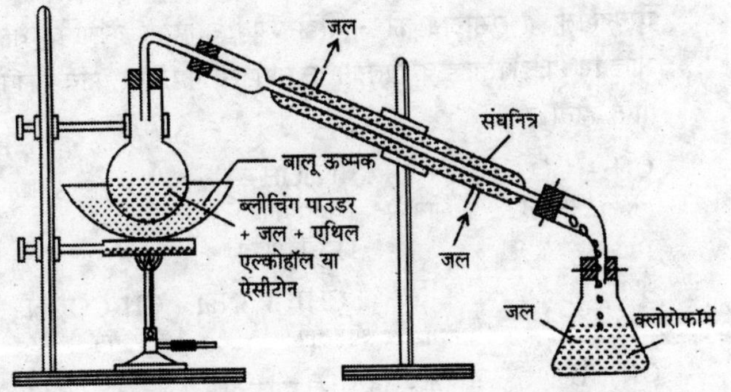

चित्रः *क्लोरोफार्म बनाने की प्रयोगशाला विधि*

क्लोरोफॉर्म का संरक्षण

निश्चेतक के रूप में उपयोग में आने वाला क्लोरोफार्म, फॉस्जीन रहित होना चाहिए।

इस प्रकार क्लोरोफार्म को वायुमण्डलीय ऑक्सीकरण से बचाने के लिए निम्नलिखित सावधानियाँ आवश्यक है–

(*i*) चूंकि प्रकाश एवं वायु के साथ क्रिया करके क्लोरोफार्म विषैली फॉस्जीन गैस बनाता है इसलिए क्लोरोफार्म को हमेशा भूरे रंग की बोतलों में रखना चाहिए।

(*ii*) 1% ऐथिल ऐल्कोहॉल, क्लोरोफार्म में मिला देते हैं जिससे वायु द्वारा क्लोरोफार्म का ऑक्सीकरण बहुत कम होता है।

(*iii*) बोतल के मुख तक क्लोरोफार्म भर कर उसमें डाट लगा देते हैं जिससे क्लोरोफार्म वायु के सम्पर्क में न हो सके।

(*iv*) क्लोरोफार्म की शुद्धता की पहचान प्रयोग से पूर्व अतिआवश्यक है। इसकी शुद्धता की जाँच हेतु सिल्वर नाइट्रेट के साथ परीक्षण करने पर यदि सफेद अवक्षेप नहीं प्राप्त होता है तो वह क्लोरोफार्म शुद्ध होता है।

उपयोग–

(*i*) चूंकि क्लोरोफॉर्म की वाष्प सूंघने से अस्थायी निश्चेतना आ जाती है। अतः इसका उपयोग निश्चेतक के रूप में किया जाता है।

(*ii*) वसा, रबर, मोम, रेजिन आदि के विलायकों के रूप में इसका प्रयोग किया जाता है।

(*iii*) क्लोरीटोन, अश्रुगैस, सैलिसिल्डिहाइड आदि के निर्माण में क्लोरोफार्म का प्रयोग किया जाता है।

(*iv*) औषधियों एवं प्रयोगशाला में अभिकर्मक के रूप में इसका प्रयोग किया जाता है।

(*v*) जीव-विज्ञान के स्पेसीमेनों के संरक्षण (Preservation) में क्लोरोफार्म का उपयोग किया जाता है।

आयडोफॉर्म या ट्राई आयडोमेथेन (CHI_3)

बनाने की विधियाँ (Methods of Preparation)–

(*i*) **हैलोफॉर्म अभिक्रिया द्वारा (By Haloform Reaction)–** एथिल ऐल्कोहॉल या ऐसीटोन को आयोडीन एवं सोडियम कार्बोनेट या सोडियम हाइड्रॉक्साइड के विलयन के साथ गर्म करने पर आयडोफॉर्म प्राप्त होता है।

$$CH_3-CO-CH_3 + 3I_2 + 4NaOH \longrightarrow CHI_3 + 3NaI + CH_3COONa$$

ऐसीटोन, आयोडीन, सोडियम हाइड्रॉक्साइड → आयडोफॉर्म, सोडियम ऐसीटेट

$$CH_3CH_2OH + 4I_2 + 3Na_2CO_3 \longrightarrow CHI_3 + 5NaI + 3CO_2 + 2H_2O + HCOONa$$

एथिल ऐल्कोहॉल, सोडियम कार्बोनेट → आयडोफॉर्म, सोडियम आयोडाइड, कार्बन डाइ आक्साइड, जल, सोडियम फार्मेट

(*ii*) **विद्युत अपघटनी विधि द्वारा (By Electrolytic Method)–** एथिल ऐल्कोहॉल या ऐसीटोन के साथ सोडियम कार्बोनेट तथा पोटैशियम आयोडाइड के विलयन को मिलाकर विद्युत अपघटन कराते हैं जिससे आयडोफार्म (पीले रंग का ठोस) प्राप्त होता है।

$$2KI + 2H_2O \xrightarrow{\text{विद्युत अपघटन}} 2KOH + I_2 + H_2\uparrow$$

$$C_2H_5OH + I_2 \longrightarrow CH_3 + CHO + 2H$$

एसिटेल्डिहाइड

$$CH_3CHO + 3I_2 \longrightarrow I_3C.CHO + 3HX$$

ट्राइआयडोएसिटेल्डिहाइड

$$I_3C.CHO + NaOH \longrightarrow CHI_3 + HCOONa$$

आयडोफार्म

आयडोफॉर्म के गुण (Properties of Iodoform)

(*i*) यह पीले रंग का क्रिस्टलीय (crystalline) ठोस है। यह अप्रिय गन्ध भी देता है।

(*ii*) इसका गलनांक 119°C होता है।

(*iii*) यह जल में अविलेय एवं एथिल ऐल्कोहॉल एवं अन्य कार्बनिक विलायकों में विलेय है।

(*iv*) चूँकि त्वचा के सम्पर्क में आने पर इसमें से आयोडीन निकलती है अतः यह ऐन्टीसेप्टिक का गुण भी प्रदर्शित करता है।

(*v*) आयडोफॉर्म, क्लोरोफॉर्म एवं ब्रोमोफॉर्म से कम स्थायी है।

(*vi*) इसके कुछ रासायनिक गुण क्लोरोफॉर्म के समान होते हैं।

उपयोग– इसका उपयोग औषधियों के निर्माण तथा ऐन्टीसेप्टिक के रूप में किया जाता है।

कार्बन टेट्राक्लोराइड या ट्रेटा क्लोरोमेथेन

(CCl_4) (Carbon Tetrachloride or Tetra Chloromethane)

बनाने की विधियाँ–

(*i*) **मेथेन के क्लोरोनीकरण द्वारा–** उच्च ताप पर मेथेन की क्लोरीन के आधिक्य से क्रिया कराने पर टेट्राक्लोरोमेथेन प्राप्त होता है।

$$CH_4 + 4Cl_2 \xrightarrow{\text{उच्च ताप}} CCl_4 + 4HCl$$

मेथेन, क्लोरीन → टेट्राक्लोरो मेथेन

(*ii*) कार्बन डाइ सल्फाइड की निर्जल $AlCl_3$ की उपस्थिति में क्लोरीन के साथ क्रिया कराने पर टेट्रा क्लोरोमेथेन प्राप्त होता है।

$$CS_2 + 3Cl_2 \xrightarrow{\text{निर्जल } AlCl_3} CCl_4 + S_2Cl_2$$

कार्बन डाइ सल्फाइड, क्लोरीन → टेट्राक्लोरो मेथेन

भौतिक गुण (Physical Properties)

(*i*) यह एक रंगहीन तथा वाष्पशील द्रव है।

(*ii*) इसका क्वथनांक (boiling point) 77°C होता है।

(*iii*) यह एक अज्वलनशील (Non-inflammable) द्रव है।

(*iv*) यह कार्बनिक विलायकों के साथ मिश्रणीय तथा जल में अमिश्रणीय है।

रासायनिक गुण (Chemical Properties)

(*i*) यह आयरन या जलवाष्प के साथ अपचयित होकर क्लोरोफार्म बनाता है।

$$CCl_4 + 2[H] \xrightarrow{Fe/H_2O} CHCl_3 + HCl$$

टेट्राक्लोरो मेथेन → क्लोरोफार्म

(*ii*) यह जलीय पोटेशियम हाइड्राक्साइड के साथ जल अपघटित होकर पोटेशियम क्लोराइड एवं जल बनाता है।

$$CCl_4 + 6KOH\,(\text{जलीय}) \longrightarrow K_2CO_3 + 4KCl + 3H_2O$$

टेट्राक्लोरो मेथेन, पोटेशियम हाइड्राक्साइड → पोटेशियम कार्बोनेट, पोटेशियम क्लोराइड, जल

(*iii*) यह निर्जल $AlCl_3$ की उपस्थिति में बेंजीन के साथ क्रिया करके डाइक्लोरो डाइफेनिल मेथेन बनाता है।

$$2C_6H_6 + CCl_4 \xrightarrow{AlCl_3} (C_6H_5)_2\,CCl_2 + 2HCl$$

बेंजीन, टेट्राक्लोरो मेथेन → डाइक्लोरो डाइफेनिल मेथेन

उपयोग–

(*i*) पाइरिन (Pyrene) के नाम से इसका उपयोग अग्निशामक (Fire extinguisher) के रूप में होता है।

(*ii*) विलायक के रूप में तथा औषधियों के निर्माण में इसका प्रयोग किया जाता है।

(*iii*) इसे प्रयोगशाला में अभिकर्मक के रूप में प्रयोग किया जाता है।

वस्तुनिष्ठ प्रश्न

1. ऐथिल ऐल्कोहॉल तथा ब्लीचिंग चूर्ण की अभिक्रिया से $CHCl_3$ के निर्माण में निम्नलिखित में से कौन-सा प्रक्रम नहीं होता है?

(*a*) ऑक्सीकरण (*b*) अपचयन
(*c*) क्लोरीनीकरण (*d*) जल-अपघटन

2. कौन-सा सही नहीं है?

(*a*) CH_4 तथा C_2H_6 के क्लोरोफ्लोरो व्युत्पन्न फ्रीऑन कहलाते हैं
(*b*) फ्रीऑनों को वैल्डिंग में प्रयुक्त करते हैं
(*c*) फ्रीऑनों का एअर कंडीशनिंग में उपयोग किया जाता है
(*d*) फ्रीऑनों का शीतलीकारकों के रूप में उपयोग किया जाता है

3. क्लोरल है–

(*a*) $CHCl_3$ (*b*) NH_2CONH_2
(*c*) $C_2H_5NH_2$ (*d*) CCl_3CHO

4. क्लोरोफॉर्म $AgNO_3$ के साथ एक सफेद अवक्षेप नहीं देता है, क्योंकि–

(*a*) यह एक घुलनशील संकुल बनाता है
(*b*) यह विलयन के साथ अमिश्रणीय है
(*c*) $AgNO_3$ विलयन का सान्द्रण क्षीण होता है
(*d*) यह Cl^- आयन देने के लिये आयनित नहीं होता है

5. क्लोरोफॉर्म के निर्माण में ब्लीचिंग चूर्ण का कार्य है–

(*a*) ऑक्सीकारक की भाँति
(*b*) विरंजक की भाँति
(*c*) एक ऑक्सीकारक, क्लोरीनीकारक तथा जल-अपघटक की भाँति
(*d*) उपरोक्त सभी

6. ऐथिल ऐल्कोहॉल युक्त NaCl विलयन का जब वैद्युत-अपघटन किया जाता है तो यह बनाता है–

(*a*) $CHCl_3$ (*b*) CH_3CHO
(*c*) CCl_3CHO (*d*) C_2H_5OH

7. जब CCl_3CHO को NaOH विलयन के साथ आसुत करते हैं तो यह बनाता है–

(*a*) क्लोरल (*b*) $CHCl_3$
(*c*) C_2H_5OH (*d*) C_2H_5Cl

8. कार्बन टेट्राक्लोराइड में कार्बन की चारों संयोजकतायें निम्न के कोनों की ओर दिष्ट होती हैं–

(*a*) एक घन (cube) (*b*) प्रिज्म
(*c*) वर्ग (*d*) चतुष्फलक

9. निम्नलिखित में से कौन-सा ऐथेनॉलिक $AgNO_3$ के साथ तुरन्त सफेद अवक्षेप देगा?

(*a*) $CH_3CH_2CH_2Cl$
(*b*) $CH_2 = CH - CH_2 - Cl$
(*c*) $CH_3 - CH = CH - Cl$
(*d*) $CH_3 - \underset{\displaystyle Cl}{\underset{|}{CH}} - CH_3$

10. एक कार्बनिक यौगिक 'A' ने AgCN के साथ अभिकृत करने के बाद जल-अपघटन पर CH_3NH_2 तथा HCOOH दिया। यौगिक 'A' है–

(*a*) CH_3Cl (*b*) C_2H_5OH
(*c*) CH_3COCl (*d*) CH_3CH_2Cl

11. ऐल्कोहॉलिक पोटाश की क्लोरोफॉर्म तथा ऐनिलीन पर क्रिया से बना दुर्गन्धयुक्त पदार्थ है–

(*a*) फिनाइल आइसोसायनाइड
(*b*) नाइट्रोबेन्जीन
(*c*) ऐसिटिलीन
(*d*) क्लोरोपिक्रिन

12. यदि $CHCl_3$ को सूर्य के प्रकाश की उपस्थिति में वायु में खुला छोड़ दिया जाये तो–

(*a*) बहुलकीकरण होता है (*b*) फॉस्जीन बनती है
(*c*) विस्फोट होता है (*d*) कोई अभिक्रिया नहीं होती है

13. ऐल्किल मैग्नीशियम हैलाइड को कहते हैं–

(*a*) ट्विटशैल अभिकारक (Twitchell reagent)
(*b*) फैन्टन अभिकारक
(*c*) ग्रिगनार्ड अभिकर्मक
(*d*) इनमें से कोई नहीं

14. ऐथिलीन डाइक्लोराइड तथा ऐथिलिडीन क्लोराइड समावयवी हैं। वह कथन पहचानिये जो इन पर लागू नहीं होता है–

(*a*) ऐल्कोहॉलिक कॉस्टिक पोटाश के साथ क्रिया करते हैं
(*b*) जलीय पोटाश के साथ क्रिया करते हैं तथा समान (identical) क्रियाफल देते हैं
(*c*) डाइहैलाइड है
(*d*) बैल्स्टीन परीक्षण देते हैं

15. निम्न में 'Z' को पहचानिये–

$$CH_3CH_2CH_2Br \xrightarrow{NaOH_{aq}} X \xrightarrow[heat]{Al_2O_3} Y \xrightarrow{Cl_2/H_2O} Z$$

(*a*) $\underset{\displaystyle Cl}{\underset{|}{CH_2}} - \underset{\displaystyle Cl}{\underset{|}{CH}} - CH_3$ तथा $CH_3 - \underset{\displaystyle OH}{\underset{|}{CH}} - \underset{\displaystyle Cl}{\underset{|}{CH_2}}$ का मिश्रण

(*b*) $CH_3 - \underset{\displaystyle OH}{\underset{|}{CH}} - \underset{\displaystyle Cl}{\underset{|}{CH_2}}$

(*c*) $CH_3-\underset{\substack{|\\Cl}}{CH}-\underset{\substack{|\\OH}}{CH_2}$

(*d*) $CH_3-\underset{\substack{|\\Cl}}{CH}-\underset{\substack{|\\Cl}}{CH_2}$

16. एक ऐल्किल आयोडाइड रखे रहने पर काला पड़ जाता है, क्योंकि–

(*a*) आयोडीन मुक्त हो जाती है

(*b*) बहुलकीकरण हो जाता है

(*c*) इसका वायु द्वारा ऑक्सीकरण हो जाता है

(*d*) डीहाइड्रेशन के परिणामस्वरूप ऐल्किल आयोडाइड का सान्द्रण बढ़ जाता है

17. अश्रु गैस है–

(*a*) ऐथिल कार्बोनेट (*b*) क्लोरीटोन

(*c*) मेथिलीन क्लोराइड (*d*) क्लोरोपिक्रिन

18. बेन्जीन का आयोडीनीकरण सीधे नहीं कराया जा सकता, क्योंकि–

(*a*) HI एक प्रबल अपचायक होता है

(*b*) आयोडोबेन्जीन अस्थायी होती है

(*c*) आयोडीन का अणु भार उच्च होता है

(*d*) शुद्ध आयोडीन मिलती नहीं है

19. फिन्कलस्टीन अभिक्रिया है–

(*a*) $2CH_3CH_2Cl + \underset{\text{शुष्क}}{Ag_2O} \longrightarrow CH_3CH_2OCH_2CH_3 + 2AgCl$

(*b*) $CH_3CH_2Br + NaI \longrightarrow CH_3CH_2I + NaBr$

(*c*) $CH_3CH_2Br + \underset{\text{नम}}{Ag_2O} \longrightarrow CH_3CH_2OH + AgBr$

(*d*) $CH_3CH_2Cl + NaOCH_3 \longrightarrow CH_3CH_2OCH_3 + NaCl$

20. हुन्सडीकर अभिक्रिया है–

(*a*) $2RCOOAg + I_2 \rightarrow R-COOR + 2AgI + CO_2$

(*b*) $R-COOAg + R-X \rightarrow R-COOR + AgX$

(*c*) $R-COOAg + Br_2 \rightarrow R-Br + CO_2 + AgBr$

(*d*) उपरोक्त में से कोई नहीं

21. निम्नलिखित में से कौन-सा एक ऐम्बिडैन्ट न्यूक्लिओफाइल है?

(*a*) $[:\ddot{S}-R]^-$ (*b*) $[:\ddot{S}-H]^-$

(*c*) $:\underset{\substack{|\\H}}{\overset{\substack{H\\|}}{N}}-H$ (*d*) 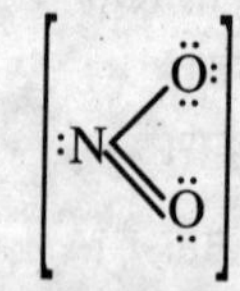

22. किसमें क्लोरीन की प्रतिशतता अधिकतम है–

(*a*) CCl_3CHO (*b*) 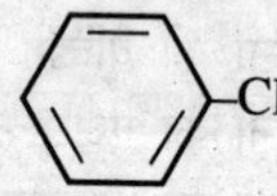

(*c*) CCl_4 (*d*) $AlCl_3$

23. जब 1-ब्यूटाइन को HBr के आधिक्य के साथ प्रतिकृत किया जाता है तो क्या उत्पाद मिलता है?

(*a*) 2, 2-डाइब्रोमोब्यूटेन

(*b*) 2-ब्रोमोब्यूटेन

(*c*) 1, 1, 2, 2-टेट्राब्रोमोब्यूटेन

(*d*) 1, 2-डाइब्रोमोब्यूटीन

24. $CHCl_3$ के एक नमूने को निश्चेतक की भाँति प्रयोग करने से पहले निम्नलिखित के साथ अभिकृत करके टैस्ट करते हैं–

(*a*) $AgNO_3$

(*b*) फेहलिंग विलयन

(*c*) KOH विलयन के साथ उबालने के बाद $AgNO_3$ विलयन के साथ अभिकृत करके

(*d*) अमोनियामय क्यूप्रस क्लोराइड

25. निम्नलिखित यौगिकों में से कौन-सा ब्रोमीन के साथ क्रिया नहीं करता है?

(*a*) फीनोल (*b*) ऐथिल ऐमीन

(*c*) $CHCl_3$ (*d*) प्रोपेन

उत्तरमाला

1	2	3	4	5	6	7	8	9	10
(*b*)	(*b*)	(*d*)	(*d*)	(*c*)	(*a*)	(*b*)	(*d*)	(*b*)	(*a*)
11	**12**	**13**	**14**	**15**	**16**	**17**	**18**	**19**	**20**
(*a*)	(*b*)	(*c*)	(*b*)	(*a*)	(*a*)	(*d*)	(*a*)	(*b*)	(*c*)
21	**22**	**23**	**24**	**25**					
(*d*)	(*c*)	(*a*)	(*a*)	(*d*)					

अध्याय

19

ऐल्कोहॉल तथा ईथर
(Alcohol and Ether)

ऐल्कोहॉल (Alcohol)

- ऐल्कोहॉल ऐल्केनों के हाइड्रॉक्सी व्युत्पन्न हैं।
- ऐल्कोहॉल को उपस्थित हाइड्रॉक्सी समूहों की संख्या (1, 2, 3, या अधिक) के अनुसार मोनो, डाइ, ट्राइ तथा पॉली हाइड्रिक ऐल्कोहलों में वर्गीकृत किया जाता है।

C_2H_5OH
इथाइल ऐल्कोहॉल
(मोनोहाइड्रिक)

CH_2OH
|
CH_2OH
ग्लाइकॉल
(डाइहाइड्रिक)

CH_2OH
|
$CHOH$
|
CH_2OH
ग्लिसरील
(ट्राइहाइड्रिक)

CH_2OH
|
$(CHOH)_4$
|
CH_2OH
सोर्बिटॉल
(पॉलीहाइड्रिक)

- मोनोहाइड्रिक ऐल्कोहलों को फिर उस कार्बन परमाणु की प्रकृति के आधार पर प्राथमिक, द्वितीयक तथा तृतीयक में विभाजित किया जाता है जिससे क्रियात्मक समूह (– OH) जुड़ा होता है।

$CH_3CH_2CH_2CH_2OH$
n – ब्यूटाइल ऐल्कोहल (1 – ब्यूटेनोल)
1° ऐल्कोहल

OH
|
$CH_3CH_2CHCOH_3$
द्विती॰ ब्यूटाइल ऐल्कोहल (2 – ब्यूटेनोल)
2°ऐल्कोहल

$(CH_3)COH$
t– ब्यूटाइल ऐल्कोहल (2–मिथाइल–2– प्रोपेनाल)
3°ऐल्कोहल

ऐल्कॉक्सी समूह (Alkoxy group)

ऐल्केनाल (ROH) के हाइड्रॉक्सिल समूह के हाइड्रोजन परमाणु के विस्थापन द्वारा प्राप्त समूह ऐल्कॉक्सी समूह (RO –) कहलाता है। उदाहरण के लिए, मिथॉक्सी (CH_3O –), इथॉक्सी (C_2H_5O) आदि।

समावयवता (Isomerism)

ऐल्कोहल दो प्रकार की समावयवता प्रदर्शित करते हैं।

(*i*) शृंखला समावयवता, उदाहरण– $CH_3CH_2CH_2OH$ (n – ब्यूटेनोल)

तथा
CH_3
|
$CH_3.CH.CH_2OH$
आइसोब्यूटाइल ऐल्कोहल

स्थान समावयवता, उदाहरण– $CH_3CH_2CH_2OH$ (प्रोपाइल ऐल्कोहल) तथा

$CH_3CH.CH_3$
आइसोप्रोपाइल ऐल्कोहल

(*ii*) क्रियात्मक समावयवता–ऐल्कोहल ईथर के समावयवी हैं, उदाहरण C_2H_5OH (इथाइल ऐल्कोहल) तथा $CH_3.O.CH_3$ (डाइमिथाइल ईथर)।

इस प्रकार अणु सूत्र $C_4H_{10}O$, 7 समावयवी निरूपित करता है जिनमें से चार ऐल्कोहल तथा तीन ईथर हैं।

- $CH_3CH_2.CH_2.CH_2OH$
  n–ब्यूटेनोल
- OH
  |
  $CH_3CH_2CH.CH_3$
  द्विती॰ ब्यूटेनोल
- CH_3
  |
  CH_3CHCH_2OH
  आइसोब्यूटेनोल
- $(CH_3)_3COH$
  t–ब्यूटेनोल
- $C_2H_5.O.C_2H_5$
  डाइएथिल ईथर
- $CH_3.O.C_3H_7$–*n*
  मिथाइल–*n*–प्रोपाइल ईथर
- $CH_3.O.CH(C_3H_2)$
  मिथाइल आइसोप्रोपाइल ईथर

ऐल्कोहलों के बनाने की विधियाँ

1. **ग्रिगनार्ड अभिकर्मक से–** जैसा कि बताया गया है, फार्मेल्डिहाइड, के अतिरिक्त अन्य ऐल्डिहाइडों तथा कीटीनों के साथ ग्रिगनार्ड

अभिकर्मक की अभिक्रिया के परिणामस्वरूप क्रमशः प्राथमिक, द्वितीयक तथा तृतीयक ऐल्कोहल बनते हैं।

2. जलीय NOH या नम सिल्वर ऑक्साइड ($Ag_2O + H_2O$) के साथ ऐल्किल हैलाइडों के जल अपघटन द्वारा।

$$C_2H_5Br + KOH(\text{जलीय}) \rightarrow C_2H_5OH + KBr$$

$$C_2H_5I + AgOH \rightarrow C_2H_5OH + AgI$$

3. 90% H_2SO_4 द्वारा ओलीफिनों के जलयोजन से

$$CH_2 = CH_2 + H_2SO_4 \rightarrow \underset{\text{इथाइलहाइड्रोजन सल्फेट}}{CH_3CH_2HSO_4}$$

$$\xrightarrow{\text{उबालना}} \underset{\text{इथाइल ऐल्कोहल}}{CH_3CH_2\,OH} + H_2SO_4$$

यह महत्वपूर्ण है कि जब एक असममित ओलीफिन उदाहरण $(CH_3)_2CHCH = CH_2$ को जलयोजित किया जाता है तो विभिन्न उत्पाद बनते हैं।

(*i*) तनु H_2SO_4 के साथ, अनुमानित उत्पाद 3–मिथाइल–2–ब्यूटेनोल है (मारकोनीकॉफ योग) परन्तु मध्यवर्ती कार्बोधनायन के पुनर्व्यवस्थापन के कारण मुख्य उत्पाद सामान्यतः 2–मिथाइल–2ब्यूटेनोल है।

$$\underset{\text{3–मिथाइल ब्यूटीन–1}}{(CH_3)_2\,CHCH = CH_2} \xrightarrow[(H_2O)]{H^+}$$

$$(CH_3)_2\underset{2^\circ\text{कार्बोधनायन}}{CH\overset{+}{C}}\;HCH_3 \xrightarrow{\text{पुनर्व्यवस्थापन}}$$

$$(CH_3)_2\underset{3^\circ\text{ कार्बोधनायन}}{\overset{+}{C}CH_2CH_3} \xrightarrow[(-H^+)]{H_2O}$$

$$\underset{\text{2 – मिथाइल–2– ब्यूटीन}}{(CH_3)_2\,C(OH)CH_2CH_3}$$

(*ii*) B_2H_6 के साथ, जलीकरण 3–मिथाइल–1–ब्यूटेनोल देता है (मारकोनीकॉफ-रोधी योग)

$$\underset{\text{3–मिथाइलब्यूटीन–1}}{(CH_3)CHCH = CH_2} + (BH_3)_2 \rightarrow$$

$$\rightarrow \underset{\text{ट्राइऐल्किलबोरेन}}{[(CH_3)_2\,CHCH_2CH_2]_3\,B} \xrightarrow{H_2O_2}$$

$$\underset{\text{3 – मिथाइल–1– ब्यूटेनोल}}{(CH_3)CHCH_2CH_2OH}$$

(*iii*) मरक्यूरिक एसीटेट के साथ, उत्पाद 3–मिथाइल–2 ब्यूटेनोल है (बिना किसी पुनर्व्यवस्थापन के मारकोनीकॉफ योग)

$$\underset{\text{3 – मिथाइलब्यूटीन – 1}}{(CH_3)_2\,CHCH = CH_2} \xrightarrow[H_2O]{Hg(OCOCH_3)}$$

$$(CH_3)_2\,CHCH(OH)CH_2HgOCOCH_3$$

$$\xrightarrow{NaBH_4} \underset{\text{3 – मिथाइल-2 – ब्यूटेनोल}}{(CH_3)_2\,CHCH(OH)CH_3}$$

4. **अम्लों या क्षारों द्वारा एस्टरों के जल अपघटन द्वारा–** एस्टरों का क्षारीय जल अपघटन साबुनीकरण (saponification) कहलाता है।

$$\underset{\text{इथाइल एसीटेट}}{CH_3COOC_2H_5} \xrightarrow{H^+ \text{ या } OH^-} CH_3COOH + C_2H_5OH$$

5. गर्म तनु H_2SO_4 के साथ दाब के अन्तर्गत ईथरों के जल अपघटन द्वारा।

$$C_2H_5 - O - C_2H_5 + H_2O \xrightarrow[\text{दाब}]{\text{तनु } H_2SO_4} 2C_2H_5OH$$

6. **कार्बोनिल यौगिक (ऐल्डिहाइड तथा कीटोन) के उत्प्रेरित अपचयन द्वारा–** ऐल्डिहाइड प्राथमिक ऐल्कोहल देते हैं, जबकि कीटोन द्वितीयक ऐल्कोहल देते हैं।

(*a*) $CH_3CHO + 2H \xrightarrow{Na/C_2H_5OH} CH_3CH_2OH$

$$CH_3.CO.CH_3 + 2H \xrightarrow{Na/C_2H_5OH} \underset{\text{2 – प्रोपेनोल}}{CH_3.CHOH.CH_3}$$

(*b*) $CH_3CHO \xrightarrow[{}^1NaBH^4]{LiAlH_4Or} CH_3.CH_2OH$

(*c*) $CH_3CHO + H_2 \xrightarrow[\text{गर्म}]{PtO_2(\text{उत्प्रेरक})} CH_3CH_2OH$

असंतृप्त ऐल्डिहाइडों का अपचयन

$$\underset{\text{ऐलाइड ऐल्कोहल}}{H_2C = CHCH_2OH} \xleftarrow{NaBH_4}$$

$$\underset{\text{एक्रोलीन}}{CH_2 = CHCHO} \xrightarrow{H_2/Ni} \underset{\text{प्रोपेनोल}}{CH_3CH_2CH_2OH}$$

7. **किण्वन द्वारा–** किण्वन, उन उपयुक्त सूक्ष्म जीवों की उपस्थिति में जटिल कार्बनिक यौगिकों का साधारण यौगिकों में धीमा अपघटन है जो जैवरासायनिक उत्प्रेरक (biochemical catalysts) के स्रोत हैं, ये उत्प्रेरक एन्जाइम कहलाते हैं।

(a) $C_6H_{12}O_6 \xrightarrow[\text{यीस्ट}]{\text{जाइमेज}} 2C_2H_5OH + 2CO_2$

(b) $\underset{\text{स्टार्च}}{(C_6H_{10}O_5)_n} \rightarrow$

$$\underset{\text{ब्यूटाइल ऐल्कोहल}}{CH_3.CH_2.CH_2.CH_2OH} + CH_3.CO.CH_3$$

औद्यौगिक निर्माण

एथेनॉल का निर्माण किया जाता है–

(*i*) H_2SO_4 की उपस्थिति में इथाइलीन के जलयोजन द्वारा

(*ii*) केन शर्करा (उदाहरण-मोलेसैस) या स्टार्च (उदाहरण आलू, मक्का, जौ, चावल आदि) के रूप में उपस्थित शर्कराओं के किण्वन द्वारा।

मेथेनॉल का निर्माण किया जाता है–

(*i*) चारकोल के निर्माण के समय लकड़ी के भंजक आसवन द्वारा सह-उत्पाद के रूप में।

(*ii*) उत्प्रेरक की उपस्थिति में भाप अंगार गैस (CO तथा H_2 का मिश्रण समअणुक अनुपात में) तथा इससे आधा आयतन हाइड्रोजन के मिश्रण को गर्म करके।

$$\underbrace{CO + H_2}_{\text{भाप अंगार गैस}} + H_2 \xrightarrow[300° \text{ से. ग्रे.}]{Cr_2O_3-ZnO} \underset{\text{मेथेनोल}}{CH_3OH}$$

प्राथमिक, द्वितीयक तथा तृतीयक ऐल्कोहलों में अन्तर

1. ल्यूकॉस परीक्षण (Lucas test)– यह परीक्षण कमरे के ताप पर ल्यूकॉस अभिकर्मक (सान्द्र हाइड्रोक्लोरिक अम्ल तथा निर्जल जिंक क्लोराइड का मिश्रण) के तीन प्रकार के ऐल्कोहलों (6 या कम कार्बन से युक्त) में अन्तर पर आधारित होता है।

$$ROH + HCl \xrightarrow{ZNCl_2} RCl + H_2O$$

चूंकि ऐल्किल हैलाइड अविलेय है, इसलिए इनका निर्माण अभिक्रिया मिश्रण में पर्त (turbidity) के उत्पन्न होने पर प्रदर्शित होता है। अभिक्रियाशीलता का क्रम तृती. > द्विती. > प्राथ. है। तृतीयक ऐल्कोहल तुरन्त पर्त उत्पन्न करते हैं, द्वितीयक ऐल्कोहल 5–10 मिनट में पर्त देते हैं, तथा प्राथमिक ऐल्कोहल कमरे के ताप पर कोई पर्त नहीं देते हैं।

2. उत्प्रेरित विहाइड्रोजनीकरण (Catalytic dehydrogenation)– (300° से. ग्रे. पर अपचयित ताँबे की क्रिया) पहले वर्णन किया गया है।

(*i*) प्राथमिक ऐल्कोहल ऐल्डिहाइड बनाते हैं।

(*ii*) द्वितीयक ऐल्कोहल कीटोन बनाते हैं।

(*iii*) तृतीयक ऐल्कोहल ओलीफिन बनाते हैं।

3. ऑक्सीकरण परीक्षण– पहले वर्णन किया गया है।

4. विक्टर-मेयर परीक्षण (Victor-Meyer Test)– यह परीक्षण नाइट्रस अम्ल के प्रति प्राथमिक, द्वितीयक तथा तृतीयक नाइट्रोऐल्केनों के विभिन्न व्यवहार पर आधारित होता है। परीक्षण में निम्न पद प्रयुक्त होते हैं–

(*i*) ऐल्कोहल सान्द्र हाइड्रोआयोडिक अम्ल या लाल फॉस्फोरस तथा आयोडीन के साथ क्रिया करके अनुरूप ऐल्किल आयोडाइड बनाते हैं।

(*ii*) ऐल्किल आयोडाइड सिल्वर नाइट्राइट से क्रिया करके अनुरूप नाइट्रोऐल्केन बनाता है।

(*iii*) नाइट्रोऐल्केन नाइट्रस अम्ल ($NaNO_2 + H_2SO_4$) तथा फिर क्षार (NaOH या KOH) से क्रिया करते हैं। ऐसी क्रिया पर विभिन्न ऐल्कोहल विभिन्न रंग देते हैं।

(*a*) प्राथमिक ऐल्कोहल रक्त जैसा लाल रंग उत्पन्न करता है।

(*b*) द्वितीयक ऐल्कोहल नीला रंग उत्पन्न करता है।

(*c*) तृतीयक ऐल्कोहल कोई रंग उत्पन्न नहीं करता।

प्राथमिक	द्वितीयक	तृतीयक
CH_3CH_2OH $\downarrow P + I_2$	$(CH_3)_2CHOH$ $\downarrow P + I_2$	$(CH_3)_3COH$ $\downarrow P + I_2$
CH_3CH_2I $\downarrow AgNO_2$	$(CH_3)_2CHI$ $\downarrow AgNO_2$	$(CH_3)_3Cl$ $\downarrow AgNO_2$
$CH_3CH_2NO_2$ $\downarrow HONO$	$(CH_3)_2CHNO_2$ $\downarrow HONO$	$(CH_3)_3CNO_2$ $\downarrow HONO$
$CH_3.C(=NOH).NO_2$ नाइट्रोलिक अम्ल	$(CH_3)_2.C(NO).NO_2$ $\downarrow NaOH$	कोई अभिक्रिया नहीं (रंगहीन)
$\downarrow NaOH$ $CH_3.C(=NONa).NO_2$ नाइट्रोलिक अम्ल का सोडियम लवण (लाल रंग)	कोई अभिक्रिया नहीं (नीला रंग)	

इथाइल ऐल्कोहल, ऐथेनॉल या मिथाइलमेथेनॉल, C_2H_5OH (Ethyl alcohol, Ethanol or Methylmethanol)

बनाने की विधि

निर्माण–ऐल्कोहल (ऐथेनॉल) को किण्वन प्रक्रम द्वारा निर्मित किया जाता है। किण्वन प्रक्रमों के अनेक उदाहरण हैं जो दैनिक जीवन में सम्पर्क में आते हैं–दूध या दही का खट्टा होना, माँस या भोजन का सड़ना, सिरके या शराब का निर्माण आदि। किण्वन का सबसे प्राचीन व सर्वोत्तम उदाहरण ऐल्कोहलिक किण्वन है (वह किण्वन जिसमें एल्कोहल मुख्य उत्पाद है)। ऐल्कोहलिक किण्वन के लिए प्रारम्भिक पदार्थ शर्करा है (उदाहरणः ग्लूकोस, फ्रक्टोस, मैनोस तथा गैलेक्टोस) जो सामान्यतः ग्लूकोस होता है। ग्लुकोस मुख्यतः दो स्रोतों– मोलेसैस तथा स्टार्च से प्राप्त होता है।

मोलेसैस से इथाइल ऐल्कोहल का निर्माण– मोलेसैस, सान्द्र शर्करा रस से सुक्रोस के क्रिस्टलन के पश्चात् शेष गहरा भूरा मदर लिकर है। इसमें लगभग 50% अक्रिस्टलीय केन शर्करा, ग्लूकोस तथा फ्रक्टोस है। अधिकांश एथेनॉल का निर्माण मोलेसैस से किया जाता है। मोलेसैस में लगभग 50% शर्करा होती है। इसे जल से तनु करके 8–10% शर्करा प्राप्त की जाती है। तनु किये गये मोलेसैस को तनु H_2SO_4 से अम्लीय किया जाता है। (अनइच्छित बैक्टीरिया की वृद्धि को रोकने के लिए), अमोनियम सल्फेट मिलाया जाता है जो यीस्ट को भोजन प्रदान करता है। अब यीस्ट को मिलाया जाता है तथा मिश्रण को 30° से. ग्रे. पर 2–3 दिनों के लिए रखा जाता है। किण्वन होता है तथा एथेनॉल बनता है। इसे छाना जाता है तथा छनित को आसुत किया जाता है।

$$\text{ऐथेनोल} \xrightarrow{\text{आसवन}} 90\% C_2H_5OH$$

$$\xrightarrow{\text{परिशोधन}} \underset{\text{(परिशोधित स्प्रिट)}}{93-95\% C_2H_5OH}$$

यीस्ट से युक्त रासायनिक अभिक्रियाएं–

$$\underset{\text{सुक्रोस}}{C_{12}H_{22}O_{11}} + H_2O \xrightarrow{\text{इन्वर्टेस}} \underset{\text{ग्लूकोस}}{C_6H_{12}O_6} + \underset{\text{फ्रक्टोस}}{C_6H_{12}O_6}$$

$$\underset{\text{ग्लूकोस या फ्रक्टोस}}{C_6H_{12}O_6} \xrightarrow{\text{जाइमेस}} \underset{\text{इथाइल ऐल्कोहल}}{2C_2H_5OH} + 2CO_2 \uparrow$$

स्टार्च से इथाइल ऐल्कोहल का निर्माण– गेहूँ, जौ, चावल, मक्का तथा आलू इस उद्देश्य के लिए प्रयुक्त महत्वपूर्ण स्टार्चयुक्त पदार्थ है।

$$\text{अंकुरित जौ के बीज} \xrightarrow[\substack{(ii)\ H_2O \text{ के साथ पीसा हुआ} \\ (iii) \text{ छनित}}]{(i)\ 60°C \text{ अग्र वृद्धि को रोकने के लिए}}$$

$$\underset{\substack{\text{माल्ट निष्कर्ष} \\ \text{(इसमें डायस्टेस होता है)}}}{\text{छनित}} \xrightarrow[(ii)\ 50°C]{(i) \text{ पिसे स्टार्चयुक्त पदार्थ तथा जल वाष्प}}$$

$$\text{माल्टोस} \xrightarrow[(ii) \text{ यीस्ट डालकर 2–3 दिन के लिए रखना}]{(i)\ 30°C \text{ तक ठण्डा करना}}$$

$$\xrightarrow[10\%\ C_2H_5OH]{\text{वॉर्ट}} \qquad \xrightarrow[(ii) \text{ परि॰}]{(i) \text{ आसवन}} \text{परिशुद्ध स्प्रिट}$$

प्रयुक्त रासायनिक अभिक्रियाएं निम्न प्रकार हैं–

$$\underset{\text{मैस (स्टार्च)}}{2(C_6H_{10}O_5)_n} + H_2O \xrightarrow[50–60°C]{\text{मॉल्ट निष्कर्ष (डायस्टेस)}} \underset{\text{माल्टोस}}{2C_{12}H_{22}O_{11}}$$

$$\underset{\text{माल्टोस}}{C_{12}H_{22}O_{11}} + H_2O \xrightarrow{\text{माल्टेस}} \underset{\text{ग्लूकोस}}{2C_6H_{12}O_6}$$

$$\xrightarrow{\text{जाइमेस}} 2C_2H_5OH + 2CO_2 \uparrow$$

परिशुद्ध ऐल्कोहल (Absoulte alcohol)– (100% शुद्ध इथाइल ऐल्कोहल) परिशोधित स्प्रिट (95.87% C_2H_5OH + 4.13% H_2O) को परिशुद्ध ऐल्कोहल में साधारण आसवन द्वारा परिवर्तित नहीं किया जा सकता क्योंकि एथेनॉल तथा जल का 95.87 : 4.13 अनुपात (परिशोधित स्प्रिट में उपस्थित एक अनुपात) में मिश्रण एक स्थिर क्वथनीय मिश्रण (एजियोट्रॉपिक मिश्रण) है जिसका क्वथनांक 78.13° से॰ ग्रे॰ होता है। परिशुद्ध ऐल्कोहल प्राप्त करने के लिए प्रयुक्त दो विशेष विधियाँ निम्न हैं।

(i) **प्रयोगशाला विधि–** परिशोधित स्प्रिट को 24 घण्टों के लिए बिना बुझे चूने (CaO) के संपर्क में रखा जाता है तथा फिर इसके ऊपर आसुत किया जाता है। जल की अन्तिम मात्रायें इसमें तब तक निर्जल $CuSO_4$ (श्वेत रंग) मिलाकर दूर की जाती है जब तक कि यह नीला होना बन्द न हो जाये। फिर इसको आसुत करने पर परिशुद्ध ऐल्कोहल बनता है।

(ii) **औद्योगिक विधि–** परिशुद्ध स्प्रिट को बेंजीन की पर्याप्त मात्रा के साथ मिलाकर आसवन किया जाता है जब प्रथम त्रिक मिश्रण (74.1% बेंजीन + 18% एथेनॉल + 7.4% जल) 64.8° से॰ ग्रे॰ पर आसुत होता है; फिर 68.2°C पर द्विमिश्रण (67.6% बेंजीन + 32.4% इथेनॉल) तथा अन्त में 78.3°C पर परिशुद्ध ऐल्कोहल आसुत होता है।

मेथिलित स्प्रिट या विकृतीकृत एल्कोहल (Methylated spirit or Denatured spirit)– यह परिशोधित स्प्रिट (औद्योगिक एल्कोहल) है जिसे पीने के अयोग्य बनाने के उद्देश्य से विषैले पदार्थों जैसे CH_3OH, पाइरीडीन, एसीटोन आदि के साथ मिलाया जाता है। विकृतीकृत ऐल्कोहल का सामान्य संघटन 85–90% परिशोधित स्प्रिट + 10–15% मेथेनॉल है।

पॉवर ऐल्कोहल (Power alcohol)– शक्ति उत्पन्न करने के लिए प्रयुक्त ऐल्कोहल पॉवर ऐल्कोहल कहलाता है। यह बेंजीन या ईथर की उपस्थिति में 4 : 1 अनुपात में पेट्रोल तथा ऐल्कोहल का मिश्रण है।

एथेनॉल के गुणधर्म– सामान्य गुणधर्म देखिये।

एथेनॉल के उपयोग– यह प्रयुक्त होता है–

1. ऐल्कोहलिक पेयों में।
2. पेण्ट, वार्निश, तेलों, इत्र आदि में विलायक के रूप में।
3. रसायनों जैसे क्लोरोफार्म, ईथर आदि के निर्माण में ।
4. स्प्रिट लैम्पों में ईंधन के रूप में।

ईथर (Ether)

परिचय

रेमण्ड लिली ने शुद्ध एल्कोहल (Pure alcohol) पर H_2SO_4 (आयल ऑफ विट्रीऑल) की क्रिया से एक यौगिक प्राप्त किया जिसे बाद में ईथर (ether) कहा गया।

ईथर शब्द लैटिन भाषा के एथर (ather) तथा ग्रीक भाषा के शब्द ऐथर (aither) से बना है। इनका शाब्दिक अर्थ है-साफ आकाश एवं ऊपरी स्थान। यह एल्कोहॉल से अधिक वाष्पशील होता है जिसके कारण इसके लिए ईथर शब्द का प्रयोग किया गया।

परिभाषा– ऐसे कार्बनिक यौगिक जिनमें एक ही संयोजक ऑक्सीजन परमाणु दो एल्किल समूहों से जुड़ा रहता है, ईथर कहलाते हैं।

ईथर अणु में उपस्थित ऑक्सीजन परमाणु ईथर का क्रियात्मक समूह होता है।

$$R-O-R$$

ईथरों को जल का डाइएल्किल व्युत्पन्न (Dialkyl derivative) भी कहते हैं।

$$\underset{\text{जल}}{H-O-H} \xrightarrow{+R} \underset{\text{एल्कोहल}}{R-O-H} \xrightarrow{+R} \underset{\text{ईथर}}{-R-O-R}$$

ईथरों के प्रकार (Types of Ether)

किसी ईथर में उपस्थित ऐल्किल समूहों (alkyl groups) की उपस्थिति के आधार पर ईथर दो प्रकार के होते हैं–

1. सममित या सरल (Symmetrical or Simple Ether)
2. असममित या मिश्रित ईथर (Unsymmetrical or Mixed Ether)

1. सममित या सरल ईथर (Symmetrical or Simple Ether)– जब किसी ईथर में दो समान ऐल्किल समूह उपस्थित रहते हैं तो यह ईथर सममित ईथर (Symmetrical ether) कहलाता है।

उदाहरण–

(i) $\underset{\text{डाइमेथिल ईथर}}{CH_3-O-CH_3}$

(ii) $\underset{\text{डाइएथिल ईथर}}{C_2H_5-O-C_2H_5}$

2. **असममित या मिश्रित ईथर (Unsymmetrical or Mixed Ether)**– जब किसी ईथर में दो असमान ऐल्किल समूह उपस्थित रहते हैं तो यह ईथर असममित या मिश्रित ईथर (unsymmetrical ether) कहलाते हैं।

उदाहरण–

(*a*) $CH_3-O-C_2H_5$ एथिल मेथिल ईथर (*b*) $CH_3-O-CH_2CH_2CH_3$ मेथिल n–प्रोपिल ईथर

ईथरों में समावयवता (Isomerism in Ether)

ऐलिफैटिक ईथर द्वारा दो प्रकार की समावयवता (*i*) क्रियात्मक समूह समावयवता तथा (*ii*) मध्यावयवता प्रदर्शित की जाती है।

(*i*) **क्रियात्मक समूह समावयवता (Functional Group Isomerism)**– ईथर, ऐल्कोहॉलों के साथ समावयवता प्रदर्शित करते हैं।

उदाहरण– डाइमेथिल ईथर, ऐथिल ऐल्कोहॉल के साथ समावयवता प्रदर्शित करता है।

CH_3-O-CH_3 डाइ मेथिल ईथर C_2H_5OH एथिल ऐल्कोहॉल

(*ii*) **मध्यावयवता (Metamerism)**– ऐसे ईथर जिनका अणु सूत्र समान होता है परन्तु ऑक्सीजन पर उपस्थित ऐल्किल समूह भिन्न-भिन्न होते हैं, मध्यावयवी (matamers) कहलाते हैं। **उदाहरण**– $C_4H_{10}O$। इस सूत्र के द्वारा निम्न तीन ईथर प्रदर्शित किये जा सकते हैं–

(*a*) $C_2H_5OC_2H_5$
डाइएथिल ईथर

(*b*) $CH_3-O-CH_2CH_2CH_3$
मेथिल *n* – प्रोपिल ईथर

(*c*) $CH_3-O-\underset{\underset{CH_3}{|}}{CH}-CH_3$
मेथिल आइसोप्रोपिल ईथर

मध्यावयवता प्रदर्शित करने के लिए ईथर में कम से कम चार कार्बन परमाणु उपस्थित होने चाहिए।

डाइएथिल ईथर या ऐथॉक्सी ऐथेन (Diethyl Ether or Ethoxy Ethane)

अणुसूत्र– $C_4H_{10}O$, **संरचना सूत्र**– $C_2H_5-O-C_2H_5$

डाइएथिल ईथर, एलिफैटिक ईथरों की सजातीय श्रेणी (Homologous series) का सबसे महत्त्वपूर्ण सदस्य है। सामान्यतया इसे एथिल ईथर भी कहा जाता है।

बनाने की विधियाँ (Methods of Preparation)

1. **ऐल्कोहॉल के निर्जलीकरण द्वारा (By dehydration of alcohols)**–

(*a*) जब प्राथमिक ऐल्कोहॉल जैसे एथिल ऐल्कोहॉल की अधिकता को 40°C ताप पर सान्द्र सल्फ्यूरिक अम्ल के साथ गर्म किया जाता है तो दो ऐल्कोहॉल के अणु परस्पर मिलकर ईथर अणु बनाते हैं एवं जल का अणु निकल जाता है।

$$\underset{\text{ऐथेनॉल}}{C_2H_5OH}+\underset{\text{ऐथेनॉल}}{HOC_2H_5}\xrightarrow[40°C]{\text{सान्द्र } H_2SO_4}\underset{\text{डाइएथिल ईथर}}{C_2H_5-O-C_2H_5}+H_2O$$

(*b*) जब ऐल्कोहॉल को गर्म ऐलुमिना (Al_2O_3) पर 250°C ताप पर प्रवाहित करते हैं तो ऐल्कोहॉल का निर्जलीकरण हो जाता है जिसके परिणामस्वरूप डाइएथिल ईथर प्राप्त होता है।

$$\underset{\text{ऐथेनॉल}}{C_2H_5OH}+\underset{\text{ऐथेनॉल}}{HOC_2H_5}\xrightarrow[250°C]{Al_2O_3}\underset{\text{डाइएथिल ईथर}}{C_2H_5-O-C_2H_5}+H_2O$$

2. **प्रयोगशाला विधि (Laboratory Method)**

डाइएथिल ईथर प्रयोगशाला में ऐथिल ऐल्कोहॉल के निर्जलीकरण (dehydration) द्वारा बनाया जाता है तथा ऐथिल ऐल्कोहॉल के आधिक्य को सल्फ्यूरिक अम्ल (सान्द्र) के साथ 140°C तापक्रम पर गर्म करते हैं तो डाइएथिल ईथर का निर्माण होता है।

$$\underset{\text{एथिल ऐल्कोहॉल}}{C_2H_5OH}+H_2SO_4\xrightarrow{110°C}\underset{\text{एथिल हाइड्रोजन सल्फेट}}{C_2H_5-HSO_4}+H_2O$$

$$\underset{\text{एथिल हाइड्रोजन सल्फेट}}{C_2H_5-HSO_4}+HOC_2H_5\xrightarrow{140°C}\underset{\text{डाइएथिल ईथर}}{C_2H_5-O-C_2H_5}+H_2SO_4$$

उपरोक्त अभिक्रिया दो पदों में होती है। प्रथम पद में एथिल ऐल्कोहॉल सान्द्र सल्फ्यूरिक अम्ल से क्रिया करके एथिल हाइड्रोजन सल्फेट बनाता है। यह एथिल हाइड्रोजन सल्फेट, एथिल ऐल्कोहॉल के अन्य अणु से अभिक्रिया करके डाइएथिल ईथर बनाता है। इस अभिक्रिया में प्रयुक्त सान्द्र सल्फ्यूरिक अम्ल निर्जलीकारक (Dehydrating) एवं उत्प्रेरक (catalyst) दोनों का कार्य करता है।

सल्फ्यूरिक अम्ल की थोड़ी सी मात्रा द्वारा ही ऐथिल ऐल्कोहॉल लगातार ईथर में परिवर्तित किया जा सकता है। इस अभिक्रिया में और अधिक सल्फ्यूरिक अम्ल मिलाने की आवश्यकता नहीं होती है एवं अम्ल की उसी मात्रा से निरन्तर ईथर प्राप्त होता रहता है। अतः यह अभिक्रिया विलियमसन अविरत ईथरीकरण विधि (Williamson continuous etherification process) कहलाती है। अभिक्रिया के दौरान वास्तव में सल्फ्यूरिक अम्ल की कुछ मात्रा सल्फर डाइ ऑक्साइड में ऑक्सीकृत हो जाती है। जिससे अभिक्रिया में बनने वाला सल्फ्यूरिक अम्ल तनु (Dilute) हो जाता है। अतः सल्फ्यूरिक अम्ल की कमी को पूरा करने के लिए समय-समय पर थोड़ा सान्द्र सल्फ्यूरिक अम्ल डालते हैं।

$$C_2H_5-O-C_2H_5+H_2O\xrightarrow[\text{उच्च ताप एवं दाब}]{\text{तनु } H_2SO_4}\underset{\text{एथिल ऐल्कोहॉल}}{2C_2H_5OH}$$

डाइएथिल ईथर के उपयोग

1. विलायक (solvent) के रूप में।
2. शीतलक के रूप में।
3. निश्चेतक के रूप में। शल्य चिकित्सा के दौरान निश्चेतक के रूप में प्रयोग किया जाता है।
4. पेट्रोल के साथ ईथर का मिश्रण ईधन के रूप में प्रयोग किया जाता है।
5. ग्रिगनार्ड अभिकर्मक के संश्लेषण में।

डाइएथिल ईथर के रासायनिक गुण

$CH_3CH_2-O-CH_2CH_3$ डाइएथिल ईथर

- ठंडे सान्द्र H_2SO_4 → $[C_2H_5-\underset{\displaystyle H}{\overset{|}{O}}-C_2H_5]HSO_4^-$ डाइएथिल ऑक्सोनियम हाइड्रोजन सल्फेट
- hv → $CH_3-\overset{\displaystyle OOH}{\overset{|}{C}H}-O-CH_2-CH_3$ डाइएथिल ईथर हाइड्रोपरॉक्साइड
- HI (cold) → $C_2H_5OH + C_2H_5I$ एथिल ऐल्कोहॉल
- 2HI, Δ → $2C_2H_5I$ एथिल आयोडाइड
- PCl_5 → CH_3CH_2Cl एथिल क्लोराइड
- निर्जल $ZnCl_2$ → $CH_3COOC_2H_5$ एथिल ऐसीटेट
- Cl_2 Dark → $CH_3-\overset{\displaystyle Cl}{\overset{|}{C}H}-O-\overset{\displaystyle Cl}{\overset{|}{C}H}-CH_3$ 1, 1, डाइक्लोरो डाइएथिल ईथर
- Cl_2 Light → $CCl_3CCl_2-O-CCl_2CCl_3$ परक्लोरो डाइएथिल ईथर
- $6O_2$ दहन → $4CO_2 + 5H_2O$
- CO/180°C, BF_3/H_2O, 500 वायु → $C_2H_5COOC_2H_5$ एथिल प्रोपिओनेट
- तनु H_2SO_4 → $2C_2H_5OH$ एथिल ऐल्कोहॉल

वस्तुनिष्ठ प्रश्न

1. एथिल ऐल्कोहॉल को 95% से ऊपर सान्द्रित नहीं किया जा सकता है, क्योंकि–

(*a*) इसके आसवन से कभी 100% ऐल्कोहॉल नहीं मिलता है

(*b*) यह स्थिर-क्वाथी मिश्रण बनाता है

(*c*) ऐथिल ऐल्कोहॉल तथा जल परस्पर विलयशील होते हैं

(*d*) हाइड्रोजन बंध का निर्माण होता है

2. $CH_3-\underset{\displaystyle CH_3}{\underset{|}{\overset{\displaystyle CH_3}{\overset{|}{C}}}}-ONa \xrightarrow{EtBr}$ "X"; "X" है–

(*a*) $CH_3-\overset{\displaystyle CH_3}{\overset{|}{C}}=CH_2$

(*b*) $(CH_3)_3C-OEt$

(*c*) $CH_2=CH_2$

(*d*) $(CH_3)_3C-CH=CH_2$

3. 1 प्रोपीन के हाइड्रोबोरेशन पर प्राप्त होता है–

(*a*) 2– प्रोपेनॉल (*b*) 1– ब्यूटेनॉल

(*c*) 2– ब्यूटेनॉल (*d*) 1– प्रोपेनॉल

4. निम्न अभिक्रिया का अन्तिम क्रियाफल 'A' है–

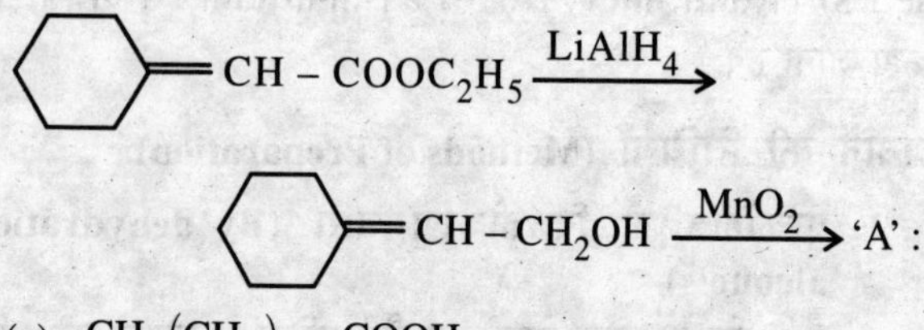

(*a*) $CH_3(CH_2)_4-COOH$

(*b*) 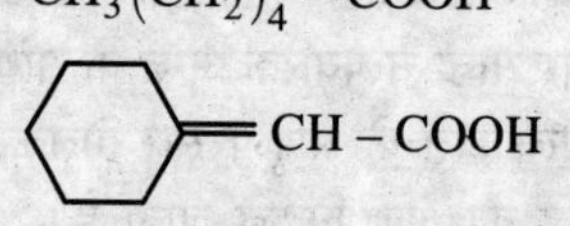

(c) 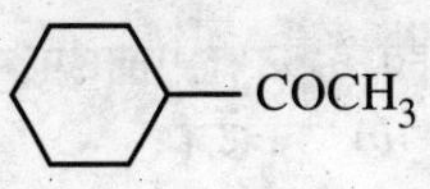

(d) 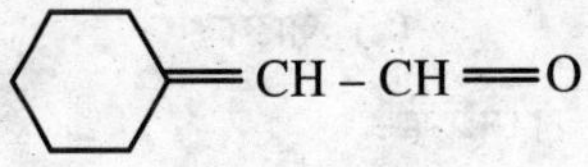

5. जब ग्लिसरॉल को सान्द्र HNO_3 तथा H_2SO_4 के मिश्रण के आधिक्य के साथ अभिकृत किया जाता है तो निम्नलिखित में से कौन-सा एक प्रतिफल बनता है?

(a) ग्लिसराइल मोनोनाइट्रेट (b) ग्लिसराइल डाइनाइट्रेट
(c) ग्लिसराइल ट्राइनाइट्रेट (d) ऐक्रोलीन

6. मेथेनॉल के औद्योगिक निर्माण की विधि है–

(a) $ZnO - Cr_2O_3$ की उपस्थिति में कार्बन मोनो ऑक्साइड के उत्प्रेरकीय अपचयन से
(b) निकिल उत्प्रेरक की उपस्थिति में 900°C पर मेथेन को भाप के साथ अभिकृत करके
(c) फॉर्मेल्डिहाइड को जलीय NaOH के साथ अभिकृत करके
(d) फॉर्मेल्डिहाइड को लीथियम ऐल्यूमिनियम हाइड्राइड के साथ अपचयित करके

7. जब एक लीटर जल में ग्लिसरीन मिलायी जाती है तो निम्नलिखित में से कौन-सा व्यवहार देखने को मिलता है?

(a) जल की श्यानता घट जाती है
(b) जल का ताप बढ़ जाता है
(c) जल अधिक सरलता से वाष्पित होता है
(d) जल के हिमांक का अवनमन हो जाता है

8. ठंडे देशों में कार के रेडियेटरों में जल में एथिलीन ग्लाइकॉल डाला जाता है। इसके परिणामस्वरूप–

(a) विशिष्ट ऊष्मा कम हो जाती है
(b) श्यानता कम हो जाती है
(c) जल विद्युत का अच्छा चालक बन जाता है
(d) हिमांक का अवनमन हो जाता है

9. निम्न में से कौन-सा एक ऐल्कोहॉल नहीं है?

(a) $C_6H_5CH_2OH$ (b) C_6H_5OH
(c) $CH_2(OH).CH_2OH$ (d) $CH_2 = CH - CH_2OH$

10. 2– मेथिलप्रोपीन के हाइड्रोबोरेशन पर मिलता है–

(a) ऐल्डिहाइड (b) प्राथमिक ऐल्कोहॉल
(c) द्वितीयक ऐल्कोहॉल (d) तृतीयक ऐल्कोहॉल

11. निम्नलिखित में से कौन-सा एक ऐरोमैटिक ऐल्कोहॉल को प्रदर्शित करता है?

(a) क्रीसॉल (b) क्विनॉल
(c) फीनॉल (d) 2–फेनिल एथेनॉल

12. मेथेनॉल की जल में विलेयता का कारण है–

(a) दोनों में ऑक्सीजन परमाणु sp^3 संकरित है
(b) दोनों की झुकी हुई आकृति है
(c) दोनों एक दूसरे के साथ H–बन्ध बनाते हैं
(d) ये सभी कारण सही हैं

13. मेथनॉल को निर्जल $CaCl_2$ के द्वारा शुष्कीकृत नहीं किया जा सकता है क्योंकि–

(a) यह एक अच्छा निर्जलीकारक नहीं है
(b) इसमें $CaCl_2$ घुल जाता है
(c) यह CH_3OH से क्रिया करता है
(d) यह ठोस यौगिक $CaCl_2.4CH_3OH$ बनाता है

14. प्राथमिक ऐमीनों को निम्न के साथ अभिकृत करके ऐल्कोहॉलों में परिवर्तित किया जा सकता है–

(a) KOH/H_2O
(b) कॉस्टिक सोडा के साथ उबालकर
(c) KOH/C_2H_5OH
(d) $NaNO_2/HCl$

15. $A \xrightarrow[H_2SO_4]{K_2Cr_2O_7} (CH_3)_2C = O \xrightarrow{[O]} CH_3COOH$

इस अभिक्रिया क्रम में यौगिक 'A' है–

(a) आइसो-प्रोपिल ऐल्कोहॉल
(b) एथिल ऐल्कोहॉल
(c) तृतीयक ब्यूटिल ऐल्कोहॉल
(d) प्रोपिल ऐल्कोहॉल

16. अत्यधिक दाब पर जल गैस को आधिक्य हाइड्रोजन के साथ मिलाकर निम्नलिखित के ऊपर प्रवाहित करके मेथेनॉल का औद्योगिक उत्पादन किया जाता है–

(a) प्लेटिनीकृत ऐस्बेस्टॉस
(b) गर्म कोबाल्ट क्लोराइड
(c) सूक्ष्म वितरित धातु
(d) Zn तथा Cr के गर्म ऑक्साइड

17. सुक्रोस के, ग्लुकोस तथा फ्रक्टोस में जल विच्छेदित (hydrolytic) परिवर्तन को कहते हैं–

(a) इनसर्शन (Insertion) (b) इनहिबिशन (Inhibition)
(c) प्रतीपन (Inversion) (d) प्रेरण (Induction)

18. $H_2O_2/FeSO_4$ द्वारा ग्लिसरॉल के हल्के ऑक्सीकरण से प्राप्त होता है–

(a) ग्लिसरैल्डिहाइड (Glyceraldehyde)
(b) हाइड्रॉक्सीऐसीटोन
(c) ग्लिसरोज
(d) इनमें से कोई नहीं

19. निम्नलिखित में एक ऐल्कॉक्साइड है–

(a) 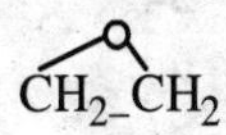 (b) $CH_3CH_2CH_2ONa$

(c) $CH_2OH.CH_2OH$ (d) 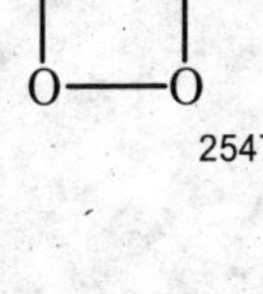

20. जब ग्लिसरॉल को सान्द्र HNO_3 के साथ उपचारित किया जाता है तो निम्नलिखित में से कौन-सा यौगिक बनता है?

(*a*) ग्लिसराइल मोनोनाइट्रेट
(*b*) ग्लिसराइल डाइनाइट्रेट
(*c*) ग्लिसराइल ट्राइनाइट्रेट
(*d*) ग्लिसरिक अम्ल

21. एथिल ऐल्कोहॉल का जलीय विलयन–

(*a*) लाल लिटमस को नीला कर देता है
(*b*) नीले लिटमस को लाल कर देता है
(*c*) लिटमस को रंगहीन कर देता है
(*d*) लिटमस को प्रभावित नहीं करता है

22. ग्लिसरॉल को निम्न सूत्र से प्रदर्शित किया जाता है–

(*a*) $CH_2OH-CHOH-CH_2OH$ (*b*) $CH_2OH-CHOH-CHO$
(*c*) $CH_2OH-CO-CH_2OH$ (*d*) $CH_2OH-CHOH-COOH$

23. निम्नलिखित का उपयोग एक विस्फोटक की भाँति किया जाता है–

(*a*) ग्लिसरॉइल ट्राइनाइट्रेट (*b*) यूरिया
(*c*) ऑक्जेलिक अम्ल (*d*) मेथेनॉल

24. निम्नलिखित में से कौन-सा एथिल ऐल्कोहॉल का स्रोत नहीं है?

(*a*) चुकन्दर की जड़ (beet root)
(*b*) इक्षु-शर्करा (cane sugar)
(*c*) लकड़ी
(*d*) शीरा (molasses)

25. एक कार्बनिक यौगिक अम्ल के साथ क्रिया करके ऐस्टर बनाता है। यौगिक हो सकता है–

(*a*) पैराफिन (*b*) ओलीफिन
(*c*) ऐल्कोहॉल (*d*) एल्किल हैलाइड

26. अंकुरित जौ जिसे माल्ट कहते हैं, निम्न एन्जाइम का स्रोत है–

(*a*) माल्टेज (*b*) इनवर्टेज
(*c*) डायस्टेज (*d*) जाइमेज

27. बेन्जिल कार्बिनॉल का सूत्र है–

(*a*) $C_6H_5-CH_2-OH$
(*b*) $C_6H_5-CH_2-CH_2-OH$
(*c*) $CH_3-CH(C_6H_5)-OH$
(*d*) $C_6H_5-CH(C_6H_5)-OH$

28. निम्न में किसके ऑक्सीकरण के लिए HIO_4 के तीन अणु प्रयुक्त होंगे?

(*a*) $CH_2OH-CHOH-CH_2OH$
(*b*) $CH_2OH-CO-CHOH-CH_2OH$
(*c*) $CH_3-CH(OH)-CH(OH)C_2H_5$
(*d*) $CH_2OH-CHO$

29. वुड स्प्रिट है–

(*a*) मेथिलेटिड स्प्रिट (*b*) परिशोधित स्प्रिट
(*c*) एथिल ऐल्कोहॉल (*d*) मेथिल ऐल्कोहॉल

30. एथिल ऐल्कोहॉल को निम्नवत् नहीं माना जाता है–

(*a*) शराब की स्प्रिट (spirit of wine)
(*b*) कार्बिनॉल
(*c*) एथेनॉल
(*d*) मेथिल कार्बिनॉल

उत्तरमाला

1	2	3	4	5	6	7	8	9	10
(*b*)	(*b*)	(*d*)	(*d*)	(*c*)	(*a*)	(*d*)	(*d*)	(*b*)	(*b*)
11	**12**	**13**	**14**	**15**	**16**	**17**	**18**	**19**	**20**
(*d*)	(*c*)	(*d*)	(*d*)	(*a*)	(*d*)	(*c*)	(*c*)	(*b*)	(*d*)
21	**22**	**23**	**24**	**25**	**26**	**27**	**28**	**29**	**30**
(*d*)	(*a*)	(*a*)	(*c*)	(*c*)	(*c*)	(*b*)	(*b*)	(*d*)	(*b*)

अध्याय

20

साबुन तथा डिटर्जेन्ट
(Soaps and Synthetic Detergents)

साबुन तथा डिटरजेन्ट (Soaps and Detergents)

- सभी साधारण साबुन उच्च वसीय अम्लों, जैसे-स्टियरिक, पामिटिक अथवा ओलिक अम्ल के सोडियम अथवा पोटेशियम लवणों का मिश्रण होते हैं, जैसे–

$C_{15}H_{31}\,COOH + NaOH \rightarrow C_{15}H_{31}\,COONa + H_2O$
सोडियम पामिटेट (साबुन)

- साबुन बनाने की इस क्रिया को साबुनीकरण कहते हैं। वे साबुन जो कास्टिक सोडा के उपयोग से बनाये जाते हैं अर्थात् जो उच्च वसीय अम्लों के सोडियम लवण होते हैं, कड़े साबुन कहलाते हैं।
- वे साबुन जो कास्टिक पोटाश के उपयोग से बनाए जाते हैं अर्थात् जो उच्च वसीय अम्लों के पोटेशियम लवण होते हैं, वे मुलायम साबुन कहलाते हैं। कड़े साबुन कपड़े धोने के काम आते हैं तथा मुलायम साबुन नहाने में प्रयुक्त होते हैं। कपड़े धोने के साबुन सस्ते तेलों या सस्ते वसा से बनाये जाते हैं। इनमें मुक्त क्षार नहीं होता है। इसके अतिरिक्त नहाने के साबुन में सुगंधित पदार्थ मिले रहते हैं। 'नीम का साबुन' कार्बोलिक सोप आदि में कुछ औषधियां भी मिली रहती हैं।

ओलिक अम्ल – $C_{17}H_{33}COOH$
(Oleic Acid)

रंगक का वर्गीकरण (Classification of Dyes)

संघटन के आधार पर वर्गीकरण–

	डाइ	समूह	उदाहरण
1.	एंजो डाइ	एजो	ऑरेंज I, ऑरेंज II, ऑरेंज-रेड
2.	थैलिन डाइ	थैलिन समूह	फिनालफ्थेलिन, मरक्यूरो क्रोम
3.	इन्डिगो डाइ	इन्डिगोइड	इन्डिगो, टाइरीकान
4.	एन्थ्राक्वीनोन डाइ	एन्थ्राक्वीनोन	एलिजेरिन
5.	ट्राइफेनिल मेथेन	ट्राफेनिल समूह	मैलेकाइट

अनुप्रयोग के आधार पर वर्गीकरण (Classification based on Application)– किसी डाइ का किसी विशेष रेशे में उपयोग डाइ तथा रेशे दोनों के स्वभाव पर निर्भर करता है। डाइ का एक अणु रेशे के दूसरे अणु से निम्न प्रकार से जुड़ सकता है–

1. संयोजक बंध 2. हाइड्रोजन बंध 3. आयनिक बंध 4. वान्डर वाल बल अनुप्रयोगों के आधार पर dye को निम्नलिखित भागों में बांटा जात है–

(*a*) **अम्ल रंगक (Acid Dye)–** ये Azo Dye हैं तथा इनमें अम्लीय समूह जैसे– सल्फोनिक अम्ल, कार्बोक्सिलिक अम्ल अथवा फिनालिक समूह पाए जाते हैं। ये डाइ इनके सोडियम लवणों के रूप में उपस्थित रहते हैं।
इनका प्रयोग ऊन, सिल्क नायलॉन इत्यादि को डाइ करने में किया जाता है परन्तु कॉटन वस्त्रों पर इनका कोई प्रभाव नहीं होता। उदाहरण– ऑरेन्ज-I, ऑरेन्ज-II, कार्गो-रेड, मेथिल-1-Orange, मेथिल-1-रेड।

(*b*) **क्षारीय रंगक (Basic Dye)–** इनमें अमीनो अथवा $-NR_2$ समूह पाया जाता है। अम्लीय माध्यम में ये जल में घुलनशील ऋणायन बनाते हैं जो रेशे के धनायनित हिस्से पर जाकर जुड़ जाता है। इनका प्रयोग नॉयलान तथा पालीएस्टर को रंगने में किया जाता है। उदाहरण– एनिलीन येलो तथा मैलेकाइट ग्रीन।

(*c*) **प्रत्यक्ष रंगक (Direct Dye)–** ये वस्त्रों पर सीधे apply किए जाते हैं। Dye के छोटे-छोटे कण विसरित होकर वस्त्र में एक Suspension बना लेते हैं। इनका प्रयोग पालीएस्टर, नॉयलान तथा पालीक्रायलोनाइट्राइल में किया जाता है। उदाहरण– सेलीटन फास्ट पिंक B, सेलीटन फास्ट ब्लू B, इत्यादि।

(*d*) **हौज रंगक (Vat Dye)–** यह मनुष्यों के प्रयोग में आने वाली सबसे प्राचीन डाइ है। यह अघुलनशील डाइ है, जो पहले क्षारीय अपचायक की उपस्थिति में लकड़ी के हौज में अपचयित होकर रंगहीन हो जाती है। इसीलिए इनको हौज रंगक (Vat Dye) कहते हैं। डाइ करने वाले वस्त्र को सबसे पहले इस विलयन में डुबोकर हवा में सुखाते हैं, जिससे रंग उभर कर आ जाता है। इस डाइ का प्रयोग मुख्यतः सूती कपड़ों की रंगाई में किया जाता है। उदाहरण– Indigo.

(*e*) **मर्मविधी रंगक (Mordant Dye)–** यह वस्त्रों से सीधे नहीं चिपकती। अतः इनमें कोई बंधक (Binding Agent) मिलाना पड़ता है। अम्लीय डाइ के लिए धातु आयन को Mordant की क्षारीय प्रकृति के कारण प्रयोग करते हैं तथा क्षारीय डाइ के लिए Lannic Acid या Lannin का प्रयोग करते हैं। उदाहरण– एलिजेरिन एल्युमिनियम के साथ चटख लाल रंग देता है लेकिन बेरियम के साथ नीला रंग।

कुछ महत्वपूर्ण रंगक (Some Important Dyes)

Indigo– Indigo एक हौज रंगक है, जिसका प्रयोग सूती कपड़ों को रंगने में किया जाता है। यह प्राचीन रंगक पदार्थों में से एक है। यह जल में अघुलनशील होती है, जबकि क्षारीय सोडियम हाइड्रोजन सल्फाइट की उपस्थिति में यह अपचयित होकर रंगहीन ल्यूको (Lucco) अवस्था बनाती है। ल्यूको अवस्था में यह सूती कपड़ों पर आसानी से चिपक जाती है। इसीलिए सूती कपड़ों को लकड़ी के बड़े-बड़े बर्तनों, हौज में क्षारीय विलयन में भिंगोकर रखते हैं। कुछ देर बाद इन्हें बाहर निकालकर हवा में सुखाते हैं जिससे Indigo की ल्यूको अवस्था पुनः अपनी सामान्य अवस्था में आ जाती है तथा डाइ का रंग कपड़ों पर उभर कर आ जाता है।

मेथिल ऑरेन्ज (Methyl Orange)– यह एक Azo Dye है तथा इसकी प्रकृति अम्लीय होती है। यह सल्फेनिलिक अम्ल के डाइएजोनियम लवण तथा N, N डाइमेथिल एनिलीन को बर्फ की उपस्थिति में अभिक्रिया कराने पर उत्पन्न होती है। इसका प्रयोग ऊन, सिल्क, नॉयलॉन आदि को डाइ करने में किया जाता है, परन्तु इसका प्रयोग सूती कपड़ों पर नहीं किया जा सकता क्योंकि इसके द्वारा उत्पन्न रंग बहुत तीव्र नहीं होता। मेथिल ऑरेन्ज का प्रयोग अम्ल-क्षार अनुमापन में भी किया जाता है।

एनिलीन येलो (Aniline Yellow)– यह भी एक Azo Dye है, इसमें अमीनो समूह जुड़ा रहता है। यह बेन्जीन डाइएजोनियम क्लोराइड तथा एनिलीन के क्षीण अम्लीय माध्यम में युग्मन क्रिया कराने पर बनती है।

एलिजैरिन (Alizarin)– एलिजैरिन एक एन्थ्राक्वीनोन डाइ है, जो मॉरडेंट समूह (Mordant) का एक सदस्य है। यह स्वयं वस्त्र पर नहीं चिपकता, इसलिए इसे एक Mordant की आवश्यकता पड़ती है। कपड़ों को रंगने से पहले एल्युमिनियम एसीटेट हाइड्रोलाइज होकर $Al(OH)_3$ बनाता है, ये एक चिपचिपा पदार्थ है इसलिए आसानी से कपड़े पर चिपक जाता है। कपड़े को पुनः एलिजेरिन के सोडियम लवण में भिंगोते हैं। जहाँ ये $Al(OH)_3$ के साथ क्रिया करके अघुलनशील "Red takes" बनाता है जो कि फैब्रिक को टर्की लाल (Turkey Red) रंग देता है।

मैलाकाइट ग्रीन (Malachite Green)– यह ट्राइफिनाइल मेथेन डाइ है तथा इससे क्षारीय अमीनो समूह जुड़ा रहता है। एनिलीन Yellow की ही तरह इसका प्रयोग भी नॉयलॉन तथा पॉलीएस्टर पर किया जाता हैं।

रसायन तथा सौन्दर्य उत्पाद (Chemicals and Cosmetics)– ये हमारे जीवन का एक महत्त्वपूर्ण हिस्सा है। कुछ महत्त्वपूर्ण रसायन तथा उनसे बनने वाले सौन्दर्य उत्पाद निम्न प्रकार हैं–

रसायन	सौन्दर्य उत्पाद
एसीटोन	क्लोन, नेल रिमूवर
बेन्जल्डिहाइड	इत्र, क्लोन, हेयर स्प्रे, वैसलीन, शेविंग क्रीम, शैम्पू, साबुन
बेंजिल एसीटेट	परफ्यूम, डिटर्जेन्ट, साबुन, आफ्टर शेव लोशन, डिओड्रेन्ट
बेंजिल एल्कोहल	क्लोन, नेल इनेमल रिमूवर, फैब्रिक साफ्टनर
कैम्फर	परफ्यूम, शेविंग क्रीम, नेल पॉलिश
मेथिलीन क्लोराइड	शैम्पू, परफ्यूम
इथेनाल	शैम्पू, हेयर स्प्रे, परफ्यूम, शेविंग क्रीम
पैथेल्स	हेयर स्प्रे, परफ्यूम, मॉइश्चराइजर
टालूईन	नेल पॉलिश
बेन्जोइक अम्ल	क्रीम तथा लोशन
सेटिल एल्कोहल	मॉइश्चराइजिंग क्रीम, लोशन
हाइड्रोक्वीनोन	मॉइश्चराइजिंग क्रीम
लिनालूल	परफ्यूम, बार सोप, Hand Lotion
g-टरपीन	क्लोन, परफ्यूम, Air Freshner
g-टरपीनाल	परफ्यूम तथा क्लोन

एन्टीबॉयोटिक (Antibiotic)– यह सूक्ष्म जीवों से निर्मित होते हैं तथा ये दूसरे सूक्ष्मजीवों की वृद्धि को रोकते हैं। सर्वप्रथम 1929 में एलेक्जेंडर फ्लेमिंग ने पेन्सिलीय नोटेट्म मोल्ड से एन्टीबॉयोटिक की खोज की। इसीलिए इन्होंने इसका नाम पेनिसिलीन दिया। एन्टीबॉयोटिक Bactericidal अथवा Bacteristatic होते हैं। सूक्ष्म जीवों का पूरा परिसर जो एक एन्टीबॉयोटिक द्वारा आक्रमित होता है, स्पेक्ट्रम कहलाता है। क्लोरी पाइनेकॉल, एन्टीबायोटिक का एक वृहद स्पेक्ट्रम है जो Gastro Intestinal Track में तेजी से अवशोषित हो जाता है, इस प्रकार यह टायफाइड, पेचिश तथा तेज बुखार में आराम पहुंचाता है। यह मेनिनजाइटिस व निमोनिया में भी प्रभावी होता है। पेनिसिलीन पिम्परी में हिन्दुस्तान एन्टीबॉयोटिक में बनायी जाती है।

(*a*) **पेनिसिलीन (Penicillin)–** आजकल वास्तविक रूप से छः पेनिसिलीन ज्ञात हैं, जिनकी संरचना निम्न प्रकार से है–
ग्राम स्टेन के साथ इनकी स्टेन देने की योग्यता के आधार पर इन्हें दो समूहों में बांटा गया है–
1. ग्राम पॉजिटिव तथा 2. ग्राम निगेटिव
इस क्रिया में बैक्टीरिया की कोशिका का सबसे पहले क्षारीय क्रिस्टल बैंगनी डाइ से क्रिया कराते हैं, जब सारी कोशिकाएँ नीली हो जाती है, तब इन्हें तनु KI विलयन (0.3%) के साथ क्रिया कराके पानी में एल्कोहल की उपस्थिति में धोते हैं, इस क्रिया में कुछ बैक्टीरिया नीले बने रहते हैं, इन्हें ग्राम पॉजिटिव कहते हैं तथा वे जो अपना नीला रंग खो देते हैं, ग्राम निगेटिव कहलाते हैं।
Ampicillin तथा Amoxicillin पेनिसिलीन की अर्ध- संश्लेषित अवस्थाएँ है। पेनिसिलीन का सबसे मुख्य नुकसान ये है कि यह कुछ व्यक्तियों के लिए बहुत Sensitive होती है।

(*b*) **क्लोरोफिनेकॉल (Chlorophenicol)–** यह भी एक broad spectrum एन्टीबॉयोटिक है। इसका निर्माण सर्वप्रथम 1947 में हुआ था। यह gastro intestinal track में बहुत आसानी से अवशोषित हो जाती है। ये टायफाइड, तेज बुखार, दिमागी बुखार (Meningitis) तथा Pneumonia में बहुत प्रभावी है।

इसका निर्माण बहुत आसान है। इसीलिए यह बाजार में आसानी से उपलब्ध है।

अम्लरोधी (Antacids)– वे रासायनिक पदार्थ जो अम्लीयता को कम कर देते हैं या उदासीन कर देते हैं, Antacid कहलाते हैं।

अम्लीयता अधिक gastric juice बनने के कारण होती है जो pH स्तर को घटा देती है, जो पेट में अल्सर (Ulcer) का कारण बन सकता है।

इसी अम्लीयता को कम करने के लिए Antacid दिए जाते हैं। ये pH स्तर बढ़ाकर अम्लीयता को उदासीन कर देते हैं।

ज्यादातर Antacid में मैग्नीशियम तथा एल्युमिनियम लवण होते हैं, $CaCO_3$ भी Antacid की तरह प्रयोग होता है, परन्तु ये ज्यादा प्रभावी नहीं होता। इन्हें मुख्यतः खाना खाने के बाद खाना चाहिए। इससे इसका प्रभाव अधिक देर तक रहता है।

वेदनाहर (Analgesic)– वे रासायनिक पदार्थ जिनका प्रयोग दर्द निवारण के लिए होता है, analgesic कहलाते हैं। ये दो प्रकार के होते हैं–

(*a*) **नशीली औषधि (Narcotics)–** जो नींद तथा बेचैनी उत्पन्न करते हैं। ज्यादातर ये Opium व्युत्पन्न होते हैं। ओपियम में कुछ सल्केलाइड जैसे– Codeine तथा Morphine सबसे अधिक प्रभावी होते हैं। Heroin सबसे अधिक शक्तिशाली analgesic है। इनका अधिक प्रयोग हानिकारक हो सकता है क्योंकि इससे इनकी आदत पड़ सकती है।

(*b*) **नशारोधी (Non-Narcotics)–** ये Opium व्युत्पन्नों की तरह ज्यादा प्रभावी नहीं होते परन्तु इनके कोई हानिकारक प्रभाव नहीं होते अर्थात् इनसे Addiction नहीं होता है। उदाहरण– Aspirin, Novalgin.

तापरोधी (Antipyretics)– वे रासायनिक पदार्थ जिनका प्रयोग शरीर के ताप को कम करने में होता है, Antipyretic कहलाते हैं।

इन्हें खाने से पसीना आता है जो शरीर के ताप को कम कर देता है। उदाहरण– Aspirin, Phenacetin, Paracetamol

एस्पिरिन को खाली पेट नहीं खाना चाहिए क्योंकि इससे सैलिसिलिक अम्ल बनता है जो पेट में अल्सर (Ulcer) उत्पन्न कर सकता है।

जीवरोधी (Anti-Microbial)– ये पदार्थ सूक्ष्म जीवों को मारने के लिए प्रयोग किए जाते हैं। उदाहरण– क्लोरीन, फिनायल फार्माल्डिहाइड। इन्हें या तो सीधे या वाष्प अवस्था में छिड़का जाता है, जैसे– Mortien Spray का प्रयोग कमरे में उपस्थित कीटों को मारने में किया जाता है।

लीचिंग एजेंट (Leaching Agent)– ये एक प्रकार के विषाणुरोधी (Antimicrobial) होते हैं, एक स्थान से दूसरे पर अवशोषण द्वारा पहुँच जाते हैं।

नॉन लीचिंग एजेंट (Non-Leaching Agent)– ये जहाँ रखे जाते हैं वहीं पर रहते हैं अर्थात् एक ही जगह रहते हैं, एक स्थान से दूसरे स्थान तक नहीं पहुँचते।

प्रजननरोधी दवाएँ (Antifertility Drugs)– ये मुख्यतः महिलाओं में गर्भ निरोधन के लिए प्रयोग की जाती है। ये हारमोनों का निरोधन करते हैं।

रासायनिक संघटन (Chemical Composition)– ये गोनोडल स्टाराइड होते हैं, अर्थात् इस्ट्रोजन तथा प्रोजेस्ट्रोन।

(*a*) **संश्लेषित एस्ट्रोजन (Synthetic Estrogen)–** यह खाई जाने वाली गोलियाँ होती है, अर्थात् Oral Contraceptive. उदाहरण– इथाइनिल इस्ट्राइडल तथा मेस्ट्रोनल।

(*b*) **संश्लेषित प्रोजेस्ट्रोन (Synthetic Progestrone)–** ये तीन प्रकार की होती हैं। 1. Pregananes, 2. Oestranes 3. Gonanes Pregananes। इसका प्रयोग लंबे समय तक करने से कैंसर का खतरा हो सकता है। Gonane का प्रयोग आजकल सर्वाधिक हो रहा है।

हार्मोनल गर्भ-निरोधकों का वर्गीकरण–

(*a*) **ओरल पिल्स (Oral Pills)–** उदाहरण– Combined Pill, Pop (Progestrogen Only Pill), Post-Coital pill, महीनों में एक बार (कई दिन तक काम करने वाली) तथा male pill.

(*b*) **डिपोट फार्मूलेशन (Depot Formulation)–** ये इंजेक्शन के रूप में दी जाती है।

एन्टीहिस्टामीन (Antihistamine)– वे दवाइयां जो histamine के प्रभाव को कम करती है। (कुछ कोशिकाओं से निकलने वाला द्रव)

1. डाइफिनाइल हाइड्रामीन (Diphenylhydramine) (benadryl)
2. क्लोरफेनिरामीन (Chlorpheniramine) क्लोरट्रीमेनटॉन (Chlortrimenton)
3. फेक्सोफेनिडीन (Allegra)
4. सेट्रीजीन (Zrytect)

रंगक (Dyes)

वे रासायनिक पदार्थ जिनका उपयोग Permanent रंगाई के लिए होता है, Dye कहलाते हैं, जैसे– कपड़े, खाने की वस्तुएँ, सिल्क तथा ऊन। एक अच्छी डाई में निम्नलिखित गुण होने चाहिए–

1. इसका एक अनुकूल रंग (Suitable) होना चाहिए।
2. यह पदार्थ के ऊपर चढ़ जाना चाहिए।
3. यह fast तथा धुलाई करने पर खराब नहीं होना चाहिए।
4. इसके ऊपर पानी, अम्ल अथवा क्षार का प्रभाव नहीं पड़ना चाहिए। किसी dye का रंग तरंग दैर्ध्य की प्रकृति पर निर्भर करता है। प्रकाश के दृश्य भाग में उत्सर्जित या अवशोषित– उदाहरणतः यदि dye पीला रंग अवशोषित करेगी तो बैंगनी रंग मिलेगा क्योंकि बैंगनी पीले का पूरक है।

स्टिएरिक अम्ल (Stearic Acid) – $C_{17}H_{35}COOH$

पामिटिक एसिड (Palmitic Acid) – $C_{15}H_{31}COOH$

इनके ग्लिसराल के एस्टरों को ग्लिसराइड कहते हैं तथा ये जीवों तथा वनस्पतियों से प्राप्त तेल तथा वसा में पाए जाते हैं।

जब तेल अथवा वसा को सोडियम हाइड्राक्साइड के विलयन के साथ गर्म किया जाता है तो यह अम्लों के सोडियम लवण तथा ग्लिसराल में परिवर्तित हो जाता है। इस प्रक्रिया को साबुनीकरण (Saponification) कहते हैं।

साबुन, मुख्यतः कठोर जल में कपड़े धोने के लिए उपयुक्त नहीं होते क्योंकि इनमें बहुत अधिक साबुन व्यर्थ हो जाता है। इस कमी को दूर करने के लिए दूसरे Cleansing Agents का प्रयोग किया जाता है जिन्हें संश्लेषित डिटरजेंट (Synthetic Detergents) कहते हैं। इन्हें साबुन रहित साबुन भी कहते हैं, क्योंकि इनमें साधारण साबुनों की तरह सोडियम स्टिएरेट नहीं पाया जाता है। ये साबुनों से अच्छे Cleansing Agent होते हैं, क्योंकि ये कठोर जल में भी प्रयोग किये जा सकते हैं।

डिटरजेंट का संघटन– इनमें लंबी शृंखला का हाइड्रोकार्बन होता है एवं शृंखला के अंत में एक ध्रुवीय समूह, परन्तु ये साबुन से इस मामले में उत्तम है कि Ca^{+2}, Mg^{+2} तथा Fe^{+3} आयन के साथ अघुलनशील

लवण नहीं प्रदान करता है। इनके उदाहरण हैं– सोडियम एल्काइल, एल्फोनेट और बेंजीन सल्फोनेट। डिटर्जेन्ट तथा एंजाइम मिला हुआ पदार्थ बहुत ही साफ धुलाई करता है। इस प्रकार की धुलाई को माइक्रो सिस्टम धुलाई कहते हैं।

सोडियम एल्काइल सल्फेट– ये सल्फोनिक अम्ल एस्टर, जो कि लंबी शृंखला वाले एल्कोहल से बनते हैं, के सोडियम लवण होते हैं, जिनमें 10-15 कार्बन परमाणु होते हैं। ये एल्कोहल, हाइड्रोजनीकरण के पश्चात तेल तथा वसा बनाते हैं।

सोडियम एल्काइल बेंजीन सल्फोनेट– इस समूह का सबसे महत्त्वपूर्ण डिटरजेंट सोडियम डोडेसाइल (Dodecyl) है। यह बैंजीन की डोडेसाइड क्लोराइड से $AlCl_3$ उत्प्रेरक की उपस्थिति में क्रिया कराने पर बनता है।

डिटरजेंट बनाने की विधि

(Method to Prepare Detergent)

संश्लेषित हाइड्रोकार्बन मुख्यतः पेट्रोलियम से प्राप्त लंबी शृंखला वाले हाइड्रोकार्बनों तथा सल्फ्यूरिक एसिड क्रिया से बनते हैं। इस कार्बनिक अम्ल को सोडियम हाइड्राक्साइड से उदासीन करने पर इनके सोडियम लवण बन जाते हैं। वाशिंग पाउडर में लगभग 10 से 15 प्रतिशत तक डिटरजेंट पाया जाता है। इसके साथ इनमें सोडियम सल्फेट, सोडियम सिलिकेट, सोडियम ट्राइ-फास्फेट तथा सोडियम कार्बोनेट इत्यादि भी पाए जाते हैं। ये लवण डिटरजेंट को शुष्क करते हैं तथा इनकी क्षारीयता बनाए रखते हैं जो मैल छुड़ाने में मदद करते हैं। इसके अलावा इनमें कार्बोक्सीमेथिल सेल्युलोज (CMC) मिलाया जाता है जो इसकी सफाई की क्षमता को बढ़ाता है। इसी प्रकार Bleaching Agent जैसे– सोडियम परबोरेट सफेद कपड़ों की सफेदी बढ़ाने के लिए डिटरजेंट के साथ मिलाया जाता है।

डिटरजेंट के लाभ–

1. संश्लेषित डिटरजेंट कठोर जल में भी प्रयोग किए जा सकते हैं जबकि साबुन नहीं।
2. संश्लेषित डिटरजेंट अम्लीय माध्यम में भी प्रयोग किए जाते हैं, जबकि साबुन नहीं, क्योंकि ये हाइड्रोलाइज होकर मुक्त अम्ल दे देते हैं।
3. संश्लेषित डिटरजेंट जल में घुलनशील होते हैं, इसीलिए साबुन से अधिक फेन देते हैं।
4. संश्लेषित डिटरजेंटों में साबुन से अधिक सफाई की क्षमता होती है।

इन सब के अलावा डिटरजेंटों के कुछ हानिकारक प्रभाव होते हैं। जैसे– ये जैव अन-अपघट्य (Non-Biodegradable) होते हैं। अतः बैक्टीरिया द्वारा अपघटित नहीं होते। फास्फेट जो कि जलीय जीवन के लिए बहुत हानिकारक है, संश्लेषित डिटरजेंट में पाया जाता है, शैवालों के तेज वृद्धि की सहायता करता है। यह जल का अनाक्सीकरण कर देता है, अतः यह जल में ऑक्सीजन की मात्रा को कम कर देता है, जबकि साबुन जैव अपघट्य (Biodegradable) होते हैं, अतः प्रदूषण नहीं फैलाते।

वस्तुनिष्ठ प्रश्न

1. एक तेल या वसा में असंतृप्तता की मात्रा को मापा जाता है–
(*a*) आयोडीन मान से
(*b*) अम्ल मान से
(*c*) राइकर्ट मिसेल (Reichert-Meissl Value) मान से
(*d*) साबुनीकरण मान से

2. पेन्ट तथा वार्निश में होता है–
(*a*) सरसों का तेल (mustard oil)
(*b*) मिट्टी का तेल
(*c*) नारियल का तेल
(*d*) अलसी का तेल

3. निम्न में से कौन-सा एक एस्टर है?
(*a*) साबुन (*b*) ग्लिसरीन
(*c*) मिट्टी का तेल (*d*) नारियल का तेल

4. वसाओं तथा क्षार की अभिक्रिया से बनने वाले उत्पाद हैं–
(*a*) तेल तथा साबुन
(*b*) साबुन तथा ग्लिसरॉल
(*c*) ग्लिसरॉल तथा लम्बी शृंखला के मोनोकार्बोक्सिलिक अम्ल
(*d*) वसीय अम्ल तथा ऐल्कोहॉल

5. एक तेल या वसा को साबुन में परिवर्तित करने के लिये आवश्यक क्षार की मात्रा कहलाती है–
(*a*) अम्ल मान
(*b*) आयोडीन मान
(*c*) राइकर्ट-मिसेल मान
(*d*) साबुनीकरण मान

6. बताइये निम्न में से कौन-सा अणु संभवतः द्विक स्तर झिल्ली संरचना (bilayer membrane structure) संगठित करता है तथा बनाता है–

(I) 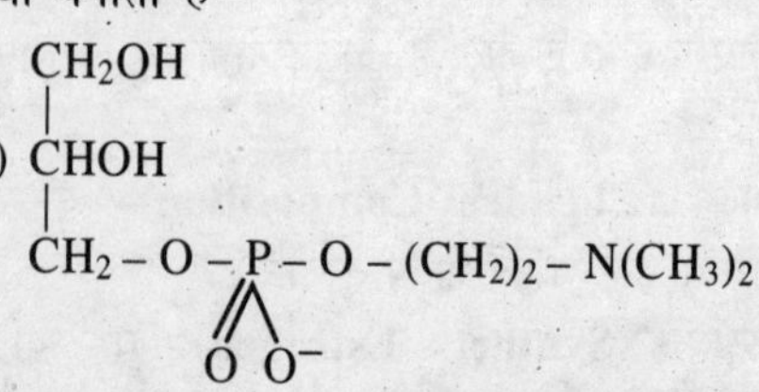

(II) 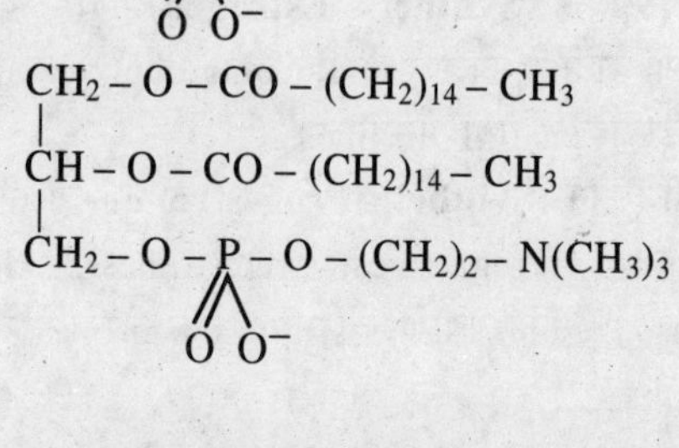

$CH_2 - O - CO - (CH_2)_{14} - CH_3$
|
(III) $CH - O - CO - (CH_2)_{14} - CH_3$
|
$CH_2 - O - CH_3$

(IV) 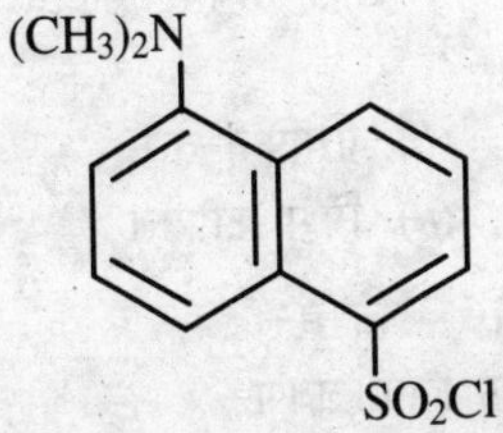

(*a*) II (*b*) I
(*c*) III (*d*) IV

7. दैनिक जीवन में प्रयुक्त मोमबत्तियों में होता है–
(*a*) उच्च संतृप्त हाइड्रोकार्बन
(*b*) निम्न संतृप्त हाइड्रोकार्बन
(*c*) उच्च असंतृप्त हाइड्रोकार्बन
(*d*) निम्न असंतृप्त हाइड्रोकार्बन

8. ऑलिइक (oleic), स्टीयरिक तथा पामिटिक अम्ल होते हैं–
(*a*) न्यूक्लिक अम्ल (*b*) ऐमीनो अम्ल
(*c*) वसीय अम्ल (*d*) इनमें से कोई नहीं

9. निम्न में कौन-सा यौगिक एक लिपिड नहीं है?
(*a*) लैसीथिन (Lecithin)
(*b*) लाइसीन (Lysine)
(*c*) सेरेब्रोसाइड (Cerebroside)
(*d*) सेफेलिन (Cephalin)

10. ऑक्सीजन की उपस्थिति में बिना गंध युक्त पदार्थ बने कार्बनिक पदार्थों का अपघटन कहलाता है–
(*a*) क्षय (decay)
(*b*) नाइट्रीकरण (Nitrification)
(*c*) N_2 स्थिरीकरण
(*d*) विनाइट्रीकरण (denitrification)

11. निम्न में से कौन-सा चयापचय प्रक्रम में उच्चतम ऊर्जा देता है?
(*a*) प्रोटीन (*b*) विटामिन
(*c*) लिपिड (*d*) कार्बोहाइड्रेट

12. आयोडीन मान निम्न में से सम्बन्धित है–
(*a*) वसा एवं तेल (*b*) ऐल्कोहॉल
(*c*) ऐस्टर (*d*) हाइड्रोकार्बन

13. निम्न में से कौन-सा एक मिसेल (miscelle) नहीं बना सकता है?
(*a*) सोडियम लौरिल सल्फेट
(*b*) सोडियम ऐल्किलबेन्जीन सल्फोनेट
(*c*) सोडियम स्टीयरेट
(*d*) सोडियम बेन्जोएट

14. निम्नलिखित में से कौन-सा एक ऐस्टर है?
(*a*) साबुन
(*b*) ग्लिसरीन
(*c*) बिनौले का तेल (Cotton seed oil)
(*d*) मिट्टी का तेल

15. कौन-सा एन्जाइम एक ट्राइग्लिसराइड को वसीय अम्ल तथा ग्लिसरॉल में जल-अपघटित करता है?
(*a*) लिपेज (lipase) (*b*) ऐमाइलेज
(*c*) पेप्सिन (*d*) माल्टेज

16. निम्न में कौन-सा एक संश्लेषित अपमार्जक (Synthetic detergent) को प्रदर्शित करता है?
(*a*) $CH_3(CH_2)_{16}^{-}Na^+$
(*b*) $C_{15}H_{31}CO\bar{O}K^+$
(*c*) $[C_{17}H_{33}CONH(CH_2)_2\overset{+}{N}(CH_3)_3]_2SO_4^{--}$
(*d*) इनमें से कोई नहीं

17. ऐमीनो अम्ल, निम्न के पाचन के अन्तिम प्रतिफल होते हैं–
(*a*) वसा (*b*) प्रोटीन
(*c*) हॉरमोन (*d*) लिपिड

18. वसा तथा तेल निम्न से बनते हैं–
(*a*) केवल ग्लिसरॉल तथा लम्बी श्रृंखला के असंतृप्त अम्ल
(*b*) केवल ग्लिसरॉल तथा लम्बी श्रृंखला के संतृप्त अम्ल
(*c*) ग्लिसरॉल तथा लम्बी श्रृंखला के संतृप्त तथा असंतृप्त अम्ल
(*d*) ऐथिलीन ग्लाइकॉल तथा लम्बी श्रृंखला के संतृप्त व असंतृप्त अम्ल

19. सोडियम स्टीयरेट का जलीय विलयन होता है–
(*a*) कोलॉइडी
(*b*) मिसेल अवस्था में कोलॉइड
(*c*) निलम्बन
(*d*) प्रेरण प्रभाव के अन्तर्गत कोलाइड

20. तेल एवं वसाओं को सामूहिक रूप से कहते हैं–
(*a*) ऐन्जाइम (*b*) साबुन
(*c*) बहुलक (*d*) लिपिड

21. कोशिका झिल्लियाँ (cell membranes) मुख्यतः निर्मित होती है–
(*a*) फॉस्फोलिपिड द्वारा (*b*) प्रोटीन द्वारा
(*c*) वसा द्वारा (*d*) कार्बोहाइड्रेट द्वारा

22. निम्न अणुओं में से "जल में बेन्जीन" निकाय में परिक्षिप्त होने के लिये उपयुक्त है–
(*a*) 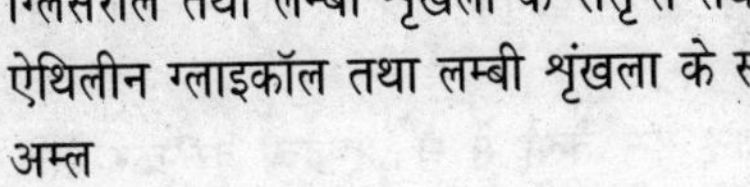

(*b*) 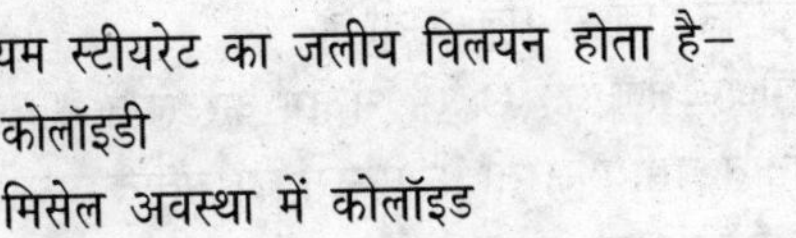

(*c*) 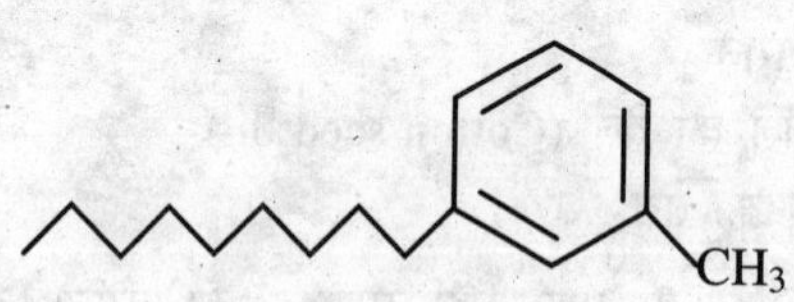

(*d*) 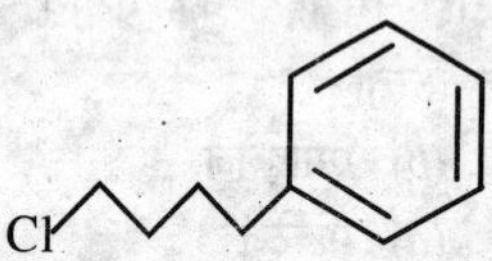

23. साबुन वर्गीकृत की जा सकती है–

(*a*) कार्बोहाइड्रेट में (*b*) ईथर में
(*c*) वसीय अम्लों में (*d*) उपरोक्त में से कोई नहीं

24. निम्न में से ग्लिसराइड नहीं है–

(*a*) वसा (*b*) तेल
(*c*) फॉस्फोलिपिड (*d*) साबुन

25. वसा और तेल होते हैं–

(*a*) पॉलीहाइड्रिक ऐल्कोहॉल
(*b*) ठोस तथा द्रव हाइड्रोकार्बन
(*c*) लिपिड
(*d*) दुर्बल कार्बोक्सिलिक अम्ल

26. साबुन के निर्माण में किसे प्रयुक्त करते हैं?

(*a*) NaOH (*b*) Na
(*c*) सोडियम सिलिकेट (*d*) CH_3COONa

27. वनस्पति तेलों के हाइड्रोजनीकरण में घी बनता है। इस परिवर्तन में–

(*a*) हाइड्रोजन गैस तेलों में से अपद्रव्य दूर कर देती है
(*b*) हाइड्रोजन तेल में घुल जाती है
(*c*) हाइड्रोजन तेल की O_2 से संयोग कर लेती है
(*d*) असंतृप्त वसीय अम्लों के ऐस्टरों का संतृप्त अम्लों के ऐस्टर में अपचयन हो जाता है

28. साबुन किन कार्बनिक यौगिकों से सम्बधित होते हैं?

(*a*) ऐल्डिहाइड (*b*) ऐमीन
(*c*) एस्टर (*d*) अम्लों के लवण

29. निम्न में से किस तेल के क्षार द्वारा साबुनीकरण से धोने वाला साबुन बनाया जा सकता है?

(*a*) गुलाब का तेल (*b*) पैराफिन तेल
(*c*) मूंगफली का तेल (*d*) मिट्टी का तेल

30. कठोर साबुन (Hard soaps) होते हैं–

(*a*) उच्च वसीय अम्लों के जिंक लवण
(*b*) उच्च वसीय अम्लों के सोडियम लवण
(*c*) उच्च वसीय अम्लों के पोटेशियम लवण
(*d*) उच्च वसीय अम्लों के कैल्शियम लवण

31. मोम है–

(*a*) उच्च ऐल्केन (*b*) उच्च ऐल्कीन
(*c*) उच्च ऐल्काइन (*d*) इनमें से कोई नहीं

32. वसाओं की NaOH के साथ जल-अपघटन क्रिया कहलाती है–

(*a*) साबुनीकरण (*b*) ऐसीटिलीकरण
(*c*) कार्बोक्सिलेशन (*d*) एस्टरीकरण

33. वसा ऐस्टर होते हैं–

(*a*) शर्करा के (*b*) ग्लिसरॉल के
(*c*) ट्राईब्यूटीरीन के (*d*) पॉलिपेप्टाइड के

34. तेलों व वसाओं के जल-अपघटन से उत्पन्न होता है–

(*a*) एस्टर (*b*) डाइहाइड्रिक ऐल्कोहॉल
(*c*) असंतृप्त अम्ल (*d*) ट्राइहाइड्रिक ऐल्कोहॉल

35. पेन्ट (Paints) में उपस्थित कच्चा (Raw) अलसी का तेल होता है–

(*a*) लैकर (Lacquer) (*b*) थिनर (Thinner)
(*c*) व्हीकल (Vehicle) (*d*) सुखाने वाला (Drier)

उत्तरमाला

1	2	3	4	5	6	7	8	9	10
(*a*)	(*d*)	(*d*)	(*b*)	(*d*)	(*a*)	(*a*)	(*c*)	(*b*)	(*a*)
11	**12**	**13**	**14**	**15**	**16**	**17**	**18**	**19**	**20**
(*c*)	(*a*)	(*d*)	(*c*)	(*a*)	(*c*)	(*b*)	(*c*)	(*b*)	(*d*)
21	**22**	**23**	**24**	**25**	**26**	**27**	**28**	**29**	**30**
(*a*)	(*a*)	(*c*)	(*d*)	(*c*)	(*a*)	(*d*)	(*d*)	(*c*)	(*b*)
31	**32**	**33**	**34**	**35**					
(*d*)	(*a*)	(*b*)	(*d*)	(*c*)					

अध्याय

21 ऐरोमैटिक यौगिक (Aromatic Compounds)

क्लोरोबेन्जीन (Chlorobenzene)

C_6H_5Cl या 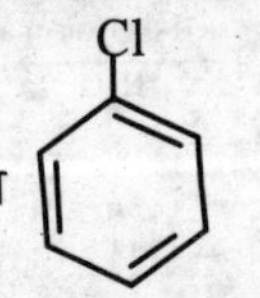

(i) **फीनॉल द्वारा (By Phenol)**– जब फीनॉल की अभिक्रिया फॉस्फोरस पेण्टा-क्लोराइड से कराई जाती है तो क्लोरो-बेन्जीन प्राप्त होती है।

$$C_6H_5OH + PCl_5 \rightarrow C_6H_5Cl + POCl_3 + HCl$$

(ii) **क्लोरोबेन्जोइक अम्ल के विकार्बोक्सिलीकरण द्वारा** (By Decarboxylation of Chlorobenzoic Acid)– o-, m- अथवा p-क्लोरोबैन्जोइक अम्ल के सोडियम लवण को सोडालाइम (CaO एवं NaOH) के साथ गर्म करने पर क्लोरो-बेन्जीन प्राप्त होती है।

$$C_6H_5(Cl)\,COONa + NaOH \xrightarrow[\Delta]{CaO} Na_2CO_3 + C_6H_5Cl$$

o, *m* या *p*-क्लोरो-बेन्जोइक अम्ल का सोडियम लवण

(iii) **बेन्जीन के क्लोरीनीकरण द्वारा (By Chlorination of Benzene)**– हैलोजन वाहक, Fe, I_2 या $AlCl_3$ की उपस्थिति एवं प्रकाश की अनुपस्थिति में बेन्जीन की क्लोरीन गैस के साथ अभिक्रिया कराने पर क्लोरो-बेन्जीन प्राप्त होती है।

$$C_6H_6 + Cl_2 \xrightarrow[\text{प्रकाश की अनुपस्थिति}]{AlCl_3} C_6H_5Cl + HCl$$

(iv) **गाटरमेन अभिक्रिया द्वारा** (By Gattermann Reaction)– बेन्जीन डाइऐजोनियम क्लोराइड की अभिक्रिया Cu-चूर्ण एवं HCl से कराने पर क्लोरोबेन्जीन प्राप्त होती है।

$$C_6H_5N = N - Cl \xrightarrow[\Delta]{Cu/HCl} C_6H_5Cl$$

प्रयोगशाला विधि (Laboratory Method)– प्रयोगशाला में ऐनिलीन ($C_6H_5NH_2$) से क्लोरो-बेन्जीन प्राप्त की जाती है। यह दो पदों में होता है:

(i) **डाइऐजोनीकरण** (Diazotization)– 20 ग्राम ऐनिलीन ($C_6H_5NH_2$) तनु HCl में घोलते हैं तथा इस मिश्रण को बर्फ में ठंडा करते हैं जिससे इसका ताप लगभग 0 – 5°C तक हो जाता है। इस ठंडे विलयन में 24 ग्राम $NaNO_2$ का ठंडा जलीय विलयन धीरे-धीरे मिलाया जाता है तो बेन्जीन डाइऐजोनियम क्लोराइड प्राप्त होता है।

$$NaNO_2 + HCl \longrightarrow HNO_2 + NaCl$$

$$C_6H_5NH_2 + HNO_2 + Cl \xrightarrow{0-5°C} \underset{\text{बेन्जीन डाइऐजोनियम क्लोराइड}}{C_6H_5N = N - Cl} + 2H_2O$$

(ii) **सेन्डमेयर अभिक्रिया** (Sandmeyer Reaction)– बेन्जीन डाइऐजोनियम क्लोराइड को एक पृथक्कारी फनल (Separating funnel) में लेते हैं। एक आसवन फ्लास्क में लगभग 10 ग्राम Cu_2Cl_2 एवं 100 मिली सान्द्र HCl लेकर जल ऊष्मक पर 60°C पर गर्म करते हैं। इस फ्लास्क में पृथक्कारी फनल में भरे बेन्जीन डाइजोनिक्स क्लोराइड के विलयन को मिलाते हैं। इसे लगभग 30 मिनट तक जल-ऊष्मक पर गर्म करते हैं। प्राप्त मिश्रण का भाप-आसवन (Steam Distillation) करके तैलीय क्लोरो-बेन्जीन की पर्त को अलग कर लेते हैं तथा इसे निर्जल कैल्शियम क्लोराइड ($CaCl_2$) पर सुखा लेते हैं। प्राप्त क्लोरो-बेन्जीन का पुनः आसवन किया जाता है तो 132°C पर शुद्ध क्लोरोबेन्जीन प्राप्त होती है।

$$\underset{\text{बेन्जीन डाइऐजोनियम क्लोराइड}}{C_6H_5 - N = N - Cl} \xrightarrow[\Delta]{Cu_2Cl_2 + HCl} \underset{\text{क्लोरोबेन्जीन}}{C_6H_5Cl} + H_2$$

भौतिक गुण (Physical Properties)

(i) यह रंगहीन, सुगन्धित तथा जल से भारी द्रव है।

(iii) जल में अमिश्रणीय तथा कार्बनिक विलायकों जैसे ईथर एवं ऐल्कोहॉल आदि में मिश्रणीय है।

(ii) इसका क्वथनांक 132°C होता है तथा यह भाप में वाष्पशील होता है।

रासायनिक गुण (Chemical Properties)

चूँकि क्लोरो-बेन्जीन में बेन्जीन के नाभिक (nucleus) से दो प्रकार के परमाणु जुड़े रहते हैं, क्लोरीन परमाणु एवं हाइड्रोजन परमाणु।

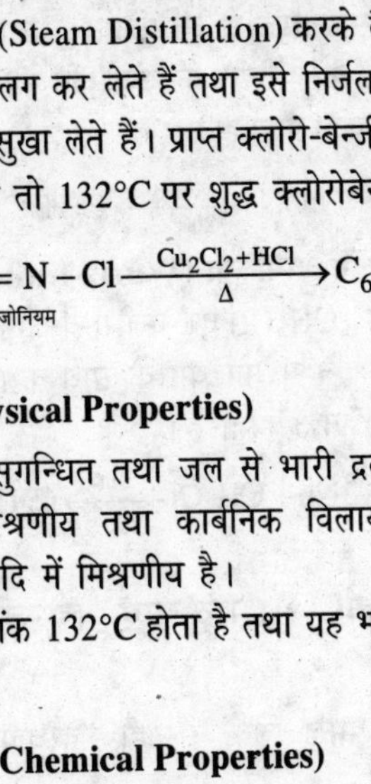

अतः क्लोरो-बेन्जीन के द्वारा दो प्रकार की अभिक्रियायें प्रदर्शित की जाती हैं:

(A) C-Cl बंध की अभिक्रियाएँ

क्लोरोबेन्जीन के क्लोरीन परमाणु की प्रमुख नाभिक स्नेही प्रतिस्थापन (Nucleophilic substitution) अभिक्रियाएँ निम्न प्रकार हैं–

1. **NH_3 से अभिक्रिया–** क्यूप्रस ऑक्साइड (Cu_2O) की उपस्थिति में क्लोरो-बेन्जीन की अभिक्रिया उच्च दाब एवं उच्च ताप पर अमोनिया से कराने पर ऐनिलीन प्राप्त होती है।

$$2C_6H_5Cl + Cu_2O + 2NH_3 \xrightarrow[200°C]{\text{उच्च दाब}} \underset{\text{ऐनिलीन}}{2C_6H_5NH_2} + Cu_2Cl_2 + H_2O$$

2. **जलीय NaOH से अभिक्रिया–** जब क्लोरो-बेन्जीन को जलीय NaOH के साथ 200 वायुमण्डलीय दाब एवं 300°C पर गर्म किया जाता है तो फीनॉल प्राप्त होती है।

$$C_6H_5Cl + NaOH_{(aq)} \xrightarrow[300°C]{200\text{ वायु}} C_6H_5OH + NaCl$$

3. **Mg के साथ अभिक्रिया–** क्लोरो-बेन्जीन की Mg धातु से शुष्क ईथर की उपस्थिति में अभिक्रिया कराने पर फेनिल मैग्नीशियम क्लोराइड (ग्रिगनार्ड अभिकर्मक) प्राप्त होती है।

$$C_6H_5Cl + Mg \xrightarrow{\text{ईथर}} \underset{\text{फेनिल मैग्नीशियम क्लोराइड}}{C_6H_5 - Mg - Cl}$$

4. **क्यूप्रस सायनाइड से अभिक्रिया–** क्लोरो-बेन्जीन एवं क्यूप्रस सायनाइड को पिरीडीन की उपस्थिति में 200°C पर गर्म करने पर सायनोबेन्जीन प्राप्त होती है।

$$C_6H_5Cl + CuCN \xrightarrow[200°C]{\text{पिरीडीन}} C_6H_5CN + CuCl$$

5. **वुर्ट्ज-फिटिंग अभिक्रिया (Wurtz-fitting reaction)–** मेथिल क्लोराइड (CH_3Cl) एवं क्लोरो-बेन्जीन की अभिक्रिया ईथर की उपस्थिति में सोडियम के साथ कराने पर मेथिल बेन्जीन (टॉलूईन) प्राप्त होती है।

$$C_6H_5Cl + 2Na + CH_3Cl \xrightarrow{\text{ईथर}} \underset{\text{टॉलूईन}}{C_6H_5 - CH_3} + 2NaCl$$

(B) C–H बंध की अभिक्रियाएँ (बेन्जीन नाभिक की अभिक्रियायें)

क्लोरो-बेन्जीन में कुछ प्रमुख इलेक्ट्रॉन-स्नेही प्रतिस्थापन अभिक्रियाएँ निम्न प्रकार हैं :

1. **सल्फोनीकरण (Sulphonation)–** क्लोरोबेन्जीन की अभिक्रिया सधूम H_2SO_4 से कराई जाती है तो ऑर्थो एवं पैरा-क्लोरोबेन्जीन सल्फोनिक अम्ल का मिश्रण प्राप्त होता है।

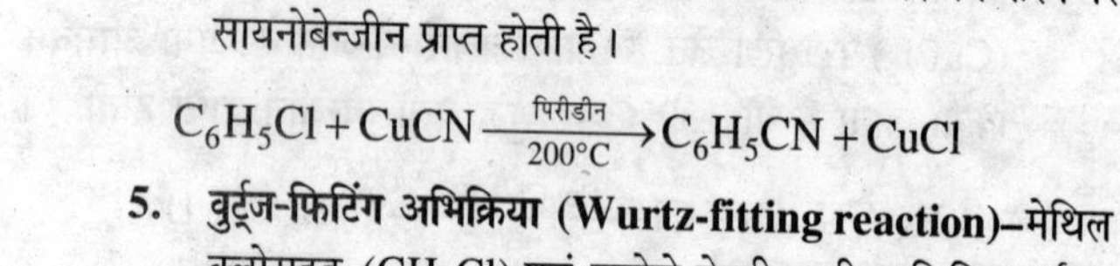

2. **हैलोजनीकरण (Halogenation)–** हैलोजन वाहक (शुष्क $AlCl_3$) की उपस्थिति में जब क्लोरोबेन्जीन की अभिक्रिया सूर्य के प्रकाश की अनुपस्थिति में क्लोरीन से कराते हैं तो ऑर्थो एवं पैरा-डाइक्लोरोबेन्जीन का मिश्रण प्राप्त होता है।

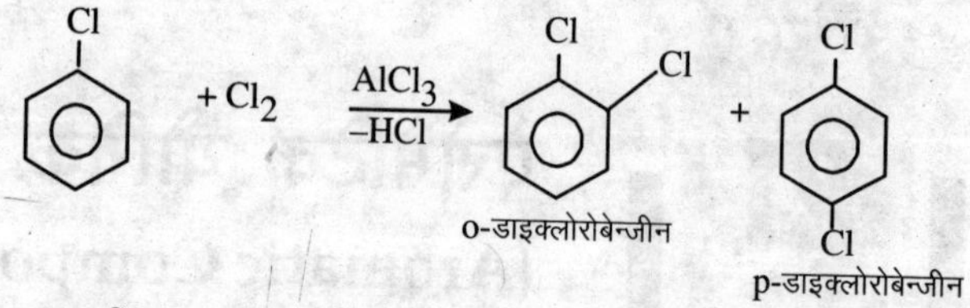

3. **नाइट्रीकरण (Nitration)–** जब क्लोरो-बेन्जीन की अभिक्रिया सान्द्र H_2SO_4 एवं सान्द्र HNO_3 के मिश्रण से 60 – 70°C पर कराई जाती है तो ऑर्थो एवं पैरा-नाइट्रोक्लोरोबेन्जीन प्राप्त होती है। यदि अभिक्रिया आगे 110° पर कराते हैं तो 2-4 डाई नाइट्रोक्लोरोबेन्जीन प्राप्त होती है।

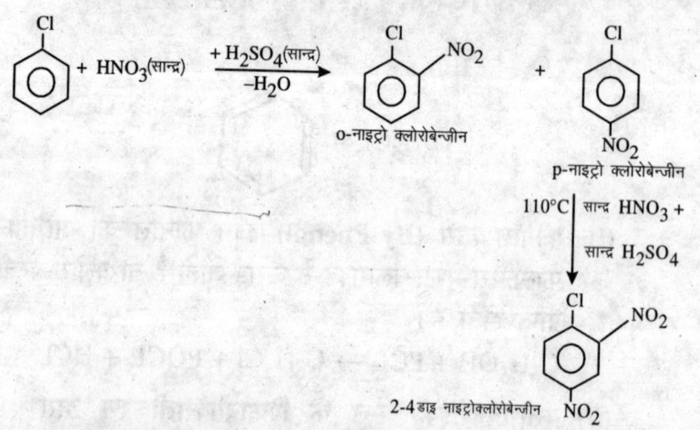

4. **ट्राइक्लोरोऐसिटैल्डिहाइड (क्लोरल) के साथ अभिक्रिया–** जब क्लोरोबेन्जीन को क्लोरल के साथ सान्द्र H_2SO_4 की उपस्थिति में गर्म किया जाता है तो D.D.T. (p-p′ डाइफेनिल ट्राइक्लोरोएथेन) प्राप्त होती है जो कि एक प्रबल कीटनाशी होता है।

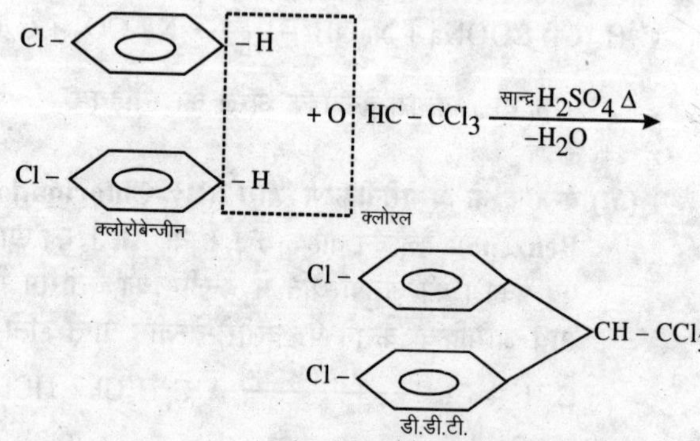

उपयोग (Uses)

(*i*) बेन्जीन, फीनॉल एवं ऐनिलीन के निर्माण में।
(*ii*) डी.डी.टी. के निर्माण में।

बेन्जीन सल्फोनिक अम्ल (Benzene Sulphonic Acid)

$C_6H_5SO_3H$

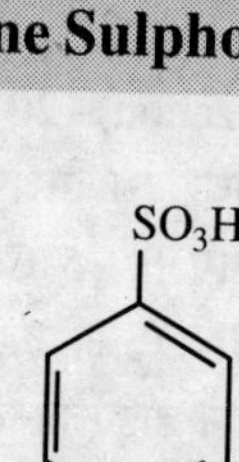

बनाने की विधियाँ (Methods of Preparation)

1. **बेन्जीन के द्वारा–** जब कार्बन टेट्राक्लोराइड की उपस्थिति में बेन्जीन की अभिक्रिया क्लोरो-सल्फोनिक अम्ल ($Cl–SO_3H$) से कराई जाती है तो बेन्जीन सल्फोनिक अम्ल प्राप्त होता है।

$$C_6H_6 + Cl - SO_3H \xrightarrow{CCl_4} C_6H_5 - SO_3H + HCl$$

2. **प्रयोगशाला विधि–** जब बेन्जीन एवं सान्द्र H_2SO_4 को 1 : 2 के अनुपात में 80°C तक कुछ समय तक गर्म किया जाता है तो बेन्जीन सल्फोनिक अम्ल प्राप्त होता है।

$$C_6H_6 + H_2SO_4 \text{ (सान्द्र)} \xrightarrow{80°C} \underset{\text{बेन्जीन सलोनिक अम्ल}}{C_6H_5 - SO_3H} + H_2O$$

भौतिक गुण (Physical Properties)

1. यह क्रिस्टलीय एवं प्रस्वेद्य (Deliquescent) ठोस होता है।
2. इसका गलनांक 44°C होता है।
3. यह जल में घुलनशील है।

रासायनिक गुण (Chemical Properties)

बेन्जीन सल्फोनिक अम्ल में बेन्जीन के नाभिक (nucleus) से एक–SO_3H समूह एवं हाइड्रोजन परमाणु जुड़े रहते हैं अतः इसके द्वारा दो प्रकार की अभिक्रियाएँ प्रदर्शित की जाती हैं:

(A)–SO_3H समूह की अभिक्रियाएँ

1. **अम्लीय प्रकृति–** बेन्जीन सल्फोनिक अम्ल का जलीय विलयन प्रबल अम्लीय होता है अतः यह क्षार जैसे–NaOH के साथ अभिक्रिया करके लवण बनाती है।

$$C_6H_5SO_3H + NaOH \longrightarrow \underset{\text{सोडियम बेन्जीन सल्फेट}}{C_6H_5SO_3Na} + H_2O$$

2. **ठोस NaOH के साथ अभिक्रिया–** बेन्जीन सल्फोनिक अम्ल को NaOH के साथ गलन (fusion) करने पर सर्वप्रथम बेन्जीन सल्फोनिक अम्ल का सोडियम लवण प्राप्त होता है। यह लवण NaOH के साथ फिर गलन करने पर फिनॉल देता है।

$$C_6H_5SO_3H + NaOH \xrightarrow[-H_2O]{\text{गलन}} C_6H_5SO_3Na$$
$$\downarrow NaOH \text{ (गलन)}$$
$$C_6H_5OH + Na_2SO_3$$

इस अभिक्रिया में $-SO_3H$ समूह नाभिक-स्नेही (Nucleophile) OH^- द्वारा विस्थापित हो जाता है।

जल अपघटन– जब बेन्जीन सल्फोनिक अम्ल को तनु HCl या तनु H_2SO_4 के साथ गर्म किया जाता है तो इसका जल अपघटन हो जाता है तथा बेन्जीन प्राप्त होती है। इस अभिक्रिया में $-SO_3H$ समूह, हाइड्रोजन परमाणु के द्वारा विस्थापित हो जाता है।

$$C_6H_5SO_3H + H_2O \xrightarrow[\Delta]{\text{तनु HCl}} C_6H_6 + H_2SO_4$$

(B) बेन्जीन नाभिक की अभिक्रियाएँ

बेन्जीन सल्फोनिक अम्ल की कुछ इलेक्ट्रॉन स्नेही प्रतिस्थापन अभिक्रियाएँ निम्न हैं–

1. **हैलोजनीकरण (Halogenation)–** जब बेन्जीन सल्फोनिक अम्ल की अभिक्रिया हैलोजन वाहक ($AlCl_3$) की उपस्थिति में क्लोरीन से कराई जाती है तो मेटा-क्लोरी बेन्जीन सल्फोनिक अम्ल प्राप्त होता है।

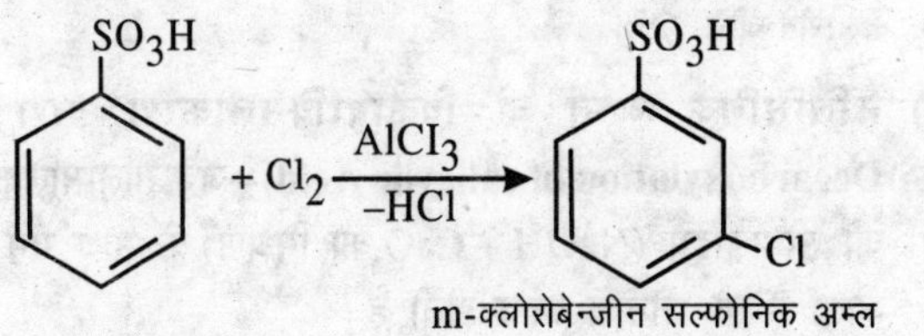

m-क्लोरोबेन्जीन सल्फोनिक अम्ल

2. **नाइट्रीकरण (Nitration)–** सान्द्र HNO_3 एवं सान्द्र H_2SO_4 का मिश्रण नाइट्रीकरण मिश्रण कहलाता है। जब बेन्जीन सल्फोनिक अम्ल को नाइट्रीकरण मिश्रण के साथ गर्म किया जाता है तो मेटा-नाइट्रोबेन्जीन सल्फोनिक अम्ल प्राप्त होता है।

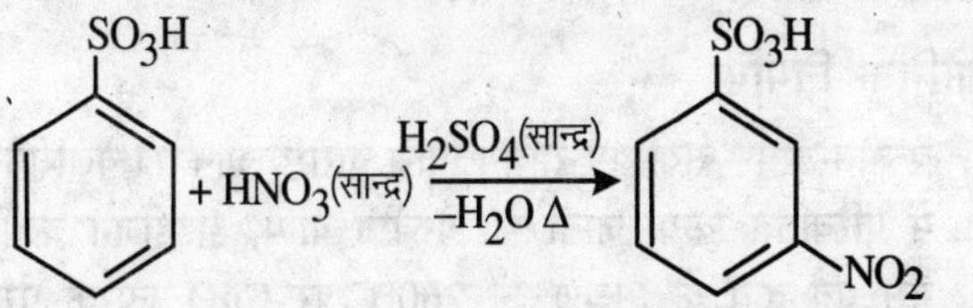

m-नाइट्रो बेन्जीन सल्फोनिक अम्ल

3. **सल्फोनीकरण (Sulphonation)–** जब बेन्जीन सल्फोनिक अम्ल को सधूम सल्फ्यूरिक अम्ल के साथ 200°C तक गर्म किया जाता है तो मेटा-बेन्जीन डाइ सल्फोनिक अम्ल प्राप्त होता है।

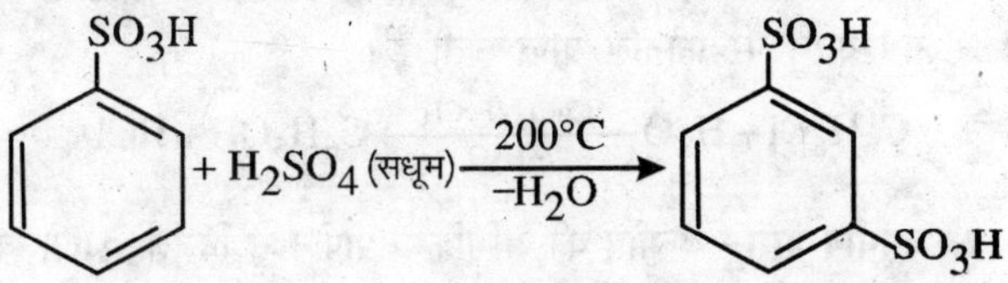

m-बेन्जीन डाइ सल्फोनिक अम्ल

उपयोग (Uses)

(*i*) बेन्जीन सल्फोनिल क्लोराइड के निर्माण में।

(*ii*) अपमार्जकों (detergents) के निर्माण में।

(*iii*) सल्फा औषधियों के निर्माण में।

(*iv*) सैकरीन के निर्माण में।

फीनॉल या कार्बोलिक अम्ल (Phenol or Carbolic Acid)

C_6H_5OH या

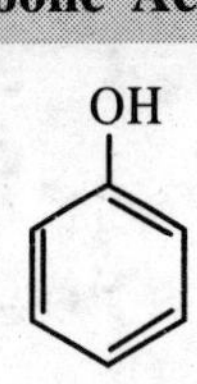

(*i*) **क्लोरोबेन्जीन द्वारा (डॉ. विधि)–** जब क्लोरो-बेन्जीन को जलीय NaOH के साथ 300°C तथा 200 वायुमण्डलीय दाब पर गर्म किया जाता है तो फीनॉल प्राप्त होती है।

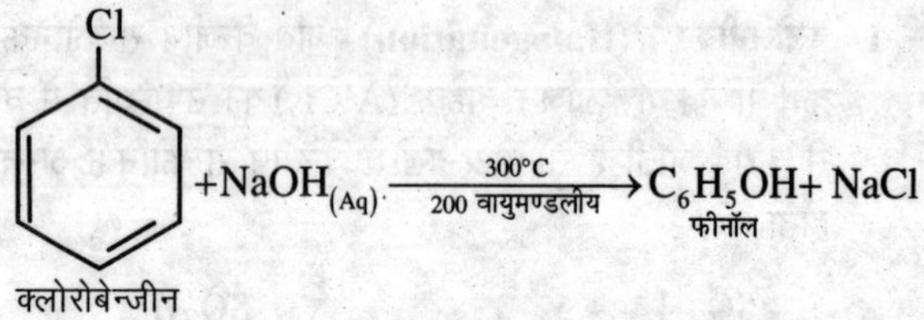

(*ii*) **सैलिसिलिक अम्ल के विकार्बोक्सिलीकरण द्वारा (By Decarboxylation of salicylic Acid)**– जब सैलिसिलिक अम्ल को सोडालाइम (NaOH + CaO का मिश्रण) के साथ गर्म किया जाता है तो फीनॉल प्राप्त होती है।

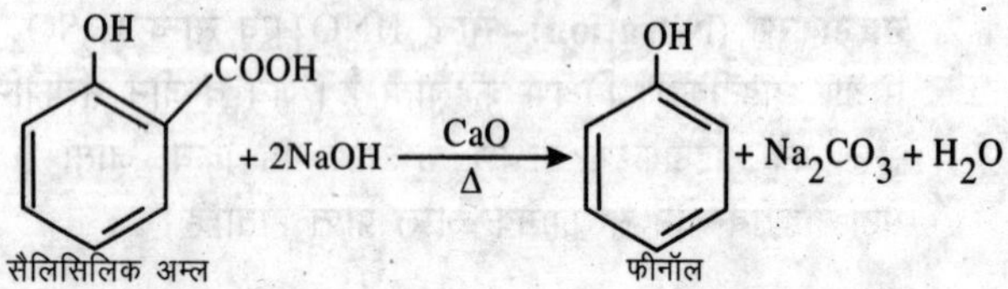

औद्योगिक निर्माण

1. बेन्जीन द्वारा– सर्वप्रथम राशिग विधि द्वारा बेन्जीन को क्लोरोबेन्जीन में परिवर्तित किया जाता है। बेन्जीन वाष्प, हाइड्रोजन क्लोराइड गैस एवं वायु के मिश्रण को 260°C पर CuO उत्प्रेरक पर गर्म किया जाता है तो क्लोरोबेन्जीन प्राप्त होती है।

$$C_6H_6 + HCl + \frac{1}{2}O_2 \xrightarrow[260°C]{CuO} \underset{\text{क्लोरोबेन्जीन}}{C_6H_5Cl} + H_2O$$

क्लोरोबेन्जीन को भाप के साथ मिलाकर उत्प्रेरक पर 450°C तक गर्म करने पर फीनॉल प्राप्त होती है।

$$C_6H_5Cl + \underset{\text{भाप}}{H_2O} \xrightarrow[-H_2O]{CuCl_2/FeCl_3} \underset{\text{फीनॉल}}{C_6H_5OH} + HCl$$

2. क्यूमीन द्वारा– बेन्जीन की अभिक्रिया प्रोपीन से निर्जल $AlCl_3$ की उपस्थिति में कराने पर आइसो-प्रोपिन बेन्जीन प्राप्त होती है जिसे क्यूमीन कहते हैं। क्यूमीन का ऑक्सीकरण कराने पर क्यूमीन हाइड्रोपरॉक्साइड प्राप्त होता है।

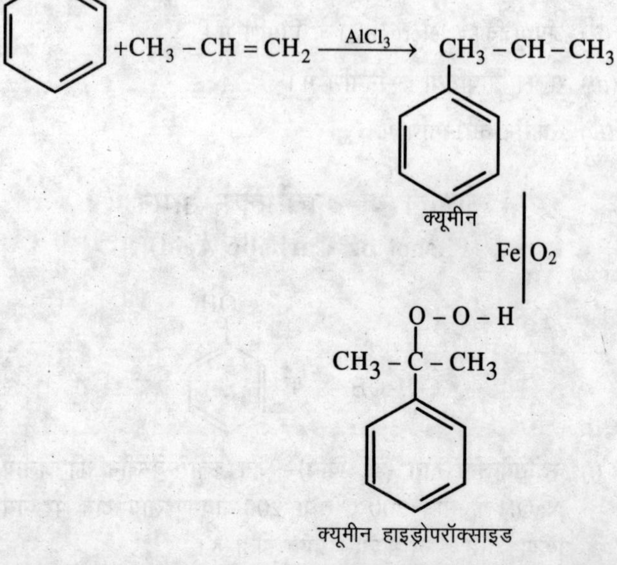

इस क्यूमीन हाइड्रोपरॉक्साइड का अम्लीय जल-अपघटन कराने पर फीनॉल प्राप्त होती है।

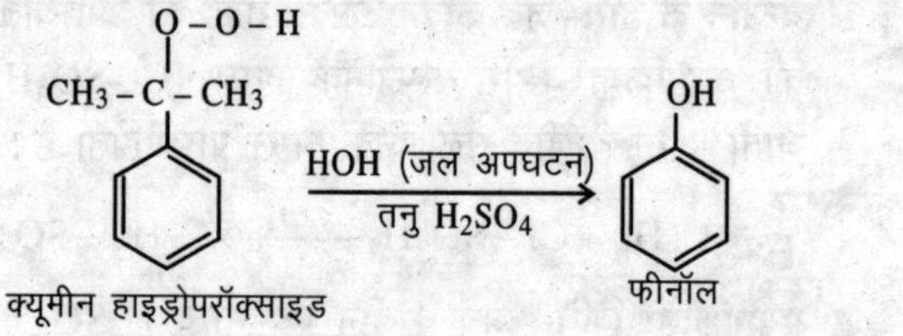

3. टॉलूईन द्वारा– टॉलूईन (मेथिल बेन्जीन) का उत्प्रेरकीय ऑक्सीकरण कराने पर फीनॉल प्राप्त होती है।

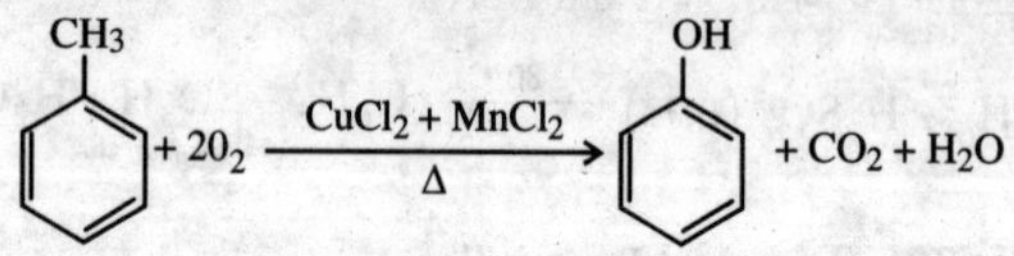

भौतिक गुण (Physical Properties)

1. फीनॉल रंगहीन, प्रस्वेद्य (deliquescent) विशेष गंध वाला क्रिस्टलीय ठोस है।
2. जल में बहुत कम घुलनशील है लेकिन गर्म करने पर यह जल में पूर्णरूप में घुलनशील है।
3. इसका गलनांक 42°C तथा क्वथनांक 182°C होता है।
4. यह जीवाणुरोधी होता है।

रासायनिक गुण (Chemical Properties)

फीनॉल में बेन्जीन नाभिक से एक –OH समूह एवं हाइड्रोजन परमाणु जुड़े रहते हैं अतः फीनॉल के द्वारा मुख्य रूप से दो प्रकार की अभिक्रियाएँ प्रदर्शित की जाती है।

(A) OH समूह की अभिक्रियाएँ

1. फीनॉल का अम्लीय गुण

(*i*) फीनॉल नीले लिटमस को लाल कर देता है अतः यह अम्लीय होता है।

(*ii*) फीनॉल H^+ देने के पश्चात् फीनॉक्साइड आयन देता है जो कि अनुनाद का गुण प्रदर्शित करता है अतः यह फीनॉक्साइड आयन स्थायी होता है। इस प्रकार फीनॉल द्वारा H^+ मुक्त करने के कारण फीनॉल की प्रकृति अम्लीय होती है।

(*iii*) फीनॉल से H^+ मुक्त होने के पश्चात् फीनॉक्साइड आयन में अनुनाद को निम्न प्रकार प्रदर्शित किया जा सकता है।

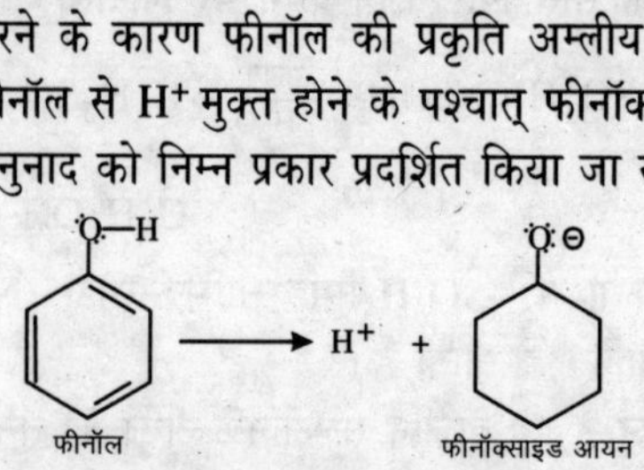

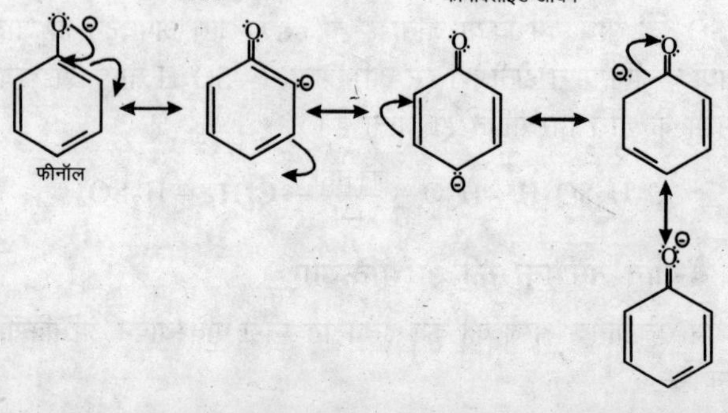

अम्लीय गुण के कारण फीनॉल NaOH के साथ अभिक्रिया करके सोडियम फीनेट लवण एवं जल बनाता है।

$$\underset{\text{फीनॉल (अम्ल)}}{C_6H_5OH} + \underset{\text{क्षार}}{NaOH} \longrightarrow \underset{\text{सोडियम फीनेट}}{C_6H_5ONa} + \underset{\text{(लवण)}}{H_2O}$$

2. $FeCl_3$ से अभिक्रिया–उदासीन $FeCl_3$ विलयन के साथ अभिक्रिया करने पर फीनॉल लाल, हरा या बैंगनी रंग का जटिल यौगिक देता है।

$$\underset{\text{फीनॉल}}{C_6H_5OH} + FeCl_3 \longrightarrow \underset{\text{हैक्सा फीनॉक्सो फेरेट (III) आयन}}{[Fe(C_6H_5O)_6]^{-3}} + 3H^+ + 3HCl$$

3. जिंक चूर्ण से अभिक्रिया–जिंक चूर्ण के साथ गर्म करने पर फीनॉल का अपचयन होता है एवं बेन्जीन प्राप्त होती है।

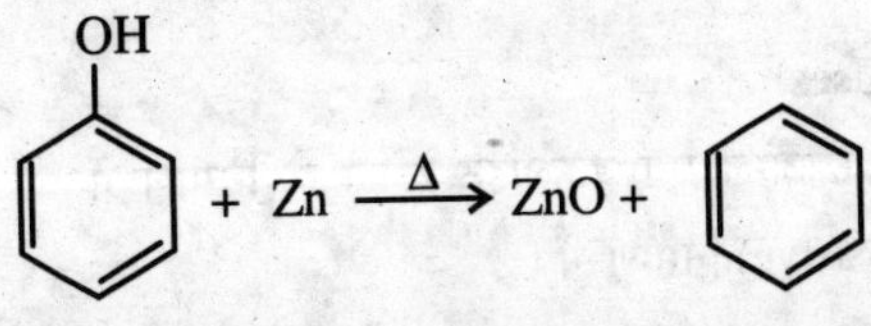

(B) बेन्जीन नाभिक की अभिक्रियाएं

फीनॉल में, बेन्जीन के नाभिक से जुड़ा–OH समूह ऑर्थो एवं पैरा निर्देशक होता है अतः जब फीनॉल की अभिक्रिया किसी इलेक्ट्रॉन-स्नेही से कराते हैं तो फीनॉल के ऑर्थो एवं पैरा स्थिति के H-परमाणु, इलेक्ट्रॉन स्नेही द्वारा प्रतिस्थापित हो जाता है और फीनॉल के ऑर्थो एवं पैरा व्युत्पन्न प्राप्त होते हैं।

1. नाइट्रीकरण (Nitration)– जब फीनॉल की अभिक्रिया ठंडे में तनु HNO_3 से कराते हैं तो ऑर्थो एवं पैरा नाइट्रोफीनॉल प्राप्त होता है।

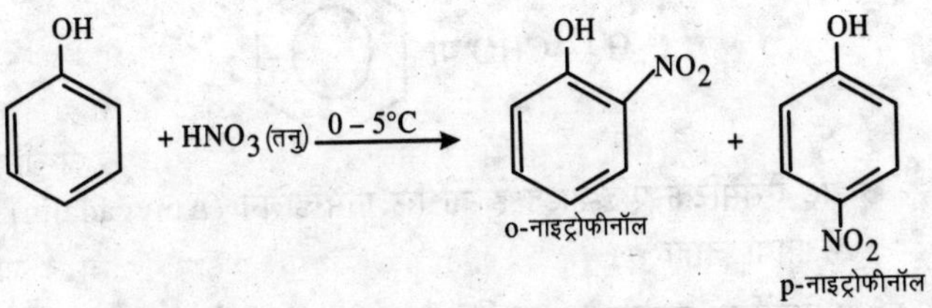

यदि नाइट्रीकरण सान्द्र HNO_3 एवं सान्द्र H_2SO_4 के मिश्रण से कराते हैं तो पीले रंग का विस्फोटक 2-4-6 ट्राइ-नाइट्रोफीनॉल (पिक्रिक अम्ल) प्राप्त होता है।

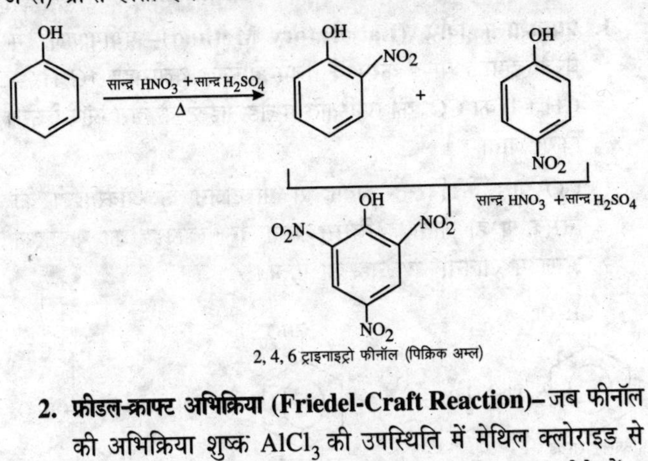

2, 4, 6 ट्राइनाइट्रो फीनॉल (पिक्रिक अम्ल)

2. फ्रीडल-क्राफ्ट अभिक्रिया (Friedel-Craft Reaction)– जब फीनॉल की अभिक्रिया शुष्क $AlCl_3$ की उपस्थिति में मेथिल क्लोराइड से कराते हैं तो ऑर्थो एवं पैरा हाइड्रॉक्सी टॉलूईन प्राप्त होते हैं।

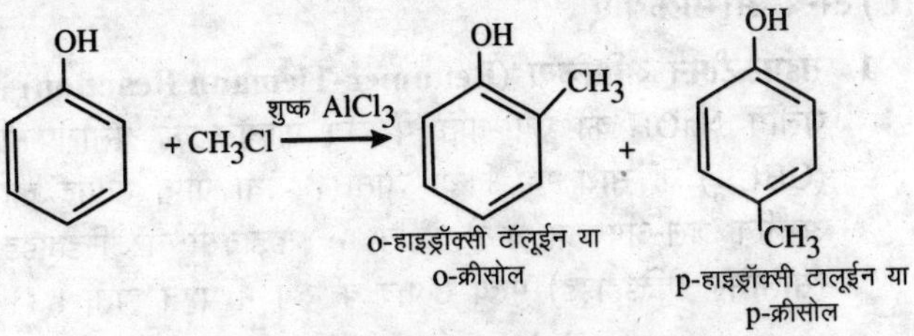

इस अभिक्रिया को **फ्रीडल-क्राफ्ट ऐल्किलीकरण** कहते हैं।

यदि फीनॉल की अभिक्रिया शुष्क $AlCl_3$ की उपस्थिति में ऐसीटोल क्लोराइड (CH_3COCl) से कराई जाती है तो ऑर्थो एवं पैरा-हाइड्रॉक्सी ऐसीटोफीनॉन प्राप्त होते हैं। इसे **फ्रीडल-क्राफ्ट ऐसीटिलीकरण** कहते हैं।

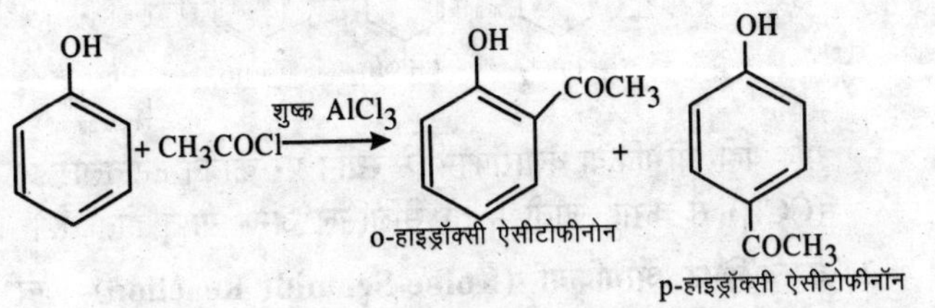

3. हैलोजनीकरण (Halogenation)– जब फीनॉल की अभिक्रिया कार्बन डाइसल्फाइड (CS_2) की उपस्थिति में ब्रोमीन से कराते हैं तो ऑर्थो एवं पैरा-ब्रोमोफीनॉल प्राप्त होते हैं।

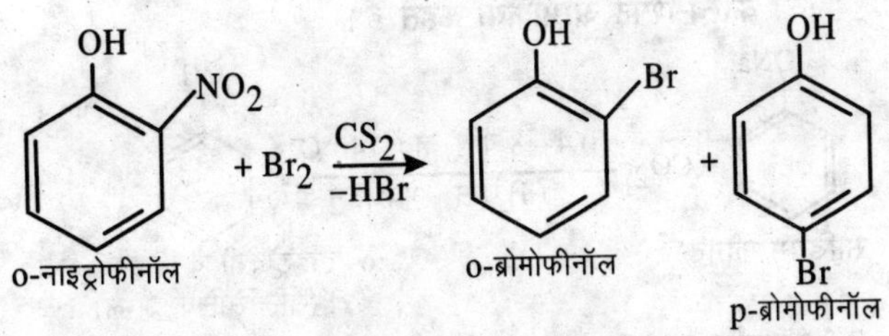

यदि यही अभिक्रिया ब्रोमीन जल से कराते हैं तो 2-4-6 ट्राइब्रोमोफीनॉल का सफेद अवक्षेप प्राप्त होता है।

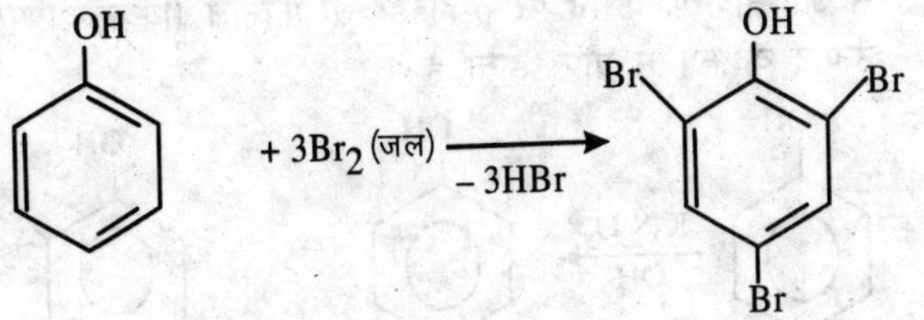

2–4–6 ट्राई–ब्रोमीनॉल

4. सल्फोनीकरण (Sulphonation)– फीनॉल को सान्द्र सल्फ्यूरिक अम्ल के साथ गर्म करने पर कम ताप पर ऑर्थो-हाइड्रॉक्सी बेन्जीन सल्फोनिक अम्ल तथा अधिक ताप पर पैरा-हाइड्रॉक्सी बेन्जीन सल्फोनिक अम्ल प्राप्त होता है।

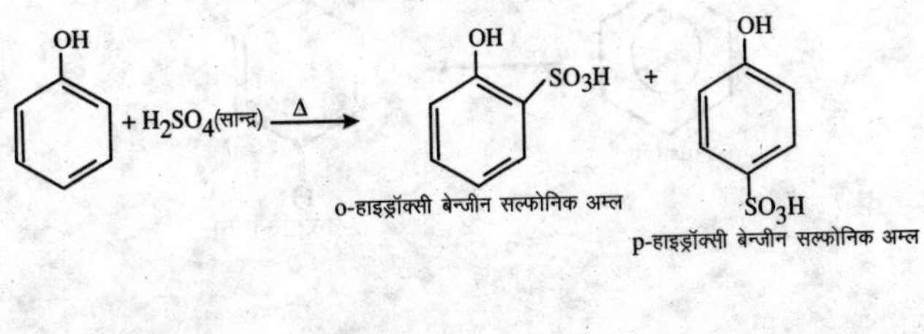

(C) अन्य अभिक्रियाएँ

1. **राइमर-टीमैन अभिक्रिया (Reimmer-Tiemann Reaction)**– जलीय NaOH की उपस्थिति में जब फीनॉल को क्लोरोफॉर्म ($CHCl_3$) के साथ गर्म किया जाता है तथा प्राप्त उत्पाद का अम्लीय जल-अपघटन करते हैं तो o-हाइड्रॉक्सी बैन्जेल्डिहाइड (सेलिसिल ऐल्डिहाइड) मुख्य उत्पाद के रूप में प्राप्त होता है।

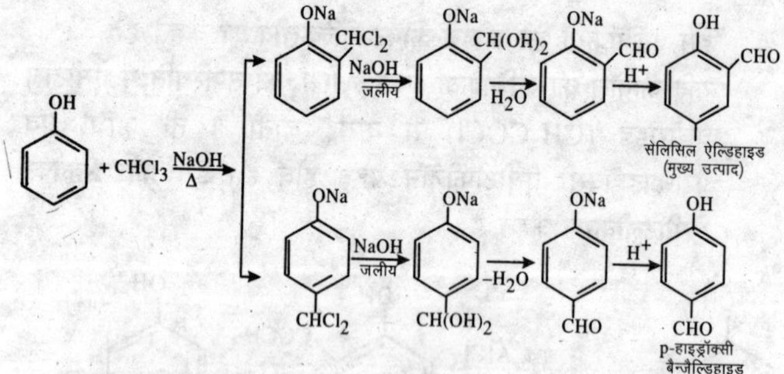

यदि यही अभिक्रिया क्लोरोफॉर्म के स्थान पर कार्बन टेट्राक्लोराइड (CCl_4) से कराई जाती है तो सेलिसिल अम्ल प्राप्त होता है।

2. **कोल्बे-शिमट अभिक्रिया (Kolbe-Schmidt Reaction)**– जब फीनॉल के सोडियम लवण को CO_2 के साथ उच्च दाब (4 – 8 वायुमण्डलीय) पर 140°C तक गर्म करते हैं तथा प्राप्त उत्पाद का जल-अपघटन किया जाता है तो ऑर्थो-हाइड्रॉक्सी बेन्जोइक अम्ल (सैलिसिलिक अम्ल) प्राप्त होता है। इस अभिक्रिया को **कोल्बे-शिमट अभिक्रिया कहते** हैं।

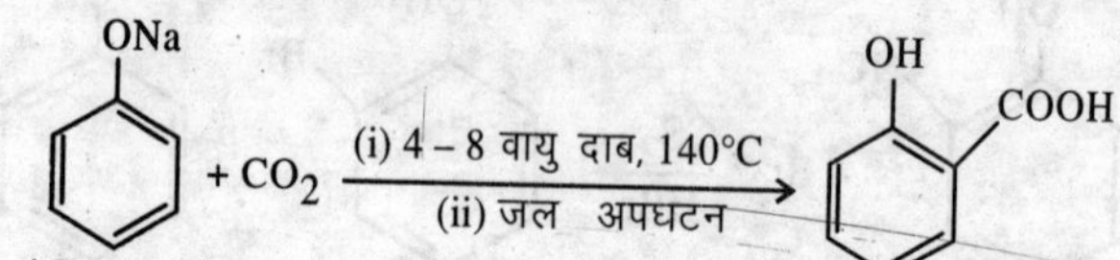

सोडियम फीनेट

o– हाइड्रॉक्सी बैन्जोइक अम्ल (सैलिसिलिक अम्ल)

3. **ऑक्सीकरण (Oxidation):** फीनॉल के ऑक्सीकरण से विभिन्न उत्पाद प्राप्त होते हैं जो कि ऑक्सीकरण पर निर्भर करते हैं।

(i) **क्षारीय $K_2S_2O_8$ द्वारा ऑक्सीकरण**– क्षारीय पोटेशियम पर डाइसल्फेट से ऑक्सीकरण कराने पर p-हाइड्रॉक्सी फीनॉल (क्विनॉल) मुख्य उत्पाद के रूप में प्राप्त होता है।

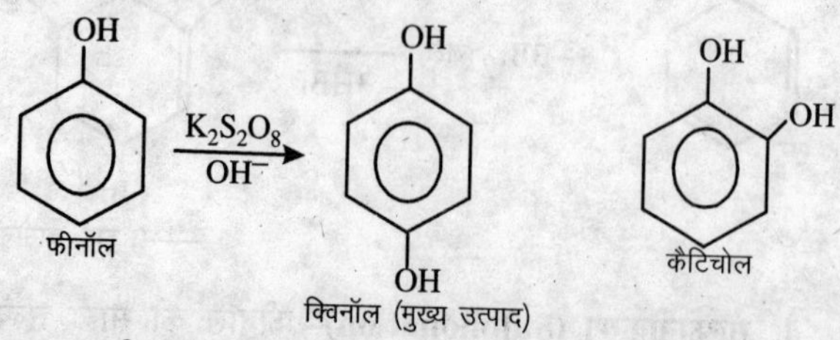

(ii) **वायुमण्डलीय ऑक्सीकरण**–वायु में उपस्थित ऑक्सीजन से फीनॉल प्रकाश की उपस्थिति में *p*-बेन्जोक्विनोन में ऑक्सीकृत हो जाता है।

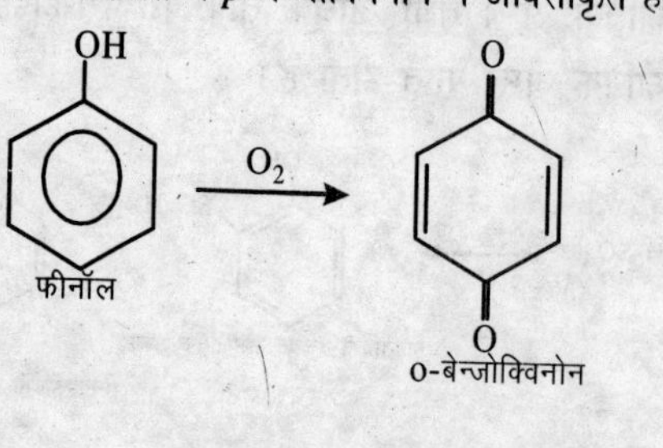

p-बेन्जोक्विनोन से फीनॉल के दो अणु जुड़कर गुलाबी रंग का फीनोक्विनोन देते हैं। इसीलिए फीनॉल वायु में रखने पर गुलाबी रंग का हो जाता है।

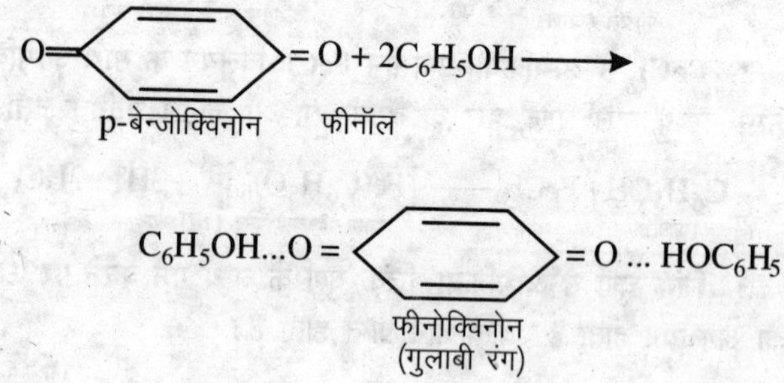

उपयोग (Uses)

(i) पिक्रिक अम्ल एवं बेकेलाइट रेजिन के निर्माण में।

(ii) रंजक (dye) निर्माण में।

(iii) कीटाणुनाशक (disinfectant) एवं पूतिरोधी (antiseptic) के रूप में।

(iv) सैलोल (Salol), ऐस्पिरीन (aspirin) एवं फिनोलफ्थेलीन यौगिकों के निर्माण में।

बेन्जैल्डिहाइड (Benzaldehyde)

$C_6H_5 – CHO$ या 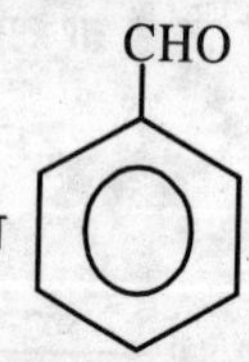

- यह ऐरोमैटिक ऐल्डिहाइड है जो कि ऐमिग्डलिन (Amygadalin) में पाया जाता है।
- ऐमिग्डलिन एक ग्लूकोसाइड है जो कड़वे बादामों में उपस्थित रहता है। इसलिए बेन्जैल्डिहाइड को कड़वे बादामों का तेल भी कहते हैं।

बनाने की विधियाँ [Methods of Preparation]

1. **प्रयोगशाला विधि (Laboratory Method)**– प्रयोगशाला में बेन्जैल्डिहाइड प्राप्त करने के लिए बेन्जिल क्लोराइड ($C_6H_5 – CH_2Cl$) का CO_2 की उपस्थिति में लेड-नाइट्रेट के द्वारा ऑक्सीकरण किया जाता है।

CO_2 गैस के निरन्तर प्रवाह से नाइट्रोजन के ऑक्साइडों का निराकरण हो जाता है जिससे प्राप्त बेन्जैल्डिहाइड का बेन्जोइक अम्ल में ऑक्सीकरण नहीं हो पाता।

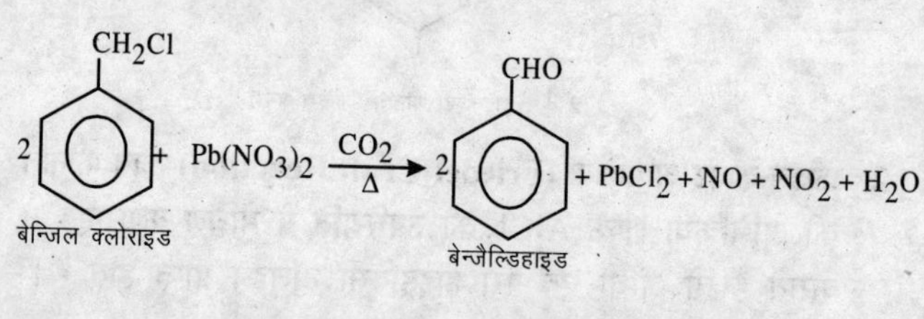

भौतिक गुण (Physical Properties)

1. यह रंगहीन, कड़वे बादामों जैसी गंध वाला तैलीय द्रव होता है।
2. यह जल में बहुत कम विलेय तथा कार्बनिक विलायकों जैसे ईथर एवं ऐल्कोहॉल आदि में पूर्णरूप में विलेय होता है।
3. इसका क्वथनांक 179°C होता है तथा यह विषैला होता है।

रासायनिक गुण (Chemical Properties)

बेन्जैल्डिहाइड में, बेन्जीन नाभिक से एक ऐल्डिहाइड समूह (–CHO) एवं हाइड्रोजन परमाणु जुड़े रहते हैं। अतः बेन्जैल्डिहाइड के द्वारा दो प्रकार की रासायनिक अभिक्रियाएँ प्रदर्शित की जाती हैं।

(A) ऐल्डिहाइड समूह (–CHO) की अभिक्रियाएँ

1. ऑक्सीकरण (Oxidation)

(a) वायुमण्डलीय ऑक्सीकरण– वायु में रखने पर यह बेन्जोइक अम्ल में ऑक्सीकृत हो जाता है।

$$2C_6H_5-CHO+O_2 \longrightarrow 2C_6H_5COOH$$

(b) टॉलन अभिकर्मक द्वारा ऑक्सीकरण (Oxidation by Tollen Reagent)– अमोनिकल सिल्वर नाइट्रेट विलयन टॉलन अभिकर्मक कहलाता है। इसे प्राप्त करने के लिए सिल्वर नाइट्रेट ($AgNO_3$) विलयन में NH_4OH अधिकता में मिलाया जाता है तो Ag_2O प्राप्त होता है। बेन्जैल्डिहाइड एक अपचायक होता है अतः यह टॉलन अभिकर्मक को रजत दर्पण (Silver mirror) में अपचयित कर देता है तथा स्वतः बेन्जोइक अम्ल में ऑक्सीकृत हो जाता है।

$$\underset{\text{बेन्जैल्डिहाइड}}{C_6H_5=CHO}+\underset{\text{(टॉलन अभिकर्मक)}}{Ag_2O} \longrightarrow \underset{\text{बेन्जोइक अम्ल}}{C_6H_5-COOH}+\underset{\text{रजत दर्पण}}{2Ag\downarrow}$$

बेन्जैल्डिहाइड फेहलिंग विलयन द्वारा ऑक्सीकृत नहीं हो पाता है।

2. अपचयन (Reduction)

(a) H_2/Ni, Na/C_2H_5OH या $LiAlH_4$ द्वारा अपचयन– बेन्जैल्डिहाइड का अपचयन Na/C_2H_5OH, H_2/Ni या $LiAlH_4$ के द्वारा कराने पर बेन्जाइल ऐल्कोहॉल प्राप्त होता है।

$$C_6H_5-CHO+2H \xrightarrow[Na/C_2H_5OH]{\text{Ni या}} \underset{\text{बेन्जाइल ऐल्कोहॉल}}{C_6H_5-CH_2OH}$$

(b) क्लीमेन्सन अपचयन (Clemmensen Reduction)– जिंक-अमलगम (Zn-Hg) एवं सान्द्र HCl से अपचयन कराने पर बेन्जैल्डिहाइड का कार्बोनिल (> C = O) समूह मेथिलीन (> CH_2) समूह में बदल जाता है तथा टॉलूईन प्राप्त होती है।

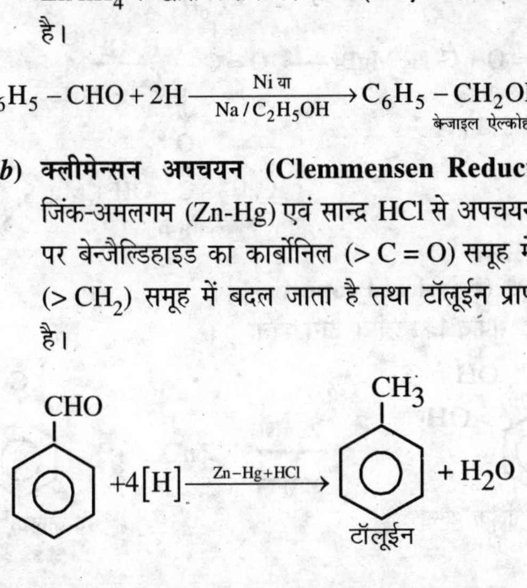

3. ऐल्डिहाइड समूह के O-परमाणु की अभिक्रियाएँ

(a) हाइड्राजीन (H_2N-NH_2) से अभिक्रिया– H_2N-NH_2 से अभिक्रिया करने पर बेन्जैल्डिहाइड हाइड्रेजोन प्राप्त होता है।

$$C_6H_5-CH\boxed{O+H_2}N-NH_2 \xrightarrow[-H_2O]{} C_6H_5-CH=N-NH_2$$

(b) फेनिल हाइड्रेजीन ($H_2N–NHC_6H_5$) से अभिक्रिया– बेन्जैल्डिहाइड फेनिल हाइड्रोजोन प्राप्त होता है।

$$C_6H_5-CH=O+H_2N-NHC_6H_5 \xrightarrow[-H_2O]{} C_6H_5-CH=N-NH-C_6H_5$$

(c) PCl_5 से अभिक्रिया– फॉस्फोरस पेण्टाक्लोराइड से अभिक्रिया करने पर बेन्जल क्लोराइड प्राप्त होता है।

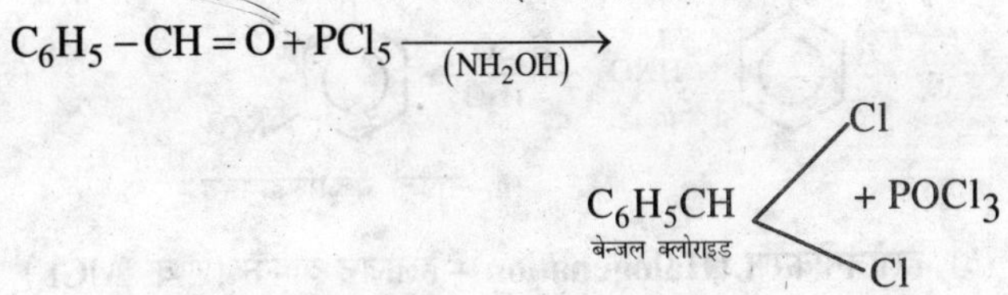

4. नाभिकस्नेही योगात्मक अभिक्रियाएँ (Nucleophilic Addition Reactions)– बेन्जैल्डिहाइड में उपस्थित कार्बोनिल (> C = O) समूह निम्न नाभिकस्नेही योगात्मक अभिक्रिया प्रदर्शित करता है।

(a) ग्रिगनार्ड अभिकर्मक से अभिक्रिया– ग्रिगनार्ड अभिकर्मक (CH_3MgI) से बेन्जैल्डिहाइड अभिक्रिया करने पर एक माध्यमिक यौगिक देता है जिसका जल-अपघटन करने पर द्वितीयक ऐल्कोहॉल प्राप्त होता है।

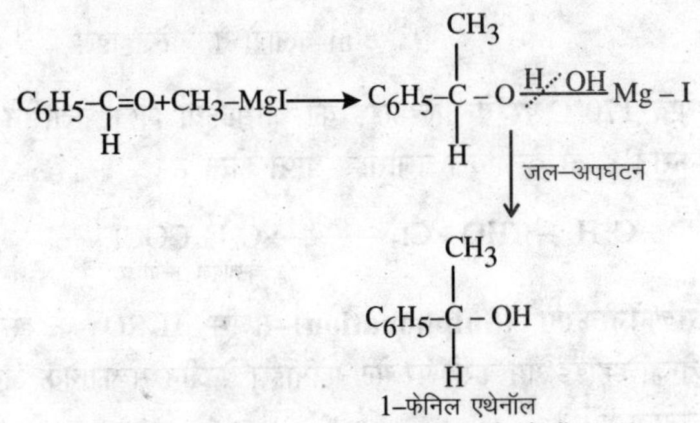

1–फेनिल एथेनॉल
(Secondary Alcohol)

(b) HCN से अभिक्रिया– बेन्जैल्डिहाइड सायनोहाइड्रिन प्राप्त होता है जिसके जल-अपघटन के पश्चात् मेण्डलिक अम्ल प्राप्त होता है।

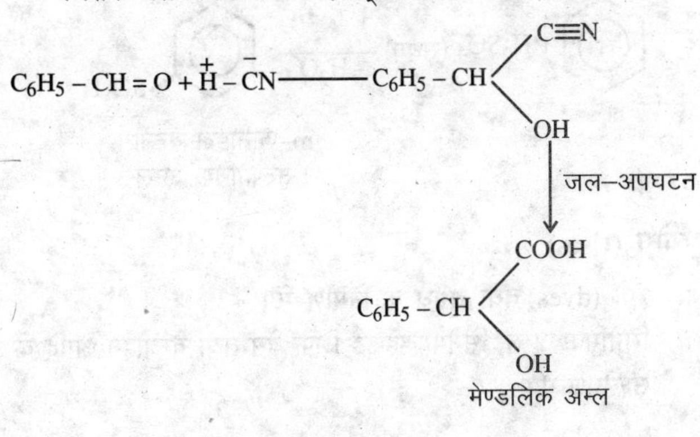

मेण्डलिक अम्ल

(B) बेन्जीन नाभिक की अभिक्रियाएँ
(Reaction of Benzene Nucleus)

बेन्जैल्डिहाइड में बेन्जीन के नाभिक से जुड़ा –CHO समूह मेटा-निर्देशक होता है अर्थात् यह ऑर्थो एवं पैरा स्थिति पर इलेक्ट्रॉन के घनत्व को कम करता है। अतः जब कोई इलेक्ट्रॉन-स्नेही (Electrophile), बेन्जैल्डिहाइड पर आक्रमण करता है तो मेटा स्थिति पर उपस्थित हाइड्रोजन परमाणु का विस्थापन इलेक्ट्रॉन-स्नेही द्वारा हो जाता है तथा बेन्जैल्डिहाइड का मेटा व्युत्पन्न बनता है।

(*a*) **नाइट्रीकरण (Nitration)**– बेन्जैल्डिहाइड की सान्द्र HNO_3 एवं सान्द्र H_2SO_4 के मिश्रण से अभिक्रिया कराने पर मेटा-नाइट्रो बेन्जैल्डिहाइड बनता है।

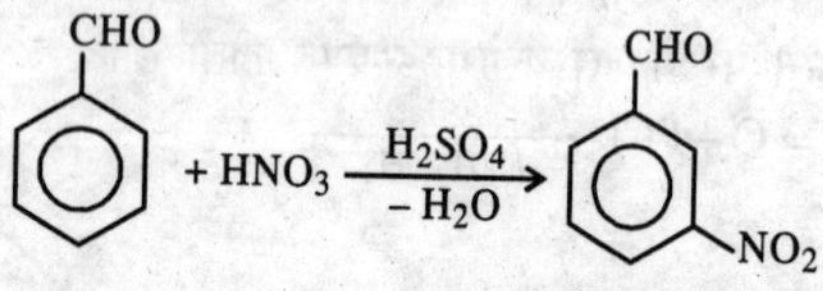

m–नाइट्रो बेन्जैल्डिहाइड

(*b*) **हैलोजनीकरण (Halogenation)**– हैलोजन वाहक (शुष्क $AlCl_3$) की उपस्थिति तथा प्रकाश की अनुपस्थिति में बेन्जैल्डिहाइड की क्लोरीन से अभिक्रिया कराने पर मेटा-क्लोरो बेन्जैल्डिहाइड प्राप्त होता है।

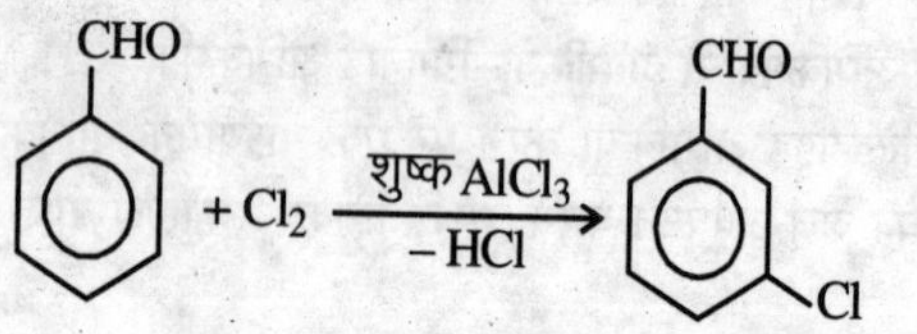

m–क्लोरो बैन्जैल्डिहाइड

यदि 170°C पर बेन्जैल्डिहाइड की अभिक्रिया शुष्क क्लोरीन से कराते हैं तो बेन्जोएल क्लोराइड प्राप्त होता है।

$$C_6H_5-CHO+Cl_2 \xrightarrow[-HCl]{170°C} \underset{\text{बेन्जोएल क्लोराइड}}{C_6H_5COCl}$$

(*c*) **सल्फोनीकरण (Sulphonation)**–सधूम H_2SO_4 के साथ बेन्जैल्डिहाइड गर्म करने पर मेटा-फॉर्माइल बेन्जीन सल्फोनिक अम्ल बनाता है।

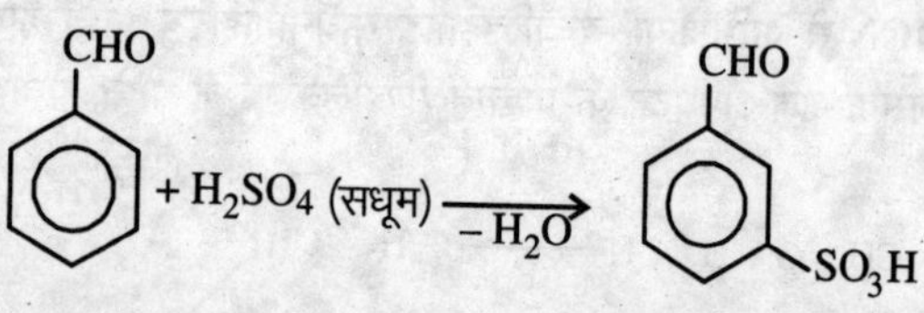

m–फार्माइल बेन्जीन
सल्फोनिक अम्ल

उपयोग (Uses)

(*i*) रंगों (dyes) तथा सुगंध के निर्माण में।

(*ii*) सिनेमिक अम्ल, सिनेमैल्डिहाइड शिफ बेस तथा बेन्जोइन आदि के संश्लेषण में।

बेन्जोइक अम्ल
(Benzoic Acid)

C_6H_5COOH या

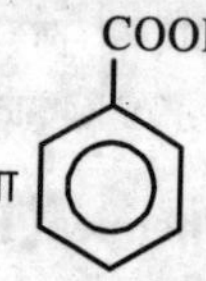

यह ऐरोमैटिक कार्बोक्सिलिक अम्ल है। शुद्ध अवस्था में सर्वप्रथम इसे शीले (Scheele) के द्वारा गमबेन्जोइन से प्राप्त किया गया था।

बनाने की विधियाँ (Methods of Preparation)

1. **प्रयोगशाला विधि (Laboratory Method)**– क्षारीय $KMnO_4$ के द्वारा बेन्जिल क्लोराइड का ऑक्सीकरण करने पर पहले बेन्जिल ऐल्कोहॉल प्राप्त होता है जो कि अन्त में बेन्जोइक अम्ल के पोटेशियम लवण में बदल जाता है। अम्ल की उपस्थिति में पोटेशियम बेन्जोएट का जल अपघटन कराने पर बेन्जोइक अम्ल प्राप्त होता है।

$$2KMnO_4+2KOH \longrightarrow 2K_2MnO_4+H_2O+[O]$$

$$\underset{\text{बेन्जिल क्लोराइड}}{C_6H_5-CH_2Cl}+KOH \xrightarrow{-KCl} \underset{\text{बेन्जिल ऐल्कोहॉल}}{C_6H_5-CH_2OH}$$

$$C_6H_5-CH_2OH \xrightarrow[-H_2O]{[O]} C_6H_5-CHO \xrightarrow{[O]} C_6H_5COOH$$

2. **ग्रिगनार्ड अभिकर्मक के द्वारा**–फेनिल मैग्नीशियम ब्रोमाइड की अभिक्रिया कार्बन-डाइऑक्साइड से कराने पर माध्यमिक यौगिक प्राप्त होता है जिसका अम्लीय जल-अपघटन कराने पर बेन्जोइक अम्ल बनता है।

3. **सैलिसिलिक अम्ल द्वारा**–सैलिसिलिक अम्ल (ऑर्थो हाइड्रॉक्सी बेन्जोइक अम्ल) को जिंक चूर्ण के साथ आसवन कराने पर बेन्जोइक अम्ल प्राप्त होता है।

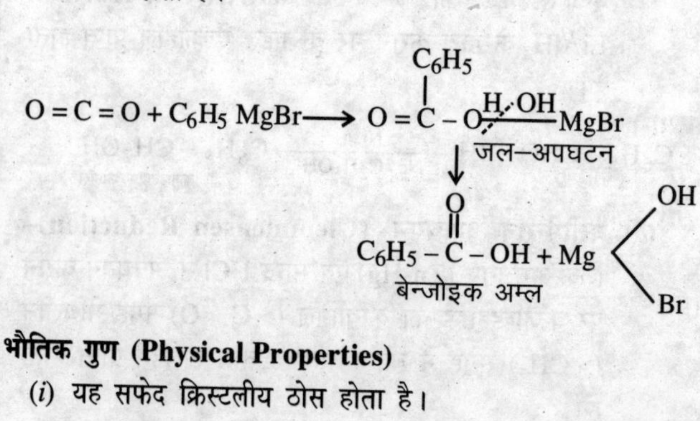

भौतिक गुण (Physical Properties)

(*i*) यह सफेद क्रिस्टलीय ठोस होता है।

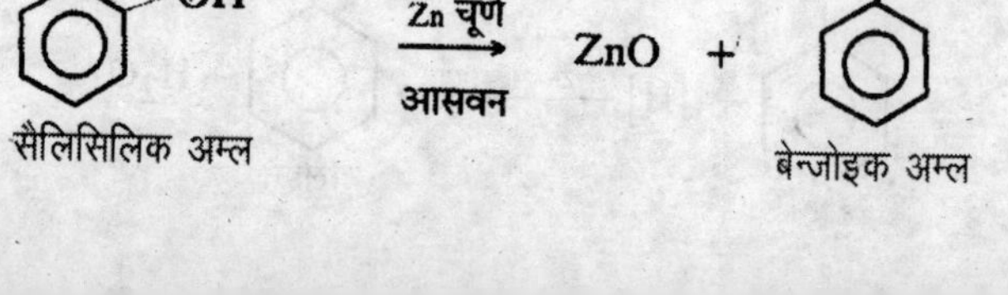

(*ii*) गर्म करने पर इसका ऊर्ध्वपातन होता है।

(*iii*) इसका गलनांक 122°C होता है।

रासायनिक गुण (Chemical Properties)

1. अम्लीय गुण–बेन्जोइक अम्ल उत्क्रमणीय गुण प्रदर्शित करता है तथा जलीय विलयन में निम्न प्रकार आयनित होता है।

$$C_6H_5-COOH+H_2O \rightleftharpoons C_6H_5-CO\overset{\ominus}{O}+H_3\overset{\oplus}{O}$$

क्षार NaOH एवं सोडियम बाइकार्बोनेट के साथ लवण बनता है।

$$C_6H_5-COOH+NaOH \longrightarrow \underset{\text{सोडियम बेन्जोएट}}{C_6H_5-COONa}+H_2O$$

$$C_6H_5COOH+NaHCO_3 \rightarrow C_6H_5-COONa+CO_2\uparrow+H_2O$$

2. एस्टरीकरण–सान्द्र सल्फ्यूरिक अम्ल की उपस्थिति में एथिल ऐल्कोहॉल से अभिक्रिया करके एथिल बेन्जोएट एस्टर बनाता है।

$$C_6H_5-CO\boxed{OH+H}OC_2H_5 \xrightarrow[-H_2O]{H_2SO_4} \underset{\text{एथिल बेन्जोएट}}{C_6H_5-COOC_2H_5}$$

3. विकार्बोक्सिलीकरण–बेन्जोइक अम्ल के सोडियम लवण को सोडालाइम (NaOH + CaO) के साथ गर्म करने पर बेन्जीन प्राप्त होती है।

$$C_6H_5-COONa+NaOH \xrightarrow[\Delta]{CaO} Na_2CO_3+C_6H_6$$

4. NH_3 के साथ अभिक्रिया–NH_3 के साथ अभिक्रिया करने पर अमोनियम बेन्जोएट बनता है जिसे P_2O_5 के साथ गर्म करने पर बेन्जामाइड प्राप्त होता है।

$$C_6H_5-COOH+NH_3 \longrightarrow C_6H_5-COONH_4 \xrightarrow[-H_2O]{P_2O_5\Delta} \underset{\text{बेन्जामाइड}}{C_6H_5-CO-NH_2}$$

5. अपचयन–बेन्जैल्डिहाइड का अपचयन H_2/Ni, Na/C_2H_5OH अथवा $LiAlH_4$ से कराने पर बेन्जिल ऐल्कोहॉल प्राप्त होता है।

$$C_6H_5-COOH+4H \xrightarrow{Ni} C_6H_5-CH_2OH+H_2O$$

उपयोग (Uses)

(*i*) रंजकों के निर्माण में।

(*ii*) सोडियम बेन्जोएट (C_6H_5COONa) का उपयोग, अचार, सॉस एवं फलों के रस आदि के संरक्षण में किया जाता है।

(*iii*) इसका उपयोग औषधि के रूप में किया जाता है।

नाइट्रोबेन्जीन (Nitro Benzene)

$C_6H_5-NO_2$ 

बनाने की विधियाँ (Methods of preparation)

(*i*) **बेन्जीन सल्फोनिक अम्ल द्वारा**–बेन्जीन सल्फोनिक अम्ल की अभिक्रिया नाइट्रिक अम्ल (HNO_3) की वाष्प से कराई जाती है तो नाइट्रोबेन्जीन प्राप्त होती है।

$$C_6H_5-SO_3H+HO-NO_2 \longrightarrow C_6H_5-NO_2+H_2SO_4$$

(*ii*) **बेन्जीन डाइऐजोनियम क्लोराइड द्वारा**–बेन्जीन डाइऐजोनियम क्लोराइड को क्यूप्रस ऑक्साइड (Cu_2O) की उपस्थिति में नाइट्रस अम्ल (HNO_2) के साथ गर्म करने पर नाइट्रोबेन्जीन प्राप्त होती है। नाइट्रस अम्ल सोडियम नाइट्राइट एवं तनु HCl से प्राप्त किया जाता है।

(*iii*) **प्रयोगशाला विधि (बेन्जीन द्वारा)**–बेन्जीन को सान्द्र HNO_3 एवं सान्द्र H_2SO_4 मिश्रण के साथ 50°C तक गर्म करने पर नाइट्रोबेन्जीन प्राप्त होती है।

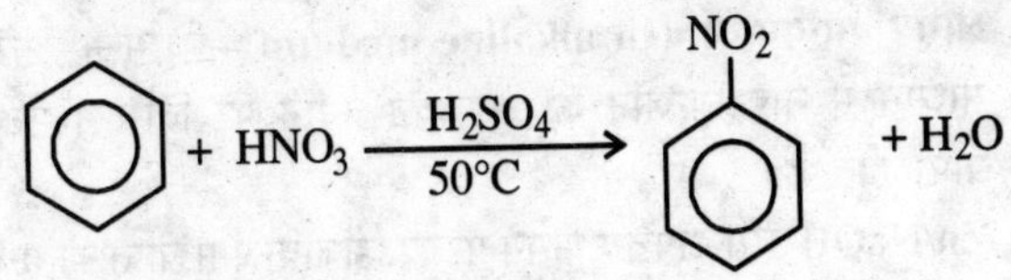

भौतिक गुण (Physical Properties)

(*i*) इसमें कड़वे बादाम जैसी गंध आती है।

(*ii*) यह जल से भारी होती है तथा जल में अमिश्रणीय होती है। कार्बनिक विलायक जैसे ईथर, बेन्जीन एवं ऐल्कोहॉल में मिश्रणीय होती है।

(*iii*) यह पीले रंग का तैलीय द्रव होता है।

(*iv*) इसका क्वथनांक 210°C होता है तथा यह भाप वाष्पशील (Steam volatile) होती है।

रासायनिक गुण (Chemical Properties)

नाइट्रोबेन्जीन में बेन्जीन नाभिक के एक कार्बन से नाइट्रो ($-NO_2$) समूह एवं शेष पांच कार्बन से हाइड्रोजन जुड़ा रहता है अतः नाइट्रोबेन्जीन दो प्रकार की रासायनिक अभिक्रियाएं प्रदर्शित करता है।

(A) नाइट्रो समूह $\left(-N{\overset{O}{\underset{\to O}{}}}\right)$ की अभिक्रियाएँ

1. अपचयन (Reduction)

नाइट्रोबेन्जीन विभिन्न माध्यमों में अपचयन कराने पर विभिन्न उत्पाद देती है।

(*i*) अम्लीय माध्यम में (In Acidic medium)– अम्लीय माध्यम t Ss-Zn/HCl, Sn/HCl या Fe/HCl से अपचयन कराने पर नाइट्रोबेन्जीन ऐनिलीन में अपचयित हो जाती है।

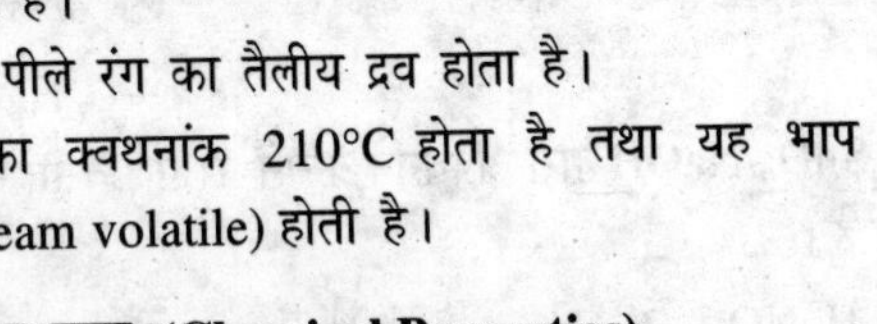

(*ii*) **उदासीन माध्यम में (In neutral medium)**–उदासीन माध्यम जैसे–Fe/H_2O में नाइट्रोबेन्जीन का अपचयन करने पर नाइट्रोसो बेन्जीन प्राप्त होती है तथा Zn/H_2O, Zn/NH_4Cl या $Al-Hg/H_2O$ से अपचयन करने पर नाइट्रोबेन्जीन, फेनिल हाइड्रोक्सिल ऐमीन (C_6H_5–NH–OH) में अपचयित हो जाती है।

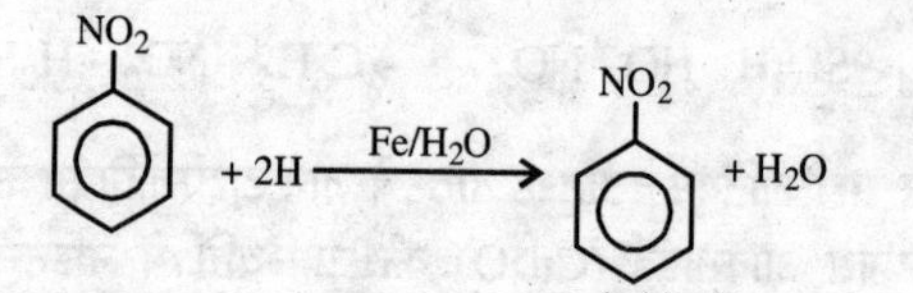

नाइट्रोसोबेन्जीन

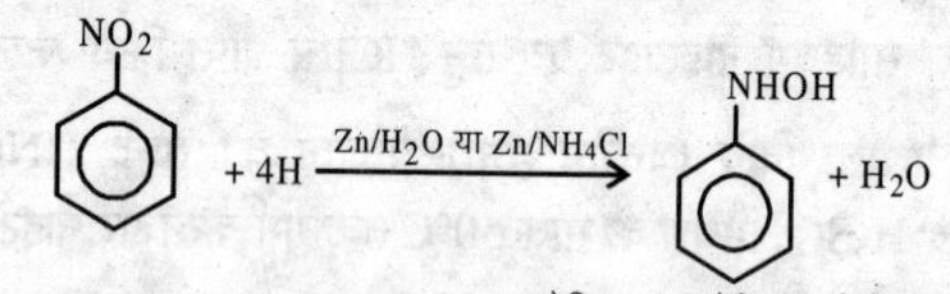

फेनिल हाइड्रोक्सिल ऐमीन

(*iii*) **क्षारीय माध्यम में (In alkaline medium)**– विभिन्न क्षारीय माध्यम में नाइट्रोबेन्जीन का अपचयन कराने पर विभिन्न उत्पाद प्राप्त होते हैं।

(*a*) Zn/NaOH द्वारा अपचय कराने पर हाइड्रोजोबेन्जीन प्राप्त होती है।

$$\underset{\text{नाइट्रोबेन्जीन}}{2C_6H_5-NO_2}+10[H]\longrightarrow \underset{\text{हाइड्रोजोबेन्जीन}}{C_6H_5-NH-NH-C_6H_5}+4H_2O$$

(*b*) जिंक एवं मेथोनोलिक NaOH या Na/Hg द्वारा अपचयन कराने पर ऐजोबेन्जीन प्राप्त होती है।

$$2C_6H_5NO_2+8[H]\xrightarrow{Na/Hg/NaOH}\underset{\text{ऐजोबेन्जीन}}{C_6H_5-N=N-C_6H_5}+4H_2O$$

(*c*) $Na_2SnO_2/NaOH$ द्वारा अपचयन कराने पर ऐजॉक्सीबेन्जीन प्राप्त होती है।

$$2C_6H_5NO_2+6[H]\xrightarrow{NaSnO_2NaOH}C_6H_5NO+C_6H_5NH-OH$$

$$\downarrow -H_2O$$

$$C_6H_5-N=N-C_6H_5$$

$$\downarrow$$

एजोक्सीबेन्जीन

(B) बेन्जीन नाभिक की अभिक्रियाएँ–नाइट्रोबेन्जीन में उपस्थित नाइट्रो ($-NO_2$) समूह ऑर्थो एवं पैरा स्थितियों पर आंशिक धन आवेश उत्पन्न करता है अतः इलेक्ट्रॉन-स्नेही (Electrophile) का प्रतिस्थापन नाइट्रोबेन्जीन में ऑर्थो एवं पैरा स्थितियों पर नहीं होता। नाइट्रो समूह, इलेक्ट्रॉन-स्नेही को मेटा स्थिति पर प्रतिस्थापन करने देता है। इस प्रकार नाइट्रोबेन्जीन की अभिक्रिया इलेक्ट्रॉन-स्नेही से कराने पर नाइट्रोबेन्जीन का मेटा-व्युत्पन्न प्राप्त होता है।

(*i*) **हैलोजनीकरण (Halogenation)**–हैलोजन वाहक ($AlCl_3$) की उपस्थिति में क्लोरीन से अभिक्रिया कराने पर *m*-क्लोरो नाइट्रोबेन्जीन प्राप्त होती है।

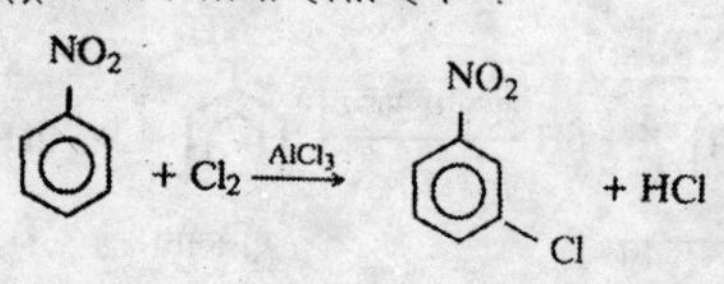

(*ii*) **सल्फोनीकरण (Sulphonation)**– सधूम सल्फ्यूरिक अम्ल के साथ गर्म करने पर मेटा-नाइट्रो बेन्जीन सल्फोनिक अम्ल प्राप्त होता है।

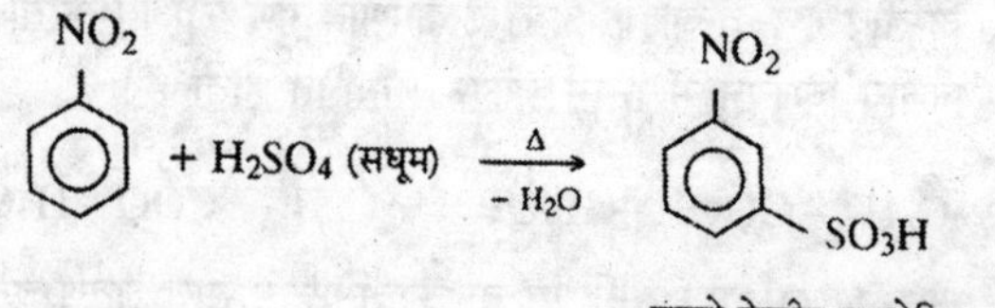

m-नाइट्रो-बेन्जीन सल्फोनिक अम्ल

(*iii*) **नाइट्रीकरण (Nitration)**– सांद्र HNO_3 एवं सांद्र H_2SO_4 मिश्रण के साथ गर्म करने पर मेटा-डाइनाइट्रोबेन्जीन प्राप्त होती है।

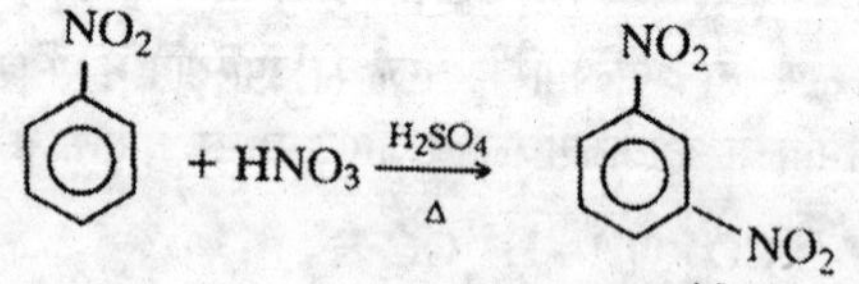

m-डाइनाइट्रोबेन्जीन

उपयोग (Uses)

(*i*) रंजकों के निर्माण में।

(*ii*) जूतों की पॉलिश निर्माण में।

(*iii*) ऑक्सीकारक के रूप में।

ऐनिलीन (Aniline)

$C_6H_5-NH_2$ या 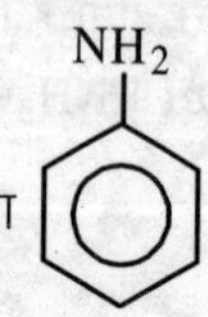

बनाने की विधियाँ (Methods of Preparation)

(*i*) **क्लोरोबेन्जीन द्वारा (By Chlorobenzene)**– क्लोरोबेन्जीन को जलीय अमोनिया के सांद्र विलयन के साथ उत्प्रेरक Cu_2O की उपस्थिति में 200°C ताप एवं 600 वायुमण्डलीय दाब पर गर्म करने से ऐनिलीन प्राप्त होती है।

$$C_6H_5Cl+2NH_3\xrightarrow[\text{600 वायु, दाब}]{Cu_2O,300^\circ C}C_6H_5-NH_2+NH_4Cl$$

(*ii*) **फीनॉल द्वारा (By phenol)**– फीनॉल को अमोनिया के साथ निर्जल $ZnCl_2$ की उपस्थिति में 300°C तक गर्म करने पर ऐनिलीन प्राप्त होती है।

$$C_6H_5-OH+HNH_2\xrightarrow[300^\circ C]{\text{निर्जल } ZnCl_2}C_6H_5NH_2+H_2O$$

(*iii*) **प्रयोगशाला विधि (Laboratory Preparation)**– प्रयोगशाला में ऐनिलीन प्राप्त करने के लिए नाइट्रोबेन्जीन का अम्लीय माध्यम (Sn + HCl) में अपचयन किया जाता है।

$$Sn+4HCl\longrightarrow SnCl_4+4H$$

$$C_6H_5NO_2+6[H]\longrightarrow C_6H_5-NH_2+2H_2O$$

(*iv*) **औद्योगिक निर्माण–** ऐनिलीन के औद्योगिक निर्माण के लिए नाइट्रोबेन्जीन का नम लोहे की छीलन एवं HCl द्वारा अपचयन किया जाता है।

$$Fe + 3HCl \longrightarrow FeCl_3 + 3H$$

$$C_6H_5 - NO_2 + 6H \longrightarrow C_6H_5 - NH_2 + 2H_2O$$

भौतिक गुण (Physical Properties)

(*i*) इसका क्वथनांक 184°C होता है।

(*ii*) वायु में रखने पर यह ऑक्सीकृत होकर भूरे रंग का हो जाता है।

(*iii*) यह भाप में वाष्पशील है।

(*iv*) शुद्ध ऐनिलीन रंगहीन द्रव होता है

रासायनिक गुण (Chemical Properties)

ऐनिलीन में बेन्जीन के एक नाभिकीय कार्बन से ऐमीनो $(-NH_2)$ समूह एवं शेष पांच कार्बन से एक-एक हाइड्रोजन जुड़ा रहता है। अतः ऐनिलीन दो प्रकार की अभिक्रियाएँ प्रदर्शित करता है।

(A) – NH_2 समूह की अभिक्रियायें

1. **क्षारीय प्रकृति (Basic nature)–** ऐनिलीन एक दुर्बल क्षारक (Base) है। यह प्रबल अम्लों से संयोग करके लवण बनाती है।

$$\underset{\text{ऐनिलीन (क्षार)}}{C_6H_5 - NH_2} + \underset{\text{अम्ल}}{HCl} \longrightarrow \underset{\text{ऐनिलीनियम क्लोराइड लवण}}{C_6H_5\overset{+}{N}\ H_3\overset{-}{Cl}}$$

$$C_6H_5 - NH_2 + H_2SO_4 \longrightarrow \underset{\text{ऐनिलीनियम हाइड्रोजन सल्फेट लवण}}{C_6H_5\overset{+}{N}H_3.HSO_4^-}$$

$$C_6H_5\overset{+}{N}H_3.HSO_4^- + C_6H_5NH_2 \longrightarrow \underset{\text{ऐनिलीन सल्फेट}}{\left(C_6H_5\overset{+}{N}H_3\right)_2 SO_4^{-2}}$$

2. **बैन्जोयलीकरण (Benzoylation)–** तनु NaOH की उपस्थिति में ऐनिलीन की अभिक्रिया बैन्जोयल क्लोराइड $(C_6H_5 - COCl)$ से कराने पर बैन्जेनीलॉइड प्राप्त होता है। यह अभिक्रिया शॉटन-बॉमन (Schotten-Baumann) अभिक्रिया कहलाती है।

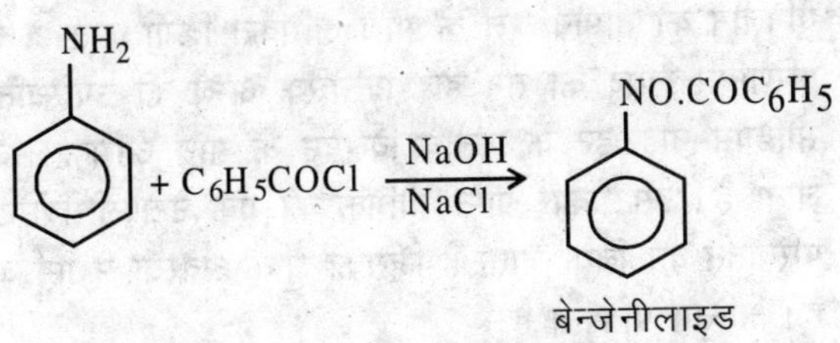

बेन्जेनीलाइड

3. **कार्बिलऐमीन अभिक्रिया (Carbylamine Reaction)–** ऐल्कोहॉलिक कास्टिक पोटाश एवं क्लोरोफॉर्म के साथ ऐनिलीन गर्म करने पर दुर्गन्धयुक्त फेनिल आइसोसायनाइड देती है। यह अभिक्रिया कार्बिलऐमीन अभिक्रिया अथवा आइसोसायनाइड (Isocyanide Test) कहलाती है। यह प्राथमिक ऐमीनों के परीक्षण के लिए उपयोग में लाई जाती है।

$$C_6H_5NH_2 + CHCl_3 + 3KOH\ (AlC)$$

$$\xrightarrow{\Delta} \underset{\text{फेनिल आइसोसायनाइड}}{C_6H_5N \equiv C} + 3KCl + 3H_2O$$

4. **ऑक्सीकरण (Oxidation)–** ऐनिलीन के ऑक्सीकरण से विभिन्न उत्पाद प्राप्त होते हैं जो कि ऑक्सीकारक की प्रकृति पर निर्भर करते हैं।

   (*i*) अम्लीय $KMnO_4$ से ऐनिलीन का ऑक्सीकरण कराने पर ऐनिलीन ब्लैक रंजक प्राप्त होता है।

   (*ii*) क्षारीय $KMnO_4$ से ऐजोबेन्जीन $(C_6H_5 - N = N - C_6H_5)$ प्राप्त होती है।

   (*iii*) उदासीन $KMnO_4$ से ऐजोबेन्जीन एवं नाइट्रोबेन्जीन प्राप्त होते हैं।

   (*iv*) क्रोमिक अम्ल (H_2CrO_4) से *p*-बेन्जोक्विनोन प्राप्त होता है।

   (*v*) HClO से ऑक्सीकरण कराने पर *p*-ऐमीनो फीनॉल प्राप्त होता है।

   (*vi*) सान्द्र HNO_3 के द्वारा ऐनिलीन का विघटन हो जाता है।

5. **बेन्जैल्डिहाइड से अभिक्रिया–**ऐनिलीन, बेन्जैल्डिहाइड से अभिक्रिया करके बेन्जेलिडीन ऐनिलीन बनाती है जिसे शिफ बेस (Schiff's base) भी कहा जाता है।

$$\underset{\text{बेन्जैल्डिहाइड}}{C_6H_5 - CH =} \boxed{O + H_2} \underset{\text{ऐनिलीन}}{N.C_6H_5} \xrightarrow[-H_2O]{}$$

$$\underset{\text{बेन्जेलिडीन ऐनिलीन (शिफ बेस)}}{C_6H_5 - CH = N - C_6H_5}$$

6. **डाइऐजोनियम क्लोराइड के साथ अभिक्रिया–**बेन्जीन डाइऐजोनियम क्लोराइड की अभिक्रिया 5 – 10°C पर ऐनिलीन से कराने पर डाइऐजोऐमीनो बेन्जीन प्राप्त होती है।

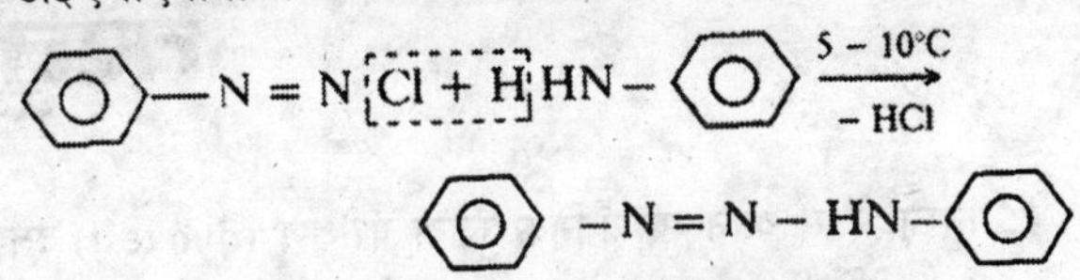

डाइऐजोऐमीनो बेन्जीन

यदि यह अभिक्रिया 30° – 35°C पर कराई जाती है तो नारंगी लाल रंग का रंजक पेरा-ऐमीनो ऐजोबेन्जीन प्राप्त होती है।

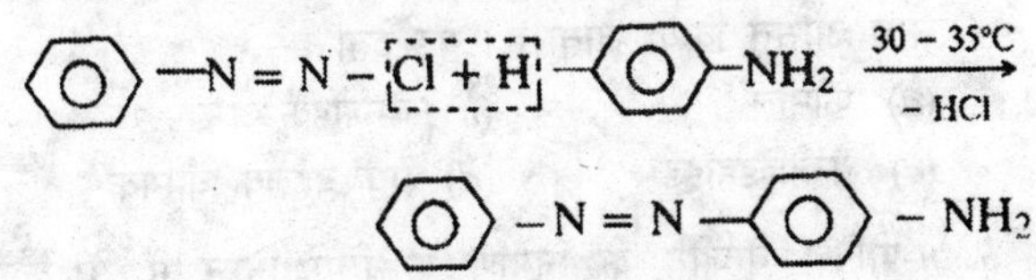

***p*-ऐमीनो ऐजोबेन्जीन**

(रंजक)

7. **ग्रिगनाई अभिकर्मक से अभिक्रिया–**ऐनिलीन की अभिक्रिया ग्रिगनाई अभिकर्मक जैसे–C_2H_5MgBr से कराने पर हाइड्रोकार्बन प्राप्त होते हैं।

$$C_6H_5\overset{\ominus}{N}H\overset{\oplus}{H} + \overset{\ominus}{C_2H_5}\overset{\oplus}{Mg}Br \longrightarrow C_2H_6 + Mg\begin{cases} Br \\ NHC_6H_5 \end{cases}$$

(B) बेन्जीन नाभिक की अभिक्रियायें

(*i*) **हैलोजनीकरण (Halogenation)–** ब्रोमीन जल से अभिक्रिया कराने पर 2, 4, 6 ट्राइब्रोमोऐनिलीन प्राप्त होती है।

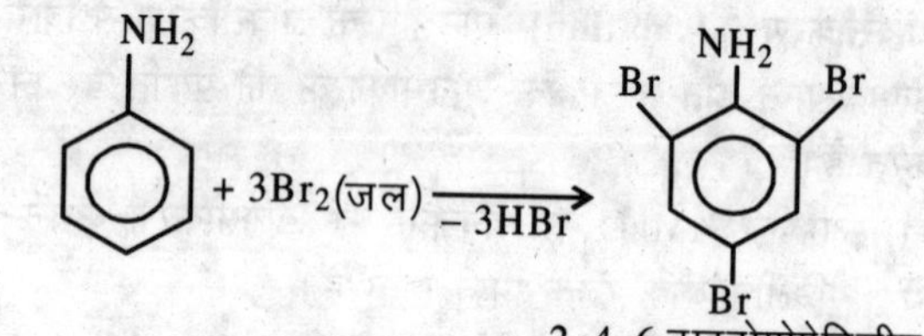

2, 4, 6 ट्राइब्रोमोऐनिलीन

(*ii*) **सल्फोनीकरण (Sulphonation)–** ऐनिलीन की सान्द्र सल्फ्यूरिक अम्ल से अभिक्रिया कराने पर सर्वप्रथम ऐनिलिनियम हाइड्रोजन सल्फेट लवण प्राप्त होता है जिसे 180°C तक गर्म करने पर सल्फेमिक अम्ल बनता है जो कि पुनर्विन्यास के पश्चात् सल्फेनिलिक अम्ल प्राप्त होता है।

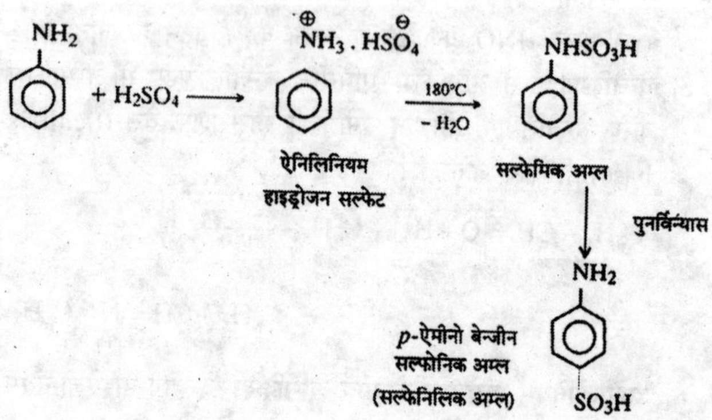

(*iii*) **नाइट्रीकरण (Nitration)–** ऐनिलीन का नाइट्रीकरण करने से पूर्व इसमें उपस्थित – NH_2 समूह को रक्षित (protect) किया जाता है क्योंकि HNO_3 द्वारा ऐनिलीन का –NH_2 समूह ऑक्सीकृत हो जाता है। –NH_2 समूह को सुरक्षित रखने के लिए ऐनिलीन का ऐसीटिलीकरण किया जाता है और प्राप्त ऐसीटेनिलाइड को सान्द्र HNO_3 एवं सान्द्र H_2SO_4 से अभिक्रिया कराते हैं तो *o*-एवं *p*-नाइट्रो ऐसीटेनिलाइड बनता है जो कि जल-अपघटन के पश्चात् *o*-एवं *p*-नाइट्रोऐनिलीन प्राप्त होती है।

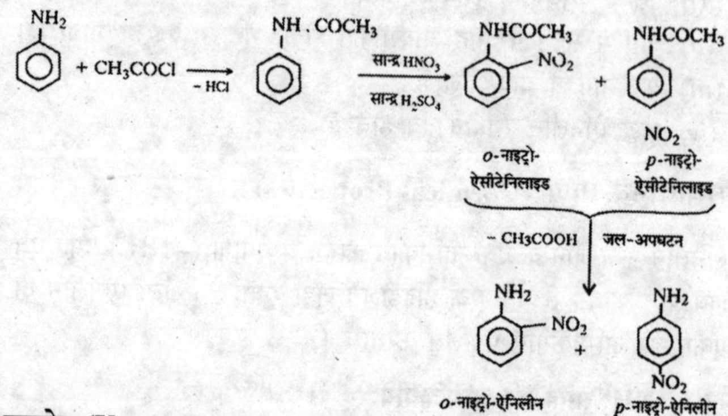

उपयोग (Uses)

(*i*) बेन्जीन डाइऐजोनियम क्लोराइड के निर्माण में।

(*ii*) शिफ बेस एवं अन्य कार्बनिक यौगिकों के निर्माण में।

(*iii*) रंजकों एवं दवाइयों के निर्माण में।

वस्तुनिष्ठ प्रश्न

1. निम्न में से कौन-सा यौगिक रंजक परीक्षण (dye test) देता है–

(*a*) ऐनिलीन (*b*) मेथिल ऐमीन

(*c*) डाइफेनिल ऐमीन (*d*) ऐथिल ऐमीन

2. क्या होता है जब 2-हाइड्रोक्सीबेन्जोइक अम्ल को जिंक रज के साथ आसुत किया जाता है। यह देता है–

(*a*) फीनोल (*b*) बेन्जोइक अम्ल

(*c*) बैन्जेल्डिहाइड (*d*) एक बहुलक यौगिक

3. *n*-प्रोपिल बेन्जीन के निर्माण के लिए निम्न में से कौन-सी अभिक्रिया सर्वाधिक उचित है–

(*a*) फ्रीडल-क्राफ्ट अभिक्रिया

(*b*) वुर्ट्ज अभिक्रिया

(*c*) वुर्ट्ज-फिटिंग अभिक्रिया

(*d*) ग्रिगनार्ड अभिक्रिया

4. किस यौगिक को ''विन्टरग्रीन का तेल'' कहा जाता है–

(*a*) फिनाइल बेन्जोएट

(*b*) फिनाइल सैलिसिलेट

(*c*) फिनाइल ऐसीटेट

(*d*) मेथिल सैलिसिलेट

5. निम्न में से किस यौगिक पर एक इलेक्ट्रोफाइल का आक्रमण सर्वाधिक सरलता से होगा–

(*a*) 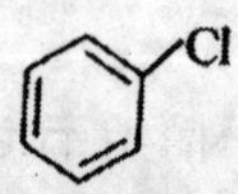

(*b*) 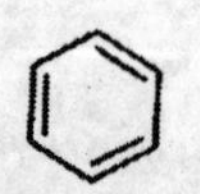

(*c*) 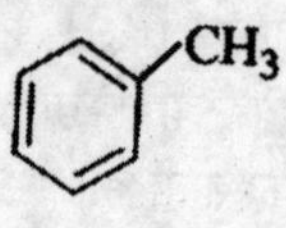

(*d*) 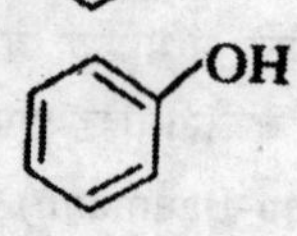

6. ऐनिलीन को ब्रोमीन जल के साथ अभिकृत किया जाता है तथा परिणामी उत्पाद को तनु हाइड्रोक्लोरिक अम्ल की उपस्थिति में सोडियम नाइट्राइट के जलीय विलयन के साथ अभिकृत किया जाता है। इस प्रकार प्राप्त यौगिक को एक टेट्राफ्लोरोबोरेट में परिवर्तित कर लिया जाता है जिसको शुष्क अवस्था में गर्म करते हैं। अन्तिम प्रतिफल है–

(*a*) 1, 3, 5-ट्राइब्रोमोबेन्जीन

(*b*) *p*-ब्रोमोफ्लोरोबेन्जीन

(*c*) *p*-ब्रोमोऐनिलीन

(*d*) 2, 4, 6-ट्राइब्रोमोफ्लोरोबेन्जीन

7. धनात्मक कार्बिलऐमीन परीक्षण निम्न के द्वारा दिया जाता है–

(*a*) N, N-डाइमेथिलऐनिलीन

(*b*) 2, 4-डाइमेथिलऐनिलीन

(*c*) N-मेथिल-O-मेथिलऐनिलीन

(*d*) p-मेथिलबेन्जिलऐमीन

8. जब ईथर 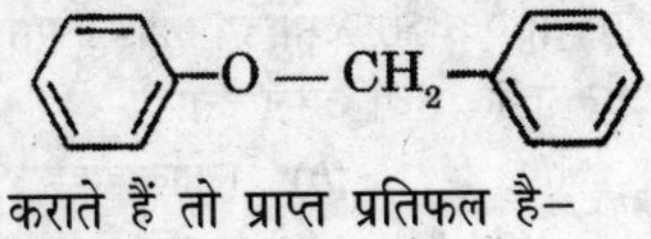 को HI के साथ अभिकृत कराते हैं तो प्राप्त प्रतिफल है–

(*a*) 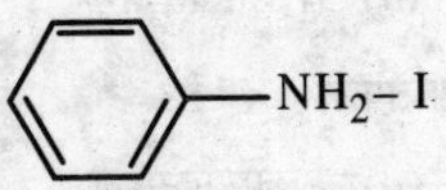

(*b*) 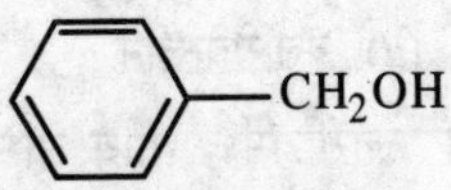

(*c*) 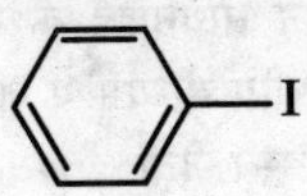

(*d*) 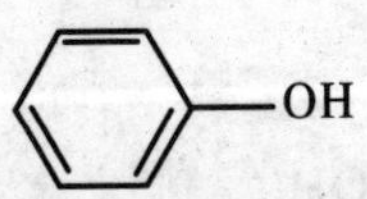

9. टॉलुईन को Br_2/Fe के साथ अभिकृत करने पर P-ब्रोमोटॉलुइन मुख्य प्रतिफल (Major product) होता है, क्योंकि CH_3 समूह–
(*a*) पैरा दैशिक होता है
(*b*) मेटादैशिक होता है
(*c*) अतिसंयुग्मन (Hyperconjugation) द्वारा वलय को सक्रियित कर देता है
(*d*) वलय को विसक्रियित (Deactivates) कर देता है

10. इलेक्ट्रोफिलिक प्रतिस्थापन अभिक्रियाओं के प्रति निम्न का क्रियाशीलता क्रम है–

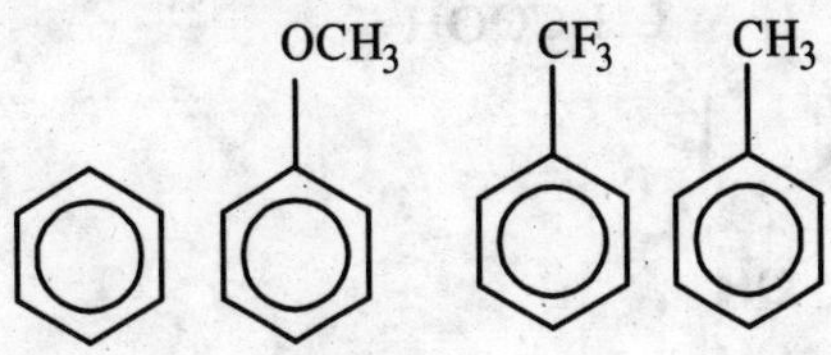

(*i*) (*ii*) (*iii*) (*iv*)

(*a*) (*i*) > (*ii*) > (*iii*) > (*iv*)
(*b*) (*ii*) > (*iii*) > (*i*) > (*iv*)
(*c*) (*iii*) > (*i*) > (*iv*) > (*ii*)
(*d*) (*ii*) > (*iv*) > (*i*) > (*iii*)

11. बैन्जेल्हिाइड क्षार के साथ अभिकृत करने पर देता है–
(*a*) फीनोल + सोडियम बेन्जोएट
(*b*) बेन्जिल ऐल्कोहॉल + सोडियम बेन्जोएट
(*c*) फीनोल + बेन्जीन
(*d*) बेन्जीन + बेन्जिल ऐल्कोहॉल

12. बेन्जोइक अम्ल से बेन्जोइल क्लोराइड निम्न के द्वारा अभिक्रिया से बनाया जाता है–
(*a*) Cl_2, *hv* (*b*) SO_2Cl_2
(*c*) $SOCl_2$ (*d*) Cl_2, H_2O

13. सूची I की सूची II के साथ सुमेल कीजिये तथा सूचियों के नीचे दिये गये कोड (code) का प्रयोग करके सही उत्तर छांटिये–

सूची I	सूची II
A. $C_6H_5NO_2 \xrightarrow[\text{SnCl}_2\,/\,\text{NaOH}]{\text{NaOMe}\;\;\text{MeOH}}$	1. ऐजोबेन्जीन
B. $C_6H_5NO_2 \xrightarrow[\text{Zn / NaOH}]{}$	2. हाइड्रॉऐजोबेन्जीन
C. $C_6H_5NO_2 \xrightarrow[\text{Zn / NH}_4\text{Cl}]{}$	3. फेनिल हाइड्रॉक्सिलऐमीन
D. $C_6H_5NO_2 \longrightarrow$	4. ऐजॉक्सीबेन्जीन

कोड:

	(A)	(B)	(C)	(D)
(*a*)	4	3	2	1
(*b*)	2	1	4	3
(*c*)	4	1	2	3
(*d*)	2	3	4	1

14. निम्नलिखित में से कौन-सा ऐरोमिटकता (aromaticity) रखता है–

(*a*) 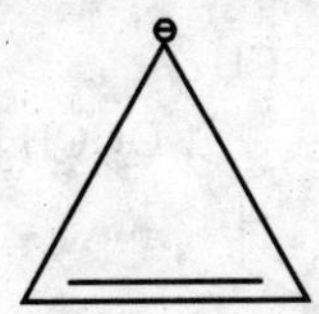 (*b*) 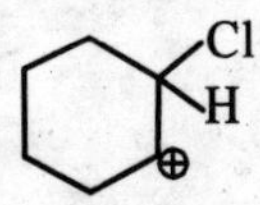

(*c*)  (*d*) 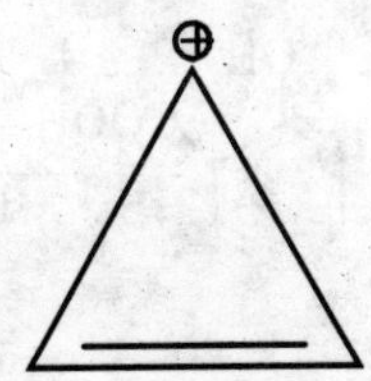

15. सूची-I का सूची-II के साथ सुमेल करें तथा सूचियों के नीचे दिये गये का उपयोग करके सही उत्तर चुनिये–

सूची-I	सूची-II
A. $C_6H_5CHO \xrightarrow[\text{CH}_2(\text{COOEt})_2\,/\,\text{बेस}]{\text{Ac}_2\text{O / NaOAc}}$	1. क्लेजन संघनन
B. $C_6H_5CHO \xrightarrow[\text{CH}_3\text{COOEt / NaOEt}]{}$	2. नोवीनागल अभिक्रिया
C. $C_6H_5CHO \xrightarrow[\text{BrCH}_2\text{COOEt / Zn}]{}$	3. रिफॉर्मेट्स्की अभिक्रिया
D. $C_6H_5CHO \longrightarrow$	4. पर्किन अभिक्रिया
	5. कैनिजारो अभिक्रिया

कोड–

	(A)	(B)	(C)	(D)
(*a*)	3	1	5	4
(*b*)	4	2	1	3
(*c*)	3	2	1	4
(*d*)	4	1	5	3

16. पिरीडीन की बेसिकता ट्राइऐथिल ऐमीन की अपेक्षा कम होती है क्योंकि–
(*a*) पिरीडीन का ऐरोमेटिक लक्षण होता है
(*b*) पिरीडीन में नाइट्रोजन sp^2 संकरित होता है
(*c*) पिरीडीन में चक्रीय निकाय होता है
(*d*) पिरीडीन में नाइट्रोजन का इलैक्ट्रॉन युग्म विस्थानीकृत होता है

17. निम्नलिखित में किस अभिक्रिया में प्रदर्शित उत्पाद (product) सही नहीं है–

(*a*) 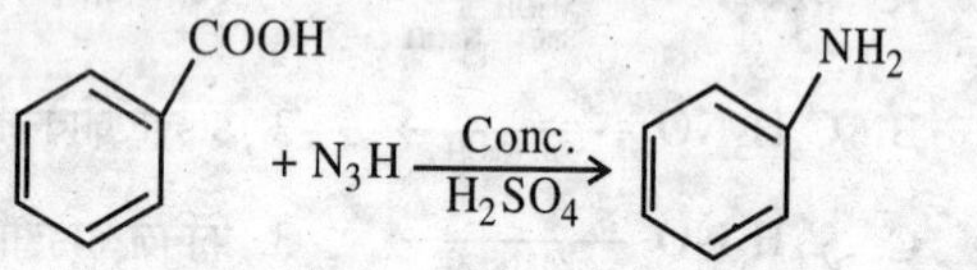

(*b*) 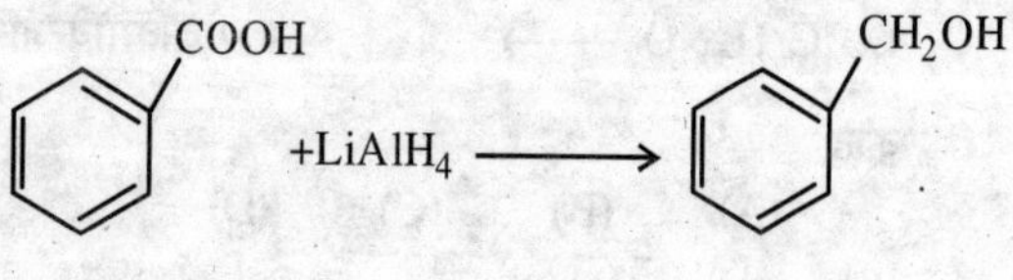

(*c*) 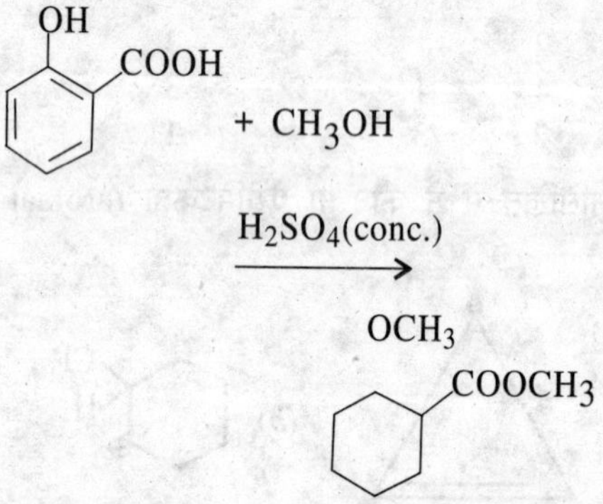

(*d*) 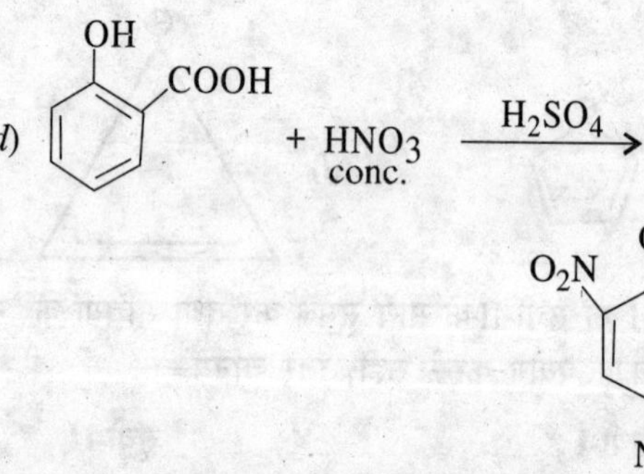

18. यौगिक जो क्लोरोबेन्जीन को सान्द्र सल्फ्यूरिक अम्ल की उपस्थिति में क्लोरल के साथ गर्म करने पर उत्पन्न होता है–

(*a*) गैमेक्सीन (*b*) DDT
(*c*) फ्रीऑन (*d*) हैक्साक्लोरोएथेन

19. निम्न में से कौन-सा प्रबलतम बेस है–

(*a*) 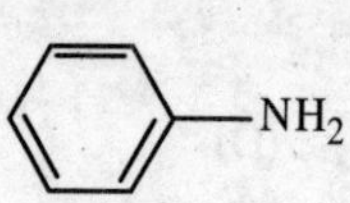 (*b*) 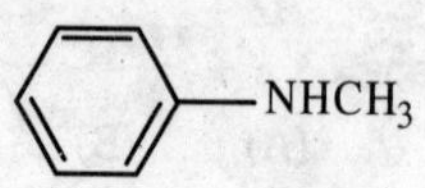

(*c*) 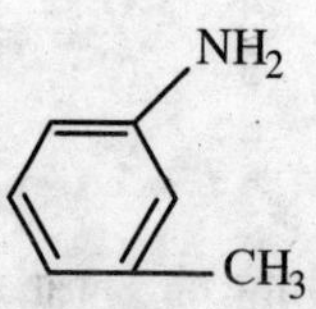 (*d*) 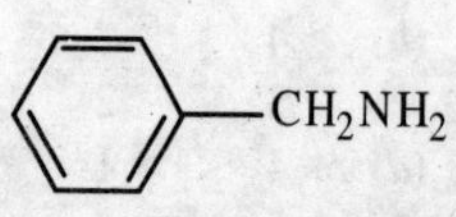

20. कार्बोक्सिलिक अम्लों की अम्ल सामर्थ्य पर विचार कीजिये–

1. PhCOOH 2. *o*-$NO_2C_6H_4COOH$
3. *P*-$NO_2C_6H_4COOH$ 4. *m*-$NO_2C_6H_4COOH$

निम्न में से कौन-सा क्रम सही है–

(*a*) $1 > 2 > 3 > 4$ (*b*) $2 > 4 > 3 > 1$
(*c*) $2 > 4 > 1 > 3$ (*d*) $2 > 3 > 4 > 1$

21. निम्न में से कौन-सा एक 50% सोडियम हाइड्रॉक्साइड के साथ क्रिया करके संगत ऐल्कोहॉल तथा अम्ल देता है–

(*a*) फीनोल (*b*) बैन्जेल्डिहाइड
(*c*) ब्यूटेनल (*d*) बेन्जोइक अम्ल

22. बेन्जामाइड $\xrightarrow{POCl_3}$ (x) प्रतिफल "X" है–

(*a*) ऐनिलीन (*b*) बेन्जोनाइट्राइल
(*c*) बेन्जिलऐमीन (*d*) क्लोरोबेन्जीन

23. *p*-क्रीसॉल क्षारीय माध्यम में क्लोरोफॉर्म के साथ अभिक्रिया करके यौगिक 'A' बनाता है जो हाइड्रोजन सायनाइड के साथ संयुक्त होकर यौगिक 'B' देता है। 'B' अम्लीय माध्यम में जल-अपघटित होकर एक कीरेल कार्बोक्सिलिक अम्ल देता है। कार्बोक्सिलिक अम्ल की संरचना है–

(*a*) 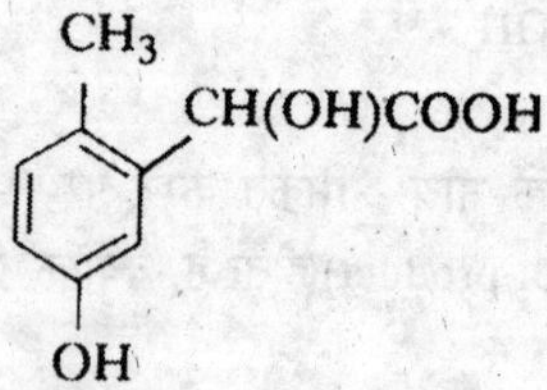

(*b*) 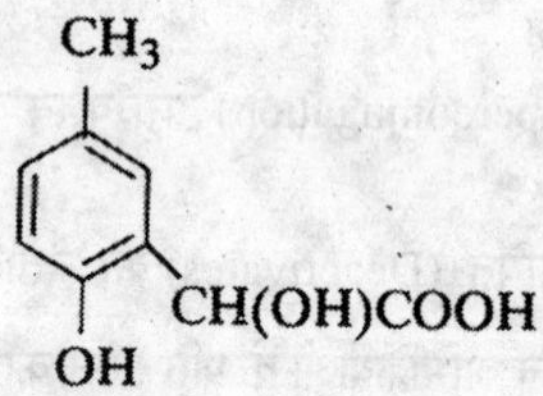

(*c*) 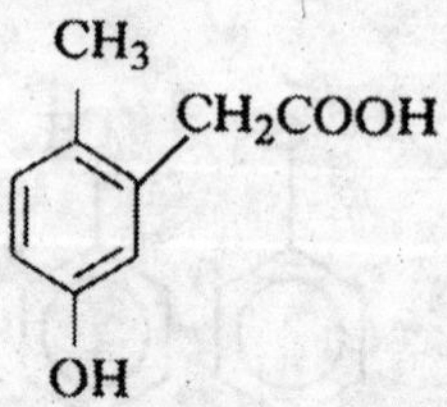

(*d*) 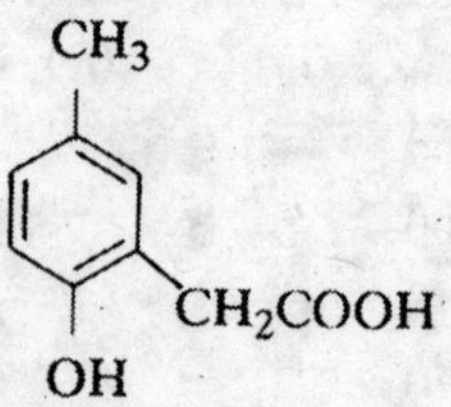

24. निम्नलिखित यौगिकों में कौन सबसे अधिक अम्लीय है–

(*a*) 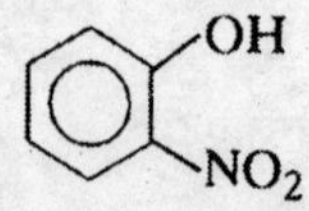 (*b*) 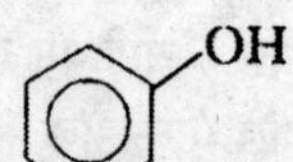

(*c*) 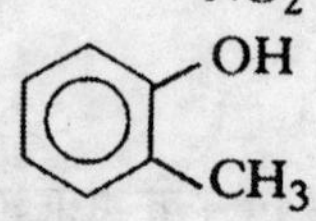 (*d*) $Cl-CH_2-CH_2-OH$

25. नाइट्रोबेन्जीन का अम्लीय माध्यम में अपचयन करने पर प्राप्त होता है–

(*a*) ऐनिलीन
(*b*) *p*-हाइड्रॉक्सीऐनिलीन
(*c*) N-फेनिलहाइड्रॉक्सिल ऐमीन
(*d*) नाइट्रोसोबेन्जीन

26. अभिक्रियाओं के एक सैट में ऐनिलीन उत्पाद 'D' देता है–

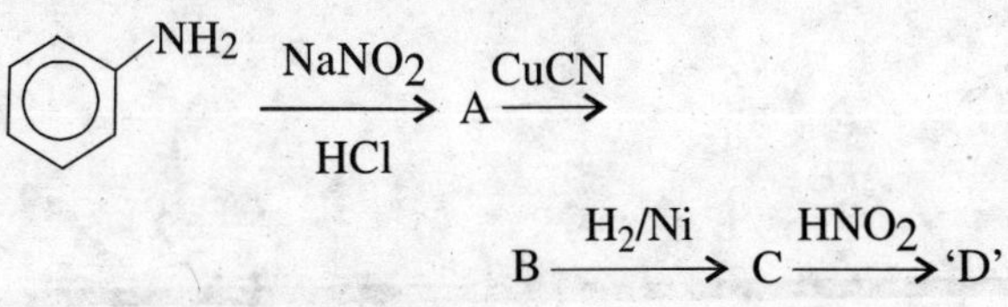

उत्पाद D की संरचना होगी–

(*a*) $C_6H_5CH_2OH$ (*b*) $C_6H_5CH_2NH_2$

(*c*) C_6H_5NHOH (*d*) $C_6H_5NHCH_2CH_3$

27. 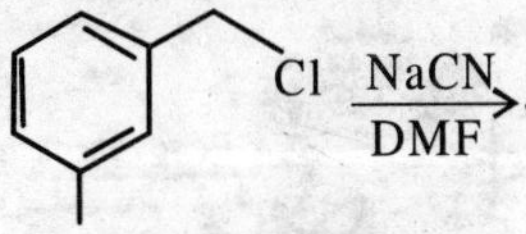

अभिक्रिया में बनने वाले उत्पाद की संरचना है–

(*a*) 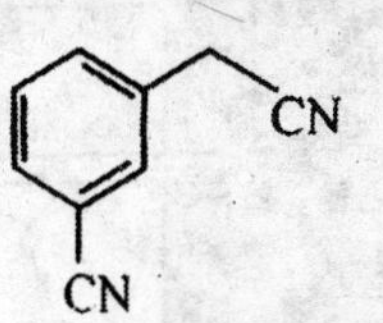

(*b*) 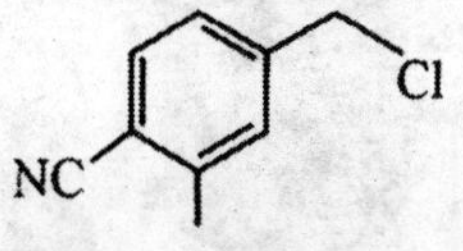

(*c*) 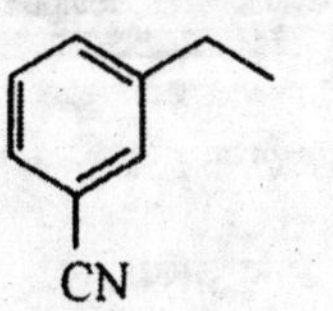

(*d*) 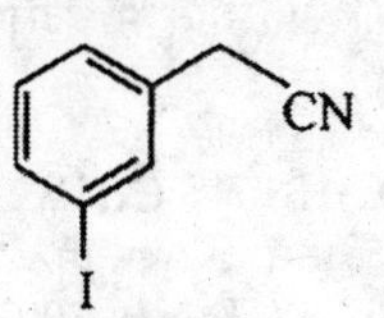

28. एसीटोफिनोन जब C_2H_5ONa से क्रिया करता है, तब एक स्थायी यौगिक प्राप्त होता है जिसकी संरचना है–

(*a*) 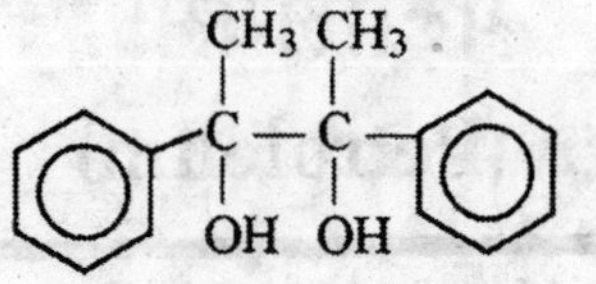

(*b*) 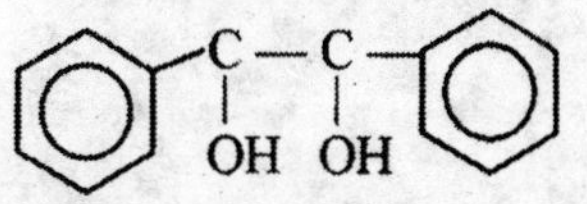

(*c*) 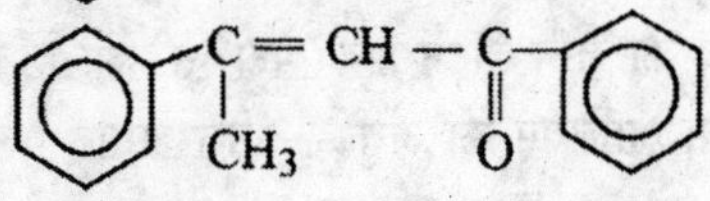

(*d*) 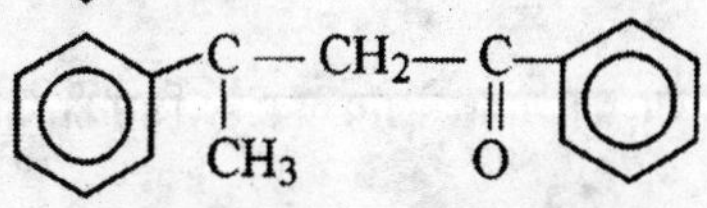

29. निम्न में क्षारीय प्रकृति का बढ़ता क्रम है–

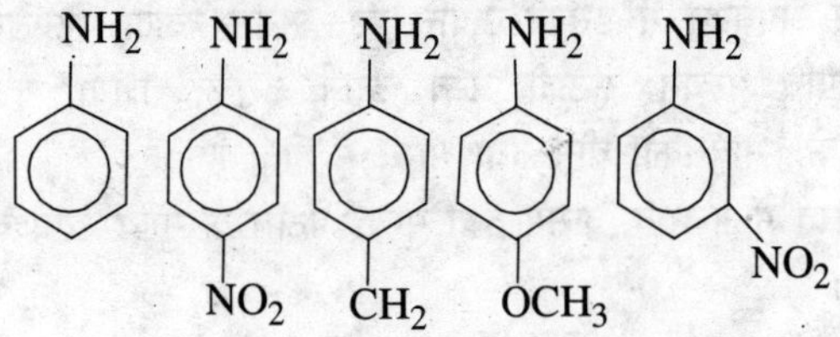

(*a*) 2 < 5 < 1 < 3 < 4 (*b*) 5 < 2 < 1 < 3 < 4

(*c*) 2 < 5 < 1 < 4 < 3 (*d*) 5 < 2 < 1 < 4 < 3

30. टालूईन को नाइट्रीकृत करने पर बने उत्पाद को टिन तथा हाइड्रोक्लोरिक अम्ल द्वारा अपचयित करते हैं। इस प्रकार उत्पाद को डाइएजोकृत करने के पश्चात् क्यूप्रस ब्रोमाइड के साथ गर्म किया जाता है। इसके फलस्वरूप निर्मित अभिक्रिया मिश्रण में उपस्थित है

(*a*) *o*- तथा *p*- ब्रोमोटालूईन का मिश्रण

(*b*) *o*- तथा *p*- डाइब्रोमोबेंजीन का मिश्रण

(*c*) *o*- तथा *p*- ब्रोमोएनीलीन का मिश्रण

(*d*) *o*- तथा *p*- ब्रोमोटालूईन का मिश्रण

उत्तरमाला

1	2	3	4	5	6	7	8	9	10
(*a*)	(*b*)	(*c*)	(*d*)	(*d*)	(*d*)	(*d*)	(*a*)	(*a*)	(*d*)
11	**12**	**13**	**14**	**15**	**16**	**17**	**18**	**19**	**20**
(*b*)	(*c*)	(*c*)	(*d*)	(*b*)	(*d*)	(*c*)	(*b*)	(*d*)	(*d*)
21	**22**	**23**	**24**	**25**	**26**	**27**	**28**	**29**	**30**
(*b*)	(*c*)	(*b*)	(*a*)	(*a*)	(*a*)	(*d*)	(*b*)	(*d*)	(*c*)

अध्याय 22

पेट्रोलियम (Petroleum)

- पेट्रोलियम शब्द का जन्म लैटिन शब्द 'पेट्रा' से हुआ है, जिसका अर्थ है– पत्थर तथा ओलियम का अर्थ है– तेल अर्थात् पत्थरों से प्राप्त तेल।
- यह एक गहरे रंग का गाढ़ा तेलीय द्रव है, जिसकी जैविक उत्पत्ति हुई है।
- यह माना जाता है कि समुद्री जीवों के उच्च दाब तथा उच्च ताप पर अपघटन से इसकी उत्पत्ति हुई। सबसे ज्यादा पेट्रोलियम की उत्पत्ति मुख्यतः सऊदी अरब, ईरान, ईराक, रशिया, यू.एस.ए., यू.के., मैक्सिको, चीन तथा भारत में होती है।
- भारत में गुजरात, असम तथा मुम्बई पेट्रोल के मुख्य उत्पादक केन्द्र हैं।
- पेट्रोलियम जमीन की निचली सतह में पत्थरों के बीच अथवा समुद्री सतह के बहुत नीचे पाया जाता है। पेट्रोलियम अथवा क्रूड तेल (Crude oil) सल्फर तथा नाइट्रोजन की कार्बनिक अशुद्धियों के साथ पाया जाता है
- यह पृथ्वी में छेद बनाकर निकाला जाता है। बाहूय दाब के कारण तेल पाइप से ऊपर चढ़कर आ जाता है, जैसे ही गैस का दाब कम हो जाता है। दो समान अक्ष वाले पाइप नीचे डाले जाते हैं तथा संघनित वायु को पाइप से नीचे भेजा जाता है, जिससे तेल, oil pipe में से बाहर आ जाता है। यहाँ से क्रूड तेल को शोधन के लिए भेज दिया जाता है।

तेल का शोधन (Purification of Oil)

पेट्रोलियम को विभिन्न प्रभाजों में जिनका क्वथांक भिन्न-भिन्न होता है, में बाँटने की प्रक्रिया को शोधन कहते हैं। सर्वप्रथम तेल को अम्लीय अथवा क्षारीय विलयनों से धोया जाता है, जो इसमें उपस्थित अम्लीय अथवा क्षारीय अशुद्धियों पर निर्भर करता है। धुले हुए तेल को 723 K ताप पर गर्म करके उसका प्रभाजी आसवन कराते हैं तथा भाप को प्रभाजी स्तम्भ से भेजते हैं। इस विधि से Crude Oil कई भागों में विभक्त हो जाता है।

भंजन तथा पुनर्गठन (Cracking and Reforming)

क्रूड तेल के प्रभाजी आसवन से प्राप्त प्रभाजों में से सबसे महत्त्वपूर्ण गैसोलीन (पेट्रोल), केरोसीन तथा डीजल हैं। इन पदार्थों की मात्रा तथा क्वालिटी को बढ़ाने के लिए क्रमशः भंजन तथा Reforming का प्रयोग किया जाता है।

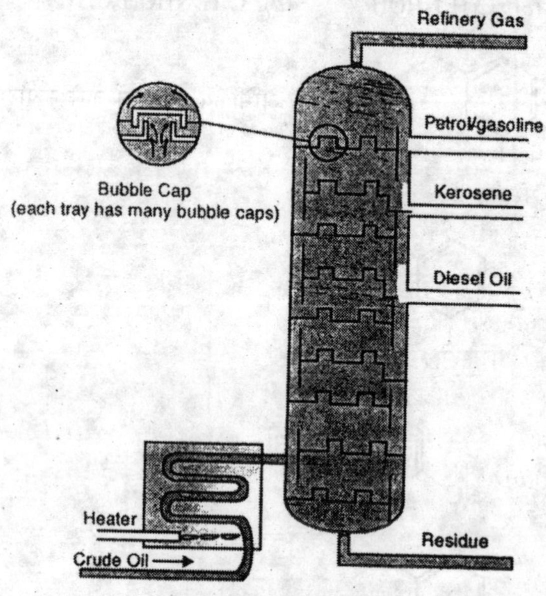

चित्रः *पेट्रोलियम का शोधन*

भंजन (Cracking)– पेट्रोलियम के अल्प वाष्पशील उच्च अणु भार वाले हाइड्रोकार्बनों में किसी उत्प्रेरक की उपस्थिति में बदलने को भंजन कहते हैं। उदाहरण–

$$\underset{\substack{\text{डोडेकेन} \\ \text{b.p. 489K}}}{C_{12}H_{26}} \xrightarrow{937/\text{Catalyst}} \underset{\substack{\text{हेप्टेन} \\ \text{b.p. 371K}}}{C_7H_{16}} + \underset{\substack{\text{पैन्टीन} \\ \text{b.p. 309K}}}{C_5H_{10}}$$

पुनर्गठन (Reforming)– इस प्रक्रिया में 6-8 कार्बन वाले एल्कीनो को 873 K ताप पर उत्प्रेरक की उपस्थिति में गर्म किया जाता है, जिससे पहले इसका क्रिस्टलीकरण होता है तथा फिर ऐरोमेटीकरण (Aromatisation) अथवा डिहाइड्रोजनीकरण (Dehydrogenation)। इस प्रक्रिया का प्रयोग ऐरोमेटिक हाइड्रोकार्बनों के निर्माण में किया जाता है, जैसे– बेंजीन, टालूईन।

संश्लेषित पेट्रोल अथवा गैसोलीन (Synthetic Petrol)

पेट्रोल को बनाने की कई विधियाँ हैं, जो निम्न हैं–

1. **फिशर-ट्राप्श्च प्रक्रिया (Fisher-Tropsch Process)**– इस प्रक्रिया में जल गैस को गर्म कोल के ऊपर भाप प्रवाहित करके उत्पन्न किया जाता है, पुनः इसे हाइड्रोजन की अधिकता में 473-523 K ताप तथा 1-10 bar दाब पर Co तथा Ni की उपस्थिति में गर्म किया जाता है। इस प्रकार हाइड्रोकार्बनों के मिश्रण का प्रभाजी आसवन किया जाता है।

तालिका 1: पेट्रोलियम के प्रभाज

क्र.सं.	प्रभाज	संघटन	क्वथन परिसर	उपयोग
1.	गैसीय हाइड्रोकार्बन	$C_1–C_4$	303 तक	द्रवीकरण के पश्चात् ईंधन की तरह
2.	क्रूड नेप्था	$C_5–C_{10}$	303–423	कार्बन ब्लैक
	(*i*) पेट्रोलियम ईथर	$C_5–C_7$	303–363	वार्निश तथा रबर उद्योग में विलायक के रूप में, dry cleaning में।
	(*ii*) पेट्रोल अथवा गैसोलीन	$C_7–C_9$	363–393	मोटर ईंधन के रूप में, dry cleaning
	(*iii*) बेंजीन	$C_9–C_{10}$	393–423	dry cleaning
3.	केरोसीन तेल	$C_{10}–C_{13}$	423–513	स्टोव ईंधन, तेल, गैस के निर्माण में, illuminant
4.	ईंधन तेल			
	(*i*) गैस तेल	$C_{13}–C_{18}$	513–623	डीजल, इन्जन में ईंधन के रूप में
	(*ii*) डीजल तेल			ट्रैक्टर
	(*iii*) Furnance तेल			गैसोलीन
5.	लुब्रीकेन्ट तेल	$C_{15}–C_{18}$	543 के ऊपर	पेंट तेल, ट्रान्सफार्मर तेल, लुब्रीकेशन, sizing paper
	(*i*) मेडीसिनल तेल			
	(*ii*) मोटर तेल			
	(*iii*) ग्रीस			
6.	पैराफिन मोम	$C_{18}–C_{30}$	673 के ऊपर	Ointment,
	(*i*) पेट्रोलियम जेली			मोमबत्ती, पैराफिन मोम,
	(*ii*) पेट्रोलियम मोम			माचिस, पेंट, वाटरप्रूफिंग, ठोस ईंधन, सुरक्षा पेंट
7.	भारी ईंधन तेल तथा बिटूमेन (bitumen)	C_{30} के ऊपर है	अवशेष बनाता	पेंट, सड़क बनाने में

2. बर्गियस प्रक्रिया (Bergius Process)– इस विधि में चूरा किए हुए कोल का पेस्ट, भारी तेल के साथ बना लेते हैं। फिर इस पेस्ट को H_2 gas की उपस्थिति में 773-873 K ताप तथा 200-250 bar दाब पर तथा आयरन ऑक्साइड उत्प्रेरक की उपस्थिति में गर्म करते हैं। प्राप्त उत्पाद का प्रभाजी आसवन करते हैं। यह विधि मुख्यतः उन देशों में प्रयोग की जाती है जो कोयला में तो धनी हैं, परन्तु तेल में नहीं।

अपस्फोटन (Knocking)

एक आन्तरिक दहन इंजन में उत्पन्न होने वाली तेज ध्वनि को अपस्फोटन (Knocking) कहते हैं। इस अभिक्रिया में बहुत अधिक ऊष्मा अवशोषित होती है। अपस्फोटन की क्षमता निम्न क्रम में घटती है–

सरल शृंखला एल्केन (Normal Chain Alkanes) > शाखित शृंखला एल्केन (Branched Chain Alkane) > एल्कीन (Alkene) > साइक्लो एल्केन (Cyclo Alkane) > एरोमेटिक हाइड्रोकार्बन (Aromatic Hydrocarbon).

अपस्फोटन को पेट्रोलियम में अपस्फोटनरोधी (Antiknock) यौगिक मिलाकर कम किया जा सकता है, जैसे– $(C_2H_5)_4Pb$ टेट्राएथिल लेड जो कि एक free radical C_2H_5 का स्रोत है। यह सरल शृंखला एल्केन को शाखित शृंखला एल्केन (branched chain) में परिवर्तित कर देता है।

लेड के जहरीले तथा अन्य पर्यावरण सम्बन्धी समस्याओं के कारण टेट्रा एथिल लेड का प्रयोग प्रतिबन्धित कर दिया गया है। पेट्रोलियम की क्वालिटी को बढ़ाने के लिए अन्य विधियों जैसे– एरोमेटीकरण (Aromatisation) तथा समावयवीकरण (Isomerisation) का प्रयोग किया जाता है तथा आइसो (Iso) यौगिकों को जोड़ना भी लाभदायक सिद्ध हुआ है।

पेट्रोल की क्वालिटी (Quality of Petrol)

आक्टेन संख्या (Octane Number)– आक्टेन संख्या वह पैमाना है, जो किसी आन्तरिक दहन इंजन में उपस्थित ईंधन की अपस्फोटन क्षमता का मापन करता है। दो शुद्ध हाइड्रोकार्बन हेप्टेन तथा आइसोएक्टेन सबसे अधिक मान्यता प्राप्त हैं।

"आक्टेन संख्या किसी आइसोआक्टेन तथा हेप्टेन के मिश्रण में उपस्थित आइसो आक्टेन का प्रतिशत बताता है।"

सभी ईंधनों की उत्तमता को उसकी आक्टेन संख्या से मापा जाता है, जो 0 से 10 तक होती है। किसी ईंधन की आक्टेन संख्या जितनी अधिक होगी वह उतना अच्छा ईंधन होगा। जैसे– गैसोलीन की आक्टेन संख्या 80 है, जबकि हवाई जहाज में उपयोग आने वाले ईंधन की क्षमता 100 या उससे अधिक होती है। आजकल हाइड्रोकार्बन 2, 2, 3-ट्राइमेथिल पेन्टेन $CH_3 - C(CH_3)_2 - CH(CH_3) - CH_2 - CH_3$ ट्रिप्टेन की आक्टेन संख्या 125 मापी गयी है। किसी ईंधन में अधिक असंतृप्त हाइड्रोकार्बनों तथा साइक्लोहेक्सेन की उपस्थिति उसकी आक्टेन संख्या को बढ़ाती है, जबकि शृंखला (Chain) की लम्बाई बढ़ने पर आक्टेन संख्या

घटती है, जैसे– CH_4 मेथेन की आक्टेन संख्या 122 है जबकि इथेन का 101 व प्रोपेन की 96 व ब्यूटेन की 89 है।

सीटेन संख्या (Cetane Number)– किसी डीजल की उत्तमता सीटेन संख्या पर निर्भर करती है। हेक्साडेकेन $C_{16}H_{34}$ को सीटेन भी कहते हैं। यह शीघ्र जलता है तथा इसकी cetane संख्या 100 होती है, जबकि 1-मेथिल नेप्थलीन जो धीरे-धीरे जलता है, की Cetane संख्या 0 होती है।

सीटेन संख्या सीटेन तथा 1-मेथिल हेप्टेन के मिश्रण में सीटेन की प्रतिशतता (आयतन अनुसार) को कहते हैं।

पेट्रोकेमिकल तथा उनके उपयोग (Petrochemicals and their Uses)

कई कार्बनिक रसायन जो पेट्रोलियम स्रोतों से निकाले जाते हैं, "पेट्रोकेमिकल" कहलाते हैं। पेट्रोलियम कई महत्त्वपूर्ण कार्बनिक यौगिकों का स्रोत है।

जैसे– मिथेन से मिथेनाल, फार्मल्डिहाइड, फार्मिक एसिड इत्यादि मिलते हैं।

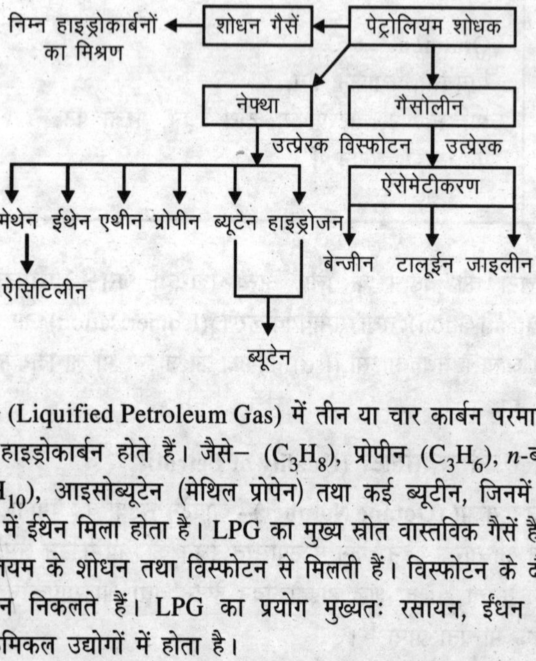

LPG (Liquified Petroleum Gas) में तीन या चार कार्बन परमाणुओं वाले हाइड्रोकार्बन होते हैं। जैसे– (C_3H_8), प्रोपीन (C_3H_6), *n*-ब्यूटेन (C_4H_{10}), आइसोब्यूटेन (मेथिल प्रोपेन) तथा कई ब्यूटीन, जिनमें कुछ मात्रा में ईथेन मिला होता है। LPG का मुख्य स्रोत वास्तविक गैसें हैं, जो पेट्रोलियम के शोधन तथा विस्फोटन से मिलती हैं। विस्फोटन के दौरान एल्कीन निकलते हैं। LPG का प्रयोग मुख्यतः रसायन, ईंधन तथा पेट्रोकेमिकल उद्योगों में होता है।

CNG (Compressed Natural Gas) वास्तविक गैस का संघनन करके बनाई जाती है। आजकल ज्यादातर वाहनों में CNG का प्रयोग किया जा रहा है। वास्तविक गैस की आक्टेन संख्या 130 है।

सीटेन संख्या (Cetane number)– डीजल ईंधन की श्रेष्ठता सीटेन संख्या के पदों में व्यक्त की जाती है। *n*-हैक्साडीकेन (*n*-$C_{16}H_{34}$) जिसको सीटेन (cetane) भी कहते हैं, को स्वेच्छापूर्वक (arbitrarily) सीटेन संख्या 100 दी गई है, जबकि α-मेथिलनेफ्थेलीन को सीटेन संख्या शून्य दी गई है। किसी ईंधन की सीटेन संख्या को निम्नवत् परिभाषित किया जाता है, "सीटेन तथा α-मेथिलनेफ्थेलीन के उस मिश्रण में, जिसकी ज्वलन श्रेष्ठता (ignition quality) वैसी ही होती है जैसी कि परीक्षण में उपयुक्त ईंधन की, सीटेन की प्रतिशतता को उस ईंधन की सीटेन संख्या कहते हैं"।

$CH_3-(CH_2)_{14}-CH_3$
n-हैक्साडीकेन (सीटेन)
(सीटेन संख्या = 100)

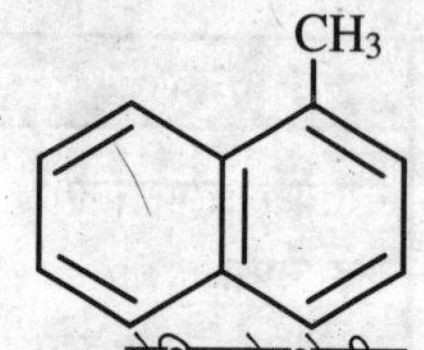
α–मेथिलनेफ्थेलीन
(सीटेन संख्या शून्य)

इस प्रकार एक डीजल तेल जिसकी सीटेन संख्या 75 है वैसे ही ज्वलन गुण प्रदर्शित करेगा जैसा कि 75% *n*-हैक्साडीकेन तथा 25% α-मेथिलनेफ्थेलीन का मिश्रण प्रदर्शित करता है।

भंजन (Cracking)– यह वह प्रक्रम है जिसके द्वारा पेट्रोलियम से प्राप्त उच्च क्वथनांक के, कम वाष्पशील हाइड्रोकार्बनों को उच्च ताप पर गर्म करके विभिन्न प्रकार के वाष्पशील, निम्न हाइड्रोकार्बनों में परिवर्तित किया जाता है। इस प्रक्रम में C–C तथा C–H बंध टूटते हैं जिसके परिणामस्वरूप निम्न हाइड्रोकार्बन प्राप्त होते हैं। उदाहरणार्थ,

$$C_8H_{18} \rightarrow C_4H_{10} + C_4H_8$$
$$C_8H_{18} \rightarrow C_6H_{14} + C_2H_4$$
$$C_8H_{18} \rightarrow C_4H_{10} + CH_4 + CH_4 + C$$
$$C_8H_{18} \rightarrow C_8H_{16} + H_2$$

भंजन के प्रक्रम को सम्पन्न कराने के लिये प्रयुक्त विभिन्न विधियाँ निम्नवत् है–

(*i*) **वाष्प प्रावस्था भंजन (Vapour phase cracking)–**इस प्रक्रम द्वारा भंजन 600°C तथा 3 से 4 वायुमण्डल दाब पर कराया जाता है। इस विधि का उपयोग हल्के तेलों, जैसे मिट्टी का तेल, गैसोलीन या गैस तेलों के भंजन के लिये किया जाता है। भारी तेलों का भंजन इस विधि द्वारा नहीं किया जा सकता है, क्योंकि ताप तथा दाब की प्रयुक्त दशाओं में भारी तेलों का पूर्णतया वाष्पीकरण नहीं होता है।

(*ii*) **द्रव प्रावस्था भंजन (Liquid phase cracking)–** भंजन की यह विधि पेट्रोलियम के उच्च क्वथनांक के अंशों जैसे ईंधन तेल या स्नेहक तेलों (lubricating oils) के भंजन के लिए उचित है।

द्रव अवस्था में ये हाइड्रोकार्बन 7-8 वायुमण्डल दाब पर 475-530°C पर गर्म किये जाते हैं। इन तेलों का आयतनानुसार 60-65% तक गैसोलीन में परिवर्तित हो जाता है। इस प्रकार प्राप्त गैसोलीन की ऑक्टेन संख्या 65 से 70 तक होती है।

(*iii*) **उत्प्रेरक भंजन (Catalytic cracking)–** यह विधि विशेष रूप से पेट्रोलियम के उच्च क्वथनांक के अंशों से अधिक उत्तम ईंधन उत्पन्न करने के लिए प्रयोग की जाती है। इस प्रक्रम में हाइड्रोकार्बन का भंजन कम ताप पर उत्प्रेरक की उपस्थिति में किया जाता है। हाऊड्री प्रक्रम (Houdry process) में प्रयुक्त उत्प्रेरक, सिलिका (4 भाग), ऐल्यूमिना (1 भाग) तथा मैंगनीज डाइऑक्साइड (1%) का मिश्रण होता है।

(*iv*) **भाप भंजन (Steam cracking)–** पेट्रोलियम के उच्च क्वथनांक के अंश को भाप के साथ मिलाकर 700°-900°C पर थोड़े समय के लिए गर्म करके तुरन्त ठंडा कर दिया जाता है। इस प्रक्रम का

उपयोग ऐथिलीन, प्रोमिलीन, ब्यूटाडाईन, आइसोप्रीन, आदि हाइड्रोकार्बनों के उत्पादन के लिए किया जाता है।

(*v*) **हाइड्रो भंजन (Hydro cracking)–** यह भंजन उच्च दाब पर हाइड्रोजन की उपस्थिति में काफी कम ताप जैसे 250°-500°C पर सम्पन्न कराया जाता है। इस विधि का उपयोग भी निम्न हाइड्रोकार्बनों के उत्पादन में किया जाता है।

पैट्रो रसायन (Petrochemicals)– वे कार्बनिक यौगिक जो कि प्रत्यक्ष (directly) अथवा अप्रत्यक्ष (indirectly) रूप से प्राकृतिक गैस अथवा पेट्रोलियम से प्राप्त होते हैं, पेट्रोरसायन कहलाते हैं।

पेट्रोरसायनों का अधिकांश उपयोग वायुयान के ईंधन, प्लास्टिक (पॉलीथीन, PVC, आदि), संश्लेषित रेशों (नाइलॉन, टैरीलीन, डैक्रॉन, आदि), संश्लेषित रबर, कीटनाशी, सफाईकारक (detergents), रंजक, सुगन्धित पदार्थों, विस्फोटकों, औषधियों, आदि के उत्पादन में किया जाता है।

प्रत्यक्ष पेट्रोरसायन	अप्रत्यक्ष पेट्रोरसायन
मेथेन	$CH_3Cl, CH_2Cl_2, CHCl_3,$ $CH_3OH, HCHO, H-COOH$
ऐथेन	$C_2H_5Cl, C_2H_5OH, CH_3COOH$
ऐथिलीन	C_2H_5Cl, C_2H_5OH, ग्लाइकॉल, $CH_2=CH-Cl, CH=CH-CH$ $=CH_2$, आदि।
प्रोपेन	$CH_3NO_2, C_2H_5NO_2,$ $CH_3-CH_2-CH_2-NO_2$, आदि।
प्रोपिलीन	$CH_2=CH-CH_2OH$ (ऐलिल ऐल्कोहॉल) $CH_2=CH-CH=CH_2$, आदि।
ब्यूटिलीन	$CH_3-CH_2-CH_2-CH_2-OH,$ $CH_2=CH-CH=CH_2$ आदि।

वस्तुनिष्ठ प्रश्न

1. संश्लेषित पेट्रोल के उत्पादन की बर्गिअस (Bergius) विधि में होता है–
(*a*) वनस्पति तेलों का हाइड्रोजनीकरण
(*b*) कोयले का हाइड्रोजनीकरण
(*c*) ऐल्केनों विहाइड्रोजीनीकरण (dehydrogenation)
(*d*) ऐरोमेटिक हाइड्रोकार्बनों का विहाइड्रोजनीकरण

2. फिशर-ट्रॉप्स प्रक्रम निम्न के उत्पादन के लिए प्रयुक्त किया जाता है–
(*a*) संश्लेषित पेट्रोल (*b*) बेन्जीन
(*c*) ऐथेनॉल (*d*) ऐथेनोइक अम्ल

3. फिशर-ट्रॉप्स प्रक्रम में संश्लेषित पैट्रोल के उत्पादन के लिए प्रयुक्त कच्चा माल (raw material) है–
(*a*) जल गैस (water gas)
(*b*) जल गैस + हाइड्रोजन का आधिक्य
(*c*) प्रोड्यूसर गैस
(*d*) कोल गैस

4. आइसोऑक्टेन को पेट्रोल में मिलाया जाता है–
(*a*) अकार्बनिक द्रव्य को अवक्षेपित करने के लिए
(*b*) पैट्रोल के क्वथनांक में वृद्धि के लिए
(*c*) पैट्रोल को जमने (freezing) से रोकने के लिए
(*d*) अपस्फोट रोधी (antiknocking agent) के रूप में

5. जब कच्चे पेट्रोलियम को आसुत किया जाता है तो एकत्रित भिन्नांशों का क्रम है–
(*a*) मिट्टी का तेल, नैफ्था, डीजल तेल
(*b*) डीजल तेल, मिट्टी का तेल, नैफ्था
(*c*) नैफ्था, मिट्टी का तेल, डीजल तेल
(*d*) नैफ्था, डीजल तेल, मिट्टी का तेल

6. कच्चे तेल (crude oil) के परिष्करण में बढ़ते हुए ताप के साथ पदार्थों के प्रगटन (appearance) का क्रम है–
(*a*) मिट्टी का तेल, गैसोलीन तथा डीजल
(*b*) डीजल, गैसोलीन, मिट्टी का तेल
(*c*) गैसोलीन, डीजल, मिट्टी का तेल
(*d*) गैसोलीन, मिट्टी का तेल, डीजल

7. पेट्रोरसायन का उपयोग निम्न के निर्माण में किया जा सकता है–
(*a*) संश्लेषित रेशे (*b*) कीटनाशी
(*c*) प्लास्टिक (*d*) उपरोक्त सभी

8. पेट्रोरसायन प्राप्त किये जाते हैं–
(*a*) कोल तार से (*b*) पेट्रोलियम उत्पाद से
(*c*) कोयले से (*d*) उपरोक्त सभी से

9. पेट्रोलियम ईथर एक उपयोगी विलायक है, यह है–
(*a*) R – O –R' सूत्र का एक यौगिक
(*b*) C_5 से C_7 तक के वाष्पशील द्रव हाइड्रोकार्बनों का मिश्रण
(*c*) पेट्रोलियम तथा डाइविनाइल ईथर का एक मिश्रण
(*d*) उपरोक्त सभी

10. उच्च ऑक्टेन गैसोलीन में निम्नलिखित पदार्थ उच्च अनुपात में उपस्थित होते हैं–
(*a*) शाखायुक्त ऐल्केन (*b*) साइक्लोऐल्केन
(*c*) ऐरीन (Arenes) (*d*) सीधी शृंखला के ऐल्केन

11. कुल विश्व उत्पाद (total world production) का 85% गैसोलीन निम्नवत् प्राप्त की जाती है–
(*a*) भाप भंजन (steam cracking)
(*b*) उत्प्रेरकीय भंजन (catalytic cracking)
(*c*) उष्मीय भंजन (thermal cracking)
(*d*) हाइड्रो भंजन (hydro cracking)

12. डीजल ईंधन का सीटेन मान निम्नलिखित को मिलाने से बढ़ जाता है–
(*a*) निओहैक्सेन (*b*) *n*-हैक्साडीकेन
(*c*) *n*-पेन्टाडीकेन (*d*) α-मेथिलनैफ्थेलीन

13. पेट्रोलियम में मुख्यतः होते है–
(*a*) ऐरोमेटिक हाइड्रोकार्बन
(*b*) ऐलिफैटिक हाइड्रोकार्बन
(*c*) साइक्लोऐल्केन तथा ऐरोमेटिक हाइड्रोकार्बन
(*d*) अकार्बनिक यौगिक

14. गैसोलीन है एक मिश्रण–
(*a*) $C_6 - C_{11}$ ऐल्केनों का (*b*) $C_3 - C_5$ ऐल्केनों का
(*c*) $C_7 - C_9$ ऐल्केनों का (*d*) $C_{15} - C_{20}$ ऐल्केनों का

15. जब पेट्रोलियम को आसुत किया जाता है तो वाष्पों का प्रथम समूह धनी (rich) होगा–
(*a*) पेट्रोलियम ईंथर में
(*b*) स्नेहक तेल (lubricating oil) में
(*c*) डीजल तेल में
(*d*) कैरोलीन तेल में

16. पेट्रोलियम हाइड्रोकार्बनों का मिश्रण होता है जिनमें उपस्थित होते हैं–
(*a*) $C_5 - C_{40}$ कार्बन परमाणु
(*b*) $C_1 - C_{40}$ कार्बन परमाणु
(*c*) $C_{20} - C_{40}$ कार्बन परमाणु
(*d*) $C_{15} - C_{20}$ कार्बन परमाणु

17. मोटर गाड़ियों में प्रयुक्त होने वाला पेट्रोल है एक मिश्रण–
(*a*) ऐल्कोहॉलों का
(*b*) ऐल्कोहॉलों तथा हाइड्रोकार्बनों का
(*c*) ऐल्केनों का
(*d*) हाइड्रोकार्बनों का

18. LPG का पूर्ण रूप है–
(*a*) निम्न दाब मापी (low pressure gauge)
(*b*) निम्न दाब गैस (low pressure gas)
(*c*) द्रव पेट्रोलियम गैस (liquified petroleum gas)
(*d*) उपरोक्त में से कोई नहीं

19. निम्न में से कौन-सा अवयव नैफ्था में उपस्थित नहीं होता है–
(*a*) पेट्रोलियम ईथर (*b*) लिग्रोइन
(*c*) गैसोलीन (*d*) गैस ऑयल

20. इंजन में अपस्फोट ध्वनि (कड़कड़ाहट की आवाज, knocking sound) उत्पन्न होती है जब ईंधन–
(*a*) तेजी से जलता है
(*b*) धीरे-धीरे जलता है
(*c*) तेल में जल होता है
(*d*) स्नेहक तेल के साथ मिश्रित होता है

21. किसी गाड़ी के निकास सिलिन्डर (exhaust cylinder) में निक्षेपित (deposited) लैड को हटाने के लिये सीसायुक्त पेट्रोल (leaded petrol) में निम्न में से कौन-सा यौगिक मिलाया जाता है–
(*a*) ऐथिल ब्रोमाइड (*b*) ऐथिलीन ब्रोमाइड
(*c*) ऐथिलिडीन ब्रोमाइड (*d*) ऐसीटिलीन टेट्राब्रोमाइड

22. पुनर्निर्माण (reforming) किया जाता है–
(*a*) सीधी श्रृंखला ऐल्केन बनाने के लिए
(*b*) ऐरोमेटिक हाइड्रोकार्बन को बनाने के लिए
(*c*) ऑक्टेन संख्या में वृद्धि करने के लिए
(*d*) (*b*) तथा (*c*) दोनों

23. डीजल की श्रेष्ठता निम्न के द्वारा व्यक्त की जाती है–
(*a*) स्वर्णांक (Gold number)
(*b*) परिवहन अंक (Transport number)
(*c*) ऑक्टेन संख्या
(*d*) सीटेन संख्या

24. सीटेन का IUPAC नाम है–
(*a*) आइसोऑक्टेन (*b*) *n*-हेप्टाडीकेन
(*c*) *n*-हैक्साडीकेन (*d*) *n*-डोडीकेन

25. किसी ईंधन मिश्रण में आइसोऑक्टेन तथा *n*-हेप्टेन की आयतनानुसार प्रतिशतता, जो कि समान दशाओं में उतना ही अपस्फोट उत्पन्न करती है जितना कि परीक्षण में प्रयुक्त ईंधन, कहलाती है–
(*a*) ऑक्टेन संख्या
(*b*) सीटेन संख्या
(*c*) भंजन
(*d*) उत्प्रेरकीय पुनर्निर्माण (catalytic reforming)

उत्तरमाला

1	2	3	4	5	6	7	8	9	10
(*b*)	(*a*)	(*b*)	(*d*)	(*c*)	(*d*)	(*d*)	(*b*)	(*b*)	(*a*)
11	**12**	**13**	**14**	**15**	**16**	**17**	**18**	**19**	**20**
(*b*)	(*b*)	(*b*)	(*a*)	(*a*)	(*b*)	(*c*)	(*c*)	(*d*)	(*a*)
21	**22**	**23**	**24**	**25**					
(*b*)	(*d*)	(*d*)	(*c*)	(*a*)					

वनस्पति विज्ञान

अध्याय 1

कोशिका तथा कोशिकांग (Cell and its Organelles)

कोशिका (Cell)

- कोशिकीय जीवधारी (1) स्वतंत्र अस्तित्व यापन व (2) जीवन के सभी आवश्यक कार्य करने में सक्षम होते हैं।
- कोशिका के बिना किसी का भी स्वतंत्र जीव का अस्तित्व नहीं हो सकता। जीव के लिए कोशिका ही मूलभूत रूप से संरचनात्मक व क्रियात्मक इकाई होती है।
- पहली बार कोशिका को एन्टोवॉन ल्युवेनहॉक ने देखा व इसका वर्णन किया तथा राबर्ट ब्राउन ने बाद में केंद्रक की खोज की।

कोशिका का सिद्धान्त (Cell Theory)

जर्मनी के वनस्पति वैज्ञानिक मैल्थीयस श्लाइडेन ने 1838 में बहुत सारे पौधों के अध्ययन के फलस्वरूप पाया कि ये पौधे विभिन्न प्रकार की कोशिकाओं से मिलकर बने होते हैं, जो पौधों में ऊतकों का निर्माण करते हैं। 1839 में एक ब्रिटिश प्राणि वैज्ञानिक थियोडोर श्वान ने विभिन्न जंतु कोशिकाओं के अध्ययन के बाद पाया कि कोशिकाओं के बाहर एक पतली परत (layer) मिलती है जिसे 'जीवद्रव्य झिल्ली' कहते हैं। इस वैज्ञानिक ने पादप ऊतकों के अध्ययन के बाद पाया कि पादप कोशिकाओं में कोशिका भित्ति पायी जाती है जो इसकी विशेषता है। उपरोक्त आधार पर श्वान ने अपनी परिकल्पना प्रस्तुत करते हुए बताया कि प्राणियों और वनस्पतियों का शरीर कोशिकाओं और उनके उत्पाद से मिलकर बना है।

श्लाइडेन व श्वान ने संयुक्त रूप से कोशिका सिद्धांत का प्रतिपादन किया। यद्यपि इनका सिद्धांत यह बताने में असफल रहा कि नई कोशिकाओं का निर्माण कैसे होता है। रूडोल्फ बिर्चो ने पहली बार सन् 1885 में स्पष्ट किया कि कोशिका विभाजित होती है और नई कोशिकाओं का निर्माण पूर्व स्थित कोशिकाओं के विभाजन से होता है (ओमनिस सेलुल–इ सेलुला)। इन्होंने श्लाइडेन व श्वान की कल्पना को रूपांतरित कर नई कोशिका सिद्धांत को प्रतिपादित किया। यह कोशिका सिद्धांत निम्नवत् है:

(*i*) सभी जीव कोशिका व कोशिका उत्पाद से बने होते हैं।

(*ii*) सभी कोशिकाएं पूर्व स्थित कोशिकाओं से निर्मित होती हैं।

कोशिकांग (Cell Organelles)

जिस कोशिका में झिल्लीयुक्त केंद्रक होता है, उसे यूकैरियोट व जिसमें झिल्लीयुक्त केंद्रक नहीं पाया जाता है उसे प्रोकैरियोट कहते हैं। दोनों यूकैरियोटिक व प्रोकैरियोटिक कोशिकाओं में एक अर्द्धतरल आव्यूह मिलता है जिसे कोशिकाद्रव्य कहते हैं। दोनों पादप व जंतु कोशिकाओं में कोशिकीय क्रियाओं हेतु कोशिकाद्रव्य एक प्रमुख स्थल होता है।

यूकैरियोटिक कोशिका में केंद्रक के अतिरिक्त अन्य झिल्लीयुक्त विभिन्न संरचनाएं मिलती हैं, जो **कोशिकांग** कहलाती हैं जैसे– अंतःप्रद्रव्यी जालिका (एन्डोप्लाज्मिक रेटीकुलम), सूत्र कणिकाएं (माइटोकॉन्ड्रिया), सूक्ष्मकाय (माइक्रोबॉडी), गॉल्जीकाय, लयनकाय (लायसोसोम) व रसधानी। प्रोकैरियोटिक कोशिका में झिल्लीयुक्त कोशिकाओं का अभाव होता है।

सामान्य यूकैरियोटिक पादप कोशिका (General Eukaryotic Plant Cells)

एक सामान्य यूकैरियोटिक कोशिका में कलायुक्त कोशिकांग होते हैं। कोशिका का सबसे बाहरी आवरण कोशिका कला है जो पादप कोशिका में कोशिका भित्ति में सुरक्षित रहता है। कोशिका भित्ति सेल्यूलोस की बनी संरचना है। कोशिका कला लिपोप्रोटीन की बनी **विभेदी पारगम्य** (differentially permeable) संरचना है। यह पदार्थों के आवागमन का नियन्त्रण करती है तथा प्रत्यास्थ होती है। कोशिका कला के अन्दर जीवद्रव्य मिलते हैं। (चित्र 1)

कोशिकाद्रव्य (Cytoplasm)

इसमें सभी कोशिकांग; जैसे क्लोरोप्लास्ट, माइटोकॉन्ड्रिया, एण्डोप्लाज्मिक रेटीकुलम, गॉल्जीकाय, लाइसोसोम, राइबोसोम आदि मिलते हैं। इनके अतिरिक्त प्रोटीन, कार्बोहाइड्रेट, कार्बनिक व अकार्बनिक पदार्थ मिलते हैं। कोशिकाद्रव्य एक कोलॉइडी पदार्थ है। कोशिकाद्रव्य में विभिन्न प्रकार के उपापचयी (metabolic) पदार्थ भी मिलते हैं। इसमें **संचित पदार्थ** (reserve material) जैसे कार्बोहाइड्रेट, प्रोटीन, वसा, तेल आदि; **स्रावी पदार्थ** (secretory material); जैसे विकर (enzyme), मकरन्द, रंजक पदार्थ आदि तथा **उत्सर्जी पदार्थ** (excretory material); जैसे एल्कैलॉइड, लेटेक्स, राल, टैनिन, ग्लूकोसाइड्स, कार्बनिक अम्ल, खनिज क्रिस्टल, गोंद तथा सुगन्धित तेल आदि मिलते हैं।

केन्द्रक (Nucleus)

यह एक दोहरी कला की संरचना है जिसमें केन्द्रकद्रव्य मिलता है। इस केन्द्रकद्रव्य में **क्रोमेटिन** तथा केन्द्रिका (nucleolus) मिलते हैं। केन्द्रक कोशिका के प्रत्येक कार्य का नियन्त्रण करता है।

जन्तु कोशिका में सेन्ट्रोसोम तथा वनस्पति कोशिका में लवक मिलता है। जीव एककोशिकीय अथवा बहुकोशिकीय होते हैं। कोशिकाएँ आकार में भिन्न हो सकती हैं; जैसे– चपटी, घनाकार, बेलनाकार, डिस्काकार, छड़ाकार, कॉमाकार, सर्पिलाकार तथा नाशपाती आदि के आकार की।

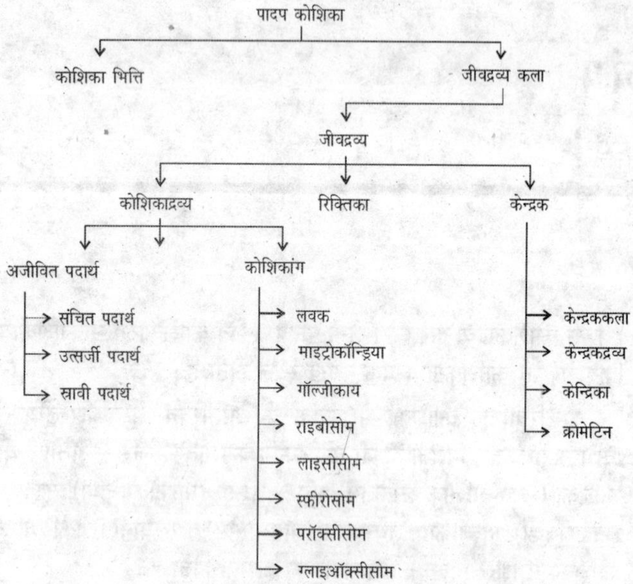

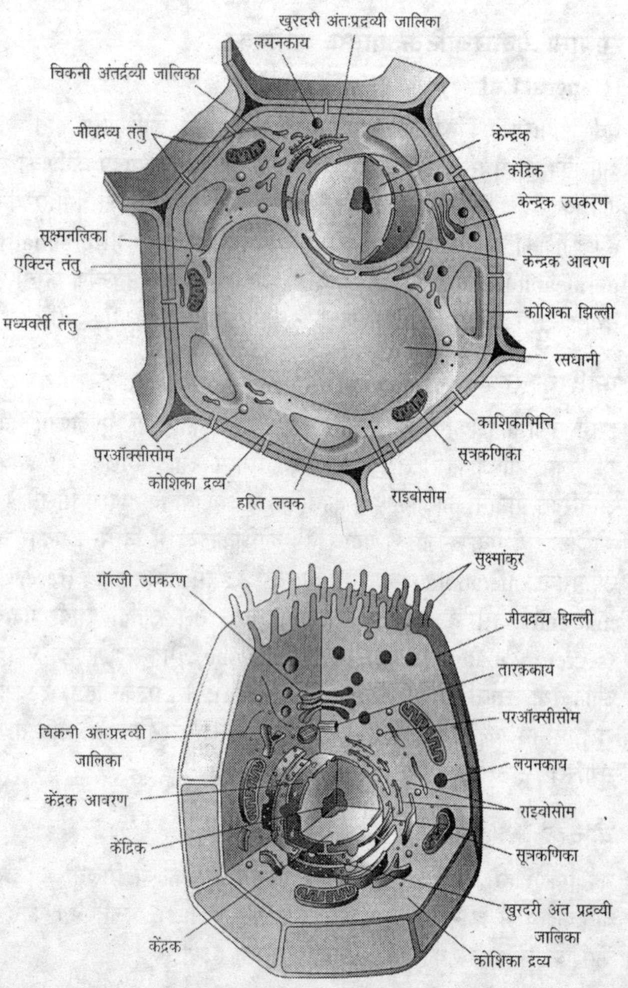

चित्र 1: *(A) पादप कोशिका (Plant cell) (B) प्राणि कोशिका (Animal cell)*

हरितलवक (Chloroplast)

हरित लवक की खोज शिम्पर ने 1864 ई. में की। इनमें पर्णहरित मिलता है। ये लवक पौधे के हरे भागों में सामान्यतः पत्तियों में (मीसोफिल, खम्भ ऊतक, क्लोरेनकाइमा) मिलते हैं। ये विभिन्न आकार के होते हैं। हरे शैवाल सामान्यतः हरित लवक के आकार से पहचाने जाते हैं। उच्च पादप में ये गोल, अण्डाकार, चपटे, दीर्घवृत्ताकार होते हैं। इनकी लम्बाई 2-5μ तथा चौड़ाई 3-4μ होती है। इनकी संख्या 28-40/ कोशिका तक हो सकती है। सामान्यतः ये केन्द्रक अथवा कोशिका भित्ति के पास पाये जाते हैं। (चित्र 2)

हरित लवक की संरचना (Structure of Chloroplast)

हरित लवक की संरचना जटिल होती है। यह दो एकक कलाओं की झिल्ली से बना होता है। दोनों कलाओं के मध्य का स्थान **पेरीप्लास्टीडियल स्थान** कहलाता है। इसके अन्दर रंगहीन मैट्रिक्स होता है। मैट्रिक्स में कलातन्त्र का बना ग्रैना होता है। यह अनेक (40-50) प्लेट समूह के समान रचनाएँ होती हैं जो पटलिकाओं से जुड़ी रहती हैं, जिसे **लैमिली** कहते हैं। ग्रैना में थाइलाकॉइड एक–दूसरे के ऊपर स्थित होती है। दो ग्रैना को जोड़ने वाली पटलिका को स्ट्रोमा लैमिली अथवा फ्रेट चैनल कहते हैं। थाइलाकॉइड की प्रत्येक कला पर पर्णहरित के अणु पाए जाते हैं। प्रत्येक सतह दानेदार होती है। इन दानों को **क्वान्टासोम** कहते हैं। प्रत्येक क्वान्टासोम लगभग 230 पर्णहरित अणुओं का बना होता है।

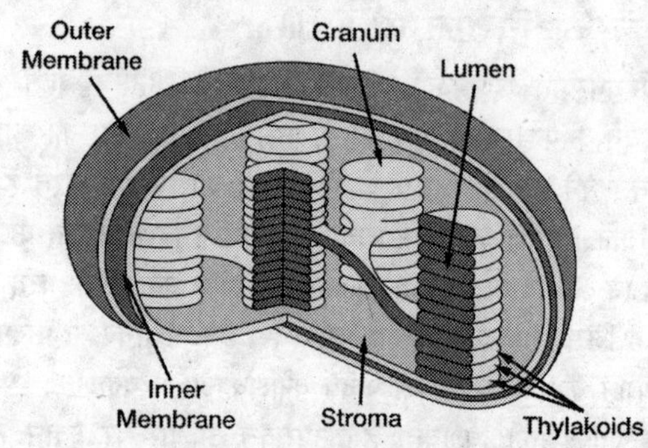

चित्र 2: *क्लोरोप्लास्ट की संरचना*

रासायनिक संघटन (Chemical Composition)

प्रत्येक क्लोरोप्लास्ट में 40-50% प्रोटीन, 23-25% फॉस्फोलिपिड; 3-10% पर्णहरिम, 5% आर. एन. ए. , 0.02-01% डी. एन. ए., 1-2% केरोटीन, विभिन्न एन्जाइम, विटामिन्स E, K., धातु; जैसे Mg, Fe, Cu, Mn, Zn आदि पाये जाते हैं।

कार्य (Functions)

हरितलवक का मुख्य कार्य प्रकाश–संश्लेषण है। ग्रैना में प्रकाश संश्लेषण की प्रकाशीय क्रिया तथा स्ट्रोमा में अप्रकाशीय क्रिया होती है। प्रकाशीय क्रिया में जल के अपघटन से ऊर्जा निकलती है तथा अप्रकाशीय अभिक्रिया में कार्बन डाईआक्साइड का स्वांगीकरण होता है। भोजन बनाने का दायित्व होने के कारण इसे कोशिका का **रसोई घर** कहते हैं।

माइटोकॉन्ड्रिया (Mitochondria)

कालीकार ने सर्वप्रथम प्रथम माइटोकॉन्ड्रिया को देखा। 1894 में आल्टमैन ने इसे वायोब्लास्ट कहा। 1897 में बेण्डा ने इन्हें प्रथम बार माइटोकॉन्ड्रिया कहा। (चित्र 3)

यह शलाका, गोल अथवा कणिकारूपी संरचना है। एक चयापचयी कोशिका में इनकी संख्या असंख्य होती है। इनकी लम्बाई 40μ तक तथा व्यास 3-5μ होता है।

संरचना (Structure)

यह दोहरी परत वाली संरचना है। बाह्य परत चिकनी तथा अन्दर की परत में अँगुलियों के समान अन्तर्वलन मिलते हैं जिन्हें क्रिस्टी कहते हैं। दोनों परतों के मध्य के स्थान को पेरीमाइटोकॉन्ड्रियल स्थान कहते हैं। अन्दर की कला में माइटोकॉन्ड्रिया के बाहर की ओर बाह्य कोष्ठक तथा अन्दर की ओर अन्तःकोष्ठक होता है। अन्तःकोष्ठक में मैट्रिक्स होता है। पेरीमाइटोकॉन्ड्रियल स्थान में तरल पदार्थ होता है जिनमें बहुत से एन्जाइम पाये जाते हैं। क्रिस्टी की सतह पर छोटे–छोटे कण मिलते हैं, जिन्हें F_1 **पार्टिकल** अथवा **ऑक्सीसोम** कहते हैं। ये ऑक्सीसोम ऑक्सीकरणीय फॉस्फेटीकरण (श्वसन) की क्रिया में ATP निर्माण में भाग लेते हैं। माइटोकॉन्ड्रिया के अन्दर की परत में क्रिस्टी के अन्दर की ओर श्वसन की इलेक्ट्रॉन अभिगमन शृंखला मिलती है। इसके मैट्रिक्स में DNA, राइबोसोम, जल, लवण, क्रेब्स चक्र सम्बन्धी एन्जाइम आदि मिलते हैं।

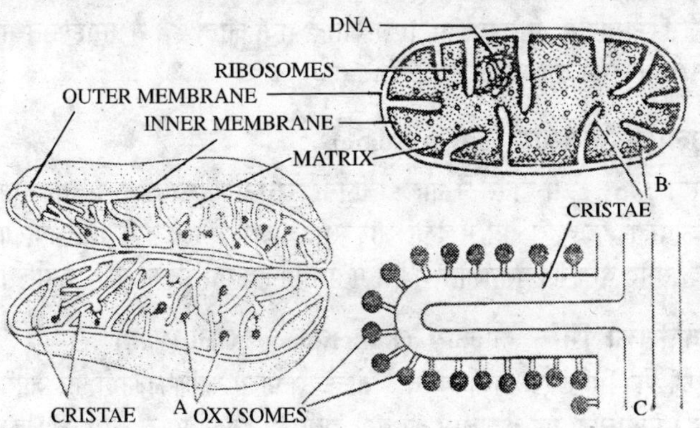

चित्र 3: *माइटोकॉन्ड्रिया की इलेक्ट्रॉन सूक्ष्मदर्शीय संरचना–A तथा B अर्द्धांशों में आन्तरिक संरचना तथा C एक क्रिस्टी की अति सूक्ष्म संरचना।*

रासायनिक संघटन (Chemical Composition)

इनमें 65-70% प्रोटीन, 25% लिपिड, डी एन ए, आर एन ए आदि मिलते हैं। अन्दर की कला में श्वसन तन्त्र शृंखला सम्बन्धी सभी साइटोक्रोम; जैसे Cyt b, c, a, a_3, क्वीनोन, NAD, FAD, FMN आदि पाये जाते हैं।

कार्य (Functions)

माइटोकॉन्ड्रिया में क्रेब्स चक्र श्वसन शृंखला का इलेक्ट्रॉन अभिगमन तन्त्र आदि मिलता है। इससे ऊर्जा ATP के रूप में मुक्त होती है। ऊर्जा उत्पादन क्षमता के कारण इसे कोशिका का ऊर्जा गृह भी कहते हैं। माइटोकॉन्ड्रिया का डी.एन.ए. आवश्यकतानुसार अपने लिए एन्जाइम बना सकता है।

गॉल्जीकाय (Golgi body)

गॉल्जीकाय की खोज **केमीलो गॉल्जी** ने 1898 ई. में तन्त्रिका कोशिकाओं में की। पौधों में इसकी विस्तृत संरचना के कारण इन्हें **डिक्टियोसोम** कहते हैं। ये प्रोकेरियोटिक कोशिकाओं में नहीं मिलते हैं। इन्हें लिपोकॉन्ड्रिया भी कहा जाता है। ये स्रावी कोशिकाओं में अधिक संख्या में पायी जाती है। (चित्र 4)

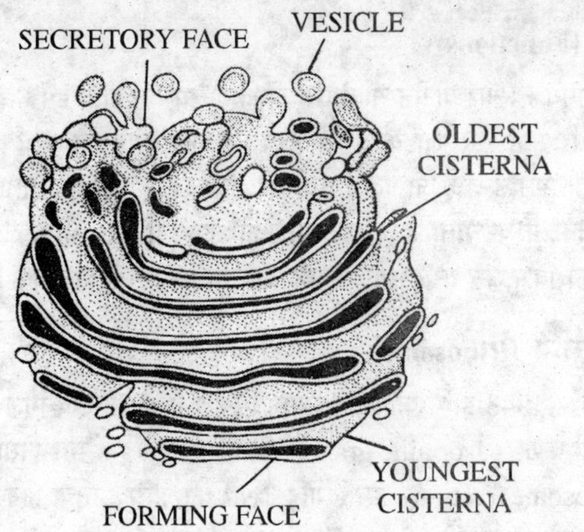

चित्र 4: *गॉल्जीकाय की त्रिविम (Three dimensional) संरचना*

रासायनिक संघटन (Chemical Composition)

इसमें लिपोप्रोटीन, लेसीथीन, केरोटीन, सिफेलिन, आर.एन.ए. एन्जाइम तथा विटामिन E आदि मुख्य रूप से पाया जाता है।

कार्य (Functions)

गॉल्जीकाय का प्रमुख कार्य स्रावण है। पादप कोशिकाओं में विभाजन के समय पुटिकाओं से कोशिका पट्ट बनता है, जिसे फ्रेग्मोसोम कहते हैं। पादप कोशिकाओं में कोशिका–भित्ति बनाने में सहायता करते हैं। अन्तराकला स्थान में विकर; जैसे जाइमोजन, का निर्माण होता है। हारमोन जैसे थाइरॉक्सिन का स्रावण करते हैं। शुक्रजनन के समय शुक्र के अग्रपिण्डक (acrosome) का निर्माण करते हैं।

अंत:प्रद्रव्यी जालिका (Endoplasmic Reticulum)

सर्वप्रथम पोर्टर आदि ने 1945 ई. में झिल्ली की बनी इस असंख्य नलियों के जाल की खोज की। (चित्र 5)

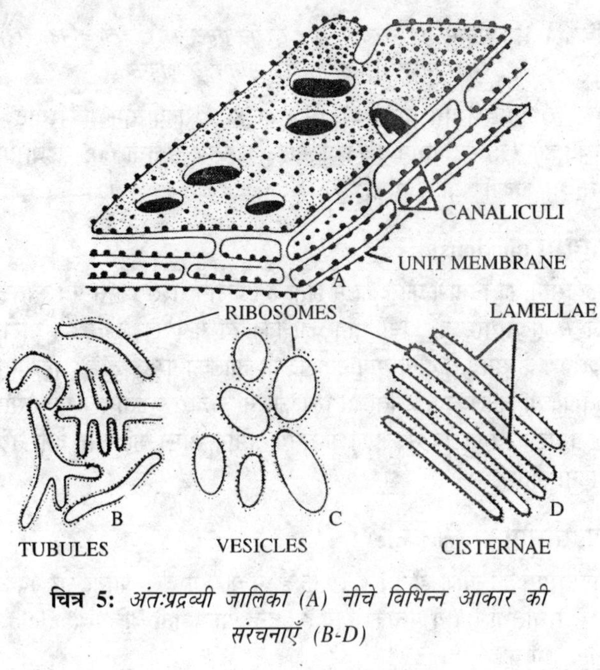

चित्र 5: *अंत:प्रद्रव्यी जालिका (A) नीचे विभिन्न आकार की संरचनाएँ (B-D)*

कार्य (Functions)

कणिकामय ER पर प्रोटीन संश्लेषण की क्रिया सम्पन्न होती है। सारकोप्लाज्म अथवा चिकना ER ग्लाइकोजन संश्लेषण तथा संचयन का कार्य करता है। यह अभिगमन तन्त्र है जो पदार्थ तथा संदेश केन्द्रक से कोशिका तथा कोशिका से केन्द्रक में पहुँचाता है। यह कोशिका को निश्चित आकार देता है। कोशिका विभाजन के समय केन्द्रक आवरण निर्माण में सहायक होता है।

राइबोसोम (Ribosome)

क्लाउड ने 1943 ई. में कोशिका समांग मिश्रण के पेरासेन्ट्रीफ्यूगेशन से कुछ क्षाररागी कण (basophilic granules) प्राप्त किए। इन्हें **माइक्रोसोम प्रभाज** (microsome fraction) नाम दिया। RNA की अधिक मात्रा होने के कारण इन्हें राइबोसोम कहते हैं। इनका व्यास लगभग 23 nm होता है। बहुत–से राइबोसोम जुड़कर **पोलीसोम** बनाते हैं। इनकी खोज सर्वप्रथम **वासर** व उनके साथियों ने की। उन्होंने कहा कि पोलीसोम प्रोटीन संश्लेषण में बनते हैं तथा राइबोसोम इसमें m-RNA की सहायता से जुड़े रहते हैं। (चित्र 6)

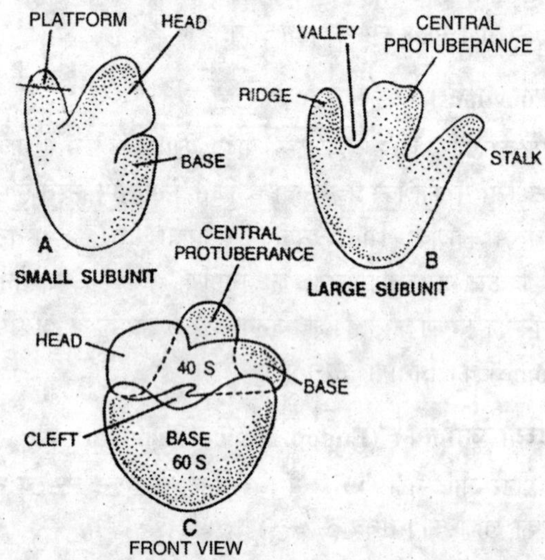

चित्र 6: *राइबोसोम की संरचना: (A) छोटी यूनिट, (B) बड़ी यूनिट, (C) राइबोसोम की यूनिट का सामने से जुड़ना।*

70S राइबोसोम प्रोकैरियोट में तथा 80S राइबोसोम यूकैरियोट में मिलते हैं। 77S राइबोसोम कवक के माइटोकॉन्ड्रिया में तथा 60S राइबोसोम जन्तु माइटोकॉन्ड्रिया में मिलते हैं।

कार्य (Functions)

राइबोसोम का निर्माण केन्द्रिका में होता है। प्रोटीन संश्लेषण से पूर्व स्वतन्त्र रूप से राइबोसोम के दोनों भाग कोशिकाद्रव्य में बिखरे होते हैं। प्रोटीन संश्लेषण के समय ये दोनों भाग अंतःप्रद्रव्यी जालिका पर जुड़ते हैं। बड़ा भाग अंतःप्रद्रव्यी जालिका की सतह से रिबोफोरिन के द्वारा जुड़ता है। राइबोसोम का प्रमुख कार्य प्रोटीन संश्लेषण के समय अमीनो अम्ल को स्थान देना तथा जोड़ना होता है।

लाइसोसोम (Lysosome)

लाइसोसोम की खोज **डी डुवे** ने 1955 ई. में की। ये जल अपघटनीय विकर से भरी थैलियाँ हैं। ये पाचक काय हैं। इन्हें **आत्मघाती थैलियाँ** (suicidal bags) भी कहते हैं।

कार्य (Functions)

मुख्य कार्य पाचन (digestion) है। यह कोशिका में बाहर से प्रवेश करने वाले ठोस पदार्थों का पाचन करता है जिसे भक्षण अथवा फेगोसाइटोसिस कहते हैं अथवा आने वाले तरल कणों का भी पाचन करता है जिसे पाचन अथवा पिनोसाइटोसिस कहते हैं। इसके अतिरिक्त लाइसोसोम का एक मुख्य कार्य नष्टप्रायः कोशिकांगों का भक्षण भी है, जिसे **स्वनष्टीकरण** (autolysis) कहते हैं।

परऑक्सीसोम (Peroxisome)

सर्वप्रथम इसकी खोज **टालबर्ट** ने 1969 ई. में की। ये झिल्लीयुक्त सूक्ष्म थैलियाँ हैं जो प्रकाशीय श्वसन करने वाले पौधों में ज्यादातर मिलती हैं। इनकी झिल्ली में NADH, साइटोक्रोम रिडक्टेस, एन्टीमायसिन A आदि मिलता है।

स्फीरोसोम (Sphaerosome)

ये सूक्ष्म काय हैं। ये झिल्लीयुक्त थैलियाँ हैं जिनका व्यास 0.2-2μm तक होता है। इन्हें **डेनजियर्ड** ने सर्वप्रथम स्फीरोसोम कहा। इनमें एन्जाइम जैसे-फास्फेट्स, एस्टरस, प्रोटीएस आदि पाया जाता है। ये संग्रहण तथा स्थानान्तरण का कार्य करती हैं।

ग्लाइऑक्सीसोम (Glyoxysome)

सन् 1961 ई. में बीवर्स ने गोल थैलीनुमा संरचनाओं को बीज में वसा तथा कार्बोहाइड्रेट बहुल क्षेत्र में देखा और **ग्लाइऑक्सीसोम** नाम दिया। अंकुरण के समय वसा को घुलनशील शर्करा में परिवर्तन करना इनका मुख्य कार्य है।

कोशिका भित्ति के कार्य (Functions of Cell Wall)

कोशिका भित्ति एक निर्जीव परत है जो केवल पादप कोशिकाओं में पाई जाती है। सामान्यतः यह सेल्यूलोस की बनी होती है। इसका प्रमुख कार्य कोशिका को दृढ़ता प्रदान करना है। पौधों में कंकाल तन्त्र के अभाव में भित्ति दृढ़ता प्रदान करती है। यह सजीव कोशिका के अवयवों से निर्मित होती है। कोशिका की सुरक्षा तथा जल का अवशोषण भी करती है। यह कोशिका को आकार प्रदान करती है। कोशिका भित्ति में सेल्यूलोस के अतिरिक्त अन्य प्रकार के पदार्थ; जैसे **लिग्निन, क्यूटिन, सुबेरिन** आदि के स्थूलन पाये जाते हैं, जिनके कारण कोशिका दृढ़ होती है। जाइलम की वाहिका तथा वाहिनिकाओं में लिग्निन जमा होने से भित्ति कठोर हो जाती है। ये स्थूलन जाइलम में विभिन्न प्रकार के होते हैं; जैसे–**छल्लेदार** (annular), **सर्पिल** (spiral), **सीढ़ीनुमा** (scalariform), **जालिकावत्** (reticulate), **गर्तमय** (pitted) आदि।

राइबोसोम के कार्य (Functions of Ribosome)

राइबोसोम प्रोटीन संश्लेषण की क्रिया में प्रमुख रूप से भाग लेते हैं। **अनुवादन** (translation) की अवस्था में mRNA द्वारा प्राप्त संदेश को प्रोटीन में बदलने का कार्य राइबोसोम में सम्पन्न होता है।

जीवद्रव्य: एक जटिल संरचना

हक्सले ने जीवद्रव्य को **जीवन का भौतिक आधार** कहा। जीवद्रव्य को **डुजारडिन** ने **सारकोडे** (Sarcode) नाम दिया, परन्तु **पुरकिंजे** ने इसे प्रोटोप्लाज्म (protoplasm) कहा। पादप कोशिका में 1864 ई. में वान मॉल ने सर्वप्रथम इसे देखा। **मैक्स शुल्ज** के जीवद्रव्य सिद्धान्त 1861 ई. के अनुसार समस्त

जीवधारियों का शरीर जीवद्रव्य से निर्मित इकाइयों का समूह है। यह जटिल संगठन का पदार्थ है जो जीवित अवस्था में विश्लेषित नहीं किया जा सकता है।

जीवद्रव्य के भौतिक लक्षण

जीवद्रव्य के भौतिक लक्षण निम्नलिखित हैं-

(1) यह रंगहीन, चिकना, लसलसा तरल पदार्थ है।

(2) यह अर्द्धपारदर्शी (translucent) है।

(3) यह कणिकामय, लचीला, श्लेष्मी, जेलीनुमा होता है।

(4) उत्तेजनशीलता के प्रति अनुक्रिया इसका अभिलक्षणीय लक्षण है।

(5) इसमें अनेक प्रकार के तरल बूँद के रूप में तैरते रहते हैं जिससे यह फेनयुक्त दिखाई देता है।

(6) यह प्रत्यास्थ होता है।

(7) यह एक कलिलीय विलयन (colloidal solution) है तथा इसमें कणों की **ब्राउनियन गति** (Brownian movement) के कारण **टिण्डल परिघटना** (Tyndal phenomenon) का प्रदर्शन होता है।

(8) जीवद्रव्य में विभिन्न गतियाँ पायी जाती हैं; जैसे जीवद्रव्य भ्रमण (cyclosis), घूर्णन (rotation), परिसंचरण (circulation), पक्ष्माभिकीय गति (ciliary movement), तथा अमीबीय गति (amoeboid movement) आदि।

(9) जीवद्रव्य अपनी भौतिक प्रकृति को **जेल** (gel) तथा **सॉल** (sol) में बदलता रहता है।

(10) जीवद्रव्य में **स्कन्दन** (coagulation) का गुण होता है। यह कार्य ताप के परिवर्तन, विद्युत प्रवाह, pH परिवर्तन आदि के कारण हो सकता है।

(11) यह दो कलाओं, **सतत कला** (continuous phase) तथ **परिक्षेपण माध्यम** (dispersion medium) का बना होता है।

जीवद्रव्य का रासायनिक संघटन तथा गुण

जीवद्रव्य का रासायनिक संघटन तथा गुण निम्नानुसार हैः

(1) जीवित अवस्था में जीवद्रव्य का रासायनिक विश्लेषण नहीं किया जा सकता है।

तालिकाः 2.1 जीवद्रव्य का रासायनिक संघटन

पदार्थ	मात्रा (लगभग) प्रतिशत में
जल	85-95
प्रोटीन	10-15
लिपिड	2-3
कार्बोहाइड्रेट	1
अकार्बनिक पदार्थ	1
डी. एन. ए.	0.5
आर. एन. ए.	0.7

(2) इसमें विभिन्न तत्व मिलते हैं; जैसे C, H, O, N, जिनकी मात्रा लगभग 95% तक होती है। इनके अतिरिक्त बहुत कम मात्रा में मिलने वाले अन्य तत्व हैं-P, K, S, Cl, Mg, Ca, Na, Fe आदि।

(3) जीवद्रव्य में सभी पदार्थ आणविक इकाइयों के रूप में मिलते हैं। यह एक सुव्यवस्थित, विशिष्ट संयोजन है।

(4) जीवद्रव्य में पाए जाने वाले अन्य पदार्थ हैं-वर्णक, हारमोन, विकर, लेटेक्स, वृद्धि नियामक, विटामिन, एल्कैलॉइड आदि।

वस्तुनिष्ठ प्रश्न

1. कोशिका सिद्धान्त प्रतिपादित किया था–
(*a*) डार्विन ने
(*b*) रॉबर्टकोच ने
(*c*) श्लाइडेन तथा श्वान ने
(*d*) रॉबर्ट हुक ने

2. पादप कोशिका में मध्य पटलिका (Middle Lamella) का मुख्य संगठन होता है?
(*a*) कैल्सियम (*b*) पोटैशियम
(*c*) सोडियम (*d*) मैग्नीशियम

3. एक कोशिका से दूसरी कोशिका में कोशिका द्रव्य की निरन्तरता बनी रहती है–
(*a*) कोशिका कला तन्त्र के माध्यम से
(*b*) मध्य पटलिका के माध्यम से
(*c*) प्लाज्मोडेस्मेटा के माध्यम से
(*d*) अन्तः प्रद्रव्यी जालिका के माध्यम से

4. प्लाज्मालेमा दूसरा शब्द है जो प्रयुक्त होता है–
(*a*) कोशिका कला के लिये
(*b*) सूक्ष्म तन्तुकों के लिये
(*c*) मध्य पटलिका के लिये
(*d*) कोशिका भित्ति के लिये

5. जीवद्रव्य कला की संरचना को बताने हेतु सर्वाधिक आधुनिक मॉडल कौन-सा है?
(*a*) फ्लूड मोजैक मॉडल (Fluid mosaic model)
(*b*) आणविक मॉडल
(*c*) इकाई कला मॉडल
(*d*) इनमें से कोई नहीं

6. निम्न में से कौन-सी संरचना माइटोकॉण्ड्रिया में उपस्थित होती है?
(*a*) क्वाण्टासोम (*b*) ऑक्सोसोम
(*c*) डिक्ट्रियोसोम (*d*) पॉलीसोम

7. माइटोकॉण्ड्रिया की लम्बाई होती है–
(*a*) 0.5- 2μ (*b*) 0.5 -10μ
(*c*) 50-100μ (*d*) 50-300μ

8. पादप कोशिका की कौन-सी रचना का सम्बन्ध ऑक्सी श्वसन (aerobic respiration) की ऊर्जा परिवर्तक अभिक्रियाओं से होता है?
(*a*) केन्द्रक (*b*) माइटोकॉण्ड्रिया
(*c*) राइबोसोम (*d*) हरित लवक

9. निम्नलिखित में किसको कोशिका का ऊर्जा गृह (power house) कहते हैं?
(*a*) हरित लवक (*b*) केन्द्रिका
(*c*) माइटोकॉण्ड्रिया (*d*) गॉल्जीकाय

10. वह कौन-सा कोशिकांग है जिसमें इलेक्ट्रॉन परिवहन तन्त्र पाया जाता है?
(*a*) केन्द्रिका (*b*) माइटोकॉण्ड्रिया
(*c*) केन्द्रक (*d*) सेण्ट्रिओल

11. माइटोकॉण्ड्रिया अनुपस्थित होते हैं–
(*a*) हरे शैवालों में (*b*) नीले हरे शैवालों में
(*c*) लाल शैवालों में (*d*) स्तनियों के लाल रुधिराणुओं में

12. यदि एक पर्णऊतक के घटकों को ध्यानपूर्वक भिन्नित (Fractionation) किया जाये तो कौन-सा खण्ड जीवित कहलायेगा?
(*a*) अन्तःप्रद्रव्यी जालिका (*b*) राइबोसोम
(*c*) कोशिकाभित्ति (*d*) माइटोकॉण्ड्रिया

13. जलीय अपघटनकारी एन्जाइम्स (Hydrolases) युक्त कोशिकांगक कहलाते हैं?
(*a*) राइबोसोम्स (*b*) मीसोसोम्स
(*c*) माइक्रोसोम्स (*d*) लाइसोसोम्स

14. लाइसोसोम्स प्रायः मिलते हैं–
(*a*) पादप कोशिकाओं में
(*b*) प्राणि कोशिकाओं में
(*c*) पादप तथा प्राणि दोनों की कोशिकाओं में
(*d*) जीवाणु कोशिकाओं में

15. गाल्जीकाय सर्वाधिक होते हैं–
(*a*) कैलिप्ट्रोजन में (*b*) मूल गोप में
(*c*) मूल शीर्ष में (*d*) इनमें से नहीं

16. प्रोटीन संश्लेषण का केन्द्र होता है–
(*a*) राइबोसोम्स (*b*) माइटोकॉण्ड्रिया
(*c*) केन्द्रक (*d*) डी.एन.ए.

17. गॉल्जीकाय में निम्न में से कौन-सी रचना क्रियात्मक इकाई होती है?
(*a*) क्रिस्टी (*b*) सिस्टर्नी
(*c*) थायलैकोइड (*d*) आर्कोप्लाज्म

18. निम्न में से एक अकेली कला वाली रचना होती है?
(*a*) माइटोकॉण्ड्रिया (*b*) हरितलवक
(*c*) लाइसोसोम (*d*) केन्द्रक

19. अधिक राइबोसोम्स पाये जाते हैं–
(*a*) लिग्नीभूत कोशिकाओं में
(*b*) मृत कोशिकाओं में
(*c*) विभाज्योतिकी कोशिकाओं में
(*d*) मृदूतकीय कोशिकाओं में

20. प्लाज्मा झिल्ली की आधारीय इकाई होती है–
(*a*) प्रोटीन तथा फॉस्फोलिपिड
(*b*) प्रोटीन तथा कार्बोहाइड्रेट
(*c*) प्रोटीन तथा सेल्यूलोज
(*d*) सेल्यूलोज तथा कार्बोहाइड्रेट

21. जो जीवद्रव्यी तन्तु समीपवर्ती संलग्न कोशिकाओं के बीच में सम्पर्क बनाते हैं, होते हैं–
(*a*) एक्टोडर्मेटा (*b*) प्लाज्मालेमा
(*c*) प्लाज्मोडेस्मेटा (*d*) तर्कु तन्तु

22. माइटोकॉण्ड्रिया का भीतरी वलन होता है–
(*a*) मैट्रिक्स (*b*) माइक्रोसोम
(*c*) क्रिस्टी (*d*) ऑक्सीसोम

23. प्लाज्मा झिल्ली का Fluid mosaic model प्रस्तुत किया था–
(*a*) नगेली तथा क्रेमर ने
(*b*) गॉर्टर तथा ग्रेण्डलन ने
(*c*) श्लाइडेन तथा श्वान ने
(*d*) सिंगर तथा निकोल्सन ने

24. कोशिका भित्ति होती है?
(*a*) पारगम्य (*b*) अर्द्धपारगम्य
(*c*) चयनात्मक पारगम्य (*d*) अपारगम्य

25. राइबोसोम्स में पूर्णरूप से बहुधा होते हैं?
(*a*) प्रोटीन एवं आर.एन.ए.
(*b*) आर.एन.ए. तथा डी.एन.ए.
(*c*) प्रोटीन तथा आर.एन.ए.
(*d*) प्रोटीन, आर.एन.ए. तथा अमीनो अम्ल

26. राइबोसोम्स केन्द्र होते हैं?
(*a*) प्रोटीन संश्लेषण के लिये
(*b*) वसा संश्लेषण के लिये
(*c*) श्वसन के लिये
(*d*) प्रकाश संश्लेषण के लिये

27. 70 S राइबोसोम टूटता है?
(*a*) 40S तथा 30S में (*b*) 50S तथा 30S में
(*c*) 45S तथा 25S में (*d*) 50S तथा 20S में

28. एक सुकेन्द्रकीय कोशिका में अपरिपक्व राइबोसोमल उपइकाइयों के निर्माण का केन्द्र होता है?
(*a*) कोशिका द्रव्य (Cytoplasm)
(*b*) केन्द्रक (Nucleus)
(*c*) केन्द्रिका (Nucleolus)
(*d*) केन्द्रीय रन्ध्र कम्प्लेक्स

29. माइटोकॉण्ड्रिया की अंतःकला के वलन कहलाते हैं?
(*a*) क्रिस्टी (Cristate)
(*b*) ग्रैना (grana)
(*c*) कैल्शियम ऑक्जेलेट क्रिस्टल
(*d*) थैलियाँ (Sacs)

30. लवकों के राइबोसोम्स के विषय में अवसादन गुणांक (*Sedimentation coefficient*) होता है?
(*a*) 10S (*b*) 50S
(*c*) 70S (*d*) 80S

31. राइबोसोम्स अंतःप्रद्रव्यी जालिका से लगे रहते हैं?
(*a*) हाइड्रोफोबिक अंतःप्रक्रिया द्वारा
(*b*) राइबोफोरिन्स द्वारा
(*c*) r-RNA द्वारा
(*d*) t-RNA द्वारा

32. जीवद्रव्य शब्द को सर्वप्रथम बताया?
(*a*) रॉबर्ट हुक ने (*b*) रॉबर्ट ब्राउन
(*c*) डुजार्डिन ने (*d*) पुरकिंजे ने

33. परिपक्व पादप कोशिकाओं में अधिकांश जल मुख्य रूप से पाया जाता है?
(*a*) केन्द्रिका में (*b*) रिक्तिकाओं में
(*c*) कोशिका भित्तियों में (*d*) कोशिका द्रव्य में

34. चुकन्दर (Beet root) की जड़ का रंग नष्ट नहीं होता है। ऐसा इसलिये होता है कि
(*a*) जीवद्रव्य कला पारगम्य होती है
(*b*) जीवद्रव्य कला अपारगम्य होती है
(*c*) जीवद्रव्य कला तथा कोशिका भित्ति अपारगम्य है
(*d*) जीवद्रव्य कला तथा कोशिका भित्ति दोनों ही पारगम्य होती हैं

35. एक कोशिका में माइटोकॉण्ड्रिया की संख्या होती है–
(*a*) 10 (*b*) 100
(*c*) 1,000 (*d*) अनिश्चित

36. निम्नलिखित में से कौन-सा प्रेक्षण (Observation) इस बात का समर्थन करता है कि माइटोकॉण्ड्रिया में सघन सहयोजन में समूहित इलेक्टॉन परिवहन तन्त्र के एन्जाइम पाये जाते हैं?
(*a*) ए. टी. पी. को उपयोगित करने में सक्षम एक संकुचनशील प्रोटीन माइटोकॉण्ड्रिया से प्राप्त हुई है।
(*b*) माइटोकॉण्ड्रिया में अत्यधिक वलित (Folded) अन्तः भित्ति होती है।
(*c*) माइटोकॉण्ड्रिया की टूट-फूट (Disruption) से कला से खण्ड़ बनते हैं जो ए. टी. पी. को संश्लेषित करने में समर्थ होते हैं।
(*d*) प्राणि भ्रूणों में माइटोकॉण्डिया की प्रवृत्ति (Tendency) कोशिकाओं में सान्द्रण की होती है जो गमनक रचनाएँ (Locomotory structure) बन जाती है।

37. कला में अंतर्निहित प्रोटीन्स सरलापूर्वक हटायी जा सकती है क्योंकि?
(*a*) इनमें लिपिड्स के साथ दुर्बल हाइड्रोफोबिक बौण्ड् होते हैं
(*b*) इनमें लिपिड्स के साथ दुर्बल हाइड्रोफिलिक बन्ध होते हैं
(*c*) ये दोनों होते हैं
(*d*) इनमें से कोई नहीं

38. निम्नलिखित में से कौन-सी संरचना पादप तथा जन्तु दोनों कोशिकाओं में समान कार्य करती है?
(*a*) हरितलवक
(*b*) सेण्ट्रोसोम
(*c*) कोशिका कला
(*d*) कोशिका भित्ति

39. वह पदार्थ जो पादप कोशिकाओं के कोशिका द्रव्य का लगभग 80% भाग बनाता है?
(*a*) खनिज (*b*) जल
(*c*) प्रोटीन (*d*) वसा

40. मध्य पटलिका में अधिकता में मिलने वाला रासायनिक पदार्थ होता है?
(*a*) पेक्टिन (*b*) क्यूटिन
(*c*) सुबेरिन (*d*) लिग्निन

उत्तरमाला

1	2	3	4	5	6	7	8	9	10
(*c*)	(*a*)	(*c*)	(*a*)	(*a*)	(*b*)	(*b*)	(*b*)	(*c*)	(*b*)
11	**12**	**13**	**14**	**15**	**16**	**17**	**18**	**19**	**20**
(*b*)	(*d*)	(*d*)	(*b*)	(*c*)	(*a*)	(*b*)	(*c*)	(*c*)	(*a*)
21	**22**	**23**	**24**	**25**	**26**	**27**	**28**	**29**	**30**
(*c*)	(*c*)	(*d*)	(*a*)	(*c*)	(*a*)	(*b*)	(*c*)	(*a*)	(*c*)
31	**32**	**33**	**34**	**35**	**36**	**37**	**38**	**39**	**40**
(*b*)	(*d*)	(*b*)	(*b*)	(*d*)	(*c*)	(*d*)	(*c*)	(*b*)	(*a*)

अध्याय **2**

केन्द्रक, गुणसूत्र तथा न्यूक्लिक अम्ल (Nucleus, Chromosome and Nucleic Acids)

केन्द्रक (Nucleus)

- केन्द्रक कोशिका का सबसे बड़ा, तथा महत्त्वपूर्ण कोशिकांग है।
- इसकी खोज सर्वप्रथम **रॉबर्ट ब्राउन** ने 1831 ई. में की।
- यह एक सघन, गोल अथवा अण्डाकार संरचना है। एक कोशिका में इनकी संख्या सामान्यतः (एक केन्द्रकीय uninuclei) होती है। कभी-कभी इनकी संख्या दो (द्विकेन्द्रकी-binucleate) अथवा बहुत (बहुकेन्द्रकी- multinucleate) होती है। पादप कोशिका के परिपक्वन के साथ-साथ रिक्तिका के केन्द्र में स्थित होने से यह **कोशिकादृति** में एक ओर आ जाता है।

संरचना (Structure)

केन्द्रक के चारों ओर दोहरी **केन्द्रक कला** (nuclear memebrane) मिलती है। उक्त कला एकक कला (unit membrane) के समान ही लिपोप्रोटीन की बनी होती है। दोनों कलाओं के मध्य **परिकेन्द्रीय स्थान** (perinuclear space) मिलता है। (चित्र 1)

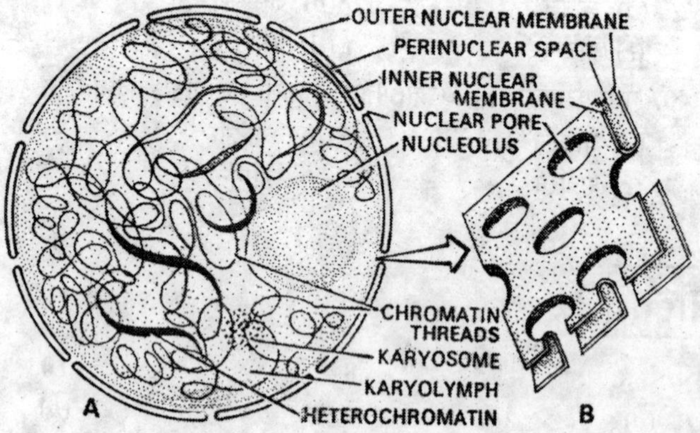

चित्र 1: *केन्द्रक की संरचना (A) तथा केन्द्रक कला (B)*

केन्द्रक कला के बीच-बीच में छिद्र होते हैं जिसे केन्द्रकीय छिद्र (nuclear pore) कहते हैं। केन्द्रकीय छिद्र का व्यास लगभग 400Å होता है। ये केन्द्रक के अन्दर तथा कोशिकाद्रव्य में सम्बन्ध बनाये रखते हैं। केन्द्रक कला का सम्बन्ध सीधे छिद्रों द्वारा अन्तःप्रद्रव्यी जालिका से होता है। बाहरी केन्द्रक कला पर राइबोसोम भी चिपके रहते हैं। केन्द्रक कला के अन्दर प्रोटीनयुक्त सघन तरल होता है, जिसे केन्द्रक द्रव्य (nucleoplasm) कहते हैं। केन्द्रक द्रव्य में प्रोटीन तथा फॉस्फोरस की मात्रा अधिक होती है। इसमें न्यूक्लिओप्रोटीन (nucleoprotein) मिलते हैं। केन्द्रक द्रव्य में **केन्द्रिका** (nucleolus) तथा **क्रोमेटिन** (chromatin) सूत्र मिलते हैं।

केन्द्रिका में r-RNA का संश्लेषण होता है जो राइबोसोम के लिए आवश्यक है। केन्द्रिका कोशिका विभाजन के समय लुप्त हो जाती हैं।

क्रोमेटिन सूत्र (Chromatin Threads)

क्रोमेटिन सूत्र अवस्था में जाल के रूप में रहते हैं। इसका कुछ भाग अभिरंजन में गहरा रंग लेता है जिसे **हेटेरोक्रोमेटिन** कहते हैं तथा जो भाग हल्का रंग लेता है उसे **यूक्रोमेटिन** (euchromatin) कहते हैं। ये संघनित होकर गुणसूत्र बनाते हैं।

केन्द्रक के कार्य (Functions of Nucleus)

1. सम्पूर्ण कोशिका की संरचना, संगठन व कार्यों का नियन्त्रण करना।
2. DNA पर उपस्थित संदेश m-RNA के रूप में कोशिका द्रव्य में जाकर प्रोटीन के रूप में अनुवादित होते हैं।
3. प्रोटीन से विभिन्न एन्जाइम बनते हैं जो कि विभिन्न उपापचयी क्रियाओं का नियन्त्रण करते हैं।
4. कोशिका विभाजन का उत्तरदायित्व केन्द्रक पर होता है।
5. अनुवांशिक पदार्थ DNA केन्द्रक में पाया जाता है। संतति में लक्षण इसी के द्वारा जाते हैं।
6. नई संतति में जीन ही लक्षणों को पहुँचाते हैं तथा संगठित स्वरूप प्रदान करते हैं।

गुणसूत्र (Chromosome)

गुणसूत्र क्रोमेटिन की बनी सूत्राकार संरचना है। यह केन्द्रकद्रव्य में पाए जाते हैं। किसी भी जाति विशेष के लिए गुणसूत्रों की संख्या निश्चित होती है। कोशिका में इनकी खोज **स्ट्रासबर्गर** ने 1875 ई. में की। ये क्षारीय रंजकों से रंगी जाती हैं। **सटन** तथा **बोवरी** के अनुसार गुणसूत्र आनुवंशिक लक्षणों को एक पीढ़ी से दूसरी पीढ़ी में पहुँचाते हैं।

गुणसूत्र छड़ के आकार की धागेनुमा पतली तथा कुण्डलित संरचना है। इसकी लम्बाई $0.1\mu - 30\mu$ तथा व्यास 0.2μ से 2μ तक होती है। मक्का में गुणसूत्र की लम्बाई 12μ तक होती है। **गुणसूत्र बिन्दु** (centromere) की ऐनाफेस में स्थिति के अनुसार गुणसूत्र I, J, L तथा V आकार का होता है। (चित्र 2)

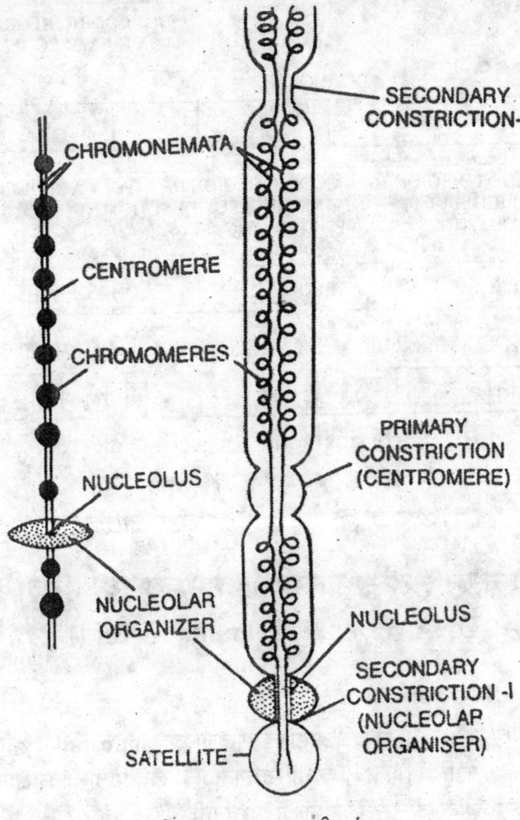

चित्र 2: *गुणसूत्र की संरचना*

(*a*) **क्रोमोनिमेटाः** यह दो समान लक्षणों वाली धागेनुमा संरचना है। प्रत्येक को अर्द्धगुणसूत्र (क्रोमेटिड) कहते हैं। कभी-कभी एक गुणसूत्र में 16-32 तक क्रोमोनिमेटा पाये जाते हैं जो संघनित होकर क्रोमेटिड कहलाते हैं। क्रोमोनीमा कुण्डलित होते हैं। ये कुण्डली पेरानीमिक अथवा प्लेक्टोनीमिक प्रकार की हो सकती हैं।

(*b*) **मैट्रिक्सः** क्रोमोनिमेटा मैट्रिक्स में पाये जाते हैं। सूक्ष्मदर्शी से देखने पर मैट्रिक्स नहीं दिखाई देता है।

(*c*) **गुणसूत्र बिन्दुः** यह बहुत ही महत्त्वपूर्ण भाग है। इससे तर्कु बनते हैं। यह गुणसूत्र को निश्चित आकार प्रदान करता है। इसे गुणसूत्र का **प्राथमिक संकीर्णन** भी कहते हैं। गुणसूत्र पर गुणसूत्र बिन्दु अथवा सेन्ट्रोमियर अनुपस्थित होने पर गुणसूत्र **एसेन्ट्रिक,** दो होने पर **डाइसेन्ट्रिक** अथवा बहुत से होने पर **पॉलीसेन्ट्रिक** कहलाता है। गुणसूत्र के मध्य में सेन्ट्रोमियर होने पर गुणसूत्र **मेटासेन्ट्रिक** (V आकार), के मध्य से एक ओर होने पर **एक्रोसेन्ट्रिक** (J तथा L आकार) तथा एक सिरे पर होने से गुणसूत्र **टीलोसेन्ट्रिक** (I आकार) कहलाता है।

(*d*) **क्रोमोमियर (जीन्स)ः** गुणसूत्र पर उभरे हुए मोतीनुमा स्थान क्रोमोमियर (जीन) कहलाते हैं। **जोहनसन** ने 1909 ई. में सर्वप्रथम **जीन** शब्द का प्रयोग किया। जीन वंशागति की प्रथम इकाई है जो जैविक लक्षण निर्धारित करती है।

(*e*) **द्वितीयक संकीर्णनः** कोशिका के कुल गुणसूत्रों में केवल एक जोड़ा गुणसूत्र पर द्वितीयक संकीर्णन मिलता है। इसे केन्द्रिक संघटक भी कहा जाता है।

(*f*) **सेटेलाइटः** द्वितीयक संकीर्णन से आगे का गुणसूत्र का छोटा भाग सेटेलाइट कहलाता है। जिसे SAT गुणसूत्र भी कहते हैं।

गुणसूत्र की रासायनिक संरचना
(Chemical Structure of Chromosome)

गुणसूत्र न्यूक्लिओप्रोटीन के बने होते हैं। गुणसूत्र का वह भाग जो निष्क्रिय होता है तथा गहरा रंग लेता है हेटेरोक्रोमेटिन कहलाता है तथा वह भाग जो अभिरंजन से हल्का रँगता है तथा क्रियाशील होता है एवं विभाजन में भाग लेता है, **यूक्रोमेटिन** कहलाता है। गुणसूत्र में मिलने वाले प्रोटीन निम्नलिखित हैं–

(*i*) **हिस्टोन प्रोटीन**–लगभग 11%
(*ii*) **सरल प्रोटीन**–लगभग 14%
(*iii*) **अम्लीय प्रोटीन**–लगभग 65%
(*iv*) **न्यूक्लियक प्रोटीन**–DNA 10% तथा RNA 2.3%

गुणसूत्र के कार्य (Functions of Chromosome)

गुणसूत्र में उपस्थित जीन्स DNA के बने होते हैं। आनुवंशिक पदार्थ को एक पीढ़ी से दूसरी पीढ़ी में पहुंचाने का प्रमुख कार्य डी.एन.ए का है। ये वंशागति का भौतिक आधार हैं।

रिबोन्यूक्लिक अम्ल (Ribonucleic Acid)

आर.एन.ए. राइबोस शर्करा, नाइट्रोजन क्षारक तथा फॉस्फेट के अणुओं से बनी न्यूक्लिओटाइड की सरल शृंखला है। रिबोन्यूक्लिक अम्ल पॉलीन्यूक्लिओटाइड क्रम है। प्रत्येक राइबोस शर्करा एक पेन्टोस शर्करा है। इसमें चार प्रकार के नाइट्रोजनी क्षारकः यूरेसिल व साइटोसीन (पिरिमिडीन) तथा एडीनीन तथा ग्वानीन (प्यूरीन) मिलते हैं।

नाइट्रोजनी क्षारक + राइबोस शर्करा = न्यूक्लिओसाइड

न्यूक्लिओसाइड + फॉस्फेट अणु = न्यूक्लिओटाइड

आर. एन. ए. अणु का निर्माण डी. एन. ए. अणु से **अनुलेखन** (transcription) द्वारा होता है। डी. एन. ए. में थायमीन पिरिमिडीन मिलता है परन्तु आर. एन. ए. में थायमीन की जगह पर यूरेसिल पाया जाता है। सामान्यतः यह आनुवंशिक नहीं होता है। परन्तु कुछ वाइरस में RNA आनुवंशिक होता है; जैसे TMV वाइरस में। आर. एन. ए. का मुख्य कार्य DNA पर उपस्थित संदेश का **अनुवादन** (translation) करना है। RNA तीन प्रकार के होते हैं– r-RNA, t-RNA तथा m-RNA।

1. राइबोसोमल आर.एन.ए. (r RNA)

राइबोसोमल आर. एन. ए. राइबोसोम में पाये जाते हैं। इसकी खोज **टीसियर्स** तथा **वाटसन** ने 1958 ई. में की। इसमें क्षारक का अनुपात A : U तथा G : C हो, ऐसा आवश्यक नहीं है। r-RNA केन्द्रीय संघटक में उपस्थित जीन के द्वारा निर्मित होकर केन्द्रिका में पूर्ण होता है। राइबोसोम के दोनों भाग में RNA अलग-अलग भार का होता है। उदाहरण 30S भाग में 16S r-RNA(5,60,000 डाल्टन) तथा 50S भाग में 23S r-RNA (1.1×10^6 डाल्टन) होता है। r-RNA का आकार हेयरपिन (चिमटी) के आकार का होता है (चित्र 3)।

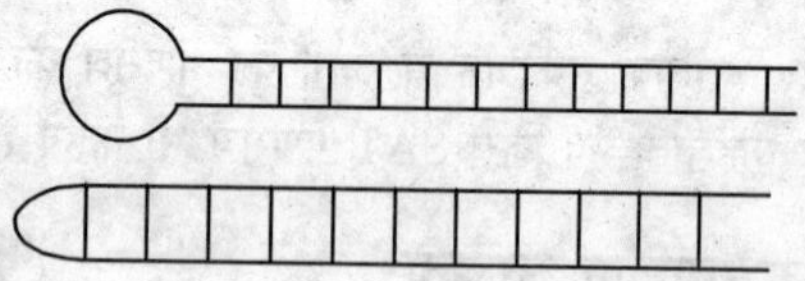

चित्र 3: *आर.एन.ए. का हेयरपिन (चिमटी) मॉडल*

2. ट्रान्सफर आर.एन.ए. (*t*-RNA)

यह कोशिकाद्रव्य में पाये जाते हैं। इनकी संरचना **क्लोवर की पत्ती** (clover leaf) के समान होती है। इसके दो छोर, तीन लूप तथा एक लम्प होता है। इसकी एक भुजा (C3') को ग्राही भुजा कहते हैं। इसका अन्त C-C-A क्रम में होता है। इससे अमीनो अम्ल जुड़ता है। तीन लूप TΨC लूप, एन्टीकोडोन लूप तथा DHU लूप होते हैं। TΨC लूप तथा एन्टीकोडोन लूप के मध्य एक लम्प मिलता है। *t*-RNA की त्रिविम रचना 'L' आकार की है। इसमें A, U, C, G के अतिरिक्त इनोसीन, स्यूडोयूरीडीन आदि क्षारक भी मिलते हैं। इसका मुख्य कार्य *m*-RNA के कूट को पहचानकर उसके अनुरूप अमीनो अम्ल को राइबोसोम पर लाकर छोड़ना है। *t*-RNA अमीनो अम्ल विशिष्ट होते हैं। *t*-RNA 70-75 न्यूक्लिओटाइड की शृंखला है जिसका भार 25,000 डाल्टन के बराबर (लगभग) होता है। (चित्र 4)

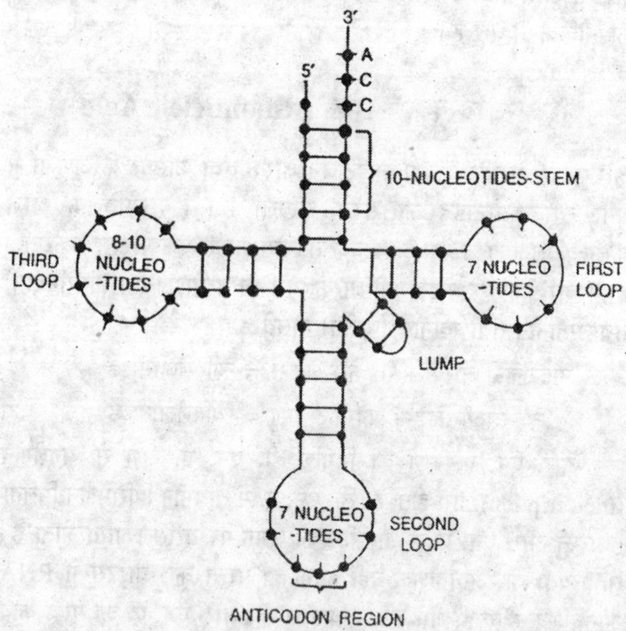

चित्र 4: *टी. आर. एन. ए. का क्लोवर लीफ (Clover leaf) मॉडल*

3. संदेशवाहक या मैसेन्जर आर.एन.ए. (*m*-RNA)

संदेशवाहक RNA (m-RNA) का संश्लेषण DNA के ऊपर होता है। इसका अणुभार तथा लम्बाई संदेश पर आधारित होती है। यह अल्पायु तथा एकरज्जुकी होता है। (चित्र 5)

इसमें A, U, G, C क्षारक मिलते हैं। सर्वप्रथम *m*-RNA के विषय में **ब्रेनर** ने बताया। **नीरेनबर्ग** व **मथाई** के अनुसार इसका अणुभार 50,000 - 2,00,000 डाल्टन तक हो सकता है। यह एक रज्जुकी है। प्रोकैरियोटिक *m*-RNA पॉलीसिस्ट्रोनिक (दो से अधिक, जीन क्षारक क्रम) तथा यूकैरियोटिक *m*-RNA मोनोसिस्ट्रोनिक (एक जीन क्षारक क्रम) होता है।

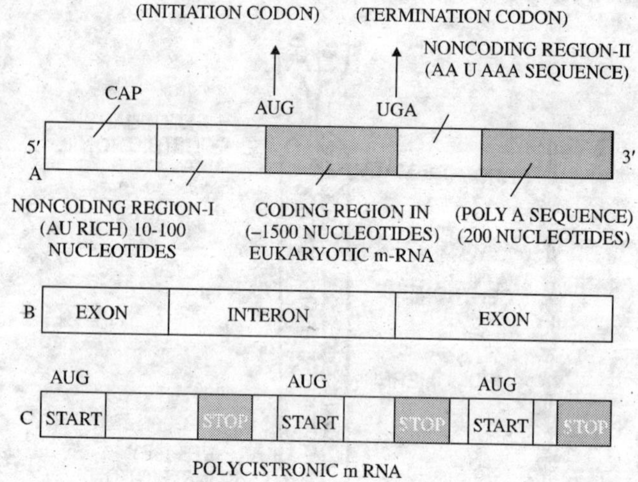

चित्र 5: *m-RNA की संरचना*

(A) मोनोसिस्ट्रोनिक, (B, C) पॉली सिस्ट्रोनिक।

डी.एन.ए. (डी-ऑक्सीराइबोन्यूक्लिक अम्ल)
(DNA = Deoxyribonucleic Acid)

संरचना (Structure)

डी. एन. ए. दो पॉली न्यूक्लिओटाइड शृंखला के antiparallel क्रम में जुड़कर एक कुण्डलित (helix) रचना से बनता है। उक्त पॉलीन्यूक्लिओटाइड शृंखला कई न्यूक्लिओटाइड के जुड़ने से बनती है। (चित्र 6)

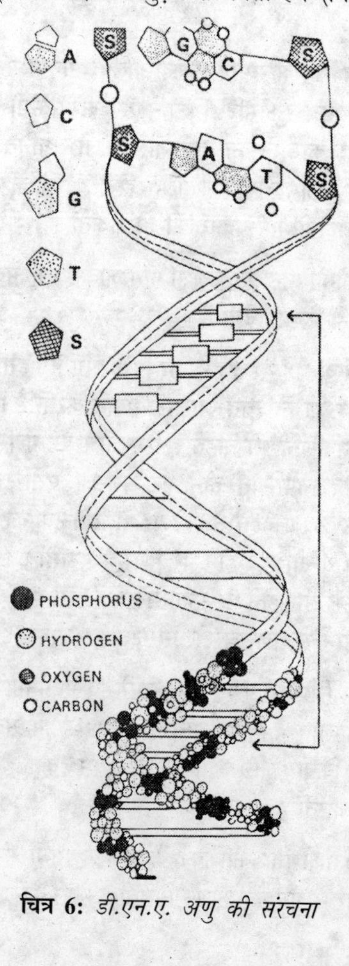

चित्र 6: *डी.एन.ए. अणु की संरचना*

प्रत्येक न्यूक्लिओटाइड एक विशिष्ट जटिल संरचना है जो पेन्टोज शर्करा, फॉस्फेटमूलक तथा नाइट्रोजनी क्षारक के मिलने से बनती है। क्षारक प्यूरीन (एडीनीन, ग्वानीन) तथा पिरिमिडीन (थायमीन, साइटोसीन) आदि हैं।

शर्करा

पेन्टोस शर्करा डी-ऑक्सीराइबोस शर्करा है। इसमें C2' स्थान पर एक ऑक्सीजन अणु कम होता है।

फॉस्फेट मूलक

यह फॉस्फेट अणु दो न्यूक्लिओटाइड को आपस में जोड़ता है। जिसके फलस्वरूप फॉस्फोडाइएस्टर बन्ध का निर्माण होता है।

क्षारक

ये दो प्रकार के प्यूरीन तथा पिरिमिडीन होते हैं।

प्यूरीन

प्यूरीन (purine) में एक षट्भुजी वलय तथा एक पंचभुजी इमिडाजोल वलय होती है। DNA में एडीनीन (Adenine = A) तथा ग्वानीन (Guanine = G) पाया जाता है।

पिरिमिडीन

पिरिमिडीन (pyrimidine) में एक हेटेरोसाइक्लिक षट्भुजी वलय मिलती है। इसमें 4C तथा 2N होते हैं। थायमीन (Thymine = T) तथा साइटोसीन (Cytosine = C) क्षारक DNA में मिलते हैं।

क्षारक तथा शर्करा मिलकर **न्यूक्लिओसाइड** (nucleoside) बनाते हैं। जैसे–डी-ऑक्सीथायमिडीन, डी-ऑक्सीसाइटीडीन, डी-ऑक्सीएडीनोसीन तथा डी-ऑक्सीगुआनोसीन है।

न्यूक्लिओसाइड तथा फॉस्फेट मूलक मिलकर न्यूक्लिओटाइड बनाते हैं; जैसे–

डी-ऑक्सीराइबोथाइमिडाइलिक अम्ल,
डी-ऑक्सीराइबोसाइटीडाइलिक अम्ल,
डी-ऑक्सीराइबोएडिनाइलिक अम्ल,
डी-ऑक्सीराइबोग्वानाइलिक अम्ल आदि।

डी. एन. ए. की संरचना **वाटसन** तथा **क्रिक** ने 1953 ई. में दिया। इनके अनुसार यह एक **द्विक कुण्डलीय** संरचना है। सामान्यतः मिलने वाला डी. एन. ए. B-DNA है जो कि दक्षिणावर्त होता है। इसमें A तथा T की मात्रा व C तथा G की मात्रा समान होती है। C के अणु G से जुड़ते हैं। A के अणु T से जुड़ते हैं अर्थात् A = T, C ≡ G आदि। यह जरूरी नहीं है कि A की संख्या G के बराबर हो अथवा T की मात्रा C के बराबर। कुण्डली का व्यास 20Å तथा पिच 34Å है। प्रति समानान्तर (antiparallel) शृंखला में क्षारक क्रम सम्पूरक होते हैं।

दो निकटस्थ क्षारक जोड़ों के मध्य दूरी 3.4Å तथा एक पिच (pitch) में क्षारक जोड़ों की संख्या 10 होती है। क्षारक का निश्चित क्रम डी. एन. ए. की रासायनिक शब्दावली बनाता है जिससे आनुवंशिक लक्षणों की स्थापना होती है।

डी.एन.ए. के कार्य (Functions of DNA)

यह आनुवंशिक सूचनाओं को पहली पीढ़ी से दूसरी पीढ़ी में पहुँचाता है। इसका स्वरूप स्थायी होने के कारण दूसरी पीढ़ी में लक्षण नहीं बदलते हैं। केवल उत्परिवर्तन की दशा में ही डी.एन.ए. में परिवर्तन आता है जिसके फलस्वरूप लक्षण बदल जाते हैं। डी.एन.ए. में प्रतिकृति (replication) के कारण संतति कोशिकाओं में DNA की संरचना समान होती है।

तालिका 1 डी.एन.ए. तथा आर.एन.ए. में अन्तर (Difference between DNA and RNA)

क्रमांक	डी.एन.ए. (DNA)	आर.एन.ए. (RNA)
1.	पॉलीन्यूक्लिओटाइड की दो शृंखलाओं से बनता है जो प्रति समानान्तर होती है।	पॉलीन्यूक्लिओटाइड की एक शृंखला है।
2.	पिरिमिडीन क्षारक थाइमीन (T) मिलता है।	पिरिमिडीन क्षारक यूरेसिल (U) मिलता है।
3.	डी-ऑक्सीराइबोज शर्करा मिलती है।	राइबोज शर्करा मिलती है।
4.	केन्द्रक में गुणसूत्रों पर मिलता है।	कोशिकाद्रव्य में तथा केन्द्रिका में मिलता है।
5.	स्वयं प्रतिकृत (replicate) होता है।	अनुलेखन (*transcription*) से बनता है।
6.	कोशिका की क्रियाओं पर नियन्त्रण करता है।	प्रोटीन संश्लेषण में सहायता करता है।
7.	सदैव आनुवंशिक होता है।	केवल कुछ विषाणुओं में आनुवंशिक होता है।

वस्तुनिष्ठ प्रश्न

1. डी. एन. ए. बेसिक आनुवंशिक पदार्थ है यह conclusively सिद्ध किया गया–

(*a*) वाटसन द्वारा (*b*) हर्शे तथा चेज द्वारा
(*c*) ग्रिफिथ द्वारा (*d*) बोवेरी व सटन द्वारा

2. अर्धसूत्री विभाजन की किस उप-अवस्था में सिनेप्टीनीमल कॉम्पलैक्स बनता है–

(*a*) लैप्टोटीन (*b*) जाइगोटीन
(*c*) पैकीटीन (*d*) डिप्लोटीन

3. अन्तरावस्था की G_1 अवस्था में होता है–
(a) RNA का सक्रिय संश्लेषण
(b) DNA का सक्रिय संश्लेषण
(c) प्रोटीन का सक्रिय संश्लेषण
(d) RNA व प्रोटीन का संश्लेषण

4. प्लास्मिड है–
(a) एक लवक
(b) एक कवक
(c) प्लाज्मा झिल्ली का एक भाग
(d) जीवाणु कोशिका में बर्हिः केन्द्रक DNA

5. नये न्यूक्लिओटाइड के साथ RNA किस बंध द्वारा जुड़ता है–
(a) पॉलीपेप्टाइड बंध (b) पॉली डाइएस्टर बंध
(c) सह संयोजक बंध (d) हाइड्रोजन बंध

6. अर्द्धसूत्री विभाजन का महत्त्व है–
(a) जीवों में गुणसूत्रों की संख्या में स्थिरता रखना
(b) किसी भी जाति की जनसंख्या में आनुवंशिक विविधता उत्पन्न करना
(c) गुणसूत्रों की द्विगुणित संख्या को अगुणित संख्या में अपघटित करना
(d) उपर्युक्त सभी

7. सूत्री विभाजन की वह प्रावस्था जबकि केन्द्रिका एवं केन्द्रक कला लुप्त हो जाते हैं और गुणसूत्र साफ स्पष्ट दिखाई देते हैं, होती है–
(a) पश्चावस्था (b) मध्यावस्था
(c) पूर्वावस्था (d) अंत्यावस्था

8. एक बैक्टीरियम से दूसरे में जेनेटिक सूचना का चलन ट्राँसडक्शन विधि के द्वारा होता है–
(a) दाता तथा प्राप्तकर्ता के बीच फिजिकल सम्बन्ध होने पर
(b) कॉन्जुगेशन
(c) दाता वैक्टीरियल स्ट्रेन द्वारा बैक्टीरियोफेज के रिलीज होने पर
(d) दूसरा बैक्टीरियम

9. यूकैरियोटिक जिनोम, प्रोकैरियोटिक जिनोम से भिन्न है चूँकि–
(a) प्रोकैरियोट्स में डी. एन. ए. एकसूत्रीय तथा वलयाकार होता है
(b) पहले वाले में जीन्स ओपेरोन्स (operons) में स्थित होते हैं
(c) प्रोकैरियोट्स में डी. एन. ए. जटिल तथा हिस्टोन्स से जुड़ा रहता है
(d) यूकैरियोट्स में रीपीटिटिव सीक्वैन्स (repetitive sequence) होती है

10. रेडियोएक्टिव थाइमिडीन को यदि स्तनधारी कोशिकाओं में मिलाया जाये तो उनमें नया DNA अणु संश्लेषित हो जाता है। निम्न में से कौन-सा क्रोमेटिन बनेगा जब कोशिकाओं को रेडियोएक्टिव थाइमिडीन से एक्सपोज करेंगे, जबकि वे एस अवस्था में प्रवेश करती हैं?
(a) न तो हेटेरोक्रोमेटिन और न ही यूक्रोमेटिन बल्कि केवल न्यूक्लिओलग
(b) हेटेरोक्रोमेटिन
(c) यूक्रोमेटिन
(d) दोनों ही हेटेरोक्रोमेटिन व यूक्रोमेटिन

11. न्यूक्लियेज एंजाइम में क्षमता होती है–
(a) सभी प्रकार के आबंधों को तोड़ देने की
(b) फॉस्फोडाइएस्टर आबंध को तोड़ने की
(c) डाइसल्फाइड आबंध को तोड़ने की
(d) अंत्य न्यूक्लिओटाइड को निकाल देने की

12. डी. एन. ए. का वृत्ताकार अणु पाया जाता है–
(a) विषाणुओं में
(b) जीवाणुओं, हरित लवकों एवं सूत्रकणिकाओं में
(c) केवल जीवाणुओं एवं हरित लवकों में
(d) केवल जीवाणुओं में

13. डी. एन. ए., आर. एन. ए. से भिन्न होता है–
(a) साइटोसीन की उपस्थिति, पर ग्वानीन की अनुपस्थिति में
(b) थायमीन की उपस्थिति, पर साइटोसीन की अनुपस्थिति में
(c) यूरेसिल की उपस्थिति, पर थायमीन की अनुपस्थिति में
(d) थायमीन की उपस्थिति, पर यूरेसिल की अनुपस्थिति में

14. शब्द संजीन का अभिप्राय जीन की पूर्ण संख्या से है जो अन्तर्विष्ट होती है–
(a) तने के शीर्ष की कोशिका के केन्द्रक में
(b) गुरुबीजाणु मातृ कोशिका के केन्द्रक में
(c) गुणसूत्रों के अगुणित समूह पर
(d) गुणसूत्रों के द्विगुणित समूह पर

15. कोशिका चक्र में विविध कालांशों का क्रम होता है–
(a) संश्लेषण, अन्तराल-1, अन्तराल-2, समसूत्री विभाजन अवस्था
(b) अन्तराल-1, संश्लेषण, अन्तराल-2, समसूत्री विभाजन अवस्था
(c) समसूत्री विभाजन अवस्था, संश्लेषण, अन्तराल-1, अन्तराल-2
(d) संश्लेषण, समसूत्री विभाजन अवस्था, अन्तराल-1, अन्तराल-2

16. डी. एन. ए. उपस्थित होता है–
(a) केवल केन्द्रक एवं हरित लवक में
(b) केवल केन्द्रक में
(c) केवल सूत्रकणिकाओं में
(d) उपर्युक्त सभी में

17. पादप जगत का असीम केन्द्रकी एवं ससीम केन्द्रकी में विभाजन आधारित है लक्षणों पर–
(a) केवल गुणसूत्रों के (b) केवल कोशिकांगों के
(c) केवल केन्द्रक के (d) उपर्युक्त सभी के

18. सिस्ट्रोन (Cistron) क्या है–
(a) DNA की प्रकार्यात्मक इकाई
(b) RNA की प्रकार्यात्मक इकाई
(c) DNA की अप्रकार्यात्मक इकाई
(d) RNA की अप्रकार्यात्मक इकाई

19. कैंसर (Cancer) निम्नलिखित में से किस एक के कारण होता है–
(a) समसूत्री विभाजन द्वारा निर्मित कोशिकाओं में DNA की मात्रा असमान होने से

(*b*) अनियन्त्रित एवं तीव्र अर्धसूत्री (meiosis) विभाजन द्वारा
(*c*) समसूत्री (mitosis) विभाजन को नियन्त्रित करने की प्रक्रिया के बन्द होने से
(*d*) उपर्युक्त में से कोई नहीं

20. बिना रुकावट के सामान्यतः कोशिका का सूत्री विभाजन होगा–
(*a*) जब यह S चरण में प्रवेश करती है
(*b*) जब यह G_2 चरण में प्रवेश करती है
(*c*) कोशिका विभाजन गति विधि के दौरान किसी समय
(*d*) किसी भी चरण में

21. लिंकर डी.एन.ए. (linker DNA) वह है जो–
(*a*) गुणसूत्रों का संलयन करता है
(*b*) दो न्यूक्लियोसोम का संलयन होता है
(*c*) दो डी.एन.ए. को जोड़ता है
(*d*) उपरोक्त सभी

22. लक्जरी जीन (luxury gene) वह है–
(*a*) जो कोशिका द्रव्य में स्थापित रहते हैं
(*b*) जो विश्राम काल में पड़े रहते हैं
(*c*) जो विशिष्ट कार्यों के लिये कोडिंग का कार्य करते हैं
(*d*) उपरोक्त सभी

23. हेटेरोक्रोमेटिन (heterochromatin) के लिये सत्य कथन है–
(*a*) यह अन्तरावस्था में हल्के अभिरंजित होते हैं
(*b*) इनमें DNA की मात्रा कम व RNA की मात्रा अधिक पायी जाती है
(*c*) आनुवंशिक रूप से सक्रिय होते हैं
(*d*) उपरोक्त सभी

24. निम्न में से कौन-सा डी. एन. ए. का अणु सबसे कम ताप पर पिघल जायेगा–
(*a*) 5′ A – A – T – G – C – T – G – C 3′
3′ T – T – A – C – G – A – C – G 5′
(*b*) 5′ A – A – T – A – A – A – G – C 3′
3′ T – T – A – T – T – T – C – G 3′
(*c*) 5′ G – C – A – T – A – G – C – T 3′
3′ C – G – T – A – T – C – G – A 5′
(*d*) 5′ A – T – T – C – T – G – A – T 3′
3′ T – A – A – G – A – C – T – A 5′

25. कॉलम-I में पौधों का, कॉलम-II में उपस्थित द्विगुणित गुणसूत्र संख्या से सही मेल कीजिये तथा उत्तर दीजिये–

कॉलम-I (पौधा)	कॉलम-II द्विगुणित गुणसूत्र संख्या
A. *Allium cepa* (प्याज)	p. 20
B. *Arachis hypogea* (मूँगफली)	q. 14
C. *Pisum sativum* (मटर)	r. 40
D. *Zea mays* (मक्का)	s. 16
	t. 46

(*a*) A = r, B = s, C = p, D = q
(*b*) A = p, B = q, C = r, D = s
(*c*) A = s, B = r, C = t, D = q
(*d*) A = s, B = r, C = q, D = p

26. कॉलम-I की त्रिक कोडोन को कॉलम-II के अमीनो अम्ल से मेल कीजिये तथा alphabets को चुनकर सही उत्तर दीजिये–

कॉलम-I त्रिक कोडोन	कॉलम-II (अमीनो अम्ल)
A. UUU	p. ऐलेनिन
B. CCC	q. ग्लाइसिन
C. AAA	r. लाइसिन
D. GGG	s. प्रोलीन
	t. फिनाइल ऐलेनाइन

(*a*) A = q, B = r, C = s, D = t
(*b*) A = p, B = r, C = s, D = t
(*c*) A = t, B = s, C = r, D = q
(*d*) A = s, B = t, C = q, D = r

27. फेजों का सही क्रम है—
(*a*) लेप्टोटीन, पेकीटीन, जाइगोटीन, डिप्लोटीन तथा डाइकाइनेसिस
(*b*) लेप्टोटीन, डाइकाइनेसिस, पेकीटनी, डिप्लोटीन जाइगोटीन
(*c*) लेप्टोटीन, जाइगोटीन, पेकीटीन, डिप्लोटीन, डाइकाइनेसिस
(*d*) डाइकाइनेसिस, डिप्लोटीन, पेकीटीन, जाइगोटीन, लेप्टोटीन

28. निम्न में से मिओसिस की किस अवस्था में bivalents तथा DNA replication मिलेगा–
(*a*) पेकीटीन तथा इन्टरफेज (दो मीओटिक विभाजन के बीच में)
(*b*) पेकीटीन तथा इन्टरफेज (प्रोफेज I के एकदम पहले)
(*c*) पेकीटीन तथा इन्टरफेज की S फेज (मीओसिस I से एकदम पहले)
(*d*) पेकीटीन तथा G_1 फेज (प्रोफेज I की इन्टर फेज से पहले)

29. नीचे दिये गये कथनों में से कौन सही है—
(*a*) डी.एन.ए. क्षार में होते हैं एडेनीन, ग्वानीन, साइटोसीन, यूरेसिल तथा आर.एन.ए. में होते हैं एडेनीन ग्वानीन, साइटोसीन, थाइमीन
(*b*) डी.एन.ए., आर.एन.ए. बना सकता है लेकिन प्रायः आर.एन.ए., डी.एन.ए. नहीं बना सकता
(*c*) आर.एन.ए. केवल एक प्रकार का होता है जबकि डी.एन.ए. एक से अधिक प्रकार का होता है
(*d*) डी.एन.ए. एक रज्जुकीय है जबकि आर.एन.ए. द्विरज्जुकीय है

30. माइटोटिक विभाजन G_1 फेज में रूक जाता है, इस अवस्था को कहते हैं-
(*a*) G_0 फेज (*b*) G_2 फेज
(*c*) M फेज (*d*) उच्च पादप

31. कोलचीसिन कोशिका विभाजन को रोकता है, क्योंकि–
(*a*) यह गुणसूत्र को तोड़ता है
(*b*) यह गुणसूत्र के युग्म को रोकता है
(*c*) गुणसूत्रों को दोगुना कर देता है
(*d*) स्पिन्डिल को नहीं बनने देता है

32. निम्न में से गलत मेल है–

(*a*) कोड	–	गेमाव
(*b*) चारगॉफ	–	complementarity नियम
(*c*) विलिकन्स	–	X-ray क्रिस्टैलोग्राफी
(*d*) वॉटसन	–	रिवर्स ट्रान्सक्रिप्शन

33. बाह्य केन्द्रक की जीन पाये जाते हैं–
(*a*) क्लोरोप्लास्ट तथा माइटोकॉण्ड्रिया में
(*b*) राइबोसोम्स तथा माइटोकॉण्ड्रिया में
(*c*) लाइसोसोम तथा क्लोरोप्लास्ट में
(*d*) गॉल्जी कॉम्पलेक्स तथा राइबोसोम्स में

34. डी.एन.ए. तथा आर.एन.ए. में समानता है कि दोनों–
(*a*) न्यूक्लियोटाइड के पॉलीमर हैं
(*b*) द्विगुणन में सक्षम हैं
(*c*) समान शर्करा रखते हैं
(*d*) समान पाइरीमीडिन क्षार रखते हैं

35. निम्न में से कौन-सी mRNA की शृंखला DNA के टुकड़े से बनी है जिसमें क्षार युग्म हैं–

G A G C G C A C A
| | | | | | | | |
C T C G C G T G T

(*a*) G A G C G C A C A
(*b*) G U C C G C U G C
(*c*) C T C G C G T G T
(*d*) G U G C G C U C C

36. DNA के 50 अणु जिनमें भारी N^{15} है, दो बार स्वप्रतिकरित (replicated) ऐसे माध्यम में होते हैं जिनमें N^{15} है तब हमें मिलेंगे–
(*a*) 100 अणु आधे N^{15} आधे N^{14} तथा 100 अणु N^{14} वाले
(*b*) 100' भारी (N^{15}) तथा 100 हल्के (N^{14}) DNA अणु
(*c*) 50 भारी तथा 50 हल्के DNA अणु
(*d*) 50 भारी तथा 100 हल्के DNA अणु

37. न्यूक्लियोड है–
(*a*) एक अक्रियाशील केन्द्रक जिसमें द्विरज्जुकीय DNA प्रोटीन के साथ होता है
(*b*) क्रोमोसोम्स का समूह जो प्रोटीन से जुड़ा हो
(*c*) बिना केन्द्रिका तथा केन्द्रक झिल्ली वाला केन्द्रक
(*d*) एक गुणसूत्र जो प्रोटीन से जुड़ा हो

38. केरियोटाइप से आशय है–
(*a*) सम्पूर्ण गुणसूत्र-समुच्चय की आकारिकी
(*b*) गुणसूत्रों में विद्यमान कुल डी.एन.ए. की मात्रा
(*c*) गुणसूत्रों का आण्विक भार
(*d*) गुणसूत्रों की संख्या

39. यदि एक पूर्णतः रेडियोऐक्टिव द्विसूत्री DNA अणु को अरेडियोऐक्टिव माध्यम में रखने पर उसमें दो बार प्रतिकृति चक्र सम्पन्न हुआ हो तो चार परिणामी अणुओं में रेडियो ऐक्टिविटी की स्थिति क्या होगी?
(*a*) आधी संख्या में कोई रेडियो ऐक्टिविटी नहीं होगी
(*b*) सभी चार में अब भी रेडियो ऐक्टिविटी होगी
(*c*) चार में से तीन में रेडियो ऐक्टिविटी होगी
(*d*) सभी चार में से रेडियो ऐक्टिविटी समाप्त हो जायेगी

40. निम्नलिखित में से कौन-सी भिन्नता प्रोकैरियोटिक कोशिकाओं और यूकैरियोटिक कोशिकाओं में विभेद करने के लिये सबसे अधिक उपयुक्त होगी–
(*a*) डी.एन.ए. और केन्द्रक का अभाव
(*b*) परिक्षित डी.एन.ए. का बिना सीमक केन्द्रक झिल्ली के होना और सीमक झिल्लियों वाले अंगकों जैसे प्लास्टिड और माइटोकॉण्ड्रिया का अभाव होना
(*c*) राइबोसोमों का अभाव
(*d*) जीव रसायन का मूल रूप से भिन्न होना

उत्तरमाला

1	2	3	4	5	6	7	8	9	10
(*b*)	(*b*)	(*d*)	(*d*)	(*b*)	(*d*)	(*b*)	(*c*)	(*d*)	(*c*)
11	**12**	**13**	**14**	**15**	**16**	**17**	**18**	**19**	**20**
(*b*)	(*b*)	(*d*)	(*c*)	(*b*)	(*d*)	(*c*)	(*a*)	(*c*)	(*a*)
21	**22**	**23**	**24**	**25**	**26**	**27**	**28**	**29**	**30**
(*c*)	(*c*)	(*b*)	(*b*)	(*d*)	(*c*)	(*c*)	(*c*)	(*b*)	(*a*)
31	**32**	**33**	**34**	**35**	**36**	**37**	**38**	**39**	**40**
(*d*)	(*d*)	(*a*)	(*a*)	(*a*)	(*a*)	(*c*)	(*a*)	(*a*)	(*b*)

अध्याय **3**

वनस्पति जगत का वर्गीकरण (Classification of Plant Kingdom)

वर्गीकरण (Classification)

- वनस्पति जगत में अनेक भिन्न-भिन्न प्रकार के पौधे हैं। आकार, संरचना, प्रजनन की पद्धतियाँ आदि में ये पौधे एक दूसरे से भिन्न-भिन्न होते हैं।
- वनस्पति जगत के पौधों को कुछ समानताओं के आधार पर विभिन्न समूहों में विभाजित करके रखा गया है, जिसे वर्गीकरण कहा जाता है।

वनस्पति जगत के वर्गीकरण की श्रेणियाँ

- कृत्रिम (Artificial)
- प्राकृतिक (Natural)
- जातिवृत्तीय (Phylogenetic)

I. कृत्रिम (Artificial): ये पादप समूहों की स्वेच्छाचारी व्यवस्था है जो कि अपूर्ण ज्ञान पर आधारित है।

II. प्राकृतिक (Natural): यह पौधों के वास्तविक अथवा काल्पनिक सम्बन्धों पर आधारित होता है।

III. जातिवृत्तीय (Phylogenetic): यह पौधों के जातिवृत्त (Phylogeny) पर आधारित होता है।

इलिनोइस विश्वविद्यालय के प्रोफेसर ओसवाल्ड टिप्पो (Professor Oswald Tippo) ने 1942 में आधुनिक जातिवृत्तीय वर्गीकरण का प्रतिपादन किया। उक्त वर्गीकरण पादप जातिवृत्त की सभी शाखाओं में हुई नवीनतम जानकारी पर आधारित है।

ओसवाल्ड टिप्पो द्वारा प्रस्तावित पादप जगत का वर्गीकरण निम्नानुसार है।

पादप जगत का ऑसवाल्ड टिप्पो (1942) द्वारा प्रस्तावित वर्गीकरण
(Classification of Plant Kingdom as Proposed by Oswald Tippo, 1942)

पादप जगत (Kingdom Plantae)

- **उपजगत 1. थैलोफाइटा** (Sub-Kingdom 1. Thallophyta)
  - फाइलम
    1. **साइनोफाइटा** (Cyanophyta)
    2. **युग्लीनोफाइटा** (Euglenophyta)
    3. **क्लोरोफाइटा** (Chlorophyta)
    4. **क्राइसोफाइटा** (Chrysophyta)
    5. **पाइरोफाइटा** (Pyrrophyta)
    6. **फीओफाइटा** (Phaeophyta)
    7. **रोडोफाइटा** (Rhodophyta)
    8. **शाइजोमाइकोफाइटा** (Scehizomycophyta)
    9. **मिक्सोमाइकोफाइटा** (Myxomycophyta)
    10. **यूमाइकोफाइटा** (Eumycophyta)
- **उपजगत 2. एम्ब्रियोफाइटा** (Sub-Kingdom 2. Embryophyta)
  - **फाइलम 1. ब्रायोफाइटा अथवा ट्रैकिएटा** (Phylum 1. Bryophyta or Atracheata)
    - **वर्ग 1. मसाई** (Class 1. Musci)
    - **वर्ग 2. हेपेटेसी** (Class 2. Hepaticae)
    - **वर्ग 3. ऐन्थोसिरोटी** (Class 3. Anthocerotae)
  - **फाइलम 2- ट्रैकिओफाइटा अथवा ट्रैकिएटा** (Phylum 2. Tracheophyta or Tracheata)
    - **उपफाइलम 1. साइलोप्सिडा** (Subphylum 1. Psilopsida)
      - **वर्ग साइलोफाइटिनी** (Class Psilophytineae)
        - **गण 1. साइलोफाइटेलीज** (Order 1. Psilophtyales)
        - **गण 2. साइलोटेलीज** (Order 2. Psilotales)
    - **उपफाइलम 2. लाइकोप्सिडा** (Lycopsida)
      - **वर्ग लाइकोपोडिनी** (Class Lycopodineae)
        - **गण 1. लाइकोपोडिएलीज** (Order 1. Lycopodiales)
        - **गण 2. सिलेजिनैलेलीज** (Order 2. Selaginellales)
        - और अन्य 3 गण (and other 3 orders)
    - **उपफाइलम 3. स्फीनोप्सिडा** (Sphenopsida)
      - **वर्ग इक्वीसीटनी** (Class Equisetineae)
        - **गण 1. इक्वीसीटेलीज** (Order 1. Equisetales)
        - और अन्य 2 गण (and other 2 orders)
    - **उपफाइलम 4. टेरोप्सिडा** (Pteropsida)

वर्ग 1. फिलीसिनी (Class 1. Filicineae)
- गण 1. फिलिकेलीज (Order 1. Filicales) और अन्य 3 गण (and 3 other order)

वर्ग 2. जिम्नोस्पर्मी (Class 2. Gemnospermeae)
- उपवर्ग 1. साइकैडोफाइटी (Sub-class 1. Cycadophytae)
  - गण 1. साइकैडेलीज (Order 1. Cycadales) अन्य 2 गण (and 2 other orders)
- उपवर्ग 2. कोनीफेरोफाइटी (Sub-class 2. Coniferophytae)
  - गण 1. कोनीफेरेलीज (Order 1. Coniferales) और अन्य 3 गण (and 3 other orders)

वर्ग 3. एन्जियोस्पर्मी (Class 3. Angiospermae)
- उपवर्ग 1. डाइकॉटिलिडनी (Sub-class 1. Dicotyledonae)
- उपवर्ग 2. मोनोकॉटिलिडनी (Sub-class 2. Monocotyledonae)

वनस्पति जगत (Kingdom Plantae)

उपजगत् (Subkingdom)	**I.**	**थैलोफाइटा** (Thallophyta) पौधे जिनमें भ्रूण नहीं बनता।	
फाइलम (Phylum)	**1.**	**साइनोफाइटा** (Cyanophyta): नीली-हरी शैवाल, जैसे नॉस्टाक (*Nostoc*), आदि।	पुरानी वर्गीकरण पद्धति के शैवाल (Algae)।
फाइलम (Phylum)	**2.**	**युग्लीनोफाइटा** (Euglenophyta): जैसे युग्लीना (*Euglena*), आदि।	
फाइलम (Phylum)	**3.**	**क्लोरोफाइटा** (Chlorophyta): हरी शैवाल, जैसे यूलोथ्रिक्स (*Ulothrix*), स्पाइरोगायरा (*Spirogyra*), आदि।	
फाइलम (Phylum)	**4.**	**क्राइसोफाइटा** (chrysophyta): पीली-हरी शैवाल, जैसे श्चेरिया (*Vaucheria*), सुनहरी-भूरी शैवाल व डायटम्स (diatoms), आदि।	
फाइलम (Phylum)	**5.**	**पाइरोफाइटा** (Pyrrophyta): जैसे क्रिप्टोमोनेड्स (*Cryptomonads*), और डाइनोफ्लैजेलेट्स (dinoflagellates)।	
फाइलम (Phylum)	**6.**	**फीओफाइटा** (Phaeophyta): भूरी शैवाल, जैसे सारगैसम (*Sargassum*), फ्यूकस (*Fucus*) आदि।	
फाइलम (Phylum)	**7.**	**रोडोफाइटा** (Rhodophyta): लाल शैवाल, जैसे बेट्रेकोस्पर्मम (*Batrachospermum*), आदि।	
फाइलम (Phylum)	**8.**	**शीहजोमाइकोफाइटा** (Schizomycophyta): जीवाणु, जैसे नाइट्रोसोमोनास (*Nitrosomonas*), आदि।	पुरानी वर्गीकरण पद्धति के कवक (Fungi)।
फाइलम (Phylum)	**9.**	**मिक्सोमाइकोफाइटा** (Myxomycophyta): स्लाइम मोल्ड्स (slime moulds), जैसे प्लास्मोडियोफोरा (*Plasmodiophora*), आदि।	
फाइलम (Phylum)	**10.**	**यूमाइकोफाइटा** (Eumycophyta): वास्तविक कवक (true fungi), जैसे राइजोपस (*Rhizopus*), आदि।	
उपजगत (Subkingdom)	**II.**	**एम्ब्रियोफाइटा** (Embryophyta) पौधे जिनमें भ्रूण बनता है।	
फाइलम (Phylum)	**1.**	**ब्रायोफाइटा अथवा एट्रैकिएटा** (Bryophyta or Atracheata) संवहन ऊतक अनुपस्थित।	पुरानी वर्गीकरण पद्धति के ब्रायोफाइट्स (Bryophytes)।
क्लास (Class)	**A.**	**मसाई** (Musci): मॉस जैसे फ्यूनेरिया (Funaria), आदि।	
क्लास (Class)	**B.**	**हेपेटिसी** (Hepaticae): लिवरवर्टस् (Liverworts), जैसे रिक्सिया (*Riccia*), आदि।	
क्लास (Class)	**C.**	**ऐन्थोसिरोटी** (Anthocerotae): हॉर्नवर्टस् (hornworts) जैसे ऐन्थोसिरोस (*Anthoceros*), आदि।	
फाइलम (Phylum)	**2.**	**ट्रैकिओफाइटा अथवा ट्रैकिएटा** (Tracheophyta or Tracheata) संवहन ऊतक उपस्थित।	पुरानी वर्गीकरण पद्धति के टेरिडोफाइट्स (Pteridophytes)।
उपफाइलम (Subphylum)	**2*a*.**	**साइलोप्सिडा** (Psilopsida) पर्ण रहित, मूल रहित पौधे।	
क्लास (Class)		**साइलोफाइटिनी** (Psilophytineae)	
आर्डर (Order)	(*i*)	साइलोफाइटेलीज (Psilophytales) जैसे राइनिया (*Rhynia*), आदि।	
आर्डर (Order)	(*ii*)	साइलोटेलीज (Psilotales) जैसे साइलोटम (*Psilotum*)।	
उपफाइलम (Subphylum)	**2*b*.**	**लाइकोप्सिडा** (Lycopsida) लघुपर्णी पत्तियों व साधारण संवहन ऊतक वाले पौधे।	
क्लास (Class)		**लाइकोपोडिनी** (Lycopodineae)।	
आर्डर (Order)	(*i*)	लाइकोपोडिएलीज (Lycopodiales): क्लब मॉसेज (Club mosses) जैसे लाइकोपोडियम (Lycopodium), आदि।	
आर्डर (Order)	(*ii*)	सिलेजिनैलेलीज (*Selaginallales*): छोटे क्लब मासेज (Small club mosses), जैसे सिलेजिनेला (*Selaginella*), आदि।	
आर्डर (Order)	(*iii*)	लेपिडोडैन्ड्रेलीज (Lepidodendrales)*: बड़े क्लब मॉसेज (giant club mosses), जैसे लेपिडोडेन्ड्रान (*Lepidodendron*), आदि।	
आर्डर (Order)	(*iv*)	प्ल्यूरोमिएलीज (Pleuromeiales)* जैसे प्लूरोमिया (*Pleuromeia*), आदि।	
आर्डर (Order)	(*v*)	आइसोइटेलीज (Isoetales), क्विलवर्टस् (Quillworts), जैसे आइसॉइटीस (Isoetes), आदि।	

उपफाइलम (Subphylum)	2*c*. **स्फीनोप्सिडा** (Sphenopsida) संधित तने व लघुपर्णी वाले पौधे।
क्लास (Class)	**इक्वीसीटिनी** (Equisetineae):
आर्डर (Order)	(*i*) हाइनिएलीज* (Hyeniales), जैसे हाइनिया (*Hyenia*), आदि।
आर्डर (Order)	(*ii*) स्फीनोफिल्लेलीज* (Sphenophyllales), जैसे स्फीनोफिल्लम (Sphenophyllum), आदि।
आर्डर (Order)	(*iii*) इक्वीसीटेलीज (Equisetales): हॉर्स टेल्स् (horse tails), जैसे इक्वीसीटम (*Equisetum*), आदि।
उपफाइलम (Subphylum)	2*d*. **टेरोप्सिडा** (Pteropsida) गुरुपर्णी पत्तियों व जटिल संवहन ऊतक वाले पौधे।
क्लास (class)	**A. फिलीसिनी** (Filicineae): फर्नस् (ferns)।
आर्डर (Order)	(*i*) सीनोप्टेरिडेलीज* (Coenopteridales), जैसे बोट्रियोप्टैरिस (*Botryopteries*), आदि।
आर्डर (Order)	(*ii*) ओफियोग्लौसेलीज (*Ophioglossales*), जैसे (*Ophioglossum*), आदि।
आर्डर (Order)	(*iii*) मैरेटिएलीज (Marattiales), जैसे मैरेटिया (*Marattia*), आदि।
आर्डर (Order)	(*iv*) फिलिकेलीज (Filicales), जैसे पॉलिपोडियम (*Polypodium*), आदि।
क्लास (Class)	**B. जिम्नोस्पर्मी** (Gymnospermae) या अनावृतबीजी
उप-क्लास (Sub-Class)	**B_1. साइकैडोफाइटी** (*Cycadophytae*)
आर्डर (Order)	(*i*) साइकैडोफिलिकेलीज या टेरिडोस्पर्मी* (Cycadofilicales or Pteridospermae):सीड फर्नस् (seed ferns), जैसे लाइजिनोप्टैरिस (*Lyginopteris*), आदि।
आर्डर (Order)	(*ii*) बेनीटाइटैलीज* (Bennettitales): जैसे विलयमसोनिया (*Williamsonia*), आदि।
आर्डर (Order)	(*iii*) साइकैडेलीज (Cycadales): साइकैड्स (cycads) जैसे साइकैस (*Cycas*), आदि।
उप-क्लास (Sub-Class)	**B_2. कोनीफेरोफाइटी** (Coniferophytae)
आर्डर (Order)	(*i*) कार्डेटेलीज* (Cordaitales), जैसे कार्डेटीस (Cordaties), आदि।
आर्डर (Order)	(*ii*) गिंगोएलीज (Ginkgoales): जैसे गिंगो मेडन हेयर ट्री (Ginkgo-maiden hair tree) आदि।
आर्डर (Order)	(*iii*) कोनीफेरेलीज (Coniferales): कोनिफर्स (conifers), जैसे पाइनस (*Pinus*), आदि।
आर्डर (Order)	(*iv*) नीटेलीज (Gnetales), जैसे नीटम (Gnetum), आदि।
क्लास (Class)	**C. एन्जियोस्पर्मी** (Angiospermae) या **आवृतबीजी।**
उप-क्लास (Sub-class)	**C_1. डाइकॉटिलिडनी** (Dicotyledoneae)।
उप-क्लास (Sub-class)	**C_2. मोनोकॉटिलिडनी** (Monocotyledoneae)।

पुरानी वर्गीकरण पद्धति के स्पर्मेटोफाइट्स (Spermatphytes)।

* **जीवाश्म आर्डर** (Fossil Order)।

वस्तुनिष्ठ प्रश्न

1. विज्ञान की वह शाखा जिसमें पादप का नाम दिया जाता है, कहलाती है–
(*a*) नाम पद्धति (*b*) वर्गिकी
(*c*) वर्गीकरण (*d*) पहचान करना

2. निम्न में से कौन-सी जीव विज्ञान की शाखा पादपों तथा जन्तुओं दोनों से सम्बन्धित हैं–
(*a*) बैक्टिरियोलोजी (*b*) वर्गिकी
(*c*) विषाणु विज्ञान (*d*) कीट

3. समान पादपों का समूह जो परस्पर जनन करते हैं,
(*a*) कुल (*b*) जाति
(*c*) वंश (*d*) ईकोटाइप

4. निम्न में से कौन-से पादप पेलिओजोइक महाकल्प में थे?
(*a*) जलीय पादप (*b*) शैवाल
(*c*) थल पादप (*d*) कवक

5. प्रोटिस्टा कड़ी है–
(*a*) जीवाणु तथा हरी शैवाल की
(*b*) विषाणु तथा जीवाणु की
(*c*) प्रोकैरियोटिक तथा बहुकोशिकीय यूकैरियोटिक प्राणियों की
(*d*) डायनोफ्लैजिलैट्स तथा जूफ्लेजिलैट्स की

6. बहुकोशिकी यूकैरियोटिक अपघटक सम्बन्धित है–
(*a*) जगत प्रोटिस्टा से (*b*) जगत कवक से
(*c*) जगत प्लान्टी से (*d*) जगत एनिमेलिया से

7. निम्न में से किन पौधों में सबसे अधिक अनुकूलता की क्षमता होती है?
(*a*) ब्रायोफाइटा (*b*) टेरिडोफाइटा
(*c*) जिम्नोस्पर्म (*d*) एंजियोस्पर्म

8. बहुकोशिकीय यूकैरियोटिक उपभोक्ता सम्बन्धित है-
(*a*) प्रोटिस्टा से (*b*) कवक से
(*c*) प्लान्टी से (*d*) एनीमेलिया से

9. प्राचीनतम जीवित जीवाश्म है–
(*a*) विषाणु (*b*) साइनोबैक्टीरिया
(*c*) आर्कबेक्टी (*d*) जीवाणु

10. शैवाल तथा कवक को किस समूह में रखा जाता है–
(*a*) ब्रायोफाइट्स (*b*) थैलोफाइट्स
(*c*) आवृतबीजी (*d*) अनावृतबीजी

11. वनस्पतिज्ञों के अनुसार पृथ्वी पर सर्वप्रथम उत्पन्न हुए–
(*a*) शैवाल तथा कवक
(*b*) मॉसेस तथा उनके सम्बन्धी
(*c*) विषाणु तथा जीवाणु
(*d*) फर्न तथा लाइकोपाडस

12. पादप जगत का वह डिवीजन जिसमें अब मुख्य थलीय वनस्पति को रखा जाता है–
(*a*) थैलोफाइटा (*b*) ब्रायोफाइटा
(*c*) टेरिडोफाइटा (*d*) स्पर्मेटोफाइटा

13. ऐसी जातियाँ जिनमें अकारिकी समानताएँ होती हैं परन्तु इनमें परस्पर जनन नहीं होता, कहलाती हैं–
(*a*) बायो स्पीशिज (*b*) सिवलिंग स्पीशिज
(*c*) ऐलोपेट्रिक स्पीशिज (*d*) मोरफो स्पीशिज

14. ऐसा जगत जिसमें सबसे अधिक विभिन्नताएँ पायी जाती हैं–
(*a*) प्रोटिस्टा (*b*) कवक
(*c*) प्लान्टी (*d*) ऐनिमेलिया

15. विटाकर प्रसिद्ध हैं–
(*a*) जीवाणु तथा नील हरी शैवाल में अन्तर के लिए
(*b*) दो जगत वर्गीकरण के लिए
(*c*) पाँच जगत वर्गीकरण के लिए
(*d*) चार जगत वर्गीकरण के लिए

16. दो जातियों को जनित विलगित कह सकते हैं यदि उनमें–
(*a*) परस्पर जनन होता है
(*b*) परस्पर जनन न होता हो
(*c*) एक ही परिस्थिति में नहीं उगती हों
(*d*) एक ही परिस्थिति में उगती हों

17. किस वर्गिकी शब्द को वर्गीकरण के किसी भी समूह के लिए प्रयोग किया जा सकता है–
(*a*) जाति (*b*) वर्ग
(*c*) गण (*d*) टेक्सान

18. जाति (species) के लिए स्टेटिक कल्पना (Static concept) किसने दिया था–
(*a*) थियोफ्रास्टस (*b*) डार्विन
(*c*) डी. कण्डोले (*d*) लिनियस

19. वंश का वह समूह, जो पुष्पीय लक्षणों में अकारिकी समानताएँ रखते हैं, कहलाता है–
(*a*) गण (*b*) वर्ग
(*c*) कुल (*d*) उपकुल

20. स्पीशिज शब्द जीव विज्ञान के विचार से प्रयोग किया–
(*a*) जे. रे (*b*) अरस्तु
(*c*) बफन (*d*) ई. मेयर

21. वंश एक समूह है, समान तथा सम्बन्धित–
(*a*) जातियों का (*b*) वंश का
(*c*) गण का (*d*) कुल का

22. वर्गीकृत श्रेणियाँ हैं, जो गण से नीचे कोटियों (ranks) की हैं–
(*a*) किस्म, वर्ग, कुल (*b*) प्रभाग, वंश, किस्म
(*c*) कुल, वंश, जाति (*d*) वर्ग, प्रभाग, जाति

23. सबसे अधिक मान्य जाति कल्पना (Species concept) है–
(*a*) टाइपोलोजिकल (Typological)
(*b*) जैनेटिक (Genetic)
(*c*) पॉलीटाइपिक (Polytypic)
(*d*) नोमिनेलिस्टिक (Nominalistic)

24. किसी पादप जाति का नाम दिया जाता है–
(*a*) जीव वैज्ञानिकों की अन्तर्राष्ट्रीय यूनियन (International Union of Biologists)
(*b*) बॉटनीकल नामकरण की अन्तर्राष्ट्रीय कोड (International Code of Botanical Nomen-clature)
(*c*) अन्तर्राष्ट्रीय एसोसियेशन ऑफ प्लान्ट ब्रीडर (International Assosiation of Plant Breeder)
(*d*) अन्तर्राष्ट्रीय कोड ऑफ नामनक्लेचर ऑफ कल्टीवेटेड प्लान्ट (International Code of Nomenclature of Cultivated Plants)

25. पौधों के नाम लैटिन में दिए जाते हैं क्योंकि–
(*a*) अधिकतर नाम किसी और भाषा में सही नहीं होते
(*b*) लैटिन आसान भाषा है
(*c*) पूरे संसार में एक पौधे का केवल एक नाम होता है
(*d*) यह लिखने में आसान होती है

26. निम्न में से किस जगत में प्रोकैरियोटिक प्राणी होते हैं–
(*a*) प्लान्टी (*b*) मोनेरा
(*c*) प्रोटिस्टा (*d*) कवक

27. ऐसे वैज्ञानिक, जिन्होंने प्रोटिस्टा समूह पौधों तथा जन्तुओं जैसे एककोशिकीय प्राणियों को वर्गीकृत करने के लिए बनाया था, है–
(*a*) एल. पाश्चर (*b*) इ. एफ. हेक्ल
(*c*) जे. लिस्टर (*d*) आर. कोच

28. निम्न प्राणियों में से किसमें रिक्तिका विहीन कोशिकायें पायी जाती हैं–

(*a*) विषाणु (*b*) प्रोकैरियोट

(*c*) शैवाल (*d*) कवक

29. वर्गीकरण की सबसे बड़ी इकाई है–

(*a*) कुल (*b*) वर्ग

(*c*) फाइलम (*d*) जगत

30. निम्न में कौन सी वर्गीकृत श्रेणी है जिसमें अकारिकीय समानता है तथा जो आनुवंशिक विलगनता को स्थिर रखती है–

(*a*) जाति (*b*) वंश

(*c*) कुल (*d*) गण

31. टेक्सा की व्यवस्था को कहते हैं–

(*a*) वर्गिकी

(*b*) हायरार्की (hierarchy)

(*c*) कुँजी

(*d*) वर्गीकरण

32. दो पादप 'क' तथा 'ख' जो अकारिकीय लक्षणों में अलग हैं, उन्हें कहना चाहिए–

(*a*) एक वर्गिकी जाति

(*b*) दो वर्गिकी जाति

(*c*) एक जीव वैज्ञानिक जाति

(*d*) दो जीव वैज्ञानिक जाति

33. किन प्राणियों को मुख्यतः प्रोटिस्ट की तरह वर्गीकृत करते हैं–

(*a*) शैवाल, कवक, जीवाणु तथा ब्रायोफाइट्स

(*b*) प्रोटोजोआ, जीवाणु, शैवाल तथा कवक

(*c*) प्रोटोजोआ, कुछ शैवाल तथा कवक

(*d*) कवक, स्लाइम मोल्ड तथा ट्रेकिओफाइटस

34. निम्न में कौन-सा प्राणी पादप तथा जन्तु दोनों के गुण रखता है?

(*a*) माइकोप्लाज्मा (*b*) यूग्लीना

(*c*) जीवाणु (*d*) पैरामीशियम

35. निम्न में कौन-सा वर्गीकरण श्रेणियों का सही अवरोही क्रम है–

(*a*) कुल, उपकुल, वंश, गण, डिवीजन, वर्ग

(*b*) वर्ग, गण, डिवीजन, उपकुल, कुल, वंश

(*c*) डिवीजन, वर्ग, गण, कुल, उपकुल, वंश

(*d*) वर्ग, डिवीजन, गण, वंश, उपकुल, कुल

36. एक जाति वाले वंश को कहते हैं–

(*a*) प्रारूपिक (*b*) आप्रारूपिक

(*c*) बहुप्रारूपिक (*d*) एक प्रारूपिक

37. स्पीशिज है–

(*a*) समान फिनोटाइपिक तथा जीनोटाइपिक लक्षणों वाले प्राणियों की जनसंख्या

(*b*) एक प्रकार की जनसंख्या

(*c*) परस्पर जनन करने वाले प्राणियों की जनसंख्या

(*d*) एक भोगौलिक स्थान पर पाए जाने वाले प्राणियों का समूह

38. निओटाइप है–

(*a*) नामकरण के लिए प्रकार जब वास्तविक पादप नहीं हो

(*b*) वैज्ञानिकों द्वारा खोजी गयी गई जातियाँ

(*c*) वास्तविक पादप नामकरण के लिए

(*d*) लेखक के द्वारा दिया गया दो या अधिक प्रारूप में से एक

39. समप्रारूप एक प्रारूप है–

(*a*) नाम प्रारूप का प्रतिरूप

(*b*) लेखक द्वारा दिया गया जब नाम प्रारूप न हो

(*c*) नाम प्रारूप के साथ दिया गया हो

(*d*) नामकरण के लिए प्रारूप जब वास्तविक प्रारूप न हो

40. जाति की 'जैविक धारणा' मुख्यतः निम्न पर आधारित है–

(*a*) केवल आकृतिक लक्षण

(*b*) केवल जनन विधि

(*c*) आकृति व जनन विधि

(*d*) जननात्मक पृथक्करण

उत्तरमाला

1	2	3	4	5	6	7	8	9	10
(*b*)	(*b*)	(*b*)	(*b*)	(*c*)	(*b*)	(*d*)	(*d*)	(*c*)	(*b*)
11	**12**	**13**	**14**	**15**	**16**	**17**	**18**	**19**	**20**
(*c*)	(*d*)	(*b*)	(*d*)	(*c*)	(*b*)	(*d*)	(*d*)	(*c*)	(*d*)
21	**22**	**23**	**24**	**25**	**26**	**27**	**28**	**29**	**30**
(*a*)	(*c*)	(*a*)	(*b*)	(*c*)	(*b*)	(*b*)	(*b*)	(*d*)	(*a*)
31	**32**	**33**	**34**	**35**	**36**	**37**	**38**	**39**	**40**
(*b*)	(*b*)	(*c*)	(*b*)	(*c*)	(*d*)	(*c*)	(*a*)	(*a*)	(*d*)

अध्याय

4

विषाणु (Virus)

- विषाणु अकोशिकीय अतिसूक्ष्म जीव हैं, जो आकार में 15μ से 350μ तक होते हैं तथा ये केवल जीवित कोशिका में ही वंश वृद्धि कर सकते हैं। ये नाभिकीय अम्ल और प्रोटीन से मिलकर गठित होते हैं, शरीर के बाहर तो ये मृत-समान होते हैं परंतु शरीर के अंदर जीवित हो जाते हैं।
- इन्हें क्रिस्टल के रूप में इकट्ठा किया जा सकता है। एक विषाणु बिना किसी सजीव माध्यम के पुनरुत्पादन नहीं कर सकता है।
- यह सैकड़ों वर्षों तक सुसुप्तावस्था में रह सकता है और जब भी एक जीवित माध्यम या धारक के सम्पर्क में आता है उस जीव की कोशिका को भेद कर आच्छादित कर देता है और जीव बीमार हो जाता है।

- एक बार जब विषाणु जीवित कोशिका में प्रवेश कर जाता है, वह कोशिका के मूल आरएनए एवं डीएनए की जेनेटिक संरचना को अपनी जेनेटिक सूचना से बदल देता है और संक्रमित कोशिका अपने जैसे संक्रमित कोशिकाओं का पुनरुत्पादन शुरू कर देती है।
- विषाणु जीवन के सरलतम प्रकार हैं। ये अकोशिकीय या अवकोशिकीय (acellular or subcellular) होते हैं। क्योंकि विषाणु कोशिका के नहीं बने होते अतः ये कोशिका सिद्धान्त के अपवाद हैं।
- विषाणु का अंग्रेजी शब्द वाइरस का शाब्दिक अर्थ विष होता है। सर्वप्रथम 1796 में डाक्टर एडवर्ड जेनर ने पता लगाया कि चेचक, विषाणु के कारण होता है। उन्होंने चेचक के टीके का आविष्कार भी किया। इसके बाद सन् 1886 में एडोल्फ मेयर ने बताया कि तम्बाकू में मोजेक रोग एक विशेष प्रकार के वाइरस के द्वारा होता है।
- रूसी वनस्पति शास्त्री इवानोवस्की (Ivanowsky) ने भी 1882 में तम्बाकू में होने वाले मोजेक रोग का अध्ययन करते समय विषाणु के अस्तित्व का पता लगाया। बेजेर्निक और बोर ने भी तम्बाकू के पत्ते पर इसका प्रभाव देखा और उसका नाम टोबेको मोजेक रखा।
- मोजेक शब्द रखने का कारण इनका मोजेक के समान तम्बाकू के पत्ते पर चिन्ह पाया जाना था। इस चिन्ह को देखकर इस विशेष विषाणु का नाम उन्होंने टोबेको मोजेक वाइरस (TMV) रखा।
- विषाणु लाभप्रद एवं हानिकारक दोनों प्रकार के होते हैं। जीवाणुभोजी विषाणु एक लाभप्रद विषाणु है, यह हैजा, पेचिश, टायफायड आदि रोग उत्पन्न करने वाले जीवाणुओं को नष्ट कर मानव की रोगों से रक्षा करता है।
- कुछ विषाणु पौधे या जन्तुओं में रोग उत्पन्न करते हैं एवं हानिप्रद होते हैं। एचआईवी, इन्फ्लूएन्जा वाइरस, पोलियो वाइरस रोग उत्पन्न करने वाले प्रमुख विषाणु हैं।
- सम्पर्क द्वारा, वायु द्वारा, भोजन एवं जल द्वारा तथा कीटों द्वारा विषाणुओं का संचरण होता है परन्तु विशिष्ट प्रकार के विषाणु विशिष्ट विधियों द्वारा संचरण करते हैं।
  - कोलीफेज F_2 सबसे छोटा विषाणु है।
  - 'सैटेलाइट टोबेको नेक्रोसिस' सबसे छोटा पादप विषाणु हैं। इसका आकार 17nm होता है।
  - मैक्स डेलब्रुक, एल्फ्रेड डी. हारशे तथा सेल्वेडोर ई. लॉरिया (Max Delbruck, Alfred D. Harshey and Salvador E. Luria) को 1969 में जीवाणुभोजियों की आनुवंशिक संरचना तथा गुणन प्रक्रिया के अध्ययन हेतु नोबेल पुरस्कार मिला।
  - डेविड बाल्टीमोर, रेनेटी डल्बेको तथा टेमिन डेबेको (David Baltimore, Renato Dulbecco and Temin Debacco) को 1975 में रिवर्स ट्रांसक्रिप्टेज की खोज तथा ट्यूमर विषाणु तथा कोशिका के आनुवंशिक पदार्थ के बीच होने वाली क्रियाओं के अध्ययन के लिए नोबेल पुरस्कार मिला।
  - स्टेनले प्रुसिनर (Stanley Prusiner) को सन् 1997 में प्रिऑन (Prion) की खोज करने हेतु नोबेल पुरस्कार मिला।

विषाणुः सजीव या निर्जीव
(Virus : Living or Non-living)

विषाणुओं की स्थिति अतिसूक्ष्म एवं सरल होने के कारण यह कहना कठिन है कि ये सजीव हैं या निर्जीव। इसीलिए विषाणुओं को सजीव एवं निर्जीव के बीच की कड़ी कहा जाता है।

विषाणुओं के सजीव लक्षण
(Living Character of Viruses)

(*i*) विषाणु में न्यूक्लिक अम्ल का द्विगुणन होता है।

(*ii*) किसी जीवित कोशिका में पहुंचते ही ये सक्रिय हो जाते हैं और एन्जाइमों का संश्लेषण करने लगते हैं।

(*iii*) सजीव कोशिकाओं की भाँति इनमें आर.एन.ए. तथा डी.एन.ए. पाया जाता है।

विषाणुओं के निर्जीव लक्षण
(Non-Living Character of Viruses)

(*i*) विषाणु कोशिकीय रूप में नहीं होते हैं तथा इनमें बहुत से कोशिकीय अंग नहीं पाये जाते हैं।

(*ii*) विषाणुओं में पोषण, श्वसन, वृद्धि, उत्सर्जन और उपापचय क्रियाएं नहीं होती हैं।

(*iii*) इनके रवे को क्रिस्टल बनाकर निर्जीव पदार्थ की भांति बोतलों में भरकर वर्षों तक सुरक्षित रखा जा सकता है।

(*iv*) प्रत्येक वाइरस प्रोटीन-खोल में बंद एक आर.एन.ए. या डी.एन.ए का अणु होता है।

विषाणु की संरचना (Structure of Virus)

इलेक्टॉन सूक्ष्मदर्शी की सहायता से विषाणु की संरचना को देखा जा सकता है। विषाणु रचना में प्रोटीन के आवरण से घिरा न्यूक्लिक अम्ल होता है। इसके बाहरी आवरण या Capsid में बहुत सी प्रोटीन इकाइयां (Capsomeres) होती हैं। सम्पूर्ण विषाणुओं को 'विरियान' (Virion) कहते हैं।

इनका आकार 10-500 मिलीमाइक्रोन होता है।

परपोषी प्रकृति के आधार पर विषाणु का वर्गीकरण:

(*i*) **पादप विषाणु (Plant Virus):** पादप विषाणु में न्यूक्लिक अम्ल आर. एन.ए. (RNA) के रूप में होता है, जैसे-टी. एम. वी. (TMV), पीला मोजैक विषाणु (YMV) आदि।

(*ii*) **जन्तु विषाणु (Animal Virus):** जन्तु विषाणु में डी.एन.ए. (DNA) या कभी-कभी आर.एन.ए. (RNA) भी पाया जाता है। ये प्रायः गोल आकृति के होते हैं। जैसे-इन्फ्लूएंजा, मम्पस वाइरस आदि।

(*iii*) **बैक्टीरियोफेज (Bacteriophage) या जीवाणु भोजी:** ये केवल जीवाणुओं के ऊपर आश्रित रहते हैं। इनमें डी. एन. ए. (DNA) पाया जाता है, जैसे-टी-2 फेज (T_2-phage)।

तालिका 1: पौधों में विषाणु जनित रोग
(Viral Diseases in Plants)

रोग	पादप	विषाणु
1. टोबेको मोजेक (Tobacco Mosaic)	तम्बाकू, टमाटर	तम्बाकू मोजेक विषाणु (TMV)
2. बंकी टाप (Bunchy Top)	केला	बनाना विषाणु-I
3. पोटेटो मोजेक (Potato Mosaic)	आलू	पोटेटो विषाणु-X
4. लीफ कर्ल (Leaf Curl)	तम्बाकू, टमाटर पपीता	टोबेको विषाणु-16
5. कैरट् रेड लीफ (Carrot Red Leaf)	गाजर	कैरट् रेड लीफ विषाणु
6. कॉलीफ्लावर मोजेक (Cauliflower Mosaic)	फूलगोभी	कॉलीफ्लावर मोजेक विषाणु
7. पोटेटो लीफ रोल (Potato Leaf Role)	आलू	सोलेनम् विषाणु-14

मनुष्यों में विषाणु जनित रोग
(Viral Diseases in Humans)

(*i*) **रोग का नाम-चेचक** (Chicken Pox)

विषाणु का नाम-(Varicella-zoster virus)

संचरण-ग्रसित व्यक्ति के कपड़ों तथा अन्य चीजों के संपर्क से।

संक्रमण अवधि-12 से 16 दिन।

मुख्य लक्षण-इसके मुख्य लक्षण संक्रमण के 14 दिन बाद प्रकट होते हैं। बुखार हो जाना, ठंड लगना, त्वचा पर लाल रंग के गोल-गोल दाने के समान फुंसियों का निकल आना तथा उनमें खुंटियों का पड़ जाना।

उपचार-त्वचा पर कैलामाईन मलहम (Calamine Lotion) लगाना, रोगी को अलग रखना।

(*ii*) **रोग का नाम**-खसरा (Measles)

विषाणु का नाम-Myxo virus

संचरण-हवा के द्वारा, प्रत्यक्ष संपर्क के द्वारा बातचीत करने, खांसने से।

संक्रमण अवधि-12 से 21 दिन।

लक्षण-शुरू में नाक बहना तथा छींके आना, सिर दर्द, पीठ दर्द, ठंड लगना तथा बुखार हो जाना, फिर उसके पश्चात् श्वसन श्लेष्मा झिल्ली में सूजन तथा प्रवाह का होना, शरीर पर चकत्तों का होना, भूख नहीं लगना, उल्टी होना, प्रकाश के प्रति संवेदनशील होना आदि लक्षण होते हैं।

उपचार-गामा ग्लोबुलीन (Gamma Globulin) का टीका लेना।

(*iii*) **रोग का नाम**-रेबीज या हाइड्रोफोबिया (Rabies or Hydrophobia)

विषाणु का नाम-Rhabdovirus

संचरण-पागल कुत्ते का काटना।

संक्रमण अवधि-2 से 16 सप्ताह।

मुख्य लक्षण-सिर में भयंकर-दर्द, बुखार तथा उत्तेजना का होना, निगलने (Swallowing) में परेशानी का होना, लकवा हो जाना, पानी को देखकर डरना, आवाज बदल जाना आदि।

उपचार-14 दिन तक लगातार टीका (Vaccine) लेना।

(*iv*) **रोग का नाम**-कनपेड़ा (Mumps)

विषाणु का नाम-Paramyxo virus

संचरण-प्रत्यक्ष संपर्क के द्वारा

संक्रमण अवधि-12 से 21 दिन

मुख्य लक्षण-बुखार होना, विषाणु के जमा होने वाले अंग अथवा ग्रंथि का फूल जाना (Parotid), ग्रंथि के फूलने की स्थिति में व्यक्ति को मुंह खोलने में काफी दर्द होता है।

उपचार-टीके (Vaccine) के प्रयोग द्वारा।

(*v*) **रोग का नाम**-इन्फ्लूएन्जा या फ्लू (Influenza or Flu)

विषाणु का नाम-Orthomix virus

संचरण-रोग से ग्रसित व्यक्ति के श्वसन संस्थान के प्रवाह द्वारा (Discharges of respiratory Tract)।

संक्रमण अवधि-1 से 2 दिन।

मुख्य लक्षण-बुखार, मांसपेशियों में दर्द, ठंड लगना, सूखी खांसी, श्वसन क्षेत्र में प्रदाह।

उपचार-टीका लगाना।

तालिका 2: विषाणु से सम्बन्धित कुछ रोचक तथ्य

1. आरबो विषाणु	कीट विषाणु, कीटों को वेक्टर की तरह उपयोग करते हैं। उदाहरण-डेंगू विषाणु।
2. ऐडेनो विषाणु	सामान्यतया जन्तुओं के श्वसनतन्त्र में पाये जाते हैं। ये डी.एन.ए. विषाणु होते हैं।
3. पोक्स विषाणु	आयताकार आकृति के अत्यधिक जटिल विषाणु होते हैं। इनका आनुवंशिक पदार्थ डमरू आकृति का दोहरा डी.एन.ए. अणु होता है।
4. विषाणु आकार	0.02 से 0.25 माइक्रोन का व्यास
5. सूक्ष्मतम पादप विषाणु	सेटेलाइट टोबेको नेक्रोसिस विषाणु (STNV) 8nm
6. सूक्ष्मतम जन्तु विषाणु	फुट एवं माउथ रोग वायरस, चौपायों में
7. विशालतम पादप	साइट्रस ट्रिसटेज विषाणु, विषाणु 200nm लम्बा
8. विशालतम जन्तु	पॉज विषाणु- 300×230nm
9. विरियोन	विषाणु जो पोषक कोशिका के बाहर होते हैं।
10. वायराइड्स	सूक्ष्मतम रोगजनक, आर.एन.ए. 300 न्यूक्लियोटाइड का होता है। पादप रोग कारक। उदाहरण-पोटेटो स्पिन्डल ट्यूबर।
11. प्रियोन	सूक्ष्म प्रोटीन जो रोग कारक बन जाते हैं उदाहरण-कुरू रोग (मानव में Laughing Death), मैड काउ रोग।
12. विरूसोआइड्स	सूक्ष्म लम्बा या वृत्तीय (रोग जनक नहीं) आर. एन. एन। मुख्य RNA के अन्दर विद्यमान।

(vi) **रोग का नाम**-पोलियो (Poliomyelitis)

विषाणु का नाम-Enterovirus

संचरण-संपर्क, घरेलू मक्खियों, पिस्सुओं, दूषित भोजन तथा जल के द्वारा।

संक्रमण अवधि-शुरू से सिर दर्द, पेट में गड़बड़ी, उल्टी, अत्यधिक बुखार, गले का रूग्ण होना आदि होता है। बाद में कमजोरी, गर्दन तथा पीठ का अकड़ना तथा शरीर का एक अथवा अधिक भाग लकवाग्रस्त हो जाता है।

उपचार-पोलियो के टीके का प्रयोग।

(vii) **रोग का नाम**-डेंगू बुखार (Dengue Fever)

विषाणु का नाम-Arbovirus

संचरण-मच्छर (Aedes) के काटने से।

संक्रमण अवधि-4 से 8 दिन।

मुख्य लक्षण-सिर दर्द तथा बुखार होना, जोड़ों (Joints) में तथा पीठ की मांस पेशियों में दर्द होना। कुछ दिनों के लिए शरीर पर चकत्ते हो जाना।

तालिका 3: जन्तुओं में विषाणु जनित रोग (Viral Diseases in Animals)

क्र. सं.	रोग	जन्तु	विषाणु
1.	अफ्रीकन हॉर्स सिकनेस	घोड़ा, कुत्ता	ऑरवी विषाणु
2.	ब्लू टँग	भेड़, गाय, भैस, बकरी	रीओवायरीडी
3.	बॉर्डर रोग	भेड़	पेस्टीजीवाणु
4.	हॉक कोलेरा या स्वाइन फीवर	सुअर	पेस्टीजीवाणु
5.	काउपोक्स	गाय विषाणु	आरथोपोक्स
6.	बोवाइन वाइरल डायरिया	गाय, भैंस	पेस्टीविषाणु
7.	फुट एण्ड माऊथ रोग	गाय, भेड़ बकरी, सुअर	ऐपथो विषाणु
8.	गोट पोक्स	गाय, भेड़, बकरी	केप्रियो विषाणु
9.	ल्यूपिंग इल	भेड़	प्लेवी विषाणु
10.	स्यूडोरेबिज या ओजस्की रोग	सुअर	ऐल्फ़ेहर पेस्वाइरीनी
11.	रेबीज	गाय, घोड़ा भेड़, बकरी सुअर, मानव	लाइसा विषाणु या रैब्डो विषाणु
12.	रिन्डरपेस्ट	गाय, भेड़, बकरी	मोरबिली विषाणु
13.	केनाइन डिस्टेम्पर या केरिज रोग	बिल्ली, कुत्ता	पेनट्रोपिक विषाणु
14.	इन्फेक्शियस केनाइन हिपेटाइटिस या रूबर्थ रोग	कुत्ता	ऐडेनो विषाणु
15.	इक्वाइन एन्सिफेलो मिलिट्सि या ब्लाइंड स्टैगर्स	घोड़ा, पौनी	जापानी बी-एन्सिफेलेटिस विषाणु
16.	रानीखेत रोग या न्यू केसल रोग या डोयल्स रोग	मुर्गा	
17.	एवियन मोनोसिटोसिस/ पुलेट रोग या ब्लू कोम्ब	मुर्गा	
18.	गम्बोरो रोग	मुर्गा	

(*viii*) रोग का नाम-छोटी माता (Small pox)

विषाणु का नाम-Variola virus

संचरण-छोटी बूंदों (Droplets) के प्रत्यक्ष संपर्क अथवा संक्रमित वस्तुओं के प्रत्यक्ष संपर्क द्वारा।

संक्रमण-12 दिन।

मुख्य लक्षण-अत्यधिक बुखार होना, सिर तथा पीठ में दर्द होना, तीसरे दिन त्वचा पर चकत्तों (Rash) का निकल आना। चकत्तों में पीब भर जाना तथा खुंटिया पड़ जाना। कुछ समय पश्चात् खुंटियों का निकल जाना, परंतु घावों का रह जाना।

उपचार-चेचक के टीके का प्रयोग।

(*ix*) **रोग का नाम**-एड्स (Acquired Immuno Deficiency Syndrome)

विषाणु का नाम-HIV (Human Immuno Virus)|

संचरण-संक्रमित व्यक्ति से लैंगिक संबंध के कारण तथा शुक्राणु के द्वारा, संक्रमित रक्त के शरीर में डाले जाने से।

मुख्य लक्षण-शरीर के वजन में 10% या उससे अधिक की कमी, अज्ञात कारण से बुखार हो जाना, मुंह में फोड़े निकल आना।

विषाणु विज्ञान में कुछ महत्त्वपूर्ण खोज और खोजकर्त्ताओं के नाम
(Some Important Inventions in Virology)

वर्ष	वैज्ञानिक	खोज
1892	इवानोस्की (Iwanosky)	तम्बाकू में मोजैक रोग का कारण विषाणुओं को बताया।
1898	बेज़रनिक	पादप रस को जीवित तरल संक्रामक कहा।
1892-1906	गोनरी और पाश्चर	स्मॉल-पॉक्स विषाणु (Small Pox Virus) की खोज की।
1901	रीड (Reed)	पीतज्वर विषाणु(Yellow Fever Virus)
1908	पॉपर (Popper)	पोलियो वाइरस की खोज की।
1906	साबिन (Sabin)	पोलियो का टीका (Polio Vaccine)
1915	ट्वार्ट और डी हैरेली	बैक्टिरियोफेज़ (Bacteriophage)
1933	स्मिथ (Smith)	इन्फ्लूएंजा (Influenza) विषाणु की खोज।
1938	प्लाज (Platz)	मीजल्स (Measles) विषाणु की खोज।
1935	डब्लू.स्टेनले (W. Stanley)	विषाणु को क्रिस्टल के रूप में बनाया और प्रोटीन माना। इस कार्य के लिए सन् 1946 ई. में नोबेल पुरस्कार से सम्मानित किया गया।
1938	बावडेन (Bauwden)	विषाणु में प्रोटीन और न्यूक्लिक अम्ल की खोज की।
1942	हर्शे और चेस	विषाणु का केवल डी. एन. ए. अथवा आर. एन. ए. परपोषी कोशिका में प्रवेश करता है।
1953	ए. वॉफ तथा ई.	टेम्परेट फेज या प्रोफेज वालमान (A. Lwoff and E. Wallman)
1957	ए. आइसेकस (A. Issacs)	इन्टरफेरोन (Interferon)
1955-57	आर. फ्रेंकलिन, ए. क्लग तथा के.सी. होम्स। (R. Franklin, A. Klug and K.C. Holms)	टी. एम. वी. सूक्ष्म संरचना।
1959	आर.एल. सिनशिमर (R.L. Sinsheimer	एक कुण्डलित डी. एन.ए. के साथ कोली फेज $\phi \times 174$ की खोज।
1959	एस. बरेनर तथा उनका साथी (S.Brenner *et. al.*)	जीवाणु भोजी विषाणु T_2 की सूक्ष्म संरचना।
1963	सेफरमेन तथा मोरिस (Saff erman and Morris)	नीलहरित शैवाल भोजी (Cyanophage)
1975	डिबेको (Deb ecco)	कैंसर के जनक विषाणु
1984	लू मोंटेगनियर आर.गैलो (Lu montagnier, Ro Gallo *et. al.*)	एड्स विषाणु (Aids virus)

वस्तुनिष्ठ प्रश्न

1. निम्न जीवों में से सूक्ष्मतम कौन से हैं?
(*a*) जीवाणु (*b*) कवकद्रव्य
(*c*) नॉस्टॉक (*d*) विषाणु

2. निम्नलिखित में से कौन ओनकोजेनिक (कैंसर उत्पन्न करने वाला) विषाणु नहीं है?
(*a*) मिक्सोवाइरस (*b*) पॉलीमा
(*c*) SV-40 (*d*) रुबिओला

3. निम्नलिखित में कौन-सा सायनोफेज (Cyanophage) है?
(*a*) $\phi \times 174$ (*b*) λ फाज
(*c*) LPP-1 (*d*) S_{13}

4. निम्न में कौन से विषाणु अथवा विषाणुतुल्य रचनायें चोल रहित RNA की बनी होती हैं?
(*a*) TMV (*b*) कोलीमा वाइरस
(*c*) चेचक विषाणु (*d*) PSTV या वाइराइड्स

5. अमरबेल (*Cuscuta*) के द्वारा संचरण हो सकता है?
(*a*) विषाणु जनित रोगों का
(*b*) माइको प्लाज्मा जनित रोगों का
(*c*) जीवाणु जनित रोगों का
(*d*) दोनों (*a*) तथा (*b*)

6. निम्न में से कौन-सा प्रोटीन प्रियोन (Prion) रोग से सम्बन्धित होता है?
(*a*) इन्टरफेरोन (*b*) P_rPc
(*c*) P_rP^sc (*d*) P_rP

7. निम्नलिखित में से कौन एक बैक्टीरियोफेज होता है?
(*a*) वाइरस जो बैक्टीरिया को ग्रसित करे
(*b*) विब्रीयो बैक्टीरिया
(*c*) बैक्टीरिया जो वाइरस को ग्रसित करे
(*d*) सायनो बैक्टीरिया

8. आलू में लीफ रोल और पपीता में लीफ कर्ल रोग किस के द्वारा होता है?
(*a*) बैक्टीरिया (*b*) कवक
(*c*) वाइरस (*d*) निमेटोड

9. PPLO निम्न में किस प्रकार का जीव है?
(*a*) वाइरस (*b*) वाइराइड
(*c*) माइकोप्लाज्मालाइक (*d*) बैक्टीरिया

10. वाइरॉइडों में—
(*a*) एकलसूत्री RNA होता है जो प्रोटीन आवरण से घिरा नहीं होता
(*b*) एकलसूत्री DNA होता है जो प्रोटीन आवरण से घिरा नहीं होता
(*c*) द्विसूत्री DNA होता है जो प्रोटीन आवरण से घिरा होता है
(*d*) द्विसूत्री RNA होता है जो प्रोटीन आवरण से घिरा होता है

11. एड्स के लिये उत्तरदायी विषाणु किस विषाणु का उदाहरण है?
(*a*) ग्रन्थि विषाणु (*b*) मीर विषाणु
(*c*) टी. ईवेन विषाणु (*d*) रीट्रो विषाणु

12. विषाणुओं द्वारा आनुवंशिक स्थानान्तरण को कहते हैं?
(*a*) सेक्सडक्शन (*b*) ट्रांसडक्शन
(*c*) संयुग्मन (*d*) रूपान्तरण

13. तम्बाकू मोजेक विषाणु का सर्वप्रथम क्रिस्टलीकरण किया था?
(*a*) डब्ल्यू. आर. स्टेन (*b*) लूई पाश्चर ने
(*c*) एडवर्ड जेनर ने (*d*) एन्डेल्वोफ ने

14. एड्स विषाणु में होता है?
(*a*) एक रज्जु की आर.एन.ए.
(*b*) द्वि रज्जु की आर.एन.ए.
(*c*) एक रज्जु की डी.एन.ए.
(*d*) द्वि रज्जु की डी.एन.ए.

15. आलू का लीफ रोल रोग होता है?
(*a*) जीवाणु द्वारा (*b*) पक्सिनिया द्वारा
(*c*) विषाणु द्वारा (*d*) म्यूकर द्वारा

16. आर.एन.ए. के कण जो विषाणु रोग जैसे लक्षण उत्पन्न करते हैं, कहलाते हैं-
(*a*) वाइरा (*b*) वायराइड
(*c*) माइकोप्लाज्मा (*d*) वाइरिओन

17. पोटेटो मॉजेक होता है—
(*a*) कवक द्वारा (*b*) जीवाणु द्वारा
(*c*) विषाणु द्वारा (*d*) माइकोप्लाज्मा

18. टी. एम. वी. (TMV) का क्रिप्टोग्राम है-
(*a*) R/2:2/5:E/E:*/S (*b*) R/1:2/7:E/E:S/*
(*c*) R/1:2/5:E/E:S/* (*d*) $R/1:1/8:S/S:S/A_p$

19. एड्स का कारण है—
(*a*) टी.4 लिम्फोसाइट्स की कमी से
(*b*) जीवाणु के संक्रमण से
(*c*) राइबोफ्लेविन की कमी से
(*d*) उच्च रक्त दाब से

20. वायराइड्स (Viroids) में है—
(*a*) प्रोटीन आवरण से घिरा हुआ द्विसूत्री डी.एन.ए.
(*b*) प्रोटीन आवरण से घिरा हुआ द्विसूत्री आर.एन.ए.
(*c*) प्रोटीन आवरण रहित एक सूत्री आर.एन.ए.
(*d*) प्रोटीन आवरण रहित एक सूत्री डी.एन.ए.

21. कोशिका सिद्धान्त का अपवाद है?
(*a*) कवक (*b*) लाइकेन
(*c*) शैवाल (*d*) विषाणु

22. लेटेन्सी का एक सर्वोच्च उदाहरण जिसमें भोजी का डी.एन.ए. पोषद कोशिका के गुणसूत्र के डी.एन.ए. से मिल जाता है, होता है?
(*a*) प्रोफेज
(*b*) लहरियेदार (Attenuated) वाइरस
(*c*) लाइसिस
(*d*) लाइसोजेनी

23. विषाणु निर्जीव मालूम पड़ते हैं क्योंकि पोषद के बाहर ये—
(*a*) वृद्धि कर सकते हैं
(*b*) जनन कर सकते हैं
(*c*) उत्परिवर्तन कर सकते हैं
(*d*) इनमें से कोई नहीं

24. स्थान जहाँ विषाणु के प्रोटीन कोट के लिए प्रोटीन का संश्लेषण होता है?
(*a*) पोषद की प्लाज्मा झिल्ली होती है
(*b*) पोषद की माइटोकॉण्ड्रिया होती है
(*c*) विषाणु का आर.एन.ए. होता है
(*d*) पोषद का राइबोसोम होता है

25. निम्न में से किस एक का जीव वैज्ञानिक स्टेटस संदिग्ध है?
(*a*) जीवाणुओं का (*b*) विषाणुओं का
(*c*) नीले हरे शैवालों (*d*) इनमें से किसी का नहीं

26. एन्जाइम्स अनुपस्थित होते हैं?
(*a*) कवकों में (*b*) जीवाणुओं में
(*c*) स्लाइम मोल्ड्स में (*d*) विषाणुओं में

27. पोषद कोशिका में गुणन करने वाला डी.एन.ए. कहलाता है?
(*a*) प्रोवाइरस (*b*) वेनीफेज
(*c*) वाइरुलेण्ट फेज (*d*) विषाणुओं में

28. ट्रान्सडक्शन की खोज की?
(*a*) लेडरबर्ग तथा जिण्डर ने
(*b*) सेफरमैन तथा मौरिस ने
(*c*) स्मिथ तथा नाइट ने
(*d*) इनमें से किसी ने नहीं

29. सायनोफेजेज की खोज की—
(*a*) जैकब तथा मोनेड ने
(*b*) लेडरबर्ग तथा टाटम ने
(*c*) लेडरबर्ग तथा जिन्डर ने
(*d*) सैफरमैन तथा मौरिस ने

30. संरचनात्मक दृष्टि से पूर्ण विषाणु कहलाता है?
(*a*) विरिऔन (*b*) वाइराइड
(*c*) वाइरस (*d*) वाइरा

31. शैवाल विषाणु कहलाते हैं?
(*a*) फायकोफेजेज (*b*) सायनोफेजेज
(*c*) माइकोफेजेज (*d*) बाइनल विषाणु

32. जीवाणुभोजियों (Bacteriophages) की खोज की गयी?
(*a*) ट्वॉर्ट द्वारा (*b*) मौरिस द्वारा
(*c*) इवानोवस्की द्वारा (*d*) स्टैनले द्वारा

33. नग्न डी.एन.ए. विषाणु कहलाते हैं?
(*a*) राइबोविरा (*b*) एडीनोवाइरसेज
(*c*) हर्पीज वाइरसेज (*d*) डीऑक्सीविरा

34. अनेक कशेरुकियों (Vertebrates) में विषाणुओं के संक्रमण से प्रतिक्रिया हेतु बने विषाणुओं के गुणन का प्रतिरोध करने वाले प्रतिविषाणु (Antiviral) पदार्थ को कहते हैं?
(*a*) इण्टरफेरॉन (*b*) विरिऑन
(*c*) एण्टीजन (*d*) एण्टीवाइरिन

35. सबसे बड़े विषाणु की माप होती है?
(*a*) 300 एन एम (*b*) 200 एन एम
(*c*) 400 एन एम (*d*) 100 एन एम

36. सबसे छोटे विषाणु की माप होती है?
(*a*) 2 एन एम (*b*) 10 एन एम
(*c*) 1 एन एम (*d*) 6 एन एम

37. प्रथम बार क्रिस्टलाइज किया गया विषाणु था?
(*a*) इन्फ्लूएन्जा का विषाणु
(*b*) फूलगोभी का चितेरा विषाणु
(*c*) तम्बाकू का चितेरा विषाणु
(*d*) टमाटर का चितेरा विषाणु

38. विषाणु रासायनिक रूप से बने होते हैं?
(*a*) ग्लाइकोपेप्टाइड्स से (*b*) लिपोपॉलीसैकराइड्स से
(*c*) न्यूक्लियोप्रोटीन्स से (*d*) कार्बोहाइड्रेट्स से

39. पादप विषाणुओं में प्रायः होते हैं?
(*a*) डी.एन.ए.
(*b*) डी.एन.ए. एवं आर.एन.ए.
(*c*) आर.एन.ए.
(*d*) डी.एन.ए. अथवा आर.एन.ए.

40. पूर्वभोजी (Prophage) की खोज की?
(*a*) स्मिथ तथा नाइट (*b*) लेडरबर्ग एवं जिण्डर ने
(*c*) सैफरमैन एवं मौरिस (*d*) इनमें से किसी ने नहीं

उत्तरमाला

1	2	3	4	5	6	7	8	9	10
(*b*)	(*a*)	(*c*)	(*d*)	(*d*)	(*c*)	(*a*)	(*c*)	(*c*)	(*a*)
11	**12**	**13**	**14**	**15**	**16**	**17**	**18**	**19**	**20**
(*d*)	(*b*)	(*a*)	(*a*)	(*c*)	(*b*)	(*c*)	(*c*)	(*a*)	(*c*)
21	**22**	**23**	**24**	**25**	**26**	**27**	**28**	**29**	**30**
(*d*)	(*d*)	(*d*)	(*d*)	(*b*)	(*d*)	(*c*)	(*a*)	(*d*)	(*a*)
31	**32**	**33**	**34**	**35**	**36**	**37**	**38**	**39**	**40**
(*a*)	(*a*)	(*b*)	(*a*)	(*a*)	(*a*)	(*c*)	(*c*)	(*c*)	(*d*)

अध्याय

5 जीवाणु (Bacteria)

- जीवाणु को क्लोरोफिल 'ए' रहित प्रोकैरियोट कहते हैं। जीवाणुओं के अध्ययन को जीवाणु विज्ञान (Bacteriology) कहते हैं।
- जीवाणु सबसे प्राचीन, छोटे, सरल तथा बहुतायत में पाए जाने वाले प्रोकैरियोटी किंगडम मोनेरा के सूक्ष्म जीव हैं।
- मोनेरा किंगडम में विभिन्न प्रकार के जीवाणु होते हैं। जहां पर भी जीवन संभव है, जैसे–गरम झरनों में, बर्फ के नीचे, समुद्र की गहरी तलहटी में, सबसे गरम तथा शुष्क मरूस्थल में और अन्य जीवों के शरीर में मोनेरा के सदस्य पाए जाते हैं। उन्हें हवा उड़ा कर ले जा सकती हैं। वे बहुत अधिक संख्या में होते हैं।
- सन् 1683 में हॉलैंड के एण्टोनी वान ल्यूवेनहॉक (Antony Van Leeuwenhock) ने अपने द्वारा बनाये हुए सूक्ष्मदर्शी की सहायता से दांत की खुरचन में जीवाणुओं को देखा तथा उन्हें सूक्ष्म जीव (Animalcules) कहा। इसी कारण ल्यूवेनहॉक को जीवाणु विज्ञान के पिता (Father of Bacteriology) की संज्ञा दी जाती है।
- सन् 1829 में एहरेनबर्ग (Ehrenberg) ने जीवाणु (Bacteria) नाम दिया।
- सर्वप्रथम 1881 में राबर्ट कोच (Robert Koch) ने जीवाणुओं का कृत्रिम संवर्धन (Artificial Culture) किया तथा कालस्फाट (Anthrax) व क्षयरोग (Tuberculosis) के जीवाणुओं को अलग किया, जिसके लिए उन्हें 1905 में नोबेल पुरस्कार मिला।

जीवाणु के प्रकार (Types of Bacteria)

जीवाणु की संरचना सरल होती है तथा इनकी कोशिका प्रोकेरियोटिक होती है। आकार के आधार पर इनके निम्नलिखित प्रकार हैं। (चित्र 1)

(1) कोकाई (Cocci)

ये गोल होते हैं तथा एकल या समूह में मिलते हैं।

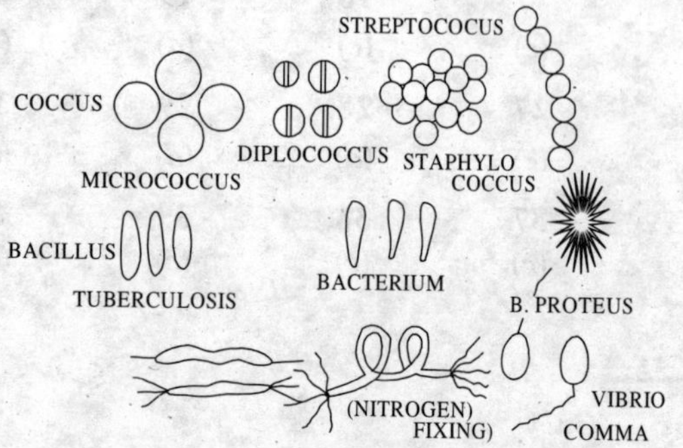

चित्र 1: *जीवाणुओं के विभिन्न प्रकार*

(*i*) जब ये एकल होते हैं, तो इनको *माइक्रोकोकाई* (micrococci) कहते हैं,

(*ii*) जब दो के समूह में मिलते हैं तब इनको *डिप्लोकोकाई* (diplococci) कहते हैं।

(*iii*) जब ये जीवाणु शृंखला में मिलते हैं तब इन्हें *स्ट्रेप्टोकोकाई* (streptococci) कहते हैं।

(*iv*) जब कोकाई जीवाणु चार के समूह में मिलते हैं तब इनको *टेट्राकोकाई* (Tetracocci) कहते हैं।

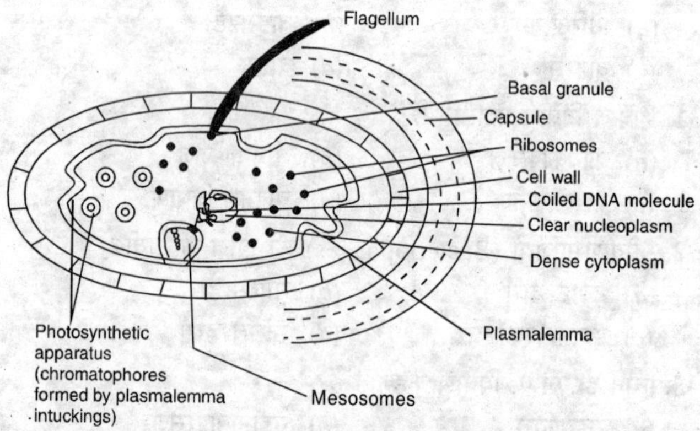

चित्र 2: *जीवाणु की प्रारूपिक कोशिका संरचना*

(*v*) जब कोकाई घन के आकार में रहते हैं तो इनको *सारसीनी* (sarcinae) कहते हैं।

(*vi*) जब कोकाई जीवाणु अनियमित गुच्छे या समूह में होते हैं तब इन्हें *स्टेफाइलोकोकाई* (staphylococci) कहते हैं।

(2) बेसीलाई (Bacilli)

(*i*) ये छड़ाकार (rod shaped) होते हैं।

(*ii*) जब ये जोड़ों में रहते हैं तब इन्हें **डिप्लोबेसीलाई** कहते हैं।

(*iii*) जब ये शृंखला में मिलते हैं तब इनको **स्ट्रेप्टोबेसीलाई** कहते हैं।

(*iv*) जब ये गुच्छे के रूप में मिलते हैं तब इनको **स्टेफाइलोबेसीलाई** कहते हैं।

(3) स्पाइरिलाई (Spirilli)

ये जीवाणु लम्बे तथा सर्पिलाकार अथवा पेंच की तरह होते हैं। ये आमतौर पर एकल होते हैं।

(4) कॉमा (Comma)

ये कामा (,) के समान आकृति के होते हैं; जैसे-*विब्रियो कोलेरी।*

(5) एक्टिनोमाइसिटीस (Actinomycetes)

ये पतले, शाखित तथा सूत्राकार जीवाणु होते हैं। जैसे– **स्ट्रेप्टोमाइसीज।**

जीवाणु की संरचना (Structure of Bacteria)

जीवाणु की संरचना सरल होती है। इसमें कलायुक्त कोशिकांग (membrane bound organelles) नहीं मिलते हैं। (चित्र 3)

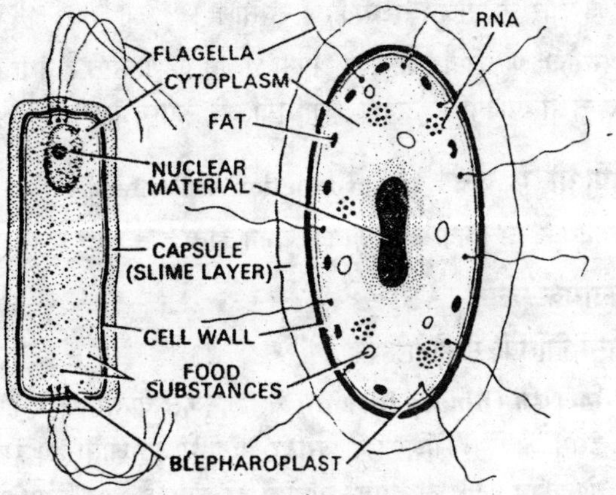

चित्र 3: *जीवाणु की संरचना*

(1) कोशिका भित्ति

प्रत्येक जीवाणु एक दृढ़ कोशिका भित्ति से घिरा रहता है। कोशिका भित्ति की संरचना ग्राम पोजीटिव तथा ग्राम नेगेटिव जीवाणु में भिन्न होती है। ग्राम नेगेटिव जीवाणु में भित्ति 10-15nm तक मोटी होती है। कोशिका भित्ति के बाहर **टिकोइक एसिड** (teichoic acid) मिलता है। ग्रामनेगेटिव जीवाणु में लगभग 10-15% **पेप्टीडोग्लाइकान,** 3% **फॉस्फोलिपिड,** 15% **प्रोटीन** तथा 50% **लिपोपॉलीसैकेराइड** मिलते हैं। ग्राम पोजीटिव जीवाणु में कोशिका भित्ति 20-25% nm तक मोटी होती है। इसमें 20-80% पेप्टीडोग्लाइकान, कुछ मात्रा में प्रोटीन तथा पॉलीसैकेराइड (लिपोपॉलीसैकेराइड) मिल सकते हैं।

रासायनिक रूप से कोशिका भित्ति म्यूरीन(murein) या म्यूकोपेप्टाइड की बनी होती है। इसमें एन एसीटाइल म्यूरामिक एसिड से एक छोटी पेप्टाइड शृंखला जुड़ी रहती है इसमें L अलेनिन, D ग्लूटामिक अम्ल, डाइएमीनो पामिक अम्ल तथा डी अलेनिन हो सकते हैं। ग्राम पोजीटिव जीवाणु की कोशिका में दो पेप्टाइड शृंखलाएँ पेन्टाग्लाइसिन शृंखला से क्रॉस बन्धित होती हैं।

कुछ जीवाणुओं में कोशिका भित्ति के बाहरी ओर एक स्लाइम परत होता है इसमें पानी, पॉलीसैकेराइड, अमीनो अम्ल तथा अन्य पदार्थ मिल सकते हैं। इसका मुख्य कार्य जीवाणु को सुरक्षा प्रदान करना तथा आवश्यकता होने पर पानी की कमी की पूर्ति पूरा करना है।

(2) जीवद्रव्यकला

यह लिपोप्रोटीन की बनी संरचना है जो अर्द्धपारगम्य होती है। इसकी इनफोल्डिंग से **मीसोसोम** बनते हैं। **मीसोसोम** में श्वसन के लिए विकर (enzyme) मिलते हैं। कोशिका विभाजन के समय इनका कोशिका पट्ट बनाने में योगदान है। कोशिका भित्ति तथा जीवद्रव्यकला में बीच का स्थान पेरीप्लाज्मिक स्थान कहलाता है।

(3) कोशिकाद्रव्य

इसमें जल, प्रोटीन, अमीनो, अम्ल, न्यूक्लिक अम्ल, लिपिड, कार्बोहाइड्रेट, खनिज तत्व, ग्लाइकोजन, वाल्यूटिन आदि मिलते हैं। जीवाणु की कोशिका में माइटोकॉन्ड्रिया, गॉल्जीकाय, E.R., सेन्ट्रोसोम, क्लोरोप्लास्ट आदि का अभाव होता है। कुछ प्रकाश संश्लेषी जीवाणुओं में क्रोमेटोफोर पाया जाता है।

(4) राइबोसोम

राइबोसोम प्रोटीन तथा RNA के बने होते हैं तथा ये 70S तथा 50S की दो इकाइयों के बने होते हैं।

(5) राइबोन्यूक्लिक अम्ल (आर.एन.ए.)

यह तीन रूपों में मिल सकता है m-RNA, t-RNA तथा r-RNA।

(6) केन्द्रकाय

जीवाणु में **सत्य केन्द्रक का अभाव** होता है। इसके केन्द्रक को केन्द्रकाय कहते हैं। इसमें केन्द्रक कला, न्यूक्लियोलस नहीं मिलते हैं। इसमें जो DNA होता है उसमें हिस्टोन नामक प्रोटीन अनुपस्थित होती है। *E. coli* में एक क्रोमोसोम होता है जो वलय रूप में मिलता है।

(7) फ्लैजला

ये फ्लैजिन प्रोटीन के बने होते हैं। इसके बेसल ग्रेन्यूल, हुक तथा मुख्य तन्तु तीन भाग होते हैं। फ्लैजला के आधार पर जीवाणु निम्न प्रकार के होते हैं। (चित्र 4)

(*i*) **मोनोट्राइकसः** इसमें एक ही फ्लैजला मिलता है।

(*ii*) **एम्फीट्राइकसः** जीवाणु कोशिका के दोनों सिरों पर एक या एक से अधिक फ्लैजला हो सकते हैं।

(*iii*) **लोफोट्राइकसः** जीवाणु कोशिका के एक सिरे पर गुच्छे रूप में फ्लैजला मिलते हैं।

(*iv*) **पेरीट्राइकसः** जीवाणु कोशिका के चारों तरफ फ्लैजला मिलते हैं।

(8) पीली

ये पीलिन प्रोटीन की बनी होती है। ये कोशिका के चारों तरफ मिलती हैं। इसका मुख्य कार्य आसंजक अंग के रूप में कार्य करना है।

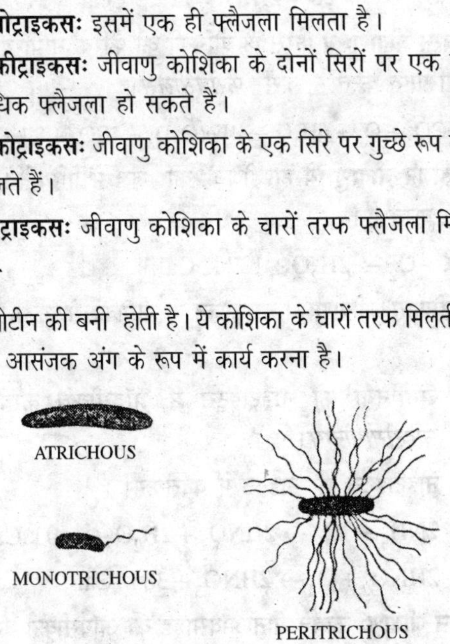

चित्र 4: *कशाभिकाओं (फ्लैजला) के आधार पर विभिन्न प्रकार के जीवाणु*

जीवाणुओं में पोषण (Nutrition in Bacteria)

पोषण के अनुसार जीवाणु दो प्रकार के होते हैं–

(1) स्वपोषित, (2) परपोषित।

(1) स्वपोषित

कुछ जीवाणु रासायनिक क्रिया से ऊर्जा प्राप्त करते हैं तथा कुछ जीवाणु प्रकाश संश्लेषण की क्रिया करते हैं। स्वपोषित जीवाणु दो प्रकार के होते हैं–

(a) प्रकाशसंश्लेषी

कुछ जीवाणुओं में क्रोमेटोफोर पाया जाता है। उक्त क्रोमेटोफोर में **बैक्टीरियल क्लोरोफिल** होता है। प्रकाश संश्लेषण की क्रिया अधिकतर गन्धक के यौगिकों, जैसे हाइड्रोजन सल्फाइड (H_2S) की उपस्थिति में होती है। इस प्रकार के संश्लेषण के लिए हाइड्रोजन सल्फाइड (H_2S), हाइड्रोजन का स्रोत है। यहाँ उप-उत्पाद गन्धक का होता है। हरे पादपों की भाँति O_2 नहीं निकलती है।

$$6CO_2 + 12H_2S \xrightarrow[\text{Chlorobium chlorophyll}]{\text{Light}} (CH_2O)_6 12S + 6H_2O$$

उदाहरणः *क्लोरोबियम* आदि।

(b) रसायन संश्लेषी

बहुत-से जीवाणु CO_2 को कार्बोहाइड्रेट में परिवर्तित करने के लिए विभिन्न रासायनिक क्रियाओं से ऊर्जा प्राप्त करते हैं; जैसे–

(i) **गन्धक जीवाणुः** ये जीवाणु गन्धक के यौगिकों को ऑक्सीकृत करके ऊर्जा प्राप्त करते हैं; जैसे–*थायोबेसीलस*।

$2H_2S + O_2 \rightarrow 2S + 2H_2O + 122.2 \text{ k.cal}$

(ii) **आयरन जीवाणुः** ये फैरस के यौगिकों को फैरिक में परिवर्तित करके ऊर्जा प्राप्त करते हैं; जैसे–*फैरोबेसीलस*।

$4FeCO_3 + O_2 + 6H_2O \rightarrow 4Fe(OH)_3 + 4CO_2 + 8 \text{ k.Cal}$

(iii) **हाइड्रोजन जीवाणुः** ये हाइड्रोजन को जल में परिवर्तित कर ऊर्जा प्राप्त करते हैं।

$2H_2 + O_2 \rightarrow 2H_2O + 137 \text{ k. Cal}$

(iv) **नाइट्रीकारी जीवाणुः** ये नाइट्रोजन के यौगिकों से ऊर्जा प्राप्त करते हैं।

(a) अमोनिया को नाइट्राइट्स में ऑक्सीकृत करके; जैसे–*नाइट्रोसोमोनास*।

(b) नाइट्राइट्स को नाइट्रेट में बदलकर।

$2NH_3 + 3O_2 \rightarrow 2HNO_2 + 2H_2O + 150 \text{ k.Cal}$

$2HNO_2 + O_2 \rightarrow 2HNO_3 + 38 \text{ k. Cal}$

(v) **कार्बन जीवाणुः** कार्बन मोनोऑक्साइड को ऑक्सीकृत करके ऊर्जा प्राप्त करते हैं।

$2CO + O_2 \rightarrow 2CO_2 + \text{Energy}$

(vi) **मीथेन जीवाणुः** मीथेन के ऑक्सीकरण से ऊर्जा प्राप्त करते हैं।

$CH_4 + 2O_2 \rightarrow CO_2 + 2H_2O + \text{Energy}$

(2) परपोषित जीवाणु

ये जीवाणु विकर की सहायता से खाद्य पदार्थों के कार्बनिक यौगिकों को घुलनशील बनाकर उसका अवशोषण करते हैं। परपोषित जीवाणु तीन प्रकार के होते हैं–

(a) **मृतोपजीवीः** ये सड़े, गले तथा मृत जीवों से अपना भोजन प्राप्त करते हैं। इनकी उपस्थिति के कारण भोज्य पदार्थ खाने योग्य नहीं होते।

(b) **सहजीवीः** ये दूसरे जीवों से मिलकर सहजीवन करते हैं; जैसे–**राइजोबियम**। जो मटर कुल के पादपों की मूल ग्रन्थियों में रहता है और नाइट्रोजन स्थिरीकरण करता है।

(c) **परजीवीः** ये जीवित जीवों से अपना भोजन ग्रहण करते हैं तथा मनुष्यों, जन्तुओं, पादपों में अनेक व्याधियों को उत्पन्न करते हैं।

जीवाणुओं में जनन (Reproduction in Bacteria)

इनमें कायिक, अलैंगिक तथा लैंगिक जनन होता है–

(1) कायिक जनन

यह निम्न विधियों से होता है–

(a) **द्विखण्डन (Binary fission):** यह अनुकूल वातावरण में होता है। इसमें जीवाणु कोशिका दो बराबर भागों में टूट जाता है। इससे पूर्व केन्द्रकीय पदार्थ दो बराबर भागों में टूट जाता है। यह क्रिया असूत्रण (amitosis) है। (चित्र 5)

(b) **मुकुलन (Budding):** कुछ जीवाणुओं में एक तरफ अतिवृद्धि होती है जिसमें केन्द्रकीय पदार्थ तथा कुछ कोशिकाद्रव्य चला जाता है। यह अतिवृद्धि एवं संकीर्णन द्वारा मातृकोशिका से अलग हो जाती है। इस अतिवृद्धि को कलिका (bud) कहते हैं तथा क्रिया को मुकुलन कहते हैं।

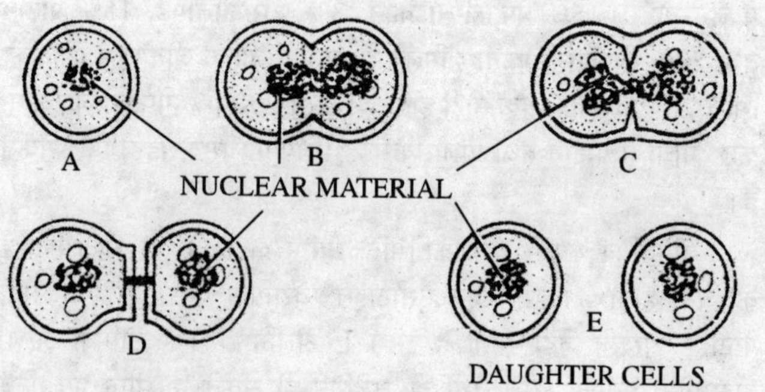

चित्र 5: *जीवाणु में द्विखण्डन*

(2) अलैंगिक जनन (Asexual Reproduction)

यह निम्न प्रकार से होता है–

(a) **कोनीडिया द्वाराः** कुछ जीवाणु जातियों (जैसे ऐक्टिनोमाइसिटीज) में शाखाओं के सिरों पर कोनीडिया बनते हैं। कुछ कोशिकाद्रव्य, केन्द्रकीय पदार्थ के साथ एक संकीर्णन द्वारा मातृ शाखा से अलग हो जाता है। अनुकूल वातावरण में कोनीडिया अंकुरित होकर नये जीवाणु सूत्र को जन्म देती है।

(b) **ट्रान्सडक्शन (Transduction):** यह क्रिया जीवाणुओं में आनुवंशिक पदार्थ के स्थानान्तरण की एक महत्वपूर्ण क्रिया है; जो बैक्टिरियोफेज

के द्वारा सम्पन्न होती है। संक्रमण के समय जीवाणुभोजी (bacteriophage) तथा संक्रमित जीवाणु के बीच न्यूक्लिक अम्ल की अदला-बदली होती है।

इस प्रकार बने नए वायरस कणों से जीवाणु के आनुवंशिक पदार्थ का कुछ भाग चला जाता है। इस प्रकार जब यह जीवाणुभोजी दूसरे जीवाणु पर आक्रमण करता है, तो पहले जीवाणु से प्राप्त आनुवंशिक पदार्थ को इसमें स्थानान्तरित कर देता है। इस प्रकार नए जीवाणु का निर्माण होता है तथा यह क्रिया ट्रांसडक्शन कहलाती है।

(*c*) **अन्तःबीजाणु (endospore):** इसमें जीवाणु का जीवद्रव्य कोशिका के मध्य में आकर सिकुड़ जाता है तथा एक गोलाकार संरचना का निर्माण करता है। इसके चारों तरफ एक मोटी भित्ति का निर्माण होता है। इनका बाह्य आवरण पतला तथा अन्तः आवरण कठोर व अपारगम्य होता हैं जिसे एण्डोस्पोर कहते हैं। (चित्र 6) यह संरचना अत्यन्त प्रतिकूल परिस्थितियों में भी रह सकती है। इस पर अधिक ताप, रासायनिक पदार्थ आदि का प्रभाव नहीं पड़ता है।

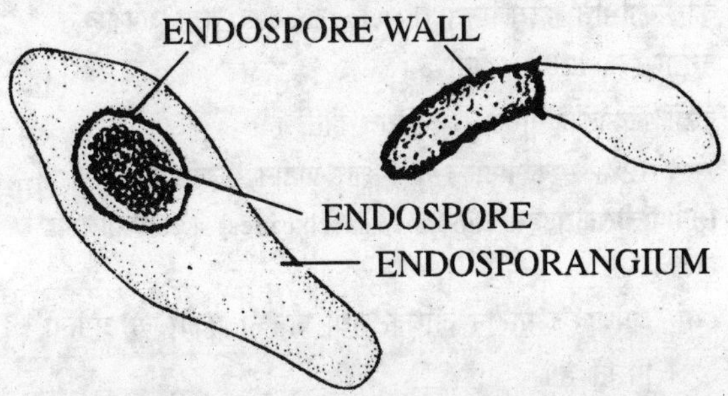

चित्र 6: *जीवाणु में अन्तः बीजाणुओं (endospores) का बनना*

(3) लैंगिक जनन (Sexual Reproduction)

यह निम्न प्रकार (चित्र 7) से होता है–

(*a*) **संयुग्मन (Conjugation):** जीवाणु *ई. कोलाई* में इसका अध्ययन किया गया है जिन जीवाणुओं में फर्टिलिटी फैक्टर होता है। वे दाता (donor) कहलाते हैं। इनको F^+ से प्रदर्शित करते हैं। जिन जीवाणुओं में फर्टिलिटी फैक्टर नहीं होता है वे F^- कहलाते हैं तथा ये ग्राही (recipient) होते हैं। ये दोनों जीवाणु लैंगिक पीली (pili) द्वारा जुड़ते हैं तथा दाता का आनुवंशिक पदार्थ ग्राही में प्रवेश करता है। यह क्रिया अचानक रुक जाती है तथा पूरा फर्टिलिटी फैक्टर कभी स्थानान्तरित नहीं होता है। आनुवंशिक पुनर्योजन से बनी कोशिकाएँ **मीजोजाइगोट** कहलाती हैं जो आंशिक रूप से द्विगुणित (partial diploid) होती है।

(*b*) **रूपान्तरण** (Transformation): संवर्द्धन माध्यम से आनुवंशिक पदार्थ का अवशोषण करके नयी जीवाणु कोशिका का निर्माण इस विधि से होता है। एक विभेद के मृत जीवाणुओं का निलम्बन दूसरे विभेद की कोशिकाओं के संवर्द्धन माध्यम में मिला दिया जाए तो अभिग्राही जीवित कोशिकाएँ मृत कोशिकाओं के आनुवंशिक पदार्थ डी.एन.ए. का अवशोषण कर लेती हैं।

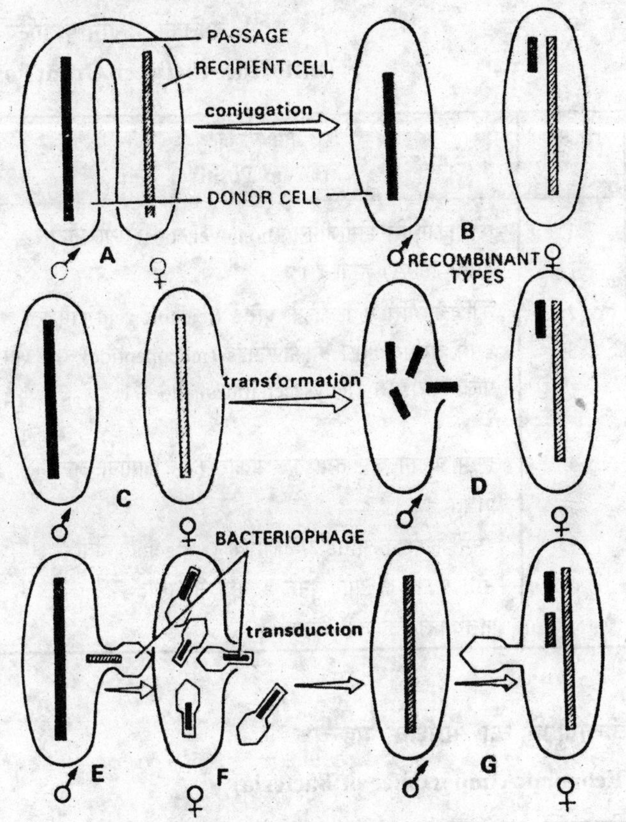

चित्र 7: *जीवाणुओं में विभिन्न प्रकार के लैंगिक जनन*

तालिका 1: कुछ जीवाणुजनित पादप रोग

क्र.सं.	पादपों के रोग (Plant diseases)	रोग पैदा करने वाले बैक्टीरिया (Disease causing bacteria)
1.	सिट्रस केंकर (Citrus canker)	*जैन्थोमोनास सिट्राई (Xanthomonas citri)*
2.	ब्लाइट ऑफ पैडी (Blight of paddy)	*जैन्थोमोनास ओराइजी (Xanthomonas oryzae)*
3.	क्राउन गाल ऑफ शुगरबीट (Crown gall of sugar beet)	*एग्रोबैक्टीरियम ट्यूमीफेसिएन्स (Agrobacterium tumifaciens)*
4.	एंगुलर लीफ स्पाट ऑफ कॉटन (Angular leaf spot of cotton)	*जैन्थोमोनास माल्वेसिएरम (Xanthomonas malvacearum)*
5.	रिंग रॉट ऑफ पोटेटो (Ring rot of potato)	*जैन्थोमोनास सोलिनेसिएरम (Xanthomonas solanacearum)*

तालिका 2: कुछ जीवाणुजनित मानव रोग

क्र. स.	मनुष्य के रोग (Human diseases)	रोग पैदा करने वाले जीवाणु (Disease causing bacteria))
1.	हैजा (Cholera)	*विब्रियो कोलेरी (Vibrio cholerae)*
2.	डिफ्थीरिया (Diphtheria)	*कोर्नीबैक्टीरियम डिफ्थीरी (Corynebacterium diphtheriae)*
3.	क्षय रोग (Tuberculosis)	*माइकोबैक्टिरियम ट्यूबरकुलोसिस (Mycobacterium tuberculosis)*
4.	टिटनस (Tetanus)	*क्लॉस्ट्रिडियम टिटैनी (Clostridium tetani)*
5.	न्यूमोनिया (Pneumonia)	*स्ट्रेप्टोकोकस न्यूमोनी (Streptococcus pneumoniae)*

तालिका 3: ग्राम पोजीटिव तथा ग्राम नेगेटिव जीवाणुओं में विभेद
(Differences between Gram Positive and Gram Negative Bacteria)

क्र.स.	ग्राम पोजीटिव (Gram Positive)	ग्राम नेगेटिव (Gram Negative)
1.	कोशिकाभित्ति होमोजीनस (homogeneous) तथा मोटी (150-200Å) होती है।	कोशिकाभित्ति हेटेरोजीनस (heterogeneous) तथा अपेक्षाकृत पतली (75-120Å) होती है।
2.	कोशिकाभित्ति में **टिकोइक एसिड** (teichoic acid) मिलता है।	इसमें टिकोइक एसिड अनुपस्थित होता है।
3.	इसमें लगभग 80% **म्यूकोपेप्टाइड** (mucopeptide) तथा शेष पॉलीसैकेराइड्स (Polysaccharides) होते हैं।	इसमें 12% **म्यूकोपेप्टाइड** तथा शेष प्रोटीन, **लिपोप्रोटीन, लिपोपॉलीसैकेराइड्स** (lipopoly-saccharides) व **फॉस्फोलिपिड** होते हैं।
4.	इसमें प्रोटीन कम तथा कुछ प्रकार के ही अमीनो अम्ल मिलते हैं।	इसमें अपेक्षाकृत प्रोटीन अधिक तथा अनेकों प्रकार के अमीनो अम्ल मिलते हैं।
5.	इसमें टिकोइक एसिड **एन्टीजेनिक** (antigenic) होता है।	इसमें लिपोपॉलीसैकेराइड्स **एन्टीजेनिक** होते हैं।
6.	सभी प्रकार के स्पोर बनते हैं तथा सामान्यतः पोलर फ्लैजला नहीं मिलता है।	सामान्यतः स्पोर बनते ही नहीं हैं तथा फ्लैजला पोलर होते हैं।

जीवाणुओं का आर्थिक महत्त्व
(Economic Importance of Bacteria)

जीवाणुओं का जीव-जन्तुओं से गहरा सम्बन्ध है। इनसे बहुत-से मानव-उपयोगी पदार्थ बनाए जाते हैं या प्राप्त होते हैं। साथ-साथ ये जन्तुओं व पौधों में विभिन्न बीमारियाँ फैलाते हैं।

I. लाभदायक

(*i*) जीवाणु भूमि की उर्वरता बढ़ाते हैं। राइजोबियम लेग्यूमिनस पौधे की जड़ों से सहजीवी संगठन बनाते हैं, जिससे मूल ग्रंथियां बनती हैं। ये वातावरण के नाइट्रोजन को अमोनिया में स्थिर कर देते हैं। अमोनिया से ऐमीनो एसिड बनता है, जिसे पौधे अपने उपयोग में ले लेते हैं। एजेटोबैक्टर नाइट्रोजन स्थिरीकरण करने वाला मुक्त जीवाणु है, जो मिट्टी को उपजाऊ बनाता है।

(*ii*) कुछ अवायुजीवों का उपयोग कार्बोहाइड्रेट के किण्वन विधि द्वारा एसिटोन, ब्यूटॅानाल तथा एथनॉल बनाने के लिए कारखानों में भी किया जाता है। उदाहरण- *क्लोस्ट्रीडियम*।

(*iii*) जीवाणु सड़े-गले, मृत अवशेषों को क्षय करते हैं। उदाहरण- *क्लोस्ट्रीडियम*।

(*iv*) लैक्टिड एसिड जीवाणु दूध में स्थित लैक्टोज को लैक्टिक एसिड में तथा अंततः दूध को दही में परिवर्तित कर देते हैं। (चित्र 7.5)

(*v*) जीवाणु का उपयोग सिरका बनाने में होता है। उदाहरण- *माइकोडरमा एसिटी*।

(*vi*) ये जूट, पटसन और सन को सड़ा देते हैं, जिससे रेशा निकलता है।

(*vii*) **औषधि उद्योग–** मिट्टी में तंतुमयी एक्टीनोमाइसिटीज प्रमुख अपघटक हैं। इनमें से बहुत से ऐसे रसायनों का उत्पादन करते हैं, जो अन्य सूक्ष्मजीवों की वृद्धि को रोकते हैं। इस प्रकार ये रसायन भोजन को प्राप्त करने के लिए अन्य सूक्ष्म जीवों में होने वाली स्पर्धा को कम कर सकते हैं। इन रसायनों को एंटीबायोटिक कहते हैं। ये रसायन मनुष्यों में जीवाणु द्वारा होने वाले रोगों की रोकथाम में बहुत उपयोगी सिद्ध हुए हैं। कुछ महत्त्वपूर्ण एंटीबायोटिक तालिका 4 में दिये गये हैं–

तालिका 4: जीवाणुओं से प्राप्त होने वाले कुछ महत्त्वपूर्ण एन्टीबायोटिक

	एन्टीबायोटिक	जीवाणु जिससे प्राप्त होता है
1.	स्ट्रेप्टोमाइसिन (Streptomycin)	*स्ट्रेप्टोमाइसीज ग्रीसीअस (Streptomyces grisieus)*
2.	क्लोरोमाइसीटिन (Chloromycetin)	*स्ट्रेप्टोमाइसीज वैनिजुएला (S. venezuela)*
3.	ऑरोमाइसिन (Aureomycin)	*स्ट्रेप्टोमाइसीज ओरियोफेसिएन्स (S. aureofaciens)*
4.	नोवोबायोसीन (Novobiocin)	*स्ट्रेप्टोमाइसीज नीवियस (S. niveis)*
5.	टैरामाइसीन (Terramycin)	*स्ट्रेप्टोमाइसीज रिमोसस (S. rimosus)*
6.	नाइस्टेटीन (Nystatin)	*स्ट्रेप्टोमाइसीज नौर्सी (S. noursei)*
7.	इरीथ्रोमाइसीन (Erythromycin)	*स्ट्रेप्टोमाइसीज इरीथ्रस (S. erythreus)*
8.	टाइरोथ्राइसीन-A (Tyrothrycin-A)	*बैसीलस ब्रेबीस (Bacillus brevis)*
9.	पॉलीमिक्सीन-B (Polymyxin-B)	*बैसीलस पॉलीमिक्सा (Bachilus polymixa)*
10.	बैसीट्रेसीन (Bacitracin)	*बैसीलस सबटिलिस (Bacillus subtilis)*

तालिका 5: जीवाणु तथा उनके द्वारा बनाये जाने वाले दूध के पदार्थ

क्र. स.	जीवाणु (Bacteria)	पदार्थ (Products)
1.	स्ट्रेप्टोकोकस लैक्टिस (*Streptococcus lactis*)	मक्खन (Butter)
2.	स्ट्रेप्टोकोकस क्रिमोरिस (*S. cremoris*)	छाछ या मट्ठा (Butter milk)
3.	लैक्टोबैसिलस (*Lactobacillus*) या स्ट्रेप्टोकोकस लैक्टिस (*S. lactis*)	पनीर (cheese) तथा दही (curds)
4.	लैक्टोबैसिलस बुल्गेरिकस (*Lactobacillus bulgaricus*) या स्ट्रेप्टोकोकस थर्मोफिलस (*S. thermophilus*)	योगहर्ट (yoghurt)

II. हानिकारक

(i) **डिनाइट्रीकरण (Denitrification):** कुछ जीवाणु नाइट्रेट, नाइट्राइट व अमोनियम यौगिकों को स्वतंत्र नाइट्रोजन में तोड़ देते हैं। जैसे- *बैसीलस, थायोबैसिलस, माइकोकोकस* आदि।

(ii) **भोजन को विषाक्त करना (Food Poisoning):** कुछ जीवाणु भोजन को विषाक्त बना देते हैं। *स्टेफाइलोकोकस, क्लॉस्ट्रिडियम बोटूलिनियम (Clostridium Botulinium)*।

(iii) **रोग कारक जीवाणु (Pathogenic bacteria)–**

(अ) मनुष्यों में रोग (Diseases in Humans)

(1) रोग का नामः डिप्थेरिया (Diphtheria)

जीवाणु का नामः *कोरिनीबैक्टिरियम डिप्थीरी (Corynebacterium diptheriae)*

संचरण विधिः प्रत्यक्ष संपर्क तथा छोटी बूंदों (Droplets) एवं भोजन के द्वारा ये जीवाणु श्वसन-तंत्र को संक्रमित करते हैं।

संक्रमण अवधि (Incubation Period): 1 से 7 दिन।

मुख्य लक्षणः गले में तकलीफ होना, बुखार होना, उल्टी होना, सांस लेने में कठिनाई होना।

(2) रोग का नामः न्यूमोनिया (Pneumonia)

जीवाणु का नामः डिप्लोकोकस न्यूमोनी (*Diplococcus pneumoniae*)

संचरण विधिः जीवाणु, फेफड़े, श्वसन मार्ग (Respiratory Tract) को संक्रमित करता है।

मुख्य लक्षणः ठंड लगना, छाती में दर्द, जल्दी-जल्दी सांस लेना, पेट में दर्द होना, पीलिया (Jaundice) से ग्रसित होना।

(3) रोग का नामः तपेदिक या क्षयरोग (Tuberculosis)

जीवाणु का नामः *माइकोबैक्टिरियम ट्यूबरकुलोसिस (Mycobacterium tuberculosis)*

संचरण विधिः प्रत्यक्ष संपर्क, भोजन, दूध आदि के द्वारा जीवाणु का संचरण, फेफड़ों-हड्डी तथा अन्य अंगों तक होना।

मुख्य लक्षणः भिन्न-भिन्न अंगों के संक्रमित होने की स्थिति में लक्षण का भिन्न-भिन्न होना। जैसे-कफ, सायंकाल में बुखार, थकान, वजन में ह्रास आदि। X–किरण तस्वीर में फेफड़ों में संक्रमण का दिखाई पड़ना।

उपचारः आराम, संयमित भोजन, स्ट्रेप्टोमायसिन, सर्जरी आदि।

(4) रोग का नामः हैजा (Cholera)

जीवाणु का नामः *विब्रियो कॉलरी (Vibrio cholerae)*

संचरणः दूषित भोजन तथा पानी के द्वारा।

संक्रमण अवधिः कुछ घंटों से लेकर कुछ दिन।

लक्षणः उल्टी होना, डायरिया होना।

बचावकारी उपायः भोजन को गर्म करके खाना, पानी, दूध आदि को उबाल कर पीना, वर्ज्य पदार्थों को सावधानीपूर्वक विसर्जित करना, वैक्सिन (Vaccine) का उपयोग अल्पकालीन रोग प्रतिरोधक क्षमता प्रदान करता है।

(5) रोग का नामः प्लेग (Plague)

जीवाणु का नामः *पाश्चुरेला पेस्टिस (Pasteurella pestis)*

संचरणः पिस्सू के काटने से (Flea Bite) अथवा संक्रमित चूहों के संपर्क से। चूहों के शरीर पर पलने वाले पिस्सुओं (Fleas) द्वारा चूहों से यह रोग मनुष्य में आ जाता है।

(6) रोग का नामः कोढ़ (Leprosy)

जीवाणु का नामः *माइकोबैक्टिरियम लेप्री (Mycobacterium leprae)*

संक्रमणः ज्यादा समय तक संक्रमित अंग के संपर्क में रहना।

मुख्य लक्षणः संक्रमित अंग की त्वचा का सड़ना, संक्रमित अंग का शून्य पड़ जाना, हाथ-पैर की अंगुलियों में विकृति उत्पन्न हो जाना, संक्रमित अंगों में फोड़े निकल जाना।

उपचारः *स्ट्रैप्टोमायसीन* (Streptomycin) तथा *सल्फोन्स* (Sulphones)

(7) रोग का नामः टेटनस (Tetanas)

जीवाणु का नामः *क्लोस्ट्रिडियम टिटनी* (*Clostridium tetani*)

संचरणः घाव के प्रत्यक्ष अथवा अप्रत्यक्ष टीका संक्रमण द्वारा।

संक्रमण अवधिः सामान्यतः तीन से चार सप्ताह।

मुख्य लक्षणः मांस पेशियों में, खासकर गले तथा जबड़े में जोर का खिंचाव, थोरासिक मांस पेशियों(Thorasic Musscles) का लकवाग्रस्त हो जाना। संक्रमण सिर्फ प्रत्यक्ष संपर्क के द्वारा होता है।

उपचारः टेटनस के टीके द्वारा।

(8) रोग का नामः खांसी (Whooping Cough)

जीवाणु का नामः *हीमोफिलस पर्टुसिस* (*Hemophilous pertussis*)

संचरणः हवा के द्वारा।

मुख्य लक्षणः शुरू में सिर्फ रात्रि काल में ही खांसी होती है, परंतु फिर दिन में भी होने लगती है। यह रोग अधिकांशतः शिशुओं एवं बच्चों को ही होता हैं। खांसते-खांसते दम फूलने लगता है तथा सांस लेने के लिए भी खांसी नहीं रूकती।

(9) रोग का नामः जीवाणु कृत पेचिश (Bacillary Dysentery)

जीवाणु का नामः *शिगेला डिसेन्ट्री* (*Shiegella dysenteriae*)

संचरणः मक्खियों, भोजन, मल, जल के द्वारा।

संक्रमण अवधिः 1 से 4 दिन।

मुख्य लक्षणः पेट में अत्यधिक दर्द होना, बुखार हो जाना, मल के साथ खून का आना तथा अतिसार (Diarrhoea) हो जाना।

उपचारः एन्टीबायोटिक्स तथा तरल पदार्थ (Liquids) का उपयोग करना।

(10) रोग का नामः सूजाक (Gonorrhoea)

जीवाणु का नामः *नीसोरिया गोनोरी* (*Neisseria gonorrhoeae*)

संचरणः संभोग (Sexual Intercourse) के द्वारा।

संक्रमण अवधिः 2 से 8 दिन।

मुख्य लक्षणः यूरेथ्रा (Urethra) का लाल हो जाना, फूल जाना तथा उससे पीव आना तथा बार-बार जलनयुक्त पेशाब आना।

उपचारः पेनिसिलिन (Penicillin), टेट्रासाइक्लिन Tetracycline), स्पेक्टिनोमायसिन (Spectinomycin) आदि का प्रयोग।

(11) रोग का नामः सिफिलिस (Syphilis)

जीवाणु का नामः *ट्रैपोनेमा पॉलिडियम* (*Treponema polidium*)

संचरणः मुख्यतः संभोग के द्वारा।

मुख्य लक्षणः Genitalia पर कड़ा पीड़ा रहित फोड़े का होना, शरीर के किसी भाग के ऊतकों का नष्ट होना, चमड़ी पर फुंसियों का होना।

(12) रोग का नामः टायफाइड (Typhoid)

जीवाणु का नामः *इबर्थेला टाइफोसा* (*Eberthalla typhosa*)

संचरणः दूषित भोजन व जल तथा मक्खियों द्वारा

संक्रमण अवधिः 10 से 14 दिन।

मुख्य लक्षणः बुखार होना, नाड़ी (Pulse) की गति का धीमा पड़ जाना, गुलाबी रंग के चकत्ते (Rash) का होना।

(ब) पशुओं में रोग (Diseases in Animals)

रोग	पोषक	रोग कारक जीवाणु
एन्थ्रेक्स	चौपाया पशु	*बेसीलस ऐन्थ्रेसिस*
ब्लैकलैग	चौपाया पशु	*क्लोस्ट्रीडियम चेनवी*
डिफ्थिरिया	खरगोश, सुअर	*कोर्नीबैक्टीरियम डिफ्थेरी*
डीसेन्ट्री	बन्दर	*शीगेला डीसेन्ट्री*
प्लेग	सुअर, बन्दर, चूहा	*यरसीनिया पेस्टिस (पेस्चुरेला पेस्टिस)*

(स) पादपों में रोग (Diseases in Plants)

रोग	पोषक	रोग कारक जीवाणु
रिंग रोग	आलू	*एप्लेनोबेक्टर सेपिडेनियम*
इयर रॉट	गेहूँ	*कोरीनिबेक्टीरियम ट्रीट्रीसाय*
फायर ब्लाइट	सेब, नाशपाती	*इरवीनिया एनिलोवा*
विल्ट रोग	आलू	*स्यूडोमोनास सोलेनेसियरम*
साइट्रस केन्कर	नींबू	*जैन्थोमोनास सीट्री*
एन्गुलर लीफ स्पॉट	कपास	*जैन्थोमोनास मालवेसियरम*
रेड स्ट्राइप	गन्ना	*जैन्थोमोनास रूब्रिलिनियन्स*

वस्तुनिष्ठ प्रश्न

1. कोशिका भित्ति पदार्थ पेप्टोग्लाइकॉन के ऊपर लिपोपॉलि-सैकेराइड की भित्ति पाई जाती है। यह विशेष अवस्था पायी जाती है–

(*a*) यूबैक्टीरिया ग्राम (+) में

(*b*) ग्राम (–) यूबैक्टीरिया में

(*c*) सभी यूकैरियोट्स में

(*d*) दोनों (*a*) व (*b*) में

2. हमारे ग्लोब की सतह पर सर्वाधिक सफल जीवों को चुनिये–

(*a*) ग्राम (+) परपोषी

(*b*) ग्राम (–) प्रकाश-संश्लेषी सायनोबैक्टीरिया

(*c*) रसायन स्वपोषी जीवाणु

(*d*) प्रकाश स्वपोषी जीवाणु

3. जीवाणुओं में संयुग्मन की खोज किसने की–
(*a*) खुराना ने (*b*) जिण्डर और लेडरबर्ग ने
(*c*) बीडल और टेटम ने (*d*) लेडरबर्ग और टेटम ने

4. टाइकोइक अम्ल (Teichoic acid) किसकी कोशिका भित्ति में उपस्थित होता है–
(*a*) विषाणु भोजी (*b*) माइकोप्लाज्मा
(*c*) नॉस्टॉक (*d*) वाइरस

5. निमोनिया रोग किसके द्वारा होती है–
(*a*) विषाणु (*b*) सायनोबैक्टीरिया
(*c*) जीवाणु (*d*) ठंड

6. जीवाणुओं में लैंगिक जनन किसके द्वारा होता है?
(*a*) अन्तः बीजाणु (*b*) रूपान्तरण
(*c*) कोनिडिया (*d*) बाह्यबीजाणु

7. किसमें लैंगिक जनन नहीं होता है?
(*a*) साइनोबैक्टीरिया (*b*) जीवाणु
(*c*) यूकैरियोट (*d*) उपर्युक्त सभी

8. क्राऊन गॉल (crown gall) किसके कारण है–
(*a*) माइकोबैक्टीरियम (*b*) जीवाणु
(*c*) इर्वीनिया (*d*) क्लास्ट्रिडियम

9. निम्नलिखित में से कौन पत्ती पर गुटिका बनाकर नत्रजन स्थिरीकरण करता है–
(*a*) एजोटोबैक्टर (*b*) क्लैब्सिएला
(*c*) नाइट्रोसोमोनास (*d*) स्यूडोमोनास

10. जीवाणुओं के वे वंश जिनके द्वारा नाइट्रीफिकेशन असहजीवी तथा सहजीवी नाइट्रोजन स्थिरीकरण होता है वे क्रमशः हैं–
(*a*) राइजोबियम एजोटोबैक्टर, नाइट्रोसोमोनास तथा नाइट्रोबैक्टर
(*b*) नाइट्रोसोमोनास, नाइट्रोबैक्टर, राइजोबियम तथा एजोटोबैक्टर
(*c*) नाइट्रोसोमोनास, नाइट्रोबैक्टर, एजोटोबैक्टर तथा राइजोबियम
(*d*) नाइट्रोबैक्टर, नाइट्रोसोमोनास, एजोटोबैक्टर तथा राइजोबियम

11. जीवाणुओं में ऐसी स्थिति जहाँ एक ध्रुव पर मात्र एक कशाभिका उपस्थित होती है, कहलाती है–
(*a*) मोनोट्राइकस (*b*) लोफोट्राइकस
(*c*) ऐम्फीट्राइकस (*d*) पेरीट्राइकस

12. योगर्ट उत्पन्न किया जाता है–
(*a*) सिर्फ *लेक्टोबैसिलस वल्गेरिकस* से
(*b*) *लेक्टोबैसिलस एसिडोपाइलस* से
(*c*) सिर्फ *स्ट्रेप्टोकोकस थर्मोपाइलस* से
(*d*) दोनों *लेक्टोबैसिलस वल्गेरिकस और स्ट्रेप्टोकोकस थर्मोफाइलस* से

13. मदिरा में खटास का कारण है–
(*a*) प्रकाश में अनावरण (*b*) ऊष्मा या ताप
(*c*) ऑक्सी जीवाणु (*d*) अनॉक्सी जीवाणु

14. नाइट्रोसोमोनास होता है–
(*a*) प्रकाश स्वपोषित (*b*) रसायन स्वपोषित
(*c*) प्रकाश परपोषित (*d*) रसायन परपोषित

15. निम्न में से कौन-सा जीवाणु कार्बन डाइ-ऑक्साइड का कार्बोहाइड्रेट में स्थिरीकरण करता है–
(*a*) *बैसिलस* (*b*) *नाइट्रोबेक्टर*
(*c*) *राइजोबियम* (*d*) *रोडोस्पाइरिलम*

16. निम्नलिखित में से कौन-सी बीमारी रिक्टीशिया नामक जीवाणु से होती है–
(*a*) क्यू बुखार (Q. fever) (*b*) टाइफाइड
(*c*) पोलियो (*d*) स्मॉल पॉक्स

17. एक ऐसा जीव जो प्रकाश संश्लेषण करता है परन्तु इस प्रक्रिया में आण्विक ऑक्सीजन का विमोचन नहीं करता, कौन सा है–
(*a*) लाइकेन का शैवाली रचक
(*b*) नीलहरित शैवाल
(*c*) स्पाइरोकीट
(*d*) हरा गंधक जीवाणु

18. जीवाणुओं का शुद्ध संवर्धन सर्वप्रथम किसने प्राप्त किया था–
(*a*) कॉच (*b*) लिस्टर
(*c*) पाश्चर (*d*) ल्युवेन हॉक

19. पनीर (cheese) के निर्माण में किस सूक्ष्म जीव का योगदान होता है–
(*a*) स्ट्रेप्टोकोकस
(*b*) एस्परजिलस
(*c*) एसिटिक अम्ल जीवाणु
(*d*) लेक्टिक अम्ल जीवाणु

20. जीवाणु में श्वसन क्रिया का स्थान है–
(*a*) एपीसोम (*b*) माइक्रोसोम
(*c*) मीसोसोम (*d*) राइबोसोम

21. निम्न में से कौन जीवाणुनाशक है–
(*a*) पेनिसिलीन (*b*) स्ट्रेप्टोमाइसिन
(*c*) न्यूनतापक्रम (*d*) $C_2H_5OHKNO_4$

22. सर्वप्रथम कार्बोलिक अम्ल का प्रतिरोधी पदार्थ के रूप में उपयोग किसने किया–
(*a*) पाश्चर ने (*b*) लिस्टर ने
(*c*) मूर्ति ने (*d*) कॉच ने

23. दूध के पाश्चुरीकरण का क्या उद्देश्य है–
(*a*) दूध से संक्रामक जीवाणुओं को नष्ट करना
(*b*) दूध को खट्टा करने वाले जीवाणुओं को नष्ट करना
(*c*) दूध की संचय सुरक्षा बढ़ाना
(*d*) उपरोक्त सभी

24. जख्म के संक्रामक जीवाणुओं को नष्ट करने की प्रणाली को कहते हैं–
(*a*) पाश्चुरीकरण (*b*) निर्जमीकरण
(*c*) विसंक्रमण (*d*) उपरोक्त में से कोई नहीं

25. किस क्रिया में जीवित जीवाणु का आनुवंशिक पदार्थ भाग नहीं लेता है–
(*a*) पारक्रमण (*b*) लिंगक्रमण
(*c*) अर्द्धसूत्री विभाजन (*d*) रूपान्तरण

26. किन जीवाणुओं को न तो ग्राम तकनीक द्वारा अभिरंजित किया जा सकता है और न ही उन्हें संश्लिष्ट माध्यम पर उगाया जा सकता है–
(*a*) *ई. कोलाई* (*b*) *लेक्टोबैसिलस*
(*c*) *राइजोबियम रोडिसीकोला* (*d*) *माइकोबैक्टीरियम लेपरी*

27. ग्राम (+) एवं ग्राम (–) जीवाणु में किस अभिरंजक द्वारा अन्तर स्थापित करते हैं–
(*a*) इओसिन (*b*) क्रिस्टल वायलेट
(*c*) हिमोटॉक्सिन (*d*) कार्मीन

28. यदि जीवाणु के एक प्रतिदर्श (sample) को 10 गुना तनुकूट (dilute) किया जाये और फिर उसके 0.1 ml भाग को संवर्धन माध्यम की सतह पर बिछाने से औसतन 95 जीवाणु कालोनियाँ प्रकट हों तो बताइये कि मूल प्रतिदर्श में जीवाणुओं की संख्या कितनी थी–
(*a*) $10 \times 0.1 \times 95$ (*b*) $10 \times 10 \times 95$
(*c*) $10 \times 100 \times 95$ (*d*) $10 \times 10 \times 95$

29. कौन-सा जीवाणु जख्म में पस बनाता है–
(*a*) *स्टेफाइलोकोकस* (*b*) *स्ट्रेप्टोकोकस*
(*c*) *सारसीना* (*d*) *क्लॉस्ट्रीडियम*

30. गोल जीवाणुओं की शृंखलामय कालोनी को क्या कहते हैं–
(*a*) स्टेफाइलोकोकस (*b*) स्ट्रेप्टोकोकस
(*c*) सार्सीना (*d*) बिब्रिओ

31. निम्न में से कौन-सा जीवाणु अपने चारों ओर के वातावरण में रंग छोड़ता है–
(*a*) *स्ट्रेप्टोकोकस* (*b*) *स्टेफाइलोकोकस*
(*c*) *ई. कोलाई* (*d*) *राइजोबियम*

32. निम्न में से कौन-से जीवाणु अविकल्पी अंतः कोशिकी परजीवी एवं अत्यधिक सूक्ष्म होने के कारण विषाणु से भ्रमित किये जाते रहे हैं–
(*a*) *क्लास्ट्रीडियम* (*b*) *क्लेमाइडिया*
(*c*) *एस्चेरिचिया* (*d*) *माइकोबेक्टीरिया*

33. रिलेप्सिंग ज्वर (Relapsing fever) किसके द्वारा होता है?
(*a*) *बोरलिया* (*b*) *लेप्टोस्पाइरा*
(*c*) *ट्रिपोनिमा* (*d*) *कॉक्सीला*

34. निम्न में से कौन औब्लीगेट एनऐरोब्स होते हैं?
(*a*) *स्पाइरोगायरा* (*b*) मटर
(*c*) प्याज (*d*) मीथेन जीवाणु

35. निम्न में से कौन-सा पादप रोग जीवाणुओं द्वारा उत्पन्न होता है?
(*a*) जई में स्मट रोग
(*b*) चुकन्दर का क्राउन गौल्स रोग
(*c*) पपीते में सौफ्ट रौट रोग
(*d*) चावल का सौफ्ट रौट रोग

36. निम्न में से कौन-सा एक जीवाणु जनित रोग है?
(*a*) खसरा (*b*) चेचक
(*c*) रेबीज (*d*) तपेदिक

37. जीवाणुओं द्वारा प्रदर्शित गतियाँ जो शुद्ध भौतिक होती हैं कहलाती हैं–
(*a*) ब्राउनी गतियाँ (*b*) नास्टिक गतियाँ
(*c*) टैक्टिक गतियाँ (*d*) ट्रॉपिक गतियाँ

38. एसीटिक अम्ल किण्वन होता है–
(*a*) *क्लोरोबियम द्वारा* (*b*) *एसीटोबैक्टर द्वारा*
(*c*) *नाइट्रोबैक्टर द्वारा* (*d*) *राइजोबियम द्वारा*

39. *एशर्शिया कोलाई* में पीढ़ी एकान्तरण नहीं होता है क्योंकि इसमें नहीं होता है–
(*a*) सिन्गैमी (*b*) न्यूनकारी विभाजन
(*c*) संयुग्मन (*d*) इनमें से कोई नहीं

40. निम्न में से कौन सबसे बड़ी संख्या में मिलते हैं?
(*a*) शैवाल (*b*) कवक
(*c*) जीवाणु (*d*) कीट

उत्तरमाला

1	2	3	4	5	6	7	8	9	10
(*b*)	(*b*)	(*d*)	(*c*)	(*c*)	(*b*)	(*a*)	(*b*)	(*b*)	(*c*)
11	**12**	**13**	**14**	**15**	**16**	**17**	**18**	**19**	**20**
(*a*)	(*a*)	(*c*)	(*b*)	(*d*)	(*a*)	(*d*)	(*b*)	(*d*)	(*c*)
21	**22**	**23**	**24**	**25**	**26**	**27**	**28**	**29**	**30**
(*b*)	(*b*)	(*d*)	(*c*)	(*d*)	(*d*)	(*b*)	(*c*)	(*a*)	(*b*)
31	**32**	**33**	**34**	**35**	**36**	**37**	**38**	**39**	**40**
(*b*)	(*b*)	(*a*)	(*d*)	(*b*)	(*d*)	(*a*)	(*b*)	(*a*)	(*c*)

अध्याय 6

शैवाल (Algae)

- थैलोफाइटा के दो वर्गों में से एक वर्ग शैवालों का है। शैवालों के अध्ययन को शैवाल विज्ञान (Phycology या algology) कहते हैं।
- फाइकोलॉजी शब्द ग्रीक शब्द फाइकॉस (Phykos) से बना है। जिसका प्रयोग ग्रीक भाषा में शैवालों के लिए होता है।
- प्रोफेसर एम. ओ. पी. आयंगार (Professor M.O.P. Iyengar) शैवालों पर काम करने वाले प्रमुख भारतीय थे। इन्हें "आधुनिक भारतीय शैवाल का जनक" कहा जाता है।

आवास (Habitat)

शैवाल सामान्यतयाः जलीय स्थानों पर पाये जाते हैं तथा कभी-कभी अन्य स्थानों पर मिलते हैं। शैवालों के कुछ विशिष्ट आवास निम्नानुसार हैं। (तालिका1)

(*i*) **प्लवक (Plankton):** प्लवक निष्क्रिय रूप से तैरने वाले पौधें तथा प्राणी हैं। पादप प्लवक में केवल पौधें होते हैं जिनमें डायटम मुख्य हैं।

(*ii*) **लाल समुद्र (Red Sea):** इनमें नीले-हरे शैवाल के कारण पानी का रंग लाल हो जाता है। उदाहरण *ट्राइकोडेस्मियम*।

(*iii*) **लाल बर्फ (Red Snow):** हरा शैवाल, *क्लेमाइडोमोनास निवालिस* बर्फ में मिलता है। उक्त शैवाल में हिमैटोक्रोम (hematochrome) नाम का लाल रंग का पदार्थ बनने से बर्फ का रंग लाल हो जाता है।

(*iv*) **सरगासो समुद्र (Sargasso sea):** एटलान्टिक महासागर का वह भाग जिसमें सरगासम (*Sargassum*) के भूरे रंग के टुकड़े तैरते हुये पाये जाते हैं।

(*v*) **जल प्रस्फुटन (Water blooms):** जल प्रस्फुटन प्रायः *माइक्रोसिस्टिस* (*Microcystis*), *ऐनाबिना* (Anabaena), *नॉस्टॉक* आदि नीले हरे शैवालों के कारण होता है।

शैवालों में चलयुग्मकता के प्रकार तथा लक्षण तालिका2 में दिया गया है।

तालिका 1: शैवालों के विभिन्न आवास
(Different Algal Habitats)

	आवास (Habitat)		उदाहरण (Examples)
1.	अलवणजलीय : (fresh water)	जैसे तालाब, नदियाँ, इत्यादि।	*यूलोथ्रिक्स* (*Ulothrix*), *स्पाइरोगायरा* (*Spirogyra*), *इडोगोनियम* (*Oedogonium*), आदि।
2.	समुद्री जल : (marine)	महासागरों में	*लैमिनेरिया* (*Laminaria*), *सरगासम* (*Sargassum*), *जेलिडियम* (*Gelidium*), *ग्रैसिलेरिया* (*Gracilaria*), इत्यादि।
3.	गरम झरने : (thermal springs)	तापमान लगभग 70°–75°C	*ऑसीलेटोरिया* (*Oscillatoria*), *फॉर्मीडियम* (*Phormidium*), आदि।
4.	तालाबों की तली : (benthic)	स्वच्छ जलाशयों की तली	*कारा* (*Chara*), इत्यादि।
5.	अधिपादप : (epiphytes)	दूसरे पौधों पर उगने वाले	*इडोगोनियम* (*Oedogonium*), *कोलीओकीट* (*Coleochaete*), *नॉस्टॉक* (*Nostoc*), इत्यादि।
6.	अधिजान्तव : (epizoic)	प्राणियों पर लगे हुए	मोलस्क (mollusca) के कवचों (shells) पर जैसे *क्लैडोफोरा* (*Cladophora*)।
7.	अन्तःपादपी : (endophytic)	दूसरे पौधों के अन्दर पाये जाने वाले	*ऐन्थोसिरोस* (*Anthoceros-bryophyte*) में ऐनाबिना (*Anabaena*); *साइकस* (*Cycas-gymnosperm*) के प्रवाल मूलों (coralloid roots) में *ऐनाबिना* (*Anabaena*), इत्यादि।

	आवास (Habitat)		उदाहरण (Examples)
8.	अन्तःजन्तुक : (endozoic)	प्राणियों के अन्दर	*हाइड्रा* (*Hydra*) में *ज़ूक्लोरेला* (*Zoochlorella*)।
9.	बर्फ (snow/ice) : (cryptophytic)	अत्यन्त कम तापमान में	*क्लेमाइडोमोनास* (*Chlamydomonas*)। *हेमैटोकोकस* (*Haematococcus*)।
10.	नमी वाली मृदा में : (terrestrial)	नम मिट्टी पर	*वौकेरिया* (*Vaucheria*), *नॉस्टॉक* (*Nostoc*), इत्यादि।
11.	परजीवी : (parasitic)	अपना भोजन अन्य पौधों से प्राप्त करने वाले	सीफैल्यूरोस (*Cephaleuros, green alga*) चाय की पत्तियों पर लाल किट्ट (Red Rust of Tea) नामक रोग उत्पन्न करता है।
12.	सहजीवी : (symbiotic)	परस्पर लाभदायक सम्बन्ध	*नॉस्टॉक* (*Nostoc*), *ऐनाबिना* (*Anabaena*), इत्यादि नीले-हरे शैवाल (blue green algae), कवक-ऐस्कोमाइसिटीज (ascomycetes) के साथ लाइकेन बनाते हैं।

तालिका 2: शैवालों में चलयुग्मकता के प्रकार तथा लक्षण
(Types and Characters of Planogamy in Algae)

प्रकार (Type)	युग्मकों का आकार (Size of gametes)		गतिशीलता (Motility)		उदाहरण (Examples)
1. समयुग्मकता (Isogamy)	दोनों युग्मक आकार, आमाप और संरचना में समान होते हैं		दोनों युग्मक कशाभिकीय (flagellate) होते हैं।		*क्लेमाइडोमोनास* (*Chlamydomonas*), *यूलोथ्रिक्स* (*Ulothrix*), इत्यादि।
			अधिक गतिशील	कम गतिशील	
2. असमयुग्मकता (Anisogamy)	आमाप में छोटे	आमाप में अपेक्षाकृत बड़े	दोनों युग्मक कशाभिकीय		*पैन्डोराइना* (*Pandorina*) *कॉलर्पा* (*Caulerpa*), इत्यादि।
			अधिक गतिशील	कम गतिशील	
3. विषमयुग्मकता (Oogamy)	आमाप में छोटे	आमाप में अपेक्षाकृत बड़े	कशाभिकीय	अकशाभिकीय	*इडोगोनियम* (*Oedogonium*), *वौकेरिया* (*Vaucheria*), इत्यादि।
			गतिशील (active)	गतिहीन (passive)	

शैवालों का वर्गीकरण
(Classification of Algae)

ब्रिटिश शैवालज्ञ एफ. ई. फ्रीश (F. E. Fritsch) ने 1935 में शैवालों का वर्गीकरण प्रस्तुत किया जो कि विश्व में सर्वमान्य हैं। शैवालों को फ्रीश ने 11 वर्गों में विभक्त किया है। उपरोक्त वर्गीकरण वर्णक, संचयित खाद्य पदार्थ तथा कशाभिकाओं पर आधारित है। शैवालों के प्रमुख वर्गों का तुलनात्मक लक्षण तालिका 3 में दिया गया है।

वर्ग-1 क्लोरोफाइसी (Chlorophyceae)
वर्ग-2 जैन्थोफाइसी (Xanthophyceae)
वर्ग-3 क्राइसोफाइसी (Chrysophyceae)
वर्ग-4 बैसीलैरियोफाइसी (Bacillariophyceae)
वर्ग-5 क्रिप्टोफाइसी (Cryptophyceae)
वर्ग-6 डाइनोफाइसी (Dinophyceae)
वर्ग-7 क्लोरोमोनाडीनी (Chloromonodinae)
वर्ग-8 यूग्लीनिडी (Euglenidae)
वर्ग-9 फियोफाइसी (Phaeophyceae)
वर्ग-10 रोडोफाइसी (Rhodophyceae)
वर्ग-11 मिक्सोफाइसी (Myxophyceae)

तालिका 3: शैवालों के प्रमुख वर्गों के तुलनात्मक लक्षण (Comparison of Characters of Important Algal Groups)

	वर्ग (Class)	रंग (Colour)	वर्णक (Pigments)	संचयित खाद्य पदार्थ (Reserve food material)	पायरीनॉइड (Pyrenoids)	कशाभिकायें (Flagella)	लैंगिक जनन (Sexual reproduction)	उदाहरण (Examples)
1.	क्लोरो-फाइसी (Chloro-phyceae)	घास जैसे हरे (grass green)	पर्णहरित Chl *a*, chl *b* β Carotene Lutein	मण्ड (starch)	पायरीनॉइड उपस्थित	कशाभिकायें समान (equal)	सम, असम और विषमयुग्मकी	*यूलोथ्रिक्स, स्पाइरोगायरा, कारा,* इत्यादि।
2.	जैन्थो-फाइसी (Xantho-phyceae)	पीले हरे (yellow green)	Chl *a*, Chl *e* β carotene	तेल (Oil)	पायरीनॉइड उपस्थित	कशाभिकायें असमान (unequal)	समयुग्मकी	*वौकेरिया*
3.	बेसीलेरियो-फाइसी (Bacilla-riophy-ceae)	पीले सोने जैसा भूरा (golden brown)	Chl *a*, Chl *c* β carotene Diatoxanthin	वसा (fat) वोल्यूटीन (volutin)	पायरीनॉइड उपस्थित	कशाभिकायें दुर्लभ	ऑक्सोस्पोर (auxospores)	*डायटम जैसे पिनुलेरिया*
4.	फीयो-फाइसी (Phaeo-phyceae)	भूरा (brown)	Chl *a*, Chl *c* β carotene Fucoxanthin	ऐल्कोहॉल, मेनीटोल (mannitol), सॉरबिटोल (sorbitol) पोलिसैकेरॉइड, लैमिनेरिन (laminarin)	अनावृत पायरीनॉइड (naked pyrenoid)	2 पार्श्व (lateral) कशाभिकायें	सम (iso), असम (aniso) तथा विषमयुग्मकी (Oogamous)	*सरगासम, लैमिनेरिया फ्यूकस, मैक्रोसिस्टिस* इत्यादि
5.	रोडो-फाइसी (Rhodo-phyceae)	लाल (red)	Chl *a*, Chl *d* β carotene Lutein r-phycoery thrin r-phycocy anin	फ्लोरीडियन मण्ड (floridean starch)	कुछ आद्य (primitive) सदस्यों में उपस्थित	चल संरचनायें अनुपस्थित	विषमयुग्मकी	*पॉलिसाइफोनिया, ग्रैसिलिरिया, जेलिडियम,* इत्यादि
6.	मिक्सो-फाइसी (प्रोकेरियो-टिक कोशिकायें) (Myxophy-ceae or Cyanophy-ceae or Cyanobac-teria)	नीला-हरा (blue-green)	Chl *a* β carotene Myxoxan thophyll c-phycocy anin c-phycoe rythrin	शर्करा (sugars) और ग्लाइकोजन (glycogen)	अनुपस्थित	चल (motile) संरचनायें अनुपस्थित	अनुपस्थित	*नॉस्टॉक, ऐनाबिना, ऑसिलेटोरिया,* इत्यादि

शैवालों के आर्थिक महत्त्व

(Economic Importance of Algae)

1. भोजन के रूप में (as food)

शैवालों में प्रोटीन, कार्बोहाइड्रेट्स तथा खनिज पदार्थ बहुतायत से पाए जाते हैं। इनमें विटामिन A, C, D, E आदि भी मुख्य रूप से मिलते हैं। **अल्वा** (*Ulva*) जैसे शैवालों में तो प्रोटीन लगभग 19%, कार्बोहाइड्रेट्स लगभग 50%, खनिज लवण लगभग 15-16% तक पाये जाते हैं। जापान, शैवालों को भोजन के रूप में प्रयोग करने वाला प्रमुख देश है तथा यहाँ इनकी खेती की जाती है। **पोरफाइरा टेनेरा** (***Porphyra tenera***) पूरे जापान में बहुतायत से खाद्य के रूप में प्रयोग किया जाता है। इसी शैवाल की अन्य जातियाँ इंग्लैण्ड, कैलीफोर्निया, चीन आदि देशों में खाई जाती हैं। **अल्वा** (***Ulva***), **फ्यूकस** (***Fucus***), **लैमिनेरिया** (***Laminaria***) आदि अनेक प्रकार के शैवालों को स्वादिष्ट और पौष्टिक भोजन के रूप में अन्य अनेक देशों में प्रयोग में लाया जाता है। कई प्रकार के शैवालों को सुखाकर, पीसकर, आटे में मिलाकर उपयोग में लाया जाता है। जबकि कुछ को सलाद के साथ, केक, पेस्ट्री आदि के साथ लगाकर खाया जाता है। इनको खाने वाले देश उपर्युक्त के अतिरिक्त आइसलैण्ड (Iceland), आयरलैण्ड, डेनमार्क, स्कॉटलैण्ड आदि हैं। अमेरिका में भी शैवालों का उपयोग इस रूप में बहुतायत से किया जाता है। **कोम्बू (Kombu), असाकुसानोरी (Asakusanori)** जापान के अत्यन्त लोकप्रिय भोजन हैं जो शैवालों से ही तैयार किए जाते हैं।

क्लोरेला (*Chlorella*) एककोशिकीय शैवाल है। *क्लोरेला* का प्रयोग अन्तरिक्षयात्री भोजन के रूप में करते हैं। इस शैवाल में किसी भी शाक-सब्जी या अण्डे इत्यादि से प्रोटीन की मात्रा अधिक होती है तथा विटामिन भी लगभग सभी (A–D) पाए जाते हैं। ताजे पानी में उगने वाला यह शैवाल आसानी से छिछले जल में उगाया जा सकता है। इसकी वृद्धि भी तेजी से होती है। क्लोरेला का प्रयोग पेस्ट्री, सैण्डविच (sandwitches) आदि पर खाने के रूप में होता हैं।

शैवाल जलीय प्राणियों, विशेषकर मछलियों का मुख्य भोजन है। शाकाहारी मछलियाँ तो शैवाल पर निर्भर रहती ही हैं, मांसाहारी मछलियाँ जिन छोटी मछलियों या अन्य जलीय प्राणियों को खाती हैं; वे शैवाल पर जीवित रहती हैं। **लैमीनेरिया, फ्यूकस, एस्कोफिलम** (***Ascophyllum***) आदि अनेक प्रकार के शैवाल जन्तुओं के चारे (fodder) के रूप में उपयोगी हैं। फ्रांस, नार्वे, अमेरिका, डेनमार्क, न्यूजीलैण्ड आदि अनेक देशों में शैवाल चारे के रूप में प्रयोग किया जाता है तथा कई देशों में तो विशेष प्रकार के चारे भी तैयार किए जाते हैं।

2. **उद्योगों में (in industries)** - **लैमीनेरिया, फ्यूकस,** आदि शैवालों की विभिन्न जातियों से **आयोडीन (iodine)** तथा पोटैशियम प्राप्त किया जाता है। **एगर-एगर (agar-agar)** नामक श्लेष्मिक पदार्थ का प्रमुख स्रोत **जिलीडियम** (***Gelidium***) की जातियाँ हैं। यह पदार्थ **संवर्धन माध्यम (culture medium)** के रूप में मुख्य रूप से प्रयोग में लाया जाता है। यह पदार्थ **ग्रैसीलेरिया** (***Gracilaria***), **हिप्निया** (***Hypnea***), **कॉण्ड्रस** (***Chondrus***), आदि अनेक शैवालों से प्राप्त किया जाता है। **एल्गिन** (***algin***), नामक पदार्थ का प्रयोग आइसक्रीम, प्लास्टिक, पेण्ट, कृत्रिम रेशों, औषधियों, शैम्पू (shampoo), पॉलिश आदि के निर्माण में किया जाता है। **केरीगिनीन** नामक पदार्थ *कॉण्ड्रस* मिलता है।

डायटम (diatom) नामक एककोशिकीय शैवाल हैं जिनसे डायटमी खनिज मिलता है। इन शैवालों की भित्ति पर **सिलिका** (SiO_2) जमा हो जाता है। इन्हीं कोशिका भित्तियों के अवशेष **डायटमी मिट्टी** का निर्माण करते हैं। यह मिट्टी अत्यधिक ताप (1500° से. तक) सहन कर लेती है। यह मिट्टी शक्कर सफाई के कारखानों और साबुन बनाने के कारखानो में काम आती है। डायनामाइट (dynamite), सीमेन्ट, रबर इत्यादि बनाने में यह मिट्टी महत्त्वपूर्ण है। इसका उपयोग **अवशोषक (absorbent)**, **अवरोधक (insulator)** आदि के रूप में भी किया जाता है।

3. नाइट्रोजन स्थिरीकरण में (In nitrogen fixation)

ऐनाबीना (***Anabaena***), **नॉस्टॉक** (***Nostoc***), **ऑसीलेटोरिया** (***Oscillatoria***) आदि की कई प्रजातियाँ वायुमण्डल के नाइट्रोजन को स्थिर करके नाइट्रोजन यौगिकों के रूप में बदलने में बहुत सहायता करती हैं। चावल के खेतों में विशेषकर जहाँ पानी भरा जाता है, ये नीली-हरी (blue-green) शैवाल बहुत महत्त्वपूर्ण हैं। ये भूमि की उर्वरा शक्ति (fertility) को बढ़ाती हैं। इस प्रकार बिना खाद दिए हुए इन खेतों से कई वर्ष तक फसलें उगाई जा सकती हैं।

खाद के रूप में समुद्री शैवाल बहुतायत से प्रयोग में लाए जाते हैं। इनमें पोटैशियम, नाइट्रोजन इत्यादि के यौगिक प्रचुर मात्रा में पाये जाते हैं।

4. अन्य महत्त्व

शैवाल अन्य अनेक प्रकार से महत्त्वपूर्ण हैं; जैसे-

(*i*) जल की स्वच्छता (सफाई) इत्यादि के लिए कुछ शैवाल अत्यन्त उपयोगी हैं; जैसे- **कारा** (***Chara***), **नाइटेला** (***Nitella***) आदि।

(*ii*) कुछ शैवालों से **एन्टीबायोटिक (antibiotic)** आदि औषधियाँ प्राप्त की जाती हैं। उदाहरण **क्लोरेला** (***Chlorella***) पौधे से **क्लोरेलिन** (***chlorellin***) जो कि अत्यन्त उपयोगी है। यह जीवाणुओं (bacteria) को नष्ट करने में सफल है। **कोडियम** (***Codium***), **डाइजीनिया** (***Digenea***), जैसे पौधों से प्रभावकारी **कृमिहर** (***vermifuge***) प्राप्त किया जाता है।

(*iii*) अन्तरिक्ष यात्रा जैसी लम्बी उड़ानों के लिए **क्लोरेला** (***Chlorella***) जैसे शैवालों को उगाकर ऑक्सीजन और पौष्टिक भोजन प्राप्त किए जा सकते हैं। इस दिशा में अनुसंधान भी चल रहे हैं।

(*iv*) शैवालों का **अनुसन्धान कार्यों** में भी महत्त्वपूर्ण योगदान है। **प्रकाश संश्लेषण** सम्बन्धी आधुनिक शोध में **क्लोरेला** (***Chlorella***) का महत्त्वपूर्ण स्थान है।

शैवाल से हानियाँ (Disadvantages of Algae)

शैवालों से जहाँ बहुत से लाभ हैं वहाँ हानियाँ भी हैं। बहुत से शैवाल तालाब, टंकी इत्यादि के जल को प्रदूषित कर देते हैं। इनसे बने हुए श्लेष्मक (mucilage) से जल में जीवाणु पनपने लगते हैं और इस प्रकार जल पीने योग्य नहीं रह जाता है। इस जल में मछलियों के श्वसन में भी बाधा उत्पन्न होती है। समुद्र में शैवाल अत्यधिक फैलकर तथा सतह पर काई के रूप में **वाटर ब्लूम (water bloom)** बनाते हैं, जिससे जहाजों के आवागमन में रुकावट पैदा होती है।

कुछ शैवाल बीमारियाँ भी उत्पन्न करते हैं, जैसे चाय की पत्तियों पर **लाल किट्ट** रोग शैवाल के द्वारा होता है। जो शैवाल लाल किट्ट पैदा करता है वह **सिफैल्यूरॉस** (***Cephaleurous***) वंश का होता है। यह शैवाल चाय, आम आदि की पत्तियों पर **परजीवी (parasite)** के रूप में पाये जाते हैं।

तालिका 4: यूलोथ्रिक्स व स्पाइरोगाइरा के हरित लवक की संरचना में अन्तर
(Difference between Structure of Chloroplast of *Ulothrix and Spirogyra*)

क्र.सं.	यूलोथ्रिक्स (*Ulothrix*)	स्पाइरोगाइरा (*Spirogyra*)
1.	इसमें एक ही हरितलवक कोशिका दृति (primordial utricle) में रहता है।	इसमें एक से चौदह तक हरितलवक कोशिका दृति में ही पाए जाते हैं।
2.	इसका हरितलवक एक चौड़ी **कॉलर (collar)** के अथवा गर्डिल के आकार की मुड़ी हुई पट्टी के रूप में होती है।	इसका हरितलवक एक सँकरी तथा लम्बी कुण्डलित **सर्पिलाकार (spirally twisted)** अथवा रिबन के रूप में होता है।
3.	इसके हरितलवक पर एक या अनेक **पायरीनॉइड्स** (pyrenoids) पाये जाते हैं। ये छोटे-छोटे प्रोटीन के स्थान हैं जो मण्ड से ढके रहते हैं।	इसके हरितलवक पर अनेक समान दूरी पर पायरीनॉइड्स पाये जाते हैं। ये भी यूलोथ्रिक्स के समान की संरचनाएँ हैं।

तालिका 5: यूलोथ्रिक्स तथा स्पाइरोगाइरा के लैंगिक जनन की तुलना
(Comparison of Sexual Reproduction in *Ulothrix and Spirogyra*)

क्र.सं.	यूलोथ्रिक्स (*Ulothrix*)	स्पाइरोगाइरा (*Spirogyra*)
1.	इसमें लैंगिक जनन **संयुग्मन (conjugation)** के द्वारा होता है और संयुग्मन दो **युग्मकों (gametes)** के बीच होता है।	इसमें लैंगिक जनन संयुग्मन के द्वारा ही होती है, किन्तु संयुग्मन दो युग्मकधानियों (gametangia) के बीच होता है।
2.	इसमें जनन **समयुग्मकी (isogamous)** होता है।	इसमें जनन **असमयुग्मकी (anisogamous)** होता है।
3.	इसके लैंगिक जनन में दो सीलिया वाले आइसोगैमीट्स जल में संयुग्मित होते हैं और युग्माणु (zygospore) का निर्माण करते हैं।	इसके युग्मक यद्यपि आइसोगैमीट होते हैं, किन्तु एक चल और दूसरा अचल होता है। चलयुग्मक (नर) संयुग्मन नलिका में होकर अचलयुग्मक (मादा) से मिलता है और युग्माणु (zygospore) का निर्माण करते हैं।
4.	इसके युग्मकों में किसी प्रकार का लिंग भिन्नता (sex differentiation) नहीं दिखाई देता है।	इसके युग्मकों में लिंग भिन्नता दिखाई देती है। चलयुग्मक नर और अचलयुग्मक मादा के समान है।
5.	इसमें चूँकि जाइगोस्पोर अंकुरण के समय से पहले चलबीजाणु (zoospores) बनाता है; अतः इसको प्रारम्भिक स्पोरोफाइट माना जा सकता है। इस प्रकार पीढ़ियों के एकान्तरण की प्रारम्भिक रूपरेखा दिखाई देती है।	इसमें जाइगोस्पोर मिओसिस के बाद अंकुरित होकर एक ही पौधे को जन्म देता है, मिओसिस से प्राप्त चार केन्द्रकों में से तीन नष्ट हो जाते हैं। यहाँ पीढ़ियों के एकान्तरण का कोई निर्देश नहीं मिलता है।

तालिका 6: यूलोथ्रिक्स तथा स्पाइरोगाइरा की तुलना
(Comparison of *Ulothrix* and *Spirogyra*)

क्र.सं.	यूलोथ्रिक्स (*Ulothrix*)	स्पाइरोगाइरा (*Spirogyra*)
1.	धीरे-धीरे बहने वाले ताजे जल के जलाशयों में यूलोथ्रिक्स मिलता है।	रुके हुए ताजे जल के जलाशयों में प्रायः स्पाइरोगाइरा पाया जाता है।
2.	इसके तन्तु सामान्यतः किसी आधार से चिपके तथा कुछ इंच लम्बे होते हैं।	इसके तन्तु स्वतन्त्र रूप से जल के ऊपर तैरते रहते हैं तथा तन्तु अपेक्षाकृत काफी लम्बे होते हैं।
3.	इसके तन्तुओं का शीर्ष और आधार पहचाना जा सकता है।	इसका पूरा तन्तु एक समान कोशिकाओं से बना होता है।
4.	इसके तन्तुओं पर म्यूसीलेज नहीं पाया जाता है।	इसके तन्तुओं पर म्यूसीलेज की परत चढ़ी रहती है।
5.	इसमें होल्डफास्ट को छोड़कर शेष कोशिकाएँ आयताकार होती हैं।	इसमें सभी कोशिकाएँ बेलनाकार तथा अधिक लम्बी होती हैं।
6.	इसमें प्रतिकूल वातावरण को निकालने के लिए पौधे में अचलबीजाणु, हिप्नोस्पोर, एकाइनीट और पामेला अवस्था पाई जाती है।	इसमें इस प्रकार की संरचनाएँ नहीं पायी जाती है।
7.	इसमें केन्द्रक कोशिका दृति (primordial utricle) में रहता है।	इसमें केन्द्रक अधिकतर केन्द्रीय रिक्तिका के मध्य में कोशिका द्रव्य के सूत्रों में टँगा होता है।
8.	इसमें अलैंगिक जनन प्रमुखतः चार सीलिया वाले चलबीजाणुओं द्वारा या कभी-कभी दो सीलिया वाले चलबीजाणुओं के द्वारा होता है।	इसमें अलैंगिक जनन प्रायः नहीं होता है। कुछ जातियों में अचल बीजाणु बनते पाये गए हैं।
9.	इसमें आधार कोशिका को छोड़ सभी कोशिकाओं में एक कॉलर के आकार का हरितलवक होता है।	इसमें सभी कोशिकाओं में एक या अधिक (14 तक) हरितलवक होते हैं, जो सर्पिल तथा रिबन जैसे होते हैं।

तालिका 7: राइजोपस तथा स्पाइरोगाइरा के लैंगिक जनन की तुलना
(Comparison of Sexual reproduction between *Rhizopus* and *Spirogyra*)

क्र.सं.	राइजोपस (*Rhizopus*)	स्पाइरोगाइरा (*Spirogyra*)
1.	इसका थैलस विषमथैलिक होता है।	इसका थैलस सम या विषमथैलिक (homo or heterothallic) होता है।
2.	इसमें लैगिक जनन संयुग्मन (conjugation) के द्वारा होता है।	इसमें लैंगिक जनन संयुग्मन द्वारा होता है।
3.	इसमें युग्मक संकोशिक (coenocytic) होते हैं।	इसमें युग्मक एककेन्द्रिक तथा एककोशिक (uninucleate and unicellular) होता है।
4.	इसमें युग्मकधानी (gametangium) ही युग्मक (gamete) की तरह कार्य करती है।	इसमें युग्मकधानी से एक ही युग्मक बनता है।
5.	इसमें समयुग्मक जनन (isogamy) मिलता है।	इसमें युग्मक क्रियाशील असमयुग्मकी (physiological anisogamous) होते हैं।
6.	इसमें चलन अंग नहीं पाया जाता है।	इसमें चलन अंग (कशाभिका, पक्ष्माभिका आदि) नहीं मिलते हैं।
7.	इसमें युग्मक अचल होते हैं।	इसमें नर युग्मक चल तथा मादा अचल होते हैं।
8.	इसमें युग्मकधानियों में सीधा संयुग्मन होता है।	इसमें युग्मकधानियों के मध्य संयुग्मन नलिका (conjugation tube) का निर्माण होता है।
9.	इसमें संयुग्मन एक प्रकार से होता है, युग्मकधानियों के मध्य की भित्ति घुल जाती है तथा जीवद्रव्य आपस में जुड़ते हैं। इसे प्लाज्मोगेमी (plasmogamy) कहते हैं। दोनों युग्मकधानियों के केन्द्रक आपस में एकदम नहीं जुड़ते हैं, परन्तु यह क्रिया (karyogamy) देर से होती है।	इसमें नर युग्मक संयुग्मन नलिका में होकर मादा युग्मक में पहुँचता है। दोनों युग्मकों के जीवद्रव्य तथा केन्द्रक आपस में जुड़ जाते हैं (plasmogamy and karyogamy)।
10.	इसमें अर्द्धसूत्री विभाजन के द्वारा + तथा – विभेद बनते हैं। एक + अथवा – सूकाय क्रियाशील होकर एक कवक जाल बनाएगा।	इसमें अर्द्धसूत्री विभाजन से 4 केन्द्रक बनते हैं तथा उनमें से केवल एक केन्द्रक ही जीवित रहता है जो नया *स्पाइरोगाइरा* बनाता है, शेष तीनों केन्द्रक नष्ट हो जाते हैं।
11.	इसमें युग्माणु का केन्द्रक एक भीतरी भित्ति से बनने वाली नलिका में आ जाता है तथा बार-बार विभाजित (समसूत्री) होकर संकोशिकी बीजाणुधानी का निर्माण करता है।	इसमें युग्माणु का केन्द्रक विभाजित होकर सीधे पौधा बनाता है।
12.	इसमें जाइगोस्पोर संकोशिक होता है। मोटी भित्ति होने के कारण युग्माणु (जाइगोस्पोर) बनता है तथा कुछ समय तक विश्राम करता है।	इसमें युग्माणु मोटी भित्तियुक्त तथा एक केन्द्रक (द्विगुणित) होता है। यह भी कुछ समय तक विश्राम करता है।
13.	इसमें जाइगोस्पोर के अंकुरण के समय एक द्विगुणित केन्द्रक ही सक्रिय रहता है तथा शेष केन्द्रक नष्ट हो जाते हैं।	इसमें जाइगोस्पोर के अंकुरण के समय द्विगुणित केन्द्रक सक्रिय रहता है।

वस्तुनिष्ठ प्रश्न

1. *स्पाइरोगायरा* की कोशिका भित्ति होती है–
(*a*) चार स्तरीय (*b*) एक स्तरीय
(*c*) द्विस्तरीय (*d*) त्रिस्तरीय

2. *स्पाइरोगायरा* के हरित लवकों में होता है–
(*a*) चिकना या तरंगवत किनारा
(*b*) तरंगवत किनारा
(*c*) चिकना किनारा
(*d*) इनमें से कोई नहीं

3. *स्पाइरोगायरा* का जाइगोस्पोर उत्पन्न करता है–
(*a*) 2 चलबीजाणु (*b*) 4 चलबीजाणु
(*c*) 2-4 चलबीजाणु (*d*) इनमें से कोई नहीं

4. एक गतिशील या सचल (Motile) कशाभिकीय अलैंगिक कोशिका कहलाती है–
(*a*) जाइगोस्पोर (Zygospore)
(*b*) चल बीजाणु (Zoospore)
(*c*) जाइगोट (Zygote)
(*d*) टेट्रास्पोर (Tetraspore)

5. 'तालाब का रेशम' सामान्य नाम है?
(*a*) *वोचेरिया* का (*b*) *वौल्वोक्स* का
(*c*) *स्पाइरोगायरा* का (*d*) *यूलोथ्रिक्स* का

6. *स्पाइरोगायरा* के निम्न में से एक भाग में पाइरीनौइड (Pyrenoid) मिलता है?

(*a*) कोशिका द्रव्य (*b*) कोशिका भित्ति
(*c*) हरित लवक (*d*) केन्द्रक

7. किस शैवाल से आयोडीन प्राप्त की जाती है?
(*a*) *एक्टोकार्पस* (*b*) *लैमिनेरिया*
(*c*) *ऊडोगोनियम* (*d*) *यूलोथ्रिक्स*

8. नाइट्रोजन स्थिरीकरण के सम्बन्ध में नीले-हरे शैवालों को बताने वाले पायनीयर है?
(*a*) एफ.ई. फौग (*b*) पी.के. डे
(*c*) आर.एन. सिंह (*d*) वाई. भारद्वाज

9. *यूलोथ्रिक्स* में अर्द्धसूत्री विभाजन (Meiosis) होता है?
(*a*) जाइगोस्पोर में (*b*) समयुग्मकों के निर्माण के समय
(*c*) जूस्पोर्स में (*d*) कायिक कोशिकाओं में

10. *स्पाइरोगायरा* की वृद्धि नहीं हो सकती है?
(*a*) नदी में (*b*) तालाब में
(*c*) सरिता में (*d*) समुद्र में

11. *स्पाइरोगायरा* में लैंगिक जनन होता है?
(*a*) अण्डयुग्मकी (Oogamous)
(*b*) विषमयुग्मकी (Anisogamous)
(*c*) क्लीस्टोगैमस (Cleistogamous)
(*d*) उपरोक्त में से कोई नहीं

12. जो नीले-हरे शैवाल प्रोटोजोआ में एण्डोफाइटिकली रहते हैं, कहलाते हैं?
(*a*) सायनोफेजेज (*b*) बैक्टीरियोफेज
(*c*) सायनेली (*d*) प्लाज्मिड्स

13. एक लाइकेन में उपस्थित शैवाल सम्बन्धित होता है, वर्ग से?
(*a*) जैन्थोफाइसी से (*b*) फिओफाइसी से
(*c*) सायनोफाइसी से (*d*) रोडोफाइसी से

14. *स्पाइरोगायरा* में कभी-कभी बिना संयोजन (Fusion) के ही युग्मक सीधे जाइगोस्पोर्स की तरह कार्य करते हैं ऐसी जननिक कार्यो (Reproductive bodies) को कहते हैं?
(*a*) जाइगोस्पोर्स (*b*) एप्लानोस्पोर्स
(*c*) हिप्नोस्पोर्स (*d*) एजाइगोस्पोर्स

15. *स्पाइरोगायरा* में–
(*a*) पार्श्व संयुग्मन प्रदर्शित करने वाले तन्तु होमोथैलिक होते हैं
(*b*) पार्श्व संयुग्मन प्रदर्शित करने वाले तन्तु हेटेरोथैलिक होते हैं
(*c*) सोपानवत् संयुग्मन प्रदर्शित करने वाले तन्तु होमोथैलिक होते हैं
(*d*) अलैंगिक जनन चलबीजाणुओं द्वारा होता है

16. वह जीवन-चक्र जिसमें प्रभावी अवस्था स्पोरोफाइट होती है, कहलाता है?
(*a*) डिप्लोण्टिक (*b*) हैप्लोण्टिक
(*c*) डिप्लोबायोण्टिक (*d*) स्मोरोफाइटिक

17. पेरीनेशन से सम्बन्धित मोटी भित्ति वाला बीजाणु (Spore) कहलाता है?
(*a*) हिप्नोस्पोर (*b*) एकाइनीट
(*c*) जूस्मोर (*d*) एप्लानोस्पोर

18. शैवाल, *रिक्सिया* तथा *मार्केन्शिया* से भिन्न होते हैं?
(*a*) थैलाइड शरीर के कारण
(*b*) बहुकोशिकीय शरीर के कारण
(*c*) बहुकोशिकीय जननांगों के कारण
(*d*) कोशिकाओं में पाइरीनौइड्स के कारण

19. यूलोथ्रिक्स की प्रत्येक कोशिका में हरित लवकों की संख्या होती है?
(*a*) एक (*b*) तीन
(*c*) चार (*d*) अनेक

20. न्यूनकारी विभाजन (Reduction division) के पश्चात् बने युग्मक कहलाते हैं?
(*a*) मिओगैमीट्स (*b*) माइटोगैमीट्स
(*c*) सीनोगैमीट्स (*d*) इनमें से कोई नहीं

21. एक जाइगोस्पोर होता है?
(*a*) द्विगुणित (*b*) अगुणित
(*c*) त्रिगुणित (*d*) स्पोरोफाइटिक

22. प्रोभूजक (Pyrenoids) होते हैं?
(*a*) प्रोटीन कणों द्वारा घिरा हुआ मण्ड
(*b*) तेल गोलिकाओं द्वारा घिरा हुआ मण्ड
(*c*) तेल गोलिकाओं द्वारा घिरी हुई प्रोटीन
(*d*) मण्ड कणों (Starch grains) द्वारा घिरी हुई प्रोटीन

23. चाय में 'लाल रस्ट' रोग होता है?
(*a*) लाल शैवालों द्वारा (*b*) एक कवक द्वारा
(*c*) एक हरे शैवाल द्वारा (*d*) उपरोक्त सभी

24. ध्वनि रोधक कमरों के निर्माण हेतु प्रयुक्त शैवाल होता है?
(*a*) *डायटम* (*b*) *वौल्वोक्स*
(*c*) *लैमिनेरिया* (*d*) *कारा*

25. निम्न में से कौन-सा शैवाल हेटेरोट्राइकस स्वभाव प्रदर्शित करता है?
(*a*) *क्लेमाइडोमोनास* (*b*) *यूलोथ्रिक्स*
(*c*) *स्टीजियोक्लोनियम* (*d*) *ऊडोगोनियम*

26. निम्न में से कौन-सा परजीवी शैवाल होता है?
(*a*) *ऊडोगोनियम* (*b*) *सिफेल्यूरॉस*
(*c*) *सारगैसम* (*d*) *क्लेडोफोरा*

27. एल्पाइन क्षेत्र में 'रेड स्नो बौल' रोग उत्पन्न करने वाला शैवाल होता है?
(*a*) *बैक्ट्रोकोस्पर्मम* (*b*) *ओसिलेटोरिया*
(*c*) *हीमेटोकोकस* (*d*) उपरोक्त सभी

28. निम्न में से कौन-सा शैवालों से प्राप्त होता है?
(*a*) अगार अगार (*b*) चॉकलेट
(*c*) मक्खन (*d*) मोम

29. सभी शैवालों में होते हैं?
(*a*) फाइकोबिलिन्स तथा कैरोटीन
(*b*) क्लोरोफिल 'ए' तथा क्लोरोफिल 'बी'
(*c*) क्लोरोफिल 'बी' तथा कैरोटीन
(*d*) क्लोरोफिल 'ए' तथा कैरोटीन

30. प्रोकैरियोटा में सम्मिलित किये गये हैं?
(*a*) जीवाणु तथा कवक (*b*) शैवाल तथा लाइकेन
(*c*) शैवाल तथा कवक (*d*) जीवाणु तथा नीली हरी शैवाल

31. गलगण्ड (Goitre) रोग से बचा जा सकता है और कुछ समुद्री खरपतवार खाने से इनका इलाज होता है क्योंकि इनमें प्रचुर मात्रा में होता है?
(*a*) सल्फर (*b*) आयोडीन
(*c*) कैल्शियम (*d*) फॉस्फोरस

32. वर्षों तक बिना नाइट्रोजन खाद मिलाये चावल की अच्छी पैदावार ली जा सकती है, क्योंकि ?
(*a*) इन्हें थोड़ी मात्रा में नाइट्रोजन की आवश्यकता होती है
(*b*) चावल के खेतों में नाइट्रोजन स्थिरीकरण करने वाले नीले-हरे शैवाल होते हैं
(*c*) चावल के पौधों को नाइट्रोजन की आवश्यकता नहीं पड़ती है
(*d*) इनमें सम्बद्ध जड़ों में नाइट्रोजन स्थिरीकरण जीवाणु होते हैं

33. निम्न में से कौन-सा स्वपोषी (Autotrophic) होता है?
(*a*) प्रोटोजोआ (*b*) शैवाल
(*c*) कवक (*d*) विषाणु

34. जेली जैसा पदार्थ कैरोजिनिन (Carrageenin) जो समुद्री शैवाल से प्राप्त होता है कहलाते हैं?
(*a*) केल्प (*b*) फ्लैजीलेट्स
(*c*) आयरिश मौस (*d*) विषाणु

35. निम्न में से किस शैवाल में आगार आगार प्राप्त होता है?
(*a*) *नोस्टोक* (*b*) *क्लेमाइडोमोनास*
(*c*) *जेलीडियम* (*d*) *यूलोथ्रिक्स*

36. *औसिलेटोरिया* में रिजर्व फूड संचित होता है रुप में?
(*a*) स्टार्च के (*b*) ग्लाइकोजन के
(*c*) वसा के (*d*) प्रोटीन के

37. *स्पाइरोगायरा* की एक कोशिका में कितने हरित लवक होते हैं?
(*a*) एक से चार (*b*) एक से आठ
(*c*) दो से आठ (*d*) एक से चौदह

38. *स्पाइरोगायरा* मॉस के प्रोटोनीमा से भिन्न होता है?
(*a*) बिम्ब रूपी हरित लवक में
(*b*) मूलाभासी शाखाओं में
(*c*) पाइरीनौइड में
(*d*) शाखायुक्त तन्तुओं में

39. निम्नलिखित में से किसमें समयुग्मकी प्रकार का लैंगिक जनन होता है?
(*a*) *कारा* (*b*) *स्पाइरोगायरा*
(*c*) *वोचेरिया* (*d*) *ऊडोगोनियम*

40. *स्पाइरोगायरा* में संयुग्मन (Conjugation) का कौन-सा सामान्य एवं विकसित प्रकार है?
(*a*) प्रत्यक्ष पार्श्व (*b*) परोक्ष पार्श्व
(*c*) सोपानवत् (*d*) इनमें से कोई नहीं

उत्तरमाला

1	2	3	4	5	6	7	8	9	10
(*d*)	(*a*)	(*d*)	(*b*)	(*c*)	(*c*)	(*b*)	(*b*)	(*a*)	(*d*)
11	**12**	**13**	**14**	**15**	**16**	**17**	**18**	**19**	**20**
(*d*)	(*c*)	(*c*)	(*d*)	(*a*)	(*c*)	(*a*)	(*c*)	(*a*)	(*a*)
21	**22**	**23**	**24**	**25**	**26**	**27**	**28**	**29**	**30**
(*a*)	(*d*)	(*c*)	(*a*)	(*c*)	(*b*)	(*c*)	(*a*)	(*d*)	(*d*)
31	**32**	**33**	**34**	**35**	**36**	**37**	**38**	**39**	**40**
(*b*)	(*b*)	(*b*)	(*c*)	(*c*)	(*b*)	(*d*)	(*c*)	(*b*)	(*c*)

अध्याय

7 कवक (Fungi)

- कवक विज्ञान के अध्ययन को माइकोलाजी (Mycology) कहते हैं।
- कवक थैलोफाइटा का दूसरा बड़ा तथा विषमरूपी उपसमूह है।
- कवक विज्ञान का अध्ययन सर्वप्रथम पियर एन्टोनियो माइकली (Pier Antonio Micheli) ने सन् 1729 में किया।
- क्लोरोफिल के अभाव के कारण कवक परपोषित होते हैं।

कवक के लक्षण (Characters of Fungi)

(*i*) थैलस बहुत से कवक तन्तुओं से मिलकर कवकजाल (mycelium) का निर्माण करता है।

(*ii*) काइटिन कवक भित्ति का मुख्य घटक होता है।

(*iii*) कवक अपना पोषण मृतजीवी अथवा परजीवी के रूप में प्राप्त करता है।

(*iv*) पर्णहरित (Chlorophyll) का सभी कवकों में पूर्ण अभाव होता है।

(*v*) कवकों में संचयित खाद्यपदार्थ ग्लाइकोजन होता है।

(*vi*) अलैंगिक एवं लैंगिक विधियों द्वारा कवकों में जनन होता है।

आवास (Habitat)

सामान्यतः कवक जल, थल और वायु तीनों आवासों में पाये जाते हैं। क्लोरोफिल के अभाव के कारण कवक परपोषित होते हैं। कवक अपना पोषण कार्बनिक पदार्थों या जीवन धारियों से सीधे ग्रहण करते हैं। पोषक पदार्थो को ग्रहण करने के लिए कवक एन्जाइमों का स्रावण करते हैं और उन्हें विलयन रूप में चूसकांगों की सहायता से अवशोषित करते हैं।

पोषण के आधार पर कवकों को निम्नलिखित वर्गों में विभक्त किया जाता है।

1. **परजीवी (Parasites):** परजीवी कवक अपना पोषण किसी अन्य जीवधारी से प्राप्त करते हैं।
2. **मृतजीवी (Saprophytes):** इस प्रकार के कवक अपना पोषण सड़े-गले पदार्थों से प्राप्त करते हैं।
3. **सहजीवी (Symbiotic):** दो प्रकार का सहजीवन कवकों में पाया जाता है।

(*i*) **लाइकेन (Lichen):** लाइकेन में शैवाल तथा कवक पारस्परिक लाभदायी सहवास (Mutually beneficial association) बनाये रहते हैं। कवक साधारणतः ऐस्कोमाइसिटीज (Ascomycetes) वर्ग के होते हैं तथा शैवाल नीले-हरे (Blue green: myxophyceaae) अथवा हरे (green chlorophyceae) वर्ग के होते हैं।

(*ii*) **कवक मूल (Mycorrhiza):** कवक और उच्च कोटि के पौधे जैसे- पाइनस की जड़ों के परस्पर लाभप्रद सहवास को कवकमूल (Mycorrhiza) कहा जाता है।

जनन (Reproduction)

कवकों में जनन तीन विधियों द्वारा होता है—

(*i*) कायिक जनन (Vegetative Reproduction)

(*ii*) अलैंगिक जनन (Asexual Reproduction)

(*iii*) लैंगिक जनन (Sexual Reproduction)

कवकों का वर्गीकरण (Classification of Fungi)

कवकों को मुख्यतः पाँच मुख्य वर्गों में विभक्त किया जाता है।

(*i*) मिक्सोमाइसिटीज (Myxomycetes)

(*ii*) फाइकोमाइसिटीज (Phycomycetes)

(*iii*) ऐस्कोमाइसिटीज (Ascomycetes)

(*iv*) बेसिडियोमाइसिटीज (Basidiomycetes)

(*v*) ड्यूटेरोमाइसिटीज (Deuteromycetes)

कवकों का आर्थिक महत्त्व (Economic Importance of Fungi)

A. लाभदायक प्रभाव (Beneficial Effects)

कवकों से होने वाले प्रमुख लाभ निम्नानुसार हैं—

1. मानव भोजन के रूप में (As human food)

कई कवक खाने में स्वादिष्ट तथा पौष्टिक होते हैं।

जैसेः यीस्ट (yeast): चूंकि शुष्क यीस्ट में लगभग 50% प्रोटीन पाया जाता है अतः इसे प्रोटीन के स्रोत के रूप में प्रयोग करते हैं।

- **गुच्छी (Morels):** इसका उपयोग भोजन में किया जाता है।
- **छत्रक (Mushrooms):** आज कल छत्रकों की खेती की जाती है। इनमें प्रचुर मात्रा में विटामिन्स, एमिनो अम्ल, खनिज पदार्थ, मैनिटोल आदि पाये जाते हैं।
- **एक कोशिकीय प्रोटीन (Single Cell Protein):** यह साधारण प्रोटीन का एक सम्पूर्ण विकल्प माना जाता है।

कवक (Fungi)

- वर्ग 1. मिक्सोमाइसिटीज (Myxomycetes) 'अवपंक फफूँदी' (Slime molds)
  - उदा. फाइसेरम *(Physarum)*
- वर्ग 2. फाइकोमाइसिटीज (Phycomycetes) 'शैवालीय कवक' (Algal Fungi)
  - उपवर्ग-1: आर्किमाइसिटीज (Archimycetes)
    - उदा. सिनकाइट्रियम *(Synchytrium)*
  - उपवर्ग-2: ऊमाइसिटीज (Oomycetes)
    - उदा. एल्बूगो *(Albugo)*
  - उपवर्ग-3: जायगोमाइसिटीज (Zygomycetes)
    - उदा. राइजोपस *(Rhizopus)* म्यूकर *(Mucor)*
- वर्ग 3. एस्कोमाइसिटीज (Ascomycetes) थैलीनुमा कवक (Sac Fungi)
  - उपवर्ग-1: हेमीऐस्कोमाइसिटीज (Hemiascomycetes)
    - उदा. सैकेरोमाइसीज *(Saccharomyces)*
  - उपवर्ग-2: यूऐसकोमाइसिटीज (Euascomycetes)
    - उदा. मार्केला *(Morchella)*
- वर्ग 4. बेसिडियोमाइसिटीज (Basisdiomycetes) 'मुदगराकार कवक' (Club Fungi)
  - उपवर्ग-1: होमो बेसिडियो माइसिटीज (Homobasidiomycetes)
    - उदा. ऐगेरिकस *(Agaricus)*
  - उपवर्ग-2: हेटेरो बेसिडियोमाइसिटीज (Heterobasidiomycetes)
    - उदा. पक्सीनिया *(Puccinia)* आस्टिलागो *(Ustilago)*
- वर्ग 5. ड्यूटेरोमाइसिटीज (Deuteromycetes) 'अपूर्ण कवक' (Fungi Imperfecti)
  - उदा. आल्टनेरिया *(Alternaria)*

2. भूमि की उर्वराशक्ति (Soil Fertility)

कवक अनेक सड़े-गले पदार्थों का अपघटन करते हैं जिससे मृदा में ह्यूमस की मात्रा बढ़ जाती है और मृदा अधिक उर्वर हो जाती है।

3. नाइट्रोजन स्थिरीकरण (Nitrogen Fixation)

कवक वातावरणीय नाइट्रोजन का स्थिरीकरण करते हैं। उदा. *रोडोटोरूला* (*Rhodotorula*) तथा *सेकेरोमाइसीज* (*Sacharomyces*) आदि।

4. पौधों के रोगों का जैव नियन्त्रण (Biological Control of Pests)

कुछ कवक रोग उत्पन्न करने वाले कवकों, कीटों, सूत्र कृमियों आदि का नियंत्रण करते हैं।

— **कवकों का नियन्त्रणः** *आर्मीलेरिया* (*Armillaria*) का नियंत्रण ट्राइकोडर्मा तथा ओफीयोबोलस नियंत्रण अनेक कवकों द्वारा किया जाता है।

— **कीटों का नियन्त्रणः** कुछ कीटों का नियन्त्रण *इसेरिया, आस्वरसोनिया, इम्पूसा* इत्यादि कवकों के द्वारा किया जाता है।

— **सूत्रकृमियों का नियंत्रणः** कुछ सूत्रकृमियों का नियंत्रण आर्थोबोटीस, प्रोटोऐस्कस आदि कवकों के द्वारा किया जाता है।

— **विषाणुओं का नियन्त्रणः** कुछ विषाणुओं का नियंत्रण, ऐस्पर्जिलिस, फ्यूजेरियम, कोलेटोट्राइकम आदि कवकों के द्वारा किया जाता है।

5. जिबरेलिक अम्ल (Gibberellic acid)

जिबरेला फ्यूजिक्यूरोई से जिबरेलिन (जिबरेलिक अम्ल) प्राप्त किया जाता है। जिसका प्रयोग बौने पौधे की लम्बाई बढ़ाने, पुष्पन जल्दी कराने, सुप्तावस्था को समाप्त कराने आदि में किया जाता है।

6. अनुसंधान में (In Research)

अनेक कवकों का उपयोग अनुसंधानों में किया जाता है।

(*i*) **जीवविज्ञानीय आमापन (Bioligical assay):** *एस्परजिलस नाइगर* (*Aspergillus niger*) को पौधों में Zn, Ca, Pb, Mn, Mo इत्यादि का प्रयोग खनिज तत्वों का पता लगाने तथा *न्यूरोस्पोरा क्रासा* (*Neurospora crassa*) का विटामिन 'बी' मात्रा का पता लगाने के लिए प्रयोग किया जाता है।

(*ii*) **आनुवंशिकी (Genetics):** *न्यूरोस्पोरा* (*Neurospora*) का उपयोग, आनुवंशिकी से सम्बंधित अनेक समस्याओं के निदान हेतु किया जाता है। जिसके कारण इस कवक को पादप जगत के 'ड्रोसोफिला' की संज्ञा दी जाती है।

7. एन्टिबायोटिक निर्माण में (In antibiotics productions)

अनेक कवक एन्टिबायोटिक का स्रवण करते हैं जो कि सूक्ष्मधारियों को नष्ट करने के काम आते हैं। पेनिसिलियम नोटेटम (*Penicillium notatum*) से पहला एन्टिबायोटिक पेनिसिलिन प्राप्त किया गया। जिसके लिए सर एलेक्जेण्डर फ्लेमिंग (Sir Alexander Flemming) को सन् 1945 में नोबेल पुरस्कार से सम्मानित किया गया। (तालिका 1)

8. उद्योगों में (In industry)

उद्योगों में कवकों का महत्त्वपूर्ण योगदान है जो कि निम्नानुसार हैं। (तालिका 3)

(*i*) **मद्य निर्माण में (In brewing industry):** *सैकेरोमाइसीज सेरेवीसी* (*Saccharomyces cerevisiae*) (*यीस्ट*) चीनी अथवा माल्ट (मण्डयुक्त पदार्थों) के किण्वन (Fermentation) में प्रयोग होता है। सुक्रेस और माल्टेस नामक एन्जाइम यीस्ट में पाये जाते हैं। ये अन्य शर्कराओं से हेक्सोज शर्करा का निर्माण करते हैं। इन्हीं शर्कराओं का किण्वन, यीस्ट में पाये जाने वाला जाइमेस एन्जाइम के द्वारा होता है। इसी विधि से शराब बनायी जाती है। रासायनिक अभिक्रिया का समीकरण निम्न प्रकार है:

$$C_6H_{12}O_6 \xrightarrow[\text{यीस्ट के द्वारा}]{\text{जाइमेस}} 2C_2H_5OH + 2CO_2$$

(*ii*) **पनीर बनाने में (In cheese making):** *पेनिसिलियम केमैमबर्ती* (*Penicillium camemberti*) तथा *पेनिसिलियम* रोकफोर्टी (*Penicillium roqueforti*) का उपयोग पनीर बनाने में किया जाता है।

B. हानिकारक प्रभाव (Harmful Effects)

1. पदार्थों का खराब होना (Deterioration of articles)

अचार, खाने की सामग्री, रोटी, माँस, चमड़ा, रबर, इत्यादि कवकों के कारण खराब हो जाते हैं।

2. काष्ठ का अभिरंजन (Staining of wood)

कुछ कवक रसदारू (Sapwood) से अपना भोजन प्राप्त करके काष्ठ को अभिरंजित कर देते हैं। उदाहरण *पेनिसिनालियम* काष्ठ को पीला और *फ्यूजेरियम नेगूण्डी* (*Fusarium negundi*) लाल कर देते हैं।

3. काष्ठ का सड़ना (Wood decay)

अनेक कवक काष्ठ के सेलुलोज तथा लिग्निन का अपघटन करके अंतर्विलन (Heart rot) कर देते हैं। जैसे–*फोमीज, पोलीपोरस, गैन्डोडर्मा,* आदि कवक।

4. पौधों के रोग (Plant diseases)

कवक पौधों में अनेकों रोग उत्पन्न करते हैं। कुछ कवक रोगों का सम्बन्ध विश्व में भयंकर अकालों से रहा है। उदाहरण आलू में *फाइटोफ्थोरा इन्फेस्टन्स* (*Phytophthora infestans*) से होने वाले रोग (Late blight of potato) से आयरलैड में 1845 में भयंकर अकाल पड़ा जिससे लगभग दस लाख लोगों की मृत्यु हो गई। दूसरा उदाहरण बंगाल में चावल में लगे भूरे चित्त पर्णी (brown leaf spot), *हेलमिन्थोस्पोरीयम ओराइजी* (*Helminthosporium oryzae*) नामक कवक के कारण 1943 में चावल की फसल नष्ट हो गई जिसके कारण अकाल पड़ा। (तालिका 5) भारतीय कवक विज्ञान तथा पादप रोग विज्ञान का जनक ई. जे. बटलर (E.J. Butler) को कहा जाता है।

5. मनुष्यों/जंतुओं के रोग (Human/Animal diseases)

कवक मुख्य रूप से त्वचा रोग उत्पन्न करते हैं। कवक प्रायः त्वचा के अन्दर अथवा ऊपर वृद्धि करते हैं। (तालिका 4)

तालिका 1: कुछ ऐन्टिबायोटिक एवं कवक (Some Antibiotics and Fungi)

ऐन्टिबायोटिक (Antibiotics)	कवक (Fungi)
1. ब्रेफेल्डिन (Brefeldin)	*पेनिसिलियम ब्रेफेल्डियानम* (*Penicillium brefeldianum*)
2. पेनिसिलिन (Penicillin)	*पे. क्राइसोजीनम* (*P. chrysogenum*)
3. रैमाइसिन (Ramycin)	*म्यूकर रैमोनियानस* (*Mucor ramannianus*)
4. कीटोमिन (Chaetomin)	*कीटोमीयम कोक्लॉइडीस* (*Chaetomium cochloides*)
5. फ्यूमिगैलिन (Fumigallin)	*एस्परजिलस फ्यूमीगेट्स* (*Aspergillums fumigatus*)

तालिका 2: एन्जाइम एवं कवक (Enzymes and Fungi)

एन्जाइम (Enzymes)	कवक (Fungi)
1. एमाइलेस (Amylase)	*एस्परजिलस* (*Aspergillus*)
2. इनवर्टेस (Invertase)	*सैकैरोमाइसिस* (*Saccharomyces*) *आल्टर्नेरिया* (*Alternaria*)
3. जाइमेस (Zymase)	*सेकैरोमाइसिस* (*Saccharomyces*)

तालिका 3: कुछ औद्योगिक उत्पाद एवं कवक (Some Industrial Products and Fungi)

क्र. सं.	औद्योगिक उत्पाद (Industrial products)	कवक (Fungi)
1.	सिट्रिक अम्ल (Citric Acid)	*ऐस्परजिलस नाइजर* (*Aspergillus niger*)
2.	ऑक्जेलिक अम्ल (Oxalic Acid)	*ऐस्परजिलस नाइजर* (*Aspergillus niger*)
3.	लैक्टिक अम्ल (Lactic Acid)	*राइजोपस ओराइजी* (*Rhizopus oryzae*)
4.	फ्यूमेरिक अम्ल (Fumaric Acid)	*म्यूकर, राइजोपस* (*Mucor, Rhizopus*)
5.	ग्लुकोनिक अम्ल (Gluconic Acid)	*पेनिसिलियम परप्यूरोजिनम* (*Penicillium perpurogenum*)
6.	गैलिक अम्ल (Gallic Acid)	*पेनिसिलियम ग्लॉकम* (*Penicillium glaucum*) *ऐस्परजिलस गैलोमाइसिस* (*Aspergillus gallomyces*)

तालिका 4: मनुष्यों तथा जंतुओं के कुछ रोग और उसे उत्पन्न करने वाले कवक (Some Human and Animal diseases and their causal fungi)

	रोग का नाम (Name of the disease)	उत्पन्न करने वाले कवक (Causal fungi)
1.	एलर्जन (Allergens)	*म्यूकर* (*mucor*), *ऐस्परजिलस* (*Aspergillus*), *पेनिसिलियम* (*Penicillium*), *आल्टर्नेरिया* (*Alternaria*)
2.	दाद (Ring worm)	*ट्राइकोफाइटान* (*Trichophyton*)
3.	टोरुलोसिस (Torulosis)	*क्रिप्टोकोकस नियोफोर्मेन्स* (*Cryptococcus neoformans*)
4.	मोनिलिएसिस (Moniliasis)	*कैन्डिडा एल्बिकैन्स* (*Candida albicans*)
5.	एथलीट फूट (Athlete's foot)	*टाइनिया रुब्रम* (*Tinea rubrum*)
6.	न्यूराइटिस (Neuritis)	*म्यूकर प्यूसीलस* (*Mucor pusilus*)
7.	एस्पर्जिलोलिस (Aspergillosis)	*ऐस्परजिलस फ्लैवस* (*Aspergillus flavus*)
8.	हिस्टोप्लास्मोसिस (Histoplasmosis)	*हिस्टोप्लाज्मा कैप्सूलेटम* (*Histoplasma capsulatum*)
9.	ब्लास्टोमाइकोसिस (Blastomycosis)	*ब्लास्टोमाइसिस डर्मेटिटाइटिस* (*Blastomyces dermatititis*)

तालिका 5: पौधों के प्रमुख रोग और उनको उत्पन्न करने वाले कवक (Important plant diseases and the fungi causing them)

क्र.सं.	पादप रोग का नाम (Name of the plant disease)	कवक (Fungi)
1.	आलू की अगेती अंगमारी (Early Blight of potato)	*आल्टर्नेरिया सोलैनी (Alternaria solani)*
2.	आलू की पछेती अंगमारी (Late Blight of potato)	*फाइटोफ्थोरा इन्फेस्टन्स (Phytophthora infestanse)*
3.	गेहूँ का काला किट्ट (Black or stem rust of wheat)	*पक्सीनिया ग्रैमिनिस ट्रिटिसाई (Puccinia graminis tritici)*
4.	गेहूँ का श्लथ कण्ड (Loose smut of wheat)	*आस्टिलागो न्यूडा ट्रिटिसाई (Ustilago nuda tritici)*
5.	गेहूँ की चूर्णिल आसिता (Powdery mildew of wheat)	*इरीसाइफी ग्रैमिनिस ट्रिटिसाई (Erysiphe graminis tritici)*
6.	बाजरे का अर्गट (Ergot of bajra)	*क्लेवीसेप्स माइक्रोसेफला (Claviceps microcephala)*
7.	बाजरे का हरित बाली रोग (Green ear disease of bajra)	*स्कलैरोस्पोरा ग्रेमिनीकोला (Sclerospora graminicola)*
8.	बाजरे का कण्ड (Smut of bajra)	*टोलोस्पोरियम पेनिसिलेराई (Tolyposporium peniciliare)*
9.	जौ का श्लथ कण्ड (Loose smut of barley)	*अस्टिलैगो न्यूडा होरडाई (Ustilago nuda hordei)*
10.	कपास की म्लानि (Wilt of cotton)	*फ्यूजेरियम वासइन्फेक्टम (Fusarium vasinfectum)*
11.	काफी का किट्ट (Coffee rust)	*हेमेलिया वास्टाट्रिक्स (Hemileia vastatrix)*
12.	क्रूसिफर का ग्रंथित मूल रोग (Club root disease of crucifers)	*प्लाज्मोडियोफोरा ब्रैसिकी (Plasmodiophora brassicae)*
13.	क्रूसीफर का सफेद किट्ट (White rust of crucifers)	*ऐल्बूगो कैन्डिडा (Albugo candida)*
14.	मूँगफली में टिक्का रोग (Tikka disease of groundnut)	*सर्कोस्पोरा पर्सोनेटा (Cercospora personata)*
15.	धनिया का स्तम्भ पिटिका (Stemgall of dhania)	*प्रोटोमाइसिस मैक्रोस्पोरस (Protomyces macrosporus)*
16.	ज्वार में मृदुरोमिल आसिता (Downy mildew of jowar)	*स्कलैरोस्पोरा सौरघाई (Sclerospora sorghii)*
17.	ओट का आवृत कण्ड (Covered smut of oat)	*आस्टिलैगो कोलेराई (Ustilago kolleri)*
18.	ओट का श्लथ कण्ड (Loose smut of oat)	*आस्टिलैगो ऐवेनी (Ustilago avenae)*
19.	धान का प्रध्वंस (Blast of rice)	*पिरीक्यूलेरिया ओराइजी (Piricularia orzyae)*
20.	चावल की भूरी पर्ण चित्ति (Brown leaf spot of rice)	*हेलमिन्थोस्पोरियम ओराइजी (Helminthosporium oryzae)*
21.	गन्ने का लाल विगलन (Red rot of sugar cane)	*कोलेटोट्राइकम फाल्केटम (Colletotrichum falcatum)*

तालिका 6: कवक तथा शैवाल में अन्तर (Differences between Fungi and Algae)

क्र.सं.	कवक (Fungi)	शैवाल (Algae)
1.	पर्णहरित नहीं पाया जाता है।	पर्णहरित पाया जाता है।
2.	परपोषी होते हैं। मृतजीवी, परजीवी व सहजीवी के रूप में मिल सकते हैं।	स्वपोषी होते हैं।
3.	कोशिका भित्ति काइटिन की बनी होती है।	कोशिका भित्ति सेल्यूलोस की बनी होती है।
4.	संचित खाद्य पदार्थ वसा, तेल या ग्लाइकोजन के रूप में मिल सकता है।	संचित खाद्य पदार्थ स्टार्च होता है।
5.	जनन अंग विभिन्न प्रकार के हो सकते हैं। विकसित तथा उच्च वर्ग के कवकों में जनन अंग अस्पष्ट या लुप्त हो जाते हैं।	लैंगिक जनन में निम्न श्रेणी के शैवालों में जनन अंग नहीं बनते हैं। विकसित शैवालों में जनन अंगों की संरचना जटिल होती है।

तालिका 7: राइजोपस तथा यूलोथ्रिक्स के लैंगिक जनन में अन्तर
(Differences between Sexual Reproduction of *Rhizopus* and *Ulothrix*)

क्र.सं.	राइजोपस (*Rhizopus*)	यूलोथ्रिक्स (*Ulothrix*)
1.	इसमें लैंगिक जनन **संयुग्मन** (conjugation) के द्वारा होता है। संयुग्मन दो युग्मकधानियों (gametangia) के बीच होता है।	लैंगिक जनन दो **युग्मकों** (gametes) के मध्य **संयुग्मन** (Conjugation) के द्वारा होता है।
2.	युग्मक (gamete) **संकोशिकी** (coenocytic) होता है। युग्मकधानी ही युग्मक का कार्य करती है।	प्रत्येक युग्मक **एककेन्द्रकीय** (uninucleate) होता है। ये युग्मकधानी के अन्दर बनते हैं।
3.	युग्मक आकार और व्यवहार में एक जैसे होते हैं **समयुग्मक** (isogametes)। **विषमजालिकता** (heterothallism) सामान्य रूप में पाई जाती है। बहुत कम (केवल एक जाति) में समजालिकता मिलती है। युग्मक स्थिर होते हैं।	युग्मक आकार तथा व्यवहार में एक-समान होते हैं अर्थात् **समयुग्मक** (isogametes)। कोई भी युग्मक दूसरे युग्मक से संयुग्मन कर सकता है। युग्मक सीलियायुक्त तथा **चल** (motile) होते हैं।
4.	युग्मक, युग्मकधानियों के बीच भित्ति के नष्ट होने से मिलते हैं। केन्द्रक (शायद) नहीं जुड़ते या बाद बाद में संयुक्त होते हैं। **कैरिओगैमी** कुछ समय के बाद होती है।	युग्मक, युग्मकधानी से जल में बाहर निकल आते हैं। ये जल में ही जोड़ा बनाते तथा संयुग्मन करते हैं। **कैरिओगैमी** साथ-साथ होता है।
5.	**जाइगोस्पोर** (zygospore) मोटी भित्ति से ढ़का रहता है। यह **संकोशिकी** (coenocytic) होता है। विश्राम करता है।	**जाइगोस्पोर** (zygospore) प्रारम्भ में पतली भित्ति वाला, **चल** (motile) तथा चार सीलिया (cilia) वाला होता है।
6.	जाइगोस्पोर का केन्द्रक अंकुरण के पूर्व **मिओसिस** (meiosis) के द्वारा विभाजित होता है, plus (+) और minus (–) विभेद अलग-अलग हो जाते हैं।	जाइगोस्पोर का केन्द्रक **मिओसिस** (meiosis) से विभाजित होता है। सभी केन्द्रक क्रियाशील होते हैं तथा सामान्यतः **चलबीजाणु** (zoospores) बनाते हैं। विभेद इत्यादि नहीं होते हैं।
7.	युग्मक का केन्द्रक एक नलिका में (जो भीतरी भित्ति के बाहर निकलने से बनती है) आ जाता है। बार-बार विभाजित होने और जीवद्रव्य के नली के सिरे पर एकत्रित होने से एक संकोशिकी (coenocytic) बीजाणुधानी का निर्माण होता है।	युग्माणु के केन्द्रक के कई बार विभाजन के द्वारा सामान्यतः 64 केन्द्रक बनते हैं तथा विदलन के द्वारा प्रत्येक केन्द्रक के चारों ओर जीवद्रव्य एकत्रित होता है। सभी एककेन्द्रकीय (Uninucleate) संरचनाएं युग्माणु की भित्ति के नष्ट होने से बाहर निकल आते हैं। ये पुटिका (Vesicle) में निकलते हैं।
8.	इसके बीजाणुधानी में बीजाणु बनते हैं तथा ये बीजाणु अनुकूल परिस्थिति में अंकुरित होकर कवक-जाल बनाते हैं।	इसमें बीजाणुधानी नहीं बनती है। चल बीजाणु (zoospores) जल में तैरते हैं तथा बाद में जल के आधार पर स्थिर होने के बाद अंकुरित होकर एक *यूलोथ्रिक्स* पौधा बना लेते हैं।

तालिका 8: शैवाल कोशिका तथा कवक जाल में अन्तर
(Differences between Algal cell and Fungal mycelium)

क्र.सं.	शैवाल कोशिका (Algal cell)	कवक जाल (Fungal mycelium)
1.	शैवाल एककोशिक (unicellular) अथवा बहुकोशिक (Multicellular) हो सकते हैं।	कवक जाल कवक तन्तुओं (hyphae) का बना होता है।
2.	इसमें कोशिका भित्ति (cell wall) सेल्यूलोस की बनी होती है।	कोशिका भित्ति कवक सेल्यूलोस (fungal cellulose) या काइटिन की बनी होती है।
3.	इसमें सामान्यतः एक केन्द्रक मिलता है।	ये सामान्यतः बहुकेन्द्रकीय (multinucleate) होते हैं।
4.	सूकाय सामान्य होता है।	कवक जाल संकोशिक (coenocytic) होता है।
5.	ये स्वपोषी (autotrophic) होते हैं।	ये परपोषी (Heterotrophic) होते हैं।
6.	इसमें हरित लवक मिलता है।	इसमें हरित लवक नहीं पाया जाता है।

तालिका 9: जीवाणु तथा यीस्ट में अन्तर
(Differences between Bacteria and Yeast)

क्र.स.	जीवाणु (Bacteria)	यीस्ट (Yeast)
1.	जीवाणु सम्पूर्ण जीवमण्डल में मिलते हैं, अन्य जीवों के शरीर में भी ये पाये जाते हैं।	यीस्ट केवल निश्चित स्थानों पर ही पाये जाते हैं।
2.	ये अति सूक्ष्म जीव हैं। इनका आमाप $0.5 - 2.5\mu$ तक होता है।	ये थोड़े बड़े जीव हैं। इनका आमाप $8\text{-}10\mu \times 8\text{-}12\mu$ तक होता है।
3.	ये गोल, कॉमा, छड़ अथवा सर्पिलाकार होते हैं।	ये गोल अथवा अण्डाकार होते हैं।
4.	ये एककोशिक प्रोकेरियोटिक जीव हैं।	ये एककोशिक परन्तु यूकेरियोटिक जीव हैं।
5.	इनमें सत्य केन्द्रक तथा कलायुक्त कोशिकांग नहीं होते हैं।	इनमें सत्यकेन्द्रक तथा कलायुक्त कोशिकांग होते हैं।
6.	ये स्वपोषी अथवा रसायन संश्लेषी अथवा परपोषी होते हैं।	ये मृतजीवी अथवा परजीवी होते हैं। स्वपोषी नहीं होते हैं।
7.	इसमें अलैंगिक जनन द्विखण्डन, मुकुलन तथा अन्तः बीजाणु द्वारा होता है। लैंगिक जनन विशेष परिस्थितियों में संयुग्मन द्वारा होता है।	इसमें अलैंगिक जनन विखण्डन अथवा मुकुलन के द्वारा होता है। लैंगिक जनन में **एस्कस** (ascus) बनता है।

वस्तुनिष्ठ प्रश्न

1. एक लाइकेन जिसका रूप शाखायुक्त होता है और जो भूमि पर या तो प्रोस्ट्रेट या सीधा बढ़ता है, कहलाता है?
(*a*) क्रस्टोज (*b*) फोलिओज
(*c*) थैलोज (*d*) फ्रूटीकोज

2. *सैकरोमाइसीज सेरेविसी* होता है—
(*a*) एकैरियोट (*b*) प्रोकैरियोट
(*c*) मीसोकैरियोट (*d*) यूकैरियोट

3. लाइकेन्स का कवकीय भाग प्रायः सम्बन्धित होता है वर्ग से—
(*a*) फाइकोमाइसिटीज (*b*) एस्कोमाइसिटीज
(*c*) फन्जाई इम्परफैक्टाई (*d*) बैसीडियोमाइसिटीज

4. कवकों को क्लोरोफिल रहित, असंवहनीय पादपों के रूप में परिभाषित किया है?
(*a*) मुण्डकर ने (*b*) अलेक्सोपोलस ने
(*c*) बेसी ने (*d*) बटलर ने

5. कवक, शैवालों से भिन्न होते हैं?
(*a*) सेल्यूलोज की बनी कोशिका भित्ति के होने में
(*b*) काइटिन तथा सेल्यूलोज की कोशिका भित्ति के होने में
(*c*) क्लोरोफिल के होने में
(*d*) संचित भोजन को स्टार्च के रूप में रखने में

6. लाइकेन्स भाग लेते हैं?
(*a*) जीरोसीयर में (*b*) हैलीसीयर में
(*c*) हाइड्रोसीयर में (*d*) सैमोसीयर में

7. एपोथीसियल कप्स मिलते हैं?
(*a*) सैकरोमाइसीज में (*b*) एस्कोबोलस में
(*c*) एस्पर्जिलस में (*d*) उपरोक्त सभी में

8. प्रसिद्ध आइरिश अकाल आलू के किस रोग से सम्बन्धित है?
(*a*) आलू का अर्ली ब्लाइट (*b*) आलू का लेट ब्लाइट
(*c*) आलू का सूखा रॉट (*d*) उपरोक्त में से कोई नहीं

9. निम्न में से कौन कवकनाशी है?
(*a*) डी. डी. टी. (*b*) बोर्डेक्स मिक्सचर
(*c*) 2-4-D (*d*) इनमें से कोई नहीं

10. बंगाल में 1942-43 में अकाल का कारण धान फसल का एक कवक द्वारा नष्ट होना था। वह कवक था—
(*a*) *हेलमिन्थोस्पोरियम* (*b*) *पेनिसिलियम*
(*c*) *पक्सिनिया* (*d*) *राइजोपस*

11. आलू में वर्ट रोग किससे होता है?
(*a*) *पीथियम डिबेरीएनम* (*b*) *फाइटोफ्थोरा इनफेस्टन्स*
(*c*) *पेरोनोस्पोरा डिस्ट्रक्टर* (*d*) *सिन्काइट्रियम इंडोबायोटिकम*

12. अल्कोहलीय किण्वन किसके द्वारा होता है?
(*a*) यीस्ट (*b*) *क्लोरेला*
(*c*) *अगैरिकस* (*d*) उपरोक्त में से कोई नहीं

13. निम्न में से किसने *पेनिसिलिन* की खोज की थी?
(*a*) अलेक्जैन्डर फ्लेमिंग (*b*) वाक्समान
(*c*) कोच (*d*) इवानोवस्की

14. एफ्लाटॉक्सिन का उत्पादन किससे होता है?
(*a*) विषाणु (*b*) जीवाणु
(*c*) कवक (*d*) शैवाल

15. यीस्ट किसका महत्वपूर्ण स्रोत है?
(*a*) विटामिन C का (*b*) राइबोफ्लेविन का
(*c*) शर्कराओं का (*d*) प्रोटीनों का

16. एमोनिटा मस्केरिया एक कवक है, जो–
(*a*) खाना बनाने के काम आती है
(*b*) दवाइयाँ बनाने में प्रयुक्त होती है
(*c*) पेपर बनाने में प्रयोग होती है
(*d*) एक विष रखती है जो मनुष्यों के लिये जहर है

17. ग्लाइकोजन के रूप में खाद्य संग्रहित होता है?
(*a*) कवकों में (*b*) शैवाल में
(*c*) वायरस में (*d*) ब्रायोफाइटा में

18. माइकोरहाइजी अपनी निम्न क्षमता के कारण ही पौधों के लिये उपयोगी है?
(*a*) वायुमण्डलीय नाइट्रोजन यौगिकीकरण
(*b*) मृदा से पोषकों का अधिक अवशोषण
(*c*) कीट व रोग जनकों का वध करना
(*d*) अजैव प्रतिबलों के विरुद्ध प्रतिरोध प्रदान करना

19. माइकोरहाइजी एक विधि है?
(*a*) परजीविता की (*b*) एनडेमिज्म की
(*c*) बराबर की (*d*) सहजीवन की

20. पनीर के लिये सूक्ष्मजीवी जरुरी है?
(*a*) खटास तथा पकाने दोनों के लिये
(*b*) खराब होने से बचाने के प्रतिरोधक क्षमता को विकसित करने के लिये
(*c*) केवल पकाने के लिये
(*d*) केवल खटास के लिये

21. खुले हुये एस्कोकार्प को कहते हैं?
(*a*) क्लीस्टोथीशियम (*b*) ऐपोथीशियम
(*c*) पेरीथीशियम (*d*) एस्कोशोनियम

22. पेनिसिलिन प्राप्त की जाती है?
(*a*) लाइकेन से (*b*) कवक से
(*c*) शैवाल से (*d*) एक्टिनोमाइसिटीज से

23. यीस्ट का प्रयोग किसके बनने में होता है?
(*a*) अमोनिया (*b*) ऐल्कोहल
(*c*) दही (*d*) पेट्रोल

24. दूध को बोतलों में भरने से पहले निम्न में से कौन सी क्रिया करायी जाती है?
(*a*) स्टरालाइजेशन (*b*) पाश्चुरीकरण
(*c*) लघुतम मृतोपजीवी (*d*) हिमीकरण

25. एल्बूगो है?
(*a*) विकल्पी परजीवी (*b*) अविकल्पी परजीवी
(*c*) विकल्पी मृतोपजीवी (*d*) अविकल्पी मृतोपजीवी

26. कवकों में प्लाज्मालेमा व कोशिका भित्ति के बीच पायी जाने वाली विशेष संरचना है?
(*a*) प्लाज्मिड (*b*) लोमासोम
(*c*) प्लाज्मोडेस्मेटा (*d*) मीसोसोम

27. निम्न में से कौन-सा कथन गलत है?
(*a*) एल्बूगो परजीवी होता है
(*b*) एल्बूगो में विषमयुग्मकी लैंगिक जनन होता है
(*c*) एल्बूगो में अलैंगिक जनन कोनिडिया द्वारा होता है
(*d*) एल्बूगो के निषेचन के लिये जल की आवश्यकता नहीं होती है

28. स्लाइम मोल्ड्स (Slime molds) किसमें वर्गीकृत किये गये हैं?
(*a*) मसाई में (*b*) साइनोफाइटा में
(*c*) मिक्सोफाइसी में (*d*) मिक्सोफाइकोफाइटा में

29. आलू का प्रसिद्ध अकाल जो आयरलैंड में पड़ा था, संक्रमण द्वारा हुआ था?
(*a*) आलू के मोजेक से
(*b*) मूल गांठ सूत्रकृमि के
(*c*) *फाइटोफ्थोरा इन्फैस्टेन्स* के
(*d*) *आल्टरनेरिया सोलेनी* के

30. अर्गट (ergot) प्राप्त किया जाता है?
(*a*) क्लेविसेप्स से (*b*) *एस्पर्जिलस* से
(*c*) *एकेशिया* से (*d*) *आल्टरनेरिया* से

31. म्यूकर का स्पोरेन्जियोस्पोर होता है?
(*a*) अगुणित (*b*) द्विगुणित
(*c*) त्रिगुणित (*d*) बहुगुणित

32. बी 12 समूह की विटामिन्स का उत्पादन किससे होता है?
(*a*) *प्रोपियोनिक बैक्टीरियम* (*b*) *एशब्या गासिपी*
(*c*) *सेक्रोमाइसिस* (*d*) *राइजोपस*

33. लैंगिक जनन के बाद राइजोपस में बनता है?
(*a*) ऊस्पोर (Oospore)
(*b*) जाइगोस्पोर (Zygospore)
(*c*) एजाइगोस्पोर (Azygospore)
(*d*) क्लेमाइडोस्पोर (Clamydospore)

34. गेहूँ की काली किट्ट का कारण है?
(*a*) *पक्सिनिया* (*b*) *राइजोपस*
(*c*) *म्यूकर* (*d*) *एस्परजिलस*

35. अधिकांशतः कवक में संग्रहित भोज्य पदार्थ हैं?
(*a*) ग्लाइकोजन (*b*) स्टार्च
(*c*) ग्लूकोस (*d*) सुक्रोस

36. टोरुला दशा किसमें पाई जाती है?
(*a*) *स्पाइरोगायरा* (*b*) *म्यूकर*
(*c*) *रिक्सिया* (*d*) *यूलोथ्रिक्स*

37. कौन से कवक कृत्रिम माध्यम में नहीं उगती है ?
(*a*) एल्बूगो (*b*) यीस्ट
(*c*) आल्टूरनेरिया (*d*) राइजोपस

38. लाइकेन किसके अच्छे संकेतक हैं?
(*a*) ध्वनि प्रदूषण (*b*) वायु प्रदूषण
(*c*) मृदा प्रदूषण (*d*) जल प्रदूषण

39. निम्नलिखित में से कौन सा ऐल्कोहॉल के निर्माण में प्रयुक्त होता है?
(*a*) जीवाणु (*b*) जलीय मोल्ड
(*c*) यीस्ट (*d*) अवपंक मोल्ड

40. पेनिसिलिन प्राप्त की जाती है?
(*a*) *एस्पर्जिलस फ्युमीगेट्स* से
(*b*) *पेनिसिलियम क्रिसोजोनम* से
(*c*) *पेनिसिलियम ग्राइसिओफुल्वम* से
(*d*) *स्ट्रेप्टोमाइसीज ग्राइसियम* से

41. अधिकतर लाइकेन्स किनसे बने होते हैं?
(*a*) नील हरित शैवाल तथा बेसिडियोमाइसिटीज
(*b*) नील हरित शैवाल तथा ऐस्कोमाइसिटीज
(*c*) लाल शैवाल तथा ऐस्कोमाइसिटीज
(*d*) भूरे शैवाल तथा फाइकोमाइसिटीज

42. म्यूकर स्पी. में समयुग्मन प्रायः होता है?
(*a*) एक ही प्रकार के विभेदों में
(*b*) (+) तथा (–) विभेदों में
(*c*) युग्माणुओं में
(*d*) लघुबीजाणुओं में

43. देखने में लाइकेन एक एकांकी पौधा लगता है पर सूक्ष्म परीक्षण से पता चलता है कि इसकी रचना में पाये जाते हैं?
(*a*) एक शैवाल और कवक
(*b*) एक प्रोटोजोआ और कवक
(*c*) एक शैवाल और बैक्टीरियम
(*d*) एक कवक और बैक्टीरियम

44. कार्यिकी असमयुग्मकी लैंगिक प्रजनन पाया जाता है?
(*a*) *म्यूकर* में (*b*) *सिलैजिनेला* में
(*c*) *पाइनस* में (*d*) *स्पाइरोगायरा* में

45. ईस्ट "*सैक्रोमाइसीज सेरेवाइसी*" इंडस्ट्रीज में प्रयोग होता है?
(*a*) ब्यूटेनॉल बनने में (*b*) साइट्रिक एसिड बनाने में
(*c*) टेट्रासाइक्लीन बनाने में (*d*) एथेनाल बनाने में

46. इंडस्ट्रीज में ट्रिक एसिड बनाने के लिये कौन से माइक्रोआर्गेनिज्म का प्रयोग किया जाता है?
(*a*) *लेक्टोबैसिलस बलगैरिस* (*b*) *पैनिसिलयम साइट्रिनिम*
(*c*) *एस्परजिलस नाइगर* (*d*) *राइजोपस नाइग्रीकेन्स*

47. *पक्सीनिया* (*Puccinia*) में बनते हैं?
(*a*) बारबेरी की पत्तियों पर यूरीडिया तथा पिकिन्या
(*b*) गेहूँ की पत्तियों पर यूरीडिया तथा एशिया
(*c*) गेहूँ की पत्तियों पर यूरीडिया तथा टीलिया
(*d*) बारबेरी की पत्तियों पर यूरीडिया तथा एशिया

48. यीस्ट द्वारा ग्लूकोज के किण्वन से कौन-सा अणु बनता है?
(*a*) $(C_6H_{10}O_5)_n$ (*b*) C_2H_5OH
(*c*) $C_6H_{12}O_6$ (*d*) CH_3OH

49. निम्न में से कौन-सा रोग कवकीय नहीं है?
(*a*) क्रुसीफर की सफेद रस्ट (*b*) चाय की लाल किट्ट
(*c*) कॉफी का किट्ट (*d*) गेहूँ का किट्ट

50. निम्न में से कौन कवक नाशक है?
(*a*) 2, 4 डी (*b*) डी.डी.टी.
(*c*) बॉरडेक्स मिक्सचर (*d*) बी.एच.सी.

उत्तरमाला

1	2	3	4	5	6	7	8	9	10
(*d*)	(*d*)	(*b*)	(*c*)	(*b*)	(*a*)	(*b*)	(*b*)	(*b*)	(*a*)
11	**12**	**13**	**14**	**15**	**16**	**17**	**18**	**19**	**20**
(*d*)	(*a*)	(*a*)	(*c*)	(*b*)	(*d*)	(*a*)	(*b*)	(*d*)	(*a*)
21	**22**	**23**	**24**	**25**	**26**	**27**	**28**	**29**	**30**
(*b*)	(*b*)	(*b*)	(*b*)	(*b*)	(*b*)	(*a*)	(*d*)	(*c*)	(*a*)
31	**32**	**33**	**34**	**35**	**36**	**37**	**38**	**39**	**40**
(*a*)	(*b*)	(*c*)	(*a*)	(*a*)	(*b*)	(*c*)	(*b*)	(*c*)	(*b*)
41	**42**	**43**	**44**	**45**	**46**	**47**	**48**	**49**	**50**
(*b*)	(*b*)	(*a*)	(*d*)	(*d*)	(*c*)	(*c*)	(*b*)	(*b*)	(*c*)

अध्याय

8

ब्रायोफाइटा (Bryophyta)

- सर्वप्रथम ब्रौन (Braun) ने 1864 में ब्रायोफाइटा नाम का प्रयोग किया।
- प्रोफेसर शिवराम कश्यप को भारतीय ब्रायोफाइटा विज्ञान का जनक (Father of Indian Bryophyta) कहा जाता है।
- ब्रायोफाइटा (Bryophyta) नाम दो ग्रीक शब्दों (*bryon* = moss, *phyton* = plant) से हुआ है।
- ब्रायोफाइटा का यह छोटा समूह थैलोफाइटा तथा टेरिडोफाइटा के मध्य आता है।
- ब्रायोफाइटा में मॉस (Moss) तथा लिवरवर्ट (Liverworts) आते हैं।
- चूंकि ब्रायोफाइटा में जल तथा लवण संवहन के लिए संवहन ऊतक (Vascular tissue) अनुपस्थित होता है। इससे पदार्थों का संवहन एक कोशिका से दूसरी कोशिका में होता है।
- ब्रायोफाइटा में वास्तविक जड़ न होने से उनकी कोशिकाएँ पृथ्वी से सीधे जल का संवहन करती है, जिसके कारण केवल नम स्थानों पर ही ब्रायोफाइट्स मिलते हैं।
- ब्रायोफाइटा समूह के पौधे साकार में होते हैं। प्रायः यह नम एवं छायादार स्थानों पर पाये जाते हैं।

आवास एवं स्वभाव (Habit and Habitat)

ब्रायोफाइट्स प्रायः स्थलवासी (Terrestrial) होते हैं। परन्तु कुछ ब्रायोफाइट्स अन्य आवासों में भी पाये जाते हैं, जैसे- जलवासी (उदाहरण- स्फैगनम, फोन्टिनैलिस आदि, अधिपादप (उदाहरण- फ्रुलेनिया तथा मॉस आदि) एवं मृतोपजीवी (उदाहरण- *क्रिप्टोथैलस, मिराबिलिस,* बक्सबौनिया एफिल्ला आदि)।

संरचना (Structure)

इसमें दो प्रकार की संरचनाएँ पायी जाती हैं।

(*i*) थैलसाभ (Thallose) प्रकार के पौधे में स्तम्भ एवं पत्तियों का अभाव होता है। उदाहरण- एन्थोसिरॉस, रिक्सिया आदि।

(*ii*) पर्णिल (Foliose) प्रकार के पौधे में स्तम्भ एवं पत्तियां पायी जाती हैं। उदाहरण- फ्यूनेरिया एवं अन्य मॉसेज।

जनन (Reproduction)

ब्रायोफाइट्स में दो प्रकार का जनन पाया जाता है।

(*i*) कायिक/अलैंगिक जनन (Vegetative/Asexual Reproduction)

(*ii*) लैंगिक जनन (Sexual Reproduction)

ब्रायोफाइटा वर्ग के पौधों की विशेषताएँ

(*i*) वास्तविक जड़, तना और पत्तियों का अभाव होता है और यह बहुत कम विकसित होते हैं।

(*ii*) मुख्य पौधा युग्मकोद्भिद होता है जो कि स्वतंत्र एवं दीर्घजीवी होता है।

(*iii*) एक ही प्रकार की कोशिकाओं से पौधे बने होते हैं।

(*iv*) एक ही पौधे पर पुंधानियाँ (antheridia) तथा स्त्रीधानियाँ (archegonia) उत्पन्न होती हैं जो कि लैंगिक जननांग बन्ध जैकेट से घिरा होता है।

(*v*) स्पोरोफाइट, युग्मकोद्भिद पर आश्रित होता है जो कि अल्पजीवी होता है।

(*vi*) स्पोरोफाइट में अगुणित (haploid) बीजाणु (Spores) का निर्माण होता है।

(*vi*) ब्रायोफाइटा में विषमरूपी पीढ़ी-एकान्तरण (Heteromorphic alternation of generation) पाया जाता है।

आर्थिक महत्त्व (Economic Importance)

(*i*) ब्रायोफाइटा मृदा अपरदन को रोकने में सहायक होते हैं।

(*ii*) ब्रायोफाइटा के पौधों का प्रयोग पैकिंग मैटीरियल के रूप में काँच के बर्तनों को सुरक्षित रखने हेतु किया जाता है।

(*iii*) कुछ मांस का प्रयोग जापान में लान बनाने में किया जाता है।

(*iv*) घाव पर पट्टी करने हेतु स्फैगनम का उपयोग किया जाता है।

(*v*) पादप अनुक्रमण (Plant succession) में ब्रायोफाइटा का विशेष महत्व है।

(*vi*) विकसित स्तनियों तथा कुछ जन्तुओं द्वारा ब्रायोफाइटा के कुछ पादप का भोजन के लिए उपयोग किया जाता है।

(*vii*) तालाबों, झीलों आदि में कुछ मॉस मृदा बनाकर भरने में सहायक होते हैं। अतः ब्रायोफाइटा का महत्व पारिस्थितिक दृष्टिकोण से बहुत अधिक है।

वर्गीकरण (Classification)

ब्रायोफाइटा को निम्नानुसार वर्गीकृत किया गया है।

- ब्रायोफाइटा (Bryophyta)
  - वर्ग-1 हेपेटिकोप्सिडा (Hepaticopsida) लिवरवर्टस (Liverworts)
  - वर्ग-2 एन्थोसिरोटोप्सिडा (Anthocerotopsida) हार्नवर्टस (Hornworts)
    - गण-1 एन्थोसिरोटेलीज (Order-1 Anthoceratales)
      - गण-1 कैलोब्रायेलीज (Order-1 Calobryales)
      - गण-2 जंगरमैनिएलीज (Order-2 Junger manniales)
      - गण-3 मार्केन्शियेलीज (Order-3 marchantiales)
      - गण-4 स्फेरोकार्पेलीज (Order-4 Sphaerocarpales)
  - वर्ग-3 ब्रायोप्सिडा (Bryopsida) मॉसेज (mosses)
    - गण-1 स्फैग्नेलीज (Order-1 Sphagnales)
    - गण-2 एन्ड्रिएलीज (Order-2 Andreaeales)
    - गण-3 ब्रायेलीज (Order-3 Bryales)

तालिका–1: शैवाल तथा ब्रायोफाइट्स में तुलना (Comparison between Algae and Bryophytes)

	शैवाल (Algae)	ब्रायोफाइटा (Bryophytes)
1.	यह प्रायः जलीय होते हैं।	प्रायः थलीय होते हैं तथा नम स्थानों पर पाये जाते हैं।
2.	पादपकाय (Plant body) में division of labour नहीं होता है।	कुछ कोशिकायें विशेष कार्यों के लिये होती हैं।
3.	लैंगिक जनन समयुग्मकी असमयुग्मकी या oogamous होता है।	लैंगिक जनन oogamous होता है।
4.	जननांग एक कोशिकीय होते हैं तथा बंध्य कोशिकाओं से घिरे नहीं होते हैं।	जननांग बहुकोशिकीय होते हैं तथा बंध्य कोशिकाओं से घिरे होते हैं।
5.	युग्मनज से भ्रूण नहीं बनता है।	युग्मनज (zygote) से भ्रूण बनता है।

तालिका–2: ब्रायोफाइट्स तथा टेरिडोफाइट्स में तुलना (Comparison between Bryophytes and Pteridophytes)

	ब्रायोफाइट्स	टेरिडोफाइट्स
1.	मुख्य पौधा gametophytic होता है।	मुख्य पौधा sporophytic होता है।
2.	संवहन ऊतक अनुपस्थित होते हैं।	संवहन ऊतक उपस्थित होते हैं।
3.	स्पोरोफाइट गैमिटोफाइट पर निर्भर करता है।	स्पोरोफाइट स्वपोषी व स्वतन्त्र होता है।

वस्तुनिष्ठ प्रश्न

1. *रिक्सिया* तथा मॉस में निम्न में से कौन-सी कोशिकायें तिरछी विभाजित होकर पुंमाणु का निर्माण करती हैं–
   (*a*) एन्ड्रोसाइट मातृ कोशिकायें
   (*b*) ऐन्डोथिशियल कोशिकायें
   (*c*) स्पोरोसाइट
   (*d*) एन्ड्रोसाइट

2. मॉस की स्त्रीधानी में ग्रीवानाल कोशिकाओं की संख्या है–
   (*a*) 2 (*b*) 3
   (*c*) 5 (*d*) 6-18

3. मॉस में पेरिस्टोम दाँत की संख्या होती है–
   (*a*) 8 + 16 (*b*) 16 + 16
   (*c*) 32 + 32 (*d*) 16 + 32

4. *फ्यूनेरिया* के परिपक्व पेरीस्टोम में पाये जाते हैं-
   (*a*) मुड़े हुए संकरे त्रिकोणाकार दाँतों की एक पंक्ति, इनकी संख्या 16 होती है
   (*b*) मुड़े हुए संकरे त्रिकोणाकार दाँतों की एक पंक्ति, इनकी संख्या 32 होती है
   (*c*) मुड़े हुए त्रिकोणाकार दाँतों की दो पंक्तियाँ, प्रत्येक में 8 दाँत होते हैं
   (*d*) मुड़े हुए संकरे त्रिकोणाकार दाँतों की दो पंक्तियाँ, प्रत्येक पंक्ति में 16 दाँत होते हैं

5. ब्रायोफाइट्स में बीजाणु मातृकोशिका होती है-
   (*a*) अगुणित (*b*) द्विगुणित
   (*c*) त्रिगुणित (*d*) चतुष्गुणित

6. निम्नलिखित में से कौन-सा वास्तविक मॉस होता है-
   (*a*) क्लब मॉस (*b*) रेन्डियर मॉस
   (*c*) आयरिश मॉस (*d*) बौग मॉस (स्फैग्नम)

7. बहुकोशिकीय तथा जैकिट युक्त जननांग उपस्थित होते हैं-
   (*a*) *फ्यूनेरिया* में (*b*) *स्पाइरोगायरा* में
   (*c*) *सैकरोमाइसीज* में (*d*) *हाइबिस्कस* में

8. *फ्यूनेरिया* के मूलाभास में निम्नलिखित में से क्या विशेषता होती है-
   (*a*) रंगहीन, बहुकोशिकीय
   (*b*) रंगहीन, बहुकोशिकीय
   (*c*) रंगहीन, बहुकोशिकीय संरचना तिरछे पट के साथ
   (*d*) उपरोक्त में से कोई नहीं।

9. मॉस के गेमिटोफाइट में बन्धक एक पंक्तिय, बहुकोशिकीय रोमों को कहते हैं-
   (*a*) एपोफाइसिस (*b*) एपिफाइसिस
   (*c*) हाइपोफाइसिस (*d*) पेरीफाइसिस

10. ब्रायोफाइट्स नमी और छायादार जगहों पर उगते हैं क्योंकि-
    (*a*) यह जलीय है
    (*b*) इनको निषेचन के लिये जल की आवश्यकता है
    (*c*) यह जमीन पर उगते हैं
    (*d*) इनमें जल तथा खनिज लवणों को अवशोषित करने के लिये अंग नहीं होते

11. इटली के वनस्पति वैज्ञानिक एफ. एफ. रिक्सी के नाम के आधार पर निम्न में से किसका नाम रखा गया?
    (*a*) *फ्यूनेरिया* (*b*) *रिक्सिया*
    (*c*) *एन्थोसिरौस* (*d*) *ड्यूमोर्टियेरा*

12. वे मॉस जो भूमि पर सघन रूप में फैली हुई चटाइयाँ बनाते हैं, रोकते हैं-
    (*a*) मृदा अपरदन को
    (*b*) पतझड़ को
    (*c*) वृक्षों के समूल उखड़ने को
    (*d*) भूमि से जल के वाष्पीकरण को

13. *फ्यूनेरिया* में स्तम्भिका (Columella) उपस्थित होती है-
    (*a*) कैप्सूल के मध्य में तथा वन्ध्य होती है
    (*b*) कैप्सूल के मध्य में तथा उर्वर होती है
    (*c*) कैप्सूल की सतह पर तथा वन्ध्य होती है
    (*d*) कैप्सूल की सतह पर एवं उर्वर होती है

14. मॉस के पौधे नम स्थानों पर क्यों पाये जाते हैं?
    (*a*) क्योंकि निषेचन के लिए जल की आवश्यकता होती है
    (*b*) क्योंकि वाष्पोत्सर्जन की दर बहुत अधिक होती है
    (*c*) क्योंकि यह स्वतन्त्र प्लावी जलोद्भिद् होता है
    (*d*) उपरोक्त में से कोई नहीं

15. भूमि पर बसने वाले (Inhabiting) सबसे पहले पौधे कौन-से हैं?
    (*a*) ब्रायोफाइट्स (*b*) एन्जियोस्पर्म्स
    (*c*) टेरिडोफाइट्स (*d*) जिम्नोस्पर्म्स

16. अन्य उच्च पादपों की तुलना में निम्न में से ब्रायोफाइट्स का कौन-सा अद्भुत लक्षण है?
    (*a*) इनका स्पोरोफाइट गैमीटोफाइट से लगा होता है
    (*b*) ये बीजाणु उत्पन्न करते हैं
    (*c*) इनमें संवहन ऊतक नहीं होते हैं
    (*d*) इनमें जड़ें नहीं होती हैं

17. ब्रायोफाइट्स की जलीय एन्सेस्ट्री (Ancestry) का कौन-सा धनात्मक प्रमाण है?
    (*a*) सूत्र जैसा प्रोटोनीमा
    (*b*) रोमाभिकीय पुंमाणु
    (*c*) कुछ पौधे आज भी जलीय हैं
    (*d*) इनमें हरा रंग होता है

18. नीचे दिया गया विवरण पौधों के किस समूह पर फिट बैठता है– इनमें जड़ें, पुष्प तथा बीज नहीं होते हैं, पादप शरीर कटे-फटे छोटे, फीतेनुमा हरे थैलस द्वारा पहचाना जा सकता है। मादा जननांग स्त्रीधानी कहलाता है-
(*a*) टेरिडोफाइट्स (*b*) बेसीडियोमाइसिटीज
(*c*) ब्रायोफाइट्स (*d*) जिम्नोस्पर्म्स

19. बीजाणु तथा भ्रूण उत्पन्न करने वाला पौधा निम्न किस पादप-समूह में रखा जाना चाहिए?
(*a*) जिम्नोस्पर्म्स (*b*) फन्जाई
(*c*) टेरिडोफाइट्स (*d*) ब्रायोफाइट्स

20. निम्न में से कौन ब्रायोफाइट्स की जलीय उत्पत्ति को दर्शाता है-
(*a*) युग्मकोद्भिद् पादप काय
(*b*) द्विकशाभिकीय बीजाणु
(*c*) कशाभिकीय पुंमाणु
(*d*) अकशाभिकीय पुंमाणु

21. मॉस का पौधा किससे विकसित होता है-
(*a*) द्विगुणित बीजाणु से (*b*) प्रोटोनीमा से
(*c*) निषिक्तांडो से (*d*) पुंमाणु से

22. *फ्यूनेरिया* में रन्ध्र होते हैं-
(*a*) कैप्सूल में (*b*) पाद में
(*c*) सीटा में (*d*) इसमें से कहीं पर नहीं

23. *रिक्सिया* में युग्मकोद्भिद् पीढ़ी अन्तिम संरचना है-
(*a*) बीजाणु (*b*) निषिक्ताण्ड
(*c*) बीजाणु मातृ कोशिका (*d*) युग्मक

24. फ्यूनेरिया में अगुणित रचना है-
(*a*) प्रोटोनीमा (*b*) कैप्सूल
(*c*) कॉल्यूमेला (*d*) सीटा

25. मॉस के स्पोरोफाइट में निम्न अनुपस्थित होता है-
(*a*) सीटा (*b*) इलैटर्स
(*c*) फुट (*d*) कॉल्यूमेला

26. मॉस के मामले में बीजाणु के तुरन्त अंकुरण पर बनता है-
(*a*) स्पोरोफाइट (*b*) प्रोथैलस
(*c*) थैलस (*d*) प्रोटोनीमा

27. मॉस में, बीजाणु अंकुरण पर-
(*a*) प्रोटोनीमा बनाता है
(*b*) प्रोटोनीमा बनाता है जिस पर पौधे की भाँति मॉस का पौधा निकलता है
(*c*) पुंधानियाँ तथा स्त्रीधानियाँ उत्पन्न करता है
(*d*) सीधे ही एक पर्णिल युग्मकोद्भिद् बनाता है

28. मॉस के कैप्सूल के परिमुखी दाँतों (Peristomial teeth) की निम्न में से कौन-सी गति होती है?
(*a*) प्रेरित गति (*b*) जीरोकेसी
(*c*) ट्रोपिज्म (*d*) हाइड्रोकेसी

29. मॉस का कैप्सूल प्रदर्शित करता है-
(*a*) गैमीटोफाइट (*b*) स्पोरोफाइट
(*c*) प्रोटोनीमा का एक भाग (*d*) सोरस का एक भाग

30. निम्न में से कौन-से सबसे कम समुद्र के किनारे मिलेंगे?
(*a*) भूरे शैवाल (*b*) मॉस
(*c*) हरे शैवाल (*d*) लाल शैवाल

31. *फ्यूनेरिया* में रन्ध्र (Stomata) पाये जाते हैं-
(*a*) कैप्सूल के ऊपरी भाग पर
(*b*) कैप्सूल के निचले भाग पर
(*c*) पत्ती पर
(*d*) तने पर

32. मॉस में मादा जननांग धारण करने वाली शाखा कहलाती है-
(*a*) गाइनोफोर (*b*) कार्पोफोर
(*c*) आर्कीगोनियोफोर (*d*) एन्थरीडियोफोर

33. *फ्यूनेरिया* में निम्न में से किस प्रकार के पुंमाणु बनते हैं-
(*a*) बहुकशाभिकीय (*b*) अकशाभिकीय
(*c*) द्विकशाभिकीय (*d*) इनमें से कोई नहीं

34. *मारकेंशिया* के इलैटर्स प्रदर्शित करते हैं-
(*a*) जीरोकेसी (Xerochasy)
(*b*) हाइड्रोकेसी (Hydrochasy)
(*c*) उत्परिवर्तन (Mutation)
(*d*) सर्कमनुटेशन (Circumnutation)

35. मॉस के कैप्सूल का स्फुटन (Dehiscence) निम्न के फटने (Rupture) द्वारा होता है-
(*a*) ऑपरकुलम (*b*) परिमुख
(*c*) वलय (Annulus) (*d*) कैलिप्ट्रा

36. *फ्यूनेरिया* तथा *सिलेजीनेला* में निम्न में से कौन-सा सामान्य नहीं है?
(*a*) जड़ें (*b*) स्त्रीधानी
(*c*) भ्रूण (*d*) सचल पुंमाणु

37. *फ्यूनेरिया* के बीजाणु प्रदर्शित करते हैं-
(*a*) लैंगिक प्रोपैग्यूल्स
(*b*) युग्मक
(*c*) गैमीटोफाइट पीढ़ी की शुरूआत
(*d*) बीजाणोद्भिद् पीढ़ी की शुरूआत

38. *फ्यूनेरिया* में बीजाणुओं का प्रकीर्णन (Dispersal) होता है-
(*a*) कैप्सूल के स्फुटन द्वारा
(*b*) परिमुख द्वारा
(*c*) स्पोरोगोनियम की मृत्यु तथा नष्ट होने के द्वारा
(*d*) ऑपरकुलम के स्फुटन द्वारा

39. *फ्यूनेरिया* का जीवन-चक्र बिना जल के पूर्ण नहीं होता है, सही कथन का चुनाव कीजिए-
(*a*) क्योंकि पौधा कोमल होता है और यह बिना जल के सूख और मर जायेगा

(*b*) क्योंकि शाखाएँ विकसित नहीं होंगी
(*c*) क्योंकि केवल जल की उपस्थिति में निषेचन होता है
(*d*) क्योंकि *फ्यूनेरिया* के ब्रायोफाइट पादप हैं

40. निम्न में से कौन *फ्यूनेरिया* में बीजाणु प्रकीर्णन से सम्बन्धित नहीं होता है?
(*a*) पेरीस्टोम (*b*) पाद
(*c*) सीटा (*d*) एन्यूलस

41. *फ्यूनेरिया,* साइकस से भिन्न किया जा सकता है क्योंकि-
(*a*) यह फल उत्पन्न नहीं करता है
(*b*) इसमें पुंधानियाँ तथा स्त्रीधानियाँ होती हैं
(*c*) इसमें बीज नहीं होते हैं
(*d*) इसमें पराग नलिका होती हैं

42. कैप्सूल का मध्य केन्द्रीय भाग वन्ध्य होता है और कहलाता है-
(*a*) कौल्यूमेला (*b*) ऑपरकूलम
(*c*) एपोफाइसिस (*d*) बीजाणु कोष

43. एस.आर. कश्यप प्रसिद्ध हैं-
(*a*) फाइकोलोजी के लिए (*b*) माइकोलोजी के लिए
(*c*) ब्रायोलोजी के लिए (*d*) टेरिडोलोजी के लिए

44. *फ्यूनेरिया* के पुंमाणु (Antherozoids) होते हैं-
(*a*) द्विरोमाभिकीय सर्पिल रूप में कुण्डलित
(*b*) द्विरोमाभिकीय तथा अकुण्डलित
(*c*) चतुष्रोमाभिकीय
(*d*) अरोमाभिकीय

45. प्रोटोनीमा होता है-
(*a*) एक जीवाश्म टेरिडोफाइट
(*b*) मॉस के गैमीटोफाइट की शिशु-प्रावस्था
(*c*) *फ्यूनेरिया* के स्पोरोफाइट का एक भाग
(*d*) उपरोक्त में से कोई नहीं

46. सबसे बड़ा गैमीटोफाइट पाया जाता है
(*a*) *फ्यूनेरिया* में (*b*) *सिलेजिनेला* में
(*c*) चीड़ (Pinus) में (*d*) *साइकस* में

47. *रिक्सिया* के मूलाभास होते हैं-
(*a*) बहुकोशिकीय (*b*) एककोशिकीय
(*c*) शाखायुक्त (*d*) इनमें से कोई नहीं

48. मॉस के कैप्सूल में एपोफाइसिस होता है-
(*a*) ऊपरी भाग
(*b*) मध्य भाग
(*c*) निचला भाग
(*d*) उर्वर भाग (Fertile part)

49. जिस पौधे में बीजाणु तथा भ्रूण उत्पन्न होते हैं किन्तु बीज एवं संवहन ऊतकों का अभाव होता है आप इसे किस समूह में रखेंगे?
(*a*) शैवाल (*b*) कवक
(*c*) ब्रायोफाइटा (*d*) टेरिडोफाइटा

50. मॉस के बीजाणु की माप होती है-
(*a*) 12 – 20μ (*b*) 30 – 50μ
(*c*) 40 – 50μ (*d*) 50 – 70μ

उत्तरमाला

1	2	3	4	5	6	7	8	9	10
(*a*)	(*d*)	(*b*)	(*d*)	(*b*)	(*d*)	(*a*)	(*c*)	(*d*)	(*b*)
11	**12**	**13**	**14**	**15**	**16**	**17**	**18**	**19**	**20**
(*b*)	(*a*)	(*a*)	(*a*)	(*a*)	(*a*)	(*b*)	(*c*)	(*d*)	(*c*)
21	**22**	**23**	**24**	**25**	**26**	**27**	**28**	**29**	**30**
(*b*)	(*a*)	(*d*)	(*a*)	(*b*)	(*d*)	(*b*)	(*d*)	(*b*)	(*b*)
31	**32**	**33**	**34**	**35**	**36**	**37**	**38**	**39**	**40**
(*b*)	(*c*)	(*c*)	(*a*)	(*c*)	(*a*)	(*c*)	(*b*)	(*c*)	(*b*)
41	**42**	**43**	**44**	**45**	**46**	**47**	**48**	**49**	**50**
(*c*)	(*a*)	(*c*)	(*b*)	(*b*)	(*a*)	(*b*)	(*c*)	(*c*)	(*a*)

अध्याय

9 टेरिडोफाइटा
(Pteridophyta)

टेरिडोफाइटा (Pteridophyta, Gr. *Pteron* = feather, *phyton* = plant)

- इसमें लगभग 10,000 स्पीशीज पायी जाती हैं। यह आदिम संवहनी पौधों (Vascular plants) में सबसे बड़ा वर्ग है।
- टेरिडोफाइटा मुख्यतः नम उष्ण स्थानों पर पाये जाते हैं, लेकिन बहुत से फर्न सब आकर्टिक परिस्थितियों में भी पाये जाते हैं।
- ब्रायोफाइटा की तरह फर्न भी पीढ़ी एकांतरण होता है। इसके जीवन चक्र में बहुकोशिकीय बीजाणुद्भिद्, युग्मकोद्भिद् अवस्था में एकांतरण करता है।
- फर्न का पौधा स्पोरोफाइटा (बीजाणुउद्भिद) होता है और स्पोर या बीजाणुओं द्वारा अलैंगिक जनन करता है। स्पोरोफाइट तना, जड़ व पत्तियों में विभक्त होता है।
- फर्न की पत्तियां (Leaves) हरी व आकार में बड़ी (1 फुट से 3 फुट) होती हैं और पौधे का मुख्य भाग बनाती हैं। पत्तियां द्विपृष्ठाधारी (Dorsoventral), सवृन्त (Petiolate) तथा द्विपिच्छकी संयुक्त (Bipinnately Compound) होती हैं।
- शिशु अवस्था में पत्तियां शीर्ष से नीचे की ओर घड़ी के स्प्रिंग की भांति कुण्डलित रहती हैं। यह फर्न की विशेषता है और इसे कुण्डलित पर्णअवस्था (Circinate Vernation) कहते हैं।
- प्रत्येक पत्ती एक लंबे वृन्त द्वारा सीधे राइजोम (प्रकन्द) से जुड़ी रहती है। पत्ती का मध्य शिरा रेकिस (Rachis) कहलाता है। रेकिस पर दोनों ओर पिच्छके (Pinnules) होती हैं। ऐसी पत्ती को द्विपिच्छकी संयुक्त पत्ती कहते हैं। पुरानी पत्तियों के आधार पर अपस्थानिक कलिकायें होती हैं, जो अलग होने पर फर्न के नये पौधे बनाती हैं। पिच्छिकाओं की मध्यशिरा से अनेक पार्श्व शिराएं निकलती हैं जो किनारों पर जाकर द्विशाखित हो जाती हैं।

फर्न का तना भूमिगत व बहुवर्षीय होता है और राइजोपस (प्रकन्द) कहलाता है। यह लगभग 8 इंच लंबा होता है और भूमि में तिरछा उगता है जिससे इसका केवल अगला सिरा भूमि में से कुछ बाहर निकला रहता है। राइजोम (प्रकन्द) अनियमित आकृति का होता है और इसकी सतह मृत-पत्तियों के चिरलग्न पर्णाधारों (Leaf Bases) से ढ़की रहती है जिससे यह अधिक मोटा प्रतीत होता है।

फर्न का तना वायवीय शाखायें धारण नहीं करता है। इसकी ऊपरी सतह से पत्तियां तथा निचली सतह से अपस्थानिक जड़ें विकसित होती हैं। पुराने राइजोम में ये इतनी सघन होती हैं कि उसे चारों ओर से ढ़क लेती हैं। जैसे-जैसे तना वृद्धि करता चला जाता है इसका पिछला भाग नष्ट होता जाता है।

टेरिडोफाइटा में अलैंगिक जनन प्रकन्द (Rhizome)द्वारा होता है। इस वर्ग के पौधे ब्रायोफाइटा के विपरीत द्विगुणित (2n), बीजाणु उद्भिद् (Sporophyte) होते हैं। पादप द्वारा बीजाणु (n) बनाये जाते हैं। ये बीजाणु, बीजाणुधानियों (Sporangia) में विकसित होते हैं और अगुणित होते हैं। बीजाणुधानियाँ पर्णकों (Leaflets) की निचली सतहों पर लगे होते हैं। ये पर्णक अथवा वर्ग स्पोरोफिल (Sporophyll) भी कहलाती है। इनके द्वारा बने बीजाणु मियोसिस विभाजन का परिणाम होते हैं। अंकुरण पर बीजाणु युग्मकोद्भिद् को जन्म देता है जो एकगुणित (n) पीढ़ी है। विकसित युग्मकोद्भिद् की हृदयाकार संरचना होती है जिसे प्रोथैलस (Prothallus) कहते हैं। सामान्यतया प्रोथैलस उभयलिंगाश्रयी जिस पर दोनों प्रकार के (नर व मादा) जननांग–पुंधानियाँ (Antheridia; male) व स्त्रीधानियाँ (Archegonia, Female) निचली सतह पर परिवर्धित होती हैं।

प्रोथैलस स्वतन्त्र रूप से जीवन यापन करता है। इसका जीवनकाल बहुत कम होता है। ब्रायोफाइटा के समान निषेचन के लिए जल की उपस्थिति आवश्यक है। निषेचित अण्ड कोशिका अपने चारों ओर एक भित्ति स्त्रावित कर निशिक्ताण्ड में परिवर्तित हो जाता है। निशिक्ताण्ड वृद्धि कर भ्रूण (तरूण बीजाणुउद्भिद्) बनाता है जो सामान्य वृद्धि कर एक वयस्क बीजाणुउद्भिद में परिवर्धित हो जाता है।

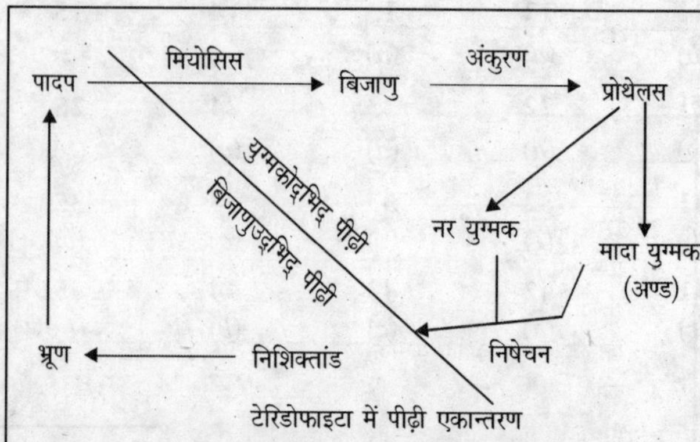

टेरिडोफाइटा में पीढ़ी एकान्तरण
(Alternation of Generation in Pteridophyta)

वर्गीकरण (Classification)

ओसवाल्ड टिप्पो (1942) द्वारा प्रस्तावित वर्गीकरण निम्नानुसार है। लगभग सभी वैज्ञानिकों के इसे चार वर्गों में ही विभाजित किया है।

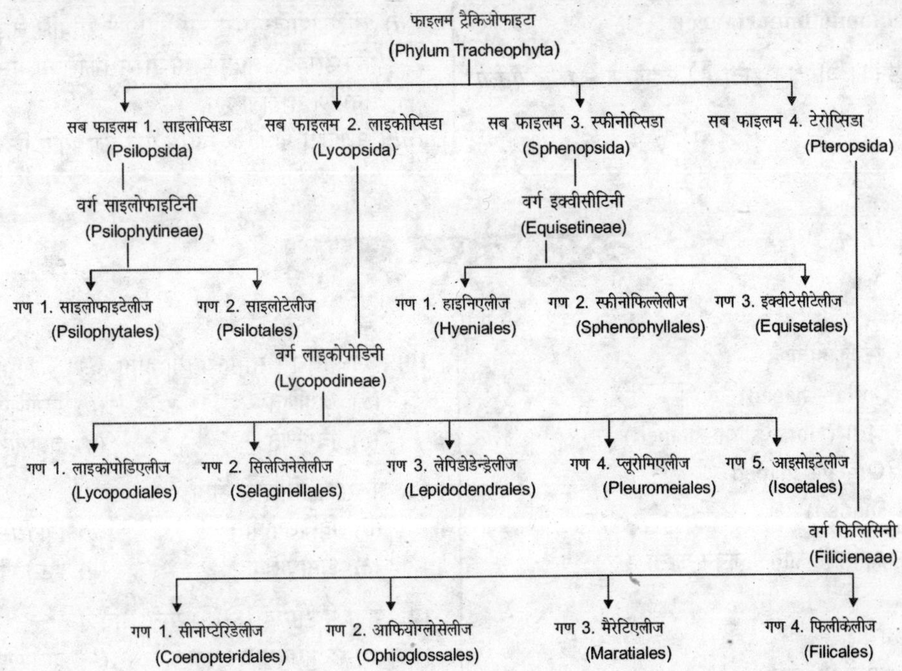

तालिका 1: मॉस एवं फर्न के युग्मकोद्भिद् में विभेद (Difference between Gametophyte of moss and fern)

मॉस (Moss)	फर्न (Fern)
1. इसका प्रारम्भ एक बीजाणु से होता है। यह अंकुरित हो करके एक शाखान्वित तन्तु बनाता है। प्रथम तन्तु पर ही पार्श्वकलिकाओं से मॉस के नये पौधे बनते हैं।	1. इसका प्रारम्भ अगुणित बीजाणु से होता है। यह अंकुरित होने के बाद एक छोटा सा तन्तु तो बनाता है लेकिन प्रथम तन्तु यहां नहीं बनता है। इस तन्तु पर एक ही युग्मोकद्भिद् प्रोथैलस बन जाता है।
2. इसमें कायिक जनन, प्राथमिक प्रथम तन्तु, द्वितीयक प्रथम तन्तु जेमी, पत्र प्रकलिकाओं (bulbils) आदि के द्वारा होता हैं।	2. इसमें अपयुग्मन के द्वारा कायिक जनन होता है।
3. इसमें युग्मकधर उभयलिंगाश्रयी (Monoecious) होता है।	3. इसमें प्रोथैलस उभयलिंगाश्रयी के साथ-साथ पुपूर्वी (Monoecious but protandrous) होता है।
4. इसमें पुंधानी मुद्गर के आकार (Club shaped) की होती है।	4. इसमें पुंधानी गोल (round) होती है।
5. इसमें स्त्रीधानी व्यावर्तित (Twisted) ग्रीवा वाली व लम्बी होती है।	5. इसमें छोटी ग्रीवा वाली स्त्रीधानियाँ होती हैं।
6. इसमें स्त्रीधानी से उत्सर्जित अनुचलनी पदार्थ (Chemotactic substances) शर्करा होता है।	6. इसमें स्त्रीधानी से उत्सर्जित पदार्थ मुख्य रूप से मैलिक अम्ल (malic acid) होता है।

तालिका 2: मॉस एवं फर्न के बीजाणुउद्भिद् में विभेद (Difference between sporophyte of moss and fern)

मॉस (Moss)	फर्न (Fern)
1. बीजाणुउद्भिद् लगभग 2 सेमी लम्बा स्पोरोगोनियम होता है।	1. फर्न का बीजाणुद्भिद एक पूर्ण विकसित पौधे के रूप में होता है।
2. इसमें संवहन ऊतक (जाइलम व फ्लोएम) अनुपस्थित होता है।	2. इसमें संवहन ऊतक (जाइलम एवं फ्लोएम) उपस्थित होता है।
3. यह अपने पूरे जीवनकाल में युग्मकोद्भिद पर आंशिक रूप से निर्भर रहता है। इसमें प्रकाश संश्लेषण की क्रिया तो होती है परन्तु जल, खनिज लवण आदि युग्मकोद्भिद् से ही प्राप्त करता है।	3. यह केवल निर्माण के प्रारम्भ में युग्मकोद्भिद से जल, खनिज पदार्थ आदि ग्रहण करता है। परन्तु प्रथम मूल (root) बनते ही यह पूर्ण रूप से स्वतन्त्र हो जाता है।
4. इसके बीजाणु पुटक में अनिश्चित तथा अनेक बीजाणु मातृ कोशिकाएँ पायी जाती हैं। जिससे अत्यधिक संख्या में बीजाणु (spores) बनते हैं।	4. इसके बीजाणुधानियों में बीजाणु मातृकोशिकाओं की संख्या निश्चित (12–16) होती है। इस प्रकार बीजाणुओं की संख्या 48–64 तक होती है।
5. हरितलवक होने के कारण ये भोजन का निर्माण कर सकते हैं।	5. ये हरे नहीं होते हैं। इसमें हरित लवक का अभाव होता है। जिसके कारण ये भोजन का निर्माण स्वयं नहीं कर सकते हैं।
6. इसमें बीजाणुउद्भिद पर तनु शल्क अनुपस्थित होता है।	6. इसमें बीजाणुउद्भिद् पर तनुशल्क पाया जाता है।
7. पेरिस्टोमी दांतों तथा सीटा की आर्द्रता ग्राही गतियों के कारण बीजाणुओं का प्रकीर्णन होता है।	7. वलय की कोशिकाओं से जल वाष्पन के कारण बीजाणुओं का प्रकीर्णन होता है।

आर्थिक महत्व (Economic Importance)

(*i*) भूमि संरक्षण में इनका योगदान होता है। उदाहरण– *सिलेजीनेला* (*Selaginella*)।

(*ii*) लाइकोपोडियम से होम्योपैथिक औषधि लाइकोपोडियम प्राप्त होता है। इसके अलावा ड्रायोप्टेरिस फिलिक्स मैस का प्रयोग भी औषधि निर्माण में होता है।

(*iii*) सजावटी पौधों के रूप में फर्न का प्रयोग किया जाता है।

वस्तुनिष्ठ प्रश्न

1. *टेरिस* के रैकिस में स्टील होता है–
(*a*) कॉलर रूपी (Collar-shaped)
(*b*) घोड़े की नाल जैसा (Horse shoe-shaped)
(*c*) ओमेगा रूपी (Omega-shaped)
(*d*) एच रूपी (H-shaped)

2. *सिलेजीनेला* की कुछ जातियाँ कायिक जनन करती हैं–
(*a*) पत्रकन्दों द्वारा
(*b*) स्तम्भ कन्दों द्वारा
(*c*) (*a*) तथा (*b*) दोनों के द्वारा
(*d*) न तो (*a*) और न ही (*b*) के द्वारा

3. फर्नों में जाइलम होता है–
(*a*) एक्सार्क (*b*) मीसार्क
(*c*) त्रिगुणित (*d*) पॉलीआर्क

4. *ड्रायोप्टेरिस* के बीजाणु होते हैं–
(*a*) अगुणित (*b*) द्विगुणित
(*c*) त्रिगुणित (*d*) चतुष्गुणित

5. टेरिडोफाइट्स को कहते हैं–
(*a*) फैनरोगेम्स (*b*) क्रिप्टोगेम्स
(*c*) संवहनीय क्रिप्टोगेम्स (*d*) उपरोक्त सभी

6. मेरीस्टील्स पाये जाते हैं–
(*a*) चीड़ (*Pinus*) की नीडिल में
(*b*) *साइकस* के तने में
(*c*) फर्न के प्रकन्द में
(*d*) फर्न की पत्ती में

7. फर्न में कितनी बीजाणु मातृ कोशिकाएँ होती हैं?
(*a*) 4 से 8 (*b*) 8 से 16
(*c*) 16 से 32 (*d*) 32 से 64

8. फर्नों के बीजाणुओं (Sporophylls) पर बीजाणुधानियाँ उत्पन्न होती हैं–
(*a*) ऊपरी सतह पर (*b*) अडैक्सियल सतह पर
(*c*) अबैक्सियल सतह पर (*d*) इनमें से किसी पर नहीं

9. युग्मकोद्भिद् एवं बीजाणोद्भिद् पीढ़ियाँ परिलक्षित होती हैं जीवन इतिहासों में–
(*a*) परजीवी कवकों के (*b*) भूरे शैवालों के
(*c*) फर्नों के (*d*) हरी पत्ती के

10. फर्न-प्रोथैलस सामान्यतया होता है–
(*a*) अगुणित (*b*) द्विगुणित
(*c*) त्रिगुणित (*d*) चतुष्गुणित

11. फर्न का प्रोथैलस होता है-
(*a*) विविधपोषी (*b*) विविधरूपी
(*c*) होमोथैलिक (*d*) हेटरोथैलिक

12. फर्नों में सोराई (Sori) पाये जाते हैं-
(*a*) स्टोमियम पर (*b*) बीजाणुपर्णों पर
(*c*) कैप्सूल पर (*d*) जरायु पर

13. फर्नों के बीजाणु का क्या होता है?
(*a*) यह एक अन्य बीजाणु-निर्माणक फर्न का पौधा बन जाता है
(*b*) यह अंकुरित होकर एक प्रोथैलस बनाता है
(*c*) दूसरे बीजाणु से मिलकर यह एक अंकुर (Seedling) बनाता है
(*d*) यह पुटी बना लेता है (Encysts) और घोंघे द्वारा नष्ट कर दिया जाता है

14. निम्नलिखित में से किस पौधे के स्टीलर तन्त्र में पर्णावकाश होते हैं?
(*a*) *फ्यूनेरिया* (*b*) फर्न
(*c*) *सिलेजीनेला* (*d*) इनमें से कोई नहीं

15. फर्न्स सामान्यतया मिलते हैं-
(*a*) नम तथा छायादार स्थानों में
(*b*) शुष्क तथा छायादार स्थानों में
(*c*) शुष्क तथा ठण्डे स्थानों में
(*d*) शुष्क एवं खुले स्थानों में

16. ऐजोला को एक जैवउर्वरक के रूप में इस्तेमाल किया जाता है क्योंकि-
(*a*) इसमें बहुत तीव्रता से प्रगुणन होता है जिससे ढेर सारी जैवसंहति बन जाती है
(*b*) इसका नाइट्रोजन स्थिरीकारी राइजोबियम के साथ साहचर्य होता है
(*c*) इसका नाइट्रोजन-स्थिरीकारी साइनोबैक्टीरिया के साथ साहचर्य होता है
(*d*) इसका माइकोराइजा के साथ साहचर्य होता है

17. निम्न में से सिलेजीनेला में कौन नहीं पाया जाता है-
(*a*) हेटेरोफीली (*b*) हेटेरोस्पोरी
(*c*) होमोस्पोरी (*d*) लिगलेट पत्ती

18. प्रोटोस्टील पाया जाता है-
(*a*) ब्रायोफाइटा में (*b*) जिम्नोस्पर्म में
(*c*) टेरिडोफाइटा में (*d*) एन्जियोस्पर्म में

19. फर्न्स में फ्रान्ड्स (fronds) शब्द प्रयोग किया जाता है-
(*a*) पादप के लिये (*b*) उर्वर पत्तियों के लिये
(*c*) कायिक पत्तियों के लिये (*d*) गैमिटोफाइट के लिये

20. टेरिस का कौन-सा भाग आर्किगोनिया उत्पन्न करता है-
(*a*) पत्ती (*b*) तना
(*c*) प्रोथैलस (*d*) राइजोम

21. गोल्डन फर्न ओनिचियम है। निम्न में से कौन सचल फर्न (walking fern) है-
(*a*) ऐडिएन्टम (*b*) चिलेथिस
(*c*) टेरिस (*d*) ड्रायप्टेरिस

22. ऐजोला की पत्तियों के भीतर होता है-
(*a*) *ऐस्पर्जिलस* (*b*) *राइजोबियम*
(*c*) *ऐनाबीना* (*d*) *बेसिलस*

23. टेरिडिम के प्रोथैलस में होता है-
(*a*) ऊपरी सतह पर पुंधानी व निचली सतह पर स्त्रीधानी
(*b*) ऊपरी सतह पर स्त्रीधानी व निचली सतह पर पुंधानी
(*c*) पुंधानी व स्त्रीधानी दोनों ऊपरी सतह पर
(*d*) पुंधानी व स्त्रीधानी दोनों निचली सतह पर

24. विषमरूपी पीढ़ियों का एकान्तरण पाया जाता है-
(*a*) *स्पाइरोगाइरा* में (*b*) *म्यूकर* में
(*c*) *सिलेजिनेला* में (*d*) *पाइनस* में

25. फर्न में अर्धसूत्री विभाजन होता है-
(*a*) बीजाणु के अंकुरण के समय
(*b*) बीजाणु बनने के समय
(*c*) गैमीट बनने के समय
(*d*) आर्किगोनियम बनने के समय

26. *सिलेजिनेला रुप्स्ट्रीस* में गुरुबीजाणु की संख्या होती है-
(*a*) एक (*b*) दो
(*c*) तीन (*d*) चार

27. *ड्रायोप्टेरिस* में बीजाणुधानी के फटने में सहायक है-
(*a*) रंध्रक (*b*) वलय
(*c*) रंध्रक तथा वलय (*d*) स्फोरोफाइट

28. फर्न का पौधा होता है-
(*a*) अगुणित युग्मकोद्‌भिद् (*b*) द्विगुणित युग्मकोद्‌भिद्
(*c*) द्विगुणित बीजाणुद्‌भिद् (*d*) अगुणित बीजाणुद्‌भिद्

29. बीजाणु उत्पन्न करने वाली पत्तियों को कहते हैं-
(*a*) सोरस (*b*) इंडूसियम
(*c*) स्पोरोफिल (*d*) रेमेन्टा

30. सबसे पहले सीड हेबिट (Seed habit) का विकास हुआ-
(*a*) कुछ फर्नों में (*b*) कुछ पाइन में
(*c*) कुछ एक बीज पत्तियों में (*d*) कुछ द्विबीजपत्तियों में

31. *सिलेजिनेला* में न्यूनकारी विभाजन (Reduction division) होता है-
(*a*) सूक्ष्मबीजाणुओं के निर्माण के अन्तर्गत
(*b*) सूक्ष्मबीजाणुओं तथा गुरुबीजाणुओं दोनों के निर्माण के अन्तर्गत
(*c*) शुक्राणुओं के निर्माण के अन्तर्गत
(*d*) निषेचन के तुरन्त पश्चात्

32. बीजाणुधानी के वलय की कोशिकाओं में-
(*a*) पतली भित्ति होती है
(*b*) बाहरी भित्तियाँ मोटी होती हैं
(*c*) अरीय व भीतरी स्पर्शरेखीय भित्तियाँ मोटी होती हैं
(*d*) उपरोक्त में से कोई नहीं

33. निम्नलिखित में से किसे टेरिडोफाइट्स में विकसित माना जाता है?
(*a*) क्लब मॉसों को (*b*) फर्नों को
(*c*) क्विलवर्टस को (*d*) स्काउरिंग रूशेज को

34. फर्न तथा साइकस मेल खाते हैं-
(*a*) माइक्रोपाइल में (*b*) पराग नलिका में
(*c*) बीज में (*d*) कुण्डलित विन्यास में

35. फर्न का प्रकन्द (Rhizome) होता है-
(*a*) मूल (*b*) स्तम्भ
(*c*) मूलाभास (*d*) राइजोफोर

36. विविधबीजाणुता (Heterospory) एवं लिगूलेट पत्तियाँ लक्षण हैं-
(*a*) सिलेजिनेला का (*b*) फर्नों का
(*c*) सभी ब्रायोफाइट्स का (*d*) सभी टेरिडोफाइट्स का

37. फर्न की पुंधानी (Antheridium) की भित्ति (Wall) बनी होती है-
(*a*) 5 कोशिकाओं की (*b*) 8 कोशिकाओं की
(*c*) 3 कोशिकाओं की (*d*) अनेक कोशिकाओं की

38. कभी-कभी फर्न का प्रोथैलस एक पौधे को जन्म देता है, यह एक उदाहरण है-
(*a*) अनिषेक फलन (Parthenocarpy)
(*b*) अपबीजाणुता (Apospory)
(*c*) अपयुग्मता (Apogamy)
(*d*) अनिषेकजनन (Parthenogenesis)

39. फर्न की बीजाणुधानी की भित्ति होती है-
(*a*) एकस्तरीय (*b*) द्विस्तरीत
(*c*) त्रिस्तरीय (*d*) चार स्तरीय

40. फर्न की बीजाणुधानी होती है-
(*a*) अनेक कोशिकाओं द्वारा निर्मित बहुकोशिकीय
(*b*) एक कोशिका द्वारा निर्मित एककोशिकीय
(*c*) एक कोशिका द्वारा निर्मित बहुकोशिकीय
(*d*) अनेक कोशिकाओं द्वारा निर्मित एककोशिकीय

41. *टेरिस, फ्यूनेरिया* से भिन्न होता है रखने में-
(*a*) आश्रित स्पोरोफाइट के
(*b*) एक स्वतन्त्र गैमीटोफाइट के
(*c*) तैरने वाले पुंमाणुओं के
(*d*) प्रभावी बीजाणोद्भिद् प्रावस्था के

42. फर्नों में शिराविन्यास होता है-
(*a*) खुला हुआ फर्केट (Furcate)
(*b*) समानान्तर मल्टीकौस्टेट
(*c*) समानान्तर यूनीकौस्टेट
(*d*) उपरोक्त में से कोई नहीं

43. *ड्रायोप्टेरिस* में पुंमाणु (Antherozoids) होते हैं-
(*a*) बहुकशाभिकीय सर्पिल कुण्डलित
(*b*) बहुकशाभिकीय हँसियाकार (Sickle shaped)
(*c*) द्विकशाभिकीय हँसियाकार
(*d*) द्विकशाभिकीय सर्पिल कुण्डलित

44. *ड्रायोप्टेरिस* की पुंधानियाँ होती हैं-
(*a*) आंशिक रूप से धँसी हुई एवं आंशिक रूप से उठी हुई
(*b*) पूर्णरूप से धँसी हुई
(*c*) पूर्णरूप से उठी हुई
(*d*) इनमें से कोई नहीं

45. *टेरिस* में सोरस तथा सोरस छद (Indusium) की क्या प्रकृति होती है?
(*a*) सतही एवं मिथ्या (*b*) सीमान्त तथा मिथ्या
(*c*) सतही एवं वास्तविक (*d*) सीमान्त एवं वास्तविक

46. *टेरिस* के सोराई (Sori) होते हैं-
(*a*) विच्छिन्न (Discontinuous) एवं वृक्काकार
(*b*) विच्छिन्न तथा गोल
(*c*) विच्छिन्न एवं गोल
(*d*) अविछिन्न तथा पंक्तिबद्ध

47. जब *टेरिस* तथा *फ्यूनेरिया* के शुक्राणु (Sperms) साथ-साथ केवल *टेरिस* की स्त्रीधानियों के समीप रखे जाते हैं तो केवल *टेरिस* के शुक्राणु तुरन्त ही स्त्रीधानियों में प्रवेश करके अण्डाणु के पास पहुँच जाते हैं। इसका कारण यह है कि-
(*a*) *टेरिस* की स्त्रीधानियाँ एक पदार्थ स्रावित करती हैं जो *फ्यूनेरिया* के शुक्राणुओं (Sperms) को दूर हटाता है
(*b*) *टेरिस* की स्त्रीधानिधाँ एक रासायनिक पदार्थ स्रावित करती हैं जो टेरिस के शुक्राणुओं को आकर्षित करता है
(*c*) *फ्यूनेरिया* के शुक्राणु कम गतिशील (Motile) होते हैं
(*d*) जब *टेरिस* के शुक्राणुओं के साथ मिलाये जाते हैं तो फ्यूनेरिया के शुक्राणु मर जाते हैं

48. *ड्रायोप्टेरिस* में पुंमाणुओं के कशाभिका लगे होते हैं-
(*a*) कोशिका केन्द्रक से
(*b*) ब्लीफैरोप्लास्ट से
(*c*) राइजोप्लास्ट से
(*d*) शरीर की सतह से

49. *सिलेजिनेला* उद्विकासीय महत्व का लक्षण प्रकट करता है और यह लक्षण है उपस्थिति का-
(*a*) लिग्यूल (*b*) हेटरोस्पोरस दशा
(*c*) राइजोफोर (*d*) स्ट्रोबिलस

50. फर्न का बीजाणु प्रदर्शित करता है-
(*a*) बीजाणोद्भिद् अवस्था
(*b*) युग्मकोद्भिद् अवस्था
(*c*) बीजाणोद्भिद् तथा युग्मकोद्भिद् अवस्था
(*d*) अपमिश्रित अवस्था (Apomictic stage)

उत्तरमाला

1	2	3	4	5	6	7	8	9	10
(*b*)	(*a*)	(*a*)	(*a*)	(*c*)	(*a*)	(*b*)	(*c*)	(*c*)	(*a*)
11	**12**	**13**	**14**	**15**	**16**	**17**	**18**	**19**	**20**
(*c*)	(*b*)	(*b*)	(*b*)	(*a*)	(*c*)	(*c*)	(*c*)	(*c*)	(*c*)
21	**22**	**23**	**24**	**25**	**26**	**27**	**28**	**29**	**30**
(*a*)	(*c*)	(*d*)	(*c*)	(*b*)	(*b*)	(*c*)	(*c*)	(*c*)	(*a*)
31	**32**	**33**	**34**	**35**	**36**	**37**	**38**	**39**	**40**
(*b*)	(*c*)	(*b*)	(*d*)	(*b*)	(*a*)	(*c*)	(*c*)	(*a*)	(*c*)
41	**42**	**43**	**44**	**45**	**46**	**47**	**48**	**49**	**50**
(*d*)	(*a*)	(*a*)	(*b*)	(*b*)	(*d*)	(*b*)	(*d*)	(*b*)	(*b*)

अध्याय

10

जिम्नोस्पर्म (अनावृतबीजी) (Gymnosperms)

जिम्नोस्पर्म (Gymnosperms)

- जिम्नोस्पर्म तथा एन्जियोस्पर्म के पौधों में बीज बनते हैं।
- जिम्नोस्पर्मी पौधों में अण्डाशय का अभाव होता है। जिसके कारण बीजाण्ड (Ovules) अनावरित (exposed) होते है तथा इसके बीज नग्न (Naked) होते हैं।
- एंजियोस्पर्म (Angiosperm) पुष्पी पादप मनुष्यों के लिए सबसे अधिक महत्त्वपूर्ण हैं।
- एंजियोस्पर्म का अर्थ है– "आवृत बीज" (Angio = covered, sperm = seed)। इनमें बीज फलों में स्थित अंडाशय में बनता है।
- एंजियोस्पर्म की 250,000 स्पीशीज हैं, जो कि पादप विकास के क्रम में सर्वोपरि स्थान रखते हैं।

जिम्नोस्पर्म के मुख्य लक्षण (Important Features of Gymnosperms)

अनावृतबीजी (Gymnosperms) पौधे समान्यतः "नग्न बीजी पौधे" कहलाते हैं। इनके मुख्य लक्षण निम्नानुसार हैं;

(*i*) ये पौधे बहुवर्षीय (perennial) तथा काष्ठीय (woody) होते हैं।

(*ii*) इनमें मोटी क्यूटिकल पायी जाती हैं तथा ये अधिकाशतः मरुद्भिदी (xerophytic) होते हैं।

(*iii*) ये सामान्यतः सदाहरित (evergreen) वृक्ष (trees) अथवा झाड़ियां (Shrubs) होती हैं।

(*iv*) इनमें पत्तियाँ दो प्रकार की होती हैं– शल्क पर्ण तथा सत्य पर्ण।

(*v*) इनके तने में संवहन पूल (vascular bundles) संयुक्त (Conjoint) कोलेटरल (Collateral) तथा खुले होते हैं।

(*vi*) विशेष प्रकार की द्वितीयक वृद्धि होती है तथा कैम्बियम अल्पकालिक होता है।

(*vii*) जाइलम में वाहिकाएँ (Vessels) नहीं पायी जाती है केवल वाहिनिकाएँ (tracheids) पायी जाती हैं।

(*viii*) फ्लोएम में सहकोशिकाओं (Companion cells) नहीं पायी हैं तथा काष्ठ नान-पोरस (non-porous) होता है।

(*ix*) पौधा बीजाणुद्भिद (sporophyte) होता है जिस पर बीजाणु उत्पन्न होते हैं। बीजाणु दो प्रकार के होते हैं–
(*a*) लघुबीजाणु (microspores) एवं
(*b*) गुरुबीजाणु (megaspores)।

(*x*) नर पुष्प में पुंकेसर (stamen) के रूप में सूक्ष्मबीजाणु पर्ण (microsporophylls) तथा अण्डप के रूप में गुरुबीजाणुपर्ण (megasporophylls) होता हैं।

(*xi*) जिम्नोस्पर्मी पौधों में सामान्यतः वायु परागण (wind pollination) होता है।

(*xii*) इसमें बीजपत्र की संख्या एक, दो या अनेक हो सकती हैं।

(*xiii*) इसमें बीजाण्ड निषेचन एवं परिवर्धन के बाद एक बीज बनता है।

(*xiv*) इसमें बन्द अण्डपों (Closed carpels) का अभाव होने के कारण फल (Fruits) नहीं बनते हैं।

जिम्नोस्पर्म का वर्गीकरण

वर्गः अनावृतबीजी (Class: Gymnospermaes)

- उपवर्ग (Subclasses)
  - साइकैडोफाइटा (Cycadophyta) — गण (Orders)
    - साइकैडोफिलिकेलीस (Cycadofilicales) eg. Lyginopteris
    - बेनीटाइटेलीस (Bennettitales) eg. Cycadeqidea
    - साइकैडेलीस (Cycadales) eg. Cycas, Zamia
  - कोनीफेरोफाइटा (Coniferophyta) — गण (Orders)
    - कार्डेटेलीस (Cordatitales) eg. Cordiates
    - गिंगोएलीस (Ginkgoales) eg. Ginkgo biloba
    - कोनीफेरेलीस (Coniferales) eg. Pinus' cedrus,
    - नीटेलीस (Gnetales) eg.Ephedra, Gnetum

स्वभाव तथा आवास (Habit and Habitat)

इस वर्ग के अधिकांश पौधे सदापर्णी (evergreen) होते हैं तथा बहुतायत से पौधे मरुदभिदी लक्षण वाले होते हैं। जिम्नोस्पर्मी पौधे बहुवर्षीय तथा काष्ठीय वृक्ष या झाड़ियां हैं।

संरचना (Structure)

जिम्नोस्पर्मी पौधे मुख्य रूप से दो प्रकार के होते हैं।

- शंकुधारी (Conifers) (इसके तने अतिशाखित होते हैं। जिससे पौधे शंकु के आकार के होते हैं तथा इनकी पत्तियां छोटी होती हैं।)
- साइकैड्स (Cycads) (इनके तने अशाखित अथवा बहुत कम शाखित होते हैं तथा पत्तियाँ अपेक्षाकृत काफी बड़ी होती हैं।)

जिम्नोस्पर्म की पत्तियाँ

- सामान्य पत्र (Foliage leaves) (पत्तियाँ सरल या पिच्छाकार संयुक्त तथा हरी होती है।)
- शल्कपत्र (Scales leaves) (ये पत्तियाँ झिल्लीनुमा भूरे रंग की छोटी तथा जल्दी गिरने वाली होती है।)

जनन (Reproduction)

(*i*) कुछ जिम्नोस्पर्मी पौधों में कायिक जनन (vegetative reproduction) पत्र प्रकलिकाओं (bulbils) द्वारा होता है। उदाहरण–*साइकस*।

(*ii*) बीजाणु-उत्पादक अंग बीजाणुधानियाँ (Sporangia) होता है। गुरुबीजाणुधानी (megasporangium) को अध्यावरण (integument) से घिरे रहने के कारण बीजांड (Ovule) कहते हैं तथा बीजांड (ovule) नग्न (naked) होते हैं।

(*iii*) जिम्नोस्पर्म में अधिकाशतः स्त्रीधानियाँ (archegonia) पायी जाती हैं। परन्तु पुंधानियां (antheridia) अनुपस्थित होती हैं।

(*iv*) अधिकाशतः जिम्नोस्पर्म बहुभ्रूणता (Poloyembryony) दिखाते हैं।

(*v*) जिम्नोस्पर्मी पौधों में निषेचन हेतु जल की आवश्यकता नहीं होती है।

तालिका 1: जिम्नोस्पर्म तथा एन्जियोस्पर्म में विभेद
(Difference between Gymnosperms and Angiosperms)

	जिम्नोस्पर्म	एन्जियोस्पर्म
1.	इसमें बीजाण्ड (Ovules) नग्न (Naked) होते हैं।	इसमें बीजाण्ड अण्डाशय के अन्दर बन्द होते हैं।
2.	इसमें परागकण (Pollengrains) बीजाण्डद्वार पर गिरकर वहीं पर अंकुरित हो जाते हैं।	इसमें परागकण वर्तिकाग्र (stigma) पर गिरते हैं तथा उनका अंकुरण भी वर्तिकाग्र पर ही होता है।
3.	इसमें भ्रूणकोष का निर्माण निषेचन के पूर्व होता है।	इसमें भ्रूणकोष का निर्माण निषेचन के बाद होता है।
4.	इसके जाइलम में वाहिकाएं नहीं पायी जाती हैं।	जाइलम में वाहिकायें, वाहिनिकायें, जाइलम पैरेन्काइमा उपस्थित होते हैं।
5.	इसके फ्लोएम में सहचर कोशिकाए नहीं पायी जाती हैं।	इसके फ्लोएम में चालनी नालिकाएं, सहचर कोशिकायें फ्लोएम पैरेन्काइमा आदि पाया जाता है।
6.	इसका भ्रूणकोष (endosperm) अगुणित (haploid) होता है।	इसमें भ्रूणकोष त्रिगुणित (triploid) होता है।

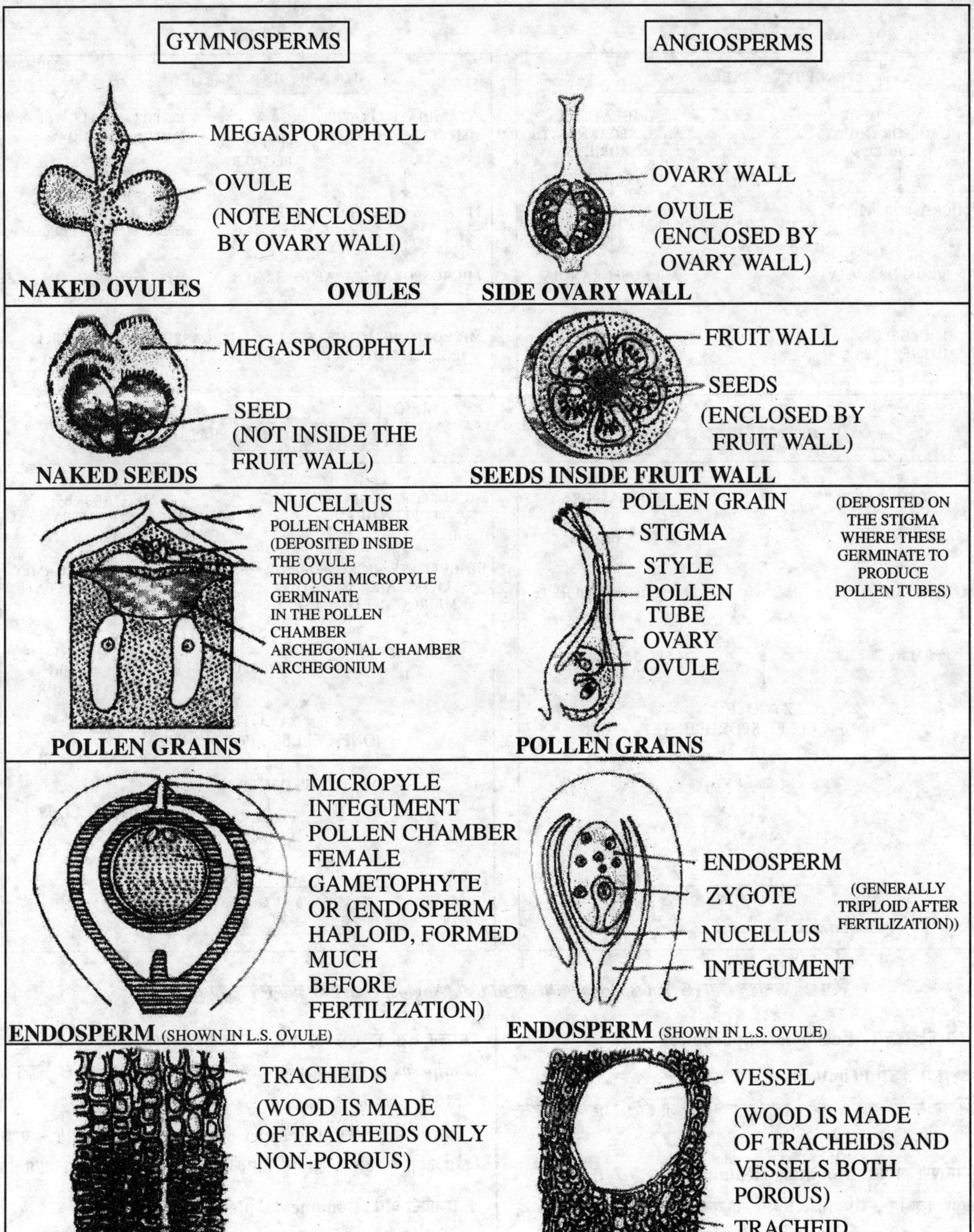

चित्र 1: *अनावृतबीजी (Gymnosperms) तथा आवृतबीजी (Angiosperms) में प्रमुख अन्तर*

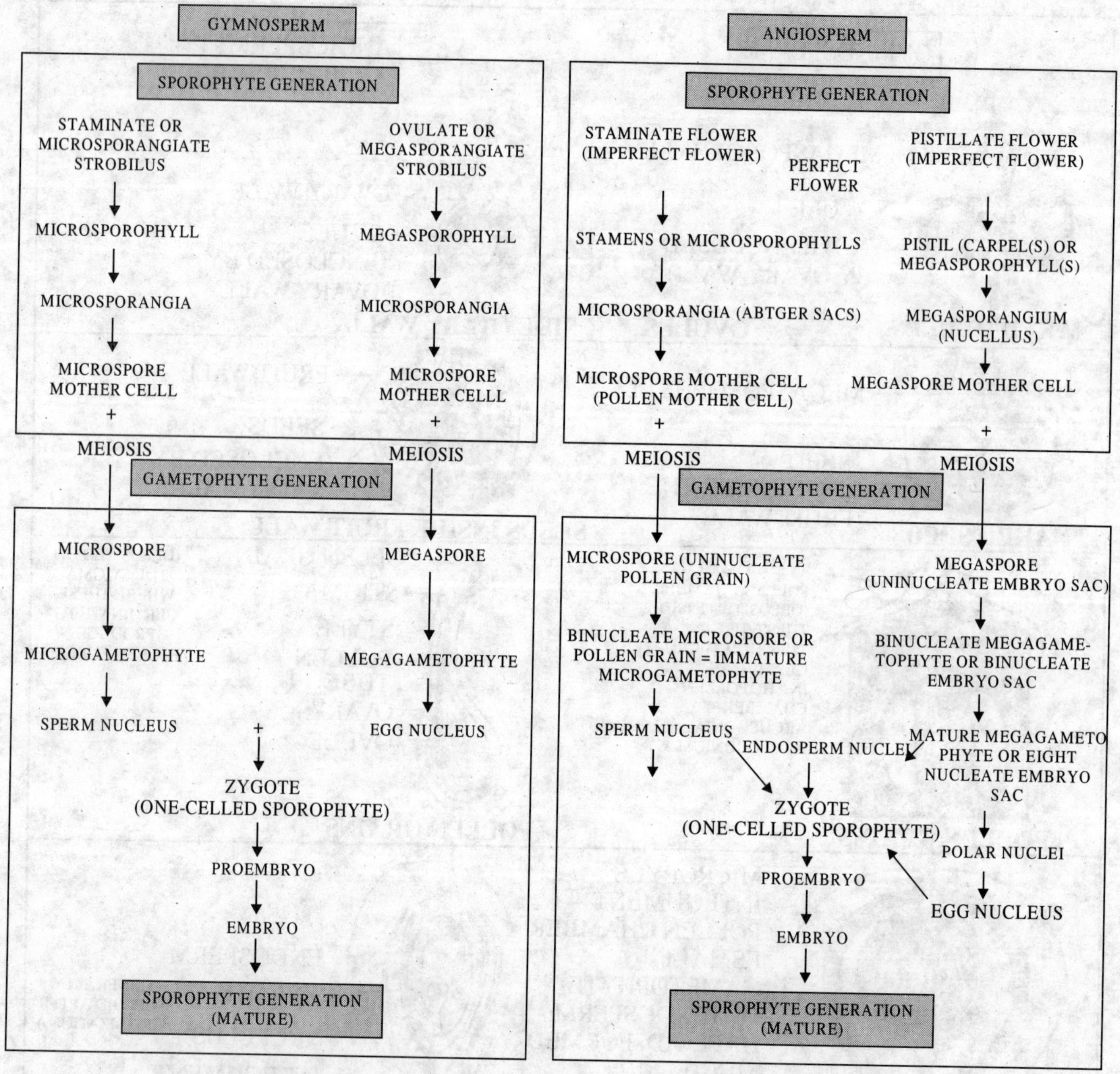

चित्र 2: *अनावृतबीजी (Gymnosperms) तथा आवृतबीजी (Angiosperms) के जीवन-चक्र की तुलना*

आर्थिक महत्त्व (Economic Importance)

1. इमारती लकड़ी (Timber)

इससे दरवाजे, खिड़कियाँ एवं फर्नीचर आदि बनाये जाते हैं। उदाहरण–सीड्रस, चीड़ इत्यादि।

2. आरोपण माध्यम (Mounting medium)

कनाडा बालसम का प्रयोग आरोपण माध्यम (mounting medium) के रूप में वैज्ञानिकों द्वारा प्रयोगशालाओं में किया जाता है।

3. सीडर वुड ऑयल (Cedar wood oil) एवं तारपीन तेल (Turpentine oil)

सीडर वुड ऑयल का प्रयोग इत्र बनाने तथा माइक्रोस्कोप में आयल इमरसन लेंस के काम आता है। सीडर वुड ऑयल *जूनीपेरस वर्जीनिएना* (*Juniperus virginiana*) की अन्तः काष्ठ (heart wood) से निकाला जाता है।

तारपीन का तेल (Turpentine oil) पाइनस से प्राप्त रेजिन से प्राप्त किया जाता है। इसका उपयोग औषधियों एवं रंग-रोगन में किया जाता है।

4. सजावटी पौधे (Ornamental plants)

सजावटी पौधों के रूप में जिम्नोस्पर्म के कुछ पौधे उगाये जाते हैं।

उदाहरण– *एरोकेरिया एक्सेल्सा* (*Arauceria excelsa, christmas tree*), *एरोकेरिया एरोकैना* (*Arauceria auracan, monkey puzzle*) तथा *पाइनस* (*Pinus, Pine*) आदि।

5. खाद्य पदार्थ (Food materials)

कुछ जिम्नोस्पर्मी पौधों से खाद्य पदार्थ प्राप्त होते हैं। उदाहरण सागो पाम, *साइकस रेवोलूटा* (*Cycas revoluta*) के तने से साबुदाना प्राप्त होता है।

6. दवाइयाँ (Drugs)

जिम्नोस्पर्म की कुछ प्रजातियों से दवाइयाँ प्राप्त की जाती हैं। उदाहरण–*इफेड्रा* (*Ephedra*) से *इफेड्रीन* (Ephedrine) प्राप्त की जाती है। *थूजा* (*Thuja*) की पत्तियों से खांसी तथा गठिया आदि रोगों का इलाज किया जाता है।

वस्तुनिष्ठ प्रश्न

1. मक्का, साइकस एवं चीड़ के एक भ्रूण में बीजपत्रों की संख्या क्रमशः होती है–
(*a*) 1, 2, अनेक (*b*) 1, 1, 2
(*c*) 1, 2, 2 (*d*) 2, 2, अनेक

2. पाइनस में, परागण के पश्चात् निषेचन के लिए अनुमानित समय होता है–
(*a*) केवल थोड़े से घंटे (*b*) केवल थोड़े से दिन
(*c*) केवल थोड़े से सप्ताह (*d*) लगभग एक वर्ष

3. पाइनस में बीज का पंख विकसित होता है–
(*a*) बीजाण्डकाय से (*b*) सहपत्र से
(*c*) बीजाण्डधारक शल्क से (*d*) अध्यावरण से

4. निम्नलिखित में से कौन-सा पाइनस में युग्मकोद्भिद् प्रावस्था को प्रदर्शित करता है?
(*a*) पाइनस पौधा (*b*) लघु एवं गुरुबीजाणु
(*c*) जायगोट (*d*) नर एवं मादा शंकु

5. पाइनस का नर शंकु बना होता है–
(*a*) पराग कोषों का (*b*) गुरुबीजाणु पर्णो का
(*c*) लिग्युल्स का (*d*) लघुबीजाणु पर्णो का

6. निम्न में से कौन-सा एक जीवित जीवाश्म है–
(*a*) पाइनस (*b*) गिंको
(*c*) थूजा (*d*) देवदार

7. जिम्नोस्पर्म तथा एन्जियोस्पर्म में क्या समानता है–
(*a*) दोनों के फ्लोएम में सखि कोशायें होती हैं
(*b*) दोनों में भ्रूणकोष निषेचन से पूर्व बनता है
(*c*) बीजाण्ड एवं बीज की उत्पत्ति दोनों में समान होती है
(*d*) दोनों में जड़, तना तथा पत्तियाँ होती हैं

8. जिम्नोस्पर्म तथा एन्जियोस्पर्म में क्या अन्तर है–
(*a*) जिम्नोस्पर्म में जाइलम में वाहिकायें तथा फ्लोएम में सखि कोशायें नहीं होती जबकि एन्जियोस्पर्म में दोनों होती हैं
(*b*) जिम्नोस्पर्म में परागकण पराग नलिका में बनते हैं जबकि एन्जियोस्पर्म में नहीं
(*c*) बीजाण्ड की उत्पत्ति दोनों में असमान होती है
(*d*) उपरोक्त में से कोई नहीं

9. पाइनस के माइक्रोस्पोरो फिलल्स में माइक्रोस्पोरेंजिया उपस्थित होते हैं–
(*a*) एडेक्सियल सतह पर (*b*) एबेक्सियल सतह पर
(*c*) किनारों पर (*d*) कक्ष में

10. अनाबृतबीजियों में बीजाण्ड होते हैं–
(*a*) नग्न (*b*) ढके हुये
(*c*) अण्डाशय में (*d*) उपरोक्त सभी

11. पाइनस के परागकणों का परागण होता है–
(*a*) एक कोशिकीय अवस्था में
(*b*) दो कोशिकीय अवस्था में
(*c*) तीन कोशिकीय अवस्था में
(*d*) चार कोशिकीय अवस्था में

12. साइफोनोगेमी प्रकार की निषेचन प्रक्रिया पायी जाती है–
(*a*) मॉस में (*b*) फर्न में
(*c*) *सिलेजिबेरिया* में (*d*) *पाइनस* में

13. सैंगो-पाम वृक्ष का लैटिन नाम है–
(*a*) *साइकस ससीनिलस* (*b*) *साइकस रिवोल्यूटा*
(*c*) *साइकस राम्फाई* (*d*) उपरोक्त में से कोई नहीं

14. *पाइनस* में द्वितीयक काष्ठ की विशेषता होती है–
(*a*) रेजिन कोशिकाओं की उपस्थिति
(*b*) रेजिन नलिकाओं की उपस्थिति
(*c*) रेजिन नलिकाओं की अनुपस्थिति
(*d*) नलिका (Vessels) की उपस्थिति

15. साइकैडेसी के कुछ पौधों में पुंमाणु होते हैं–
(*a*) बड़े सर्पिलाकार तथा बहुपक्ष्मीय
(*b*) नाव के आकार के
(*c*) गोलाकार और पक्ष्म रहित
(*d*) लम्बा तथा हंसवा के आकार का

16. अनावृतबीजी पादपों में परागण बूँदें होती हैं–
(*a*) जल बूँद
(*b*) बीजाण्डकाय का स्राव
(*c*) वायु परागित कणों की बूँद
(*d*) रेड ड्राप

17. साइकस की पत्ती में निम्न में से कौन-सा मरुद्भिद् लक्षण होता है–
(*a*) गर्त में रन्ध्र (*b*) क्यूटिकिल की उपस्थिति
(*c*) पालिसेट मिसोफिल (*d*) उपरोक्त सभी

18. साइकस के रेकिस में बाह्य आदिदारुक संवहन पूल में होता है–
(*a*) संचरण–ऊतक
(*b*) केन्द्र की ओर प्रोटोजाइलम
(*c*) अधिक अपकेन्द्री मेटाजाइलम
(*d*) अधिक अभिकेन्द्री मेटाजाइलम

19. *साइकस* के रेकिस में संवहन पूलों की व्यवस्था होती है–
(*a*) वलय में (*b*) ओमेगा आकृति में
(*c*) बिखरी दशा में (*d*) घोड़े की नाल आकृति में

20. निम्न में से किसमें बिना जल के निषेचन हो सकता है–
(*a*) *यूलोथ्रिक्स* (*b*) *फ्यूनेरिया*
(*c*) *ड्रायोप्टेरिस* (*d*) *साइकस*

21. संचरण ऊतक किसकी पत्ती में होता है–
(*a*) *पाइनस*
(*b*) *ड्रायोप्टेरिस*
(*c*) *साइकस*
(*d*) *साइकस* तथा *पाइनस* दोनों में

22. पाइनस में एन्डोस्पर्म होता है–
(*a*) अगुणित (*b*) द्विगुणित
(*c*) त्रिगुणित (*d*) चतुर्गुणित

23. छिद्र रहित (Non -porous) काष्ठ मिलते हैं तने में–
(*a*) आम के (*b*) *डलबर्जिया* (शीशम) के
(*c*) *पाइनस* के (*d*) *फाइकस* के

24. निम्न में से किसमें बहुबीजपत्री दशा मिलती है?
(*a*) गेहूँ (*b*) मॉस
(*c*) *पाइनस* (*d*) फर्न

25. *पाइनस* के बीज का कौन-सा भाग खाने योग्य (Edible)होता है?
(*a*) एपिस्पोर (*b*) पेरीकार्प
(*c*) पेरीस्पर्म (*d*) एण्डोस्पर्म

26. निम्न में से किसमें पराग कण पीले चूर्ण (Powder) के बादलों के रूप में मुक्त होते हैं तथा "सल्फर शावर" भी कहलाते हैं?
(*a*) फर्न (*b*) मॉस
(*c*) *पाइनस* (*d*) *साइकस*

27. *साइकस* के भ्रूण (Embryo) में दो बीजपत्र होते हैं फिर भी इसे द्विबीजपत्रियों में वर्गीकृत नहीं करते हैं क्योंकि–
(*a*) यह एक ताड़ की तरह दिखाई देता है
(*b*) इसमें संयुक्त पत्तियाँ होती हैं
(*c*) इसके बीजाण्ड नग्न होते हैं
(*d*) इसमें गुरुबीजाणुपर्ण होते हैं

28. देवदार काष्ठ तेल (Cedar wood oil) प्राप्त होता है अंतः काष्ठ से–
(*a*) *थूजा ऑक्सीडेण्टेलिस* की
(*b*) *आवृतबीजियों* की
(*c*) *सीड्स* की
(*d*) *जुनीपेरस वर्जीनियाना* की

29. जिम्नोस्पर्म्स में बीजाण्ड नग्न होता है क्योंकि–
(*a*) अध्यावरण (Integuments) अनुपस्थित होते हैं
(*b*) परिदलपुंज (Perianth) अनुपस्थित होता है
(*c*) अण्डाशय भित्ति अनुपस्थित होती है
(*d*) बीजाण्डकाय (Nucleus) अनुपस्थित होता है

30. जिम्नोस्पर्म के लिए निम्न में से कौन-सा कथन सत्य नहीं है?
(*a*) पत्तियाँ संयुक्त होती हैं
(*b*) नग्न बीज बनते हैं
(*c*) जाइलम वाहिनिकाओं (Tracheids) का बना होता है
(*d*) जाइलम वाहिकाओं (Vessels) का बना होता है

31. साइकस के स्तम्भ में द्वितीयक वृद्धि होती है–
(*a*) अपाती एधा से
(*b*) अल्पजीवी एधा से
(*c*) उत्तरोत्तर उत्पन्न होने वाले अनेक एधाओं से
(*d*) एधाओं की वियुक्त पट्टियों से

32. सीडर काष्ठ तेल किस पेड़ के काष्ठ से प्राप्त किया जाता है–
(*a*) *सिडरस* (*b*) *जुनिपेरस वर्जीनियाना*
(*c*) *थूजा ओक्सीडेन्टेलिस* (*d*) आवृत बीजों से

33. पाइनस में कौन-सी रचनायें अगुणित होती हैं–
(*a*) गुरुबीजाणु, अध्यावरण, जड़
(*b*) एन्डोस्पर्म, गुरुबीजाणु, पराग कण
(*c*) पराग कण, पत्ती, जड़
(*d*) गुरुबीजाणु, एन्डोस्पर्म, भ्रूण

34. *साइकस* की स्त्रीधानी में ग्रीवा कोशिकाओं की संख्या है–
(*a*) 1 (*b*) 2
(*c*) 4 (*d*) 6

35. डिप्लोजाइलिक या द्विदारुक संवहन पूल पाये जाते हैं–
(*a*) *टेरिस* (*b*) *फ्यूनेरिया*
(*c*) *सिलेजिनेला* (*d*) *साइकस*

36. *साइकस* में परागण निम्नलिखित द्वारा होता है–
(*a*) कीट (*b*) चिड़िया
(*c*) चमगादड़ (*d*) वायु

37. *साइकस* में उपस्थित होते हैं–
(*a*) रेजिन वाहिनी (*b*) म्यूसिलेज वाहिनी
(*c*) लेटिसिफेरस वाहिनी (*d*) उपरोक्त में से कोई नहीं

38. *साइकस* का काष्ठ होता है–
(*a*) मेनोजाइलिक तथा पॉलीजाइलिक
(*b*) मेनोजाइलिक तथा पिक्नोजाइलिक
(*c*) पिक्नोजाइलिक तथा मोनोजाइलिक
(*d*) मेनोजाइलिक तथा मोनोजाइलिक

39. सबसे बड़ा बीजाण्ड किसमें होता है–
(*a*) नीटस (*b*) साइकस
(*c*) पाइनस (*d*) कोकांस

40. साइकस में क्या अवस्था है–
(*a*) एक ही पौधे पर नर शंकु तथा मादा बीजाणुपर्ण
(*b*) एक ही शंकु में लघु तथा गुरुबीजाणुपर्ण
(*c*) नर शंकु तथा गुरुबीजाणुपर्ण अलग अलग पौधों में
(*d*) एक ही बीजाणुपर्ण पर लघुबीजाणुधानी तथा बीजाण्ड दोनों

41. अधिकतर अनावृतबीजी में होती है–
(*a*) केवल पुंधानी
(*b*) पुंधानी तथा स्त्रीधानी
(*c*) केवल स्त्रीधानी
(*d*) दोनों जनन अंग अनुपस्थित

42. निम्न में कौन से आवृतबीजी की काष्ठ में वाहिकायें होती है–
(*a*) *साइकस* (*b*) *पाइनस*
(*c*) *नीटम* (*d*) *टेक्सस*

43. साइकस की पत्ती होती है–
(*a*) सरल (*b*) द्विपिच्छकीय
(*c*) पिच्छकी (*d*) हस्ताकार

44. *साइकस* में होती है–
(*a*) सरल बहुभ्रूणता
(*b*) विदलन बहुभ्रूणता
(*c*) सरल तथा विदलन बहुभ्रूणता
(*d*) कोई बहुभ्रूण नहीं

45. अनावृतबीजियों की रेजिन नलिकायें उदाहरण हैं–
(*a*) अन्तरकोशिकीय स्थान का
(*b*) शाइजोजिनस गुहा का
(*c*) लायजात गुहा का
(*d*) बड़ी रसधानी का

46. अनावृतबीजियों की स्त्रीधानियों में अभाव होता है–
(*a*) अंडधा नाल कोशिकाओं का
(*b*) ग्रीवा नाल कोशिकाओं का
(*c*) दोनों का
(*d*) उपरोक्त में से कोई नहीं

47. *पाइनस* की काष्ठ है–
(*a*) द्विदारुक (*b*) मेनोजाइलिक
(*c*) पिक्नोजाइलिक (*d*) उपरोक्त सभी

48. *पाइनस* तथा *साइकस* दोनों में होते हैं–
(*a*) पक्ष्माभी पुंमाणु
(*b*) चल तथा अचल पुंमाणु
(*c*) अचल पुंमाणु
(*d*) अचल तथा चल पुंमाणु

49. निम्नलिखित में से किसे जीवित जीवाश्म कहा जाता है–
(*a*) *साइकस* (*b*) *मेटासिकुआ*
(*c*) *गिगों* (*d*) उपरोक्त सभी

50. *साइकस* का काष्ठ होता है–
(*a*) अरन्ध्री (*b*) सरन्ध्री
(*c*) धनदारुक (*d*) इसमें से कोई नहीं

उत्तरमाला

1	2	3	4	5	6	7	8	9	10
(*a*)	(*d*)	(*c*)	(*b*)	(*d*)	(*b*)	(*c*)	(*a*)	(*b*)	(*a*)
11	**12**	**13**	**14**	**15**	**16**	**17**	**18**	**19**	**20**
(*d*)	(*d*)	(*b*)	(*b*)	(*a*)	(*b*)	(*d*)	(*b*)	(*b*)	(*d*)
21	**22**	**23**	**24**	**25**	**26**	**27**	**28**	**29**	**30**
(*d*)	(*a*)	(*c*)	(*c*)	(*c*)	(*c*)	(*c*)	(*d*)	(*c*)	(*c*)
31	**32**	**33**	**34**	**35**	**36**	**37**	**38**	**39**	**40**
(*c*)	(*b*)	(*b*)	(*b*)	(*d*)	(*d*)	(*b*)	(*a*)	(*b*)	(*c*)
41	**42**	**43**	**44**	**45**	**46**	**47**	**48**	**49**	**50**
(*c*)	(*c*)	(*c*)	(*d*)	(*b*)	(*c*)	(*c*)	(*d*)	(*d*)	(*a*)

अध्याय

11

एन्जियोस्पर्मी पौधों का जीवन–चक्र
(Life Cycle of Angiospermic Plants)

- एक एन्जियोस्पर्मी पौधा जड़, तना, पत्तियों व पुष्पों से बना होता है तथा जनन अंग पुष्प के अन्दर पाये जाते हैं।
- मुख्य रूप से पुष्प के चार भाग होते हैं–बाह्यदल पुंज (calyx), दलपुंज (corolla), पुमंग (androecium) तथा जायांग (gynoecium)।
- बाह्यदलपुंज तथा दलपुंज जनन में सहायक होते हैं जबकि जायांग एवं पुमंग जनन में सीधा भाग लेते हैं।
- पुष्पी पादपों (एंजियोस्पर्म) में परागकण तथा बीजांड विशिष्ट रचना के रूप में विकसित होते हैं जिसे **पुष्प** कहते हैं।
- जिम्नोस्पर्म में बीजांड अनावृत होते हैं। एंजियोस्पर्म पुष्पी पादप हैं, जिसमें बीज फलों के भीतर होते हैं।
- पादपों में एंजियोस्पर्म सबसे बड़ा वर्ग है। उनके वासस्थान भी बहुत व्यापक हैं।
- इनका माप सूक्ष्मदर्शी जीवों बुल्फिया से लेकर सबसे ऊंचे वृक्ष यूकेलिपट्स (100 मीटर से अधिक ऊंचाई) तक होता है।
- इनसे हमें भोजन, चारा, ईंधन, औषधियाँ तथा अन्य दूसरे आर्थिक महत्त्व के उत्पाद प्राप्त होते हैं।
- ये दो वर्गों द्विबीजपत्री तथा एकबीजपत्री में विभक्त होते हैं।
- द्विबीजपत्री पौधों के बीजों में दो बीज पत्र होते हैं, जबकि एकबीजपत्री में एक बीज पत्र होता है। पुष्प में नर लैंगिक अंग पुंकेसर (लघुबीजाणु पत्र) होता है।
- प्रत्येक पुंकेसर में एक पतला तंतु होता है जिसकी चोटी पर परागकोश होता है। मिऑसिस के बाद परागकोश से परागकण बनते हैं।
- पुष्प में मादा लैंगिक अंग स्त्रीकेसर (अंडप) होते हैं। स्त्रीकेसर में अंडाशय होता है जिसके अंदर एक या एक से अधिक बीजांड होते हैं।
- बीजांड के अंदर बहुत ही न्यूनीकृत मादा युग्मकोद्भिद् होता है जिसे **भ्रूणकोश** कहते हैं।
- भ्रूणकोश बनने से पहले उसमें मिऑसिस होता है। इसलिए भ्रूणकोश की प्रत्येक कोशिका अगुणित होती है।
- प्रत्येक भ्रूणकोश में तीन कोशिकीय **अंड समुच्चय**-एक **अंड कोशिका** तथा दो **सहायक कोशिकाएं**, तीन **प्रतिव्यासांत कोशिकाएं** तथा दो **ध्रुवीय कोशिकाएं** होती हैं।
- दो ध्रुवीय कोशिकाएँ आपस में जुड़ जाती हैं जिससे द्विगुणित द्वितीयक केंद्रक बनता है। परागकण परागकोश से निकलने के बाद वायु अथवा अन्य एजेंसियों के माध्यम से स्त्रीकेसर के वर्तिकाग्र पर स्थानांतरित कर दिये जाते हैं। उक्त स्थानांतरण को **परागण** (Pollination) कहते हैं।
- परागकण वर्त्तिकाग्र पर अंकुरित होते हैं, जिससे परागनली बनती है। परागनली वर्त्तिकाग्र तथा वर्त्तिका के ऊतकों के बीच से होती हुई बीजांड तक पहुँचती है। परागनली भ्रूणकोश के अंदर जाती है; जहाँ पर फटकर यह दो नर युग्मकों को छोड़ देती हैं। इनमें से एक नर युग्मक अंड कोशिका से संगलित हो जाता है जिससे एक युग्मनज बनता है। दूसरा नर युग्मक द्विगुणित द्वितीयक केंद्रक से संगलन करता है जिससे त्रिगुणित प्राथमिक भ्रूणकोष केंद्रक बनता है। चूँकि इसमें दो संगलन होते हैं, इसलिए इसे **द्विनिषेचन** कहते हैं।
- एंजियोस्पर्म का अद्वितीय गुण द्विनिषेचन है। युग्मनज भ्रूण (जिससे एक अथवा दो बीजपत्र हो सकते हैं) में विकसित हो जाता है और प्राथमिक भ्रूणकोष केंद्रक भ्रूणकोष में विकसित हो जाता है।
- भ्रूणपोष विकासशील भ्रूण को पोषण प्रदान करता है। इन घटनाओं के दौरान बीजांड से बीज बन जाते हैं तथा अंडाशय से फल बन जाता है।
- निषेचन के बाद सहायक कोशिकाएँ तथा प्रतिव्यासांत कोशिकाएँ लुप्त हो जाती हैं।

एन्जियोस्पर्म का जीवन-चक्र
(Life-cycle of Angiosperms)

एंजियोस्पर्म का जीवन-चक्र चित्र 1 में दिया गया है।

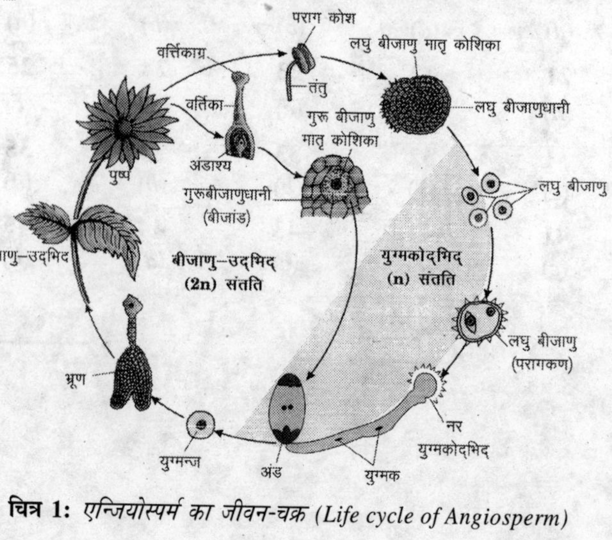

चित्र 1: *एन्जियोस्पर्म का जीवन-चक्र (Life cycle of Angiosperm)*

पादप जीवन-चक्र तथा संतति या पीढ़ी- एकांतरण

पादप में अगुणित तथा द्विगुणित कोशिकाएँ माइटोसिस के द्वारा विभक्त होती हैं। इसके कारण विभिन्न काय, अगुणित बनते हैं। अगुणित पादपकाय माइटोसिस द्वारा युग्मक बनाते हैं। इसमें पादप काय युग्मकोद्भिद् होता है। निषेचन के बाद युग्मनज भी माइटोसिस द्वारा विभक्त होता है जिसके कारण द्विगुणित स्पोरोफाइट पादपकाय बनाता है। इस पादपकाय में मिऑसिस द्वारा अगुणित बीजाणु बनते हैं। ये अगुणित बीजाणु माइटोसिस विभाजन द्वारा पुनः अगुणित पादपकाय बनाते हैं। इस प्रकार किसी भी लैंगिक जनन करने वाले पौधों के जीवन-चक्र के दौरान युग्मकों, जो अगुणित युग्मकोद्भिद् बनाते हैं; और बीजाणु, जो द्विगुणित स्पोरोफाइट बनाते हैं, के बीच संतति या पीढ़ी-एकांतरण होता है।

विभिन्न पादप वर्गों तथा उनकी व्यष्टियों में निम्नलिखित पैटर्न पाया जाता है।

1. बीजाणुउद्भिद् (Sporophytic) संतति में केवल एक कोशिका वाला युग्मनज होता है। उसमें कोई मुक्तजीवी स्पोरोफाइट नहीं होता। युग्मनज में मिओसिस विभाजन होता है जिससे अगुणित बीजाणु बनते हैं। अगुणित बीजाणु में माइटोटिक विभाजन द्वारा युग्मोकद्भिद (Gametophyte) बनते हैं। ऐसे पौधों में प्रभावी प्रकाश संश्लेषण अवस्था मुक्तजीवी युग्मकोद्भिद् होते हैं। इस प्रकार के जीवन-चक्र को **अगुणितक** कहते हैं। बहुत से शैवाल जैसे– *वाल्वॉक्स, स्पाइरोगायरा,* तथा *क्लेमाइडोमोनॉस* की कुछ स्पीशीज में इस प्रकार का पैटर्न होता है (चित्र 2)।

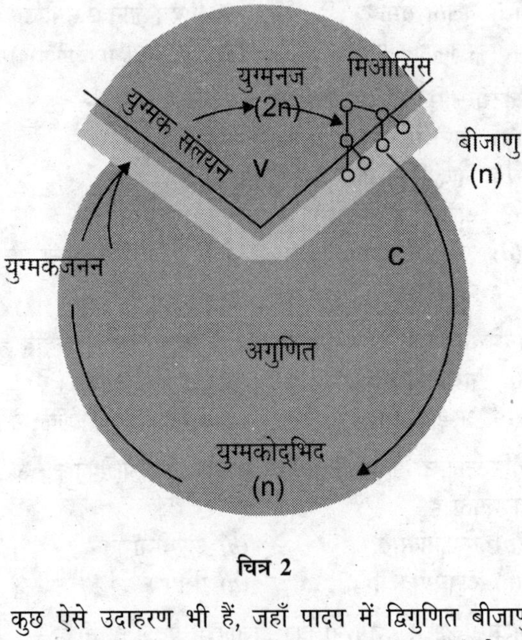

चित्र 2

2. कुछ ऐसे उदाहरण भी हैं, जहाँ पादप में द्विगुणित बीजाणुद्भिद् एक कोशिकीय अथवा कुछ कोशिकीय अगुणित होते हैं। जीवन-चक्र की इस अवस्था को **द्विगुणितक** कहते हैं। सभी बीज वाले पौधों अर्थात् जिम्नोस्पर्म तथा एंजियोस्पर्म में यह पैटर्न होता है (चित्र 3)।

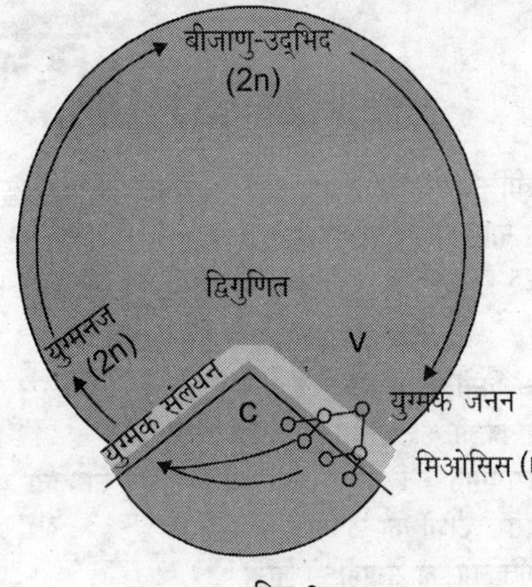

चित्र 3

3. ब्रायोफाइट तथा टैरिडोफाइट में मिश्रित अवस्था अर्थात् दोनों प्रकार की अवस्थाएँ बहुकोशिकीय तथा मुक्त जीवी होती है। लेकिन उनकी प्रभावी अवस्था में भिन्नता होती है।

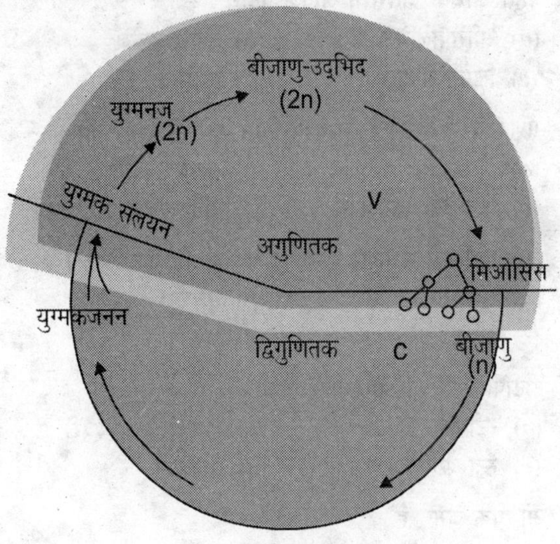

चित्र 4

एक प्रभावी, मुक्त, प्रकाश संश्लेषी थैलसाभ अथवा सीधी अवस्था **अगुणितक** युग्मकोद्भिद् में होती है। और यह अल्पआयु बहुकोशिकीय बीजाणुद्भिद् जो पूर्ण अथवा आंशिकरूप से जुड़े रहने तथा पोषण के लिए युग्मकोद्भिद् पर निर्भर करते हैं पीढ़ी एकांतरण करता है। सभी ब्रायोफाइट में ऐसा ही पैटर्न पाया जाता है (चित्र 4)।

द्विगुणित बीजाणुउद्भिद् प्रभावी, मुक्त, प्रकाशसंश्लेषी, संवहनी पादपकाय होता है। यह बहुकोशिक, मृतजीवी, स्वपोषी मुक्त लेकिन अल्पायु अगुणित युग्मकोद्भिद् से पीढ़ी एकांतरण करता है। ऐसे पैटर्न को अगुणितक जीवन-चक्र कहते हैं।

इसके कुछ अपवाद हैं– अधिकांश शैवाल में अगुणितक पैटर्न होता है, उनमें से कुछ जैसे– *एक्टोकार्पस, पॉलिसाइफोनिआ,* कैल्प में अगुणितक-द्विगुणितक पैटर्न होते हैं। *फाइकस* एक शैवाल है जिसमें द्विगुणितक पैटर्न होता है।

वस्तुनिष्ठ प्रश्न

1. आवृतबीजियों में 100 पराग कणों को बनाने के लिये कितनी लघु बीजाणु मातृ कोशिकायें चाहिये–
(*a*) 25 (*b*) 50
(*c*) 75 (*d*) 100

2. ऐंथेसिस किसे कहते हैं–
(*a*) पुष्पकली का खुलना
(*b*) परागमातृ कोशिका में अर्द्धसूत्री विभाजन का होना
(*c*) पराग कोशों का फूटना
(*d*) वर्तिकाग्र का सुग्राही हो जाना

3. बहुभ्रूणता सामान्यतः किसमें पाई जाती है–
(*a*) सायट्रस (*b*) हल्दी
(*c*) टमाटर (*d*) आलू

4. बहुत अधिक प्रतिरोधी जैविक पदार्थ है–
(*a*) स्पोरोपौलेनिन (*b*) हेमीसेल्यूलोज
(*c*) लिग्नो सेल्यूलोज (*d*) लिग्निन

5. भ्रूणकोष में तन्तुरूप समुच्चय किस भाग में पाया जाता है–
(*a*) अण्ड (*b*) सहायक कोशिका
(*c*) केन्द्रीकीय कोशिका (*d*) प्रतिव्यासांत कोशिकायें

6. आवृतबीजियों में मादा युग्मकोद्भिद् को निरूपित करता है–
(*a*) भ्रूणकोष (*b*) भ्रूणपोष
(*c*) अण्ड (*d*) अण्डप

7. टोटीपोटेन्सी का आविष्कार किया–
(*a*) स्टीवार्ड (*b*) गुहा तथा माहेश्वरी
(*c*) स्ट्रास्वर्गर (*d*) नवाश्चन

8. अनिषेक जनन है–
(*a*) फल का विकास बिना निषेचन के
(*b*) अण्ड का विकास बिना निषेचन के
(*c*) फल का विकास बिना परागण के
(*d*) फल का विकास हार्मोन प्रयोग से

9. अनिषेक फलन किसमें इच्छित नहीं है–
(*a*) टमाटर (*b*) अनार
(*c*) केला (*d*) आलू

10. नरयुग्मक बनते हैं–
(*a*) जनन कोशिका (*b*) नलिका कोशिका
(*c*) काय कोशिका (*d*) प्रोथेलियल कोशिका

11. नर केन्द्रक का मादा केन्द्रक के साथ मिलने की क्रिया को कहा जाता है–
(*a*) युग्मक संलयन (*b*) त्रिसमेकित
(*c*) द्विसमेकित (*d*) संयुग्मन

12. आवृतबीजियों का भ्रूणपोष मुख्यतः होता है–
(*a*) बहुगुणित (*b*) अगुणित
(*c*) द्विगुणित (*d*) त्रिगुणित

13. वर्धीकरण के समय पुष्प से परागकोष का निष्कासन क्या कहलाता है–
(*a*) पराग स्फुटन (*b*) परागण
(*c*) पुंसत्वहरण (*d*) परागकोष शल्योपचार

14. परालैंगिक संकरण का अभिप्राय क्या होता है–
(*a*) नरयुग्मक का मादा युग्मक से संलयन
(*b*) नरयुग्मक का सहायक कोशिका से संलयन
(*c*) कायिक जीवद्रव्यों का संलयन
(*d*) नरयुग्मक का कायिक जीवद्रव्य से संलयन

15. एक परागकण से संवर्धन माध्यम में उत्पन्न हुआ पादप है–
(*a*) अगुणित पादप (*b*) द्विगुणित पादप
(*c*) चतुष्गुणित पादप (*d*) बहुगुणित पादप

16. पोलीगोनम प्रकार के भ्रूणपोष में कितने एन्टीपोडल कोशिकायें होती हैं–
(*a*) 1 (*b*) 3
(*c*) 4 (*d*) 5

17. एक अविकल्पी असंगजनिक बीज संकरण से क्या बनेगा?
(*a*) क्लोन समष्टि (*b*) विषम जनिक समष्टि
(*c*) रंजकहीन समष्टि (*d*) काइमेरिक (chimeric) समष्टि

18. हिटरोब्लास्टि प्रवर्धन कहलाता है–
(*a*) जीनी संरचना में दो भिन्न समष्टि
(*b*) आकारिकी में दो भिन्न समष्टि
(*c*) आकारिकी में भिन्न युवा व प्रौढ़ अवस्था
(*d*) शरीर में पायी जाने वाली जीनी संरचना में भिन्न प्रकार की कोशिकायें

19. निषेचन के समय पराग नलिका से नर युग्मक निकलते हैं–
(*a*) मध्य कोशिका में (*b*) सहायक कोशिका में
(*c*) अण्ड कोशिका में (*d*) एन्टीपोडल कोशिका में

20. गैमिटोफाइट से बिना युग्मक संलयन के स्पोरोफाइट का बनना कहलाता है–
(*a*) एपोमिक्सिस (*b*) अपबीजाणुता
(*c*) अपयुग्मकता (*d*) परागण

21. मध्य प्रवेश में पराग नलिका बीजांड में प्रवेश करती है–
(*a*) बीजांड द्वार के बीच से
(*b*) निभाग के बीच से
(*c*) अध्यावरणों के बीच से, ऊतक को बिना छिद्रित किये
(*d*) अध्यावरणों के बीच से, ऊतक को छिद्रित करते हुए

22. आवृतबीजियों में पुंयुग्मकोद्भिद् लघुकृत होता है–
(*a*) एक कोशिका में (*b*) दो कोशिकाओं में
(*c*) तीन कोशिकाओं में (*d*) चार कोशिकाओं में

23. आवृतबीजियों में निषेचन के समय पराग नलिका पुंयुग्मकों का प्रायः विसर्जन करती है–
(*a*) अण्ड में
(*b*) केन्द्रीय कोशिका में
(*c*) स्वस्थ सहायक कोशिका में
(*d*) अपह्रासोन्मुख सहायक कोशिका में

24. वह तकनीक जिसमें परागकणों का निलम्बन सीधे अंडाशय में अंतःक्षिप्त करा दिया जाता है, सम्बोधित की जाती है–
(*a*) परखनली निषेचन
(*b*) अंतरंडाशयी परागण (intra-ovarian pollination)
(*c*) अंतरंडाशयी निषेचन (intra-ovarian fertilization)
(*d*) परखनली परागण

25. मिरमीकोफिली परागण की एक विधि है जो सम्पन्न होती है–
(*a*) पक्षियों द्वारा (*b*) चींटियों द्वारा
(*c*) मॉथ द्वारा (*d*) चमगादड़ों द्वारा

26. निम्न में से कौन अगुणित नहीं है–
(*a*) सहायक कोशिका (*b*) प्रतिव्यासांत कोशिका
(*c*) बीजांडकाय (*d*) पराग की कायिक कोशिका

27. पात्रे परिस्थितियों (*in vitro* conditions) में वृद्धि करने वाले परागकणों से विभेदित होने वाले पादप कहलाते हैं–
(*a*) पु-पादप (male plants)
(*b*) पराग पादप (pollen plants)
(*c*) पुंजनीय अगुणित (Androgenic haploids)
(*d*) बंध्य पादप

28. बिना युग्मक के संयुजन के भ्रूण विकास की क्रिया को कहते हैं–
(*a*) एपोस्पोरी (*b*) सिनगैमी
(*c*) एपोगैमी (*d*) आइसोगैमी

29. केवल माइक्रोपाइलर (Micropylar) वाले सिरे पर बीज चोल की अधिवृद्धि को कहते हैं–
(*a*) कैरन्किल (*b*) एरिल
(*c*) आब्टूरेटर (*d*) एण्डोथीलियम

30. ओइनोथेरा के कायिक गुणसूत्रों की संख्या $2n = 14$ है, इसके भ्रूणकोष में गुणसूत्रों की संख्या क्या होगी–
(*a*) 7 (*b*) 14
(*c*) 21 (*d*) 28

31. वह विशेष संरचना जो पराग नलिका को बीजाण्ड में प्रवेश कराने में सहायता करती है, कहलाती है–
(*a*) सिनर्जिड (*b*) एण्डोथीसियम
(*c*) आब्टूरेटर (*d*) इसीस्टेडा

32. एक ट्रेटास्पोरिक भ्रूणकोष वह है, जिसमें–
(*a*) मेगास्पोर से मातृ कोशिकायें सीधे भ्रूण कोष बनाती हैं
(*b*) मेगास्पोर मातृ कोशिका चार मेगास्पोर न्यूक्लियस बनाती है जो सभी भ्रूणकोष का निर्माण करते हैं
(*c*) सभी चारों मेगास्पोर कोशिकायें भ्रूणकोष के निर्माण में भाग लेती हैं
(*d*) सभी चारों मेगास्पोर विगलित हो जाते हैं तथा भ्रूण कोष का निर्माण न्यूसेलस की कोशिकाओं से होता है

33. परागकोष भित्ति का वह कोशिका स्तर जो पराग कोष के स्फुटन में सहायक होता है, कहलाता है–
(*a*) एक्सोथीसियम (*b*) एम्फीथीसियम
(*c*) पेरीथीसियम (*d*) एण्डोथीसियम

34. एक बीजपत्री पादप में एक बीजपत्र होता है, तथा यह होता है–
(*a*) पार्श्व (*b*) अग्रस्थ
(*c*) आधारीय (*d*) अनुप्रस्थ

35. फल का बिना निषेचन के विकसित होना कहलाता है–
(*a*) पार्थेनोकार्पी (*b*) पार्थेनोजेनेसिस
(*c*) स्पोरोगैमी (*d*) स्वपरागण

36. कीटों के द्वारा परागण कहलाता है–
(*a*) कीट परागण (*b*) चमगादड़ परागण
(*c*) वायु परागण (*d*) जन्तु परागण

37. भ्रूणकोष का निर्माण कहलाता है–
(*a*) गुरु बीजाणु जनन (*b*) गुरु युग्मक जनन
(*c*) लघु युग्मक जनन (*d*) उपरोक्त में से कोई नहीं

38. एक पादप लघु बीजाणु मातृकोशिका में 24 गुणसूत्र हैं। इसके भ्रूणपोष में गुणसूत्रों की संख्या होगी–
(*a*) 36 (*b*) 24
(*c*) 12 (*d*) 48

39. एंजियोस्पर्म का मादा युग्मकोद्भिद् प्रायः होता है–
(*a*) सात कोशिकीय (*b*) आठ कोशिकीय
(*c*) बहुकोशिकीय (*d*) ग्यारह कोशिकीय

40. निम्न को बोने के लिये कलम लगायी जाती है–
(*a*) केला (*b*) गुलाब
(*c*) आम (*d*) कपास

41. परागण जो पादप के दो भिन्न पुष्पों के बीच होता है, कहलाता है–
(*a*) परपरागण (*b*) लिग्निज
(*c*) क्लीस्टोगैमी (*d*) जीटोनोगैमी

42. एक परिपक्व निषेचित एंजियोस्पर्मिक बीजाण्ड में n, 2n तथा 3n अवस्था पायी जाती है–
(*a*) एन्टीपोडल स्निरजिड तथा अध्यावरण में
(*b*) अण्ड, बीजाण्डकाय तथा भ्रूण पोष में
(*c*) एन्टीपोडल, बीजाण्डकाय तथा भ्रूण पोष में
(*d*) भ्रूणपोष, बीजाण्डकाय तथा अण्ड में

43. लघु बीजाणुजनन कहा जाता है–
(*a*) स्पर्मेटोजेनेसिस
(*b*) परागकण का विकास
(*c*) नर युग्मकोद्भिद् का विकास
(*d*) मादा युग्मकोद्भिद का विकास

44. परागकोश संवर्धन एक तकनीक है जिससे अगुणित पादप बनाया जाता है जबकि कुछ द्विगुणित पादप भी इनके साथ प्राप्त होते हैं–
(*a*) नर तथा कायिक कोशा के संलयन के कारण
(*b*) बाह्य चोल तथा अन्तः चोल के विकास के कारण
(*c*) पराग कोष भित्ति कोशिका से विकास के कारण
(*d*) नर कोशिकाओं के संलयन के कारण

45. प्रकृति में पर परागण पाया जाता है–
(*a*) केवल एक लिंगी पुष्पों में
(*b*) केवल नपुंसक पुष्पों में
(*c*) केवल भूमिगत पुष्पों में
(*d*) उपरोक्त में से कोई नहीं

46. बीजाण्ड वृत से बीजाण्ड के जुड़े रहने के स्थान को कहते हैं–
(*a*) रेफी (*b*) निभाग
(*c*) बीजाण्ड द्वार (*d*) नाभिका

47. बीजाण्ड में पराग नली किस मार्ग से प्रवेश करती है?
(*a*) निभाग
(*b*) बीजाण्ड द्वार
(*c*) बीजाण्ड वृत
(*d*) इनमें से कोई नहीं

48. पराग कण बनते समय बीजाणु मातृ कोशिका विभाजित होती है–
(*a*) सूत्री विभाजन द्वारा
(*b*) असूत्री विभाजन द्वारा
(*c*) अर्धसूत्री विभाजन द्वारा
(*d*) स्वतन्त्र कोशिका विभाजन द्वारा

49. लघुबीजाणुजनन में एक बीजाणु मातृ कोशिका से कितने पराग कण बनते हैं?
(*a*) 1 (*b*) 2
(*c*) 3 (*d*) 4

50. भ्रूणपोष का निर्माण निम्न में से किसके मिलने से बनता है?
(*a*) सहायक कोशिकाओं के केन्द्रक से
(*b*) प्रति व्यासांत कोशिकाओं के केन्द्रक से
(*c*) नर केन्द्रक तथा द्वितीयक केन्द्रक से
(*d*) नर केन्द्रक तथा अंड केन्द्रक से

उत्तरमाला

1	2	3	4	5	6	7	8	9	10
(*a*)	(*a*)	(*a*)	(*a*)	(*b*)	(*a*)	(*a*)	(*b*)	(*b*)	(*a*)
11	**12**	**13**	**14**	**15**	**16**	**17**	**18**	**19**	**20**
(*a*)	(*d*)	(*c*)	(*c*)	(*a*)	(*b*)	(*d*)	(*c*)	(*b*)	(*c*)
21	**22**	**23**	**24**	**25**	**26**	**27**	**28**	**29**	**30**
(*d*)	(*c*)	(*d*)	(*b*)	(*b*)	(*c*)	(*c*)	(*c*)	(*a*)	(*b*)
31	**32**	**33**	**34**	**35**	**36**	**37**	**38**	**39**	**40**
(*c*)	(*c*)	(*d*)	(*b*)	(*a*)	(*a*)	(*b*)	(*a*)	(*a*)	(*b*)
41	**42**	**43**	**44**	**45**	**46**	**47**	**48**	**49**	**50**
(*d*)	(*c*)	(*b*)	(*c*)	(*a*)	(*d*)	(*b*)	(*c*)	(*d*)	(*c*)

अध्याय

12 पादप ऊतक (Plants Tissues)

- कोशिकाओं का वह समूह जो उत्पत्ति (origin), आकृति तथा कार्य में समान होते हैं, उन्हें ऊतक कहते हैं।
- ऊतकों के अध्ययन को औतिकी (Histology) कहा जाता है।
- पौधों के ऊतक (पादप ऊतक) दो प्रकार के होते हैं– विभज्योतक तथा स्थायी ऊतक।
- विभज्योतक (मेरिस्टमेटिक) ऊतक एक विभाज्य ऊतक है तथा यह पौधों के वृद्धि वाले क्षेत्र में पाए जाते हैं।
- स्थायी ऊतक विभज्योतक से बनते हैं, जो एक बार विभाजित होने की क्षमता को खो देते हैं। इन्हें सरल तथा जटिल ऊतकों में वर्गीकृत किया जाता है।

ऊतक (Tissues)
- विभज्योतिकी ऊतक (Meristematic Tissues)
- स्थायी ऊतक (Permanent Tissues)
  - सरल ऊतक (Simple Tissues)
  - जटिल ऊतक (Complex Tissues)
  - स्रावी ऊतक (Secretory Tissues)

विभज्योतिकी ऊतक (Meristematic Tissues)

यह पौधों के वर्धी भाग में पाये जाते हैं। इनमें विभाजन की क्षमता होती है। विभाजन तथा विभेदन उपरान्त इनमें स्थायी ऊतक का निर्माण होता है।

विभज्योतक ऊतक का वर्गीकरण

इनको विभिन्न आधारों पर चार भागों में विभक्त किया गया है।

1. उत्पत्ति पर आधारित विभज्योतक (Meristem based on origin)
   - प्राक् विभज्योतक (Promeristem) (जड़, तना तथा शिखाग्रों पर स्थित होता है।)
   - प्राथमिक विभज्योतक (Primary meristem) (पौधों के वर्धी भागों पर पाये जाते हैं।)
   - द्वितीयक विभज्योतक (Secondary meristem) (अन्तपूलीय एधा तथा कार्क एधा)

2. विभाजन के तल पर आधारित विभज्योतक (Meristems based on Plane of Division)
   - स्थूल विभज्योतक (Massmeristem) (भ्रूण पोष)
   - पट्टिका विभज्योतक (Plate meristem) (एक पंक्तिक बाद्यत्वचा तथा बहुपक्तिक फलक का निर्माण)
   - पट्टीविभज्योतक (Ribmeristem) (वल्कुट तथा मज्जा का बनना)

3. स्थिति पर आधारित विभज्योतक (Meristems based on Positions)

- शीर्षस्थ विभज्योतक (Apical meristem) (प्ररोह शीर्ष तथा मूल शीर्ष)
- पार्श्व विभज्योतक (Lateral meristem) (संवहन कैम्बियम तथा कार्क कैम्बियम)
- अन्तर्वेशी विभज्योतक (Intercalary meristem) (घासों के पर्व के आधार के पास तथा चीड़ की पत्ती के आधार पर मिलते हैं।)

4. कार्य पर आधारित विभज्योतक (Meristem based on function)

- अधित्वक (Protoderm) (बाहरी परत में)
- प्रोकैम्बियम (Procambium) (संवहन ऊतकों, जाइलम तथा फ्लोएम)
- भरण विभज्योतक (Ground meristem) (अधत्वचा, वल्कुट, अन्तस्त्वचा परिरम्भ, मज्जा किरणें)

स्थायी ऊतक (Permanent Tissues)

स्थायी ऊतक विभज्योतक से बनते हैं तथा इन ऊतकों में विभाजन क्षमता अस्थायी अथवा स्थायी रूप से समाप्त हो जाती हैं। कोशिकाएं वृद्धि और विभेदन करके परिपक्व हो जाती है तथा कोशिकाएँ जीवित और अजीवित (मृत) दोनों प्रकार की हो सकती हैं।

स्थायी ऊतक तीन प्रकार के होते हैं।

स्थायी ऊतक (Permanent Tissues)

- सरल ऊतक (Simple Tissues)
- जटिल ऊतक (Complex Tissues)
- स्रावी ऊतक (Secretory Tissues)

(*i*) सरल ऊतक (Simple Tissues)

इन ऊतकों की रचना एक प्रकार की कोशिकाओं से होती हैं। प्रत्येक कोशिका जीवित अथवा मृत, पतली या मोटी भित्ति वाली हो सकती है।

सरल ऊतक को कोशिका भित्ति के आकार तथा कोशिका के कार्यों के आधार पर तीन भागों में विभक्त किया गया है।

सरल ऊतक

- मृदोतक (Parenchyma)
- स्थूलकोण ऊतक (Collenchyma)
- दृढ़ोतक (Sclerenchyma)

(*ii*) जटिल ऊतक (Complex Tissues)

जटिल ऊतक एक से अधिक प्रकार की कोशिकाओं से बने होते हैं, उदाहरण– जाइलम तथा फ्लोएम।

(*iii*) स्रावी ऊतक (Secretory Tissues)

यह एक प्रकार का स्रावक ऊतक है इसे विशिष्ट ऊतक भी कहते हैं।

स्रावी ऊतक

- लैटेक्सधारी ऊतक (Laticiferous Tissues)
  - लैटेक्स कोशिकाएं (Latex cells)
  - लैटेक्स वाहिकाएं (Latex vessels)
- ग्रन्थिल ऊतक (Glandular Tissues)
  - बाह्य ग्रन्थियां (External glands)
  - आन्तरिक ग्रन्थियां (Internal glands)

संवहन पूल (Vascular bundles)

जाइलम व फ्लोएम (xylem and phloem) पौधों के शरीर में विभिन्न अंगों में अलग-अलग प्रकार से विन्यसित होते हैं। जाइलम एवं फ्लोएम के पास-पास होने वाले विशेष तन्तुओं (strands) में विन्यसित रहने के कारण इन्हें संवहन पूल (vascular baundle) कहते हैं (चित्र 1)। संवहन पूल अपनी बनावट के अनुसार तीन प्रकार के होते हैं–

1. **संयुक्त** या **कन्जॉइट** (conjoint),
2. **अरीय** या **रेडियल** (radial) तथा
3. **संकेन्द्री** या **कन्सेन्ट्रिक** (concentric)।

1. संयुक्त (conjoint) पूल

जब जाइलम और फ्लोएम एक ही त्रिज्या (radius) पर होते हैं। इस प्रकार के संवहन पूल पुष्पीय पौधों के स्तम्भों में पाए जाते हैं। ये पूल दो प्रकार के होते हैं–

(*i*) **कोलेटरल** (collateral) तथा
(*ii*) **बाइकोलेटरल** (bicollateral)।

(*i*) इनमें से कोलेटरल बण्डल (collateral bundle) अधिकाशतः तनों में मिलते हैं। इन बण्डलों में जाइलम केन्द्र की ओर तथा फ्लोएम परिरम्भ की ओर स्थित होता है। द्विबीजपत्री तनों में जाइलम और फ्लोएम के मध्य **प्राथमिक एधा** मिलती है जिससे ये बण्डल खुले (open) कहे जाते हैं। एकबीजपत्री तनों में जो बण्डल होते हैं, उनमें एधा नहीं होती है। अतः **ये बन्द** (closed) कहलाते हैं। यहाँ जाइलम सदैव **ही एण्डार्क** (endarch) होता है अर्थात् आदिदारू केन्द्र की ओर तथा अनुदारू परिधि की ओर होता है।

(*ii*) **बाइकोलेटरल** (bicollateral) संवहन पूलों में जाइलम के दोनों ओर फ्लोएम होता है। ऐसे संवहन पूल में भी जाइलम **एण्डार्क** होता है। तथा यह सदैव **खुले** होते हैं क्योंकि जाइलम तथा फ्लोएम के बीच दोनों ओर ही एधा होती है।

2. अरीय (radial) पूल

जब जाइलम तथा फ्लोएम अलग-अलग त्रिज्याओं पर पाये जाते हैं, इस प्रकार के संवहन पूल जड़ों में होते हैं। इनमें जाइलम सदैव ही, **बाह्य आदिदारूक** (exarch) होता है। अर्थात् आदिदारू परिधि की ओर तथा अनुदारू केन्द्र की ओर होता है। इन संवहन पूलों में एधा नहीं पायी जाती है। द्विबीजपत्री जड़ों में यह जाइलम तथा फ्लोएम के मध्य, बाद में बन जाती है।

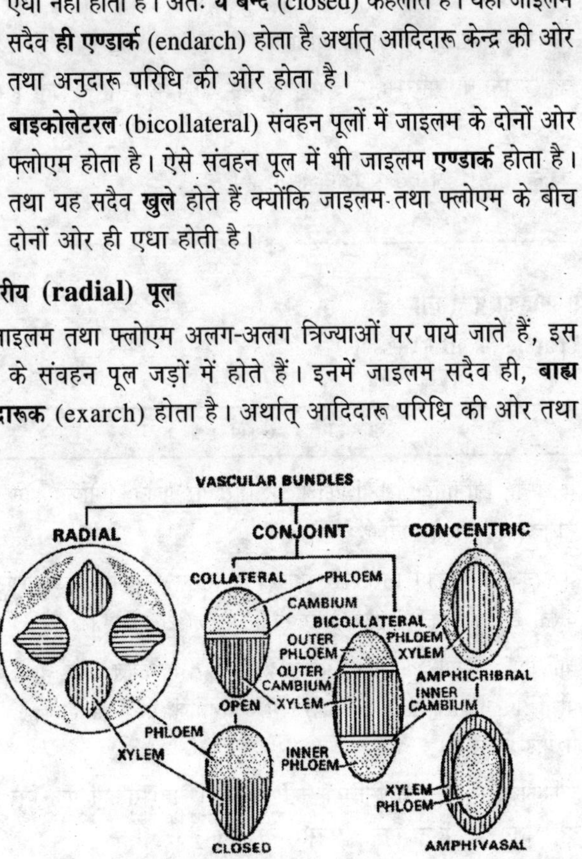

चित्र 1: *संवहन पूलों (vascular bundles) के चित्र*

3. संकेन्द्री (concentric) पूल

जब जाइलम या फ्लोएम को फ्लोएम या जाइलम चारों ओर से घेरता है तो यह संकेन्द्री पूल कहलाता है। जाइलम तथा फ्लोएम की स्थितिनुसार ये संवहन पूल दो प्रकार के होते हैं–

(*i*) दारू केन्द्री (amphicribral) तथा
(*ii*) फ्लोएम केन्द्री (amphivasal)।

रन्ध्र या स्टोमेटा (Stomata)

पौधों के वायवीय, हरे तथा मुलायम भागों की बाह्यत्वचा में पाए जाने वाले विशेष प्रकार के छिद्रों को **रन्ध्र** (stomata) कहते हैं जो कि विशिष्ट आकार और संरचना की कोशिकाओं से घिरा होता है। इन कोशिकाओं को **द्वार कोशिकाएँ** (guard cells) कहते हैं। द्वार कोशिकाएँ स्टोमा या रन्ध्र (stoma) को छोटा बड़ा या बन्द करने का कार्य करती हैं। अधिचर्म की अन्य कोशिकाओं की अपेक्षा इनका आकार सेम के बीज के आकार का (अर्द्ध चन्द्राकार) होता है तथा इनके जीवद्रव्य में क्लोरोप्लास्ट्स होते हैं। इनकी बाहरी भित्तियाँ सामान्य किन्तु भीतरी (रन्ध्र की ओर वाली) भित्तियाँ स्थूल होती हैं (चित्र (*a*) तथा (*b*))।

आवश्यकतानुसार रन्ध्र खुलते व बन्द होते हैं। सामान्यतः दिन के समय रन्ध्र खुले रहते हैं तथा रात्रि के समय बन्द हो जाते हैं। रन्ध्र वायवीय भागों विशेषकर पत्तियों पर अत्यन्त महत्वपूर्ण उपांग हैं। इनके द्वारा गैसों का आदान-प्रदान होता है अर्थात् श्वसन के लिए ऑक्सीजन का आना व कार्बन डाइऑक्साइड का बाहर जाना तथा प्रकाश संश्लेषण के लिए कार्बन डाइऑक्साइड का आना व ऑक्सीजन का बाहर निकलना इत्यादि। **जल के वाष्पोत्सर्जन का कार्य भी काफी मात्रा में रन्ध्रों के द्वारा** ही होता है। इस प्रकार रन्ध्र अपने अन्दर उपस्थित **अधोरन्ध्रीय गुहा** (substomatal cavity) के द्वारा बाह्य वातावरण के साथ सम्बन्ध कराने का माध्यम है। सामान्यतः इस गुहा व बाह्य वातावरण में उपस्थित जलवाष्प व विभिन्न गैसों के अनुपात का साम्य (equilibrium) बनाये रखना रन्ध्र का विशिष्ट कार्य है।

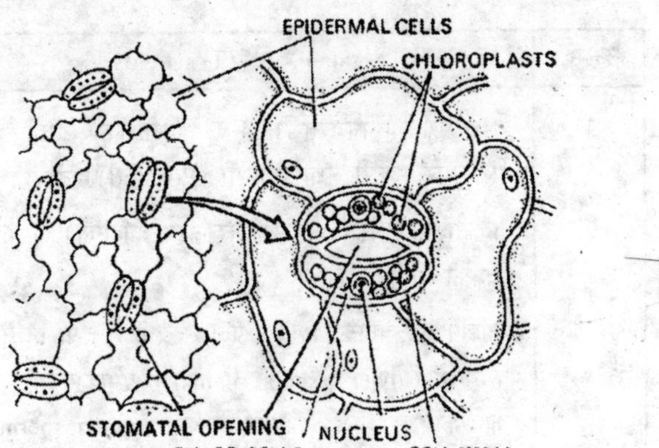

(*a*) (*b*)

चित्र 2: *(a) पत्ती की बाह्य त्वचा में रन्ध्र तथा (b) रन्ध्र की विस्तृत संरचना।*

रन्ध्रों का वितरण

लगभग पौधे के सभी वायवीय भागों पर रन्ध्र पाये जाते हैं। पत्तियाँ प्रकाश संश्लेषण, श्वसन और वाष्पोत्सर्जन के प्रमुख अंग हैं। अतः इन्हीं पर सबसे ज्यादा रन्ध्र पाए जाते हैं। सामान्य रूप से द्विबीजपत्री पौधों की पत्तियों के एक ही तल पर प्रकाश पड़ता है (**पृष्ठाभारी** = dorsiventral)। अतः इन पत्तियों की निचली सतह (abaxial surface) पर ही रन्ध्र होते हैं और यदि ऊपरी सतह पर होते भी हैं, तो इनकी संख्या अवश्य ही अपेक्षाकृत कम होती है। जिन पत्तियों की दोनों सतह पर प्रकाश समान रूप से पड़ता है–**आइसोबाइलेटरल** (isobilateral)— जैसे एकबीजपत्री पौधों की पत्तियों की दोनों सतह के अधिचर्म में लगभग बराबर संख्या में रन्ध्र पाये जाते हैं।

शुष्क स्थानों में मिलने वाले पौधों की पत्तियों पर रन्ध्र नहीं होते, बहुत कम होते हैं अथवा अत्यधिक रूपान्तरित होते हैं। ऐसी पत्तियों में रन्ध्र गड्ढों या खाँचों इत्यादि में स्थित होते हैं–**धँसे हुए रन्ध्र** (sunken stomata) कभी-कभी रन्ध्रों के ऊपर बहुत-से रोम आदि पाए जाते हैं। इन सब ढंगों से रन्ध्रों की स्थिति इस प्रकार की हो जाती है कि उन पर वायुमण्डल की शुष्कता का कम प्रभाव पड़ता है। **कनेर** (*Nerium*), कन्तला (*Agave*) आदि अनेक पोधों में इस प्रकार की व्यवस्था रन्ध्रों में पायी जाती है।

तालिका 1: मृदूतक तथा दृढ़ ऊतक में तुलना
(Comparison between Parenchyma and Sclerenchyma)

क्र.सं.	मृदूतक (Parenchyma)	दृढ़ ऊतक (Sclerenchyma)
1.	यह जीवित कोशिकाओं से बनी ऊतक है जो परिपक्व अवस्था में भी जीवित रहती है।	इनके कोशिकाओं का जीवद्रव्य परिपक्व होने पर समाप्त हो जाता है अतः ये मृत होती हैं।
2.	इसकी कोशिकाओं के मध्य में अन्तरकोशिकीय स्थान, कोशिकाओं में लवक आदि पाए जाते हैं।	इनमें यह नहीं होता है।
3.	इसकी कोशिकाएँ प्रायः समव्यासी होती हैं।	इसकी कोशिकाएँ समव्यासी अथवा कभी कम लम्बी होकर रेशे बनाती हैं।
4.	इन कोशिकाओं की कोशिकाभित्ति सेल्यूलोस से बनी परन्तु पतली होती है तथा कोशिकाओं में रिक्तिकाएं पायी जाती हैं।	इसकी कोशिकाभित्ति प्रारम्भिक रूप में सेल्यूलोस की परन्तु लिग्निन के द्वारा स्थूलित हो जाती है।
5.	यह पौधों के सभी अंगों में भरण ऊतक की तरह वितरित होती हैं।	यह अधस्त्वचा, परिरम्भ, जाइलम, फ्लोएम आदि में वितरित होती हैं।
6.	ये कोशिकाएँ सभी प्रकार के जैविक कार्य करती हैं। भोज्य पदार्थ, जल आदि संचय करती हैं।	ये केवल अंग को दृढ़ता प्रदान करती हैं।

तालिका 2: वाहिनिका तथा वाहिका में तुलना
(Comparison between Tracheids and Vessels)

क्र.सं.	वाहिनिकाएँ (Tracheids)	वाहिकाएँ (Vessels)
1.	ये लम्बी, लिग्निनयुक्त (lignified) कोशिकाएँ होती हैं। दोनों सिरों पर संकरी तथा नुकीली (Pointed) होती हैं।	ये लम्बी, लिग्निनयुक्त कोशिकाओं के सिरों पर पूर्णतः समेकित होने से नलिका के रूप में होती हैं।
2.	ये कोशिकाएँ सिरों से सिरों पर अन्य वाहिनिकाओं के साथ चिपकी होती हैं।	ये अनेक कोशिकाएँ सिरों पर जुड़कर एक सतत् संरचना का निर्माण करती हैं। कोशिकाएँ अलग-अलग नहीं की जा सकती हैं।
3.	वाहिनिकाएँ यान्त्रिक शक्ति प्रदान करती हैं तथा निम्न श्रेणी के पौधों (lower vascular plants) में प्रमुख संवहन कोशिकाएँ हैं। जैसे अनावृतबीजी पौधों (gymnosperms) में।	वाहिकाएँ भी यान्त्रिक शक्ति प्रदान करती हैं तथा केवल उच्च श्रेणी के पौधों (higher vascular plants) जैसे आवृतबीजी पौधों (angiosperms) में पाई जाती हैं।
4.	दो वाहिनिकाओं के जोड़ पर उनकी भित्तियाँ होती हैं तथा इन पर उपस्थित गर्तों (pits) में होकर ही जल इत्यादि का संवहन होता है।	वाहिकाओं में अनुप्रस्थ भित्तियाँ नहीं होती हैं। अतः संवहन एक सिरे से दूसरे सिरे तक बिना किसी अवरोध के होता है।

तालिका 3: कैम्बियम तथा फ्लोएम में तुलना
(Comparison between Cambium and Phloem)

क्र.सं.	कैम्बियम (Cambium)	फ्लोएम (Phloem)
1.	यह (meristematic tissue) है।	यह स्थायी जटिल ऊतक (complex tissue) हैं।
2.	यह सरल ऊतक है। सभी कोशिकाएँ एक जैसी सामान्यतः सूक्ष्मदर्शी में देखने पर छोटी व आयताकार, जीवद्रव्य से भरी हुई, स्पष्ट केन्द्रक वाली होती हैं। इनमें अन्तरकोशिकीय स्थान पाए जाते हैं।	चार प्रकार की कोशिकाओं से मिलकर बनी **जटिल ऊतक** है। कुछ कोशिकाएँ सिरों से सिरों पर जुड़कर **चालनी नलिकाओं** (sieve tubes) के रूप में जबकि अन्य सहकोशिकाएँ (companion cells) मृदूतक (parenchyma) या रेशों के रूप में होती हैं।
3.	सक्रिय अवस्था में कोशिकाओं की संख्या बढ़ाकर नई ऊतकों का निर्माण करना इसका मुख्य कार्य हैं।	जल में घुली हुई अवस्था में खाद्य पदार्थों का संवहन करना इसका मुख्य कार्य है।

तालिका 4: मृदूतक तथा स्थूलकोण ऊतक में तुलना
(Comparison between Parenchyma and Collenchyma)

क्र.सं.	मृदूतक (Parenchyma)	स्थूलकोण ऊतक (Collenchyma)
1.	यह एक **सरल, स्थायी** तथा जीवित ऊतक (simple permanent tissue) है।	यह जीवित ऊतक है तथा कोशिकाओं में जीवद्रव्य रहता है।
2.	कोशिकाएँ समव्यासी (isodiametric) तथा अनेक आकारों की होती हैं। इनमें **अन्तरकोशिकीय स्थान** (inter-cellular spaces) पाए जाते हैं।	कोशिकाएँ समव्यासी होती हैं। इनका आकार कोणीय होता है। अन्तरकोशिकीय स्थान कम तथा आकार में छोटे होते हैं।
3.	इसकी कोशिकाएँ कोशिकाभित्तियुक्त होती हैं जो कि **सेल्यूलोस** (cellulose) की बनी पतली भित्ति होती है। जीवद्रव्य में प्रायः एक बड़ी, **केन्द्रीय रिक्तिका** अथवा कई रिक्तिकाएँ होती हैं।	कोशिकाओं की भित्ति सेल्यूलोस (cellulose) की बनी होती है। भित्ति की मोटाई सेल्यूलोस कोणों में अधिक जमा हो जाने के कारण अधिक हो जाती है। केन्द्रीय रिक्तिका होती है।
4.	यह भरण ऊतक के रूप में पौधे के सभी अंगों तथा स्थानों में वितरित रहती हैं।	यह सामान्यः अधस्त्वचा (hypodermis) बनाती हैं।
5.	कार्यिकी स्वरूप में सक्रिय होती हैं। विभिन्न प्रकार का कार्य करने के लिए अलग-अलग आकार तथा कोशिकांगों का विकास होता है।	कार्यिकी स्वरूप में प्रारम्भ में सक्रिय होती हैं और लचीली यान्त्रिक शक्ति प्रदान करती हैं।

तालिका 5: स्थूलकोण ऊतक तथा दृढ़ ऊतक में तुलना
(Comparison between Collenchyma and Sclerenchyma)

क्र.सं.	स्थूलकोण ऊतक (Collenchyma)	दृढ़ ऊतक (Sclerenchyma)
1.	यह जीवित ऊतक है। कोशिकाओं में जीवद्रव्य रहता है।	यह सामान्यतः परिपक्व अवस्था में मृत ऊतक है। कोशिकाओं में जीवद्रव्य समाप्त हो जाता है।
2.	इसकी कोशिकाओं की भित्ति सेल्यूलोस (cellulose) की बनी होती है। भित्ति की मोटाई सेल्यूलोस के कोणों में अधिक जमा हो जाने के कारण अधिक हो जाती है।	इसकी कोशिकाओं की प्राथमिक भित्ति सेल्यूलोस की बनी होती है, किन्तु द्वितीयक भित्ति **लिग्निन** (lignin) से निर्मित होती है। कभी-कभी भित्ति का स्थूलन अत्यधिक होने के कारण कोशिका गुहा (cell cavity) बहुत छोटी रह जाती है।
3.	इसकी कोशिकाएँ प्रायः समव्यासी (isodiametric) तथा कभी-कभी लम्बी होकर **रेशे** बनाती हैं।	इसकी कोशिकाएँ प्रायः समव्यासी ही होती हैं, तथा अनेक बार लम्बी होकर **रेशे** (fibres) बनाती हैं।
4.	अधिकांशतः तने में अधस्त्वचा बनाता है तथा लचीली यान्त्रिक शक्ति प्रदान करता है।	यह अधिकांशतः तनों में अधस्त्वचा परिरम्भ, जाइलम, फ्लोएम आदि में मिलता है।

तालिका 6: मृदूतक तथा कैम्बियम में तुलना
(Comparisón between Parenchyma and Cambium)

क्र.सं.	मृदूतक (Parenchyma)	कैम्बियम (Cambium)
1.	यह एक **सरल, स्थायी** ऊतक (simple, permanent tissue) है।	यह एक सरल, **विभज्योतक** (meristematic tissue) है।
2.	इसकी कोशिकाएँ कोशिका भित्ति युक्त होती हैं। यह भित्ति **सेल्यूलोस** (cellulose) की बनी पहली भित्ति होती है। जीवद्रव्य में प्रायः बड़ी, एक **केन्द्रीय रिक्तिका** (central vacuole) अथवा कई रिक्तिकाएँ होती हैं।	ये भी सेल्यूलोस की पतली भित्तियुक्त कोशिकाएँ होती हैं। इनमें जीवद्रव्य पूरी तरह भरा रहता है तथा **केन्द्रक** स्पष्ट होता है। रिक्तिकाएँ (vaculoles) अनुपस्थित अत्यधिक छोटी-छोटी होती हैं।
3.	कोशिकाएँ समव्यासी (isodiametric) तथा अनेक आकारों की होती हैं। इसमें **अन्तरकोशिकीय स्थान** (inter cellular spaces) पाए जाते हैं। कभी-कभी यह काफी बड़े-बड़े भी हो सकते हैं।	कोशिकाएँ समव्यासी होती हैं। सूक्ष्मदर्शी में आयताकार दिखाई देती हैं। अन्तरकोशिकीय स्थान नहीं होते हैं।
4.	कार्यिकी स्वरूप में सक्रिय होती है। विभिन्न प्रकार का कार्य करने के लिए अलग-अलग आकार तथा कोशिकांगों का विकास हो जाता है। अनेक बार जल, खाद्य आदि का संचय करती हैं। कभी-कभी हरी होने पर प्रकाश संश्लेषण भी करती हैं।	यद्यपि पूर्ण जीवनयुक्त कोशिकाएँ हैं तथा जीवन बनाए रखने के लिए पूर्णतः सक्रिय हैं किन्तु विभाजन कर कोशिकाओं की संख्या बढ़ाने के अतिरिक्त सामान्यतः पौधे के लिए कोई कार्य नहीं करती हैं।
5.	भरण ऊतक के रूप में पौधे के सभी अंगों तथा स्थानों में वितरित रहती हैं।	केवल निश्चित स्थानों में होती हैं और सुषुप्त अवस्था में अथवा सक्रिय अवस्था में पायी जाती हैं।

वस्तुनिष्ठ प्रश्न

1. वृक्ष की छाल किस भाग से बनती है–
(*a*) कैम्बियम के भीतर की सभी कोशायें
(*b*) कैम्बियम के बाहर स्थित सभी कोशायें
(*c*) बाह्य त्वचा से
(*d*) कॉर्क कैम्बियम से

2. द्विबीजपत्री तने में संवहन बंडल है–
(*a*) अरीय (*b*) एक्स सेन्ट्रिक
(*c*) संकेन्द्री (*d*) बहिफ्लोएमी

3. अरीय संवहन बंडल पाये जाते हैं–
(*a*) आवृतबीजियों की जड़ में
(*b*) आवृतबीजियों के तने में
(*c*) आवृतबीजियों की पत्ती में
(*d*) आवृतबीजियों के बीजों में

4. बहिफ्लोएमी संवहन बंडल में–
(*a*) जाइलम बाहर की ओर तथा फ्लोएम अन्दर की ओर
(*b*) फ्लोएम बाहर की ओर तथा जाइलम अन्दर की ओर
(*c*) आन्तरिक जाइलम फ्लोएम से घिरा होता है
(*d*) आन्तरिक फ्लोएम जाइलम से घिरा होता है

5. वाहिकाओं व सहकोशिकाओं का अभाव होता है–
(*a*) मटर में (*b*) आम में
(*c*) टेरिडोफाइटा में (*d*) आवृतबीजी में

6. संयुक्त संपार्श्विक व बन्द संवहन पूल पाये जाते हैं–
(*a*) एकबीजपत्री तने में (*b*) द्विबीजपत्री तने में
(*c*) एकबीजपत्री मूल में (*d*) द्विबीजपत्री मूल में

7. सर्वाधिक वृद्धि होती है क्षेत्र में–
(*a*) कोशिका विभाजन के (*b*) कोशिका दीर्घीकरण के
(*c*) कोशिका परिपक्वन के (*d*) उपरोक्त सभी के

8. मूल छाद (Root cap) अनुपस्थित होती है–
(*a*) लिथोफाइट्स में (*b*) हाइड्रोफाइट्स में
(*c*) जीरोफाइट्स में (*d*) मीसोफाइट्स में

9. एक कोशिका से दूसरी कोशिका में जीवद्रव्य की निरन्तरता बनी रहती है–
(*a*) रन्ध्रों द्वारा (*b*) वाहिनिकाओं द्वारा
(*c*) वाहिकाओं द्वारा (*d*) प्लाज्मोडेस्मेटा द्वारा

10. कोशिका भित्ति की सामर्थ्य एवं दृढ़ता एक पदार्थ के कारण होती है जो कहलाता है–

(*a*) सुबेरिन (*b*) सेल्यूलोज
(*c*) लिग्निन (*d*) पेक्टिन

11. वाहिकाओं की गुहा में मृदूतक की गुब्बारे जैसी अति वृद्धि कहलाती है–
(*a*) फेलोजन (*b*) टायलोसिस
(*c*) ट्यूनिका (*d*) हिस्टोसन

12. एक पौधे पर फल लगते हैं और इसमें संवहन ऊतक युक्त स्तम्भ तथा मूसला जड़ तन्त्र पाया जाता है। यह पौधा होता है–
(*a*) आवृतबीजी तथा द्विबीजपत्री
(*b*) अनावृतबीजी तथा एकबीजपत्री
(*c*) आवृतबीजी एवं एकबीजपत्री
(*d*) अनावृतबीजी एवं द्विबीजपत्री

13. यदि खुली हुई मुक्त दशा में रखें तो निम्नलिखित में से कौन-सा तेजी के साथ नष्ट होगा?
(*a*) कोमल काष्ठ
(*b*) अंतः काष्ठ
(*c*) रस काष्ठ
(*d*) तन्तुओं की बड़ी मात्रा युक्त काष्ठ

14. द्विबीजपत्री पादप में फ्लोएम से काष्ठ को पृथक करने वाला पतली भित्ति की कोशिकाओं का संकीर्ण स्तर कहलाता है–
(*a*) एंडोडर्मिस (*b*) कॉर्क कैम्बियम
(*c*) परिरम्भ (*d*) संवहन कैम्बियम

15. रन्ध्रों की रक्षा होती है–
(*a*) अधिचर्म द्वारा (*b*) सहायक कोशिकाओं द्वारा
(*c*) स्क्लेरीडस द्वारा (*d*) खम्भ ऊतक कोशिकाओं द्वारा

16. द्वितीयक वृद्धि पायी जाती है–
(*a*) केवल द्विबीजपत्रियों में (*b*) चालनी कोशिकाओं में
(*c*) जाइलम वाहिनिकाओं में (*d*) चालनी नलिकाओं में

17. परिवेशित गर्त पाये जाते हैं–
(*a*) सखि कोशिकाओं में (*b*) चालनी कोशिकाओं में
(*c*) जाइलम वाहिनिकाओं में (*d*) चालनी नलिकाओं में

18. किस संवहन पूल में जाइलम के दोनों ओर फ्लोएम के समूह मिलते हैं?
(*a*) संयुक्त सम्पार्श्विक (*b*) संयुक्त उभयफ्लोएमी
(*c*) अरीय (*d*) संकेन्द्रीय

19. एक बड़े केन्द्रक युक्त पतली भित्ति वाली लम्बी सँकरी कोशिका जो प्रायः चालनी नलिका की पार्श्व सतह से लगी होती हैं, अनुपस्थित रहती है–
(*a*) आवृतबीजियों में
(*b*) अनावृतबीजियों में
(*c*) टेरिडोफाइट्स में
(*d*) जिम्नोस्पर्म्स तथा टेरिडोफाइट्स दोनों में

20. पादप कोशिकाओं में निम्न में से कौनसी प्रायः टोटिपोटेन्सी प्रदर्शित करती हैं–
(*a*) चालनी नलिका (*b*) जाइलम
(*c*) विभज्योतक (*d*) कॉर्क

21. पार्श्व विभज्योतक उत्तरदायी होता है–
(*a*) लम्बाई में वृद्धि के लिए (*b*) मृदूतक में वृद्धि के लिए
(*c*) मोटाई में वृद्धि के लिए (*d*) वल्कुट में वृद्धि के लिए

22. एक बीजपत्री पत्ती में–
(*a*) बुल्लीफॉर्म कोशिकाएँ बाह्य त्वचा में अनुपस्थित होती हैं
(*b*) शिराएँ एक जाल बनाती हैं
(*c*) इन भागों में पर्णमध्योतक भली भाँति विभेदित होता है
(*d*) पर्णमध्योतक खम्भ तथा स्पन्जी मृदूतक में विभेदित नहीं होता है

23. बाँस, घास व पोदीने के स्तम्भ किसकी सक्रियता से लम्बे होते हैं–
(*a*) एधा (*b*) द्वितीयक विभज्योतक
(*c*) शीर्षस्थ विभज्योतक (*d*) अन्तर्वेशी विभज्योतक

24. चालनी नलिकाओं में होती हैं–
(*a*) शीर्षस्थ तिरछी पट्टिकाएँ (*b*) छिद्रिल एवं अनुलम्ब पट्टिकाएँ
(*c*) छिद्रिल एवं तिरछे पट (*d*) साधारण तिरछी भित्तियाँ

25. कोणीय स्थूलकोणोतकीय कोशिकाएँ पायी जाती हैं–
(*a*) *एल्थिया* जाति में (*b*) *कुकरबिटा* जाति में
(*c*) *लैक्टुका* जाति में (*d*) *सैल्विया* जाति में

26. संवहनीय ऊतक द्वारा पदार्थों के परिवहन के बारे में निम्न कौन-सा कथन सत्य है?
(*a*) फ्लोएम द्वारा कार्बनिक भोजन ऊपर को गति करता है
(*b*) जाइलम द्वारा ऊपर को अकार्बनिक भोजन गति करता है
(*c*) कार्बनिक भोजन ऊपर तथा नीचे को फ्लोएम द्वारा गति करता है
(*d*) अकार्बनिक भोजन जाइलम द्वारा ऊपर तथा नीचे को गति करता है

27. समपार्श्विक घास की पत्ती में पर्ण मध्योतक का सही स्थान दिखाया जाता है–
(*a*) खम्भ ऊतक ऊपरी बाह्य त्वचा की ओर
(*b*) खम्भ ऊतक निचली बाह्य त्वचा की ओर
(*c*) पर्ण मध्योतक अविभेदित होता है
(*d*) खम्भ ऊतक दोनों सतह की ओर

28. कार्क कोशिकायें पानी के लिये प्रवेश्य होती हैं क्योंकि उनमें–
(*a*) क्यूटिन होती है (*b*) सुबेरिन होती है
(*c*) लिग्निन होती है (*d*) सेल्यूलोज होती है

29. क्लोरेनकाइमा बने होते हैं–
(*a*) तन्तुओं का (*b*) दृढ़ोतकों का
(*c*) स्थूलकोणों का (*d*) मृदूतकों का

30. यूस्टील पायी जाती है–
(*a*) टैरिडोफाइटस में (*b*) ब्रायोफाइटस में
(*c*) द्विबीपत्री पौधों में (*d*) उपरोक्त में से किसी में नहीं

31. संवहन कैम्बियम का वलय द्विबीजपत्री तने में होता है–
(*a*) पूरी तरह प्राथमिक
(*b*) आधा प्राथमिक तथा आधा द्वितीयक जिसमें अन्तरपूलीय एधा प्राथमिक तथा अन्तरपूलीय एधा द्वितीयक होती है
(*c*) आधा प्राथमिक तथा आधा द्वितीयक जिसमें अन्तरपूलीय एधा द्वितीयक तथा अन्तरपूलीय एधा प्राथमिक होती है
(*d*) पूरी तरह द्वितीयक

32. एक सौ वर्ष पुराना वृक्ष, जिसके तने में वार्षिक वलय साफ-साफ दिखते हैं, प्रदर्शित करता है–
(*a*) तने के निम्न भाग से उसके शीर्ष तक एक ही संख्या के वलय
(*b*) एक सौ से अधिक वलय निम्न भाग में और केवल 20 वलय उसके शीर्ष के समीप
(*c*) केवल एक सौ के लगभग वलय निम्न भाग में जिनकी संख्या नियमित रूप से शीर्ष की ओर बराबर घटती जायेगी
(*d*) असमान संख्या के वलय जो अनियमित रूप से उसकी लम्बाई में घटते बढ़ते रहेंगे

33. संवहन बण्डल संयुक्त कोलेटरल एवं खुले होते हैं–
(*a*) द्विबीजपत्री जड़ में (*b*) एकबीजपत्री तने में
(*c*) द्विबीजपत्री तने में (*d*) अनावृतबीजी की जड़ में

34. पौधों में घाव का भरना निम्न में से किसकी क्रिया के कारण होता है–
(*a*) शीर्षस्थ विभज्योतक (*b*) पार्श्व विभज्योतक
(*c*) द्वितीय विभज्योतक (*d*) अन्तर्वेशी विभज्योतक

35. जब दारू और फ्लोएम एक ही त्रिज्या पर उपस्थित हों तो ऐसे संवहन पूलों को कहा जाता है–
(*a*) एक पार्श्वस्थ (*b*) संयुक्त
(*c*) संकेन्द्रक (*d*) खुला

36. तनों में निम्नांकित ऊतकों में से किस एक का निर्माण ऐधा द्वारा अन्दर की ओर निर्मित कोशों से होता है–
(*a*) वास्ट रेशे (*b*) काष्ठ रेशे
(*c*) चालनी नलिकायें (*d*) सहचर कोशिकायें

37. कैस्परी पट्टियों की उपस्थिति एक विशिष्ट लक्षण है–
(*a*) परिरम्भ कोशिकाओं का
(*b*) वल्कुटजन कोशिकाओं का
(*c*) अन्तश्चर्म कोशिकाओं का
(*d*) बाह्य मूलत्वचा कोशिकाओं का

38. एक ऊतक जिसकी जीवित कोशिकायें संक्रिय बढ़ने वाले अंगों के यान्त्रिक ऊतकों को बनाती हैं और जिसकी कोशिका भित्तियों में बहुधा कोशिकाओं के कोणों पर सेल्यूलोजी अलिग्नीनी स्थूलन मिलते हैं, उसे कहते हैं–
(*a*) स्कलेरेनकाइमा (*b*) पैरेनकाइमा
(*c*) कॉलेनकाइमा (*d*) क्लोरेनकाइमा

39. कुकुरबिटा के तरूण स्तम्भ में इस प्रकार के संवहन पूल पाये जाते हैं–
(*a*) त्रिज्या (*b*) बहिः फ्लोएमी
(*c*) संकेन्द्री (*d*) उभय फ्लोएमी

40. मूलों की पार्श्व शाखायें सामान्यतः जनक मूलों के मूल आद्यो विकास के विभाजन से निकलती हैं तो–
(*a*) परिरम्भ कोशिकाओं में आदिदारू के विन्दुओं के सम्मुख स्थित होते हैं
(*b*) अंतः त्वचा की कोशिकाओं में आदिदारू के बिन्दुओं के सम्मुख स्थित होते हैं
(*c*) वल्कुट की कोशिकाओं में आदिदारू के बिन्दुओं के सम्मुख स्थित होते हैं
(*d*) परिरम्भ की कोशिकाओं में जो आदिदारू के बिन्दुओं के बीच के स्थानों के सम्मुख होते हैं

41. संवहन एधा उत्पन्न करती है–
(*a*) प्राथमिक एवं द्वितीयक जाइलम
(*b*) प्राथमिक एवं द्वितीयक फ्लोएम
(*c*) प्राथमिक जाइलम तथा प्राथमिक फ्लोएम
(*d*) द्वितीयक जाइलम तथा द्वितीयक फ्लोएम

42. एक बीजपत्रियों के फ्लोएम में प्रायः अभाव होता है–
(*a*) चालनी नलिकाओं का (*b*) फ्लोएम तन्तुओं का
(*c*) सहकोशिकाओं का (*d*) फ्लोएम मृदूतक का

43. रबड़क्षीरी वाहिनियाँ (Laticiferous vessels) पायी जाती हैं–
(*a*) जाइलम ऊतक में (*b*) फ्लोएम ऊतक में
(*c*) वल्कुट में (*d*) उपरोक्त किसी में नहीं

44. निम्न की उपस्थिति के कारण अधिकतर काग कोशिकाएँ जल के लिए अपारगम्य होती हैं–
(*a*) सुबेरिन (*b*) क्यूटिन
(*c*) काइटिन (*d*) लिग्निन

45. पत्तियों पर मोटी उपचर्म प्रारूपी गुण है पौधों का–
(*a*) नम आवासों में उगने वाले
(*b*) गर्म आवासों में उगने वाले
(*c*) शुष्क आवासों में उगने वाले
(*d*) ठण्डे आवासों में उगने वाले

46. जल निमग्न जलोद्भिदों में क्रियाशील रन्ध्र मिलते हैं–
(*a*) पत्ती की ऊपरी सतह में (*b*) पत्ती की निचली सतह में
(*c*) पत्ती की दोनों सतहों में (*d*) पादप में कहीं भी नहीं

47. काग कोशिकाएँ (Cork cells) होती हैं–
(*a*) प्रकाश संश्लेषी
(*b*) मृत
(*c*) विभज्योतकी
(*d*) लम्बी एवं गति में भाग लेने वाली

48. काग कोशिका भित्ति में सुबेरिन होता है एक–
(*a*) पॉलीसेकराइड (*b*) पॉलीपेप्टाइड
(*c*) वसीय पदार्थ (*d*) उपरोक्त में से कोई नहीं

49. पेरीडर्म में सम्मिलित होते हैं–
(*a*) काग तथा द्वितीयक वल्कुट
(*b*) काग
(*c*) काग एधा, काग तथा द्वितीयक वल्कुट
(*d*) काग एधा एवं काग

50. द्विबीजपत्री जड़ में काग एधा उत्पन्न होती है–
(*a*) अधिचर्म से (*b*) परिरम्भ से
(*c*) वल्कुट से (*d*) अधस्त्वचा से

51. काग एधा प्रायः विकसित होता है–
(*a*) वल्कुट की भीतरी कोशिकाओं से
(*b*) वल्कुट की बाहरी कोशिकाओं से
(*c*) वल्कुट की किसी भी कोशिका से
(*d*) पूलीय तथा अंतर्पूलीय एधा से

52. द्विबीजपत्री पौधों में द्वितीयक वृद्धि होती है–
(*a*) संवहन क्षेत्रों में विभज्योतकी कोशिकाओं के निर्माण के कारण
(*b*) मज्जा रश्मियों के परिवर्धन के कारण
(*c*) जाइलम की वाहिनियों के स्थूलन के कारण
(*d*) संवहन एवं वल्कुटीय क्षेत्रों में विभज्योतकी कोशिकाओं के परिवर्धन एवं विभाजन के कारण

53. जड़ों द्वारा अवशोषित खनिज पत्तियों तक गति करते हैं–
(*a*) जाइलम द्वारा (*b*) फ्लोएम द्वारा
(*c*) चालनी नलिका द्वारा (*d*) सह कोशिका द्वारा

54. जलोद्भिद् जल पर तैर सकते हैं उपस्थिति के कारण अधिसंख्य–
(*a*) वायुतक की (*b*) मृदूतक की
(*c*) हरित ऊतक की (*d*) दृढ़ोतक की

55. एक वृक्ष के पुराने तने की अनुप्रस्थ काट में 50 वार्षिक वलय मिलते हैं तो वृक्ष की आयु होती है–
(*a*) 25 वर्ष (*b*) 50 वर्ष
(*c*) 50 महीने (*d*) 100 वर्ष

56. मरुस्थल में उगने वाले वृक्षों में–
(*a*) जाइलम तथा दृढ़ोतक की एकान्तरित वलय होंगी
(*b*) कैम्बियम की सक्रियता के द्वारा तने केवल संयोजी ऊतक एवं फ्लोएम होंगे
(*c*) स्पष्ट वार्षिक वलय बनेंगे
(*d*) स्पष्ट वार्षिक वलय नहीं बनेंगे

57. सिस्टोलिथ (Cystolith) होते हैं–
(*a*) कैल्शियम कार्बोनेट के क्रिस्टल्स
(*b*) कैल्शियम ऑक्जेलेट के क्रिस्टल्स
(*c*) मैग्नीशियम सल्फेट के क्रिस्टल्स
(*d*) कैल्शियम पेक्टिनेट के क्रिस्टल्स

58. तर्कुरूपी प्राक्कोशिकाएँ बनाती हैं–
(*a*) वाहिकीय तत्व (*b*) फ्लोएम मृदूतक
(*c*) संवहन रश्मियाँ (*d*) रश्मि मृदूतक

59. वृद्धि वलय (Growth rings) बनती हैं, सक्रियता के कारण–
(*a*) अंतःरम्भीय एधा की (*b*) अंतर्विष्ट एधा की
(*c*) बाह्यरम्भीय एधा की (*d*) प्राथमिक एधा की

60. स्थूलकोण ऊतक, दृढोतक से भिन्न होता है–
(*a*) मोटी भित्तियों के कारण
(*b*) परिपक्वन पर जीव द्रव्य के रखने के कारण
(*c*) विभज्योतकी होने के कारण
(*d*) चौड़ी गुहा के कारण

उत्तरमाला

1	2	3	4	5	6	7	8	9	10
(*b*)	(*d*)	(*a*)	(*b*)	(*c*)	(*a*)	(*b*)	(*b*)	(*d*)	(*c*)
11	**12**	**13**	**14**	**15**	**16**	**17**	**18**	**19**	**20**
(*b*)	(*a*)	(*c*)	(*d*)	(*b*)	(*c*)	(*c*)	(*b*)	(*d*)	(*c*)
21	**22**	**23**	**24**	**25**	**26**	**27**	**28**	**29**	**30**
(*c*)	(*d*)	(*d*)	(*c*)	(*b*)	(*c*)	(*c*)	(*b*)	(*d*)	(*c*)
31	**32**	**33**	**34**	**35**	**36**	**37**	**38**	**39**	**40**
(*b*)	(*c*)	(*c*)	(*c*)	(*b*)	(*b*)	(*c*)	(*c*)	(*d*)	(*d*)
41	**42**	**43**	**44**	**45**	**46**	**47**	**48**	**49**	**50**
(*d*)	(*d*)	(*c*)	(*a*)	(*c*)	(*d*)	(*b*)	(*c*)	(*c*)	(*c*)
51	**52**	**53**	**54**	**55**	**56**	**57**	**58**	**59**	**60**
(*b*)	(*d*)	(*a*)	(*a*)	(*b*)	(*d*)	(*a*)	(*a*)	(*a*)	(*b*)

अध्याय 13

पादप वर्गिकी (Plant Taxonomy)

- वर्गिकी (Taxonomy) शब्द का प्रयोग सर्वप्रथम सन् 1813 में ए.पी.डी. कैन्डोली (A.P.de Candolle) ने किया।
- पादप वर्गिकी के अन्तर्गत पौधों के नामकरण, वर्गीकरण तथा उनके पहचान का अध्ययन किया जाता है।

द्विनाम नाम पद्धति (Binomial System of Nomenclature)

– द्विनाम नाम पद्धति का प्रतिपादन स्वीडन के वैज्ञानिक कैरोलस लीनियस (Carolus Linneaous) ने किया।

– कैरोलस लीनियस को वर्गिकी का जनक कहा जाता है।

– लीनियस की द्विनाम नाम पद्धति के अनुसार प्रत्येक प्राणियों का नाम लैटिन के दो शब्दों से बना होता है जिसका पहला शब्द वंश (Generic name) एवं दूसरा शब्द जाति (specific name) को व्यक्त करता है।

– वंश के नाम का पहला अक्षर सदैव बड़ा (capital letter) तथा जाति के नाम का पहला अक्षर सदैव छोटा (small letter) में लिखा जाता है। उदाहरण- *Hordeum vulgare*, *Oryza sativa*, आदि।

आवृतबीजियों का वर्गीकरण (Classification of Angiosperms)

पौधों को वर्गीकृत करने हेतु एक विशिष्ट क्रम में सात श्रेणियाँ बनायी गयी हैं। जो निम्नानुसार हैं:

1. जगत (Kingdom)
2. प्रभाग (Division)
3. वर्ग (Class)
4. गण (Order)
5. कुल (Family)
6. वंश (Genus)
7. जाति (Species)

वर्गीकरण पद्धतियाँ (Classification Systems)

[I] *कृत्रिम पद्धतियाँ (Artificial Systems)*

थिओफ्रेस्टस (Theophrastus) ने पौधों को उनके स्वभाव के आधार पर चार समूहों में विभाजित किया जो कि निम्नानुसार है-

(*i*) शाक (Herbs)
(*ii*) उपक्षुप (Under shrubs)
(*iii*) क्षुप (Shrubs)
(*iv*) वृक्ष (Trees)

कैरोलस लीनियस की पद्धति को लैंगिक पद्धति (संख्यात्मक पद्धति) कहते हैं। इनका वर्गीकरण पुष्पी लक्षणों पर आधारित थी।

[II] *प्राकृतिक पद्धतियाँ (Natural Systems)*

प्राकृतिक पद्धति का वर्गीकरण पौधों के सभी आवश्यक लक्षणों का ध्यान रखकर किया गया।

ए. एल. डी. जूसियू (A.L.D. Jussieu) ने पौधों का प्रथम प्राकृतिक वर्गीकरण किया।

सबसे महत्त्वपूर्ण तथा उपयुक्त प्राकृतिक वर्गीकरण जी. बेन्थम (G. Bentham) एवं जे.डी. हुकर (J.D. Hooker) ने किया। उक्त वर्गीकरण निम्नानुसार है–

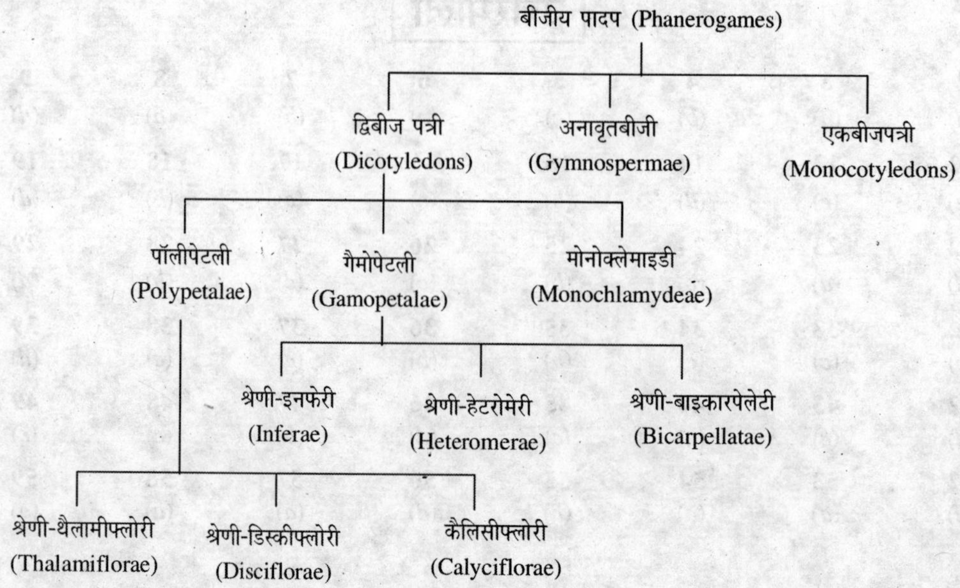

[III] ***जातिवृत्तीय पद्धतियाँ (Phylogenetic Systems)***

उद्विकासीय (phylogenetic) तथा आनुवंशिक सम्बन्धों के आधार पर ए. एंग्लर एवं के.ए.ई. प्रैन्टल (A. Engler and Karl A.E. Prantl) ने पौधों को निम्नलिखित रूप रेखा के आधार पर वर्गीकृत किया।

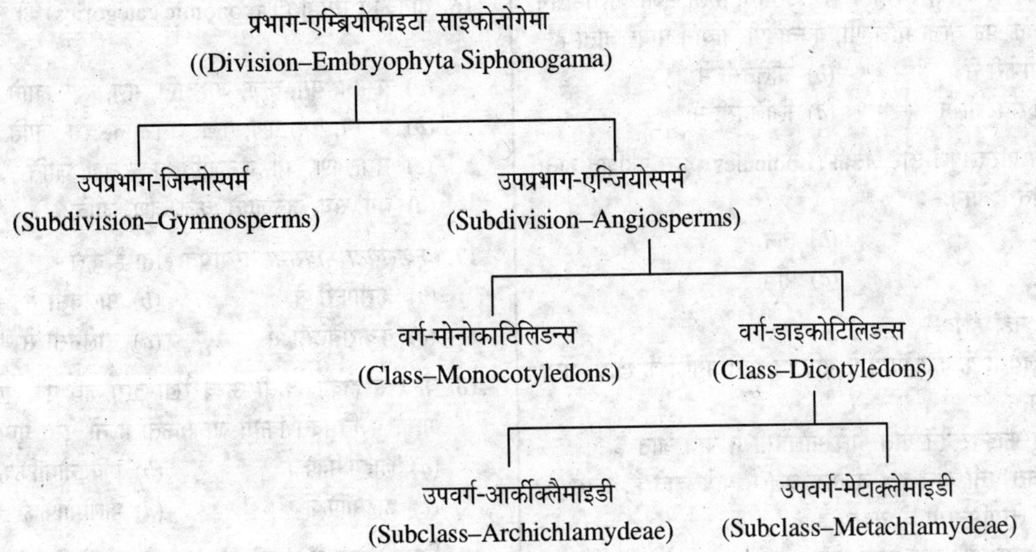

जे. हचिन्सन (J. Hutchinson) ने एंजियोस्पर्मी को निम्नानुसार वर्गीकृत किया।

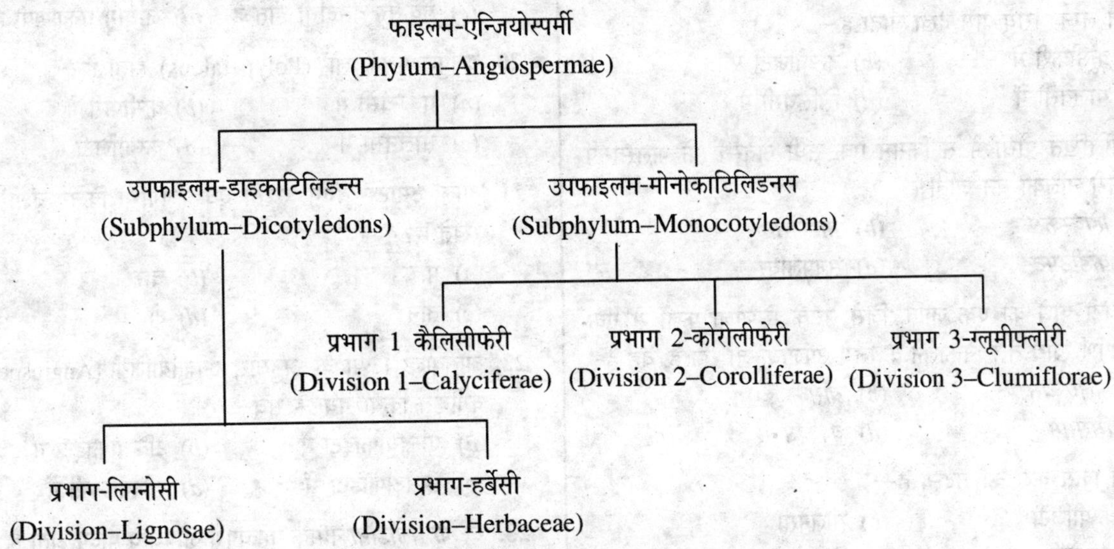

वस्तुनिष्ठ प्रश्न

1. बेन्थम तथा हुकर के वर्गीकरण का मुख्य लाभ यह है कि–

(*a*) यह सभी पादप समूहों के वर्गीकरण की प्राकृतिक पद्धति है

(*b*) टेक्सॉनों का वर्णन स्पेसिमेनी के वास्तविक परीक्षणों पर आधारित होता है

(*c*) इसमें जाति इतिहासीय पहलुओं को भी ध्यान में रखा जाता है

(*d*) यह अधिकतर विकासीय अभिधारणाओं पर आधारित होता है

2. बेन्थम एवं हुकर के पादप वर्गीकरण में–

(*a*) अनावृतबीजी पौधे द्विबीजपत्री एवं एकबीजपत्री के बीच में है

(*b*) अनावृतबीजी पहले है

(*c*) अनावृतबीजी सबसे बाद में है

(*d*) अनावृतबीजी पौधे सम्मिलित नहीं हैं

3. एक क्रूसीफर का पुष्पसूत्र है–

(*a*) $K_4C_4A_5G_{(2)}$ (*b*) $K_{2+2}C_4A_{2+4}G_{(2)}$

(*c*) $K_{(5)}C_{(5)}A_5G_{(5)}$ (*d*) $K_5C_5A_{(5)}G_{(5)}$

4. जिह्वित या पट्टीनुमा दलपुंज विशेषता है–

(*a*) बिम्ब पुष्पक की

(*b*) रश्मि पुष्पक की
(*c*) बिम्ब तथा रश्मि पुष्प दोनों की
(*d*) ऊपर लिखित किसी की नहीं

5. द्विकोष्ठकी अंडाशय, स्तम्भीय बीजांडन्यास, फूला हुआ बीजांडासन और तिर्यक पट वाला द्विअंडपी, युक्तांडपी जायांग पाया जाता है–
(*a*) क्रूसीफेरी में (*b*) सोलेनेसी में
(*c*) कुकुरबिटेसी में (*d*) लिलियेसी में

6. ग्रैमिनी में परिदलपुंज छोटे शल्की (Lodicules) द्वारा प्रदर्शित होता है जो होते हैं प्रायः–
(*a*) दो (*b*) तीन
(*c*) चार (*d*) पाँच

7. यह सही नहीं है कि–
(*a*) लिलियेसी के कुछ पौधों में भूमिगत भाग मनुष्य के खाद्य योग्य होता है
(*b*) तन्तु फाइबर देने वाले पौधे मालवेसी में पाये जाते हैं
(*c*) संयुक्त पत्ती वाले वृक्ष जो मरुस्थल में पाये जाते हैं, उनमें से कुछ लेग्यूमिनोसी के सदस्य हैं
(*d*) बड़े पुष्प और तेल युक्त बीज वाला वृक्ष कम्पोजिटी में पाया जाता है

8. भित्ति लग्न जरायुप्यास देखा जाता है–
(*a*) क्रूसीफेरी में (*b*) कम्पोजिटी में
(*c*) मालवेसी में (*d*) लिलियेसी में

9. निम्नलिखित पौधों में से किसमें एक संघी अवस्था के फलस्वरुप पुंकेसरी नलिका बन जाती है–
(*a*) *हिबिस्कस* (*b*) *माइमोसा*
(*c*) *केंडीटफ्ट* (*d*) सनफ्लावर

10. सजावटी पौधे की एक जाति, जिसे उसके सिप्सेला फलों से एक महत्वपूर्ण खाद्य तेल निकालने के लिये उपजाया जा रहा है, वह है–
(*a*) *हेलिएन्थस* (*b*) *ब्रेसिका*
(*c*) *सिसेमम* (*d*) *कोकॉस*

11. कुसुम किस कुल का सदस्य है–
(*a*) कम्पोजिटी (*b*) सोलेनेसी
(*c*) मालवेसी (*d*) लिलियेसी

12. एपीकेलिक्स क्या है–
(*a*) एक अतिरिक्त बाह्यदल (*b*) बाह्यदल की अतिरिक्त वृद्धि
(*c*) सहपत्रों का चक्र (*d*) सहपत्रिकाओं का चक्र

13. दीर्घ स्थायी बाह्यदल पुंज किसमें पाया जाता है–
(*a*) *केजेनस केजान* (*b*) *लेन्स कुलिनेरिस*
(*c*) *इक्वेलियम* (*d*) *सोलेनम मिलानगोना*

14. तिरछापट एवं फूला बीजाण्डन्यास किस पौधे की जायांग का लक्षण है–
(*a*) ग्लोरिओम सुपरबा (*b*) एलथिआ रोजिआ
(*c*) कैप्सीकम फ्रूटीसेन्स (*d*) डेलबरिजिया सिसों

15. श्वसनमूल की उपस्थिति निम्नलिखित किस कुल की विशेषता है–
(*a*) राइजोफोरेन्सी (*b*) आर्कडिसी
(*c*) लोरेल्थेसी (*d*) हाइड्रोचेरीटेसी

16. वर्गिकीय समूहों (Taxonomic categories) की सही तरतीब होती है–
(*a*) प्रभाग, वर्ग, कुल, जनजाति, गण, वंश, जाति
(*b*) प्रभाग, वर्ग, गण, कुल, जनजाति, वंश, जाति
(*c*) संघ, गण, वर्ग, जनजाति, कुल, वंश, जाति
(*d*) वर्ग, संघ, जनजाति, कुल, वंश, जाति

17. *कुकरबिटा मैक्सिमा* सम्बंधित होता है कुल–
(*a*) क्रूसीफेरी से (*b*) मालवेसी से
(*c*) कूकरबिटेसी से (*d*) सोलेनेसी से

18. केन्द्र से होकर किसी ऊर्ध्व रेखा द्वारा जब एक पुष्प दो सम अर्द्ध भागों में विभक्त किया जा सकता है तो ऐसा पुष्प कहलाता है–
(*a*) जाइगोमॉर्फिक (*b*) एक्टिनोमॉर्फिक
(*c*) डाइमॉर्फिक (*d*) पॉलीमॉर्फिक

19. निम्नलिखित में से कौन-सा कुल मालवेसी में पाया जाता है?
(*a*) फल कैप्सूल होता है (*b*) पुष्प एकलिंगी होता है
(*c*) पुंकेसर चतुर्दीघी होते हैं (*d*) जायांग एकाण्डपी होता है

20. दलपुंज पृथकदली (Polypetalous) होता है–
(*a*) एकेन्थेसी में (*b*) क्रूसीफेरी में
(*c*) सोलेनेसी में (*d*) कम्पोजिटी में

21. आलू, टमाटर, बैंगन, सरसों एवं फूलगोभी कितने वंशों से सम्बन्ध रखते हैं?
(*a*) पाँच (*b*) चार
(*c*) तीन (*d*) दो

22. ओसवाल्ड टिप्पो के अनुसार, आवृतबीजियों (Angiosperms) को वर्गीकृत किया गया है संघ–
(*a*) एम्ब्रियोफाइटा में (*b*) ट्रेकियोफाइटा में
(*c*) स्पर्मेटोफाइटा में (*d*) एंजियोस्पर्मी में

23. *एट्रोपा बेलाडोना* नामक महत्वपूर्ण औषधीय पादप होता है, निम्न कुल का–
(*a*) लिलियेसी (*b*) कुकुरबिटेसी
(*c*) क्रूसीफेरी (*d*) सोलेनेसी

24. निम्न में से आप किस कुल में आरोही तने में उभयफ्लोएमी (Bicollateral) संवहन बण्डल्स तथा एकलिंगी पुष्पों वाले पौधे को रखेंगे–
(*a*) कुकुरबिटेसी (*b*) क्रूसीफरी
(*c*) कम्पोजिटी (*d*) लेग्यूमिनोसी

25. दललग्न पुंकेसर तथा स्तम्भी बीजाण्डन्यास मिलते हैं–
(*a*) क्रूसीफेरी में (*b*) लेग्यूमिनोसी में
(*c*) कुकुरबिटेसी में (*d*) सोलेनेसी में

26. कम्पोजिटी कुल में मिलने वाले जिह्वाकार दलपुंज (Ligulate Corolla) को भी कहते हैं–
(*a*) मैस्कड (Masked)
(*b*) द्वि ओष्ठों (Two Lipped)
(*c*) पट्टी नुमा (Strap Shaped)
(*d*) चक्र रूपी (Wheel Shaped)

27. हर्बेरियम होता है एक–
(*a*) जन्तुओं का संग्रह
(*b*) पौधों का संग्रह
(*c*) जन्तुओं एवं पौधों का संग्रह
(*d*) उपरोक्त सभी

28. निम्न में से किस कुल में बाह्यदलपुंज (Calyx) एक रोमपुच्छ (Pappus) में रूपान्तरित होता है ?
(*a*) क्रूसीफेरी (*b*) मालवेसी
(*c*) कम्पोजिटी (*d*) सोलेनेसी

29. टैक्सोन (Taxon) का अभिप्राय है–
(*a*) घनिष्ठ रूप से सम्बन्धित कुलों का समूह
(*b*) सजीवों का एक विशिष्ट प्रकार
(*c*) घनिष्ठ रूप से सम्बन्धित पादपों अथवा जन्तुओं का समूह
(*d*) संघ, जाति या एक कुल जैसा कोई भी वर्गिकीय समूह

30. बेन्थम तथा हुकर ने द्विबीजपत्रियों को वर्गीकृत किया–
(*a*) पॉलीपेटली, गैमोपेटली तथा ग्लूमीफ्लोरी में
(*b*) पॉलीपेटली, गैमोपेटली एवं मोनोक्लेमाइडी में
(*c*) आर्कीक्लेमाइडी, मोनोक्लेमाइडी एवं ग्लूमीफ्लोरी में
(*d*) आर्कीक्लेमाइडी, मोनोक्लेमाइडी एवं पॉलीपेटली में

31. पादप वर्गीकरण की कृत्रिम पद्धति को सर्वप्रथम प्रतिपादित किया–
(*a*) एंग्लर तथा प्राण्टल ने (*b*) थियोफ्रेस्टस ने
(*c*) डी कैण्डोल ने (*d*) बेन्थम तथा हुकर ने

32. नटमेग (Nutmeg) का वानस्पतिक नाम होता है–
(*a*) *एनाकार्डियम ऑक्सीडेण्टेल*
(*b*) *मायारिस्टिका फ्रैगरेन्स*
(*c*) *एरियोबोट्रिया जापोनिका*
(*d*) *प्रूनस एमाइग्लेडस*

33. लीनियस द्वारा प्रतिपादित वर्गीकरण की पद्धति को श्रेणीबद्ध किया गया है–
(*a*) वर्गीकरण की कृत्रिम पद्धति के रूप में
(*b*) लीनियस के वानस्पतिक नामकरण की पद्धति के रूप में
(*c*) वर्गीकरण की लैंगिक पद्धति के रूप में
(*d*) वर्गीकरण की प्राकृतिक पद्धति के रूप में

34. परागकोष मध्यडोली होते हैं–
(*a*) *ऑरिजा सटाइवा* में (*b*) *हिबिस्कस एस्कूलेण्टस* में
(*c*) *सोलेनम ट्यूबरोसम* में (*d*) *हेलिएन्थस एनस* में

35. वंशों (Genera) का एक समूह जो एक दूसरे से मुख्यतया अपने पुष्पी अंगों में सामान्य संरचनात्मक समानताएं प्रदर्शित करते हैं कहलाता है–
(*a*) गण (Order) (*b*) जनजाति (Tribe)
(*c*) कुल (Family) (*d*) वर्ग (Class)

36. ब्रेसिकेसी को किस लक्षण के पाये जाने के आधार पर मालवेसी से भिन्न पहचाना जा सकता है–
(*a*) द्विकार्पेली अण्डाशय जिसमें कार्पेल अनुप्रस्थतः स्थित होते हैं तथा बीजांड पेराइटल प्लैसेंटाओं पर बने होते हैं
(*b*) द्विकार्पेली अण्डाशय जिसमें बीजांड अग्रपश्चातः स्थित होते हैं और उसमें एक रेप्लम बन जाता है
(*c*) द्विकार्पेली अण्डाशय जो बहुकोष्ठीय होता है और जिसमें बीजांड पेराइटल प्लैसेंटाओं पर बने होते हैं
(*d*) पंचकार्पेली अण्डाशय जिसके बीजांड अक्षीय प्लैसेंटाओं पर बने होते हैं

37. द्विअण्डपी, संयुक्ताण्डपी जायांग, चतुःदीर्घी पुंकेसर और सिलिक्वा फल किस कुल के लक्षण हैं–
(*a*) क्रूसीफेरी (*b*) कुकुरबिटेसी
(*c*) कम्पोजिटी (*d*) मालवेसी

38. *एट्रोपा बेलेडोना* किस कुल से सम्बन्धित है–
(*a*) सोलेनेसी (*b*) मालवेसी
(*c*) लिलियेसी (*d*) कुकुरबिटेसी

39. सरसों का तेल (कोलजा) किससे मिलता है–
(*a*) *ब्रैसिका क्रैम्पेस्ट्रिस* (*b*) *ब्रैसिका जनसिया*
(*c*) *ब्रैसिका रापा* (*d*) *ब्रैसिका ओलरेसी*

40. वर्गीकरण के लक्षणों व उद्देश्यों की निम्न सारणी में से असत्य को चुनो–
(*a*) वर्गीकरण जीवित जीवों के समूहीकरण का एक तरीका है
(*b*) प्रत्येक समूह को छोटे समूह में विभक्त किया जा सकता है
(*c*) यह पौधों व जन्तुओं दोनों पर प्रयुक्त किया जा सकता है
(*d*) यह विलुप्त पौधों पर प्रयुक्त नहीं किया जा सकता है

41. स्वतन्त्र पुंकेसरी दशा से सपुमंगी दशा में अधिकतम परिवर्तन किस कुल में होता है–
(*a*) लिलियेसी (*b*) लेग्यूमिनोसी
(*c*) कम्पोजिटी (*d*) कुकुरबिटेसी

42. एंग्लर तथा प्रैन्टल की वर्गीकरण पद्धति में–
(*a*) एक लिंगी पुष्प अधिक वय के हैं
(*b*) द्विबीजपत्री एक बीजपत्री से पहले आते हैं
(*c*) एक बीजपत्री द्विबीजपत्री से पहले आते हैं
(*d*) द्विबीजपत्री गैमोपटेली, पॉलीपेटली तथा एक्लेमाइडी में वर्गीकृत हैं

43. एक अण्डपीय जायांग, एककोष्ठीय अण्डाशय व सीमान्त बीजाण्डान्यास की उपस्थिति निम्न कुल का अभिलक्षण है–

(a) लेग्यूमिनोसी (b) लिलियेसी
(c) मालवेसी (d) सोलेनेसी

44. एक पादप में 4 बाह्यदल, 4 दल, 6 पुंकेसर में दो बाहरी छोटे और चार अन्दर के बड़े, एककोष्ठी अण्डाशय जो बाद में द्विकोष्ठी हो जाता है, आदि लक्षण हैं। यह किस कुल का हो सकता है–
(a) लेग्यूमिनेसी (b) रैननकुलेसी
(c) सोलेनेसी (d) क्रूसीफेरी

45. प्रत्येक परागकोष के परागकण समूह में पोलीनिया बनाते हैं, किसमें–
(a) कद्दू (b) नींबू
(c) मदार (d) कपास

46. होली उत्सव में जो गुलाल उपयोग किया जाता है, उसका प्राकृतिक स्रोत है–
(a) *सेजैलपिनिया कोरिरिया* (b) *सेजैलपिनिया सेपन*
(c) *सेजैलपिनिया इन्डिका* (d) *सेजैलपिनिया पुल्चेरिमा*

47. कुण्डलचक्रीय (Spirocyclic) व अनिश्चित संख्या के स्वतन्त्र पुंकेसर तथा वियुक्ताण्डपी दशा किस कुल में होती है–
(a) लैबियेटी (b) क्रूसीफेरी
(c) रैननकुलेसी (d) कुकुरबिटेसी

48. जातिवृत्तीय प्रणाली (Phylogenetic System) का अर्थ है–
(a) विकासीय प्रवृत्तियों के अनुरूप समूहीकरण
(b) पुष्पीय समानताओं के अनुरूप समूहीकरण
(c) पौधों की बढ़ती हुई जटिलता के अनुरूप उनका समूहीकरण
(d) सभी प्राकृतिक लक्षणों के अनुरूप उनका समूहीकरण

49. द्विबीजपत्री तथा एक बीजपत्री बहुत से लक्षणों में अलग हैं जिसमें–
(a) द्विबीजपत्री के भ्रूण में दो बीजपत्र होते हैं तथा एक बीजपत्री में तीन या तीन के गुणन में होते हैं
(b) एक बीजपत्री के एक पुंकेसर में बहुत कम परागकण तथा द्विबीज में बहुत से परागकण होते हैं
(c) द्विबीजपत्रियों की पत्तियों में समान्तर तथा एक बीजपत्रियों की पत्ती में जालिकावत् शिराविन्यास होता है
(d) द्विबीजपत्रियों में पुष्प के भाग 4 या 5 के गुणन में तथा एक बीजपत्री में 3 के गुणन में होते हैं

50. लिलियेसी कुल में पुष्प हैं–
(a) त्रितयी एवं जायांगधर (b) पंचतयी एवं जायांगोपरिक
(c) त्रितयी एवं जायांगोपरिक (d) पंचतयी एवं जायांगधर

51. लिलियेसी कुल के लिये सही लक्षणों का ग्रुप है–
(a) अधोवर्ती अण्डाशय, दललग्न पुंकेसर, त्रिअंडपी जायांग
(b) परिपदलपुंज 3 + 3, त्रिअंडपी जायांग, अधोवर्ती अण्डाशय
(c) परिदलपुंज 3 + 3, परिदललग्न पुंकेसर, ऊर्ध्ववर्ती अण्डाशय
(d) क्रासरूप दलपुंज, एकसंघी पुंकेसर, द्विअण्डपी जायांग

52. शिम्बी पौधे कृषि में उपयोगी हैं, क्योंकि–
(a) वे रोग प्रतिरोधी होते हैं
(b) वे बहुत कम सिंचाई चाहते हैं
(c) उनकी जड़ों में ग्रन्थियाँ पायी जाती हैं
(d) शिम्बी पौधों की एक वर्ष में कई फसल प्राप्त की जा सकती हैं

53. कुकुरबिटेसी में अनेक प्रकार के सब्जी वाले फल उत्पन्न होते हैं, इस कुल का बैन्थम और हुकर के वर्गीकरण में क्या स्थान है–
(a) कैलिसीफ्लोरी का पैसीफ्लोरेलस
(b) कैलिसीफ्लोरी का रोजालस
(c) थैलिमिफ्लोरी का पेराइटेलस
(d) इनफेरी का ऐस्टरेलस

54. फूलगोभी (Cauli Flower) का वैज्ञानिक नाम है–
(a) *ब्रैसिका ओलेरेसिया* किस्म कैपिटेटा
(b) *ब्रैसिका ओलेरिसिया* किस्म गोन्गीलोइडि
(c) *ब्रैसिका ओलेरेसिया* किस्म बाट्राइटिस
(d) *ब्रैसिका कैम्पेस्ट्रिस*

55. कपास सम्बन्धित है–
(a) सोलेनेसी से (b) कम्पोजिटी से
(c) क्रूसीफेरी से (d) मालवेसी से

उत्तरमाला

1	2	3	4	5	6	7	8	9	10
(a)	(a)	(b)	(b)	(b)	(a)	(d)	(a)	(a)	(c)
11	**12**	**13**	**14**	**15**	**16**	**17**	**18**	**19**	**20**
(a)	(d)	(d)	(c)	(a)	(c)	(c)	(b)	(a)	(b)
21	**22**	**23**	**24**	**25**	**26**	**27**	**28**	**29**	**30**
(c)	(b)	(d)	(a)	(d)	(c)	(b)	(c)	(d)	(b)
31	**32**	**33**	**34**	**35**	**36**	**37**	**38**	**39**	**40**
(b)	(b)	(a)	(a)	(c)	(a)	(a)	(a)	(a)	(d)
41	**42**	**43**	**44**	**45**	**46**	**47**	**48**	**49**	**50**
(d)	(c)	(a)	(d)	(c)	(b)	(c)	(a)	(d)	(a)
51	**52**	**53**	**54**	**55**					
(c)	(c)	(a)	(c)	(d)					

अध्याय

14

पौधों के पोषक तत्व (Nutrients of Plants)

- पौधे वातावरण से CO_2 लेते हैं तथा मृदा से H_2O ग्रहण करते हैं, जो क्रमशः कार्बन तथा हाइड्रोजन के स्रोत हैं।
- पौधे मृदा से ही खनिज पदार्थ भी लेते हैं जिनका वे अपने पोषण में प्रयोग करते हैं। जिनके द्वारा पौधों की वृद्धि होती है तथा पौधे का विकास होता है।

पोषक तत्व (Nutrients)

- राख (ash) के रासायनिक विश्लेषण (chemical analysis) से पता लगता है कि इसमें विभिन्न तत्वों (elements) के ऑक्साइड (oxides) होते हैं। यद्यपि, इन यौगिकों (ऑक्साइड्स आदि) की संख्या इत्यादि भिन्न-भिन्न पौधों तथा पौधों के भिन्न-भिन्न भागों में अलग-अलग होती है, किन्तु कुछ तत्व प्रत्येक पौधे की राख में अवश्य मिलते हैं। ऐसे तत्व (elements) **आवश्यक तत्व** (essential elements) कहे जाते हैं, जबकि अन्य अनावश्यक तत्व (non-essential elements)।
- सामान्यतः आवश्यक तत्वों में कार्बन (C), हाइड्रोजन (H), ऑक्सीजन (O), नाइट्रोजन (N), सल्फर (S) तथा फॉस्फोरस (P) आदि **अधातु** (non-metals) जबकि पोटेशियम (K), कैल्सियम (Ca), मैग्नीशियम (Mg) तथा लोहा (Fe) आदि धातु (metals) होते हैं।
- **अनावश्यक तत्व** क्लोरिन (Cl) तथा सिलिकन (Si) आदि **अधातु** तथा सोडियम (Na) धातु के रूप में सभी पौधों में होते हैं।
- इन तेरह तत्वों के अतिरिक्त अनेक (40 तक भी) तत्व पौधे में पाए जा सकते हैं। इनमें से भी कुछ तत्वों की उपस्थिति तो आवश्यक हो सकती है, किन्तु उनकी मात्रा भी कम ही होती है। अतः उपर्युक्त तेरह तत्त्वों को महापोषक तत्त्व (Macro-nutrients or macro-elements) कहते हैं। इनके अतिरिक्त अत्यन्त कम मात्रा में पाए जाने वाले तत्व, जिनकी उपस्थिति भी अनावश्यक हो सकती है, सूक्ष्म (लघु) पोषक तत्व (Micro-elemetns or micro-nutrients or trace elements) कहलाते हैं।

आरनोन के अनुसार आवश्यक पोषक तत्व वे हैं—

(*i*) जिनकी कमी से पौधे अपने जीवनचक्र को पूरा नहीं कर सकते हैं।
(*ii*) जो पौधे के पोषण तथा उपापचय में सीधे सम्मिलित होते हैं।
(*iii*) जिनकी कमी के लक्षणों को किसी अन्य पोषक तत्व को देकर पूरा नहीं किया जा सकता है।

खनिज लवणों के प्रमुख कार्य

पौधों के लिए खनिज लवणों के मुख्य कार्य निम्नलिखित हैं—

1. परासरणदाब पर प्रभाव (influence on osmotic pressure)
2. उत्प्रेरकी प्रभाव (catalytic effect)
3. कोशिका झिल्लियों की पारगम्यता (permeability in cytoplasmic membrane)
4. पादप शरीर के महत्वपूर्ण तत्त्व (important elements of plant body)
5. आविष प्रभाव (toxic effects)
6. अम्लता व बफर क्रिया (acidity and buffer action)
7. विरोधी प्रभाव (antagonastic effects)।

तालिका 1: पौधों के लिए आवश्यक पोषक तत्व

अधिक मात्रा में चाहे जाने वाले पोषक तत्त्व			कम मात्रा में चाहे जाने वाले विरल या सूक्ष्म तत्त्व (Micro-nutrients)
वायु व जल से प्राप्त	मुख्य तत्त्व (भूमि से प्राप्त) (Major or macro-nutrients)		
	प्राथमिक पोषक तत्व (Primary Nutrients)	द्वितीयक पोषक तत्व (Secondary Nutrients)	
1. कार्बन (C) 2. हाइड्रोजन (H) 3. ऑक्सीजन (O)	4. नाइट्रोजन (N) 5. फॉस्फोरस (P) 6. पोटाश (K)	7. कैल्सियम (Ca) 8. मैग्नीशियम (Mg) 9. गन्धक (S)	10. लोहा (Fe) 11. मैंगनीज (Mn) 12. तांबा (Cu) 13. जस्ता (Zn) 14. मोलिब्डेनम (Mo) 15. क्लोरीन (Cl) 16. कोबाल्ट (Co)

भूमि की pH तथा पोषक तत्त्वों की उपलब्धता में सम्बन्ध

(*i*) नाइट्रोजन की अधिकतम उपलब्धता 6.0-8.0 pH पर होती है। इससे कम तथा अधिक pH मान पर इसकी उपलब्धता क्रमशः कम होती जाती है।

(*ii*) फॉस्फोरस की अधिकतम उपलब्धता 6.5-7.5 pH तथा 9.0-10.0 pH पर होती है।

(*iii*) सल्फर की अधिकतम उपलब्धता 10.0-6.0 pH पर होती है। इससे कम pH पर सल्फर की उपलब्धता क्रमशः कम होती जाती है।

(*iv*) कैल्सियम तथा मैग्नीशियम की अधिकतम उपलब्धता 7.5-8.5 pH पर होती है। इससे कम तथा अधिक pH मान इन पोषक तत्त्वों की उपलब्धता क्रमशः कम होती जाती है।

(*v*) लोहे की अधिकतम उपलब्धता 4.0-6.0 pH पर होती है। इससे अधिक pH पर लोहे की उपलब्धता क्रमशः कम होती जाती है।

(*vi*) पोटैशियम की अधिकतम उलब्धता 10.0-6.5 pH पर होती है। इससे कम pH पर इसकी उपलब्धता क्रमशः कम होती जाती है।

(*vii*) मैंगनीज की अधिकतम उपलब्धता 5.0-6.5 pH पर होती है। इससे कम तथा अधिक pH मान पर यह क्रमशः कम होती जाती है।

(*viii*) बोरोन की अधिकतम उपलब्धता 5.0-7.0 pH पर होती है।

(*ix*) कॉपर तथा जिंक की अधिकतम उपलब्धता 5.0-6.5 pH पर होती है।

(*x*) मोलिब्डेनम की अधिकतम उपलब्धता 10.0-7.0 pH पर होती है। इससे कम pH मान पर इसकी उपलब्धता क्रमशः कम होती जाती है।

पोषक तत्वों का वर्गीकरण

श्कोल्निक (Shkolnik) ने 1950 ई. में कार्य के अनुसार पोषक तत्वों का वर्गीकरण प्रस्तुत किया जो यथावत हैं–

(*a*) संरचनात्मक तत्व (structural elements)— जैसे – C, H, O, N, S, P तथा Mg.

(*b*) जैव उत्प्रेरक तत्व (biocatalysts)— जैसे–Co, Fe, Mn तथा Cu.

(*c*) अतिआवश्यक तत्व (indispensable elements)— जैसे–K, B, Mo तथा Ca.

(*d*) रेडियोधर्मी तत्व (radioactive elements)— जैसे–Th, Ra, U तथा Rh.

(*e*) संवेदी तत्व (stimulating elements)— जैसे–Na, As, Ti, Ni, Cl, I तथा Br.

पोषक तत्वों का पादप वृद्धि में महत्त्व (Importance of Nutrients in Plants Growth)

(i) नाइट्रोजन (Nitrogen)

सुलभ रूपः नाइट्रेट (NO_3^-) तथा अमोनियम (NH_4^+) आयन के रूप में।

अधिकांश पौधे तो नाइट्रेट आयन के रूप में ही नाइट्रोजन का अवशोषण करते हैं। परन्तु कुछ फसलें जैसे धान, आलू इत्यादि इसे अमोनियम आयन के रूप में भी ग्रहण करते हैं। यह चल तत्व (Mobile element) हैं, अर्थात् यह भूमि में अपनी स्थिति परिवर्तित करता रहता है।

नाइट्रोजन का प्रयोग कार्बोहाइड्रेटस के उपयोग में होता है। पौधे में नाइट्रोजन की कमी होने पर कोशिका भित्ति मोटी हो जाती है, क्योंकि यहां कार्बोहाइड्रेट जमा हो जाता है। नाइट्रोजन की उचित मात्रा होने पर कार्बोहाइड्रेट का उपयोग प्रोटोप्लास्ट बनाने में होता है।

नाइट्रोजन की कमी में पौधों की बढ़वार रूक जाती है एवं निचली पत्तियां पीली पड़नी शुरू हो जाती हैं जिसे क्लोरोसिस कहते हैं।

(ii) फॉस्फोरस (Phosphorus)

सुलभ रूपः $H_2PO_4^{-1}$ आयन तथा HPO_4^{-2} आयन के रूप में।

यह एक चल तत्व है। यह न्यूक्लिक अम्ल, फाइटिन तथा फॉस्फोलिपिड्स का मुख्य अंग हैं। जड़ों के समुचित विकास एवं फसल की सामयिक परिपक्वता तथा फलों एवं बीजों के बनने में इसकी आवश्यकता होती है।

पौधे में इसकी कमी होने पर पौधे का समुचित विकास नहीं होता है एवं पत्तियों के ऊपर लाल बैंगनी रंग के धब्बे दिखायी देते हैं जो धब्बे एन्थोसायनिन नामक पिगमेन्ट के बनने से पैदा होते हैं।

(iii) पोटैशियम (Potassium)

सुलभ रूपः पोटैशियम (K^+) आयन के रूप में।

यह एक चल तत्व है। इस तत्व की उपयोगिता कार्बोहाइड्रेट तथा नाइट्रोजन की उपापचयी क्रियाओं में यूनिक होती है। यह तत्त्व पाइरुविक काइनेज एन्जाइम के एक्टीवेशन में भी योगदान देता है।

पोटैशियम की कमी से पत्तियों के किनारे सूखने लगते हैं, और झुलसे-से प्रतीत होते हैं। इस लक्षण को Marginal browning कहते हैं। जिसके कारण पौधा कमजोर हो जाता है तथा फसल पर कीटों का प्रकोप बढ़ जाता है।

(iv) कैल्सियम (Calcium)

सुलभ रूपः कैल्सियम (Ca^{+2}) आयन के रूप में।

यह अचल तत्त्व (Immobile element) है। कैल्सियम, कैल्सियम पैक्टेट के रूप में कोशिका भित्ति तथा कोशिका भित्ति के बीच की लेमिला (Middle-lamella) का मुख्य भाग होता है। नई पत्तियों के निकलने एवं उनके खुलने (Unfolding) के लिये भी इसकी आवश्यकता होती है।

पौधों में कैल्सियम का संचार पुराने अंगों से नये अंगों की ओर सुगमता से न होने के कारण, उसकी कमी का प्रभाव सबसे पहले अग्रस्थ कलिकाओं पर पड़ता है जिससे उनका विकास रूक जाता है।

(v) मैग्नीशियम (Magnesium)

सुलभ रूपः मैग्नीशियम (Mg^{+2}) आयन के रूप में।

यह तत्त्व पौधों में आसानी से चलायमान (Mobile) है। यह तत्त्व पर्णहरित (Chlorophyll) का अनिवार्य भाग है। यह फॉस्फोरस तथा वसा की उपापचयी क्रियाओं में भी भाग लेता है।

मैग्नीशियम का संचार पौधों के पुराने अंगों से नये बढ़ने वाले अंगों की ओर सुगमता पूर्वक हो सकता है। जिसके कारण कमी की अवस्था में यह तत्त्व पुराने अंगों से नये अंगों में आसानी से चले जाते हैं। इसलिये इस

पोषक तत्त्व की कमी के लक्षण पहले पौधे की नीचे वाली पत्तियों पर दिखाई देते हैं। पत्तियों की शिराओं के मध्यवर्ती अंगों का हरा रंग नष्ट हो जाता है किन्तु शिरायें हरी ही बनी रहती हैं। इस लक्षण को Inter veinal chlorosis कहते हैं। अत्यधिक कमी होने से पत्तियां पूर्ण रूप से पीली पड़कर मरने लगती हैं।

(vi) गंधक (Sulphur)

सुलभ रूपः सल्फेट (SO_4^{-2}) आयन के रूप में।

यह तत्त्व अनेक अमीनो अम्लों (सिस्टाइन, सिस्टीन आदि) का महत्त्वपूर्ण भाग होता है। सरसों कुल (Mustard family) की फसलों से प्राप्त तेल में काफी मात्रा में पाया जाता है। यह पशुओं के पोषण के लिये भी आवश्यक होता है।

पौधों में इसकी कमी होने पर अप्रोटीन पदार्थों (Non protenous compounds) की सान्द्रता बढ़ जाती है जिसके कारण एमाइन की मात्रा बढ़ जाती है। यह बढ़ी मात्रा चारा खाने वाले पशुओं के लिए हानिकारक होती है।

चारे में नाइट्रोजन तथा सल्फर का उचित अनुपात (10-20 : 1) होना चाहिये। यदि सल्फर की मात्रा कम हो जाये तो ऐसा चारा पशुओं के लिये नुकसानदायक हो सकता है।

गंधक की कमी होने पर पौधे पतले एवं छोटे रह जाते हैं और नयी पत्तियों पर पीलापन (Chlorosis) उत्पन्न हो जाता है।

(vii) लोहा (Iron)

सुलभ रूपः जड़ों द्वारा फैरस (Fe^{+2}) आयन के रूप में या कीलेट (chelate) के रूप में। इसके अलावा यह तत्त्व पत्तियों द्वारा भी फैरस सल्फेट ($FeSO_4$) या आयरन कीलेट (Iron chelate) के रूप में, जो कि पर्णीय छिड़काव (Foliar spary) द्वारा दिया जाता है, अवशोषित किया जा सकता है।

यह अचल तत्त्व है जो कि अनेक एंजाइमों के एक्टीवेशन में भाग लेता है। यह तत्त्व पौधों के अंदर पर्णहरित बनाने में आवश्यक होता है।

इसकी कमी होने पर नयी पत्तियों मे शिराओं के मध्य का भाग पीला पड़ने लगता है, एवं धीरे-धीरे पूरी पत्ती पर इसका प्रभाव दिखायी देता है। अत्यधिक कमी होने पर पत्तियां सफेद हो जाती हैं।

इसकी कमी मुख्य रूप से लवणीय मृदाओं में देखी गयी हैं। अम्लीय मृदाओं में जहां फास्फोरस की मात्रा अधिक होती है, वहाँ पर इसकी कमी पायी जा सकती है।

(viii) मैंगनीज (Manganese)

सुलभ रूपः मैंगनीज (Mn^{+2}) आयन के रूप में तथा कीलेट्स के रूप में। इसके अलावा पर्णीय छिड़काव करने पर इसे पत्तियां सीधे ही अवशोषित कर सकती हैं। यह अचल तत्त्व है। यह तत्त्व कार्बोहाइड्रेट की उपापचय क्रिया में भाग लेता है। यह तत्त्व प्रकाश संश्लेषण में होने वाले 'Hill reaction' में सहायक होता है।

पौधे में इसकी कमी से नयी पत्तियों में Interveinal chlorosis होती है।

अम्लीय मृदाओं में मैंगनीज की विषाक्तता (Toxicity) देखी जाती है। इसके विषाक्तता को कपास की फसल में देखा जा सकता है। कपास की पत्तियां मुड़ी-तुड़ी सी हो जाती हैं तथा उन पर काले-पीले रंग के धब्बे पड़ जाते हैं। धब्बे मुख्यतः शिराओं के ऊपर होते हैं जिसे 'Crinkle leaf of cotton' कहा जाता है। अम्लीय मृदाओं में टमाटर की खेती करने पर, उस पर भी यही लक्षण देखे जा सकते हैं।

मैंगनीज के विषाक्तता प्रभाव को कम करने के लिये चूने का प्रयोग करना चाहिये, जिससे मैंगनीज की घुलनशीलता कम हो जाती है।

(ix) तांबा (Copper)

सुलभ रूपः कॉपर (Cu^{+2}) आयन के रूप में या इसके कार्बनिक कीलेट्स के रूप में जड़ों द्वारा लिया जा सकता है। पर्णीय छिड़काव के प्रयोग से भी यह कार्बनिक या अकार्बनिक रूप में पत्तियों द्वारा अवशेषित किया जा सकता है।

यह अचल तत्त्व है। यह प्रकाश संश्लेषण में होने वाले 'Light reaction' में भाग लेता है।

इसकी कमी के लक्षण मुख्यतया कार्बनिक मृदाओं (Muck तथा Peat soils) में देखे जा सकते हैं। कमी होने पर नयी पत्तियां छोटी एवं पीली होती हैं। पुरानी पत्तियां मरने लगती हैं। अत्यधिक कमी होने पर पत्तियों के सिरे एवं किनारे के ऊतक मरने लगते हैं।

जई (Mono oat) में कमी होने से फूल नहीं आते जिसके कारण बीज नहीं बनते। जिसे जई की नर बंध्यता (Male sterility of oat) कहते हैं।

(x) जिंक (Zinc)

सुलभ रूपः जिंक (Zn^{+2}) आयन के रूप में या इसके कार्बनिक कीलेट्स के रूप में जड़ों अथवा पत्तियों द्वारा लिया जा सकता है। इस तत्त्व को अपेक्षाकृत अचल तत्त्व माना जाता है।

इस तत्त्व की कमी मुख्यतया क्षारीय तथा केल्केरियस (Calcarius) मृदाओं में प्रायः देखने को मिलती है। फॉस्फोरस के उर्वरकों के अधिक प्रयोग से इस तत्त्व की कमी के लक्षण पैदा होते हैं। इस तत्त्व की कमी होने पर नयी पत्तियों के अंदर शिराओं के बीच का भाग पहले पीला पड़ना शुरू होता है एवं तने का पूर्ण विकास नहीं हो पाता। इस कारण से तने पर दो गांठों के बीच के स्थान (Inter nodes) छोटे रह जाते हैं, जिससे अनेक पत्तियां लगभग एक ही स्थान से निकलती हुई प्रतीत होती हैं जिसे 'Rosetting' कहते हैं। इसकी कमी होने से मक्का एवं ज्वार के पौधों में बिल्कुल ऊपरी पत्तियां सफेद हो जाती हैं। जिसे 'White bud of corn or sorghum' कहते हैं।

धान में जिंक की कमी से 'खैरा रोग' हो जाता है। इसके लक्षण रोपाई के दो सप्ताह बाद पौधे की तीसरी पत्ती पर दिखायी देते हैं। इसमें लाल, भूरे रंग के धब्बे बन जाते हैं, जो कि बाद में बढ़कर आपस में मिल जाते हैं। पौधे में उचित टिलरिंग (Tillering) नहीं हो पाती है।

फॉस्फोरस के कारण जिंक की कमी को 'Phosphorus induced zinc deficiency' कहते हैं। इस सन्दर्भ में वैज्ञानिकों का मत है कि फॉस्फोरस की अधिक मात्रा के प्रयोग से जिंक की चलायमान क्षमता में (Mobility) ह्रास (कमी) हो जाती है।

(xi) मोलिब्डेनम (Molybdenum)

सुलभ रूपः मोलिब्डेट (MoO_4^{-2}) आयन के रूप में।

इसकी बहुत कम मात्रा में पौधे के लिए आवश्यकता होती है। यह तत्त्व दलहनी फसलों में नाइट्रोजन के स्थिरीकरण के लिए आवश्यक होता है तथा इसके अतिरिक्त सभी फसलों में इसकी आवश्यकता नाइट्रेट के अपयचन के लिये होती है।

इसकी कमी अम्लीय मृदाओं में पायी जाती है। इसकी कमी के लक्षण काफी कुछ नाइट्रोजन के कमी वाले लक्षणों से मिलते हैं और इसकी कमी भी शिराओं के बीच पीलेपन से शुरू होती है।

फूलगोभी में इस तत्त्व की कमी से एक विशेष लक्षण मिलता है जिसे 'Whip tail symptom' कहते हैं।

(xii) क्लोरीन (Chlorine)

सुलभ रूपः क्लोराइड (Cl^-) आयन के रूप में।

इस तत्त्व के बारे में ज्यादा जानकारी नहीं है, परन्तु यह तत्त्व पौधों की वृद्धि एवं विकास के लिए आवश्यक होता है।

इसकी कमी होने से पौधों की जड़ों का विकास पूर्ण रूप से नहीं हो पाता है। यदि मृदा में क्लोरीन की मात्रा ज्यादा हो, तो पौधों में इसके विषाक्त प्रभाव दिखायी देते हैं। इससे पत्तियां मोटी हो जाती हैं व मुड़ने लगती हैं। आलू में क्लोरीन की विषाक्त मात्रा होने पर उसकी भण्डारण क्षमता कम हो जाती है।

(xiii) कोबाल्ट (Cobalt)

सुलभ रूपः कोबाल्ट (Co^{+2}) आयन के रूप में।

बहुत कम मात्रा में पौधे के लिए इसकी आवश्यकता होती है। इसकी आवश्यकता सहजीवी जीवाणुओं द्वारा नाइट्रोजन के स्थिरीकरण में होती है। इसका प्रयोग जीवाणुओं द्वारा विटामिन B_{12} (Cynocobalamine) बनाने में होता है। यह तत्त्व पौधों की बढ़वार, प्रकाश संश्लेषण तथा वाष्पोत्सर्जन की दर को बढ़ाता है। इसके अतिरिक्त फलियों तथा सरसों कुल की फसलों में पत्तियों के अन्दर पर्णहरित की मात्रा बढ़ाने में सहायक सिद्ध होता है।

अन्य तत्त्व जिनका प्रयोग पौधों में लाभकारी पाया गया है:

(xiv) सोडियम (Sodium)

सुलभ रूपः सोडियम (Na^+) आयन के रूप में।

यह तत्त्व पौधों के लिये आवश्यक नहीं है परन्तु चुकन्दर में इसके प्रयोग से लाभकारी परिणाम मिले हैं। ऐसी दशाओं में जबकि भूमि में पोटेशियम की कमी हो, सोडियम को पोटेशियम के स्थान पर प्रयोग किया जा सकता है। यदि चुकन्दर की फसल में इसे न दिया जाये तो ऐसी स्थिति में पत्तियों का रंग गहरा हो जाता है तथा पत्तियां पतली पड़ जाती हैं तथा पत्तियों की चमक कम हो जाती है।

जिस प्रकार चुकन्दर में सोडियम का लाभकारी प्रभाव देखा गया है उसी प्रकार धान, कद्दू तथा जौ में सिलिकॉन का प्रभाव देखा गया है। धान में सिलिकॉन का प्रयोग करने से उपज बढ़ती है तथा जीवाणु वाली बीमारियों के प्रति प्रतिरोध क्षमता बढ़ जाती है।

(xv) बोरोन (Boron)

सुलभ रूपः यह तत्त्व पौधों द्वारा अनेक रूपों में ग्रहण किया जाता है: $B_4O_7^{-2}$, H_2BO^{-3}, HBO_3^{-2}, BO_3^{-3}

यह अचल तत्त्व है। यह तत्त्व शर्करा के स्थानान्तरण (Translocation) में महत्त्वपूर्ण भाग लेता है। यह पौधे के अंदर मण्ड (स्टार्च) के संग्रहण को रोकता है।

ऐसा पाया गया है कि बोरोन की कमी होने पर पौधों में वाष्पोत्सर्जन कम होता है। शीर्ष कलिकाओं की वृद्धि रूक जाती है और नयी पत्तियां मरने लगती हैं। पत्तियां मोटी हो जाती हैं।

चुकन्दर में इसकी कमी होने पर फल के अन्दर का भाग भूरा या काला पड़ जाता है। इसे 'Brown or black heart of sugarbeet' कहते हैं। सेबों में इसकी कमी से फल के अन्दर का फ्लैश काला या भूरा पड़ जाता है। इसको 'Internal necrosis of apple' कहते हैं।

नींबू प्रजाति के पौधों में इस तत्त्व की कमी से, हल्की बाहरी पर्त मोटी पड़ जाती है और फलों के अंदर गोंद जैसे पदार्थ का संग्रहण हो जाता है।

खनिज लवणों का अवशोषण (Absorption of Mineral Salts)

- मृदा खनिज लवणों का मुख्य स्रोत है। यह खनिज जड़ों के अग्र विभज्योतक क्षेत्र (Terminal meristematic region) से स्वतन्त्र रूप से अवशोषित होते हैं।
- खनिज लवण मृदा कणों तथा जल के साथ कोलायडल दशा में होते हैं। खनिज लवणों का स्थानान्तरण जाइलम के द्वारा होता है।
- खनिज लवणों के अवशोषण के लिये निम्न दो विधियाँ हैं-

(A) निष्क्रिय अवशोषण (Passive absorption)

(1) *विसरण द्वारा (By diffusion)*

इस विधि से खनिज लवण अधिक सान्द्रता से कम सान्द्रता वाले क्षेत्र की ओर विसरित होते हैं।

(2) *आयन विनिमय द्वारा (By ion exchange)*

जड़ कोशिका में उपस्थित आयन मृदा में उपस्थित आयन से बदले जाते हैं अर्थात इस विधि में धनायन (cations) के बदले धनायन व ऋणायन के बदले ऋणायन प्राप्त होते हैं। इसको समझने के लिये दो वाद निम्न हैं-

(i) **कान्टेक्ट एक्सचेन्ज सिद्धान्त (Contact exchange Theory)**- जड़ की सतह पर उपस्थित H^+, OH^- या HCO_3^- आयन मृदा कण उपस्थित आयन से बदले जाते हैं जब इन आयनों के Oscillation volume overlap करते हैं।

(ii) **कार्बोनिक अम्ल एक्सचेंज सिद्धान्त (Carbonic acid exchange theory)**- इस विधि में जड़ों के श्वसन से CO_2 बनती है जो जल के साथ मिलकर कार्बोनिक अम्ल बनाती है। यह कार्बोनिक अम्ल H^+ तथा HCO_3^- में विघटित हो जाता है।

$$H_2O + CO_2 \rightleftharpoons H_2CO_3 \rightleftharpoons H^+ + HCO_3^-$$

मृदा में पाये जाने वाले धनात्मक आयन तथा ऋणात्मक आयन का आदान-प्रदान जड़ में पाये जाने वाले धनात्मक तथा ऋणात्मक आयन से होता है।

(3) Donann Equilibrium

इसको F. G. Donann के नाम पर जाना जाता है। कोशिका में आयनों का Electrical equilibrium को बनाये रखने के लिये गति करना, Donann equilibrium कहलाता है। कुछ आयन प्लाज्मा झिल्ली के आन्तरिक सतह पर चिपक जाते हैं इन्हें fixed ions कहते हैं। इनके न्यूनीकरण (Neutralization) के लिये विपरीत विभव (opposite change) के आयन कोशिका में सान्द्रता विभव के विरुद्ध प्रवेश करते हैं (explain the accumulation of ions against concentration gradient without the use of metabolic energy)।

(B) सक्रिय अवशोषण (Active absorption)

कोशिका रस में mineral elements बड़ी मात्रा में सान्द्रता विभव के विरूद्ध जमा होते हैं जिसके लिए इन्हें ऊर्जा चाहिए जो पादप श्वसन से प्राप्त करते हैं। Van Den Honert ने इस सक्रिय अवशोषण को समझाने के लिये carrier concept प्रतिपादित किया। जिसके अनुसार प्लाज्मा झिल्ली स्वतन्त्र आयनों के लिये अपारगम्य होती हैं। इस प्लाज्मा झिल्ली में विशिष्ट प्रकार के आयन वाहक (ion carrier) होते हैं। यह कोशिका भी सतह पर आयन से मिलकर Ion carrier complex बनाती है जो कोशिका की भीतरी सतह पर आयन तथा वाहक (carrier) में टूट जाता है। आयन अन्दर चले जाते हैं तथा वाहक नये आयन को ले जाने के लिये बाहरी सतह पर आ जाता है।

इस ion carrier concept के लिये निम्नलिखित दो वाद दिये गये हैं–

(i) साइटोक्रोम पम्प थ्योरी (Cytochrome Pump Theory)

लुण्डेगार्थ (Lundegarth) तथा बर्सट्राम (Burstrom) 1933 ने बताया कि आयन अवशोषण तथा श्वसन एक दूसरे से सम्बन्धित है। जब किसी अलवणीय जलीय पादप को लवणीय जल में रखा जाता है तब इसमें लवण या आयन के अवशोषण के कारण श्वसन की दर बढ़ जाती है इसे salt or anion respiration कहते हैं। यह दर्शाता है कि सक्रिय आयन अवशोषण में श्वसनीय साइटोक्रोम भाग लेते हैं तथा ऋणात्मक आयन (anion) के अवशोषण के लिये वाहक (carrier) का कार्य करते हैं।

(ii) प्रोटीन-लेसीथीन थ्योरी (Protein Lecithin Theory)

बेनट (Bennet) तथा क्लार्क (Clark) ने बताया कि लेसीथीन फास्फेटाइड तथा कोलिन के बने होते हैं। फास्फेटाइड सक्रिय धनात्मक आयन को बाँधता है तथा कोलीन सक्रिय ऋणात्मक आयन को बाँधते हैं। जब लेसीथीन बनता है तब आयनों को कोशिका सतह से ले लेता है तथा जब टूटता है तब इन आयनों को कोशिका के अन्दर पहुँचा देता है।

इस तरह लेसीथीन cation तथा anion का वाहक के रूप में कार्य करता है।

वस्तुनिष्ठ प्रश्न

1. कोशिका में सर्वाधिक सामान्य स्वतन्त्र आयन होता है–
(*a*) फॉस्फोरस का (*b*) गन्धक का
(*c*) लोहे का (*d*) पोटेशियम का

2. निम्न अमीनो अम्लों में कौन-सा गन्धक युक्त होता है?
(*a*) सेरीन (*b*) मेथिओनिन
(*c*) प्रोलीन (*d*) एस्पर्डिन

3. पादप भस्म (Plant Ash) एक संकेत होती है–
(*a*) पौधे के कार्बनिक पदार्थ का
(*b*) पादप द्वारा अवशोषित खनिज लवणों का
(*c*) खनिज लवणों तथा कार्बनिक पदार्थ दोनों का
(*d*) उपरोक्त में से किसी का नहीं

4. निम्न में से कौन-सा सूक्ष्म तत्व होता है–
(*a*) सल्फर (*b*) कार्बन
(*c*) मोलिब्डीनम (*d*) फॉस्फोरस

5. पोटेशियम आयनों की अति महत्वपूर्ण भूमिका होती है–
(*a*) ये कैम्बियम के निर्माण में भाग लेते हैं
(*b*) ये प्रकाश संश्लेषण को बढ़ाते हैं
(*c*) ये अनेक विकरीय (Enzymatic) क्रियाओं को प्रभावित करते हैं जो अनेक पादप प्रक्रमों को नियन्त्रित करते हैं
(*d*) इनसे लाल रंग आता है

6. निम्न में से कौन-सा सूक्ष्म पोषक तत्व है–
(*a*) Mg (*b*) S
(*c*) Mn (*d*) Ca

7. पौधे में फास्फोरस की उपस्थिति–
(*a*) प्रोटीन निर्माण को कम करती है
(*b*) फल के पकने की दर को बढ़ाती है
(*c*) स्वरूप मूल वृद्धि करती है
(*d*) उपरोक्त में से कोई नहीं

8. मैग्नीशियम की कमी से हरिमहीनता का पहला लक्षण होता है-
(*a*) शिशु पत्तियाँ पहले तथा वृद्ध पत्तियाँ बाद में गिरती हैं
(*b*) पत्तियों का झड़ना
(*c*) दोनों प्रकार की पत्तियाँ एक साथ गिर जाती हैं
(*d*) पुरानी वृद्ध पत्तियाँ पहले तथा पीछे से शिशु पत्तियाँ मुरझाती हैं

9. निम्न में से किस एक कथन से जल संवर्धन की सही परिभाषा का पता चलता है?
(*a*) मृदा रहित संवर्धन में पौधों को उगाना
(*b*) जल आपूर्ति में भिन्नता लाकर मछलियों का संवर्धन
(*c*) जल की सतह पर प्लवकों को उगाना
(*d*) निर्जलीकृत मृदा में पौधों का उगाना

10. वाहक प्रोटीन सन्निहित होता है–
(*a*) आयनों के सक्रिय अभिगमन में

(*b*) आयनों के निष्क्रिय अभिगमन में
(*c*) जल अभिगमन में
(*d*) जल वाष्पन में

11. निम्न में से कौन-सा तत्व प्रकाश संश्लेषण में ऑक्सीजन निकासी के लिये आवश्यक है–
(*a*) ताम्र (*b*) लौह
(*c*) मैंगनीज (*d*) जस्ता

12. बालू संवर्धन कृषि (खेती) कहलाता है–
(*a*) मृदीय संवर्धन (*b*) पौधा घर प्रभाव
(*c*) प्रकाश श्वसन (*d*) इनमें से कोई नहीं

13. अकार्बनिक पोषक मृदा में उपस्थित रहते हैं, रूप में–
(*a*) अणु (*b*) परमाणु
(*c*) विद्युत सर्जित आयन (*d*) परजीवी

14. निम्न में से कौन-सा तत्व प्रोटीन संश्लेषण के लिये बहुत आवश्यक है–
(*a*) N_2 (*b*) K
(*c*) Mg (*d*) Fe

15. निम्न में से कौन-सा तत्व सूक्ष्म मात्रिक नहीं है–
(*a*) Cu (*b*) Mn
(*c*) B (*d*) C

16. पर्णहरिम में, कौन-सी धातु उपस्थित होती है–
(*a*) Mn (*b*) Mo
(*c*) Mg (*d*) S

17. निम्न में से किस वैज्ञानिक ने पोषक घोल की हाइड्रोपोनिक कल्चर के लिये खोज की–
(*a*) साक्स (*b*) बेबस्टर
(*c*) वालेस (*d*) क्नॉप

18. पादप कोशिकाओं की भित्ति के मध्य पटलिका में एक मुख्य तत्व होता है–
(*a*) लौह (*b*) कैल्शियम
(*c*) मैग्नीशियम (*d*) पोटैशियम

19. जैविकीय नाइट्रोजन स्थिरीकरण में किस एक तत्व का महत्वपूर्ण योगदान होता है?
(*a*) मोलिब्डेनम (*b*) मैंगनीज
(*c*) ताँबा (*d*) जिंक

20. कोशिका में खनिज लवणों का प्रवेश होता है–
(*a*) आयनों के रूप में (*b*) अणुओं के रूप में
(*c*) परमाणुओं के रूप में (*d*) विलेय के रूप में

21. इनमें से कौन पादप राख से सम्बन्धित नहीं है?
(*a*) सूक्ष्म मात्रिक तत्व (*b*) आवश्यक तत्व
(*c*) नाइट्रोजन (*d*) खनिज तत्व

22. ऐसे समस्थानिक तत्व जो उपापचयी मार्ग की खोज में प्रयोग किये जाते हैं, कहलाते हैं–
(*a*) सूक्ष्म मात्रिक तत्व (*b*) संसूचक तत्व
(*c*) सूक्ष्म तत्व (*d*) अनुज्ञापक तत्व

23. Mg एवं Fe का कार्य है–
(*a*) क्लोरोफिल का निर्माण (*b*) प्रोटीन का निर्माण
(*c*) वसा का निर्माण (*d*) कार्बनिक अम्लों का निर्माण

24. कौन-सा बृहदपोषी है?
(*a*) Ca (*b*) Mn
(*c*) Zn (*d*) Fe

25. फूलगोभी में Browm Heart बीमारी किसकी कमी के कारण होती है–
(*a*) बोरोन (*b*) लोहा
(*c*) ताँबा (*d*) फास्फेट

26. अपरिपक्व पत्तियों का गिरना किसकी कमी के कारण होता है–
(*a*) K (*b*) Zn
(*c*) Na (*d*) P

27. निम्नलिखित में से कौन खनिजीय कमी से उत्पन्न नहीं होता?
(*a*) ऊतकक्षय (*b*) क्लोरोसिस
(*c*) पांडुरता (*d*) पर्वो का छोटा होना

28. क्लोरोफिल केन्द्र (Core) में कौन-सी धातु होती है?
(*a*) लौह (*b*) मैग्नीशियम
(*c*) निकिल (*d*) ताँबा

29. निम्न में से कौन-सा तत्व मूल रोम बनाने के लिये आवश्यक है–
(*a*) Ca (*b*) Zn
(*c*) Cu (*d*) Na

30. प्रोटोप्लाज्म की पारगम्यता बढ़ जाती है–
(*a*) सोडियम से (*b*) पोटैशियम से
(*c*) कैल्सियम से (*d*) फॉस्फोरस से

31. फलों वाले वृक्षों में (Exanthema) रोग होता है, कमी से–
(*a*) सोडियम की (*b*) कैल्सियम की
(*c*) ताँबे की (*d*) फॉस्फोरस की

32. एन्जाइम से प्रेरित क्रियायें संदमित होती है–
(*a*) Mg^{++} से (*b*) Zn^{++}से
(*c*) Cu^{++} से (*d*) Hg^{++}से

33. नाइट्रोजन आवश्यक घटक होता है–
(*a*) कार्बोहाइड्रेट (*b*) वसा
(*c*) प्रोटीन (*d*) तेल

34. निम्नलिखित में से कौन-सा एक पौधों में हरिम हीनता रोकने के लिये आवश्यक है–
(*a*) पोटैशियम (*b*) कैल्सियम
(*c*) गन्धक (*d*) लोहा

35. मैग्नीशियम पाया जाता है–
(*a*) क्लोरोफिल में (*b*) केरोटिनायड में
(*c*) फाइकोबिलिन्स में (*d*) साइटोक्रोम में

36. निम्नलिखित में से कौन सूक्ष्म मात्रिक तत्व है–
(*a*) S (*b*) Mg
(*c*) Cu (*d*) Fe

37. सूक्ष्म मात्रिक तत्व जो पत्तियों द्वारा अवशोषित किया जाता है–
(*a*) जिंक (*b*) फॉस्फोरस
(*c*) एल्यूमीनियम (*d*) बोरान

38. जिंक पोषक है तथा पादपों को प्राप्त होता है, की तरह–
(*a*) Zn (*b*) Zn^{++}
(*c*) $ZnSO_4$ (*d*) ZnO

39. ऐसा पादप, जो मैग्नीशियम की कमी वाली मृदा में उग रहा है जिस पर यूरिया छिड़का गया है, दर्शायेगा–
(*a*) दलपुंज में वर्णक में कमी (*b*) गहरे हरे रंग की पत्तियाँ
(*c*) जल्दी पुष्पन (*d*) पत्तियों का पीलापन

40. आयन वाहक पाये जाते हैं–
(*a*) अन्तरा कोशिकीय स्थानों में
(*b*) कोशिका भित्ति में
(*c*) केन्द्रक में
(*d*) कोशिका झिल्ली में

41. निम्नलिखित में से कौन-सा एक लघु मात्रक पोषक तत्व नहीं है?
(*a*) Mg (*b*) Zn
(*c*) Mn (*d*) Cu

42. निम्नलिखित में से कौन-सा लघु मात्रक पोषक तत्व नहीं है?
(*a*) Cu (*b*) P
(*c*) Mo (*d*) Zn

43. वे चार तत्व जो एक सजीव तन्त्र में मिलने वाले तत्वों का 99% भाग बनाते हैं, होते हैं–
(*a*) H, O, C, N (*b*) C, H, O, P
(*c*) C, N, O, P (*d*) C, H, O, S

44. निम्न में से किसकी कमी के कारण प्ररोह के शीर्ष की मृत्यु हो जाती है–
(*a*) Mg^{++} तथा Mn^{++} (*b*) K^+ व Cl^-
(*c*) Mn^{++} व Cl^- (*d*) Ca^{++} तथा B

45. निम्न में से किस विधि द्वारा आयनों का अवशोषण होता है–
(*a*) जल विभव में अन्तर के कारण
(*b*) DPD में अन्तर के कारण
(*c*) विसरण के कारण
(*d*) पम्प तथा वाहक द्वारा

46. वह तत्व जो ATP बनाने के लिये आवश्यक है–
(*a*) N व P (*b*) Fe व Mg
(*c*) Fe व Ca (*d*) Cu व P

47. निम्नलिखित में से कौन-सा तत्व पर्णहरिम में पाया जाता है–
(*a*) मैंगनीज (*b*) लौह
(*c*) ताँबा (*d*) मैग्नीशियम

48. निम्नलिखित में से कौन-सा पोषक तत्व वर्ग सूक्ष्मतत्व के रूप में पौधों के बढ़ने में काम आता है–
(*a*) मैंगनीज, ताँबा, कैल्शियम (*b*) सोडियम, पौटेशियम, बोरोन
(*c*) सोडियम, निकल, क्लोरीन (*d*) ताँबा, मॉलिब्डेनम, जिंक

49. पौधों में हरितरोग (Chlorosis) किस चीज की कमी से होता है–
(*a*) लौह (*b*) बोरोन
(*c*) ताँबा (*d*) कैल्शियम

50. पौधों के कोशिकीय उपापचय में फास्फोरस का अधिकतर उपयोग किसमें होता है–
(*a*) उपापचय ऊर्जा के बनाने में
(*b*) प्रकाश संश्लेषण में ऑक्सीजन निकलने में
(*c*) श्वसन में कार्बन डाइ-ऑक्साइड निकलने में
(*d*) अवायवीय वातावरण पैदा करने में

उत्तरमाला

1	2	3	4	5	6	7	8	9	10
(*d*)	(*b*)	(*b*)	(*c*)	(*c*)	(*c*)	(*b*)	(*d*)	(*a*)	(*a*)
11	**12**	**13**	**14**	**15**	**16**	**17**	**18**	**19**	**20**
(*c*)	(*a*)	(*c*)	(*a*)	(*d*)	(*c*)	(*a*)	(*b*)	(*a*)	(*a*)
21	**22**	**23**	**24**	**25**	**26**	**27**	**28**	**29**	**30**
(*c*)	(*d*)	(*a*)	(*a*)	(*a*)	(*b*)	(*c*)	(*b*)	(*a*)	(*b*)
31	**32**	**33**	**34**	**35**	**36**	**37**	**38**	**39**	**40**
(*c*)	(*d*)	(*c*)	(*d*)	(*a*)	(*c*)	(*a*)	(*b*)	(*d*)	(*d*)
41	**42**	**43**	**44**	**45**	**46**	**47**	**48**	**49**	**50**
(*a*)	(*b*)	(*a*)	(*d*)	(*d*)	(*d*)	(*d*)	(*d*)	(*a*)	(*a*)

अध्याय

15

पौधों में खाद्य पदार्थों का स्थानान्तरण एवं संचयन (Translocation and Storage of Food Materials in Plants)

स्थानान्तरण (Translocation)

- खाद्य पदार्थों के पौधे के एक अंग से दूसरे अंग या पत्ती से जड़ तक प्रवाह की क्रिया को स्थानान्तरण (translocation) कहते हैं।
- स्थानान्तरण की क्रिया में पत्तियाँ तथा अन्य प्रकाशसंश्लेषी भागों से खाद्य पदार्थ सुक्रोस के घोल के रूप में फ्लोएम द्वारा पौधों के अन्य सभी भागों जहाँ पर प्रकाश संश्लेषण की क्रिया नहीं होती है, तक पहुँचते हैं।

स्थानान्तरण की दिशाएँ (Directions of Translocation)

पौधो में स्थानान्तरण विभिन्न दिशाओं में होता है। स्थानान्तरण मुख्यतः नीचे की ओर (downward) होता है। इसके अतिरिक्त स्थानान्तरण, ऊपर (upward) तथा पार्श्व (lateral) या अरीय (radial) दिशाओं में भी होता है।

(i) नीचे की ओर स्थानान्तरण (Downward Translocation)

पत्तियों में प्रकाशसंश्लेषण की क्रिया द्वारा निर्मित खाद्य पदार्थ नीचे की ओर स्थित भूमिगत जड़, तनों, पत्तियाँ आदि को पहुँचाया जाता है। उक्त कार्बनिक पदार्थ या तो उपयोग में लाया जाता है या संचयित कर लिया जाता है।

(ii) ऊपर की ओर स्थानान्तरण (Upward Translocation)

अंकुरित बीजों में संचयित खाद्य पदार्थ नये तनों तथा पत्तियों की ओर जाते हैं। तने के शिखाग्र के पास लगी हुई पत्तियों से खाद्य पदार्थो का स्थानान्तरण ऊपर की दिशा में स्थित प्ररोह शीर्षों (shoot apices) में होता है तथा भूमिगत चिरकालिक (Perennating) संरचनाओं से भी खाद्य पदार्थ ऊपर की ओर पहुँचाया जाता हैं।

(iii) पार्श्वीय स्थानान्तरण (Lateral Translocation)

बीजों तथा फलों के निर्माण के समय खाद्य पदार्थों का स्थानान्तरण पत्तियों से अरीय या पार्श्वीय दिशा में होता है। जिससे फलों तथा बीजों में खाद्य पदार्थों का संचयन हो जाता हैं।

स्थानान्तरण से सम्बन्धित ऊतक (Tissues Involved in Translocation)

ओ. एफ. कर्टिस (O.F. Curtis, 1935) के अनुसार खाद्य पदार्थों का स्थानान्तरण पोषवाह अथवा फ्लोएम (phloem) के द्वारा होता है। इसके लिये निम्नलिखित प्रमाण दिये गये हैं–

1. फ्लोएम के अतिरिक्त ऊतकों को अलग करना (Elimination of tissues other than phloem)

जाइलम, जल व खनिज तत्वों को जड़ों से ऊपर की ओर ले जाता है। इसलिये जाइलम से खाद्य पदार्थों का भी प्रवाह साथ-साथ होना सम्भव नहीं होगा। क्योंकि भरण ऊतकों (ground tissues) में घुलनशील कार्बनिक पदार्थ नहीं होते हैं अतः उनके स्थानान्तरण में काम आने की सम्भावना भी नहीं होती है। अतः यह अनुमान लगाया जा सकता है कि केवल फ्लोएम ही स्थानान्तरण में सक्रिय होता है।

2. फ्लोएम की संरचना और वितरण (Structure and distribution of phloem)

फ्लोएम लम्बी चालनी नलिकाओं से बना होता है। नलिकाओं के सिरे एक दूसरे से जुड़कर एक सतत प्रणाली (continuous channel) का निर्माण करते हैं। ये नलिकायें जीवद्रव्य तन्तुओं (plasmodesmata) से परस्पर सम्बन्ध बनाये रखती हैं। इस प्रकार फ्लोएम की यह संरचना, कार्बनिक पदार्थों के स्थानांतरण के लिये उपयोगी होती है।

3. फ्लोएम के रस का रासायनिक विश्लेषण (Chemical analysis of phloem sap)

पत्तियों में कार्बनिक पदार्थों की मात्रा में जिस प्रकार उतार-चढ़ाव होते हैं उसी प्रकार और उसी समय फ्लोएम के रस में भी कार्बनिक पदार्थों की मात्रा कम अथवा अधिक होती है।

कुछ कीड़े फ्लोएम से रस चूसते हैं। इन कीड़ों से प्राप्त रस के विश्लेषण से यह पता चलता है कि फ्लोएम में सुक्रोस के रूप में खाद्य पदार्थ होता है।

4. वलयन विधि अथवा छाल वल्क उतारना (Ringing method or girdling)

पौधों से छाल वल्क वलय के रूप में उतार लिया जाता है। जिसमें फ्लोएम भी होता है। कुछ समय बाद वलय के ऊपर का भाग फूल जाता है। क्योंकि यहाँ फ्लोएम के अभाव में खाद्य पदार्थ नीचे जाने के बजाय इकट्ठा हो जाते हैं। वलय उतारने के बाद नीचे के क्षेत्र में खाद्य पदार्थ नहीं पहुँच पाते। जिससे **सर्वप्रथम जड़ें सूखने लगती हैं** और फिर **पौधा मर जाता है**।

वलयन क्रिया फलों के बागों में उपयोग में लायी जाती है। पुष्प अथवा पुष्पक्रम के नीचे से वलय हटा लिया जाता है। फलस्वरूप खाद्य पदार्थ पत्तियों से नीचे की ओर स्थानान्तरित न होकर फलों में जाते हैं और **फलों के आकार** में वृद्धि हो जाती है।

स्थानान्तरण की क्रिया (Mechanism of Translocation)

स्थानान्तरण की क्रियाओं के सम्बन्ध में अनेक परिकल्पनाएँ हैं-

[I] *विसरण की परिकल्पना (Diffusion hypothesis)*

इस परिकल्पना के अनुसार खाद्य पदार्थों का स्थानांतरण उसके अधिक सान्द्रता वाले क्षेत्र से कम सान्द्रता वाले क्षेत्र की तरफ होता रहता है। इस प्रकार पत्तियों में बनने वाले खाद्य पदार्थ जड़ और अन्य भागों की ओर विसरित होते रहते हैं। कम सान्द्रता के स्थानों पर यह पदार्थ या तो उपयोग में ले लिये जाते हैं या अविलेय (insoluble) रूप में परिवर्तित होकर संचयित हो जाते हैं।

परन्तु विसरण की परिकल्पना को मान्यता प्राप्त नहीं है। इसके दो मुख्य कारण हैं-

(1) इस स्पष्टीकरण के अनुसार पायी जाने वाली स्थानांतरण की दर वास्तविक दर की तुलना में लगभग 40,000 गुनी कम होती है।

(2) फ्लोएम से होने वाला स्थानांतरण, अपापचयी क्रियाओं पर निर्भर होता है परन्तु विसरण और अपापचय का कोई भी सम्बन्ध नहीं होता है।

[II] *जीवद्रव्य प्रवाह का वाद (Protoplasmic streaming theory)*

इसे ह्यूगो डी वेरीज (Hugo de Vries, 1885) ने प्रस्तुत किया था। इसके पश्चात कर्टिस (Curtis, 1929) ने इस स्पष्टीकरण का अनुमोदन प्रस्तुत किया। इनके अनुसार खाद्य पदार्थों का स्थानान्तरण जीवद्रव्य प्रवाह (protoplasmic streaming) के कारण होता है। यह प्रवाह विसरण के नियमों के अनुसार होता रहता है। चालनी नलिकाओं में आये हुए पदार्थ ऊपर या नीचे की ओर, जीवद्रव्य के प्रवाह के साथ पहुँचाये जाते हैं। इस वाद द्वारा दो पदार्थों का विभिन्न दिशाओं में स्थानांतरण बताया जाना सम्भव है।

परन्तु इस वाद को भी कुछ आपत्तियों के कारण स्वीकृत करना संभव नहीं है-

(1) परिपक्व चालनी नलिकाओं में जीवद्रव्य प्रवाह नहीं होता है।

(2) खाद्य पदार्थों का स्थानांतरण केवल चालनी नलिकाओं की रसधानियों (vacuoles) से होता हुआ पाया गया है।

[III] *मुन्च की परिकल्पना अथवा द्रव्यमान प्रवाह की परिकल्पना (Munch hypothesis or mass flow hypothesis)*

मुन्च (Munch, 1930) के अनुसार खाद्य पदार्थों का स्थानांतरण, सान्द्रता प्रवणता के अनुरूप उनके स्रोत अथवा निर्माण के स्थान से उनके उपयोग के स्थान तक फ्लोएम द्वारा ही होता है।

परन्तु इस परिकल्पना के विरुद्ध निम्नलिखित आपत्तियाँ बताई जाती हैं-

(1) मुन्च की परिकल्पना के अनुसार स्थानांतरण केवल एक दिशा में पत्ती से जड़ की ओर (नीचे की ओर) होना सम्भव है। जबकि अब यह पता है कि खाद्य पदार्थों का स्थानान्तरण अनेक दिशाओं में होता है।

(2) संभरण केन्द्र और उपभोग केन्द्र की परासरण सान्द्रता परिकल्पना के आवश्यकतानुसार नहीं होती। उपभोग केन्द्र की कोशिकाओं की सान्द्रता संभरण केन्द्र की कोशिकाओं की अपेक्षा अधिक पायी जाती है। यह परिकल्पना के सिद्धान्त के विपरीत है।

(3) चालनी नलिकाओं के छिद्र विशेष ऋतु में बन्द होते हैं और उस समय द्रव्यमान प्रवाह का स्पष्टीकरण देना कठिन होता है।

खाद्य पदार्थों का संचयन (Storage of Food Materials)

खाद्य पदार्थ मुख्य रूप से पत्तियों में बनते हैं जो कि आवश्यकता से अधिक मात्रा में बनते हैं और सभी अंगों को स्थानांतरित होते हैं। आवश्यकतानुसार यह पदार्थ वृद्धि के उपयोग में लाये जाते हैं और शेष मात्रा अघुलनशील पदार्थों के रूप में संचयित हो जाती है। जिन अंगों में ये पदार्थ एकत्रित होते हैं उन अंगों को संचयी अंग (storage organs) कहते हैं। आवश्यकता पड़ने पर संचयी अंगों से संचयित पदार्थ दूसरे अंगों को पुनः फ्लोएम द्वारा स्थानान्तरित हो जाते हैं।

[I] *संचयित खाद्य पदार्थों के प्रकार (The forms of stored food)*

नीचे दिये गये खाद्य पदार्थ पौधों में संचयित होते रहते हैं।

1. कार्बोहाइड्रेट

यह संचयित होने वाला सबसे सामान्य तथा मुख्य पदार्थ है। यह निम्नलिखित रूपों में पाया जाता है-

(*a*) **मण्ड (Starch) :** यह मण्ड कणों के रूप में पाया जाता है। प्रत्येक पौधे के मण्ड कण अलग प्रकार के होते हैं और इनका पता सूक्ष्मदर्शी द्वारा लगाया जा सकता है। आवश्यकतानुसार मण्ड शर्करा में परिवर्तित हो जाता है जो कि कोशिकाओं के काम में आता है।

(*b*) **शर्करा (Sugars) :** मोनोसैकेराइड शर्करा जैसे ग्लूकोस, फ्रक्टोस, गैलेक्टोस व मैनोस तथा डाइसैकेराइड शर्करा जैसे सुक्रोस, माल्टोस अनेक पौधों में पायी जाती हैं।

(*c*) **इन्यूलिन (Inulin) :** यह घुलनशील कार्बोहाइड्रेट कोशिका रस में पाया जाता है।

(*d*) **हेमिसैलुलोस (Hemicellulose) :** यह पाँच कार्बन युक्त शर्करा भी कुछ पौधों में संचयित होती है।

2. वसा और तेल (Fats and oils)

इनसे कार्बोहाइड्रेट से अधिक ऊर्जा मिलती है। तेल की बूंदें जीवद्रव्य में पायी जाती हैं।

3. प्रोटीन (Proteins)

यह जीवद्रव्य का प्रमुख भाग है तथा ऐल्यूरोन कणों के रूप में पाया जाता है।

[II] *संचयी अंग (Storage organs)*

खाद्य पदार्थों को संचयित करने वाले ऊतक पैरेन्काइमी होते हैं। ये कोशिकायें जीवित होती हैं तथा खाद्य पदार्थों का रूपान्तरण करने के लिए इनमें आवश्यक एन्जाइम भी मौजूद होते हैं। लगभग सभी पैरेन्काइमी भागों में संचयित खाद्य पदार्थ उपस्थित होते हैं। मूल का वल्कुट, अन्तस्त्वचा, मज्जा किरण (medullary ray) में संचयित खाद्य पदार्थ प्रचुर मात्रा में पाये जाते हैं।

खाद्य पदार्थ भ्रूणपोष (endosperm) तथा बीजपत्रों (cotyledons) में पाये जाते हैं। फल की फलभित्ति (pericarp) में तथा विशेष रूप में मांसल (fleshy) जड़ों में जैसे तर्कुरूप (fusiform), कुम्भीरूप (napiform),

शंकुरूप (conical), आदि में खाद्य पदार्थ अत्यधिक मात्रा में एकत्रित हो जाते हैं। लगभग सभी मांसल तने और टहनियाँ, खाद्य पदार्थों को संचयित करती हैं जैसे केक्टस, घी कंवर (*Aloe*), यूफोर्बिया (*Euphorbia*), कंटाला (*Agave*)। प्याज की शल्की पत्तियों (scaly leaves) में भी खाद्य पदार्थ एकत्रित होते हैं। फूलों के विभिन्न अंगों में तथा वृद्धि करने वाले क्षेत्रों में भी खाद्य पदार्थों का संचयन होता है।

वस्तुनिष्ठ प्रश्न

1. धारा प्रवाह परिकल्पना का वर्णन सर्वप्रथम किया गया–
(*a*) मुन्च द्वारा (*b*) बुचा नैन द्वारा
(*c*) कुर्सानोव द्वारा (*d*) स्वान्सन द्वारा

2. उच्च पादपों में कार्बोहाइड्रेट्स का स्थानान्तरण होता है–
(*a*) ग्लूकोज के रूप में (*b*) सुक्रोज के रूप में
(*c*) फ्रक्टोज के रूप में (*d*) स्टार्च के रूप में

3. पत्तियों में संश्लेषित कार्बोहाइड्रेट्स अधिकतर चालनी नलिकाओं में होकर स्थानान्तरित होते हैं–
(*a*) ग्लूकोज के रूप में (*b*) सुक्रोज के रूप में
(*c*) ट्रायोज शर्करा के रूप में (*d*) घुलनशील मण्ड के रूप में

4. शिशु फल हरे होते हैं किन्तु पक जाने पर विभिन्न चमकदार रंगों के हो जाते हैं–
(*a*) शर्करा की मात्रा बढ़ जाती है
(*b*) कार्बनिक अम्ल की मात्रा घट जाती है
(*c*) आयु बढ़ने के कारण
(*d*) हरितलवक कैरोटीन्स एवं जैन्थोफिल्स में विखण्डित हो जाते हैं

5. प्रकाश संश्लेषण के उत्पादों का स्थानान्तरण होता है–
(*a*) रबड़क्षीरी वाहिनियों द्वारा (*b*) सूक्ष्म नलिकाओं द्वारा
(*c*) चालनी नलिकाओं द्वारा (*d*) जाइलम वाहिकाओं द्वारा

6. अभिगमनों का सम्बन्ध है–
(*a*) एन्जाइम से (*b*) खनिजों के परिवहन से
(*c*) रन्ध्रों से (*d*) फाइटोक्रोम से

7. विलेय के परिवहन में सम्भारण सिरे होते हैं–
(*a*) हरी पत्तियाँ तथा संचायक अंग
(*b*) जड़ तथा तना
(*c*) जाइलम तथा फ्लोएम
(*d*) हार्मोन तथा एन्जाइम

8. खनिजों का द्विदिशीय स्थानान्तरण किसमें से होता है?
(*a*) जाइलम (*b*) फ्लोएम
(*c*) पैरेन्काइमा (*d*) कैम्बियम

9. Trancellular Strands पाये जाते हैं–
(*a*) वाहिकाओं में (*b*) चालनी नलिकाओं में
(*c*) पैरेन्काइमा में (*d*) पिथ में

10. आवृतबीजी पादपों में शर्करा का कौन-सा प्रकार स्थानान्तरित होता है–
(*a*) फ्रक्टोस (*b*) ग्लूकोस
(*c*) सूक्रोस (*d*) राइबोस

11. मण्ड (Starch) जल में अघुलनशील होता है फिर भी यह बड़ी मात्रा में आलू में एकत्रित होता है क्योंकि–
(*a*) यह शर्करा के रूप में पत्तियों से आलू के कन्द में स्थानान्तरित होता है
(*b*) भूमि के सूक्ष्म जीव कन्द में स्टार्च को एकत्रित करते हैं
(*c*) यह उपयोगी उपभोग होता है
(*d*) यह आलू के कन्द में स्वयं बनता है

12. निम्न में से कौन-सा कार्बोहाइड्रेट मोनोसैकेराइड होता है?
(*a*) ग्लूकोज (*b*) स्टार्च
(*c*) सुक्रोच (*d*) सेल्यूलोज

13. भोजन में मण्ड (Starch) का पता लगाते हैं इसकी–
(*a*) श्वेत दृश्य से
(*b*) यदि गर्म किया जाये तो कणिकामय के रूप से भी
(*c*) संग्रहीत ऊर्जा की उपस्थिति द्वारा
(*d*) आयोडीन घोल के साथ नीली अभिक्रिया

14. जैसे ही केले का फल पकता है तो इसमें अधिक मण्ड एकत्रित हो जाता है निम्न में से किसके द्वारा ज्ञात करेंगे कि यहाँ कैसे आया?
(*a*) मण्ड कण जाइलम कोशिकाओं से होकर फल तक पहुँचते हैं
(*b*) सह कोशिकाओं जैसी कोशिकाओं द्वारा मण्ड का विलयन फल में पहुँचता है
(*c*) फ्लोएम की कोशिकाओं में होकर मण्ड का विलयन फल में पहुँचता है
(*d*) फ्लोएम कोशिकाओं में होकर शर्करा का विलयन फल में पहुँचता है यहाँ पर यह स्टार्च में बदलता है

15. शर्करा जैसे कार्बनिक पदार्थ फ्लोएम में होकर स्थानान्तरण करते हैं। इसे प्रदर्शित किया जा सकता है–
(*a*) ग्राफ्टिंग द्वारा (*b*) मूलीय दाब द्वारा
(*c*) तने के वलयकरण द्वारा (*d*) डीफोलियेशन द्वारा

16. विलेय (खाद्य पदार्थ) की फ्लोएम में गति होती है–
(*a*) ऊपर की ओर (Acropetal)
(*b*) नीचे की ओर (Basipetal)
(*c*) दोनों ऊपर तथा नीचे की ओर (Acropetal and Basipetal)
(*d*) पार्श्वीय (Lateral)

17. कुकरबिटेसी कुल के पौधे वलयन से सबसे कम प्रभावित होते हैं–
(*a*) कम श्वसन के कारण

(*b*) आन्तरिक फ्लोएम के कारण
(*c*) बड़ी कैम्बियम कोशिकाओं के कारण
(*d*) फ्लोएम के पुर्नजीवन के कारण

18. पौधों में वह तत्व जो शर्करा के स्थानान्तरण के लिये आवश्यक है–
(*a*) मैंगनीज (*b*) लोहा
(*c*) बोरोन (*d*) मोलिब्डेनम

19. मुन्च की परिकल्पना की मुख्य कमी है कि–
(*a*) वह केवल एक दिशिक गति को समझा सकती है
(*b*) वह केवल द्विदिशिक गति को समझती है
(*c*) वह एक दिशिक गति को समझाने में असमर्थ है
(*d*) इसके अनुसार स्थानान्तरण मज्जा किरणों द्वारा भी होता है

20. जीवद्रव्य भ्रमण की परिकल्पना को स्वीकार नहीं किया जाता क्योंकि–
(*a*) परिपक्व चालनी नलिकायें भ्रमण की गति नहीं दिखातीं
(*b*) युवा कोशिका भ्रमण दिखाती है
(*c*) पोषवाह मृत होने के कारण जीवद्रव्य भ्रमण की गति नहीं दिखाता
(*d*) पोषवाह की परिपक्व कोशिकायें भ्रमण की गति दिखाती है

21. असामान्यतः बड़ा फल प्राप्त करने के लिये वलयन करना चाहिये–
(*a*) वृक्ष के स्तम्भ पर (*b*) फूल के तत्काल नीचे
(*c*) फूल के तत्काल ऊपर (*d*) फल के ऊपर

22. खाद्य पदार्थों का स्थानान्तरण होता है–
(*a*) ऊपरी दिशा में (*b*) नीचे की दिशा में
(*c*) अरीय दिशा में (*d*) सभी दिशाओं में

23. मण्ड तथा सेल्यूलोज ऐसे यौगिक हैं जो अनेक निम्नलिखित इकाइयों के बने होते हैं–
(*a*) ग्लिसरोल (*b*) सामान्य शर्कराओं
(*c*) वसीय अम्ल (*d*) अमीनो अम्ल

24. अन्दर से केन्द्रीय भाग में खोखले पादपों में–
(*a*) जड़ तथा प्ररोह दोनों एक साथ नष्ट हो जाते हैं
(*b*) जड़ नष्ट हो जाती है
(*c*) प्ररोह नष्ट हो जाता है
(*d*) न तो जड़ और न ही प्ररोह नष्ट होता है

25. प्रकाश संश्लेषण द्वारा बने हुये पदार्थ उच्च पादपों के अन्य भागों में स्थानान्तरित होते हैं–
(*a*) मज्जा कोशिकाओं द्वारा
(*b*) जाइलम कोशिकाओं द्वारा
(*c*) कैम्बियम की कोशिकाओं द्वारा
(*d*) फ्लोएम कोशिकाओं द्वारा

26. निम्नलिखित में से कौन-सा वृक्ष तेजी से नष्ट होगा?
(*a*) प्रून्ड (Prunned)
(*b*) होलोहार्टेड (Hollow Hearted)
(*c*) वलयीकृत (Girdled)
(*d*) पर्णपाती (Deciduous)

27. यद्यपि वलयीकृत (Girdled) वृक्ष कुछ समय तक जीवित रह सकता है, बाद में यह नष्ट हो जाता है क्योंकि–
(*a*) जल नीचे की ओर गति नहीं करेगा
(*b*) जल ऊपर की ओर गति नहीं करेगा
(*c*) शर्करायें तथा अन्य कार्बनिक पदार्थ नीचे की ओर गति नहीं करेंगे
(*d*) शर्करायें तथा अन्य कार्बनिक पदार्थ ऊपर की ओर गति नहीं करेंगे

28. विभव दाब (Gradient Pressure) भोजन के स्थानान्तरण की एक सम्भावित क्रिया विधि है, यह बताया–
(*a*) कर्टिस ने (*b*) मुन्च ने
(*c*) डिक्सन तथा जौली ने (*d*) मैसन तथा मास्केल ने

29. मुन्च का धारा प्रवाह परिकल्पना व्याख्या करती है–
(*a*) अनुलेखन की (*b*) अनुवादन की
(*c*) स्थानान्तरण की (*d*) वाष्पोत्सर्जन की

30. एक वृक्ष के स्तम्भ (Trunk) से वलय का हटाना इसे नष्ट कर देता है क्योंकि–
(*a*) उघड़े हुये भाग कवकों द्वारा संक्रमित हो जाते हैं
(*b*) जल ऊपर को नहीं जा सकता है
(*c*) खनिज लवण ऊपर नहीं जा सकते हैं
(*d*) भोजन नीचे को गति नहीं करता है और बिना भोजन के जड़ें नष्ट हो जाती हैं

उत्तरमाला

1	2	3	4	5	6	7	8	9	10
(*a*)	(*b*)	(*b*)	(*d*)	(*c*)	(*b*)	(*a*)	(*b*)	(*b*)	(*c*)
11	**12**	**13**	**14**	**15**	**16**	**17**	**18**	**19**	**20**
(*a*)	(*a*)	(*d*)	(*d*)	(*c*)	(*c*)	(*b*)	(*c*)	(*a*)	(*c*)
21	**22**	**23**	**24**	**25**	**26**	**27**	**28**	**29**	**30**
(*b*)	(*d*)	(*b*)	(*d*)	(*d*)	(*c*)	(*c*)	(*b*)	(*c*)	(*d*)

अध्याय

16

प्रकाश–संश्लेषण (Photosynthesis)

- प्रकाश-संश्लेषण, प्रकाश की उपस्थिति में होने वाली एक जैविक उपचयी (anabolic) क्रिया है।
- इस क्रिया में अकार्बनिक सरल यौगिकों, कार्बन डाइ-आक्साइड तथा जल का प्रयोग, प्रकाशीय ऊर्जा एवं पर्णहरित की उपस्थिति में हरे पादप कार्बोहाइड्रेट का निर्माण करते हैं।
- प्रकाश-संश्लेषण एक ऐसी जैविक क्रिया है जिसमें CO_2 का उपयोग होता है तथा O_2 बाहर निकलती है।
- प्रकाश-संश्लेषण की अभिक्रिया को निम्न समीकरण द्वारा प्रस्तुत किया जा सकता है:

$$6CO_2 + 12H_2O \xrightarrow[\text{पर्णहरित}]{\text{प्रकाश}} C_6H_{12}O_6 + 6H_2O + 6O_2 \uparrow$$

प्रकाश-संश्लेषण की क्रियाविधि (Mechanism of Photosynthesis)

हरे पादप इस क्रिया को करने की क्षमता रखते हैं तथा **उत्पादक (producer)** कहलाते हैं। हरितलवक में प्रकाश संश्लेषण की सभी क्रियाएँ सम्पन्न होती हैं। जैसे प्रकाशीय ऊर्जा का वर्णकों द्वारा अवशोषण, ऊर्जा का स्थानान्तरण, ऊर्जा का स्थिरीकरण, CO_2 का स्वांगीकरण, ATP निर्माण, कार्बोहाइड्रेट का निर्माण आदि।

प्रकाश-संश्लेषण की सम्पूर्ण क्रिया दो चरणों में सम्पन्न में होती है। प्रथम चरण में ऊर्जा तथा O_2 का निर्माण होता है तथा द्वितीय चरण में कार्बोहाइड्रेट निर्माण अर्थात् CO_2 का स्वांगीकरण होता है। प्रथम चरण प्रकाश की उपस्थिति में होता है, परन्तु द्वितीय चरण में प्रकाश की आवश्यकता नहीं होती है। लगभग 90% प्रकाश संश्लेषण शैवाल द्वारा होता है। पौधों द्वारा अवशोषित सौर ऊर्जा का 3.5% भाग प्रकाश संश्लेषण की क्रिया में प्रयुक्त होता है।

पहले यह माना जाता था कि O_2 का निर्माण CO_2 से होता है। परन्तु **रूबेन** ने 1941 ई. में O^{18} का प्रयोग CO_2 में किया और देखा कि निकलने वाली O_2 में O^{16} था। इससे यह सिद्ध हुआ कि O_2 का निर्माण CO_2 से नहीं, बल्कि जल के अपघटन से होता है।

अतः नया समीकरण इस प्रकार है–

$$6CO_2 + 12H_2O^{18} \xrightarrow[\text{पर्णहरित}]{\text{प्रकाश}} C_6H_{12}O_6 + 6H_2O + 6O_2^{18} \uparrow$$

प्रकाश संश्लेषण की क्रिया वास्तव में एक **आक्सीकरण- अपचयन** (oxidation-reduction) की क्रिया है। इसमें पानी के उपचयन से O_2 तथा CO_2 के अपचयन से शर्करा मिलती है।

प्रकाशीय क्रिया (Light Reaction)

प्रकाश अभिक्रिया अथवा 'प्रकाश रसायन' चरण में प्रकाश अवशोषण, जल विघटन, ऑक्सीजन निष्कर्षण तथा उच्च-ऊर्जा रसायन माध्यमिकों, जैसे एटीपी तथा एनएडीपीएच का निर्माण शामिल है। इस प्रक्रिया में अनेक कॉम्पलेक्स सम्मिलित होते हैं। यहाँ वर्णक दो सुस्पष्ट प्रकाश रसायन **लाइट हार्वेस्टिंग कॉम्पलेक्स (एलएचसी)** जिन्हें **फोटोसिस्टम I (पीएस I)** तथा **फोटोसिस्टम II (पीएस II)** कहते हैं– में गठित होता है। इन्हें खोज के क्रम में ये नाम दिए गए हैं न कि प्रकाश अभिक्रिया के दौरान उनके काम करने के अनुक्रम में। एलएचसी प्रोटीन से आबद्ध हजारों वर्णक अणुओं से बने होते हैं। प्रत्येक फोटोसिस्टम में सभी वर्णक होते हैं, (सिवाय क्लोरोफिल *'ए'* के एक अणु के) तथा एलएचसी का निर्माण करते हैं जिन्हें **ऐन्टेनी** कहते हैं। ये वर्णक विभिन्न तरंगदैर्घ्यों के प्रकाश को अवशोषित कर प्रकाश-संश्लेषण को अधिक दक्ष बनाते हैं। क्लोरोफिल *'ए'* का एक अकेला अणु **अभिक्रिया केंद्र** बनाता है। दोनों फोटोसिस्टम में प्रतिक्रिया केंद्र पृथक होते हैं। पीएस I में अभिक्रिया केंद्र क्लोरोफिल *'ए'* का अवशोषण शीर्ष 700 एनएम (nm) पर होता है अतः इसे **पी 700** कहते हैं। पीएस II में अवशोषण 680 एनएम (nm) पर होता है अतः इसे **पी 680** कहते हैं। (चित्र 1)

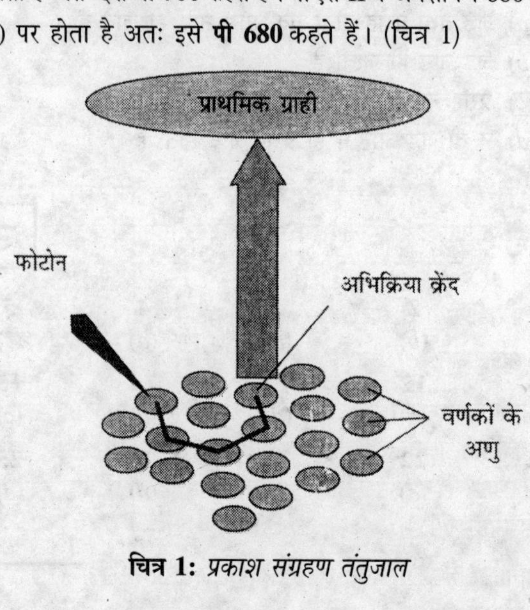

चित्र 1: *प्रकाश संग्रहण तंतुजाल*

इलेक्ट्रॉन परिवहन (Electron Transform)

फोटोसिस्टम II में अभिक्रिया केंद्र में मौजूद क्लोरोफिल *'ए'* 680 एनएम वाले लाल प्रकाश को अवशोषित करता है, जिससे इलेक्ट्रॉन उत्तेजित होकर परमाणु नाभिक से दूर चला जाता है। इस इलेक्ट्रॉन को एक इलेक्ट्रॉन ग्राही ले लेता है। इलेक्ट्रॉन की यह गतिविधि अधोगामी है जो अपचयोपचय विभव मापन (रेडॉक्स पोटेंशियल स्केल) के रूप में है। जब इलेक्ट्रॉन्स परिवहन शृंखला से इलेक्ट्रॉन्स गुजरते हैं तब उनका उपयोग नहीं होता और उन्हें फोटोसिस्टम पीएस I के वर्णकों को दे दिया जाता है। इसके साथ ही साथ, पीएस I के अभिक्रिया केंद्र के इलेक्ट्रॉन भी लाल प्रकाश की 700 एनएम तरंगदैर्ध्य को अवशोषित कर उत्तेजित हो जाती हैं और यह अन्य ग्राही अणु में जिसका अपचयोपचय (रेडॉक्स) विभव अधिक हो, स्थानांतरित होता है। ये इलेक्ट्रॉन्स पुनः अधोगामी गति करते हैं, परंतु इस बार वे ऊर्जा से प्रचुर एनएडीपी$^+$ अणु की ओर जाते हैं। ये इलेक्ट्रॉन्स एनएडीपी$^+$ को अपचयित कर एनएडीपीएच$^+$ H^+ को बनाते हैं। इलेक्ट्रॉन के स्थानांतरण की यह सारी योजना पीएस II से शुरू होकर शिखरोपरिग्राही की ओर, इलेक्ट्रॉन परिवहन शृंखला से होते हुए पीएस I तक, इलेक्ट्रॉन की उत्तेजना, अन्य ग्राही में स्थानांतरण और अंतः में अधोगामी होकर एनएडीपी$^+$ को अपचयित कर एनएडीपीएच$^+$ H^+ के बनने तक होती हैं। योजना Z के आकार की होती है। (चित्र 2)

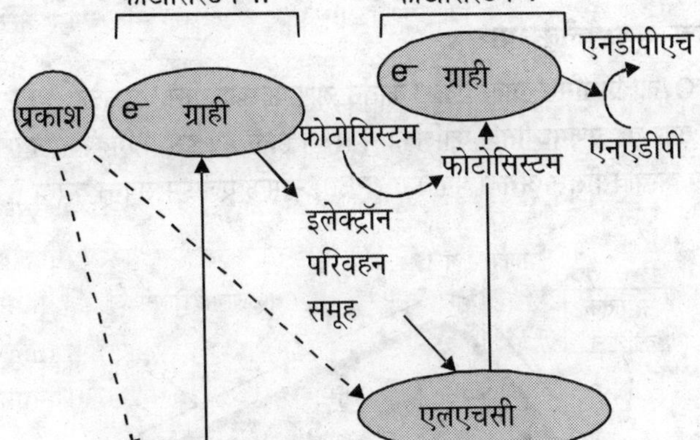

चित्र 2: *प्रकाश अभिक्रिया की Z-स्कीम*

चक्रिक प्रकाश फॉस्फेटीकरण में ATP का निर्माण दो स्थानों पर होता है–

(*i*) फेराडॉक्सिन से साइटोक्रोम b_6 में इलेक्ट्रॉन जाने पर।

(*ii*) साइटोक्रोम b_6 से साइटोक्रोम f में इलेक्ट्रॉन जाने पर।

अचक्रिक प्रकाश फॉस्फेटीकरण में O_2 का विमोचन होता है, एक ATP प्लास्टोक्वीनोन तथा Cyt f के मध्य बनता है तथा $2NADPH_2$ प्राप्त होते हैं। ATP को परिपाचन शक्ति (assimilatory power) तथा $NADPH_2$ को अपचयन शक्ति (reducing power) कहते हैं। (चित्र 3)

पानी से NADP बनने तक इलेक्ट्रॉन अभिगमन की शृंखला जिसमें प्रकाश तन्त्र I व II कार्य करते हैं, 'Z' स्कीम कहते हैं।

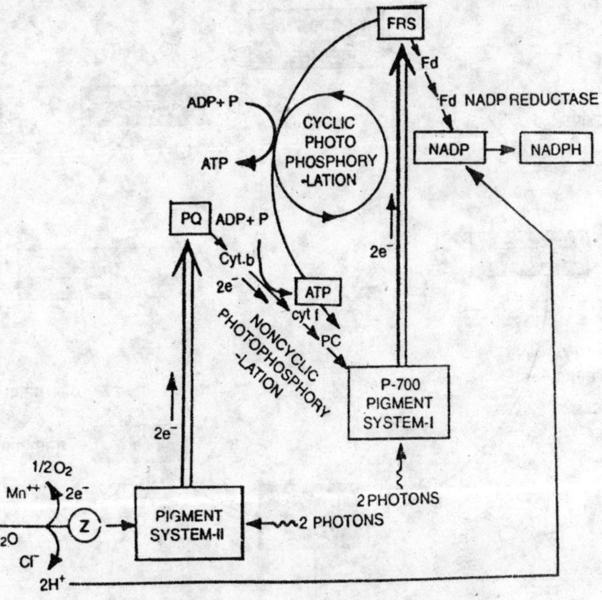

चित्र 3: *चक्रीय तथा अचक्रीय प्रकाश फॉस्फेटीकरण में इलेक्ट्रॉन का अभिगमन।*

केल्विन चक्र (Calvin Cycle)

केल्विन तथा उसके सहकर्मियों ने संपूर्ण पथ का पता लगाया और बताया कि यह पथ एक चक्रीय क्रम में संचालित होता है; जिसमें RuBP पुनः उत्पादित होता है। आइए, अब यह देखें कि केल्विन पथ कैसे संचालित होता है और शर्करा कहाँ पर संश्लेषित होती है। केल्विन चक्र उन सभी पौधों में होता है जो प्रकाश-संश्लेषण करते हैं।

केल्विन चक्र की क्रिया 3 भागों में पूर्ण होती है-

(*i*) **कार्बोक्सिलीकरण (Carboxylation):** इस क्रिया में रिबुलोस 5 फॉस्फेट, ATP से फॉस्फेट लेकर रिबुलोज बिसफॉस्फेट बनाता है जो CO_2 ग्रहण कर 3C यौगिक फॉस्फोग्लिसरिक अम्ल बनाता है।

(*ii*) **ग्लिसरोल परिवर्तन (Glycerol Reversal):** इस क्रिया में फॉस्फोग्लिसरिक अम्ल से होते हुए ऊर्जा शर्करा बनाती है।

(*iii*) **रिबुलोस 5 फॉस्फेट की पुनः उत्पत्ति (Regeneration of ribulose 5, phosphate)** केल्विन चक्र के चलते रहने के लिए रिबुलोस 5 फॉस्फेट की पुनः उत्पत्ति स्वप्रेरित होती है। (चित्र 4)

कैल्विन चक्र तीन भागों में बांटा जा सकता है। (1) कार्बोक्सिलेशन जिसमें CO_2 राइबुलोज-1, 5 बिसफॉस्फेट से योग करता है (2) अवकरण, जिसमें कार्बोहाइड्रेट का निर्माण प्रकाश रासायनिक ग्राही तथा एनएडीपीएच की मदद से होता है तथा (3) पुनरुद्भवन जिसमें CO_2 ग्राही राइबुलोज-1, 5 विसफॉस्फेट का पुनःनिर्माण होता है तथा चक्र चलता रहता है।

1. *कार्बोक्सिलीकरण (Carboxylation)*

CO_2 के यौगिकीकरण से एक स्थिर कार्बनिक मध्यस्थ बनता है। केल्विन चक्र में कार्बोक्सिलीकरण एक अत्यधिक निर्णायक चरण है जहाँ RuBP के कार्बोक्सिलीकरण के लिए CO_2 का उपयोग किया जाता है। यह प्रतिक्रिया एंजाइम RuBP कार्बोक्सिलेस के द्वारा उत्प्रेरित होती है, जिसके परिणामस्वरूप

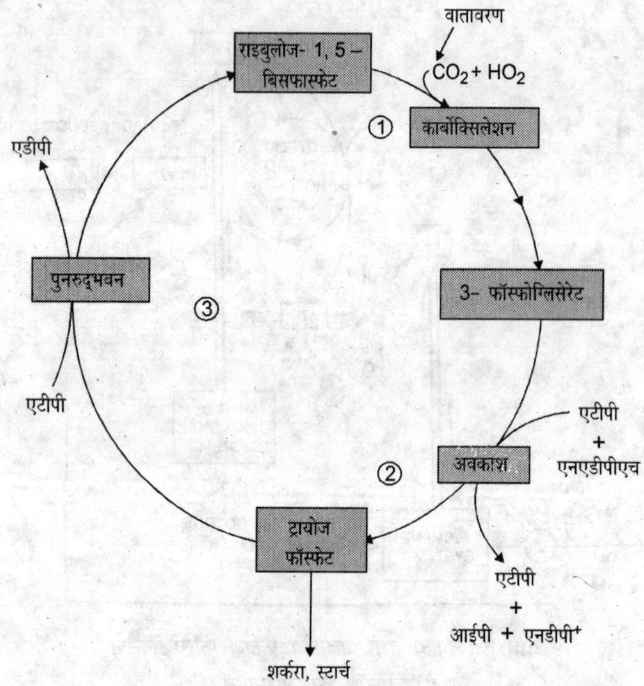

चित्र 4:

3-P GA के दो अणु बनते हैं। चूँकि इस एंजाइम में एक ऑक्सीकरण क्षमता भी होती है। अतः इसे RuBP कार्बोक्सिलेस-ऑक्सिजिनेस या रुबिस्को कहा जाता है।

2. *अपचयन (Reduction)*

यह प्रतिक्रियाओं की एक श्रृंखला है जिसमें ग्लूकोज बनता है। इस चरण में प्रत्येक CO_2 अणु के स्थिरण हेतु एटीपी के 2 अणुओं का उपयोग अपचयन हेतु होता है। पथ से ग्लूकोज के एक अणु को बनाने के लिए CO_2 के 6 अणुओं के यौगिकीकरण तथा चक्करों की आश्यकता होती है।

3. *पुनरुद्भवन (Regeneration)*

यदि चक्र को बिना बाधा या अवरोध के जारी रहना है तो CO_2 ग्राही अणु RuBP का पुनरुद्भवन बहुत ही आवश्यक होता है। पुनरुद्भवन के चरण में RuBP गठन हेतु फॉस्फोरीलेशन के लिए एक एटीपी की आवश्यकता होती है।

केल्विन चक्र में CO_2 के प्रत्येक अणु को प्रवेश के लिए एटीपी के 3 अणु तथा एनएडीपीएच के 2 अणुओं की आवश्यकता होती है। अप्रकाश अभिक्रिया में उपयोग होने वाले एटीपी और एनएडीपीएच की संख्याओं में यह अंतर ही चक्रीय फॉस्फोरीलेशन को संपन्न कराने का मुख्य कारण है।

ग्लूकोस के एक अणु की रचना के लिए इस चक्र के 6 चक्करों की आवश्यकता होती है। केल्विन पथ के माध्यम से ग्लूकोस के एक अणु की रचना के लिए 18 एटीपी तथा 12 एनएडीपीएच के अणुओं की आवश्यकता होती है।

पथ C_4 (C_4 Cycle)

पौधे जो शुष्क उष्णकटिबंधी क्षेत्र में पाए जाते हैं उनमें C_4 पथ होता है। इन पौधों में CO_2 के यौगिकीकरण का पहला उत्पाद यद्यपि C_4 ऑक्जेलोएसिटिक अम्ल होता है फिर भी इनके मुख्य जैव संश्लेषण पथ में C_3 पथ अथवा केल्विन चक्र ही होता है।

C_4 पौधे विशिष्ट हैंः इनकी पत्तियों में एक विशेष प्रकार की शारीरिकी होती है। ये उच्च ताप को सह सकते हैं। ये उच्च प्रकाश तीव्रता के प्रति अनुक्रिया करते हैं। उनमें प्रकाश श्वसन प्रक्रिया नहीं होती और उनमें जैव भार अधिक उत्पन्न होता है।

C_4 पथ पौधों की संवहन बंडल के चारों ओर स्थित बृहद् **कोशिकाएं पूलाच्छद** (बंडल शीथ) कोशिकाएं कहलाती हैं और पत्तियाँ जिनमें ऐसी शरीर होती है, उन्हें **क्रैंजी शरीर** वाली पत्तियाँ कहते हैं। यहाँ, क्रैंज का अर्थ छल्ला अथवा घेरा, चूँकि कोशिकाओं की व्यवस्था एक छल्ले के रूप में होती है। संवहन बंडल के आस-पास पूलाच्छद कोशिकाओं की **अनेकों परतें** होती हैं, इनमें बहुत अधिक संख्या में क्लोरोप्लास्ट होते हैं, इसकी मोटी भित्तियाँ गैस से अप्रवेश्य होती हैं और इनमें अंतरकोशीय स्थान नहीं होता। आप C_4 पौधों जैसे मक्का अथवा ज्वार की पत्तियों का एक भाग काटो, ताकि क्रेंज शरीर एवं पर्णमध्योतक देख सके।

अपने आस-पास के विभिन्न स्पेशीज के पेड़ों की पत्तियां एकत्र करें और उनकी पत्तियों को खड़ी काट लें। सूक्ष्मदर्शी से इसके संवहन बंडल पूल के आस-पास पूलाच्छद को देखें। पूलाच्छद की उपस्थिति C_4 पौधों को पहचानने में सहायता करेगा।

हैच एवं स्लैक पाथवे

CO_2 का प्राथमिक ग्राही एक 3 कार्बन अणु फोस्फोइनोल पाइरुवेट (PEP) है और वह पर्णमध्योतक कोशिका में स्थित होता है। इस यौगिकीकरण को पेप कार्बोक्सीलेस अथवा पेप केस (PEP) नामक एंजाइम संपन्न करता है।

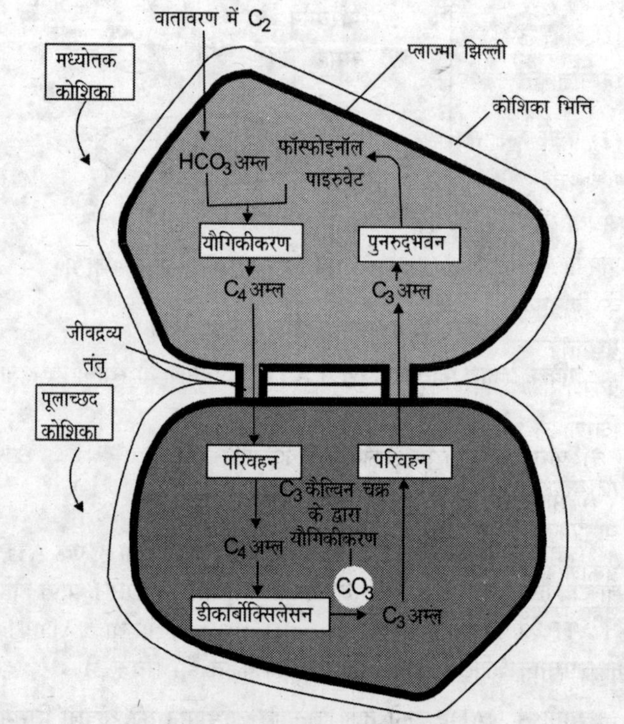

चित्र 5: *हैच एवं स्लैक पाथवे*

पर्णमध्योतक कोशिकाओं में रुबिस्को एंजाइम नहीं होता है। C_4 अम्ल ओएए पर्णमध्योतक कोशिका में निर्मित होता है।

इसके बाद ये पर्णमध्योतक कोशिका में अन्य 4-कार्बन वाले अम्ल जैसे मैलिक अम्ल और एस्पार्टिक अम्ल बनते हैं, जोकि पूलाच्छद कोशिका में चले जाते हैं। पूलाच्छद कोशिका में यह C_4 अम्ल विघटित हो जाता है जिससे CO_2 तथा एक 3-कार्बन अणु मुक्त होते हैं।

3-कार्बन अणु पुनः पर्णमध्योतक में वापस आ जाता है, जहाँ पुनः पेप में बदला जाता है और इस तरह से यह चक्र पूरा होता है। (चित्र 5)

पूलाच्छद कोशिका से निकली CO_2 केल्विन पथ अथवा C_3 में प्रवेश करती है। केल्विन एक ऐसा पथ है जो सभी पौधों में समान रूप से होता है। पूलाच्छद कोशिका रुबिस्को से भरपूर होती पेप केस से रहित होती है। अतः मौलिक पथ केल्विन पथ जिसके परिणामस्वरूप शर्करा बनती है, वह C_3 एवं C_4 पौधों में सामान्य रूप से होता है।

तालिका 1: प्रकाशिक व अप्रकाशिक अभिक्रिया में अन्तर
(Difference between Light and Dark Reaction)

प्रकाशिक अभिक्रिया (Light reaction)	अप्रकाशिक अभिक्रिया (Dark reaction)
1. इसके लिए प्रकाश आवश्यक है।	1. यह बिना प्रकाश के होते हैं।
2. यह हरितलवक के ग्रैना क्षेत्र में होती है।	2. यह हरितलवक के स्ट्रोमा क्षेत्र में होती है।
3. इसमें प्रकाशीय ऊर्जा का अवशोषण होता है तथा रासायनिक ऊर्जा में परिवर्तन कर ATP का निर्माण होता है। इसे प्रकाश फॉस्फेटीकरण कहते हैं।	3. इसमें प्रकाशीय क्रिया से प्राप्त ऊर्जा का प्रयोग CO_2 स्वांगीकरण में होता है तथा कार्बोहाइड्रेट बनता है।
4. इसमें जल का अपघटन होता है जिससे O_2 उप-उत्पाद के रूप में मिलता है तथा H^+ व e^- मिलते हैं।	4. इसमें H^+ का उपयोग CO_2 के अपचयन में होता है।
5. इसमें O_2 निकलती है।	5. इसमें CO_2 प्रयुक्त होती है।
6. इसमें वर्णक तन्त्रों की आवश्यकता होती है।	6. इसमें वर्णक तन्त्र महत्वपूर्ण नहीं होते हैं।

प्रकाश-संश्लेषण को प्रभावित करने वाले कारण (Factors affecting Photosynthesis)

प्रकाश-संश्लेषण को आन्तरिक व बाह्य दोनों कारक प्रभावित करते हैं–

[I] अन्तः कारक (Internal Factors)

निम्नलिखित कारक प्रकाश-संश्लेषण के आन्तरिक कारक हैं-

(1) पत्ती की संरचना

यदि पत्ती इस प्रकार की हो कि सूर्य का प्रकाश पर्णहरित तक न पहुँच सके, अथवा CO_2 की सान्द्रता अधिक हो, तो इसका प्रभाव प्रकाश संश्लेषण की प्रक्रिया पर पड़ेगा। रन्ध्रों की बनावट, संख्या, वितरण आदि का प्रभाव, गैस के विनिमय पर पड़ता है। उपचर्म की मोटाई, रोम की उपस्थिति, पर्ण मध्योतक की रचना, आकार, वायुकोषों की उपस्थिति आदि का भी प्रभाव प्रकाश संश्लेषण पर पड़ता है, क्योंकि ये प्रत्यक्ष या परोक्ष रूप से प्रकाश की किरणों के मार्ग को अवरुद्ध कर सकते हैं।

(2) क्लोरोफिल

यह प्रकाश संश्लेषण के लिए अति आवश्यक है। इसके सान्द्रण के बढ़ने से प्रकाश संश्लेषण की दर बढ़ती है। जिन भागों में क्लोरोफिल नहीं होता है, वहां पर प्रकाश संश्लेषण भी नहीं होता है।

[II] बाह्य कारक (External Factors)

प्रकाश, CO_2, ताप, जल, खनिज, O_2 आदि प्रकाश संश्लेषण को प्रभावित करने वाले बाह्य कारक हैं।

(1) प्रकाश (Light)

सूर्य का प्रकाश मुख्य रूप से ऊर्जा का स्रोत है। कुछ पादप चन्द्रमा के प्रकाश में अथवा विद्युतीय प्रकाश में भी प्रकाश संश्लेषण कर पाते हैं। प्रकाश का गुण, तीव्रता आदि महत्वपूर्ण होती है।

(i) **प्रकाश का गुण (Quality of light)**– सफेद प्रकाश अनेक तरंगदैर्घ्य वाले प्रकाश की किरणों से बनता है। जैसे **VIBGYOR** अथवा बैंनीआहपीनाला अर्थात् बैंगनी, नीला, आसमानी, हरा, पीला, नारंगी तथा लाल आदि। इसमें नीले व लाल रंग के प्रकाश में संश्लेषण अधिकतम होता है। हरे रंग के प्रकाश में यह क्रिया नहीं होती है, क्योंकि क्लोरोफिल के अणु इस प्रकाश को परावर्तित कर देते हैं। लाल रंग के प्रकाश की तरंग-दैर्घ्य सबसे अधिक होती है। इनसे प्रकाश संश्लेषण की दर कम होती है, इसे **इमरसन इफेक्ट** अथवा **रेड ड्राप** (red drop) कहते हैं।

(ii) **प्रकाश की तीव्रता (Intensity of light)**– यदि अन्य कारक उपर्युक्त मात्रा में प्राप्त हों, तो प्रकाश की तीव्रता बढ़ाने से प्रकाश संश्लेषण की दर बढ़ाई जा सकती है। कम तीव्र प्रकाश में भी यह क्रिया आरम्भ हो सकती है। जो पौधे प्रकाशप्रिय होते हैं, वे सूर्यतापी होते हैं, उन्हें उच्चतम प्रकाश संश्लेषण की दर प्राप्त करने के लिए छायाप्रिय अथवा **छायातापी** (sciophytes) पौधों की अपेक्षा तीव्र प्रकाश की आवश्यकता होती है। बहुत अधिक तीव्र प्रकाश में प्रकाश संश्लेषण की दर घट जाती है, जिसे **सोलेराइजेशन** (solarization) भी कहते हैं। कुछ कोशिकाओं में तीव्र प्रकाश में प्रकाशीय श्वसन (photorespiration) भी आरम्भ हो जाता है। लम्बे समय तक प्रकाशीय श्वसन होने से क्लोरोफिल नष्ट हो जाता है। लम्बे दिन में फल जल्दी बनता है।

(2) कार्बन डाइ-ऑक्साइड

पौधे वातावरण से अथवा श्वसन के उप-उत्पाद के रूप में CO_2 प्राप्त करते हैं। जलीय पौधे जल में घुली CO_2 प्राप्त करते हैं। वायुमण्डल में 0.03% CO_2 मिलती है। CO_2 सामान्य अवस्था में प्रकाश संश्लेषण की दर की सीमा निर्धारित करता है। 30 गुना तक CO_2 की मात्रा वायुमण्डल में बढ़ने तक प्रकाश संश्लेषण की दर बढ़ेगी, परन्तु उसके बाद CO_2 की मात्रा बढ़ने पर पौधे मरने लगेंगे।

(3) जल (Water)

जल के अपघटन से ही O_2 निष्कासित होती है। अतः जल अति महत्वपूर्ण कारक है। यह अप्रत्यक्ष रूप से प्रभाव डालती है चूंकि लगभग सभी प्रक्रियाएँ जलीय माध्यम में ही पूर्ण होती हैं। एक सीमा से कम जल प्रकाश संश्लेषण की दर को भी कम कर देता है।

(4) तापमान (Temperature)

सामान्यतः 10-35°C तक प्रकाश संश्लेषण के लिए उपयुक्त तापमान माना गया है। कुछ पौधे 5°C पर भी इस क्रिया को कर सकते हैं तथा प्रत्येक 10°C ताप बढ़ने पर प्रकाश संश्लेषण की दर दो गुनी हो जाती है। यह वृद्धि 40°C तक ही देखी जा सकती है। इसके बाद तापमान बढ़ाने से पौधे झुलसने लगते हैं और प्रकाश संश्लेषण की दर गिरकर शून्य तक भी पहुँच सकती है।

(5) ऑक्सीजन (Oxygen)

ऑक्सीजन का प्रभाव अप्रत्यक्ष होता है। अधिक सान्द्रण प्रकाश संश्लेषण पर विपरीत प्रभाव डालता है।

(6) खनिज (Minerals)

कई प्रकार के खनिज, प्रकाश संश्लेषण की क्रिया में सहायक होते हैं। जैसे–Fe, Mg आदि। इनकी कमी से पर्णहरित विघटित हो जाता है और क्लोरोसिस (chlorosis) होती है। Cu, Zn, K आदि विभिन्न एन्जाइमों को प्रभावित करते हैं। इन खनिजों की कमी से प्रकाश संश्लेषण की क्रिया प्रभावित होती है।

वस्तुनिष्ठ प्रश्न

1. प्रकाश-संश्लेषण में वर्णक तन्त्र I की भूमिका होती है–
(*a*) जल से ऑक्सीजन निकालना
(*b*) जल का प्रकाशीय अपघटन करना
(*c*) ADP को संश्लेषित करना
(*d*) NADP को $NADPH_2$ में अपचयित करना

2. निम्नलिखित में से कौन-सा प्रकाश-संश्लेषण की अन्धकार अभिक्रिया के पदों को ज्ञात करने में अति लाभदायक होता है?
(*a*) X- किरणें
(*b*) C^{14} कार्बन का समस्थानिक
(*c*) ऑक्सीजन O^{18} का समस्थानिक
(*d*) फास्फोरस P^{32} का समस्थानिक

3. जब ATP, ADP में बदलता है तो यह निकालता है–
(*a*) हार्मोन्स (*b*) विद्युत
(*c*) ऊर्जा (*d*) एन्जाइम्स

4. वर्णक तन्त्र I में सक्रिय क्लोरोफिल होता है–
(*a*) P- 660 (*b*) P- 680
(*c*) P- 700 (*d*) P- 720

5. चक्रीय प्रकाश फॉस्फोरीकरण में निकलते हैं–
(*a*) ATP तथा $NADPH_2$
(*b*) ATP, $NADPH_2$ तथा ऑक्सीजन
(*c*) केवल ATP
(*d*) केवल $NADPH_2$

6. प्रकाश-संश्लेषण की अन्धकार अभिक्रियाओं के अन्तर्गत–
(*a*) 6 कार्बन शर्करा, 3 कार्बन शर्करा में टूट जाती है
(*b*) जल का अपघटन होता है
(*c*) CO_2 कार्बनिक यौगिकों में अपचयित हो जाती है
(*d*) क्लोरोफिल सक्रिय हो जाता है

7. कम्पेन्सेशन बिन्दु का अभिप्राय है, वह दशा–
(*a*) जब प्रकाश-संश्लेषण में निर्मित पूर्ण भोजन अप्रयुक्त रहता है
(*b*) जब गमले में लगे हुए पौधे की भली भाँति सिंचाई की जाती है
(*c*) जब प्रकाश-संश्लेषण की दर श्वसन दर के समान होती है
(*d*) जिसमें न तो प्रकाश-संश्लेषण और श्वसन होता है

8. ATP संश्लेषण के अन्तर्गत, इलेक्ट्रोन्स गुजरते हैं–
(*a*) जल में होकर (*b*) साइटोक्रोम्स में होकर
(*c*) O_2 में होकर (*d*) CO_2 में होकर

9. वर्णक तन्त्र I में संचालित होता है–
(*a*) फोटोलिसिस
(*b*) साइक्लिक फोटोफॉस्फोरीलेशन
(*c*) नान-साइक्लिक फोटोफॉस्फोरीलेशन
(*d*) ऑक्सीडेटिव फॉस्फोरीलेशन

10. C_4 चक्र के मामले में, प्रथम पद में–
(*a*) CO_2, RuDP से संयोग करती है
(*b*) CO_2, PGA से संयोग करती है
(*c*) CO_2, PEP से संयोग करती है
(*d*) CO_2, RMP से संयोग करती है

11. केल्विन चक्र घटित होता है–
(*a*) कोशिका द्रव्य में (*b*) हरितलवक में
(*c*) ग्लाइऑक्सीसोम्स में (*d*) माइटोकॉण्ड्रिया में

12. प्रकाश-संश्लेषण की अंधकार अवस्था में उत्पन्न प्रथम कार्बोहाइड्रेट होता है–

(*a*) मण्ड (*b*) फ्रक्टोज
(*c*) फॉस्फोग्लिसरिक अम्ल (*d*) फॉस्फोग्लिसरेल्डीआइड

13. C_3 पादपों (केल्विन चक्र) में CO_2 ग्राही होता है–
(*a*) फॉस्फोग्लिसरिक अम्ल (PGA)
(*b*) रिबूलोज मोनोफास्फेट (RMP)
(*c*) रिबूलोज 1, 5 डाई फास्फेट (RuDP)
(*d*) फॉस्फोईनोल पायरुवेट (PEP)

14. C_4 पादपों में सर्वप्रथम CO_2 स्थिर होती है–
(*a*) पूल छाद (Bundle Sheath) में
(*b*) पर्णमध्योतक में
(*c*) खम्भ मृदूतक में
(*d*) स्पंजी मृदूतक में

15. मण्ड (Starch) जल में अघुलनशील होता है फिर भी यह बड़ी मात्रा में आलू में एकत्रित होता है क्योंकि–
(*a*) यह आलू के कन्द में स्वयं बनता है
(*b*) यह शर्करा के रूप में पत्तियों से आलू के कन्द में स्थानान्तरित होता है
(*c*) भूमि के सूक्ष्मजीव कन्द में स्टार्च को एकत्रित करते हैं
(*d*) यह उपयोगी उपभोग होता है

16. प्रकाश-संश्लेषण की क्रिया के अन्तर्गत–
(*a*) ATP का निर्माण होता है
(*b*) ATP का निर्माण नहीं होता है
(*c*) निकली हुई ऑक्सीजन CO_2 से आती है
(*d*) जल की आवश्यकता माध्यम की तरह होती है किन्तु यह प्रकाश संश्लेषी अभिक्रियाओं में भाग नहीं लेता है

17. प्रकाश-संश्लेषण में निकली ऑक्सीजन जल से आते हैं यह निश्चित किया गया, प्रयोग करके–
(*a*) C^{14} (*b*) P^{22}
(*c*) O^{18} (*d*) क्लोरीन आयन

18. निम्न में से कौन-सा कार्बोहाइड्रेट मोनोसेकराइड होता है?
(*a*) ग्लूकोज (*b*) स्टार्च
(*c*) सुक्रोज (*d*) सेल्यूलोज

19. निम्न में से कौन-सा कार्बोहाइड्रेट्स के संश्लेषण के लिए आवश्यक नहीं होता है?
(*a*) CO_2 (*b*) क्लोरोफिल
(*c*) नाइट्रोजन (*d*) जल

20. सूर्य से विकिरण ऊर्जा का अवशोषण मुख्यतया सम्बन्धित है–
(*a*) राइबोसोम्स से (*b*) माइटोकॉण्ड्रिया से
(*c*) हरितकणकों से (*d*) कोशिकाद्रव्य से

21. श्वसन तथा प्रकाश संश्लेषण दोनों के लिये आवश्यकता होती है–
(*a*) हरित कोशिकाओं की (*b*) सूर्य के प्रकाश की
(*c*) साइटोक्रोम्स की (*d*) कार्बनिक ईंधन की

22. जल और प्रकाश के अतिरिक्त भोजन निर्माण के लिये कौन-सा कच्चा पदार्थ (Raw Material) अधिक आवश्यक होता है?
(*a*) ऑक्सीजन (*b*) CO_2
(*c*) खनिज लवण (*d*) NAD

23. हरे प्रकाश की तरंगदैर्ध्य (Wavelength) होती है–
(*a*) 400 - 450mμ (*b*) 500 - 539 mμ
(*c*) 660 - 720mμ (*d*) 720 - 600mμ

24. प्रकाश-संश्लेषण सर्वाधिक सक्रिय होता है–
(*a*) हरे प्रकाश में (*b*) लाल प्रकाश में
(*c*) पीले प्रकाश में (*d*) सूर्य के प्रकाश में

25. एक पर्णहरित अणु में, मैग्नीशियम स्थित होता है–
(*a*) आइसोसाइक्लिक वलय में
(*b*) फाइटोल कक्ष में
(*c*) पोरफायरिन के केन्द्र में
(*d*) पोरफायरिन के कोने में

26. उच्च पादपों द्वारा प्रकाश संश्लेषण के लिये प्रयोग में लायी गयी प्रकाश ऊर्जा की प्रतिशत मात्रा होती है–
(*a*) 1 - 2 (*b*) 10
(*c*) 50 (*d*) 100

27. प्रकाश-संश्लेषण की खोज में जिस प्रायोगिक पदार्थ ने अधिक सहायता की वह है–
(*a*) पालक की पत्तियाँ (*b*) *क्लेमाइडोमोनास*
(*c*) *हाइड्रिला* (*d*) *क्लोरेला*

28. पत्ती के चारों ओर CO_2 सान्द्रता के बढ़ने से–
(*a*) रन्ध्र तीव्र गति से खुलते हैं
(*b*) रन्ध्र आँशिक रूप से बन्द हो जाते हैं
(*c*) रन्ध्र पूर्ण रूप से बन्द हो जाते हैं
(*d*) रन्ध्र के खुलने पर कोई प्रभाव नहीं होता

29. प्रकाश-संश्लेषण के आरम्भिक कार्बन दिशा मार्गों का पता लगा सकने के लिये किसे नोबेल पुरस्कार मिला था–
(*a*) क्रेब्स (*b*) केल्विन
(*c*) खुराना (*d*) वाटसन

30. क्लोरोप्लास्टों में ऑक्सीजन के निकलने एवं प्रकाश संश्लेषी फॉस्फोरिलेशन के स्थान क्या हैं–
(*a*) ग्रेना के चट्टे
(*b*) मेट्रिक्स
(*c*) क्लोरोप्लास्ट की भीतरी दीवार
(*d*) क्लोरोप्लास्ट का सतह

31. प्रकाश-संश्लेषण में दृश्यमान प्रकाश की सर्वाधिक कारगर तरंग दैर्ध्य किस क्षेत्र में होती है–
(*a*) लाल (*b*) बैंगनी
(*c*) हरे (*d*) पीले

32. प्रकाश-संश्लेषण में प्रकाश ऊर्जा का विशिष्ट कार्य क्या है-
(*a*) जल को तोड़ना
(*b*) ग्लूकोज का संश्लेषण
(*c*) क्लोरोफिल के अणुओं को सक्रिय बनाना
(*d*) CO_2 का अपचय

33. प्रकाश संश्लेषण के C_4 दिशा मार्ग के मामले में CO_2 किसके साथ जुड़ती है–
(*a*) RMP (*b*) PEP
(*c*) PGA (*d*) RUDP

34. फोटोफॉस्फोरिलेशन का अर्थ निम्न में से किसका संश्लेषण होता है–
(*a*) NADP (*b*) ATP से ADP
(*c*) ADP से ATP (*d*) PGA

35. प्रकाश संश्लेषण की प्रकाश तन्त्रों के सम्मिलित होने की परिकल्पना किसने दी थी–
(*a*) डी.आई. आर्नोन (*b*) एफ.एफ. ब्लैकमैन
(*c*) आर. हिल (*d*) राबर्ट इमरसन

36. ग्रैनम में होते हैं–
(*a*) 2 - 50 थायलैकोइड्स (*b*) 2 - 100 थायलैकोइड्स
(*c*) 2 - 10 थायलैकोइड्स (*d*) 2 - 20 थायलैकोइड्स

37. निम्नलिखित एक के अतिरिक्त सभी में CO_2 बनती है–
(*a*) शर्करा के जलने में
(*b*) पादपों के श्वसन में
(*c*) पादपों द्वारा प्रकाश संश्लेषण में
(*d*) चूने के पत्थर को गर्म करने पर

38. प्रकाश संश्लेषण में अवशोषित गैस होती है–
(*a*) ऑक्सीजन (*b*) नाइट्रोजन
(*c*) अमोनिया (*d*) CO_2

39. दिन के प्रकाश के समय श्वसन की अपेक्षा प्रकाश- संश्लेषण की दर उच्च होती है और उपभोगिता की अपेक्षा उत्पन्न ऑक्सीजन का अनुपात होता है–
(*a*) 10 : 1 (*b*) 5 : 1
(*c*) 1 : 1 (*d*) 50 : 1

40. कौन-सा पदार्थ सौर ऊर्जा का सामर्थ्यवान परिवर्तक है और जिसकी शुद्ध उत्पादकता 2 से 4 कि. ग्रा./ मी^{2}/ वर्ष या इससे भी अधिक होती है?
(*a*) चावल (*b*) गन्ना
(*c*) पपीता (*d*) गेहूँ

41. किस जीव में जन्तुओं के अधिक समान पोषण होता है?
(*a*) शैवाल (Algae)
(*b*) कवक (Fungi)
(*c*) शैवाक (Lichens)
(*d*) प्रोकैरियोट्स (Prokaryotes)

42. हरे पादप के प्रकाश-संश्लेषण में CO_2 के एक अणु को अपचयित करने तथा O_2 के एक अणु का उत्पादन करने के लिए कितने क्वाण्टा की आश्यकता होती है?
(*a*) 2 क्वाण्टा (*b*) 8 क्वाण्टा
(*c*) 16 क्वाण्टा (*d*) 32 क्वाण्टा

43. क्लोरोफिल अणु का माना हुआ माप होता है–
(*a*) शीर्ष-15 × 15 Å तथा पूँछ –20 Å
(*b*) शीर्ष-10 × 12 Å तथा पूँछ –15 Å
(*c*) शीर्ष-20 × 20 Å तथा पूँछ –25 Å
(*d*) शीर्ष-15 × 15 Å तथा पूँछ –25 Å

44. निम्नलिखित में से एक सर्वाधिक परावर्तित होगा, जब श्वेत प्रकाश का स्तम्भ क्लोरोफिल के विलयन की दिशा में किया जाता है–
(*a*) श्वेत (*b*) हरा
(*c*) पीला (*d*) नीला

45. प्रकाश की उपस्थिति में पानी एवं CO_2 से हरे पादप जिस क्रिया में कार्बोहाइड्रेटस का संश्लेषण करते हैं वह कहलाती है-
(*a*) श्वसन (*b*) प्रकाश संश्लेषण
(*c*) वाष्पोत्सर्जन (*d*) अवशोषण

उत्तरमाला

1	2	3	4	5	6	7	8	9	10
(*d*)	(*b*)	(*c*)	(*c*)	(*c*)	(*c*)	(*c*)	(*b*)	(*b*)	(*a*)
11	**12**	**13**	**14**	**15**	**16**	**17**	**18**	**19**	**20**
(*b*)	(*b*)	(*c*)	(*b*)	(*b*)	(*a*)	(*c*)	(*a*)	(*c*)	(*c*)
21	**22**	**23**	**24**	**25**	**26**	**27**	**28**	**29**	**30**
(*c*)	(*b*)	(*b*)	(*b*)	(*c*)	(*a*)	(*d*)	(*b*)	(*b*)	(*a*)
31	**32**	**33**	**34**	**35**	**36**	**37**	**38**	**39**	**40**
(*a*)	(*c*)	(*b*)	(*c*)	(*d*)	(*b*)	(*c*)	(*d*)	(*a*)	(*b*)
41	**42**	**43**	**44**	**45**					
(*b*)	(*b*)	(*a*)	(*b*)	(*b*)					

अध्याय

17 पादप श्वसन (Plant Respiration)

श्वसन : ऑक्सी तथा अनॉक्सी श्वसन (Respiration : Aerobic and Anaerobic Respiration)

- सामान्य रूप से श्वसन का अर्थ है, भोज्य पदार्थ में उपस्थित ऊर्जा को निकालकर कार्य के योग्य ऊर्जा में परिवर्तित करना।
- इस कार्य के लिए भोज्य पदार्थों, विशेषकर कार्बोहाइड्रेट्स को ऑक्सीकृत किया जाता है तथा उत्पन्न ऊर्जा को ADP अणुओं में उच्च बन्धों के द्वारा, एक और फॉस्फेट मूलक जोड़कर ATP के रूप में बदला जाता है।
- यह क्रिया ऑक्सीजन की उपस्थिति में सामान्य कोशिका के **माइटोकॉन्ड्रिया** में सम्पन्न होती है। यह क्रिया **ऑक्सीश्वसन** या **वायवीय श्वसन** (aerobic respiration) कहलाती है।
- यह क्रिया उस श्वसन से भिन्न होती है जिसमें ऑक्सीजन के बिना ही, केवल आन्तरिक परिवर्तनों के द्वारा, कार्बोहाइड्रेट को अपूर्ण रूप से ऑक्सीकृत करके थोड़ी-सी ऊर्जा निकाल ली जाती है। इस प्रकार का श्वसन जिसमें ऑक्सीजन की आवश्यकता नहीं होती है **अनॉक्सी** या **अवायवीय** (anaerobic) **श्वसन** कहलाता है।

इस प्रकार श्वसन ऑक्सी हो या अनॉक्सी प्रारम्भिक क्रियाएँ एक ही प्रकार प्रारम्भ होती हैं। इन प्रारम्भिक क्रियाओं में ऑक्सीजन की आवश्यकता नहीं होती है तथा इन क्रियाओं में **ग्लूकोस** का विघटन होने से **पाइरुविक अम्ल** (pyruvic acid) का निर्माण होता है। यह क्रिया **ग्लाइकोलाइसिस** (glycolysis) या **ई.एम.पी. पथ** (E.M.P. pathway) कहलाती है।

पाइरुविक अम्ल का आगे ऑक्सीकरण ऑक्सीजन की उपस्थिति या अनुपस्थिति पर निर्भर करता है। यदि–

(*i*) ऑक्सीजन उपस्थित है तो ऑक्सी श्वसन होगा अर्थात पाइरुविक अम्ल का पूर्ण विघटन होकर जल व कार्बन डाइऑक्साइड बनेंगे। यह क्रिया एक चक्र के रूप में होती है। अतः इसे **ट्राइकार्बोक्सिलिक अम्ल चक्र** (tricarboxylic acid cycle) **क्रेब्स चक्र** (Krebs cycle) कहा जाता है।

(*ii*) यदि ऑक्सीजन अनुपस्थित है तो **अनॉक्सी श्वसन** होगा। परिणाम स्वरूप प्रायः इथाइल ऐल्कोहॉल (ethyl alcohol) तथा कार्बन डाइआक्साइड बनते हैं।

ऑक्सी श्वसन (Aerobic Respiration)

ऑक्सी श्वसन की प्रक्रिया में दो प्रमुख भाग होते हैं–

(क) **ग्लाइकोलाइसिस अथवा ई.एम.पी. पथ** (glycolysis or E.M.P. pathway)

(ख) **क्रेब्स चक्र या ट्राइकार्बोक्सिलिक अम्ल चक्र** (Kreb's cycle or tricarboxylic acid cycle)।

श्वसन के विभिन्न पद तथा दो प्रकार के श्वसनों के बीच सम्बन्ध का रेखाचित्र चित्र 1 में दिया गया है।

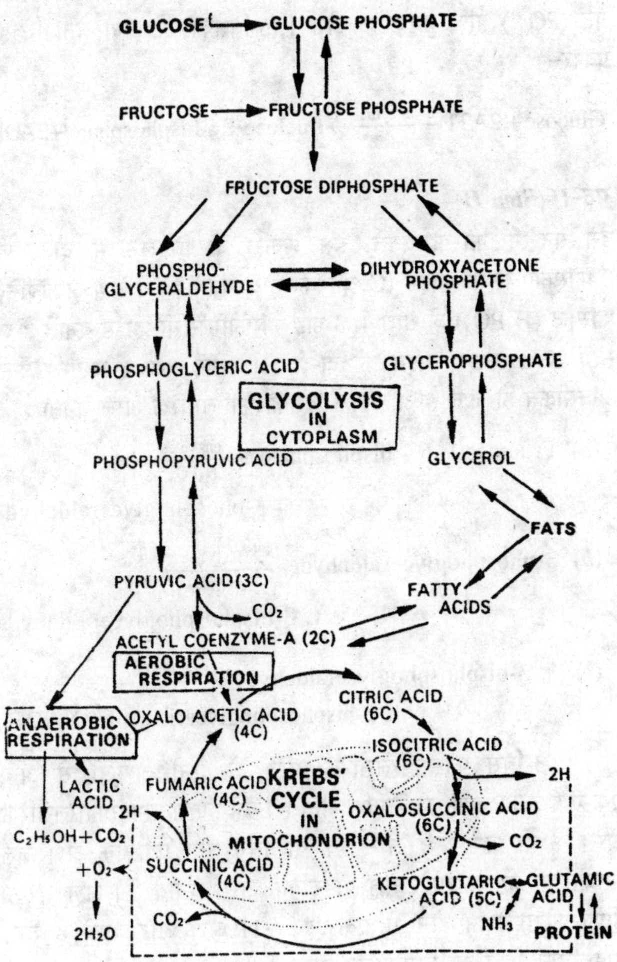

चित्र 1: *श्वसन के विभिन्न पद तथा दो प्रकार के श्वसनों के बीच सम्बन्ध*

(क) ग्लाइकोलाइसिस अथवा ई.एम.पी. पथ
(Glycolysis or E.M.P. Pathway)

ग्लाइकोलाइसिस की सभी क्रियाएँ कोशिकाद्रव्य (cytoplasm) में होती हैं। इन क्रियाओं के फलस्वरूप एक ग्लूकोस अणु विघटित होकर दो पाइरुविक अम्ल के अणु का निर्माण करता है (ग्लूकोस 6 कार्बन परमाणु वाला किन्तु पाइरुविक अम्ल 3 कार्बन परमाणु वाला यौगिक है)। इन प्रक्रियाओं में उत्पन्न ऊर्जा से चार ATP अणुओं का निर्माण होता है, किन्तु दो ATP अणु इन अभिक्रियाओं को सम्पन्न कराने में पहले ही काम आ चुके होते हैं अतः कुल प्राप्ति केवल दो ATP अणुओं की ही होती है। इन अभिक्रियाओं में दो स्वतन्त्र H^+ आयन भी मिलते हैं जो प्रथम हाइड्रोजनग्राही (hydrogen acceptor), NAD अथवा NADP के साथ अनुबन्धित हो जाते हैं। ये अभिक्रियाएँ प्रमुखतः दो पदों में एन्जाइम्स तथा सह-एन्जाइम्स की उपस्थिति में शृंखलाबद्ध रूप में घटित होती हैं-

पद-I (Step-I)–

क्रमबद्ध रूप में ग्लूकोस अणु पहले एक ATP अणु के साथ ग्लूकोस 6-फॉस्फेट बनाता है जो बाद में आन्तरिक परिवर्तन के द्वारा फ्रक्टोज 6-फॉस्फेट बना लेता है। यह अब, एक और अणु ATP से एक फॉस्फेट गुट (PO_4^-) प्राप्त करके फ्रक्टोज 1, 6-बिसफॉस्फेट बना लेता है, इस प्रकार–

$$\text{Glucose} + 2\text{ATP} \xrightarrow[\text{Mg}^{++}]{\text{enzymes}} \text{fructose 1,6-bisphosphate} + 2\text{ADP}$$

पद-II (Step-II)–

इस पद में फॉस्फेटयुक्त, इस शर्करा के विदलन से दो अणु, 3-फॉस्फोग्लिसरेल्डिहाइड (C_3 यौगिक हैं) के बनते हैं। ये अणु अकार्बनिक फॉस्फेट (H_3PO_4) के साथ 1, 3-डाइ फॉस्फोग्लिसरेल्डिहाइड बनाते हैं जो स्वयं NAD सह-एन्जाइम को दो-दो H^+ आयन तथा इलेक्ट्रॉन्स देकर ऑक्सीकृत हो जाते हैं और 1, 3-बिसफॉस्फोग्लिसरिक अम्ल बनता है–

(*a*) $\text{Fructose 1, 6 – bisphosphate} \xrightarrow[\text{H}_3\text{PO}_4]{\text{enzymes}} \text{3-phosphoglyceraldehyde}$

(*b*) $\text{3-phosphoglyceraldehyde} \xrightarrow[\text{enzymes}]{\text{H}_3\text{PO}_4} \text{1, 3-bisphosphoglyceraldehyde}$

(*c*) $\text{1, 3-bisphosphoglyceraldehyde} + \xrightarrow{\text{NAD}} \text{1, 3-bisphosphoglyceric acid} + \text{NADH}_2$

1, 3-बिस फॉस्फोग्लिसरिक अम्ल के दोनों अणुओं से अब, एक-एक ATP अणु का निर्माण होता है। बने हुए मोनोफॉस्फोग्लिसरिक अम्ल के दो अणु कुछ आन्तरिक परिवर्तन तथा एक-एक अणु जल निष्कासित कर फॉस्फोइनॉल पाइरुविक अम्ल बनाते हैं। अणुओं का डीफॉस्फोराइलेशन होने से एक-एक ATP अणु और बनते हैं तथा पाइरुविक अम्ल का निर्माण हो जाता है-

$$\text{1, 3, bisphosphoglyceric acid} + \text{ADP} \xrightarrow{\text{enzymes}} \text{3-phosphoglyceric acid} + \text{ATP}$$

$$\text{3-phosphoglyceric acid} \xrightarrow[\text{internal change}]{\text{enzymes}} \text{2-phospho-enol pyruvic acid}$$

$$\text{2-phospho-enol pyruvic acid} \xrightarrow[\text{dephosphorylation}]{\text{enzymes}} \text{pyruvic acid} + \text{ATP}$$

ग्लाइकोलाइसिस अथवा ई. एम. पी. पथ श्वसन (ऑक्सी अथवा अनॉक्सी) का पहला चरण है। यहाँ पर ग्लूकोस से पाइरुविक अम्ल बनता है। उक्त क्रिया साइटोप्लाज्म में होती है। इसका आरेख चित्र निम्नानुसार है। (चित्र 2)

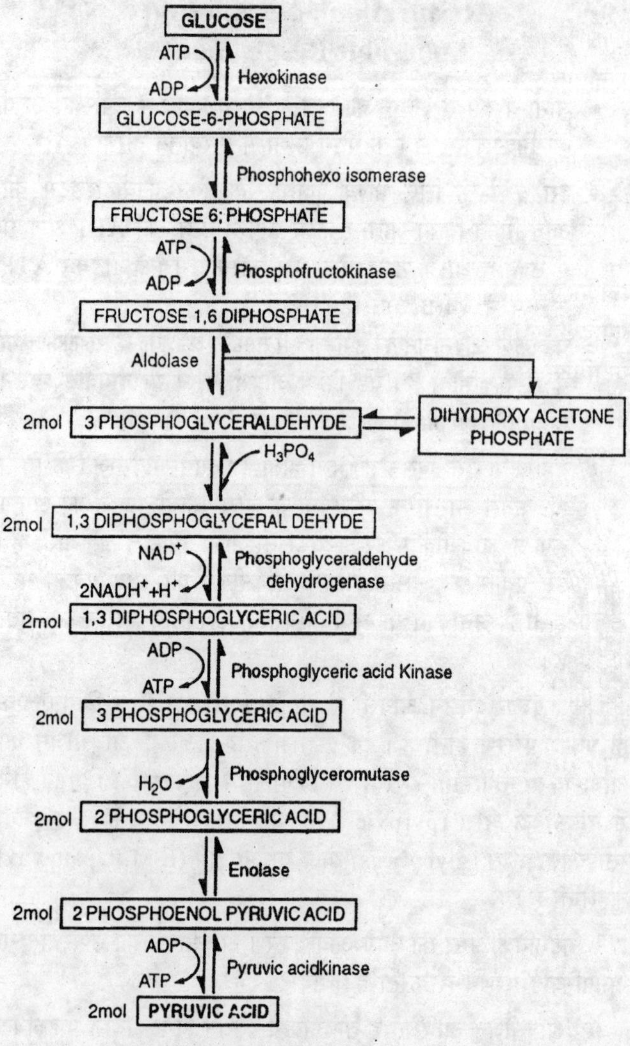

चित्र 2: *ग्लाइकोलाइसिस (Glycolysis)*

(ख) क्रेब्स चक्र या ट्राइकार्बोक्सिलिक अम्ल चक्र
(Kreb's Cycle or Tricarboxylic Acid Cycle)

ग्लाइकोलाइसिस के द्वारा बनने वाले (एक अणु ग्लूकोस से) दो पाइरुविक अम्ल के अणुओं का ऑक्सीकरण, ऑक्सीजन की उपस्थिति में, क्रमबद्ध तथा चक्र में होने वाली अनेक अभिक्रियाओं के द्वारा होता है। इन अभिक्रियाओं में अनेक एन्जाइम्स तथा सह-एन्जाइम (co-enzymes)

सक्रिय रूप से भाग लेते हैं। ये सभी अभिक्रियाएँ, कोशिका के अन्दर, माइटोकॉन्ड्रिया में सम्पन्न होती हैं। यहाँ, सभी प्रकार के आवश्यक एन्जाइम्स व सह-एन्जाइम के अतिरिक्त **इलेक्ट्रॉन अभिगमन तन्त्र** (electron transport systems = ETS) भी होते हैं जो निष्कासित ऊर्जा को ATP निर्माण के लिए अनुबन्धित करने में आधार का काम करते हैं। इस प्रकार की अभिक्रियाओं के एक चक्र में जिसे क्रेब्स चक्र (Kreb's cycle) या ट्राइकार्बोक्सिलिक अम्ल चक्र (tricarboxylic acid cycle) कहते हैं, एक पाइरुविक अम्ल (pyruvic acid) का अणु ऑक्सीकृत होता है। दूसरे अणु को ऑक्सीकृत करने के लिए दूसरा क्रेब्स चक्र आवश्यक होता है।

इस प्रकार, ग्लूकोस के अणु से बनने वाले दो पाइरुविक अम्ल के अणुओं तथा उनके बाद में ऑक्सीकृत होने से कार्बन डाइऑक्साइड के अणु (दोनों पाइरुविक अम्ल के अणुओं से तीन-तीन) निकलते हैं। इन क्रियाओं में ATP अणु भी प्राप्त होते हैं। 30 अणु दो क्रेब्स चक्रों में, 2 अणु ग्लाइकोलिसिस में तथा दोनों प्रकार की अभिक्रियाओं के मध्य 6 अणु, इस प्रकार कुल 38 अणु ATP का निर्माण होता है।

क्रेब्स चक्र अति महत्वपूर्ण क्रिया है जो ऑक्सी श्वसन को ATP अणु बनाकर पूर्ण दक्ष क्रिया बनाने के अतिरिक्त अनेक महत्वपूर्ण माध्यमिक उत्पाद बनाता है जो कई प्रकार के पदार्थों; जैसे वसा, प्रोटीन्स, विटामिन्स आदि बनाने के लिए आवश्यक हैं। (चित्र 3)

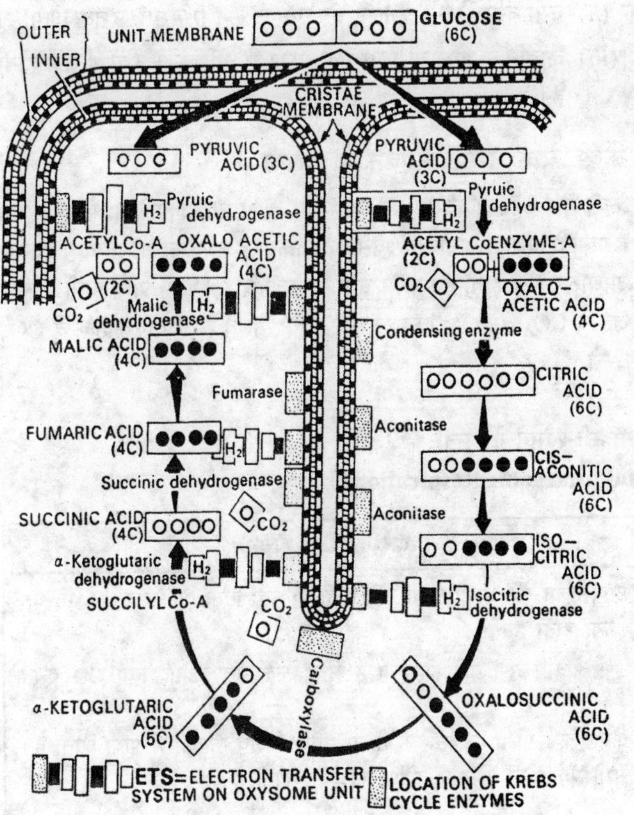

चित्र 3: *क्रेब्स चक्र*

क्रेब्स चक्र ऑक्सी श्वसन में मिलता है। यह क्रिया माइटोकॉन्ड्रिया में होती है। इसका आरेख निम्न है। (चित्र 4)

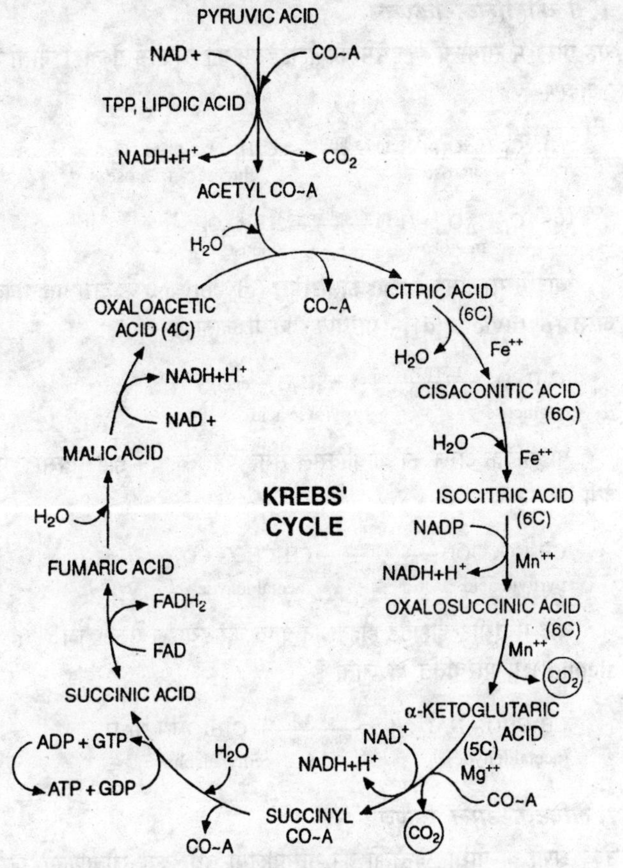

चित्र 4: *क्रेब्स चक्र*

किण्वन (Fermentation)

अनेक जीवों (organisms) में श्वसन क्रिया ऑक्सीजन की अनुपस्थिति में भी सम्भव होती है। कुछ में तो इसकी अनुपस्थिति में ही होती है। ऐसे सूक्ष्म जीवों में यह **अनॉक्सी श्वसन** (anaerobic respiration) जीवन की अन्य क्रियाओं के साथ भी सम्बद्ध होता है। उदाहरण के लिए, जिस पोषक आधार (किसी कार्बनिक पदार्थ का कलिल घोल या अन्य प्रकार का नम खाद्य-पदार्थ) में ये रहते हैं, को पहले कुछ पाचक क्रियाओं (digestive activities) के द्वारा घुलनशील तथा अवशोषित करने योग्य बनाकर अवशोषित कर लेते हैं। ये पोषक पदार्थ उस सूक्ष्म शरीर में पहुँचकर ऑक्सीजन की अनुपस्थिति में तोड़ दिए जाते हैं, ताकि उनके कार्यों के लिए ऊर्जा प्राप्त की जा सके। यह **अनॉक्सी श्वसन** (anaerobic respiration) कहलाता है।

इस अन्तिम क्रिया के अन्त में भी पोषक पदार्थ पूर्णतः विखण्डित नहीं हो पाता है और न ही उसकी सम्पूर्ण ऊर्जा कोशिका को प्राप्त होती है। यह पदार्थ अपना स्वरूप बदलकर वापस तन्त्र में छोड़ दिया जाता है।

उपर्युक्त क्रियाओं को सम्पूर्ण रूप में किण्वन (fermentation) कहते हैं। किण्वन क्रिया अनेक कवकों प्रमुखतः **यीस्ट** (yeast), **जीवाणु** (bacteria) आदि में सामान्य है।

अधिकतर उन सूक्ष्म पौधों में जिनमें यह क्रिया होती है इससे सम्बन्धित सभी एन्जाइम्स एक जटिल समूह के रूप में रहते हैं जैसे, यीस्ट (yeast) में इसे जाइमेज (zymase) कहा जाता है। दूसरे जीवों में अन्य प्रकार की प्रतिक्रियाएँ होती हैं। उत्पाद के नाम के आधार पर किण्वन कई प्रकार होते हैं जो कि निम्नानुसार है—

1. *ऐल्कोहॉलिक किण्वन*

यह यीस्ट में सामान्य है, इसमें कार्बोहाइड्रेट्स को ग्लूकोस में तोड़ा जाता है, उदाहरण-

(*i*) $\underset{\text{sucrose}}{C_{12}H_{22}O_{11}} + H_2O \xrightarrow{\text{invertase}} \underset{\text{glucose}}{C_6H_{12}O_6} + \underset{\text{fructose}}{C_6H_{12}O_6}$

(*ii*) $\underset{\text{maltose}}{C_{12}H_{22}O_{11}} + H_2O \xrightarrow{\text{maltase}} \underset{\text{glucose}}{2C_6H_{12}O_6}$

बाद में ग्लूकोस को **ग्लाइकोलाइसिस** (glycolysis) के द्वारा **पाइरुविक अम्ल** (pyruvic acid) में परिवर्तित किया जाता है–

$$\underset{\text{glucose}}{C_6H_{12}O_6} \xrightarrow[\text{glycolysis}]{\text{E.M.P.Pathway}} \underset{\text{pyruvic acid}}{2C_3H_4O_3} + \text{energy}$$

पाइरुविक अम्ल का कार्बोक्सिल समूह पहले कार्बन डाइऑक्साइड दे देता है-

$$\underset{\text{pyruvic acid}}{CH_3COCOOH} \xrightarrow[\text{decarboxylase}]{\text{pyruvic}} \underset{\text{acetaldehyde}}{CH_3CHO} + CO_2$$

बाद में ऐसीटेल्डीहाइड हाइड्रोजन प्राप्त कर इथाइल ऐल्कोहॉल (ethyl alcohol) में परिवर्तित हो जाता है-

$$\underset{\text{(acetaldehyde)}}{CH_3CHO} + NAD\,.\,H_2 \xrightarrow[\text{dehydrogenase}]{\text{alcohol}} \underset{\text{ethyl alcohol}}{C_2H_5OH} + NAD$$

2. *लैक्टिक अम्ल किण्वन*

उच्च श्रेणी के पौधों, जन्तुओं की मांसपेशियों तथा कुछ जीवाणुओं, जैसे **लैक्टोबैसिलस लैक्टाई** (*Lactobacillus lacti*), दूध को फाड़कर दही बनाने वाले जीवाणुओं द्वारा दुग्ध-शर्करा (lactose) को पहले ग्लूकोस व गैलेक्टोज में हाइड्रोलाइज कराया जाता है। ग्लूकोस से पाइरुविक अम्ल और उसके बाद एन्जाइम्स की उपस्थिति में लैक्टिक अम्ल बनता है-

$$\underset{\text{lactose}}{C_{12}H_{22}O_{11}} + H_2O \xrightarrow{\text{enzymes}} \underset{\text{glucose}}{C_6H_{12}O_6} + \underset{\text{galactose}}{C_6H_{12}O_6}$$

$$CH_3COCOOH + NAD.H_2 \xrightarrow[\text{dehydrogenase}]{\text{lactic}} NAD + \underset{\text{lactic acid}}{CH_3CHOHCOOH}$$

3. *ऐसीटिक अम्ल किण्वन*

कुछ जीवाणुओं में ऐल्कोहॉलिक किण्वन होने के पश्चात इथाइल ऐल्कोहॉल को ऐसीटिक अम्ल में ऑक्सीकृत किया जाता है-

$$C_2H_5OH + O_2 \longrightarrow CH_3COOH + H_2O + 118.2 \text{ kcal.}$$

किण्वन प्रक्रिया **अवायवीय अवस्थाओं (ऑक्सीजन की अनुपस्थिति में)** में तीव्र गति से होती है।

श्वसन गुणांक (Respiratory Quotient)

श्वसन क्रिया में विमुक्त CO_2 तथा अवशोषित O_2 गैसों के आयतन के अनुपात को श्वसन गुणांक कहते हैं।

$$\text{श्वसन गुणांक (R.Q.)} = \frac{\text{वियुक्त } CO_2 \text{ का आयतन}}{\text{प्रयुक्त } O_2 \text{ का आयतन}}$$

श्वसन गुणांक श्वसन आधार (respiratory substrate) की रासायनिक प्रकृति पर निर्भर करता है; जैसे–

(*i*) कार्बोहाइड्रेट के लिए पूर्ण ऑक्सी श्वसन में यह इकाई के रूप में होता है।

$$C_6H_{12}O_6 + 6O_2 \longrightarrow 6CO_2 + 6H_2O$$

$$R.Q. = \frac{6}{6} = 1$$

इस प्रकार श्वसन गुणांक 1 होगा।

(*ii*) वसा तथा प्रोटीन के लिए यह एक से कम 0.7 से 0.9 तक होता है।

(*iii*) कार्बनिक अम्ल के लिए यह इकाई से अधिक 1.3 से 4 तक होता है।

क्रेब्स चक्र तथा किण्वन में तुलना

क्रेब्स चक्र ऑक्सी श्वसन का एक भाग है जो माइटोकॉन्ड्रिया में पूरा होता है जबकि किण्वन अनॉक्सी श्वसन की क्रिया है तथा कोशिकाद्रव्य व श्वसन आधार में पूर्ण होती है। क्रेब्स चक्र से ऊर्जा (38 ATP) प्राप्त होती है तथा जल व CO_2 बनते हैं। किण्वन में 2ATP मिलते हैं तथा ऐल्कोहॉल व CO_2 बनते हैं।

तालिका 1: ऑक्सी तथा अनॉक्सी-श्वसन में अन्तर
(Difference between Aerobic and Anaerobic Respiration)

	ऑक्सी-श्वसन (वायु श्वसन)		अनॉक्सी-श्वसन (अवायु श्वसन)
1.	ऑक्सीजन की अनुपस्थिति में नहीं होता है।	1.	ऑक्सीजन की आवश्यकता नहीं होती है अतः बिना ऑक्सीजन के भी यह क्रिया होती है।
2.	ग्लूकोज का सम्पूर्ण ऑक्सीकरण हो जाता है तथा CO_2 व जल बन जाते हैं।	2.	पूर्ण ऑक्सीकरण नहीं हो पाता है अतः ऐल्कोहॉल इत्यादि तथा CO_2 बनते हैं।
3.	सभी जीवों में सामान्य रूप से पाया जाता है।	3.	केवल कुछ पौधों या जन्तुओं में या उनके विशेष ऊतकों में पाया जाता है।
4.	ग्लाइकोलाइसिस को छोड़कर सभी क्रियाएँ माइटोकॉन्ड्रिया में होती हैं।	4.	सभी प्रकार की क्रियाएँ कोशिकाद्रव्य में होती हैं।
5.	ऊर्जा की अधिक मात्रा निर्मुक्त (673 k. cal) होती है।	5.	ऊर्जा बहुत कम मात्रा में सामान्यतः (21-24 k. cal) मुक्त होती है।
6.	मुक्त ऊर्जा के अनुबन्धन से 38 ATP अणु बनते हैं (एक अणु ग्लूकोस से)।	6.	एक अणु ग्लूकोस से केवल दो अणु ATP बनते हैं।

तालिका 2: प्रकाश-संश्लेषण तथा श्वसन में अन्तर
(Difference between Photosynthesis and Respiration)

प्रकाश-संश्लेषण	श्वसन
1. सूर्य के प्रकाश की ऊर्जा को ग्लूकोस नामक पदार्थ में एकत्रित किया जाता है।	1. इसमें ग्लूकोस अणुओं को ऑक्सीकृत करके ऊर्जा को मुक्त किया जाता है।
2. इस क्रिया के समय क्लोरोफिल का उपयोग किया जाता है जो क्लोरोप्लास्ट पर रहता है।	2. यह क्रिया माइटोकॉन्ड्रिया के अन्दर होती है।
3. इसमें सूर्य के प्रकाश की आवश्यकता होती है।	3. इसमें सूर्य के प्रकाश की कोई आवश्यकता नहीं होती है।
4. इसमें जल तथा कार्बन डाइ-ऑक्साइड की आवश्यकता होती है।	4. इसमें जल तथा कार्बन डाइऑक्साइड का निर्माण होता है।
5. इसमें ऑक्सीजन निकलती है (जल के विघटन से)।	5. इसमें ऑक्सीजन का उपयोग होता है।
6. यह क्रिया **रचनात्मक क्रिया** है और इसमें भोज्य पदार्थों का निर्माण होता है।	6. यह क्रिया **विनाशकारी** है और इसमें भोजन का ऑक्सीकरण होता है।
7. इस क्रिया में पौधे के भार में वृद्धि होती है।	7. इस क्रिया में पौधे के भार में कमी आती है।
8. यह क्रिया केवल दिन के समय होती है।	8. यह क्रिया रात-दिन हर समय होती रहती है।
9. यह क्रिया पौधे के हरे भागों में ही होती है।	9. यह क्रिया पौधे की प्रत्येक जीवित कोशिका में होती है।
10. $6CO_2 + 12H_2O + \text{ऊर्जा} \xrightarrow[\text{chlorophyll}]{\text{sunlight}} 6H_2O + C_6H_{12}O_6 + 6O_2$	10. $C_6H_{12}O_6 + 6O_2 \longrightarrow 6H_2O + 6CO_2 + \text{ऊर्जा}$

श्वसन दर को प्रभावित करने वाले कारक (Factors Affecting Rate of Respiration)

(1) तापक्रम (Temperature) 0°C से 35°C तापक्रम के बीच श्वसन की दर बढ़ती है। 0°C से 35°C तक प्रत्येक 10°C तक ताप के बढ़ने से श्वसन की दर 2 से 2.5 गुना बढ़ती है अर्थात $Q_{10} = 2$ से 2.5 तक होता है। अत्यन्त कम या 10°C से कम तापमान पर श्वसन कम या रुक जाता है क्योंकि एन्जाइम निष्क्रिय (inactive) हो जाते हैं। इसलिये फल तथा सब्जियों को अधिक समय तक रखने वाला उनमें श्वसन की क्रिया को कम करने के लिये रैफ्रिजिरेटर अथवा कोल्ड स्टोर का प्रयोग करता है।

अधिक तापमान पर भी श्वसन की दर कम हो जाती है क्योंकि अब एन्जाइम विकृत (denature) हो जाते हैं। रात में तापमान अधिक होने पर संचयित खाद्य पदार्थों की अधिक मात्रा श्वसन में काम में लायी जाती है। यदि रात का तापमान कम होता है तब श्वसन की दर कम होने के कारण संचयित पदार्थ कम उपयोग में लाये जाते हैं इसीलिये पहाड़ी क्षेत्रों में आलू बड़े आकार के पाये जाते हैं।

(2) प्रकाश (Light): प्रकाश के कारण तापमान बढ़ने से श्वसन की दर बढ़ जाती है। प्रकाश संश्लेषण से बने हुए पदार्थ, श्वसन क्रियाधार के रूप में कार्य करते हैं और इनकी अधिक मात्रा उपलब्ध होने से भी श्वसन की दर बढ़ती है।

(3) कार्बन डाइ-ऑक्साइड की सान्द्रता (Concentration of Carbon dioxide): कार्बन डाइऑक्साइड की मात्रा वायुमण्डल में बढ़ने से श्वसन की दर कम हो जाती है। इसीलिये फलों को अधिक समय तक सुरक्षित रखने के लिये उन्हें CO_2 की अधिक सान्द्रता में रखा जाता है।

(4) ऑक्सीजन (Oxygen): ऑक्सीजन की उपस्थिति में वायु श्वसन होता है। ऑक्सीजन के अभाव में जीवधारियों में अवायवीय श्वसन होता है जिसमें क्रियाधार का खर्च अधिक होता है तथा ऊर्जा की प्राप्ति कम होती है। अवायवीय श्वसन करने वाले जीवधारी को ऑक्सीजन देने से वायु श्वसन प्रारम्भ होता है तथा अवायवीय श्वसन में व्यय की तुलना में क्रियाधार (substrate) का व्यय इतनी ही ऊर्जा की मात्रा के लिये कम होता है। क्रियाधार के इस कम व्यय को पाश्चर प्रभाव (Pasteur effect) कहते हैं क्योंकि इसे सर्वप्रथम पाश्चर ने बताया था।

(5) संदमक (Inhibitors): कुछ रासायनिक पदार्थ श्वसन को संदमित (inhibit) करते हैं जैसे-साइनाइड (cyanide), कार्बन मोनो-ऑक्साइड (carbon monooxide), मैलोनेट (melonate), एजाइड्स तथा आयोडोऐसीटेट (Iodoacetate)। ईथर, क्लोरोफार्म तथा एल्कोहल की उपस्थिति में पहले श्वसन दर बढ़ती है तथा बाद में कम हो जाती है।

(6) क्षति (Injury): क्षतिग्रस्त (injured) ऊतकों में शर्करा की मात्रा बढ़ जाती है इसलिये श्वसन की दर अस्थायी (temporary) रूप से बढ़ जाती है।

(7) जल (Water): जल की अत्यन्त कम मात्रा में श्वसन की दर न्यूनतम होती है क्योंकि एन्जाइम जलयोजन के लिये संवेदनशील होते हैं और जल की उचित मात्रा में काम करते हैं परन्तु जल की कम मात्रा में यह एन्जाइम अत्यन्त कम क्रियाशील होते हैं जैसे-बीज तथा शुष्क फलों में।

(8) अकार्बनिक लवण (Inorganic salts): अकार्बनिक लवण की उपस्थिति में ऋणात्मक आयन के अवशोषण के कारण श्वसन की दर बढ़ती है इसे लवण श्वसन कहते हैं।

(9) जीवद्रव्यी कारक (Protoplasmic factor): विभज्योतकी ऊतकों में जीवद्रव्य, वृद्ध तथा परिपक्व ऊतकों की अपेक्षा अधिक होता है इसलिये विभज्योतकी ऊतकों में श्वसन की दर अन्य कोशिकाओं की तुलना में अधिक होती है। परिपक्व तथा वृद्ध कोशिकाओं में श्वसन की दर कम हो जाती है।

वस्तुनिष्ठ प्रश्न

1. क्रेब्स चक्र है–
   (a) दोहरा पथ (Amphibolic Pathway)
   (b) ग्लाइकोलिसिस (Glycolysis)
   (c) केल्विन चक्र (Kelvin Cycle)
   (d) उपरोक्त सभी
2. श्वसन मापन का यंत्र कहलाता है–
   (a) पोटोमीटर (b) ऑक्जेनोमीटर
   (c) ऑटोमीटर (d) रेस्पिरोमीटर (Respirometer)
3. ट्राइकार्बोक्सिलिक अम्ल चक्र (TCA) में (FAD) अपचयित होता है परिवर्तन में–
   (a) मैलेट के OAA में
   (b) फ्यूमेरेट के मैलेट में
   (c) सक्सीनेट के फ्यूमेरेट में
   (d) सक्सीनाइल Co-A के सक्सीनेट में
4. ग्लाइकोलिसिस का अन्तिम उत्पाद होता है–
   (a) पायरुविक अम्ल (b) C_2H_5OH
   (c) ग्लूकोज (d) CO_2
5. अनॉक्सी परिस्थितियों के अन्तर्गत पायरुविक अम्ल के अन्तिम उत्पाद होते हैं–
   (a) $C_2H_5OH + CO_2 + H_2O$
   (b) C_2H_5OH + Energy
   (c) $CO + H_2O$ + Energy
   (d) $C_2H_5OH + CO_2$ + Energy
6. यदि श्वसन की दर प्रकाश संश्लेषण से अधिक हो जाये तो पौधे–
   (a) सूखे से मर जाएंगे
   (b) नहीं मरेंगे
   (c) जीवित रहेंगे किन्तु कम दर पर बढ़ेंगे
   (d) अधिक वृद्धि करेंगे क्योंकि अधिक ऊर्जा उपलब्ध होंगी
7. फल तथा सब्जियों की कटी हुई सतहें प्रायः गहरे रंग की होती है क्योंकि–
   (a) गन्दे चाकू से ये गहरे रंग की हो जाती है
   (b) चाकू से लौह के निशान की उपस्थिति में टैनिक अम्ल का ऑक्सीकरण इसे गहरे रंग का बनाता है
   (c) वायु की धूल से यह गहरे रंग का होता है
   (d) उपरोक्त में से कोई नहीं
8. उच्च तापमान से शुष्क बीज इतने प्रभावित नहीं होते है जितने कि अंकुरित बीज क्योंकि–
   (a) जलीयकरण एन्जाइम को तापमान के लिए अधिक ग्राही बना देता है
   (b) नवोद्भिद् (Seedlings) कोमल होते हैं
   (c) शुष्क बीज कठोर होते और इसलिए ये उष्मा के लिए प्रतिरोधी होते हैं
   (d) शुष्क बीजों में अधिक संचित खाद्य होता है
9. ऊर्जा उपापचय में महत्वपूर्ण भूमिका निभाता है–
   (a) सोडियम (b) फॉस्फोरस
   (c) कैल्शियम (d) लिथियम
10. जब पानी में लवण मिलाया जाता है, तो टहनी पर लगा हुआ पुष्प इसमें रखने पर काफी समय तक ताजा रहता है–
    (a) वाष्पोत्सर्जन की घटी हुई दर के कारण
    (b) जीवाणुवीय सक्रियता में कमी के कारण
    (c) अधिक जल के अवशोषण के कारण
    (d) बाह्य परासरण के कारण
11. शीतकाल में तुषार व पाले से पौधे मर जाते हैं क्योंकि–
    (a) कम तापमान पर प्रकाश संश्लेषण नहीं होता
    (b) श्वसन क्रिया थम जाती है
    (c) ऊतकों में निर्जलीकरण तथा यांत्रिक क्षति हो जाती है
    (d) श्वसन दर बढ़ जाती है
12. Q_{10} क्या होता है–
    (a) श्वसन गुणांक
    (b) एक ताप गुणांक
    (c) गुणवत्ता का एक पैमाना
    (d) क्वाण्टम समीकरण में एक स्थिरांक
13. माइटोकॉण्ड्रिया में ATP का संश्लेषण होता है–
    (a) मैट्रिक्स में (b) क्रिस्टी पर
    (c) बाह्य कला पर (d) इण्टराक्रिस्टल स्थल में
14. श्वसन तथा प्रकाश संश्लेषण दोनों के लिए आवश्यकता होती है–
    (a) कार्बनिक ईंधन की (b) साइटोक्रोम की
    (c) सूर्य के प्रकाश की (d) कार्बन बन्धकों की ऊर्जा की
15. क्रेब्स चक्र में सक्सीनेट से फ्यूमेरेट का ऑक्सीकरण होता है–
    (a) इसमें इलेक्ट्रोन्स की हानि के कारण
    (b) इससे हाइड्रोजन के हटने के कारण
    (c) इसमें O_2 के जुड़ने के कारण
    (d) उपरोक्त में से कोई नहीं
16. किस घटना में पायरुविक अम्ल के 2 अणु बनते हैं?
    (a) ग्लाइकोलिसिस (b) क्रेब्स चक्र
    (c) साइट्रिक अम्ल चक्र (d) इनमें से कोई नहीं
17. क्रेब्स चक्र का प्रारम्भ होता है–
    (a) पायरुविक अम्ल से (b) हाइड्रोक्लोरिक अम्ल से
    (c) कॉर्टिकोस्टीरॉइड्स से (d) लायसिन से

18. क्रेब्स चक्र होता है–
(*a*) डिक्टियोसोम्स में
(*b*) माइटोकॉण्ड्रियल मैट्रिक्स में
(*c*) लाइसोसोम्स में
(*d*) अंतःप्रद्रव्यी जालक के आशयों (Vesicles) में

19. श्वसन में पायरुविक अम्ल–
(*a*) टूट जाता है दो कार्बन खण्डों एवं CO_2 में
(*b*) होता है प्रोटीन अपघटन का परिणाम
(*c*) बनता है केवल उस समय जब ऑक्सीजन उपलब्ध होती है
(*d*) है क्रेब्स चक्र का उत्पाद

20. क्रेब्स चक्र का महत्व है–
(*a*) ऑक्सिन का उत्पादन
(*b*) अमीनो अम्लों का उत्पादन
(*c*) एसीटाइल Co-A का उत्पादन
(*d*) ए.टी.पी. अणुओं का उत्पादन

21. क्रेब्स चक्र में–
(*a*) पायरुविक अम्ल ATP में बदलता है
(*b*) पायरुविक अम्ल CO_2 तथा जल में बदलता है
(*c*) ADP का परिवर्तन ATP में होता है
(*d*) ग्लूकोज का परिवर्तन CO_2 में होता है

22. साइटोक्रोम्स में मिलते हैं–
(*a*) मैंगनीज (*b*) कॉपर
(*c*) मैग्नीशियम (*d*) लौह

23. निम्नलिखित में से कौन-सा कार्बोहाइड्रेट तथा वसा उपापाचय में महत्वपूर्ण होता है?
(*a*) CO_2 (*b*) एसीटाइल सह-विकर -A
(*c*) पायरुविक अम्ल (*d*) साइट्रिक अम्ल

24. क्रेब्स चक्र में सम्मिलित होता है–
(*a*) ग्लूकोज से लैक्टिक अम्ल का निर्माण
(*b*) ऊर्जा रूपान्तरण के लिए पायरुविक अम्ल का परिवर्तन
(*c*) ग्लूकोज से पायरुविक अम्ल का निर्माण
(*d*) ADP से ATP का निर्माण

25. प्रोटीन प्रचुर दालों का श्वसन गुणांक (R.Q.) होता है–
(*a*) एक के बराबर (*b*) एक से अधिक
(*c*) एक से कम (*d*) उपरोक्त में से कोई नहीं

26. पायरुविक अम्ल के इथाइल एल्कोहल में परिवर्तन को सुविधा प्रदान की जाती है एन्जाइम द्वारा–
(*a*) डीहाइड्रोजिनेज
(*b*) कार्बोक्सीलेज
(*c*) कार्बोक्सीलेज एवं डिहाइड्रोजिनेज
(*d*) फॉस्फेटेज

27. श्वसन भागफल (R.Q.) एक से अधिक होता है जब–
(*a*) कार्बोहाइड्रेट श्वसनकारी पदार्थ होता है
(*b*) कार्बनिक अम्ल श्वसनकारी पदार्थ होते हैं
(*c*) वसाएँ श्वसनकारी पदार्थ होते हैं
(*d*) शर्करा श्वसनकारी पदार्थ होती हैं

28. श्वसन भागफल एक से कम होता है, सन्दर्भ में–
(*a*) वसाओं के (*b*) फ्रक्टोज के
(*c*) ग्लूकोज के (*d*) कार्बनिक अम्लों के

29. वसीय पदार्थों का R.Q. होता है प्रायः–
(*a*) शून्य (*b*) एक
(*c*) एक से अधिक (*d*) एक से कम

30. निम्नलिखित में से किसने इस बात का पता लगाया कि ऑक्सीदशाओं के अन्तर्गत ग्लूकोज की ऊर्जा किस प्रकार मुक्त होती है?
(*a*) हॉपकिन्स (*b*) लिस्टर
(*c*) क्रेब्स (*d*) पाश्चर

31. ग्लूकोज के लिए R.Q. होता है–
(*a*) 0.05 (*b*) 0.5
(*c*) 1 (*d*) 2

32. निम्नलिखित अणुओं में से यीस्ट द्वारा ग्लूकोज के किण्वन (Fermentation) का कौन-सा उत्पाद है?
(*a*) $(C_6H_{10}O_5)n$ (*b*) C_2H_5OH
(*c*) $C_6H_{12}O_6$ (*d*) CH_3OH

33. अनॉक्सी श्वसन में निम्न में से एक अन्तिम उत्पाद के रूप में घटित होता है–
(*a*) फॉस्फोग्लिसरेल्डीहाइड का परिवर्तन एसीटाइल Co-A में हो जाता है
(*b*) फॉस्फोग्लिसरेल्डीहाइड का परिवर्तन पायरुविक अम्ल में हो जाता है
(*c*) फॉस्फोग्लिसरेल्डीहाइड का परिवर्तन एसीटिक अम्ल में हो जाता है
(*d*) विवरण अपूर्ण

34. माँसल पादपों (Succulent Plants) में श्वसन गुणांक सदैव एक से कम होता है–
(*a*) पूर्ण ऑक्सीकरण के कारण
(*b*) पूर्ण अपचयन के कारण
(*c*) अपूर्ण अपचयन के कारण
(*d*) अपूर्ण ऑक्सीकरण के कारण

35. ऑक्सीकर फॉस्फोरसीकरण होता है–
(*a*) श्वसन में $NADPH_2$ का निर्माण
(*b*) श्वसन में ATP का निर्माण
(*c*) प्रकाश संश्लेषण में $NADPH_2$ का निर्माण
(*d*) प्रकाश संश्लेषण में ATP का निर्माण

36. $C_{39}H_{74}O_6$ का श्वसन भागफल (R.Q.) होता है–
(*a*) 0.715 (*b*) 1.00
(*c*) 1.430 (*d*) 2.145

37. ग्लाइकोलिसिस तथा क्रेब्स चक्र के मध्य कौन-सा संयोजक कड़ी है?
(*a*) पायरुविक अम्ल (*b*) साइटोक्रोम
(*c*) ऑक्जेलोएसीटिक अम्ल (*d*) एसीटाइल-CoA

38. प्रकाश श्वसन को सुविधा प्रदान की जाती है–
(*a*) कम प्रकाश तथा उच्च O_2 द्वारा
(*b*) कम O_2 तथा उच्च CO_2 द्वारा
(*c*) कम तापमान तथा उच्च O_2 द्वारा
(*d*) उच्च O_2 तथा कम CO_2 द्वारा

39. पौधों में ऑक्सी श्वसन के अन्तिम उत्पाद होते हैं–
(*a*) CO_2 तथा ऊर्जा (*b*) CO_2, जल तथा ऊर्जा
(*c*) जल तथा ऊर्जा (*d*) CO_2 तथा H_2O_2

40. ई.एम.पी. चक्र के दौरान पूर्ण ATP उत्पादन होता है–
(*a*) 24 ATP अणु (*b*) 8 ATP अणु
(*c*) 38 ATP अणु (*d*) 6 ATP अणु

41. क्रेब्स चक्र जाना जाता है–
(*a*) ऑक्सीकर फॉस्फोरसीकरण भी
(*b*) ग्लाइकोलिसिस भी
(*c*) ट्राइकार्बोक्सिलिक अम्ल चक्र भी
(*d*) प्रकाश फॉस्फोरसीकरण भी

42. यदि तापमान (35°C) ऊपर बढ़ जाये तो–
(*a*) श्वसन के घटने की दर प्रकाश संश्लेषण के घटने की दर से पहले होगी
(*b*) प्रकाश संश्लेषण के घटने की दर श्वसन के गिरने की दर से पूर्व होगी
(*c*) दोनों का घटना क्रमिक रूप से होगा
(*d*) दोनों कोई निश्चित पद्धति प्रदर्शित नहीं करते हैं

43. कोशिकीय श्वसन के अन्तर्गत 1 ग्लूकोज अणु के पूर्ण ऑक्सीजन के फलस्वरूप ऊर्जा उत्पादन होता है बदलने के लिए–
(*a*) 38 ADP अणुओं को 38 ATP अणुओं में
(*b*) ADP के 30 अणुओं को ATP के 30 अणुओं में
(*c*) 36 ADP अणुओं को 36 ATP अणुओं में
(*d*) 32 ADP अणुओं को 32 ATP अणुओं में

44. सार्वभौमिक (Universal) हाइड्रोजन ग्राही होता है–
(*a*) ATP (*b*) FMN
(*c*) CoA (*d*) NAD

45. निम्न को छोड़कर सभी क्रियाएं क्रेब्स चक्र की माइटोकॉण्ड्रिया के मैट्रिक्स में होती है–
(*a*) GTP का बनना
(*b*) साइट्रिक अम्ल का isomerisation
(*c*) FAD का अपचयन
(*d*) साइट्रिक अम्ल का टूटना

46. श्वसन भागफल (R.Q.) शून्य होता है जब श्वसनकारी पदार्थ होता है–
(*a*) पूर्ण रूप से ऑक्सीकृत
(*b*) अपूर्ण रूप से ऑक्सीकृत
(*c*) बिल्कुल भी ऑक्सीकृत नहीं
(*d*) अपचयित

47. यदि श्वसन के अन्तर्गत मुक्त हुई CO_2 का आयतन प्रयुक्त O_2 के आयतन से अधिक होता है तो श्वसनकारी पदार्थ होगा–
(*a*) वसा (*b*) कार्बनिक अम्ल
(*c*) प्रोटीन (*d*) कार्बोहाइड्रेट

48. निम्नलिखित में से किस क्रिया का प्रयोग पायरुवेट (पायरुविक अम्ल) के एसीटाइल Co-A में परिवर्तन के लिए होता है?
(*a*) ऑक्सीकर निर्जलीकरण
(*b*) ऑक्सीकर फॉस्फोरसीकरण
(*c*) ऑक्सीकर डीकार्बोक्सीलेशन
(*d*) ऑक्सीकर डिहाइड्रोजिनेशन

49. पायरुवेट (पायरुविक) डीहाइड्रोजिनेज का प्रयोग होता है परिवर्तित करने में–
(*a*) पायरुवेट को ग्लूकोज में
(*b*) ग्लूकोज को पायरुवेट में
(*c*) पायरुविक अम्ल को लैक्टिक अम्ल में
(*d*) पायरुवेट (पायरुविक अम्ल) को ऐसीटाइल Co-A में

50. यदि श्वसनकारी पदार्थ में प्रचुर ऑक्सीजन है तो R.Q. होगा–
(*a*) एक के बराबर (*b*) एक से कम
(*c*) एक से अधिक (*d*) इनमें से कोई नहीं

उत्तरमाला

1	2	3	4	5	6	7	8	9	10
(*a*)	(*d*)	(*d*)	(*a*)	(*d*)	(*c*)	(*b*)	(*a*)	(*b*)	(*a*)
11	**12**	**13**	**14**	**15**	**16**	**17**	**18**	**19**	**20**
(*c*)	(*b*)	(*b*)	(*b*)	(*b*)	(*a*)	(*a*)	(*b*)	(*a*)	(*d*)
21	**22**	**23**	**24**	**25**	**26**	**27**	**28**	**29**	**30**
(*b*)	(*d*)	(*b*)	(*b*)	(*c*)	(*c*)	(*b*)	(*a*)	(*d*)	(*c*)
31	**32**	**33**	**34**	**35**	**36**	**37**	**38**	**39**	**40**
(*c*)	(*b*)	(*d*)	(*d*)	(*b*)	(*a*)	(*d*)	(*d*)	(*b*)	(*b*)
41	**42**	**43**	**44**	**45**	**46**	**47**	**48**	**49**	**50**
(*c*)	(*b*)	(*c*)	(*d*)	(*c*)	(*b*)	(*b*)	(*c*)	(*d*)	(*c*)

अध्याय 18

वृद्धि एवं पादप हार्मोन्स (Growth and Plant Hormones)

वृद्धि (Growth)

- अनेक वैज्ञानिकों ने वृद्धि को, परिमाप तथा आयतन का चिरस्थायी, अपरिवर्तनीय परिवर्तन बताया है, जिसमें शुष्कभार (dry weight) में बढ़ोतरी होती है।
- वृद्धि की कोई भी पूर्ण परिभाषा देना उचित नहीं है क्योंकि वृद्धि एक अत्यन्त जटिल क्रिया है जिसमें लगभग सभी प्रकार की क्रियाएँ सम्मिलित हैं जो कि अनेक - कार्यिकी क्रियाओं का महत्वपूर्ण प्रभाव है।
- मुख्य रूप से ये क्रियाएँ जीवद्रव्य (Protoplasm) की मात्रा बढ़ाने में सहायक होती हैं, जिससे नई कोशिकाएँ, ऊतकों तथा नये अंगों का निर्माण होता है और पूर्ण रूप में इस अंग या पौधे के परिमाप में वृद्धि होती है।

पादप हॉर्मोन्स (Plant Hormones)

- पौधों की कुछ क्रियाएँ कुछ विशेष रासायनिक पदार्थों, जिन्हें हार्मोन्स कहते हैं, के द्वारा नियन्त्रित होती है। ये पदार्थ कुछ विशेष ऊतकों, मुख्यतः नई तथा विभज्योतकों में उपापचयी (Metabolic) क्रियाओं में उत्पन्न होते हैं तथा अति सूक्ष्म मात्रा में दूसरी ऊतकों में पहुँचकर वृद्धि को नियन्त्रित करते हैं।
- पादप हॉर्मोन अथवा फाइटो हॉर्मोन वृद्धि को संचालित करने वाले कार्बनिक पदार्थ हैं जो पौधों द्वारा संश्लेषित होता है।
- पादप हॉर्मोन की खोज सर्वप्रथम जान वान सेच (John Von Sach) ने 1900 ई. में की तथा इन्हें वृद्धि कारक बताया।

पादप हार्मोन्स चार प्रकार के होते हैं–

(*i*) ऑक्सिन (Auxins)

(*ii*) जिबरेलिन (Gibberellins)

(*iii*) साइटोकाइनिन (Cytokinins)

(*iv*) वृद्धिरोधक (Growth inhibitors)

1. ऑक्सिन (Auxins)

ऑक्सिन, वे पदार्थ हैं जो पौधों में **प्ररोह की कोशिकाओं** में दीर्घीकरण (elongation) प्रेरित (induce) करते हैं। ये, **इण्डोल एसीटिक अम्ल** (indole acetic acid = IAA) से कार्यिकी प्रभावों में समानता रखते हैं। यद्यपि ऑक्सिन मुख्य रूप से दीर्घीकरण प्रेरित करते हैं, किन्तु अन्य क्रियाओं को भी प्रभावित करते हैं। अब, प्राकृतिक रूप में पौधे के अन्दर पाये जाने वाले ऑक्सिन के अतिरिक्त समान व्यवहार व रासायनिक संरचना वाले संश्लेषित पदार्थ ज्ञात हैं जो बाहर से पौधों को दिए जा सकते हैं। सामान्यतः **ऑक्सिन, कार्बनिक अम्ल हैं जिनमें एक असंतृप्त चक्रिक केन्द्र (unsaturated cyclic nucleus) होता है या फिर इसी प्रकार के अम्लों के यौगिक होते हैं।**

उदाहरण- IAA = Indole-3-Acetic Acid

β-NAA = β-Napthalene Acetic Acid

ऑक्सिन की खोज 1931 में **कोल** तथा **स्मिथ** ने किया। इसे उन्होंने मानव के मूत्र का रवाकरण कर प्राप्त किया तथा **आक्सेनो ट्राईओलिक अम्ल** (ऑक्सिन 'A') नाम दिया। 1934 में कोल, स्मिथ व एक्सर्लबेन ने युक्का से ऑक्सिन प्राप्त किया तथा **ऑक्सेनोलोनिक अम्ल** (ऑक्सिन 'B') नाम दिया। अन्य ऑक्सिन हैं– इन्डोल 3-एसीटिक अम्ल (IAA), नेप्थाइल एसीटिक अम्ल (NAA) तथा 2, 4 डाइक्लोरो फिनोक्सी एसीटिक एसिड (2, 4-D) आदि। कुछ ऑक्सिन की रासायनिक संरचना इस प्रकार है–

(*i*)

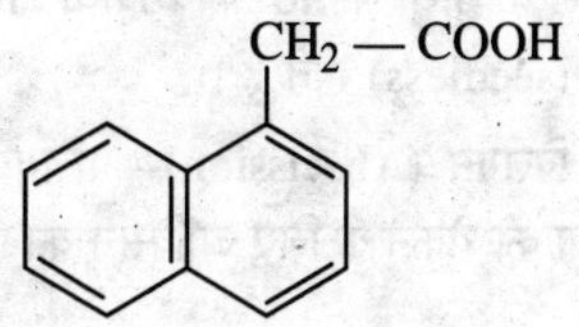

NAA

(*ii*)

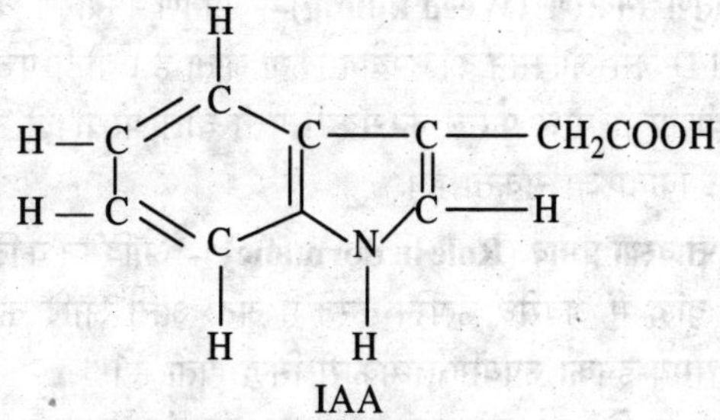

IAA

(*iii*)

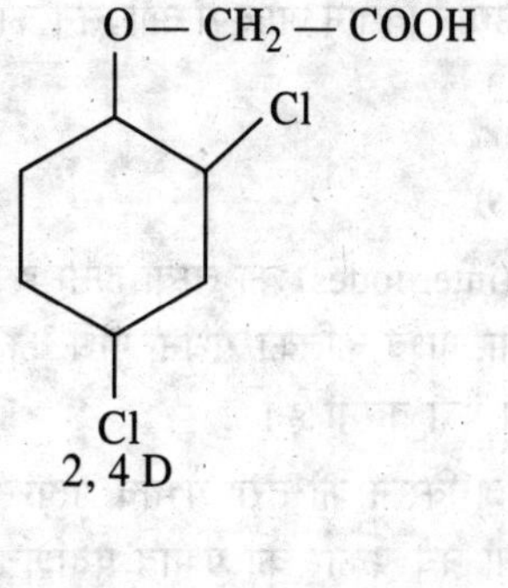

2, 4 D

ऑक्सिन का प्रायोगिक उपयोग

(Application and role of Auxins)

- विभिन्न प्रकार के प्रयोगों के आधार पर ऑक्सिन के अनेक उपयोग तथा कार्य हैं।
- विभिन्न प्रकार की क्रियाओं को नियन्त्रित करना तथा उनमें महत्वपूर्ण परिवर्तन उत्पन्न करना मुख्य है।
- कुछ उदाहरण निम्नलिखित हैं–

(*i*) **वृद्धि दर (Growth rate)**– ये कोशिकीय दीर्घीकरण प्रेरित कर सम्पूर्ण वृद्धि दर पर प्रभाव डालते हैं।

(*ii*) **ऑक्सिन से अनुवर्तन क्रियाएँ (Tropic movements)**– ऑक्सिन अनुवर्तनी क्रियाओं का सम्पादन करते हैं। प्रकाश, गुरुत्वाकर्षण आदि के प्रभाव से होने वाली जड़ व तनों की अनुवर्तन क्रियाएँ ऑक्सिन के आधार पर ही बताई गई हैं और इनका प्रायोगिक स्वरूप निश्चित किया गया है।

(*iii*) **शीर्ष प्रमुखता (Apical dominance)**– ऑक्सिन के वृद्धि अवरोधक गुण के कारण पौधों में शीर्ष प्रमुखता पाई जाती है। यदि शीर्ष को काट दें तो शाखाओं की वृद्धि बढ़ जाती है।

(*iv*) **ऊतक तथा अंगों का भिन्नन**– इस क्रिया में ऑक्सिन का प्रायोगिक तथा उपयोगी स्वरूप बागवानी के काम में लाया जाता है। उदाहरण के लिए लगायी जाने वाली कलम को यदि किसी ऑक्सिन के घोल में पहले से ही डुबा लिया जाए तो उसमें जड़ें जल्दी व अधिक निकलती हैं।

(*v*) **फल निर्माण तथा अनिषेक फलन (Parthenocarpy)**– इस क्रिया के लिए ऑक्सिन का फूल के पौधों पर छिड़काव किया जाता है। अनिषेक फल बीजरहित (seedless) होते हैं।

(*vi*) **पत्तियों, फलों आदि का विलगन (Abscission)**– पत्तियों, फलों आदि के विगलन की क्रिया को रोकने के लिए ऑक्सिन का उपयोग किया जाता है।

(*vii*) **अपतृण निवारण (Weed killing)**– अपतृण निवारण के लिए 2-4 D जैसे ऑक्सिन का उपयोग किया जाता है। चौड़ी पत्ती वाले द्विबीजपत्री पौधे फसल के सँकरी पत्ती वाले पौधों के बीच से नष्ट किया जा सकता है।

(*viii*) **प्रसुप्तावस्था प्रभाव (Role in dormancy)**– ऑक्सिन कलिकाओं की वृद्धि में अवरोध उत्पन्न करते हैं अतः आलू आदि के संचय के समय इनका उपयोग लाभकारी सिद्ध होता है।

इस प्रकार कृषि, बागवानी, उद्यान विज्ञान आदि में ऑक्सिन का प्रयोग अनेक प्रकार से होता है।

2. जिबरेलिन (Gibberellins)

इनका मुख्य प्रभाव तने के पर्वों (internodes) का लम्बा होना है। इसके अतिरिक्त, पत्ती का फलक बढ़ाना, पार्श्व कलिका रोधन, पौधे की मोटाई आदि से सम्बन्धित अनेक प्रभाव पैदा करना है।

जिबरेलिन कभी-कभी तो ऑक्सिन की तरह प्रभाव उत्पन्न करते हैं, परन्तु कभी-कभी विपरीत या नये प्रकार का प्रभाव प्रदर्शित करते हैं। इन पर प्रकाश का कोई प्रभाव नहीं होता और न ही किसी की अनुवर्तन गति (tropic movement) में इसका कोई प्रभाव देखा गया है। **मूल वृद्धि** (root initiation) तथा **कैलस वृद्धि** (callus growth) पर इसका विपरीत प्रभाव पड़ता है।

जिबरेलिन का प्रायोगिक उपयोग

(Application and role of Gibberellins)

(*i*) अपने कुछ प्रभावों के कारण जिबरेलिन महत्वपूर्ण हैं। **जनक बौनापन** (genetic dwarfism) जो कुछ पौधों; जैसे **मटर** (*Pisum sativum*) में पाया जाता है, जिबरेलिन के अत्यन्त तनु घोल (dilute solution) से ही दूर हो जाता है।

(*ii*) इसी प्रकार, कुछ पौधों में जिनकी पत्तियाँ बहुत पास-पास होती हैं तथा पर्व बहुत छोटे होते हैं (rosette form) पर जिबरेलिन के प्रभाव से लम्बा पुष्पवृन्त बनाया जाता है। इस प्रकार के प्रभाव को **बोल्टिंग** (bolting) कहते हैं।

(*iii*) बोल्टिंग प्रभाव कुछ **द्विवर्षी पौधों** (biennial plants) के लिए अति उपयोगी है। इन पौधों में पहले वर्ष में केवल वर्धी भाग ही बनते हैं तथा दूसरे वर्ष में एक लम्बा पुष्पदण्ड (scape) निकलता है (इसी क्रिया को बोल्टिंग कहते हैं)। जिबरेलिन का छिड़काव करने से इन पौधों में **बोल्टिंग** की क्रिया प्रथम वर्ष में ही आरम्भ हो जाती है।

जिबरेलिन की रासायनिक संरचना

जिबरेलिन की खोज **कुरोसावा** ने सर्वप्रथम की परन्तु **याबुता** तथा **हयाशी** ने 1939 ई. में *जिबरेला फ्यूजीकोराई* से इसे प्राप्त कर **जिबरेलिन** '*A*' नाम दिया। इसकी संरचना में एक गिबेन रिंग होती है।

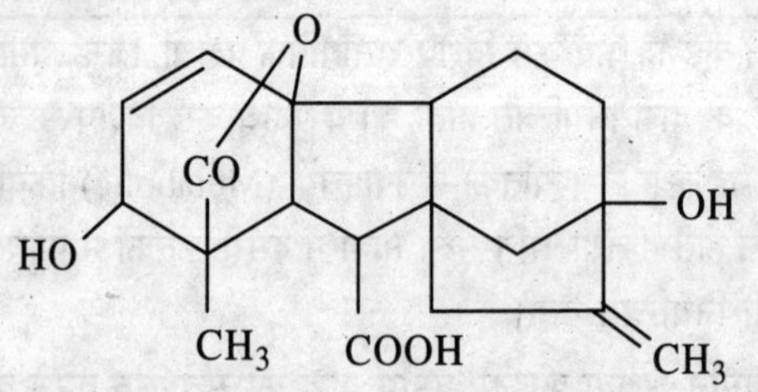

GA_3

(*iv*) कुछ पौधों में **अनिषेक फलन** (parthenocarpy) भी जिबरेलिन के द्वारा किया जाता है। इस प्रभाव में जिबरेलिन IAA से 500 गुना अधिक सक्रिय देखे गए हैं।

(*v*) उपरोक्त प्रभावों के अतिरिक्त लम्बी प्रकाशावधि वाले पौधे शीघ्र ही पुष्प धारण कर लेते हैं। बहुत से फल जिबरेलिन के प्रभाव से बड़े व बीजरहित उत्पन्न होते हैं, जैसे–अंगूर। बहुत से पौधों में फलों की संख्या बढ़ जाती है; जैसे–नींबू, संतरा इत्यादि में।

(*vi*) **कन्दों** (tubers) पर भी जिबरेलिन का प्रभाव पड़ता है। यह उनकी प्रसुप्तावस्था को समाप्त कर उनको अंकुरण के लिए प्रेरित करता है।

(*vii*) ये पुष्पों की संख्या तथा उनके परिमाप में भी वृद्धि करते हैं।

(*viii*) **किण्वन** (fermentation) के द्वारा शराब निर्माण में इनके प्रयोग से क्रिया (process) में तेजी आ जाती है। ऐसे अनेक प्रभावों के कारण जिबरेलिन अत्यन्त उपयोगी पदार्थ सिद्ध हुए हैं।

3. साइटोकाइनिन (Cytokinins)

पौधों में ऐसे महत्वपूर्ण यौगिक भी उपस्थित होते हैं, जो कोशिका विभाजन को प्रेरित करते हैं। इनमें सबसे प्रमुख पदार्थ **काइनेटिन** (kinetin) होता है। अब तो ऐसे अनेक पदार्थ ज्ञात हो चुके हैं जो काइनेटिन की तरह न्यूक्लिक अम्लों के अपघटन से बनते हैं तथा काइनेटिन समूह के ही यौगिक होते हैं। इस समूह के पदार्थो को ही जो काइनेटिन की तरह कार्य करते हैं **साइटोकाइनिन** (cytokinins) कहा जाता है।

साइटोकाइनिन प्राकृतिक रूप में उपस्थित ऑक्सिन (जैसे IAA) के साथ मिलकर कार्य करता है। ये पदार्थ IAA इत्यादि के प्रभाव के लगातार चलते रहने में सहायता करते हैं। न्यूक्लिक अम्लों के संश्लेषण से लेकर कोशिका विभाजन तक में साइटोकाइनिन का बहुत महत्व है। ये पदार्थ अन्य वृद्धि हॉर्मोन्स की तरह कोशिका दीर्घीकरण में भी सहायता करते हैं, जड़ों तथा तनों में **विभज्योतक** (meristems) के निर्माण को प्रेरित करते हैं, कुछ विशेष परिस्थितियों में जड़ों तथा प्ररोहों की वृद्धि रोकते हैं, बीजों में (बहुधा) अंकुरण को प्रेरित करते हैं, पत्तियों की आकार वृद्धि आदि को प्रेरित करते हैं। ये पदार्थ पर्णहरित (chlorophyll) को काफी समय तक नष्ट होने से बचाते हैं। उच्च श्रेणी के पौधों में ही नहीं, बहुत से सूक्ष्म जीवों में भी साइटोकाइनिन महत्वपूर्ण है।

साइटोकाइनिन की रासायनिक संरचना

स्कूग तथा **जबलोन्स्की** ने 1954 ई. में तम्बाकू के सम्वर्धन से कोशिका विभाजन के लिए उपयोगी पदार्थ पृथक करके काइनिन नाम दिया। **मिलर** ने युक्का से जियेटिन निकाला तथा **लिथाम** ने 1963 ई. में इसे साइटोकाइनिन नाम दिया। ये 6 फरफ्यूरिल अमीनो प्यूरीन हैं।

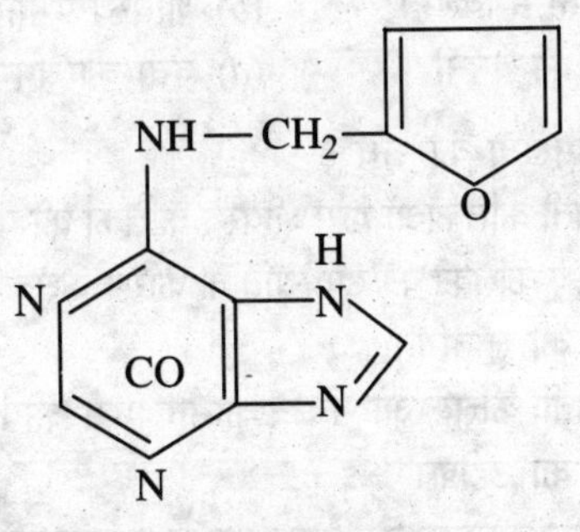

काइनेटिन

4. वृद्धिरोधक (Growth inhibitors)

अत्यधिक मात्रा में अथवा अत्यन्त कम मात्रा में कुछ पदार्थ स्वयं ही किसी प्रकार की वृद्धि में अवरोध (inhibition) उत्पन्न करते हैं इन्हें वृद्धि रोधक कहते हैं। किन्तु अनेक ऐसे पदार्थ भी पौधों में उपस्थित होते हैं जो हॉर्मोन्स के प्रभाव को नष्ट करते अथवा नियमित करते हैं।

पौधों में **प्रसुप्तावस्था** (dormancy) ऐसे ही वृद्धिरोधकों के कारण समझी जाती है। इन पदार्थों को सम्मिलित रूप से **डॉरमिन** (dormin) कहा जाता है। ऐसा ही एक पदार्थ **टरपोलाइनिक अम्ल** (terpolinic acid) है। पहले इसे **एब्सीसिक अम्ल** (ABA = abscissic acid) कहा जाता था। यह बहुत से पौधों की पार्श्व कलिकाओं (lateral buds) की प्रसुप्तावस्था (dormancy) के लिए उत्तरदायी है। यह पदार्थ ऑक्सिन तथा जिबरेलिन के प्रभाव को अवरोधित (inhibit) करता है। इसके अतिरिक्त **सोलेनिडिन** (Solanidine) आलू कन्दों (potato tubers) में कलिका प्रस्फुटन (bud sprouting) को रोकता है। अन्य प्रमुख वृद्धिरोधक पदार्थ **स्कॉपोलेटिन** (scopoletin), **कोमेरिन** (coumarins), पैराएस्कॉर्बिक अम्ल (para-ascorbic acid) आदि।

एब्सीसिक अम्ल की रासायनिक संरचना

ओहकुमा ने 1965 ई. में एब्सीसिक अम्ल की रासायनिक संरचना दी। इसे 3-मिथाइल-5 (1'–हाइड्रॉक्सी–4'–ऑक्सो–2', 6', 6'–ट्राइमिथाइल, 2'–साइक्लोहेक्सेन–1 आइल)–सिस-ट्रान्स-2', 4'–पेन्टाइडिनोइक अम्ल कहते हैं।

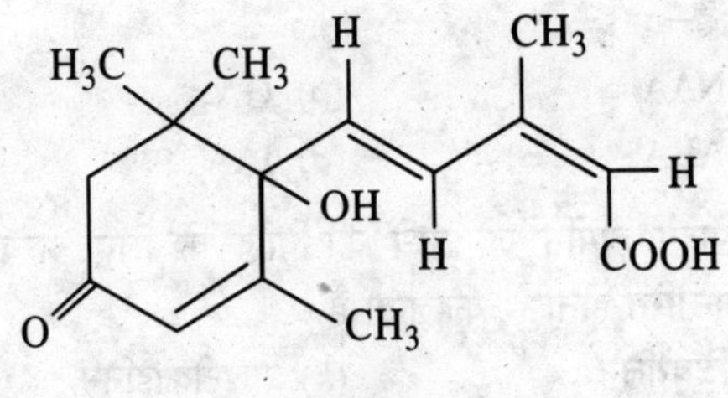

एब्सीसिक अम्ल

इथाइलीन की रासायनिक संरचना

इथाइलीन एक वाष्पशील गैस है। इसे निजबोऊ ने 1901 में पौधों की जड़ों से प्राप्त किया। जिमरमेन ने 1931 ई. में इसकी संरचना निम्नानुसार बताई।

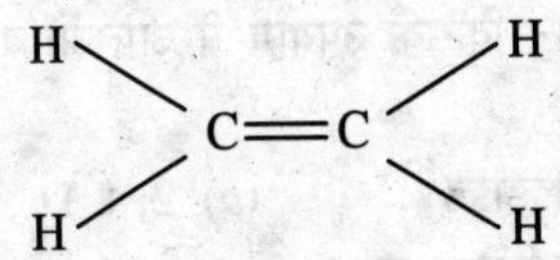

इथाइलीन

पौधों की वृद्धि पर प्रभाव डालने वाले कारक (Factors Affecting Plant Growth)

पौधों की वृद्धि पर प्रभाव डालने वाले प्रमुख कारक निम्नानुसार हैं–

(*i*) जल (Water)

(*ii*) ऑक्सीजन (Oxygen)

(*iii*) तापमान (Temperature)

(*iv*) खनिज लवण (Mineral Salts)

(*v*) हॉर्मोन्स (Hormones)

(*vi*) प्रकाश (Light)

- प्रकाश का प्रकार (Quality of light)
- प्रकाश की तीव्रता (Intensity of light)
- प्रकाश की दिशा (Direction of light)
- प्रकाश काल (Duration of light)

वस्तुनिष्ठ प्रश्न

1. प्रारम्भिक स्तर पर वृद्धि दो जलवायवीय कारकों द्वारा प्रभावित होती है, ये हैं–
(*a*) प्रकाश तथा तापमान (*b*) तापमान एवं आपेक्षिक आर्द्रता
(*c*) प्रकाश एवं वायु (*d*) वर्षा एवं तापमान

2. भारतीय स्याही की सहायता से चिन्हांकित करके एक मूल (Root) में वृद्धि के वितरण का अध्ययन सर्वप्रथम किया–
(*a*) साक्स ने (*b*) स्ट्रॉसबर्गर ने
(*c*) वेण्ट ने (*d*) निश ने

3. निम्नलिखित एक प्राकृतिक वृद्धि संदमक (Growth Inhibitor) होता है–
(*a*) NAA (*b*) GA_3
(*c*) ABA (*d*) IAA

4. वह पादप हार्मोन जो पौधे की वृद्धि के लिए अन्य भागों में स्थानान्तरित होता है, कहलाता है–
(*a*) जिबरेलिन (*b*) साइटोकाइनिन
(*c*) इण्डोल एसीटिक एसिड (*d*) उपरोक्त में से कोई नहीं

5. एक प्राकृतिक वृद्धि नियंत्रक (हार्मोन) होता है–
(*a*) बेन्जैल्डीहाइड (*b*) 2, 4-D
(*c*) NAA (*d*) एथिलीन

6. गोदामों में निम्न किसके उपयोग से आलुओं का अंकुरण रोका जा सकता है–
(*a*) मैलिक हाइड्राइड (*b*) 2, 4-D
(*c*) इण्डोल एसीटिक अम्ल (*d*) नेफ्थालीन एसीटिक अम्ल

7. जिबरेलिक अम्ल निम्न किस स्थिति में पुष्पन को प्रोत्साहित करने के लिये उपयोग में लाया जाता है–
(*a*) लघु दिवस पौधों का दीर्घ दिवस परिस्थितियों में
(*b*) दीर्घ दिवस पौधों का लघु दिवस परिस्थितियों में
(*c*) समान दिवस पौधों में
(*d*) कुछ पौधों में

8. शीर्षस्थ प्रबलता ऊँचे पौधों में निम्न में से किस कारण से होता है–
(*a*) ऑक्सिन तथा साइटोकाइनिन के मध्य सन्तुलन के कारण
(*b*) एन्जाइम सक्रियता
(*c*) कार्बोहाइड्रेट उपापचय
(*d*) प्रकाश अपवर्तन

9. साइटोकाइनिन–
(*a*) कोशिका विभाजन को उत्साहित करती है
(*b*) प्रसुप्ती को उत्साहित करती है
(*c*) कोशिका प्लेट बनाती है
(*d*) तर्कु सूत्र बनाने में उपयोगी होती है

10. निम्न में से कौन तृणनाशक है–
(*a*) 2, 4-D (*b*) GA
(*c*) NAA (*d*) ABA

11. इथीलीन है–
(*a*) वायु हार्मोन (*b*) वायु विकार
(*c*) दाब वायु मिश्रण (*d*) ठोस हार्मोन

12. निम्न कौन-सी पादप क्रिया जिबरेलिन अम्ल द्वारा प्रभावित होती है–
(*a*) आनुवंशिक लम्बे पौधों का छोटा होना
(*b*) आनुवंशिक छोटे पौधों का लम्बा होना
(*c*) तने की कटिंग में जड़ें निकलना
(*d*) फलों का गिरना बढ़ना

13. जिबरेलिन पुष्पन उद्दीप्त करते हैं–
(*a*) अल्प प्रदीप्त काली पादपों में
(*b*) दीर्घ प्रदीप्त काली पादपों में
(*c*) दिवस निरपेक्ष पादपों में
(*d*) सभी पादपों में

14. कृत्रिम पक्वन के लिये फलों को उपचारित करते हैं–
(*a*) IAA (*b*) एथिलीन से
(*c*) काइनेटिन से (*d*) मॉरफैक्टिन से

15. रिकमोन्ड लैंग प्रभाव किससे जुड़ा है–
(*a*) जीर्णता में विलम्ब (*b*) शीर्षस्थ प्रभाविकता
(*c*) जड़ों का बनना (*d*) पत्ती का बनना

16. शीर्षस्थ प्रमुखता का अर्थ है–
(*a*) कक्षवर्ती कलिकाओं द्वारा शीर्षस्थ कलिका की वृद्धि की लुप्तांगता
(*b*) शीर्षस्थ कलिका की उपस्थिति के कारण कक्षवर्ती कलिकाओं की वृद्धि की लुप्तांगता
(*c*) कक्षवर्ती कलिकाओं के निष्कासन द्वारा शीर्षस्थ कलिका की वृद्धि का उद्दीपन
(*d*) शीर्षस्थ कलिका के निष्कासन द्वारा कक्षवर्ती कलिकाओं की वृद्धि का विरोध

17. निम्न में से कौन-सा हार्मोन दीर्घ प्रदीप्तकाल को पुष्पी पौधों में विस्थापित कर सकता है–
(*a*) ऑक्सिन (*b*) GA
(*c*) साइटोकाइनिन (*d*) इथीलीन

18. वृक्षों पर लगे सेब के फलों को सामान्य से बड़े आकार में बनाना कैसे सम्भव हो सकता है–
(*a*) स्तम्भ शीर्ष को काटकर हटाना
(*b*) पुष्प पुँज को काट-छाँट कर छोटा करना
(*c*) पत्ती तोड़कर हटाना
(*d*) हार्मोन छिड़ककर

19. एब्सीसिक अम्ल (ABA) से प्रोत्साहित होता है–
(*a*) पतझड़ (*b*) बीजांकुरण
(*c*) मुकुलन (*d*) कोशिका विभाजन

20. एक लिंगी पौधों में किसकी क्रिया से लिंग परिवर्तन होता है–
(*a*) साइटोकाइनिन (*b*) ABA
(*c*) इथेनोल (*d*) ऑक्सिन

21. एक बीज का वृद्धि चक्र होता है–
(*a*) J आकार का (*b*) पाराबोलिक
(*c*) सिग्मायड चक्र (*d*) हाइपरबोलिक

22. वृद्धि वर्धक हार्मोन जिबरेलिन को सर्वप्रथम किसने खोजा था–
(*a*) यबूता तथा सुमुकी (*b*) ड्यूटरोशेट तथा डॉक
(*c*) गार्नर तथा एलार्ड (*d*) शिमोडी तथा यानोफस्की

23. पर्ण गिरना शुरु होता है जब–
(*a*) ABA की मात्रा कम होती है
(*b*) ऑक्सिन की मात्रा बढ़ती है
(*c*) ऑक्सिन की मात्रा घटती है
(*d*) जिबरेलिक अम्ल की मात्रा घटती है

24. साइटोकाइनिन हार्मोन की योग्यता होती है–
(*a*) शीतलन प्रभाव का प्रतिस्थापन
(*b*) जड़ प्रस्फुटन का प्रेरण
(*c*) बौने पौधों को लम्बा करना
(*d*) आकार जनन का प्रेरण (Induction of Morphogenesis)

25. काटने-छाँटने (Pruning) के अन्तर्गत शीर्षस्थ कलिका को हटाने पर–
(*a*) पौधे की मृत्यु हो जाती है
(*b*) नयी शीर्षस्थ कलिका का निर्माण होता है
(*c*) पार्श्व शाखान्वयन बढ़ जाता है
(*d*) मुख्य तना लम्बा हो जाता है

26. फलों के पकने की दर को तीव्र किया जा सकता है किसके प्रयोग द्वारा–
(*a*) जिबरेलिक अम्ल (*b*) इण्डोल एसीटिक अम्ल
(*c*) फ्लोरीजिन (*d*) एथिलीन गैस

27. पौधों में ऑक्सिन का संश्लेषण होता है–
(*a*) वल्कुट में
(*b*) जाइलम कोशिकाओं में
(*c*) फ्लोएम कोशिकाओं में
(*d*) मूल तथा प्ररोह शीर्षों में

28. निम्नलिखित में से कौन-सा गैसीय पादप वृद्धि नियंत्रण होता है–
(*a*) GA (*b*) ABA
(*c*) इथिलीन (*d*) काइनेटिन

29. फल के पकने को नियंत्रित करने वाला पादप हार्मोन होता है–
(*a*) IAA (*b*) काइनेटिन
(*c*) GA (*d*) इथिलीन

30. ऑक्सिन की गति अधिकतर होती है–
(*a*) अग्राभिसारी
(*b*) तलभिसारी (Basipetal)
(*c*) अग्राभिसारी तथा तलभिसारी दोनों
(*d*) केन्द्रभिसारी

31. कुछ वृद्धि नियंत्रक रन्ध्रों के खुलने की क्रिया को प्रभावित करते हैं। रन्ध्रों का बन्द होना घटित होता है–
(*a*) काइनेटिन द्वारा
(*b*) एब्सीसिक अम्ल द्वारा (ABA)
(*c*) इण्डोल ब्यूटीरिक अम्ल द्वारा
(*d*) जिबरेलिक अम्ल द्वारा

32. काइनेटिन एक वृद्धि नियन्त्रक पदार्थ है जो सर्वप्रथम निम्न क्षार से पृथक किया गया–
(*a*) एडिनाइन (*b*) $CaSO_4$
(*c*) यूरेसिल (*d*) उपरोक्त सभी

33. साइटोकाइनिन क्या है–
(*a*) कोशिका विभाजन का प्रकार है
(*b*) सुषुप्तावस्था प्रेरित करता है
(*c*) एक हार्मोन है जो मुख्यतः कोशिका विभाजन प्रेरित करता है
(*d*) कोशिकीय गति को बताता है

34. एब्सीसिक अम्ल (ABA) नियंत्रित करता है–
(*a*) प्ररोह का लम्बान
(*b*) कोशिका लम्बान तथा कोशिका भित्ति का बनना
(*c*) कोशिका विभाजन
(*d*) पर्णों का गिरना तथा सुषुप्तावस्था

35. घास के मैदान में चलना घास को अच्छी तरह उगने में सहायता करता है–
(*a*) शीर्षस्थ प्रमुखता समाप्त होती है तथा कक्षस्थ बढ़ती है
(*b*) शीर्षस्थ प्रमुखता समाप्त हो जाती है
(*c*) घाव हो जाते हैं जो तेजी से वृद्धि को बढ़ाती है
(*d*) शीर्षस्थ प्रमुखता समाप्त होती है तथा अन्तविष्ट विभज्योतक बढ़ते हैं

36. निम्न में कौन से कथन ऑक्सिन के प्रयोग के विषय में गलत है–
(*a*) पौधों की वृद्धि की दिशा को नियन्त्रित करते हैं
(*b*) पार्श्व कलिका की वृद्धि को कम करता है
(*c*) ऊतक संवर्धन में कोशिका विभाजन को बढ़ाता है
(*d*) यह गति लम्बान प्रभाव देता है

37. शिखाग्र प्रमुखता का अर्थ है–
(*a*) कक्षीय कलिका की वृद्धि का शीर्ष कलिका द्वारा संदमन
(*b*) शीर्ष कलिका काटकर कक्षीय कलिका का वृद्धि संदमन
(*c*) शीर्ष कलिका की वृद्धि का कक्षीय कलिका द्वारा संदमन
(*d*) कक्षीय कलिका काट देने से शीर्ष कलिका की वृद्धि प्रेरण

38. अन्नानास (Pineapple) में अन्य ऋतु में भी पुष्प उत्पन्न किये जा सकते हैं। यह किसके प्रभाव द्वारा सम्भव है–

(a) इथाइलीन (b) जियाटीन
(c) छोटे दिनों में (d) तापक्रम

39. निम्न में से कौन कोशिका में कोशिका विभाजन को प्रेरित करता है?
(a) GA (b) साइटोकाइनिन
(c) ऑक्सिन (d) उपरोक्त में से कोई नहीं

40. जिबरेलिन प्रेरक है–
(a) पुष्पन के
(b) कोशिका विभाजन के
(c) अंकुरण करते बीजों में हाइड्रोलाइजिंग एन्जाइम के उत्पादन में
(d) फलों के पकने के

41. निम्न में से किस हार्मोन वर्ग का निम्न ताप उपचार की जगह इस्तेमाल किया जा सकता है–
(a) ऑक्सिन (b) जिबरेलिन्स
(c) साइटोकाइनिन (d) एथिलीन

42. सूची-I को सूची-II से सुमेलित कीजिये तथा सूचियों के नीचे दिये गये कूट का उपयोग करते हुये सही उत्तर का चयन कीजिये–

सूची-I	सूची-II
A. भित्ति की दैर्ध्य वृद्धि में बढ़ोत्तरी	(i) जिबरेलिन्स
B. उत्स्फुटन तथा पुष्पन	(ii) ऑक्सिन
C. कोशिका विभाजन	(iii) एब्सीसिक अम्ल
D. प्रसुप्तता	(iv) साइटोकाइनिन्स

कूटः

	A	B	C	D
(a)	(ii)	(i)	(iii)	(iv)
(b)	(ii)	(i)	(iv)	(iii)
(c)	(i)	(ii)	(iv)	(iii)
(d)	(i)	(ii)	(iii)	(iv)

43. पत्तियों की Ageing को विलम्बित किया जा सकता है, निम्न के प्रयोग से–
(a) साइटोकाइनिन (b) शर्करा
(c) क्लोरोफिल (d) एब्सिसिक अम्ल

44. पत्तियों के गिरने के समय निम्न में से कौन-सा हारमोन उत्पन्न होता है–
(a) ABA (b) साइटोकाइनिन
(c) फ्लोरीजेन (d) उपरोक्त सभी

45. जिबरेलिन्स प्राप्त किये जाते हैं–
(a) *फाइटोफ्थोरा इन्फेसटांस* से
(b) *फ्यूजेरियम इंडिकम*
(c) *जिब्रैला फ्यूजीकुरोई*
(d) *आल्टर्नेरिया सोलेने*

46. हारमोन जो पादप में तनाव की अवस्था (Stress Condition) में निकलता है–
(a) GA (b) ऑक्सिन
(c) ABA (d) इथाइलिन

47. आनुवंशिक बौनापन दूर किया जाता है, उपचार से–
(a) ऑक्सिन (b) इथाइलिन
(c) जिब्रैलिन्स (d) एण्टीजिब्रैलिन्स

48. पार्थीनोकार्पिक फल विकसित किये जा सकते हैं–
(a) NAA, 2, 4 -D (b) 2, 4-D
(c) 2, 3, 5-T (d) NAA, 2T

49. बैकेनी रोग किसकी खोज से सम्बन्धित है–
(a) ABA (b) 2, 4-D
(c) GA (d) IAA

50. वह हारमोन जो नारियल के जलीय भ्रूणपोष में होता है–
(a) साइटोकाइनिन (b) इथाइलीन
(c) जिब्रैलिन (d) ऑक्सिन

उत्तरमाला

1	2	3	4	5	6	7	8	9	10
(a)	(a)	(c)	(c)	(a)	(d)	(a)	(b)	(a)	(a)
11	12	13	14	15	16	17	18	19	20
(a)	(b)	(b)	(b)	(a)	(b)	(b)	(d)	(a)	(d)
21	22	23	24	25	26	27	28	29	30
(c)	(a)	(c)	(d)	(c)	(d)	(d)	(c)	(d)	(b)
31	32	33	34	35	36	37	38	39	40
(b)	(a)	(c)	(d)	(d)	(c)	(a)	(a)	(b)	(c)
41	42	43	44	45	46	47	48	49	50
(b)	(c)	(a)	(a)	(c)	(c)	(c)	(a)	(c)	(a)

जन्तु विज्ञान

अध्याय 1

कोशिका : जीवन की इकाई (Cell : Unit of Life)

- जीव विज्ञान की वह शाखा जिसके अन्तर्गत कोशिका का अध्ययन किया जाता है उसे सायटोलॉजी (Cytology) कहते हैं।
- एन्टोनवान ल्युवेन हॉक ने पहली बार कोशिका को देखा व इसका वर्णन किया था।
- राबर्ट ब्राउन ने बाद में केंद्रक की खोज की। सूक्ष्मदर्शी की खोज व बाद में इनके सुधार के बाद इलेक्ट्रॉन द्वारा कोशिका की विस्तृत संरचना का अध्ययन संभव हो सका।

कोशिकीय जीवधारी (1) स्वतंत्र अस्तित्व यापन व (2) जीवन के सभी आवश्यक कार्य करने में सक्षम होते हैं। कोशिका के बिना किसी भी स्वतंत्र जीव का अस्तित्व नहीं हो सकता। इस कारण जीव के लिए कोशिका ही मूलभूत से संरचनात्मक व क्रियात्मक इकाई होती है।

सभी जीव, कोशिका या कोशिका समूह से बने होते हैं। कोशिकाएं आकार व आकृति तथा क्रियाएं/कार्य की दृष्टि से भिन्न होती हैं। झिल्लीयुक्त केंद्रक व अन्य अंगकों की उपस्थिति या अनुपस्थिति के आधार पर कोशिका या जीव को प्रोकैरियोटिक या यूकैरियोटिक नाम से जानते हैं।

एक प्रारूपी यूकैरियोटिक कोशिका, केंद्रक व कोशिकाद्रव्य से बना होता है। पादप कोशिकाओं में कोशिका झिल्ली के बाहर कोशिका भित्ति पाई जाती हैं। जीवद्रव्यकला चयनित पारगम्य होती है और बहुत सारे अणुओं के परिवहन में भाग लेती है। अंतः झिल्लिकातंत्र के अंतर्गत अंतःप्रद्रव्यी जालिका, गॉल्जीकाय, लयनकाय व रसधानी होती है। सभी कोशिकीय अंगक विभिन्न एवं विशिष्ट प्रकार के कार्य करते हैं। पादक कोशिका में हरितलवक प्रकाश संश्लेषण के लिए आवश्यक प्रकाशीय ऊर्जा को संचित रखने का कार्य करते हैं। तारककाय व तारककेंद्र पक्ष्माभ व कशाभिका आधारीय काय बनाता है जो गति में सहायक है। जंतु कोशिकाओं में तारककेंद्र कोशिका विभाजन के दौरान तर्कु उपकरण बनाते हैं। केंद्रक में केंद्रिका व क्रोमोटीन का तंत्र मिलता है। यह अंगकों के कार्य को ही नियंत्रित नहीं करता, बल्कि आनुवंशिकी में प्रमुख भूमिका अदा करता है। अतः कोशिका जीवन की संरचनात्मक व क्रियात्मक इकाई होती है।

कोशिका सिद्धांत (Cell Theory)

मैल्थीयस श्लाइडेन (1838) जर्मनी के वनस्पति वैज्ञानिक ने बहुत सारे पौधों के अध्ययन के बाद पाया कि ये पौधे विभिन्न प्रकार की कोशिकाओं से मिलकर बने होते हैं, जो पौधों में ऊतकों का निर्माण करते हैं। लगभग इसी समय 1839 में एक ब्रिटिश प्राणि वैज्ञानिक थियोडोर श्वान ने विभिन्न जंतु कोशिकाओं के अध्ययन के बाद पाया कि कोशिकाओं के बाहर एक पतली परत मिलती है जिसे आजकल 'जीवद्रव्यझिल्ली' कहते हैं। इस वैज्ञानिक ने पादप ऊतकों के अध्ययन के बाद पाया कि पादप कोशिकाओं में कोशिका भित्ति मिलती है जो इसकी विशेषता है। उपरोक्त आधार पर श्वान ने अपनी परिकल्पना रखते हुए बताया कि प्राणियों और वनस्पतियों का शरीर कोशिकाओं और उनके उत्पाद से मिलकर बना है।

श्लाइडेन व श्वान ने संयुक्त रूप से कोशिका सिद्धांत को प्रतिपादित किया। यद्यपि इनका सिद्धांत यह बताने में असफल रहा कि नई कोशिकाओं का निर्माण कैसे होता है। पहली बार रूडोल्फ बिर्चो (1855) ने स्पष्ट किया कि कोशिका विभाजित होती है और नई कोशिकाओं का निर्माण पूर्व स्थित कोशिकाओं के विभाजन से होता है (ओमनिस सेलुल-इ सेलुला)। इन्होंने श्लाइडेन व श्वान की कल्पना को रूपांतरित कर नई कोशिका सिद्धांत को प्रतिपादित किया।

जो निम्नवत है:

- सभी जीव कोशिका व कोशिका उत्पाद से बने होते हैं।
- सभी कोशिकाएं पूर्व स्थित कोशिकाओं से निर्मित होती हैं।

कोशिका की संरचना (Structure of Cell)

प्रत्येक कोशिका के भीतर एक सघन झिल्लीयुक्त संरचना मिलती है, जिसे केंद्रक कहते हैं। इस केंद्रक में गुणसूत्र (क्रोमोसोम) होता है जिसमें आनुवंशिक पदार्थ डीएनए होता है। जिस कोशिका में झिल्लीयुक्त केंद्रक होता है, उसे यूकैरियोट व जिसमें झिल्लीयुक्त केंद्रक नहीं मिलता उसे प्रोकैरियोट कहते हैं। दोनों यूकैरियोटिक व प्रोकैरियोटिक कोशिकाओं में इसके आयतन को घेरे हुए एक अर्द्धतरल आव्यूह मिलता है जिसे कोशिकाद्रव्य कहते हैं। दोनों पादप व जंतु कोशिकाओं में कोशिकीय क्रियाओं हेतु कोशिकाद्रव्य एक प्रमुख स्थल होता है। कोशिका की 'जीव अवस्था' संबंधी विभिन्न रासायनिक अभिक्रियाएं यहीं संपन्न होती हैं। विभिन्न प्रकार की कोशिकाएं चित्र 1.1 में दी गई है।

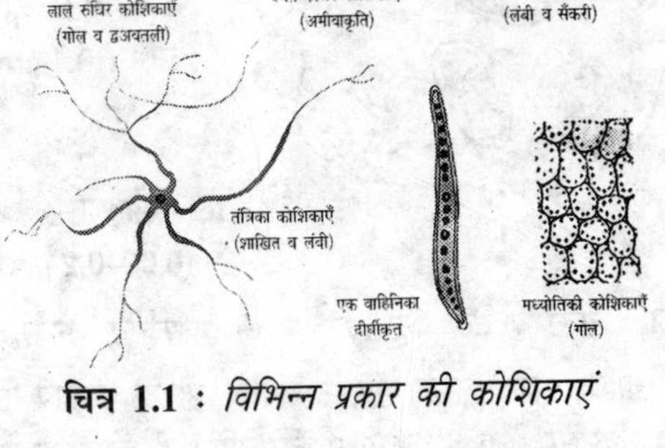

चित्र 1.1 : *विभिन्न प्रकार की कोशिकाएं*

यूकैरियोटिक कोशिका में केंद्रक के अतिरिक्त अन्य झिल्लीयुक्त विभिन्न संरचनाएं मिलती हैं, जो कोशिकांग कहलाती हैं जैसे– अंतःप्रद्रव्यी जालिका (ऐन्डोप्लाजमिक रेटीकुलम) सूत्र कणिकाएं (माइटोकॉन्ड्रिया), सूक्ष्मकाय (माइक्रोबॉडी), गाल्जीसमिश्र, लयनकाय (लायसोसोम) व रसधानी प्रोकैरियोटिक कोशिका में झिल्लीयुक्त कोशिकाओं का अभाव होता है।

यूकैरियोटिक व प्रोकैरियोटिक दोनों कोशिकाओं में झिल्ली रहित अंगक राइबोसोम मिलते हैं। कोशिका के भीतर राइबोसोम केवल कोशिका द्रव्य में ही नहीं; बल्कि दो अंगकों-हरित लवक (पौधों में) व सूत्र कणिका में व खुरदरी अंतर्प्रद्रव्यी जालिका में भी मिलते हैं।

जंतु कोशिकाओं में झिल्ली रहित तारक केंद्रक जैसे अन्य अंगक मिलते हैं, जो कोशिका विभाजन में सहायता करते हैं।

कोशिकाएं माप, आकार व कार्य की दृष्टि से काफी भिन्न होती हैं उदाहरणार्थ– सबसे छोटी कोशिका माइकोप्लाज्मा 0.3 μm (माइक्रोमीटर) लंबाई की जबकि जीवाणु (बैक्टीरिया) 3 से 5 μm (माइक्रोमीटर) की होती हैं। पृथक् की गई सबसे बड़ी कोशिका शुतरमुर्ग के अंडे के समान है। बहुकोशिकीय जीवधारियों में मनुष्य की लाल रक्त कोशिकाओं का व्यास लगभग 7.0 μm (माइक्रोमीटर) होता है। तंत्रिका कोशिकाएं सबसे लंबी कोशिकाओं में होती हैं। ये बिंबाकार, बहुभुजी, स्तंभी, घनाभ, धागे की तरह या असमाकृति प्रकार की हो सकती हैं। कोशिकाओं का रूप उनके कार्य के अनुसार भिन्न हो सकता है।

प्रोकैरियोटिक कोशिकाएं (Prokaryotic cells)

प्रोकैरियोटिक कोशिकाएं, जीवाणु, नीलहरित शैवाल, माइकोप्लाज्मा और प्ल्यूरो निमोनिया सम जीव (PPLO) में मिलते हैं। सामान्यतया ये यूकैरियोटिक कोशिकाओं से बहुत छोटी होती हैं और काफी तेजी से विभाजित होती हैं (चित्र 1.2)। माप का आकार काफी भिन्न होता है। जीवाणु के चार मूल आकार होते हैं– दंडाकार (बेसिलस), गोलाकार (कोकस), कोशाकार (विब्रो) व सर्पिल (स्पाइलर)।

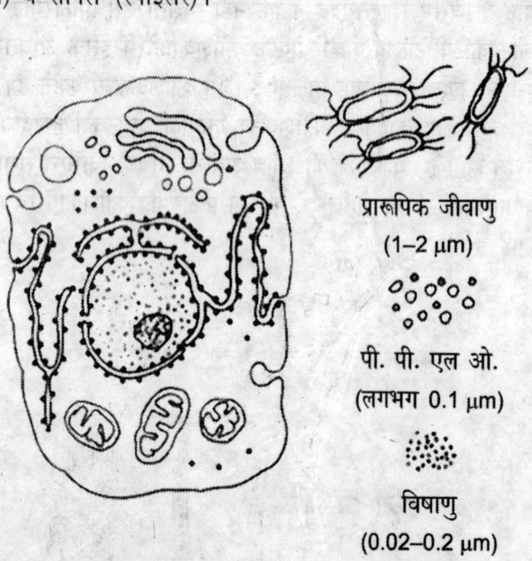

चित्र 1.2 : *यूकैरियोटिक कोशिका का अन्य सजीवों के साथ तुलना*

प्रोकैरियोटिक कोशिका का मूलभूत संगठन आकार व कार्य में विभिन्नता के बावजूद एक-सा होता है। सभी प्रोकैरियोटिक में कोशिका भित्ति होती हैं जो कोशिका झिल्ली से घिरी रहती है। कोशिका में साइटोप्लाज्म एक तरल मैट्रिक्स के रूप में भरा रहता है। इसमें कोई स्पष्ट विभेदित केंद्रक नहीं पाया जाता है। आनुवंशिक पदार्थ मुख्य रूप से नग्न व केंद्रक झिल्ली द्वारा परिबद्ध नहीं होता है। जिनोमिक डीएनए के अतिरिक्त (एकल गुणसूत्र/गोलाकार डीएनए) जीवाणु में सूक्ष्म डीएनए वृत्त जिनोमिक डीएनए के बाहर पाए जाते हैं। इन डीएनए वृत्तों को प्लाज्मिड कहते हैं। ये प्लाज्मिड डीएनए जीवाणुओं में विशिष्ट समलक्षणों को बताते हैं। उनमें से एक प्रतिजीवी प्रतिरोधी होते हैं।

ग्राम धनात्मक एवं ग्राम ऋणात्मक बैक्टीरिया की कोशिका (Gram +ive & Gram –ive Bacterial cells)

जीवाणुओं की उनकी कोशिका आवरण में विभिन्नता व ग्राम द्वारा विकसित अभिरंजनविधि के प्रति विभिन्न व्यवहार के कारण दो श्रेणियों में वर्गीकृत किया गया है, जैसे-जो ग्राम अभिरंजित होते हैं, उसे **ग्राम धनात्मक** एवं अन्य जो अभिरंजित नहीं हो पाते, उन्हें **ग्राम ऋणात्मक** कहते हैं।

यूकैरियोटिक कोशिकाएं (ससीमकेंद्र की कोशिकाएं)

सभी आद्यजीव, पादप, प्राणी व कवक में यूकैरियोटिक कोशिकाएं होती हैं। यूकैरियोटिक कोशिकाओं में झिल्लीदार अंगकों की उपस्थिति के कारण कोशिकाद्रव्य विस्तृत कक्षयुक्त प्रतीत होता है। यूकैरियोटिक कोशिकाओं में झिल्लीमय आवरण युक्त व्यवस्थित केंद्रक मिलता है। इसके अतिरिक्त यूकैरियोटिक कोशिकाओं में विभिन्न प्रकार के जटिल गतिकीय एवं कोशिकीय कंकाल जैसी संरचना मिलती है। इनमें आनुवंशिक पदार्थ गुणसूत्रों के रूप में व्यवस्थित रहते हैं।

सभी यूकैरियोटिक कोशिकाएं एक जैसी नहीं होती हैं। पादप व जंतु कोशिकाएं (चित्र 1.3 तथा 1.4) भिन्न होती हैं। पादप कोशिकाओं में कोशिका भित्ति, लवक एवं एक बड़ी केंद्रीय रसधानी मिलती है, जबकि प्राणी कोशिकाओं में ये अनुपस्थित होती हैं। दूसरी तरफ प्राणी कोशिकाओं में तारकाय मिलता है जो लगभग सभी पादप कोशिकाओं में अनुपस्थित होता है।

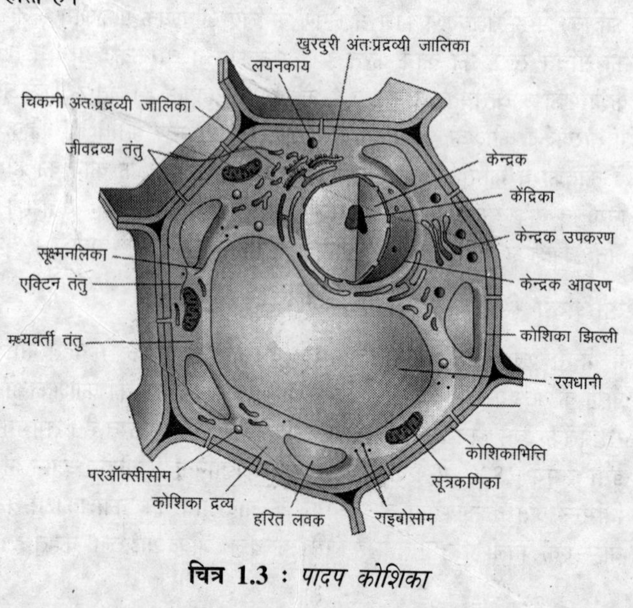

चित्र 1.3 : *पादप कोशिका*

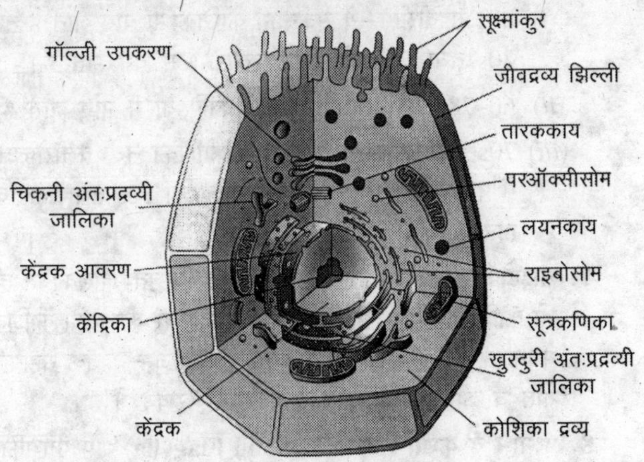

चित्र 1.4 : *प्राणि कोशिका*

1. **कोशिका झिल्ली या कोशिका कला (Plasma-membrane or Plasmalemma):** कोशिका झिल्ली की संरचना सिंगर एवं निकोल्सन द्वारा सन् 1972 में प्रस्तुत किया गया। कोशिकाझिल्ली लिपिड की बनी होती है जो दो सतहों में व्यवस्थित होती है। लिपिड झिल्ली के अंदर व्यवस्थित होते हैं, जिनका ध्रुवीय सिरा बाहर की ओर व जल भीरू पुच्छ सिरा अंदर की ओर होता है। इससे सुनिश्चित होता है कि संतृप्त हाइड्रोकार्बन की बनी हुई अध्रुवीय पुच्छ जलीय वातावरण से सुरक्षित रहती है। कोशिका झिल्ली में पाए जाने वाले लिपिड घटक-फास्फोग्लिसराइड्स के बने होते हैं।

   झिल्ली की तरलीय प्रकृति इसके कार्य जैसे-कोशिकावृद्धि, अंतरकोशिकीय संयोजन का निर्माण, स्रवण, अंतकोशिका, कोशिका विभाजन इत्यादि की दृष्टि में महत्वपूर्ण है। जीवद्रव्यझिल्ली (चित्र 1.5) का सर्वाधिक महत्वपूर्ण कार्य यह है कि इससे अणुओं का परिवहन होता है।

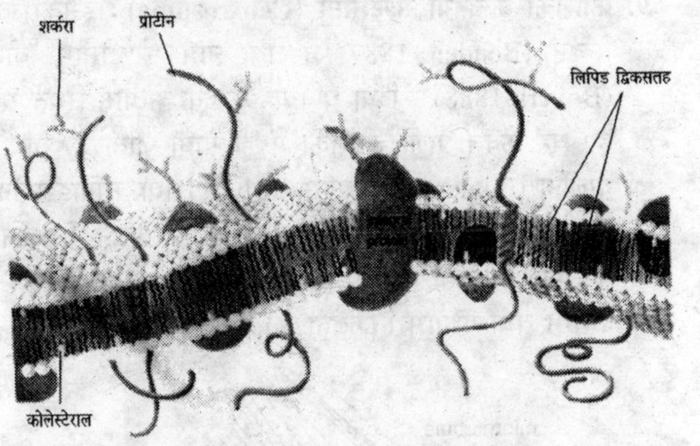

चित्र 1.5 : *जीवद्रव्य झिल्ली का तरल किर्मीर नमूना*

2. **कोशिका भित्ति :** कवक व पौधों की जीवद्रव्यझिल्ली के बाहर पाए जाने वाली दृढ़ निर्जीव आवरण को कोशिका भित्ति कहते हैं। कोशिका भित्ति कोशिका को केवल यांत्रिक हानियों और संक्रमण से ही रक्षा नहीं करता है; बल्कि यह कोशिकाओं के बीच आपसी संपर्क बनाए रखने तथा अवांछनीय वृहद अणुओं के लिए अवरोध प्रदान करता है। शैवाल की कोशिका भित्ति सेलुलोज, गैलेक्टेन्स, मैनान्स व खनिज जैसे कैल्सियम कार्बोनेट की बनी होती है, जबकि दूसरे पौधों में यह सेलुलोज, हेमीसेलुलोज, पेक्टीन व प्रोटीन की बनी होती है।

3. **अंतःझिल्लिका तन्त्र :** झिल्लीदार अंगक कार्य व संरचना के आधार पर एक दूसरे से काफी अलग होते हैं, इनमें बहुत से ऐसे होते हैं जिनके कार्य एक दूसरे से जुड़े रहते हैं। उन्हें अंतः झिल्लिका तंत्र के अंतर्गत रखते हैं। इस तंत्र के अंतर्गत अंतःप्रद्रव्यी जालिका, गॉल्जीकाय, लयनकाय, व रसधानी अंग आते हैं।

   (i) **अंतःप्रद्रव्यी जालिका (Endoplasmic Reticulum) :** इलेक्ट्रॉन सूक्ष्मदर्शी से अध्ययन के पश्चात् यह पता चला कि यूकैरियोटिक कोशिकाओं के कोशिकाद्रव्य में चपटे, आपस में जुड़े, थैली युक्त छोटी नलिकावत जालिका तंत्र बिखरा रहता है जिसे अंतःप्रद्रव्यी जालिका (चित्र 1.6) कहते हैं।

चित्र 1.6 : *अंतःप्रद्रव्यी जालिका (एन्डोप्लाज्मिक रेटीकुलम)*

   अंतःप्रद्रव्यी जालिका प्राणियों में लिपिड संश्लेषण के पुख्य स्थल होते हैं। लिपिड की भाँति स्टीरायडल हार्मोन चिकने अंतःप्रद्रव्यी जालिका में होते हैं।

   (ii) **गॉल्जी उपकरण :** केमिलो गॉल्जी (1898) ने पहली बार केंद्रक के पास घनी रंजित जालिकावत संरचना तंत्रिका कोशिका में देखी जिन्हें बाद में उनके नाम पर गॉल्जीकाय कहा गया। गॉल्जीकाय का मुख्य कार्य द्रव्य को संवेष्टित कर अंतर-कोशिकी लक्ष्य तक पहुँचाना या कोशिका के बाहर स्रवण करना है।

   (iii) **लयनकाय (लाइसोसोम) :** यह झिल्ली पुटिका संरचना होती है जो संवेष्टन विधि द्वारा गॉल्जीकाय में बनते हैं। पृथकीकृत लयनकाय पुटिकाओं में सभी प्रकार की जल-अपघटकीय एंजाइम (जैसे-हाइड्रोलेजेज, लाइपेसेज, प्रोटोएसेज व कार्बोहाइड्रेजेज) मिलते हैं जो अम्लीय परिस्थितियों में सर्वाधिक सक्रिय होते हैं। ये एंजाइम कार्बोहाइड्रेट, प्रोटीन, लिपिड, न्यूक्लिक अम्ल आदि के पाचन में सक्षम हैं।

   (iv) **रसधानी (वैक्योल) :** कोशिकाद्रव्य में झिल्ली द्वारा घिरी जगह को रसधानी कहते हैं। इनमें पानी, रस, उत्सर्जित पदार्थ व

अन्य उत्पाद जो कोशिका के लिए उपयोगी नहीं है, भी इसमें मिलते हैं। रसधानी एकल झिल्ली से आवृत्त होती है जिसे टोनोप्लास्ट कहते हैं। पादप कोशिकाओं में यह कोशिका का 90 प्रतिशत स्थान घेरता है।

4. **माइटोकॉण्ड्रिया (Mitochondria) :** माइटोकॉण्ड्रिया को "कोशिका का ऊर्जा गृह" भी कहते हैं। कोलिकर (Kolliker) ने 1880 में पहली बार माइटोकॉण्ड्रिया (चित्र 1.7) देखी थीं किन्तु इनकी खोज का श्रेय अल्टमैन तथा फ्लेमिंग (Altman and Flemming, 1890) को जाता है। नाम "माइटोकॉण्ड्रिया" 1897 में बेंड़ा (Benda) ने दिया था। नास एवं नास (Nass and Nass, 1965) ने माइटोकॉण्ड्रिया में डी एन ए की उपस्थिति दर्शायी। कोशिकाद्रव्य में अनेकों माइटोकॉण्ड्रिया पायी जाती हैं। किसी कोशिका में पाए जाने वाली कुल माइटोकॉण्ड्रिया को कॉण्ड्रियोसोम (chondriosome) या कॉण्ड्रिओम (chondriome) कहते हैं।

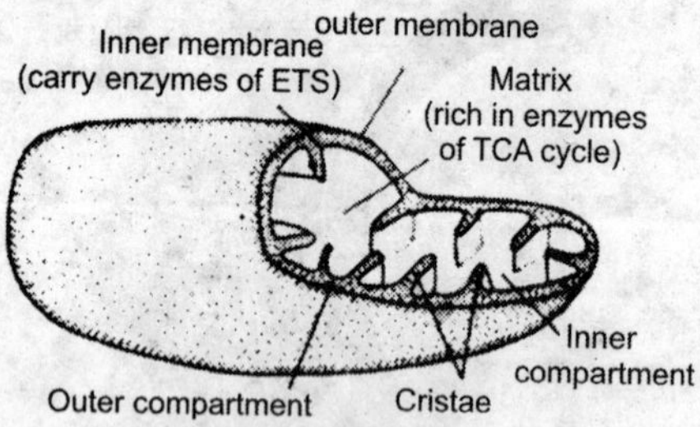

चित्र 1.7 : *माइटोकॉण्ड्रिया की संरचना (अनुदैर्ध्यकाट)*

5. **लवक या प्लास्टिड (Plastid) :** लवक सभी पादप कोशिकाओं एवं कुछ प्रोटोजोआ जैसे यूग्लिना में मिलते हैं। ये आकार में बड़े होने के कारण सूक्ष्मदर्शी से आसानी से दिखाई पड़ते हैं। इसमें विशिष्ट प्रकार के वर्णक मिलने के कारण पौधे भिन्न-भिन्न रंग के दिखाई पड़ते हैं। विभिन्न प्रकार के वर्णकों के आधार पर लवक कई तरह के होते हैं जैसे-हरित लवक (चित्र 1.8), वर्णीलवक व अवर्णीलवक।

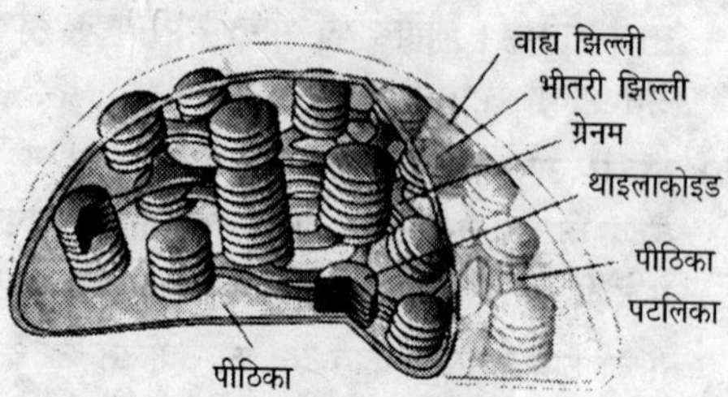

चित्र 1.8 : *हरित लवक का अनुभागीय दृश्य*

6. **राइबोसोम (Ribosome) :** इलेक्ट्रॉन सूक्ष्मदर्शी द्वारा जार्ज पैलेड ने सन् 1953 में सघन कणिकामय संरचना राइबोसोम को सर्वप्रथम देखा था। ये राइबोन्यूक्लिक अम्ल व प्रोटीन के बने और किसी भी झिल्ली से घिरे नहीं रहते। सेडीमेन्टेशन मान (sedimentation value) के आधार पर राइबोसोम 3 प्रकार के होते हैं–

चित्र 1.9 : *राइबोसोम*

(*i*) 80s राइबोसोम–ये सुकेन्द्रीय कोशिका में पाए जाते हैं तथा 40s तथा 60s की दो उपइकाईयों से बने होते हैं।

(*ii*) 60–78s राइबोसोम–ये माइटोकॉण्ड्रिया में पाए जाते हैं।

(*iii*) 70s राइबोसोम–ये पूर्वकेन्द्रीय कोशिका तथा क्लोरोप्लास्ट में पाए जाते हैं। इनकी दो उपइकाईयां 30s तथा 50s की होती हैं।

7. **साइटोपंजर (साइटोस्केलेटन)** प्रोटीनयुक्त विस्तृत जालिकावत तंतु जो कोशिकाद्रव्य में मिलता है जिसे साइटोपंजर कहते हैं। कोशिका में मिलने वाला साइटोपंजर के विभिन्न कार्य जैसे–यांत्रिक सहायता, गति व कोशिका के आकार को बनाए रखने में है।

8. **पक्ष्माभ व कशाभिका (Cillia and Flagella) :** पक्ष्माभिकाएं (एकवचन-पक्ष्माभ) व कशाभिकाएं (एक वचन-कशाभिका) रोम सदृश कोशिका झिल्ली पर मिलने वाली अपवृद्धि है। पक्ष्माभ एक छोटी संरचना चप्पू की तरह कार्य करती है जो कोशिका को या उसके चारों तरफ मिलने वाले द्रव्य की गति में सहायक है। कशाभिका अपेक्षाकृत लंबे व कोशिका के गति में सहायक है। प्रोकैरियोटिक जीवाणु में पाई जाने वाली कशाभिका संरचनात्मक रूप में यूकैरियोटिक कशाभिका से भिन्न होती है।

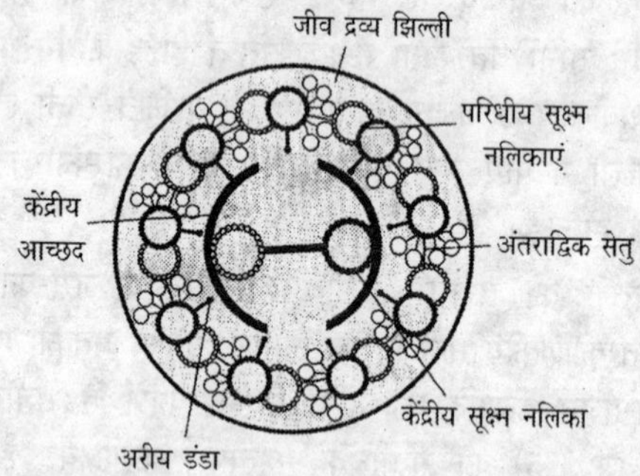

चित्र 1.10 : *कशाभिका की आंतरिक संरचना*

9. **कोशिका केन्द्र या सेण्ट्रोसोम (Centrosome) :** इसकी खोज बेण्डन (Benden, 1887) ने तथा नाम 'सेण्ट्रोसोम' बोवेरी (Boveri, 1888) ने दिया था। यह केन्द्रक के पास स्थित रहता है। यह केवल प्राणी कोशिका में ही पाया जाता है, साथ ही युग्लीना (Euglena), बाल्वाक्स (volvox) तथा क्लेमाइडोमोनास में भी उपस्थित होता है। सेन्ट्रोसोम कोशिका विभाजन में तर्कुनिर्माण में सहायता करता है। यह आधार काय भी बनाता है। जिससे कशाभ तथा पक्ष्माभ निकलती है।

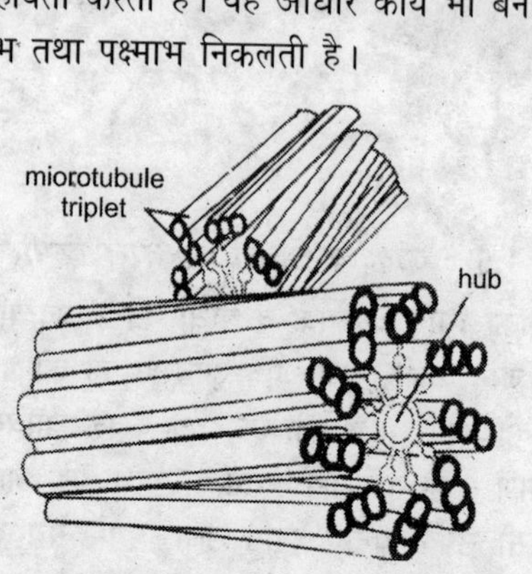

चित्र 1.11 : *कोशिका केन्द्र*

10. **केंद्रक (Nucleus) :** कोशिकीय अंगक केंद्रक की खोज सर्वप्रथम राबर्ट ब्राउन ने 1831 से पूर्व की थी। बाद में फ्लेमिंग ने केंद्रक में मिलने वाले पदार्थ जो क्षारीय रंग से रंजित हो जाता है उसे क्रोमेटिन का नाम दिया।

अंतरावस्था केंद्रक में ढीली-ढीली अस्पष्ट न्यूक्लियो प्रोटीन तंतुओं की जालिका मिलती है जिसे क्रोमेटिन कहते हैं। अवस्थाओं व विभाजन के समय केंद्रक के स्थान पर गुणसूत्र संरचना दिखाई पड़ती है। क्रोमोटीन में डीएनए तथा कुछ क्षारीय प्रोटीन मिलता है जिसे हिस्टोन कहते हैं, इसके अतिरिक्त उनमें इतर हिस्टोन व आरएनए भी मिलता है। मनुष्य की एक कोशिका में लगभग दो मीटर लंबा डीएनए सूत्र 46 गुणसूत्रों (23 जोड़ो) में बिखरा होता है।

प्रत्येक गुणसूत्र में एक प्राथमिक संकीर्णन मिलता है जिसे गुणसूत्रबिंदु (सेन्ट्रोमियर) भी कहते हैं। इस पर बिंब आकार की संरचना मिलती है जिसे काइनेटोकोर कहते हैं। (चित्र 1.12) गुणसूत्रबिंदु की स्थिति के आधार पर गुणसूत्रों को चार प्रकारों में विभाजित किया जा सकता है (चित्र 1.13)।

(*i*) मध्यकेंन्द्री (Metacentric)
(*ii*) उपमध्यकेन्द्री (Sub-metacentric)
(*iii*) अग्रविन्दु (Acrocentric)
(*iv*) अंतकेन्द्री (Fabocentric)

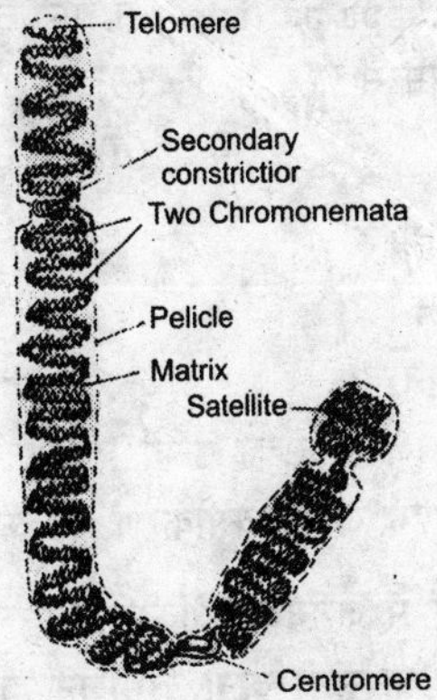

चित्र 1.12 : *गुणसूत्र की संरचना*

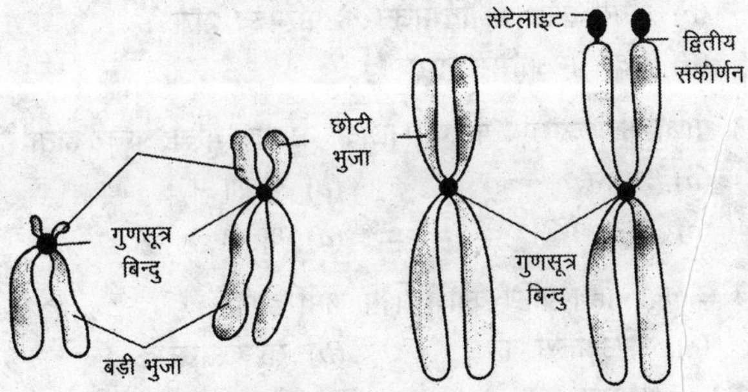

चित्र 1.13 : *गुणसूत्र बिंदु की स्थिति के आधार पर विभिन्न प्रकार के गुणसूत्र*

वस्तुनिष्ठ प्रश्न

1. गुणसूत्र के ऊपर उपस्थित रचना होती है–
(*a*) सेण्ट्रोमीयर (*b*) सेण्ट्रोसोम
(*c*) गोल्जीकाय (*d*) केन्द्रक

2. हाइड्रोलिटिक एन्जाइम्स वाले कोशिका अंगक होते हैं–
(*a*) मीसोसोम्स (*b*) लाइसोसोम्स
(*c*) माइक्रोसोम्स (*d*) राइबोसोम्स

3. प्रोटीन संश्लेषण होता है सतह पर –
(*a*) केन्द्रक की (*b*) माइटोकॉण्ड्रिया की
(*c*) राइबोसोम की (*d*) डी एन ए की

4. सेण्ट्रोसोम का कार्य है–
(*a*) प्रोटीन संश्लेषण के केन्द्र को बढ़ाना
(*b*) कोशिका विभाजन का प्रारम्भ
(*c*) कोशिका विभाजन का रुकना
(*d*) इनमें से कोई नहीं

5. वायवीय ऑक्सीकरण (श्वसन) को दिशा देने वाले एन्जाइम्स, ATP संश्लेषण एवं कोशिका का ऊर्जा गृह कहलाने वाले केन्द्र होते हैं–
(*a*) गॉल्जी उपकरण (*b*) माइक्रोसोम्स
(*c*) माइटोकॉण्ड्रिया (*d*) लाइसोसोम्स

6. यदि माइटोकॉण्ड्रिया का जीव रासायनिक तंश्लेषण किया जाता है तो सबसे अच्छी विधि होती है–
(*a*) कोशिकाओं का कोशिका विभेदन करके माइटोकॉण्ड्रिया प्राप्त किए जाएं
(*b*) कोशिकाओं को पीसकर मिश्रण को छानकर अवशेष भाग को लिया जाए
(*c*) कोशिका का जीव द्रव्य कुंचित करके इसे छान दिया जाए तथा अवशेष भाग ले लिया जाए
(*d*) ऐसी कोशिकाएँ चुनी जाएँ जिनमें बड़ी संख्या में माइटोकॉण्ड्रिया होते हैं

7. डी ऑक्सीराइबोज शर्करा एवं एक फॉस्फेट ग्रुप के साथ-साथ एक नाइट्रोजनी क्षार बनाता है–
(*a*) न्यूक्लियोटाइड (*b*) अमीनो अम्ल
(*c*) पॉलिपेप्टाइड (*d*) न्यूक्लियोसाइड

8. जीव कला की संरचना को बताने वाला आधुनिक वाद है–
(*a*) इकाई कला वाद (*b*) राबर्टसन का मॉडल
(*c*) तरल मौजेक वाद (*d*) कैसकेड वाद

9. प्राणी शरीर में एन्जाइम्स पाए जाते हैं–
(*a*) वृक्कीय कोशिकाओं में (*b*) यकृत कोशिकाओं में
(*c*) मस्तिष्क कोशिकाओं में (*d*) सभी कोशिकाओं में

10. कप्पा कण (Kappa particles) सम्बन्धित होते हैं–

(*a*) पैरामीशियम से (*b*) युग्लीना से
(*c*) केन्द्रक से (*d*) जीव कला से

11. ए. टी. पी. होता है–

(*a*) एक प्रोटीन
(*b*) एक हॉरमोन
(*c*) एक अणु जिसमें उच्च ऊर्जा फास्फेट बॉण्ड होता है
(*d*) एक एन्जाइम जो ऑक्सीकरण का कारण बनता है

12. कशेरुकी जनदों में जनन कोशिकाएँ उत्पन्न होती हैं–

(*a*) सूत्री तथा अर्धसूत्री दोनों विभाजन द्वारा
(*b*) केवल सूत्री विभाजन द्वारा
(*c*) केवल कोशिका विभाजन के परिपक्व द्वारा
(*d*) केवल मिओसिस द्वारा

13. प्राणी कोशिका एवं पादप कोशिका के बीच मुख्य अन्तर होता है–

(*a*) श्वसन में (*b*) पोषण में
(*c*) वृद्धि में (*d*) गति में

14. केन्द्रक रहित प्राणि कोशिका में कमी होगी–

(*a*) सेण्ट्रिओल्स की (*b*) राइबोसोम्स की
(*c*) गुणसूत्रों की (*d*) उपरोक्त सभी की

15. कौन-सा मॉडल चयनात्मक पारगम्यता का वर्णन करता है?

(*a*) इकाई कलावाद (*b*) तरल मोजैक मॉडल
(*c*) सैण्डविच मॉडल (*d*) वर्णन वाद

16. कोशिका कला बनती हैं–

(*a*) फास्फोलिपिड एवं प्रोटीन्स से
(*b*) फॉस्फोप्रोटीन्स से
(*c*) प्रोटीन से दोहरे स्तर से
(*d*) ग्लाइको प्रोटीन्स से

17. निम्न में से कौन कथन अति मजबूती से इस बात को समर्थन देता है कि माइटोकॉण्ड्रिया में इलेक्ट्रॉन परिवहन एन्जाइम्स एक बंधे हुए समूह में होते हैं–

(*a*) ए. टी. पी. के उपयोग में सक्षम एक संकुचनशील प्रोटीन माइटोकॉण्ड्रिया से प्राप्त की गई है
(*b*) प्राणी भ्रूणों में माइटोकॉण्ड्रिया का यह स्वभाव होता है कि ये कोशिकाओं में केन्द्रित होकर गमन रचनाओं का भाग बन जातेहैं
(*c*) माइटोकॉण्ड्रिया के डिसरप्शन के कलाखण्ड बनते हैं जो ATP संश्लेषण में सक्षम होते हैं
(*d*) माइटोकॉण्ड्रिया की अन्तः भित्ति कुछ मुड़ी हुई होती है

18. कार्टिकल क्रिया कहाँ पर होगी?

(*a*) अण्डों के कोशिका द्रव्य में (*b*) अण्डों के केन्द्रक में
(*c*) शुक्राणु के केन्द्रक में (*d*) शुक्राणु के कोशिका द्रव्य में

19. कोशिका में इलेक्ट्रॉन तन्त्र वाले अंगक होते हैं–

(*a*) सेण्ट्रिओल (*b*) माइटोकॉण्ड्रिया
(*c*) लाइसोसोम्स (*d*) केन्द्रक

20. प्रोटीन संश्लेषण सम्बन्धित होता है अथवा प्रोटीन संश्लेषण का केन्द्र होता है–

(*a*) केन्द्रक (*b*) क्रोमेटिन
(*c*) कोशिका कला (*d*) राइबोसोम्स

21. केन्द्रिका (nucleolus) में निर्माण होता है–

(*a*) माइटोकॉण्ड्रिया (*b*) राइबोसोम्स
(*c*) गुणसूत्र (*d*) गोल्जी उपकरण

22. अगुणित दशा पाई जाती है–

(*a*) जाइगोट में (*b*) अण्डाणु में
(*c*) जीवाणु में (*d*) अमीबा में

23. पैतृक लक्षण ले जाए जाते हैं–

(*a*) गुणसूत्रों द्वारा (*b*) राइबोसोम्स द्वारा
(*c*) वर्णी लवकों द्वारा (*d*) उपरोक्त सभी

24. इलेक्ट्रॉन सूक्ष्मदर्शी के वर्णानुसार गॉल्जी काम्पलेक्स सम्मिलित होता है–

(*a*) केवल प्रोटीन्स के जमाव में
(*b*) लाइपोप्रोटीन कणों के जमाव में
(*c*) प्राथमिक लाइसोसोम्स के निर्माण में
(*d*) राइबोसोम्स के परिवर्तन में

25. अर्धसूत्री तथा समसूत्री विभाजन में एक मुख्य अन्तर यह होता है कि अर्धसूत्री विभाजन के दौरान–

(*a*) एनाफेज में गुणसूत्रों का द्विगुणन होता है
(*b*) संतति कोशिकाएँ बिल्कुल पितृ कोशिका जैसी होती हैं
(*c*) एक गुण सूत्र के क्रोमेटिड्स के धागों के बीच पारस्परिक विनिमय होता है
(*d*) टीलोफेज अवस्था नहीं होती है

उत्तरमाला

1	2	3	4	5	6	7	8	9	10
(*a*)	(*b*)	(*c*)	(*b*)	(*c*)	(*a*)	(*a*)	(*c*)	(*d*)	(*a*)
11	**12**	**13**	**14**	**15**	**16**	**17**	**18**	**19**	**20**
(*c*)	(*a*)	(*b*)	(*a*)	(*b*)	(*a*)	(*c*)	(*a*)	(*b*)	(*d*)
21	**22**	**23**	**24**	**25**					
(*b*)	(*b*)	(*a*)	(*c*)	(*c*)					

●●●

अध्याय

2

जन्तु–जगत का वर्गीकरण (Classification of Animals Kingdom)

वर्गीकरण प्राणियों के पहचान वर्णन, नामकरण एवं वर्गों/समूहों में व्यवस्थित करने का विज्ञान है।

- जन्तुओं की प्रत्येक किस्म (Type) को एक जन्तु जाति (Species) कहते हैं। सभी जन्तुओं की जातियों को अनेक छोटे बड़े समूहों में बाँटा जा सकता है जिसे टैक्सा (Taxa) या ग्रुप (Group) कहते हैं।
- अरस्तु (Aristotle 384-322 ई॰पू॰) को जन्तु जगत का पितामह (Father of Animal Kingdom) कहते हैं।

इन्होंने जन्तुओं को दो प्रमुख समूह (Group) में वर्गीकृत किया।

(*i*) **एनाइमा (Anaima)**– वे जन्तु जिनमें लाल रुधिर नहीं होता। उदाहरण—अकशेरुकी (Invertebrates) प्राणि। एनेलिड्स (Annelids) को छोड़कर।

(*ii*) **इनाइमा (Enaima)**—वे जन्तु जिनमें लाल रुधिर होता है। इसके अन्तर्गत सभी कशेरुकी (Vertebrates) आते हैं।

इनाइमा को भी दो समूहों में बांटा गया है :

(*a*) जरायुज (Vivipara)—बच्चे देने वाले

(*b*) अण्डयुज (Ovipara)—अण्डे देने वाले

- जॉन रे (John Ray) ने जन्तु जाति की परिभाषा दी थी।
- कैरोलस लिनियस (Carolus Linnaeus सन् 1758) ने अपनी पुस्तक सिस्टेमा नेचुरी (*Systema Naturae*) में 4236 ज्ञात जातियों का वर्गीकरण किया था।
- कैरोलस लिनियस ने जन्तु जातियों (Species) के नामकरण के लिए एक द्विनाम पद्धति (Binomial nomenclature) दिया था।
- कैरोलस लिनियस को वर्गिकी का पितामह (Father of modern Taxonomy) कहा जाता है।
- वर्गीकरण की सबसे छोटी इकाई-जाति (Species) होती है।
- जॉन रे (John Ray) ने जातियों की पहचान सन्तानोत्पत्ति के आधार पर की थी।
- लिनियस (Linnaeus) ने जातियों का निर्धारण केवल संरचना (Structure) के आधार पर किया था।
- वर्तमान में आधुनिक वैज्ञानिक जाति निर्धारण में जैव रासायनिक विधियों (Biochemical Methods) पर बल देने लगे हैं।

जन्तु-जातियों को परिभाषित करने वाले कुछ लक्षण (Some Characteristics Defining Animal Species)

आधुनिक विचारधारा के अनुसार, किसी भी एक जन्तु-जाति के निम्नलिखित लक्षण होते हैं :

1. यह **अन्तराप्रजनन** (interbreeding) करने वाले जन्तुओं की आबादी होती है।
2. इस आबादी का एक **जीन समूह** (gene pool) होता है। जिसमें कि जीन्स का स्वतन्त्र अपव्यूहन (free assortment) होता रहता है।
3. इसकी प्रत्येक आबादी में वातावरणीय दशाओं के अनुसार **अनुकूलन** (adaptation) और प्राकृतिक चयन की प्रक्रियाएँ निरन्तर चलती रहती हैं।
4. इस प्रकार, इसमें **उद्विकास** द्वारा नई जातियों की उत्पत्ति करने की मूल क्षमता होती है।

जातियों का नामकरण (Naming or Nomenclature of Species)

सामान्य या देशी नाम (Common or Vernacular Names)

आम जीव-जातियों को विभिन्न देशों के वासी अपनी-अपनी भाषाओं में विभिन्न स्थानीय देशी नामों से जानते हैं। उदाहरण– साधारण घरेलू चिड़िया को हम लोग गौरैया, अंग्रेज स्पैरो (Sparrow), जर्मन हॉस्परलिंग (Haussperling), हॉलैंडवासी मुश (Musch), स्पेनवासी गोरिऑन (Gorion), जापानी सुजून (Suzune) तथा पुर्तगाली पर्डल (Pardal) कहते हैं।

वैज्ञानिक नाम; द्विपदनाम पद्धति (Binomial Nomenclature)

कैरोलस लिनियस ने, अपनी पुस्तक "*Systema Naturae*" के दसवें संस्करण (1758) में, जीव-जातियों का नामकरण एक नई विधि से किया। जैसे कुछ लोगों में बेटों के नाम के साथ पिता का नाम जोड़ने की प्रथा होती है, वैसे ही लिनियस ने प्रत्येक जाति को दोहरा नाम दिया। ऐसे नाम में दूसरा पद जाति का तथा पहला उस श्रेणी (Genus) का नाम था जिसमें उन्होंने जाति से मिलती-जुलती सभी जातियों को सम्मिलित किया। उदाहरणार्थ– गौरैया को उन्होंने पैसर डोमेस्टिकस (*Passer domesticus*), मनुष्यों को होमो सैपियन्स (*Homo sapiens*), कुत्ते को कैनिस फैमीलिऐरिस (*Canis familiaris*), आदि नाम दिए। नामकरण की इसी प्रणाली को द्विपदनाम पद्धति कहा गया। आधुनिक वैज्ञानिक इसी विधि का उपयोग नामकरण के लिए करते हैं। जीव-जातियों के इसके

अनुसार निर्धारित नाम, देशी नामों के विपरीत, अन्तर्राष्ट्रीय वैज्ञानिक नाम (scientific names) होते हैं।

त्रिपदनाम पद्धति *(Trinomial Nomenclature)*

कुछ जातियों की विभिन्न आबादियों के बीच, विभिन्न वातावरण में रहने या अन्य कारणों से, कुछ असमानताएँ हो जाती हैं, तो इन्हें उपजातियाँ (subspecies) मान लेते हैं। प्रत्येक उपजाति के लिए एक नया नाम निर्धारित करके इस जाति के नाम के आगे जोड़ दिया जाता है। इसे त्रिपदनाम पद्धति कहते हैं। उदाहरणार्थ– कौवे (Crow) का वैज्ञानिक नाम *कोर्वस स्प्लेंडेंस* (*Corvus splendens*) है। भारत, लंका तथा वर्मा में कौवों की स्थानीय आबादियाँ हैं जिनमें कुछ अन्तर होते हैं। अतः भारतीय कौवे को कोर्वस स्प्लेंडेंस स्प्लेंडेंस (*Corvus splendens splendens*), वर्मी कौवे को कोर्वस स्पलेंडेंस इन्सोलैंस (*Corvus splendens insolens*) तथा लंका के कौवे को कोर्वस स्प्लेंडेंस प्रोटीगेटस (*Corvus splendens protegatus*), के उपजातीय (subspecific) नाम दिए गए हैं।

नामकरण के अन्तर्राष्ट्रीय नियम (International Rules of Nomenclature)

सन् 1901 में, अन्तर्राष्ट्रीय जीव विज्ञान कांग्रेस के तत्वधान में, जीव-जातियों के नामकरण हेतु, लिनियिस की द्विपदनाम-पद्धति के ही अनुसार कुछ अन्तर्राष्ट्रीय नियमों को मान्यता दी गई, ताकि प्रत्येक जाति का संसारभर में एक ही वैज्ञानिक नाम हो, और कोई एक नाम कई जातियों के लिए न निर्धारित कर लिया जाए। ये नियम सन् 1961 में संशोधित भी हुए। इनके अनुसार, प्रत्येक जाति के नाम में श्रेणी (genus) का नाम बड़े अक्षर (capital letter) से तथा जाति का छोटे अक्षर (small letter) से, परन्तु पूरा नाम तिरछे अक्षरों (italics) में लिखा जाना चाहिए। यदि किसी एक ही जाति के लिए विश्व के विभिन्न वैज्ञानिक विभिन्न नाम रख देते हैं तो सबसे पहले नाम को ही मान्यता दी जाती है।

वर्गीकरण के क्रमबद्ध समूहों में परिवर्तन (Changes in Taxonomic Categories)

जैसे साइकिल, मोटर, रेल, जहाज, आदि के प्रथम नमूने भद्दे और घटिया होते थे, वैसे ही जीव-वर्गीकरण के प्रथम नमूने, सीमित लक्षणों पर आधारित होने के कारण, अप्राकृतिक थे। स्वयं लिनियस ने मिलती-जुलती जन्तु-जातियों के लिए श्रेणियाँ (genera) बनाकर सारी श्रेणियों का पहले केवल 6 वर्गो (classes) में, मुख्यतः संरचनात्मक लक्षणों के आधार पर, अप्राकृतिक वर्गीकरण प्रस्तुत किया। ये वर्ग थे मैमेलिया, एवीज, ऐम्फीबिया, पिसीज, इन्सेक्टा एवं वर्मीस (Mammalia, Aves, Amphibia, Pisces, Insecta, and Vermes)। धीरे-धीरे वर्गीकरण प्रणाली में सुधार हुए जिनके फलस्वरूप जन्तुओं के वर्गीकरण के लिए छः प्रमुख क्रमबद्ध समूह नामों को मान्यता दी गई। लिनियस ने भी बाद में (1758) इन समूह नामों को अपनाया।

1. जाति या प्रजाति अर्थात् स्पीसीज (Species)
2. श्रेणी अर्थात् जीनस (Genus)
3. कुल या कुटुम्ब (Family)
4. गण (Order)
5. वर्ग (Class)
6. समुदाय या संघ (Phylum)

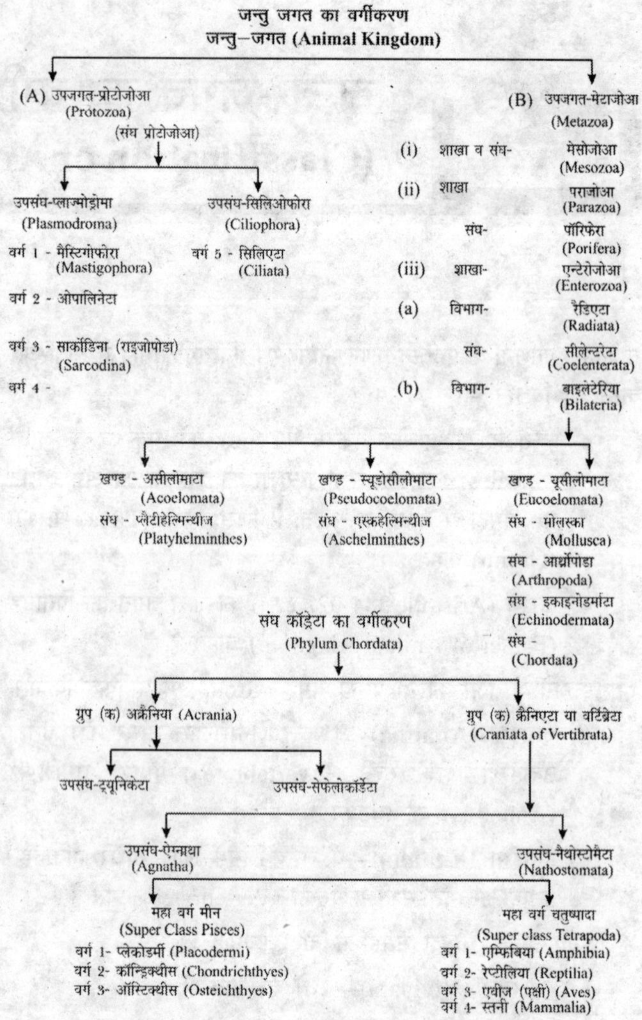

चित्र 2.1 : *ह्वीटेकर के अनुसार जीवधारियों के पाँच जगत् (Kingdoms)*

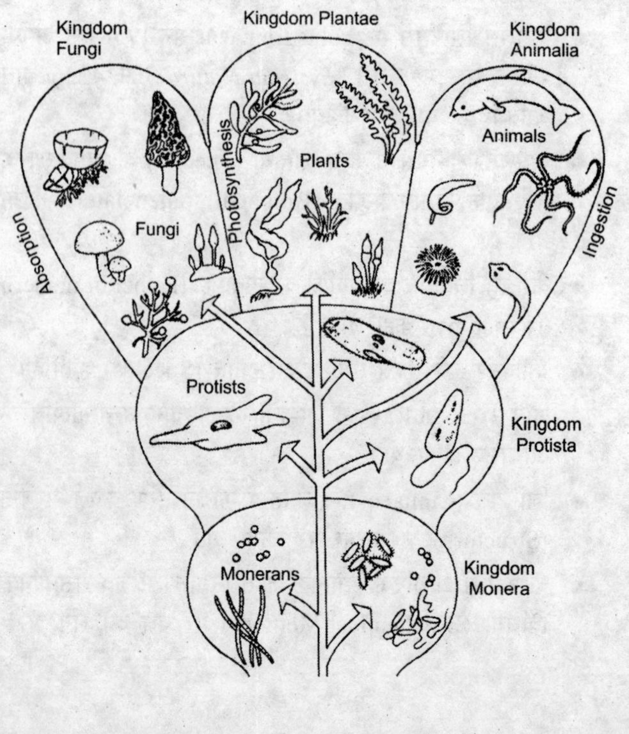

जीवों का आधुनिक वर्गीकरण (Modern Classification of Organisms)

तालिका : पाँच जीव-जगतों के प्रमुख लक्षणों का तुलनात्मक विवरण

जगत्	कोशिकीय संगठन और कोशिकाओं की किस्म	गमन की क्षमता	पोषण	जनन	सदस्य
1. मोनेरा	एककोशिकीय; पूर्वकेन्द्रकीय; प्रमुख कोशिका-अंगक अनुपस्थित	कशाभों की सहायता से से गमनशील	प्रकाश-संश्लेषण या अवशोषण द्वारा	अलैंगिक; विखंडनीजनन	जीवाणु एवं नीले हरे शैवाल
2. प्रोटिस्टा	एककोशिकीय; सुकेन्द्रकीय; समस्त कोशिका-अंगक उपस्थित	गमन नहीं, या रोमाभों या कशाभों की सहायता से गमनशील	प्रकाश-संश्लेषण, परापोषण या अवशोषण द्वारा	अलैंगिक व लैंगिक	प्रोटोजोआ
3. फन्जी	बहुकोशिकीय, परन्तु सिन्साइसियल; सुकेन्द्रकीय; प्लास्टिड्स अनुपस्थित	गमन नहीं	अवशोषण द्वारा	अलैंगिक व लैंगिक	कवक
4. पादप	बहुकोशिकीय; सुकेन्द्रकीय; प्लास्टिड्स एवं अन्य कोशिका-अंगक उपस्थित	गमन नहीं	मुख्यतः प्रकाश-संश्लेषण द्वारा	अलैंगिक व लैंगिक द्वारा	पादप
5. जन्तु	बहुकोशिकीय; सुकेन्द्रकीय; कोशिका-अंगक उपस्थित, प्लास्टिड्स अनुपस्थित	पेशी-तन्तुओं द्वारा गमनशील	परापोषण द्वारा	मुख्यतः लैंगिक	जन्तु

वस्तुनिष्ठ प्रश्न

1. वह मोलस्क जो कि एनीलिड (Annelid) के समान खण्डीभवन (Segmentation) व नेफ्रीडिया (Nephridia) प्रदर्शित करता है तथा जीवित जीवाश्म (Living fossil) कहा गया, वह है–
(*a*) *पिंकटाडा वल्गेरिस (Pinctada vulgaris)*
(*b*) *नॉटीलस (Nautillus)*
(*c*) *नियोपिलाइना गेलेथीका (Neopillina galethica)*
(*d*) उपर्युक्त में से कोई नही

2. डेण्टेलियम (Dentalium) संघ मोलस्का के निम्नलिखित वर्ग का प्राणी है–
(*a*) मोनोप्लैकोफोरा (Monoplacophora)
(*b*) पॉलीप्लैकोफोरा (Polyplacophora)
(*c*) स्कैफोपोडा (Scaphopoda)
(*d*) पेलिसीपोडा (Pelecypoda)

3. मकड़ियाँ तथा बिच्छू (Spider and Scorpion) किस वर्ग (Class) में आते हैं?
(*a*) एरकनिडा (Arachnida) (*b*) एकेरिडा (Acarida)
(*c*) एक्टीनोजोआ (Actinozoa) (*d*) एन्थोजोआ (Anthozoa)

4. एस्केरिस (Ascaris) निम्नलिखित वर्ग का प्राणी है–
(*a*) एफैस्मिडिया (Aphasmidia) (*b*) फैस्मिडिया (Phasmidia)
(*c*) पॉलीकीटा (Polychaeta) (*d*) टर्बीलेरिया (Turbellaria)

5. विभिन्न टैक्सा (Taxa) के सूचीबद्ध स्तर को कहते हैं–
(*a*) कुन्जी (Key)
(*b*) वर्गिकी (Taxonomy)
(*c*) पदानुक्रम (Hierarchy)
(*d*) ऊर्ध्व वर्गीकरण (Vertical classification)

6. सुरक्षा (Defence) के लिए स्याही ग्रन्थि (Ink gland) निम्नलिखित प्राणी में पाया जाता है–
(*a*) कॉकरोच (Cockroach)
(*b*) हिप्पोकैम्पस (Hippocampus)
(*c*) हाइड्रा (Hydra)
(*d*) ऑक्टोपस (Octopus)

7. झींगा (Prawn) निम्नलिखित प्राणी वर्ग में आता है–
(*a*) पिसीज (Pisces) (*b*) आर्थ्रोपोडा (Arthropoda)
(*c*) मोलस्का (Mollusca) (*d*) एनीलिडा (Annelida)

8. निम्नलिखित प्राणी में देहगुहा (Coelom) स्यूडोसील (Pseudocoel) के रूप में पाई जाती है–
(*a*) एस्केरिस (*Ascaris*)
(*b*) टीनिया सोलियम (*Taenia solium*)
(*c*) फेरेटिमा पोस्थ्यूमा (*Pheretima posthuma*)
(*d*) हाइड्रा (Hydra)

9. आर्थ्रोपोडा संघ (Arthropoda phylum) में उत्सर्जन (Excretion) से सम्बन्धित रचना है–
(*a*) कोक्सल ग्रन्थि (Coaxal gland)
(*b*) सीलोमोडक्ट्स (Coelomoducts)
(*c*) मैलपीघियन कैप्सूल (Malpighian capsule)
(*d*) उपर्युक्त सभी

10. निम्नलिखित संघ (Phylum) के प्राणियों में पुनर्जनन (Regeneration) की शक्ति पाई जाती है–
(*a*) पोरीफेरा (Porifera)
(*b*) एनीलिडा (Annelida)
(*c*) इकाइनोडर्मेटा (Echinodermata)
(*d*) उपर्युक्त सभी

11. लेटरल लाइन सिस्टम (Lateral line system) किसमें पाई जाती है?
(*a*) मत्स्य (Fishes) (*b*) मेढ़क (Frog)
(*c*) सरीसृप (Reptiles) (*d*) मनुष्य (Human)

12. एम्फीब्लास्टुला (Amphiblastula) एवं पेरेनकाइमुला लार्वा (Parenchymula larva) अवस्था निम्नलिखित में पाई जाती है–
(*a*) सीलेण्ट्रेटा (Coelenterata)
(*b*) प्लेटीहेल्मिन्थीज (Platyhelminthes)
(*c*) पोरीफेरा (Porifera)
(*d*) उपर्युक्त में से कोई नहीं

13. एस्केरिस (Ascaris) की देहगुहा (Coelome) है–
(*a*) स्यूडोसील (Pseudocoel) (*b*) एण्टेरोसील (Anterocoel)
(*c*) सीलोम (Coelone) (*d*) एसीलोम (Acoelome)

14. ज्वाला कोशिकाएं (Flame cells) किसका लक्षण है?
(*a*) निमेटोडा (Nematoda)
(*b*) सीलेण्ट्रेटा (Coelenterata)
(*c*) प्लेटीहेल्मिन्थीज (Platyhelminthes)
(*d*) ऑर्थ्रोपोडा (Arthropoda)

15. वर्गिकी (Taxonomy) के स्थापक हैं–
(*a*) अरस्तू (Aristotle) (*b*) जॉन रे (John Ray)
(*c*) हीकल (Haeckle) (*d*) लीनियस (Linnaeus)

16. घड़ियाल प्राणी (Ghariyal) का वैज्ञानिक नाम है–
(*a*) क्रोकोडिलस (Crocodylus) (*b*) एलीगेटर (Alligator)
(*c*) गैविएलिस (Gavialis) (*d*) बॉम्बिनेटर (Bombynator)

17. संघ मोलस्का के प्राणियों की विशेषता है–
(*a*) शरीर त्रिस्तरीय (Triploblastic) होता है
(*b*) सुविकसित आहारनाल (Alimentary canal) पाई जाती है
(*c*) रक्त परिवहन संस्थान में हृदय (Heart) पाया जाता है
(*d*) उपर्युक्त सभी

18. वह संघ जिनके प्राणी रेडियल सिमिट्रीकल (Radial symmetrical) होते हैं, किन्तु उनके लार्वा बाइलेटरल (Bilateral) सिमिट्रीकल होते हैं –
(*a*) एनीलिडा (Annelida)
(*b*) इकाइनोडर्मेटा (Echinodermata)
(*c*) आर्थ्रोपोडा (Arthropoda)
(*d*) मोलस्का (Mollusca)

19. स्वतन्त्र जीवी प्लेटीहेल्मिथीज (Platyhelminthes) प्राणी है–
(*a*) एस्केहेल्मिन्थीज (*Aschelminthes*)
(*b*) टीनिया सोलियम (*Taenia solium*)
(*c*) फेशियोला हिपेटिका (*Fasciola hepatica*)
(*d*) प्लेनेरिया (*Planaria*)

20. अदेहगुहीय (Acoelomate) प्राणी है–
(*a*) झींगा (Prawn)
(*b*) हीरूडिनेरिया (*Hirudinaria*)
(*c*) टीनिया सोलियम (*Taenia solium*)
(*d*) कॉकरोच (Cockroach)

21. खण्डित टेप के आकार के प्लेटीहेल्मिन्थीज (Platy-helminthes) किस वर्ग में आते हैं?
(*a*) ट्रिमेटोडा (Trematoda)
(*b*) सेस्टोडा (Cestoda)
(*c*) टर्बीलेरिया (Terbilaria)
(*d*) उपर्युक्त सभी

22. एलीफेन्ट टस्क शैल (Elephant tusk shell) है–
(*a*) डेण्टेलियम (Dentalium) (*b*) पटेला (Patella)
(*c*) सायप्रिया (Cypraea) (*d*) मया (Mya)

23. प्लेटीहेल्मिन्थीज संघ का प्राणी प्लेनेरिया (Planaria) पाया जाता है–
(*a*) स्वच्छ जल के स्रोतों में
(*b*) सूअर (Pig) की आंत्र (Intestine) में
(*c*) मनुष्य की आंत्र में
(*d*) अकशेरूकियों की आंत्र में

24. टीनिया सोलियम (*Taenia solium*) में निम्नलिखित तन्त्र (System) सुविकसित होता है–
(*a*) पाचन तन्त्र (Digestive system)
(*b*) उत्सर्जन तन्त्र (Excretory system)
(*c*) श्वसन तन्त्र (Respiratory system)
(*d*) परिसंचरण तन्त्र (Circulatory system)

25. निम्नलिखित में से कौन-सा लक्षण सीलेण्ट्रेटा का नहीं है?
(*a*) सीलेण्ट्रॉन (Coelenteron)
(*b*) कोएनोसाइटस (Choenocytes)
(*c*) निमेटोब्लास्ट (Nematoblast)
(*d*) अरीय सममिति (Radial Symmetrical)

26. एअर ब्लेडर (Air bladder) केवल पाया जाता है–
(*a*) मछली (Fish) में
(*b*) एम्फीबिया (Amphibia) में
(*c*) जलीय रेप्टीलिया (Reptilia) में
(*d*) वयस्क स्तनी (Mammals) में

27. साइक्लोस्टोमेटा (Cyclostomata) का लाक्षणिक गुण है–
(*a*) लम्बा, बेलनाकार शरीर
(*b*) गोल मुख
(*c*) जबड़े रहित गोल मुख तथा युग्मित उपांग (Paired appendages)
(*d*) जबड़े युक्त गोल मुख तथा युग्मित उपांग

28. केवल एक अण्डाशय (Ovary) निम्नलिखित में पाया जाता है–
(*a*) जलीय रेप्टीलिया (Reptilia) में
(*b*) स्थलीय रेप्टीलिया में
(*c*) पक्षी (Aves) में
(*d*) अण्डा देने वाले स्तनियों (Oviparous mammals) में

29. ऑस्कुलम (Osculum) नामक संरचना पाई जाती है–
(*a*) पाइला (Pila) में (*b*) यूनियो (Unio) में
(*c*) हाइड्रा (Hydra) में (*d*) साइकॉन (Sycon) में

30. जल परिवहन तन्त्र (Water Vascular System) पाया जाता है निम्नलिखित संघ (Phylum) के प्राणियों में–
(*a*) सीलेण्ट्रेटा (Coelenterata)
(*b*) पोरीफेरा (Porifera)
(*c*) इकाइनोडर्मेटा (Echinodermata)
(*d*) मोलस्का (Mollusca)

31. एपिल स्नेल (Apple Snail) है–
(*a*) मया (Mya) (*b*) मैन्टिस (Mantis)
(*c*) पाइला (Pila) (*d*) ऑस्ट्रिया (Ostrea)

32. श्वसन (Respiration) के लिए विशिष्ट संरचनाएं श्वसन वृक्ष (Respiratory tree) पाया जाता है–
(*a*) होलोथूरिया (Holothuria) में
(*b*) पेरीपेटस (Peripetus) में
(*c*) कीटोप्टेरस (Chaetopterus) में
(*d*) ओर्निथोरिंकस (Ornithorhynchus) में

33. फीदर स्टार (Feather star) है–
(*a*) एस्टेरियास (Asterias)
(*b*) एण्टेडॉन (Antedon)
(*c*) ओफियोथ्रिक्स (Ophiothrix)
(*d*) क्लाइपिएस्टर (Clypiester)

34. समुद्री खरगोश (Sea hare) है–
(*a*) इकाइनस (Echinus) (*b*) माइटीलस (Mytilus)
(*c*) एप्लाइसिया (Aplysia) (*d*) म्यूरेक्स (Murex)

35. लैमिलीडेन्स (Lamellednes) निम्नलिखित प्राणी को कहते हैं–
(*a*) यूनियो (Unio) (*b*) काइटन (Chiton)
(*c*) ऑक्टोपस (Octopus) (*d*) उपर्युक्त सभी

36. जन्तु जगत का पितामह (Father of Animal Kingdom) कहा जाता है–
(*a*) लीनियस (Linnaeus) को (*b*) वीजमेन (Weisman) को
(*c*) अरस्तू (Aristotle) को (*d*) जॉन रे (John Ray) को

37. कैरोलस लीनियस (Carolus Linnaeus) द्वारा रचित पुस्तक है–
(*a*) ओरीजिन ऑफ स्पीशीज (Origin of Species)
(*b*) ओरीजिन ऑफ लाइफ (Origin of Life)
(*c*) ओरीजिन ऑफ एनीमल किंगडम (Origin of Animal Kingdom)
(*d*) सिस्टेमा नेचुरी (*Systema Natuare*)

38. लीनियस (Linnaeus) ने जातियों (Species) का निर्धारण निम्नलिखित के आधार पर किया था–
(*a*) केवल संरचना के आधार पर
(*b*) सन्तानोत्पत्ति के आधार पर
(*c*) कार्यिकी (Physiology) के आधार पर
(*d*) (*b*) तथा (*c*) दोनों

39. कैरोलस लीनियस (Carolus Linnaeus) की द्विनाम पद्धति (Binomial Nomenclature) के अनुसार प्रत्येक जाति (Species) में –
(*a*) दो पद होते हैं, पहला पद जाति (Species) का तथा दूसरा पद श्रेणी (Genus) का होता है
(*b*) दो पद होते हैं, पहला पद श्रेणी का तथा दूसरा पद जाति का होता है
(*c*) एक ही पद होता है, जिसे दो नामों से जाना जाता है।
(*d*) उपर्युक्त में से कोई नहीं

40. जीवों के वर्गीकरण में पाँच जगत् प्रणाली निम्नलिखित ने दिया था–
(*a*) वाटसन (Watson) (*b*) परकिन्जे (Purkinje)
(*c*) व्हिटकर (Whiteker) (*d*) लैमार्क (Lamarck)

उत्तरमाला

1	2	3	4	5	6	7	8	9	10
(*c*)	(*c*)	(*a*)	(*b*)	(*c*)	(*d*)	(*b*)	(*a*)	(*d*)	(*d*)
11	**12**	**13**	**14**	**15**	**16**	**17**	**18**	**19**	**20**
(*a*)	(*c*)	(*a*)	(*c*)	(*a*)	(*c*)	(*d*)	(*b*)	(*d*)	(*c*)
21	**22**	**23**	**24**	**25**	**26**	**27**	**28**	**29**	**30**
(*b*)	(*a*)	(*a*)	(*b*)	(*b*)	(*a*)	(*c*)	(*c*)	(*d*)	(*c*)
31	**32**	**33**	**34**	**35**	**36**	**37**	**38**	**39**	**40**
(*c*)	(*a*)	(*b*)	(*c*)	(*a*)	(*c*)	(*d*)	(*a*)	(*b*)	(*c*)

●●●

अध्याय 3

जन्तु ऊतक (Animal Tissue)

- ऊतक शब्द का प्रयोग सर्वप्रथम बाइकाट (Bichat) नामक वैज्ञानिक (1771-1802) ने किया था।
- एक समान कोशिकाओं का वह समूह जो कि आकृति (Shape), उत्पत्ति (Origin) एवं कार्य (Function) में समान होती है तथा परस्पर मिलकर एक विशिष्ट समूह बनाती है, कोशिकाओं के इस विशिष्ट समूह को ऊतक कहते हैं।
- जीव विज्ञान की वह शाखा जिसमें ऊतकों का अध्ययन किया जाता है, औतिकी (Histology) कहते हैं।
- मारसेलो मैल्पिघी (Marcello Malpighi 1628-1674) ने ऊतकों के अध्ययन के लिए औतिकी (Histology) शाखा की स्थापना की थी।
- सभी जीवों के शरीर का निर्माण कोशिकाओं के द्वारा होता है।
- सभी जीवों में जैविक क्रियाएँ कोशिकाओं के द्वारा ही सम्पादित होती है।

जन्तु ऊतकों के घटक (Components of Animal Tissue)

- ऊतकों की सभी कोशिकाएं सामान्यतः अन्तराकोशिकीय पदार्थों के द्वारा परस्पर जुड़ी रहती हैं।
- ऊतकों में रुधिर कोशिकाएं एवं लिम्फ वाहिनियों का जाल होता है जिसके द्वारा रुधिर प्लाज्मा छनकर (Filter) ऊतकों में आता है। इन्हीं ऊतकों के साथ ग्लूकोज, अमीनो अम्ल, ऑक्सीजन आदि आवश्यक पदार्थ भी जाते रहते हैं।
- ऊतकों के अन्तरकोशिकीय पदार्थों (Intercellular substances) से उत्सर्जी पदार्थ रुधिर कोशिकाओं एवं लिम्फ वाहिनियों में आते रहते हैं।

जन्तु ऊतकों का संगठन (Organisation of Animal Tissue)

- समान कार्य करने वाले कई ऊतक मिलकर अंगों का निर्माण करते हैं।
- प्रत्येक अंग विशिष्ट प्रकार का कार्य करता है तथा कई समान कार्य करने वाले अंग मिलकर अंग तन्त्र का निर्माण करते हैं।
- ऊतकों के संगठित होने से अंग तन्त्र बनता है जो कि एक अलग तन्त्र के रूप में विशिष्ट कार्यों का सम्पादन करते हैं।

जन्तु ऊतक के प्रकार (Kinds of Animal Tissue)

जन्तु ऊतक निम्नलिखित छः प्रकार के होते हैं:–

1. उपकला ऊतक (Epithelial Tissue)
2. संयोजी ऊतक (Connective Tissue)
3. कंकालीय ऊतक (Skeletal Tissue)
4. संवहनीय ऊतक (Vascular Tissue)
5. पेशीय ऊतक (Muscular Tissue)
6. तंत्रिकीय ऊतक (Nervous Tissue)

1. उपकला ऊतक (Epithelial Tissue)

- यह जन्तुओं के शरीर के बाहरी तथा भीतरी अंगों की सतह के आवरण का निर्माण करता है। इसमें अन्तरकोशिकीय पदार्थ अनुपस्थित होता है।
- अन्तरकोशीय पदार्थ (Intercellular substance) होने के कारण इसकी कोशिकाएं परस्पर सही रहती हैं तथा एक दूसरे से कोशिका हेतु जुड़ी रहती हैं।
- उपकला ऊतकों में रुधिर कोशिकाएं अनुपस्थित होती है जिसके कारण पोषण विसरण से लसीका (Lymp) द्वारा सम्पादित होता है।
- इस ऊतक की उत्पत्ति भ्रूणीय एक्टोडर्म, मेसोडर्म तथा एण्डोडर्म से होती है।

उपकला ऊतक (Epithelial Tissue)

सरल उपकला ऊतक (Simple Epithelial Tissue)	संयुक्त उपकला ऊतक (Comound Epithelial Tissue)	विशेषीकृत उपकला ऊतक (Specialized Epithelial Tissue)

उपकला ऊतक के कार्य (Functions of Epithelial Tissue)

- सामान्यतः उपकला ऊतक आन्तरिक अंगों का चोट, जीवाणु तथा अन्य हानिकारक पदार्थों से रक्षा करता है।
- यह घावों को भरने में सहायता करता है।

- जनन उपकला ऊतक की कोशिकाएं युग्मक को बनाती है।
- यह आहारनाल में अवशोषण का कार्य करता है।
- यह संवेदनाओं को संवेदी उपकला ऊतक द्वारा ग्रहण करता है।

2. संयोजी ऊतक (Connective Tissue)

- यह ऊतक शरीर के सभी ऊतकों/अंगों को जोड़ता है तथा मूल संयोजी ऊतक पूरे शरीर का लगभग 20 प्रतिशत भाग बनाता है।
- इसमें अन्तरकोशिकीय पदार्थ (Intercellular substance) अत्यधिक मात्रा में होता है जिसके कारण इसकी कोशिकाएं दूर-दूर तक स्थित होती हैं।
- संयोजी ऊतक के अन्तरकोशिकीय पदार्थ को आधात्री (Matrix) भी कहते हैं।
- संयोजी ऊतक की उत्पत्ति (Origin) भ्रूणीय मेसोडर्म से होती है।

संयोजी ऊतक के प्रकार

अन्तरकोशिकीय पदार्थ (Intercellular material) की उपस्थिति के आधार पर संयोजी ऊतक तीन प्रकार के होते हैं।

1. सामान्य संयोजी ऊतक (Simple Connective tissue)
2. तन्तुमय संयोजी ऊतक (Fibrous Connective tissue)
3. विशिष्ट संयोजी ऊतक (Special Connective tissue)

संयोजी ऊतक के कार्य (Function of Connective Tissue)

(*i*) संयोजी ऊतक अंगों को जोड़कर सहारा देने का कार्य करता है

(*ii*) मैट्रिक्स, कोशिकाओं एवं रुधिर (Blood) के बीच आदान-प्रदान का कार्य करता है

(*iii*) अन्तरांगों (Internal Organs) एवं ऊतकों को दृढ़ता प्रदान करके धक्कों आदि से बचाव करता है।

(*iv*) रोगाणुओं एवं विषैले पदार्थों से शरीर की रक्षा करता है

(*v*) यह रासायनिक पदार्थों का संग्रह एवं संवहन करता है

(*vi*) यह मृत कोशाओं को नष्ट करके सफाई एवं मरम्मत का कार्य करता है

(*vii*) हड्डियों एवं पेशियों को जोड़कर मजबूती प्रदान करता है

(*viii*) गति एवं प्रचलन में सहायक होता हैं।

3. कंकालीय ऊतक (Skeletal Tissue)

- यह एक प्रकार का संयोजी ऊतक (Connective Tissue) है जो जीवों में शारीरिक ढाँचा का निर्माण करता है।
- कशेरुक जन्तुओं में प्रमुख रूप से कंकालीय ऊतक ही शरीर को एक आकृति देती है।

कंकालीय ऊतक (Skeletal Tissue)

उपास्थि (Cartilage) | अस्थि (Bone)

- कशेरुकी जन्तुओं में भ्रूण अवस्था में कंकाल (Skeleton) उपास्थि (Cartilage) से बना होता है।
- वयस्क अवस्था में अधिकांश कंकाल (Skeleton) अस्थि का बना होता है।
- अस्थि को ओसियस ऊतक (Osseus Tissue) भी कहते हैं, अस्थि का मैट्रिक्स ओसीन है।
- अस्थि कोशिकाओं को ओस्टियोसाइट्स (Osteo-cytes) कहते हैं।
- ओस्टियोक्लास्ट (Osteoclasts) अस्थि कोशिकाओं को हानि पहुँचाते हैं।
- ओस्टियोक्लास्ट कोशिकायें बहुकेन्द्रकीय (Multi- nucleated) होती हैं और इनका आकार (size) 100 μ होता है।
- अस्थि के मैट्रिक्स में कैल्सियम फॉस्फेट 80%, कैल्सियम कार्बोनेट 10%, $Mg(PO_4)_2$ 10%.
- यदि अस्थि को तनु (dilute) HCl में रखा जाये तो उसके अकार्बनिक (Inorganic) घटक घुल (dissolve) जायेंगे और अस्थि मुलायम हो जायेगी, जिसे डीकैल्सिफाइड अस्थि (decalcified bone) कहते हैं।
- अस्थि को जलाया जाये तो उसके कार्बनिक (Organic) घटक जलकर समाप्त हो जायेंगे और अकार्बनिक घटक जलकर राख में परिवर्तित हो जायेंगे।

4. संवहनीय ऊतक (Vascular Tissue)

संवहनीय ऊतक एक प्रकार का रूपान्तरित ऊतक होता है। इसके दो मुख्य भाग होते हैं।

(*i*) **मैट्रिक्स (Matrix)**—इसे प्लाज्मा कहते हैं तथा यह तरल होता है।

(*ii*) **कोशाएं (Cells)**—इसे रक्तकणिकाएं कहते हैं तथा यह मैट्रिक्स में बिखरा रहता है। यह प्लाज्मा के साथ सदैव रक्त वाहिनियों के द्वारा शरीर में भ्रमण करती रहती है। इसमें तन्तु (Fibres) नहीं पाया जाता है।

संवहनीय ऊतक

रुधिर (Blood) | **लसीका (Lymph)**

रुधिर (Blood)

रुधिर तरल संयोजी ऊतक है तथा परिसंचरण तन्त्र में भ्रमण करता रहता है। रक्त का पी. एच 7.3 से 7.4 एवं श्यानता 2.5 होती है। रुधिर की उत्पत्ति भ्रूण के मेसोडर्म से होता है। रुधिर दो भागों से बना होता है।

(*i*) प्लाज्मा

(*ii*) रुधिर कणिकाएं

प्लाज्मा (Plasma): प्लाज्मा रुधिर का तरल भाग है। प्लाज्मा का 92% प्रतिशत भाग जल तथा शेष 8% भाग कार्बनिक तथा अकार्बनिक पदार्थों का होता है।

प्लाज्मा रुधिर का लगभग 50% - 60% भाग बनाता है।

प्लाज्मा में पाये जाने वाले अकार्बनिक पदार्थ–

प्लाज्मा में पाये जाने वाले मुख्य अकार्बनिक पदार्थ सोडियम क्लोराइड (NaCl) तथा सोडियम बाइ-कार्बोनेट (Na_2CO_3) हैं। इसके अतिरिक्त पोटेशियम, कैल्सियम, आयरन, मैग्नीशियम के क्लोराइड, बाइकार्बोनेट सल्फेट, फास्फेट आदि सूक्ष्म मात्रा में पाये जाते हैं।

प्लाज्मा में पाये जाने वाले कार्बनिक पदार्थ–

- प्लाज्मा में रुधिर प्रोटीन (Blood Protein)-एल्बूमिन, ग्लोब्यूलिन, फाइब्रिनोजेन तथा प्रोथ्रोम्बिन कोलाइड्स के रूप में पाए जाते हैं।
- पचे हुए पोषक पदार्थ–वसा, ग्लिसरॉल, वसीय अम्ल, अमीनो अम्ल, ग्लूकोज तथा विटामिन्स पाए जाते हैं।
- हार्मोन्स, एन्जाइम तथा उत्सर्जी पदार्थ पाये जाते हैं।
- विजातीय पदार्थ जैसे-ऐण्टीजन, एण्टीबॉडी एवं एण्टीटाक्सिन पाये जाते हैं।
- प्लाज्मा में प्रोटीन्स–एल्बूमिन (Albumin) 4.4%, ग्लोब्यूलिन (Globulin) 2.3% एवं फाइब्रिनोजेन (Fibrinogen) 0.3% पाया जाता है।
- प्लाज्मा में ग्लूकोज का सामान्य प्रतिशत 80-120 mg/100 ml रक्त होता है।

प्लाज्मा के कार्य (Functions of Plasma)

1. पचे हुए पोषक पदार्थों, एन्जाइम्स, हॉर्मोन्स को शरीर में वितरित करना तथा इन भागों से उत्सर्जी पदार्थों को एकत्रित करना है।
2. शरीर के ताप का नियन्त्रण करना।
3. शरीर में जल की मात्रा का समन्वय बनाए रखना।
4. श्वसन सतह से ऑक्सीजन को कोशाओं तक पहुँचाना तथा कोशाओं से कार्बनडाइआक्साइड को श्वसन सतह तक पहुँचाना।
5. प्रतिरक्षण (Immunity) में प्लाज्मा में उपस्थित एण्टीबॉडीज बाह्म वातावरण से शरीर में प्रवेश करने वाले एण्टीजेन्स को निष्क्रिय करता है जिससे शरीर की प्रतिरक्षा होती है।
6. प्लाज्मा बफर की तरह कार्य करता है तथा रुधिर का pH बनाये रखता है।

रुधिराणु (Blood Corpuscles)

रुधिर का 40-50% भाग रुधिराणु होता है जिसे हीमेटोक्रिट (Haematocrit) कहते हैं।

रुधिराणु के प्रकार (Types of Blood Corpuscles)

(*i*) लाल रुधिर कणिकाएं या एरिथ्रोसाइट (Red Blood Corpuscles or Erythrocyte)
(*ii*) श्वेत रक्त कणिकाएं या ल्यूकोसाइट (White Blood Corpuscles or Leucocytes)
(*iii*) थ्रोम्बोसाइट्स या रुधिर प्लेटलेट्स (Thrombocytes or Blood Platelets)
(*iv*) स्पिण्डिल कोशाएं (Spindle cells)

रुधिरोत्पत्ति (Haemopoiesis): रुधिराणुओं (Blood Corpuscles) का निर्माण अस्थिमज्जा (Bonemarrow) में होता है। रुधिराणुओं के निर्माण की क्रिया को रुधिरोत्पत्ति कहते हैं।

लसीका (Lymph): ऊतक द्रव (Tissue Fluid) रुधिर (Blood) का एक अंश होता है तथा लसीका (Lymph) ऊतक द्रव का एक अंश होता है। लसीका परिसंचरण तन्त्र का एक भाग होता है जो केवल अंगों से हृदय की ओर बहता है इसमें लसीका कणिकाएं (Lymphocytes) तथा ग्रेन्युलोसाइट उपस्थित होती हैं, इसमें RBCs अनुपस्थित तथा ऑक्सीजन की मात्रा अपेक्षाकृत कम होती है किन्तु WBCs की मात्रा अधिक होती है।

लसीका का मुख्य कार्य लिम्फोसाइट का निर्माण करना तथा जीवाणुओं को नष्ट करना है।

रक्त के कार्य (Functions of Blood)

(*i*) ऑक्सीजन का तथा कार्बन डाइऑक्साइड का परिवहन करना
(*ii*) पोषक पदार्थों तथा उत्सर्जी पदार्थों का परिवहन करना
(*iii*) शरीर के ताप का नियन्त्रण करना
(*iv*) शरीर के अन्दर टूटी-फूटी कोशिकाओं की सफाई करना
(*v*) श्वेत रक्त कणिकाओं द्वारा रोगों से बचाव करना
(*vi*) रक्त का थक्का (clott) जमना जिससे कि अतिरक्तस्राव न हो पाए
(*vii*) हॉरमोन्स एवं विटामिन्स को शरीर में वितरित करना।

5. पेशीय ऊतक (Muscular Tissue)

बहुकोशिकीय जीवों में प्रचलन और गति के लिए सम्बन्धित अंगों में एक विशिष्ट संकुचनशील पेशी ऊतक (Muscles) पाया जाता है, प्रत्येक पेशी कोशा लम्बी एवं संकरी होती है जिसे पेशी तन्तु (Myofibril) कहते हैं। पेशीय ऊतक (Muscular tissue) भ्रूण के मेजोडर्म (Mesoderm) से बनते हैं।

यह तीन प्रकार का होता है।

(*a*) **आरेखित पेशी** (Non-Striated Muscle)—इसे अनैच्छिक पेशी (Involuntary Muscle) या अकंकालीय पेशी (Non-Skeletal Muscle) भी कहते हैं, यह कभी भी अस्थियों से नहीं जुड़ी होती है।

(*b*) **रेखित पेशी (Striated Muscle)**—इसे ऐच्छिक पेशी (Voluntary Muscle) या कंकालीय पेशी (Skeletal Muscle) भी कहते हैं, यह अस्थियों से जुड़ी होती है।

(*c*) **हृदपेशी (Cardiac Muscle)**—यह केवल हृदय (Heart) में ही पाई जाती है।

6. तन्त्रिकीय ऊतक (Nervous Tissue)

तन्त्रिका तंत्र जीवों में (Nervous System) सोचने, समझने तथा संवेदनाओं या उद्दीपनों को ग्रहण करने की क्षमता रखता है, तंत्रिका तंत्र विशिष्ट प्रकार के ऊतकों (Tissues) का बना होता है जो कि तंत्रिकीय ऊतक (Nervous tissue) कहलाता है।

तंत्रिकीय ऊतकों की उत्पत्ति भ्रूण के बाह्य चर्म (Mesoderm) से होता है। तंत्रिकीय ऊतक दो प्रकार की विशिष्ट कोशिकाओं से मिलकर बनता है–

(*a*) तंत्रिका कोशिका या न्यूरॉन्स (Nerve Cells or Neurons)
(*b*) न्यूरोग्लिया (Neuroglia)।

वस्तुनिष्ठ प्रश्न

1. काचाभ उपास्थि में मैट्रिक्स साफ तथा काँच की तरह होती है। इसका कारण है–
(*a*) काचाभ तन्तुओं की उपस्थिति
(*b*) किसी भी प्रकार के तन्तुओं की अनुपस्थिति
(*c*) कोलेजन तन्तुओं का त्रिआयामी विन्यास
(*d*) इलास्टिक तन्तुओं का त्रिआयामी विन्यास

2. श्वेत तन्तुमय संयोजी ऊतक फाइब्रोब्लास्ट्स तथा कोलेजन तन्तु का बना होता है। यह उपास्थि पायी जाती है–
(*a*) केवल खोपड़ी की अस्थियों के जोड़ पर
(*b*) कशेरुकों के बीच
(*c*) खोपड़ी की अस्थियों के जोड़ों पर, रुधिर वाहिनियों के चारों ओर तथा अन्य देहांगों के चारों ओर
(*d*) इनमें से कोई नहीं

3. सरल एपीथीलियम कोशिकाओं की इकहरी परत का बना होता है जो आधारी कला के ऊपर स्थित होती है। इस एपीथीलियम का मुख्य कार्य है–
(*a*) शारीरिक अंगों की सुरक्षा (*b*) स्रावण
(*c*) अवशोषण (*d*) (*b*) तथा (*c*) दोनों

4. रोमाभि एपीथीलियम (ciliated epithelium) फैलोपियन नलिका, ब्रौंकिओल आदि खोखले अंगों को भीतर से स्तरित करता है। यह एपीथीलियम सहायता करता है–
(*a*) कणों को एक विशेष दिशा में प्रवाह करने में
(*b*) कुछ कोशिकाओं की गति में
(*c*) म्यूकस के विशेष दिशा में प्रवाह करने में
(*d*) उपरोक्त सभी

5. बड़ी लार नलिकाओं तथा अग्न्याशय की नलिकाओं की भीतरी सतह स्तरित होती है–
(*a*) सरल घनाकार एपीथिलियम
(*b*) स्तरित घनाकार एपीथीलियम
(*c*) स्तरित स्तम्भी एपीथीलियम
(*d*) स्तरित शल्की एपीथीलियम

6. हमारे शरीर की सबसे लम्बी कोशिकाएं होती हैं–
(*a*) पेशी कोशिकाएँ (*b*) अस्थि कोशिकाएँ
(*c*) तन्त्रिका कोशिकाएँ (*d*) उपकला कोशिकाएँ

7. रुधिर में पायी जाने वाली घूमती हुई मैक्रोफेज कहलाती है–
(*a*) लिम्फोसाइट (*b*) मोनोसाइट
(*c*) न्यूट्रोफिल (*d*) बेसोफिल

8. खरहे में बाह्य कंकाल निर्मित होता है–
(*a*) रोम व नाखूनों से (*b*) रोम से
(*c*) नाखूनों से (*d*) उपरोक्त में से किसी में नहीं

9. निम्न में कौन-सी ग्रन्थि कुण्डलित नालाकार होती है–
(*a*) वृषण (*b*) रसांकुर
(*c*) स्वेद ग्रन्थि (*d*) सिबेशियम ग्रन्थि

10. कशेरुकी में नोटोकार्ड बदल जाती है–
(*a*) मेरु रज्जू में (*b*) खण्ड विहीन कशेरुक दण्ड में
(*c*) खण्डयुक्त कशेरुक दण्ड में (*d*) अपरिवर्तित रहती है

11. हीम होती है–
(*a*) ऑक्सीजन संवहन वर्णक
(*b*) फैरस रूप में लौह
(*c*) टेट्रापायरोल पौरफाइरिन वलय युक्त लौह
(*d*) उपरोक्त सभी

12. शरीर की अपमार्जक कोशिकाएँ हैं–
(*a*) मोनोसाइट (*b*) फेगोसाइट
(*c*) थ्रोम्बोसाइट (*d*) ल्यूकोसाइट

13. थ्राम्बोप्लास्टिन स्रावित होता है–
(*a*) मोनोसाइट द्वारा (*b*) फेगोसाइट द्वारा
(*c*) ल्युकोसाइट द्वारा (*d*) थ्राम्बोसाइट द्वारा

14. सीरम होता है–
(*a*) रुधिर का तरल भाग
(*b*) रुधिर + रोगाणु
(*c*) रुधिर – रुधिराणु
(*d*) रुधिर – रुधिराणु तथा फाइब्रिन प्रोटीन

15. चोट वाले स्थान पर सूजन का कारण है–
(*a*) रुधिर का संचयन
(*b*) पीव का संचयन
(*c*) सृजन करने वाले तत्वों का निकलना
(*d*) उपरोक्त सभी

16. शरीर संगठन की भिन्न श्रेणियों की स्थापना में एक महत्वपूर्ण नियम है–
(*a*) एक कोशिकीय तथा बहुकोशिकीय
(*b*) कोशिकाओं का ऊतकों, अंगों तथा अंग तन्त्रों में संगठन
(*c*) ऊतकों का निर्माण
(*d*) उपरोक्त सभी

17. उपकला ऊतक के एक मूल कार्य के अतिरिक्त, सरल घनाकार उपकला का एक अतिरिक्त कार्य है–
(*a*) संरक्षण (*b*) जनन
(*c*) स्रवण (*d*) अवशोषण

18. ग्रन्थि कोशिकाओं का स्रवण संश्लेषित होता है–
(*a*) ग्रन्थि में
(*b*) ग्रन्थि के बाहर तथा फिर इसकी वाहिनियों द्वारा ग्रन्थि मेंभरता है

(*c*) कोशिकाओं के भीतर
(*d*) कोशिकाओं के बाहर

19. स्तन ग्रन्थियों का स्रावण है–
(*a*) प्रोटीनों के जटिल अणु
(*b*) लिपिड के जटिल अणु
(*c*) कॉर्बोहाइड्रेट तथा प्रोटीन के जटिल अणु
(*d*) प्रोटीन, लिपिड तथा कार्बोहाइड्रेट के जटिल अणु

20. उपास्थि का कॉन्ड्रोम्यूको-प्रोटीन बना होता है–
(*a*) प्रोटीन का
(*b*) डाइसैकेराइड का
(*c*) पॉलिसैकेराइड का
(*d*) डाइसैकेराइड का हायलुरोनिक अम्ल इकाईयों की लम्बी शृंखलाओं से बन्धित प्रोटीन शृंखलाएँ

21. निम्न की उपस्थिति के अतिरिक्त केशिका गुच्छ (glomerulus) में उत्पन्न छनित से प्लाज्मा का संगठन मिलता है–
(*a*) अमीनो अम्ल (*b*) क्लोराइड्स
(*c*) प्रोटीन्स (*d*) ग्लूकोज

22. हृद पेशियाँ विशेषीकृत होती हैं, क्योंकि ये सिकुड़ती हैं–
(*a*) धीरे से तथा थकती नहीं हैं
(*b*) तेजी से तथा थकती नहीं हैं
(*c*) धीरे से तथा थक जाती हैं
(*d*) तेजी से तथा थक जाती हैं

23. न्यूरोग्लिया (ग्लिया) कोशिकाएँ तन्त्रिका कोशिकाओं से निम्न के न होने से भिन्न होती है–
(*a*) केन्द्रक (*b*) निसल के कणों से
(*c*) रेडियेटिंग प्रवर्धों के (*d*) साइटौन के

24. हिस्टोसाइट एक संयोजी ऊतक कोशिका है, जिसका कार्य है–
(*a*) कुछ विशेष नहीं (*b*) तन्तु उत्पादन
(*c*) स्रावण (*d*) फैगोसाइटिक

25. हृदय की पेशियाँ कहलाती हैं–
(*a*) हृदय (*b*) स्मूथ
(*c*) कंकालीय (*d*) आंतरांगीय

26. निम्नलिखित में से कौन-सा उपास्थि को ढकता है?
(*a*) पेरीन्यूरियम (*b*) पेरीकोण्ड्रियम
(*c*) पैरीओस्टियम (*d*) उपरोक्त सभी

27. जो कोशिकाएँ देहगुहा का पेरीटोनियम स्तर बनाती हैं, निर्मित होती हैं–
(*a*) स्तम्भी उपकला से (*b*) सरल उपकला से
(*c*) शल्की उपकला से (*d*) रोमाभियुक्त उपकला से

28. संयोजी ऊतक के कौलेजन तन्तु होते हैं–
(*a*) रंगहीन (*b*) रंग में लाल
(*c*) रंग में पीले (*d*) रंग में सफेद

29. निसल के कण मुख्य रूप से पाये जाते हैं–
(*a*) कोशिकाय में (*b*) वृक्षकाओं में
(*c*) तन्त्रिका कोशिकाओं में (*d*) वृक्क नलिकाओं में

30. रुधिर वाहिनियाँ भीतर से स्तरित होती हैं–
(*a*) रेखित उपकला द्वारा (*b*) शल्की उपकला द्वारा
(*c*) रोमाभिकीय उपकला द्वारा (*d*) स्तम्भी उपकला द्वारा

31. सबसे मजबूत उपास्थि होती है–
(*a*) लचीली उपास्थि (*b*) काचाभ उपास्थि
(*c*) तन्तुमय उपास्थि (*d*) उपरोक्त में से कोई नहीं

32. स्तनधारी के अण्डाशय में मिलने वाली जननिक उपकला होती है–
(*a*) घनाकृतिक उपकला (*b*) स्तम्भी उपकला
(*c*) कूटस्तृत उपकला (*d*) शल्की उपकला

33. एक तन्त्रिका कोशिका का अक्षक (axon) एक छाद (sheath) से ढका होता है इसे कहते हैं–
(*a*) मायलिन शीथ (*b*) न्यूरीलेमा
(*c*) मेड्यूला (*d*) एपीन्यूरियम

34. अन्तर्कोशिकीय मैट्रिक्स कम से कम होता है–
(*a*) उपास्थि में (*b*) पेशीय ऊतक में
(*c*) अस्थि में (*d*) अन्तरालित ऊतक में

35. हृदय पेशियां होती हैं–
(*a*) विरोधी (antagonistic) (*b*) रेखित
(*c*) अरेखित (*d*) ऐच्छिक

उत्तरमाला

1	2	3	4	5	6	7	8	9	10
(*c*)	(*c*)	(*d*)	(*d*)	(*c*)	(*c*)	(*b*)	(*a*)	(*c*)	(*c*)
11	**12**	**13**	**14**	**15**	**16**	**17**	**18**	**19**	**20**
(*c*)	(*a*)	(*d*)	(*d*)	(*c*)	(*b*)	(*c*)	(*c*)	(*d*)	(*d*)
21	**22**	**23**	**24**	**25**	**26**	**27**	**28**	**29**	**30**
(*c*)	(*a*)	(*b*)	(*d*)	(*a*)	(*b*)	(*c*)	(*d*)	(*c*)	(*b*)
31	**32**	**33**	**34**	**35**					
(*c*)	(*a*)	(*b*)	(*b*)	(*b*)					

●●●

अध्याय

4

पेशी तथा कंकाल तन्त्र (Muscles and Skeleton)

कंकाल तन्त्र (Skeletal System)

- कशेरुकी (Vertebrates) जन्तुओं में शरीर को निश्चित रूप एवं आकार प्रदान करने के लिए तथा शरीर की सुरक्षा एवं अन्तरांगों की रक्षा, गमन तथा गति करने के लिए दृढ़ संरचनाओं से बने तन्त्र को कंकाल तन्त्र कहते हैं।
- यह तन्त्र उपास्थि (Cartilage) तथा अस्थियों (Bones) से मिलकर बना होता है।

विविध प्रकार की कंकाल रचनाओं से बने दो प्रकार के कंकाल पाए जाते हैं–**बाह्यकंकाल** (Exoskeleton) तथा **अन्तःकंकाल** (Endoskeleton)।

बाह्य कंकाल (Exoskeleton)	**अन्तःकंकाल (Endoskeleton)**
1. यह शरीर की बाह्य सतह या त्वचा (skin) पर उपस्थित दृढ़ संरचनाएं हैं जो कि निर्जीव होती हैं तथा इनका निर्माण त्वचा की एपिडर्मिस (Epidermis) या डर्मिस (Dermis) द्वारा होता है।	यह शरीर के अन्दर पाया जाता है, जोकि सजीव संरचनाएँ होती हैं, क्योंकि इनके ऊतकों (Tissues) में वृद्धि होती रहती है। इनका निर्माण भ्रूणीय (Embryonic) मेसोडर्म (Mesoderm) से होता है।
2. ये बाह्य रूप से शरीर की सुरक्षा करती हैं।	ये आन्तरिक अंगों की सुरक्षा करते हैं।
3. ये त्वचा की एपिडर्मिस का रूपान्तरण होती हैं।	ये अस्थियों (Bones) तथा उपास्थियों (Cartilage) का बना होता है तथा शरीर की सुरक्षा के साथ ही निश्चित आकार प्रदान कर गति तथा गमन (Movement) में सहायता करता है।

अस्थिविज्ञान (Osteology)

इसके अस्थि पंजर का अध्ययन इसके अन्तर्गत किया जाता है। पूर्ण अस्थिपंजर को दो भागों में विभक्त किया गया है।

1. **अक्षीय या ऐक्सियल कंकाल (axial skeleton)** तथा
2. **उपांगीय या ऐपेन्डीकुलर कंकाल** (appendicular skeleton)

मनुष्य का कंकाल तन्त्र (Human Skeletal System)

1. **बाह्यकंकाल** (Exoskeleton)–इसमें हमारे बाल, अर्थात् रोम (hairs) और नाखून आते हैं।
2. **अन्तःकंकाल** (Endoskeleton)–इसमें हमारे शरीर के भीतर का अस्थिपंजर (skeletal framework) आता है जो वयस्क मनुष्य में 206 तथा शिशुओं में 213 पृथक् हड्डियों का बना होता है। कंकाल के **अक्षीय** (axial) तथा **उपांगीय** (appendicular) भागों में हड्डियों की संख्या निम्न प्रकार होती है–

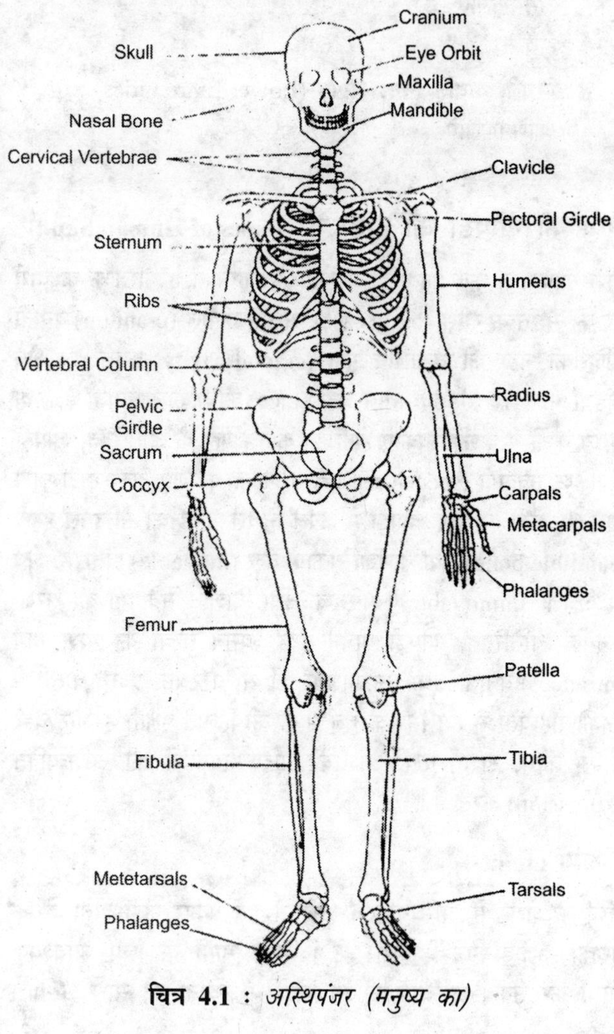

चित्र 4.1 : *अस्थिपंजर (मनुष्य का)*

अक्षीय कंकाल (Axial Skeleton)

यह हमारे शरीर के अस्थिपंजर का सीधा, खड़ा भाग होता है। इसमें खोपड़ी एवं वक्ष भाग की तथा कशेरुकदण्ड की, वयस्क में 80 तथा शिशुओं में 87, हड्डियां निम्न प्रकार वितरित होती हैं–

कपाल	8
चेहरा	14
कर्ण अस्थिकाएँ	6
हाइऔइड	1
कशेरुकाएँ	26 (शिशुओं में 33)
उरोस्थि	1
पसलियाँ	24

उपांगीय कंकाल (Appendicular Skeleton)

इसमें हमारे ऊपरी तथा निचले पादों (**अग्रांगों**–extremities), अर्थात् हाथ-पैरों तथा इन्हें धड़ से जोड़ने वाली **मेखलाओं** (girdles) की 126 हड्डियाँ आती हैं। इनका वितरण निम्नलिखित होता है–

A. ऊपरी, अर्थात् उच्च अग्रांग (Upper Extremities) :

अंसमेखलाएँ	4
हाथ	60

B. निचले, अर्थात् निम्न अग्रांग (Lower Extremities) :

श्रोणिमेखलाएँ	2
टाँगें	60

मनुष्य की खोपड़ी की हड्डियाँ (Bones of Human Skull)

हमारी खोपड़ी में कुल 28 हड्डियाँ होती हैं जिनमें से 8 मस्तिष्क के चारों ओर का **मस्तिष्क खोल** (brain case), अर्थात् **कपाल** (cranium) बनाती हैं जिसकी गुहा को **कपालीय गुहा** (cranial cavity) कहते हैं। शेष हड्डियों में से 14 हड्डियाँ हमारे **चेहरे** (face) का कंकाल बनाती हैं, तथा 6 मध्य कर्णों में **कर्णअस्थिकाएँ** होती हैं। कपाल गुहा के अतिरिक्त, खोपड़ी में विशिष्ट संवेदांगों (special sensory organs) के लिए अन्य छोटी-छोटी गुहाएँ भी होती हैं। पूर्ण खोपड़ी में केवल निचले जबड़े की **मैन्डिबल हड्डी** (mandible bone) तथा कर्णअस्थिकाएँ चल (movable) होती हैं, शेष सब अचल (immovable)। मस्तिष्क तथा विशिष्ट संवेदांगों की सुरक्षा करने के अतिरिक्त, खोपड़ी पाचन तथा श्वसन तन्त्रों के प्रवेश मार्ग (entrances) बनाती तथा उन पेशियों को सन्धि स्थान प्रदान करती हैं जिनकी सहायता से हम सिर के चल भागों को हिलाते-डुलाते हैं और चेहरे से डर, क्रोध, खुशी, दुख, आश्चर्य आदि भावनाओं की अभिव्यक्ति (expression) करते हैं।

सन्धियाँ (Joints)

मनुष्य के शरीर में अस्थियाँ एक-दूसरे से इस प्रकार जुड़ी होती हैं कि अधिकांश जोड़ों पर ये शरीर के विभिन्न भागों के लिए आवश्यक गतियाँ कर सकें। अस्थियों के ऐसे जोड़ों या स्थानों को संधि (Joint) कहते हैं।

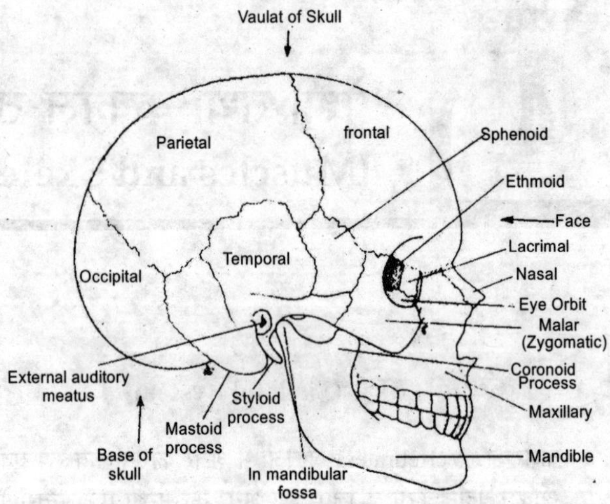

चित्र 4.2 : *खोपड़ी का पार्श्व दृश्य (मनुष्य की)*

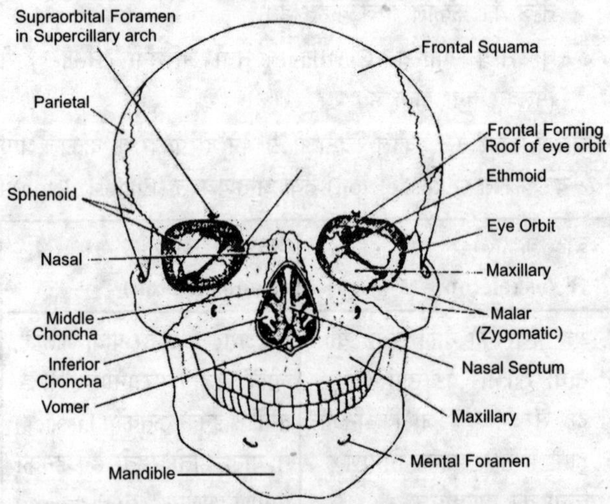

चित्र 4.3 : *खोपड़ी का अग्र दृश्य (मनुष्य की)*

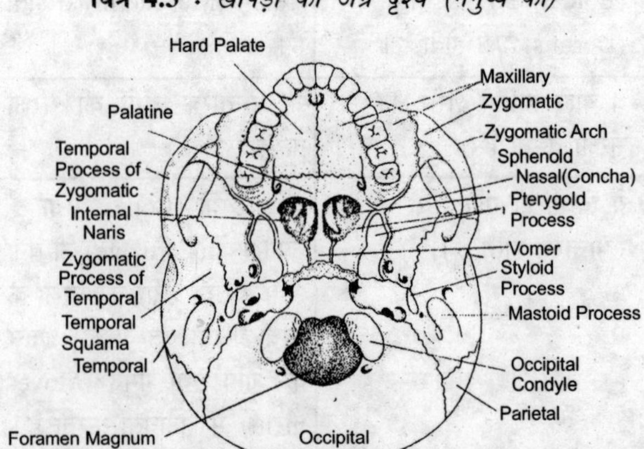

चित्र 4.4 : *मनुष्य की खोपड़ी का नीचे की ओर का दृश्य*

संधि के प्रकार (Types of Joint) : शरीर में विभिन्न जोड़ों पर निम्नलिखित तीन प्रकार की प्रमुख सन्धियाँ पाई जाती हैं।

1. अचल सन्धि (Immovable Joint)
2. अपूर्ण सन्धि (Imperfect Joint)
3. पूर्ण सन्धि (Perfect Joint)

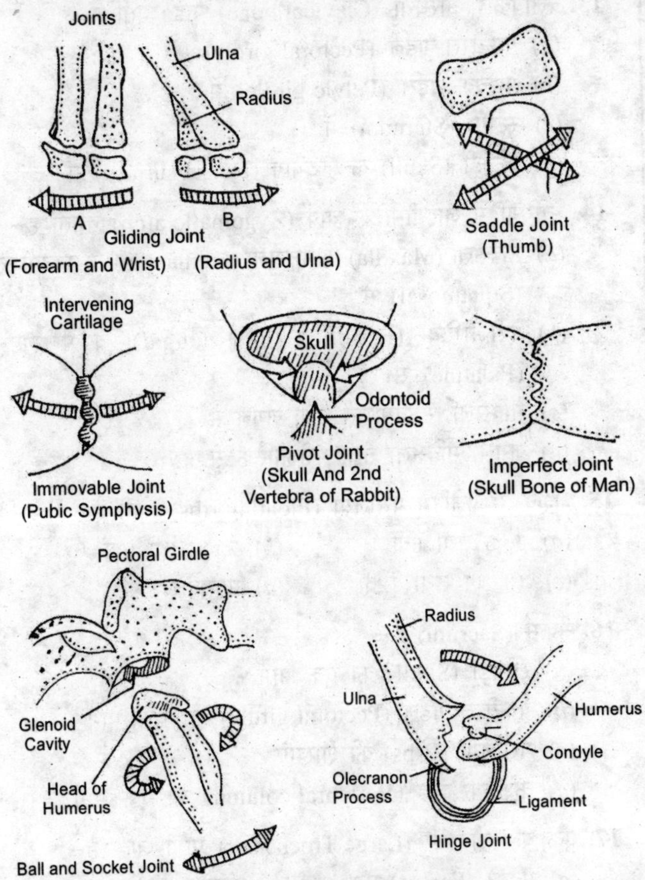

चित्र 4.5 : *सन्धियों के प्रकार*

पेशियाँ (Muscles)

स्केलेटल मसल (Skeletal muscles)

ये बहुकेन्द्रीय (Multinucleated) होती हैं तथा लांगिट्यूडिनल (Longitudinal) तथा क्रॉस स्ट्रियेशन्स (Cross striations) दिखती हैं।

- **पेशी तन्तु (Muscle Fibres) :** यह कनेक्टिव ऊतक (Connective tissue) के पतले आवरण (Sheath) द्वारा ढँका होता है, जिसे एण्डोमाइसियम (endomysium) कहते हैं।
- **पेशीय तन्तु** (Muscles Fibres) : ये फेसीकुली नामक बण्डलों में व्यवस्थित रहते हैं तथा फेसीकुली (पेशीय तन्तु के बण्डल) कनेक्टिव टिशु (Connective tissue) की एक बड़ी झिल्ली से ढँके रहते हैं जिसे पेरिमाइसियम (Perimysium) कहते हैं। अनेक फेसीकुली बण्डल एक आवरण एपीमाइसियम (Epimysium) से ढँके रहते हैं।
- **टेण्डान (Tendon) :** यह कनेक्टिव टिशु (Connective tissue) का एक सिरा या भाग होता है। यह पेशी को पेशी से जोड़ता है।
- **स्केलेटल मसल (Skeletal Muscle) :** यह रेखित (Striated) दिखाई देता है। ऐसा इसके मायोफाइब्रिल्स (Myofibrils) में सफेद एवं काली पट्टियाँ (Light and Dark bands) पाये जाने के कारण है।
- **डार्क बैंड** (Dark Band)–A bands तथा लाइट बैंड (Light bands) को I bands कहते हैं।
- A band तथा I band के बीच Z line होती है।
- A band में छः सेकेण्डरी फिलामेन्ट्स (Secondary filaments) के अतिव्यापन होने से यह डार्क (Dark) दिखता है। I band में एक ही प्रकार के तन्तुओं (Filaments) का अतिव्यापन (Overlapping) होता है।
- पेशीय संकुचन (Muscle contraction) की प्रक्रिया (Mechanism) मायोफाइब्रिल फिलामेंट (Myofibril filament) से सम्बन्धित होता है।

पेशीय संकुचन (Muscle Contraction) की रासायनिक घटनाएँ

1. **ग्लाइकोलाइसिस**–इसमें पाइरुविक एसिड का एक अणु तथा ATP के दो अणु बनते हैं।
2. **क्रेब चक्र या** TCA **चक्र**– इसमें ATP के 36 अणु बनते हैं।
3. **क्रिएटिन फॉस्फेट तथा** ATP–पेशी तन्तुओं में ATP तथा क्रिएटिन फॉस्फेट पाये जाते हैं। इनमें ऊर्जा संचित रहती है।
4. H **आयन सांद्रता में परिवर्तन**–सामान्यतया पेशी की pH मान 7.3 होती है। लम्बे समय तक संकुचन में लैक्टिल अम्ल के एकत्र होने से pH 6 (Acidic) हो जाता है।

वस्तुनिष्ठ प्रश्न

1. बॉल तथा सॉकेट सन्धि (Ball and Socket joint) पाई जाती है–
(*a*) फीमर (Femur) तथा एसीटाबुलम (Acetabulum) के मध्य
(*b*) ह्यूमरस (Humerus) तथा ग्लिनॉएड कैविटी (Glenoid cavity) के मध्य
(*c*) (*a*) तथा (*b*) दोनों में
(*d*) अँगुलियों (Fingers) की अस्थियों के मध्य

2. निम्नलिखित में किस सन्धि (Joint) में अस्थि केवल एक ही दिशा में घुमायी जा सकती है?
(*a*) सैडल सन्धि (Saddle joint)
(*b*) हिंज सन्धि (Hinge joint)
(*c*) पाइवोट सन्धि (Pivot joint) से
(*d*) उपर्युक्त में से कोई नहीं।

3. ओडोण्टॉएड प्रवर्ध (Odontoid process) सम्बन्धित है–
(*a*) पाइवोट सन्धि (Pivot joint) से
(*b*) सैडल सन्धि (Saddle joint) से
(*c*) सूचर्स (Suturs) से
(*d*) उपर्युक्त में से कोई नहीं

4. पेशियाँ (Muscles) सर्वाधिक संख्या में पाई जाती हैं–
(*a*) सिर (Head) में (*b*) गर्दन (Neck) में
(*c*) पीठ (Back) में (*d*) बाँह (Arm) में

5. सुपाइन पोजीशन (Supine position) में हथेली (Palm) की दिशा–
(*a*) ऊपर की ओर होती है
(*b*) नीचे की ओर होती है
(*c*) अचल होती है
(*d*) पार्श्वों (Lateral side) में होती है

6. ग्लाइडिंग सन्धि (Glyding joint) पाई जाती है–
(*a*) वर्टिब्री (Vertebrae) के जाइगेपोफाइसिस (Zygapophysis) के बीच
(*b*) रेडियस (Radius) तथा अल्ना (Ulna) के बीच
(*c*) कलाई (Wrist) के कार्पल्स (Carpals) के बीच
(*d*) उपर्युक्त सभी में

7. निम्नलिखित में सत्य कथन है कि अपूर्ण सन्धि (Imperfect joint) में–
(*a*) साइनोवियल कैप्सूल (Synovial capsule) नहीं पाया जाता
(*b*) लिगामेण्ट (Ligament) नहीं पाया जाता
(*c*) (*a*) तथा (*b*) दोनों
(*d*) उपर्युक्त में से कोई नहीं

8. इण्टरकैलेटेड डिस्क (Intercalated disc) पाया जाता है–
(*a*) रेखित पेशी (Striated muscle) में
(*b*) अरेखित पेशी (Unstriated muscle) में
(*c*) हृदय पेशी (Cardiac muscle) में
(*d*) उपर्युक्त सभी में

9. भुजा को शरीर से दूर ले जाने वाली पेशी है–
(*a*) प्रोनेटर्स (Pronators) (*b*) एपीनेटर्स (Epinators)
(*c*) डायलेटर (Dialtor) (*d*) डेल्टॉएड (Deltoid)

10. भुजा (Arm) या टाँग (Leg) को ऊपर उठाकर चारों ओर घुमाने वाली पेशी है–
(*a*) डेल्टॉएड (Deltoid) (*b*) पाइरीफॉर्मिस (Pyriformis)
(*c*) लेटीसाइमस (Latissimus) (*d*) उपर्युक्त में से कोई नहीं

11. ज़िफॉएड कार्टिलेज (Xiphoid cartilage) पाया जाता है–
(*a*) पेक्टोरल गर्डल (Pectoral girdle) के स्कैपुला (Scapula) भाग में
(*b*) स्टर्नम (Sternum) के पिछले सिरे में
(*c*) फीमर (Femur) के अग्र सिरे में
(*d*) पसलियों (Ribs) के मध्य भाग में

12. पसलियाँ (Ribs) हैं–
(*a*) अक्षीय कंकाल (Axial skeleton)
(*b*) उपांगीय कंकाल (Appendicular skeleton)
(*c*) अवशेषी अस्थियाँ (Vestigeal bone)
(*d*) उपर्युक्त में से कोई नहीं

13. क्लेविकल अस्थियाँ (Clavical bone) पाई जाती हैं–
(*a*) पैक्टोरल गर्डल (Pectoral girdle) में
(*b*) पेल्विक गर्डल (Pelvic girdle) में
(*c*) स्टर्नम (Sternum) में
(*d*) खोपड़ी (Skull) के पृष्ठभाग (Dorsal surface) में

14. स्तनियों में जाइगोमेटिक चाप (Zygomatic arch) बनता है–
(*a*) मैक्सिला (Maxilla), प्रिमैक्सिला (Premaxilla), व स्क्वेमोजल (Squamosal) से
(*b*) पेरीओटिक (Periotic), जुगल (Jugal), व पैलेटाइन (Palatine) से
(*c*) मैक्सिला, स्कवेमोजल तथा जुगल से
(*d*) जुगल, मैक्सिला तथा पेरीओटिक से

15. शशक में फ्लेटिंग पसलियाँ (Floating ribs) होती हैं–
(*a*) 4, 5 तथा 6वीं (*b*) 7, 8 तथा 9वीं
(*c*) 10, 11 तथा 12वीं (*d*) उपर्युक्त सभी

16. सैक्रम (Sacrum) है–
(*a*) खोपड़ी (Skull) का एक भाग
(*b*) पैक्टोरल गर्डल (Pectoral girdle) का एक भाग
(*c*) पसलियों (Ribs) की शाखाएँ
(*d*) कशेरुक दण्ड (Vertebral column) का एक भाग

17. एक बड़ा ट्रोचेण्टर (Large Trochenter) पाया जाता है–
(*a*) फीमर (Femur) में (*b*) ह्यूमरस (Humerus) में
(*c*) अल्ना (Ulna) में (*d*) रेडियस (Radius) में

18. जिफिस्टर्नम (Xiphisternum) है–
(*a*) स्टर्नम (Sternum) का भाग
(*b*) रेडियस अस्थि (Radius bone) का एक उभार
(*c*) पसलियों (Ribs) को साधने वाली पेशी (Muscle)
(*d*) ऊपरी जबड़े (Upper jaw) की अस्थि

19. ऑलफैक्टरी कैप्सूल (Olfactory capsule) होता है खोपड़ी (Skull) के–
(*a*) क्रेनियल (Cranial) भाग का कंकाल (Skeleton)
(*b*) विसरल (Visceral) भाग का कंकाल
(*c*) स्प्लैन्क्नोक्रेनियम (Splanchnocranium) कंकाल
(*d*) उपर्युक्त में से कोई नहीं

20. टेन्सर टिम्पेनाई (Tenser Tympani) जोकि एक छोटी पेशी है–
(*a*) टिम्पेनम या कर्णड्रम (Ear Drum) को अपने स्थान पर जकड़ कर रखती है
(*b*) स्तनधारियों में स्टेपीज (Stapes) को टिम्पेनिक कक्ष (Tympanic Chamber) की दीवार से जोड़ती है
(*c*) स्तनधारियों में मेलीअस (Maleus) को टिम्पेनिक कक्ष की दीवार से जोड़ती है
(*d*) स्तनधारियों में इनकस (Incus) को टिम्पेनिक कक्ष की दीवार से जोड़ती है

21. खोपड़ी में स्थिति के आधार पर पीछे से आगे की ओर अस्थियाँ होती हैं–
(*a*) ऑक्सीपीटल (Occipital), फ्रण्टल (Frontal) तथा पेराइटल (Parietal)
(*b*) ऑक्सीपीटल, पेराइटल, फ्रण्टल
(*c*) फ्रण्टल, पेराइटल, ऑक्सीपीटल
(*d*) पेराइटल, ऑक्सीपीटल, फ्रण्टल

22. पेरीओटिक (Periotic) अस्थि पाई जाती है–
(*a*) कशेरुक दण्ड (Vertebral column) में
(*b*) खोपड़ी (Skull) में
(*c*) पेक्टोरल गर्डल (Pectoral girdle) में
(*d*) पेल्विक गर्डल (Pelvic girdle) में

23. मनुष्य में कितनी पसलियाँ (Ribs) पाई जाती हैं?
(*a*) 10 (*b*) 12
(*c*) 24 (*d*) 35

24. खोपड़ी का वह भाग जो कशेरुक दण्ड (Vertebral column) पर सधा रहता है–
(*a*) ऑक्सीपीटल (Occipital) (*b*) फ्रण्टल (Frontal)
(*c*) पैराइटल (Parietal) (*d*) ट्रोकेण्टर (Trochanter)

25. पेक्टोरल गर्डल (Pectoral girdle) में ह्यूमरस (Humerus) का सिर (Head) फिट होता है–
(*a*) एसीटाबुलम (Acetabulum) में
(*b*) पल्प केविटी (Pulp cavity) में
(*c*) ग्लिनॉएड कैविटी (Glenoid cavity) में
(*d*) ऑब्टयूरेटर फोरामेन (Obturator foramen) में

26. स्तनियों की कशेरुक दण्ड (Vertebral column) किस संरचना के कारण थोड़ी-बहुत हिल-डुल सकती है?
(*a*) न्यूरल स्पाइन (Neural spine)
(*b*) न्यूरल आर्क (Neural arch)
(*c*) जाइगेपोफाइसिस (Zygapophysis)
(*d*) ऑब्ट्यूरेटर फोरामेन (Obturator foramen)

27. कौन-सी पेशी (Muscle) अग्रपाद (Forelimb) को चलाती है?
(*a*) ब्रेकिएलिस (Brachealis)
(*b*) लेटिस साइमस डॉरसाई (Laticesimus dorsi)
(*c*) पृष्ठीय स्केप्यूलेरिस (Dorsal scapularis)
(*d*) ट्राइसेप्स ब्रोंकाई (Triceps bronchi)

28. सामान्यतः स्तनियों के ग्रीवा भाग (Cervical region) में कशेरुकाओं की संख्या होती है–
(*a*) 5 (*b*) 7
(*c*) 12 (*d*) 21

29. एक्रोमियन प्रवर्ध (Acromian process) पाया जाता है–
(*a*) टिबिया (Tebia) में
(*b*) ह्यूमरस (Humerus) के कण्डाइल (Condyle) में
(*c*) पेल्विक गर्डल (Pelvic girdle) के एसिटाबुलम (Acetabulum) में
(*d*) पेक्टोरल गर्डल के स्कैपुला (Scapula) में

30. ग्लिनाएड कैविटी (Glenoid cavity) पाई जाती है–
(*a*) फैलेंगस (Falengus) में
(*b*) टार्सल (Tarsals) में
(*c*) पुच्छ कशेरुका (Coxigeal vertebrae) में
(*d*) पेक्टोरल गर्डल (Pectoral girdle) में

31. स्टर्नम (Sternum) पाया जाता है–
(*a*) सैक्रल (Sacral) भाग में
(*b*) थोरेसिक (Thoracic) भाग में
(*c*) लम्बर (Lumber) भाग में
(*d*) सर्वाइकल (Cervical) भाग में

32. प्रत्येक पसली (Rib) के द्विशाखीय (Bifurcated) सिरों को छोड़कर शेष भाग को कहते हैं–
(*a*) फ्यूनीकुलस (Funiculus) (*b*) कैपीटुलम (Capitulum)
(*c*) शैफ्ट (Shaft) (*d*) रैमस (Ramus)

33. स्तनियों (Mammals) के शरीर के किस भाग में एक जोड़ी (One pair) अस्थियां होती हैं?
(*a*) बाह्य कर्ण (External ear)
(*b*) निचले जबड़े (Lower jaw)
(*c*) पेल्विक गर्डल (Pelvic girdle)
(*d*) कलाई (Wrist) में

34. एरिटिनॉएड कार्टिलेज (Aretenoid cartilage) पाया जाता है–
(*a*) हायड (Hyoid) में (*b*) लैरिंक्स (Larynx) में
(*c*) स्टर्नम (Sternum) में (*d*) फीमर (Femur) में

35. ओडोण्टॉएड प्रवर्ध (Odontoid process) पाया जाता है–
(*a*) एक्सिस वर्टिब्री (Axis vertebrae) में
(*b*) एटलस वर्टिब्री (Atlas vertebrae) में
(*c*) सैक्रल वर्टिब्री (Sacral vertebrae) में
(*d*) उपर्युक्त में से कोई नहीं

36. निम्नलिखित किस कशेरुका (Vertebrae) में आर्टीकुलर फेसेट्स (Articular facets) पाई जाती है–
(*a*) एटलस (Atlas) (*b*) एक्सिस (Axis)
(*c*) सैक्रल (Sacral) (*d*) थोरेसिक (Thoracic)

37. खोपड़ी (Skull) से एटलस कशेरुका (Atlas vertebrae) निम्नलिखित सन्धि (Joint) द्वारा जुड़ी होती है–
(*a*) ऑक्सीपीटल आर्टीकुलर सन्धि (Occipital articular joint)
(*b*) एलेण्टोकोरियोनिक सन्धि (Alentochorionic joint)
(*c*) एटलेण्टोऑक्सीपीटल सन्धि (Atalantooccipital joint)
(*d*) ओडोण्टॉएड सन्धि (Odontoid joint)

38. खोपड़ी (Skull) के पिछले भाग में फोरामेन मैग्नम (Foramen magnum) बनाने वाली अस्थियाँ (Bones) हैं–
(*a*) सुप्राऑक्सीपीटल (Supraoccipital)
(*b*) बेसीऑक्सीपीटल (Basioccipital)
(*c*) एक्सऑक्सीपीटल (Exoccipital)
(*d*) उपर्युक्त सभी

39. पेल्विक गर्डल (Pelvic girdle) में विशेष संरचना है–
(*a*) कोटीलॉएड (Cotyloid)
(*b*) ऑब्ट्यूरेटर फोरमैन (Obturator foramen)
(*c*) एसीटाबुलम (Acetabulum)
(*d*) उपर्युक्त सभी

40. एस्ट्रागेलस (Astragalus) तथा कैल्केनियम (Calcaneum) का सम्बन्ध है–
(*a*) पसलियों (Ribs) से
(*b*) अग्रपाद (For limb) से
(*c*) पश्च पाद (Hind limb) से
(*d*) स्टर्नम (Sternum) से

41. पेल्विक गर्डल (Pelvic girdle) में प्रथम सैक्रल (First sacral) कशेरुका के लिए आर्टीकुलर फेसेट्स (Articular facets) किस अस्थि में पाई जाती है?
(*a*) इलियम (Ilium) में (*b*) इश्चियम (Ischium) में
(*c*) कोटीलॉएड (Cotyloid) में (*d*) प्यूबिस (Pubis) में

42. हैवर्सियन तन्त्र (Haversian system) पाया जाता है–
(*a*) एटलस कशेरुका (Atlas vertebrae) में
(*b*) इलियम (Ilium) में
(*c*) फीमर (Femur) में
(*d*) लम्बर (Lumber) कशेरुका में

43. मनुष्य में कुल कितनी कर्ण अस्थियाँ (Ear bones) पाई जाती हैं?
(*a*) 3 (*b*) 6
(*c*) 4 (*d*) 2

44. बाइसेप्स पेशियाँ (Biceps muscle) जुड़ी होती हैं–
(*a*) रेडियस (Radius) से (*b*) फीमर (Femur) से
(*c*) टीबिया (Tebia) से (*d*) उपर्युक्त सभी से

45. लाल पेशी तन्तु (Red muscle firbre) पाई जाती है–
(*a*) पीठ में (*b*) चेहरे (Face) में
(*c*) अँगुलियों (Fingers) में (*d*) हथेली (Palm) में

46. पेशीय संकुचन (Muscle contraction) की क्रियाविधि में स्लाइडिंग फिलामेण्ट थ्योरी (Sliding filament theory) किसने दिया था?
(*a*) मॉर्गन (Morgan) ने (*b*) मायर (Mayar) ने
(*c*) हक्सले (Huxley) ने (*d*) हैरिंग्टन (Harington) ने

47. पेशी कोशा (Muscle cells) की संकुचनशीलता की रचनात्मक तथा क्रियात्मक इकाई है–
(*a*) न्यूरॉन (Neuron) (*b*) सार्कोलेमा (Sarcolema)
(*c*) सार्कोमियर (Sarcomere) (*d*) उपर्युक्त में से कोई नहीं

48. पेशियों (Muscles) की थकावट (Fatigue) अवस्था समाप्त होती है, जब–
(*a*) शरीर में संचित कार्बोहाइड्रेट ग्लूकोज (Glucose) में बदलता है
(*b*) पेशियों में संचित लैक्टिक एसिड (Lactic acid) जल तथा CO_2 में बदलता है
(*c*) पेशियों में संचित लैक्टिक एसिड ग्लूकोज या ग्लाइकोजन में बदलता है
(*d*) पेशियों में ऑक्सी अम्ल (Oxy acid) बनता है

49. पेशियों का संकुचन एवं शिथिलन होता है एक्टिन (Actin) एवं मायोसीन (Myocin) तन्तुओं के बीच–
(*a*) क्रॉस ब्रिजेस (Cross bridges) का संकुचन के समय बिगड़ने तथा शिथिलन के समय बनने पर
(*b*) क्रॉस ब्रिजों के संकुचन के समय बनने एवं शिथिलन के समय बिगड़ने पर
(*c*) पेशी संकुचन के लिए क्रॉस ब्रिज (Cross bridge) आवश्यक नहीं है
(*d*) उपर्युक्त में से कोई नहीं

50. निम्नलिखित में पेशी संकुचन के लिए आवश्यक संरचना है–
(*a*) मोटर नर्व (Motor nerve) तन्तु
(*b*) न्यूरोमस्कुलर (Neuromuscular) जंक्शन (Junction)
(*c*) एसीटिलकोलीन हॉर्मोन (Acetylcholine harmone)
(*d*) उपर्युक्त सभी

उत्तरमाला

1	2	3	4	5	6	7	8	9	10
(*c*)	(*b*)	(*a*)	(*a*)	(*a*)	(*d*)	(*c*)	(*c*)	(*d*)	(*b*)
11	**12**	**13**	**14**	**15**	**16**	**17**	**18**	**19**	**20**
(*b*)	(*a*)	(*a*)	(*c*)	(*c*)	(*d*)	(*a*)	(*a*)	(*a*)	(*c*)
21	**22**	**23**	**24**	**25**	**26**	**27**	**28**	**29**	**30**
(*b*)	(*b*)	(*c*)	(*a*)	(*c*)	(*c*)	(*a*)	(*b*)	(*d*)	(*d*)
31	**32**	**33**	**34**	**35**	**36**	**37**	**38**	**39**	**40**
(*b*)	(*c*)	(*c*)	(*b*)	(*a*)	(*a*)	(*c*)	(*d*)	(*d*)	(*c*)
41	**42**	**43**	**44**	**45**	**46**	**47**	**48**	**49**	**50**
(*a*)	(*c*)	(*b*)	(*a*)	(*a*)	(*c*)	(*c*)	(*c*)	(*b*)	(*d*)

●●●

अध्याय

5

पोषण तथा पाचन
(Nutrition and Digestion)

पोषण (Nutrition)

- ऊर्जा-उत्पादन तथा वृद्धि एवं मरम्मत के लिए आवश्यक पदार्थ जीवों के पोषक पदार्थ (nutrients) कहलाते हैं।
- कार्बोहाइड्रेट्स, प्रोटीन्स एवं वसाएँ सभी जीवों के प्रमुख अर्थात् दीर्घ पोषक (macronutrients) होते हैं।

पोषण के अनुसार, जीव-जंगत में दो प्रकार के जीव पाए जाते हैं– स्वः पोषी एवं परपोषी।

1. **स्वः पोषी जीव (Autotrophic or Holophytic, or Self-nourishing Organisms) :** वे जीव जो वातावरण से कार्बन डाइऑक्साइड, अमोनिया, नाइट्रेट्स, जल, लवण आदि अकार्बनिक पदार्थ लेकर कार्बनिक पोषक पदार्थों (कार्बोहाइड्रेटस, प्रोटीन्स वसाओं आदि) का स्वयं संश्लेषण करते हैं। ये दो प्रकार के होते हैं–

    (i) **रसायन संश्लेषक (Chemosynthetic) :** ये हाइड्रोजन सल्फाइड गैस (H_2S) तथा CO_2 से पोषक पदार्थों का संश्लेषण करते हैं और इसके लिए आवश्यक ऊर्जा को कुछ पोषक पदार्थों के अनॉक्सी अर्थात् अवायवीय ऑक्सीकरण (anaerobic oxidation), अर्थात् किण्वन (fermentation) द्वारा प्राप्त करते हैं। कुछ वर्तमान जीवाणु, जैसे कि गन्धक बैक्टीरिया (Sulphur bacteria), नाइट्राइड बैक्टीरिया (eg., Nitrosomonas), नाइट्रेट बैक्टीरिया (e.g., Nitrobacter) आदि ऐसे ही जीव हैं।

    (ii) **प्रकाश संश्लेषक (Photosynthetic) :** ये स्वपोषण में CO_2 एवं H_2S से (कुछ बैक्टीरिया में) या CO_2 एवं जल (H_2O) से (हरे पादपों में) पोषक पदार्थों के संश्लेषण हेतु सौर ऊर्जा (solar energy) काम में लाते हैं। सौर-ऊर्जा को रासायनिंक ऊर्जा में पर्णहरिम अर्थात् क्लोरोफिल (chlorophyll) बदलता है। अतः नीले-हरे शैवाल, हरे पादप एवं हरे प्रोटिस्टा (जैसे यूग्लीना–Euglena) इसी श्रेणी के जीव होते हैं।

2. **परापोषी या विषमपोषी (Heterotrophs) :** सारे जन्तु एवं पर्णहरितरहित पौधे परापोषी होते हैं। यह हरे पादपों द्वारा बनाए गए पोषक पदार्थों को सीधे पादपों के ऊतकों से या अन्य पादप भक्षी जन्तुओं के ऊतकों से आहार या भोजन (food) के रूप में लेते हैं। स्पष्ट है कि जन्तुओं द्वारा काम में लाई गई समस्त रासायनिक ऊर्जा वास्तव में सौर-ऊर्जा (solar energy) ही होती है।

जन्तुओं में पोषण विधियाँ (Nutrition Methods in Animals)

भोजन-स्वभाव के अनुसार, जन्तुओं का वर्गीकरण हम दो प्रकार से कर सकते हैं–भोजन के स्रोतों तथा भोजन प्राप्त करने की विधियों के आधार पर। भोजन के स्रोतों के आधार पर जन्तुओं की तीन प्रमुख श्रेणियाँ होती हैं–

1. **शाकाहारी (Herbivorous) :** जिनका भोजन स्वयं वनस्पतियाँ होती हैं, जैसे गाय, भैंस आदि।
2. **मांसाहारी (Carnivorous) :** जो अन्य जन्तुओं का आहार करते हैं, जैसे शेर, चीता आदि। कॉकरोच, बिच्छू, सर्प आदि कुछ मांसाहारी जन्तु अपनी जाति के सदस्यों को भी खा जाते हैं। इन्हें स्वजातिभक्षी (cannibals) कहते हैं।
3. **सर्वाहारी (Omnivorous) :** जो पादपों एवं जन्तुओं दोनों का आहार करते हैं, जैसे मनुष्य।

भोजन प्राप्त करने की विधियों के आधार पर परापोषी या विषमपोषी जन्तुओं की तीन प्रमुख श्रेणियाँ होती हैं–

(i) **पूर्णभोजी (Holozoic) :** जो बिना पचे हुए ठोस या तरल भोजन का अन्तर्ग्रहण (ingestion-ingestive feeders) करते हैं। इनमें केवल कीटों का आहार करने वाले जन्तु कीटाहारी (insectivorous) तथा केवल रुधिर चूसने वाले रुधिराहारी (sanguivorous) कहलाते हैं।

(ii) **मृतभोजी या पूतिभोजी (Saprobiotic) :** जो मृत जीवों के सड़ने-गलने से बने या अन्य प्रकार के निर्जीव पोषक माध्यमों से अर्ध या पूर्ण पचे हुए तरल पोषक पदार्थों को शरीर-सतह से प्रसरण (diffusion) द्वारा लेते हैं। ये जन्तु-मृतभोजी (saprozoic) होते हैं या पादप-मृत भोजी (Saprophytic) ।

(iii) **परजीवी (Parasitic) :** जो अन्य जीवों के जीवित शरीर से प्रायः तरल भोजन प्राप्त करते हैं। भोजन प्रदान करने वाला जीव पोषद (host) कहलाता है। अधिकांश परजीवी स्थाई रूप से पोषद के शरीर में भीतर या बाहर रहने वाले होते हैं, परन्तु कुछ समय-समय पर पोषद के सम्पर्क में आकर इससे आहार प्राप्त करते हैं।

मनुष्य तथा शशक की पोषण-विधियाँ (Food Habits of Man and Rabbit)

मनुष्य सर्वाहारी होता है और शशक शाकाहारी। शशक हरी घास, पत्तियों, कोमल पौधों, फलों आदि को नुकीले छेदक अर्थात् कृन्तक दन्तों (incisors) द्वारा कुतर-कुतरकर (gnawing) खाता है। इसलिए इसमें रदनक अर्थात् कैनाइन (canine) दन्त नहीं होते। भोजन के लिए यह प्रायः सन्ध्या के समय अपने बिल से निकलता है। ऐसे जन्तु सान्ध्यचर (crepuscular) कहलाते हैं। सर्वाहारी होने के कारण मनुष्य के आहार में शाकाहारी (vegetarian) तथा मांसाहारी (non-vegetarian) दोनों प्रकार की भोजन-सामग्री हो सकती है।

पाचन तन्त्र (Digestive System)

पाचन तन्त्र में आहार नली और पाचन ग्रंथियां शामिल होती हैं। आहार नली ट्यूब के आकार में 8-10 मीटर लम्बी होती है तथा स्थान-स्थान पर इसके व्यास में भिन्नता होती है। भोजन मुख के जरिए लिया जाता है। जीभ अंतर्ग्रहण करने में, चबाने में, स्वाद लेने में, भोजन में लार मिलाने तथा उसे निगलने में सहायता करती है।

दांत भोज्य पदार्थ को काटने, तोड़ने और पीसने का कार्य करते हैं। दूध के दांत जन्म के 6 महीने बाद आ जाते हैं तथा 24 महीने तक बने रहते हैं। 6 से 12 वर्षों में स्थायी दांत इन अस्थायी दांतों का स्थान ले लेते हैं। अस्थायी दांतों की संख्या 20 होती है। जबकि एक वयस्क के दांतों की संख्या 32 तक हो जाती है। उत्छेदक, श्वदंत, प्रीमोलर्स और मोलर्स दांतों के प्रकार हैं।

इसके बाद भोजन ग्रसनी, हलक से होता हुआ पेट तक पहुंचता है। पेट भोजन को यांत्रिक रूप से चबाने और रासायनिक रूप से पचाने में सहायता करता है। इसके बाद भोजन छोटी आंत में पहुंचता है जो ट्यूब के आकार का पतला होता है तथा उसकी लम्बाई लगभग 20 फीट होती है। यह वह मुख्य क्षेत्र है जहां भोजन का पाचन और उसका अवशोषण होता है। बड़ी आंत लगभग 5 मीटर लम्बी होती है परंतु छोटी आंत से चौड़ी होती है तथा उसके इर्द-गिर्द एक चाप का निर्माण करती है। इसमें जल और खनिज का संरक्षण होता है तथा मल का निर्माण होता है। मल मलाशय से होता हुआ मलद्वार तक पहुंचता है जहां से यह बाहर आ जाता है।

भोजन पाचन-तंत्र में ज्यों-ज्यों आगे बढ़ता है उसमें अनेक रस मिलते जाते हैं जो पाचन प्रक्रिया में सहायक होते हैं। लार ग्रंथियां लार उत्सर्जित करती हैं जो स्टार्च के पाचन में सहायक होता है। गैस्ट्रिक ग्रंथियां पेट में म्यूकोसा में मौजूद होती हैं जो भोजन के पाचन के लिए अम्लीय माध्यम उपलब्ध कराती हैं।

हल्की लालिमा लिए भूरे रंग वाला यकृत (Liver) शरीर का सबसे बड़ा अंग है जो पित्त प्रदान करता है। यकृत उदर में दाहिनी ओर ऊपर के हिस्से में अवस्थित होता है। यकृत द्वारा उत्पन्न पित्त पित्ताशय में संग्रहित हो जाते हैं। यह वसा के पायसीकरण और पाचन में सहायता करता है। अग्न्याशय मानव शरीर की दूसरी बड़ी ग्रंथि होती है जो अग्न्याशय रस उत्सर्जित करती है। आंतें भी रस उत्सर्जित करती हैं।

तालिका-1 : विभिन्न प्रकार की कोशिकाएँ : स्थिति तथा स्रवण

	कोशिका का नाम	स्थित	स्रवण
(*i*)	ऑक्सिन्टिक या पैराइटल कोशिकाएँ	आमाशय की फन्डिक ग्रन्थियाँ	HCl
(*ii*)	पेप्टिक कोशिकाएँ या चीफ कोशिकाएँ	आमाशय की फन्डिक ग्रन्थियाँ	पाचक एन्जाइम
(*iii*)	G उपकोशिकाएँ	पायलोरिक आमाशय की उपकला	गैस्ट्रिन हॉरमोन
(*iv*)	ग्रीवा कोशिकाएँ	आमाशय की कार्डियक ग्रन्थियाँ	श्लेष्म
(*v*)	उपकला कोशिकाएँ	आन्त्रीय ग्रन्थियाँ	श्लेष्म
(*vi*)	पैनेथ कोशिकाएँ	आन्त्रीय ग्रन्थियाँ	पाचक कोशिकाएँ
(*vii*)	आर्जेन्टेफिन कोशिकाएँ	आन्त्रीय ग्रन्थियाँ	हॉरमोन
(*viii*)	चूषक कोशिकाएँ	वृहद् आन्त्र का सबम्यूकोसा	श्लेष्म
(*ix*)	आधारभूत कोशिकाएँ	आमाशयी तथा आंत्रीय ग्रन्थियाँ	दूसरे प्रकार की कोशिकाओं का निर्माण

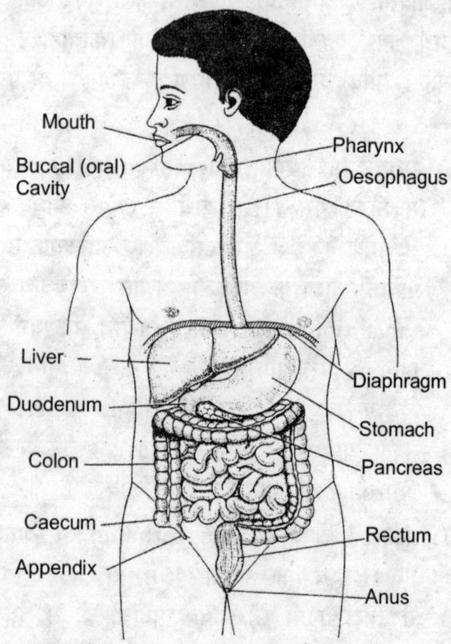

चित्र 5.1 : मनुष्य के पाचन तन्त्र के विभिन्न अंगों की स्थिति

जन्तुओं एवं मनुष्य के लिए आवश्यक पोषक पदार्थ (Nutrients Needed by Animals and Man)

अपने भोजन से मानव सहित सभी जन्तु निम्नलिखित सात श्रेणियों के पोषक पदार्थ प्राप्त करते हैं–

1. कार्बोहाइड्रेट्स (Carbohydrates)
2. प्रोटीन्स (Proteins)
3. लिपिड्स (Lipids)

4. न्यूक्लिक अम्ल (Nucleic acids)
5. जल (Water)
6. खनिज लवण (Mineral salts)
7. विटामिन्स (Vitamins)

इन पदार्थों में से जल व खनिज लवण अकार्बनिक (inorganic) होते हैं और शेष कार्बनिक (organic)। शरीर में कार्बोहाइड्रेट्स, लिपिड्स तथा प्रोटीन्स की काफी मात्रा खपती है। अतः इन्हें दीर्घपोषक (bulk nutrients or macro-nutrients) कहते हैं। जल के अतिरिक्त अन्य पोषक पदार्थों की बहुत सूक्ष्म मात्रा की ही शरीर में आवश्यकता होती है। अतः इन्हें लघुपोषक (micro-nutrients) कहते हैं।

तालिका-2 से स्पष्ट है, हमारी विभिन्न श्रेणियों की भोजन सामग्रियों में कार्बोहाइड्रेटस, प्रोटीन्स तथा वसाओं का विभिन्न अनुपात होता है। इसके अनुसार विभिन्न आयु, लिंग तथा जीवन-शैली वाले शाकाहारी भारतीयों के सन्तुलित आहार में विभिन्न श्रेणियों की भोजन सामग्रियों की मात्राओं का ऐसा ताल-मेल होना चाहिए कि शरीर के सभी भागों की ऊर्जा की आवश्यकताओं की पूर्ति होती रहे।

तालिका-2

भोजन सामग्री	कार्बोहाइड्रेट्स की मात्रा (प्रतिशत)	प्रोटीन्स की मात्रा (प्रतिशत)	वसाओं की मात्रा (प्रतिशत)
1. अनाज	60-80	6-12	1-5
2. दालें	35-55	20-35	1-5
3. हरी पत्तीदार सब्जियाँ	3-15	2-6	बहुत कम
4. अन्य सब्जियाँ	3-15	1-3	बहुत कम
5. कन्दों एवं जड़ों वाली सब्जियाँ	5-25	1-3	बहुत कम
6. फल (ताजा)	5-30	0.3-1.5	बहुत कम
7. मेवा, मूँगफली आदि	30-35	5-25	50 तक
8. वसाएँ	लगभग नहीं	लगभग नहीं	80-90
9. दूध	4-6	3-4	2.5-7
10. मांस, मछली, अण्डे आदि	लगभग नहीं	8-20	2-10
11. मीठी तथा मण्डयुक्त सामग्रियाँ	80-90	लगभग नहीं	लगभग नहीं

तालिका-3 : विभिन्न भोजन सामग्रियों के ग्रामों (grams) में इनकी आवश्यक मात्राएँ

भोजन सामग्री	वयस्क पुरुष			वयस्क स्त्रियाँ			शिशु		लड़के	लड़कियाँ
	सामान्य जीवन वाले	कुछ श्रम वाले	कठिन श्रम वाले	सामान्य जीवन वाली	कुछ श्रम वाली	कठिन श्रम वाली	1 से 3 वर्ष की आयु	4 से 6 वर्ष की आयु	10 से 12 वर्ष की आयु	10 से 12 वर्ष की आयु
1. अनाज	460	520	670	410	440	475	175	270	420	410
2. दालें	70	80	90	60	70	80	35	35	45	40
3. सब्जियाँ	300	350	400	250	275	300	100	150	200	200
4. फल	30	40	50	30	40	50	20	20	30	30
5. दूध	200	225	250	200	225	250	200	250	250	200
6. वसाएँ	35	45	55	30	40	50	15	20	25	25
7. मीठा एवं मण्ड	30	40	50	25	35	45	15	20	25	25

ऊर्जा आवश्यकताएं

आयु, लिंग, जीवनशैली, व्यवसाय, जलवायु और विशेष परिस्थितियाँ जैसे प्रसव काल में और शिशु को दुग्धाहार कराने आदि के आधार पर शरीर की ऊर्जा-आवश्यकताएं भिन्न-भिन्न होती हैं (तालिका-3)। कम मात्रा में लिया गया भोजन अपर्याप्त ऊर्जा प्रदान करता है जिसके कारण कमजोरी उत्पन्न होती है। अत्यधिक मात्रा में लिया गया भोजन भी समस्याएं उत्पन्न करता है। उपर्युक्त तालिका ऊर्जा की औसत दैनिक आवश्यकता का विवरण देती है जहां एक ही आयु वर्ग के पुरुषों की तुलना में स्त्रियों को कम ऊर्जा की आवश्यकता होती है।

तालिका-4

आयु	ऊर्जा आवश्यकता
5 वर्ष	6,000 किलो जूल प्रतिदिन
11 वर्ष	9,000 किलो जूल प्रतिदिन
18 वर्ष	11,000 किलो जूल प्रतिदिन
वयस्क (सामान्य कार्य)	9,600 किलो जूल प्रतिदिन
वयस्क (भारी कार्य)	12,000 किलो जूल प्रतिदिन
वयस्क (बहुत भारी कार्य)	16,000 किलो जूल प्रतिदिन

कुपोषण (Malnutrition)

एक मोटे अनुमान के अनुसार, संसार में आज दो-तिहाई लोगों को सन्तुलित आहार उपलब्ध नहीं होता। भारत जैसे गरीब देश में अनेक नागरिकों को पेटभर भोजन या सन्तुलित आहार नहीं मिलता। इसे कुपोषण (malnutrition) कहते हैं। सामान्यतः कुपोषण के दो निम्न प्रमुख प्रभाव होते हैं–

(*i*) **भुखमरी (Starvation) :** यकृत में "ईंधन पदार्थ" के रूप में इतनी ग्लाइकोजन (मण्ड) संचित रहती है कि यदि समय पर भोजन प्राप्त न हो तो आधे दिन तक ऊर्जा की पूर्ति इसी से होती रहे, लेकिन इसके बाद भी यदि भोजन न मिले तो ऊर्जा-उत्पादन के लिए शरीर में पहले वसाओं का और बाद में प्रोटीन्स का विखण्डन होने लगता है जिसे भुखमरी (Starvation) कहते हैं तथा ऐसा होने से पेशियों का क्षय होने लगता है। अतः इसके शिकार व्यक्ति दुबले तथा कमजोर हो जाते हैं, आँखें भीतर धँस जाती हैं, बाल झड़ने लगते हैं, तथा त्वचा पर झुर्रियाँ पड़ जाती हैं। इसे मैरेस्मस (Marasmus) (चित्र (I)) का रोग कहते हैं।

(*ii*) **मोटापा (Obesity) :** जब व्यक्ति भोजन के रूप में आवश्यकता से अधिक ऊर्जा ग्रहण करने लगता है, अर्थात् ऊर्जा की आमद ऊर्जा खपत से अधिक होने लगती है जिससे शरीर में वसा का संचय बढ़ने लगता है। प्रति 9.0 कैलोरी अतिरिक्त ऊर्जा पर शरीर में एक ग्राम वसा बढ़ जाती है (चित्र (II))। शरीर का मोटापा इसी कारण होता है। मोटापा के कारण हृदय रोग, मधुमेह, जोड़ों में पीड़ा, उच्च रक्तचाप आदि की आशंका बढ़ जाती है।

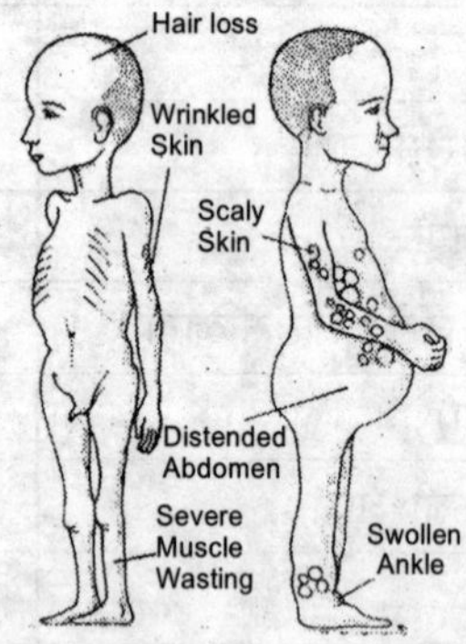

(I) मैरेस्मस (II) क्वाशिओरकर

वस्तुनिष्ठ प्रश्न

1. लैंगरहैन्स द्वीप पाए जाते हैं–
(*a*) अग्न्याशय में (*b*) क्षुदांत्र में
(*c*) ग्रसिका में (*d*) आमाशय में

2. आमाशय व आँत्र भीतर से स्तरित रहते हैं–
(*a*) स्तम्भी कोशिकाओं द्वारा (*b*) शल्की कोशिकाओं द्वारा
(*c*) घनाकार कोशिकाओं द्वारा (*d*) स्तरित एपीथीलियम द्वारा

3. भोजन में ग्रहण किए गए कार्बोहाइड्रेट की हाइड्रोलिसिस में सहायक एन्जाइम है–
(*a*) पेप्सिन (*b*) सेल्यूलेज
(*c*) α-एमाइलेज (*d*) ग्लाकोसाइडेज

4. खरहे का दन्त विन्यास होता है–
(*a*) $\frac{2, 1, 3, 2}{2, 1, 3, 2}$ (*b*) $\frac{2, 0, 3, 3}{1, 0, 2, 3}$
(*c*) $\frac{1, 0, 2, 2}{2, 0, 3, 2}$ (*d*) $\frac{2, 1, 3, 2}{1, 1, 2, 2}$

5. आमाशय तथा आँत्र स्तरित होती है–
(*a*) स्तम्भाकार (columnar) एपीथीलियम से
(*b*) शल्की (squamous) एपीथीलियम से
(*c*) घनाकार (cuboidal) एपीथीलियम से
(*d*) स्तरित (stratified) एपीथीलियम से

6. स्तनधारियों के लार में पाया जाता है–
(*a*) टायलिन (ptyalin)
(*b*) लाइपेस (lipase)
(*c*) एण्ट्रोकाइनेज (enterokinase)
(*d*) काइमोट्रिप्सिन (chymotrypsin)

7. लार में पाया जाने वाला एन्जाइम हैं–
(*a*) एमाइलेज (*b*) पेप्सिन
(*c*) लाइपेज (*d*) काइमोट्रिप्सिन

8. कुफ्फर कोशिकाएँ (Kupffer cells) वे कोशिकाएँ हैं जो–
(*a*) यकृत में पुरानी व टूटी-फूटी लाल रुधिराणुओं को नष्ट करती हैं
(*b*) वसा का भण्डार है
(*c*) हिपैरिन व हिस्टेमीन का स्रावण करती है
(*d*) ग्लूकोस को ग्लाइकोजन में बदलती है

9. ट्रिप्सिनोजन ट्रिप्सिन में बदला जाता है, क्रिया द्वारा–
(*a*) पेन्क्रियोजायमिन (pancreozymin)
(*b*) सिक्रेटिन (secretin)
(*c*) गैस्ट्रिन (gastrin)
(*d*) इंटरोकाइनेज (enterokinase)

10. आंत्र रसांकुर (villi) की रक्त केशिकाओं द्वारा अवशोषित पोषक सर्वप्रथम पहुँचते हैं–
(*a*) महाधमनी में
(*b*) पश्च महाशिरा में
(*c*) यकृत निवाहिका शिरा के माध्यम से यकृत में
(*d*) यकृत धमनी में

11. लसिका वाहिनियों (lacteals) में प्रवेश करने वाले काइलोमाइक्रोन (chilomicrons) होते हैं–
(*a*) ग्लिसराल
(*b*) वसा अम्ल व ग्लिसराल जो प्रोटीन से ढके होते हैं
(*c*) वसा अम्ल तथा फास्फोलिपिड
(*d*) प्रोटीन

12. एण्टीरोगैस्ट्राने का स्रावण प्रेरित होता है–
(*a*) HCl द्वारा
(*b*) पित्त द्वारा
(*c*) अग्न्याशयिक रस द्वारा
(*d*) ग्रहणी से काइम के आगमन द्वारा

13. सूची-I में दिए हुए पाचक रसों को सूची-II में दिए हुए एन्जाइमों से सुमेलित कीजिए। उस उत्तर का चुनाव कीजिए जिसमें अक्षरों का सही क्रम मिलाया गया है–

सूची-I (पाचक रस)	सूची-II (एन्जाइम)
A. लार	p. डाइसैकरेजेज
B. आमाशयी रस	q. ट्रिप्सिन
C. अग्न्याशयी रस	r. टायलिन
D. आंत्रीय रस	s. पेप्सिन
	t. सेल्यूलेज

(*a*) A = r, B = t, C = p, D = q
(*b*) A = r, B = s, C = s, D = t
(*c*) A = r, B = s, C = q, D = p
(*d*) A = s, B = r, C = p, D = t

14. मनुष्य का दन्त सूत्र होता है–
(*a*) $\frac{2123}{2123}$ (*b*) $\frac{1223}{1223}$
(*c*) $\frac{2132}{2132}$ (*d*) $\frac{2213}{2213}$

15. आमाशय की pH श्रेणी होती है–
(*a*) 6.8 से 7.2 के बीच (*b*) 1.5 से 2.0 के बीच
(*c*) 7.6 से 8.6 के बीच (*d*) 7.1 से 8.2 के बीच

16. आमाशय की भित्ति में कौन-सा स्तर पेरीटोनियम के निकट होती है?
(*a*) श्लेष्मिका पेशी (*b*) अनुलम्ब पेशी स्तर
(*c*) वर्तुल पेशी स्तर (*d*) तिर्यक पेशी स्तर

17. दुग्ध प्रोटीन (केसीन) पाचित होते हैं–
(*a*) पेप्सिन द्वारा (*b*) रेनिन द्वारा
(*c*) एन्टेरोगेस्ट्रान द्वारा (*d*) ट्रिप्सिन द्वारा

18. जब एक व्यक्ति उबले आलू खाता है तब क्या होगा?
(*a*) स्टार्च का पाचन नहीं होगा
(*b*) सेल्यूलोज का पाचन होगा
(*c*) लैक्टोज का पाचन होगा
(*d*) न्यूक्लिएज द्वारा न्यूक्लिक अम्लों का पाचन होगा

19. मनुष्य में दुग्ध का पाचन होता है–
(*a*) रेनिन (renin) द्वारा
(*b*) ट्रिप्सिन (trypsin) द्वारा
(*c*) काइमोट्रिप्सिन (chymotrypsin) द्वारा
(*d*) पेप्सिन (pepsin) द्वारा

20. स्तम्भ-I के अन्तर्गत दिए कोशिकाओं के प्रकार को स्तम्भ-II के अन्तर्गत दिए इनके स्रवण के साथ सुमेलित कीजिए। नीचे दिए गए कूटों की मदद से सही उत्तर का चयन कीजिए।

स्तम्भ-I (कोशिकाओं के प्रकार)	स्तम्भ-II (स्रवण)
A. पेप्टिक कोशिकाएँ	p. श्लेष्मा
B. आक्सिसेन्टिक कोशिकाएँ	q. क्षारीय द्रव्य
C. चूषक कोशिकाएँ	r. प्रोएन्जाइम
	s. HCl

(*a*) A = s, B = p, C = q (*b*) A = r, B = s, C = p
(*c*) A = q, B = p, C = s (*d*) A = s, B = r, C = q

21. आहार नाल की भित्ति में बाहर से अन्दर की ओर परतों का सही अनुक्रम है–
(*a*) सिरोसा, अनुलम्ब पेशी स्तर, म्यूकोसा, सबम्यूकोसा
(*b*) सिरोसा, अनुलम्ब पेशी स्तर, सबम्यूकोसा, म्यूकोसा
(*c*) सिरोसा, अनुलम्ब पेशी, वर्तुल पेशी स्तर, सबम्यूकोसा, म्यूकोसा
(*d*) सिरोसा, वर्तुल पेशी स्तर, अनुलम्ब पेशी स्तर, सबम्यूकोसा म्यूकोसा

22. लम्बे काल तक उपवास में शरीर द्वारा निम्न कार्बनिक यौगिक के प्रयुक्त होने का सही अनुक्रम है–
(*a*) पहले कार्बोहाइड्रेट, अगला वसा तथा आखिर में प्रोटीन
(*b*) पहले वसा, अगला कार्बोहाइड्रेट तथा आखिर में प्रोटीन
(*c*) पहले कार्बोहाइड्रेट, अगला प्रोटीन तथा आखिर में प्रोटीन
(*d*) पहले प्रोटीन, अगला लिपिड तथा आखिर में कार्बोहाइड्रेट

23. मनुष्य के आमाशय द्वारा 24 घण्टों में आमाशय रस की लगभग कितनी मात्रा स्रावित होती है?
(*a*) 10 से 15 मिलि (*b*) 100 से 150 मिलि
(*c*) 1000 से 1500 मिलि (*d*) 10,000 से 15,000 मिलि

24. लीबरकुहन की दरार उदाहरण है–
(*a*) सरल नालाकार ग्रन्थि का (*b*) कुण्डलित नालाकार ग्रन्थि का
(*c*) संयुक्त कूपिका ग्रन्थि का (*d*) सरल कूपिका ग्रन्थि का

25. डी ऑक्सीराइबोन्यूक्लिएज तथा राइबोन्यूक्लिएज स्रावित होती है–
(*a*) अग्न्याशय द्वारा (*b*) यकृत द्वारा
(*c*) आमाशय द्वारा (*d*) वृक्क द्वारा

26. निम्न में से पित्त लवण हैं–
(*a*) बिलिरुबिन तथा हीमोग्लोबिन
(*b*) सोडियम ग्लाइकोकोलेट तथा टोरोकोलेट
(*c*) हीमोग्लोबिन तथा बिलिवर्डिन
(*d*) बिलिरुबिन तथा बिलिवर्डिन

27. खरहे के दंत होते हैं–
(*a*) डिबार दंती (*b*) गर्तदन्ती
(*c*) विषम दंती (*d*) उपरोक्त सभी

28. निम्न में से कौन से भोज्य पदार्थ का बिना पाचन के ही अवशोषण कर लिया जाता है?
(*a*) वसाएं (*b*) प्रोटीन्स
(*c*) कार्बोहाइड्रेट्स (*d*) विटामिन्स

29. यकृत में होने वाली ग्लाइकोजेनेसिस (glycogenesis) एवं ग्लाइकोजीनोलाइसिस (glycogenolysis) प्रक्रियाओं को नियन्त्रित करने वाले हॉरमोनों का स्रावण किया जाता है–
(*a*) यकृत द्वारा (*b*) अग्न्याशय द्वारा
(*c*) एड्रीनल कार्टेक्स द्वारा (*d*) पीयूष ग्रन्थि द्वारा

30. आँत्र की सतह द्वारा ग्लूकोस के अवशोषण की दर होती है–
(*a*) 150 ग्रा॰/घण्टे (*b*) 80 मि॰ ग्रा॰/घण्टे
(*c*) 120 ग्रा॰/घण्टे (*d*) 120 मि॰ ग्रा॰/घण्टे

31. एकबारदन्ती (monophydont teeth) दंत होते हैं–
(*a*) गिलहरी में (*b*) चूहों में
(*c*) छछुन्दर में (*d*) उपरोक्त सभी में

32. स्तनियों में कार्बोहाइड्रेट किस रूप में संचित होते हैं?
(*a*) यकृत व प्लीहा में ग्लाइकोजन के रूप में
(*b*) यकृत व पेशियों में ग्लूकोस के रूप में
(*c*) यकृत व पेशियों में ग्लाइकोजन के रूप में
(*d*) पेशियों में लैक्टिक अम्ल के रूप में

33. pH की मात्रा क्या नापने के काम आती है?
(*a*) आयन पर विद्युत विभव
(*b*) आयन का परिमाण
(*c*) द्रव में हाइड्रोजन आयन की सान्द्रता
(*d*) आयनों की संख्या

34. आमाशयिक रस को रोकने तथा आमाशयिक, अग्नाशयिक एवं पित्त के स्रवण को प्रेरित करने वाले हॉरमोन हैं, क्रमशः–
(*a*) एण्टीरोगेस्ट्रोन, गैस्ट्रिन, पैन्क्रियोजाएमिन तथा कोलीसिस्टोकाइनिन
(*b*) गैस्ट्रिन, सिक्रिटिन, एण्टीरोकाइनिन, कोलीसिस्टो काइनिन
(*c*) सिक्रेटिन, एण्टीरोगैस्ट्रोन, गैस्ट्रिन, एण्टीरोकाइनिन
(*d*) गैस्ट्रिन, एण्टीरोगैस्ट्रोन, कोलीसिस्टोकाइनिन, पैन्क्रियोजाएमिन

35. एण्टीरोगैस्ट्रोन का कार्य है–
(*a*) यह आमाशयिक रस के स्रवण को रोकता है
(*b*) यह पित्त स्रवण नियन्त्रित करता है
(*c*) यह अग्न्याशयिक रस के प्रवाह को प्रेरित करता है
(*d*) यह आमाशय में पाचन रसों के स्रवण को प्रेरित करता है

36. नीचे चार अंग व उनसे सम्बन्धित ऊतकीय रचनाएँ दी गई हैं। इन जोड़ों में से कौन सा सही है?
(*a*) वृक्क–ग्लोमेरूलस, हैनले का लूप, वायु कूपिका
(*b*) फेफड़ा–ब्रौंकस, ब्रोंकियोल, स्वर रज्जु
(*c*) छोटी आँत्र–लीबरकुहन की दरारें, गोब्लट कोशिकाएँ, सब म्यूकोसा
(*d*) आमाशय–जाइमोजन कोशिकाएँ, ब्रूनर ग्रन्थियाँ, लैक्टियल

37. एक स्तनधारी के अग्न्याशय से अग्न्याशयिक रस मुक्त करने के लिए प्रेरित किया जाता है–
(*a*) ट्रिप्सिनेजन द्वारा (*b*) न्यासिक्रिटिन द्वारा
(*c*) एण्टीरोकाइनेज द्वारा (*d*) कोलीसिस्टोकाइनिन द्वारा

38. ब्रूनर ग्रन्थियाँ पायी जाती हैं–
(*a*) ड्यूडीनम की सबम्यूकोसा में (*b*) आमाशय की सबम्यूकोसा में
(*c*) इसोफेगस की म्यूकोसा में (*d*) इलियम की म्यूकोसा में

39. अग्नाशय में बनते हैं–
(*a*) दो पाचक एन्जाइम, एक हॉरमोन
(*b*) तीन पाचक एन्जाइम, तीन हॉरमोन
(*c*) तीन पाचक एन्जाइम, एक हॉरमोन
(*d*) तीन पाचक एन्जाइम, दो हॉरमोन

40. खरहे में प्रोटीन को अमीनो अम्लों में बदलने वाला एन्जाइम है–
(*a*) एण्डोपेप्टिडेज
(*b*) एक्सोपेप्टिडेज
(*c*) पेप्सिन, ट्रिप्सिन, काइमोट्रिप्सिन
(*d*) उपर्युक्त सभी

उत्तरमाला

1	2	3	4	5	6	7	8	9	10
(*a*)	(*a*)	(*c*)	(*b*)	(*a*)	(*a*)	(*a*)	(*a*)	(*d*)	(*c*)
11	**12**	**13**	**14**	**15**	**16**	**17**	**18**	**19**	**20**
(*b*)	(*d*)	(*c*)	(*a*)	(*b*)	(*c*)	(*d*)	(*d*)	(*c*)	(*b*)
21	**22**	**23**	**24**	**25**	**26**	**27**	**28**	**29**	**30**
(*c*)	(*a*)	(*c*)	(*a*)	(*a*)	(*b*)	(*d*)	(*d*)	(*b*)	(*a*)
31	**32**	**33**	**34**	**35**	**36**	**37**	**38**	**39**	**40**
(*d*)	(*c*)	(*c*)	(*a*)	(*a*)	(*c*)	(*b*)	(*a*)	(*b*)	(*d*)

●●●

अध्याय

6

विटामिन्स तथा खनिज (Vitamins and Minerals)

- विटामिन शब्द का परिचय 1912 में फंक द्वारा दिया गया।
- विटामिन कार्बनिक पदार्थ है जो पशुओं, कुछ जीवाणु तथा सूक्ष्मजीवों के शरीर की सामान्य वृद्धि तथा विकास के लिए आवश्यक होते हैं (वसा, कार्बोहाइड्रेटों, प्रोटीनों, खनिज लवणों तथा जल के साथ) क्योंकि विटामिन D के अतिरिक्त ये इनके द्वारा संश्लेषित नहीं किए जा सकते।
- ये कार्य में हॉरमोन के समान होते हैं तथा दोनों अल्प मात्राओं में आवश्यक होते हैं। दूसरी ओर, ये दोनों एक दूसरे से भिन्न भी होते हैं।
- विटामिन्स जीवों को भोजन द्वारा प्राप्त होते हैं जबकि हॉरमोन शरीर में ही उत्पन्न होते हैं। उदाहरण–थॉयराइड से थॉयराक्सिन, एड्रीनल काय से ऐड्रीनेलीन, अग्न्याशय से इन्सुलिन आदि।
- सामान्यतः ताजे तथा प्राकृतिक भोजन में सभी आवश्यक विटामिन समान अनुपात में होते हैं लेकिन जो भोजन मनुष्य या अन्य पशु ग्रहण करते हैं कुछ विधियों द्वारा बनाया जाता है जो भोजन में कुछ विटामिनों की कमी या अभाव कर देता है। किसी विशेष विट्रामिन की कमी एक विशेष रोग (अभाव रोग या ऐविटामिनोसिस) उत्पन्न करती है जिसका उपचार केवल विटामिन ग्रहण करके किया जा सकता है।
- विटामिनों को इस प्रकार वर्गीकृत किया जाता है (*i*) वसा में विलेय उदाहरण विटामिन A, D, E, α-लिपोइक अम्ल तथा K तथा (*ii*) जल में विलेय उदाहरण विटामिन B काम्पलेक्स तथा C।
- कुछ जैविक निष्क्रिय यौगिक होते हैं जो संरचना में विटामिन के समान होते हैं। ये प्रोविटामिन कहलाते हैं क्योंकि ये आसानी से वाइवों में सक्रिय विटामिनों में परिवर्तित किए जाते हैं। उदाहरण के लिए β-कैरोटिन तथा अरगेस्ट्रॉल क्रमशः A तथा D_2 के लिए प्रोविटामिन हैं।

तालिका – विटामिन्स के स्रोत तथा कार्य

विटामिन्स (Vitamins)	स्रोत (Source)	कार्य (Functions)
(A) वसा में विलेय विटामिन्स–		
विटामिन A— रेटिनॉल $C_{40}H_{56}$	हरी सब्जियाँ, गाजर, लहसुन, टमाटर, पपीता, केला, आम आदि में तथा घी मक्खन, दूध एवं अंडा	दृष्टि रंगों (Visual Pigments) का संश्लेषण, त्वचा की एपिथीलयी ऊतक की वृद्धि एवं विकास
विटामिन D— कैल्सिफेरॉल (Calcipherol) $C_{28}H_{44}O$	दूध, अण्डा, त्वचा द्वारा सूर्य के प्रकाश की उपस्थिति में संश्लेषण	हड्डियों (Bones) एवं दाँतों की वृद्धि, कैल्सियम तथा फॉस्फोरस का उपापचय (Metabolism)
विटामिन E— टोकोफेराल (Tocopherol) $C_{29}H_{50}O_2$	गेहूँ, अंकुरित बीज, पत्तेदार सब्जियाँ, दूध, मक्खन आदि	पेशियों को सक्रिय बनाना, जन्तुओं में प्रजनन शक्ति बनाए रखना
विटामिन K— फिलोक्विनोन (Philloquinone) $C_{31}H_{46}O_2$	हरी सब्जियाँ, फल, अण्डा, यकृत (Liver), टमाटर कोलन में जीवाणुओं द्वारा संश्लेषण	यकृत में प्रोथ्रॉम्बिन का निर्माण करना, रूधिर के थक्का (Clot) बनने में सहायक
(B) जल में विलेय विटामिन्स–		
विटामिन B_1—थायमीन (Thiamine) $C_{12}H_{17}Cl_2N_4O_5$	माँस, मछली, अण्डे तथा हरी सब्जियों में अपेक्षाकृत कम मात्रा में तथा गेहूँ, जौ, बाजरा, मूँगफली आदि के छिलकों में अधिकता से पाया जाता है।	कार्बोहाइड्रेट उपापचय को नियन्त्रित करना, मुख्य रूप से केन्द्रीय तन्त्रिका तन्त्र में कार्बोहाइड्रेट के ऑक्सीकरण को सक्रिय करना, हृदय पेशियों की सक्रियता के लिए आवश्यक
विटामिन B_2—राइबोफ्लेविन (Riboflavin) $C_{17}H_{20}N_4O_6$	यकृत, वृक्क, दूध, अण्डा, गेहूँ, चना, दालें, पालक, प्याज, हरी सब्जियों में	वृद्धि, त्वचा एवं मुख को स्वस्थ बनाए रखना, कार्बोहाइड्रेट के उपापचय में सहायक

विटामिन्स (Vitamins)	स्रोत (Source)	कार्य (Functions)
विटामिन B_3—पेण्टोथेनिक अम्ल (Pentothenic acid) $C_9H_{17}NO_5$	मांस, दूध, अण्डा, मूँगफली, यीस्ट, गन्ना	कार्बोहाइड्रेट का उपापचय, त्वचा (Skin) तथा बाल (Hairs) की वर्णकता को बनाए रखना
विटामिन B_5—निकोटिनिक अम्ल (Nicotinic acid) $C_6H_5NO_2$	अंकुरित बीज, आलू, दालें, पत्तेदार सब्जियाँ, माँस, मक्खन	वृद्धि, कार्बोहाइड्रेट उपापचय, तन्त्रिका तंत्र की सक्रियता, आमाशय तथा आंत्र की सक्रियता में सहायक।
विटामिन B_6—पाइरिडॉक्सिन (Pyridoxin) $C_8H_{12}O_3N$	यीस्ट, यकृत, अनाज, दूध, अण्डे आदि में	RBCs के निर्माण एवं उपापचय क्रिया (Metabolic activity) में (एमीनो अम्लों के) सहायक
विटामिन B_{12}—कोबालमिन (Cobalamine) $C_{63}H_{9014}N_{14}P$ (इसे एण्टी पर्निसियस एनीमिया फैक्टर (Anti Pernicious Anaemia भी कहते हैं)	माँस, मछली, जिगर, अण्डा, दूध	RBCs के निर्माण को उत्तेजित करना, न्यूक्लिक अम्ल (Nucleic acids) के संश्लेषण के लिए, नाइट्रोजन उपाचयन में सहायक
विटामिन C— एस्कॉर्बिक अम्ल (Ascorbic Acid) $C_6H_8O_6$	सीट्रस फलों (Citrus Fruits), जैसे–नीबू, संतरा, नारंगी आदि में, टमाटर, आँवला, हरी सब्जियाँ, दूध आदि में	दाँतों के डेण्टीन का निर्माण, कोलेजन तन्तु, अस्थियों में मैट्रिक्स का निर्माण, रोगों से प्रतिरक्षा उत्पन्न करना

मानव शरीर के आवश्यक खनिज

खनिज–हमारे शरीर को कुछ और ऑर्गेनिक पदार्थों की आवश्यकता होती है। जैसे धातु, अधातु और उनके लवण। हालांकि इन पदार्थों की आवश्यकता काफी कम मात्रा में होती है। इन खनिजों की आवश्यकता हड्डियों, दांतों और लाल रक्त कणिकाओं के निर्माण, रक्त के जमने, मांसपेशियों, नाड़ियों और ग्रंथियों के कार्य करने आदि के लिए पड़ती है (तालिका)।

हमारे शरीर को जिन प्रमुख खनिजों की आवश्यकता है वे हैं : लोहा, कैल्शियम, फास्फोरस, सोडियम, पोटैशियम, जस्ता, तांबा, मैग्नीशियम, क्लोराइड, फ्लोराइड और सल्फर। हम अधिकांश खनिजों को मिलीजुली अवस्था में वनस्पतियों से प्राप्त करते हैं। इन खनिजों की कमी से अनेक रोग उत्पन्न हो जाते हैं। एक सामान्य व्यक्ति को दैनिक रूप से लोहे की लगभग 30 मिलीग्राम मात्रा, आयोडीन की 1 मिलीग्राम मात्रा तथा 1 ग्राम कैल्शियम और फास्फोरस की आवश्यकता होती है।

तालिका – 2

खनिज (Minerals)	स्रोत	कार्य (Functions)	कमी का प्रभाव
1. नाइट्रोजन—N	सेम (bean), माँस, मछली, दूध आदि	प्रोटीन संश्लेषण (Protein Synthesis), न्यूक्लिक अम्ल (Nucleic acids) तथा कोएन्जाइम (Co-enzyme) आदि का संश्लेषण	प्रोटीन की कमी होने पर क्वाशिओरकर (Kwashiorkar) रोग हो जाता है
2. फॉस्फोरस—P	दूध, माँस, सब्जियाँ	ATP, न्यूक्लिक अम्ल तथा कुछ प्रोटीनों का संश्लेषण, दाँत एवं अस्थियों का निर्माण	कमजोर अस्थि वृद्धि
3. पोटैशियम—K	माँस, सब्जियाँ	कलाओं (Membranes) से सम्बन्धित कार्य तथा रुधिर स्कंदन (Blood cloting) के लिए आवश्यक	रुधिर स्कंदन में अवरोध
4. सल्फर—S	सेम (Bean), माँस, मछली, दूध	प्रोटीन संश्लेषण (Protein Synthesis) में को-एन्जाइम—A के रूप में कार्य करना	माँसपेशियों (Muscles) का फटना
5. मैग्नीशियम—Mg	सब्जियाँ तथा अन्य खाद्य पदार्थ	अस्थि तथा दाँत के निर्माण में, अनेक एन्जाइम के लिए को-फैक्टर (Co-factor) के रूप में, ATP के रूप में तथा पेशी (Muscle) एवं तन्त्रिका की क्रिया के लिए आवश्यक	—

खनिज (Minerals)	स्रोत	कार्य (Functions)	कमी का प्रभाव
6. कैल्सियम—Ca	दूध, तथा भारी पानी	अस्थि निर्माण, दाँतों का इनैमल (Enamel) बनाने में, रुधिर के थक्का (clot) बनने में तथा हृदय एवं तन्त्रिका तन्त्र की क्रियाशीलता के लिए	अस्थि वृद्धि कम, रिकेट्स (Rickets) रोग
7. कॉपर—Cu	माँस, मछली, अनाज	इलेक्ट्रॉन सम्वाहक के रूप में, हीमोग्लोबिन तथा अस्थि के निर्माण में	
8. जिंक—Zn	यकृत, मछली, अनाज	इंसुलिन हॉर्मोन की कार्यिकी (Physiology) में	इन्सुलिन हॉर्मोन की क्रियाशीलता में कमी
9. आयोडीन यौगिक	समुद्री जल, आयोडीनयुक्त नमक	थायरॉइड ग्रंथि (Thyroid gland) में थायरॉइड हॉर्मोन (Hormone) के निर्माण में	घेघा (Goitre) रोग
10. लौह यौगिक	पत्तेदार सब्जियाँ, माँस आदि में	RBCs के निर्माण के लिए आवश्यक	एनीमिया (Anaemia)
11. कोबाल्ट—Co	माँस, मछली, जल	विटामिन B_{12} तथा RBCs के संश्लेषण में	—
12. सोडियम—Na	नमक (सोडियम क्लोराइड) तथा हरी सब्जियाँ	कलाओं से सम्बन्धित कार्य में (Membrane)	—
13. क्लोरीन—Cl	नमक, सब्जियाँ	जल सन्तुलन तथा जठर रस (Gastric juice) में HCl के रूप में	माँसपेशियों का फटना

वस्तुनिष्ठ प्रश्न

1. निम्न में से कौन-सा कथन विटामिन D के लिए सही नहीं है?
(*a*) यह कैल्सीफेरॉल होता है जो आँत्र में कैल्सियम एवं फॉस्फोरस के अवशोषण को नियंत्रित करता है
(*b*) यह आरगोस्टेरॉल होता है
(*c*) विटामिन डी, दाँतों एवं हड्डियों की वृद्धि हेतु आवश्यक है
(*d*) इसकी कमी से कीलोसिस रोग हो जाता है

2. निम्न में से कौन सा युग्म सही नहीं है?
(*a*) Na^{+}—तन्त्रिकीय आवेग के लिए आवश्यक ऊर्जा स्थानान्तरण
(*b*) Fe^{++}—शारीरिक वृद्धि, हीमोग्लोबिन सायटोक्रोम निर्माण में सहायक
(*c*) Ca^{++}—हड्डियों व दाँतों के निर्माण में आवश्यक तथा पेशीय, संकुचन में महत्वपूर्ण
(*d*) Zn^{++}—जीवद्रव्य का मुख्य (पूल) तत्व

3. एन्जाइम्स के बारे में असत्य कथन बताइये–
(*a*) ये सभी प्रोटीन के बने होते हैं
(*b*) ये प्रतिक्रियाओं की दिशा में परिवर्तन कर देते हैं
(*c*) ये अपनी प्रतिक्रियाओं में अतिविशिष्ट होते हैं
(*d*) ये प्रतिक्रियाओं के संतुलन को प्रभावित नहीं करते

4. विश्व के अनेक अविकसित राष्ट्रों में 6 वर्ष की आयु तक के बालकों का कुपोषण से शिकार होना एक गम्भीर समस्या है। इनमें से नवजात शिशुओं के भोजन में उपयुक्त प्रोटीन की कमी से होने वाला रोग है–
(*a*) रिकेट्स (*b*) लकवा
(*c*) क्वाशिओरकर (*d*) ओस्टियोमैलेशिया

5. निम्न में से किस की सहायता से स्तनियों की त्वचा में विटामिन D का संश्लेषण होता है?
(*a*) अर्गोस्टीरॉल (*b*) अर्गोकैल्सीफेरोल
(*c*) कोलेस्ट्रॉल (*d*) कैरोटीन

6. निम्न में से कौन-सा आवश्यक अमीनो अम्ल है?
(*a*) एलेनीन (*b*) ग्लाइसीन
(*c*) ट्रिप्टोफेन (*d*) टायरोसीन

7. बेरी-बेरी नामक रोग होता है, कमी के कारण–
(*a*) राइबोफ्लेविन (*b*) थायमीन
(*c*) विटामिन K (*d*) विटामिन C

8. विटामिन भोजन के आवश्यक भाग हैं तथा कोशिका उपापचय में भाग लेते हैं, क्योंकि–
(*a*) ये अनेक एन्जाइमों के भाग हैं
(*b*) ये सह कारक की भाँति कार्य करते हैं
(*c*) अधिकांश विटामिन शरीर में संश्लेषित नहीं हो सकते हैं
(*d*) उपरोक्त सभी

9. प्रोटीनों का प्रयोग होता है–
(*a*) ऊर्जा उत्पादन में (*b*) वृद्धि में
(*c*) मरम्मत में (*d*) वृद्धि तथा मरम्मत में

10. एन्जाइम क्रिया के समय एलोस्टीरिक संदमन होता है–
(*a*) अंतिम उत्पाद के एकत्र हो जाने के कारण
(*b*) क्रियाधार के कारण
(*c*) विपरीत क्रिया के कारण
(*d*) क्रियाधार नष्ट हो जाने के कारण

11. एन्जाइम के प्रोटीन भाग से जुड़ा अ-प्रोटीन भाग होता है–
(*a*) होलो एन्जाइम (*b*) को एन्जाइम
(*c*) एपोएन्जाइम (*d*) सह-कारक

12. एन्जाइम, विटामिन तथा हॉरमोनों को जैव रसायनों की एक श्रेणी में वर्गीकृत किया जा सकता है क्योंकि ये सभी–
(*a*) प्रोटीन हैं
(*b*) आक्सीडेटिव उपापचय को बढ़ाते हैं
(*c*) उपापचय को नियन्त्रित करते हैं
(*d*) किसी जीव के शरीर में संश्लेषित होते हैं

13. ग्लूकोस वसा में बदला जाता है–
(*a*) परिवहन तन्त्र से फालतू वसा अम्लों को निकालने के लिए
(*b*) यकृत को फालतू ग्लाइकोजन के संचय से बचाने के लिए
(*c*) रुधिर शर्करा नियन्त्रित रखने के लिए
(*d*) उपरोक्त सभी

14. रुधिर स्कंदन के लिए आवश्यक विटामिन है–
(*a*) C (*b*) D
(*c*) K (*d*) H

15. रतौंधी (night blindness) तथा जीरोफ्थेलेमिया (xerophthalmia) होता है कमी से–
(*a*) विटामिन A (*b*) विटामिन B
(*c*) विटामिन C (*d*) विटामिन D

16. एक 1, 4- ग्लाइकोसाइड बंध टूटता है जब–
(*a*) वसा का पाचन होता है लाइपेज से
(*b*) प्रोटीन का पाचन होता है एमाइलेज से
(*c*) मण्ड का पाचन होता है एमाइलेज से
(*d*) उपरोक्त में से कोई नहीं

17. स्तनधारियों में कार्बोहाइड्रेट संचित रहते हैं–
(*a*) यकृत में ग्लूकोस
(*b*) पेशियों तथा प्लीहा में ग्लाइकोजन
(*c*) पेशियों में लैक्टिक अम्ल
(*d*) यकृत तथा पेशियों में ग्लाइकोजन

18. निम्न में से मोनोसैकेराइड है–
(*a*) सेल्यूलोस (*b*) काइटिन
(*c*) सुक्रोस (*d*) फ्रक्टोस

19. कार्बनिक पदार्थ की मात्रा का जन्तु शरीर में घटता क्रम है–
(*a*) प्रोटीन, कार्बोहाइड्रेट, वसा, न्यूक्लिक अम्ल
(*b*) कार्बोहाइड्रेट, प्रोटीन, वसा, न्यूक्लिक अम्ल
(*c*) न्यूक्लिक अम्ल, प्रोटीन, कार्बोहाइड्रेट, वसा
(*d*) वसा, न्यूक्लिक अम्ल, प्रोटीन, कार्बोहाइड्रेट

20. एन्जाइमों के विषय में कौन-सा कथन सत्य है?
(*a*) सभी एन्जाइम प्रोटीन होते हैं
(*b*) सभी एन्जाइम एक प्रोटीन भाग तथा एक अ-प्रोटीनी प्रोस्थेटिक समूह के बने होते हैं
(*c*) केवल ग्रन्थिल कोशिकाओं में एन्जाइम होते हैं
(*d*) सभी एन्जाइम अभिक्रिया को केवल एक दिशा में ही उत्प्रेरित करते हैं

21. नीचे कुछ एन्जाइम व उनके क्रियाधार दिए गये हैं। कौन-सा सही है?
(*a*) पेप्सिन–प्रोटीन–अमीनो अम्ल
(*b*) ट्रिप्सिन–वसा–सुक्रोस
(*c*) एमाइलेज–मंड–माल्टोस
(*d*) माल्टेज–ग्लूकोस–पेप्टाइड

22. फास्फोरस पाया जाता है–
(*a*) दाँत (*b*) अस्थि
(*c*) अस्थि तथा दाँत (*d*) शरीर की प्रत्येक कोशिका

23. लम्बे समय तक मनुष्य के भोजन में थायमीन की कमी उत्पन्न करती है–
(*a*) पेलाग्रा
(*b*) रक्तस्राव
(*c*) तन्त्रिका तन्त्र एवं पेशियों की दुर्बलता
(*d*) रक्ताल्पता

24. ज्यादा समय तक संग्रहीत करने से कौन-सा विटामिन नष्ट हो जाता है?
(*a*) विटामिन C (*b*) विटामिन B
(*c*) नियासिन (*d*) विटामिन D

25. रतौंधी होती है कमी से–
(*a*) विटामिन A (*b*) विटामिन D
(*c*) विटामिन B_{12} (*d*) विटामिन B_4

26. निम्न में से कौन-सा कार्बोहाइड्रेट है?
(*a*) ग्लिसरल्डीहाइड (*b*) नियासिन
(*c*) ग्लिसरिक अम्ल (*d*) फोलिक अम्ल

27. आयोडीन के स्टार्च से क्रिया करने के बाद बना यौगिक होता है–
(*a*) नीला (*b*) नारंगी
(*c*) पीला (*d*) हरा

28. निम्न में से एक अमीनो अम्ल नहीं है–
(*a*) ट्रिप्टोफेन (*b*) यूरेसिल
(*c*) ग्लाइसीन (*d*) लाइसीन

29. कैल्सीफेरोल की कमी से होता है–
(*a*) स्कर्वी (*b*) पीलिया
(*c*) ल्यूकीमिया (*d*) रिकेट्स

30. ताँबे की कमी से होता है–
(*a*) पेलाग्रा (*b*) रक्ताल्पता तथा CNS की हानि
(*c*) इन्फ्लुएन्जा (*d*) जीरोफ्थैल्मिया

31. ग्लाइकोलिसिस में प्रयुक्त होने वाले एन्जाइम पाये जाते हैं–
(*a*) माइटोकॉण्ड्रिया में (*b*) अन्तःमाइटोकाण्ड्रियल कला में
(*c*) साइटोसोल में (*d*) केन्द्रक में

32. एन्जाइम का कन्जुगेटेड (conjugated) भाग है–
(*a*) एपोन्जाइम (*b*) को-एन्जाइम
(*c*) होलोएन्जाइम (*d*) यूएन्जाइम

33. एन्जाइम का अप्रोटीनी भाग होता है–
(*a*) एन्जाइम से ढीला जुड़ा
(*b*) एन्जाइम से स्थायी रूप से जुड़ा
(*c*) एन्जाइम से अस्थायी रूप से जुड़ा
(*d*) एन्जाइम से अलग

34. थायमीन है एक–
(*a*) एन्जाइम (*b*) B समूह का विटामिन
(*c*) अमीनो अम्ल (*d*) नाइट्रोजनी बेस

35. विटामिन जो एस्टीराइड है–
(*a*) विटामिन A (*b*) विटामिन B
(*c*) विटामिन B_{12} (*d*) विटामिन D

36. स्कर्वी रोग किसकी कमी से होता है?
(*a*) विटामिन A (*b*) विटामिन B
(*c*) विटामिन C (*d*) विटामिन D

37. निम्न में से कौन-सा धातु युक्त विटामिन है जिसकी कमी से परनिसियम रक्ताल्पता रोग हो जाता है?
(*a*) बायोटीन (*b*) सायनोकोबालमिन
(*c*) फोलिक अम्ल (*d*) रेटिनाल

38. एक सम कार्बन वसा अम्ल के ऑक्सीकरण से बनेगा–
(*a*) एसिटिक अम्ल (*b*) अमीनो अम्ल
(*c*) लैक्टिक अम्ल (*d*) ब्यूटाइरिक अम्ल

39. निम्न में से कौन-से डाइसैकेराइड्स के जल अपघटन से दो ग्लूकोज के अणु बनेंगे?
(*a*) फ्रक्टोस (*b*) माल्टोस
(*c*) सुक्रोस (*d*) लैक्टोस

40. मक्खन वायु से उद्भासित होने से खराब हो जाती है, जबकि अन्य वसाएँ अपरिवर्तित रहती हैं, इसका कारण है–
(*a*) यह असंतृप्त वसा होती है
(*b*) यह संतृप्त वसा होती है
(*c*) इसमें हाइड्रोजन परमाणु अधिक होते हैं
(*d*) जीवाणुओं द्वारा मक्खन का रासायनिक संगठन परिवर्तित होकर दुर्गन्धमय हो जाता है

41. एन्जाइम किस रूप में अकार्बनिक उत्प्रेरक से समान नहीं है?
(*a*) कोलायडी अवस्था (*b*) ताप संवेदनशीलता
(*c*) उत्प्रेरक गुण (*d*) क्रिया की उत्क्रमणीयता

42. निम्न में से किस एक समूह में तीनों उदाहरण पौलीसेक्राइडों के ही हैं?
(*a*) स्टार्च, ग्लाइकोजन, सेल्युलोस
(*b*) सुक्रोस, माल्टोस, ग्लूकोस
(*c*) ग्लूकोस, फ्रक्टोस, लैक्टोस
(*d*) गैलेक्टोस, स्टार्च, सुक्रोस

43. कैल्शियम की आवश्यकता होती है–
(*a*) पेशी संकुचन के लिए
(*b*) रुधिर प्रवाह के लिए
(*c*) शरीर में जल रोकने के लिए
(*d*) प्रोटोप्लाज्म के निर्माण के लिए

44. एक परिवार में कैल्सीफेरोल की आनुवंशिक कमी है। गर्भावस्था के समय क्या होगा?
(*a*) शरीर में Ca जमा नहीं हो पायेगा
(*b*) सन्तान की हड्डियाँ कमजोर रहेंगी
(*c*) भूख नहीं लगेगी
(*d*) भोजन में Ca का अवशोषण नहीं होगा

45. एन्जाइमों के लिए कौन-सा कथन सही है?
(*a*) सभी एन्जाइम प्रोटीन होते हैं
(*b*) सभी प्रोटीन एन्जाइम होते हैं
(*c*) सभी एन्जाइम समान pH पर क्रियाशील होते हैं
(*d*) एन्जाइम प्रत्येक तापमान पर क्रियाशील रहते हैं

उत्तरमाला

1	2	3	4	5	6	7	8	9	10
(*d*)	(*d*)	(*b*)	(*c*)	(*a*)	(*c*)	(*b*)	(*d*)	(*d*)	(*a*)
11	**12**	**13**	**14**	**15**	**16**	**17**	**18**	**19**	**20**
(*b*)	(*c*)	(*b*)	(*c*)	(*a*)	(*c*)	(*d*)	(*d*)	(*a*)	(*a*)
21	**22**	**23**	**24**	**25**	**26**	**27**	**28**	**29**	**30**
(*c*)	(*d*)	(*c*)	(*a*)	(*a*)	(*a*)	(*a*)	(*b*)	(*d*)	(*b*)
31	**32**	**33**	**34**	**35**	**36**	**37**	**38**	**39**	**40**
(*c*)	(*b*)	(*c*)	(*b*)	(*d*)	(*c*)	(*b*)	(*b*)	(*b*)	(*d*)
41	**42**	**43**	**44**	**45**					
(*b*)	(*a*)	(*a*)	(*b*)	(*a*)					

●●●

अध्याय

7

श्वसन तन्त्र (Respiratory System)

श्वसन (Respiration)

- श्वसन क्रिया शरीर में ऊर्जा उत्पादन (Energy production) के लिए आवश्यक है, ऊर्जा की आवश्यकता जीवों के प्रचलन (Locomotion), पोषण (Nutrition), उत्सर्जन (Excretion), प्रजनन (Reproduction) आदि जैविक क्रियाओं (Vital activity) को सम्पादित करने के लिए ही होती है।
- श्वसन कोशिकाओं (Cells) में होता है, कोशिकाओं में ऑक्सीजन पहुँचाने के लिए ही जीवों में श्वासोच्छवास (Breathing) की क्रिया होती है।
- श्वसन अंगों (Respiratory organs) की सहायता से ऑक्सीजन गैस ग्रहण करके रक्त (Blood) के माध्यम से प्रत्येक कोशिकाओं में पहुँचाई जाती है।
- कोशिकाओं में पोषक पदार्थों का ऑक्सीकरण (Oxidation) होता है तथा ऊर्जा (Energy) मुक्त होती है, इसके साथ ही जलवाष्प तथा CO_2 भी मुक्त होते हैं।

$$C_6H_{12}O_6 + 6O_2 \rightarrow 6CO_2 + 6H_2O + \text{Energy 673 K Cal.}$$

श्वासोच्छवास (Breathing)

जीवों द्वारा श्वसनीय गैसों का आदान-प्रदान किया जाता है तथा शरीर की कोशिकाओं में श्वसन की क्रिया द्वारा ऊर्जा मुक्त होती है। इस प्रक्रिया में निम्नलिखित तीन चरण (Steps) होते हैं–

1. **गैसीय आदान-प्रदान (Gaseous exchange)**—श्वसन अंगों की सहायता से श्वसन गैसों (O_2 तथा CO_2) का आदान-प्रदान करना गैसीय आदान-प्रदान कहलाता है। इस क्रिया को बाह्य श्वसन (External respiration) भी कहते हैं।

   गैसीय आदान-प्रदान की क्रिया निम्नलिखित दो प्रक्रमों में (चित्र 7.1) पूर्ण होती है–

   (*a*) **निश्वसन (Inspiration)**—श्वसन अंगों की सहायता से O_2 का फेफड़ों (Lungs) में पहुँचना।

   (*b*) **उच्छवसन (Expiration)**—कोशिकाओं में मुक्त CO_2 का फेफड़ों से होकर बाहरी वातावरण में छोड़ना।

2. **श्वसन गैसों का परिवहन (Transport of respiratory gases)**—श्वसन सतह (Respiratory surface) जोकि फेफड़ों (Lungs) में स्थित होते हैं, से ऑक्सीजन को विभिन्न ऊतकों (Tissues) तक रक्त (Blood) के माध्यम से पहुँचाया जाता है तथा ऊतकों से कार्बन डाईऑक्साइड को श्वसन सतह तक रक्त (Blood) के माध्यम से लाया जाता है (चित्र 7.2)।

3. **आन्तरिक श्वसन (Internal respiration)**—इस क्रिया में ऊतकों की कोशिकाओं द्वारा ऑक्सीजन का उपयोग करके ऑक्सीकरण की क्रिया के फलस्वरूप CO_2 उत्पन्न होती है।

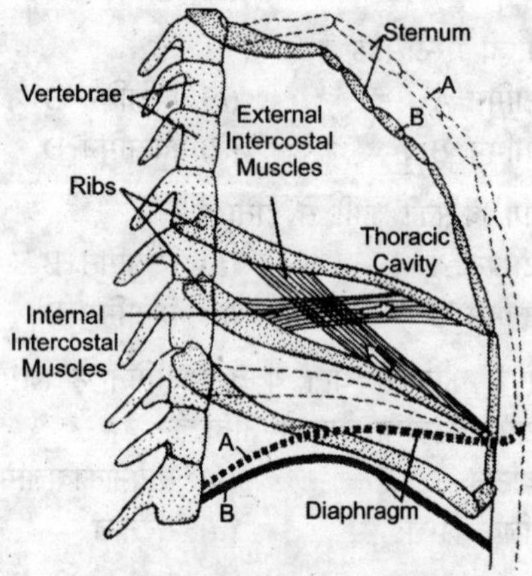

चित्र 7.1 : *श्वासोच्छवास की क्रिया विधि*
A. निश्वसन, B. उच्छवसन

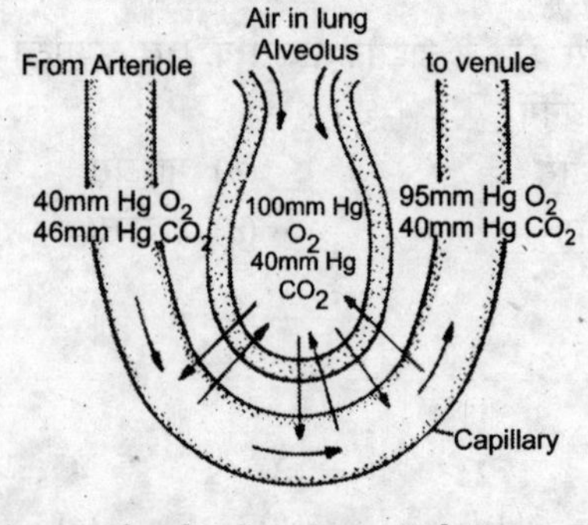

चित्र 7.2 : *फेफड़ों की कूपिका में गैसों का विनिमय*

श्वसन भागफल (Respiratory Quotient)

किसी पदार्थ का पूर्ण जारण में उत्पन्न CO_2 तथा प्रयुक्त O_2 के अनुपात को श्वसन भागफल या गैसीय विनिमय अनुपात (respiratory exchange ratio) कहते हैं।

$$RQ = \frac{CO_2 \text{ उत्पन्न}}{O_2 \text{ प्रयुक्त}}$$

कार्बोहाइड्रेट का श्वसन भागफल = 1, प्रोटीन का श्वसन भागफल = 0.87, वसा का श्वसन भागफल = 0.7 तथा कार्बनिक अम्लों का 1 से अधिक होता है। श्वसन भागफल (R.Q.) का मापन गैनोंग के रेसपाइरोमीटर (Ganong's Respirometer) द्वारा किया जाता है।

श्वसन विकार (Respiratory Disorders)

(*i*) छींक (Sneezing)
(*ii*) खाँसी (Cough)
(*iii*) डिस्प्निया (Dyspnea)
(*iv*) अवश्वसन (Hypopnea)
(*v*) अतिश्वसन (Hypernea)
(*vi*) अवऑक्सीयता (Hypoxia)
(*vii*) श्वसनीशाथ (Bronchitis)
(*viii*) स्वरयन्त्र शोथ (Laryngitis)
(*ix*) सायनोसिस (Cyanosis)
(*x*) श्वासावरोध (Asphyxia)
(*xi*) न्यूमोनिया (Pneumonia)
(*xii*) श्वसनी दमा (Bronchial Asthma)
(*xiii*) डिफ्थीरिया (Diphtheria)
(*xiv*) फुफ्फुसीय तपेदिक (Pulmonary Tuberculosis)
(*xv*) वियोजन व्याधि (Decomposition sickness)
(*xvi*) एम्फाइसोमा (Emphysoma)
(*xvii*) नासीय शोथ (Rhinitis)

मनुष्य का श्वसन तन्त्र (Respiratory System of Man)

मनुष्य में श्वसन तन्त्र, श्वसन अंगों से मिलकर बना होता है। यह तन्त्र नासा छिद्रों (Nostrils) से प्रांरम्भ होकर फेफड़ों (Lungs) तक होता है। श्वसन तन्त्र का मुख्य कार्य O_2 ग्रहण करना तथा CO_2 को वायुमण्डल में मुक्त करना है।

श्वसन तन्त्र में श्वसन अंगों की सहायता से श्वासोच्छवास (Breathing) की क्रिया पूर्ण होती है। इसे निम्नांकित रेखाचित्र (चित्र 7.3) द्वारा समझा जा सकता है–

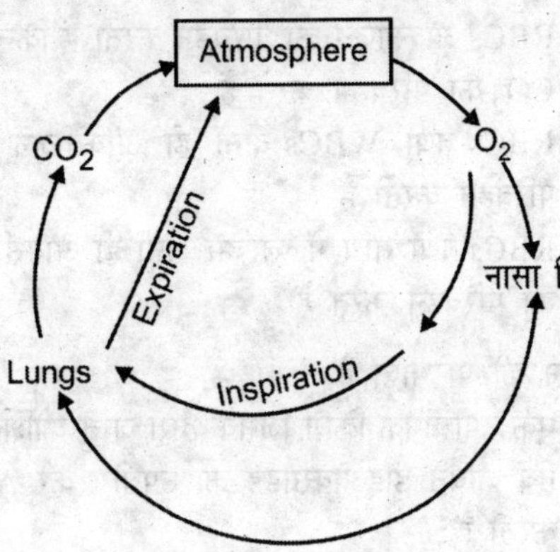

चित्र 7.3 : *श्वसन तन्त्र में O_2 का क्रमबद्ध श्वसन अंगों में प्रवेश (Inspiration) तथा CO_2 का वायुमण्डल में श्वसन अंगों से मुक्त होना (Expiration)*

श्वसन का नियन्त्रण (Regulation of Breathing)

श्वसन का नियन्त्रण केन्द्रीय तन्त्रिका तन्त्र के द्वारा होता है (चित्र 7.4)। एक मिनट में 12 से 18 बार प्रति मिनट की दर से सामान्य मनुष्य श्वसन करता है।

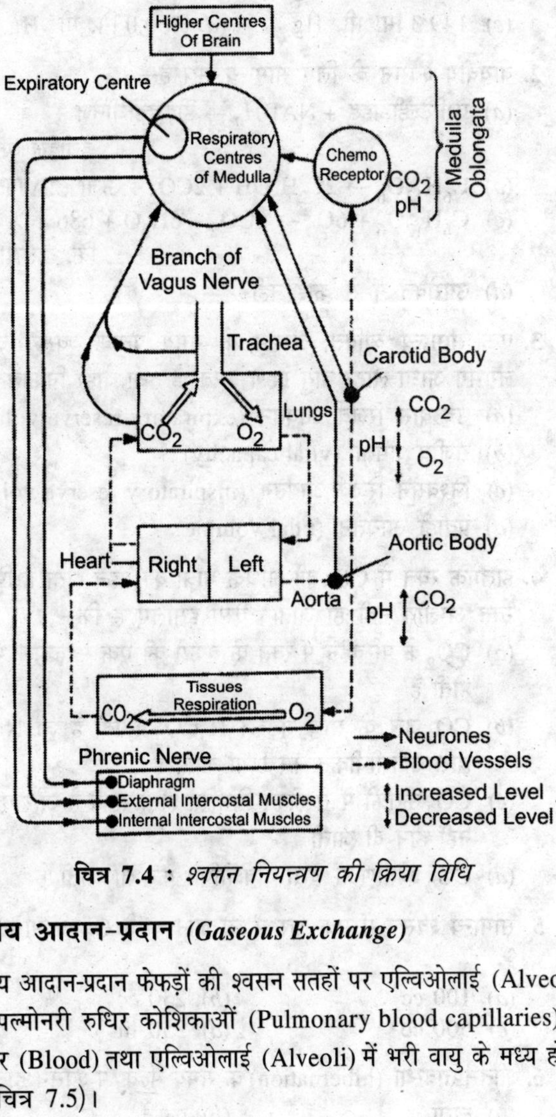

चित्र 7.4 : *श्वसन नियन्त्रण की क्रिया विधि*

गैसीय आदान-प्रदान (*Gaseous Exchange*)

गैसीय आदान-प्रदान फेफड़ों की श्वसन सतहों पर एल्विओलाई (Alveoli) की पल्मोनरी रुधिर कोशिकाओं (Pulmonary blood capillaries) के रुधिर (Blood) तथा एल्विओलाई (Alveoli) में भरी वायु के मध्य होता है (चित्र 7.5)।

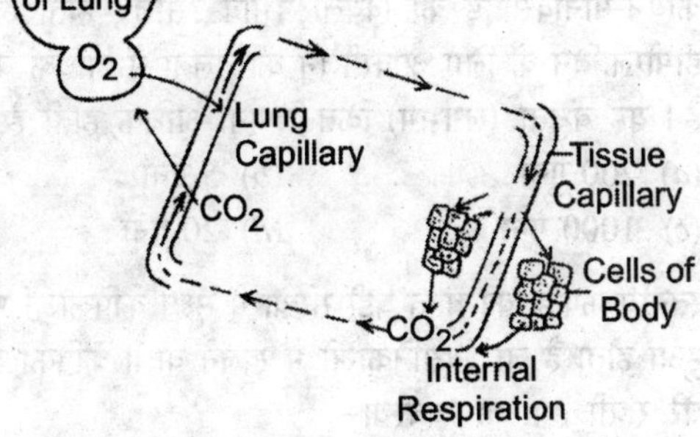

चित्र 7.5 : *गैसों का परिवहन (Transport of Gases)*

वस्तुनिष्ठ प्रश्न

1. अन्तः श्वसित (inspired) हवा में O_2 का दाब होता है–
(*a*) 566.0 मि. मी. Hg (*b*) 159.2 मि. मी. Hg
(*c*) 149.3 मि. मी. Hg (*d*) 760.0 मि. मी. Hg

2. वायवीय श्वसन के लिए सामान्य सूत्र है–
(*a*) एसीटेल्डीहाइड + $NADH_2 \rightarrow$ डीहाइड्रोजीनेज + इथाइल एल्कोहल
(*b*) $C_6H_{12}O_6 \rightarrow 2C_2H_5OH + 2CO_2$ + ऊजा (2ATP)
(*c*) $C_6H_{12}O_6 + 6O_2 \rightarrow 6CO_2 + 6H_2O + 686$ कि. कैलोरी ऊर्जा
(*d*) उपरोक्त में से कोई नहीं

3. एक सामान्य व्यक्ति, आराम के समय प्रत्येक श्वसन चक्र में लगभग आधा लीटर वायु ग्रहण करता है तथा बाहर निकालता है–
(*a*) उच्छवास रिजर्व आयतन (expiratory reserve volume)
(*b*) सजीव क्षमता (vital capacity)
(*c*) निश्वसन रिजर्व आयतन (inspiratory reserve volume)
(*d*) प्रवाही आयतन (tidal volume)

4. हालांकि रक्त में CO_2 की अधिक मात्रा का वहन होता है फिर भी रक्त अम्लीय नहीं हो जाता। ऐसा इसलिए है कि–
(*a*) CO_2 के परिवहन में रक्त के बफरों की एक महत्वपूर्ण भूमिका होती है
(*b*) CO_2 जल के साथ जुड़कर H_2CO_2 बनाता है जो $NaCO_3$ द्वारा उदासीनीकृत कर दिया जाता है
(*c*) CO_2 ऊतकों में से होकर विसरित होती रहती है और एकत्रित नहीं होने दी जाती
(*d*) CO_2 श्वेताणुओं द्वारा अवशोषित कर ली जाती है

5. सामान्य श्वसन में एक बार में ली जाने वाली O_2 की मात्रा cc में है–
(*a*) 100 cc (*b*) 250 cc
(*c*) 500 cc (*d*) 250 lit

6. शीतसुप्तावस्था (hibernation) के समय मेंढक में श्वसन होता है–
(*a*) त्वचा (*b*) फेफड़े
(*c*) क्लोम (*d*) पुस्तक क्लोम

7. कार्बन-मोनोक्साइड का विषैला प्रभाव इसलिए होता है कि इसमें हीमोग्लोबिन के लिए ऑक्सीजन की तुलना में अधिक बंधुता होती है। यह बंधुता (लगभग) कितनी गुना अधिक होती है?
(*a*) 200 गुना (*b*) 5 गुना
(*c*) 1000 गुना (*d*) 20 गुना

8. स्तनीय फेफड़ों का बहुत बड़ी संख्या में सूक्ष्म कूपिकाओं में विभाजन हुआ होता है जो श्वसनिकाओं में खुलने वाली कूपिका वाहिनी को घेरे रहती है। यह व्यवस्था–
(*a*) कूपिकाओं में संवातन की एक अकारगर प्रणाली है हालांकि अवशेषी वायु बहुत कम होती है
(*b*) कूपिकाओं में संवातन की एक अकारगर प्रणाली है जिसके कारण फेफड़ों में अवशेषी वायु की प्रतिशतता बहुत ज्यादा होती है
(*c*) कूपिकाओं में संवातन की एक बहुत कारगर प्रणाली है जिसमें अवशेषी वायु नहीं होता
(*d*) कूपिकाओं में संवातन की एक कारगर प्रणाली है जिसमें अवशेषी वायु बहुत कम रहती है

9. रक्त के माध्यम से कार्बनडाइऑक्साइड फेफड़ों में अधिकतर किस रूप में ले जाई जाती है?
(*a*) कार्बोमिनोहीमोग्लोबिन तथा बाइकार्बोनेट के रूप में
(*b*) केवल कार्बोनिक अम्ल के रूप में
(*c*) केवल हीमोग्लोबिन के साथ संयोजित
(*d*) रक्त प्लाज्मा में घुली हुई

10. श्वसन भागफल होता है–
(*a*) मुक्त हुई O_2 तथा पौधे द्वारा ग्रहण की गई CO_2 का अनुपात
(*b*) श्वसन के समय मुक्त हुई O_2 का अनुपात
(*c*) श्वसन के समय मुक्त हुई CO_2 तथा ग्रहण की गयी O_2 का अनुपात
(*d*) उपरोक्त में से कोई भी

11. आराम के समय मनुष्य को आवश्यकता होती है–
(*a*) लगभग 300 लीटर O_2 प्रति 24 घण्टे
(*b*) लगभग 300 लीटर O_2 प्रति मिनट
(*c*) लगभग 300 लीटर O_2 प्रति सेकण्ड
(*d*) 24 घण्टे में 10 लीटर से अधिक O_2 की आवश्यकता नहीं होती

12. रक्त रचकों तथा श्वसन गैसों के परिवहन के सम्बन्ध में निम्न में से कौन-सा कथन सबसे सही है?
(*a*) RBCs ऑक्सीजन का परिवहन तथा WBCs CO_2 का परिवहन करती हैं
(*b*) RBCs ऑक्सीजन का परिवहन करती हैं किन्तु प्लाज्मा केवल CO_2 का परिवहन करते हैं
(*c*) RBCs तथा WBCs दोनों ही ऑक्सीजन तथा CO_2 का परिवहन करती हैं
(*d*) RBCs तथा साथ में प्लाज्मा दोनों ही ऑक्सीजन तथा CO_2 का परिवहन करते हैं

13. श्वसन की परिभाषा है–
(*a*) एक उपाचयिक क्रिया जिसके द्वारा जन्तु कोशिकाएँ ऑक्सीजन एवं कार्बन डाइऑक्साइड का उपयोग कर ATP का निर्माण करती हैं
(*b*) एक अपचयिक क्रिया जिसके द्वारा जन्तु कोशिकाएँ ऑक्सीजन का उपयोग कर कार्बन डाइऑक्साइड का निर्माण करती हैं एवं उत्पादित ऊर्जा को ATP में परिवर्तित करती हैं

(*c*) एक अपचयिक क्रिया जिसके द्वारा जन्तु कोशिकाएँ कार्बन डाइऑक्साइड का उपयोग कर ऑक्सीजन का निर्माण करती है एवं उत्पादित ऊर्जा को ATP में परिवर्तित करती हैं
(*d*) एक अपचयिक क्रिया जिसके द्वारा जन्तु कोशिका कार्बन डाइऑक्साइड का निर्माण करती है एवं उत्पादित ऊर्जा को ATP में परिवर्तित करती हैं

14. मनुष्य तथा स्तनधारियों में वायु बाहर से फेफड़ों में प्रवेश करती है (सही क्रम चुनें)
(*a*) नासा वेश्म, फैरिंग्स, ट्रैकिया, श्वसनी, श्वसनिका
(*b*) नासा वेश्म, लैरिंग्स, ट्रैकिया, श्वसनिका, वायु कूपिकाएँ
(*c*) नासा वेश्म, लैरिंग्स, फैरिंग्स, ट्रैकिया, श्वसनी, श्वसनिका, वायु कूपिकाएँ
(*d*) नासा वेश्म, लैरिंग्स, ट्रैकिया, श्वसनिका, श्वसनी, वायु

15. हीमोग्लोबिन कार्बन मोनोक्साइड के साथ एक स्थायी यौगिक बनाता है जो मनुष्य के लिए घातक हो सकता है। ऐसे समय में मृत्यु का कारण होता है–
(*a*) रुधिर में एकत्रित CO_2 की अत्यधिक मात्रा
(*b*) ऊतकों को O_2 का उपलब्ध न होना
(*c*) शरीर कोशिकाओं में ग्लाइकोलिसिस रुक जाता है
(*d*) रुधिर में यूरिया एकत्र होने लगती है

16. हैल्डेन के प्रभाव (Haldane's effect) के अनुसार ऑक्सीहीमोग्लोबीन कैसा व्यवहार करता है?
(*a*) ऑक्सीहीमोग्लोबिन प्रभावशाली अम्ल की भाँति व्यवहार करता है जिसमें CO_2 के साथ मिलने की क्षमता कम हो जाती है
(*b*) ऑक्सीहीमोग्लोबिन प्रभावशाली क्षार की भाँति व्यवहार करता है जिससे CO_2 के साथ मिलने की क्षमता कम हो जाती है।
(*c*) ऑक्सीहीमोग्लोबिन प्रभावशाली अम्ल के समान व्यवहार करता है जिसमें CO_2 के साथ मिलने की क्षमता अधिक हो जाती है
(*d*) ऑक्सीहीमोग्लोबिन प्रभावशाली क्षार के समान व्यवहार करता है जिससे CO_2 के साथ मिलने की क्षमता अधिक हो जाती है

17. एक सामान्य वयस्क मानव में 1500 ml की मात्रा कौन से श्वसन आयतन को व्यक्त करती है?
(*a*) अवशिष्ट आयतन
(*b*) निःश्वसन रिजर्व आयतन
(*c*) सम्पूर्ण फुफ्फुस क्षमता
(*d*) साँस द्वारा भीतर ले जायी जाने और बाहर निकाली जा सकने वाली अधिकतम वायु

18. मानव 18,000 फीट की ऊँचाई से अधिक पर जीवित नहीं रह पाता क्योंकि–
(*a*) O_2 उपलब्ध नहीं हो पाती
(*b*) O_2 के आंशिक दाब में कमी हो जाती है अतः फेफड़ों में O_2 विसरित नहीं हो पाती
(*c*) फेफड़ों को O_2 उपलब्ध नहीं हो पाती
(*d*) O_2 का प्रतिशत केवल 20.95 होता है

19. जब कार्बोहाइड्रेट का अवायवीय श्वसन होता है तब श्वसन भागफल (R.Q.) होता है–
(*a*) 1 (*b*) α
(*c*) 1.7 (*d*) 1.4

20. फेफड़ों की वायु कूपिकाओं में CO की कम से कम कौन-सी सान्द्रता व दाब है जो मनुष्य के लिए घातक होती है–
(*a*) 1.0%, 0.7 mm Hg (*b*) 0.4%, 0.7 mm Hg
(*c*) 2.7%, 0.4 mm Hg (*d*) 0.3%, 0.4 mm Hg

21. मेंढक में मुखग्रसनी (buccopharyngeal) श्वसन–
(*a*) नासाछिद्र के बन्द होने पर बढ़ जाता है
(*b*) फुफ्फुसीय श्वसन के समय स्थगित रहता है
(*c*) कीट भक्षण के समय बढ़ जाता है
(*d*) मुख खुला रहने पर रुक जाता है

22. मनुष्य में वायु के प्रवेश का सही अनुक्रम कौन सा है?
(*a*) नासा गुहा → ग्रसिका → लैरिंग्स → श्वासनाल → श्वसनी → श्वसनिका → कूपिका
(*b*) नासा गुहा → लैरिंग्स → श्वसनी → ग्रसिका → श्वासनाल → श्वसनिका → कूपिका
(*c*) नासा गुहा → ग्रसिका → श्वासनाल → लैरिंग्स → श्वसनी → श्वसनिका → कूपिका
(*d*) नासा गुहा → लैरिंग्स → ग्रसिका → श्वासनाल → श्वसनी → श्वसनिका → कूपिका

23. अगर समुद्र तट के निकट रहने वाला व्यक्ति एवरेस्ट की चोटी पर चला जाए तब–
(*a*) इसका श्वासोच्छवास तथा हृदय स्पंदन बढ़ जाएगा
(*b*) इसका श्वासोच्छवास तथा हृदय स्पंदन कम हो जाएगा
(*c*) इसकी श्वसन दर कम हो जाएगी
(*d*) इसकी हृदय स्पंदन कम हो जाएगी

24. एक व्यक्ति का रुधिर परीक्षण करने पर ज्ञात हुआ कि उसके रुधिर में कार्बोक्सिहीमोग्लोबिन की अधिक मात्रा है। निम्न में से कौन-सा निष्कर्ष सबसे अधिक सम्भावित है?
वह रोगी प्रदूषण युक्त वायु में साँस ले रहा था जिसमें थी उच्च मात्रा–
(*a*) कार्बन डाइसल्फाइड की (*b*) क्लोरोफार्म की
(*c*) कार्बन डाइऑक्साइड की (*d*) कार्बन मोनोक्साइड की

25. ग्रसिका तथा मध्य कर्ण किसके द्वारा परस्पर सम्बन्धित है?
(*a*) कर्णपट्टी नाल (tympanic canal)
(*b*) यूस्टेकी नाल (eustachian canal)
(*c*) कर्णवर्त नाल (cochlear canal)
(*d*) प्रघाणी नाल (vestibular canal)

26. खरहे के फेफड़े में बलात उच्छवसन के समय वायु का आयतन कहलाता है–
(*a*) सप्लीमेंट्री आयतन (*b*) उच्छवसन क्षमता
(*c*) ज्वारीय वायु (*d*) सम्पूर्ण क्षमता

27. हीमोग्लोबिन के एक अणु से ऑक्सीजन के कितने अणु संयुक्त होते हैं?
(*a*) 1 (*b*) 2
(*c*) 3 (*d*) 4

28. फुफ्फस-धमनी का प्रादुर्भाव कहाँ से होता है?
(*a*) बायाँ निलय (*b*) दायाँ अलिंद
(*c*) दायाँ निलय (*d*) बायाँ अलिंद

29. मनुष्य की उच्छ्वासित (expired) वायु में ऑक्सीजन का प्रतिशत है–
(*a*) 4% (*b*) 10%
(*c*) 16% (*d*) 20%

30. स्तनधारियों में ध्वनि की उत्पत्ति किसके द्वारा होती है–
(*a*) शब्दिनी (syrinx) द्वारा
(*b*) श्वसनी (bronchus) द्वारा
(*c*) निःश्वसन (inhalation) के समय
(*d*) उच्छ्वसन (exhalation) के समय

31. स्वर यंत्र (larynx) स्तरित होता है–
(*a*) रोमाभि एपीथीलियम द्वारा
(*b*) कूटस्तरित एपीथीलियम द्वारा
(*c*) स्तम्भी एपीथीलियम द्वारा
(*d*) स्तरित शल्की एपीथीलियम द्वारा

32. निम्न में से एम्फाइसेमा के समय होता है–
(*a*) फेफड़ों की कूपिकाओं का पृष्ठीय क्षेत्रफल कम हो जाता है
(*b*) फेफड़ों की कूपिकाओं का पृष्ठीय क्षेत्रफल बढ़ जाता है
(*c*) श्वासनाल सिकुड़ जाती है
(*d*) श्वसनिकाओं में ऐंठन हो जाती है

33. पक्ष्माभी उपकला (ciliated epithelium) पाई जाती है–
(*a*) श्वासनाल में (*b*) मूत्राशय में
(*c*) आमाशय में (*d*) आन्त्र में

34. अगर CO_2 की सान्द्रता बढ़ जाए, तो श्वसन पर क्या प्रभाव पड़ेगा?
(*a*) श्वसन की दर बढ़ जाएगी
(*b*) इसमें कोई परिवर्तन नहीं होगा
(*c*) श्वसन की दर कम हो जाएगी
(*d*) पहले बढ़ेगी फिर घटेगी

35. फेफड़ों की कूपिकाओं में गैस विनिमय के स्थान पर वायु तथा रक्त के बीच में क्या होता है?
(*a*) केवल कूपिकीय एपिथीलियम
(*b*) कूपिकीय एपिथीलियम तथा केशिका एंडोथीलियम
(*c*) कूपिकीय एपिथीलियम, केशिका एंडोथीलियम तथा ट्यूनिका ऐडवेंटिशिया
(*d*) कूपिकीय एपिथीलियम, केशिका एंडोथीलियम, एक पतली परत ट्यूनिका मीडिया की तथा ट्यूनिका ऐडवेंटिशिया

36. फेफड़ों से लौटने वाली ऑक्सीजन का दाब रुधिर में (pO_2) 100 m.m. Hg है, यदि यही ऑक्सीजन प्रतिशत ऊतक द्रव में हो जाए तो जन्तु की मृत्यु हो जायगी, क्योंकि इसका अर्थ होगा–
(*a*) हीमोग्लोबिन की ऑक्सीजन से संयुक्त होने की क्षमता समाप्त हो गई
(*b*) कोशिकाएँ ऊतक द्रव से ऑक्सीजन नहीं ले पा रही
(*c*) ऑक्सीकृत रुधिर का हीमोग्लोबिन ऊतकों में O_2 संयुक्त नहीं कर रहा
(*d*) इनमें से कोई नहीं

37. कुछ जन्तुओं का रुधिर नीला होता है क्योंकि उसमें होता है–
(*a*) साइटोक्रोम (*b*) कोबाल्ट
(*c*) हीमोसाइनिन (*d*) हीमोग्लोबिन

38. गहरा श्वास लेने के बाद कुछ समय के लिये श्वसन क्रिया रुक जाती है, क्योंकि–
(*a*) नाइट्रोजन रुधिर में घुल जाती है
(*b*) रुधिर में O_2 की कमी हो जाती है
(*c*) वक्ष पेशियाँ झुक जाती हैं
(*d*) रुधिर में CO_2 की कमी हो जाती है

39. स्तनधारियों में कौन-सा अंग श्वसन में सहायक नहीं होता?
(*a*) लैरिंग्स (*b*) डायफ्राम
(*c*) उदर पेशियाँ (*d*) पसलियाँ

40. फेफड़ों से ऊतकों तक जाने व वापिस लौटने के एक चक्र में हीमोग्लोबिन द्वारा कितनी ऑक्सीजन मात्रा निकलती है?
(*a*) 50% (*b*) 25%
(*c*) 75% (*d*) 100%

उत्तरमाला

1	2	3	4	5	6	7	8	9	10
(*b*)	(*c*)	(*d*)	(*a*)	(*a*)	(*a*)	(*a*)	(*d*)	(*a*)	(*c*)
11	**12**	**13**	**14**	**15**	**16**	**17**	**18**	**19**	**20**
(*a*)	(*d*)	(*b*)	(*a*)	(*b*)	(*a*)	(*a*)	(*b*)	(*b*)	(*a*)
21	**22**	**23**	**24**	**25**	**26**	**27**	**28**	**29**	**30**
(*d*)	(*a*)	(*a*)	(*d*)	(*b*)	(*b*)	(*d*)	(*c*)	(*c*)	(*d*)
31	**32**	**33**	**34**	**35**	**36**	**37**	**38**	**39**	**40**
(*d*)	(*a*)	(*a*)	(*a*)	(*b*)	(*b*)	(*c*)	(*d*)	(*a*)	(*b*)

●●●

अध्याय

8 परिसंचरण तन्त्र (Circulatory System)

- प्राणियों में पचे हुए भोजन, ऑक्सीजन तथा अन्य उपयोगी पदार्थ जैसे–विटामिन्स (Vitamins), एन्जाइम्स (Enzymes), हॉर्मोन्स (Hormones) आदि को शरीर के प्रत्येक भाग में ले जाने के लिए तथा उत्सर्जी पदार्थों (Excretory substances) को विभिन्न भागों से एकत्रित करके उत्सर्जी अंगों तक लाने के लिए परिसंचरण तन्त्र (Circulatory system) पाया जाता है।
- जन्तुओं के बढ़ते हुए आकार तथा जटिल संरचना के साथ ही परिसंचरण तन्त्र भी जटिल होता जाता है।
- परिसंचरण तन्त्र में संवहन माध्यम रुधिर (Blood) होता है जो लगातार जीव के शरीर के सम्पूर्ण भाग में संवाहित (Circulate) होता रहता है, हृदय (Heart) तथा रुधिर वाहिनियाँ (Blood vessels) इस तन्त्र के अनिवार्य भाग होते हैं।
- विलियम हार्वे (William Harvey) ने सन् 1628 में परिवहन तन्त्र की खोज की।

परिवहन तन्त्र (Circulatory system)

बन्द परिवहन तन्त्र (Close circulatory system)

रुधिर हृदय, वाहिनियों तथा केशिकाओं में बहता है और कभी भी शरीर के ऊतकों के या देहगुहा के सीधा सम्पर्क में नहीं आता।

खुला परिवहन तन्त्र (Open circulatory system)

रुधिर हृदय व वाहिनियों में बहता है जो ऊतकों में बने कोटरों में खुल जाती हैं तथा रुधिर ऊतकों व अंगों के सीधा सम्पर्क में रहता है। **उदाहरण**–आर्थ्रोपोडा तथा मोलस्का।

तालिका : खुला परिवहन तंत्र तथा बन्द परिवहन तन्त्र में अन्तर

	खुला परिवहन तंत्र		बन्द परिवहन तंत्र
1.	रुधिर (Blood), वाहिनियों (Vessels) में बहता है किन्तु अनेक स्थानों पर यह ऊतकों (Tissues) के सीधे सम्पर्क में आता है।	1.	रुधिर केवल वाहिनियों (Vessels) जैसे–धमनी (Artery) एवं शिराओं (Veins) में ही बहता है तथा ऊतकों के सीधे सम्पर्क में नहीं आता।
2.	रुधिर वाहिनियाँ (Blood vessels) रुधिर रिक्तिकाओं (Blood spaces) में खुलती हैं जिनमें अंग (Organ) स्थित हो सकते हैं।	2.	रुधिर रिक्तिकाएं (Blood spaces) अनुपस्थित होती हैं।
3.	आर्थ्रोपोडा तथा कुछ मोलस्का में पाया जाता है।	3.	सिफैलेपोड, ऐनिलिडा, मोलस्का तथा सभी कशेरुकी में पाया जाता है।
4.	हीमोसील (Haemocoel) नामक गुहा रुधिर (Blood) से भरी रहती है।	4.	हीमोसील अनुपस्थित होती है।

हृदय (Heart)

हृदय त्रिभुजाकार या शंक्वाकार खोखला पेशीय अंग होता है जो परिवहन तन्त्र (Circulatory system) में स्पन्दन अंग (Beating organ) की तरह कार्य करता है। क्लार्क ने सन् 1927 में चार तरह के हृदयों को बताया जो कि निम्नलिखित हैं।

(*i*) **स्पन्दित वाहिनी (Pulsating Vessels) :** इस प्रकार का हृदय एनीलिड्स के केचुआ एवं नेरिस में पाया जाता है।

(*ii*) **नालाकार हृदय (Tubular Heart) :** नालाकार हृदय आर्थ्रोपोडा में पाया जाता है।

(*iii*) **सहायक हृदय (Accessory Heart) :** यह कुछ सिफेलोपॉड्स (Cephalopods) तथा टीनिडिया (Ctenidia) में पाया जाता है।

(*iv*) **कक्षीय हृदय (Chambered Heart) :** इस प्रकार का हृदय मोलस्का (Mollusca) तथा सभी कशेरूकी (Vertebrates) में पाया जाता है तथा इसमें हृदय कक्षों में विभाजित रहता है जिसे अलिन्द (Auricle) तथा निलय (Ventricle) कहते हैं।

कार्मिकी (Physiology) के आधार पर हृदय दो प्रकार के होते हैं।

(*i*) **मायोजेनिक हृदय (Myogenic Heart) :** इसमें हृदय स्वयं की हृदय पेशियों के द्वारा स्पन्दित होता है। कशेरुक (Vertebrates) एवं मोलस्का (Mollusca) में।

(*ii*) **न्यूरोजेनिक हृदय (Neurogenic Heart) :** इसमें स्पन्दन दर नर्व गेंगलियान (Nerve Ganglion) के द्वारा नियन्त्रित होता है। सभी अकशेरुक जन्तुओं (All invertebrate) में।

हृदय की संरचना (Structure of Heart)

बाह्य संरचना (External Structure) : स्थिति–मनुष्य में हृदय शंक्वाकार, खोखली एवं पेशीय रचना के रूप में वक्षीय गुहा (Thoracic cavity) में दोनों फेफड़ों (Lungs) के मध्य स्थित होता है (चित्र 8.1)।

संरचना : हृदय की पेशियों में रेखित (striated) पेशी तथा अरेखित (unstriated) पेशी दोनों के समान गुण पाए जाते हैं। यह अनैच्छिक रूप से जीवन-पर्यन्त गति करता रहता है।

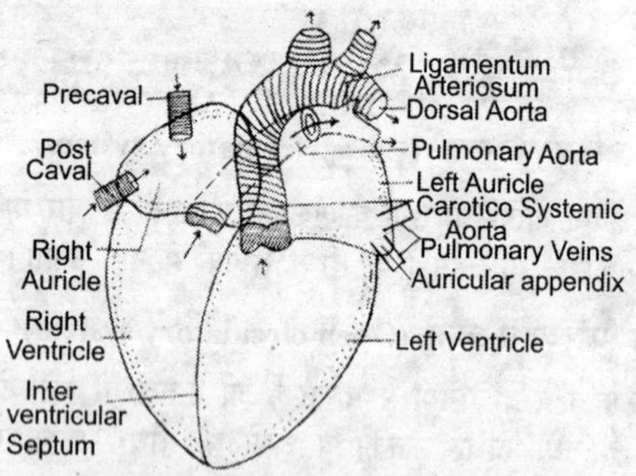

चित्र 8.1 : *हृदय की बाह्य संरचना*

स्तनधारी का धमनी तन्त्र (Arterial System of Mammals)

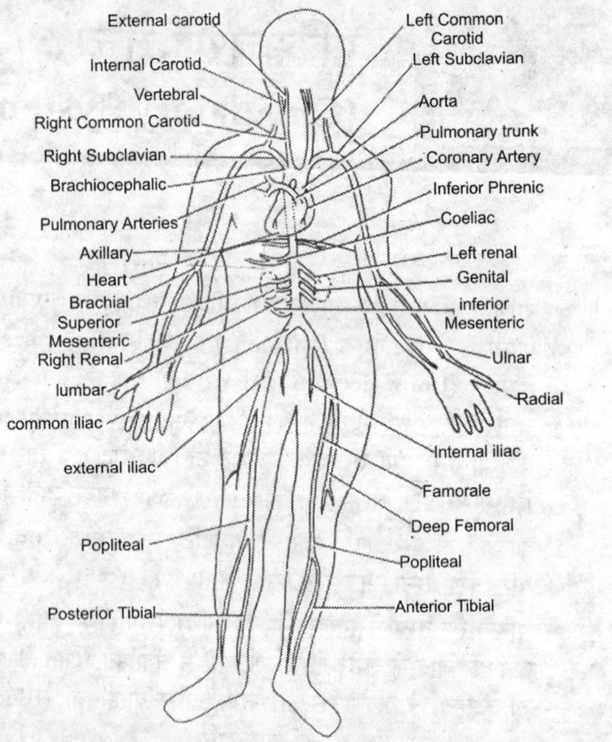

चित्र 8.2 : *स्तनधारी का धमनी तन्त्र (Arterial system of mammals)*

तालिका : धमनी व शिरा तन्त्र में विभेद

धमनी तन्त्र (Arterial System)	शिरा तन्त्र (Veinous System)
1. इसमें रुधिर हृदय से अंगों की दिशा में बहता है।	1. इसमें रुधिर अंगों से हृदय की तरफ बहता है।
2. हृदय पम्पिंग के कारण रुधिर का प्रवाह तेज गति से होता है।	2. इसमें रुधिर प्रवाह धीमी गति से होता है।
3. इसमें सामान्यतः ऑक्सीजनित रुधिर का प्रवाह होता है।	3. इसमें सामान्यतः अनॉक्सीजनित रुधिर का प्रवाह होता है।
4. अवकाशिका संकरी होती है।	4. अवकाशिका चौड़ी होती है।
5. कपाट अनुपस्थित होता है।	5. कपाट उपस्थित होता है।
6. इसका मध्य स्तर बहुत अधिक मोटा होता है।	6. इसका मध्य स्तर बहुत ही पतला होता है।

स्तनधारियों (Mammals) का परिसंचरण तन्त्र

स्तनधारियों में परिसंचरण तन्त्र (Circulatory system) विकसित प्रकार का पाया जाता है जिसमें हृदय कक्षों (Chambers) में बंटा होता है जिन्हें अलिन्द (Auricle) एवं निलय (Ventricles) कहते हैं।

परिसंचरण में हृदय का कार्य रुधिर (Blood) को शरीर के विभिन्न भागों में पम्प (Pump) करना है। शरीर में धमनी (Artery) तथा शिराओं (Veins) का जाल पाया जाता है जिससे परिसंचरण तन्त्र जटिल प्रकार का होता है (चित्र 8.3)।

मनुष्य में परिसंचरण तन्त्र (Circulatory System in Man)

मनुष्य में परिसंचरण तन्त्र हृदय (Heart), धमनी (Artery) तथा शिराओं (Veins) से मिलकर बना होता है।

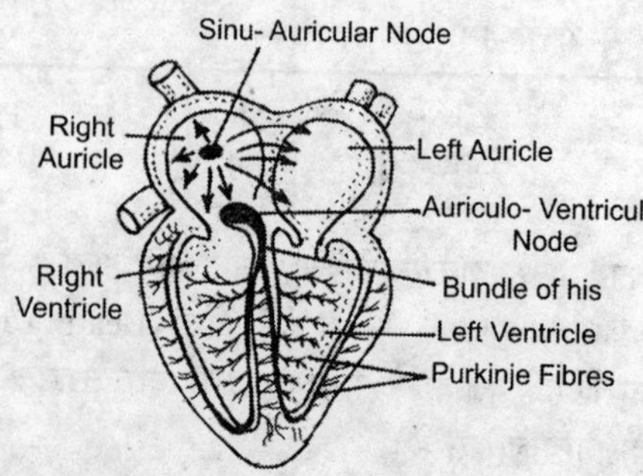

चित्र 8.3 : *हृदय का संवहन तन्त्र*

हृदय की क्रिया (Function of Heart)

हृदय का कार्य शरीर के विभिन्न भागों को रुधिर पम्प करना है। यह कार्य हृदय के हृदयक पेशियों (Cardiac muscles) के संकुचन (Contraction)

तथा शिथिलन (Relaxation) के द्वारा पूर्ण होता है (चित्र 8.4)। इसके कारण रुधिर का परिसंचरण शरीर में सदैव एक निश्चित दिशा में होता रहता है। रुधिर परिसंचरण क्रिया की खोज विलियम हार्वे (William Harvey–1628) ने की थी (चित्र 8.5)।

(A) Atria in State of Diastole and Filling with Blood

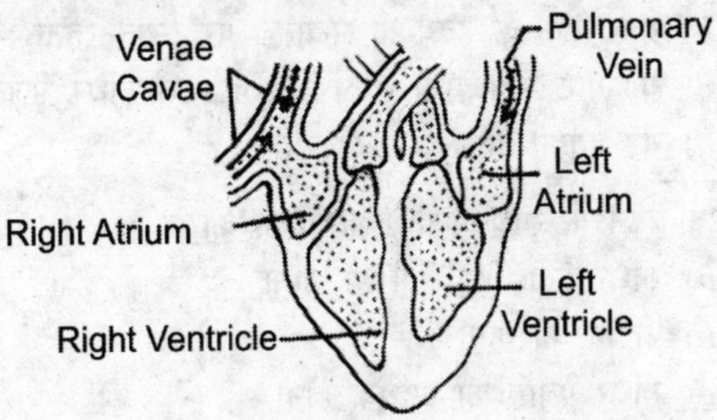

(B) Atrial Systole Forces Blood in to Ventricles. Bicuspid and Tricuspid Valve open. Sphincters of venae Cavae and Pulmonary veins closed.

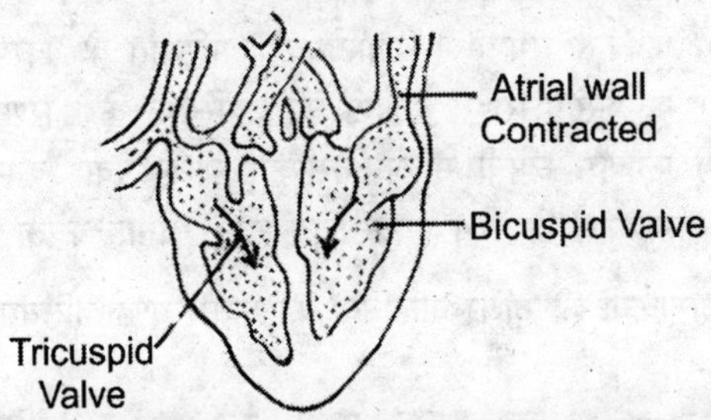

(C) Atria Relax Ventricles Contract. Blood propelled into Aorta and Pulmonary Artery.

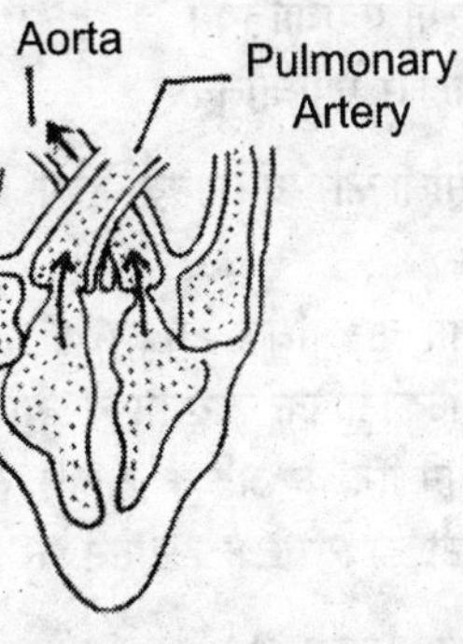

(D) Valves of Aorta and Pulmonary artery close. Atria Begin to Refill, Ventricles in State of Diastole

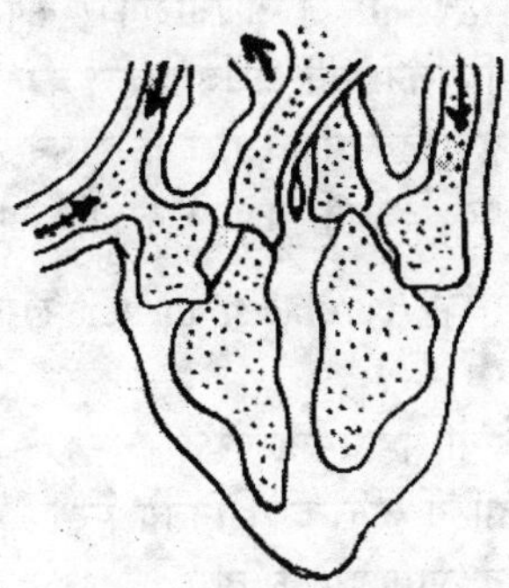

चित्र 8.4 : *हृदय धड़कन की क्रियाविधि*

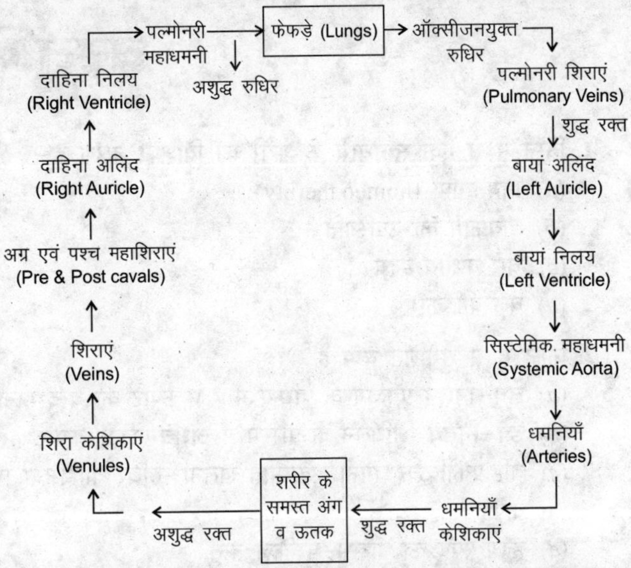

चित्र 8.5 : *हृदय में रुधिर परिसंचरण मार्ग का रेखाचित्र*

परिसंचरण तन्त्र के विकार (Disorders of Circulatory System)

(*i*) **हृदय घात (Coronary heart disease) :** कोरोनरी धमनी में रुधिर का थक्का इकट्ठा हो जाने से ऑक्सीजन की आपूर्ति में कमी हो जाती है जिसे हृदय घात कहते हैं। सामान्यतः दाहिनी कोरोनरी धमनी में रुधिर का थक्का बन जाता है।

(*ii*) **उच्च रक्तचाप/अतितनाव (Hypertension) :** जब धमनीय रुधिर दबाव में सामान्य से अधिक वृद्धि हो जाती है तो उसे उच्च रक्तचाप या अतितनाव कहते हैं।

(*iii*) **ब्रेडीकार्डिया (Bradycardia) :** जब हृदय धीमी गति से धड़कता है तो उसे ब्रेडीकार्डिया कहते हैं।

(*iv*) **रक्तगुल्म (Haematoma) :** जब ऊतक में रुधिर एकत्र हो जाता है तो उसे रक्त गुल्म कहते हैं।

(*v*) **रुधिर स्राव (Haemorrhage) :** रुधिर हानि के कारण धमनी तथा शिरा दोनों में ही रुधिर दाब में कमी हो जाती है।

(*vi*) **टैकीकार्डिया (Tachycardia) :** जब हृदय बहुत तेज धड़कने लगता है तो उसे टैकीकार्डिया कहते हैं सामान्यतः यह एडीनोलिन के अधिक उत्पादन से होता है।

(*vii*) **कोरोनरी थ्रोम्बोसिस (Coronary thrombosis) :** कोरोनरी धमनी में रुधिर का थक्का बन जाने को कोरोनरी थ्रोम्बोसिस कहते हैं।

(*viii*) **मायोकार्डियल इन्फ्रैक्शन (Myocardial Infraction) :** जब हृदय पेशियों के किसी भी भाग की रुधिर आपूर्ति बन्द हो जाती है जिससे पेशियों का भाग मृत हो जाता है तो इसे मायोकार्डियल इन्फ्रैक्शन कहते हैं।

(*ix*) **हृदय अवरोध (Heart Blockage) :** हृदय अवरोध में हृदय के संवहनी तन्त्र के किसी भाग में हृदय प्रेरणा आगे जाने से रूक जाती है।

(*x*) **रुमेटिक हृदय रोग (Rheumatic Heart Disease) :** बचपन में हुए रुमेटिक ज्वर के बाद रुमेटिक हृदय रोग हो जाता है।

वस्तुनिष्ठ प्रश्न

1. निम्न में से एक स्तनधारी के शरीर का विशिष्ट लक्षण है–
(*a*) नियततापी (homeo thermy)
(*b*) डायफ्राम की उपस्थिति
(*c*) चार कक्षीय हृदय
(*d*) वक्ष कंडिका

2. निम्न में से सुमेलित युग्म है–
(*a*) लब–निलय प्रकुंचन के प्रारम्भ में AV कपाट का बन्द होना
(*b*) डप–निलय शिथिलन के प्रारम्भ में अर्धचन्द्राकार कपाट
(*c*) बहिःप्रकोष्ठिक धमनी अकस्मात खुलना–रुधिर वाहिनियों में कपाट
(*d*) हृदय स्पंद का प्रारम्भ–पुरकिंजे तन्तु

3. निलय प्रकुंचन के समय–
(*a*) ऑक्सीजनित रुधिर फुफ्फुस शिरा में पम्पित होता है तथा विऑक्सीजनित रुधिर फुफ्फुस धमनी में पम्पित होता है
(*b*) ऑक्सीजनित रुधिर महाधमनी में पम्पित होता है तथा विऑक्सीजनित रुधिर फुफ्फुस धमनी में पम्पित होता है
(*c*) ऑक्सीजनित रुधिर फुफ्फुस धमनी में पम्पित होता है तथा विऑक्सीजनित रुधिर महाधमनी में पम्पित होता है
(*d*) ऑक्सीजनित रुधिर महाधमनी में पम्पित होता है तथा विऑक्सीजनित रुधिर फुफ्फुस शिरा में पम्पित होता है

4. "डप" ध्वनि उत्पन्न होती है–
(*a*) त्रिवलन कपाटों के बन्द होने पर
(*b*) अर्धचन्द्राकार कपाटों के बन्द होने पर
(*c*) मिट्रल कपाटों के बन्द होने पर
(*d*) इनमें से कोई नहीं

5. कोलेस्ट्रॉल के जमने के कारण धमनियों की कठोरता को कहते हैं–
(*a*) स्टेनोसिस (stenosis)
(*b*) राइनाइटिस (rhinitis)
(*c*) आरटीरियोस्कलेरोसिस (arteriosclerosis)
(*d*) थ्रोम्बोसिस (thrombosis)

6. फेफड़ों की सजीव क्षमता होती है–
(*a*) 1RV + ERV + TV – RV
(*b*) 1RV + ERV
(*c*) IRV + ERV + TV
(*d*) निश्वसन आयतन (1RV) + उच्छवसन आयतन (ERV) + प्रवाही आयतन (TV) + अवशेषी आयतन (RV)

7. मेंढक के हृदय में कितने वेश्म होते हैं?
(*a*) दो निलय तथा एक अलिंद
(*b*) दो अलिंद तथा दो निलय
(*c*) एक अलिंद, एक शिरा कोटर तथा एक निलय
(*d*) दो अलिंद तथा एक निलय

8. शिरापात्र के सम्बन्ध में कौन सही है?
(*a*) यह शशक के हृदय के पृष्ठतल पर स्थित रहता है
(*b*) यह मेंढक के हृदय के मध्यतल पर स्थित रहता है
(*c*) यह पृष्ठ महाधमनी (dorsal aorta) में रुधिर भेजता है
(*d*) यह दाहिने अलिन्द में खुलता है

9. उम्र बढ़ने के साथ गंजापन होने का कारण है–
(*a*) रुधिर प्रवाह का कम हो जाना
(*b*) प्रोटीन की कमी
(*c*) रुधिर प्रवाह का अधिक होना
(*d*) कार्बोहाइड्रेटों की कमी

10. फुफ्फुस धमनी भिन्न होती है फुफ्फुस शिरा से–
(*a*) बड़ी अवकाशिका के कारण
(*b*) फुफ्फुस धमनी में कपाटों की उपस्थिति के कारण
(*c*) फुफ्फुस शिरा में कपाटों की उपस्थिति के कारण
(*d*) फुफ्फुस धमनी में अनॉक्सीकृत रुधिर प्रवाह करता है तथा फुफ्फुस शिरा में ऑक्सीकृत रुधिर प्रवाह करता है।

11. कशेरुकियों की रुधिर वाहिनियों की भीतरी एण्डोथीलियम बनी होती है–
(*a*) सरल शल्की एपीथीलियम
(*b*) रोमाभि कोशिकाएँ
(*c*) स्तम्भी एपीथीलियम
(*d*) घनाकार एपीथीलियम

12. किसी साक्षात्कार के समय हृदय धड़कन की दर बढ़ जाती है क्योंकि–
(*a*) रेनिन के अधिक स्रावण के कारण
(*b*) कार्टिकोट्रोपिक हॉरमोन के स्रावण के कारण
(*c*) एड्रीनेलीन के अधिक स्रावण के कारण
(*d*) एण्टी डाययूरेटिक हॉरमोन के अधिक स्रावण के कारण

13. हृदय में लब-डप (lubb-dup) की ध्वनि होती है, यह क्रमशः निम्न कारण से सुनाई देती है–
(*a*) त्रिवलनी, द्विवलनी एवं अर्धचन्द्राकार कपाटों के खुलने से
(*b*) त्रिवलनी, द्विवलनी एवं अर्धचन्द्राकार कपाटों के बन्द होने से
(*c*) त्रिवलनी एवं द्विवलनी कपाटों के खुलने से
(*d*) त्रिवलनी एवं द्विवलनी कपाटों के बन्द होने से

14. कार्डियक अवरोधक (cardiac sphincter) खरगोश में कहाँ पाया जाता है?
(*a*) हृदय में बाँयी महाधमनी पर
(*b*) हृदय में दाहिने अलिन्द व निलय पर
(*c*) ग्रासनाल व आमाशय के बीच
(*d*) आमाशय व ग्रहणी के बीच

15. यदि हृदय को जाने वाली परानुकम्पी तन्त्रिका काट दी जाये तो हृदय धड़कन–
(*a*) बढ़ जायेगी (*b*) घट जायेगी
(*c*) सामान्य रहेगी (*d*) बन्द हो जायेगी

16. स्तनधारियों की कौन-सी रुधिर वाहिनी में यूरिया की सर्वाधिक मात्रा होती है?
(*a*) यकृत निवाहिका शिरा (*b*) यकृत शिरा
(*c*) वृक्क धमनी (*d*) यकृत धमनी

17. द्विवलन कपाट (bicuspid valve) रुधिर को बहने देता है–
(*a*) दाहिने अलिन्द से बाएँ निलय में
(*b*) दाहिने अलिन्द से दाहिने निलय में
(*c*) बाएँ अलिन्द से बाएँ निलय में
(*d*) पश्च महाशिरा से हृदय में

18. जन्तु जगत में सबसे बड़ा हृदय किस प्राणी में मिलता है?
(*a*) सिंह (*b*) जिराफ
(*c*) हाथी (*d*) गेण्डा

19. पहाड़ों पर जाने पर रुधिर में कुछ परिवर्तन होते हैं। ये परिवर्तन हैं–
(*a*) श्वेत रुधिराणुओं की संख्या में वृद्धि
(*b*) लाल रुधिर कणिकाओं की संख्या में वृद्धि
(*c*) लाल रुधिर कणिकाओं की संख्या में ह्रास
(*d*) रुधिर प्लेटलेट्स की संख्या में वृद्धि

20. चार कक्षीय हृदय पाया जाता है–
(*a*) स्क्वामाटा (*b*) लैसरटेलिया
(*c*) क्रोकोडीलिया (*d*) ऑफीडिया

21. निम्न में से कौन-सा एक सही मार्ग है जिससे होकर हृदय में स्पंदन पैदा करने वाला आवेग चलता है?
(*a*) SA नोड → पुरकिंजे तन्तु → हिस का बंडल → AV नोड → हृदय पेशियाँ
(*b*) AV नोड → SA नोड → पुरकिंजे तन्तु → हिस का बंडल → हृदय पेशियाँ
(*c*) AV नोड → हिस का बंडल → SA नोड → पुरकिंजे तंतु → हृदय पेशियाँ
(*d*) SA नोड → AV नोड → हिस का बंडल → पुरकिंजे तन्तु → हृदय पेशियाँ

22. सभी धमनियों में ऑक्सीजनित रूधिर होता है एक के अतिरिक्त–
(*a*) हिपैटिक धमनी (*b*) रीनल धमनी
(*c*) फुफ्फुसी धमनी (*d*) हृदय धमनी

23. रक्त स्कन्दन में सहायक है–
(*a*) K^+ (*b*) Na^+
(*c*) Mg (*d*) Ca^{++}

24. ऊँचाई पर रहने वाले लोगों में पाये जाते हैं–
(*a*) अधिक एल्व्यूलर क्षमता
(*b*) लाल रुधिराणु की अधिक संख्या
(*c*) हीमोग्लोबिन वक्र दाईं ओर चली जाती है
(*d*) उपरोक्त सभी

25. मेंढक का त्रिकक्षीय हृदय स्तनियों के चार कक्षीय हृदय से कम कार्यकुशल होता है इसका कारण है–
(*a*) इसमें रुधिर की कम मात्रा आती है
(*b*) हृदय की पेशियाँ मजबूत नहीं होतीं
(*c*) ऑक्सीकृत तथा अनॉक्सीकृत रुधिर हृदय में मिल जाते हैं
(*d*) निलय पूर्ण रूप से रुधिर पम्प नहीं कर पाते

26. परिसंचरण तन्त्र के सम्बन्ध में वाल्व कहाँ होते हैं?
(*a*) कशेरुकियों एवं अकशेरुकियों के न केवल हृदयों एवं रक्त वाहिनियों में वरन कशेरुकियों की लसिका वाहिकाओं में भी
(*b*) केवल कशेरुकी हृदय में
(*c*) केवल कशेरुकी एवं अकशेरुकी हृदय में
(*d*) केवल कशेरुकी हृदयों, अकशेरुकी हृदयों तथा उनकी रक्त वाहिनियों में

27. हृदय-स्पंदन की शुरुआत एवं इसका संवहन निम्नलिखित में से किसके द्वारा निरूपित किया जाता है?
(*a*) SA गाँठ → AV गाँठ → हिज का बंडल → पुरकिंजे तन्तुओं का जाल
(*b*) AV गाँठ → हिज का बंडल → SA गाँठ → पुरकिंजे तन्तुओं का जाल
(*c*) पुरकिंजे तन्तुओं का जाल → AV गाँठ → SA गाँठ → हिज का बंडल
(*d*) उपरोक्त में से कोई नहीं

28. रुधिर परिवहन का सही क्रम है–
(*a*) निलय → अलिन्द → महाशिराएँ → धमनियाँ
(*b*) अलिन्द → महाशिरा → धमनियाँ → निलय
(*c*) धमनियाँ → शिराएँ → निलय → अलिन्द
(*d*) शिराएँ → अलिन्द → निलय → धमनियाँ

29. सामान्य स्वस्थ मनुष्य के हृदय स्पंदन में एक विशेष प्रकार की लब-डब ध्वनि निम्नलिखित में से किस कारण से सुनी जाती है?
(*a*) त्रिवलन एवं द्विवलन कपाट के बंद होने के बाद अर्द्धचन्द्रकार कपाट के बंद होने के कारण
(*b*) अर्द्धचन्द्रकार कपाट बंद होने के कारण
(*c*) त्रिवलन एवं द्विवलन कपाट बंद होने के कारण
(*d*) महाधमनी से होकर रक्त प्रवाहित होने पर

30. रक्त समूह ज्ञात करने के लिए शरीर की एग्लूटिनाइजेशन जाँच की जाती है। इसके अनुसार–
(*a*) यदि एण्टीसीरम 'A' के साथ रक्त जम जाता है तो रक्त समूह 'AB' होता है
(*b*) यदि एण्टीसीरम 'B' के साथ रक्त जम जाता है तो रक्त समूह 'B' होता है
(*c*) यदि दोनों ही एण्टीसीरम 'A' एवं 'B' के साथ रक्त जम जाता है तो रक्त को 'O' रक्त समूह के अन्दर रखा जाता है
(*d*) उपरोक्त में से कोई नहीं

31. प्लाज्मा जो कि अकोशिकीय होता है उसे बाहर परखनली में रख दिया जाये तो–
(*a*) स्कंदन 3 से 5 घण्टे में होगा
(*b*) स्कंदन 3 से 5 मिनट में होगा
(*c*) स्कंदन नहीं होगा
(*d*) उपरोक्त में से कोई नहीं

32. WBC के द्वारा गमन की क्रिया दर्शायी जाती है, जिसे कहा जाता है–
(*a*) ल्यूकोसाइटोसिस (Leucocytosis)
(*b*) केशिका पारण (diapedesis)
(*c*) पिनोसाइटोसिस (pinocytosis)
(*d*) जीवाणु भक्षण (Phagocytosis)

33. लाल अस्थि मज्जा (red bone marrow) की कौन सी कोशिकाएँ RBC का स्रोत मानी जाती हैं?
(*a*) रेटिक्यूलोसाइट्स (reticulocytes)
(*b*) नोर्मोब्लास्ट्स (normoblasts)
(*c*) प्रीएरिथ्रोब्लास्ट्स (preerythroblasts)
(*d*) मायेलोब्लास्ट्स (myeloblasts)

34. AB रक्त वर्ग का व्यक्ति किसी भी रक्त वर्ग के व्यक्ति का रक्त ग्रहण कर सकता है क्योंकि–
(*a*) AB रक्त में एंटीबॉडीज a तथा b अनुपस्थित होते हैं
(*b*) AB रक्त में एण्टीजन A तथा B दोनों अनुपस्थित होते हैं
(*c*) AB रक्त में Rh कारक सदैव अनुपस्थित होता है
(*d*) AB रक्त में वर्ग A तथा वर्ग B के प्रति एग्लूटीनिन नामक पदार्थ उपस्थित होता है

35. नीचे निवाहिका तन्त्रों की सूची दी गयी है–
1 = यकृत निवाहिका तन्त्र
2 = वृक्क निवाहिका तन्त्र
कौन सा कथन सही है?
(*a*) मेंढक में केवल 2 होता है
(*b*) खरहे में केवल 2 होता है
(*c*) मेंढक में 1 व 2 दोनों होते हैं
(*d*) खरहे में 1 व 2 दोनों होते हैं

36. मनुष्य में लाल एवं श्वेत पल्प नामक ऊतक निम्न में से किस अंग में पाये जाते हैं?
(*a*) प्लीहा (spleen) में
(*b*) पीनियल ग्रन्थि (pineal gland) में
(*c*) कंकाल पेशियों (skeletal muscles) में
(*d*) अस्थि (bone) में

37. यकृत से प्रवाहित होने के बाद रुधिर में किस की मात्रा अधिक होती है?
(*a*) यूरिया की (*b*) O_2 की
(*c*) ग्लूकोस की (*d*) RBC की

38. सबसे अधिक बड़े आकार के लाल रुधिराणु होते हैं–
(*a*) एम्फीयूमा (Amphiuma) में
(*b*) मेंढक (frog) में
(*c*) कस्तूरी मृग (musk deer) में
(*d*) हाथी (elephant) में

39. लाल रुधिर कणिकाओं की संख्या सामान्य से अधिक होने की दशा कहलाती है–
(*a*) पोलीक्सीमिया (polyaxemia)
(*b*) एनोक्सीमिया (anoxemia)
(*c*) एनीमिया (anaemia)
(*d*) पोलीसाइथेमिया (polycythemia)

40. शरीर की कौन सी रचना को "द्वितीयक हृदय" (secondary heart) कहा जा सकता है?
(*a*) फुफ्फुस को
(*b*) यकृत को
(*c*) साइनो-ऑरिकुलर नोड को
(*d*) प्लीहा को

उत्तरमाला

1	2	3	4	5	6	7	8	9	10
(*b*)	(*a*)	(*b*)	(*b*)	(*c*)	(*b*)	(*d*)	(*b*)	(*a*)	(*d*)
11	**12**	**13**	**14**	**15**	**16**	**17**	**18**	**19**	**20**
(*a*)	(*c*)	(*b*)	(*c*)	(*a*)	(*b*)	(*c*)	(*b*)	(*b*)	(*c*)
21	**22**	**23**	**24**	**25**	**26**	**27**	**28**	**29**	**30**
(*d*)	(*c*)	(*d*)	(*b*)	(*c*)	(*a*)	(*a*)	(*d*)	(*a*)	(*b*)
31	**32**	**33**	**34**	**35**	**36**	**37**	**38**	**39**	**40**
(*c*)	(*b*)	(*a*)	(*a*)	(*c*)	(*a*)	(*a*)	(*a*)	(*d*)	(*c*)

●●●

अध्याय 9

मनुष्य का रुधिर वर्ग (Human Blood Group)

- रुधिर लाल, जल से कुछ भारी चिप-चिपा सा, स्वाद में नमकीन जैसे, कुछ क्षारीय (pH 7.3 – 7.5) एवं अपारदर्शी (Opaque) होता है।
- मानव शरीर में रुधिर की मात्रा शरीर के भार का लगभग 7-8% होती है। यह शरीर का लगभग 1/13 वाँ भाग घेरे रहता है। पुरुषों की तुलना में स्त्रियों में रुधिर की मात्रा कुछ कम होती है।
- सर्व प्रथम कार्ल लैण्डस्टीनर (Karl Landsteiner) ने बताया कि सभी मनुष्यों में रुधिर एक समान नहीं होता है।
- मनुष्य का रुधिर, लाल रुधिर कणिकाओं में पाये जाने वाला एक विशेष प्रकार के (Protein) एन्टीजन्स (Antigens) के कारण होता है।

मनुष्य में रुधिर वर्ग या ABO सिस्टम (Blood Group or ABO System in Man)

लेण्डस्टीनर (Landsteiner) के अनुसार ABO रुधिर वर्ग सिस्टम के अन्तर्गत मनुष्य में चार रुधिर वर्ग (Blood group) पाए जाते हैं जो मुख्यतः निम्नलिखित प्रकार से हैं –

(*a*) **A-रुधिर वर्ग (Blood Group-A) :** इस वर्ग में एन्टीजन–A (Antigen A) उपस्थित होता है।

(*b*) **B-रुधिर वर्ग (Blood Group-B) :** इस वर्ग में एन्टीजन — B उपस्थित होता है।

(*c*) **AB-रुधिर वर्ग (Blood Group-AB) :** इस वर्ग में A तथा B दोनों एन्टीजन उपस्थित होते हैं।

(*d*) **O-रुधिर वर्ग (Blood Group-O) :** इस वर्ग में कोई एन्टीजन नहीं पाया जाता।

उपर्युक्त चारों रुधिर वर्ग में से A, B तथा AB वर्ग की खोज कार्ल लैण्डस्टीनर (Karl Landsteiner) ने की थी तथा रुधिर वर्ग—O की खोज डीकैस्टेलो तथा स्टर्ली (De Castello and Sturli—1902) ने की थी (तालिका)।

तालिका : रुधिर वर्ग में उपस्थित एन्टीजन तथा एन्टीबॉडी

रुधिर वर्ग (Blood Group)	एन्टीजन (Antigen)	एन्टीबॉडी (Antibody)
A	A	b
B	B	a
AB	AB	Nil
O	Nil	ab

तालिका : रुधिर आधान (Blood Transfusion) के लिए रुधिर वर्ग

रुधिर वर्ग (Blood group)	किस वर्ग को रुधिर दिया जा सकता है?	किस वर्ग से रुधिर ग्रहण किया जा सकता है?
A	A तथा AB	O तथा A
B	B तथा AB	O व B
AB	AB	O, A, B तथा AB
O	A, B, AB तथा O	केवल O

रुधिर वर्ग के जीन्स (Genes of Blood Group)

मनुष्य की संततियों (Offsprings) की लाल रुधिर कणिकाओं (RBCs) में बनने वाले एन्टीजन (Antigen) का निर्धारण जीन्स (Genes) करते हैं, इन जीनों की अभिव्यक्ति अंग्रेजी के I अक्षर से की जाती है।

I का अर्थ आइसोहीमेग्ल्यूटिनोजन (Isohaemaglutinogen) होता है, इसे निम्नलिखित प्रकार से व्यक्त करते हैं —

I^A : यह एन्टीजन –A का निर्धारण करता है।

I^B : यह एन्टीजन –B का निर्धारण करता है।

I^O : यह किसी भी एन्टीजन का विकास नहीं करता है।

तालिका

रुधिर वर्ग (Blood Group)	जीनोटाइप (Genotype)
A	I^AI^A या I^AI^O
B	I^BI^B या I^BI^O
AB	I^AI^B
O	I^OI^O

किन्तु जिस संतति (Offspring) को माता-पिता से I^AI^B जीन्स प्राप्त होंगे उसमें एण्टीजन A तथा एन्टीजन B दोनों विकसित होंगे, क्योंकि इन दोनों में से कोई भी जीन एक-दूसरे के ऊपर प्रभावी (Dominant) नहीं होते, इसलिए संतति का रुधिर वर्ग AB होता है (तालिका)।

जो संतति I^OI^O जीन्स प्राप्त करेगी उसमें कोई भी एन्टीजन नहीं होने पर उसका रुधिर वर्ग O होता है।

तालिका : रुधिर वर्ग की वंशागति (Inheritance of Blood Group)

जनक (Parents) का रुधिर वर्ग	संतति (Offsprings) का रुधिर वर्ग	
	हो सकता है	नहीं हो सकता है
A × A	A या O	B, AB
A × B	A, B, AB या O	Nil
A × AB	A, B, AB	O
A × O	A या O	B, AB
B × B	B या O	A, AB
B × AB	A, B, AB	O
B × O	B या O	A, AB
AB × AB	A, B, AB	O
AB × O	A या B	AB, O
O × O	O	A, B, AB

Rh कारक या एन्टीजन (Rh Factor or Antigen)

इस एन्टीजन की खोज लैण्डस्टीनर तथा वीनर (Landsteiner and Weiner, 1944) ने रहीसस बन्दर (Rhesus Monkey) की लाल रुधिर कणिकाओं (RBCs) में ज्ञात किया था। यह कारक मनुष्य में भी पाया जाता है।

Rh कारक के आधार पर मनुष्यों का वर्गीकरण

(*a*) Rh पॉजीटिव (Rh Positive = Rh^+)—जिन मनुष्यों की RBCs में यह Rh एन्टीजन पाया जाता है उन्हें Rh पॉजीटिव मनुष्य कहते हैं।

(*b*) Rh नेगेटिव (Rh Negative = Rh^-)—जिन मनुष्यों की RBCs में यह Rh एन्टीजन अनुपस्थित होता है उन्हें Rh नेगेटिव मनुष्य कहते हैं।

Rh^+ रुधिर का आधान (Transfusion of RH^+ Blood)

सामान्यतः मनुष्य के रुधिर प्लाज्मा (Blood Plasma) में Rh एन्टीजन का एन्टीबॉडी Rh^- नहीं पाया जाता, किन्तु यदि रुधिर आधान (Blood transfusion) में किसी Rh^- व्यक्ति को किसी Rh^+ का रुधिर चढ़ाया जाता है तब उस समय उस ग्राही (Recipient) के लिए Rh एन्टीजन फॉरेन बॉडी (Foreign body) की तरह कार्य करता है जिससे ग्राही व्यक्ति (Rh^-) के रुधिर में Rh एन्टीजन से प्रतिक्रिया करने के लिए rh^- एन्टीबॉडी का निर्माण हो जाता है। इस अवस्था में ग्राही व्यक्ति पर कोई विशेष प्रभाव नहीं पड़ता।

एरिथ्रोब्लास्टोसिस फीटेलिस (Erythroblastosis Foetalis)

यह Rh^- कारक (Rh^- factor) से सम्बन्धित रोग है जो केवल शिशुओं में जन्म के पहले ही गर्भावस्था में होता है। इससे प्रभावित शिशु की गर्भावस्था में ही मृत्यु हो जाती है। ऐसे शिशु सदैव Rh^+ तथा इनकी माता Rh^- एवं पिता Rh^+ होते हैं।

रोग के कारण

शिशु में Rh^- कारक या एन्टीजन के गुण पिता के शुक्राणु (Sperm) द्वारा प्रबल जीन (Dominant gene) के रूप में वंशागत (Inherited) होते हैं।

Rh^- स्त्री तथा Rh^+ पुरुष में विवाह होने पर इनसे उत्पन्न होने वाले संतति (Offspring) के परिवर्धन काल (Development Period) में भ्रूणावस्था (Embryonic Stage) में इसकी RBCs से Rh – कारक प्लैसेण्टा (Placenta) से होकर माता के रुधिर में पहुँच सकते हैं तथा माता के रुधिर में पहुँचकर ये, Rh एन्टीजन के लिए rh^- ऐन्टीबॉडी (Antibody) के संश्लेषण को उत्तेजित कर देते हैं। ये rh^- एन्टीबॉडी (Antibody) इस अवस्था में माता के रुधिर में Rh^- एन्टीजन (Antigen) की अनुपस्थिति के कारण कोई हानि नहीं पहुँचाते हैं।

सामान्यतः प्रथम गर्भ के शिशु को विशेष हानि नहीं होती क्योंकि इस समय तक माता के रुधिर में rh^- एन्टीबॉडी की थोड़ी ही मात्रा बन पाती है किन्तु बाद में माता के रुधिर में rh^- एन्टीबॉडी के अधिक बन जाने के कारण अन्य गर्भ के Rh^+ शिशुओं में इस रोग की संभावना प्रबल होती है, इस स्थिति में माता के रुधिर में rh^- एन्टीबॉडी भ्रूण (Embryo) के RBCs के Rh^+ एन्टीजन के साथ मिलकर रुधिर का थक्का (Clot) बना देते हैं जिससे भ्रूण के रुधिर का समूहन (Agglutination) हो जाता है तथा भ्रूण की मृत्यु हो जाती है।

उपचार

एरिथ्रोब्लास्टोसिस फीटेलिस (Erythroblastosis Foetalis) रोग के उपचार के लिए रुधिर प्लाज्मा (Blood Plasma) से तैयार किया गया इम्यूनोग्लोब्युलिन (Immunoglobulin = I_gG) जिसमें अत्यन्त प्रभावकारी rh^- एन्टीबॉडी होती है। इसकी कुछ मात्रा माता के रुधिर में इन्जेक्ट(Inject) की जाती है जिससे भ्रूण के Rh^+ एन्टीजन जो माता के रुधिर परिवहन (Blood circulation) में प्रवेश कर जाते हैं उन्हें यह नष्ट कर देता है।

वस्तुनिष्ठ प्रश्न

1. मनुष्य के रुधिर वर्ग (Blood Group) में मुख्य रूप से दो प्रकार के A तथा B ऐन्टीजन (Antigen) पाए जाते हैं। जिनके लिए निम्नलिखित में क्या सत्य है ?

(*a*) सभी मनुष्यों में दोनों प्रकार के ऐन्टीजन (Antigen) पाए जाते हैं

(*b*) सभी मनुष्यों में A प्रकार के ऐन्टीजन अनिवार्य रूप से पाए जाते हैं

(*c*) कुछ मनुष्यों में दोनों प्रकार के ऐन्टीजन पाए जाते हैं तथा इनका रुधिर (Blood) में उपस्थित होना या न होना कुछ जीन्स (Genes) के ऊपर निर्भर करता है

(*d*) उपर्युक्त में से कोई नहीं

2. सार्वत्रिक ग्राही (Universal Recipient) रुधिर वर्ग (blood group) है–

(*a*) A (*b*) B
(*c*) AB (*d*) O

3. ABO सिस्टम (ABO System) सम्बन्धित है –
(*a*) विशेष प्रकार के यन्त्र (Equipment) जिनकी सहायता से मनुष्यों में रक्त आधान (Blood Transfusion) किया जाता है
(*b*) रुधिर आधान में प्रयुक्त होने वाला रासायनिक पदार्थ (Chemical Substance)
(*c*) रक्त वर्ग (Blood group) से
(*d*) रक्त परिवहन-तन्त्र (Blood Circulatory System) से

4. कार्ल लैण्डस्टीनर (Karl Landsteiner) ने किस रुधिर वर्ग (Blood Group) की खोज की थी ?
(*a*) A तथा B वर्ग (Group) (*b*) A, B तथा AB
(*c*) O वर्ग (*d*) उपर्युक्त सभी वर्ग

5. दाता (Donor) तथा ग्राही (Recipient) का रुधिर वर्ग एक होने पर भी रुधिर आधान (Blood Transfusion) में रुधिराणुओं (Blood corpuscles) का एग्लुटिनेशन (Agglutination) हो सकता है, जब–
(*a*) उपर्युक्त स्थिति असम्भव है
(*b*) दाता (Donor) Rh^- तथा ग्राही (Recipient) Rh^+ हो
(*c*) दाता Rh^+ तथा ग्राही Rh^- हो
(*d*) O वर्ग के दोनों एन्टीजन (Antigen) सक्रिय हो जाने पर

6. रक्त बैंक (Blood Bank) में रुधिर को संगृहीत किया जाता है–
(*a*) निर्वात (Vacuumed) बोतलों में
(*b*) सोडियम ऐसीटेट (Sodium Acetate) के घोल में
(*c*) शून्य तापक्रम (0°C) में
(*d*) उपर्युक्त सभी

7. Rh वर्ग (Group) की पहचान के लिए निम्नलिखित एन्टीसेरा (Anticera) प्रयुक्त किया जाता है–
(*a*) A (*b*) B
(*c*) C (*d*) D

8. माता का रुधिर वर्ग (Blood group) O है, उसके गर्भस्थ शिशु को खतरा हो सकता है यदि शिशु का रुधिर वर्ग है–
(*a*) O (*b*) A
(*c*) B या AB (*d*) उपर्युक्त में से कोई नहीं

9. Rh कारक (Rh-factor) की खोज किस प्राणी में की गई थी?
(*a*) शशक (Rabbit)
(*b*) रहीसस बन्दर (Rhesus Monkey)
(*c*) कॉर्वस स्प्लेण्डेन्स (Corvus Splendens)
(*d*) चूहे (Rat) में

10. रुधिर आधान (Blood transfusion) में रुधिर (Blood) के स्थान पर निम्नलिखित का उपयोग करने की खोज की जा रही है–
(*a*) डाइब्यूटाइरिक अम्ल (Dibutyric Acid)
(*b*) एथिलिन (Ethyline)
(*c*) पॉलीविनाइल पाइरोलिड्रॉन (Polyvinyl Pyrolidrone)
(*d*) पॉलीहाइड्रॉक्सी द्रव (Polyhydroxy Fluid)

11. यदि माता का रुधिर वर्ग (Blood group) A तथा पिता की रुधिर वर्ग 'B' हो तो होने वाली सन्तति में निम्नलिखित रुधिर वर्ग की सम्भावना हो सकती है–
(*a*) A या B (*b*) A, B या AB
(*c*) केवल O (*d*) A, B, AB या O

12. Rh–कारक (Rh-factor) है एक –
(*a*) एन्टीजन (Antigen)
(*b*) एन्टीबॉडी (Antibody)
(*c*) एन्टीटॉक्सिन (Antitoxin)
(*d*) गुणसूत्र (Chromosome) का टूटा हुआ भाग

13. Rh-कारक (Rh-factor) पाया जाता है –
(*a*) मनुष्यों में
(*b*) रहीसस मंकी (Rhesus Monkey) में
(*c*) (*a*) या (*b*) दोनों में
(*d*) केवल सूक्ष्मजीवों (Micro-organisms) में

14. निम्नलिखित में रुधिर वर्ग (Blood group) के बारे में सत्य है कि इसमें –
(*a*) ऐन्टीबॉडी (Antibodies) A तथा B होते हैं
(*b*) ऐन्टीजन (Antigen) a तथा b होते हैं
(*c*) ऐन्टीजन O होता है
(*d*) ऐन्टीजन A तथा B एवं ऐन्टीबॉडी a तथा b होते हैं

15. रुधिर वर्ग (Blood group) से सम्बन्धित ऐन्टीजन (Antigens) तथा ऐन्टीबॉडीज (Antibodies) पाए जाते हैं क्रमशः–
(*a*) RBCs तथा प्लाज्मा (Plasma) में
(*b*) प्लाज्मा तथा RBCs में
(*c*) RBCs तथा बार बॉडी (Barr Body) में
(*d*) उपर्युक्त में से कोई नहीं

16. रुधिर वर्ग 'O' (Blood group 'O') में–
(*a*) RBCs में एन्टीजन (Antigen) 'A' तथा प्लाज्मा (Plasma) में एन्टीबॉडी (Antibody) अनुपस्थित होता है
(*b*) RBCs में एन्टीजन A तथा B एवं प्लाज्मा में एन्टीबॉडी अनुपस्थित होता है
(*c*) RBCs में एन्टीजन अनुपस्थित तथा प्लाज्मा में एन्टीबॉडी b होता है
(*d*) RBCs में एन्टीजन अनुपस्थित तथा प्लाज्मा में एन्टीबॉडी 'A' तथा 'B' होते हैं

17. रुधिर वर्ग (Blood Group 'O') की खोज की थी –
(*a*) कार्ल लैण्डस्टीनर (Karl Landsteiner) ने
(*b*) जिन्डरबर्ग (Zinderburg) ने
(*c*) डी-कैस्टेलो तथा स्टर्ली (De-Castello and Sturli) ने
(*d*) लेडरबर्ग तथा टैटम (Lederburg and Tatum ने

18. रुधिर वर्ग 'A' (Blood Group 'A') वाले व्यक्ति के रुधिर (Blood) में होगा –
(*a*) ऐन्टीजन (Antigen) 'A' तथा एन्टीबॉडी (Antibody) a

(*b*) ऐन्टीजन 'A' तथा ऐन्टीबॉडी 'b'
(*c*) ऐन्टीजन 'B' तथा ऐन्टीबॉडी 'a'
(*d*) ऐन्टीजन 'A' तथा ऐन्टीबॉडी 'B'

19. रुधिर वर्ग 'B' (Blood group 'B') वाले व्यक्ति के रुधिर (Blood) में होगा –
(*a*) ऐन्टीबॉडी (Antibody) 'b' तथा ऐन्टीजन (Antigen) 'B'
(*b*) ऐन्टीबॉडी 'a' तथा ऐन्टीजन 'B'
(*c*) ऐन्टीबॉडी 'ab' तथा ऐन्टीजन 'B'
(*d*) ऐन्टीबॉडी 'a' तथा ऐन्टीजन 'A'

20. माता का रुधिर वर्ग (Blood group) AB तथा पिता का रुधिर वर्ग 'AB' है तो उनकी सन्तति में रुधिर वर्ग होने की सम्भावना है–
(*a*) A या B (*b*) A या AB
(*c*) O या AB (*d*) A, B या AB

21. रुधिर वर्ग (Blood group) ज्ञात करने के लिए प्रयुक्त होता है–
(*a*) A तथा B ऐन्टीसीरम (Antiserum)
(*b*) लीशमैन द्रव (Leishman fluid)
(*c*) रिंगर द्रव (Ringer fluid)
(*d*) ऐण्ड्रीनोकॉर्टिकोट्रॉपिक हॉर्मोन (Andrenocorticotropic hormone)

22. रुधिर वर्ग (Blood group) ज्ञात करने वाले सीरम (Serum) में उपस्थित होता है–
(*a*) केवल एन्टीजन (Antigen)
(*b*) केवल एन्टीबॉडी (Antibody)
(*c*) (*a*) तथा (*b*) दोनों
(*d*) कीटोन बॉडी (Ketone body)

23. एन्टीसीरम (Antiserum) 'A' तथा एन्टीसीरम 'B' में होता है क्रमशः–
(*a*) एन्टीजन (Antigen) 'A' तथा एन्टीजन 'B'
(*b*) एन्टीजन 'AB' तथा एन्टीबॉडी (Antibody) अनुपस्थित
(*c*) एन्टीबॉडी 'a' तथा एन्टीबॉडी 'b'
(*d*) उपर्युक्त में से कुछ नहीं

24. आधुनिक वैज्ञानिकों के अनुसार रुधिर आधान (Blood transfusion) के लिए रुधिर (Blood) के समान निम्नलिखित पदार्थ को दिए जा सकने की सम्भावना व्यक्त की जाती है–
(*a*) क्लोरोफ्लोरो कार्बन (Chloro-fluoro carbon)
(*b*) परफ्लुक्रो कार्बन (Purflucro carbon)
(*c*) सोडियम बेंजोएट (Sodium Benzoate)
(*d*) उपर्युक्त में से कुछ नहीं

25. माता का रुधिर वर्ग (Blood group) 'O' तथा पिता का रुधिर वर्ग 'O' है तो होने वाली सन्तति में रुधिर वर्ग हो सकता है–
(*a*) O या A (*b*) O या B
(*c*) O या AB (*d*) केवल O

26. रुधिर वर्ग 'AB' (Blood group 'AB') वाले व्यक्ति की आवश्यकता पड़ने पर रुधिर आधान (Blood transfusion) निम्नलिखित रक्त वर्ग (Blood group) दिया जा सकता है –
(*a*) O तथा AB (*b*) A तथा AB
(*c*) A, B तथा AB (*d*) A, B, AB तथा O

27. रुधिर वर्ग 'O' (Blood group 'O') वाले व्यक्ति को आवश्यकता पड़ने पर निम्नलिखित वर्ग का रक्त दिया जा सकता है –
(*a*) केवल A या B (*b*) केवल AB या O
(*c*) केवल O (*d*) उपर्युक्त सभी

28. 'O' रुधिर वर्ग (Blood group 'O') को सार्वत्रिक दाता (Universal Donor) कहते हैं, क्योंकि इसमें होता है –
(*a*) ऐन्टीजन (Antigen) तथा ऐन्टीबॉडी (Antibody) अनुपस्थित
(*b*) ऐन्टीजन तथा ऐन्टीबॉडी दोनों उपस्थित
(*c*) ऐन्टीजन उपस्थित ऐन्टीबॉडी अनुपस्थित
(*d*) ऐन्टीजन अनुपस्थित ऐन्टीबॉडी उपस्थित

29. रुधिर वर्ग (Blood group) की खोज की थी–
(*a*) डीवेरीज (De Vries) ने
(*b*) मार्शल (Marshall) ने
(*c*) कार्ल माल्थस (Karl Malthus) ने
(*d*) कार्ल लैण्डस्टीनर (Karl Landsteiner) ने

30. रुधिर वर्ग (Blood group) भिन्न प्रकार के होते हैं –
(*a*) रुधिर स्कन्दन (Blood clotting) के आधार पर
(*b*) प्लाज्मा (Plasma) की मात्रा के आधार पर
(*c*) विशिष्ट श्वेत रक्त कणिकाओं (White Blood Corpuscles) के आधार पर
(*d*) ऐन्टीजन (Antigen) के आधार पर

31. रुधिर वर्ग के एन्टीजन (Antigen) पाए जाते हैं–
(*a*) न्यूट्रोफिल्स (Neutrophils) कणिकाओं (Corpuscles) में
(*b*) इओसिनोफिल्स (Eosinophils) कणिकाओं में
(*c*) इरिथ्रोसाइट्स (Erythrocytes) कणिकाओं में
(*d*) उपर्युक्त सभी में

32. गलत रुधिर आधान (Blood transfusion) में ग्राही (Recipient) में रुधिर में स्कन्द (Clotting) होने लगता है–
(*a*) श्वेत रक्त कणिकाओं (WBCs) के आपस में चिपकने (Clumping) के कारण
(*b*) लाल रक्त कणिकाओं (RBCs) में क्लम्पिंग (Clumping) होने के कारण
(*c*) बैक्टीरिया (Bacteria) के संक्रमण के कारण
(*d*) प्लाज्मा प्रोटीन (Plasma protein) के विघटन होने के कारण

33. ऐन्टीबॉडीज (Antibodies) पाए जाते हैं–
(*a*) लाल रुधिर कणिकाओं (RBCs) में
(*b*) श्वेत रुधिर कणिकाओं (WBCs) के केन्द्रक (Nucleus) में
(*c*) रक्तवाहिनी (Blood vessels) की भित्तियों (Walls) में
(*d*) रुधिर प्लाज्मा (Blood plasma) में

34. सार्वत्रिक दाता (Universal Donor) रुधिर वर्ग हैं–
(*a*) A (*b*) B
(*c*) AB (*d*) O

35. IgG सम्बन्धित है–
(*a*) ऐन्टीजन (Antigen) से
(*b*) रुधिर (Blood) में उपस्थित ग्लाइकोजन (Glycogen) से
(*c*) इम्यून रुधिर वर्ग ऐन्टीबॉडीज (Immune blood group antibodies) से
(*d*) उपर्युक्त सभी से

36. असंगत रुधिर आधान (Blood transfusion) में रक्त (Blood) का ऐग्लुटिनेशन (Agglutination) होता है–
(*a*) रुधिर वाहिकाओं (Blood vessels) के फैल जाने से
(*b*) हिपेरीन (Heparin) के स्रावण (Secretion) से
(*c*) ऐमीनो ऐसिड्स (Amino acids) की अधिकता से
(*d*) ऐन्टीजन ऐन्टीबॉडी प्रतिक्रिया (Antigen Antibody reaction) से

37. रुधिर वर्ग 'AB' (Blood group 'AB') वाले व्यक्ति के रुधिर में होगा –
(*a*) ऐन्टीजन (Antigen) 'A' तथा ऐन्टीबॉडी (Antibody) 'b'
(*b*) ऐन्टीजन 'B' तथा ऐन्टीबॉडी 'a'
(*c*) ऐन्टीजन 'AB' तथा ऐन्टीबॉडी 'ab'
(*d*) ऐन्टीजन 'AB' तथा ऐन्टीबॉडी अनुपस्थित

38. रुधिर वर्ग 'AB' (Blood group 'AB') के लिए जीनोटाइप (Genotype) होगा –
(*a*) I^AI^A (*b*) I^BI^B
(*c*) I^AI^B (*d*) I^OI^{AB}

39. रुधिर आधान (Blood transfusion) के समय –
(*a*) रुधिर वर्ग (Blood group) की जाँच करनी चाहिए
(*b*) HIV की उपस्थिति की जाँच करनी चाहिए
(*c*) Rh-कारक (Rh-factor) की जाँच करना चाहिए
(*d*) उपर्युक्त सभी

40. एक व्यक्ति जिसका रुधिर वर्ग (Blood group) 'A' है, उसे निम्नलिखित रुधिर वर्ग का रक्त आधान (Blood transfusion) किया जा सकता है–
(*a*) AB (*b*) B
(*c*) A (*d*) A तथा O

41. रुधिर वर्ग 'O' (Blood group 'O') के लिए जीनोटाइप (Genotype) होगा –
(*a*) I^AI^O (*b*) I^BI^O
(*c*) I^OI^O (*d*) उपर्युक्त सभी

42. रुधिर वर्ग 'A' (Blood group 'A') का जीनोटाइप (Genotype) नहीं हो सकता –
(*a*) I^OI^O (*b*) I^AI^O
(*c*) I^AI^A (*d*) उपर्युक्त सभी

43. रुधिर वर्ग 'B' (Blood group 'B') के लिए जीनोटाइप (Genotype) होगा –
(*a*) I^AI^O (*b*) I^BI^O
(*c*) I^BI^B (*d*) (*b*) तथा (*c*) दोनों

44. Rh-कारक (Rh-factor) के खोजकर्ता थे –
(*a*) लैण्डस्टीनर (Landsteiner)
(*b*) हक्सले (Huxley)
(*c*) लैण्डस्टीनर तथा वीनर (Landsteiner and Weiner)
(*d*) डी-कैस्टेलो (De Castello)

45. निम्नलिखित में रुधिर वर्ग (Blood group) का कौन-सा जीन (Gene) प्रबल (Dominant) नहीं होगा ?
(*a*) I^A (*b*) I^B
(*c*) I^O (*d*) उपर्युक्त में से कोई नहीं

उत्तरमाला

1	2	3	4	5	6	7	8	9	10
(*c*)	(*c*)	(*c*)	(*b*)	(*c*)	(*d*)	(*d*)	(*d*)	(*b*)	(*c*)
11	**12**	**13**	**14**	**15**	**16**	**17**	**18**	**19**	**20**
(*d*)	(*a*)	(*c*)	(*d*)	(*a*)	(*d*)	(*c*)	(*b*)	(*b*)	(*d*)
21	**22**	**23**	**24**	**25**	**26**	**27**	**28**	**29**	**30**
(*a*)	(*b*)	(*c*)	(*b*)	(*d*)	(*d*)	(*c*)	(*d*)	(*d*)	(*d*)
31	**32**	**33**	**34**	**35**	**36**	**37**	**38**	**39**	**40**
(*c*)	(*b*)	(*d*)	(*d*)	(*c*)	(*d*)	(*d*)	(*c*)	(*d*)	(*d*)
41	**42**	**43**	**44**	**45**					
(*c*)	(*a*)	(*d*)	(*c*)	(*c*)					

●●●

अध्याय

10

तन्त्रिका तन्त्र (Nervous System)

- तन्त्रिका तन्त्र केवल जन्तुओं में होता है। यह वातावरणीय परिवर्तनों को संवेदी सूचनाओं के रूप में ग्रहण करके तन्त्रिकीय प्रेरणाओं के रूप में प्रसारित करता है।
- तन्त्रिकाएँ तन्त्रिसंचारी पदार्थों के द्वारा प्रेरणाओं को पेशियों तथा ग्रन्थियों में पहुँचाती है। जन्तुओं में द्रुतगति से होने वाली प्रतिक्रियाओं का संचालन तन्त्रिका तन्त्र कहलाता है।
- मस्तिष्क एवं मेरुरज्जू (Brain & Spinal Cord)—ये केन्द्रीय तन्त्रिका तन्त्र (Central Nervous System) बनाते हैं। तन्त्रिकाएं मस्तिष्क एवं मेरुरज्जू से निकलकर समस्त शरीर में फैली रहती हैं तथा ये परिधीय तन्त्रिका तन्त्र (Peripheral Nervous System) बनाती हैं।
- इसके अतिरिक्त विशेष प्रकार की तन्त्रिका का जाल पाया जाता है जो मस्तिष्क तथा मेरुरज्जू से सम्बन्धित नहीं होता। इसे स्वायत्त तन्त्रिका तन्त्र (Autonomic nervous system) कहते हैं।

मनुष्य का तन्त्रिका तन्त्र (Human Nervous System)

मनुष्य का तन्त्रिका तन्त्र तीन भागों में बांटा जा सकता है–

(*a*) **केन्द्रीय तन्त्रिका तन्त्र (Central Nervous System)**—मस्तिष्क एवं मेरुरज्जू

(*b*) **परिधीय तन्त्रिका तन्त्र (Peripheral Nervous System)**—क्रेनियल तथा स्पाइनल तन्त्रिकाएं

(*c*) **स्वायत्त तन्त्रिका तन्त्र (Autonomic Nervous System)**—अनुकम्पी (Sympathetic) तथा परानुकम्पी (Para sympathetic) तन्त्र।

केन्द्रीय तन्त्रिका तन्त्र (Central Nervous System)

मस्तिष्क (Brain)

मस्तिष्क पूरे शरीर तथा स्वयं तन्त्रिका तन्त्र का नियन्त्रण केन्द्र है। यह खोपड़ी (Skull) के मस्तिष्क बॉक्स (Cranium) में सुरक्षित रहता है। यह तन्त्रिकीय ऊतकों [न्यूरॉन्स (Neurons) तथा न्यूरोग्लिया (Neuroglia) कोशिकाओं] का बना होता है। इसका कुल भार लगभग 1400g होता है।

आवरण—इसके चारों तरफ संयोजी ऊतक (Connective tissue) का बना मस्तिष्कावरण (Meninges) पाया जाता है। इसमें बाहर से भीतर की ओर क्रमशः जीन स्तर पाए जाते हैं (चित्र 10.1)।

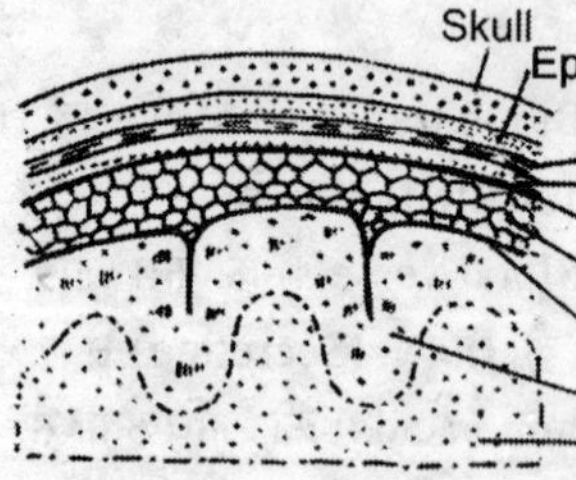

चित्र 10.1 : *मस्तिष्कावरण (Meninges) को प्रदर्शित करता हुआ अनुप्रस्थ काट*

(*a*) **ड्यूरा मेटर (Dura mater)**—यह कठोर होती है तथा क्रेनियम की दीवार से चिपकी होती है।

(*b*) **अरेक्नाएड (Arachnoid)**—यह मध्य का स्तर है।

(*c*) **पाया मेटर (Pia mater)**—यह आन्तरिक स्तर होता है जो मस्तिष्क से ढँका रहता है।

द्रव (Fluid)—मस्तिष्कावरण (Meninges) के स्तरों के बीच गुहा में सेरीब्रो स्पाइनल द्रव (Cerebro-spinal fluid) भरा होता है जो मस्तिष्क को सूखने तथा बाहरी धक्कों से रक्षा करता है तथा यह क्रेनियम कैविटी (Cranium cavity) में एक निश्चित दाब बनाए रखता है।

मस्तिष्क के भाग (Parts of the Brain)

मस्तिष्क मुख्य रूप से तीन भागों का बना होता है (चित्र 10.2-10.3)।

1. अग्रमस्तिष्क या प्रोसेनसेफेलान (Forebrain or Prosencephalon)
2. मध्यमस्तिष्क या मीसेनसेफेलान (Midbrain or Mesencephalon)
3. पश्चमस्तिष्क या रहोम्बेनसेफेलान (Hindbrain or Rhombencephalon)

अग्रमस्तिष्क या प्रोसेनसेफेलान (Forebrain or Prosencephalon)

यह मस्तिष्क का सबसे अगला भाग होता है और मुख्य दो भागों प्रमस्तिष्क (Cerebrum) तथा हाइपोथैलेमस (Hypothalamus) का बना होता है। यह ऐच्छिक क्रियाओं का केन्द्र है।

- **प्रमस्तिष्क** (Cerebrum)—मनुष्य का सेरीब्रम सबसे अधिक विकसित होता है तथा कुल मस्तिष्क का 2/3 भाग बनाता है। इसकी बाह्य सतह (Outer surface) पर अनेक वलन (Fold) पाए जाते हैं। इन वलनों को गायरी (Gyri) कहते हैं।

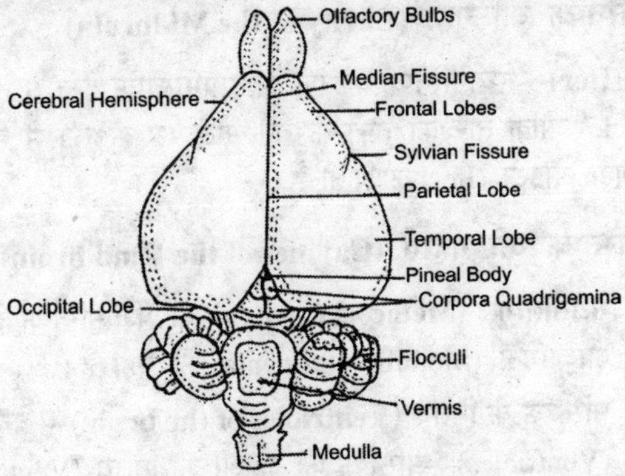

चित्र 10.2 : *शशक के मस्तिष्क (Brain) का पृष्ठ (Dorsal) दृश्य*

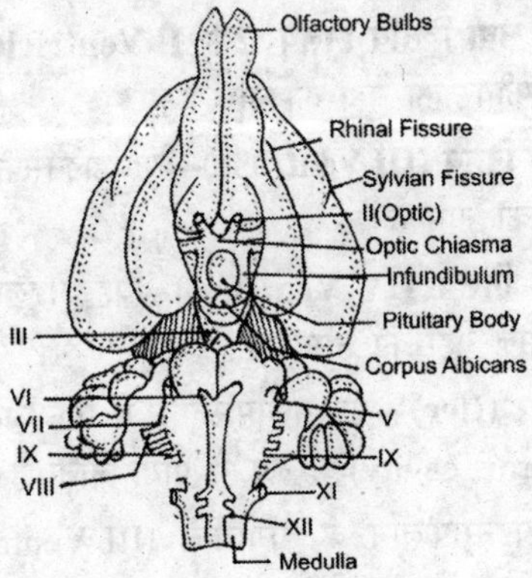

चित्र 10.3 : *शशक के मस्तिष्क का अधर दृश्य (Ventral Side)*

- **ऑलफेक्ट्री लोब (Olfactory Lobe)**— ये अग्रमस्तिष्क के सेरीब्रम के सबसे ऊपरी सिरे पर दो छोटे-छोटे पिण्डों (Lobes) के रूप में पाया जाता है। ये गंध उद्दीपन ग्रहण करते हैं।
- **सेरीब्रल हेमीस्फीयर (Cerebral Hemisphere)**—मनुष्य का सेरीब्रम एक लम्बवत् (Longitudinal) खाँच द्वारा दो पिण्डों में बँटा होता है जिन्हें सेरीब्रल हेमीस्फीयर कहते हैं। यह खाँच मध्यवर्ती विदर (Median fissure) या **सिल्वियन फिशर** (Sylvian fissure) कहलाती है।
- **सेरीब्रल हेमीस्फीयर के पिण्ड (Lobes of the Cerebral Hemisphere)**—दोनों सेरीब्रल हेमीस्फीयर खाँच द्वारा पाँच छोटे पिण्डों (Lobes) में बँटा रहता है। इन खाँचों को सल्काई (Sulci) कहते हैं।

  सेरीब्रल हेमीस्फीयर के पाँचों पिण्ड क्रमानुसार ऊपर से नीचे की ओर निम्नलिखित हैं–फ्रन्टल (Frontal), पेराइटल (Parietal), टेम्पोरल (Temporal), ऑक्सीपिटल (Occipital) तथा इन्सुला (Insula)।
- **डाइनसेफेलान (Diencephalon)**—यह सेरीब्रल हेमीस्फीयर का अधर तल का एक छोटा सा भाग है, इसके प्रतिपृष्ठ सतह (Ventral surface) पर एक द्विपालित (Bilobed) संरचना होती है।
- **हाइपोथैलेमस (Hypothalamus)**—सेरीब्रल हेमीस्फीयर के आधार पर पृष्ठ एवं पार्श्व (Dorsal & Lateral) भाग को हाइपोथैलेमस कहते हैं।
- **अग्रमस्तिष्क के कार्य (Functions of the Fore brain)**—ऑलफेक्ट्री लोब के मुख्य कार्य–गंध उद्दीपन ग्रहण करना है।
- **सेरीब्रम के कार्य**—चेतना, बुद्धि, सोचना-समझना इच्छाशक्ति, स्मरण शक्ति, हँसना, रोना, ऐच्छिक गतियों से सम्बन्धित तथा इसके विभिन्न विशिष्ट भाग विभिन्न ग्राही अंगों (Receptors) से सम्बन्धित रहते हैं जैसे–दृष्टि क्षेत्र (Visual centre), घ्राण केन्द्र (Olfactory centre), तथा वाणी केन्द्र (Speech centre)।
- **डाइनसेफेलान के कार्य**–ताप, शीत तथा दर्द का ज्ञान।
- **हाइपोथैलेमस के कार्य**–भूख, प्यास, थकावट, नींद, ताप, नियन्त्रण, भावनात्मक क्रियाओं का केन्द्र तथा यह शरीर के उपापचयी क्रियाओं (Metabolic activity) तथा स्वायत्त तन्त्रिका तन्त्र (Autonomic nervous system) के अनैच्छिक कार्यों पर भी नियन्त्रण रखता है तथा कुछ न्यूरोहॉर्मोन (Neuro hormone) का भी स्रवण करता है।

मध्यमस्तिष्क या मीसेनसेफेलान (Midbrain or Mesencephalon)

यह मस्तिष्क का मध्य भाग है जो मुख्य दो भागों का बना होता है–

(*i*) **प्रमस्तिष्क तन्तु (Cerebral Peduncles)**—यह तन्त्रिका तन्तुओं के बने मोटे पथ के रूप में होता है जो सेरीब्रम के कॉर्टेक्स (Cortex) को मस्तिष्क के शेष भागों तथा मेरुरज्जू (Spinal cord) से जोड़ता है।

(*ii*) **कॉर्पोरा क्वाड्रिजेमाइना का क्रूरा सेरीब्राई (Corpora Quadrigemina or Crura Cerebri)**— स्तनियों (Mammals) में यह मध्यमस्तिष्क में पृष्ठ सतह पर चार गोल उभारों के रूप में पाया जाता है। चारो उभारों को एक साथ कॉर्पोरा क्वाड्रिजेमाइना या क्रूरा सेरीब्राई कहते हैं। इसे दृष्टि पिण्ड (Optic lobe) भी कहते हैं।

मध्यमस्तिष्क के कार्य—दृष्टि एवं श्रवण उद्दीपन ग्रहण करना।

पश्च मस्तिष्क या रहोम्बेनसेफेलान (Hindbrain or Rhombencephalon)

यह मस्तिष्क का सबसे पिछला भाग है जो निम्नलिखित तीन भागों का बना होता है।

(*i*) अग्रभाग सेरीबेलम या माइलेनसेफेलान (Cerebellum or Myelencephalon)

(*ii*) मध्य भाग पॉन्स वेरोलाई (Pons Varolli)

(*iii*) पश्च भाग मेडूला आब्लांगेटा या मेटेनसेफेलान (Medulla Oblongata or Metencephalon)

- **सेरीबेलम या माइलेनसेफेलान** (Cerebellum or Myelencephalon)—यह पश्च मस्तिष्क का अगला भाग है जो कि एक बड़ी एवं वलयित रचना है। इसमें मुख्य तीन भाग होते हैं–केन्द्रीय भाग (Central Part) या वर्मिस (Vermis) तथा दो पार्श्वी पालियाँ (Lateral lobes).
- **पॉन्स वेरोलाई** (Pons Varolli)—ये मेडूला आब्लांगेटा के अग्रभाग के ऊपरी भाग में तन्त्रिका तन्तुओं (Nerve fibres) के मोटे पूलों (Bundles) के रूप में स्थित होते हैं। इसके तन्तु सेरीबेलम के दाएं तथा बाएं भाग (Lateral lobes) को जोड़ते हैं।

- **मेडूला आब्लांगेटा या मेटेनसेफेलान (Medulla oblongata or Metencephalon)**—यह मस्तिष्क का सबसे पिछला भाग है। इसे मस्तिष्क वृन्त (Brain stem) भी कहते हैं। यह खोपड़ी (Skull) के मस्तिष्क बॉक्स (Cranium) से फोरामेन ऑफ मोनरो (Foramen of monaro) छिद्र द्वारा बाहर निकलकर मेरुरज्जू (Spinal cord) बनाता है।
- **पश्चमस्तिष्क के कार्य (Functions of the Hindbrain)—** **सेरीबेलम के कार्य**—पेशियों (Muscles) के संकुचन तथा शिथिलन (Contraction & Relaxation) क्रियाओं का नियन्त्रण एवं समन्वय करना।
- **पॉन्स बेरालाई के कार्य**—पेशियों की गति पर नियन्त्रण।
- **मेडूला आब्लांगेटा के कार्य**—यह अनैच्छिक क्रियाओं का केन्द्र है। यह मुख्य जैव केन्द्र (Vital centre) होता है तथा श्वसन दर, हृदय गति, पाचक रसों का स्रवण, रुधिर वाहिकाओं के संकुचन तथा शिथिलन, उल्टी (Vomitting) तथा भोजन निगलने पर नियन्त्रण रखता है।
- **मस्तिष्क के प्लेक्सस** (Plexus of the Brain)—तन्त्रिकाओं का यह जाल उभार के रूप में पाया जाता है।
- **प्लेक्सस के कार्य** (Function of the Plexus)—अग्र एवं पश्च कोराएड प्लेक्सस का मुख्य कार्य सेरीब्रो स्पाइनल द्रव (Cerebro spinal fluid) स्रावित करना है। यह द्रव मस्तिष्क (Brain) तथा मेरुरज्जू (Spinal cord) के स्तरों के मध्य भरा रहता है।

मस्तिष्क की गुहाएँ (Cavities of the Brain)

मस्तिष्क एक खोखली रचना होती है जिससे इनमें अग्रलिखित गुहाएँ पाई जाती हैं–

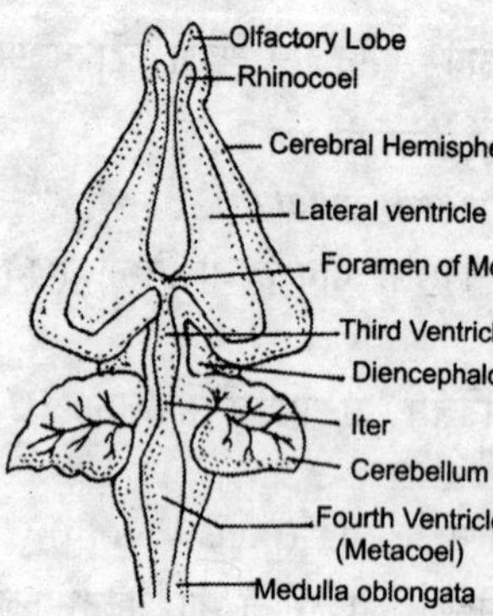

चित्र 10.4 : *स्तनधारी प्राणी (शशक) के मस्तिष्क की अनुदैर्घ्य काट (Longitudinal Section)*

अग्रमस्तिष्क की गुहाएँ (Cavities of the fore brain)

(i) **राइनोसील गुहा (Rinocoel Cavity)**—यह ऑलफेक्ट्री लोब (Olfactory lobe) में पाई जाती है।

(ii) **पैरासील गुहा (Paracoel Cavity)**— यह सेरीब्रल हेमीस्फीयर (Cerebral hemisphere) में पाई जाती है।

(iii) **डायोसील गुहा (Diocoel Cavity)**— डाइनसेफेलान की गुहा डायोसील (Diocoel) कहलाती है।

मध्यमस्तिष्क की गुहा (Cavity of the Midbrain)

आइटर (Iter)—मध्यमस्तिष्क का एक भाग प्रमस्तिष्क वृन्त (Cerebral Peduncle) जोकि तन्त्रिका तन्तु के बने मोटे पथ के रूप में होता है, इसकी गुहा आइटर (Iter) कहलाती है।

पश्चमस्तिष्क की गुहाएँ (Cavities of the Hind brain)

- **मेटासील गुहा (Metacoel Cavity)**—यह पश्चमस्तिष्क के मेडूला आब्लांगेटा (Medulla oblongata) की गुहा है।
- **मस्तिष्क के निलय (Ventricles of the brain)— वेन्ट्रीकल्स** (Ventricles)—मस्तिष्क की गुहाओं को निलय (Ventricles) भी कहते हैं, जैसे–

  प्रथम तथा द्वितीय निलय (I & II Ventricles)—यह सेरीब्रल हेमीस्फीयर की गुहा का नाम है।

  तृतीय निलय (III Ventricle)—यह डाइनसेफेलान की डायोसील गुहा का नाम है।

  चतुर्थ निलय (IV Ventricle)—यह मेडूला आब्लांगेटा की मेटासील गुहा का नाम है।
- **आइटर (Iter)**—यह मध्यमस्तिष्क में एक अत्यन्त संकरी गुहा (Narrow cavity) के रूप में पाया जाता है।

  यह डाइनसेफेलान के डायोसील (III Ventricle) को मेडूला आब्लांगेटा के मेटासील (IV Ventricle) से जोड़ता है।

मेरुरज्जू (Spinal cord)

मेडूला आब्लांगेटा (Medulla oblongata) का पिछला भाग पतला होकर खोपड़ी (Skull) के फोरामेन मैग्नम छिद्र (Foramen of magnum) से बाहर आकर कशेरुकाओं के मध्य स्थित तंन्त्रिकीय नाल (Neural canal) में एक मुलायम डोरी के रूप में कशेरुक दण्ड (Vertebral column) के अन्तिम सिरे तक फैला होता है जिसे मेरुरज्जू (Spinal cord) कहते हैं (चित्र 10.5)। मेरुरज्जू का अन्तिम भाग एक पतले सूख के रूप में होता है जिसे **फाइलम टर्मिनेल** (Filum terminale) कहते हैं।

मेरुरज्जू खोखली, बेलनाकार तथा पृष्ठ व प्रतिपृष्ठ सतहों (Dorsal & Ventral Surface) पर चपटी होती है, इसकी दोनों सतहों पर मध्य में एक-एक पृष्ठ तथा प्रतिपृष्ठ विदर (Dorsal & Ventral fissure) पाया जाता है।

मेरुरज्जू की आन्तरिक संरचना (Internal Structure)

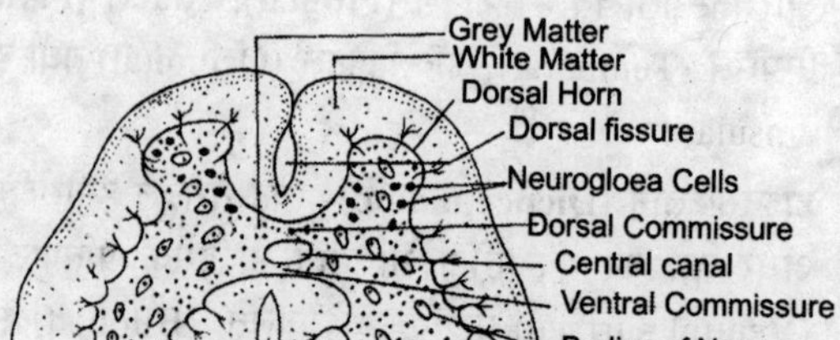

चित्र 10.5 : *मेरुरज्जू की अनुप्रस्थ काट (Transverse Section of Spinal Cord)*

मेरुरज्जू के कार्य (Functions of Spinal cord)

(i) मेरुरज्जू प्रतिवर्ती क्रियाओं (Reflex action) का नियन्त्रण एवं समन्वय करती हैं।

(ii) यह मस्तिष्क से आने जाने वाले उद्दीपनों का संवहन करती है।

परिधीय तन्त्रिका तन्त्र (Peripheral Nervous System)

इस तन्त्र के अन्तर्गत मस्तिष्क (Brain) तथा मेरुरज्जू (Spinal cord) से निकलने वाली तन्त्रिकाएँ आती हैं।

संवेदनाओं के आदान-प्रदान के लिए निम्नलिखित प्रकार की तन्त्रिकाएँ पाई जाती हैं–

(i) **संवेदी तन्त्रिकाएँ (Sensory Nerves)**—ये तन्त्रिकाएँ उद्दीपनों को शरीर के विभिन्न भागों से लेकर मस्तिष्क या मेरुरज्जू तक पहुँचाते हैं।

(ii) **चालक तन्त्रिकाएँ (Motor Nerves)**—ये तन्त्रिकाएँ जो उद्दीपनों को मस्तिष्क या मेरुरज्जू से शरीर के विभिन्न भागों तक ले जाते हैं।

(iii) **मिश्रित तन्त्रिकाएँ (Mixed Nerves)**—कुछ तन्त्रिकाएँ ऐसी होती हैं जिनमें संवेदी तथा चालक दोनों प्रकार के तन्त्रिका तन्तु पाए जाते हैं।

मनुष्य में परिधीय तन्त्रिका तन्त्र (Peripheral Nervous System) में निम्नलिखित तन्त्रिकाएं आती हैं–

(i) **क्रेनियल तन्त्रिकाएँ (Cranial Nerves)**—ये तंत्रिकाएँ मस्तिष्क (Brain) से निकलती हैं तथा ये संख्या में 12 जोड़ी होती हैं।

(ii) **स्पाइनल तन्त्रिकाएं (Spinal Nerves)**—ये तन्त्रिकाएँ मेरुरज्जू (Spinal cord) से निकलती हैं तथा मनुष्य में यह 31 जोड़ी होती हैं।

स्वायत्त तन्त्रिका तन्त्र (Autonomic Nervous System)

यह तन्त्र तन्त्रिका तन्त्र का वह भाग है जो शरीर के आन्तरिक अंगों जैसे—हृदय, रुधिर, वाहिनियों, फेफड़ों, आमाशय, गर्भाशय (Uterus), मूत्राशय (Urinary bladder) तथा समस्त प्रकार की स्रावी ग्रंथियों [(बाह्य स्रावी जैसे पाचक रस तथा अन्तःस्रावी जैसे हॉर्मोन्स (Hormones)] के कार्यों और उनकी सक्रियता (Activity) पर नियन्त्रण रखता है। इस प्रकार इसके सभी कार्य अनैच्छिक (Involuntary) होते हैं तथा इससे सम्बन्धित अंग स्वतः कार्य करते रहते हैं।

स्वायत्त तन्त्रिका तन्त्र मिश्रित प्रकार का होता है क्योंकि यह कुछ मेरुरज्जू तन्त्रिकाओं (Spinal nerves) तथा कुछ मस्तिष्क की तन्त्रिकाओं (Cranial nerves) से मिलकर बना होता है। इस तन्त्रिका तन्त्र के तन्तु (Nerve fibres) दूसरे तन्त्रिका तन्तुओं (Nerve fibres) से भिन्न होते हैं क्योंकि इनके न्यूरॉन्स (Neurons) सीधे कार्यात्मक अंगों (Functional organs) से जुड़े नहीं होते बल्कि ये दो न्यूरॉन्स के द्वारा कार्यात्मक अंगों से जुड़े होते हैं। पहला न्यूरॉन्स या मेरुरज्जू से गुच्छक (Ganglion) तक जाता है और दूसरा गुच्छक से कार्यात्मक अंग को जोड़ता है।

पहले न्यूरॉन को प्रीगैंग्लियानिक (Preganglionic) तथा दूसरे को पोस्ट गैंग्लियानिक (Post ganglionic) न्यूरॉन कहते हैं।

गैंगलियान (Ganglion)— वह संरचना जो बहुत से तन्त्रिका तन्तुओं के एक स्थान पर समेकित होने से एक गुच्छक बनाती हैं उसे गैंगलियान कहते हैं।

स्वायत्त तन्त्रिका तन्त्र का नियन्त्रण मस्तिष्क के हाइपोथैलेमस (Hypothalamus) के द्वारा होता है।

स्वायत्त तन्त्रिका तन्त्र के भाग (Parts of the Autonomic Nervous System)

लैंगली (1921) के अनुसार स्वायत्त तन्त्रिका तन्त्र में दो भाग होते हैं।

(1) अनुकम्पी तन्त्रिका तन्त्र (Sympathetic Nervous System)

(2) परानुकम्पी तन्त्रिका तन्त्र (Parasympathetic Nervous System)

अनुकम्पी तन्त्रिका तन्त्र के कार्य (Functions of the Sympathetic Nervous System)

(i) त्वचा के बाल (Hairs) का खड़ा होना

(ii) रुधिरवाहिनियों (Blood vessels) को संकीर्ण (Constrict) करना

(iii) आँख की पुतली (Pupil) फैलना

(iv) अनुकम्पी तन्त्र के तन्त्रिका तन्तु एड्रीनेलिन के समान सिम्पैथिन (Sympathin) नामक रसायन का स्राव करते हैं जो अंगों की क्रियाशीलता को बढ़ाता है।

(v) भय, पीड़ा, एवं क्रोध।

(vi) श्वसन दर (Respiratory rate) तीव्र होना।

(vii) रुधिर में शर्करा (Glucose) का स्तर बढ़ना।

परानुकम्पी तन्त्रिका तन्त्र के कार्य (Functions of the Parasympathetic Nervous System)

परानुकम्पी प्रीगैंग्लियानिक तन्तु एसीटिलकोलीन (Acetyl-choline) का स्रवण करते हैं जो सम्बन्धित अंगों की क्रियाशीलता को अनुकम्पी तन्त्र के विपरीत काम कराता है।

अतः इस प्रकार परानुकम्पी तन्त्रिका तन्त्र, अनुकम्पी तन्त्रिका तन्त्र के विपरीत कार्य करता है, जिससे स्वायत्त तन्त्रिका तन्त्र के ये दोनों भाग एक दूसरे के विपरीत कार्य करके नियन्त्रण एवं समन्वय को पूरा करते हैं, जैसे—अनुकम्पी तन्त्रिका तन्त्र हृदय की धड़कन को बढ़ाता है, जबकि परानुकम्पी तन्त्र धड़कन को कम करता है।

स्वायत्त तन्त्रिका तन्त्र के ये दोनों भाग संबंधित अंगों पर नियन्त्रण उनसे जुड़े होने पर ही करते हैं। जैसे—यदि अनुकम्पी तथा परानुकम्पी तन्त्रिका तन्तु को हृदय से काट कर अलग कर दें तो हृदय बिना इनके नियन्त्रण के ही धड़कता रहेगा।

तालिका : *मनुष्य की क्रेनियल तन्त्रिकाएं (Cranial Nerves of Man)*

क्रम	नाम	स्वभाव	उद्भव	वितरण एवं प्रमुख कार्य
1.	घ्राण तन्त्रिकाएं (Olfactory Nerves)	संवेदी (Sensory)	सेरीब्रम (Cerebrum) के घ्राण पिण्डों (Olfactory lobe) से	नासा कोष (Nasa Chamber) में, यहाँ से संवेदी एपीथीलियम (Sensory Epithelium) से उद्दीपनों (Stimulation) को घ्राण पिण्डों तक ले जाना।
2.	दृक् तन्त्रिकाएं (Optic Nerves)	संवेदी	दृक् पालियों (Optic lobe) से	प्रकाश के उद्दीपनों को ऑप्टिक लोब (Optic lobe) तक ले जाना।
3.	ऑक्यूलोमोटर तन्त्रिकाएं (Occulomotor Nerves)	चालक (Motor)	नेत्र गोलक (Eye ball) पर स्थित समस्त पेशियों (Muscles) को वितरण (सुपीरियर आब्लीक को छोड़कर) क्रूरा सेरीब्राई से	आवेगों को क्रूरा सेरीब्राई से (Cerebrai) से नेत्र गोलक की पेशियों तक पहुँचाना।
4.	ट्रॉक्लियर तन्त्रिकाएँ (Trochlear Nervous)	चालक	आप्टिक लोब तथा सेरीबेलम (Cerebellum) के बीच से	सुपीरियर ऑब्लीक नेत्र पेशी (Superior Oblique Eye Muscle) को मस्तिष्क (Brain) से प्रेरणा लेना।
5.	ट्राइजेमिनल तन्त्रिकाएँ (Trigeminal Nerves) (*i*) ऑप्थैलिमक (Opthalmic) (*ii*) मैक्सीलरी (Maxillary) (*iii*) मैण्डिबुलर (Mandibular)	मिश्रित (Mixed) संवेदी संवेदी मिश्रित	मेडूला आब्लांगेटा (Medulla oblongata) के पार्श्व तल (Lateral surface) पर गैसेरियन गैंगलिया से	होंठ, नाक की त्वचा, निचली पलक तथा जबड़े की त्वचा से उद्दीपन एवं संवेदनाओं को मस्तिष्क तक ले जाना।
6.	एब्डूसेन्स तन्त्रिकाएँ (Abducens Nerves)	चालक (Motor)	मेडूला से	नेत्रपेशी में मेडूला (Medulla) से आवेगों को ले जाना।
7.	फेशियल तन्त्रिकाएँ (Facial Nerves) (*i*) पेलेटाइनस (Palatinus) (*ii*) हायोमैंडिबुलर (Hyomandibular) (*iii*) कॉर्डोटिम्पेनाई (Chordotympani)	मिश्रित (Mixed) संवेदी चालक मिश्रित	ट्राइजेमिनल तन्त्रिका के पीछे जेनीकुलेट गैंगलियान (Ganglion) से	मुखगुहा की छत, निचले जबड़े की पेशी, गले की पेशी, कान का पिन्ना, लार ग्रंथियों तथा जीभ की स्वाद मुकुलों (Taste bud) को
8.	ऑडिटरी तन्त्रिकाएँ (Auditory Nerves) (*i*) वेस्टीब्यूलर (Vestibular) (*ii*) कॉक्लियर (Cochlear)	संवेगी (Sensory) संवेगी संवेदी	मेडूला से	आन्तरिक कर्ण के भाग (यूट्रीकुलस, सैकुलस, अर्धवृत्ताकार नलिकाएँ तथा कॉक्लिया) से आवेग ग्रहण कर मस्तिष्क को पहुँचाना
9.	ग्लॉसो फैरिंज़ियल तंत्रिकाएं (Glossopharyngeal Nerves)	मिश्रित	मेडूला से	जीभ के स्वाद मुकुलों तथा ग्रसनी (Pharynx) को आवेग पहुंचाना तथा जीभ के स्वाद को मस्तिष्क तक ले जाना
10.	वेगस या न्यूमोगैस्ट्रिक (Vagus or pneumogastric) (*i*) सुपीरियर लैरिंजियल (Superior Laryngeal)	मिश्रित	मेडूला से निकलकर 9 वीं तथा 10 वीं तन्त्रिकाएँ मिलकर वेगस बनाती हैं और शीघ्र ही अलग होकर शाखाओं में बँट जाती हैं	कण्ठ (Larynx) की पेशियों को आवेग पहुँचाना
	(*ii*) रिकरेंट लैरिंजियल (Recurrent Laryngeal)	चालक	—	कण्ठ की पेशियों को आवेग पहुँचाना
	(*iii*) कार्डियक (Cardiac)	चालक	—	हृदय पेशी से आवेग मस्तिष्क को पहुँचाना
	(*iv*) न्यूमोगैस्ट्रिक (Pneumogastric)	मिश्रित	—	उदर गुहा (Abdominal cavity) में फेफड़ों एवं आमाशय से आवेग मस्तिष्क तक ले जाना तथा आवेगों को इन अंगों की पेशियों तक भेजना
	(*v*) डिप्रेसर (Depressor)	चालक	—	डायफ्राम (Diaphragm) की पेशियों को आवेग पहुँचाना
11.	स्पाइनल ऐक्सेसरी (Spinal accessory)	चालक (Motor)	मेडूला से	गर्दन (Neck) तथा कंधे की पेशियों में आवेगों को मस्तिष्क से भेजना।
12.	हाइपोग्लॉसल (Hypoglossal)	चालक	मेडूला से	जीभ एवं गर्दन की पेशियों को आवेग पहुँचाना।

प्रतिवर्ती क्रिया (Reflex Action)

प्रतिवर्ती क्रिया के विषय में सर्वप्रथम मार्शल हॉल (Marshall Hall) ने बताया था।

बेस्ट एवं टेलर (Best and Tailor) के अनुसार, "प्रतिवर्ती क्रियाएं अनैच्छिक तथा बिना सोचे-समझे अचानक होती हैं और यह ग्राही अंगों के उद्दीपन (Stimulus) के कारण होती है।" जैसे–अचानक तेज रोशनी में आँखों की पुतली (Pupil) का अचानक सिकुड़ना, उबासी, श्वासनली में भोजन के कण फँसने पर खाँसना, झींकना, शरीर के किसी भी भाग में अकस्मात सूई चुभन पर शरीर का वह भाग वहां से तुरन्त हटाना या उछल जाना आदि।

प्रतिवर्ती क्रिया (Reflex action) दैहिक (Somatic) या रेखित पेशियों, ग्रंथियों (Glands) से सम्बन्धित होती हैं। इस क्रिया का नियन्त्रण मेरुरज्जू (Spinal cord) द्वारा होता है (चित्र 10.6)।

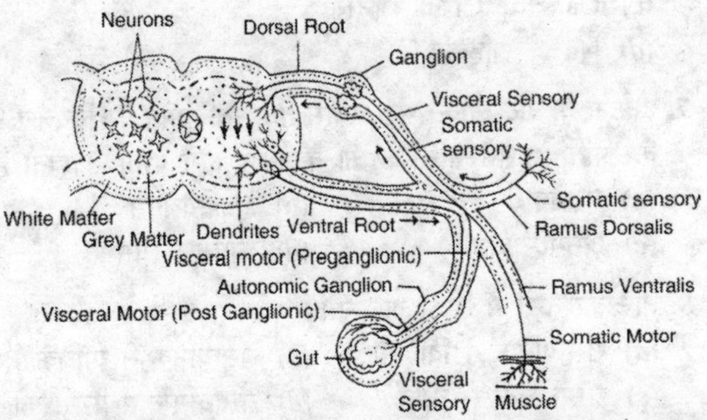

चित्र 10.6 : *मेरुरज्जू (Spinal cord) द्वारा प्रतिवर्ती क्रिया*

प्रतिवर्ती क्रिया की क्रियाविधि (Mechanism of Reflex Action)

स्पाइनल तन्त्रिका में पृष्ठ मूल (Dorsal root) एवं अधर मूल (Ventral root) पाए जाते हैं। पृष्ठ मूल संवेदी (Sensory) तन्तुओं से तथा अधर मूल चालक (Motor) तन्तुओं से बना होता है। संवेदी अंग उत्तेजित होकर संवेदना संवेदी तन्तुओं (Sensory) के डेण्ड्राइट्स में प्रसारित करते हैं। स्पाइनल तन्त्रिकाएँ प्रेरणा या उद्दीपन, पृष्ठमूल में डार्सल गैंग्लियान (Dorsal Ganglion) में ले जाती हैं जिसमें उपस्थित न्यूरान्स संवेदनाओं को कोशाकाय (Cell body) में ले जाते हैं।

कोशाकाय (Cell body) के एक्सान (Axon) प्रेरणा को मेरुरज्जू के ग्रेमैटर (Grey matter) में ले जाते हैं। ग्रेमैटर में एक्सान की सिनेप्टिक घुण्डियों (Synaptic Knobs) से प्रेरणा, चालक तन्त्रिका तन्तु के डेण्ड्राइट्स में ले जाती हैं। इस प्रकार संवेदी प्रेरणा, चालक प्रेरणा में परिवर्तित हो जाती है। चालक कोशाओं के एक्सान अधर मूल (Ventral root) के तन्तु होते हैं जो प्रेरणा को सम्बन्धित अंग तक ले जाते हैं और इसके अनुरूप उनमें गति होती है। प्रतिवर्ती क्रिया तेजी से होती है, क्योंकि मेरुरज्जू संवेदी प्रेरणा को तुरन्त चालक प्रेरणा के रूप में वापस कर देता है।

प्रतिवर्ती चाप (Reflex-arch)

संवेदांग (Sensory organs) से लेकर अपवाहक अंग (Effector organ) तक पूरे मार्ग को प्रतिवर्ती चाप कहते हैं।

प्रतिवर्ती क्रिया के प्रकार (Types of Reflex action)

प्रतिवर्ती क्रिया दो प्रकार की होती है—

(*i*) **अबन्धित प्रतिवर्ती क्रिया**–इस प्रकार की प्रतिवर्ती क्रिया वंशानुगत होती है। ये क्रियाएं निश्चित एवं जन्म से होती है। जीवों की प्राकृतिक मूल प्रवृत्ति इसके अन्तर्गत आती है। जैसे–मौसमी प्रजनन, घोंसला बनाना, पक्षियों का प्रवास आदि, ये क्रियाएँ जन्तु बिना पूर्व अनुभव के स्वयं ही करने लगते हैं।

(*ii*) **अनुबन्धित या अनुकूलित प्रतिवर्ती क्रिया**– यह प्रतिवर्ती क्रिया जन्तुओं के प्रशिक्षण द्वारा होने लगती है। जैसे कुत्तों में भोजन देखकर लार टपकना एक सामान्य अबन्धित प्रतिवर्ती क्रिया (Unconditional reflexes) है, किन्तु प्रशिक्षण देने पर बिना भोजन देखे यह प्रतिक्रिया होने लगती है तब यह क्रिया अनुबन्धित तथा अनुकूलित प्रतिवर्ती क्रिया (Conditional reflexes) कहलाती है।

मस्तिष्क के महत्वपूर्ण भागों के प्रमुख कार्य

(*i*) अग्रमस्तिष्क का **ऑलफैक्ट्री** लोब—गंध का ज्ञान।

(*ii*) **सेरीब्रम** (Cerebrum)—सोचने-समझने, सीखने का केन्द्र, ऐच्छिक क्रियाओं पर नियन्त्रण, हँसना, रोना, भावनाएँ, तन्त्रिका तन्त्र के शेष भागों पर नियन्त्रण रखना।

(*iii*) **डाइनसेफेलान** (Diencephalon)—नींद, जनन क्रियाएँ, उपापचयी क्रियाओं (Metabolic activity) पर नियन्त्रण रखना।

(*iv*) **हाइपोथैलेमस** (Hypothalamus)—भूख, प्यास, ताप का नियन्त्रण, स्वायत्त तन्त्रिका तन्त्र पर नियन्त्रण रखना।

(*v*) मध्यमस्तिष्क का **कार्पोरा क्वाड्रिजेमाइना** (Corpora quadrigemina)—दृष्टि ज्ञान।

(*vi*) **सेरीबेलम** (Cerebellum)—कंकाली मांसपेशियों का संकुचन (Contraction) तथा शिथिलन (Relaxation) एवं साम्यावस्था का नियन्त्रण रखना।

(*vii*) **मेडूला आब्लांगेटा** (Medulla oblongata)—अनैच्छिक क्रियाओं का केन्द्र, श्वसन, हृदय का धड़कना (Heart beating), आहार नाल की क्रमाकुंचन गति (Peristatic movement), पाचन (Digestion) आदि पर नियन्त्रण रखना।

न्यूरॉन्स (Neurons)

न्यूरॉन में एक मुख्य काय (Body) साइटॉन (Cyton) होता है जिसमें अनेक छोटे-छोटे प्रवर्ध (Process) डेण्ड्रान होते हैं। इसकी शाखाएं डेण्ड्राइट्स (Dendrites) होती हैं। इसका एक प्रवर्ध अपेक्षाकृत लम्बा होता है जिसे एक्सान (Axon) कहते हैं (चित्र 10.7)।

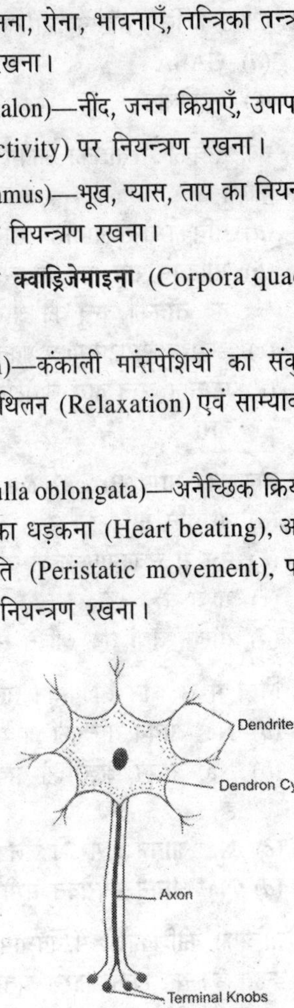

चित्र 10.7 : *न्यूरान कोशा*

मस्तिष्क से सम्बन्धित कुछ रोग

(*i*) **सिरदर्द** ***(Headache)***—यह तन्त्रिका तन्त्र का अति सामान्य रोग है।

(*ii*) **कन्कशन** ***(Concussion)***—मस्तिष्क में बाहरी आघात या चोट लगने पर बेहोशी तथा कभी-कभी स्मरण शक्ति का ह्रास हो जाता है। इसे एमनेसिया (Amnesia) भी कहते हैं।

(*iii*) **मेनिन्जाइटिस** ***(Meningitis)***—विषाणु, जीवाणु या कवक (Fungi) संक्रमण से मस्तिष्क की झिल्ली में सूजन हो जाने से ज्वर, कमर दर्द तथा लकवा आदि का होना।

(*iv*) **मिर्गी** ***(Epilepsy)***—पेशियों में झटके से गति होने लगती है तथा मुख से झाग निकलने लगता है।

(*v*) **इनसिफेलाइटिस** ***(Encephalitis)***—विषाणु संक्रमण से मस्तिष्क में सूजन होने से बेहोशी हो जाती है।

(*vi*) **कोमा** ***(Coma)***—मनुष्य बेहोश हो जाता है तथा किसी भी प्रकार की उद्दीपन (Stimulus) क्रिया नहीं होती है।

(*vii*) **सेरीब्रल पाल्सी** ***(Cerebral Palsy)***—माँसपेशियों का समन्वय बिगड़ जाने पर रोगी को लकवा मार जाता है तथा रोगी बोल नहीं पाता।

वस्तुनिष्ठ प्रश्न

1. लकवे का प्रमुख कारण है–
(*a*) पेशियों में कुछ विकार
(*b*) संवेदी तन्त्रिकाओं का पूर्ण विकार
(*c*) प्रेरक तन्त्रिकाओं का पूर्ण विनाश
(*d*) उपरोक्त में से कोई नहीं

2. CNS के लिए संदमनकारी न्यूरोट्रांसमीटर होता है–
(*a*) GABA (*b*) एसीटाइलकोलीन
(*c*) एड्रीनेलीन (*d*) नॉर एड्रीनेलीन

3. एक तंत्रिका में तंत्रिका आवेग का एकद्विशीय प्रवाह होता है इस कारण–
(*a*) तंत्रिका तन्तु मायलिन छाद द्वारा विद्युतरोधी होता है
(*b*) सोडियम पम्प सायटॉन पर अपनी क्रिया प्रारम्भ करता है और तब तंत्रिका तन्तु की ओर बढ़ता है
(*c*) डेन्ड्राइट न्यूरोट्रांसमीटर मुक्त करते हैं ना कि एक्सॉन अन्त द्वारा
(*d*) एक्सॉन अन्त द्वारा न्यूरोट्रांसमीटर मुक्त होते हैं ना कि डेन्ड्राइट द्वारा

4. ब्रोका का भाग (Broca's area) सम्बन्धित है–
(*a*) गंधज्ञान से
(*b*) नेत्र से संवेदनाएँ ग्रहण करने से
(*c*) भाषा से
(*d*) सीखने तथा तर्क शक्ति से

5. निम्न में से कौन सा कथन सही है?
(*a*) Na^+ आयन तन्त्रिका आवेगों के संवहन में सहायक होते हैं
(*b*) Na^+ आयन झिल्ली से तत्वों के अभिगमन में महत्वपूर्ण होते हैं
(*c*) Na^+ आयन शरीर में जल बनाए रखने में सहायक होते हैं
(*d*) Na^+ आयन उपरोक्त सभी कार्यों से सम्बन्धित हैं

6. तन्त्रिका कोशिकाओं में, विश्राम विभव के उत्क्रमण को विध्रुवण कहते हैं। यह किस कारण होता है?
(*a*) Na^+ के अन्तर्वाह
(*b*) K^+ के अन्तर्वाह
(*c*) Ca^+ तथा Cl^- के अन्तर्वाह
(*d*) Na^+ के बहिर्वाह

7. दुर्घटना के बाद व्यक्ति भूख, प्यास तथा स्वनियमन पर नियंत्रण नहीं कर पाता। इसमें मस्तिष्क का कौन-सा भाग प्रभावित होता है?
(*a*) सेरीब्रम (*b*) हाइपोथैलेमस
(*c*) अनुमस्तिष्क (*d*) कार्पस केलोसम

8. तन्त्रिका तन्त्र में ऊर्जा का रूपांतरण होता है–
(*a*) रासायनिक से विकिरण (*b*) रासायनिक से यांत्रिक
(*c*) रासायनिक से वैद्युत (*d*) रासायनिक से परासरणी

9. रैनवियर की गाँठों का कारण होता है–
(*a*) असंतत माइलिन आच्छद के कारण
(*b*) असंतत माइलिन आच्छद तथा न्यूरीलेमा के कारण
(*c*) असंतत न्यूरीलेमा के कारण
(*d*) असंतत एक्सान के कारण

10. जब व्यक्ति शराब पीता है तो मस्तिष्क के किस भाग के नियन्त्रण में ह्रास होता है–
(*a*) अनुमस्तिष्क (*b*) सेरीब्रम
(*c*) मेड्यूला आब्लोगेंटा (*d*) पोन्स वेरोली

11. तन्त्रिका आवेग के संवहन के समय निम्न में से कौन भारी मात्रा में निध्रुवण (depolarization) के समय बाहर जाता है?
(*a*) Na^+ (*b*) K^+
(*c*) Ca^{++} (*d*) Mg^{++}

12. निम्न में से कौन लार ग्रन्थियों के स्रावण को कम करता है, हृदय स्पंदन की दर को बढ़ाता है तथा श्वसन दर को बढ़ाता है?
(*a*) परानुकम्पी तन्त्रिका तन्त्र (*b*) अनुकम्पी तन्त्रिका तन्त्र
(*c*) केन्द्रीय तन्त्रिका तन्त्र (*d*) परिधीय तन्त्रिका तन्त्र

13. रैनवियर की गाँठ (node of Ranvier) कहाँ उपस्थित होती है?
(*a*) दाहिने अलिन्द में
(*b*) पेशीय पूलों (muscle fasciculi) में
(*c*) वृक्षाभ (dendrite) में
(*d*) अक्षतन्तु में (axon)

14. निम्न में से कौन प्रतिबन्धित प्रतिवर्ती क्रिया का उदाहरण है?
(*a*) पाचन के समय भोजन आहार नाल में आगे की ओर बढ़ता है
(*b*) जब कोई वस्तु सामने आती है तो नेत्र बन्द हो जाते हैं
(*c*) सूई चुभने पर हाथ हटा लिया जाता है
(*d*) जब आप पत्थर उठाने को झुकते हैं तब कुत्ता भाग जाता है।

15. अनुत्तेजन या रिफ्रेक्टरी अवधि (refractory period) के समय एक्सान होता है–
(*a*) बाहर तथा भीतर की ओर धनात्मक
(*b*) बाहर की ओर धनात्मक तथा भीतर की ओर ऋणात्मक
(*c*) बाहर की ओर ऋणात्मक तथा भीतर की ओर धनात्मक
(*d*) बाहर तथा भीतर की ओर ऋणात्मक

16. परानुकम्पी तन्त्रिका तन्त्र के कार्य हैं–
(*a*) रुधिर दाब बढ़ाना
(*b*) हृदय धड़कन को कम करना, लार का स्रावण बढ़ाना तथा इंसुलिन स्रावण बढ़ाना
(*c*) अश्रु स्रावण बढ़ाना तथा गुदा अवरोधनी (anal sphapinctor) का शिथिलन
(*d*) रुधिर दाब बढ़ाना तथा अश्रु स्रावण बढ़ाना

17. मस्तिष्क की गुहाओं व झिल्लियों के बीच भरे सेरीब्रोस्पाइनल द्रव का क्या कार्य है?
(*a*) दबाव बनाये रखना (*b*) पोषण प्रदान करना
(*c*) श्वसन में सहायक (*d*) उपरोक्त सभी

18. निम्न में से कौन-सा अणु तन्त्रिका आवेग के संवहन से सम्बन्धित नहीं है?
(*a*) K^+ (*b*) Na^{++}
(*c*) Mg^{++} (*d*) Ca^{++}

19. निम्न में से कौन प्रतिबंधित प्रतिवर्ती क्रिया का उदाहरण है–
(*a*) साइकिल चलाना
(*b*) गर्म प्लेट छूने पर हाथ को तुरन्त हटा लेना
(*c*) भोजन की गंध आने पर मुख में पानी आना
(*d*) प्याज काटते समय आँखों से पानी बहना

20. निम्न में से कौन तन्त्रिका आवेग के संवहन में रासायनिक ट्रासंमीटर की भाँति कार्य करता है–
(*a*) ग्लाइसीन (glycine)
(*b*) एड्रीनेलीन (adrenaline)
(*c*) GABA
(*d*) ऐसीटाइलकोलीन (acetylcholine)

21. तन्त्रिका आवेग संवहन के लिए पदार्थों (elements) या आयनों (ions) का कौन-सा जोड़ा आवश्यक होता है?
(*a*) Na^+ तथा K^+ (*b*) Ca^{++} तथा Mg^+
(*c*) Na^+ तथा Ca^+ (*d*) Na^+ तथा Mg^+

22. स्तनधारियों में श्रवण का उद्दीपन ग्रहण किया जाता है–
(*a*) घ्राण पालि (olfactory lobe)
(*b*) प्रमस्तिष्क गोलार्ध (cerebral hemisphere)
(*c*) सेरीबेलम (cerebellum)
(*d*) मेडूला आब्लांगेटा (medulla oblongata)

23. रक्त दाब व अनैच्छिक पेशियों की क्रिया किस ग्रन्थि के स्रावण के नियन्त्रण में है?
(*a*) पीयूष ग्रन्थि की अग्रपालि
(*b*) पीयूष ग्रन्थि की मध्य पालि
(*c*) पीयूष ग्रन्थि की पश्च पालि
(*d*) एड्रीनल कार्टेक्स

24. किस हॉरमोन के असामान्य स्रावण से "डायबिटीज इंसीपीड्स" नामक रोग होता है?
(*a*) इंसुलिन (*b*) वैसोप्रेसिन
(*c*) ग्लूकागान (*d*) ऑसीटोसिन

25. थाइमस ग्रन्थि को प्रारंभिक जीवन में ही निकाल देने पर जन्तु में क्या प्रभाव होंगे?
(*a*) लसिकाणु का अभाव
(*b*) प्रतिजैविकता का अभाव
(*c*) लसिका ग्रन्थि व लसिका वाहिनी का अभाव
(*d*) उपरोक्त सभी

26. किस कपालीय तन्त्रिका में सबसे अधिक संख्या में शाखाएँ पायी जाती हैं?
(*a*) वेगस तन्त्रिका (vegus nerve)
(*b*) फेशियल तन्त्रिका (facial nerve)
(*c*) श्रवण तन्त्रिका (auditory nerve)
(*d*) ट्राइजेमिनल तन्त्रिका (trigeminal nerve)

27. प्रतिबन्धित प्रतिवर्ती क्रियाएँ (conditioned reflexes) अबन्धित प्रतिवर्ती क्रियाओं (unconditioned reflexes) से भिन्न होती हैं–
(*a*) प्रतिबन्धित प्रतिवर्ती क्रियाएँ केवल मस्तिष्क तक ही सीमित रहती है
(*b*) अबन्धित प्रतिवर्ती क्रियाएँ केवल मस्तिष्क तक ही सीमित रहती हैं
(*c*) (*a*) व (*b*) दोनों
(*d*) इनमें से कोई नहीं

28. आरबर विटी (arbor vitae) बना होता है–
(*a*) श्वेत मैटर (white matter)
(*b*) ग्रे मैटर (grey matter)
(*c*) न्यूरोग्लिया कोशिकाएँ (neuroglia cells)
(*d*) उपरोक्त सभी

29. स्तनधारियों में अनुकम्पी तन्त्रिकाएँ निकलती हैं–
(*a*) थोरेकोलम्बर भाग (thoraco lumbar region)
(*b*) सैकरल भाग (sacral region)
(*c*) 3rd, 7th, 9th तथा 10th कपालीय तन्त्रिकाएँ
(*d*) इनमें से कोई नहीं

30. शराब का सेवन करने के पश्चात किसी व्यक्ति के मस्तिष्क का कौन-सा भाग सबसे पहले प्रभावित होता है?
(*a*) सेरेब्रम (cerebrum)
(*b*) सरेबेलम (cerebellum)

(*c*) पौंस वेरोली (pons varoli)
(*d*) मेडूला आब्लांगेटा (medulla oblongata)

31. निम्न में से कौन-सा विज्ञान तन्त्रिका तन्त्र से सम्बन्धित है–
(*a*) कोशिका विज्ञान (*b*) न्यूरोलॉजी
(*c*) नेफ्रोलॉजी (*d*) मनोविज्ञान

32. निम्नलिखित कपालीय तन्त्रिका हृदयस्पन्दन में महत्वपूर्ण भूमिका निभाती है–
(*a*) नवीं (*b*) दसवीं
(*c*) सातवीं (*d*) आठवीं

33. अधर तन्त्रिका रज्जु पायी जाती है–
(*a*) मेंढक में (*b*) हाइड्रा में
(*c*) तिलचट्टे में (*d*) अमीबा में

34. व्यावहारिक दृष्टि से निम्न में से कौन केन्द्रीय तन्त्र का भाग नहीं होता है?
(*a*) धूसर द्रव्य (*b*) श्वेत द्रव्य
(*c*) युग्मानुबन्ध (*d*) तन्त्रिका

35. मस्तिष्क का सबसे बाहरी आवरण होता है–
(*a*) दृढ़तानिका (*b*) एरैक्नॉएड
(*c*) मृदुतानिका (*d*) कोरोएड

36. मस्तिष्क में होता है–
(*a*) श्वेत मैटर बाहर ग्रे मैटर भीतर
(*b*) दोनों मिश्रित होते हैं
(*c*) केवल ग्रे मैटर ही होता है
(*d*) ग्रे मैटर बाहर श्वेत मैटर भीतर

37. यदि मेंढक के प्रमस्तिष्क गोलार्ध शरीर से अलग कर दिये जाएँ तो–
(*a*) तुरन्त मर जाता है
(*b*) भोजन लेना बन्द कर देता है
(*c*) कुछ समय बाद मर जाता है
(*d*) सामान्य रूप से व्यवहार करता है

38. केन्द्रीय तन्त्रिका तन्त्र की ओर बढ़ने वाली तन्त्रिकाएँ कहलाती हैं–
(*a*) अपवाही (*b*) अभिवाही
(*c*) चालक (*d*) इनमें से कोई नहीं

39. मेंढक की नवीं कपालीय तन्त्रिका कहलाती है–
(*a*) ट्रोक्लियर (*b*) ओक्यूलोमोटर
(*c*) ट्राईजेमिनल (*d*) ग्लौसोफैरिंजियल

40. सिल्वियस की एक्वेडक्ट (आइटर) होती है बीच में–
(*a*) राइनोसील तथा पार्श्व निलयों के
(*b*) तृतीय तथा चतुर्थ निलयों के
(*c*) दोनों पार्श्व निलयों के
(*d*) पार्श्व निलयों तथा तृतीय निलय के

41. निम्नलिखित में से कौन-सा प्रतिवर्ती क्रियाओं के नियन्त्रण हेतु उत्तरदायी होता है?
(*a*) चालक तन्त्रिकाएँ (*b*) संवेदी तन्त्रिकाएँ
(*c*) केन्द्रीय तन्त्रिका तन्त्र (*d*) एक प्रतिवर्ती चाप

42. मेंढक की तीसरी कपालीय तन्त्रिका होती है –
(*a*) एब्डूसेन्स (*b*) ट्रोक्लियर
(*c*) ऑडिटरी (*d*) ओक्यूलोमोटर

43. गुच्छक जिससे ट्राईजेमिनल तन्त्रिकाएँ निकलती हैं कहलाता है–
(*a*) वेगस गुच्छक (*b*) सर्वाइकल गुच्छक
(*c*) न्यूरोग्लिया (*d*) गैसेरियन गुच्छक

44. कॉपेस स्ट्रिएटा पाया जाता है–
(*a*) पैरासील में (*b*) मेटासील में
(*c*) प्रमस्तिष्क में (*d*) डायोसील में

45. डेन्ड्राइट आवेगों को ले जाता है–
(*a*) कोशिका काय की ओर
(*b*) कोशिका काय से दूर
(*c*) शरीर के आर-पार
(*d*) एक तन्त्रिका कोशिका से दूसरी में

उत्तरमाला

1	2	3	4	5	6	7	8	9	10
(*c*)	(*a*)	(*d*)	(*c*)	(*d*)	(*a*)	(*b*)	(*c*)	(*a*)	(*a*)
11	**12**	**13**	**14**	**15**	**16**	**17**	**18**	**19**	**20**
(*b*)	(*b*)	(*d*)	(*d*)	(*c*)	(*b*)	(*d*)	(*c*)	(*a*)	(*d*)
21	**22**	**23**	**24**	**25**	**26**	**27**	**28**	**29**	**30**
(*a*)	(*b*)	(*c*)	(*b*)	(*d*)	(*a*)	(*d*)	(*a*)	(*a*)	(*b*)
31	**32**	**33**	**34**	**35**	**36**	**37**	**38**	**39**	**40**
(*b*)	(*b*)	(*c*)	(*d*)	(*a*)	(*d*)	(*c*)	(*b*)	(*d*)	(*b*)
41	**42**	**43**	**44**	**45**					
(*d*)	(*d*)	(*d*)	(*b*)	(*a*)					

●●●

अध्याय 11

उत्सर्जन तन्त्र
(Excretory System)

- उत्सर्जन तन्त्र की क्रिया शरीर में उपापचयी क्रियाओं(Metabolic activity) के होने के कारण होती है। इसके फलस्वरूप उत्सर्जी पदार्थ (Excretory substances) बनते हैं जो मुख्यतः नाइट्रोजनी पदार्थ (Nitrogenous substances) होते हैं।
- ये उत्सर्जी पदार्थ शरीर के लिए हानिकारक होते हैं। मुख्य उत्सर्जी पदार्थ अमोनिया (NH_3), यूरिया (Urea), यूरिक अम्ल (Uric acid) तथा CO_2 हैं।
- उत्सर्जी पदार्थों को शरीर की कोशाओं द्वारा रक्त में मुक्त किया जाता है, यहाँ से ये पदार्थ रक्त परिसंचरण (Blood circulation) के द्वारा वृक्कों (Kidney) तक पहुँचते हैं। यहाँ पर छनने की क्रिया (Filtration) होती है और उत्सर्जन तन्त्र के द्वारा उत्सर्जी पदार्थ शरीर से बाहर निकाल दिए जाते हैं।

उत्सर्जन की क्रिया-विधि (Physiology of Excretion)

- मनुष्य तथा अन्य स्तनियों में प्रमुख उत्सर्जी पदार्थ यूरिया (urea) होता है, अर्थात उत्सर्जन यूरियोटीलिक (ureotelic excretion) होता है।
- उत्सर्जन की प्रक्रिया जटिल होती है। इसके अन्तर्गत दो प्रमुख प्रक्रियाएँ होती हैं–(क) यकृत में यूरिया-संश्लेषण (urea synthesis), तथा (ख) वृक्कों में मूत्र का सृजन एवं उत्सर्जन (formation and excretion of urine)।

मूत्र का निर्माण (Formation of Urine)

यकृत कोशिकाओं (Liver cells) से यूरिया (Urea) जब रूधिर (Blood) के साथ ग्लोमेरुलस (Glomerulus) में प्रवेश करता है तब मूत्र निर्माण की क्रिया प्रारम्भ होती है (चित्र)।

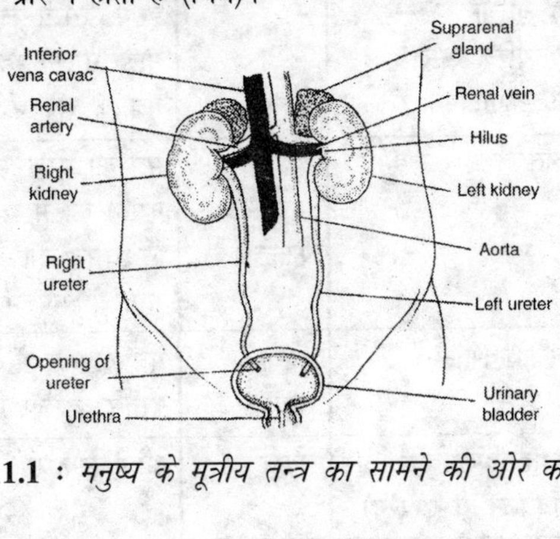

चित्र 11.1 : *मनुष्य के मूत्रीय तन्त्र का सामने की ओर का दृश्य*

मूत्र निर्माण की क्रिया में निम्नलिखित चरण होते हैं–

(*a*) अल्ट्राफिल्ट्रेशन (Ultrafiltration)

(*b*) वरणात्मक पुनःअवशोषण (Selective Reabsorption)

(*c*) स्रवण (Secretion)

यकृत में यूरिया संश्लेषण, आर्निथीन चक्र (Urea Synthesis in liver, Ornithine Cycle)

आर्निथीन चक्र (Ornithine Cycle)–इसे क्रेब्स हेंसिलेट चक्र (Krebs-Henseilet cycle) कहते हैं। आर्निथीन चक्र में यूरिया निर्माण में पाँच भिन्न प्रकार के पदार्थों का संश्लेषण होता है। जिसमें पांच प्रकार केएन्जाइम भी प्रयुक्त होते हैं जो कि रेखाचित्र (चित्र **11.2**) से प्रदर्शित किया गया है।

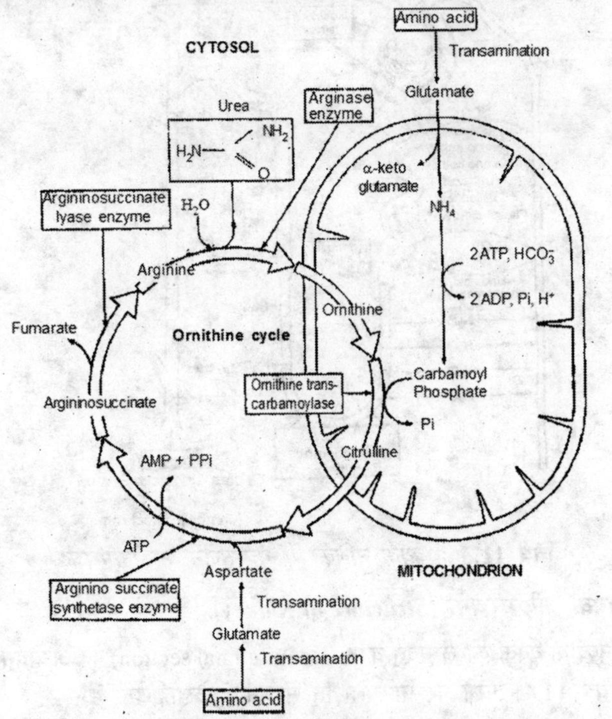

चित्र 11.2 : *ऑर्निथीन चक्र*

अमोनिया को यकृत कोशिकाएँ कार्बनडाइक्साइड (CO_2) से मिलकर यूरिया में बदलती है।

$$2NH_3 + CO_2 \rightarrow H_2N-\overset{\overset{O}{\|}}{C}-NH_2 + H_2O$$

यूरिया

मनुष्य का उत्सर्जी या मूत्रीय तन्त्र (Excretory or Urinary System of Humans)

कशेरुकियों (vertebrates) में **उत्सर्जी** एवं **जनन तन्त्रों** में, विशेषतः नर में, परस्पर काफी सम्बन्ध होता है। इसीलिए, इन दोनों तन्त्रों का अध्ययन प्रायः एक ही सहतन्त्र–**मूत्रोजनन तन्त्र** (urinogenital system)—के अन्तर्गत करते हैं। मनुष्य में इन तन्त्रों के प्रमुख अंगों में तो कोई सम्बन्ध नहीं होता, परन्तु इनकी वाहिनियों में महत्त्वपूर्ण सम्बन्ध होता है। हमारे प्रमुख उत्सर्जी अंग दो **वृक्क** या **गुर्दे** (kidneys) होते हैं। इनसे सम्बन्धित अन्य उत्सर्जी अंग होते हैं–**मूत्रवाहिनियाँ** (ureters), **मूत्राशय** (urinary bladder) तथा **मूत्रमार्ग** (urethra)। यकृत, प्लीहा, आँत, त्वचा, फेफड़े आदि कुछ अन्य अंग भी उत्सर्जन में महत्त्वपूर्ण सहायता करते हैं।

वृक्कों द्वारा मूत्र का सृजन एवं उत्सर्जन (Formation and Excretion of Urine By Kidneys)

यह उत्सर्जन का भौतिक (physical) पहलू होता है क्योंकि इसमें रासायनिक अभिक्रियाएँ नहीं होतीं; बस रुधिर को भली-भाँति छानकर इसमें से अनावश्यक तथा अपशिष्ट पदार्थों को हटा लिया जाता है और जल की कुछ मात्रा के साथ इन पदार्थों को **मूत्र** (urine) के रूप में शरीर से बाहर निकाल दिया जाता है (चित्र 11.3)।

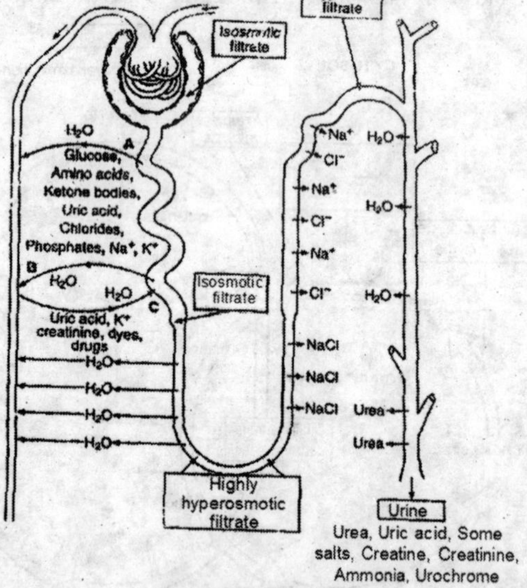

चित्र 11.3 : *वृक्क नलिका में मूत्र-सृजन का रेखाचित्र*

वृक्क की संरचना (Structure of Kidney)

मनुष्य के वृक्क की लम्बवत् काट (Longitudinal section) का अध्ययन (चित्र 11.4) करने पर निम्नलिखित संरचनाएं दिखाई देती हैं–

(*i*) बोमेन्स केप्सूल (Bowman's capsule)
(*ii*) ग्लोमेरूलस (Glomerulus)
(*iii*) समीपस्थ कुण्डलित नलिका (Proximal convoluted tubule)
(*iv*) लूप ऑफ हेनले (Loop of Henle)
(*v*) लूप ऑफ हेनले का मोटा एसेंडिंग भाग (Thick ascending segment)
(*vi*) दूरस्थ कुण्डलित नलिका (Distal convoluted tubule)
(*vii*) संग्रह नलिका (Collecting tubule)
(*viii*) रीनल पैपिला (Renal papilla)
(*ix*) लूप ऑफ हेनले का मोटा डिसेंडिंग भाग (Descending segment)

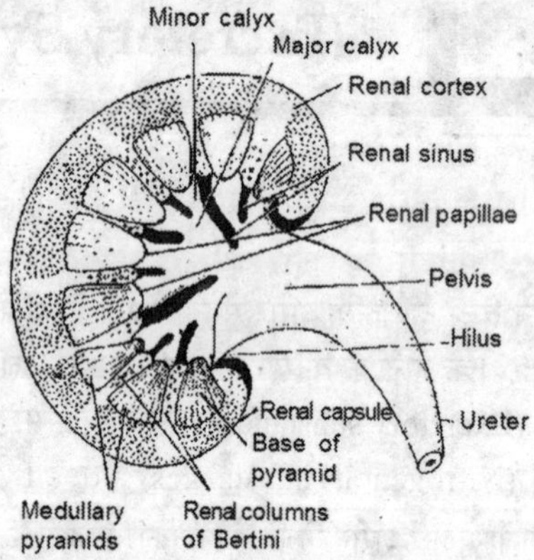

चित्र 11.4 : *मनुष्य के वृक्क की क्षैतिज अनुलम्ब काट का रेखाचित्र*

मूत्र का रासायनिक संघटन (Chemical Composition of Urine)

जल	–	95 – 97%
यूरिया	–	2%
प्रोटीन, वसा तथा ग्लूकोज	–	1.3%
क्लोराइड	–	0.6%
यूरिक अम्ल	–	0.05%
फास्फेट, सल्फेट, क्रिएटीन, सोडियम, कैल्शियम, मैग्नीशियम	}	अल्पमात्रा में

तालिका : उत्सर्जी पदार्थ, अंग तथा रूप (अवस्था)

	उत्सर्जी पदार्थ का नाम	उत्सर्जी अंग का नाम	उत्सर्जन का स्वरूप (अवस्था)
1.	कार्बनडाइ-ऑक्साइड	फेफड़े	निःश्वसन की वायु गैस
2.	नाइट्रोजनी उत्सर्जी पदार्थ (*i*) यूरिया (*ii*) यूरिक अम्ल (*iii*) क्रिएटिनिन	त्वचा वृक्क	रूप में पसीने के रूप में इसमें उत्सर्जी पदार्थों की मात्रा नगण्य रहती है मूत्र के रूप में
3.	फालतू जल	वृक्क त्वचा फेफड़े	मूत्र का मुख्य भाग पसीने का मुख्य भाग निःश्वसन की वायु में भाप के रूप में
4.	खनिज लवण	वृक्क त्वचा	मूत्र के रूप में पसीने के रूप में
5.	पित्त (हीमोग्लोबिन के विघटन से उत्पन्न)	यकृत	आँत्र के द्वारा

उत्सर्जन तन्त्र के विकार (Disorders of Excretory System)

(*i*) **हीमेट्यूरिया (Hematuria):** हीमेट्यूरिया कोशिका जालक में क्षति के कारण होता है जिससे मूत्र में लाल रुधिराणुएँ आने लगते हैं जिसे हीमेट्यूरिया कहते हैं।

(*ii*) **बहुमूत्रता (Polyuria):** बहुमूत्रता में मूत्र निर्माण बढ़ जाता है। मूत्र का निर्माण मधुमेह (diabetes mellitus) एवं उदकमेह (diabetes insipidus) में बढ़ जाता है।

(*iii*) **वृक्क पथरी (Renal stones):** वृक्क पथरी का निर्माण; वृक्क के ऊतकों में कैल्शियम आक्सलेट तथा फास्फेट आदि का जमाव हो जाने से पथरी का निर्माण हो जाता है। जिसे लिथोट्राफी या ऑपरेशन के द्वारा निकाल दिया जाता है।

(*iv*) **यूरेमिया (Uremia):** वृक्कों के ठीक से कार्य न करने के कारण रुधिर में यूरिया की मात्रा बढ़ जाती है जिसे यूरेमिया कहते हैं।

(*v*) **अल्पमूत्रता (Oligouria):** वृक्क के कार्य में विकार या शरीर में जल की मात्रा में कमी होने के कारण अल्पमूत्रता हो जाती है।

(*vi*) **मूत्राशय शोथ (Cystitis)**: मूत्र मार्ग में हुए संक्रमण के कारण मूत्राशय में सूजन हो जाता है जिसे मूत्राशय शोथ का सिस्टाइटिस कहते हैं।

(*vii*) **जलीय शोथ (Oedema):** ऊतकों में अधिक मात्रा में तरल इकट्ठा हो जाने से सूजन हो जाती है जिसे जलीय शोथ कहा जाता है।

वस्तुनिष्ठ प्रश्न

1. कार्य की दृष्टि से जिस तरह केंचुए में नेफ्रीडिया होते हैं उसी प्रकार–
(*a*) टोड में पैरोटिड ग्रन्थियाँ होती है
(*b*) झींगा में स्टैटोसिस्ट होते हैं
(*c*) यकृत पर्णाभ (liver fluke) में ज्वाला कोशिकाएँ होती हैं
(*d*) मछलियों में मायोटोम होते हैं

2. वृक्क नलिका के किस भाग में सोडियम तथा क्लोराइड का अवशोषण मुख्य रूप से होता है?
(*a*) PCT
(*b*) DCT
(*c*) हेनले की पाशी
(*d*) संग्रह नलिका (Collecting duct)

3. स्तनधारियों में मूत्र को सांद्र करने से सम्बन्धित हॉरमोन है–
(*a*) केवल एण्टीडाययूरेटिक हॉरमोन
(*b*) एण्टीडाययूरेटिक हॉरमोन तथा ऑक्सीटोसिन
(*c*) एण्टीडाययूरेटिक हॉरमोन तथा एल्डोस्टीरोन
(*d*) केवल टेस्टोस्टीरोन

4. वृक्क प्रत्यारोपण करने के लिए रुधिर समूह तथा ऊतकों का मिलान किया जाता है, किन्तु इसके पश्चात भी शरीर कभी-कभी प्रत्यारोपित अंग को अस्वीकार करने लगता है। इस समय दिये जाते हैं–
(*a*) इम्यूनोसप्रेसेन्ट्स (immunosuppresants)
(*b*) कैल्शियम ऑक्सलेट
(*c*) एण्टीबायटिक
(*d*) एण्टीएलर्जिक

5. बोमैन संपुट + ग्लोमेरूलस हैं–
(*a*) मैल्पीघी नलिका (*b*) मैल्पीघी संपुट
(*c*) नेफ्रोन (*d*) यूरीनीफेरस नलिका

6. हेनले की पाशी पायी जाती है–
(*a*) मेंढक की सेमीनीफेरस नलिकाओं में
(*b*) शशक की सेमीनीफेरस नलिकाओं में
(*c*) स्तनधारियों की वृक्क नलिकाओं में
(*d*) मेंढक की वृक्क नलिकाओं में

7. निम्न में से किसके द्वारा वृक्क नलिकाओं में आयनों तथा पुनरावशोषण की दर में वृद्धि होती है?
(*a*) कार्टिसोल (cortisol)
(*b*) एल्डोस्टीरोन (aldosterone)
(*c*) कैल्सीफेरोल (calciferol)
(*d*) एरिथ्रोपोएटिन (erythropoietin)

8. रक्त में उपस्थित कौन से अपशिष्ट व हानिकारक पदार्थ आर्निथीन चक्र द्वारा कम हानिकारक पदार्थ में रूपांतरित होते हैं?
(*a*) CO_2 व $NH_2 - CO - NH_2$
(*b*) CO_2 व NH_3
(*c*) NH_3 व $NH_2 - CO - NH_2$
(*d*) NH_3 व यूरिक अम्ल

9. वृक्क नलिकाओं में दूरस्थ कुण्डलित नलिका (distal convoluted tubule) एवं संग्राहक वाहिनी (collecting duct) की जल के लिए पारगम्यता किसके द्वारा नियन्त्रित होती है?
(*a*) वृद्धि हॉरमोन (*b*) रेनिन
(*c*) वासोप्रेसिन (*d*) एल्डोस्टीरोन

10. सामान्यतः क्रिएटीन (creatine) किसके मूत्र में नहीं पाया जाता है?
(*a*) भूखे मनुष्य के
(*b*) गर्भस्थ स्त्री के
(*c*) स्वस्थ मनुष्य के
(*d*) स्तनपान कराने वाली स्त्रियों के

11. निम्न में से कौन यूरिकोटेलिक (uricotelic) जन्तु है–
(*a*) मेंढक का टैडपोल
(*b*) मनुष्य, बंदर, पशु
(*c*) टीलिओस्ट मछली, केंचुआ, *एप्लेशिया* (*Aplysia*)
(*d*) छिपकली, कौआ, पेंग्विन

12. ग्लोमेरूलस का भाग जो मानव वृक्क में परानिस्यंदन से सम्बन्धितहै–
(*a*) आधारी कला (basement membrane)
(*b*) पोडोसाइट्स (podocytes)
(*c*) ग्लोमेरूलस में उपस्थित छिद्रित (fenestrated) केशिकाओं/ एण्डोथीलियल छिद्र
(*d*) हेनले की पाशी (loop of Henle)

13. सूची-I में दिए गये भागों के नामों को सूची-II में दिए गये अंगों से सुमेलित करिए। सही उत्तर का चुनाव करिए जिसमें अक्षरों का उचित मेल है–

सूची-I (भाग)	**सूची-II (अंग)**
A. द्विवलन कपाट	1. मस्तिष्क
B. नेफ्रान	2. यकृत
C. वायु कूपिका	3. हृदय
D. सेरेब्रम	4. वृक्क
	5. फेफड़े

कोड :	A	B	C	D
(*a*)	4	2	1	5
(*b*)	4	3	1	5
(*c*)	3	5	4	1
(*d*)	3	4	5	1

14. पश्चवृक्क (metanephric kidney) की विशिष्टता क्या है?
(*a*) निम्न परासरी (hypotonic) मूत्र का निर्माण होता है
(*b*) यूरिक अम्ल का अधिकांश स्राव
(*c*) हेनले के चाप (loop of henle) की उपस्थिति
(*d*) हॉरमोन का उत्पादन

15. निम्नलिखित में से किस समूह में यूरिक अम्ल का उत्सर्जन होता है?
(*a*) पक्षी तथा छिपकली
(*b*) अस्थिल मछलियाँ + छिपकली
(*c*) उपास्थिल मछलियाँ तथा पक्षी
(*d*) ऊँट तथा पक्षी

16. पोडोसाइट (podocytes) पायी जाती है–
(*a*) नेफ्रान की ग्रीवा में
(*b*) बोमेन सम्पुट की बाह्य भित्ति में
(*c*) बोमेन सम्पुट की आन्तरिक भित्ति में
(*d*) ग्लोमेरूलस (glomerulus) में

17. जीव-जन्तुओं में आन्तरिक वातावरण स्थिर बनाए रखने में सहायक परिघटना को कहते हैं–
(*a*) एन्ट्रॉपी
(*b*) होमियोलायसिस
(*c*) हीमोलायसिस
(*d*) होमियोस्टेसिस

18. मनुष्य के सामान्य मूत्र में अकार्बनिक लवणों की सान्द्रता होती है लगभग–
(*a*) 0.15%
(*b*) 2.5%
(*c*) 15%
(*d*) 0.25%

19. समुद्री मछलियाँ समुद्री जल पीती हैं–
(*a*) अपने शरीर की लवण आवश्यकताओं को पूरा करने के लिए
(*b*) अपने शरीर से जल के ह्रास की पूर्ति के लिए
(*c*) अपने शरीर से नाइट्रोजनी अवशिष्ट निकालने के लिए
(*d*) उपरोक्त सभी

20. मूत्र शब्द का प्रथम बार प्रयोग किया जा सकता है जब यह होता है–
(*a*) मूत्राशय में
(*b*) संग्रह नलिका में
(*c*) हेनले की पाशी में
(*d*) बोमेन सम्पुट में

21. डाइयूरेसिस स्थिति का अभिलक्षण है–
(*a*) मूत्र आयतन में वृद्धि
(*b*) वृद्धित शर्करा उत्सर्जन
(*c*) मूत्र आयतन में ह्रास
(*d*) आयनिक सन्तुलन में ह्रास

22. नीचे दिए आर्निथीन चक्र के कंकालीय रूप में कुछ मध्यवर्ती उत्पाद अक्षरों से दर्शाए गए हैं। उस उत्तर का चयन कीजिए जिसमें ये अक्षर संगत उत्पादों के नाम के साथ सही सुमेलित हैं–

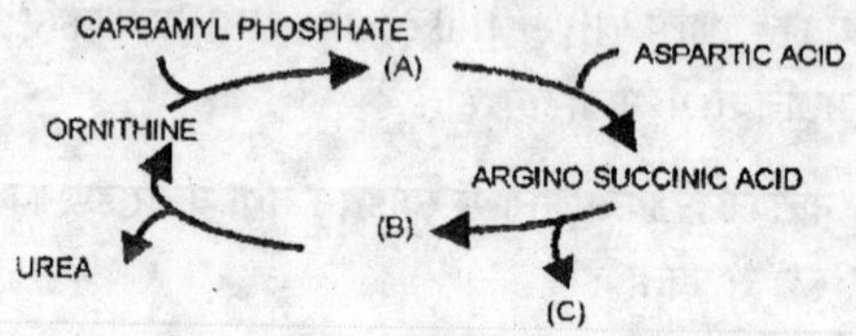

(*a*) A = सिटुलिन, B = आर्जिनीन, C = सक्सीनिक अम्ल
(*b*) A = आर्जिनीन, B = सक्सीनिक अम्ल, C = फ्यूमेरिक अम्ल
(*c*) A = सिटुलिन, B = आर्जिनीन, C = फ्यूमेरिक अम्ल
(*d*) A = सिटुलिन, B = फ्यूमेरिक अम्ल, C = आर्जिनीन

23. मनुष्य का रुधिर शरीर के आन्तरिक वातावरण में होमियोस्टेसिस कैसे बनाए रखता है?
(*a*) रुधिर शर्करा स्तर बनाए रख कर तथा अमीनो अम्लों को यूरिया में बदल कर तथा पुराने RBCs को नष्ट करके
(*b*) नाइट्रोजनी अपशिष्ट निकालकर शरीर तथा शरीर द्रवों में रुधिर आयन सान्द्रता बनाए रख कर
(*c*) पोषण तथा ऑक्सीजन की पुनः पूर्ति तथा बाह्य कोशिकीय द्रव से उपापचयी अपशिष्टों को निकालकर
(*d*) ऑक्सीजन की पुनः पूर्ति कर तथा CO_2 का निकास

24. यदि स्तनधारी नेफ्रान में हेनले की पाशी अनुपस्थित हो, तो निम्न में से क्या होगा?
(*a*) मूत्र का निर्माण नहीं होगा
(*b*) निर्मित मूत्र की गुणवत्ता तथा मात्रा में मुश्किल से ही कोई परिवर्तन होगा
(*c*) मूत्र अधिक सान्द्रित होगा
(*d*) मूत्र अधिक तनु होगा

25. निम्न में से प्रोटीन उपापचय का अपशिष्ट उत्पाद है–
(*a*) NH_3, CO_2 तथा यूरिया
(*b*) यूरिया, O_2 तथा H_2
(*c*) यूरिया, अमोनिया, ऐलेनिन
(*d*) यूरिया, अमोनिया तथा क्रिएटिनिन

26. यकृत में आर्जिनेस एन्जाइम की उपस्थिति दर्शाती है–
(*a*) आर्निथीन का अर्जिनीन में परिवर्तन हो रहा है
(*b*) अर्जिनीन का अर्निथीन में परिवर्तन
(*c*) अर्जिनीन का सक्सीनिक अम्ल में परिवर्तन हो रहा है
(*d*) अर्जिनीन का आर्जीनो-सक्सीनिक अम्ल में परिवर्तन हो रहा है

27. यूरिकोटेलिज्म पाया जाता है–
(*a*) स्तनधारी व पक्षी
(*b*) मछली तथा स्वच्छ जलीय प्रोटोजोआ
(*c*) पक्षी, सरीसृप तथा कीट
(*d*) मेंढक तथा टोड

28. वे जन्तु जो अमीनो अम्लों के विघटन के पश्चात नाइट्रोजन उत्सर्जी पदार्थ को यूरिया रूप में उत्सर्जित करते हैं, कहलाते हैं–
(*a*) यूरिया उत्सर्जी (*b*) यूरिक अम्ल उत्सर्जी
(*c*) अमोनिया उत्सर्जी (*d*) उपरोक्त में से कोई नहीं

29. शशक के वृक्क में केशिका गुच्छ सीमित होते हैं–
(*a*) पिरैमिडल ऊतक में (*b*) पूरे वृक्क में
(*c*) कॉर्टेक्स में (*d*) मेड्यूला में

30. मधुमेह के रोगी के मूत्र में अधिकता होती है–
(*a*) लवण की (*b*) शर्करा की
(*c*) प्रोटीन की (*d*) वसा की

31. हेनले की पाशी एवं नलिका के दूरस्थ भाग द्वारा जल अवशोषण नियन्त्रित होता है–
(*a*) एण्टीडाइयूरेटिक हॉरमोन द्वारा
(*b*) एण्ड्रोजन्स द्वारा
(*c*) एल्डोस्टीरोन द्वारा
(*d*) लैक्टोजेनिक हॉरमोन द्वारा

32. निम्न में से कौन-सा उत्सर्जी अंग नहीं है?
(*a*) फेफड़े (*b*) प्लीहा
(*c*) यकृत (*d*) वृक्क

33. मूत्र का आयतन नियन्त्रित होता है–
(*a*) अकेले ADH द्वारा
(*b*) एल्डोस्टीरोन, ADH तथा टेस्टोस्टीरोन द्वारा
(*c*) एल्डोस्टीरोन द्वारा
(*d*) एल्डोस्टीरोन तथा ADH द्वारा

34. एक व्यक्ति में जो भूखा रहते हुये भोजन, जल तथा पेय नहीं ले रहा है, पाया जाता है–
(*a*) मूत्र में कम यूरिया (*b*) मूत्र में कम वसाएँ
(*c*) रुधिर में अधिक ग्लूकोस (*d*) रक्त में अधिक यूरिया

35. स्तनधारियों के वृक्क में बेलिनी की नलिका होती है–
(*a*) दूरस्थ कुण्डलित नलिका का एक भाग
(*b*) कई संग्रह नलिकाएँ मिलकर बनाती है
(*c*) समीपस्थ कुण्डलित नलिका का दूसरा नाम
(*d*) उपरोक्त में से कोई नहीं

36. निम्नलिखित में से कौन-सा सबसे सरल उत्सर्जी अंग है?
(*a*) अधिचर्म (*b*) वायु कूपिकाएँ
(*c*) नलिकाएँ (*d*) फेफड़े

37. मानव में वृक्क होते हैं–
(*a*) मीसोनेफ्रिक प्रकार के (*b*) मेटानेफ्रिक प्रकार के
(*c*) प्रोनेफ्रिक प्रकार के (*d*) सभी प्रकार के

38. वृक्क की पतली नलिकाएँ कहलाती हैं–
(*a*) न्यूरॉन्स (*b*) डेण्ड्रॉन्स
(*c*) ऐक्सॉन्स (*d*) नेफ्रोन्स

39. यूरिया का परिवहन होता है–
(*a*) लाल रुधिराणुओं द्वारा (*b*) प्लाज्मा द्वारा
(*c*) रुधिर द्वारा (*d*) श्वेत रुधिराणुओं द्वारा

40. अमीनोटेलिक जन्तु है–
(*a*) सीपी (*b*) अमीबा
(*c*) हाइड्रा (*d*) उपरोक्त सभी

उत्तरमाला

1	2	3	4	5	6	7	8	9	10
(*c*)	(*a*)	(*c*)	(*a*)	(*b*)	(*c*)	(*b*)	(*b*)	(*c*)	(*a*)
11	**12**	**13**	**14**	**15**	**16**	**17**	**18**	**19**	**20**
(*d*)	(*b*)	(*d*)	(*c*)	(*a*)	(*c*)	(*d*)	(*b*)	(*b*)	(*b*)
21	**22**	**23**	**24**	**25**	**26**	**27**	**28**	**29**	**30**
(*a*)	(*a*)	(*a*)	(*d*)	(*a*)	(*b*)	(*c*)	(*a*)	(*c*)	(*b*)
31	**32**	**33**	**34**	**35**	**36**	**37**	**38**	**39**	**40**
(*a*)	(*b*)	(*d*)	(*d*)	(*b*)	(*a*)	(*b*)	(*d*)	(*b*)	(*a*)

●●●

अध्याय

12 प्रजनन तन्त्र (Reproductive System)

- कशेरुकियों (Vertebrates) में विकसित प्रजनन तन्त्र पाया जाता है।
- स्त्री में मासिक धर्म 45 से 50 वर्ष की अवस्था में रुक जाता है।
- गर्भ निरोधक गोलियाँ अण्डोत्सर्ग को रोकती हैं।
- ल्युवेनहॉक ने सर्वप्रथम मनुष्य के शुक्राणु देखे थे।
- मादा में द्वितीयक लैंगिक लक्षण एस्ट्रोजन के कारण होते हैं।

नर जनन तन्त्र (Male Reproductive System)

- नर जनन तन्त्र (चित्र 12.1) का प्रमुख भाग एक जोड़ी वृषण होता है।
- इसके अतिरिक्त एक जोड़ी एपीडिडाइमिस, शुक्रवाहिकाएं, शुक्र नलिकाएँ, शुक्राशय, मूत्र मार्ग, शिश्न काउपर, प्रोस्टेट, पेरीनियल एवं रेक्टल ग्रन्थियां पायी जाती हैं।

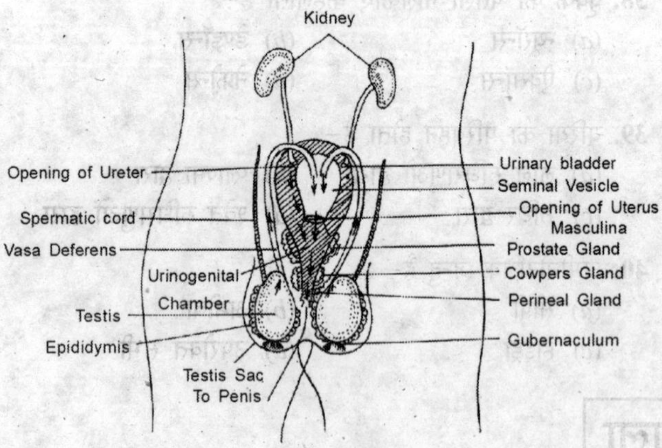

चित्र 12.1 : *स्तनधारी का नर जनन तन्त्र*

नर जनन तन्त्र की प्रमुख रचनाएं

(*i*) **स्क्रोटल सैक (Scrotal sac)**– वृषण (Testis) उदर गुहा (abdominal cavity) से बाहर दो अलग-अलग वृषण कोष (Testis sac) में स्थित होते हैं। इन कोषों को स्क्रोटल कहते हैं।

(*ii*) **इंग्वीनल कैनाल (Inguinal canal)**– स्क्रोटल सैक (Scrotal sac) उदरगुहा (abdominal cavity) से इंग्वीनल कैनाल द्वारा सम्बन्धित रहते हैं।

(*iii*) **स्तनधारी प्राणियों (Mammals)** में वृषण (Testis) को उदरगुहा से बाहर वृषण कोष (Testis sacs) में रहना आवश्यक है क्योंकि शुक्राणुओं (Sperms) के परिपक्वन (Maturation) के लिए कम ताप की आवश्यकता होती है, जबकि उदरगुहा में ताप अपेक्षाकृत अधिक होता है।

(*iv*) **गुबरनाकुलम (Gubernaculum)**– स्क्रोटल सैक (Scrotal sac) के भीतर प्रत्येक वृषण (Testis) का पिछला सिरा लचीले तन्तुओं (Elastic fibres) से स्क्रोटल सैक की भीतरी दीवार से जुड़ा होता है। इन लचीले तन्तुओं के समूह को गुबरनाकुलम कहते हैं।

(*v*) **स्पर्मेटिक कॉर्ड (Spermatic Cord)**– प्रत्येक वृषण (Testis) के अगले सिरे से सम्बन्धित धमनी (Artery), शिरा (Vein) तथा नर्व (Nerve) इंग्वीनल कैनाल (Inguinal canal) से होकर उदर गुहा (Abdominal cavity) में प्रवेश करते हैं। ये सब एरिओलर संयोजी ऊतक (Areolar connective tissues) द्वारा परस्पर मिलकर एक मोटी छड़ी (Cord) के समान रचना बनाते हैं जिसे स्पर्मेटिक कार्ड कहते हैं। स्पर्मेटिक कॉर्ड के द्वारा प्रत्येक वृषण (Testis) का अगला सिरा उदरगुहा की पृष्ठ भित्ति (Dorsal Surface) से जुड़ा रहता है।

(*vi*) **ट्यूनिका एल्ब्यूजीनिया (Tunica Albuginea)**– प्रत्येक वृषण (Testis) के चारों ओर एक लचीला पेशी युक्त (Muscular) तथा मजबूत खोल घिरा रहता है। इसे ट्यूनिका एल्ब्यूजीनिया कहते हैं। यह सफेद फाइब्रस संयोजी ऊतकों (White fibrous connective tissue) का बना होता है।

(*vii*) **टेस्टीस मिडियास्टिनम (Testis Mediastinum)**– प्रत्येक वृषण (Testis) (चित्र 12.2-12.3) के आधारीय भाग में एक स्थान पर ऐल्ब्यूजीनिया स्तर (Albugenia layer) वृषण के भीतर धँसकर एक अधूरा पर्दा बनाता है जिसे टेस्टीस मिडियास्टिनम कहते हैं।

(*viii*) **ट्यूनिका वास्क्यूलोसा (Tunica Vasculosa)**– वृषण (Testis) की गुहा ट्रांसवर्स सेप्टम (Transverse septum) द्वारा छोटे-छोटे चैम्बर्स (Chambers) में विभाजित रहती है। इस ट्रांसवर्स सेप्टम, एल्बूजीनिया स्तर की भीतरी सतह तथा मिडिया स्टीनम (Mediastinum) पर एक महीन स्तर के रूप में ट्यूनिका वास्क्यूलोसा (Tunica vasculosa) पाया जाता है। इसमें रुधिर कोशिकाओं (Blood capillaries) का जाल पाया जाता है।

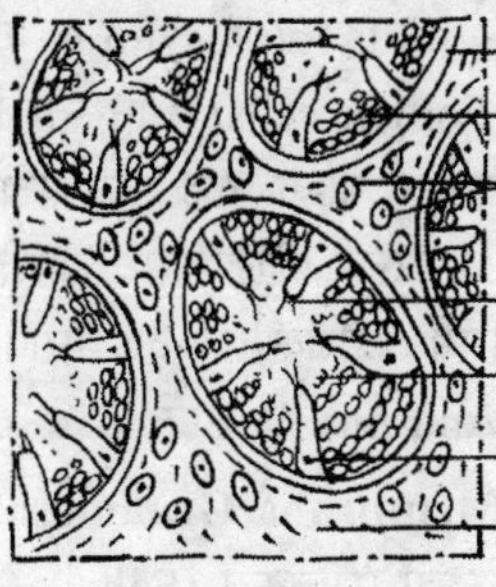

चित्र 12.2 : *वृषण का अनुप्रस्थ काट (T.S.)*

(ix) सेमीनीफेरस ट्यूब्यूल (Seminiferous tubule)—वृषण (Testis) के अन्दर प्रत्येक चेम्बर्स (Chambers) में बहुत-सी महीन व अत्यधिक कुण्डलित (Coiles) नलिकाएँ होती हैं जिन्हें सेमीनीफेरस ट्यूब्यूल कहते हैं। इन नलिकाओं के अन्दर ही शुक्राणुओं (Sperms) का निर्माण होता है।

(x) इण्टर स्टीशियल सेल्स या लेडिग सेल्स (Interstitial cells or Leydig cells)– सेमीनीफेरस ट्यूब्यूल के बीच-बीच के संयोजी ऊतक (Connective tissue) में रुधिर केशिकाएँ (Blood capillaries), नर्वस् (Nerves) तथा अनेक छोटी-छोटी कोशिकाओं का समूह होता है। इन कोशिकाओं को इण्टरस्टीशियल कोशाएं या लेडिग कोशाएँ कहते हैं। ये कोशाएं वृषण (Testis) के अन्दर एण्डोक्राइन ग्रंथियाँ (Endocrine glands) होती हैं जो नर हॉर्मोन टेस्टोस्टेरान (Male hormone Testosterone) का स्रावण करती हैं।

(xi) प्रत्येक **सेमीनीफेरस ट्यूब्यूल (Seminiferous tubule)** की भित्ति में दो स्तर होता है बाह्य स्तर या ट्यूनिका प्रोप्रिया तथा भीतरी स्तर होता है।

(xii) जर्मीनल इपीथीलियम (Germinal Epithelium) में दो प्रकार की कोशाएँ (Cells) पाई जाती हैं।

(a) स्पर्मेटोगोनिया (Spermatogonia)– ये संख्या में अधिक होती हैं और स्पर्मेटोजिनेसिस (Spermatogenesis) के द्वारा स्पर्म (sperm) का निर्माण करती हैं।

(b) सरटोली की कोशाएँ (Cells of Sertolis)– ये बड़ी लम्बी तथा स्तम्भी (Columnar) एवं संख्या में अपेक्षाकृत कम होती हैं। ये स्पर्म (Sperm) के लिए सपोर्टिंग कोशाएँ (Supporting cells) होती हैं तथा स्पर्म के पोषण (Nutrition) का भी कार्य करती हैं।

(xiii) रेटी टेस्टीस (Rete Testis)– प्रत्येक वृषण (Testis) के अन्दर भीतरी किनारे की ओर सभी सेमीनीफेरस ट्यूब्यूल्स (Seminiferous tubules) महीन नलियों के बने एक जाल में खुलती हैं। नलिकाओं के इस जाल को रेटी टेस्टीस कहते हैं।

(xiv) वासा इफरेन्शिया (Vasa Efferentia)– प्रत्येक वृषण (Testis) के ऊपरी भाग में अन्दर की ओर रेटी टेस्टीस (Rete testis) से 12 से 20 तक महीन नलिकाएँ निकलती हैं। इन नलिकाओं को वासा इफरेन्शिया कहते हैं। वासा इफरेन्शिया के भीतर सीलिएटेड एपीथीलिम (Ciliated epithelium) का स्तर पाया जाता है जिससे स्पर्म (Sperm) की गति में सहायता मिलती है। वासा इफरेन्शिया वृषण (Testis) (चित्र 12.3) के बाहरी खोल (Albugenia) को बेधकर, बाहर निकलकर एक संरचना एपीडिडाइमिस (Epididymis) में खुल जाती है।

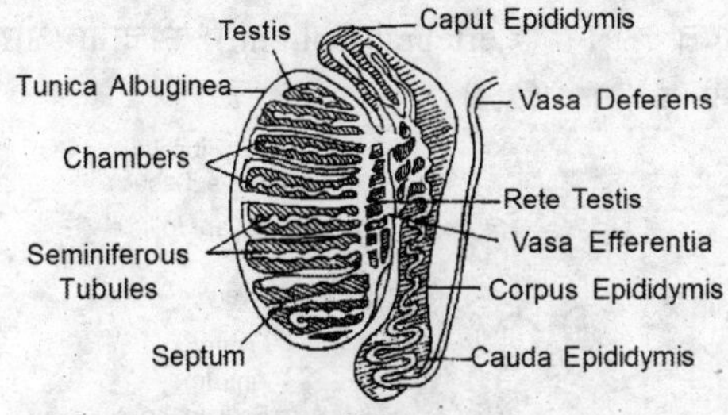

चित्र 12.3 : *वृषण का अनुलम्ब काट*

(xv) एपीडिडाइमिस (Epididymis)– यह एक लम्बी, अनियमित संकरी तथा अत्यधिक कुण्डलित (Convoluted) नलिका (Duct) के रूप में होती है। यह प्रत्येक वृषण (Testis) के पिछले एवं भीतरी तलों (Surface) को ढँके रहता है।

(xvi) वासा डिफरेन्शिया (Vasa Deferentia)– प्रत्येक एपिडिडाइमिस (Epididymis) के आधारीय भाग या कॉडा एपीडिडाइमिस (Cauda Epididymis) से एक सीधी तथा मोटी नलिका (Duct) निकलती है जिसे वासा डिफेरेन्शिया **स्पर्म डक्ट** (Sperm duct) कहते हैं।

(xvii) सेमीनल वेसीकल (Seminal Vesical)– वासा डिफरेन्शिया (Vasa deferentia) स्क्रोटल सैक के भीतरी किनारे से लगती हुई आगे चलकर इंग्वीनल कैनाल (Inguinal canal) के द्वारा उदर गुहा (Abdominal cavity) में प्रवेश करती है तथा यहाँ पर यह यूरीनरी ब्लैडर (Urinary bladder) की पृष्ठ भित्ति (Dorsal surface) पर अपनी ओर के यूरेटर (Ureter) भाग के चारों ओर एक लूप (Loop) बनाती हुई पीछे की ओर यूरेथ्रा (Urethra) के आधार भाग से लगी एक थैली में खुलती है। इसी थैली को सेमीनल वेसीकल या यूटेरस मेस्कुलाइनस (Seminal vesical or Uterus masculinus) कहते हैं।

(xviii) शिश्न (Penis)—यह पेशीय मैथुन अंग (Muscular copulatory organ) है जो स्क्रोटल (Scrotal sac) के बीच में स्थित होता है। इसकी रचना फाइब्रस संयोजी ऊतक (Fibrous connective tissue) तथा तीन संयोजी लम्बवत् कॉलम (Three longitudinal spongy columns) तथा रुधिर साइनस (Blood sinuses) से होती है।

इसमें दो डार्सल कॉलम (Dorsal column) **कारपोरा कैवरनोसा** (Corpora cavernosa) तथा एक वेन्ट्रल कॉर्ड (Ventral cord) **कार्पस स्पंजिओसम** (Corpus Spongiosum) होती है।

शिश्न (Penis) का अगला फूला हुआ भाग ग्लांस पेनिस (Glans penis) कहलाता है। इसके शिखर (Apex) पर **यूरीनोजेनाइटल छिद्र** (Urinogenital aperture) होता है। सामान्य दशा में ग्लांस पेनिस के सामने सिकुड़ी हुई त्वचा **प्रिप्यूस** (Prepuce) लटकी रहती है।

मादा जनन तन्त्र (Female Reproductive System)

मादा में जनन तन्त्र का मुख्य भाग अण्डाशय (Ovary) है जो एक जोड़ी के रूप में उदरगुहा (Abdominal Cavity) में वृक्कों (Kidney) के पीछे वर्टीब्रल कॉलम (Vertebral Column) के दोनों ओर एक-एक स्थित होती हैं (चित्र **12.4**)।

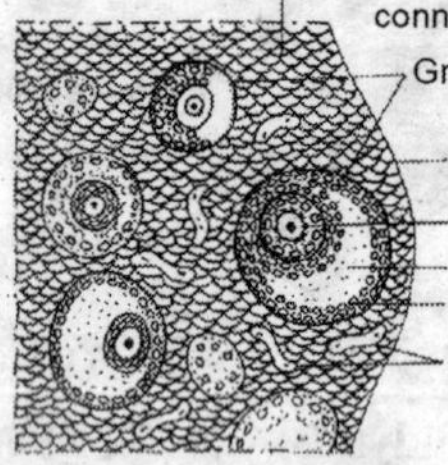

चित्र 12.4 : *अंडाशय का अनुप्रस्थ काट*

मादा जनन तन्त्र की प्रमुख रचनाएं

(*i*) **ओवरी (Ovary)** के भीतर चारों ओर जर्मीनल एपीथीलियम (Germinal epithelium) एक पतला स्तर बनाती है जो कि क्यूबॉएडल कोशाओं (Cuboidal cells) की बनी होती है।

(*ii*) **स्ट्रोमा (Stroma)–** ओवरी (Ovary) के अन्दर फाइब्रस संयोजी ऊतक (fibrous connective tissue) पाया जाता है जिसे स्ट्रोमा कहते हैं। इसमें रुधिर (Blood) तथा लिम्फ (Lymph) के केशिकाओं का जाल (Capillaries network) एवं नर्व फाइबर्स (Nerve fibres) फैले हुए रहते हैं।

(*iii*) **ग्रेफियन फॉलिकल (Graafian Follicles)–** ये प्रत्येक ओवरी की आन्तरिक सतह में अनेक छोटे-छोटे गोल उभारों के रूप में निकले रहते हैं जिनमें से प्रत्येक में एक विकसित ओवम (Developed ovum) होता है। ये फॉलिकल (Follicle) स्ट्रोमा (Stroma) के बाहरी या कार्टिकल भाग (Cortical part) में धँसे हुए रहते हैं तथा जर्मीनल एपीथीलियम (Germinal epithelium) के विभाजन से बनते हैं (चित्र 12.5)।

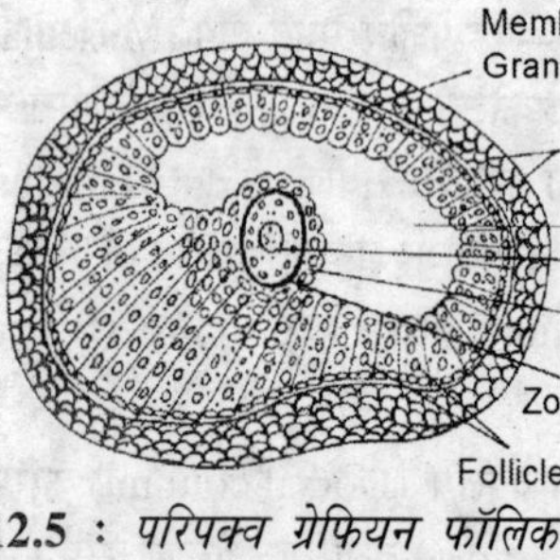

चित्र 12.5 : *परिपक्व ग्रेफियन फॉलिकल (अनुप्रस्थ काट)*

(*iv*) **फॉलिकल कोशाएँ (Follicle Cells)–** ग्रेफियन फॉलिकल (Graafian Follicle) में अनेक गोलाकार फॉलिकल कोशाएँ पाई जाती हैं जिनमें से कोई एक कुछ बड़ी होकर प्राथमिक ऊसाइट (Primary oocyte) बनाती है तथा अन्य कोशिकाएँ प्राइमरी ऊसाइट के चारों ओर इकहरा आवरण बनाकर इसकी रक्षा तथा पोषण (Nutrition) करती हैं।

(*v*) **एण्ट्रम (Antrum)–** ऊसाइट (Oocyte) के चारों ओर की फॉलिकल कोशाओं (Follicle cells) में निरन्तर विभाजन होता रहता है जिससे ये संख्या में बढ़कर कई स्तर मोटा आवरण बना लेती हैं। इस आवरण के अन्दर फॉलिक्यूलर कैविटी (Follicular cavity) होती है जिसमें फॉलिक्यूलर द्रव भरा होता है। इस कैविटी को एण्ट्रम (Antrum) भी कहते हैं।

(*vi*) **मेम्ब्रेना ग्रेन्यूलोसा (Membrana Granulosa)–**फॉलिक्यूलर कैविटी का बाहरी स्तर जो फॉलिकल (Follicle) को चारों ओर से घेरे रहता है, इसे मेम्ब्रेना ग्रेन्यूलोसा कहते हैं।

(*vii*) **क्यूमूलस ओवेरिकस (Cumulus Ovaricus)–** भीतरी स्तर जोकि ऊसाइट (Oocyte) को चारों ओर से घेरे रहता है, इसे क्यूमूलस ओवेरिकस कहते हैं।

(*viii*) **डिस्कस प्रोलिजिरस (Discus Proligerous)–**फॉलिक्यूलर कैविटी (Follicular cavity) के बढ़ने के कारण फॉलिकल का आकार बड़ा होता जाता है। फॉलिक्यूलर कैविटी के एक ओर मेम्ब्रेना ग्रेन्यूलोसा (Membrana granulosa) तथा क्यूमूलस ओवेरिकस (Cumulus ovaricus) की कोशिकाएँ (Cells) मिलकर एक ठोस समूह सा बनाती हैं जिसे डिस्कस प्रोलिजिरस कहते हैं।

(*ix*) **कोरोना रेडिएटा (Corona Radiata)–** डिस्कस प्रोलिजिरस (Discus Proligerous) की वे कोशिकाएँ (Cells) जो ऊसाइट (Oocyte) के निकट होती हैं, ये ऊसाइट के चारों ओर एक नियमित स्तर बनाती हैं जिसे कोरोना रेडिएटा कहते हैं।

(*x*) **जोना पेलुसिडा (Zona Pelucida)–** कोरोना रेडिएटा के ठीक नीचे एक और स्तर दृढ़ तथा पारदर्शक होता है जिसे जोना पेलुसिडा कहते हैं, यह स्तर ओवम (Ovum) के चारों ओर का स्तर होता है। ओवरी की सतह पर परिपक्व ग्रेफियन फॉलिकल (Mature graafian follicle) के फटने पर मुक्त हुआ ओवम (Ovum) फनल (Funnel) में आस्टियम से होकर फैलोपियन ट्यूब (Fallopian tube) में पहुँचता है।

(*xi*) **ओवीडक्ट (Oviduct)–** प्रत्येक फैलोपियन फनल (Fallopian funnel) अपने पीछे एक संकरी तथा कुछ कुण्डलित (Coiled) सी नलिका में खुलता है जिसे ओवीडक्ट कहते हैं।

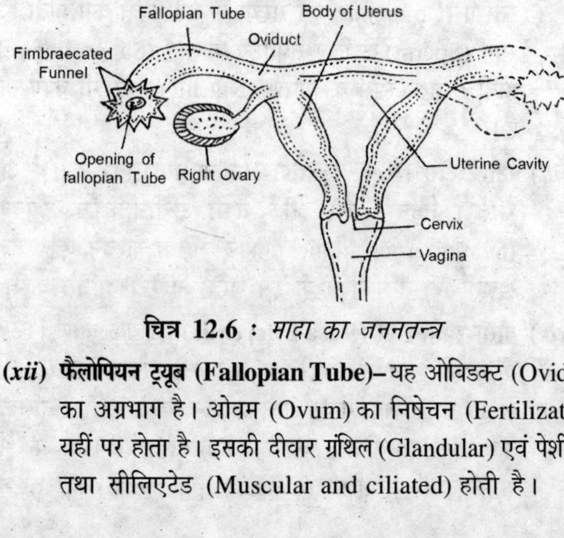

चित्र 12.6 : *मादा का जननतन्त्र*

(*xii*) **फैलोपियन ट्यूब (Fallopian Tube)–** यह ओविडक्ट (Oviduct) का अग्रभाग है। ओवम (Ovum) का निषेचन (Fertilization) यहीं पर होता है। इसकी दीवार ग्रंथिल (Glandular) एवं पेशीयुक्त तथा सीलिएटेड (Muscular and ciliated) होती है।

(*xiii*) **फैलोपियन या फिम्ब्रीकेटेड फनल (Fallopian or Fimbraecated Funnel)**– प्रत्येक ओवरी (Ovary) के बाहरी किनारे से सटी हुई एक कीपनुमा (Funnel-like) संरचना होती है जिसे फैलोपियन या फिम्ब्रीकेटेड फनल कहते हैं।

(*xiv*) **आस्टियम(Osteum)**– फिम्ब्रीकेटेड (Fimbraecated) फनल के मुख को आस्टियम कहते हैं। यह ओवरी (Ovary) के बाहरी किनारे से सटा हुआ रहता है तथा सीलिएटेड (Ciliated) होता है।

(*xv*) **गर्भाशय (Uterus)**–ओवीडक्ट (Oviduct) के पीछे का चौड़ा भाग यूटेरस कहलाता है। यह उदर गुहा (Abdominal cavity) में डार्सल भित्ति (Dorsal surface) से लोचदार मेम्ब्रेन (Mesometrium) द्वारा लटका रहता है।

(*xvi*) **एण्डोमेट्रियम (Endometrium)**– यूटेरस (Uterus) की भीतरी दीवार मोटी, लचीली, पेशीयुक्त तथा नान-सिलिएटेड (Non-cliated) होती है। यहीं पर निषेचित अण्डाणु (Fertilized egg) या जाइगोट (Zygote) चिपक जाता है और यहीं पर भ्रूण (Embryo) का विकास होता है।

युग्मकजनन (Gametogenesis)

मनुष्य के जनन अंगों (Reproductive organs) में युग्मकों (Gametes) के बनने की क्रिया युग्मक जनन कहलाती है। युग्मकजनन क्रिया दो प्रकार की होती है—

(*a*) **स्पर्मेटोजिनेसिस (Spermatogenesis)**– नर जनन अंग (Male reproductive organ) वृषण (Testis) में युग्मक बनने की क्रिया को स्पर्मेटोजिनेसिस कहते हैं (चित्र 12.7) इस क्रिया के फलस्वरूप नर युग्मक (Male gamete) शुक्राणुओं (Sperms) का निर्माण होता है।

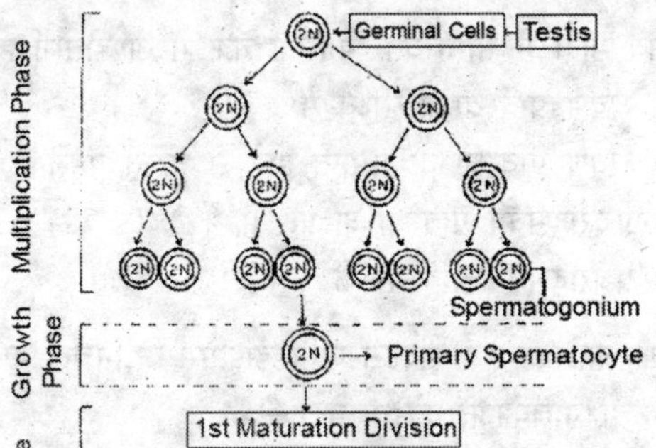

चित्र 12.7 : *स्पर्मेटोजिनेसिस*

(*b*) **ऊजिनेसिस (Oogenesis)**— मादा जनन अंग (Female reproductive organs) अण्डाशय (Ovary) में युग्मक बनने की क्रिया को ऊजिनेसिस कहते हैं (चित्र 12.8)। इस क्रिया के फलस्वरूप मादा युग्मक (Female gamete) अण्डाणु (Ovum) का निर्माण होता है।

- स्पर्मेटोजिनेसिस (Spermatogenesis) क्रिया में एक स्पर्मेटोगोनिया (Spermatogonia) से अन्त में चार शुक्राणुओं का निर्माण होता है।
- **ऊजिनेसिस** (Oogenesis) में एक ऊगोनिया (Oogonia) से केवल एक ओवम (Ovam) बनता है।

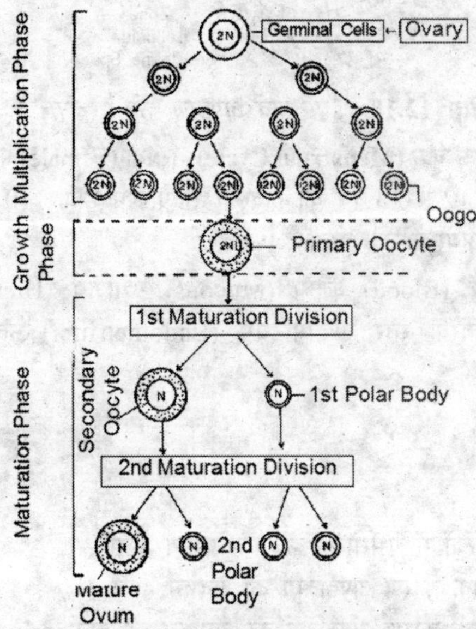

चित्र 12.8 : *ऊजिनेसिस*

नर युग्मक (Male gamete) शुक्राणु (Sperm) तथा मादा युग्मक (Female gamete) अण्डाणु (Ovum) की संरचना

शुक्राणु की संरचना (Structure of Sperm)

शुक्राणु में संरचनाएं (चित्र 12.9) निम्न प्रकार से होती हैं—

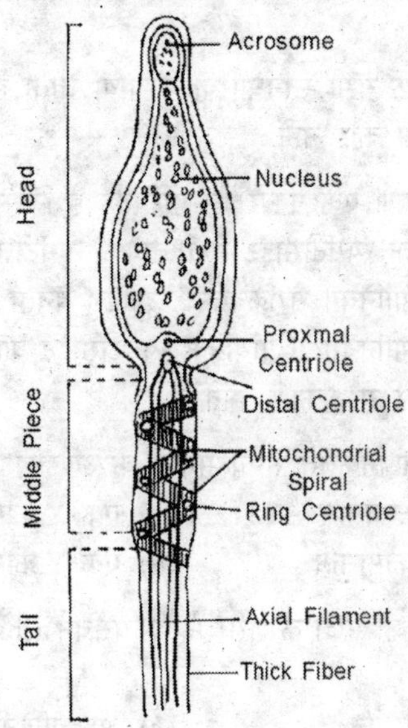

चित्र 12.9 : *शुक्राणु की संरचना*

अण्डाणु की संरचना (Structure of Ovum)

अण्डाणु की संरचनाएं (चित्र 12.10) निम्न प्रकार से होती है।

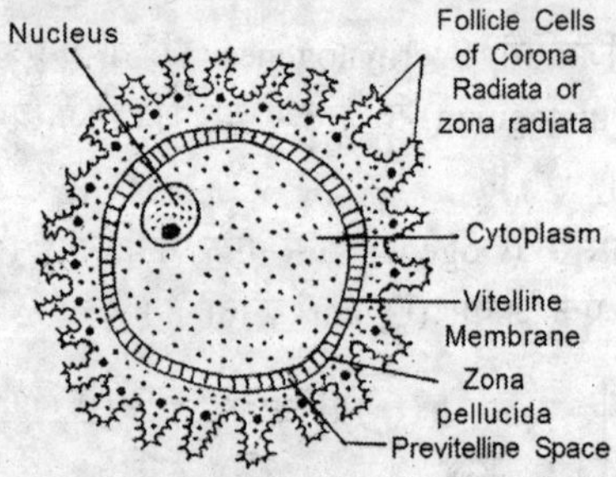

चित्र 12.10 : *परिपक्व अण्डाणु की संरचना*

(*i*) **मासिक चक्र (Menstrual Cycle)–** स्त्रियों (Female) में मासिक चक्र 12 से 13 वर्ष की अवस्था से प्रारम्भ होकर 40-45 वर्ष की अवस्था तक होता है।

रुधिर (Blood), श्लेष्म (Mucous), गर्भाशय (Uterus) के आन्तरिक स्तर एण्डोमेट्रियम (Endometrium) ऊतक की टूटी-फूटी कोशाएं एवं अनिषेचित अण्डाणु (Unfertilized egg) का, स्त्रियों में सामान्यतः प्रत्येक 28 दिन के अन्तराल में वेजाइना के पथ से बाहर निकलने की क्रिया को मासिक चक्र (Menstrual cycle) कहते हैं।

मासिक चक्र (Menstrual cycle) गर्भावस्था (Pregnancy) में नहीं होता।

(*ii*) **मासिक चक्र (Menstrual Cycle) की प्रावस्थाएं (Phases)–**

- **मासिक प्रावस्था (Menstrual Phase)–** यह 28 दिनों के अन्तराल में 4 से 6 दिन तक रहती है। इस समय रुधिर, अनिषेचित अण्डाणु तथा एण्डोमेट्रियम की टूटी-फूटी कोशाएं अलग होकर प्रवाह (Bleeding) के रूप में बाहर आती है।
- **पश्च मासिक प्रावस्था (Post Menstrual Phase)–**इसमें अग्र पिट्यूटरी ग्रंथि (Anterior pituitary gland) द्वारा स्रावित फॉलिकल उत्तेजक हॉर्मोन (Follicle Stimulating Hormone—FSH) द्वारा अण्डाशय (Ovary) में ग्रेफियन फॉलिकल (Graafian Follicle) का निर्माण होता है।

वस्तुनिष्ठ प्रश्न

1. स्तनधारियों में गर्भधारण का क्या प्रभाव होता है?
(*a*) इसके कारण अण्डोत्सर्ग का संदमन होता है
(*b*) इसके कारण अण्डाशय का अपह्रास हो जाता है
(*c*) इसके कारण शुक्राणु व अण्डे के केन्द्रक का संलयन रुक जाता है
(*d*) इसके कारण टेस्टोस्टेरॉन के स्राव का उत्तेजन होता है

2. कौन-सा कथन सही है?
(*a*) मासिक धर्म चक्र सभी स्तनधारियों में पाया जाता है
(*b*) मासिक धर्म चक्र केवल वानर गण (primates) में पाया जाता है
(*c*) मद चक्र सभी स्तनधारियों में पाया जाता है
(*d*) इनमें से कोई नहीं

3. शुक्रकायान्तरण एक प्रकार का परिवर्तन है जिसमें–
(*a*) प्राथमिक स्पर्मेटोसाइट से द्वितीयक स्पर्मेटोसाइट्स बनता है
(*b*) स्पर्मेटोगोनियम से क्रियात्मक शुक्राणु बनता है
(*c*) स्पर्मेटोगोनियम से प्राथमिक स्पर्मेटोसाइट का निर्माण होता है
(*d*) स्पर्मेटिड से शुक्राणु बनते हैं

4. अण्डाशय से निकलते समय मनुष्य के अण्डाणु में होते हैं–
(*a*) X Y क्रोमोसोम (*b*) एक X क्रोमोसोम
(*c*) दो X क्रोमोसोम (*d*) एक Y क्रोमोसोम

5. स्तनधारियों की मादा के शरीर में वीर्यसंसेचन (insemination) का स्थान है–
(*a*) गर्भाशय में (*b*) अण्डवाहिनी में
(*c*) योनि में (*d*) व्यूलवा (vulva) में

6. निम्न में से कौन-सा हॉरमोन मनुष्य के अपरा का स्रवण उत्पाद नहीं है?
(*a*) ह्यूमैन कोरियोनिक गोनेडोट्रापिन
(*b*) प्रोलेक्टिन
(*c*) एस्ट्रोजन
(*d*) प्रोजेस्ट्रान

7. मानव मादा में सामान्यतः मासिक चक्र में अण्डोत्सर्ग होता है–
(*a*) स्रवण प्रावस्था के मध्य में
(*b*) स्रवण प्रावस्था के समाप्त होने से तुरन्त पहले
(*c*) प्रचुरोद्भवन प्रावस्था के प्रारम्भ में
(*d*) प्रचुरोद्भवन प्रावस्था के अन्त में

8. वृषण जालिका तथा डक्टस एपीडिडाइमिस के निचले भाग से जुड़ी उपकला नलिकाओं को कहते हैं–
(*a*) डक्टस कोलेडोकस (Ductus choledochus)
(*b*) डक्टस रीयूनिएन्स (Ductus reuneins)
(*c*) डक्टयुलि एबेरेन्टस (Ductuli aberrantes)
(*d*) डक्टयुलि एफेरेन्टेस (Ductuli efferentes)

9. परखनली शिशु का अर्थ है कि शिशु का जन्म हुआ जब–
(*a*) परखनली में विकसित हुआ
(*b*) यह ऊतक संवर्धन विधि द्वारा विकसित हुआ
(*c*) अण्डाणु बाहर निषेचित हुआ तथा उसके बाद गर्भाशय में प्रत्यारोपित किया गया
(*d*) यह अनिषेचित अण्डों से उत्पन्न हुआ

10. शुक्रजनन नलिकाओं में पाई जाने वाली पोषक कोशिकाएँ हैं–
(*a*) लीडिग कोशिकाएँ (*b*) सर्टोली कोशिकाएँ
(*c*) शुक्राणुजनीय कोशिकाएँ (*d*) जीणु पुटिका कोशिकाएँ

11. सर्टोली कोशिकाएँ पाई जाती हैं–
(*a*) फैलोपियन नलिका के ऊपरी भाग में
(*b*) शुक्रजनन नलिकाओं की जनन उपकला में
(*c*) शुक्रजनन नलिकाओं के बीच में
(*d*) अण्डाशय की जनन उपकला में

12. मनुष्यों में रजोधर्म की प्रावस्था जो 7-8 दिनों तक रहती है–
(*a*) पुटिका प्रावस्था (*b*) अण्डोत्सर्ग प्रावस्था
(*c*) ल्यूटियम प्रावस्था (*d*) रजोधर्म

13. ट्यूनिका एल्ब्यूजीनिया (tunica albuginea) बाह्य आवरण है–
(*a*) एपीडिडाइमिस (epididymis) (*b*) अण्डाशय
(*c*) वृषण (*d*) वृषण कोश

14. निम्नलिखित में से कौन-सा हार्मोन वृषण की अन्तराली कोशिकाओं (interstitial cells) द्वारा स्रवित होता है जो नर में द्वितीयक लैंगिक लक्षणों के लिये उत्तरदायी है–
(*a*) फोलिकल स्टीम्युलेटिंग हार्मोन (follicle stimulating hormone)
(*b*) इण्टरस्टीशियल सैल स्टीम्यूलेटिंग हार्मोन (interstial cell stimulating hormone)
(*c*) टेस्टोस्टीरोन (testosterone)
(*d*) एस्ट्रोजन (oestrogen)

15. कभी-कभी वृषण, वृषण कोश (scrotal sacs) में नहीं उतरते। यह अवस्था कहलाती है–
(*a*) वासेक्टमी (vasectomy)
(*b*) ट्यूबेक्टमी (tubectomy)
(*c*) क्रिप्टोरकौएडिज्म (cryptorchoidism)
(*d*) नपुंसकता (impotency)

16. स्तनधारियों में वृषण कोश उदर गुहा के बाहर स्थित होते हैं जिससे कि–
(*a*) दूसरे शरीर के अंगों के लिये स्थान बच सके
(*b*) शुक्राणुओं का उचित निर्माण हो सके
(*c*) कोई विशेष कारण नहीं होता है
(*d*) वृषण कोश उदर गुहा में ही स्थित होते हैं

17. वृषण के चारों ओर उपस्थित झिल्ली को कहते हैं–
(*a*) ट्यूनिका एडवेन्टेशिया (tunica advantatia)
(*b*) ट्यूनिका एल्ब्यूजीनिया (tunica albuginea)
(*c*) ट्यूनिका एल्बा (tunica alba)
(*d*) ट्यूनिका वैजिनेलिस (tunica vaginalis)

18. वह प्रक्रिया जिसके द्वारा अण्डाणुओं का निर्माण होता है–
(*a*) अण्डाणुजनन (oogenesis)
(*b*) अण्डोत्सर्ग (ovulation)
(*c*) अण्ड निक्षेपण (oviposition)
(*d*) अण्डयुजता (oviparity)

19. स्ट्रोमा शब्द किस पर लागू होगा?
(*a*) संयोजी ऊतक जिसमें अण्ड पुटिकाएँ धँसी होती हैं
(*b*) संयोजी ऊतक जो शुक्रजन नलिकाओं को घेरे रहते हैं
(*c*) अण्डाशय की पुटिकाएँ
(*d*) अण्डाशय का पत्थर

20. इस्ट्रस तथा महावारी चक्र में निम्न में से कौन-सी प्रक्रिया समान नहीं है?
(*a*) FSH तथा LH के प्रभाव से अण्डाशयी पुटिकाओं की वृद्धि
(*b*) अण्डाशयी पुटिकाओं द्वारा कार्पस ल्यूटियम का निर्माण
(*c*) मादा चक्र के निश्चित भाग में ही नर को स्वीकार करती हैं
(*d*) चक्र का नियन्त्रण एस्ट्रोजन व प्रोजेस्टेरॉन हार्मोन द्वारा होता है

21. शिशु जन्म के समय कौन-सा हार्मोन प्यूबिक सिम्फाइसिस को शिथिल करता है?
(*a*) प्रोजेस्टेरॉन (*b*) रिलेक्सिन
(*c*) ऑक्सीटोसिन (*d*) कोरिओनिक गोनेडोट्रोपिन

22. एम्निओसिन्टेसिस है–
(*a*) एक *इन विट्रो* डायग्नोसिस
(*b*) गर्भवती स्त्री से एलेन्टोएक द्रव का निकालना
(*c*) गर्भवती स्त्री के द्रवों की रासायनिक जाँच
(*d*) गुणसूत्रों की असामान्यता पहचानने के लिये एम्निओटिक द्रव से कोशिकाएँ प्राप्त करके उनका संवर्धन करके मेटाफेज गुणसूत्रों का अध्ययन करना

23. एकमद काली (monoestrous) जन्तु वे हैं जिसमें–
(*a*) एक अण्डाणु बनता है
(*b*) वर्ष में एक बार प्रजनन काल होता है
(*c*) प्रत्येक माह में एक बार अण्डोत्सर्ग होता है
(*d*) प्रत्येक माह में एक बार रजोधर्म होता है

24. जन्म दर को नियन्त्रित करने की सफलता निम्न में से किस पर निर्भर करती है?
(*a*) गर्भ निरोधक साधनों का उपयोग
(*b*) ट्यूबेक्टमी
(*c*) वासेक्टमी
(*d*) लोगों द्वारा उपरोक्त सभी विधियों को स्वीकार करना

25. स्तनियों में पीत पिण्ड होता है–
(*a*) मस्तिष्क में, प्रमस्तिष्क गोलार्द्ध को जोड़ने के लिये
(*b*) त्वचा में पीड़ा संरचना के रूप में
(*c*) अण्डाशयों में, प्रोजेस्ट्रान का स्रावण करने के लिये
(*d*) हृदय में धमनीय संकुचन को प्रारम्भ करने के लिये

26. एक परखनली शिशु (test tube baby) को मादा के गर्भाशय में कितनी कोशिका प्रावस्था में आरोपित किया जाता है?
(*a*) 16 कोशिकीय अवस्था में (*b*) 32 कोशिकीय अवस्था में
(*c*) 64 कोशिकीय अवस्था में (*d*) 128 कोशिकीय अवस्था में

27. यदि गर्भधारण नहीं होता है तब कार्पस ल्यूटियम–
(*a*) का अस्तित्व ऐसे ही बना रहता है
(*b*) यह कॉर्पस कैलोसम में बदल जाता है

(*c*) यह कॉपर्स एल्बिकैन्स में बदल जाता है
(*d*) यह प्रोजेस्टेरॉन का स्रवण प्रारम्भ कर देता है

28. खरहे में शुक्राणुजनन के लिये कौन-सा कथन सही है–
(*a*) स्पर्मेटोगोनिया में अर्धसूत्री विभाजन के पश्चात प्रथम पूर्व शुक्राणु कोशिकाएँ बनती हैं
(*b*) प्रथम पूर्व शुक्राणु कोशिका में अर्धसूत्री विभाजन के पश्चात् द्वितीय पूर्व शुक्राणु कोशिका बनती हैं
(*c*) शुक्राणुज (spermatid) में अर्धसूत्री विभाजन के पश्चात् शुक्राणु बनते हैं
(*d*) सेमीनीफेरस नलिकाओं में अर्धसूत्री विभाजन के पश्चात् स्पर्मेटोगोनिया बनते हैं

29. वृषण के जनन उपकला के बीच-बीच में पायी जाने वाली कोशिकाओं को कहते हैं–
(*a*) लीडिग या अन्तराली कोशिकाएँ
(*b*) सर्टोली कोशिकाएँ
(*c*) कणिकामय कोशिकाएँ
(*d*) भक्षकाणु

30. परखनली शिशु उसे कहते हैं जिसका–
(*a*) जन्म कृत्रिम वीर्यसेचन से हुआ है
(*b*) परिवर्धन एक परखनली में हुआ है
(*c*) जन्म पात्र में निषेचन कराने की तकनीक से हुआ है
(*d*) परिवर्धन बिना निषेचन के हुआ है

31. प्रोजेस्टरॉन की उत्पत्ति होती है–
(*a*) ग्राफियन पुटिका से
(*b*) पीयूष ग्रन्थि से
(*c*) पीतपिण्ड या कार्पस ल्यूटियम से
(*d*) प्रोस्टेट ग्रन्थि से

32. मादा में द्वितीयक लैंगिक लक्षणों के लिये आवश्यक हॉरमोन है–
(*a*) सोमेटोट्रापिक हार्मोन (*b*) टेस्टोस्टीरॉन
(*c*) एस्ट्रोजन (*d*) ऑक्सीटोसिन

33. सामान्यतः युग्मक में होता है–
(*a*) एक जीन की सभी एलील (*b*) एक जीन की कई एलील
(*c*) एक जीन की एक एलील (*d*) एक जीन की दो एलील

34. निम्न में से कौन-सा सेट सही है?
(*a*) ग्राफियन पुटिका — कार्पस ल्यूटियम
(*b*) सीबम — स्वेद
(*c*) पित्त — पाचक एन्जाइम
(*d*) थायरॉयड — FSH

35. वृषण, वृषणकोष के भीतर स्थित होते हैं–
(*a*) उदर गुहा में जगह बनाने के लिए
(*b*) उचित शुक्रजनन के लिए
(*c*) कोई विशेष कारण के लिए नहीं
(*d*) कथन सही नहीं है

36. एक स्तनधारी में सामान्यतः गंध उत्पन्न करने वाली ग्रन्थियाँ होती हैं–
(*a*) गुदा ग्रन्थियाँ (perineal glands)
(*b*) एड्रीनल ग्रन्थियाँ (adrenal glands)
(*c*) बार्थोलिन ग्रन्थियाँ (Bartholin's glands)
(*d*) प्रोस्टेट ग्रन्थियाँ (prostate glands)

37. गर्भ निरोधक गोलियों में प्रोजेस्टेरॉन का क्या कार्य होता है–
(*a*) अण्डोत्सर्ग (ovulation) रोकना
(*b*) अण्डोत्सर्ग कम करना
(*c*) फैलोपियन नलिकाओं को रोक देना (block)
(*d*) रोपण (implantation) को रोकना

38. अण्डोसर्ग प्रावस्था के समय, कार्पस ल्यूटियम संरचना निम्न में से किससे बनती है–
(*a*) एण्डोमेट्रियम (*b*) समयुग्मक
(*c*) एपीडिडाइमिस (*d*) संविदारित ग्राफियन पुटिका
(*e*) काउपर्स ग्रन्थि

39. एन्ट्रम गुहा है?
(*a*) ब्लास्टुला की (*b*) अण्डाशय की
(*c*) ग्राफियन पुटिका की (*d*) गैस्टुला की

40. मादा मानव के जन्म के समय बीस लाख अण्डाणु होते हैं। पूर्ण जनन अवधि में इनमें से कितने परिपक्व होते हैं?
(*a*) 500 (*b*) 1,000
(*c*) 2,000 (*d*) 5,000

उत्तरमाला

1	2	3	4	5	6	7	8	9	10
(*a*)	(*b*)	(*d*)	(*b*)	(*c*)	(*b*)	(*d*)	(*d*)	(*c*)	(*b*)
11	**12**	**13**	**14**	**15**	**16**	**17**	**18**	**19**	**20**
(*c*)	(*d*)	(*c*)	(*c*)	(*c*)	(*b*)	(*b*)	(*a*)	(*a*)	(*c*)
21	**22**	**23**	**24**	**25**	**26**	**27**	**28**	**29**	**30**
(*b*)	(*d*)	(*b*)	(*d*)	(*c*)	(*c*)	(*c*)	(*b*)	(*b*)	(*c*)
31	**32**	**33**	**34**	**35**	**36**	**37**	**38**	**39**	**40**
(*c*)	(*c*)	(*c*)	(*a*)	(*b*)	(*a*)	(*a*)	(*d*)	(*c*)	(*a*)

●●●

अध्याय

13

अन्तःस्रावी तन्त्र (Endocrine System)

- शरीर के विभिन्न अंगों में विभिन्न क्रियाओं का समन्वय (Co-ordination) एवं नियन्त्रण का कार्य तन्त्रिका तन्त्र एवं अन्तः स्रावी ग्रंथियों के द्वारा सम्पादित होता है।
- हार्मोन्स शब्द का प्रयोग ई.एच.स्टर्लिंग (E.H. Starling) ने 1905 में उत्तेजक पदार्थ के रूप में किया था।

समस्थैतिकता में अन्तःस्रावी तन्त्र की भूमिका (Role of Endocrine System in Homeostasis)

- क्लॉडी बरनार्ड (Claude Bernard, 1855) ने, जिन्हें "आधुनिक कार्यिकी का पिता (*Father of Modern Physiology*)" कहते हैं, स्पष्ट किया कि निम्न कोटि की जन्तु-जातियों को छोड़कर अन्य सभी बहुकोशिकीय जन्तुओं में शरीर की कोशिकाओं का शरीर के बाहरी वातावरण (external environment) से सीधा सम्पर्क नहीं होता।
- इसलिए इनके शरीर में कोशिकाओं के रासायनिक आदान-प्रदान के लिए एक तरल अन्तः वातावरण (Internal Environment or *milieu interieur*) होता है जो एक ओर तो कोशिकाओं को आवश्यक पदार्थों (O_2, अकार्बनिक आयनों, पोषक पदार्थों) की पूर्ति करता है तथा, दूसरी ओर कोशिकाओं द्वारा विसर्जित उपापचयी अपशिष्ट पदार्थों (metabolic waste products–CO_2, जल नाइट्रोजनीय अपशिष्ट आदि) की निकासी अर्थात् अपवहन (drainage) करता है।
- उच्च बहुकोशिकीय जन्तुओं, अर्थात् कशेरुकियों (Vertebrates), में यह अन्तः वातावरण सबसे अधिक विकसित होता है और इसमें, एक-दूसरे से सम्बन्धित, तीन घटक होते हैं–रुधिर (blood), लसिका (lymph) तथा ऊतक द्रव्य (tissue fluid)।
- उत्तक द्रव्य कोशिकाओं के सम्पर्क में रहता है। अतः इसे अन्तरालीय अथवा बाह्यकोशिकीय तरल (Interstitial or Extracellular Fluid—ECF) भी कहते हैं। कोशिकाएं इसी से अपना रासायनिक आदान-प्रदान करती हैं।
- रुधिर ऊतक द्रव्य को लाभदायक पदार्थों की सप्लाई करतारहता है तथा अपशिष्ट पदार्थों का इसमें से अपवहन करता रहता है। लसिका अपशिष्ट पदार्थों के अपवहन में रुधिर की सहायता करती है।

समस्थैतिकता (Homeostasis)

- कोशिकाओं के रासायनिक आदान-प्रदान को सुचारु बनाए रखने के लिए शरीर के अन्तः वातावरण की भौतिक-रासायनिक दशाओं को सन्तुलित बनाए रखना अति आवश्यक होता है।
- इसीलिए, जन्तु कई स्वः नियमन प्रक्रियाओं (Self-regulating mechanisms) द्वारा अन्तः वातावरण को सन्तुलित और अखण्ड बनाए रखते हैं। इस प्रक्रिया को वाल्टर बी. कैनन (Walter B. Cannon, 1932) ने होमियोस्टैसिस (homeostasis; Gr., *homoios* = same + *stasis* = Standing or Staying) का नाम दिया।
- शरीर के लगभग सभी ऊतकों और अंगों का समस्थैतिकता (Homeostasis) में योगदान होता है जिसका कि समन्वयित नियमन (Co-ordinated regulation) अन्तःस्रावी तन्त्र करता है।

अन्तःस्रावी तन्त्र की क्रिया विधि (Working Mechanism of Endocrine System)

अन्तःस्रावी तन्त्र की सकल क्रिया-विधि के तीन प्रमुख चरण हैं–

1. शरीर की कुछ विशिष्ट प्रकार की ग्रन्थियों (Glands) की कोशिकाएं कुछ ऐसे पदार्थों का संश्लेषण करके इन्हें ऊतक द्रव्य (Tissue Fluid) में स्रावित करती हैं जो संकेत सूचनाओं का वहन करते हैं। ऊतक द्रव्य से ये पदार्थ रुधिर में चले जाते हैं। इन ग्रन्थियों को अन्तः स्रावी ग्रन्थियाँ (Endocrine Glands) तथा इनसे स्रावित पदार्थों को हॉरमोन्स (Hormones) कहते हैं।
2. रुधिर के माध्यम से हॉरमोन्स पूर्ण शरीर में संचरित होते रहते हैं।
3. कुछ हॉरमोन्स को शरीर की सारी कोशिकाएं रुधिर से ग्रहण कर सकती हैं। शेष हॉरमोन्स में से प्रत्येक को शरीर की कुछ निर्दिष्ट कोशिकाएं या निर्दिष्ट ऊतकों की कोशिकाएं ही रुधिर से ग्रहण कर सकती हैं। इन कोशिकाओं को हॉरमोन्स की लक्ष्य कोशिकाएं (Target Cells) कहते हैं। कोशिकाओं द्वारा ग्रहण किए जाने पर हॉरमोन्स इनकी कोशिकाकला की पारगम्यता तथा उपापचयी एन्जाइमों का नियन्त्रण करके इनकी उपापचयी प्रक्रियाओं (Metabolic Processes) की दरों में परिवर्तन कर देते हैं जिससे शरीर की अनेक सतत् क्रियाओं (उपापचय, वृद्धि, स्रावण, लैंगिक परिपक्वन, पुनरुद्भवन, जनन, रंजकता, हृद्-स्पंदन, रुधिरचाप, आहारनाल की तरंगगति (क्रमाकुंचन) प्रतिरक्षण, आचार-व्यवहार आदि) तथा विभिन्न प्रतिक्रियाओं (reactions or responses) का नियमन (Regulation) होता है। संक्षेप में हॉरमोन्स जीवनभर "जीवन की गति (*Tempo of Life*)" बनाए रखने का काम करते हैं।

शरीर की ग्रन्थियाँ (The glands of body)

ग्रन्थि (gland) एक ऐसी कोशिका, या ऐसे ऊतक या अंग को कहते हैं जिसकी कोशिकाएं किसी पदार्थ का संश्लेषण (synthesis) करके इसे बाहर निकालती अर्थात् स्रावित (secrete) करती हैं। हमारे शरीर में कई प्रकार की ग्रन्थियाँ होती हैं (चित्र 13.1)। एककोशिकीय ग्रथियाँ एपिथीलियमी स्तरों (epithelial layers) में जगह-जगह होती हैं। बहुकोशिकीय ग्रन्थियाँ एपिथीलियमी स्तरों के वलन(folding) के फलस्वरूप बनती हैं। तन्त्रिकीय तथा हॉरमोनी नियन्त्रणों का रेखाचित्र चित्र संख्या (चित्र 13.2) में दिया गया है।

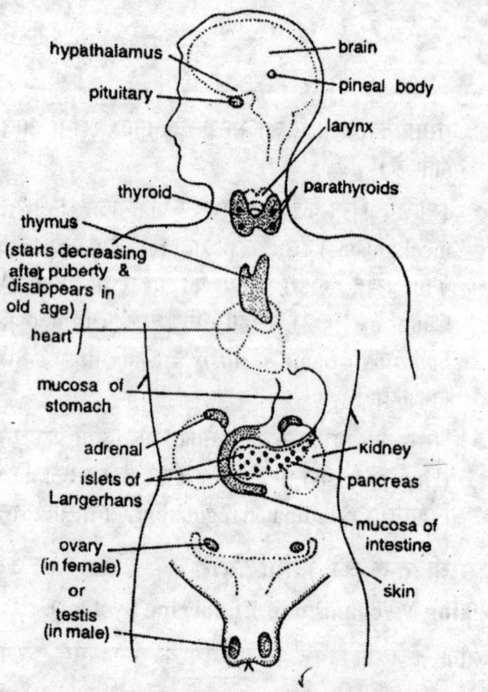

चित्र 13.1 : *स्तनधारी की विभिन्न ग्रन्थियाँ*

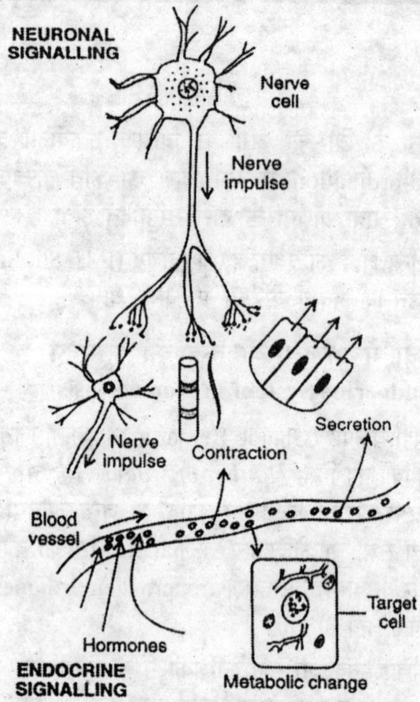

चित्र 13.2 : *तन्त्रिकीय तथा हॉरमोनी नियन्त्रणों का रेखाचित्र*

तालिका : स्तनधारियों में पाये जाने वाले हॉरमोन (Some Hormones of Mammals)

क्र. सं.	हॉरमोन	स्रोत	प्रभाव	कमी से रोग	अधिकता से रोग
1.	सोमेटोस्टेटिन (Somatostatin)	हाइपोथैलेमस के न्यूँरान	GH का स्रवण रोकता है	–	–
2.	थायरोट्रापिन मुक्ति हॉरमोन (Thyrotropin releasing hormone)	हाइपोथैलेमस के न्यूरॉन	TSH का स्रवण प्रेरित करता है	–	–
3.	कॉर्टिकोट्रापिन मुक्ति हॉरमोन (Corticotropin releasing hormone)	हाइपोथैलेमस के न्यूरॉन	ACTH का स्रवण प्रेरित करता है	–	–
4.	गोनेडोट्रोपिन मुक्ति हॉरमोन (Gonadotropin releasing hormone)	हाइपोथैलेमस के न्यूरॉन	गोनेडोट्रोपिन का स्रवण प्रेरित करता है	–	–
5.	सोमेटोट्रोफिक या वृद्धि हॉरमोन (Somatotrophic or STH or growth hormone or GH)	अग्र पीयूष ग्रन्थि	1. प्रोटीन संश्लेषण तथा DNA एवं RNA में सहायक 2. ग्लुकोनियोजेनिसिस प्रेरित करता है 3. शरीर की वृद्धि में सहायक	1. बचपन में कमी से बौनापन (Dwarfism or pituitarynanism) 2. प्रौढ़ावस्था में कमी से साइमण्ड रोग (Simond's disease)	1. बचपन में अधिकता से (Gigantism) 2. प्रौढ़ावस्था में अधिकता से एक्रोमीगेली (Acromegaly)
6.	ऐड्रीनोकार्टिकोट्रोफिक हॉरमोन (Adrenocorticotropic hormone or ACTH)	अग्र पीयूष ग्रन्थि	एड्रीनल कार्टेक्स को हॉरमोन स्रवण के लिए प्रेरित करता है	–	–

क्र. सं.	हॉरमोन	स्रोत	प्रभाव	कमी से रोग	अधिकता से रोग
7.	थायरोट्राफिक या थायरॉयड प्रेरक हॉरमोन (Thyrotrophic or thyroid stimulating hormone or TSH)	अग्र पीयूष ग्रन्थि	थायरॉयड ग्रन्थि को हॉरमोन स्रवण के लिए प्रेरित करता है	–	–
8.	गोनेडोट्राफिक हॉरमोन (Gonadotrophic hormone) (a) पुटिका प्रेरक हॉरमोन (Follicle stimulating hormone or FSH) (b) ल्यूटीनाइजिंग हॉरमोन (Luteinizing hormone or LH or ICSH)	अग्र पीयूष ग्रन्थि	(a) 1. जनदों का विकास 2. गैमीटोजेनेसिस को प्रेरित करता है (b) 1. जनदों से लिंग हॉरमोनों के स्रवण को प्रेरित करता है 2. अण्डोत्सर्ग (ovulation) प्रेरित करता है	(a) – (b) –	(a) – (b) –
9.	ल्यूटियोट्राफिक या प्रोलैक्टिन हॉरमोन (Luteotrophic or Prolactin hormone or LTH or PHL)	अग्र पीयूष ग्रन्थि	1. दुग्ध निर्माण प्रेरित करता है 2. स्तन ग्रन्थियों का विकास	–	–
10.	मेलेनोसाइट प्रेरक हॉरमोन (Melanocyte stimulating hormone or MSH)	मध्य पीयूष ग्रन्थि	मेलेनोसाइट में मेलेनिन निर्माण व वितरण में सहायता	मनुष्य में क्रियाशील नहीं है	–
11.	वासोप्रेसिन या पिट्रेसिन या मूत्र बहुलता हॉरमोन (Vasopressin or Pitressin or ADH)	पश्च पीयूष ग्रन्थि	1. धमनियों का संकुचन 2. नेफ्रोन्स द्वारा जल का पुनरावशोषण	कमी से डायबिटीज इन्सीपीडस	
12.	आक्सीटोसिन या पिटोसिन (Oxytocin or pitocin)	पश्च पीयूष ग्रन्थि	1. शिशु जन्म के समय प्रसव वेदना प्रारम्भ करता है 2. स्तन ग्रन्थियों से दुग्ध स्रवण को प्रेरित करता है	–	–
13.	मेलेटोनिन (Melatonin)	पीनियल काय	1. स्तनधारियों में लैंगिक परिपक्वन को रोकता है 2. उभयचरों में त्वचा के रंग को हल्का करता है		
14.	थायरॉक्सिन या टेट्राआयोडो थायरोनिन (Thyroxine or tetraiodothyronine)	थायरॉएड ग्रन्थि	1. हृदय स्पंदन का नियमन तथा शरीर ताप का नियन्त्रण करता है 2. आधारी उपापचय का नियन्त्रण 3. ऊतक विभेदन में सहायक है अतः कायान्तरण प्रेरित करता है 4. ग्लूकोनियोजेनेसिस उपरोक्त सभी	1. सामान्य घेघा 2. बाल्यावस्था में क्रेटिनिज्म (Cretinisin) 3. वयस्क अवस्था में मिक्सीडेमा (Myxoedema)	1. घेघा (Exopthalmic goitre) 2. ग्रेव रोग (Grave's disease) प्लूमर रोग (Plummer's disease) अधिकता से घेंघा अधिकता से ग्रेव तथा प्लूमर रोग
15.	टेट्राआयोडो थायरोनिन (Tetra-iodothyronin)				
16.	थायरोकैल्सिटोनिन (Thyrocalcitonin)	थायरॉएड ग्रन्थि की C-कोशिकाएँ	मूत्र में Ca का उत्सर्जन बढ़ाता है तथा अन्तराकोशिकीय द्रव (ECF) में Ca का स्तर बढ़ाता है		

क्र. सं.	हॉरमोन	स्रोत	प्रभाव	कमी से रोग	अधिकता से रोग
17.	पैराथारमोन या कोलिप का हॉरमोन (Parath-ormone or Collip's hormone)	पैराथायरॉएड ग्रन्थि	1. Ca तथा P उपापचय का नियन्त्रण 2. होमियोस्टेसिस तथा रुधिर में Ca तथा P स्तर का नियन्त्रण 3. अस्थियों तथा दाँतों का निर्माण व वृद्धि	1. कमी से पैराथायरॉएड टिटेना 2. हाइपोकैल्सीमिया	अधिकता से अस्टियो पोरेसिस (Osteoporasis) अधिकता से हाइपर कैल्सीमिया तथा वृक्क पथरी
18.	कैल्सीटोनिन (Calcitonin)	पैराथायरॉएड	पैराथारमोन का विपरीत	–	–
19.	थायमोसीन (Thymosine)	थायमस ग्रन्थि	लिम्फोसाइटों के विभेदीकरण में सहायक तथा शरीर के रक्षा तन्त्र का भाग	–	–
20.	ग्लुकोकॉरटीकॉएड, कार्टीसोल तथा कॉर्टिस्टीरोन (Glucocorticoids-cortisol, corticosterone)	एड्रीनल कार्टेक्स	1. कार्बोहाइड्रेट, वसा तथा प्रोटीन उपापचय का नियन्त्रण	कमी से एडिसन रोग (Addison's disease)	अधिकता से कुशिंग रोग (Cushing's disease)
21.	मिनरेलोकार्टिकाइड-एल्डोस्टीरोन (mineralocorticoids-aldosterone)	एड्रीनल कार्टेक्स	1. Na तथा K उपापचय का नियन्त्रण 2. रुधिर में Na की मात्रा बढ़ाने में सहायक	कमी से कान रोग (Con's disease)	अधिकता से एल्डोस्टीरोनिज्म
22.	लिंग एण्ड्रोस्टेनेडिओन, एस्ट्रोजन (Sex corticoids –Androstenedione, Estrogen	एड्रीनल कार्टेक्स	1. बाह्य लिंग लक्षणों के विकास में सहायक		अधिकता से लड़कियों में मूँछ आना (Adrenal virilism in girls)
23.	एड्रीनेलीन या एपीनेफ्रीन (Adrenaline or epinephrine or hormone of 3-F-fight flight, fright)	एड्रीनल मेडुला	1. हृदय स्पंदन, रुधिर दबाव तथा श्वसन का नियमन 2. शरीर को युद्ध या पलायन के लिए तैयार करता है	–	–
24.	नॉरएड्रीनेलीन या नॉरएपीनेफ्रीन (Noradrenaline or norepinephrine	एड्रीनल मेडुला	रुधिर वाहिनियों के संकुचन द्वारा रुधिर दाब में वृद्धि	–	–
25.	इंसुलिन (Insulin)	अग्न्याशय में उपस्थित लैंगरहैंस की द्वीपिकाओं की β-कोशिकाएँ	1. ग्लूकोस उपापचय का का नियन्त्रण 2. ग्लाइकोजेनेसिस तथा लाइपोजेनेसिस में सहायक 3. ग्लूकोनिओजेनेसिस में वृद्धि तथा प्रोटीन संश्लेषण बढ़ाता है	कमी से डायबिटीज मेलीटस (Diabetes mellitus)	अधिकता से हाइपोग्लाइसेमिया
26.	ग्लूकागॉन (Glucagon) या हाइपरग्लाइसेमिक कारक (Hyperglycaemic factor)	अग्न्याशय के लैंगरहैंस की द्वीपिकाओं की α कोशिकाएँ	इंसुलिन का विपरीत, ग्लाइकोजीनोलिसिस प्रेरित करता है तथा प्रोटीनों का अपचय बढ़ाता है	कमी से हाइपोग्लाइसेमिया	
27.	एस्ट्रोजन (Estrogen)	अण्डाशय की ग्राफियन पुटिकाएँ	1. मादा में सहायक प्रजनन अंगों की वृद्धि व विकास 2. मादा में द्वितीयक लिंग लक्षणों का विकास	–	–
28.	प्रोजेस्टेरॉन (Progesterone)	1. अण्डाशय का कार्पस ल्यूटियम 2. अपरा	गर्भाशय को भ्रूण के अधिरोपण (implantation) के लिए तैयार करता है	–	–

क्र. सं.	हॉरमोन	स्रोत	प्रभाव	कमी से रोग	अधिकता से रोग
29.	टेस्टोस्टेरॉन (Testosterone)	वृषण की लीडिग कोशिकाएं	1. नर के सहायक प्रजनन अंगों की वृद्धि तथा विकास में सहायक 2. द्वितीयक लिंग लक्षणों का विकास 3. पेशियों के विकास में सहायक	नपुंसकता (Eunuchoidism)	
30.	कोरियोनिक गोनैडोट्राफिक हॉरमोन (Chorionic gonadotrophic hormone or HCG)	अपरा	कार्पस ल्यूटियम को बनाए रखने में सहायक	–	–
31.	प्लैसेण्टल लैक्टोजन (Placental lactogen)	अपरा	दुग्ध निर्माण को प्रेरित करता है	–	–
32.	रिलैक्सिन (Relaxin)	अपरा	प्यूबिक संधान (pubic symphysis) की पेशियों को लचीला बनाकर बच्चे के जन्म में सहायता करता है	–	
33.	रेनिन (Renin)	वृक्क	1. एल्डोस्टीरोन के स्रवण को प्रेरित करता है 2. प्लाज्मा प्रोटीन एन्जिओटेन्सीनोजन को एन्जिओटेन्सिन II में तोड़ता है जो हृदय स्पंदन की दर को बढ़ाता है	–	–
34.	एरिथ्रोजेनिन (Erythrogenin)	वृक्क	अस्थि मज्जा में RBC निर्माण प्रेरित करता है	–	–
35.	रीनोमेडुयुलरी प्रोस्टालेण्डिन (Renomeduilary Prostaglandin)	वृक्क	रुधिर वाहिनियों तथा रेखित पेशियों को फैलाते हैं	–	–
36.	आर्गोकैल्सीफेरोल (Ergocalciferol)	त्वचा	अस्थि निर्माण में सहायक	1. बाल्यावस्था में कमी से रिकेट्स 2. वयस्क अवस्था में कमी से ऑस्टियोमलेशिया	
37.	कोलीकैल्सीफेरोल (Cholicalciferol)	त्वचा	–	–	–
38.	गैस्ट्रिन (Gastrin)	आमाशय की म्यूकस कला	आमाशय के एन्जाइम तथा HCl स्रवण को प्रेरित करता है	–	–
39.	इंटरोगैस्ट्रोन (Enterogastrone)	ग्रहणी की म्यूकस कला	HCl स्रवण को रोकता है		गैस्ट्रिक अल्सर
40.	सिक्रिटिन (Secretin)	ग्रहणी की म्यूकस कला	1. यकृत द्वारा पित्तरस स्रवण प्रेरित करता है 2. अग्न्याशयिक रस में जल व बाइकार्बोनेट आयनों की मात्रा नियन्त्रित करता है	–	–
41.	कोलीसिस्टोकाइनिन (Cholecystokinin-CCK)	ग्रहणी की म्यूकस कला	पित्ताशय संकुचन प्रेरित करता है	–	–
42.	पैन्क्रियोजाएमिन (Pancreozymin or PZ)	ग्रहणी की म्यूकस कला	एन्जाइमों की मात्रा को अग्न्याशयिक रस में बढ़ाता है।	–	–
43.	इंटरोकाइनिन (Enterokinin)	ग्रहणी तथा इलियम की म्यूकस कला	छोटी आँत्र के स्रवण को रोकता है	–	–
44.	विलीक्रिनिन (Villicrinin)	ग्रहणी की म्यूकस कला	छोटी आँत्र में रसांकुरों में क्रमाकुँचन की गति को बढ़ाकर अवशोषण में सहायता प्रदान करता है	–	–

वस्तुनिष्ठ प्रश्न

1. एक्सोप्थैलमिक गायटर किस कारण होता है?
(*a*) थायरॉक्सिन के अति स्रवण से
(*b*) थायरॉक्सिन के अल्प स्रवण से
(*c*) थॉयरोकैल्सिटोनिन के अल्प स्रवण से
(*d*) थॉयरोकैल्सिटोनिन के अति स्रवण से

2. मूत्र में कौन से हॉरमोन की उपस्थिति से गर्भाधान की जाँच (pregnancy test) की जाती है?
(*a*) प्रोजेस्ट्रॉन
(*b*) एस्ट्रोजन
(*c*) एण्ड्रोजन
(*d*) मानव कोरियोनिक गोनेडोट्रोपिन (human chorionic gonadotrophin)

3. एक व्यक्ति अधिक मात्रा में मूत्र उत्सर्जित करता है लेकिन उसके मूत्र में चीनी की मात्रा नहीं होती है। यह इसलिए होता है क्योंकि–
(*a*) पश्च पीयूष ग्रन्थि से हॉरमोन का अतिस्राव होता है
(*b*) अग्र पीयूष ग्रन्थि से हॉरमोन का अतिस्राव होता है
(*c*) लैंगरहेंस द्वीप से अतिस्राव होता है
(*d*) पश्च पीयूष ग्रन्थि से हॉरमोन का अल्पस्राव होता है

4. लैंगरहेंस की द्वीपिकाओं की अल्फा-कोशिका द्वारा स्रावित ग्लुकागॉन निम्नलिखित में से कौन-सा कार्य करता है?
(*a*) ग्लुकागोन ग्लूकोस को प्रोटीन में परिवर्तित करता है
(*b*) ग्लुकागोन ग्लूकोस को ग्लाइकोजेन में परिवर्तित करता है
(*c*) ग्लुकागोन ग्लाइकोजेन को ग्लूकोस में परिवर्तित करता है एवं रक्त में शर्करा की सान्द्रता में वृद्धि करता है
(*d*) उपरोक्त में से कोई नहीं

5. निम्न में से किससे एडीसन का रोग होता है?
(*a*) एड्रीनल ग्रन्थि की मेड्यूला की अल्पक्रिया
(*b*) एड्रीनल ग्रन्थि की कॉर्टेक्स की अल्पक्रिया
(*c*) एड्रीनल ग्रन्थि की कार्टेक्स की अधिक्रिया
(*d*) एड्रीनल ग्रन्थि की मेड्यूला की अधिक्रिया

6. यदि एक स्त्री में पुरुष जैसे लक्षण, जैसे दाढ़ी का आना, गर्भाशय और अण्डाशय का अपह्रास, भगशेफ की वृद्धि इत्यादि का विकास आरम्भ हो जाता है तो इसका क्या कारण हो सकता है?
(*a*) एड्रीनल एण्ड्रोजनों का अत्यधिक उत्पादन
(*b*) एस्ट्रोजन एवं टेस्टोस्टीरोन का अत्यधिक उत्पादन
(*c*) शल्य क्रिया द्वारा स्तन ग्रन्थियों का निकाल देना
(*d*) पश्च पीयूष का क्षतिग्रस्त होना

7. हॉरमोनों की क्रिया के विषय में स्वीकृत संकल्पना के अनुसार यदि लक्ष्य अंगों से ग्राही अणु हटा लिए जाएं तो–
(*a*) लक्ष्य अंगों में हॉरमोनों के लिए बिना किसी अन्तर के अनुक्रिया होती रहेगी
(*b*) लक्ष्य अंगों में हॉरमोनों के लिए अनुक्रिया तो होगी, मगर उसके लिए उच्चतर सांद्रणों की आवश्यकता होगी
(*c*) लक्ष्य अंगों में हॉरमोनों के लिए अनुक्रिया नहीं होगी
(*d*) लक्ष्य अंगों में हॉरमोनों के लिए अनुक्रिया तो होती रहेगी मगर उल्टे रूप में

8. निम्न में से कौन-से समूह में हॉरमोन का नाम तथा उसकी अल्पता से होने वाले रोग का सही जोड़ा मिलाया गया है?
(*a*) ल्यूटिनाइजिंग हॉरमोन – अन्डोत्सर्ग न होना
(*b*) इन्सुलिन – उदकमेह या डायबिटिज इन्सीपीडस
(*c*) थायरॉक्सिन – टिटैनी
(*d*) पैराथायराएड हॉरमोन – डायबिटिज मैलीटस या मधुमेह

9. निम्न में से कौन-सा हॉरमोन मनुष्य के अपरा का स्रवण उत्पाद नहीं है?
(*a*) ह्यूमैन कोरियोनिक गोनेडोट्रोपिन
(*b*) प्रोलेक्टिन
(*c*) एस्ट्रोजन
(*d*) प्रोजेस्टेरॉन

10. एक व्यक्ति अत्यधिक मात्रा में मूत्र करता है तथा अत्यधिक पानी पीता है किन्तु उसका रक्त ग्लूकोस स्तर सामान्य है। यह स्थिति किसका परिणाम हो सकती है?
(*a*) अग्न्याशय से इन्सुलिन स्रवण में कमी
(*b*) पश्च पीयूष से वासोप्रेसिन स्रवण में कमी
(*c*) मूत्र में ग्लूकोस सांद्रता में गिरावट
(*d*) ग्लूकागॉन के स्रवण में वृद्धि

11. निम्न में से हॉरमोन तथा उसकी हीनता से होने वाले रोग का सही मेल कौन-सा है?
(*a*) रिलैक्सिन – महाकायता
(*b*) प्रोलेक्टिन – क्रेटिनिज्म
(*c*) पैराथायरॉयड हॉरमोन – टिटैनी
(*d*) इन्सुलिन – डायबिटीज इन्सीपिडस

12. शरीर की वृद्धि के लिए आवश्यक हॉरमोन का स्रवण होता है–
(*a*) पिट्यूटरी (*b*) थायराएड
(*c*) पिट्यूटरी का अग्रपिण्ड (*d*) पिट्यूटरी का पश्च पिण्ड

13. नीचे स्तम्भ-I में दिए ग्रन्थियों के नामों को स्तम्भ-II में दी गई उनकी स्थिति के साथ सुमेलित कीजिए तथा सही उत्तर का चयन कीजिए–

सूची-I	सूची-II
A. लिबरकुहन की दरारें	p. ड्योडिनम के पाश
B. अग्न्याशय	q. आमाशय
C. एड्रीनल ग्रन्थि	r. आंत्र
D. आमाशय ग्रन्थि	s. वृक्क

(*a*) A – q, B – r, C – s, D – p
(*b*) A – r, B – p, C – s, D – q
(*c*) A – r, B – t, C – q, D – s
(*d*) A – p, B – s, C – r, D – q

14. पैराथारमोन की कमी से पेशी अकड़न (tetany) की दशा किस कारण होती है?
(*a*) रक्त में ग्लूकोस की अधिकता हो जाने से
(*b*) रक्त में ग्लूकोस की कमी हो जाने से
(*c*) रक्त में Na^+ की अधिकता हो जाने से
(*d*) रक्त में Ca^{++} की कमी हो जाने से

15. वृद्धि हॉरमोन से इंसुलिन किस एक बात में भिन्न होता है?
(*a*) *m*RNA राइबोसोम की सक्रियता को बढ़ा देता है
(*b*) यह वसा कोशिकाओं में हॉरमोन संवेदी लाइपेज को उत्तेजित करता है
(*c*) यह वसा कोशिकाओं के निकट लाइपोप्रोटीन को उत्तेजित करता है
(*d*) पेशियों की कोशिका झिल्लियों के आर-पार अमीनों अम्लों का परिवहन बढ़ा देता है

16. कार्पस ल्यूटियम (corpus luteum) की वृद्धि का समारंभन किससे होता है?
(*a*) ल्यूटिनाइजिंग हॉरमोन (luteinizing hormone)
(*b*) प्रोलैक्टिन (prolactin)
(*c*) मानव कोरियोनिक गोनेडोट्रोपिन (human chorionic gonadotropin)
(*d*) फॉलिकल स्टिमुलेटिंग हॉरमोन (follicle stimulating hormone)

17. निम्न में से कौन-सी अन्तःस्रावी ग्रन्थि कैल्सीटोनिन हॉरमोन स्रावित करती है एवं इसकी मुक्ति के समय रुधिर में कैल्शियम आयन की सान्द्रता कितनी होती है?
(*a*) थायरॉएड – Ca^{++} की सान्द्रता कम
(*b*) थायरॉएड – Ca^{++} की सान्द्रता अधिक
(*c*) पैराथॉयराएड – Ca^{++} की सान्द्रता अधिक
(*d*) पैराथॉयराएड – Ca^{++} की सान्द्रता कम

18. कैल्सिटोनिन एक पैराथायराएड हॉरमोन है जो–
(*a*) रुधिर में पोटेशियम के स्तर को बढ़ाता है
(*b*) रुधिर में कैल्शियम के स्तर को कम करता है
(*c*) रुधिर में कैल्शियम के स्तर को बढ़ाता है
(*d*) कैल्शियम स्तर को प्रभावित नहीं करता

19. एण्टीडाययूरेटिक हॉरमोन (ADH) या वासोप्रेसिन का प्रभाव है–
(*a*) स्मूथ पेशियों का प्रसार, रुधिर वाहिनियों को फैलाना तथा BP कम करना
(*b*) स्मूथ पेशियों का संकुचन, रुधिर वाहिनियों का प्रसार तथा BP बढ़ाना
(*c*) स्मूथ पेशियों का संकुचन, रुधिर वाहिनियों का संकुचन तथा BP कम करना
(*d*) स्मूथ पेशियों का संकुचन, रुधिर वाहिनियों का प्रसार, तथा BP बढ़ाना

20. भारी जबड़े, लम्बा चेहरा, हाथ व पाँव की अस्थियों में अति वृद्धि का कारण होता है–
(*a*) पीयूष ग्रन्थि के अग्रपिण्ड के हॉरमोन के अल्पस्रावण द्वारा
(*b*) पीयूष ग्रन्थि के अग्रपिण्ड के हॉरमोन के अधिस्रावण द्वारा
(*c*) पीयूष ग्रन्थि के पश्चपिण्ड के हॉरमोन के अधिस्रावण द्वारा
(*d*) पीयूष ग्रन्थि के पश्चपिण्ड के हॉरमोन के अल्पस्रावण द्वारा

21. गोरिल्ला के समान मानव जिसका सिर एवं हाथ बड़े हों तथा जबड़े लम्बे हों, किस कारण बनते हैं?
(*a*) थायराक्सिन के अति स्रवण से
(*b*) वृद्धि हॉरमोन के वयस्क में अति स्रवण से
(*c*) विटामिन 'सी' की भोजन में प्रचुरता से
(*d*) TSH के अति स्रवण से

22. विशेष रंग तकनीक द्वारा लैंगरहैंस की द्वीपिकाओं में पायी जाने वाली तीन प्रकार की कोशिकाओं को अलग-अलग देखा जा सकता है, ये कोशिकाएँ हैं–
(*a*) एल्फा कोशिका, बीटा कोशिका तथा गामा कोशिकाएँ
(*b*) एल्फा कोशिका, गामा कोशिका तथा डेल्टा कोशिका
(*c*) बीटा कोशिका, गामा कोशिका तथा डेल्टा कोशिका
(*d*) एल्फा कोशिका, बीटा कोशिका तथा डेल्टा कोशिका

23. स्तनियों में मूत्र की सांद्रता नियन्त्रित करने वाला हॉरमोन है–
(*a*) केवल एण्टीडाययूरेटिक हॉरमोन
(*b*) एण्टीडाययूरेटिक हॉरमोन तथा आक्सीटोसिन
(*c*) एण्टीडाययूरेटिक हॉरमोन तथा एल्डोस्टेरोन
(*d*) केवल टेस्टोस्टेरॉन हॉरमोन

24. यदि वयस्क में एडीनोहाइपोफाइसेक्टमी (adenohypophysectomy) कर दी जाए तब क्या होगा?
(*a*) एक्रोमीगेली
(*b*) वृषण तथा अण्डाशय का कार्य प्रभावित होगा
(*c*) महाकायता
(*d*) आधारी उपापचय दर प्रभावित होगी

25. अग्न्याशय निम्न हॉरमोन स्रावित करता है–
(*a*) ल्यूटिनाइजिंग हॉरमोन तथा प्रोजेस्ट्रॉन
(*b*) पुटिका प्रेरक हॉरमोन तथा एस्ट्रोजन
(*c*) ग्लूकागॉन तथा इंसुलिन
(*d*) उपरोक्त में से कोई नहीं

26. कोशिकीय स्तर पर GH वृद्धि प्रभावित करता है उत्पादन नियन्त्रित करके–
(*a*) *r*RNA का (*b*) *t*RNA का
(*c*) *m*RNA का (*d*) उपरोक्त में से कोई नहीं

27. पैराथारमोन प्रेरित करता है–
(*a*) रक्त में शर्करा की मात्रा की वृद्धि
(*b*) सीरम कैल्शियम की मात्रा में कमी
(*c*) सीरम कैल्शियम की मात्रा में वृद्धि
(*d*) रक्त में शर्करा की मात्रा में कमी

28. डायेबिटीज मेलीटस उत्पन्न होती है जब–
(*a*) अग्न्याशय में α–कोशिकाओं की बहुतायत हो जाती है
(*b*) अग्न्याशय में α–कोशिकाएँ कार्य नहीं करती हैं
(*c*) अग्न्याशय में β–कोशिकाएँ कार्य नहीं करती हैं
(*d*) अग्न्याशय में β–कोशिकाओं की बहुतायत हो जाती है

29. यदि किसी व्यक्ति को लगातार दबाव (stress) जैसे गर्मी, ठंड, तेज ध्वनि आदि में रखा जाए, तब उसके किस अंग में वृद्धि हो जाएगी?
(*a*) अग्न्याशय (*b*) एड्रीनल ग्रन्थि
(*c*) लार ग्रन्थि (*d*) यकृत

30. अन्तःस्रावों के निम्नलिखित जोड़े में कौन-सा ग्राफियन पुटिका की वृद्धि तथा परिपक्वन के लिए उत्तरदायी है?
(*a*) GH-ADH (*b*) FSH-LTH
(*c*) ACTH-LH (*d*) FSH-LH

31. एक व्यक्ति की वास्तविक आयु 20 वर्ष, जबकि उसकी बुद्धि एक वर्ष के बालक के बराबर है। यह होता है निम्न में से किसके कारण?
(*a*) एडीसन रोग (*b*) इंसुलिन की कमी
(*c*) क्रिटेनिज्म (*d*) हॉरमोनों की कमी

32. एक व्यक्ति के मोटे होंठ हैं, हृदय स्पंदन की धीमी गति तथा बढ़ा हुआ रुधिर कोलेस्ट्रॉल स्तर है। यह लक्षण होते हैं–
(*a*) क्रिटेनिज्म (*b*) हाशीमोटो रोग
(*c*) मीक्सीडेमा (*d*) एडीसन का रोग

33. यदि मेंढक के टैडपोल की थायराइड ग्रन्थियाँ निकाल दी जाएं (thyroidectomy) तब कायान्तरण होगा–
(*a*) पोटैशियम आयोडाइड उपचार द्वारा
(*b*) वयस्क भेड़ की थायरॉइड ग्रन्थि का सत् खिलाने पर
(*c*) परिवर्तित वातावरण में रखने पर
(*d*) त्वचा हॉरमोन के इंजेक्शन देने पर

34. जीर्णन के प्रतिरक्षा मत के अनुसार वह प्रक्रिया निम्न में से किसके घटते जाने से शुरू होकर अन्तः उसके समाप्त हो जाने के कारण होती है?
(*a*) थायरॉएड (*b*) पैराथायरॉएड
(*c*) थायमस (*d*) लैंगरहेंस की द्वीपिकाएँ

35. प्रोजेस्ट्रान होता है–
(*a*) प्रोटीन
(*b*) एन्जाइम
(*c*) हॉरमोन जो शिशु के जन्म के समय गर्भाशय को फैलाता है
(*d*) हॉरमोन जो भ्रूण की वृद्धि व गर्भावस्था को बनाए रखता है

36. एण्टीरोकाइनेज है–
(*a*) आंत्र को उत्तेजित करने वाला हॉरमोन
(*b*) ट्रिपसिनोजन को ट्रिपसिन में बदलने वाला एन्जाइम
(*c*) एक एन्जाइम की अक्रियाशील अवस्था
(*d*) हाइड्रोक्लोरिक अम्ल के स्रवण को रोकने वाला हॉरमोन

37. निम्नलिखित में से कौन असत्य है?
(*a*) ग्लुकागोन व इन्सुलिन समान कोशिकाओं द्वारा स्रावित होता है
(*b*) ग्लुकागोन व इन्सुलिन भिन्न कोशिकाओं द्वारा भिन्न अंगों में निर्मित होते हैं
(*c*) ग्लुकागोन व इन्सुलिन भिन्न कोशिकाओं द्वारा निर्मित होते हैं परन्तु इनके प्रभाव भिन्न होते हैं
(*d*) ग्लुकागोन व इन्सुलिन भिन्न कोशिकाओं द्वारा निर्मित होते हैं तथा इनके प्रभाव भी भिन्न होते हैं
(*e*) उपरोक्त में से कोई नहीं

38. लैंगरहेंस की द्वीपिकाओं की कोशिकाओं द्वारा स्रावित ग्लुकागॉन हॉरमोन का कार्य है–
(*a*) ग्लूकोस को ग्लाइकोस में बदल कर रुधिर शर्करा की मात्रा बढ़ा देना
(*b*) ग्लाइकोजन को ग्लूकोस में बदल कर रुधिर की सान्द्रता बढ़ा देना
(*c*) ग्लूकोस को ग्लाइकोजन में बदल देना
(*d*) उपरोक्त में से कोई नहीं

39. अण्डोत्सर्ग होता है पीयूष ग्रन्थि द्वारा स्रावित हॉरमोन से जिसका नाम है–
(*a*) ल्यूटिनाइजिंग हॉरमोन (LH)
(*b*) एस्ट्रोजन
(*c*) पुटिका प्रेरक हॉरमोन (FSH)
(*d*) ल्यूटियोट्रापिक हॉरमोन (LTH)

40. निम्नलिखित अन्तःस्रावी ग्रन्थियों में से किस हॉरमोन में पेप्टाइड्स एवं एमीन्स नहीं पाई जाती हैं?
(*a*) अग्र पिट्यूटरी के हॉरमोन
(*b*) पश्च पिट्यूटरी एवं अग्न्याशय के हॉरमोन
(*c*) थायरॉयड एवं एड्रीनल ग्रन्थि के हॉरमोन
(*d*) वृक्क एवं जनदों के हॉरमोन

उत्तरमाला

1	2	3	4	5	6	7	8	9	10
(*a*)	(*d*)	(*d*)	(*c*)	(*b*)	(*a*)	(*c*)	(*a*)	(*b*)	(*b*)
11	**12**	**13**	**14**	**15**	**16**	**17**	**18**	**19**	**20**
(*c*)	(*c*)	(*b*)	(*d*)	(*c*)	(*a*)	(*d*)	(*c*)	(*a*)	(*b*)
21	**22**	**23**	**24**	**25**	**26**	**27**	**28**	**29**	**30**
(*b*)	(*d*)	(*c*)	(*b*)	(*c*)	(*c*)	(*c*)	(*c*)	(*b*)	(*d*)
31	**32**	**33**	**34**	**35**	**36**	**37**	**38**	**39**	**40**
(*c*)	(*c*)	(*b*)	(*c*)	(*d*)	(*b*)	(*d*)	(*a*)	(*a*)	(*d*)

●●●

अध्याय 14

प्रतिरक्षा तन्त्र (Immune System)

- शरीर की रक्षा प्रक्रिया जो कि मनुष्य के शरीर की विभिन्न रोगाणुओं तथा रोगों से रक्षा करती है जिसे प्रतिरक्षा तन्त्र कहते हैं।
- प्रतिरक्षा तन्त्र के विस्तृत अध्ययन को प्रतिरक्षा विज्ञान (Immunology) कहते हैं।

प्रतिरक्षा के प्रकार (Types of Immunity)

(*i*) **सहज प्रतिरक्षा (Innate Immunity) :** यह तन्त्र शरीर में विभिन्न रोगाणुओं के प्रवेश करने पर शारीरिक अवरोध करता है। इसे अविशिष्ट प्रतिरक्षा (Non-specific immunity) भी कहा जाता है।

(*ii*) **उपार्जित प्रतिरक्षा (Acquired Immunity) :** यह शरीर का विशिष्ट प्रतिरक्षा तन्त्र है। उपार्जित प्रतिरक्षा शरीर के विशिष्ट प्रतिजन/सूक्ष्म जीव के सम्पर्क में आने हेतु उपार्जित की जाती है। इसे विशिष्ट प्रतिरक्षा या अनुकूलित प्रतिरक्षा भी कहा जाता है।

विशिष्ट प्रतिरक्षा बी लिम्फोसाइट्स एवं टी लिम्फोसाइट्स दो भागों से बना होता है। टी एवं बी लिम्फोसाइट्स पर विशिष्ट ग्राही स्थल पाये जाते हैं।

विशिष्ट प्रतिरक्षा दो प्रकार की होती है—तरल प्रतिरक्षा एवं कोशिका मध्यस्थ प्रतिरक्षा।

(*i*) **तरल प्रतिरक्षा (Humoral Immunity) :** तरल प्रतिरक्षा में प्रतिरक्षी आते हैं जोकि रुधिर में भ्रमण करते हैं। इसे प्रतिरक्षी मध्यस्थ प्रतिरक्षण भी कहते हैं। इनका निर्माण बी लिम्फोसाइट्स द्वारा होता है। प्रतिरक्षी **ग्लोइकोप्रोटीन** होते हैं। प्रतिरक्षियों को **प्रतिरक्षा ग्लोब्यूलिन** या **इम्यूनोग्लोब्यूलिन** या Ig (immunoglobulin) भी कहते हैं।

प्रतिरक्षियों की संरचना (Structure of Antibodies) : प्रतिरक्षियों को इनमें उपस्थित भारी श्रृंखलाओं के आधार पर वर्गीकृत किया जाता है। प्रतिरक्षी पाँच प्रकार के होते हैं–IgM, IgG, IgA, IgD, IgE । प्रतिरक्षी का प्रत्येक अणु चार पोलीपेप्टाइड श्रृंखलाओं का बना होता है। इनमें से दो श्रृंखलाएँ भारी (H-chain) होती हैं तथा दो श्रृंखलाएँ हल्की (L-chain) होती हैं। पोलीपेप्टाइड श्रृंखलाएँ डाइसल्फाइड बन्ध द्वारा एक-दूसरे से जुड़ी रहती हैं। ये अंग्रेजी के अक्षर Y के आकार में व्यवस्थित रहती हैं। Y की दो ऊपरी भुजाएँ **प्रतिजन बन्धनी स्थल** (antigen binding site) होते हैं (चित्र 14.1)।

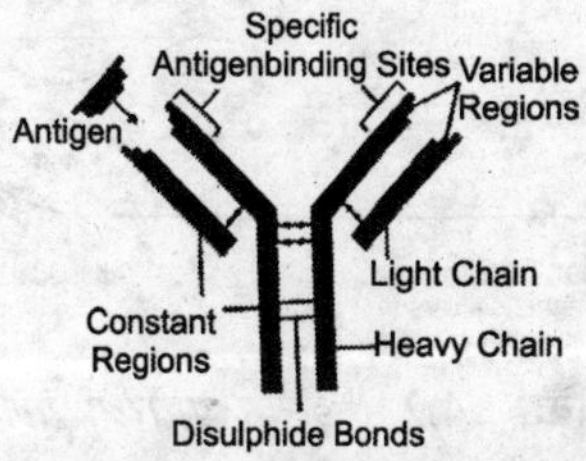

चित्र 14.1 : *प्रतिरक्षी की संरचना*

प्रत्येक प्रतिजन के लिए विशिष्ट प्रतिरक्षी होते हैं। प्रतिजनों में **प्रतिजनिक निर्धारक स्थल** (antigenic) होते हैं। एक विशिष्ट प्रतिरक्षी एक विशिष्ट प्रतिजन निर्धारक के साथ ही बन्धित हो सकता है।

(*ii*) **कोशिका मध्यस्थ प्रतिरक्षा (Cell Mediated Immunity)**

मारक टी लिम्फोसाइट— कोशिका मध्यस्थ प्रतिरक्षण प्रदान करती हैं। ये कोशिकाएँ प्रतिजनों की उपस्थिति में सक्रिय हो जाती हैं। सक्रिय मारक टी कोशिकाएँ सूक्ष्मजीवों से संक्रमित कोशिकाओं को प्रत्यक्ष नष्ट कर देती हैं। मारक टी कोशिकाएँ कैंसर कोशिकाओं को भी नष्ट करती हैं।

प्राथमिक तथा द्वितीयक प्रतिरक्षा प्रतिवेदन (Primary and Secondary Immune Response)

- जब शरीर रोगाणुओं के सम्पर्क में पहली बार आता है तथाशरीर में प्रतिरक्षा प्रतिक्रिया होती है उसे **प्राथमिक प्रतिरक्षा प्रतिवेदन** कहते हैं।
- प्राथमिक प्रतिरक्षा प्रतिवेदन उत्पन्न होने में थोड़ा समय लगता है। रोगाणु के प्रथम सम्पर्क के बाद स्मरण कोशिकाओं का निर्माण होता है। स्मरण कोशिकाओं का जीवन काल लम्बा होता है और ये लसिका ऊतक में अधिक समय तक संग्रहित रहती हैं।
- जब शरीर उसी रोगाणु के सम्पर्क में पुनः आता है तब शरीर में प्रतिरक्षा तन्त्र के सक्रियकरण को ही **द्वितीयक प्रतिरक्षा प्रतिवेदन** कहते हैं। यह अधिक तीव्र गति से तथा अधिक प्रभावकारी होता है।
- द्वितीयक प्रतिरक्षा प्रतिवेदन स्मरण कोशिकाओं के कारण होता है जिनका निर्माण प्रथम प्रतिरक्षा प्रतिवेदन के समय होता है। टीकाकरण में द्वितीयक प्रतिरक्षा प्रतिवेदन के सिद्धान्त का उपयोग किया जाता है।
- इम्यून प्रतिरक्षा में दो विभिन्न प्रकार की, परन्तु परस्पर सम्बन्धित प्रतिक्रियाएँ होती हैं और दोनों ही **प्रतिजनों** (antigens) द्वारा उत्प्रेरित होती हैं।

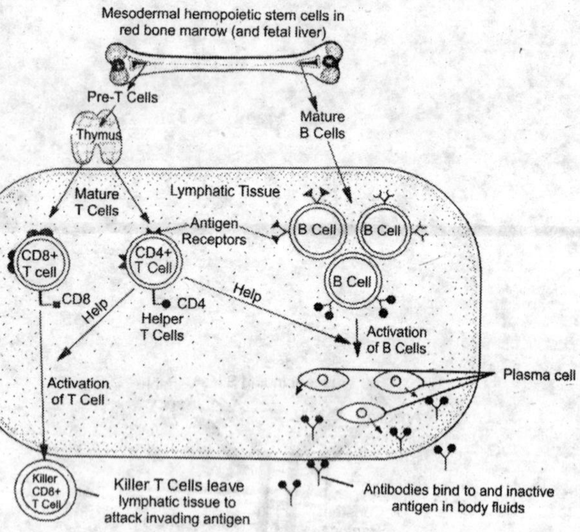

चित्र 14.2 : *इम्यून प्रतिरक्षा प्रणाली*

- इनमें से एक प्रकार की प्रतिक्रियाओं को **कोशिका- मध्यस्थीय,** अर्थात् **कोशिकीय इम्यून प्रतिक्रियाएँ** (cell-mediated or cellular immune responses— **CMI**) तथा दूसरी को **प्रतिरक्षी-मध्यस्थीय,** अर्थात् **ह्यूमरल इम्यून प्रतिक्रियाएँ** (antibody-mediated or humoral immune responses—**AMI**) कहते हैं।
- CMI प्रतिक्रियाओं में CD8+T कोशिकाएँ प्रचुरोद्भवन (proliferation) द्वारा अनेक **विनाशी टी कोशिकाएँ** (killer T cells) बनाती हैं जो प्रतिजनों पर सीधे आक्रमण करती हैं (चित्र **14.2**)।
- AMI प्रतिक्रियाओं में **B कोशिकाएँ** प्लाज्मा कोशिकाओं (plasma cells) में रूपान्तरित होती हैं जो भिन्न-भिन्न प्रकार के प्रतिजनों के लिए भिन्न-भिन्न प्रकार की प्रतिरक्षी (antibodies) प्रोटीन्स का संश्लेषण करती हैं। इन प्रतिरक्षी प्रोटीन्स को **इम्यूनोग्लोबुलिन्स** (immunoglobulins) कहते हैं।
- ये सम्बन्धित प्रतिजनों से बँधकर इन्हें निष्क्रिय करती हैं। CD4+T कोशिकाएँ **सहयोगी टी कोशिकाएँ** (helper T cells—T_H) कहलाती हैं, क्योकि ये CMI तथा AMI, दोनों प्रकार की प्रतिक्रियाओं में सहायता करती हैं।
- **कोशिका-मध्यस्थीय प्रतिक्रियाएँ** मुख्यतः विषाणुओं (virus), परजीवियों (parasites) तथा कवकों (fungi) आदि अन्तःकोशिकीय रोगाणुओं से तथा कैन्सरजन कोशिकाओं से प्रतिरक्षा प्रदान करतीहैं।
- **प्रतिरक्षी-मध्यस्थीय प्रतिक्रियाएँ** मुख्यतः जीवाणुओं तथा बाह्य-कोशिकीय तरल में उपस्थित प्रतिजनों से प्रतिरक्षा प्रदान करती हैं।

प्रतिजन (Antigens)

- इम्यून प्रतिक्रियाओं को उकसाने वाले, अर्थात् प्रेरित करने वाले पदार्थ **प्रतिजन** (antigens) या **इम्यूनोजेन** (immunogens) कहलाते हैं।
- ये प्रायः बड़े और जटिल प्रोटीन अणु होते हैं, परन्तु कुछ न्यूक्लिक अम्लों, न्यूक्लिओप्रोटीन्स, लाइपोप्रोटीन्स, ग्लाइकोप्रोटीन्स तथा बड़े पोलीसैकेराइड्स के अणु भी प्रतिजनों का काम कर सकते हैं।
- इसी प्रकार, पूरे-पूरे रोगाणु या इनके भाग या अंश परागकण, आरोपित (transplanted) ऊतक या अंग, आदि भी प्रतिजनों का काम कर सकते हैं।

प्रतिजनों की पहचान (Recognition of Antigens)

- **प्रतिरक्षी पदार्थ** (antibodies) अनेक विभिन्न प्रकार की बड़ी **प्रोटीन्स** (proteins) होती है। ये या तो B कोशिकाओं की कोशिकाकला से इसकी सतह पर उभरी रहती हैं, या रुधिर के प्लाज्मा में घुली रहती हैं। रुधिर के प्लाज्मा में घुली प्रतिरक्षी प्रोटीन्स को **इम्यूनोग्लोबुलिन्स** (immunoglobulins) कहते हैं।
- प्रत्येक प्रतिरक्षी प्रोटीन का अणु दो या चार पोलीपेप्टाइड श्रृंखलाओं की बनी संरचना होती है। एक ही श्रेणी के प्रतिरक्षियों के अणुओं में अधिकांश भाग समान होता है, परन्तु एक छोटा **भिन्नतासूचक भाग** (variable part) भिन्न-भिन्न प्रकार का होता है।
- प्रतिरक्षी अणुओं के ये भिन्नतासूचक भाग विशिष्ट सम्बन्धित प्रतिजनों के लिए **योजक स्थलों** (binding sites) का काम करते हैं, क्योंकि सम्बन्धित प्रतिजनों के विशिष्ट भाग इनमें इस प्रकार फिट हो जाते हैं जैसे प्रत्येक प्रकार के ताले में फिट होने वाली चाबी पृथक् प्रकार की होती है। अतः प्रतिरक्षियों द्वारा प्रतिजनों की पहचान इन्हीं विशिष्ट भिन्नतासूचक भागों द्वारा होती है।
- विभिन्न प्रकार के प्रतिरक्षियों के प्रमुख कार्य तालिका में दिया गया है।

तालिका : विभिन्न प्रकार के प्रतिरक्षियों के प्रमुख कार्य

क्र. सं.	प्रतिरक्षी का प्रकार	कार्य	कुल%
1.	IgG	भक्षकाणुओं को वृहदाणु भक्षण के लिए तथा पूरक तन्त्र को प्रेरित करती हैं। फीटस को निष्क्रिय प्रतिरक्षण प्रदान करती हैं।	75 से 85%
2.	IgM	बी लिम्फोसाइट्स को सक्रिय करते हैं।	5-10%
3.	IgA	आहारनाल, अश्रु तथा लार आदि में स्रावित होता है। यह निःश्वसित तथा अर्न्तग्राहित रोगाणुओं से सुरक्षा प्रदान करते हैं।	10-15%
4.	IgD	लिम्फोसाइटों को प्रतिरक्षियों के उत्पादन के लिए प्रेरित करते हैं।	1%
5.	IgE	कोशिकाओं को कुछ प्रतिजनों के प्रति संवेदित करते हैं तथा एलर्जी में मध्यस्थता करते हैं।	0.002%

सक्रिय तथा निष्क्रिय प्रतिरक्षण (Active and Passive Immunity)

1. **सक्रिय प्रतिरक्षा (Active Immunity) :** जब शरीर किसी प्रतिजन के सम्पर्क में आता है, तब बी-लिम्फोसाइट तथा टी-लिम्फोसाइट सक्रिय हो जाती हैं और प्रतिरक्षी निर्माण प्रारम्भ कर देती हैं। यह प्रतिरक्षी रोगाणुओं से लड़ते हैं। अधिकांश सक्रिय हुई लिम्फोसाइट कुछ दिन ही जीवित रहती हैं जबकि कुछ **स्मरण कोशिकाओं** (memory cells) में बदल जाती हैं जिनका जीवन काल लम्बा होता है। इनमें से कुछ पूरे जीवनकाल रहती हैं। ये लसिका गाँठों व प्लीहा में संचित रहती हैं। वह प्रतिरक्षा, जो किसी रोगाणु के सम्पर्क में आने से शरीर में उत्पन्न होती है, सक्रिय या उपार्जित प्रतिरक्षा कहलाती है।

टीकाकरण (Vaccination) : शरीर में मृत या कमजोर (attenuated) जीवाणुओं को प्रवेश कराने से शरीर में उस जीवाणु के प्रति प्रतिरक्षा उत्पन्न हो जाती है। इस प्रक्रिया को टीका लगाना या टीकाकरण कहते हैं। शरीर प्रतिरक्षी तथा स्मरण कोशिकाओं का निर्माण करता है। स्मरण कोशिकाएँ शरीर में संचित हो जाती हैं जिसे **रोकथाम** या **बचाव** (prophylaxis) कहते हैं।

2. **निष्क्रिय प्रतिरक्षा (Passive Immunity) :** किसी दूसरे जन्तु (जैसे–खरहा, घोड़ा) द्वारा उत्पन्न प्रतिरक्षियों का प्रयोग किया जाता है। रेबीज, *साल्मोनेला (Salmonella)* संक्रमण, सर्प विष तथा डिप्थीरिया हो जाने पर प्रतिरक्षियों का इंजेक्शन दिया जाता है। इसके द्वारा निष्क्रिय प्रतिरक्षा प्राप्त होती है।

वस्तुनिष्ठ प्रश्न

1. आँख का वह भाग जिसमें रक्त कोशिका नहीं होती–
(*a*) कॉर्निया (*b*) लेन्स
(*c*) कॉर्निया व लेन्स दोनों (*d*) रेटिना

2. कार्पस ल्यूटियम और पीत बिन्दु के संदर्भ में कौन-सा कथन सत्य है?
(*a*) दोनों अण्डाशय में पाये जाते हैं
(*b*) दोनों अन्तःस्त्रावी ग्रन्थियाँ होती हैं
(*c*) दोनों आँख में पाये जाते हैं
(*d*) दोनों पीले रंग के होते हैं

3. स्तनधारियों के लेन्स एवं कॉर्निया दोनों ही निम्नलिखित में से किसकी सहायता से उन्हें देखने में मदद करते हैं?
(*a*) प्रवेश करने वाली प्रकाश की मात्रा को नियन्त्रित कर
(*b*) वस्तु का चित्र रेटिना पर बनने में सहायता
(*c*) आँख के सभी भागों को पोषण प्रदान करने में
(*d*) आँख की क्षमता का समायोजन एवं नियमन

4. मध्य कर्ण गुहा ग्रसनी से जुड़ी होती है–
(*a*) कण्ठ कर्ण नली द्वारा (eustachian tube)
(*b*) फैलोपियन नलिकाओं द्वारा
(*c*) कर्ण अस्थिकाओं द्वारा
(*d*) काल्यूमेला द्वारा

5. खरहा अपने बाह्य कर्ण हिला सकता है जबकि मनुष्य नहीं, इसका कारण है–
(*a*) मनुष्य को बाह्य कर्ण हिलाने की आवश्यकता नहीं होती
(*b*) मनुष्य को बाह्य कर्ण हिलाने वाली पेशियां अवशेषी होती हैं
(*c*) खरहा तेज भागता है
(*d*) मनुष्य भी बाह्य कर्ण हिला सकता है

6. स्ट्रेटम जर्मिनेटिवम किस प्रकार के एपीथीलियम का उदाहरण है?
(*a*) घनाकार (*b*) शल्कीय
(*c*) सिलियायुक्त (*d*) स्तम्भाकार

7. निम्नलिखित में से कौन-सी ग्रन्थि मेंढक की त्वचा में पायी जाती है खरहे की त्वचा में नहीं–
(*a*) तैल ग्रन्थि (*b*) स्वेद ग्रन्थि
(*c*) श्लेष्म ग्रन्थि (*d*) मोल की ग्रन्थि

8. कशेरुकी या स्तनी के नेत्र की प्रकाश संवेदी परत है–
(*a*) कॉर्निया (*b*) रेटिना
(*c*) कोरॉएड (*d*) स्कलीरा

9. नेत्र दोष "मायोपिया" में–
(*a*) प्रकाश की किरणें रेटिना के पीछे फोकस होती हैं
(*b*) प्रकाश की किरणें रेटिना के आगे फोकस होती हैं
(*c*) प्रकाश की किरणें रेटिना व आइरिस के बीच में फोकस होती हैं
(*d*) प्रकाश की किरणें नेत्र के भीतर प्रवेश ही नहीं करती

10. कॉर्निया प्रत्यारोपण में गजब की सफलता मिली है। इसका कारण यह है कि–
(*a*) कॉर्निया को आसानी से परिरक्षित किया जा सकता है
(*b*) कॉर्निया के साथ एक संवहनी तथा प्रतिरक्षा तन्त्र नहीं जुड़े होते हैं
(*c*) इसमें काम आने वाली तकनीक बहुत सरल है
(*d*) कॉर्निया आसानी से मिल जाती है

11. कर्ण का कौन-सा भाग शरीर के स्थैतिक सन्तुलन में सहायक है–
(*a*) सैकुलस, यूट्रिकुलस व अर्धचन्द्राकार नलिकाएँ
(*b*) मध्य कर्ण
(*c*) केवल अर्धचन्द्राकार नलिकाएँ
(*d*) केवल कॉक्लिया

12. अन्तःकर्णपटल से शुरू होने वाली स्तनधारी प्राणियों की कर्ण अस्थिका में हड्डियों का स्पर्श क्रम है–
(*a*) मैलियस, इन्कस, स्टेपीज (*b*) मैलियस, स्टेपीज, इन्कस
(*c*) इन्कस, मैलियस, स्टेपीज (*d*) स्टेपीज, इन्कस, मैलियस

13. नेत्र में आइरिस में पायी जाने वाली पेशी होती है–
(*a*) अरेखित तथा स्वैच्छिक (*b*) रेखित तथा स्वैच्छिक
(*c*) अरेखित तथा अनैच्छिक (*d*) रेखित तथा अनैच्छिक

14. स्तनधारी कर्ण के स्केला वेस्टीब्यूलाई तथा स्केला मीडिया को पृथक् करने वाली झिल्लीमय संरचना है–
(*a*) टैक्टोरियल कला (*b*) ओटोलिथ कला
(*c*) रेसिस्नर कला (*d*) बेसिलर कला

15. आँख में होने वाली "मायोपिया" को ठीक किया जा सकता है प्रयोग द्वारा–
(*a*) बाइफोकल चश्मे
(*b*) अवतल व उत्तल लेन्स के प्रयोग से
(*c*) अवतल लेन्स के प्रयोग से
(*d*) उत्तल लेन्स के प्रयोग से

16. स्केला वेस्टीबुलाई व स्केला टिम्पैनाई को परस्पर जोड़ने वाली रचना है–
(*a*) रीजनर्स कला (*b*) वेस्टीबुलर कला
(*c*) ऑटोलिथिक कला (*d*) हेलीकोट्रीमा

17. नेत्र में वर्णक युक्त कौन-सा है?
(*a*) कॉर्निया (*b*) स्कलेरोटिक
(*c*) रेटिना (*d*) कोरॉएड

18. कॉरटाई का अंग कहाँ पाया जाता है?
(*a*) बाह्य कर्ण में (*b*) अन्तःकर्ण में
(*c*) टिम्पैनिक गुहा में (*d*) नासावेश्म में

19. रंग अंधता का प्रमुख कारण है–
(*a*) शलाकाओं की अनुपस्थिति (*b*) शंकुओं की अनुपस्थिति
(*c*) पलकों की अनुपस्थिति (*d*) आधा दृष्टिपटल

20. जब प्रकाश की तीव्रता रात्रि में कम होती है तब प्रकाश संसूचित होता है–
(*a*) शलाका द्वारा (*b*) शंकु द्वारा
(*c*) लेन्स द्वारा (*d*) शलाका तथा शंकु दोनों द्वारा

21. पेट दर्द को महसूस करने का कारण है–
(*a*) प्रोप्रिओसेप्टर (Proprioceptors)
(*b*) टीलोसेप्टर (Teloceptors)
(*c*) एक्सटीरोसेप्टर (Exteroceptors)
(*d*) इंटरोसेप्टर (Enteroceptors)

22. पैसीनी देहाणु (Pacinian Corpuscles) शरीर के कुछ भागों की त्वचा में पाये जाते हैं। स्तनधारियों में ये होते हैं–
(*a*) पीड़ा ग्राही (pain receptors)
(*b*) नग्न स्पर्शग्राही (naked tactile receptors)
(*c*) एक प्रकार की ग्रन्थियाँ
(*d*) कैप्सूल से ढके दाब ग्राही (encapsulated pressure receptors)

23. नेत्र में आइरिस का कार्य है–
(*a*) निक्टिटेटिंग कला को घुमाना
(*b*) तारे के छिद्र के आकार में परिवर्तन
(*c*) लेंस के आगे तथा पीछे खिसकाना
(*d*) प्रकाश किरणों का परावर्तन

24. नेत्र का आइरिस संवेदनशील (sensitive) होता है–
(*a*) प्रकाश के लिए (*b*) रसायनों के लिए
(*c*) ऊष्मा के लिए (*d*) उपरोक्त सभी के लिए

25. कान का पर्दा कहा जाता है–
(*a*) टिम्पैनिक झिल्ली (*b*) टेन्सर टिम्पैनाई
(*c*) स्केला टिम्पैनाई (*d*) स्केला वेस्टीब्यूली

26. खरगोश में स्वेद ग्रन्थियाँ कहाँ पायी जाती हैं?
(*a*) सारे शरीर पर (*b*) होठों के आस-पास
(*c*) पंजों पर (*d*) कर्ण पल्लवों पर

27. खरहे में क्रिस्टी किस अवस्था में सन्तुलन बनाये रखने में सहायक होते हैं?
(*a*) ऊर्ध्वाधर (*b*) क्षैतिज
(*c*) गुरुत्व की ओर (*d*) उपरोक्त में से कोई नहीं

28. त्वचीय ग्रन्थियाँ होती हैं–
(*a*) आमाशय ग्रन्थियाँ (*b*) तेल ग्रन्थियाँ
(*c*) अवटु ग्रन्थि (*d*) थाइमस ग्रन्थि

29. मेलेनोब्लास्टस पाये जाते हैं–
(*a*) अधिचर्म में
(*b*) मैलपीगी स्तर में
(*c*) अधिचर्म व चर्म के संयोग स्थल पर
(*d*) चर्म में

30. स्तनियों में ध्वनि तरंगों के ग्राही हैं–
(*a*) कर्ण (*b*) नेत्र
(*c*) त्वचा (*d*) बाल

31. आँख की नेत्रश्लेष्मला में पाया जाने वाला उपकला ऊतक है–
(*a*) स्तरित घनाकार (*b*) स्तरित स्तम्भाकार
(*c*) अन्तर्वर्ती उपकला (*d*) स्तरित शल्कीय

32. स्वांतरग्राही संवेदांग वे होते हैं जो ज्ञान प्रदान करते हैं–
(*a*) रसायनों का
(*b*) ताप का
(*c*) स्वाद का
(*d*) शरीर के आन्तरिक वातावरण में बदलाव

33. जब रात के समय प्रकाश की तीव्रता कम होती है तब प्रकाश की पहचान किसके द्वारा होती है?
(*a*) शलाकाओं (*b*) शंकु
(*c*) लेन्सों (*d*) दोनों शलाका तथा शंकु

34. मीसनर के देहाणु किसके लिए ग्राही हैं?
(*a*) दाब (*b*) दर्द
(*c*) स्पर्श (*d*) शीत

35. रेटिना के किस भाग में केवल शंकु होते हैं?
(*a*) फोविया सेन्ट्रलिस (*b*) ओरा सेरैटा
(*c*) अन्ध बिन्दु (*d*) ट्राइडल रेटिना

36. कॉर्निया प्रत्यारोपण सफल है क्योंकि–
(*a*) कॉर्निया में रुधिर आपूर्ति अनुपस्थित होने के कारण
(*b*) ऊतक मिलान अत्यन्त सही
(*c*) रक्त समूह तथा ऊतक मिलान किया गया है
(*d*) कॉर्निया पारदर्शी होता है

37. निम्न में से श्रवण श्रेणी के अन्तर्गत आता है–
(*a*) 200 से 20 डेसीबल (*b*) 120 डेसीबल से अधिक
(*c*) 20 से 30 डेसीबल (*d*) 50 से 60 डेसीबल

38. निम्न में से पूर्णतः कॉर्निया के लिए है–
(*a*) यह पारदर्शी है
(*b*) इसमें रुधिर आपूर्ति नहीं होती
(*c*) यह कोशिकीय है तथा रुधिर आपूर्ति नहीं होती
(*d*) यह नेत्र की सबसे बाहरी परत है

39. रेटिना का वह भाग जिसमें शलाकाएँ तथा शंकु नहीं होते–
(*a*) पीत बिन्दु (*b*) लाल बिन्दु
(*c*) अन्ध बिन्दु (*d*) नीला बिन्दु

40. मायोपिया किस प्रकार के चश्में के प्रयोग से ठीक किया जा सकताहै?
(*a*) अवतल लेन्स (*b*) उभयोतल लेन्स
(*c*) सिलिंडरी लेन्स (*d*) प्लेन ग्लास

41. स्कलीरा (sclera) परत पायी जाती है–
(*a*) वृक्क में (*b*) यकृत में
(*c*) आँख में (*d*) कान में

42. मध्यकर्ण में, अन्तःकर्ण में ध्वनि संवेदनाएँ पहुँचती हैं किसके द्वारा?
(*a*) टिम्पैनिक परत (tympanic membrane)
(*b*) बेसीलर परत (basilar membrane)
(*c*) फोरामेन रोटेन्डम (foramen rotandum)
(*d*) फोरामेन ओवेल (foramen ovale)

43. स्तनधारी के नेत्र में प्रकाश संवेदी वर्णक (photo pigment) है–
(*a*) एरीथ्रोलेब (erythrolabe) (*b*) क्लोरोलेब (chlorolabe)
(*c*) सायनोलेब (cyanolabe) (*d*) कैरोटीन (carotene)

44. रुफिनी के छोर अंग (end organs of Ruffini) ग्राही हैं–
(*a*) ऊष्मा के (*b*) शीत के
(*c*) दाब के (*d*) स्पर्श के

45. रोडोप्सिन रेटिना की शलाकाओं में पाया जाने वाला वर्णक है। इसका संश्लेषण हो सकता है, खाकर–
(*a*) पपीता, सेब तथा नींबू (*b*) गाजर तथा मूली
(*c*) गाजर तथा पपीता (*d*) मूली, सेब तथा नींबू

46. निम्नलिखित में कौन सही है?
(*a*) मेंढक के चर्म में मैलेनोफोर (melanophore) पाये जाते हैं
(*b*) मेंढक के अधिचर्म में सिर्फ स्तर पाये जाते हैं
(*c*) रोम चर्म (dermis) से व्युत्पन्न हैं
(*d*) सिबेसियस ग्रन्थियों से जलीय पदार्थ स्रावित होता है

47. निम्न में से किस एक प्राणि के नेत्र में केवल शलाकाएँ होती हैं–
(*a*) कबूतर (*b*) गिलहरी
(*c*) मुर्गा (*d*) उल्लू

48. आन्तरिक कर्ण में कॉरटाई का अंग जिसमें रोम कोशिकाएँ होती हैं, यह स्थित होता है–
(*a*) स्केला टिम्पैनाई (*b*) स्केल वेस्टीब्यूलाई
(*c*) स्केल मीडिया (*d*) सेक्युलस

49. मायबोमी ग्रन्थियाँ अध्यावरणी ग्रन्थियाँ हैं ये पाई जाती हैं–
(*a*) भुजा गर्त में
(*b*) योनि के ओष्ठों तथा शिश्न मुंड पर
(*c*) बाह्य कर्ण की नलिका का स्तरण
(*d*) पलकों के कोरों पर

50. कोशिका में निक्षेपित कैल्शियम कार्बोनेट के क्रिस्टल कहलाते हैं–
(*a*) एलीरोन (*b*) क्रिस्टेलाइड
(*c*) ग्लोबाइड (*d*) सिस्टोलिथ

उत्तरमाला

1	2	3	4	5	6	7	8	9	10
(*c*)	(*d*)	(*b*)	(*a*)	(*b*)	(*a*)	(*c*)	(*b*)	(*b*)	(*b*)
11	**12**	**13**	**14**	**15**	**16**	**17**	**18**	**19**	**20**
(*a*)	(*d*)	(*c*)	(*d*)	(*c*)	(*d*)	(*d*)	(*b*)	(*b*)	(*a*)
21	**22**	**23**	**24**	**25**	**26**	**27**	**28**	**29**	**30**
(*d*)	(*d*)	(*b*)	(*a*)	(*a*)	(*a*)	(*c*)	(*b*)	(*b*)	(*a*)
31	**32**	**33**	**34**	**35**	**36**	**37**	**38**	**39**	**40**
(*d*)	(*d*)	(*a*)	(*c*)	(*a*)	(*a*)	(*a*)	(*b*)	(*c*)	(*a*)
41	**42**	**43**	**44**	**45**	**46**	**47**	**48**	**49**	**50**
(*c*)	(*d*)	(*d*)	(*a*)	(*c*)	(*a*)	(*d*)	(*c*)	(*d*)	(*d*)

●●●

अध्याय

15

संग्राही तन्त्र
(Receptors Organs)

वातावरण में होने वाले परिवर्तनों का ज्ञान शरीर में स्थित विशिष्ट संवेदी अंगों (sense organs) के द्वारा होता है। इन्हीं संवेदी अंगों को संग्राही अंग कहा जाता है।

तालिका : *विभिन्न संग्राही अंग तथा उनके प्रमुख कार्य*

संग्राही अंग का नाम	विशिष्ट नाम	प्रमुख कार्य
A. यांत्रिकी संग्राही अंग		
1. स्पर्शेन्द्रियाँ (Touch receptors)	टैंगोरिसेप्टर्स (Tangoreceptors) या टैक्टोरिसेप्टर्स (Tactoreceptors)	स्पर्श तथा दबाव का ज्ञान
2. श्रवणेन्द्रियाँ या कर्ण (Organs of hearing) या श्रवणोसन्तुलन अंग	स्टेटोएकॉस्टिक आर्गन (Statoacoustic Organ)	श्रवण तथा सन्तुलन (Hearing and balance) का कार्य
3. पीड़ा संग्राही अंग (Pain receptors)	एल्जेसी रिसेप्टर्स (Algesi receptors)	दर्द संवेदना ग्रहण करना
B. रासायनिक संग्राही अंग (Chemical receptors)		
1. घ्राणेन्द्रियाँ (Organ of Smell)	ऑलफेक्टोरिसेप्टर्स (Olfactoreceptors)	गंध संवेदना (Smell sensation) ग्रहण करना
2. स्वादेन्द्रियाँ (Organ of taste)	गस्टेटोरिसेप्टर्स (Gustatoreceptors)	स्वाद ग्रहण करना
3. इरिटो-रिसेप्टर्स (Irrito-receptors)	–	त्वचा में उद्दीपनों को ग्रहण करना
प्रकार		
(*i*) स्पर्शेन्द्रियाँ	मिसनर्स कणिकाएँ (Meissner's Corpuscles)	स्पर्श संवेदना ग्रहण करना
(*ii*) स्पर्शेन्द्रियाँ	मरकैल डिस्क (Merkel's discs)	स्पर्श संवेदना ग्रहण करना
(*iii*) स्पर्शेन्द्रियाँ	पैसीनियन कणिकाएँ (Pacinian Corpuscles)	स्पर्श संवेदना ग्रहण करना
(*iv*) तापसंग्राही (Thermoreceptors)	क्राउसस की कणिकाएँ (Krause's Corpuscles)	ठंड या गर्मी का ज्ञान करना
(*v*) ताप संग्राही	रुफिनी के छोर अंग (End Organs Ruffini)	ताप संवेदना ग्रहण करना
(vi) तन्त्रिका पेशी तर्कु	न्यूरोमसल स्पिण्डल (Neuromuscle spindle)	त्वचा में उद्दीपनों के अनुसार कार्य के लिए सूचना देना
C. विकिरण संग्राही (Radiant Receptors)		
1. तापसंग्राही (Thermoreceptors)	–	त्वचा के द्वारा ताप संवेदना ग्रहण करना
प्रकार		
(*i*) कैलोरिसेप्टर (Calo-receptors)	–	ताप ग्रहण करना
(*ii*) फ्रीजिडो-रिसेप्टर्स (Frigido-receptors)	–	ठंडक ग्रहण करना
2. दर्शेन्द्रिय या आँख	फोटोरिसेप्टर्स	प्रकाश के द्वारा देखने का कार्य करना

बाह्य ज्ञानेन्द्रियाँ (Exteroceptors)

इनकी दो प्रमुख श्रेणियाँ होती हैं—(A) **विशिष्ट संवेदांग** (special sense organs) जो सिर में मस्तिष्क के निकट स्थित और रचना में जटिल होते हैं, तथा (B) त्वचा में स्थित सामान्य या त्वक् संवेदांग (general or cutaneous sense organs)। विशिष्ट संवेदांग निम्नलिखित होते हैं : 1. श्रवणोसन्तुलन इन्द्रियाँ, अर्थात् कर्ण, 2. प्रकाशग्राही संवेदांग, अर्थात् नेत्र, 3. गन्धग्राही संवेदांग, अर्थात् नासिका। (चित्र 15.1)

श्रवणोसन्तुलन इन्द्रियाँ (Stato-Acoustic Receptors)

हमारे सिर में, नेत्रों के पीछे की ओर पार्श्वों में दो कर्ण (ears) होते हैं। ये दोहरे काम के संवेदांग होते हैं, जो **श्रवण-ज्ञान** या **ध्वनि उद्दीपनों** (acoustic or sound stimulations) को ग्रहण करने, अर्थात् **सुनने** (hearing) का, तथा चलने और खड़े रहने में शरीर का **सन्तुलन** (equilibrium) बनाए रखने का काम करते हैं। इसीलिए इन्हें **श्रवणोसन्तुलन इन्द्रियाँ** कहते हैं।

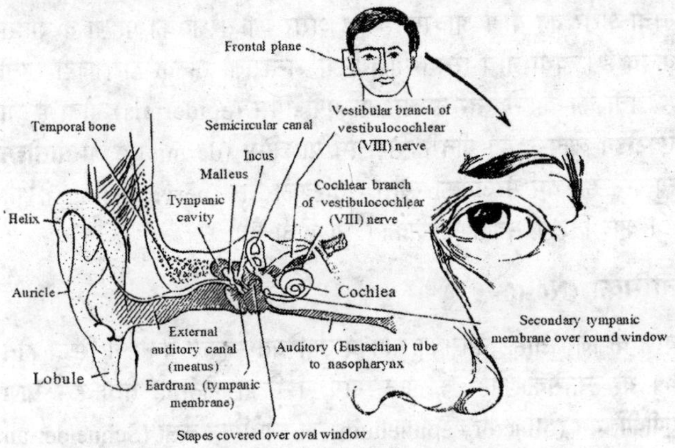

चित्र 15.1 : *कर्ण से गुजरती हुई सिर के दाएँ भाग की एक अग्रीय काट (frontal section) का चित्र*

कर्णों की संरचना (Structure of Ears)

हमारा प्रत्येक कर्ण तीन प्रमुख भागों में विभेदित होता है—बाह्य कर्ण (external ear), मध्य कर्ण (middle ear) (चित्र 15.2) तथा अंतः कर्ण (internal ear)।

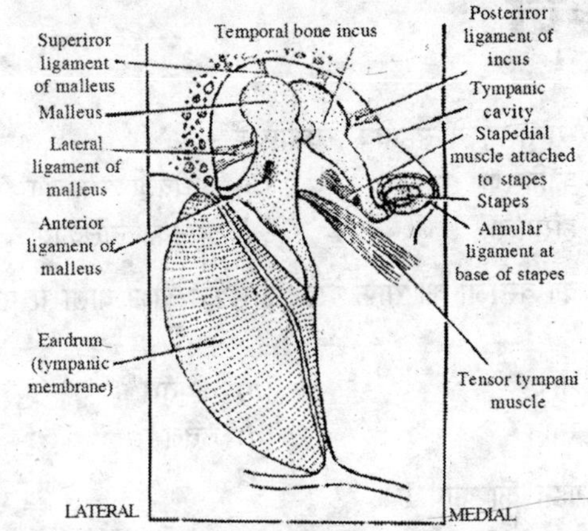

चित्र 15.2 : *कर्ण की अग्रीय काट (frontal section) में मध्य कर्ण की कर्ण अस्थिकाएँ*

अन्तःकर्ण (Internal Ear)

यह अर्धपारदर्शक झिल्ली की बनी एक जटिल संरचना के रूप में होता है जिसे **कलागहन** (membranous labyrinth) कहते हैं (चित्र 15.3) क्योंकि इसका अधिकांश भाग सँकरी कुल्याओं (canals or ducts) का बना होता है। इसके प्रमुख मध्यवर्ती भाग में दो थैलीनुमा वेश्म होते हैं—**यूट्रीकुलस** (utriculus) तथा **सैक्यूलस** (sacculus)। कर्ण में ध्वनि तरंगों के मार्ग का रेखाचित्र (चित्र 15.4) में दिया गया है।

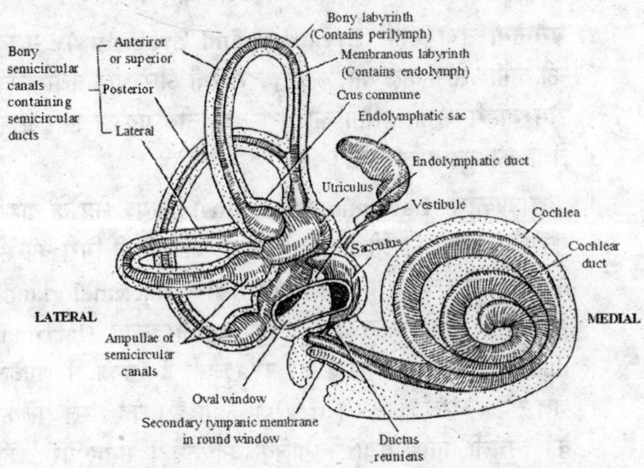

चित्र 15.3 : *टेम्पोरल हड्डी के अस्थीय गहन में बन्द, मनुष्य की कलागहन*

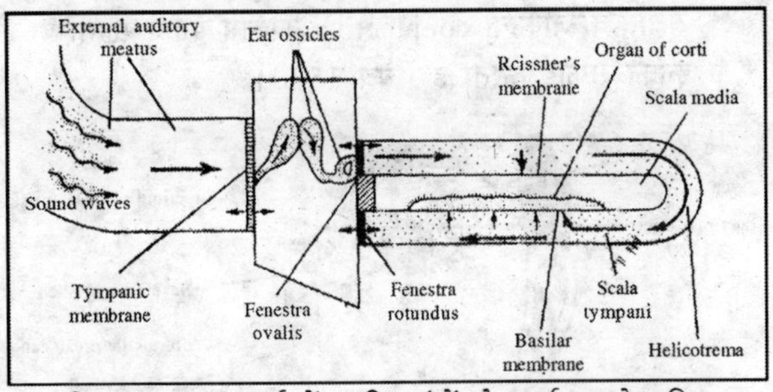

चित्र 15.4 : *कर्ण में ध्वनि-तरंगों के मार्ग का रेखाचित्र*

कर्ण के प्रमुख विकार (Important Disorders of Ear)

- **ऑटोलेगिया (Otolagia) :** कर्ण में पीड़ा को ऑटोलेगिया कहतेहैं।
- **यूस्टेकाइटिस (Eustachitis) :** यूस्टेकियस नलिका के शौथ को यूस्टेकाइटिस कहते हैं।
- **टिम्पैनाइटिस (Tympanitis) :** टिम्पैनम या कर्णपटल की शौथ को टिम्पैनाइटिस कहते हैं।
- **मैनियर्स रोग (Menieres Disease) :** काक्लिया की क्षति के कारण श्रवण की हानि को मैनियर्स रोग कहते हैं।
- **समुद्री व्याधि (Sea Sickness) :** कुछ व्यक्ति जब समुद्र में जहाज पर यात्रा करते हैं तब उन्हें जी मिचलाना तथा वमन होते हैं। इस अवस्था को समुद्री व्याधि कहते हैं। यह गति के कारण अर्ध वृत्ताकार नलिकाओं के उत्तेजन के कारण होती है।

प्रकाश-ग्राही संवेदांग अर्थात् दर्शनेन्द्रियाँ (Photoreceptors or Organs of Vision)

दो **नेत्र** (eyes) हमारी दर्शनेन्द्रियाँ होती हैं। इनकी संरचना, कार्यिकी एवं रोगीली दशाओं के अध्ययन की शाखा को **नेत्रविज्ञान** (ophthalmology)

कहते हैं। प्रत्येक नेत्र में एक **नेत्रगोलक** (eye ball) होता है (चित्र 15.6) तथा इससे सम्बन्धित सहायक संरचनाएँ। सहायक संरचनाओं में **पलकें, बरौनियाँ, भौहें, अश्रु उपकरण** तथा **नेत्र-कोटरीय पेशियाँ** होती हैं।

1. **पलकें (Eyelids or Palpebrae) :** नेत्रगोलक की सुरक्षा के लिए इसके कोटर की ऊपरी तथा निचली कगारों से सामान्य त्वचा भंजों के रूप में आगे बढ़कर दो (ऊपरी एवं निचली) पेशीयुक्त पलकें (eyelids) बनाती हैं। पलकें चल होती हैं और इच्छानुसार गोलक पर गिराई या उठाई जा सकती हैं।
2. **बरौनियाँ तथा भौहें (Eyelashes and Eyebrows) :** पलक की कगार से निकले बाल अर्थात् बरौनियाँ और भौहें तथा इनके रोम बाहरी कणों, पसीने की बूँदों तथा तीव्र प्रकाश किरणों से नेत्रों की सुरक्षा करते हैं।
3. **अश्रु उपकरण (Lacrimal Apparatus) :** प्रत्येक नेत्र के बाहरी कोण से ऊपर की ओर, त्वचा के नीचे, बादाम की गिरी की-सी आकृति की एक **अश्रु या लैक्राइमल ग्रन्थि** (lacrimal gland) होती है। इससे 6 से 12 महीन **अश्रु नलिकाएँ** (lacrimal ducts) ऊपरी पलक के कगार पर खुलती हैं। इन्हीं से स्रावित जल-सदृश तरल को अश्रु (tears) कहते हैं। यह तरल पलकों की निचली सतह तथा नेत्रगोलक की उधड़ी सतह पर ढकी कॉर्निया (cornea) तथा इसके ऊपर की नेत्रश्लेष्मा या युजा अर्थात् कन्जंक्टिवा conjunctiva को नम बनाए रखता है और इनकी सफाई करता है (चित्र 15.5)।

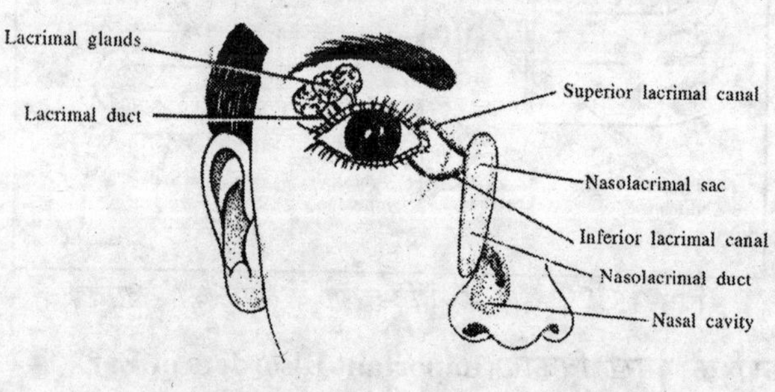

चित्र 15.5 : *अश्रु उपकरण का रेखाचित्र*

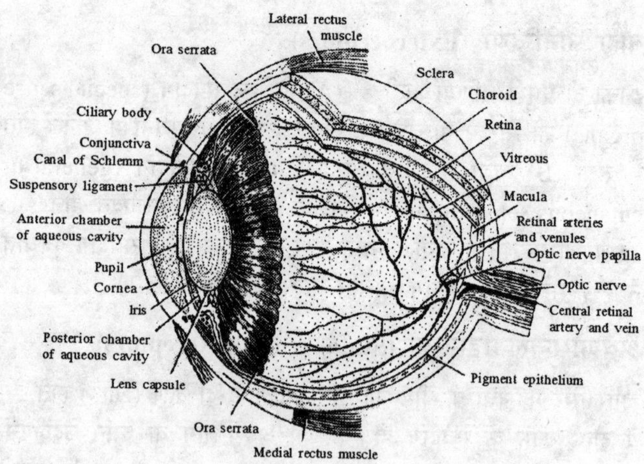

चित्र 15.6 : *मनुष्य के एक नेत्रगोलक की सममिताधीं काट (sagittal section) का चित्र*

त्वचा (Skin)

त्वचा शरीर का बाह्य आवरण है यह शरीर की सुरक्षा का पहला व बाहरी कवच है। त्वचा नीचे स्थित पेशियों से अन्तराली ऊतक द्वारा जुड़ी रहती है त्वचा का बाहरी स्तर **उपचर्म** या **एपीडर्मिस** (epidermis) होता है जो **एक्टोडर्म** व्युत्पन्न है। भीतरी स्तर **चर्म या डर्मिस** (dermis) है जो **मीसोडर्म** व्युत्पन्न है। चर्म में अनेकों स्वतन्त्र तन्त्रिका छोर (nerve endings) होते हैं। कुछ विशेष संवेदी कोशिकाएँ भी होती हैं।

नासिका (Nose)

घ्राण के लिये ग्राही, नासिका गुहा में उपस्थित म्यूकस कला में स्थित होते हैं। यह नासिका गुहा के पृष्ठ भाग में स्थित होती है तथा इसे **घ्राण एपीथीलियम** (olfactory epithelium) या **श्नीडेरियन कला** (Schneiderian membrane) कहते हैं। इस कला में तीन प्रकार की कोशिकाएँ होती हैं। घ्राण कोशिकाएँ (olfactory cells), ये रूपान्तरित द्विध्रुवीय न्यूरॉन हैं, **अवलम्बी कोशिकाएँ** (supporting cells) तथा **आधारी कोशिकाएँ** (basal cells)। घ्राण एपीथीलियम के नीचे म्यूकस स्रावित करने वाली **बोमन ग्रन्थियाँ** (Bowman's glands) होती हैं।

वस्तुनिष्ठ प्रश्न

1. मीसनर के देहाणु स्थित होते हैं–
   (*a*) त्वचा में (*b*) टॉन्सिल्स में
   (*c*) कॉक्लिया में (*d*) आमाशय की दीवार में
2. कशेरुकियों के नेत्रों के अन्ध बिन्दु पर–
   (*a*) शंकु नहीं होते (*b*) शलाकाएँ नहीं होती
   (*c*) दोनों नहीं होते (*d*) दोनों होते हैं
3. वृद्धावस्था में हो जाने वाला सामान्य नेत्र-दोष–
   (*a*) ऐस्टिग्मैटिज्म (*b*) प्रेस्बायोपिया
   (*c*) मायोपिया (*d*) ग्लॉकोमा
4. शरीर-सन्तुलन में सहायक रचनाएँ हैं–
   (*a*) कॉक्लिया (*b*) अर्धवर्तुल्य कुल्याएँ
   (*c*) हॉरमोन्स (*d*) यूस्टैकी नलिकाएँ
5. पास की वस्तुओं को साफ देखने हेतु कैसे वीक्षों वाला चश्मा लगाते हैं?
   (*a*) सादे (*b*) अवतल
   (*c*) रंगीन (*d*) उत्तल
6. कलागहन का कार्य है?
   (*a*) सुनना (*b*) सन्तुलन में सहायता करना
   (*c*) (*a*) एवं (*b*) दोनों (*d*) ध्वनि-उत्पादन

7. निकटदर्शिता के रोगियों को कैसे वीक्षों अर्थात् लेन्स चश्मे की आवश्यकता होती है?
(a) उत्तल (b) अवतल
(c) सपाट (d) रंगीन

8. नेत्रगोलक की दीवार के किस स्तर में रुधिरवाहिनियों का घना जाल होता है–
(a) दृष्टिपटल (b) दृढ़पटल
(c) रक्तपटल या कोरॉएड (d) लेन्स

9. नेत्रों में वह क्षेत्र जिसमें केवल शंकु होते हैं–
(a) उपतारा या आइरिस (b) नेत्रश्लेष्मा या कन्जंक्टिवा
(c) अन्ध बिन्दु (d) पीत बिन्दु

10. रूहोडोप्सिन पाया जाता है–
(a) दृष्टिपटल की कोशिकाओं में (b) गुच्छकीय कोशिकाओं में
(c) पूर्ण दृष्टिपटल में (d) ऐमैक्राइन कोशिकाओं में

11. उपतारा (आइरिस) किसका रूपान्तरित भाग होता है?
(a) दृष्टिपटल (b) स्क्लीरोटिक एवं कोरॉएड
(c) कोरॉएड एवं दृष्टिपटल में (d) कोरॉएड

12. घ्राण संवेदांग इनमें से किस श्रेणी के संवेदांग होते हैं?
(a) तन्त्रिका-उपकलीय (b) उपकलीय
(c) तन्त्रिकीय (d) उत्प्रेरित

13. किस स्तर के ऊपर की ध्वनियाँ हानिकारक ध्वनि-प्रदूषण में मानी जाती है?
(a) 30 dB से ऊपर (b) 100 dB से ऊपर
(c) 80 dB से ऊपर (d) 120 dB से ऊपर

14. हमारे शरीर में समन्वयन तन्त्र होते हैं–
(a) तन्त्रिका तन्त्र (b) अन्तःस्रावी तन्त्र
(c) रुधिर परिवहन तन्त्र (d) तन्त्रिका एवं अन्तःस्रावी तन्त्र

15. जीवित जन्तु में हृदय के तन्त्रिकोत्तेजन का प्राथमिक प्रयोजन होता है–
(a) हृदयगति को प्रारम्भ करना
(b) मात्र ऐसेटिल्कोलीन को मुक्त करना
(c) हृदयगति की दर का नियमन
(d) मात्र ऐड्रीनैलीन को मुक्त करना

16. यदि हृदय की अनुकम्पी सप्लाई काट दें तो हृदयगति की दर–
(a) बढ़ेगी (b) वही रहेगी
(c) घटेगी (d) इनमें से कोई नहीं

17. यदि हृदय का तन्त्रिकोत्तेजन वेगस शाखा से करें तो हृदयगतिकी दर–
(a) वही रहेगी (b) घटेगी
(c) बढ़ेगी (d) इनमें से कोई नहीं

18. यदि हृदय में ऐसेटिल्कोलीन मुक्त करें तो हृदयगति की दर–
(a) घटेगी
(b) बढ़ेगी
(c) एक बार बढ़ेगी, एक बार घटेगी
(d) वही रहेगी

19. वह पदार्थ जो प्रेरणा का युग्मानुबन्ध पर एक न्यूरॉन से दूसरे में या न्यूरॉन से पेशी में संचरण करता है–
(a) ऐसेटिल्कोलीन (b) ग्लोब्यूलिन
(c) एन्टिरोकाइनिन (d) ATP
(e) कोलेस्टेरॉल

20. इनमें से कौन-सी प्रक्रिया केवल जन्तुओं में पाई जाती है?
(a) हॉरमोनी नियन्त्रण (b) तन्त्रिकीय नियन्त्रण
(c) श्वसन (d) प्रसरण

21. तन्त्रिका कोशिकाएँ (न्यूरॉन्स) के कोशिका-कायों की संख्या सबसे अधिक किसमें होती है?
(a) मस्तिष्क (b) जिह्वा
(c) दृष्टिपटल (d) तन्त्रिकाएँ

22. प्रतिवर्ती प्रतिक्रिया इनमें से किसकी क्रिया का प्रदर्शन है?
(a) अनुकम्पी तन्त्रिका (b) संवेदांग
(c) चालक तन्त्रिका (d) स्वायत्त तन्त्र

23. शरीर में प्रतिवर्ती प्रतिक्रिया का नियन्त्रक है–
(a) परिधीय तन्त्रिका तन्त्र (b) केन्द्रीय तन्त्रिका तन्त्र
(c) स्वायत्त तन्त्रिका तन्त्र (d) पेशियाँ

24. प्रकाश-उद्दीपन का या किसी भी अन्य उद्दीपन का तन्त्रिकीय आवेग के रूप में संचरण कैसी प्रक्रिया होती है?
(a) जैव-रासायनिक (b) रासायनिक
(c) भौतिक (d) यांत्रिक

25. तन्त्रिका ऊतक का कार्य है–
(a) संवेदनशीलता (b) क्रियाशीलता
(c) उत्तेजनशीलता (d) संकुचन

26. परानुकम्पी तन्त्रिका तन्त्र किसकी क्रियाशीलता को बढ़ाता है?
(a) आहारनाल, उपतारा, मूत्राशय
(b) हृदय, अग्न्याशय, अश्रु ग्रन्थियों
(c) हृदय, अधिवृक्क ग्रन्थियों, स्वेद ग्रन्थियों
(d) अश्रु ग्रन्थियों, स्वेद ग्रन्थियों, स्वेद ग्रन्थियों, ऐरेक्टर पिलाई

27. तन्त्रिका तन्तु में निर्ध्रुवण तथा तन्त्रिकीय आवेग के संचरण के लिए इसकी कोशिकाकला अचानक किसके आयनों के लिए अधिक पारगम्य हो जाती है?
(a) क्लोराइड (Cl^-) (b) कैल्सियम (Ca^{2+})
(c) पोटेशियम (K^+) (d) सोडियम (Na^+)

28. भोजन ग्रहण के बाद आहारनाल की तरंगगति और इसकी दीवार की ग्रन्थियों के स्रावण का उत्तेजन किससे होता है?
(a) अनुकम्पी तन्त्रिका तन्त्र (b) परानुकम्पी तन्त्रिका तन्त्र
(c) केन्द्रीय तन्त्रिका तन्त्र (d) थाइरॉइड हॉरमोन

29. अनुबन्धित प्रतिवर्ती प्रतिक्रिया का प्रथम प्रदर्शन और इसके ज्ञान में विशेष योगदान किसने किया?
(a) पावलोव (b) हक्सले
(c) फुन्क (d) पाश्चर

30. इनमें से कौन-सी क्रिया प्रतिवर्ती प्रतिक्रिया नहीं है?
(*a*) स्वादिष्ट भोजन को देखने पर लार का स्रावण
(*b*) आकस्मिक तीव्र प्रकाश से आँखों का झपकना
(*c*) दौड़ने में पेशियों का संकुचन या कुत्ते को भगाने हेतु पत्थर उठाना
(*d*) तेज सुईं के चुभते ही हाथ का दूर हटना

31. कॉक्लिया पाई जाती है–
(*a*) मनुष्य के अन्तःकर्ण में
(*b*) मनुष्य की श्रोणिमेखला में
(*c*) घोंघे के खोल में
(*d*) मनुष्य के हृदय में

32. तरल जो मनुष्य की अर्धवर्तुल्य कुल्याओं तथा अन्तःकर्णों के अन्य भागों में भरा होता है–
(*a*) लिम्फ या लसिका (*b*) हीमोलिम्फ
(*c*) परिलसिका (*d*) अन्तःलसिका

33. सिलियरी पेशियों का कार्य है–
(*a*) त्वचा के बालों को खड़ा करना
(*b*) नेत्रों के फोकस को बदलना
(*c*) हृदय के कपाटों का खुला रखना
(*d*) प्रोटोजोआ में रोमाभों को गतिमान करना

34. रोडोप्सिन कहाँ पाया जाता है?
(*a*) दृढ़पटल में (*b*) जिगर (यकृत) में
(*c*) रक्तपटल में (*d*) दृष्टिपटल में

35. अन्तःलसिका नामक द्रव्य भरा होता है–
(*a*) निडोब्लास्ट्स में (*b*) नेत्रों के पश्च वेश्म में
(*c*) अन्तःकर्ण में (*d*) साइनोविल गुहा में

36. पुतली के व्यास को बदलने की क्षमता होती है–
(*a*) काचरजल अर्थात् विट्रियस ह्यूमर में
(*b*) सिलियरी पेशियों में
(*c*) तेजोजल अर्थात् ऐक्वस ह्यूमर में
(*d*) उपतारा या आइरिस में

37. अर्धवर्तुल्य कुल्याएँ पाई जाती हैं–
(*a*) हृदय में (*b*) नासिका में
(*c*) वृक्कों में (*d*) अन्तःकर्णों में

38. प्रकाश-किरणों के नेत्रों में घुसने के मार्ग का नियन्त्रण करने वाला छिद्र होता है–
(*a*) कॉर्निया (*b*) पुतली
(*c*) अन्ध बिन्दु (*d*) उपतारा या आइरिस

39. नेत्रों की फोकस दूरी का नियन्त्रण कौन करता है?
(*a*) उपतारा या आइरिस (*b*) दृष्टिपटल
(*c*) सिलियरी काय (*d*) पुतली

40. रंग-भेद की दृष्टि-संवेदना के लिए जिम्मेदार रचनाएँ होती हैं–
(*a*) शलाकाएँ (*b*) शंकु
(*c*) दृढ़पटल या स्क्लीरोटिक (*d*) उपतारा या आइरिस

41. मनुष्य के नेत्रों के रंगायुक्त संवेदी स्तर का नाम है–
(*a*) कॉर्निया (*b*) सिलियरी काय
(*c*) दृष्टिपटल (*d*) दृढ़पटल या स्क्लीरोटिक

42. दृष्टिपटल में होती हैं–
(*a*) वर्तुल पेशियाँ (*b*) अरीय पेशियाँ
(*c*) कोलैजन तन्तु (*d*) शलाकाएँ एवं शंकु

43. शलाकाओं में कौन-सी रंगा होती है?
(*a*) किरैटिन (*b*) रेटिनीन
(*c*) मिलैनिन (*d*) फोटोसिन

44. आँख में वह स्थान जहाँ केवल शंकु होते हैं और वस्तु की सबसे साफ प्रतिमूर्ति बनती है–
(*a*) अन्ध बिन्दु पर (*b*) लेन्स पर
(*c*) पीत बिन्दु पर (*d*) पुतली पर

45. नेत्रों में अन्ध बिन्दु की स्थिति–
(*a*) फोविया सेन्ट्रैलिस पर
(*b*) जहाँ दृष्टि तन्त्रिका नेत्रगोलक से निकलती है
(*c*) लेन्स के मध्य भाग में
(*d*) पुतली के मध्य भाग में

उत्तरमाला

1	2	3	4	5	6	7	8	9	10
(*a*)	(*c*)	(*b*)	(*b*)	(*d*)	(*c*)	(*b*)	(*c*)	(*d*)	(*a*)
11	**12**	**13**	**14**	**15**	**16**	**17**	**18**	**19**	**20**
(*d*)	(*a*)	(*c*)	(*d*)	(*c*)	(*b*)	(*b*)	(*a*)	(*a*)	(*b*)
21	**22**	**23**	**24**	**25**	**26**	**27**	**28**	**29**	**30**
(*a*)	(*c*)	(*b*)	(*a*)	(*c*)	(*a*)	(*d*)	(*b*)	(*a*)	(*c*)
31	**32**	**33**	**34**	**35**	**36**	**37**	**38**	**39**	**40**
(*a*)	(*d*)	(*b*)	(*d*)	(*c*)	(*b*)	(*d*)	(*b*)	(*c*)	(*b*)
41	**42**	**43**	**44**	**45**					
(*c*)	(*d*)	(*b*)	(*c*)	(*b*)					

●●●

अध्याय 16

वृद्धि, पुनरुद्भवन, वयता एवं मृत्यु (Growth, Regeneration, Ageing and Death)

- जीव विज्ञान की वह शाखा जिसके अन्तर्गत वृद्धावस्था का अध्ययन किया जाता है उसे जरण विज्ञान (Gerontology) कहते हैं।
- सामान्यतः स्त्रियों का जीवन काल पुरुषों की अपेक्षा अधिक होता है। लगभग 70 वर्ष की आयु में शरीर की 30% तंत्रिका कोशिकाएँ नष्ट हो जाती हैं।

वृद्धि (Growth)

वृद्धि (Development) का अर्थ कोशिकाओं (Cells) का भिन्नित होकर ऊतक (Tissue) एवं अंग का निर्माण करना है। वृद्धि एक स्वयं प्रेरित प्रक्रिया है जिसके फलस्वरूप जीवद्रव्य (Protoplasm) का संश्लेषण करके आकार एवं भार में वृद्धि होती है।

वृद्धि की प्रावस्थाएं (Phases of Growth)

1. **लैग प्रावस्था (Lag Phase) :** लैग प्रावस्था में वृद्धि धीरे-धीरे होती है।
2. **एक्सपोनेन्शियल प्रावस्था (Exponential Phase) :** इसमें वृद्धि तीव्र होती है।
3. **सेनेसेन्ट प्रावस्था (Senescent Phase) :** इस प्रावस्था में वृद्धि में कमी होती है।
4. **स्थायी प्रावस्था (Steady Phase) :** इस प्रावस्था में वृद्धि नहीं होने लगती है।

वृद्धि के प्रकार (Types of Growth)

1. **सहायक वृद्धि (Auxetic Growth) :** सहायक वृद्धि में कोशिकाओं की संख्या में वृद्धि नहीं होती है।
2. **द्विगुणित वृद्धि (Multiplicative Growth) :** इसमें कोशिकाओं की संख्या में वृद्धि होती है परन्तु आकार में परिवर्तन नहीं होता है।
3. **ऐक्रेशनरी वृद्धि (Accretionary Growth) :** यह समसूत्री (Mitosis) विभाजन द्वारा होता है। इसमें शरीर की वृद्धि भ्रूणीय अवस्था के पश्चात् शरीर के विशिष्ट भाग पर विशेष प्रकार की कोशिकाएं बनती हैं।

वृद्धि दर (Growth Rate)

मनुष्य सहित सभी उच्च प्राणियों में वृद्धि की निश्चित दर होती है (चित्र 16.1)। विभिन्न अंगों की वृद्धि की दर भी भिन्न-भिन्न होती है।

तालिका : *जीवन के विभिन्न कालों में वृद्धि दर*
(Rate of Growth During Different Periods of Life)

	कि. ग्रा. में वजन	
शरीर का भाग	**नवजात शिशु**	**वयस्क**
पेशियाँ	0.8	30
कंकाल	0.4	10
वसा	0.4	10
मस्तिष्क	0.4	1
शेष शरीर	0.9	19

वृद्धि दर का नियन्त्रण (Control of Growth Rate)

- भ्रूणीय वृद्धि वृद्धिकारकों (growth factor) पर निर्भर करती है।
- लगभग 10 से 13 वर्ष की अवस्था तक थायमोसीन (thymosin) हॉरमोन वृद्धि दर को नियन्त्रित करता है।
- यौवनारम्भ (puberty) के समय वृद्धि दर मुख्यतः लिंग हॉरमोन (एस्ट्रोजन तथा एण्ड्रोजन) के नियन्त्रण में रहती है।
- सामान्यतः 18 वर्ष की आयु के बाद शारीरिक वृद्धि की दर कम हो जाती है तथा 22 से 23 वर्ष की अवस्था में यह रुक जाती है।

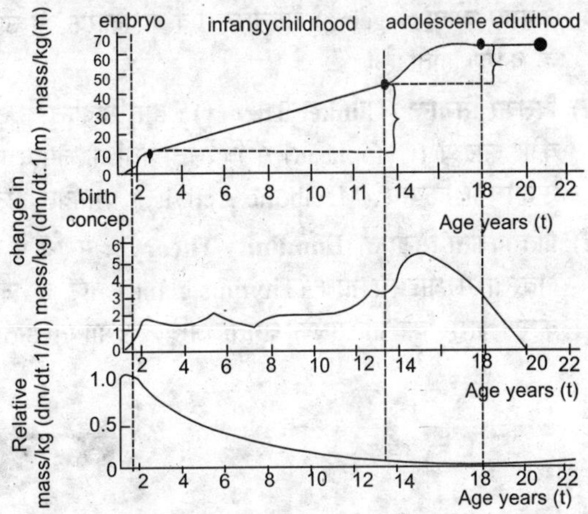

चित्र 16.1 : *मानव के वृद्धि वक्र*

मरम्मत (Repair)

त्वचा की बाह्य एवं आहारनाल की आंतरिक सतह में हमेशा पुरानी कोशिकाओं के स्थान पर नई कोशिकाओं का निर्माण होता है। उक्त क्रिया को मरम्मत (Repairing) कहते हैं।

पुनरुत्पादन (Regeneration)

शरीर के नवनिर्माण की वह शक्ति जिसमें शरीर के टूटे हुए अंगों या भागों की मरम्मत होती है। **पुनरुत्पादन** (Regeneration) के बारे में अब्राहम ट्राम्बले (Abraham Trambley) ने सर्वप्रथम हाइड्रा (Hydra) में बताया था।

पुनर्जनन/पुनरुत्पादन/पनरुद्‌भवन को प्रभावित करने वाले प्रमुख कारक

	कारक (Factors)	प्रभाव (Effect)
1.	तापक्रम (Temperature)	इसके बढ़ने पर regeneration की शक्ति बढ़ती है।
2.	तन्त्रिका तन्त्र (Nervous system)	तन्त्रिका-तन्त्र के प्रारम्भिक अवस्था में नष्ट करने पर नये अंगों का निर्माण रुक जाता है।
3.	उम्र (Age)	उम्र बढ़ने के साथ कमी।
4.	X-Rays	इसके द्वारा Regeneration की क्रिया रुक जाती है क्योंकि यह समसूत्री विभाजन क्रियाओं को रोक देता है।

वयता (Ageing)

बढ़ती आयु के साथ-साथ ऊतकों (Tissues), अंगों (Organs) एवं अंगतन्त्र (Organ System) की संरचना एवं क्रियाशीलता (उपापचय क्षमता) (Metabolic rate) में निरन्तर ह्रास (Degenerate) होने या कमी को वयता (Ageing) कहते हैं।

वयता (Ageing) से सम्बन्धित सिद्धान्त

(i) **वीयर एवं टीयर सिद्धान्त (Wear and Tear Theory):** इसके अनुसार **वयता** (Ageing) आन्तरिक एवं बाह्यकारक की उपस्थिति के कारण होती है।

(ii) **क्लिंकर सिद्धान्त (Clinker Theory) :** इस सिद्धान्त के अनुसार कोशिकाद्रव्य (Cytoplasm) में विषैले पदार्थों के जमाव होने से उपापचयी क्रियायें (Metabolic Activity) प्रभावित होती है।

(iii) **प्रतिरोधकता सिद्धान्त (Immunity Theory) :** मनुष्य में वयस्क अवस्था में थाइमस ग्रंथि (Thymus gland) नष्ट हो जाने के कारण शरीर की प्रतिरोधक क्षमता अधिक प्रभावित होती है।

(iv) **जीन मत (Gene Theory) :** जीन मत के अनुसार प्रत्येक प्राणी के जीनोम (Genome) में वयता जीन (Ageing gene) होता है, जो वयता दर तथा जीवन अवधि निर्धारित करता है। इस प्रक्रिया को पाल (Pal, 1975) के अनुसार आनुवंशिक घड़ी (genetic clock) या आनुवंशिकता समय सारिणी (Genetic time table) कहते हैं।

(v) **विसरण मत (Diffusion Theory) :** विसरण मत के अनुसार कोशिका में उपापचय के फलस्वरूप अधिक बड़े अणुओं का निर्माण होता है जो विसरण द्वारा बाहर नहीं निकल पाते, जिससे ये जीवद्रव्य में ही जमा हो जाते हैं। कोलेजन तन्तुओं (Collagen fibres) के इकट्ठा होने से प्लाज्मा मेम्ब्रेन (Plasma membrane) की पारगम्यता (Permeability) कम होकर विसरण दर (Diffusion rate) को कम कर देती है। इन अणुओं के अधिक जमाव से वयता या मृत्यु होती है।

(vi) **पेस मेकर मत (Pace Maker Theory) :** इस मत के अनुसार थाइमस ग्रंथि (Thymus gland) तथा मस्तिष्क (Brain) पेस मेकर की तरह कार्य करते हैं।

वयता के लिए टीलोमियर उत्तरदायी हैं

यू.एस. के वैज्ञानिकों ने गुणसूत्र छोर पर स्थित छोटे से भाग टीलोमियर को वयता के लिए उत्तरदायी माना है। अनुसंधानकर्त्ताओं का मानना है कि लगभग 100 विभाजनों के पश्चात् कोशिकाओं के टीलोमियरों का धीरे-धीरे ह्रास होने लगता है। टीलोमियर रहित कोशिकाओं की विभाजन क्षमता कम होने लगती है। इसके साथ ही जो जीन पहले टीलोमियर द्वारा सुरक्षित थी वे अब ऐसे प्रोटीनों का निर्माण करने लगती हैं जो कोशिका के भीतर जरण से सम्बन्धित परिवर्तनों के लिए उत्तरदायी हैं। वैज्ञानिकों ने एक टीलोमियर संरक्षण एन्जाइम–**टीलोमियरेज** (telomearase) की खोज की है जो टीलोमियर क्षति को रोकता है तथा कोशिका के वयता को रोकता है।

मृत्यु (Death)

विश्व में प्राकृतिक सन्तुलन को बनाये रखने के लिए मृत्यु (death) एक अति आवश्यक परिघटना है। एक कोशीय जीवों की मृत्यु कभी नहीं होती है। अतः एककोशीय जीव अमर होते हैं। वयता के पश्चात वृद्धावस्था में हृदय एवं मस्तिष्क की कार्य क्षमता धीरे-धीरे कम होने लगती है तथा प्रतिरक्षा तन्त्र के कमजोर हो जाने से भी जीवाणुओं एवं विषाणुओं का संक्रमण होने लगता है जोकि मृत्यु का कारण हो सकता है।

वस्तुनिष्ठ प्रश्न

1. मरम्मत (Repair) तथा पुनर्जनन (Regeneration) की क्रियाएं होती हैं–

(*a*) पूर्व भ्रूणीय अवस्था (Pre-embryonic phase) में
(*b*) पश्च भ्रूणीय प्रावस्था (Post-embryonic phase) में
(*c*) भ्रूणीय प्रावस्था (Embryonic phase) में
(*d*) गैमेटोजिनेसिस (Gametogenesis) में

2. आयु (Age) बढ़ने के साथ कोशिका आयतन–

(*a*) बढ़ता है (*b*) घटता है
(*c*) अपरिवर्तनशील रहता है (*d*) उपर्युक्त में से कोई नहीं

3. सर्वप्रथम वयता (Ageing) का वर्णन किया था–

(*a*) गेगेनबार (Gagenbar) ने (*b*) मेन्डेबार (Mendebar) ने
(*c*) हक्सले (Huxley) ने (*d*) हेनले (Henley) ने

4. निम्नलिखित में से कौन-सा वयता (Ageing) वर्णक (Pigment) है?
(*a*) लाइपोफश्चिन (Lypofuschin)
(*b*) विलेटेमिन (Villetemin)
(*c*) दोनों (*a*) तथा (*b*)
(*d*) बिलीरुबिन (Bilirubin)

5. किस अवस्था में प्राणियों में निरन्तर वृद्धि होती रहती है?
(*a*) आइसोग्रोथ फेज (Isogrowth phase)
(*b*) एक्सपोनेन्शियल फेज (Exponential phase)
(*c*) पोटेन्शियल फेज (Potential phase)
(*d*) रिड्यूसिंग फेज (Reducing phase)

6. खतरे के समय छिपकली अपनी पूँछ छोड़कर शत्रु से अपनी जान बचा लेती है। यह प्रक्रिया कहलाती है–
(*a*) पुनरुद्भवन (*b*) मार्फोलैक्सिस
(*c*) ऑक्जेटिक वृद्धि (*d*) स्वांगोच्छेदन (autotomy)

7. रिपेरेटिव पुनरुद्भवन में क्या होता है?
(*a*) शरीर के किसी भी अंग का दोबारा बन जाना
(*b*) नष्ट हुए भाग का पुनरुद्भवन
(*c*) घाव भरना
(*d*) उपरोक्त सभी

8. मार्फोलेक्सिस क्या है?
(*a*) छोटे भागों से पूरा शरीर बन जाना
(*b*) नष्ट हुए भाग का दोबारा बनना
(*c*) रिपेरेटिव पुनरुद्भवन
(*d*) स्वांगोच्छेदन

9. निम्न में से कौन-सा जन्तु स्वांगोच्छेदन दर्शाता है?
(*a*) केकड़ा (*b*) होलोथुरिया
(*c*) छिपकली (*d*) उपरोक्त सभी

10. निम्न में से कौन-सा सिद्धान्त जरण के त्रुटि सिद्धान्त (error theory) का उदाहरण है–
(*a*) क्रॉस बन्धन सिद्धान्त (*b*) टूट-फूट का सिद्धान्त
(*c*) मुक्त मूलक सिद्धान्त (*d*) उपरोक्त सभी

11. न्यूरॉन समसूत्री विभाजन के लिए आवश्यक कुछ प्रोटीन निकालतेहैं–
(*a*) ट्रांसफेरिन (*b*) सक्रियण कारक
(*c*) उद्दीपन कारक (*d*) टोपोआइसोमरेज

12. भ्रूणीय कोशिकाओं (Embryonic cells) में विभेदन (Differentiation) के पश्चात् अंगों (Organs) एवं तन्त्रों (Systems) का निर्माण होता है–
(*a*) पश्च–भ्रूणीय प्रावस्था (Post-embryonic phase) में
(*b*) भ्रूणीय प्रावस्था (Embryonic phase) में
(*c*) पूर्व भ्रूणीय प्रावस्था (Pre-embryonic phase) में
(*d*) उपर्युक्त सभी में

13. वयता (Ageing) ऑन-ऑफ स्विचों द्वारा क्रियान्वित प्रक्रिया है। यह सिद्धान्त किसने दिया था?
(*a*) ऑरगेल (Orgell 1963)
(*b*) हॉलीडे (Holle- Day 1974)
(*c*) बी. एल. स्टेहलर (B.L. Stehelar)
(*d*) क्लिंकर (Klinker)

14. नष्ट हुए ऊतकों (Tissues) की मरम्मत (Repair) कोशिका विभाजन (Cell division) के द्वारा होती है। यह निम्नलिखित में से क्या है?
(*a*) एपीमोरफॉसिस पुनर्जनन (Epimorphosis regeneration)
(*b*) मॉर्फलैक्सिस पुनर्जनन (Morphallaxis regeneration)
(*c*) एक्सपोनेन्शियल वृद्धि (Exponential growth)
(*d*) डीसेलेरेटिंग वृद्धि (Decelerating growth)

15. सूची-I को सूची-II के साथ मिलाकर नीचे दिए गए कूटों की सहायता से सही उत्तर का चयन कीजिए–

सूची–I	**सूची–II**
A. उपापचयी सिद्धान्त	1. डी एन ए को सतत् क्षति
B. टूट-फूट सिद्धान्त	2. जीन कार्य में त्रुटि
C. प्रतिरक्षी सिद्धान्त	3. थायमस में ह्रास
D. त्रुटि प्रलय का सिद्धान्त	4. हानिकारक उत्पादों का संचयन
	5. डी एन ए में परिवर्तन

दिए गए कूट–
(*a*) A-2, B-4, C-1, D-5 (*b*) A-4, B-1, C-3, D-2
(*c*) A-2, B-4, C-3, D-1 (*d*) A-2, B-1, C-3, D-5

16. जरण की त्रुटि प्रलय का सिद्धान्त (error catastrophe theory) किसने दिया था?
(*a*) सायमन्ड (Simond) (*b*) ओरगेल (Orgel)
(*c*) डेविट हु (David Hue) (*d*) इनमें से कोई नहीं

17. नीचे जरण के कुछ सिद्धान्त तथा उनके लक्षण दिए गए हैं। निम्न में से सही सुमेलित सेट नहीं है–
(*a*) उपापचयी सिद्धान्त–हानिकारक उत्पादों का एकत्र होना
(*b*) टूट-फूट का सिद्धान्त–डी एन ए की लगातार क्षति
(*c*) प्रतिरक्षी सिद्धान्त–डी एन ए में परिवर्तन
(*d*) त्रुटि प्रलय का सिद्धान्त–जीन कार्य में त्रुटि

18. नीचे दो सूचियाँ दी गई हैं। सूची-I को सूची-II के साथ मिलाकर सही उत्तर का चयन कीजिए–

सूची–I	**सूची–II**
A. क्रॉस बंधित प्रोटीन	1. डी एन ए, आर एन ए, प्रोटीन आदि की क्षति
B. मुक्त मूलक	2. कोलेजन तन्तु
C. प्रोग्रामी कोशिका मृत्यु	3. संयोजी ऊतक का संदृढ़न, तन्त्रिका कार्य का ह्रास तथा आँखों का मेघायन
D. संयोजी ऊतक	4. ग्लाइकोप्रोटीन
	5. प्रतिरक्षा तन्त्र की कोशिकाएँ

दिए गए कूट–
(*a*) A-2, B-4, C-1, D-5 (*b*) A-3, B-1, C-5, D-2
(*c*) A-2, B-4, C-5, D-3 (*d*) A-4, B-3, C-1, D-5

19. जरावस्था का विज्ञान कहलाता है–
(*a*) वृद्धावस्था विज्ञान (*b*) स्त्री रोग विज्ञान
(*c*) दन्त विज्ञान (*d*) जरण विज्ञान

20. अधिकांश नियततापी कशेरुकियों में वृद्धि होती है–
(*a*) अनियत (*b*) नियत
(*c*) अनियन्त्रित (*d*) इनमें से कोई नहीं

21. जन्तुओं में शरीर के नष्ट हुये भागों में पुनरुद्भवन क्षमता को प्रस्तुत किया था–
(*a*) स्टोरर ने (*b*) पैटेन ने
(*c*) ट्रेम्बले ने (*d*) कार्लसन ने

22. जरण विज्ञान को कहते हैं–
(*a*) गायनेकोलॉजी (Gynecology)
(*b*) एजीओलोजी (Ageology)
(*c*) जीरॉण्टोलॉजी (Gerontology)
(*d*) पिडिएट्रिक्स (Paediatrics)

23. "ऐलोमेट्रिक" (allometric) वृद्धि होती है–
(*a*) प्रत्येक कोशिका की वृद्धि के साथ कोशिकाओं की संख्या में भी वृद्धि होती है
(*b*) कोशिकाओं की एक निश्चित दर से वृद्धि
(*c*) शरीर के विभिन्न अंगों की वृद्धि दर में अन्तर होता है
(*d*) शरीर की विभिन्न संचित (reserve) कोशिकाओं की वृद्धि

24. मानव सहित सभी स्तनधारियों में जरण का कारण है–
(*a*) वातावरणीय कारक
(*b*) मानसिक चिन्ता तथा अल्पपोषण
(*c*) अनुवांशिक कारक तथा वातावरणीय कारकों का मिलाजुलाप्रभाव
(*d*) उपरोक्त सभी

25. "ऊतक संवर्धन" का अर्थ है–
(*a*) जीव के शरीर में नये ऊतकों का प्रवेश करना
(*b*) संवर्धन तरल में ऊतकों को जीवित रखना
(*c*) जीव से कोशिकाओं या ऊतकों को अलग करके इन्हें प्रयोगशाला में पोषक पदार्थों वाले वातावरण में उगाना (संवर्धित करना)
(*d*) प्रयोगशाला में नये उत्तकों का निर्माण

26. कटे हुए स्थान पर कोशिकाओं (Cells) का एकत्र होकर कलिका (Bud) बनाना कहलाता है–
(*a*) मॉर्फालैक्सिस (Morphallaxis)
(*b*) बडिंग (Budding)
(*c*) ब्लास्टीमा (Blastema)
(*d*) हेटरोसिस्ट (Heterocyst)

27. वृद्धि (Growth) चरम सीमा पर होती है–
(*a*) बाल्यावस्था में (*b*) किशोरावस्था में
(*c*) वयस्क अवस्था में (*d*) उपर्युक्त में से कोई नहीं

28. वृद्धि (Growth) की किस प्रावस्था में किसी प्रकार की वृद्धि नहीं होती?
(*a*) एक्स्पोनेन्शियल प्रावस्था (Exponential phase)
(*b*) लैग फेज (Leg phase)
(*c*) डीसेलेरेटिंग प्रावस्था (Decelerating phase)
(*d*) उपर्युक्त में से कोई नहीं

29. घावों का भरना है–
(*a*) मरम्मत (Repairing) (*b*) पुनरुत्पादन (Regeneration)
(*c*) अविभेदीकरण (*d*) वृद्धि (Growth)

30. प्रथम 10-15 वर्ष की आयु में वृद्धि का नियन्त्रण किसके द्वारा होता है?
(*a*) सोमेटोट्रॉफिक हार्मोन (Somatotrophic hormone)
(*b*) थाइरॉक्सिन (Thyroxine)
(*c*) थाइमोसिन (Thymosine)
(*d*) गोनेडोट्रॉफिक हॉर्मोन (Gonadotrophic hormone)

31. हमारे शरीर में प्रोटीन्स से भी ऊर्जा प्राप्त की जा सकती है लेकिन पहले इसका अमोनीकरण किया जाता है–
(*a*) यकृत में (*b*) पेशियों में
(*c*) तिल्ली में (*d*) फेफड़ों में

32. ऊतकों के पुनरुद्भवन की क्षमता सबसे अधिक होती है–
(*a*) नर जन्तुओं में (*b*) प्रोटोजोआ में
(*c*) निम्न समुदाय के जन्तुओं में (*d*) उच्च समुदायों में

33. यदि एक प्लेनेरियन को दो अर्ध भागों में काट दें तो–
(*a*) दोनों भाग मृत हो जाते हैं
(*b*) केवल अगले भाग में पुनरुद्भवन होगा
(*c*) दोनों भागों का पुनरुद्भवन होगा
(*d*) केवल पिछले भाग का पुनरुद्भवन होगा

34. एन्जाइम हमारे शरीर में आवश्यक होते हैं, क्योंकि ये–
(*a*) ऊर्जा प्रदान करते हैं
(*b*) शरीर रचना में भाग लेते हैं
(*c*) शरीर की तन्त्रिका क्रियाओं को व्यवस्थित करते हैं
(*d*) रासायनिक प्रतिक्रियाओं का उत्प्रेरण करते हैं

35. स्तनियों में कौन-से ऊतक में पुनरुद्भवन की क्षमता सबसे कम होती है?
(*a*) लम्बी अस्थि का अस्थीय ऊतक
(*b*) मस्तिष्क का तन्त्रिकीय ऊतक
(*c*) रुधिर वाहिनियों की एण्डोथीलियम
(*d*) त्वचा का एपीथिलियम

36. भूखा व्यक्ति शरीर में संचित पोषक पदार्थ काम में लाता है जो संचित रहते हैं–
(*a*) तिल्ली में
(*b*) अधःत्वचीय वसा ऊतक एवं अग्न्याशय में
(*c*) अधःत्वचीय वसा ऊतक और यकृत में
(*d*) यकृत और फेफड़ों में

37. किस अवस्था में वृद्धि (Growth) पहले धीमी गति से होती है, अन्त में रुक जाती है?
(*a*) लेगफेज (Leg phase) में
(*b*) डोमिनेन्ट फेज (Dominent phase) में

(*c*) एक्सपोनेन्शियल फेज (Exponential phase) में
(*d*) डीसेलेरेटिंग फेज (Decelerating phase) में

38. वयता (Ageing) किसकी अनुपस्थिति में होती है?
(*a*) थाइरॉएड (Thyroid) (*b*) पैराथाइरॉएड (Parathyroid)
(*c*) थाइमस (Thymus) (*d*) पिट्यूटरी (Pituitary)

39. निम्नलिखित में कौन-सी वयता (Ageing) का वातावरणीय सिद्धान्त है?
(*a*) दैहिक कोशिकाओं (Somatic cell) पर विकिरण (Radiation) का प्रभाव पड़ता है, जिससे जीन उत्परिवर्तन (Mutation) के कारण DNA का अभिलेखन (Transcription) प्रभावित होता है
(*b*) वयता की दर (Rate of ageing) एवं आयु, वयता जीन के द्वारा नियन्त्रित होती है
(*c*) वातावरणीय (Atmospheric) एवं आनुवंशिक (Genetic) कारण वयता को नियन्त्रित करते हैं
(*d*) उपापचय दर (Metabolic rate) वयता को प्रभावित करती है

40. मॉर्फलैक्सिस (Morphallaxis) है–
(*a*) पूरे शरीर का पुनर्निर्माण
(*b*) कटे हुए पाद (Limb) की वृद्धि
(*c*) घावों का भरना
(*d*) ब्लास्टिमा की सहायता से पुनरुत्पादन (Regeneration)

41. प्राणियों में वृद्धि दर होती है–
(*a*) एकसमान (*b*) रेखीय (Linear)
(*c*) परिवर्तनशील (*d*) धीमी

42. उत्तर भ्रूणीय वृद्धि (Post-embryonic growth) है–
(*a*) एक्रेशनरी (Accretionary)
(*b*) ऑक्सेटिक (Auxetic)
(*c*) मल्टीप्लिकेटिव (Multiplicative)
(*d*) उपर्युक्त सभी

43. मानव में कौन-सा भाग जन्म से वयस्कावस्था तक भार में सर्वाधिक बढ़ोत्तरी दर्शाता है?
(*a*) पेशियाँ (Muscles) (*b*) कंकाल (Skeleton)
(*c*) वसा (Fats) (*d*) मस्तिष्क

44. जरण के "प्रतिरक्षा मत" के अनुसार यह प्रक्रिया निम्न में से किसके क्रमशः घटते जाने से शुरू होकर अंततः उसके समाप्त हो जाने के कारण होती है–
(*a*) थायरॉएड (*b*) पैराथायरॉएड
(*c*) थाइमस (*d*) लैंगरहैन्स की द्वीपिकाएँ

45. विज्ञान की वह शाखा जो "बुढ़ापा की प्रक्रिया" का अध्ययन करती है–
(*a*) मनोवृत्ति (*b*) त्वक विज्ञान
(*c*) सौन्दर्य विज्ञान (*d*) आयु विज्ञान

46. जब शरीर का आयतन उसके अन्दर की कोशिकाओं के आयतन में वृद्धि के कारण बढ़ता है, न कि कोशिकाओं की संख्या में वृद्धि के कारण, तब इस प्रकार की वृद्धि को विस्तारण या "आक्जेटिक वृद्धि" (auxetic growth) कहते हैं। यह मिलता है–
(*a*) छिपकली में (*b*) मनुष्य में
(*c*) मेंढक में (*d*) सूत्र-कृमि में

47. निम्न में से कौन एक वयोवृद्धि के अन्तर्गत सत्य है?
(*a*) रुधिर यूरिया तथा GFR में ह्रास
(*b*) धमनी तथा उपास्थि की कैल्शियम मात्रा में वृद्धि
(*c*) कॉर्निया तथा लेन्स में कोलेस्ट्राल मात्रा में ह्रास
(*d*) धमनी तथा उपास्थि में कैल्शियम मात्रा में ह्रास

48. जब कोशिकाओं की संख्या में वृद्धि न हो, परन्तु उसके आकार में बढ़ोत्तरी होती रहती है, ऐसा होता है–
(*a*) कोशिका के विस्तार (auxetic growth) द्वारा
(*b*) कोशिका की बाह्य वृद्धि द्वारा
(*c*) कोशिका विभाजन द्वारा
(*d*) ये तीनों ही

49. कोशिका में उपापचय का प्रमुख स्थान है–
(*a*) कोशा द्रव्य (*b*) माइटोकॉण्ड्रिया
(*c*) लाइसोसोम्स (*d*) केन्द्रक

50. जरण के जीनवाद का प्रतिपादन किसने किया?
(*a*) हरगोविन्द खुराना (*b*) मार्गन
(*c*) बी. पॉल (*d*) ट्रेम्बले

उत्तरमाला

1	2	3	4	5	6	7	8	9	10
(*b*)	(*b*)	(*c*)	(*a*)	(*b*)	(*d*)	(*d*)	(*a*)	(*d*)	(*d*)
11	**12**	**13**	**14**	**15**	**16**	**17**	**18**	**19**	**20**
(*a*)	(*b*)	(*c*)	(*a*)	(*b*)	(*b*)	(*c*)	(*b*)	(*d*)	(*b*)
21	**22**	**23**	**24**	**25**	**26**	**27**	**28**	**29**	**30**
(*c*)	(*c*)	(*c*)	(*c*)	(*c*)	(*c*)	(*b*)	(*b*)	(*a*)	(*c*)
31	**32**	**33**	**34**	**35**	**36**	**37**	**38**	**39**	**40**
(*a*)	(*c*)	(*c*)	(*d*)	(*c*)	(*b*)	(*d*)	(*c*)	(*a*)	(*a*)
41	**42**	**43**	**44**	**45**	**46**	**47**	**48**	**49**	**50**
(*c*)	(*a*)	(*c*)	(*c*)	(*d*)	(*d*)	(*b*)	(*a*)	(*a*)	(*c*)

●●●

अध्याय

17 आनुवंशिकी (Genetics)

- जीव विज्ञान की वह शाखा जो वंशागति के व्यवहार और सिद्धान्तों का अध्ययन करती है उसे आनुवंशिकी या आनुवंशिकी विज्ञान कहते हैं।
- ''जेनेटिक्स'' (Genetics) शब्द का प्रयोग सर्वप्रथम विलियम वेटसन (William Bateson) ने 1905 में किया था।
- ग्रेगर जॉन मेण्डल (Gregor Johan Mendel) को आनुवंशिकी का जनक (Father) कहा जाता है।

मटर के पौधों में विपरीत लक्षणों की वंशागति के प्रतिरूपों का अध्ययन करते हुए मेंडल ने उन सिद्धान्तों को प्रस्तावित किया जो आज वंशागति के 'मेंडल के नियम' के नाम से जाने जाते हैं। उसने प्रस्ताव किया कि लक्षणों के नियामक 'कारक' (बाद में जीन नाम वाले) जोड़े में पाए जाते हैं; जिन्हें एलील कहा गया। उसने देखा कि संतति में लक्षणों की अभिव्यक्ति भिन्न प्रथम पीढ़ी (F_1) द्वितीय पीढ़ी (F_2) तथा अगली पीढ़ियों में एक निश्चित प्रकार से होती है। कुछ लक्षण दूसरे के ऊपर प्रभावी होते हैं। प्रभावी लक्षणों की अभिव्यक्ति तभी होती है जब कारक विषम युग्मजी अवस्था में भी विद्यमान रहते हैं ('प्रभाविता का नियम')।

मेण्डलवाद (Mendelism)

मेण्डल ने सामान्य मटर (*Pisum sativum*) पर प्रयोग करके आनुवंशिकी के नियम बनाये। मेण्डल ने पाइसम में 7 जोड़ी विरोधी लक्षणों का अपने प्रयोगों में अध्ययन किया।

मेण्डल ने प्रयोग की प्रारम्भिक अवस्था में केवल एक लक्षण पर ही प्रयोग किए जिन्हें **एकसंकर संकरण (Monohybrid cross)** कहा। एकसंकर संकरण के प्रयोग पूर्ण करने के पश्चात् उन्होंने एक साथ दो लक्षणों की वंशागति का अध्ययन किया। जिसे **द्विसंकर संकरण** (Dihybrid cross) कहा। मेण्डल ने प्रत्येक प्रयोग में उत्पन्न बीजों के प्रकार को गिना तथा इनका लेखा तैयार किया (चित्र 17.1)।

मेण्डल के समय में जीन के विषय में कोई ज्ञान नहीं था। अतः मेण्डल ने जीन को इसके प्रभावों के द्वारा ही देखा।

एकसंकर संकरण के निष्कर्ष (Results of Monohybrid Cross)

कोरेन्स (Correns) ने एकसंकर क्रास के पहले भाग को प्रभाविता के नियम **(Law of Dominance)** के रूप में स्थापित किया।

ये नियम एकसंकर क्रास **(Monohybrid Cross)** पर आधारित हैं जहाँ केवल एक ही लक्षण देखा जाता है।

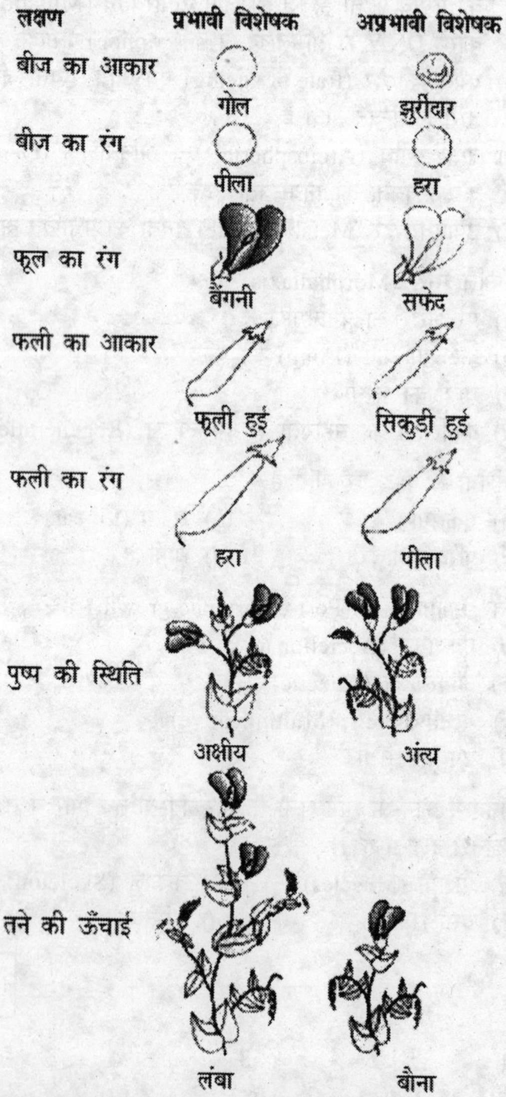

चित्र 17.1 : *मेंडल द्वारा प्रयोग किए गए मटर के पौधे के विपर्यास विशेषकों के सात जोड़े*

मेन्डल के एकगुण संकरण का आधुनिकीकरण (Modernization of Mendel's Monohybrid Cross)

आधुनिक संकेताक्षरों, पारिभाषिक शब्दों तथा चौखानों की विधि का प्रयोग करते हुए, चित्र द्वारा प्रदर्शित, मेन्डल के एकगुण संकरण को चित्र 17.2 के अनुसार दर्शाया गया है।

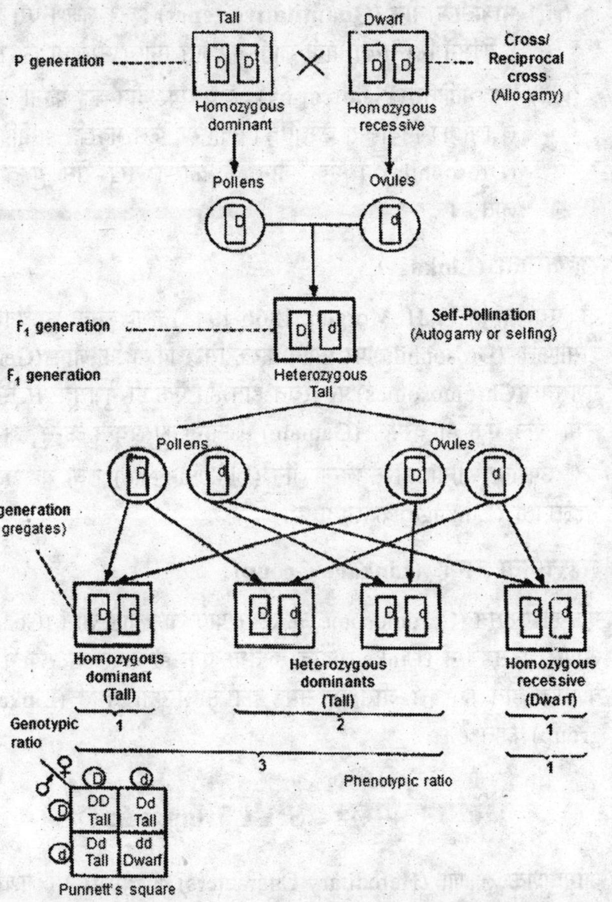

चित्र 17.2 : *मेन्डल के एकगुण संकरण का आधुनिकीकरण (Modernization of Mendel's Monohybrid Cross)*

विपरीत (संकर-पूर्वज) संकरण (Back Cross) तथा परीक्षण संकरण (Test Cross)

कारकों की शुद्धता की अपनी कल्पना की पुष्टि के लिए मेन्डल ने F_1 के पौधों का जनकीय (P) पौधों से संकरण किया। इसे विपरीत संकरण कहते हैं। किसी लक्षण के प्रबल दृश्यरूप के पौधे में लक्षण के जीनरूप का पता लगाने हेतु इस पौधे का विपरीत संकरण अप्रबल जनकीय पौधे से किया जाता है। इसे परीक्षण संकरण कहते हैं। यदि प्रबल दृश्यरूप पौधा समयुग्मजी (DD) है तो परीक्षण संकरण में सारे F_1 पौधों की तरह के संकर (Dd) सन्तति पौधे बनेंगे, परन्तु यदि यह विषमयुग्मजी (Dd) है तो आधे प्रबल एवं आधे अप्रबल सन्तति पौधे बनेंगे।

तालिका : *मेंडल द्वारा प्रयोग किए गए मटर के पौधे के विपर्यास विशेषक*

क्र.सं.	लक्षण	विपर्यास विशेषक
1.	तने की ऊँचाई	लंबा/बौना
2.	फूल का रंग	बैंगनी/सफेद
3.	फूल की स्थिति	अक्षीय/अंत्य
4.	फली का आकार	फूला/सिकुड़ा
5.	फली का रंग	हरा/पीला
6.	बीज का आकार	गोल/मुर्झाया
7.	बीज का रंग	पीला/हरा

मेण्डल का पृथक्करण या विसंयोजन का नियम (Mendel's Law of Segregation)

जब मेण्डल ने एक जोड़ी विरोधी लक्षणों वाले दो पौधों के बीच परपरागण कराया तब पहली पीढ़ी (F_1) में केवल एक ही लक्षण प्रकट हुआ। जो लक्षण F_1 पीढ़ी में प्रकट होता है वह प्रभावी (Dominant) होता है तथा जो लक्षण छिपा रहता है उसे अप्रभावी (Recessive) कहते हैं।

TT × tt (पितृ पीढ़ी)

लम्बा पौधा — बौना पौधा

शुद्ध या समयुग्मजी — समयुग्मजी

↓

Tt (F_1 पीढ़ी)

लम्बा पौधा

संकर या विषमयुग्मजी

जब F_1 पीढ़ी के जीवों को स्वयं परागण (निषेचन) करने दिया जाता है तब F_2 पीढ़ी में प्रभावी तथा अप्रभावी लक्षणों वाली संतान 3 : 1 के अनुपात में होती है।

Tt × Tt (F_1 पीढ़ी)

लम्बा पौधा

विषमयुग्मजी

↓

	T	t
T	TT शुद्ध लम्बा	Tt संकर लम्बा
t (शुक्राणु)	Tt संकर लम्बा	tt शुद्ध बौना

(F_2 पीढ़ी)

3 लम्बे : 1 बौने (फीनोटीपिक अनुपात)

1 शुद्ध लम्बा : 2 संकर लम्बे : 1 शुद्ध बौना (जीनोटीपिक अनुपात)

पृथक्करण के नियम के अनुसार युग्मकों के निर्माण के समय एलील जोड़े (allele pair) पृथक हो जाते हैं तथा निषेचन के पश्चात् एलील की जोड़े वाली अवस्था फिर बन जाती है।

अतः किसी एक लक्षण विशेष के लिए प्रत्येक युग्मक शुद्ध होता है। **(युग्मकों की शुद्धता का नियम)।**

मेण्डल का स्वतंत्र विन्यास या अपव्यूहन का नियम (Mendel's Law of Independent Assortment)

जब दो या अधिक विरोधी लक्षणों के बीच संकरण कराया जाता है तब F_1 पीढ़ी में दोनों प्रभावी लक्षण ही प्रकट होते हैं। F_1 पीढ़ी के जीवों के बीच स्वयं परागण (निषेचन) कराने पर F_2 पीढ़ी में दोनों पितृ लक्षणों के एक साथ प्रकट होने के अतिरिक्त दो नये संयोग भी प्रकट होते हैं। स्वतंत्र अपव्यूहन के नियम के अनुसार, यदि हम दो या अधिक विरोधी लक्षणों के जोड़ों का अध्ययन करें, तब युग्मकों के निर्माण के समय प्रत्येक लक्षण दूसरे से स्वतंत्र रूप से पृथक् होता है।

(पितृ पीढ़ी)

RRYY X rryy

गोल पीला झुर्रीदार हरा

Rr Yy

संकर गोल पीला (स्वयं परागण)

	RY	Ry	ry	ry
RY	RRYY गोल पीला	RRYy गोल पीला	RrYr गोल पीला	Rryy गोल पीला
Ry	RRYy गोल पीला	RRyy गोल हरा	RryY गोल पीला	Rryy गोल हरा
rY	rRYY गोल पीला	rRYy गोल पीला	rrYY झुर्रीदार पीला	rrYy झुर्रीदार पीला
ry (शुक्राणु)	rRyY गोल पीला	rRyy गोल हरा	rryY झुर्रीदार पीला	rryy झुर्रीदार पीला

चैकर बोर्ड विधि या पनेट का वर्ग

9 गोल पीले : 3 गोल हरे : 3 झुर्रीदार पीले : 1 झुर्रीदार हरा
(फीनोटीपिक अनुपात)

स्वतंत्र विन्यास या अपव्यूहन (Independent Assortment)

युग्मक निर्माण के समय इकाई कारकों के विसंयोजी जोड़े एक दूसरे से स्वतंत्र होकर अपव्यूहीत होते हैं।

मेण्डल के नियमों के अपवाद (Exceptions of Mendel's Laws): मेण्डल के नियमों के अपवाद निम्नानुसार हैं।

(*i*) **अपूर्ण प्रभाविता (Incomplete dominance)** : जब 4' ओ क्लाक पौधे में, लाल एवं सफेद फूल वाले पौधे के साथ संकरण कराया जाता है तो F_1 पीढ़ी में गुलाबी रंग के पौधे उत्पन्न होते हैं।

(*ii*) **सह-प्रभाविता (Co-dominance) :** इसमें एलील जोड़े के दोनों जीवन अपना प्रभाव दिखाते हैं। उदाहरण : जब पशुओं में सफेद (W) तथा लाल (W) रंग पाये जाते हैं तथा विषमयुग्मी पशुओं (Ww) का रंग एवं रान दिखायी देता है। चूंकि त्वचा के ऊपर कुछ बाल सफेद रंग के एवं कुछ बाल लाल रंग के होते हैं जो कि सह-प्रभाविता (Co-dominance) के कारण होते हैं।

(*iii*) **प्रबलता (Epistasis) :** प्रबलता में एक जीन दूसरी जीन की अभिव्यक्ति को रोकती है। जो जीन दूसरी जीन की अभिव्यक्ति को रोकती है उस जीन को प्रबल जीन (Epistatic gene) तथा जिस जीन की अभिव्यक्ति रोकी जाती है उस जीन को अबल जीन (Hypostatic gene) कहते हैं।

(*iv*) **पूरक जीन (Complementary genes)** : जब एक जीन की अभिव्यक्ति के लिए दूसरी जीन की आवश्यकता होती है जिसे पूरक जीन कहते हैं। उदाहरण : स्वीट पी में पूरक जीन की वंशागति।

(*v*) **सम्पूरक जीव (Supplementary genes) :** सम्पूरक जीन उत्पन्न होता है जब दो अलग-अलग प्रभावी जीन तीसरे किस्म का फीनोटाइप उत्पन्न करते हैं। जिसे सम्पूरक जीन कहा जाता है। उदाहरण : मुर्गे की कलगी में सम्पूरक जीन की वंशागति।

(*vi*) **घातक जीन (Lethal gene)** : कुछ जीन संयुग्मकी अवस्था में घातक होते हैं।

(*vii*) **मात्रात्मक जीन (Quantitative genes) :** कई लक्षण ऐसे होते हैं जिसमें निरन्तरता पायी जाती है। जैसे मनुष्य में त्वचा का रंग।

(*viii*) **बहुप्रभाविता (Pleiotrophy) :** जब एक जीन कई फीनो टाइप लक्षणों को नियन्त्रित करती है। उदाहरण फल मक्खी, ड्रोसोफिला (Drosophila) में एक जीन के कारण पंख रोम युक्त हो जाते हैं।

सहलग्नता (Linkage)

टी. एच. मॉर्गन (T.H. Morgen, 1866-1945) तथा उनके साथियों ने ड्रोसोफिला (Drosophila) पर प्रयोग करके सिद्ध किया कि जीन (Gene) गुणसूत्रों (Chromosomes) पर स्थित होते हैं। एक ही गुणसूत्र पर स्थित सभी जीन एक ही युग्मक (Gamate) में जाने का प्रयत्न करते हैं।

उपरोक्त जीनों को सहलग्न जीन (Linked gene) तथा यह घटना सहलग्नता (Linkage) कहलाती है।

सहलग्नता समूह (Linkage Group)

एक ही गुणसूत्र (Chromosome) के ऊपर पाए जाने वाले जींस (Genes) आपस में सहलग्न (Linked) होते हैं तथा एक ही समूह के रूप में ही वंशागत होते हैं। इस जींस के समूह को सहलग्नता समूह (Linkage group) कहते हैं।

लिंग गुणसूत्र (Sex Chromosome)

आनुवंशिक लक्षणों (Hereditary Characters) के आधार पर गुणसूत्र (Chromosome) दो प्रकार के होते हैं–

(*i*) ऑटोसोम (Autosome)

(*ii*) लिंग क्रोमोसोम (Sex Chromosome)

लिंग गुणसूत्रों के प्रकार (Types of Sex Chromosomes)

ये दो प्रकार के होते हैं–

(*i*) **अविभाजित प्रकार (Undifferentiated Type)–** प्रारम्भिक प्रकार के जीवों (Primitive Organism) या निम्नलिखित कोटि के जीवों में X एवं Y गुणसूत्र नहीं पाए जाते हैं। इनमें लिंग निर्धारण (Sex determination) करने वाले जीन्स (Genes) ऑटोसोम में पाए जाते हैं।

(*ii*) **'XX' एवं 'XY' प्रकार–** ये निम्नलिखित प्रकार के होते हैं

♀ = Female
♂ = Male

XX ♀ (Female) एवं XY♂ (Male)– इसमें मादा समयुग्मकी (Homogametic) (XX) होते हैं, इसलिए इससे केवल एक प्रकार का अण्डा (egg) बनता है।

नर विषमयुग्मी (Heterogametic) (XY) होते हैं इसलिए इससे दो प्रकार के शुक्राणु (Sperm) बनते हैं। 50% X प्रकार के तथा 50%Y प्रकार के।

उदाहरण– ड्रोसोफिला (Drosophila) एवं मनुष्यों (Men) में।

लिंग सहलग्नता के प्रकार (Types of Sex Linkage)

X तथा Y गुणसूत्रों पर उपस्थित जीन्स (Genes) के आधार पर लिंग सहलग्नता (Sex Linkage) की वंशागति निम्नलिखित प्रकार की होती है–

1. **डाइजीनिक (Diagenic)–** इसमें लिंग सहलग्न जीन X गुणसूत्र के असमजात (Non- homologous) खण्डों पर स्थित होते हैं, जो पिता से F_1 पीढ़ी की स्त्रियों के माध्यम से F_2 पीढ़ी की नर संतति में पहुँचते हैं।
2. **डाइएन्ड्रिक (Diandric)–** इसमें लक्षणों की वंशागति मादा से मादा में नर के लिंग गुणसूत्रों द्वारा होती हैं।
3. **होलोजेनिक (Hologenic)–** इसमें लिंग सहलग्न जीन सीधा मादा से मादा में वंशागत होता है।
4. **होलेण्ड्रिक (Holandric):** इसमें Y गुणसूत्रों के असमजात (Non-homologous) भाग में स्थित जीन सीधे पिता से पुत्र में पहुँचते हैं।

लिंग निर्धारण (Sex Determination)

जीवों में लैंगिक प्रजनन (Sexual Reproduction) के लिए जनन अंगों (Gonads) में युग्मकों (Gametes) का निर्माण होता है। नर में वृषण (Testis) में शुक्राणु (Sperms) तथा मादा में अण्डाशय (Ovary) में अण्डाणु (Ovum) बनते हैं।

इस प्रकार नर एवं मादा में अलग-अलग युग्मकों का निर्माण होता है। इन्हें एकलिंगाश्रयी (Dioecious) कहते हैं।

कुछ जीव जैसे केंचुआ (Earthworm) में एक ही जीवधारी में नर तथा मादा दोनों प्रकार के युग्मक (Gamete) बनते हैं। इस प्रकार के जीवों को उभयलिंगाश्रयी (Monoecious) कहते हैं।

नर युग्मक (Male gamete) तथा मादा युग्मक (Female gamete) के आपस में निषेचित (Fertilized) होने पर नर तथा मादा युग्मकों के केन्द्रकों (Nucleus) का सम्मिश्रण (Fusion) हो जाता है तथा जाइगोट (Zygote) का निर्माण होता है।

नर युग्मक (Male gamete) में X तथा Y लिंग गुणसूत्र (Sex chromosome) होते हैं, जबकि मादा युग्मक (Female gamete) में XX प्रकार के लिंग गुणसूत्र होते हैं।

मनुष्य में X गुणसूत्र मादा लिंग (Female Sex) का निर्धारण करता है जबकि Y गुणसूत्र नर लिंग का (Male Sex) का निर्धारण करता है।

लिंग निर्धारण (Sex Determination) के सम्बन्ध में विभिन्न मत (Theory)

लिंग निर्धारण के लिए पूर्व में अनेक मत प्रस्तुत किए गए थे जिनमें से प्रमुख निम्नलिखित हैं–

(*i*) **प्रोगेमिक मत (Progamic Theory) :** इस मत के अनुसार लिंग निर्धारण युग्मक (Gamete) स्तर पर निषेचन (Fertilization) के पूर्व होता है।

(*ii*) **सिनगेमिक मत (Syngamic Theory) :** इस मत के अनुसार लिंग निर्धारण निषेचन के समय होता है।

(*iii*) **एपिगेमिक मत (Epigamic Theory) :** इस मत के अनुसार लिंग निर्धारण, निषेचन के पश्चात् जाइगोट (Zygote) बनने पर होता है।

आधुनिक खोजों के अनुसार किसी जीव के लिंग का निर्धारण उस जीव में उपस्थित लिंग गुणसूत्रों (Sex chromosomes) द्वारा किया जाता है।

लिंग निर्धारण की विधि (Method of Sex Determination)

आधुनिक वैज्ञानिकों द्वारा लिंग निर्धारण के लिए निम्नलिखित प्रमुख मत (Theory) दिए गए हैं–

लिंग निर्धारण का गुणसूत्रीय सिद्धान्त (Chromosomal Theory of Sex Determination)

इसके मतानुसार जीवों में लिंग निर्धारण लिंग गुणसूत्रों (Sex chromosomes) के द्वारा होता है।

आनुवंशिक लक्षणों (Hereditary characters) के आधार पर एक लिंगी (Dioecious) जीवों में निम्नलिखित दो प्रकार के क्रोमोसोम (Chromosome) पाए जाते हैं–

(*a*) **ऑटोसोम्स (Autosomes) :** इन गुणसूत्रों पर दैहिक लक्षणों को निधारित करने वाले जीन्स पाए जाते हैं।

(*b*) **लिंग गुणसूत्र (Sex Chromosomes) :** ये लिंग (Sex) का निर्धारण करते हैं।

गुणसूत्रों के आधार पर लिंग निर्धारण के प्रकार

(*i*) XX—XY प्रकार–इस प्रकार का लिंग निर्धारण मनुष्यों में पाया जाता है।

नर (Male) में 44 + XY तथा मादा में 44+ XX प्रकार से गुणसूत्र पाए जाते हैं।

नर तथा मादा दोनों में 44 गुणसूत्र ऑटोसोम्स (Autosomes) तथा XY (नर में) XX (मादा में) लिंग गुणसूत्र (Sex chromosomes) होते हैं।

नर में Y गुणसूत्र लिंग का नियन्त्रण करता है तथा मादा में XX गुणसूत्रों में एक X गुणसूत्र अक्रिय (Innert) होता है जिसे बार बॉडी (Bar Body) कहते हैं। यह मादा में लिंग निर्धारण के लिए मुख्य कारक (Factor) होता है।

(*ii*) **XX–XO या प्रोटीनर प्रकार (Protenar Type) :** कुछ कीटों (Insects) में मादा में दो लिंग गुणसूत्र (XX) तथा नर में केवल एक लिंग गुणसूत्र (XO) होता है।

मादा में दोनों गुणसूत्र 'X' होते हैं इसलिए इनमें एक ही प्रकार के युग्मक बनते हैं, जबकि नर में दो प्रकार के युग्मक (Gamete) बनते हैं 50% X गुणसूत्र वाले तथा 50% बिना X गुणसूत्र वाले, इस प्रकार नर हेटेरोगैमेटिक (Heterogamatic) तथा मादा होमोगैमेटिक (Homogametic) होती है। X गुणसूत्रों से मादा तथा बिना X गुणसूत्रों वाले गैमीट से नर जीव बनते हैं।

(*iii*) **हाइमेनोप्टेरा प्रकार (Hymanoptera Type) :** उदाहरण–मधुमक्खियों (Honey bees) में निम्नलिखित प्रकार से लिंग निर्धारण होता है–

(*a*) द्विगुणित (Diploid) एवं अधिक पोषक पदार्थों (Nutritive substance) के जाइगोट (Zygote) से मादा रानी (Female queen) उत्पन्न होती है।

(*b*) द्विगुणित एवं अल्प पोषक पदार्थों के जाइगोट से श्रमिक मादा (Worker female) उत्पन्न होती है।

(*c*) अगुणित (Haploid) एवं अनिषेचित अण्डों (Unfertilized eggs) से ड्रोन नर (Drone male) उत्पन्न होते हैं।

इस प्रकार हाइमेनोप्टेरा प्रकार में जाइगोट (Zygote) के द्विगुणित (Diploid), अगुणित (Haploid) होने तथा पोषक पदार्थों की मात्रा के आधार पर लिंग निर्धारण होता है।

लिंग निर्धारण का जीन सन्तुलन सिद्धान्त (Gene Balance Theory of Sex Determination)

इस सिद्धान्त का प्रतिपादन सी.बी. ब्रिजस (C.B. Bridges–1921) ने ड्रोसोफिला (Drosophila) पर अध्ययन करके किया था। इसके अनुसार नर तथा मादा दोनों लिंगों (Sex) से सम्बन्धित जीन्स (Genes) शरीर की सभी कोशिकाओं में पाए जाते हैं। लिंग निर्धारण (Sex determination) के समय इनका उत्प्रेरण (Stimulation) होता है।

मनुष्य में लिंग निर्धारण (Sex Determination in Human Beings)

मनुष्य में XY प्रकार के गुणसूत्रों द्वारा लिंग निर्धारण होता है (चित्र 17.3)। मनुष्य की प्रत्येक कोशिका में 46 गुणसूत्र होते हैं जो 23 जोड़े (Pairs) के रूप में पाए जाते हैं। इनमें से 22 जोड़े नर तथा मादा दोनों में समान होते हैं। जिन्हें आटोसोम (Autosome) कहते हैं।

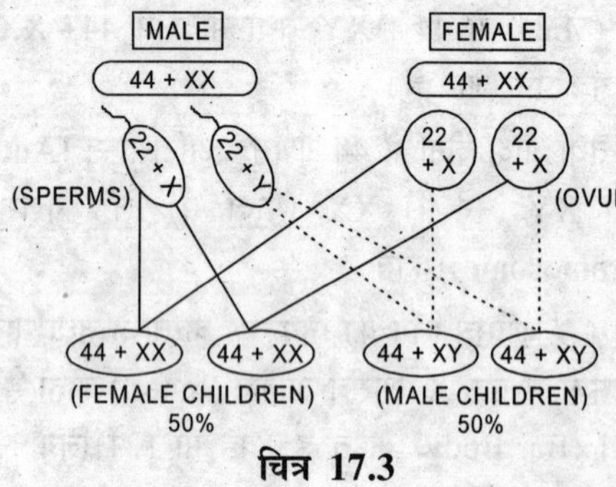

चित्र 17.3

नर में 23 वें जोड़े में XY तथा मादा में XX गुणसूत्र होते हैं जो लिंग का निर्धारण करते हैं।

युग्मकों (Gamete) के निर्माण के समय दोनों लिंग गुणसूत्र दो विभिन्न युग्मकों–ओवम (Ovum) तथा शुक्राणु (Sperm) में चले जाते हैं।

मादा में XX गुणसूत्र होते हैं जिसके कारण ये होमोगैमेटिक (Homogametic) होती है इसलिए इनमें एक ही प्रकार के युग्मक (Gamete) बनते हैं।

नर में XY गुणसूत्र हैं इसलिए इनमें 50% X युग्मक तथा 50% Y प्रकार के युग्मक बनते हैं।

मनुष्य में होने वाली संतति नर (Male) होगी या मादा (Female) यह शुक्राणुओं (Sperms) द्वारा वहन किए जाने वाले क्रोमोसोम (Chromosome) पर निर्भर करता है। यदि X क्रोमोसोम का वहन किया जाता है तब उत्पन्न संतति मादा होती है, जबकि Y क्रोमोसोम का वहन करने पर नर संतति उत्पन्न होती है।

लिंग सहलग्न वंशागति (Sex-Linked Inheritance)

लिंग गुणसूत्रों (Sex chromosomes) का मुख्य कार्य लिंग निर्धारण (Sex determination) है किन्तु इन पर लिंग जीन्स (Sex genes) के अतिरिक्त कुछ जीन्स ऐसे भी होते हैं जो कई दैहिक लक्षणों (Somatic characters) को निर्धारित करते हैं।

इस प्रकार ऐसे दैहिक लक्षणों को जिनके जीन लिंग गुणसूत्रों पर स्थित होते हैं और जो उसी लिंग के साथ वंशागत होते हैं, लिंग सहलग्न लक्षण (Sex linked characters) कहते हैं तथा इनकी वंशागति लिंगसहलग्न वंशागति (Sex linked Inheritance) कहलाती है।

मनुष्य में लिंग सहलग्न वंशागति (Sex-Linked Inheritance in Man)

मनुष्य में लिंग सहलग्न लक्षणों की वंशागति X गुणसूत्रों द्वारा होती है, उदाहरण–वर्णान्धता (Colour blindness) तथा हीमोफीलिया (Haemophilia)।

महत्वपूर्ण तथ्य–

- X गुणसूत्र पर स्थित जीन (Gene) लिंग सहलग्न जीन कहलाते हैं क्योंकि ये नर तथा मादा दोनों लिंगों में स्वयं को अभिव्यक्त करने में समर्थ होते हैं।
- Y गुणसूत्र पर स्थित जीनों (Genes) का प्रभाव केवल नर में ही प्रकट होता है, अतः इन्हें होलेण्ड्रिक (Holandric) जीन्स कहते हैं।
- लिंग सहलग्नता (Sex linkage) की खोज मॉर्गन ने ड्रोसोफिला मेलानोगेस्टर पर करके लिंग सहलग्न वंशागति के बारे में बतायाथा।

वस्तुनिष्ठ प्रश्न

1. X तथा Y गुणसूत्र लिंग निर्धारित करते हैं यह पता लगाया था–

(*a*) ग्रेगर जॉन मेण्डल ने (*b*) एम जे डी स्टीवेन्स ने
(*c*) एन एम स्टीवेन्स ने (*d*) राबर्ट ब्राउन ने

2. "हाइपरट्राइकोसिस" (hypertrichosis) या कानों पर बाल एक लिंग सहलग्न लक्षण है जो जुड़ा है–

(*a*) X गुणसूत्र से (*b*) X X गुणसूत्रों से
(*c*) X Y गुणसूत्रों से (*d*) Y गुणसूत्र से

3. मनुष्य में पाये जाने वाले निम्न समूहों में से किसको हम क्लाइनफेल्टर सिण्ड्रोम कहेंगे?

(*a*) एक X गुणसूत्र तथा दो Y गुणसूत्र (XYY)

(*b*) तीन X गुणसूत्र (XXX)

(*c*) तीन Y गुणसूत्र (YYY)

(*d*) दो X गुणसूत्र तथा एक Y गुणसूत्र (XXY)

4. वर्णक मेलेनिन की अनुपस्थिति में होगा–

(*a*) बिल्कुल काली त्वचा

(*b*) बाल सफेद हो जाएँगे

(*c*) बाल व त्वचा हल्के रंग के हो जाएँगे

(*d*) त्वचा लाल रंग की हो जायेगी

5. यदि एक "A" रुधिर समूह वाले पुरुष का विवाह "B" रुधिर समूह वाली स्त्री से होता है, उनकी संतति में रुधिर समूह होगा

(*a*) केवल A या B (*b*) केवल AB

(*c*) केवल A या B या AB (*d*) A या B या AB या O

6. निम्न में से कौन-सा एक एम्निओसेन्टेसिस तकनीक द्वारा जाँचा जाता है?

(*a*) भ्रूण में जीवन रसायन सम्बन्धी असामान्यताओं के लिए

(*b*) भ्रूण में उपापचय त्रुटियों के लिए

(*c*) भ्रूण में गुणसूत्रीय असामान्यताओं के लिए

(*d*) उपरोक्त सभी

7. बार पिण्ड पाया जाता है–

(*a*) नर कायिक कोशिकाओं में (*b*) अण्डाणु में

(*c*) शुक्राणु में (*d*) मादा कायिक कोशिकाओं में

8. यदि एक लक्षण पिता से सीधे उसके सभी पुत्रों में पहुँचता है तथा उनके पुत्रों से फिर उनके सभी पुत्रों में तब जीनों को वहन करता है–

(*a*) अलिंग गुणसूत्र (*b*) X गुणसूत्र

(*c*) Y गुणसूत्र (*d*) उपरोक्त में से कोई नहीं

9. एक कोशिका में अगुणित गुणसूत्र संख्या 12 है तब मोनोसोमिक संख्या होगी–

(*a*) 25 (*b*) 22

(*c*) 26 (*d*) 23

10. एक सामान्य स्त्री जिसके पिता वर्णान्ध थे, एक सामान्य पुरुष से विवाह करती है। कितने प्रकार के वच्चों का जन्म होगा और किस अनुपात में?

(*a*) पुत्रियां सामान्य, 50% पुत्र वर्णान्ध

(*b*) पुत्रियां सामान्य, सभी पुत्र वर्णान्ध

(*c*) पुत्रियां वर्णान्ध, 50% पुत्र सामान्य

(*d*) सभी पुत्रियां वर्णान्ध, पुत्र सामान्य

11. यदि एक अधिरक्तस्त्रवक पुरुष एक सामान्य स्त्री से विवाह करता है तो उनकी संतति होगी–

(*a*) सभी अधिरक्तस्रवक (*b*) सभी सामान्य

(*c*) अधिरक्तस्रवक पुत्रियाँ (*d*) अधिरक्तस्रवक पुत्र

12. निम्नलिखित में से कौन-सा युग्म संगत नहीं है–

(*a*) प्रोटोप्लाज्म-हक्सले (*b*) गुणसूत्र-मेण्डल

(*c*) जर्मप्लाज्म-वीजमान (*d*) कोशिका-श्लाइडेन एवं श्वान

13. "डाउन सिण्ड्रोम" में कैरियोटाइपिंग में गड़बड़ी ट्राइसोमी से जुड़ी होती है जिनका क्रोमोसोम-21 की संख्या प्रायः पायी जाती है–

(*a*) जाइगोट के समसूत्री विभाजन के समय अत्यधिक क्रोमोसोम के जुड़ने से

(*b*) मादा युग्मक के निर्माण के समय नानडिसजंक्शन (Non-disjunction) से

(*c*) नर युग्मक के निर्माण के समय नानडिसजंक्शन से

(*d*) नर युग्मक या मादा युग्मक किसी के भी निर्माण के समय नानडिसजंक्शन से

14. मनुष्य में "मैण्टल रिटार्डेशन" (mentle retardation) लिंग गुणसूत्रों की असामान्यता (abnormality) से जुड़ा है तथा प्रायः होता है–

(*a*) एक्स कम्पलीमैण्ट में कमी से

(*b*) एक्स कम्पलीमैण्ट (X-complement) में बढ़ोत्तरी से

(*c*) Y कम्पलीमैण्ट (Y-complement) में अत्यधिक बढ़ोत्तरी से

(*d*) Y कम्पलीमैण्ट (Y-complement) में बढ़ोत्तरी से

15. ABO समूह के अनुसार रुधिर के चार प्रकार होते हैं। इन रुधिर समूहों की उत्पत्ति का कारण है–

(*a*) तीन एलील्स जो कि एक दूसरे के पूरक हैं (Complementary)

(*b*) तीन एलील्स जो कि अप्रभावी (Recessive) हैं

(*c*) तीन एलील्स जिनमें दो अप्रभावी हैं तथा एक प्रभावी (Dominant) है

(*d*) तीन एलील्स जिनमें से दो प्रभावी हैं तथा एक अप्रभावी है

16. द्विगुणित जीवों (Diploid organisms) में ''क्रासिंग ओवर'' (Crossing over) जिम्मेदार है–

(*a*) लिंक्ड एलील्स के पुनर्संयोजन (Recombination) के लिए

(*b*) एलील्स को अलग करने में

(*c*) जीन को प्रभावी बनाने में

(*d*) तीनों के बीच लिंकेज बनाने में

17. "जेनेटिक्स" (Genetics) शब्द का सर्वप्रथम प्रयोग किया था–

(*a*) बेटसन (*b*) ग्रिफिथ

(*c*) मेण्डल (*d*) मॉरगन

18. एक ही जन्तु में कुछ लक्षण नर के तथा कुछ लक्षण मादा के हों तब ऐसी दशा कहलाती है–

(*a*) गायनेकोमेस्टेशिया (gynecomasticia)

(*b*) गायनेण्ड्रोमार्फ (gynandromorph)

(*c*) गायनोस्पोरस (gynosporous)

(*d*) उभयलिंगी (hermaphrodite)

19. गुणसूत्रों की अनियमितता होती है नॉन-डिस्जंक्शन से जिसमें गुणसूत्र पृथक् नहीं होते निम्न अवस्था में–

(*a*) एनाफेज (anaphase) (*b*) मेटाफेज (metaphase)

(*c*) टेलोफेज (telophase) (*d*) प्रोफेज (prophase)

20. संलग्न जीन (linked genes) पृथक् किये जाते हैं–
(*a*) विसंयोजन द्वारा (*b*) क्रासिंग ओवर द्वारा
(*c*) संकरण द्वारा (*d*) संलग्न द्वारा

21. ड्रोसोफिला नर असमयुग्मकी है तथा मादा समयुग्मकी है। इनकी सन्तानों में असमयुग्मकी तथा समयुग्मकी का अनुपात होगा–
(*a*) 1 : 1 (*b*) 3 : 1
(*c*) 2 : 1 (*d*) 4 : 1

22. सन् 1994 में कोशिका बाह्य संकेतों की क्रियाओं में परिवर्तित करने के लिये G- प्रोटीन की भूमिका स्पष्ट करने के लिये नोबेल पुरस्कार प्राप्त किया था–
(*a*) फिशर व क्रेब्स ने (*b*) मार्टिन व लूथर ने
(*c*) स्टुअर्ट एवं विनाल ने (*d*) गिलमैन व रौडबैल ने

23. वर्णान्धता के जीन का वाहक होता है–
(*a*) पिता (*b*) माता
(*c*) माता एवं पिता (*d*) इनमें से कोई नहीं

24. क्रासिंग ओवर (crossing over) होता है–
(*a*) लेप्टोटीन (leptotene) अवस्था में
(*b*) जाइगोटीन (zygotene) अवस्था में
(*c*) पेकीटीन (pechytene) अवस्था में
(*d*) डिप्लोटीन (diplotene) अवस्था में

25. मानव जाति के आनुवंशिक स्तर पर उत्थान का अध्ययन किया जाता है–
(*a*) एपीजेनेटिक्स में (*b*) यूथैनिक्स में
(*c*) यूजैनिक्स में (*d*) इथ्नोलॉजी में

26. जेनेटिक ड्रिफ्ट कार्य करती है केवल–
(*a*) द्वीप की जनसंख्या में
(*b*) छोटी जनसंख्या में
(*c*) बड़ी जनसंख्या में
(*d*) मैण्डेलियन जनसंख्या में

27. वे जीन जो Y गुणसूत्र के डिफ्रेंशल भाग (differential region) में स्थित होती हैं उन्हें कहते हैं–
(*a*) पूर्ण रूप से लिंग सहलग्न जीन (sex linked)
(*b*) होलेण्ड्रिक (holandric) जीन
(*c*) आटोसोमल (autosomal) जीन
(*d*) उत्परिवर्तित (mutant) जीन

28. शुद्ध ब्रीडिंग लाइन (pure breeding line) का अर्थ है
(*a*) केवल विषम युग्मकता (heterozygosity)
(*b*) केवल समयुग्मकता (homozygosity)
(*c*) विषमयुग्मकता तथा लिंकेज (heterozygosity linkage)
(*d*) समयुग्मकता तथा स्वतन्त्र अपव्यूहता

29. डाइहाइब्रिड क्रास में सामान्य फीनोटाइप अनुपात है–
(*a*) 3 : 1 (*b*) 9 : 3 : 4
(*c*) 12 : 3 : 1 (*d*) 9 : 3 : 3 : 1

30. *लैथाइरस ओडोरेटस* (*Lathyrus odoratus*) में एक लाल पुष्प तथा सफेद पुष्पों वाले पौधों में संकरण कराने पर संतति में गुलाबी रंग के पुष्पों वाले पौधे उत्पन्न हुए। इसका कारण है–
(*a*) अपूर्ण प्रभाविता (*b*) सह प्रभाविता
(*c*) एपीस्टेसिस (*d*) पृथक्करण

31. अनेकों अफ्रीकनों में एक रोग में रुधिर द्वारा ऑक्सीजन परिवहन में कमी हो जाती है यह एक जेनेटिक रोग है–
(*a*) एनीमिया (anaemia)
(*b*) हीमोफीलिया (haemophilia)
(*c*) परनीशियस एनीमिया (pernicious anaemia)
(*d*) दात्र कोशिका अरक्तता (sickle cell anaemia)

32. एक प्लाज्मिड वैक्टर के DNA में इच्छित जीन प्रवेश कराने की प्रक्रिया कहलाती है–
(*a*) जीन स्प्लाइसिंग (gene splicing)
(*b*) जीन क्लोनिंग (gene cloning)
(*c*) जीन ड्राफ्टिंग (gene drafting)
(*d*) जीन ड्रेसिंग (gene dressing)

33. कृन्तक कोशिका वंशावली (clonal cell lines) प्राप्त की जा सकती है–
(*a*) ऊतक तन्त्र से (*b*) ऊतक संवर्धन से
(*c*) ऊतक प्रभाजन से (*d*) ऊतक समांगीकरण से

34. एक व्यक्ति का रुधिर समूह A है। वह किस रुधिर समूह से रुधिर आधान ग्रहण कर सकता है?
(*a*) AB तथा B (*b*) केवल A
(*c*) केवल B (*d*) A तथा O

35. ड्रोसोफिला (Drosophila) में XXY सामान्य मादा होती है जबकि मनुष्यों में XXY असामान्य पुरुष होता है (क्लाइनफेल्टर सिण्ड्रोम)। यह दर्शाता है कि–
(*a*) दोनों में लिंग निर्धारण की विधि भिन्न होती है
(*b*) स्तनधारियों में नर होने के लिए Y गुणसूत्र की आवश्यकता होती है
(*c*) Y गुणसूत्र पर कोई जीन नहीं होती
(*d*) यह बाइ चान्स होता है

36. 21वें गुणसूत्र की सूत्रता (trisomy) से होता है–
(*a*) टर्नर का सिण्ड्रोम (*b*) डाउन का सिण्ड्रोम
(*c*) एडवर्ड का सिण्ड्रोम (*d*) फिल्डेल्फिया गुणसूत्र

37. F_2 पीढ़ी में द्विसंकर क्रास (dihybrid cross) का अनुपात होगा–
(*a*) 3 : 1 (*b*) 4 : 5
(*c*) 9 : 3 : 3 :1 (*d*) 12 : 15 : 3 : 2

38. एरिथ्रोब्लास्टोसिस फीटेलिस (erythroblastosis foetalis) एक अवस्था है जिसमें पिता Rh^+ तथा माता Rh^- होती है। यह नवजात शिशु में निम्न में से एक अवस्था का कारण है–
(*a*) हेटरोलिसिस (heterolysis) (*b*) हीमोलिसिस (haemolysis)
(*c*) सामान्य (*d*) उपरोक्त सभी

39. हेटरोजाइगस पौधे से जिसकी जीनोटाइप AaBbCc है, कितने तरह के जीनोटाइप वाले युग्मक बनेंगे?
(*a*) 8 (*b*) 2
(*c*) 4 (*d*) 6

40. रंगहीनता (albinism) अप्रभावी उत्परिवर्तन का उदाहरण है। एक सामान्य त्वचा वाले दम्पत्ति का पहला बच्चा रंगहीन (albino) है उनके दूसरे बच्चों के रंगहीन होने की क्या सम्भावनाएँ हैं?
(*a*) 100% (*b*) 75%
(*c*) 50% (*d*) 25%

41. बार बॉडी कहाँ पाई जाती है?
(*a*) शुक्राणु में
(*b*) अण्डाणु में
(*c*) पुरुष की दैहिक कोशिका में
(*d*) स्त्री की दैहिक कोशिका में

42. मनुष्य के वातावरण को सुधारने से नस्ल सुधारना कहलाता है–
(*a*) यूफेनिक्स (*b*) यूजेनिक्स
(*c*) यूथेनिक्स (*d*) इनमें से कोई नहीं

43. क्लाइनफेल्टर्स सिंड्रोम में लिंग गुणसूत्रों का युग्म क्या होता है?
(*a*) XYY (*b*) XXY
(*c*) XY (*d*) XX

44. मनुष्य में सन्तान का लिंग निर्धारण कैसे होता है?
(*a*) माँ के लिंग गुणसूत्र से (*b*) अण्डाणु की माप से
(*c*) शुक्राणु की माप से (*d*) पिता के लिंग गुणसूत्र से

45. ब्रिजेज ने किस सिद्धान्त का प्रतिपादन किया?
(*a*) वंशाणु सन्तुलन का
(*b*) स्त्री-पुरुष विकास का
(*c*) लिंग विपर्यय का
(*d*) अंतः स्त्राव (हॉरमोन) द्वारा लिंग नियन्त्रण का

46. मंगोली मरीज में होते हैं–
(*a*) 46 गुणसूत्र (*b*) 47 गुणसूत्र
(*c*) 45 गुणसूत्र (*d*) 44 गुणसूत्र

47. अतिरिक्त 18 वें अलिंगी गुणसूत्र से उत्पन्न होता है–
(*a*) एडवर्ड संलक्षण (*b*) पेटन संलक्षण
(*c*) डाउन संलक्षण (*d*) उपरोक्त में से कोई नहीं

48. निश्चित जीन्स के विलोपन से होता है–
(*a*) असुगुणिता (*b*) जीन रूपान्तरण
(*c*) जीन उत्परिवर्तन (*d*) गुणसूत्र उत्परिवर्तन

49. दो समान संकर के संकरण से, अप्रभावी का प्रतिशत होगा–
(*a*) 100% (*b*) 75%
(*c*) 50% (*d*) 25%

50. गलत जोड़े को निकालिए–
(*a*) टर्नर सिण्ड्रोम–मादाएँ जिनमें लैंगिक विकास न हुआ हो
(*b*) क्लिनफिल्टर सिण्ड्रोम–XO
(*c*) हीमोफीलिया–लिंग सहलग्नता
(*d*) डाउन सिण्ड्रोम–अलिंगसूत्री एनयूप्लाइडी

उत्तरमाला

1	2	3	4	5	6	7	8	9	10
(*c*)	(*d*)	(*d*)	(*c*)	(*d*)	(*c*)	(*d*)	(*c*)	(*d*)	(*a*)
11	**12**	**13**	**14**	**15**	**16**	**17**	**18**	**19**	**20**
(*b*)	(*b*)	(*d*)	(*b*)	(*d*)	(*a*)	(*a*)	(*b*)	(*a*)	(*b*)
21	**22**	**23**	**24**	**25**	**26**	**27**	**28**	**29**	**30**
(*a*)	(*d*)	(*b*)	(*c*)	(*c*)	(*b*)	(*b*)	(*b*)	(*d*)	(*a*)
31	**32**	**33**	**34**	**35**	**36**	**37**	**38**	**39**	**40**
(*d*)	(*a*)	(*b*)	(*d*)	(*b*)	(*b*)	(*c*)	(*b*)	(*a*)	(*c*)
41	**42**	**43**	**44**	**45**	**46**	**47**	**48**	**49**	**50**
(*d*)	(*c*)	(*b*)	(*d*)	(*a*)	(*b*)	(*a*)	(*c*)	(*d*)	(*b*)

●●●

अध्याय 18

उत्परिवर्तन (Mutations)

- आनुवंशिक गुणों (जीन या गुणसूत्र की रचना में) आकस्मिक तथा अपने आप होने वाले परिवर्तन को उत्परिवर्तन कहते हैं।
- ह्यूगो डी व्रीज ने *इवनिंग प्रिमरोज इनोथीरा लैमार्कियाना*(Evening Primrose -*Oenothera lamarckiana*) नामक पौधे में होने वाले आकस्मिक परिवर्तन को उत्परिवर्तन कहा।
- अधिकांश उत्परिवर्तन हानिकारक होते हैं तथा हानिकारक उत्परिवर्तन जीन राशि से समाप्त नहीं होते चूंकि असमयुग्मजी सदस्य इसके लक्षण को अगली पीढ़ी में ले जाते हैं।
- अधिकांश उत्परिवर्तन अप्रभावी होते हैं तथा बहुत कम ही उत्परिवर्तन लाभदायक होता है।

उत्परिवर्तन के प्रकार (Types of Mutations)

मुख्य रूप से उत्परिवर्तन दो प्रकार के होते हैं।

(*i*) गुणसूत्र संख्या में परिवर्तन

(*ii*) जीन उत्परिवर्तन-गुणसूत्र में स्थित जीन्स के विन्यास में परिवर्तन।

गुणसूत्र संख्या में परिवर्तन (Changes in Chromosomal Numbers)–किसी जीव की कोशा में गुणसूत्र के दो सैट (Diploid Set) होते हैं। डिप्लॉएड सेट में परिवर्तन को गुणिता (Ploidy) कहते हैं।

गुणिता के प्रकार

गुणिता (Ploidy) निम्नलिखित प्रकार की होती है–

1. पूर्ण गुणसूत्र सेट में परिवर्तन (Changes in Complete Chromosomal Set)

यह गुणसूत्रों की मूल संख्या (n) में परिवर्तन होने के कारण होता है तथा निम्नलिखित प्रकार से हो सकता है–

(*a*) **अगुणिता (Haploidy)**– इसमें केवल एक गुणसूत्र सेट (n) होता है जबकि सामान्यतः जीवों में गुण सूत्र (2n) होते हैं अतः जन्तुओं में अगुणित (Haploid) जीव या तो भ्रूणीय अवस्था (Embryonic stage) में ही नष्ट हो जाते हैं या लैंगिक (Sexually) रूप से बन्ध्य (Sterile) होते हैं।

(*b*) **बहुगुणिता (Polyploidy)**– यह मुख्यतः पौधों में ही होती है तथा निम्नलिखित प्रकार से हो सकती है–

(*i*) **त्रिगुणिता (Triploidy)** – इसमें गुणसूत्रों के तीन सेट (3n) होते हैं

(*ii*) **चतुर्गुणिता (Tetraploidy)**– (4n)

(*iii*) **पंचगुणिता (Pentaploidy)**– (5n) आदि।

2. गुणसूत्र सैट के गुणसूत्रों की संख्या में परिवर्तन (Changes in Chromosomal Number of a Chromosome set)

जब किसी जीव में उसके गुणसूत्रों की कुल द्विगुणित संख्या अर्थात (2n) में से एक अथवा अधिक गुणसूत्रों की कमी अथवा वृद्धि हो तो इसे विषमगुणिता (Heteroploidy) या ऐन्यूप्लॉइडी (Aneuploidy) कहते हैं–

हाइपर प्लॉइडी (Hyperploidy)— गुणसूत्र संख्या में वृद्धि।

एकाधिसूत्री (Trisomics)–जब एक गुणसूत्र की वृद्धि होती है, तब इसे एकाधिसूत्री या ट्राइसोमिक स्थिति कहते हैं। अर्थात् 2n + 1

उदाहरण–मनुष्य में 2n = 46 गुणसूत्र होते हैं। इनमें ट्राइसोमिक स्थिति होने पर अर्थात् क्लाइनफेल्टर सिन्ड्रोम (Klinefelter's Syndrome) होने पर गुणसूत्रों की संख्या 47 हो जाती है।

द्विअर्धसूत्री (Tetrasomics)–जब दो गुणसूत्रों की वृद्धि होती है अर्थात 2n+ 2।

हायपोप्लॉइडी (Hypoploidy)—इसमें द्विगुणित गुणसूत्र संख्या (जैसे–मनुष्य में 2n = 46) में एक या अधिक गुणसूत्रों की कमी हो जाती है। जैसे–

(*i*) **एक गुणसूत्र की हानि**– इसे एक न्यूनसूत्री (Monosomic) कहते हैं तथा (2n – 1) से प्रदर्शित करते हैं।

उदाहरण– मनुष्य में टर्नर सिण्ड्रोम (Turner's syndrome) जिसमें 46 के स्थान पर 45 गुणसूत्र होते हैं।

(*ii*) **दो गुणसूत्रों की कमी**– इसे नलीसोमिक (Nullisomic) कहते हैं तथा 2n – 2 से प्रदर्शित करते हैं।

जीन म्यूटेशन (Gene Mutation)

गुणसूत्रों (Chromosomes) में जीन (Gene) एकरेखीय (Linear) क्रम में व्यवस्थित होते हैं। कभी-कभी पराबैंगनी किरणों (Ultra-Violet rays), X-किरणों या अन्य रेडियोएक्टिव तत्वों (Radioactive substances) के कारण उत्प्रेरित होने से गुणसूत्र में रेखीय क्रम में व्यवस्थित जीन्स के कुछ भाग टूटकर मुख्य गुणसूत्र से अलग होकर नष्ट हो जाते हैं अथवा अन्य गुणसूत्र में या उसी गुणसूत्र के अन्य भाग से जुड़ जाते हैं। इस कारण गुणसूत्र में जीनों का विन्यास (Arrangement) परिवर्तित हो जाता है तथा विभिन्न जीवों में लक्षणों में विविधता या ह्रास दिखाई देता है तथा जीव की अपनी मूल जाति से अलग पहचान बन जाती है।

इस प्रकार गुणसूत्र में जीनों की संख्या या उनके पुनर्विन्यास में परिवर्तन के कारण गुणसूत्रों की रचना में दिखाई देने वाले परिवर्तन को

गुणसूत्री उत्परिवर्तन (Chromosomal Mutation) कहते हैं तथा जीन्स की संख्या या पुनर्विन्यास में परिवर्तन को जीन म्यूटेशन (Gene Mutation) कहते हैं (चित्र 18.1)।

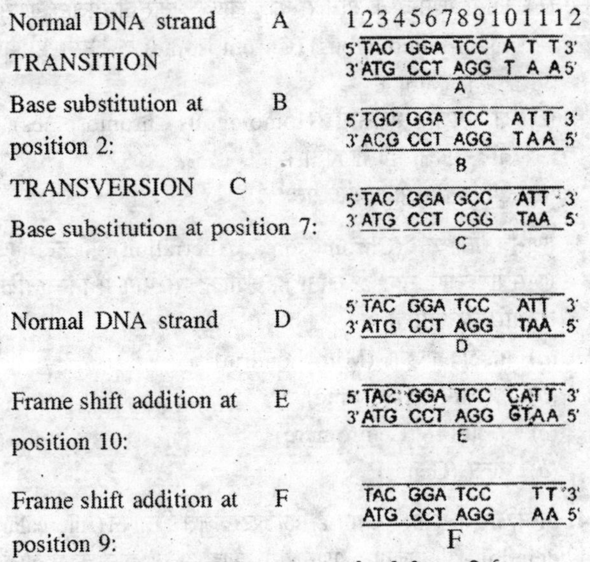

चित्र 18.1 : *विभिन्न प्रकार के जीनी उत्परिवर्तन*

जीन म्यूटेशन के प्रकार (Types of Gene Mutation): यह चार प्रकार (चित्र 18.2) के होते हैं–

1. अपूर्णता या विलोपन (Deficiency or Deletion)
2. द्विगुणन (Duplication)
3. स्थानान्तरण (Translocation)
4. प्रतिलोमन (Inversion)

त्वरित उत्परिवर्तन (Spontaneous Mutation)– ये जीन (Gene) पर वायुमण्डल के प्रभाव तथा परिवर्तन के कारण होते हैं।

उत्प्रेरित उत्परिवर्तन (Induced Mutation)–ये एक्स किरणों (X-rays), अल्ट्रावायलेट, गामा किरणों, ताप (Temperature) तथा रासायनिक परिवर्तन के कारण होते हैं।

बिन्दु उत्परिवर्तन (Point Mutation)– DNA अणु के अत्यन्त सूक्ष्म भाग या जीन (Gene) में परिवर्तन के कारण उत्पन्न परिवर्तन को बिन्दु उत्परिवर्तन कहते हैं।

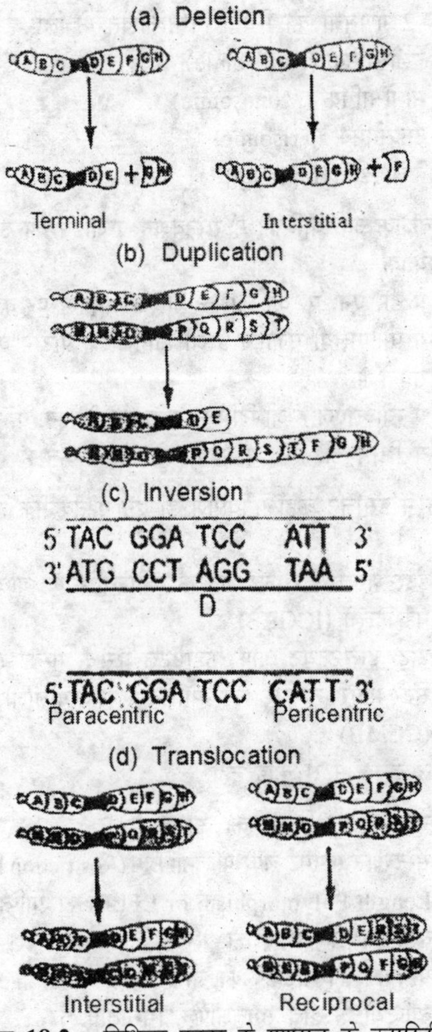

चित्र 18.2 : *विभिन्न प्रकार के गुणसूत्र के उत्परिवर्तन*

वस्तुनिष्ठ प्रश्न

1. निम्नलिखित में सत्य कथन है कि उत्परिवर्तन (Mutation)–
(*a*) धीरे-धीरे होता है
(*b*) निश्चित होती है
(*c*) एकाएक होता है
(*d*) कोशिका का अनिवार्य लक्षण है

2. गुणसूत्रीय विपथन में विलोपन (Deletion)–
(*a*) प्रायः कम होने की या न होने की सम्भावना होती है
(*b*) स्वतः होते हैं
(*c*) 'X' किरणों द्वारा प्रेरित (Induced) किए जा सकते हैं
(*d*) (*b*) तथा (*c*) दोनों

3. म्यूटेशन थ्योरी (Mutation theory) के लिए निम्नलिखित का अध्ययन किया गया था–
(*a*) काइरोनॉमस लार्वा (Chironomous Larva) का
(*b*) *पाइसम सटाइवम (Pisum sativum)* का
(*c*) *ओइनोथेरा लैमार्कियाना (Oenothera lamarckiana)* का
(*d*) उपरोक्त सभी का

4. त्वरित उत्परिवर्तन (Spontaneous mutation) निम्नलिखित के कारण होते हैं–
(*a*) अल्ट्रावायलेट किरणों (Ultraviolet rays) के कारण
(*b*) रासायनिक परिवर्तनों (Chemical changes) के कारण

(c) वायुमण्डल (Atmosphere) के प्रभाव तथा परिवर्तनों के कारण
(d) उपर्युक्त सभी

5. 2n – 2 गुणसूत्रों की स्थिति निम्नलिखित के लिए है–
(a) नलीसोमिक (Nullisomic)
(b) मोनोसोमिक (Monosomic)
(c) ट्राइसोमिक (Trisomic)
(d) हेप्लॉइडी (Haploidy)

6. आनुवंशिक अभियांत्रिकी में रेस्ट्रिक्शन एन्जाइम का उपयोग होता है, क्योंकि–
(a) ये डी. एन. ए. को विशिष्ट क्षारक अनुक्रम पर काट सकते हैं
(b) ये प्रोटीनलयी एंजाइम हैं जो हानिकारक प्रोटीन को नष्ट कर सकते हैं
(c) ये न्यूक्लिएज हैं जो विभिन्न स्थल पर डी. एन. ए. को काटते हैं
(d) ये भिन्न डी. एन. ए. खंडों को जोड़ सकते हैं

7. भारत में इंसुलिन कहाँ पुनर्योगज डी एन ए तकनीक द्वारा उत्पन्न होता है?
(a) इंटरनेशनल सेंटर फॉर जेनेटिक इंजीनियरिंग एंड बायोटेक्नोलॉजी, नई दिल्ली (ICGEB)
(b) टाटा इन्स्टिट्यूट ऑफ फंडामेंटल रिसर्च, मुम्बई (TIFR)
(c) सेंटर फॉर सेलुलर एंड मॉलिक्युलर बायोलॉजी, हैदराबाद (CCMB)
(d) उपरोक्त में से कोई नहीं

8. डी एन ए फिंगर प्रिंटिंग का आधार है–
(a) रेस्ट्रिक्शन फ्रेगमेंट लैंग्थ पॉलिमॉर्फिज्म (Restriction Fragment Length Polymorphism or RFLP) की प्राप्ति
(b) क्लोनित डी एन ए की प्राप्यता
(c) मानवीय केरियोटाइप का ज्ञान
(d) व्यष्टियों के बीच समलक्षणिक भिन्नताएँ

9. आनुवंशिकी रूप से अभियांत्रिक जीवाणु का उपयोग किसके व्यावसायिक उत्पादन के लिए सफलता से किया जाता है?
(a) थायरॉक्सिन (b) इन्सुलिन
(c) टेस्टोस्टीरॉन (d) मेलाटोनिन

10. अनुवांशिक अभियांत्रिकी में निम्न में से किसका उपयोग होता है?
(a) डी. एन. ए. पॉलिमरेज I
(b) न्यूक्लिएज
(c) रेस्ट्रिक्शन एंडोन्यूक्लिएज
(d) डी. एन. ए. पॉलिमरेज I, II तथा III

11. गुणसूत्रीय उत्परिवर्तन (Chromosomal mutation) में अपूर्णता (Deficiency) का अर्थ है–
(a) क्रोमोसोम की संख्या में कमी
(b) क्रोमोसोम के (set) सैट में कमी
(c) क्रोमोसोम के एक जीन (Gene) अथवा जीन समूह की कमी
(d) क्रोमोसोम (Chromosome) की अनुपस्थिति

12. विस्थापन स्थानान्तरण (Shift translocation) में–
(a) किसी गुणसूत्र से एक छोटा-सा खण्ड टूटकर सदैव किसी दूसरे गुणसूत्र के सिरे से जुड़ता है
(b) किसी गुणसूत्र के बीच से कोई खण्ड टूटकर असमजात गुणसूत्र (Non-homologous) (Chromosome) के किसी भी भाग से जुड़ जाता है
(c) दो समजात गुणसूत्रों (Homologous Chromosomes) के बीच अदला-बदली होती है
(d) उपर्युक्त सभी कथन सत्य हैं

13. गुणसूत्र विपथन (Chromosomal Aberration) में टूटा हुआ गुणसूत्रीय खण्ड नष्ट हो जाता है, क्योंकि इस भाग में निम्नलिखित अनुपस्थित होता है–
(a) माइटोकॉण्ड्रिया (Mitochondria)
(b) ऐक्रोसोम (Acrosome)
(c) सेन्ट्रोमियर (Centromere)
(d) जीन्स (Genes)

14. निम्नलिखित में सत्य कथन है कि इण्टरकैलरी विलोपन (Intercalary deletion) में विलोपन गुणसूत्रीय खण्ड अलग होने के पश्चात्–
(a) गुणसूत्र (Chromosome) के दोनों सिरे किसी अन्य गुणसूत्र से जुड़ते हैं
(b) गुणसूत्र के दोनों सिरे आपस में जुड़ जाते हैं
(c) गुणसूत्र के दोनों सिरों में द्विगुणन होता है, जिससे उनमें जीन्स (Genes) की संख्या बढ़ जाती है
(d) गुणसूत्र के दोनों सिरे नष्ट हो जाते हैं

15. आनुवंशिक अभियांत्रिकी सम्भव है क्योंकि–
(a) जीवाणु में पारक्रमण (transduction) की परिघटना ज्ञात है
(b) हम इलेक्ट्रॉन सूक्ष्मदर्शी में डी. एन. ए. को देख सकते हैं
(c) हम एंडोन्यूक्लियेज जैसे डी एन ऐज I द्वारा डी एन ए को विशिष्ट स्थलों पर काट सकते हैं
(d) जीवाणु से शोधित रेस्ट्रिक्शन एंडोन्यूक्लियेज का पात्रे या *इनविट्रो (in vitro)* उपयोग कर सकते हैं

16. आनुवंशिक अभियांत्रिकी प्रयोगों में अत्यधिक उपयोगी दो जीवाणु हैं–
(a) *नाइट्रोसोमोनास* तथा *क्लेबसिएला*
(b) *इश्चीरिश्चिया* तथा *एग्रोबैक्टिरियम*
(c) *नाइट्रोबैक्टर* तथा *एजोटोबैक्टर*
(d) *राइजोबियम* तथा *डिप्लोकोकस*

17. निम्नलिखित में से कौन सी संरचना आनुवंशिक अभियांत्रिकी में अत्यधिक कार्य में आती है?
(a) प्लास्टिड (b) कोस्मिड
(c) न्यूक्लियेज (d) डी. एन. ए. पॉलिमरेज I

18. आनुवंशिकी अभियांत्रिक जीवाणु का उपयोग किसके व्यवसायिक उत्पादन के लिए सफलता से किया जाता है–
(a) टेस्टोस्टेरॉन (b) मेलाटोनिन
(c) मानवीय इंसुलिन (d) थायरॉक्सिन

19. क्लोनिंग है–
(*a*) *ई. कोलाई* में नई जींस का आगमन
(*b*) जीवाणु द्वारा इंसुलिन का निर्माण
(*c*) ऊतक संवर्धन तकनीक द्वारा नई कोशिकाओं का निर्माण
(*d*) व्यष्टि की आनुवंशिक रूप से समान कॉपी का उत्पादन

20. प्लाज्मिड जीन क्लोनिंग के लिए उचित वेक्टर है क्योंकि–
(*a*) ये जीवाणु कोशिकाओं के बाहर मुक्त रूप से प्रतिकृत होते हैं
(*b*) ये जीवाणु कोशिकाओं में स्वप्रतिकृत होते हैं
(*c*) ये संवर्धन द्वारा गुणित किए जा सकते हैं
(*d*) ये प्रयोगशाला में एंजाइम के उपयोग से गुणित किए जा सकते हैं

21. क्लोनल सेल लाइन (clonal cell lines) किसके द्वारा प्राप्त की जा सकती है?
(*a*) ऑटोरेडियोग्राफी
(*b*) अपकेन्द्रीकरण (centrifugation)
(*c*) ऊतक संवर्धन
(*d*) कोशिका प्रभाजन (cell fractionation)

22. निम्नलिखित किस विलोपन में गुणसूत्र का विखण्डन केवल एक ही बिन्दु पर होता है?
(*a*) टर्मिनल विलोपन (Terminal deletion)
(*b*) इण्टरकैलरी विलोपन (Intercalary deletion)
(*c*) द्विगुणन (Duplication)
(*d*) उपर्युक्त में से कोई नहीं

23. गुणसूत्रीय विपथन (Chromosomal Aberration) में प्रतिलोपन (Inversion) होता है–
(*a*) 90° पर (*b*) 120° पर
(*c*) 160° पर (*d*) 180° पर

24. गुणसूत्रीय विपथन के स्थानान्तरण (Translocation) के लिए निम्नलिखित में क्या सत्य है कि इस क्रिया में–
(*a*) जीनों (Genes) की संख्या नहीं बढ़ती
(*b*) जीनों की संख्या नहीं घटती
(*c*) जीनों का क्रम बदल जाता है
(*d*) उपर्युक्त सभी कथन सत्य हैं

25. स्थानान्तरण (Translocation) से सम्बन्धित है–
(*a*) संकर ओज (Heterosis)
(*b*) स्थान प्रभाव (Position effect)
(*c*) अगुणितता (Haploidy)
(*d*) पॉलीप्लाइडी (Polyploidy)

26. डी. एन. ए. अणु को काटने के उपयोग में आने वाली एन्जाइम–
(*a*) रेस्ट्रिक्शन एन्डोन्यूक्लिएज (restriction endonucleases)
(*b*) 2 - गेलेक्टोसिडेज (2-galactosidase)
(*c*) डी. एन. ए. लाइगेज (DNA ligase)
(*d*) डी. एन. ए. पॉलिमरेज (DNA polymerase)

27. आनुवंशिक अभियान्त्रिकी (genetic engineering) में सामान्यतः उपयोग में आने वाले एन्जाइम हैं–
(*a*) रेस्ट्रिक्शन एन्डोन्यूक्लियेज तथा लाइगेज
(*b*) लाइगेज तथा पॉलिमरेज
(*c*) रेस्ट्रिक्शन एन्डोन्यूक्लियेज तथा पॉलिमरेज
(*d*) एन्डोन्यूक्लियेज तथा लाइगेज

28. कल्पना चावला के जीनोम में जीन्स की निकटतम संख्या थी–
(*a*) 40,000 (*b*) 30,000
(*c*) 80,000 (*d*) 1,00,000

29. प्रतिबंध एंजाइम (restriction enzymes) हैं–
(*a*) वह एन्डोन्यूक्लिएज हैं जो विशिष्ट स्थल पर डी. एन. ए. को विदलित करते हैं
(*b*) पहले उपस्थित डी. एन. ए. या आर. एन. ए. का पूरक डी. एन. ए. बनाता है
(*c*) डी. एन. ए. खण्डों को काटता-जोड़ता है
(*d*) इसकी आवश्यकता वेक्टरहीन सरल जीन अन्तरण में होता है

30. निम्न में से किन शब्दों/नामों के जोड़ों का अर्थ एक ही है?
(*a*) जीन कोष – जीनोम
(*b*) कोडॉन – जीन
(*c*) सिस्ट्रॉन – ट्रिप्लेट
(*d*) डी एन ए फिंगर प्रिंटिंग – डी. एन. ए. प्रोफाइलिंग

31. कोशिकीय पूर्णशक्तता किसके द्वारा निरूपित की जाती है–
(*a*) केवल जिम्नोस्पर्म कोशिकाओं द्वारा
(*b*) सभी पादप कोशिकाओं द्वारा
(*c*) सभी सुकेन्द्रीय कोशिकाओं द्वारा
(*d*) केवल जीवाणु कोशिकाओं द्वारा

32. विषमगुणितता (Heteroploidy) का उदाहरण है–
(*a*) मोनोसोमिक (Monosomic) (*b*) पॉलीसोमिक (Polysomic)
(*c*) नलीसोमिक (Nullisomic) (*d*) उपर्युक्त सभी

33. विस्थापित द्विगुणन (Displaced Duplication) में –
(*a*) जीन्स (Genes) का अनुक्रम वास्तविक अनुक्रम के ठीक विपरीत होता है
(*b*) जीन्स (Genes) का अनुक्रम वास्तविक अनुक्रम के समान होता है
(*c*) गुणसूत्र खण्ड किसी असमजात गुणसूत्र (Non-homologous) से जुड़ जाता है
(*d*) गुणसूत्र खण्ड किसी समजात गुणसूत्र (Homologous chromosome) से जुड़ जाता है

34. निम्नलिखित में टेण्डेम द्विगुणन (Tendame duplication) का उदाहरण है–
(*a*) L M N A B C O P Q R (*b*) A B C C B A D E F
(*c*) ABC ABC DEF (*d*) ABC DEF ABC

35. निम्नलिखित में विस्थापित द्विगुणन (displaced duplication) का उदाहरण है–

(*a*) L M N O P Q P Q R   (*b*) L M N M L N Q R

(*c*) L M N A O P B Q C   (*d*) L M N A B C O P Q R

36. बहुगुणितता (Polyploidy) का उदाहरण है–
(*a*) पूर्ण गुणसूत्र सैट (Set) में परिवर्तन
(*b*) गुणसूत्र सैट में गुणसूत्रों की संख्या में परिवर्तन
(*c*) पूर्ण गुणसूत्र में जीन (Gene) की संख्या में परिवर्तन
(*d*) उपर्युक्त सभी

37. गुणसूत्रों के अगुणित समुच्चय (Haploid Set) में स्थित जीनों के समस्त पूरक हो कहते हैं–
(*a*) जीनोटाइप (Genotype) (*b*) फीनोटाइप (Phenotype)
(*c*) जीनोम (Genome) (*d*) एपीसोम (Episome)

38. पुनर्योगज डी. एन. ए. का निर्माण होता है–
(*a*) डी. एन. ए. खण्ड का, एंडोन्यूक्लिएज द्वारा विदलन तथा लाइगेज द्वारा उन्हें पुनः जोड़ते हैं
(*b*) डी. एन. ए. खण्डों का, एंडोन्यूक्लिएज द्वारा विदलित होते हैं तथा पुनः जुड़ते हैं
(*c*) केवल लाइगेज द्वारा डी. एन. ए. खण्ड टूटते तथा पुनः जुड़ते हैं
(*d*) लाइगेज द्वारा डी. एन. ए. खण्ड टूटते हैं तथा एंडोन्यूक्लिएज द्वारा पुनः जुड़ते हैं

39. आनुवंशिक अभियांत्रिकी में विस्तृत रूप में सबसे अधिक किसका उपयोग होता है?
(*a*) प्लास्टिड (*b*) प्लाज्मिड
(*c*) माइटोकॉण्ड्रिया (*d*) राइबोसोम

40. ट्रिटिकेल (Triticale) एक मानव निर्मित फसल है। यह संकर उत्पाद है गेहूँ तथा–
(*a*) जई (Oat) (*b*) जौ (Barley)
(*c*) राई (Rye) (*d*) कूटू (Buck wheat)

41. प्लाज्मिड के लिए क्या सत्य है?
(*a*) प्लाज्मिड का उपयोग जीन स्थानान्तरण में होता है
(*b*) ये विषाणु में पाया जाता है
(*c*) प्लाज्मिड में जैविक क्रियाओं के लिए जीन होती है
(*d*) ये गुणसूत्र का मुख्य भाग है

42. आनुवंशिकी अभियांत्रिकी में प्रगति किसकी खोज के कारण सम्भव हुई
(*a*) एक्सोन्यूक्लियेज (*b*) एन्कोजीन
(*c*) एन्डोन्यूक्लिएज (*d*) ट्रांसपोसन

43. पॉलिमरेज श्रृंखला अभिक्रिया के लिए सबसे अधिक प्रयुक्त एन्जाइम है–
(*a*) डी एन ए पॉलिमरेज II (*b*) रिवर्स ट्रॉसक्रिप्टेज
(*c*) क्लेनॉव खण्ड (*d*) *Taq* पॉलिमरेज

44. *ई. कोलाई* से प्राप्त ECORI रेस्ट्रिक्शन एन्जाइम निम्नलिखित अनुक्रमों पर डी. एन. ए. विदलन करता है–
(*a*) AAGTTG (*b*) GAA TTC
(*c*) AAG CTT (*d*) GAT ATC

45. गुणसूत्रीय विपथन में द्विगुणन (Duplication) के समय–
(*a*) गुणसूत्र के एक खण्ड से टर्मिनल जीनों (Terminal Genes) का समूह निकलकर असमजात (Non-homologous) गुणसूत्र पर किसी भी स्थान पर जुड़ जाता है
(*b*) गुणसूत्र के एक खण्ड से अन्तर्वेशी जीनों (Intercalary genes) का समूह निकलकर समजात (Homologous) गुणसूत्र पर किसी भी स्थान पर जुड़ जाता है
(*c*) (*a*) तथा (*b*) दोनों
(*d*) किसी भी गुणसूत्र से जीनों का समूह अलग नहीं होता अपितु उनकी संख्या में केवल वृद्धि होती है

उत्तरमाला

1	2	3	4	5	6	7	8	9	10
(*c*)	(*d*)	(*c*)	(*c*)	(*a*)	(*a*)	(*a*)	(*a*)	(*b*)	(*c*)
11	**12**	**13**	**14**	**15**	**16**	**17**	**18**	**19**	**20**
(*c*)	(*b*)	(*c*)	(*b*)	(*d*)	(*b*)	(*b*)	(*c*)	(*d*)	(*b*)
21	**22**	**23**	**24**	**25**	**26**	**27**	**28**	**29**	**30**
(*c*)	(*a*)	(*d*)	(*d*)	(*b*)	(*a*)	(*a*)	(*a*)	(*a*)	(*d*)
31	**32**	**33**	**34**	**35**	**36**	**37**	**38**	**39**	**40**
(*b*)	(*d*)	(*c*)	(*c*)	(*d*)	(*a*)	(*c*)	(*a*)	(*b*)	(*c*)
41	**42**	**43**	**44**	**45**					
(*a*)	(*c*)	(*d*)	(*b*)	(*b*)					

●●●

अध्याय 19

पारिस्थितिकी के सिद्धान्त (Principles of Ecology)

- पारिस्थितिकी वह विज्ञान है जिसके अन्तर्गत समस्त जीवों तथा भौतिक पर्यावरण के मध्य अन्तर्सम्बन्धों एवं विभिन्न जीवों के मध्य पारस्परिक अन्तर्सम्बन्धों का अध्ययन किया जाता है।
- पारिस्थितिकी (Ecology) शब्द यूनानी भाषा के 'Oikos' एवं 'Logos' शब्दों से मिलकर बना है जिसका शाब्दिक अर्थ है निवास स्थान (Living place) अथवा आवास (Habitat) का अध्ययन।
- Ecology शब्द का प्रयोग सर्वप्रथम जर्मन जीव विज्ञानी अर्नेस्ट हैकेल ने सन् 1866 में किया था। हैकेल ने इकोलॉजी के अर्थ को स्पष्ट करते हुए बताया कि जीवों एवं उनके पर्यावरण के परस्पर सम्बन्धों का अध्ययन ही पारिस्थितिकी है। जिसके अन्तर्गत समस्त जीवों और पर्यावरण के साथ उनकी अन्तः प्रक्रिया का अध्ययन किया जाता है जो अपने अस्तित्व के लिए संघर्षरत् रहते हैं।
- पारिस्थितिकी को फ्रेडरिक क्वीमेन्ट ने इसे समुदाय विज्ञान (Science of community) कहा है।

  चार्ल्स एल्टर के अनुसार यह वैज्ञानिक प्राकृतिक इतिहास (Scientific Natural History) है।

ई. वार्मिंग ने सन् 1905 में इकोलॉजी को परिभाषित करते हुए बताया कि 'इकोलॉजी जीवों का उनके पर्यावरण सम्बन्ध में अध्ययन है।'

उपरोक्त से स्पष्ट है कि पारिस्थितिकी के अध्ययन के अन्तर्गत दो क्षेत्रों का समावेश होता है।

(*i*) पर्यावरण के सम्बन्धों में जीवों का अध्ययन तथा

(*ii*) जीवों के विकासीय इतिहास का अध्ययन

आर. इजोज (1955) के अनुसार– "पारिस्थितिकी विज्ञान जीवित जीवों की जीवन क्रिया और अपने पर्यावरण की परस्पर क्रिया का अध्ययन करता है।"

ब्रिटिश भौतिकविद् मेकफैडन (1957) के अनुसार "पारिस्थितिकी वह विज्ञान है, जिसमें पौधों एवं जीवों तथा उनके पर्यावरण के बीच सम्बन्धों को नियमित तथा संचालित करने वाले नियमों एवं सिद्धान्तों का अध्ययन किया जाता है।"

फ्रेसर डालिर्गे (1963) के अनुसार- "पारिस्थितिकी समस्त पर्यावरण के सन्दर्भ में जीवों का तथा उनके अन्तर्जातीय (Interspecific) एवं आपसी अन्तर्सम्बन्धों का विज्ञान है।"

उपरोक्त परिभाषा के कारण पारिस्थितिकी अध्ययन के दो उपागमों का उदय हुआ। जिसके कारण पारिस्थितिकी का दो शाखाओं में विभाजन हुआ।

(i) **स्वपारिस्थितिकी (Autecology)–** इसके अन्तर्गत किसी निश्चित पारिस्थितिकी तन्त्र में एकाकी जाति (Species) के पारिस्थितिक सम्बन्धों का अध्ययन किया जाता है।

(*ii*) **समुदाय पारिस्थितिकी (Synecology)–** इसके अन्तर्गत किसी विशेष पारिस्थितिकी तन्त्र में वनस्पति समुदायों का उनके आवास के सन्दर्भ में अध्ययन किया जाता है।

- टुसोव (1983) के अनुसार "अब पारिस्थितिकी के अन्तर्गत न केवल पौधों एवं जन्तुओं तथा उनके पर्यावरण के बीच अन्तर्सम्बन्धों का ही अध्ययन किया जाता है बल्कि मानव समाज तथा उनके भौतिक पर्यावरण के बीच अन्तर्क्रियाओं का भी अध्ययन किया जाता है।
- ई. पी. ओडम (1971) ने पारिस्थितिकी की परम्परागत परिभाषा (जीवों तथा पर्यावरण में अन्तर्सम्बन्धों के विज्ञान के रूप में) को पुनः निरूपित करने की इच्छा व्यक्त की, क्योंकि भौतिक तथा अजैविक संघटक एक दूसरे से न केवल अन्तर्सम्बन्धित होते हैं वरन् दोनों संघटक एक निश्चित तन्त्र की भाँति क्रमबद्ध रूप में कार्यशील होते हैं। इस प्रकार ओडम के अनुसार– "पारिस्थितिकी, पारिस्थितिकी तन्त्र की संरचना तथा कार्य का अध्ययन है, अथवा पारिस्थितिकी प्रकृति की संरचना तथा कार्य का अध्ययन है।"

पारिस्थितिकी अध्ययन के उद्देश्य

पारिस्थितिकी अध्ययन के उद्देश्यों का निरन्तर विस्तार हुआ है, जिसके कारण यह एक अन्तर्विषयक बन गया है। इसके शैक्षिक उद्देश्यों के अन्तर्गत निम्नलिखित परिघटनाओं की उपयोगिता को व्यापक रूप से समझना है।

(*a*) जीवों की गतिशीलता और प्राप्ति, बाहुल्य में समयानुसार परिवर्तन मौसमी, वार्षिक, अनुक्रमिक और भूगर्भिक

(*b*) सजीवों के स्थानीय तथा भौगोलिक वितरण तथा बाहुल्य

(*c*) समष्टि तथा समुदाय में जीवों के अन्तर्सम्बन्ध (Population ecology)

(*d*) प्राकृतिक पारिस्थितियों (जीवों का व्यवहार) में स्वभाविकी

(*e*) भौतिक पर्यावरण के साथ जीवों के संरचनात्मक अनुकूलन और क्रियात्मक समायोजन

(*f*) प्रकृति की जैविक उत्पादकता तथा उसका कल्याण में सर्वाधिक उपयोग

(*g*) प्रणाली विश्लेषण पारिस्थितिकी

(*h*) उपयुक्त परस्पर सम्बन्धों का विकासात्मक परिवर्धन

पारिस्थितिकी की विषय-वस्तु को अध्ययन की सुविधा की दृष्टि से दो भागों में विभाजित किया जा सकता है। ये दोनों मात्र एक दूसरे के कारण और प्रभाव सम्बन्धों से जुड़े हैं–

(*a*) पारिस्थितिकी व्यवस्था के सैद्धान्तिक अर्थात् पृथ्वी के किसी क्षेत्र विशेष अथवा सम्पूर्ण जैव मण्डल के जैविक-अजैविक घटकों के आपसी सम्बन्धों का तन्त्र के रूप में अध्ययन।

(*b*) मानव की विकासात्मक गतिविधियों के फलस्वरूप किसी क्षेत्र विशेष की पारिस्थितिकी में आये असन्तुलन से उत्पन्न समस्याओं और उन समस्याओं से जनित परिणामों का अध्ययन करते हुए पारिस्थितिकी सम्वर्धन का व्यवहारिक अध्ययन।

पारिस्थितिकी पिरामिड

एक पारिस्थितिकी-तन्त्र की किसी खाद्य-प्रणाली में जैविक संख्या, जैविक-भार एवं एकत्रित ऊर्जा की गणना विभिन्न खाद्य-स्तरों पर की जाती है। इसे एक ग्राफिक चित्र से दर्शाया जाता है, जिसे पारिस्थितिकी पिरामिड कहते हैं। दूसरे शब्दों में, उत्पादक व उपभोक्ताओं की संख्या, जीवभार व ऊर्जा के बीच परस्पर सम्बन्धों का एक ग्राफिक चित्र में प्रदर्शन पारिस्थितिकी पिरामिड है।

पारिस्थितिकी पिरामिड के प्रकार

पारिस्थितिकी विशेषताओं के आधार पर पिरामिड तीन प्रकार के होते हैं–

(*i*) संख्या के पिरामिड,

(*ii*) जीवभार का पिरामिड,

(*iii*) ऊर्जा का पिरामिड।

पारिस्थितिकी तंत्र में ऊर्जा प्रवाह–पारिस्थितिकी तंत्र में ऊर्जा का प्रवाह खाद्य-शृंखला के माध्यम से होता है और यही ऊर्जा प्रवाह पारिस्थितिकी तंत्र को चलाने का मूल जरिया है। ऊर्जा प्रवाह सदा एक ही दिशा में होता है। यह उत्पादकों से उपभोक्ताओं की दिशा में होता है तथा अन्त में अपघटकों की दिशा में। इनका पुनःचक्रण कभी नहीं होता है। इसलिए यह पोषक तत्त्वों के प्रवाह से भिन्न है जहाँ इन पोषक तत्त्वों का पुनःचक्रण होता रहता है।

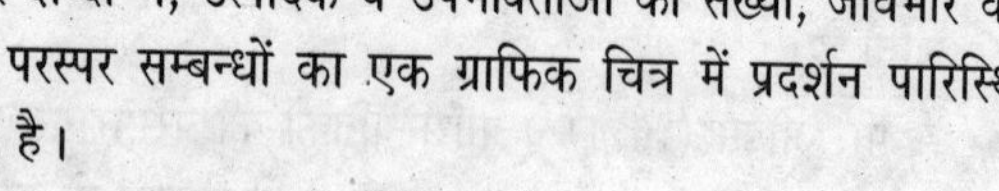

खाद्य-जाल

खाद्य-जाल कई खाद्य-प्रणालियों का एक जाल होता है जो परस्पर विभिन्न खाद्य स्तरों द्वारा जुड़ा होता है तथा जिनसे एक जैविक समुदाय के जीवों में एक-दूसरे को खाने के क्रमबद्ध सम्बन्ध होते हैं।

प्रत्येक पारिस्थितिकी तन्त्र में एक से अधिक खाद्य-शृंखला होती है। ऊर्जा का प्रवाह जीवों की एक विशेष शृंखला के द्वारा होता है परन्तु यह एक विशेष रैखिक-व्यवस्था पारिस्थितिकी तन्त्र में उपस्थित सभी जीवों के पारस्परिक सम्बन्धों का पूर्ण चित्र प्रस्तुत नहीं करता है। वस्तुतः खाद्य-शृंखलाओं के विभिन्न पोषण स्तरों पर उपस्थित जीवों में एक जटिल सम्बन्ध पाया जाता है। कोई भी जीव एक से अधिक पोषण स्तरों से अपना भोजन प्राप्त कर सकता है।

प्रमुख पारिस्थितिक तन्त्र

वन पारिस्थितिक-तन्त्र

ये पेड़ों की प्रभुता वाले पारिस्थितिक तन्त्र हैं जिनमें छोटे पौधों, झाड़ियों, लताओं, शैवाल, काई, जंगली जानवर, पक्षी एवं कीटों की अनेक प्रजातियाँ पाई जाती हैं। वन, मुख्यतः सामान्य से अधिक वर्षा ग्रहण करने वाले क्षेत्रों में पाए जाने वाले शिखर समुदाय हैं। इस पारितंत्र के दो भाग होते हैं–

- वन के जीवनविहीन या अजैव पक्ष–वन क्षेत्र का निर्धारण उस क्षेत्र की अजैव दशाओं पर आश्रित रहता है। पहाड़, पहाड़ियों के वन नदी-घाटियों के वनों से भिन्न होते हैं।
  वनस्पति वर्षा और स्थानीय तापमान पर निर्भर होती है; यह अक्षांश, ऊँचाई और मिट्टी के प्रकार के अनुसार अलग-अलग होती है।
- **वन के जीवनयुक्त या जैविक पक्ष**–पौधों और पशुओं के समुदाय वन के सभी प्रकारों के लिए अलग-अलग होते हैं। मसलन शंकुधारी पेड़ हिमालय क्षेत्र में होते हैं, मैन्ग्रोव वृक्ष नदियों के डेल्टाओं में होते हैं, काँटेदार पेड़ शुष्क क्षेत्रों में उगते हैं। बर्फ का तेंदुआ हिमालय क्षेत्र में रहता है जबकि चीते और बाघ शेष भारत के जंगलों में पाए जाते हैं। जंगली भेंड़ें और बकरियाँ हिमालय के ऊँचे क्षेत्रों में होती हैं तथा हिमालयी वनों के अनेक परिंदे बाकी भारत के परिंदों से भिन्न होते हैं। पश्चिमी घाट और पूर्वोत्तर भारत के सदाबहार वनों में पशुओं और पौधों की प्रजातियों की सबसे अधिक विविधता है। वहाँ पर जलवायु तथा तापमान के हिसाब से इसमें विविधता पायी जाती है।

जैविक घटक में बड़े (स्थूल पादप) और सूक्ष्म पौधे और प्राणी शामिल हैं।

पौधों में वनों के पेड़, झाड़ियाँ, लताएँ, घास और जड़ी-बूटियाँ आती हैं। इनमें फूल देने वाली प्रजातियाँ (angiosperms) और फूल न देने वाली प्रजातियाँ (gymnosperms) शामिल हैं, जैसे–फर्न, ब्रायोफाइट, शैवाल और कवक। प्राणियों में स्तनपायी, परिंदे, सरीसृप, जलथलचारी (amphibians) मछलियाँ, कीट और दूसरे अकशेरूकी प्राणी और अनेक प्रकार के सूक्ष्मप्रणाली शामिल हैं।

घास-क्षेत्र पारिस्थितिक-तन्त्र

ऐसे भूदृश्य जिनमें वनस्पति मुख्यतः घासों और छोटे-सालाना पौधों के रूप में होती हैं, घास क्षेत्र पारिस्थितिक तंत्र कहलाते हैं। प्रत्येक घास क्षेत्र तंत्र के अपने-अपने विशिष्ट पौधे और प्राणी होते हैं।

घास-क्षेत्रों में सामान्यतः घास प्रमुखता से पाई जाती है, परन्तु कहीं-कहीं छोटे पेड़ और झाड़ियाँ भी उगती हैं। वर्षा औसत विकेन्द्रित है। सीमित चराई इन क्षेत्रों में प्राथमिक उत्पादन बढ़ाने में सहायक है जबकि अधिक चराई घास भूमियों के ह्रास और मरुस्थलीकरण के लिए उत्तरदायी हैं। जलवायु के आधार पर निम्न तीन प्रकार के घास-क्षेत्र पाये जाते हैं।

(*i*) ध्रुवीय घास-क्षेत्र

(*ii*) उष्ण-कटिबंधीय घास क्षेत्र

(*iii*) शीतोष्ण कटिबंधीय घास क्षेत्र

मरुस्थलीय पारिस्थितिक-तन्त्र

ये पारिस्थितिक-तन्त्र उन क्षेत्रों में पाए जाते हैं जहाँ वाष्पीकरण की दर वर्षण की दर से अधिक है। इन क्षेत्रों में वर्षण 25 सेंटीमीटर प्रतिवर्ष से भी कम है। विश्व का लगभग 1/3 भाग मरुस्थल है। मरुस्थलों में जैव-विविधता न्यूनतम है और यहाँ मुख्यतः अकाल-रोधी क्षमता वाले पौधे पाए जाते हैं।

यहाँ वायुमण्डल शुष्क है तथा रात के समय धरातल जल्दी ठंडा हो जाता है और अधिक ठंड होती है। ज़लवायु के आधार पर मरुस्थल तीन प्रकार के हैं–

(क) उष्ण कटिबंधीय मरुस्थल–जैसे अफ्रीका का सहारा और भारत का थार मरुस्थल (राजस्थान) विश्व का सबसे शुष्क मरुस्थल है। रेत के टिब्बे यहाँ सामान्य हैं और कुछ सीमित जीव ही यहाँ की जैव-विविधता हैं।

(ख) शीतोष्ण कटिबंधीय मरुस्थल–जैसे दक्षिण कैलीफोर्निया का 'मोजेव' मरुस्थल जहाँ दिन गर्मियों में गर्म व सर्दियों में ठंडे होते हैं।

(ग) शीत मरुस्थल–जैसे चीन का गोबी मरुस्थल जहाँ शीत ऋतु ठंडी और ग्रीष्म ऋतु गर्म होती है।

जलीय पारिस्थितिक-तन्त्र

जलीय पारितंत्र के अन्तर्गत समुद्रों के पर्यावरण तथा झीलों, नदियों, तालाबों और नमभूमियों जैसे ताजे जल के पारितंत्र आते हैं। ये पारितंत्र मनुष्य को बहुत-से प्राकृतिक संसाधन देते हैं। ये मछली और झीगों जैसे खाद्य पदार्थ प्रदान करते हैं।

नदी और समुद्र जैसे प्राकृतिक जलीय पारितंत्र मनुष्य द्वारा उत्पन्न रासायनिक और जैविक कचरों का विघटन करते हैं लेकिन इस कार्य की अपनी सीमाएँ हैं। जलीय पारितंत्र कचरे की वर्तमान भारी मात्रा का निबटारा नहीं कर सकता। एक सीमा के बाद प्रदूषण इस प्राकृतिक कार्य में अवरोध की स्थिति उत्पन्न कर देगा।

जलीय पारिस्थितिक-तन्त्र को जल के गुणों के आधार पर दो भागों में वर्गीकृत किया गया है–महासागरीय एवं ताजा जल पारिस्थितिक तन्त्र। ताजा-जल पारिस्थितिक-तन्त्र को स्थिर (Lentic) और अस्थिर (Lotic) दो वर्गों में वर्गीकृत किया गया है। यहाँ कुछ प्रमुख जलीय पारिस्थितिक तंत्र पर संक्षेप में प्रकाश डाला जा रहा है।

1. **तालाब पारिस्थितिक-तन्त्र**–यह एक छोटा एवं स्थिर जलीय पारिस्थितिक-तन्त्र है। ये तालाब बरसाती भी हो सकते हैं। तालाब उथले जल के स्रोत हैं। गाँवों में अधिकतर गतिविधियाँ इन्हीं तालाबों से जुड़ी रहती हैं। इनमें अनेक प्रकार की काई, जलीय पौधे, कीट, मछली और पक्षी पाए जाते हैं। तालाबों पर मानव-गतिविधियों का दबाव अकसर बना रहता है। इनका प्रयोग कपड़ा धोने, नहाने, तैरने, पशुओं को नहलाने आदि के लिए किया जाता है जिससे ये प्रदूषित हो रहे हैं।
2. **झील पारिस्थितिक-तन्त्र**–झील ताजा जल का एक बड़ा एवं स्थिर स्रोत है। इसके उथले क्षेत्र को उथला तटीय अनुक्षेत्र (Littoral zone), खुले क्षेत्र जहाँ सूर्य का प्रकाश आसानी से उपलब्ध है खुला प्रकाशीय अनुक्षेत्र (Limnetic zone) और गहरे क्षेत्र जहाँ सूर्य का प्रकाश उपलब्ध नहीं है, नितल अनुक्षेत्र (Profundal zone) कहते हैं। श्रीनगर की डल झील (जम्मू-कश्मीर), नैनीताल की नैनी झील (उत्तराखण्ड) और मणिपुर की लोकटक झील भारत की कुछ प्रमुख झीलें हैं।
3. **नदी निर्झर पारिस्थितिक-तन्त्र**–यह ताजा जल का पारिस्थितिक-तन्त्र है जिसमें धाराएँ महत्त्वपूर्ण घटक हैं। इनमें ऑक्सीजन और पोषक-तत्त्वों की मात्रा समान है और जल धरातल सम्पर्क विस्तृत है। हालाँकि नदी निर्झर में पाए जाने वाले जीवों को तापमान में अन्तर और धाराओं के वेग का दबाव सहना पड़ता है प्राकृतिक रूप से इन्हें ऑक्सीजन की कमी नहीं होती है।
4. **नदी पारिस्थितिक-तन्त्र**–नदियाँ पर्वतों से निकलकर मैदानी क्षेत्रों में जल प्रवाहित करती है और अन्त में समुद्र में जाकर मिल जाती है। इसी कारण नदी पारिस्थितिक-तन्त्र की विभिन्न दशाएँ दर्शाती हैं। ऊँचे पर्वतीय क्षेत्रों में नदी का जल शीतल, स्वच्छ एवं तेज वेग से बहता है। इनमें घुलित ऑक्सीजन (D.O.) की मात्रा भी अधिक होती है। पौधे चट्टानों के बीच उगते हैं और मछलियाँ ठंडे पानी में पनपने वाली प्रजातियाँ होती हैं।
5. **महासागर पारिस्थितिक-तन्त्र**–धरातल का 70% भाग महासागर के जल से ढका हुआ है। महासागरीय जल में लगभग 2,50,000 प्रजातियाँ निवास कर रहे हैं। ये सभी प्रजातियाँ किसी-न-किसी रूप से मानव के लिए उपयोगी हैं।

   महासागर पृथ्वी की जलवायु, जल-चक्र व कार्बन डाईऑक्साइड को संग्रहित करने में भी महत्त्वपूर्ण भूमिका अदा कर रहे हैं। महासागर को दो भागों में विभाजित किया गया है–

   (क) तटीय क्षेत्र–महासागरों का यह क्षेत्र पोषक तत्वों से भरा हुआ है। इन भागों का जल गदला और गर्म है। पोषक तत्त्वों के भंडार और सूर्य के प्रकाश की उपलब्धता के कारण ये प्राथमिक उत्पादन के केन्द्र हैं।

   (ख) खुला समुद्र–यह महासागरों का भीतरी और गहरा क्षेत्र है जो तटरेखा से दूर है। इस क्षेत्र को तीन भागों में बाँटा गया है–अतल क्षेत्र, प्रकाशमय क्षेत्र व प्रकाशरहित क्षेत्र।

वस्तुनिष्ठ प्रश्न

1. तालाब के पारितन्त्र में पिरामिड होता है–
(a) सीधा (b) उल्टा
(c) अनियमित (d) रेखीय

2. जीवीय समुदाय के प्राथमिक उपभोक्ता हैं–
(a) शाकाहारी (b) मांसाहारी
(c) सर्वभक्षी
(d) अपभक्षी

3. यदि हम पारिस्थितिक तन्त्र से अपघटकों को हटा देते हैं तब पारिस्थितिक तन्त्र के कार्य भयंकर रूप से प्रभावित होते क्योंकि–
(a) ऊर्जा का प्रवाह रुक जायेगा
(b) खनिजों का प्रवाह रुक जायेगा
(c) अन्य घटकों के अपघटन की दर अत्यन्त अधिक होगी
(d) शाकाहारी सूर्य ऊर्जा नहीं पायेंगे

4. पारिस्थितिक तन्त्र के दो घटक हैं–
(a) खरपतवार एवं वृक्ष (b) मेंढ़क और मनुष्य
(c) पौधे और प्राणी (d) जीवीय और अजीवीय

5. खाद्य शृंखला के आधार पर जीवधारी होते हैं–
(a) प्रकाश संश्लेषी पौधे (b) मांसाहारी
(c) मृतजीवी पौधे (d) शाकाहारी

6. पारिस्थितिक तत्व के अजीवीय घटक में से निम्नलिखित में कौन होता है?
(a) उपभोक्ता
(b) पदार्थों का चक्रण
(c) ऊर्जा का प्रवाह
(d) ऊर्जा का प्रवाह और पदार्थों का चक्रण

7. एक ही पोषण स्तर के जीवधारी हैं–
(a) कौवा और गाय
(b) साँप और केंचुआ
(c) हिरन और मधुमक्खी
(d) चीता और जंगली सुअर

8. निम्नलिखित को खाद्य-शृंखला कहते हैं–
(a) भोजन के स्रोत के पास अनेक प्राणियों से बनी खाद्य शृंखला
(b) खाद्य ऊर्जा का हरे पौधों से उपभोक्ता जीवधारियों की शृंखला द्वारा स्थानांतरण
(c) भोजन के स्रोत के पास अनेक मानवों से बनी हुई मानव की शृंखला
(d) उपरोक्त में से कोई नहीं

9. पारिस्थितिक तंत्र की परिभाषा है–
(a) पौधों और सूक्ष्म जीवियों के विभिन्न समुदाय और उनका भौतिक–रासायनिक वातावरण
(b) अनेक पौधों और प्राणियों का स्थानीय सहवास
(c) पौधों, प्राणी और सूक्ष्म-जीवियों के विभिन्न समुदाय, उनके भौतिक रासायनिक वातावरण के साथ
(d) उपरोक्त में से कोई नहीं

10. निम्नलिखित में कौन-सा सर्वाधिक स्थायी पारिस्थितिक तन्त्र है?
(a) समुद्र (b) जंगल
(c) रेगिस्तान (d) पर्वत

11. पारिस्थितिक तन्त्र का महत्व केन्द्रित होता है–
(a) ऊर्जा के प्रवाह में
(b) पदार्थों के चक्रण में
(c) उपरोक्त (a) और (b) दोनों
(d) उपरोक्त में से कोई नहीं

12. जब मोर साँप को खाता है जो हरे पौधों पर निर्भर कीटों को खाता है, तब मोर है–
(a) प्राथमिक उपभोक्ता (b) प्राथमिक अपघटक
(c) खाद्य पिरामिड का शिखर (d) पौधों का अन्तिम अपघटक

13. ऊर्जा का पिरामिड होता है–
(a) सदैव सीधा (b) सदैव उल्टा
(c) दोनों सीधा और उल्टा (d) उपरोक्त में से कोई नहीं

14. समुदाय होता है–
(a) पौधे और प्राणियों का संग्रह
(b) आवास में रहने वाले जीवधारी
(c) जीवन जाल
(d) स्वपोषी और परपोषी

15. जीव वैज्ञानिक संतुलन पाया जाता है–
(a) उत्पादक और अपघटकों के बीच
(b) उत्पादक और उपभोक्ताओं के बीच
(c) केवल उत्पादकों के बीच
(d) उत्पादक, उपभोक्ताओं और अपघटकों के बीच

16. पारिस्थितिक तन्त्र के तत्वों के चक्रण को कहते हैं–
(a) जीवीय भू–रासायनिक चक्र
(b) भू–रासायनिक चक्र
(c) भूगर्भ चक्र
(d) रासायनिक चक्र

17. पृथ्वी पर जीवन के अस्तित्व के लिये सर्वाधिक महत्वपूर्ण आधार क्या है?
(a) ऊर्जा का प्रवाह
(b) पृथ्वी ग्रह का पर्यावरण
(c) जीवनधारियों में विद्यमान विविधता
(d) अजैविक पदार्थों का चक्रीकरण

18. निम्न में से कब दिन व रात की अवधि बराबर होती है?
(*a*) 23 मई, 22 सितम्बर (*b*) 23 मार्च, 22 सितम्बर
(*c*) 22 जून, 23 सितम्बर (*d*) 22 जून, 23 दिसम्बर

19. पृथ्वी अपने अक्ष पर किस गति से घूमती है?
(*a*) 560 मी./से. (*b*) 370 मी./से.
(*c*) 465 मी./से. (*d*) उपरोक्त में कोई नहीं

20. मितपोषणी (oligotrophic) झील का उदाहरण है–
(*a*) दक्षिण भारत की ऊटी झील (*b*) राजस्थान की साँभर झील
(*c*) उड़ीसा की चिल्का झील (*d*) कश्मीर की डल झील

21. समुद्रतल से ऊँचाई में भिन्नताएँ प्रभावित करती हैं–
(*a*) जीव समुदाय को (*b*) तापमान को
(*c*) वर्षा पात को (*d*) उपरोक्त सभी को

22. उत्तरी तथा दक्षिणी गोलार्द्ध में समुद्री धाराओं का परस्पर विपरीत दिशा में प्रभावित होने का क्या कारण है?
(*a*) वायुदाब पेटियाँ (*b*) सूर्य की स्थिति
(*c*) अक्षांशीय परिवर्तन (*d*) कॉरिऑलिस प्रभाव

23. मरुस्थल (desert) प्रतिनिधित्व करते हैं–
(*a*) उष्णकटिबंधीय शाँत (dolodrums) का
(*b*) वृष्टि छाया (rainshadows) का
(*c*) सूक्ष्म जलवायु (microclimate) का
(*d*) तापप्रवणता (Thermocline) का

24. निम्नलिखित में अश्व अक्षांश कौन-सा है?
(*a*) 30° N तथा S (*b*) 45° N तथा S
(*c*) 15° N तथा S (*d*) 60° N तथा S

25. समुद्री धाराओं की मुख्य दिशा क्या है?
(*a*) उत्तरी गोलार्द्ध में वामवर्ती (anticlockwise) व दक्षिणी गोलार्द्ध में दक्षिणावर्ती (clockwise)
(*b*) उत्तरी गोलार्द्ध में दक्षिणावर्ती (clockwise) व दक्षिणी गोलार्द्ध में वामवर्ती (anticlockwise)
(*c*) दोनों गोलार्द्ध में दक्षिणावर्ती (anticlockwise)
(*d*) दोनों गोलार्द्ध में वामवर्ती (clockwise)

26. पृथ्वी के वायुमण्डल में परिभ्रमण के पीछे मुख्य कारण है–
(*a*) तापमान (*b*) समुद्री धाराएँ
(*c*) पवनें (*d*) उपरोक्त सभी

27. पृथ्वी की जलवायु को प्रभावित करने वाला सर्वोच्च कारक है–
(*a*) पृथ्वी का सूर्य की परिक्रमा करना
(*b*) अक्षांशीय स्थिति
(*c*) सूर्याताप
(*d*) पृथ्वी का अपने अक्ष पर घूमना

28. भू–तापीय ऊर्जा (Geothermal) किस प्रकार का संसाधन है?
(*a*) अपारम्परिक, अनवीनीकृत (Non-conventional, non-renewable)
(*b*) पारम्परिक, नवीनीकृत (Conventional, renewable)
(*c*) पारम्परिक, अनवीनीकृत (Conventional, non-renewable)
(*d*) अपारम्परिक, नवीनीकृत (Non-conventional, renewable)

29. देशान्तर भ्रमणकारी चिड़ियाएँ (Migratory birds) किस प्रकार का संसाधन है?
(*a*) भोजन (*b*) अन्तर्राष्ट्रीय
(*c*) राष्ट्रीय (*d*) बहुराष्ट्रीय

30. पर्णपाती वन पाये जाते हैं–
(*a*) शीतोष्ण प्रदेशों में (*b*) टैगा प्रदेशों में
(*c*) उष्णकटिबन्धीय प्रदेशों में (*d*) वृष्टि छाया प्रदेशों में

31. कौन-सा धरातलीय जीवोम (Terrestrial biome) वानस्पतिक विकास व जीव समुदाय के दृष्टिकोण से सर्वाधिक उन्नत है?
(*a*) टैगा
(*b*) शीतोष्ण पर्णपाती वन
(*c*) उष्ण सदाबहार कटिबन्धीय वन
(*d*) शंकुधारी सदाबहार वन

32. स्वच्छ जल के कुल भाग का कितना प्रतिशत जल विश्व भर की नदियों, धाराओं तथा दलदली क्षेत्रों में है?
(*a*) 3% (*b*) 22.4%
(*c*) 0.036% (*d*) 10.36%

33. जलमण्डल का कुल कितने प्रतिशत जल महासागरों के रूप में है?
(*a*) 97% (*b*) 90%
(*c*) 71% (*d*) 95%

34. जलमण्डल में जल की कुल कितनी मात्रा है?
(*a*) 3.4 बिलियन घन किमी. (*b*) 2.4 बिलियन घन किमी.
(*c*) 1.4 बिलियन घन किमी. (*d*) 3.6 बिलियन घन किमी.

35. पवनों का वेग सर्वाधिक कहाँ होता है?
(*a*) 60° S (*b*) 50° N तथा S
(*c*) 40° N (*d*) 60° N

36. वायुमण्डल का कौन-सा भाग पराबैंगनी (Ultraviolet) प्रकाश की किरणों को पृथ्वी की सतह पर आने से रोकता है?
(*a*) क्षोभमण्डल (Troposphere)
(*b*) समतापमण्डल (Stratosphere)
(*c*) आयनमण्डल (Ionosphere)
(*d*) मध्यमण्डल (Mesosphere)

37. निम्नलिखित में सही युगल कौन-सा है?
(*a*) पुरानी दुनिया के मरुस्थल–यूफोर्बिया (Euphorbius)
(*b*) नई दुनिया के मरुस्थल–कैक्टस (Cacti)
(*c*) शीतोष्ण वन–बॉग (Bogs)
(*d*) उष्णकटिबन्धीय वन–स्तम्भपुष्पिता (Cauliflory)

38. पोषण रीतियाँ बनी होती हैं–
(*a*) केवल पौधों से
(*b*) केवल मांसाहारियों से
(*c*) केवल प्राणियों से
(*d*) खाद्य शृंखला में जुड़े हुए जीव धारियों से

39. पौधों के प्लवी प्रकार होते हैं–

(*a*) परपोषी (*b*) स्वपोषी

(*c*) कीट भक्षी प्रकार के (*d*) रसायन पोषी

40. घास स्थल पारिस्थितिक तन्त्र में, संख्या का पिरामिड होता है–

(*a*) उल्टा (*b*) रैखिक

(*c*) अनियमित (*d*) सीधा

41. पारिस्थितिक तन्त्र हैं–

(*a*) बन्द इकाई

(*b*) खुली इकाई

(*c*) दोनों खुली और बन्द इकाई जो उपस्थित जीवभार पर निर्भर होती है

(*d*) दोनों बन्द और खुली इकाई जो समुदाय के प्रकार पर निर्भर होती है

42. यह निचले पोषण स्तर से ऊपर के पोषण स्तर की ओर ऊर्जा का प्रवाह (इकोतन्त्र) घटना है, समझाया जा सकता है, मुख्यतः–

(*a*) उष्मागतिकी के प्रथम सिद्धान्त से

(*b*) उष्मागतिकी के द्वितीय सिद्धान्त से

(*c*) ऊपर के दोनों सिद्धान्तों से

(*d*) दोनों में से किसी में नहीं

43. निम्न के बीच कोई अन्तर नहीं है–

(*a*) प्राथमिक उपभोक्ता और शाकाहारी

(*b*) पोषण स्तर I और शाकाहारी

(*c*) द्वितीयक उपभोक्ता और शाकाहारी

(*d*) प्राथमिक मांसाहारी और पोषण स्तर II

44. दिल्ली, अलीगढ़, मथुरा तथा मुजफ्फरनगर किसका प्रतिनिधित्व करते हैं?

(*a*) रूपान्तरित सवाना

(*b*) उष्णकटिबन्धीय पर्णपाती कुँजवन

(*c*) घास के मैदान

(*d*) उष्ण कटिबन्धीय सवाना

45. चट्टानी समुद्रतटीय पारिस्थितिक तन्त्र में आवसित जीव समुद्री लहरों के प्रभाव तथा लहरों के उतर जाने पर सूखने से बचने के लिए जो अनुकूलन विकसित करते हैं उनका उदाहरण है–

(*a*) बार्नेकिल (branacle) जिनमें सीमेंट ग्रथियाँ होती हैं।

(*b*) कैल्प (Kelp) नामक भूरे शैवाल की सतह पर चिप–चिपा जल रोधी आवरण होता है।

(*c*) मसल (Mussels) जिनमें संलागी (anchors) अंग होते हैं

(*d*) उपरोक्त सभी

46. भारतीय हिमालय पर्वतमाला में, वृक्ष रेखा अथवा काष्ठ रेखा लगभग कितनी ऊँचाई पर पाई जाती है–

(*a*) 11,000 फुट (*b*) 13,000 फुट

(*c*) 15,000 फुट (*d*) 9,000 फुट

47. किसी स्वच्छ, जलीय (Freshwater) पारिस्थितिक तन्त्र में वह कौन-सा क्षेत्र है, जहाँ प्रभावी प्रकाश पहुँच पाता है?

(*a*) तटीय क्षेत्र (littoral zone)

(*b*) प्रोफन्डल क्षेत्र (profundal zone)

(*c*) सरोवरी जीव प्रदेश (limnetic zone)

(*d*) उपतटीय क्षेत्र (sublittoral zone)

48. केदारनाथ, बद्रीनाथ, तुँगनाथ तथा अमरनाथ कहाँ स्थित है?

(*a*) हिम रेखा के ऊपर (*b*) काष्ठ रेखा से नीचे

(*c*) काष्ठ रेखा पर (*d*) काष्ठ रेखा के ऊपर

49. कुँजवन (Chapparal) कहाँ वितरित है?

(*a*) भू-मध्य सागरीय क्षेत्र में (*b*) अरब में

(*c*) साइबेरिया में (*d*) उत्तरी अफ्रीका में

50. चाप झीलें (ox-bow lakes) किस प्रकार बनी हैं?

(*a*) हिम के पिघलने से

(*b*) बलखाती नदियों से

(*c*) निरंतर होने वाली वर्षा से

(*d*) मानव जनित हैं

उत्तरमाला

1	2	3	4	5	6	7	8	9	10
(*a*)	(*a*)	(*b*)	(*d*)	(*a*)	(*b*)	(*c*)	(*b*)	(*c*)	(*c*)
11	**12**	**13**	**14**	**15**	**16**	**17**	**18**	**19**	**20**
(*c*)	(*c*)	(*a*)	(*b*)	(*d*)	(*a*)	(*b*)	(*b*)	(*c*)	(*b*)
21	**22**	**23**	**24**	**25**	**26**	**27**	**28**	**29**	**30**
(*d*)	(*d*)	(*b*)	(*a*)	(*c*)	(*a*)	(*b*)	(*a*)	(*d*)	(*a*)
31	**32**	**33**	**34**	**35**	**36**	**37**	**38**	**39**	**40**
(*c*)	(*d*)	(*a*)	(*c*)	(*a*)	(*b*)	(*d*)	(*d*)	(*b*)	(*d*)
41	**42**	**43**	**44**	**45**	**46**	**47**	**48**	**49**	**50**
(*a*)	(*b*)	(*a*)	(*a*)	(*d*)	(*a*)	(*c*)	(*d*)	(*a*)	(*b*)

●●●

अध्याय 20

मनुष्यों में रोग (Human Diseases)

- मानव शरीर में विभिन्न प्रकार की अनियमितताओं को रोग कहते हैं।
- रोग के कारण शरीर की आन्तरिक क्रियाओं एवं वातावरण के मध्य असन्तुलन हो जाता है।

संक्रामक रोग (Infectious Diseases)

ये वे रोग हैं जो संक्रमण के केंद्र से या एक संक्रमित व्यक्ति द्वारा एक स्वस्थ परंतु संवेदनशील व्यक्ति को स्थानांतरित हो जाते हैं। रोग फैलाने वाले अभिकर्ता अथवा रोगाणु प्रत्यक्ष अथवा अप्रत्यक्ष रूप से प्रसारित हो सकते हैं। प्रत्यक्ष स्थानांतरण होता है–

(*i*) संक्रमित व्यक्ति के सीधा सम्पर्क में आने पर, उदाहरण के लिए छोटी चेचक, शीतला माता, खसरा, कोढ़, गोल कृमि, सुजाक, सिफलिस आदि।

(*ii*) छींकने, खांसने, संक्रमित व्यक्ति से बातें करने या थूकने पर, उदाहरण के लिए डिप्थेरिया, शीत ज्वर, ठंड लगना, खसरा, राजयक्ष्मा, निमोनिया, गलसुआ, कुकुर खांसी आदि।

(*iii*) घावों आदि के मिट्टी के सम्पर्क में आने पर, उदाहरण के लिए टेटनस।

(*iv*) पशुओं के काटने से, जैसे रेबीज।

(*v*) गर्भनाल द्वारा माता से शिशु को, उदाहरण के लिए जर्मन खसरा।

अप्रत्यक्ष प्रसार कुछ मध्यवर्ती अभिकर्ताओं के जरिए होता है :

(*i*) कुछ वेक्टर की एजेंसी के जरिए, उदाहरण के लिए अफ्रीकी स्लीपिंग सिकनेस सी-सी मक्खी द्वारा, कालाजार सैंड मक्खी द्वारा, मलेरिया मादा एनोफेलिस मच्छर द्वारा, पीत ज्वर एडिस मच्छर द्वारा, हाथी पांव क्यूलेक्स मच्छर द्वारा, ब्यूवोनिक प्लेग रैट मक्खी द्वारा और टायफायड, हैजा और एमोबिक डिसेंट्री घरेलू मक्खी द्वारा फैलायी जाती है।

(*ii*) रक्त, जल, भोजन जैसे अभिकर्ताओं के माध्यम से, उदाहरण के लिए हैजा, दस्त, आंत्र ज्वर, एड्स।

(*iii*) संक्रमित वस्तुओं से जैसे तौलिया, रूमाल, साबुन, बर्तन, चिकित्सकीय उपकरण (सुई आदि)।

(*iv*) वायु एरोसाल स्प्रे और धूल के जरिए।

(*v*) गंदे हाथों से, उदाहरण के लिए इन्ट्रोवाएसिस।

टीकाकरण (Immunization)

यह सूक्ष्म जीवाणुओं खासतौर से बैक्टीरिया और विषाणुओं द्वारा फैलाए जाने वाले रोगों की रोकथाम का सबसे सामान्य तरीका है। इसमें एक टीके (एंटीजन) को शरीर के अन्दर डाल दिया जाता है ताकि शरीर की प्रतिरक्षण प्रणाली द्वारा एंटीबाडीज के निर्माण को उद्दीप्त किया जा सके। विकसित हुई रोग प्रतिरोधिता अस्थायी (हैजा के टीके द्वारा 6 महीने के लिए) या स्थायी (शीतला माता का टीका जीवन-पर्यन्त काम करता है) हो सकती है। टीकाकरण की प्रतिक्रिया का विकास सर्वप्रथम एडवर्ड जेनर ने 1796 में किया।

प्रतिरक्षा (Immunity)

यह किसी प्राणी की वह क्षमता है जिसके जरिए वह रोग के विकसित होने का प्रतिरोध करता है। कोई भी ऐसा बाह्य पदार्थ जब शरीर में प्रविष्ट होता है तो वह एक इम्यून प्रतिक्रिया को उद्दीप्त करने में सक्षम होता है, इसे एंटीजन कहते हैं। इस एंटीजन का प्रतिरोध करने हेतु शरीर में जो प्रतिरक्षात्मक रसायन उत्पन्न होता है उसे एंटीबाडीज कहते हैं। एक व्यक्ति में प्राकृतिक रूप से रोग प्रतिरोधिकता हो सकती है जो जन्म से ही मौजूद हो सकती है या वह व्यक्ति इसे अपने जीवन काल के दौरान अर्जित कर सकता है। अर्जित रोग प्रतिरोधिता का विकास एक व्यक्ति की स्वयं की कोशिकाओं द्वारा उन्पन्न एंटीबॉडीज द्वारा हो सकता है अथवा बने-बनाए एंटीबॉडीज को उन मनुष्यों या पशुओं की पीव (सीरम) से प्राप्त किया जा सकता है जो एक संक्रामक रोग से मुक्ति पा चुका हो।

हीनताजन्य रोग (Deficiency Diseases)

ये रोग भोजन में कुछ पोषक पदार्थों की कमी या हाइपो एक्टिविटी के कारण कुछ हॉरमोनों की कमी या अंतःस्रावी ग्रन्थियों के क्षतिग्रस्त हो जाने के कारण उत्पन्न होते हैं।

प्रत्यूर्जता (Allergic) रोग

इन रोगों में शरीर जब किसी बाह्य अभिकर्ता, एलर्जीकारकों के सीधे संपर्क में आता है या ये कारण उसके अंदर प्रविष्ट हो जाते हैं तो शरीर इनके प्रति अत्यधिक संवेदनशील हो जाता है। ये बाह्य तत्व धूल कण, पराग (Pollens), कतिपय खाद्य पदार्थ, सीरम, कतिपय औषधियां व कुछ तंतु हो सकते हैं। इन एलर्जेन्स के प्रति जब शरीर प्रतिकूल रुख प्रदर्शित करता है तो इसे एलर्जिक रियेक्शन कहते हैं। अस्थमा और परागज ज्वर (Hey Fever) एलर्जिक रोग हैं।

तालिका : हीनता जन्य रोग

भोजन में कमी	रोग	लक्षण
प्रोटीन	क्वाशियोर्कर	पेट और पैर का सूज ज़ाना, जिगर का बढ़ जाना, चमड़ी का सूख जाना, सिलवट पड़ना
प्रोटीन-एनर्जी	माल मैरास्मस	वजन में तीव्र कमी, शरीर का वजन और मस्तिष्क का न्यूट्रिशन वजन कम हो जाना
विटामिन ए	रात्रि अंधता जेरोप्थेलिमिया	कम रोशनी में देखने में असमर्थता, दांतों का विरुपण, सूखी त्वचा, अवरुद्ध वृद्धि
विटामिन बी-1	बेरी-बेरी	पैरों में सूजन व दर्द, भूख में कमी, कमजोरी, स्पंदन में कमी, सिरदर्द
विटामिन बी-2	चेलोसिस	चमड़ी में दरार, मुँह और जीभ का सूखना, अवरुद्ध विकास
विटामिन बी-5	पेलेग्रा	चमड़ी में एक्जीमा, मसूड़ों का फूल जाना, मानसिक असंतुलन, पाचन नली में व्यवधान
विटामिन सी	स्कर्वी	मसूड़ों का फूल जाना व उनसे रक्त आना, मांसपेशियों और जोड़ों में दर्द, कमजोरी और मांसपेशियों में खिंचाव, ठंड के प्रति प्रतिरोध में कमी, घाव सूखने में अधिक वक्त लगना
विटमिन डी	सूखा रोग (बच्चों में) अस्थि विरूपण (वयस्कों में)	हड्डियों का मुड़ जाना, विरूपित हो जाना
विटामिन के	हाइपोथर्मोबाइनेमिया	रक्त जमने की क्षमता कम हो जाना
लोहा	एनेमिया (रक्ताल्पता)	भूख की कमी, वजन में कमी, शरीर का पीला पड़ना, जल्द ही थक जाना
आयोडीन	घेंघा	अवरूद्ध विकास, मानसिक अक्षमता, थायरायड ग्रंथि में वृद्धि
फ्लोराइड	दंत विरूपण	दांत झड़ना, मसूड़ों का फूल जाना व उनसे रक्त आना
कैल्शियम और फास्फोरस	हड्डियों और दांतों के निर्माण पर प्रतिकूल प्रभाव	हड्डियों का कमजोर होना, दांत के इनेमल में क्षति, हड्डियों में दर्द
हॉरमोन की कमी	**रोग**	**लक्षण**
इंसुलिन	मधुमेह	रक्त में शुगर की मात्रा बढ़ जाना, व्यक्ति का संक्रमण के प्रति संवेदनशील हो जाना
थॉयराक्सिन	क्रेटेनिज्म (बच्चों में)	अवरूद्ध मानसिक क्षमता, शरीर का विकास रुक जाना,
	घेंघापन	हड्डियों के ढांचे का छोटा आकार
एसटीएच	बौनापन	हड्डियों की वृद्धि में रुकावट, जिसके कारण व्यक्ति बौना हो जाता है जो पिट्यूटरी ग्रंथि के कार्य में गड़बड़ी से उत्पन्न होती है
	भीमकाय हो जाना	पिट्यूटरी ग्रंथि की अत्यधिक क्रिया से हड्डियों का अत्यधिक विकास हो जाता है जिससे व्यक्ति असामान्य रूप से लम्बा हो जाता है

क्षयकारी रोग (Degenerative Diseases)

ये रोग शरीर के कुछ महत्त्वपूर्ण अंगों में क्षति हो जाने से उत्पन्न होते हैं। कैल्शियम के लवण या कोलेस्ट्राल का रक्तवाहिकाओं की दीवारों पर जमा हो जाना, उच्च रक्तचाप, हृदय की मांसपेशियों में रक्त की आपूर्ति में कमी, कोरोनरी धमनी में थक्का का जम जाना और वेंट्रिकल्स से ऑरिकल्स में रक्त का वापस प्रवाह शरीर की रक्तवाहिकाओं और हृदय के डिजेनरेटिव रोग हैं। मस्तिष्क में रक्त परिसंचरण में व्यवधान एवं स्ट्रोक, मिरगी और जोड़ों में पीड़ा (गठिया) इसी वर्ग के रोग के अंतर्गत आते हैं।

कैंसर (Cancer)

इसके अभिलक्षण की पहचान शरीर के कतिपय ऊतकों के अनियंत्रित विकास और विभाजन के रूप में की जाती है जिसके कारण ट्यूमर बन जाता है। सभी ट्यूमर कैंसर जन्य नहीं होते। इसमें कोशिकाओं का विभाजन सामान्य से काफी तेज हो जाता है। सामान्य कोशिकाओं की तुलना में इनका जीवनकाल काफी कम हो जाता है और कम आसंजित (adhesiveness) के कारण ये ऊतकों से होकर घूमते रहते हैं और शरीर के अन्य हिस्सों में कैंसर की वृद्धि करते हैं। कैंसर न तो संक्रामक होता है और न अनुवांशिक। कैंसर उत्पन्न करने वाले अभिकर्ताओं को कैंसरजन कहते हैं। कैंसर विकिरण द्वारा (एक्स-रे, गामा किरणें और पार्टीकुलेट विकिरण), भौतिक प्रदाहक (कतिपय खाद्य सामग्री जो अंतड़ियों की लाइनिंग में लगातार रगड़ उत्पन्न करते रहते हैं), रासायनिक अभिकर्ता (कैफीन, पोलीसाइक्लिक हाइड्रोकार्बन्स, भारी धातु के आयन, हारमोन्स), जैव अभिकर्ता (विषाणु) द्वारा उत्पन्न हो जाता है। कैंसरजन्य कोशिकाओं से प्रभावित होने वाले शरीर के अंग हैं छाती, पेट, फेंफड़ा, त्वचा, प्लीहा, हड्डियां, मांसपेशियां, लिम्फ नोड, मूत्र की थैली, योनि, जिगर और रक्त। रक्त कैंसर को

ल्यूकेमिया कहते हैं। इसमें रक्त में श्वेत रक्त कणों की संख्या बढ़ जाती है। अहितकर ट्यूमर को तत्काल निकाला जाना अनिवार्य है क्योंकि वह बहुत तेजी से बढ़ता है और स्वस्थ कोशिकाओं को नष्ट करता है जिसके कारण मृत्यु को सकती है। कैंसर के खतरनाक संकेत हैं : ट्यूमर का बने रहना, घाव का ठीक न होना, किसी घाव से निरंतर खून रिसते रहना, अपच की शिकायत, आवाज या गले का बैठा रहना, आंत की गतिविधियों में लगातार परिवर्तन, मस्से के स्वरूप में नित्य परिवर्तन, बार-बार कफ आना, गले में सूजन और वजन में अप्रत्याशित कमी।

जन्मजात बीमारियां (By Birth Diseases)

ये वे बीमारियां होती हैं जो जन्म के साथ ही जुड़ी होती हैं। ये रोग अर्जित किए जाने वाली प्रकृति के होते हैं तथा सामान्यतः जीन या गुणसूत्रों के म्यूटेशन से उत्पन्न होते हैं। ये हैं– रंजकहीनता, सिकल सेल एनेमिया, थेलेसेमिया, हीमोफीलिया, विलसन डिसीज और एनोप्थेल्मिया। कुछेक अनुवांशिक गड़बड़ियां जन्मजात शिशु में गुणसूत्रों की संख्या में परिवर्तन के कारण उत्पन्न होती हैं, उदाहारण के लिए डाउन्स सिंड्रोम (मंगोलिज्म), क्लिनफेल्टर्स सिंड्रोम, टर्नर्स सिंड्रोम या सुपर मेल/फीमेल।

बैक्टीरिया जनित रोग (Bacterial Diseases)

बैक्टीरिया वे सूक्ष्म जीवाणु होते हैं जो अनेक प्रकार के रोग उत्पन्न करते हैं। बैक्टीरिया से होने वाले रोगों की सूची तालिका में है।

तालिका : *जीवाणु जनित रोग*

रोग	उद्भवन अवधि	प्रसार माध्यम	लक्षण
राजयक्ष्मा	2-10 सप्ताह	वायुजनित ड्रापलेट संक्रमण	बुखार, कफ आना, छाती में दर्द, थूक में रक्त आना, शरीर का कोई भी भाग प्रभावित हो सकता है परंतु फेफड़े सामान्य रूप से प्रभावित
डिप्थेरिया	2-6 दिन	वायुजनित ड्रापलेट संक्रमण	नाक की श्लेष्मा ग्रंथि, गला और टांसिल में सूजन, गंभीर मामलों में श्वसन मार्ग अवरुद्ध हो जाता है, सामान्यतः 5 वर्ष से कम आयु वाले बच्चे प्रभावित होते हैं।
हैजा	6 घंटे से 2-3 दिन	प्रदूषित खाद्य पदार्थ एवं जल, घरेलू मक्खियां	संग्रहनी, चमड़ी सिकुड़ना, धंसी हुई आंखें, रक्तचाप में कमी, निर्जलीकरण, पेशाब में खनिजों का क्षरण।
कोढ़	5 वर्ष तक	लंबी अवधि तक और अंतरंग संपर्क	अंगुलियां और अंगूठे का विरुपण, अल्सर बनना, चमड़ी सिकुड़ना और इस पर दाने का उभर आना, संक्रमित चमड़ी संवेदनहीन हो जाती है।
कुकुर खांसी	7-14 दिन	ड्रापलेट संक्रमण	मध्यम बुखार, बार-बार कफ आना, उल्टी, श्वसन नली में मांस का जमाव, श्वसन में गतिरोध।
टेटनस	3-21 दिन	कृमि कोष तेज धारदार वस्तु से ये कुत्ते के काटने अथवा जमीन पर गिरने के कारण उत्पन्न होने वाले घाव के जरिए प्रवेश करते हैं।	थकावट, घावों में तेज चुभन, मरोड़न, गर्दन का अकड़ना, जबड़ों की मांसपेशियों का सख्त हो जाना, मांसपेशियों का संकुचन और लकवा।
आंत्र ज्वर	1-3 सप्ताह	निर्देशित एवं संपर्क द्वारा	सिरदर्द, आंत्र का बुखार, आंत में अल्सर और रक्त स्राव, छाती और ऊपरी उदर में लेशेज।
प्लेग	2-6 दिन	चूहे या घरेलू कीट जीवाणु को फैलाते हैं	तेज बुखार अत्यधिक कमजोरी, लिम्फ नोड का बढ़ जाना, श्वसन और फेफड़ों में रक्तस्राव।
निमोनिया	1-3 दिन	वायु जनित	लसीका का संग्रहित हो जाना, श्वसनी और एलविओली में म्युकस का जमाव, श्वसन की क्षमता में कमी।

सुजाक, सिफलिस, संग्रहनी रोग, फूड पॉयजनिंग और मस्तिष्क ज्वर, बैक्टीरिया के कारण उत्पन्न होते हैं।

तालिका : विषाणुजनित रोग (Viral Diseases)

रोग	उद्भवन अवधि	प्रसार माध्यम	लक्षण
शीतला माता	12-20 दिन	संक्रमित व्यक्ति या वस्तु के सीधे संपर्क में आने पर	बुखार, सिरदर्द, भूख की समाप्ति, सारे शरीर पर लालरंग के चकत्ते बन जाना, कुछ दिन के बाद ये चकत्ते सूखने लगते हैं और मरीज ठीक हो जाता है। 5 वर्ष से कम आयु वाले बच्चे इस रोग के विषाणु के प्रति अत्यधिक संवेदनशील होते हैं।

रोग	उद्भवन अवधि	प्रसार माध्यम	लक्षण
छोटी माता	12 दिन	ड्रापलेट संक्रमण	अचानक से तेज बुखार, सिरदर्द, पूरे शरीर में दर्द तथा चकत्ते निकल आना, ये चकत्ते द्रव के साथ गिलगिले हो जाते हैं, बाद में चकते खत्म हो जाते हैं पर इनके निशान स्थायी रूप से बने रह जाते हैं।
पोलियो	7-14 दिन	प्रत्यक्ष रूप से और मुख के जरिए	सिरदर्द और बुखार, गर्दन में अकड़न और मरोड़न अंततः पैर लकवाग्रस्त हो जाते हैं, यदि श्वसन केन्द्र छतिग्रस्त हो गये हों तो श्वसन रुक जाता है और रोग ग्रस्त व्यक्ति की मुत्यु हो जाती है।
चेचक	10 दिन	ड्रापलेट संक्रमण	ठंड लगना, सिरदर्द, बुखार के साथ कफ आना, छींके, कंजक्टिवाइटिस, चमड़ी पर फफोले पड़ना।
गलसुआ	12-26 दिन	ड्रापलेट संक्रमण	दर्द के साथ लार ग्रंथि का बढ़ जाना, तेज बुखार, जबड़ों का तेज गति और मुंह खोलने में कठिनाई।
रेबीज	1-3 माह	रेबीजग्रस्त पशुओं, जैसे, कुत्ते बंदरों और बिल्लियों के काटने से	शत-प्रतिशत घातक रोग, तेज सिरदर्द, तेज बुखार, मांसपेशियों (गले और छाती की) में दर्द भरा संकुचन। मरीज को पानी से डर लगता है इसलिए इस रोग को हाइड्रोफोबिया कहते हैं।
शीत ज्वर	24-48 घंटे	वायुजनित	ब्रोंकाइटिस, कफ, ब्रोंकोनिमोनिया

प्रोटोजोआ द्वारा उत्पन्न रोग (Protozoal Diseases)

एमोबियसिस (एमोबिक पेचिस), मलेरिया, कालाजार, ट्राइपेनोसोमिएसिस और जिएरडिएसिस वे मुख्य रोग हैं जो प्रोटोजोआ द्वारा उत्पन्न होते हैं (तालिका) मलेरिया परजीवी संक्रमण है। जब एक मच्छर रक्त चूसने के लिए एक व्यक्ति को काटता है तो वह उसके रक्त में अपने लार छोड़ देता है जिसमें मलेरिया के परजीवी मौजूद होते हैं।

कृमि रोग (Worm Diseases)

फाइलेरियाई कृमि, गोल कृमि और हुकवर्म भी रोग उत्पन्न करते हैं। हाथीपांव, एंकलोस्टोमियासिस और इंटरोबियासिस कृमियों द्वारा उत्पन्न रोग हैं (तालिका)।

एड्स (AIDS)

सर्वप्रथम एड्स रोग की जानकारी सन् 1981 में कैलिफोर्निया में हुआ था। इस रोग के कारण शरीर का प्रतिरक्षा तन्त्र (Immune system) प्रभावित होता है, एड्स (AIDS) का पूरा नाम एक्वायर्ड इम्यूनो डिफीसियेन्सी सिन्ड्रोम (Acquired Immuno Deficiency Syndrome) है, यह रोग HTLV-III (Human T Cells Leukemia Virus-III) के कारण होता है, जोकि मनुष्य के प्रतिरक्षा तंत्र (Immune system) की विशिष्ट कोशा T-4 कोशाओं पर आक्रमण करती हैं जिससे कि ये कोशाएं AIDS वायरस के शरीर में गुणन (Multiplication) में सहायक हो जाती हैं तथा इसके कारण प्रतिरक्षा तंत्र कमजोर हो जाता है एवं शरीर विभिन्न रोगों से एक साथ ग्रसित हो जाता है।

एड्स रोग के लक्षण

(*i*) लगातार बुखार (Continuous fever)

(*ii*) भारहीनता तथा कमजोरी

(*iii*) विभिन्न रोगों से एक साथ ग्रसित होना

(*iv*) लसीका ग्रंथियों (Lymph glands) में सूजन (Swelling) होना

एड्स विषाणु का संचरण (Transmission of AIDS Virus)

एड्स रोग के विषाणु रोगी व्यक्ति से स्वस्थ व्यक्तियों में निम्न कारणों से संचरित होते हैं–

(*i*) अनेक स्त्रियों से लैंगिक सम्पर्क (sexual contact) द्वारा।

(*ii*) रुधिर आधान (Blood transfusion) में संक्रमित सुइयों (Niddles) का प्रयोग करने पर।

(*iii*) रक्त (blood) के द्वारा।

(*iv*) अंग प्रत्यारोपण (Organ transplantation) द्वारा

(*v*) गर्भवती (pregnant) स्त्रियों से गर्भस्थ शिशुओं में।

(*vi*) समलैंगिकता (Homosexuality) से।

एड्स रोग की पहचान एवं निराकरण

इलिसा (ELISA Test) परीक्षण विधि द्वारा एड्स रोग की पहचान की जाती है। इस रोग के इलाज हेतु पूर्णरूप से अभी कोई विधि विकसित नहीं हो पायी है। पूरे विश्व में इसका शोध कार्य जारी है। एड्स विषाणु के संचरण (Transmission) से होने वाले कारणों के प्रति जागरुकता के माध्यम से बचाव किया जा सकता है।

हिपेटाइटिस (Hepatitis)

यह एक संक्रामक रोग है तथा विषाणुओं के द्वारा होता है। यह दो प्रकार का होता है।

1. हिपेटाइटिस-A (Hepatitis-A)

यह रोग हिपेटाइटिस विषाणु-A (Hepatitis Virus-A) के कारण होता है तथा मल, भोजन, जल तथा अन्य वस्तुओं के द्वारा संक्रमण से फैलता है।

रोग के लक्षण–

(*i*) ज्वर (Fever)

(*ii*) यकृत कोशाओं (Liver cells) की क्षति

(*iii*) डायरिया (Diarrohea)

(*iv*) कंपकंपी (Shivering)

(*v*) जी मिचलाना (Vomiting)

2. हिपेटाइटिस-B (Hepatitis-B)

यह रोग हिपेटाइटिस विषाणु-B (Hepatitis virus-B) के कारण होता है। इस रोग में यकृत ऊतकों (Liver tissues) में सूजन (Swelling) आ जाती है।

उपचार–

(*i*) गामा ग्लोब्यूलिन (γ-globuline) का इंजेक्शन देकर

(*ii*) इण्टरफेरॉन (interferon) द्वारा उपचार करके

(*iii*) रक्त आधान (blood transfusion) के समय हिपेटाइटिस B के रोगी को रक्त में एण्टीजन A_4 (Antigen-A_4) की उपस्थिति ज्ञात करके तथा इस रक्त को ग्रहण न करके।

तालिका : *रक्त संचरण (Blood Transmission) के द्वारा फैलने वाले रोग*

रोग	रोगजनक
1. एड्स (AIDS)	HIV (Human Immuno deficiency Virus)
2. हिपेटाइटिस (Hepatitis)	हिपेटाइटिस वायरस (Hepatitis virus)

तालिका : *प्रोटोजोआ जनित रोग (Protozoan Diseases)*

रोग	रोगजनक
1. अमीबिएसिस (Amoebiasis)	*एण्टअमीबा हिस्टोलाइटिका (Entamoeba histolytica)*
2. पायरिया (Pyrrohoea)	*एण्टअमीबा जिन्जीवेलिस (Entamoeba gineasivellis)*
3. मलेरिया	*प्लाज्मोडियम वाइवेक्स (Plasmodium vivex)*
4. अफ्रीकन सुसुप्त रोग (African Sleeping disease)	*ट्रिपैनोसेमा (Trypanosoma)*

तालिका : *कृमि जनित रोग (Worm Diseases)*

रोग	रोगजनक
1. टीनिएसिस (Taeniasis) या सिस्टीसर्कोसिस (Cysticercosis)	*टीनिया सोलियम (Taenia solium)*
2. एलीफेन्टेसिस (Elephantasis) या फाइलेरिएसिस (Filariasis)	*बुचेरेरिया बेंक्रोफ्टाई (Wuchereria bancrofti)*
3. एस्केरिएसिस (Ascariasis)	*एस्केरिस लुम्ब्रीकॉएडिस (Ascaris lumbricoides)*

तालिका : *जीवाणु जनित रोग (Diseases caused by Bacteria)*

रोग	रोगाणु
1. टिटेनस	*क्लोस्ट्रीडियम टिटेनाई (Clostridium tetani)*
2. तपेदिक (T.B.) या यक्ष्मा	*मायको बैक्टीरियम ट्यूबरकुलोसिस (Mycobacterium tuberculosis)*
3. डिप्थीरिया	कार्नीबैक्टीरियम डिप्थीरी *(Corynebacterium diphtheriae)*
4. काली खाँसी	बैसिलस परट्यूसिस *(Bacillus petussis)*
5. हैजा	विब्रो कोलरा *(Vibrio cholerae)*
6. टायफॉइड	साल्मोनेला टायफी *(Salmonella typhie)*
7. सुजाक या गोनोरिया	*नीसेरिया गोनोरी (Neiseria gonorrhoae)*
8. अतशाक या सिफलिस	*ट्रीपोनीमा पैलिडिम (Treponema pallidum)*
9. अतिसार	*शिगेला जातियाँ (Shigella spp.)* साल्मोनेला जातियाँ *(Salmonella spp.)* *ईश्चररिश्चिया कोलाई (Escherischia coli)*
10. प्लेग	*पास्टयूरेला पेस्टिस (Pasteurella pestis)* *यार्सिनिया पेस्टिस (Yersinia pestis)*
11. पीलिया	*लैप्टोस्पाइरा इचीटीरोहैरेगी (Leptospira iciterohaerrhagrae)*
12. न्यूमोनिया	*स्ट्रेप्टोकोकस न्यूमोनी (Streptococcus pneumoniae)*
13. कोढ़	*मायकोबैक्टीरियम लैप्री (Mycobacterium laprae)*

तालिका : *लैंगिक सम्पर्क जन्य रोग (Sexually Contact Diseases)*

रोग	रोगजनक
1. सिफिलिस (Syphilis)	*ट्रिपोनेमा पैलिडम (Treponema pallidum)*
2. जेनाइटल हर्पिस (Genital harpes)	*हर्पिस वायरस (Harpes virus)*
3. ट्राइकोमोनिएसिस (Trichomoniasis)	*ट्राइकोमोनास वेजिनेलिस (Trichomonas vaginalis)*
4. N.G.U. (Non-Gonococcal Urethritis)	*गोनोरिआ वायरस (Gonorrhoea virus)*
5. गोनोरिआ (Gonorrheoa)	*निसेरिया गोनोरिआ (Neisseria gonorrhoea)*

वस्तुनिष्ठ प्रश्न

1. *टीनिया सैजिनेटा* के विषय में निम्न में से कौन-सा एक कथन सही है?
   (a) इसमें रौस्टेलम पर हुक नहीं होते
   (b) इसके स्कोलैक्स पर दो बड़े-बड़े चूषक होते हैं
   (c) इसके जीवन इतिहास में मध्यस्थ परपोषी के रूप में सुअर होता है।
   (d) इसके रौस्टेलम पर हुकों का दोहरा चक्र पाया जाता है।

2. निम्न जोड़ों में से एक जोड़े में रोग पैदा करने वाले रोगाणु तथा उससे उत्पन्न होने वाले रोग को सही-सही मिलाया गया है–
   (a) *ग्लौसीना पैल्पेलिस* – काला आजार
   (b) *लीशमानिया डोनोवानी* – निद्रा रोग
   (c) *एनोफिलीज मैकुलेट्स* – मलेरिया
   (d) *वूचेरिया बैंक्रोफ्टाई* – फाइलेरिएसिस

3. काला आजार क्रमशः उत्पन्न एवं संचारित होता है–
   (a) *ट्रिपैनोसोमा* एवं *ग्लौसीना पैल्पेलिस* से
   (b) *लीशमानिया* एवं *फ्लीबोटोमम* से
   (c) *ट्रिपैनोसोमा* एवं *बालू मक्खी* से
   (d) *लीशमानिया* एवं *सीसी मक्खी* से

4. कर्कट रोग उत्पन्न करने से सम्बन्धित जीन्स कहलाती है–
   (a) आनकोजीन्स (b) अध्यबुर्द जीन्स (कार्सिनोमा)
   (c) नासूर जीन्स (d) कर्कट जीन्स

5. निम्न में से कौन-सा एक जोड़ा सही-सही नहीं मिलाया गया है?
   (a) डेंगू ज्वर – *आर्बोवाइरस*
   (b) प्लेग – *यर्सीनिया पेस्टिस*
   (c) उपदंश – *ट्राइक्यूरिस ट्राइकियूरा*
   (d) निद्रा रोग – *ट्रिपैनोसोमा गैम्बिएन्स*

6. एड्स (AIDS) सम्बन्धित जटिल (ए आर सी) एक रोग है जिसमें होता है, बुखार, सूजी लसिका गाँठें, रात्रि स्वेद, भार में कमी आदि द्योतक हैं–
   (a) एड्स के तेज स्वरूप के
   (b) एड्स के प्रारम्भिक स्वरूप के
   (c) एड्स की कोई कड़ी नहीं
   (d) उपरोक्त में से कोई नहीं

7. एलर्जी (allergy) में जलन का अनुभव मास्ट कोशिकाओं में से निम्न का स्रावण होने से होता है–
   (a) हिस्टेमीन (b) प्रतिरक्षी
   (c) प्रतिजन (d) इनमें से कोई नहीं

8. किस रोग में एक पदार्थ जो कंठ में अर्धतरल रूप में स्रावित होता है तथा सूखने पर कड़ी पर्त बना लेता है?
   (a) डिप्थीरिया (b) यक्ष्मा
   (c) परट्यूसिस (d) टिटेनस

9. निम्न में से कौन मानव में X-सहलग्न अप्रभावी आनुवंशिकता नहीं है?
   (a) लैश-नीहैन सिण्ड्रोम (Lasch-Nyhen syndrome)
   (b) जुवेनाइल मस्कुलर डिस्ट्राफी (Juvenile muscular dystrophy)
   (c) दात्र कोशिका अरक्त (Sickle cell anaemia)
   (d) हन्टर सिण्ड्रोम (Hunter's syndrome)

10. अगले दो दशकों में निम्न में से कौन से एक के प्राप्त हो सकने की सम्भावना है?
    (a) मस्तिष्क-मन परस्पर क्रिया को पूरी तरह समझ सकना
    (b) कैंसर का नियंत्रण
    (c) मधुमेह के आनुवंशिक आधार को ठीक कर सकना
    (d) उच्चतर पौधों द्वारा सेल्यूलोज न बनाकर जैव विघटनशील प्लास्टिक का बना सकना

11. "ऐण्टिबायोटिक" के विषय में कौन सी एक बात सही नहीं है?
    (a) "ऐण्टिबायोटिक" शब्द को सेल्मान वाक्समैन ने सन् 1942 में बताया था
    (b) प्रथम ऐण्टिबायोटिक की खोज ऐलेक्जैण्डर फ्लैमिंग ने की थी
    (c) प्रत्येक ऐण्टिबायोटिक किसी एक खास किस्म के रोगाणु के प्रति ही कारगर होती है
    (d) कुछ लोगों में किसी एक खास ऐंटिबायोटिक के लिए ऐलर्जी होती है

12. मनुष्य के अलावा और किस स्तनधारी में कोढ़ होता है–
    (a) राइनोलोपस (Rhinolopus)
    (b) डेसमोडस (Desmodus)
    (c) डैसीपस (Dasypus)
    (d) मस (Mus)

13. मानवों में रेट्रोवाइरसों को कैंसर के पैदा होने के एक कारण के रूप में माना जाता है क्योंकि–
    (a) इनमें रिवर्स ट्रांसक्रिप्टेज का जीन होता है
    (b) इनके जीनोम में कोशिकीय प्रोटो-ऑन्कोजीन हो सकते हैं
    (c) इनके जीनोम v-आन्कोजीन हो सकते हैं
    (d) इनमें आनुवंशिक पदार्थ के रूप में एकल सूत्री RNA होता है

14. सिफलिस एक लैंगिक प्रसारित रोग है, जो उत्पन्न होता है–
    (a) *पैस्टूरेला (Pasteurella)* द्वारा
    (b) *लेप्टोस्पाइरा (Leptospira)* द्वारा
    (c) *ट्रीपोनीमा पैलिडियम (Treponema pallidium)* द्वारा
    (d) *विब्रिओ (Vibrio)* द्वारा

15. एल्कोहल पीने के आदी व्यक्तियों में यकृत नष्ट हो जाता है, क्योंकि यह–

(*a*) एल्कोहल को विष रहित करता है
(*b*) ग्लाइकोजन की अतिरिक्त मात्रा को संग्रह करता है
(*c*) अधिक पित्त स्रवित करने के लिए अधिक उद्दीप्त हो जाता है
(*d*) अतिरिक्त वसा का जमाव करता है

16. निम्न में से कौन-सा कीटनाशक अब निरूद्ध है?
(*a*) एल्ड्रिन (*b*) एण्ड्रिन
(*c*) डी डी टी (*d*) टाक्साफेन

17. सामान्य रूप में प्रयोग में लाये जाने वाले पदार्थों को सूची-I में दिया गया है तथा सूची-II में उनके स्रोतों के नाम दिए गये हैं। सूची-I को सूची-II से सुमेलित करिए तथा दिये गये कूटों का प्रयोग करते हुए सही उत्तर का चुनाव करिए–

सूची-I दुष्प्रयोग की गयी औषधियाँ	**सूची-II** (उदाहरण)
A. ओपिएट (opiate)	1. गांजा तथा चरस
B. उद्दीपक (stimulant)	2. नेम्ब्यूटाल तथा सीकोनाल (nembutal and seconol)
C. विभ्रम (hallucinogens)	3. बेन्जेड्रीन तथा मेथेड्रन (benjedrine and methadrine)
D. शामक (depressants)	4. रम तथा व्हिस्की
	5. अफीम तथा हेरोइन

कोड :

	A	B	C	D
(*a*)	3	4	5	2
(*b*)	3	4	2	1
(*c*)	3	4	1	5
(*d*)	5	3	1	2

18. उपार्जित असंक्राम्य अभाव लक्षण समष्टि (एड्स)–
(*a*) की यह विशेषता है कि हनन करने वाली टी-कोशिकाओं की संख्या में कमी हो जाती है
(*b*) की यह विशेषता है कि सहायक टी कोशिकाओं की संख्या कम हो जाती है
(*c*) एक आत्म-असंक्राम्य रोग है
(*d*) रुधिर द्वारा इण्टरफेरोन बनाने की असमर्थता का परिणाम है

19. सूची-I और सूची-II का मिलान कीजिये तथा नीचे दिये गये कूटों के उपयोग से सही उत्तर का चयन कीजिये।

सूची-I रोग का नाम	**सूची-II** अंग/तन्त्र
A एम्फाइसेमा (emphysema)	1. तंत्रिका तन्त्र
B अल्सर	2. परिवहन तन्त्र
C आर्टरियोस्क्लेरोसिस (arteriosclerosis)	3. श्वसन तन्त्र
D मिर्गी (epilepsy)	4. पाचन तन्त्र
	5. उत्सर्जन तन्त्र

कोड :

	A	B	C	D
(*a*)	1	2	3	4
(*b*)	5	3	2	1
(*c*)	3	4	2	1
(*d*)	4	3	2	1

20. शराब का व्यसन हानिकारक है क्योंकि इससे–
(*a*) यकृत में प्रोटीन का भण्डारण हो जाता है
(*b*) यकृत में अतिरिक्त वसा का भण्डारण हो जाता है
(*c*) रक्त में शर्करा का स्तर बढ़ जाता है
(*d*) कैंसर हो जाता है

21. इथलिन डाई क्लोराइड किस प्रकार का विष है–
(*a*) आमाशय विष (stomach poison)
(*b*) सम्पर्क विष (contact poison)
(*c*) फ्यूमीगैण्ट (fumigant)
(*d*) जैविक नियन्त्रण (biological control)

22. आत्म-असंक्राम्य (autoimmunity disease) रोग है–
(*a*) हीमोफिलिया
(*b*) एड्स (AIDS)
(*c*) मायस्थिनिया ग्रेविस (mysthenia gravis)
(*d*) इनमें से कोई नहीं

23. निष्क्रिय प्रतिरक्षा में निम्न में से क्या किया जाता है?
(*a*) प्रतिजन इंजेक्ट किये जाते हैं
(*b*) प्रतिरक्षी इंजेक्ट किये जाते हैं
(*c*) कमजोर कटे हुए रोगाणु इंजेक्ट किये जाते हैं
(*d*) उपरोक्त में से कोई नहीं

24. एड्स (AIDS) फैलाने में सहायक हो सकता है–
(*a*) रक्त परिसंचरण (*b*) हाथ मिलाना
(*c*) अनुरंजन (*d*) उपरोक्त सभी

25. 'लेथिरिज्म' एक बीमारी है जो खेसारी दाल खाने से होती है, इसकी विशेषता है–
(*a*) हड्डियों को विकृत करना व कोलेजन तन्तुओं व फाइब्रिल्स को पतला करना
(*b*) प्रजननता समाप्त करना, डाइबिटीज को बढ़ाना तथा कंकाल तन्त्र को विकृत करना
(*c*) शरीर के विकास को रोकना, न्यूरोमस्कुलर जंक्शन पर प्रभाव तथा लकवा
(*d*) दिमाग को कमजोर करना, प्यूबर्टी में देर करना तथा दिल व परिसंचरण तन्त्र को अव्यवस्थित करना

26. 'ओरल कण्ट्रासेप्टिव' गोली में सबसे मुख्य होता है–
(*a*) प्रोजेस्ट्रोन
(*b*) वृद्धि हॉरमोन
(*c*) थाइरोक्सिन
(*d*) एस्ट्रोजन

27. ह्यूमन इम्यूनो डैफिशिएन्सी वाइरस (HIV) में प्रोटीन का कोट व आनुवंशिक पदार्थ होता है, जो है–
(*a*) डबल स्ट्रेण्डेड आर एन ए
(*b*) सिंगल स्ट्रेण्डेड डी एन ए
(*c*) डबल स्ट्रेण्डेड डी एन ए
(*d*) सिंगल स्ट्रेण्डेड आर एन ए

28. यकृत में सतंतुरोग (सिरोसिस) का कारक है–
(*a*) शर्करा (*b*) विटामिन्स
(*c*) वसा एवं तेल (*d*) मद्यपान

29. कैंसर पैदा करने वाली कोशिकाओं के दूरस्थ स्थानों पर विस्तारणों को कहते हैं–
(*a*) मेटास्टेसिस (metastasis)
(*b*) ऑनकोजिन्स (oncogenes)
(*c*) प्रोटो ऑन्कोजिन्स (proto-oncogenes)
(*d*) घातक नियोप्लाज्म (malignant neoplasm)

30. इनमें से कौन-सा रोग ऑन्कोजिन्स (oncogenes) की सक्रियता से होता है–
(*a*) विषूचिका (हैजा) (*b*) कैंसर
(*c*) क्षयरोग (TB) (*d*) वाइरल फ्लू (viral flu)

31. धूम्रपान की आदत हानिकारक है क्योंकि यह पॉलिसाइक्लिक एरोमेटिक हाइड्रोकार्बन उत्पन्न करते हैं जिससे होता है–
(*a*) ऑक्सीजन परिवहन में कमी
(*b*) रक्त चाप बढ़ जाता है
(*c*) कैंसर
(*d*) भ्रूण का विकास रुक जाता है

32. इनमें से कौन-सा पदार्थ कारसिनोजिन्स से सुरक्षा प्रदान करता है?
(*a*) एफ्लोटाक्सिन (aflotoxin)
(*b*) टोकोफेरोल (tocopherol)
(*c*) प्रतिऑक्सीडेण्टस (antioxidants)
(*d*) रासायनिक दवाइयाँ

33. नीचे दो स्तम्भ दिए गए हैं। स्तम्भ-I में रोगों के साधारण नाम तथा स्तम्भ-II में उनके मेडिकल नाम दिए गए हैं। स्तम्भ-I को स्तम्भ-II से मिलाइए और सही उत्तर का चयन कीजिए–

स्तम्भ-I	स्तम्भ-II
A. लघु कोशिकाओं में रुधिर स्कंदन	1. राइनिटिस
B. कपाट शिकार	2. स्टीनोसिस
C. हे ज्वर	3. पारकिन्स रोग
D. उत्तेजक	4. कोरोनरी थ्रॉम्बोसिस

कोड :

	A	B	C	D
(*a*)	4	1	3	2
(*b*)	2	4	3	1
(*c*)	3	4	2	1
(*d*)	4	2	1	3

34. अगर कैन्सर कोशिकाओं को विकिरणों में अनावरित किया जाए तो वे नष्ट हो जाएगी क्योंकि–
(*a*) ये शीघ्रता से उत्परिवर्तन करेंगी
(*b*) संरचना भिन्न होती है
(*c*) आकार भिन्न होता है
(*d*) ये सक्रिय विभाजनशील कोशिकाएँ हैं

35. स्तम्भ-I में दी गई असामान्यताओं को स्तम्भ-II में दिए गए लक्षणों के साथ मिलाइए। नीचे दिए गए कूटों की सहायता से सही उत्तर का चयन कीजिए–

स्तम्भ-I	स्तम्भ-II
A. हेमीप्लेजिया	1. आन्तरिक रुधिर स्कंद का निर्माण
B. सेरेब्रल थ्रोम्बोसिस	2. अक्स्मात बेहोशी साथ ही अभिग्रहण
C. एपीलेप्सी	3. वाक विकार
D. एफेसिया	4. शरीर के आधे हिस्से का काम न करना
	5. व्यक्तियों या पदार्थों को पहचानने में अक्षम

कोड :

	A	B	C	D
(*a*)	4	5	3	1
(*b*)	4	1	2	3
(*c*)	1	4	2	5
(*d*)	5	1	4	3

36. निम्न में से कौन से जोड़े में एस टी डी तथा इसके कारक सही मेल हैं–
(*a*) एड्स – *निसेरिया गोनोरिया (Neiseria gonorrhoae)*
(*b*) गोनोरिया – *ट्रिपेनोसोमा गैम्बिएन्स (Trypanosoma gambiens)*
(*c*) सिफलिस – *ट्रीपोनीमा पैलीडियम (Treponema pallidium)*
(*d*) काला आजार – लीशमानिया डोनोवानी *(Leishmania donovani)*

37. विषाणु संक्रमण के पश्चात शरीर में उत्पन्न होते हैं–
(*a*) इण्टरफेरोन्स (interferons)
(*b*) गामा ग्लोब्यूलिन (gamma globulins)
(*c*) श्वेत रुधिराणु
(*d*) लाल रुधिराणु

38. एड्स है एक प्रकार का–
(*a*) कैंसर
(*b*) विषाणु जन्य रोग (viral borne disease)
(*c*) जीवाणु जन्य रोग (bacterial disease)
(*d*) अभाव रोग (deficiency disease)

39. निम्न में से कौन-सा रोग आनुवंशिक है?
(*a*) रतौंधी (night blindness)

(*b*) मैरास्मस (marasmus)
(*c*) दात्र कोशिका अरक्तता (sickle cell anaemia)
(*d*) मेगालोब्लास्टिक अरक्तता (megaloblastic anaemia)

40. एक्स विकिरण या गामा-विकिरणों द्वारा कैंसर के उपचार को कहते हैं–
(*a*) विकिरण चिकित्सा (*b*) शल्य चिकित्सा
(*c*) रसायन चिकित्सा (*d*) हॉरमोन चिकित्सा

41. एक बोवाइन (bovine) पशुओं का रोग–बोवाइन स्पोन्जीफार्म एनसिफैलोपैथी (bovine spongiform encephalopathy) मनुष्य के किस रोग के समान है?
(*a*) काला आजार
(*b*) जैकब क्रुट्ज़फेल्ट रोग (Jacob cruitzfelt disease)
(*c*) सेरीब्रल स्पोन्डीलाइटिस (cerebral spondylitis)
(*d*) एन्सिफेलाइटिस (encephalitis)

42. मनुष्य में अमीबता किसके द्वारा उपार्जित होता है–
(*a*) विषाणु संक्रमण
(*b*) सिस्ट द्वारा खाद्य का संदूषण
(*c*) अमीबी ट्रोफोजोइट का अकस्मात संदूषण
(*d*) उपरोक्त में से कोई नहीं

43. कार्सिनोमा किसका कैंसर होता है?
(*a*) संयोजी ऊतक (*b*) श्वेत रुधिर कोशिकाओं का
(*c*) लिम्फोसाइट का (*d*) एक्टोडर्म तथा एण्डोडर्म का

44. अगर कोई मनुष्य धूसर सफेद मल उत्सर्जित करे, तो उसका कौन सा अंग प्रभावित होगा?
(*a*) प्लीहा (*b*) यकृत
(*c*) वृक्क (*d*) अग्न्याशय

45. नारकोटिक औषध जैसे चरस, भांग तथा गांजा निकाले जाते हैं–
(*a*) हेम्फ पादप (*b*) पॉपी की बीजों से
(*c*) कोको पादप (*d*) कवक गरगोट से

46. अंग या अंग तन्त्र की कुसंक्रिया (malfunctioning) के कारण होने वाले रोग को कहते हैं–
(*a*) हीनता रोग (*b*) एलर्जी
(*c*) कैन्सर (*d*) विपोषी रोग

47. तम्बाकू में होता है–
(*a*) कोकेन (*b*) मार्फीन
(*c*) कोडीन (*d*) निकोटिन

48. कौन-सा वाहक तथा रोग सही सुमेलित है?
(*a*) बालू मक्खी–निद्रालुव्याधि
(*b*) एनोफेलीस–मलेरिया
(*c*) क्यूलेक्स–पीला ज्वर
(*d*) सी सी मक्खी–प्राच्य दाह (oriental sore)

49. मेटास्टेसिस जुड़ा है–
(*a*) दुर्दम तथा सुदम ट्यूमर दोनों से
(*b*) वृद्धित गॉल ट्यूमर से
(*c*) दुर्दम ट्यूमर से
(*d*) सुदम ट्यूमर से

50. सदर्न ब्लॉट तकनीक सम्बन्धित है–
(*a*) डी एन ए प्रोफाइलिंग
(*b*) विडाल WIDAL परीक्षण
(*c*) ELISA परीक्षण
(*d*) ब्लाइन्ड परीक्षण

उत्तरमाला

1	2	3	4	5	6	7	8	9	10
(*a*)	(*d*)	(*b*)	(*a*)	(*c*)	(*a*)	(*a*)	(*a*)	(*c*)	(*c*)
11	**12**	**13**	**14**	**15**	**16**	**17**	**18**	**19**	**20**
(*c*)	(*d*)	(*b*)	(*c*)	(*d*)	(*b*)	(*d*)	(*b*)	(*c*)	(*b*)
21	**22**	**23**	**24**	**25**	**26**	**27**	**28**	**29**	**30**
(*a*)	(*c*)	(*b*)	(*a*)	(*c*)	(*d*)	(*d*)	(*d*)	(*a*)	(*b*)
31	**32**	**33**	**34**	**35**	**36**	**37**	**38**	**39**	**40**
(*c*)	(*c*)	(*d*)	(*d*)	(*b*)	(*c*)	(*a*)	(*b*)	(*c*)	(*a*)
41	**42**	**43**	**44**	**45**	**46**	**47**	**48**	**49**	**50**
(*b*)	(*b*)	(*d*)	(*b*)	(*b*)	(*a*)	(*d*)	(*b*)	(*c*)	(*a*)

●●●

अध्याय

21

पीड़कनाशी (पेस्टीसाइड्स) (Pesticides)

- **पीड़कनाशी** वे रसायन हैं जो पेस्ट (Pest) को नष्ट करने के लिए प्रयुक्त किये जाते हैं। यह अनैच्छिक जीवाणुओं की वृद्धि रोकने के लिए प्रयुक्त किये जाते हैं।
- कीटनाशी (Pesticides) मुख्य रूप से तन्त्रिका तन्त्र (Nervous system) को प्रभावित करते हैं।
- डे बेरी (De Bary) ने सर्वप्रथम फफूँद जनित रोगों की खोज की थी।
- पेस्टीसाइड्स के उपयोग के पश्चात् बचे हुए कीटों या खरपतवार में प्रतिरोधी शक्ति उत्पन्न हो जाती है, जिससे उनका नियन्त्रण करना कठिन हो जाता है।

  उदाहरण – D. D. T. के लिए वर्तमान में मच्छरों में पूर्णरूप से प्रतिरोध क्षमता उत्पन्न हो चुकी है।

पेस्टीसाइड्स के प्रकार (Types of Pesticides)

1. फंजीसाइड्स (Fungicides)
2. वीडीसाइड्स (Weedicides)
3. इन्सेक्टीसाइड्स (Insecticides)
4. निमेटीसाइड्स (Nematicides)
5. रोडेण्टीसाइड्स (Rodenticides)

पेस्टीसाइड्स के मुख्य वर्ग

(i) कीटनाशी (Insecticides)

ये वे रसायन होते हैं, जो फसल को हानि पहुँचाने वाले कीटों को नष्ट करने के लिये प्रयुक्त किये जाते हैं। कुछ व्याधियों जैसे मलेरियां तथा पीत ज्वर को नियंत्रित करने के लिये भी इन रसायनों का उपयोग किया जाता है।

सन् 1950 से ऑर्गेनोक्लोरीन्स (क्लोरीकृत हाइड्रोकार्बन्स) को कीटनाशी के रूप में व्यापक रूप से प्रयुक्त किया जा रहा है। इनके सामान्य उदाहरण हैं– DDT (डाइक्लोरोडाइफिनाइलट्राइ-क्लोरोईथेन), BHC (बेन्जीन हैक्साक्लोराइड), आदि।

ये ऑर्गेनोक्लोरीन्स बहुत स्थायी तथा जल में अघुलनशील होते हैं तथा लम्बे समय तक बायोलोजिकल क्रियाशीलता प्रदर्शित करते हैं, परन्तु भूमि में इनके एकत्रिकरण से अलक्ष्य जीवाणु (non-target organisms) भी प्रभावित हो जाते हैं। ये कीटनाशी भी मनुष्यों तथा जन्तुओं की भोजन शृंखला में प्रवेश पा जाते हैं, तथा हानिकारक प्रभाव जैसे, अंडे के आवरण का पतला हो जाना, प्रदर्शित करते हैं।

(ii) कवकनाशक (Fungicides)

इन यौगिकों का उपयोग फंगस की वृद्धि को रोकने के लिए किया जाता है। फंजाई (fungi) वे पौधे होते हैं जिनमें क्लोरोफिल नहीं होता है और इस प्रकार CO_2 तथा H_2O को खाद्य पदार्थ (कार्बोहाइड्रेट) में परिवर्तित करने के लिये सूर्य के प्रकाश का उपयोग नहीं कर सकते हैं। इस प्रकार फंजाई परजीवी होते हैं तथा अपनी वृद्धि के लिये दूसरे पौधों तथा जीवाणुओं पर निर्भर रहते हैं।

अतः आधार पौधों की वृद्धि मंद पड़ जाती है। सामान्यतया ऑर्गेनोमर्करी यौगिकों का उपयोग फंगसनाशी के रूप में किया जाता है।

फफूँदनाशी या फंजीसाइड्स (Fungicides)

ये निम्नलिखित प्रकार के होते हैं–

1. **बोर्डक्स मिक्सचर (Bordeaux mixture) :** यह कॉपर सल्फेट ($CuSO_4$), चूना (Lime) ($CaCO_3$) तथा जल (H_2O) का मिश्रण होता है।
2. **बरगेण्डी मिक्सचर (Burgendy mixture) :** यह कॉपर सल्फेट + सोडियम कार्बोनेट (Na_2CO_3) + जल का मिश्रण होता है।
3. **लाइम सल्फर (Lime sulphur) :** यह कैल्सियम थायोसल्फेट + कैल्सियम पॉलीसल्फाइड का मिश्रण होता है।
4. **कार्बनिक यौगिक :** जैसे–थिरेम (Thiram), डाइक्लोन (Dichlone), क्लोरेनिल (Chloranil), केप्टॉन (Capton), फोलपेट (Folpet) तथा फिनोल (Phenols) आदि।

(iii) खरपतवार नाशक (Herbicides/Weedicides)

ये रसायन खरपतवार को नष्ट करने के लिये प्रयोग किये जाते हैं। सन् 1950 तक सोडियम क्लोरेट ($NaClO_3$) तथा सोडियम ऑर्सेनाइट लोकप्रिय खरपतवार नाशक थे।

इनको अब कार्बनिक खरपतवारनाशी जैसे, ट्राइऐजीन्स (triazines) से प्रतिस्थापित कर दिया गया है, क्योंकि आर्सेनिक के यौगिक विषैली प्रकृति के होते हैं।

शाकनाशी रसायनों का वर्गीकरण (Classification of Herbicides)

1. वरणात्मक शाकनाशी (Selective Herbicides)

(अ) पत्र अनुप्रयोग (Foliage application)

(*i*) *सम्पर्क शाकनाशी* (*Contact Herbicides*)– जैसे – पोटैशियम साइनेट, डाइक्वाट, पैराक्वाट, अमोनियम सल्फामेट, इण्डोथाल, PCP, DNBP, H_2SO_4, सोडियम आर्सेनेट, नाइट्रोफेन आदि।

(*ii*) *स्थानान्तरित शाकनाशी* (*Translocated Herbicides*) – जैसे – 2, 4-D; 2, 4-DB; 2,4, 5-T; डेलापान; एम.सी.पी.ए.; एम.एस.एम.ए.; प्रोपेनिल, मैलिक हाइड्राजाइड; सिलवैक्स आदि।

(ब) मूल अनुप्रयोग (Root application) – एट्राजीन, सिमैजीन, अमीबेन, एवाडैक्स, कोटोरान, केसोरान, डाइयूरान, मोन्यूरान, टेनारान, एप्टाम, निट्रोफेन (टोकई-25), ट्राइफ्लूरेलिन, इण्थोथाल, डैकथाल, लोरोक्स, प्रोमेट्रीन, प्रोपेजिन, CDAA (रेनडाक्स), CDEC, (वैगाडैक्स), NPA, TCA आदि।

2. अवरणात्मक शाकनाशी (Non-selective Herbicides)

(अ) पत्र अनुप्रयोग (Foliage application)

(*i*) *सम्पर्क शाकनाशी* (Contact Herbicides) – जैसे – अम्मेंट, डाइक्वाट, पैरावैक्ट, DNBP, PCP, सोडियम आर्सेनेट, सोडियम क्लोरेट आदि।

(*ii*) *स्थानान्तरित शाकनाशी* (Translocated Herbicides) – जैसे – 2, 4-D; 2, 4, 5-T; डेलापन, एमीट्रोल।

(ब) मूल अनुप्रयोग (Root application)

(*i*) *मृदा धूम्रक* (Soil Fumigants)–जैसे – EPTC, कार्बनडाई सल्फाइड (CS_2), एट्राजीन, मिथाइल ब्रोमाइड, वेपम आदि।

(*ii*) *मृदा जीवाणुनाशक* (Soil Sterilants) – जैसे – डाइयूरान, मोनायूरान, नैबूरान, फेन्यूरान, बोरेट्स, क्लोरेट्स, एट्राजीन, सिमैजीन, ग्लाइफोसेट आदि।

छिड़काव के समय के अनुसार शाकनाशी का वर्गीकरण (Classification of Herbicides According to Time of Application)

1. **पूर्व-रोपण या पूर्व-बुआई (Pre-planting or Pre-sowing):** इसमें शाकनाशी का प्रयोग बुआई या रोपण से पहले करते हैं। जैसे – एलाक्लोर, एलिल एल्कोहल, एट्राजीन, फ्लूक्लोरेलिन, EPTC आदि।
2. **अंकुरण से पूर्व (Pre-emergence) :** इसमें शाकनाशी का प्रयोग बुआई के बाद परन्तु अंकुरण से पूर्व करते हैं। जैसे – एलाक्लोर, एमिट्रिन, एट्राजीन, ब्रोमेसिल, मोनायूरान, सिमैजीन, TCA, TCBC, टर्बेसिल आदि।
3. **अंकुरण के बाद (Post-emergence) :** इसमें शाकनाशी का प्रयोग बीज अंकुरण के बाद करते हैं। जैसे–2,4-D, प्रोपेनिल, सिलवैक्स, 2,4-DB; 2,4,5-T, रिटार्ड, MSMA, पैराक्वाट, आइसोप्रोट्यूरान, डेलापान, डाइक्वाट आदि।

शाकनाशी रसायनों की सान्द्रता (Concentration of Herbicides)

व्यवस्थापित शाकनाशियों का प्रयोग निम्न रूपों से किया जाता है–

1. **द्रव के रूप में (Solution of oil or water) :** एक या दो रसायनों का समानता रखने वाला मिश्रण 'द्रव' कहलाता है। जैसे–सिलवैक्स, 2,4,5-T, 2,4-D के एमाइन साल्ट, PCP, TCA व डेलापान के सोडियम साल्ट आदि।
2. **तेलयुक्त मिश्रण (Emulsion) :** तेल में घुलनशील शाकनाशी रसायनों को पानी में मिलाने के मिश्रण को 'इमल्सन' कहते हैं। जैसे–MCPA, CIPC, CDAA आदि।
3. **नमीयुक्त पाउडर (Wettable Powder) :** जैसे – सिमैजीन।
4. **दानों के रूप में (Granules) :** कुछ शाकनाशी रसायनों को दानों व छोटी-छोटी गोलियों के रूप में प्रयोग करते हैं। जैसे–2, 4-D, सिमैजीन, फैन्यूरान व मैचेटी का प्रयोग दानों के रूप में भी किया जा सकता है। दाने का आकार 0.04 से 1.0 मिमी. तक हो सकता है।

वस्तुनिष्ठ प्रश्न

1. B.H.C. 10% का व्यापारिक नाम है–

(*a*) कैप्टान (*b*) गैमेक्सीन
(*c*) एल्ड्रिन (*d*) सेरेसान

2. डी. डी. टी. का आविष्कार किया था–

(*a*) आर. ए. मिलिकन ने
(*b*) पिटमैन ने
(*c*) डॉ. पाल मुलर ने
(*d*) शोल्ज ने

3. निम्नलिखित रासायनिक यौगिकों पर विचार कीजिए–

(1) एल्युमिनियम फॉस्फाइड
(2) एंडोसल्फान
(3) मैलाथियॉन
(4) मिथाइल ब्रोमाइड

उपर्युक्त में से कौन-से धूम्रक के रूप में प्रयोग में लाए जाते हैं?

(*a*) 1, 2, 3 4 (*b*) 2, 3, तथा 4
(*c*) 1, 2 तथा 3 (*d*) 1 तथा 4

4. कुछ देशों में निम्नलिखित में से कौन-सा पीड़कनाशी प्रतिबन्धित है?
(*a*) डी. डी. टी. (*b*) डाइएल्ड्रिन
(*c*) क्लोरडेन (*d*) पैराथियन

5. हैप्टाक्लोर है–
(*a*) कवकनाशी (*b*) खरपतवारनाशी
(*c*) कीटनाशी (*d*) उपर्युक्त सभी

6. आइसोप्रोट्यूरान है एक–
(*a*) कवकनाशी (*b*) कीटनाशी
(*c*) खरपतवारनाशी (*d*) कृमिसूत्रनाशी

7. मच्छर भगाने वाली (Mosquito repellents) दवाओं में सक्रिय रसायन है–
(*a*) ऐलथ्रिन
(*b*) एट्रोपिन
(*c*) 2–आइसोप्रापिक्सी फिनाइल
(*d*) बेन्जीन हेक्साक्लोरोफीन

8. संसार में सर्वाधिक नगरीकृत देश है–
(*a*) जर्मनी
(*b*) जापान
(*c*) सिंगापुर
(*d*) संयुक्त राज्य अमरीका

9. मेटाक्लोर (Metachlor) है एक–
(*a*) इन्सेक्टीसाइड (Insecticide)
(*b*) पेस्टीसाइड (Pesticide)
(*c*) फंगीसाइड (Fungicide)
(*d*) वीडीसाइड (Weedicide)

10. कीटनाशी के उपयोग से उन्नति होती है–
(*a*) स्वास्थ्य की (*b*) अर्थनीति की
(*c*) गृह की (*d*) सड़क की

11. बायोसाइड (Biocide) है–
(*a*) विशिष्ट वीडीसाइड (*b*) विशिष्ट फंगीसाइड
(*c*) विशिष्ट पेस्टीसाइड (*d*) उपर्युक्त सभी

12. 2, 4-डी है एक–
(*a*) कीटनाशी (*b*) खरपतवारनाशी
(*c*) बैक्टीरियानाशी (*d*) कवकनाशी

13. निम्नलिखित में से कौन-सा कीटनाशी प्रतिबन्धित किया जा चुका है?
(*a*) BHC (*b*) इन्डोसल्फान
(*c*) रोगोर (*d*) क्लोरपायरीफॉस

14. निम्नलिखित कथनों पर विचार करें–
कथन (A): डी.डी.टी. (D.D.T.) का प्रयोग कीटनाशक के रूप में किया जाता है।
कारण (R): यह जीवों द्वारा विघटित (Biodegradable) रसायन है।
नीचे दिए गए कूट की सहायता से सही उत्तर चुनें–
कूटः
(*a*) (A) और (R) दोनों सही है और (R) व्याख्या है (A) की।
(*b*) (A) और (R) दोनों सही है लेकिन (R) व्याख्या नहीं है (A) की।
(*c*) (A) सही है, परन्तु (R) गलत है।
(*d*) (A) गलत है, परन्तु (R) सही है।

15. निम्नलिखित में कौन-सा सम्पर्क तथा वरणात्मक शाकनाशी का उदाहरण है?
(*a*) पोटेशियम साइनेट (*b*) 2, 4 – D
(*c*) 2, 4, 5 – T (*d*) डेलापन

16. जल प्रदूषण किसके द्वारा होता है?
(*a*) 2, 4-D तथा पेस्टीसाइड्स (*b*) धुआँ
(*c*) स्वतः चालित निर्वातक (*d*) वायुयान

17. निम्नलिखित में से कौन-सा कीटनाशक भूमि में सर्वाधिक स्थायी होता है?
(*a*) पेराथियोन (*b*) ऐल्ड्रिन
(*c*) γ बी.एच.सी. (*d*) मेलाथियोन

18. दीर्घस्थायी नाशी जीवनाशी से होने वाला प्रदूषण तुलनात्मक रूप से किस प्रकार के जीवों के लिये अधिक खतरनाक है?
(*a*) शीर्ष मांसाहारी (*b*) उत्पादक
(*c*) शाकाहारी (*d*) प्रथम स्तर के मांसाहारी

19. विभिन्न पेस्टीसाइड्स के अवशेषों में निम्नलिखित में से कौन-सा भूमि में अपना स्थायित्व प्रदर्शित करता है और चार सालों तक भी रह सकता है–इसे पहचानिए?
(*a*) डी.डी.टी (*b*) 2, 4-5
(*c*) मैलाथियोन (*d*) पेरिथियोन

20. नीम के वृक्ष औद्योगिक व आर्थिक रूप से महत्वपूर्ण हैं क्योंकि–
(*a*) ये जैव कीटनाशी यौगिकों के स्रोत हैं
(*b*) ये प्रजनन रोधी यौगिक व जैव उर्वरक देते हैं
(*c*) ये जैव उर्वरक, जैव कीटनाशी तथा प्रजनन रोधी यौगिकों के स्रोत हैं
(*d*) उपरोक्त सभी के कारण

21. पारिस्थितिक तंत्र में DDT का समावेश होने के बाद निम्नलिखित में से एक जीव में उसका संभवतः अधिकतम सान्द्रण प्रदर्शित होगा–
(*a*) टिड्डा (*b*) भेक
(*c*) सांप (*d*) मवेशी

22. गर्म कपड़ों को कीड़ा लगने से बचाने के लिए कपड़ों में किस पदार्थ को डाला जाता है?
(*a*) कर्पूर (*b*) नैफ्थैलीन वालस
(*c*) सिट्रिक अम्ल (*d*) नौसादर

23. अनाज (Grains) को लम्बे समय तक सुरक्षित बनाए रखने के लिए किस रसायन का उपयोग किया जाता है?
(*a*) पोटैशियम परमैंगनेट (*b*) बोरिक एसिड
(*c*) सोडियम बैन्जोएट (*d*) सोडियम क्लोराइड

24. निम्नलिखित में से कौन-सा कथन सत्य है?
(*a*) डी.डी.टी. एक रोगाणुनाशक है
(*b*) एल.एस.डी एक विषाणुनाशक है
(*c*) टी.एन.टी. एक कीटाणुनाशक है
(*d*) आर.डी.एक्स. एक विस्फोटक पदार्थ है

25. कीट पतंगों के व्यवहार का अध्ययन किस शाखा में करते हैं?
(*a*) एन्टोमोलॉजी (*b*) जेनियोलॉजी
(*c*) एथियोलॉजी (*d*) इनमें से कोई नहीं

26. DCMU हर्बीसाइड खरपतवारों को नष्ट कर देता है–
(*a*) श्वसन को संदमित करने के द्वारा
(*b*) कोशिका विभाजन को संदमित करने के द्वारा
(*c*) CO_2 को लेने के द्वारा
(*d*) NO_2 को लेने के द्वारा

27. शहर के कूड़े-करकट (waste) को जिस स्थान पर एकत्र कर गाड़ दिया जाता है उसके कारण किस रसायन का वाष्पन होकर प्रदूषण होता है?
(*a*) विषैली गैसें (*b*) भारी धातुओं का
(*c*) कार्बनिक यौगिकों का (*d*) अकार्बनिक यौगिकों का

28. जल प्रदूषण (water pollution) होता है–
(*a*) 2, 4-D और कीटनाशकों से
(*b*) स्वचालित वाहनों से
(*c*) धूम्रपान से
(*d*) हवाई जहाज से

29. जैव-आवर्धन (Biomagnification) से तात्पर्य है–
(*a*) शरीर में कैन्सर कोशिकाओं का तेजी से बढ़ना
(*b*) उत्तरोत्तर पोषण स्तरों के जीवों में पीड़कनाशियों की मात्रा का बढ़ना
(*c*) शरीर के सूक्ष्मदर्शीय भागों को सूक्ष्मदर्शी (Microscope) से देखना
(*d*) विशिष्ट क्षेत्र में एक जाति के सदस्यों की संख्या का अचानक बढ़ना

30. निम्नलिखित कथनों पर विचार करें–
कथन (A): क्लोरीनेटेड हाइड्रोकार्बन कीटनाशी रसायन असर्वांगी (Non-systemic) है।
कारण (R): वह कीटनाशी वसा में घुलनशील है।
नीचे दिए गए कूट की सहायता से सही उत्तर चुनें–
कूटः
(*a*) (A) सत्य है, परन्तु (R) असत्य है।
(*b*) (R) सत्य है, परन्तु (A) असत्य है।
(*c*) (A) और (R) दोनों सत्य हैं और (A) का सही स्पष्टीकरण (R) है।
(*d*) (A) और (R) दोनों सत्य हैं परन्तु (A) का सही स्पष्टीकरण (R) नहीं है।

31. जैव उपचारण (Bioremediation) से तात्पर्य है–
(*a*) जीवों द्वारा पर्यावरण से विषैले (Toxic) पदार्थों का निष्कासन
(*b*) रोगाणुओं व पीड़कों पर जैविक नियन्त्रण
(*c*) शरीर के अंगों का प्रत्यारोपण (Transplantation)
(*d*) सूक्ष्मजीवों (microorganisms) की सहायता से रोगों का निदान

32. निम्नलिखित में से कौन-सा युग्म अंकुरण-पूर्व प्रयोगवाला शाकनाशी (Herbicide) है?
(*a*) पैराक्वाट और ब्यूटाक्लोर
(*b*) 2, 4 - D और थामोबेनकार्ब
(*c*) डैलापान और ट्रायजीन
(*d*) फ्लूक्लोरेलिन और पेन्डीमेथलीन

33. निम्नलिखित में से कौन-सा जीव कीटनाशी (Biopesticide) नहीं है?
(*a*) बायोनीम (*b*) बायोलेप
(*c*) डिपेल (*d*) कार्बेरिल

34. डाइपेल 8 L है–
(*a*) कवकनाशी (Fungicide) (*b*) एन. पी. वी. प्रीपरेशन
(*c*) रासायनिक कीटनाशी (*d*) *बैसिलस थूरिनजिएन्सिस*

35. सामान्यतया आर्गेनो मर्करी का उपयोग–
(*a*) कवकनाशी के रूप में होता है
(*b*) कीटनाशी के रूप में होता है
(*c*) खर-पतवार नाशी के रूप में होता है
(*d*) शाकनाशी के रूप में होता है

36. जैव कीटनाशक (Bio-pesticides) के रूप में निम्नलिखित का उपयोग करते हैं–
(*a*) बन्ध्यीकरण (Sterilization) द्वारा
(*b*) कीट हॉर्मोन (Insect Hormone) द्वारा
(*c*) रोगजनक परजीवी तथा भक्षक (Pathogens, parasite and predators)
(*d*) उपर्युक्त सभी

37. द्वितीय विश्व युद्ध के समय निम्नलिखित पदार्थ का उपयोग फसलों को नष्ट करने के लिए किया गया था–
(*a*) D. D. T. (*b*) 2, 4 – D
(*c*) H_2SO_4 (*d*) C_2F_2

38. चिड़ियों (Birds) में D.D.T. के प्रभाव से –
(*a*) श्वसन दर बढ़ा हुआ रहता है
(*b*) अस्थियाँ (Bones) भंगुर होने लगती हैं
(*c*) अण्डे (Eggs) हैचिंग (Hatching) के पूर्व ही नष्ट हो जाते हैं
(*d*) पर (Feathers) झड़ने लगते हैं

39. मच्छरों के लार्वा का जैव नियन्त्रण किया जाता है–
(*a*) लेडीबग (Lady bug) द्वारा
(*b*) एफिड्स (Aphids) द्वारा
(*c*) गैम्बूशिया (Gambusia) द्वारा
(*d*) रोहू (Rohu) मछली द्वारा

40. कीट हॉर्मोन्स (Insect hormones) को कहते हैं–
(*a*) फाइटोहॉर्मोन्स (Phytohormones)
(*b*) फेरोमोन्स (Pheromones)
(*c*) जिबरेलिन्स (Gibberellins)
(*d*) उपर्युक्त सभी

41. कीटनाशक (Insecticides) उत्पन्न करते हैं–
(*a*) शोर प्रदूषण (Noise pollution)
(*b*) वायु प्रदूषण (Air pollution)
(*c*) जल प्रदूषण (Water pollution)
(*d*) उपर्युक्त मे से कोई नहीं

42. BHC का पूरा नाम है–
(*a*) बेन्जीन होमोक्लोराइड (Benzene Homochloride)
(*b*) बेन्जीन हेक्साक्लोराइड (Benzene Hexachloride)
(*c*) बेन्जीन हेप्टाक्लोराइड (Benzene Heptachloride)
(*d*) बेन्जीन हाइड्रोक्लोराइड (Benzene Hydrochloride)

43. बोर्डक्स मिक्सचर (Bordeaux mixture) में पाया जाता है–
(*a*) $CuSO_4$ एवं $CaSO_4$
(*b*) $Ca(OH)_2$ एवं $CaCl_2$
(*c*) $KMnO_4$ एवं $CaSO_4$
(*d*) $CuSO_4$ एवं $Ca(OH)_2$

44. प्राकृतिक पीड़कनाशी (Bio-pesticide) एजेडीरेक्टीन (Azadirachtin) प्राप्त होता है–
(*a*) तम्बाकू (Tobacco) से (*b*) नीम (Neem) से
(*c*) कवक (Fungi) से (*d*) शैवाल (Algae) से

45. एफिड्स (Aphids) का जैविक नियन्त्रण किसके द्वारा किया जाता है?
(*a*) लेडीबग (Lady bug) से
(*b*) घरेलू मक्खी (House fly) से
(*c*) मच्छर (Mosquitoes) से
(*d*) बॉम्बिक्स मोरी (*Bombyx mori*) से

46. रोटीनोन (Rotenone) है–
(*a*) एक जैवशाकनाशी (Bio-herbicides)
(*b*) एक कीट हॉर्मोन (Insect hormone)
(*c*) एक प्राकृतिक शाकनाशी (Natural herbicides)
(*d*) एक प्राकृतिक कीटनाशी (Natural insecticide)

47. पादपों के एफिड्स (Aphids) का भक्षण करते हैं–
(*a*) हूबर मक्खी के लार्वा (Larva of Hober fly)
(*b*) लेडी बर्ड बीटल (Lady bird beetle)
(*c*) गैम्बुसिया (Gambusia)
(*d*) उपर्युक्त में से कोई नहीं

48. कौन-सा पीड़कनाशी (Pesticide) वसा-स्नेही (Lypophilic) है?
(*a*) ट्राइआजीन (Triazine)
(*b*) पायरिथॉएड (Pyrethoid)
(*c*) ऑर्गेनोफॉस्फेट (Organophosphate)
(*d*) ऑर्गेनोक्लोरिन (Organochlorine)

49. तम्बाकू से प्राप्त होने वाले कीटनाशक हैं–
(*a*) पायथ्रिम (Pythrim) (*b*) रोटेनॉन (Rotenone)
(*c*) निकोटीन (Nicotine) (*d*) उपर्युक्त में से कोई नहीं

50. कौन-सा कीटनाशक वसीय ऊतकों में घुलनशील है?
(*a*) ट्राइआजीन (Triazine)
(*b*) पायरीथॉएड्स (Pyrethoids)
(*c*) ऑर्गेनोक्लोराइड्स (Organochlorides)
(*d*) ऑर्गेनोफ्लोराइड्स (Organoflorides)

उत्तरमाला

1	**2**	**3**	**4**	**5**	**6**	**7**	**8**	**9**	**10**
(*b*)	(*c*)	(*d*)	(*a*)	(*c*)	(*b*)	(*a*)	(*c*)	(*d*)	(*a*)
11	**12**	**13**	**14**	**15**	**16**	**17**	**18**	**19**	**20**
(*c*)	(*b*)	(*a*)	(*c*)	(*a*)	(*a*)	(*b*)	(*a*)	(*a*)	(*c*)
21	**22**	**23**	**24**	**25**	**26**	**27**	**28**	**29**	**30**
(*d*)	(*b*)	(*c*)	(*d*)	(*a*)	(*c*)	(*b*)	(*a*)	(*b*)	(*b*)
31	**32**	**33**	**34**	**35**	**36**	**37**	**38**	**39**	**40**
(*a*)	(*d*)	(*d*)	(*b*)	(*a*)	(*d*)	(*b*)	(*c*)	(*c*)	(*b*)
41	**42**	**43**	**44**	**45**	**46**	**47**	**48**	**49**	**50**
(*c*)	(*b*)	(*d*)	(*b*)	(*a*)	(*d*)	(*a*)	(*d*)	(*c*)	(*c*)

●●●

English Language

1

Comprehension Passages

ENGLISH LANGUAGE COMPREHENSION

The objective of language comprehension test is to ascertain the ability of the candidates to understand the passage properly.

Therefore candidates are required to take notice of the following points:

1. Read the full passage very attentively and intelligently.
2. Try to comprehend the gist of it.
3. Make a mental note of all the important details and points given in the passage.
4. Read the passage for the second time in case you have not been able to understand it satisfactorily.
5. Divide the time proportionately for all the passages.
6. Answer the questions on the basis of facts, as given in the paragraph.
7. Don't waste much time in answering the questions of any one passage.
8. Check all the answers once again, very carefully, to see whether any question is left unanswered by mistake.

MODEL QUESTIONS (FOR PRACTICE)

Directions: *Each of the following passages is followed by five questions. Read the passage carefully and then answer the questions that follow each. For each question, four probable answers A, B, C and D are given. Only one out of these is correct. Choose the correct answer.*

PASSAGE-1

The use of words like 'welcome', 'thank you', 'please', etc., at the right moment reflects a polite nature. The civic sense also lies within the scope of good manners. We should not shout or talk loudly in public places like hospitals and libraries and create disturbance. We should not cheat people or make fun of them. Cleanliness is also necessary. We must not throw the waste on roads and make use of dustbins. We should not harm the public property as it belongs to all of us. While in a queue, discipline should be maintained. We must give fair chance to others.

1. Expressions like 'welcome' 'thank you' and 'please' reflect
A. happiness B. discipline
C. civic sense D. polite nature

2. While in a library, we should
A. respect others B. avoid arguments
C. talk in low tone D. be courteous

3. A public property belongs to
A. nobody B. all of us
C. government D. one who maintains it

4. Discipline is
A. the rule of proper conduct or action
B. the rule of road sense
C. making use of dustbins
D. forming a queue

5. The most appropriate title for this passage would be
A. Polite Nature B. Courtesy
C. Good Manners D. Civic Sense

PASSAGE-2

There is an old proverb 'Early to bed and early to rise makes a man healthy and wise.' I am in the habit of getting up early in the morning and have formed the habit of taking long morning walks in the past two years. It is a light exercise and best for physical fitness. The morning air which is fresh and pure is beneficial for the lungs. The early rays of the rising sun are good for healthy skin. 'Health is wealth' and doctors also recommend morning walk to their patients for gaining sound health and freshness of energy.

1. What is good for lungs?
A. Sunrays B. Fresh air
C. Sound sleep D. Light exercise

2. What is a light exercise?
A. Early to bed B. Early to rise
C. Morning walk D. Gaining sound health

3. What is good for skin?
A. Fresh air B. Morning air
C. Morning walk D. Rising sun's rays

4. What is best for physical fitness?
A. Light exercise B. Long morning walk
C. Early to rise D. Fresh and pure air

5. Long morning walk
A. bring sound sleep
B. ensures physical fitness
C. ensures healthy skin
D. keeps healthy, wealthy and wise

PASSAGE-3

Mahatma Gandhi lived a splendid long life and has set great moral standards before us. He showed to the world the true way to peace. He wished to see India prosper but he became a martyr for the noble cause of Hindu-Muslim unity at the time of partition when a religious fanatic, Nathuram Godse, shot him dead on January 30, 1948. His last words were 'Hey Ram'. He lived and died for his country and countryman.

1. Mahatma Gandhi showed the world the true way to
A. prosperity B. love
C. truth D. peace

2. Mahatma Gandhi became a martyr for the noble cause of
A. truth B. non-violence
C. freedom of India D. Hindu-Muslim unity

3. Mahatma Gandhi was shot dead
A. before India achieved independence
B. by a mad man
C. by an intolerant religious person
D. by a non-religious person

4. Mahatma Gandhi set great moral standards. It means
A. he was a great religious teacher
B. he was a great moralist
C. he made India morally stronger
D. moral was everything to him

5. Gandhiji lived and died for his country and countryman. It means
A. he was born in India and died in India
B. he was a patriot
C. he was a great moralist
D. he sacrified his life for India and her people

PASSAGE-4

On one hot day a crow felt very thirsty. He flew from one place to another in search of water. After long hours of labour he found a pitcher. Eagerly, he perched on the mouth of the pitcher. He found that the water was at the bottom of the vessel. He tried his best to dip his beak but did not succeed. He did not know what to do. Suddenly some pebbles lying nearby gave him an idea. One by one he dropped the pebbles with his beak into the pitcher. The level of water slowly came up to the mouth of the pitcher. The crow then drank the water and quenched his thirst.

1. The crow found a pitcher
A. as it flew
B. after many hours of labour
C. full of water
D. which was empty

2. What is the moral of the passage?
A. No pains, no gains
B. God helps those who help themselves
C. Necessity is the mother of invention
D. Try and try again, you will succeed at last

3. The crow flew from place to place
A. in search of pitcher B. in search of pebbles
C. in search of water D. in search of a vessel

4. The pitcher, the crow found
A. was full of water
B. was dry
C. had little water in the bottom
D. had water up to its mouth

5. As the crow dropped pebbles into the pitcher, what happend?
A. The pitcher broke down
B. The water leaked one of the pitcher
C. The level of water into the pitcher rose up slowly
D. Water level immediately rose to the mouth of the pitcher

PASSAGE-5

Once upon a time a crane and a fox lived in a forest. They were good friend. One day the fox invited the crane to a feast. He made a tasty food and served it before the crane on a plate. The crane could not eat anything because of the long beak. But the fox licked all his food. The crane felt insulted. He decided to teach the fox a lesson. Next day he invited the fox. He prepared the same tasty food and placed it in front of the fox inside a narrow glass. The crane ate easily while the fox looked on. Now, it was the fox's turn to remain hungry.

1. What is the moral of the passage?
A. Beware of the wicked
B. One good turn deserves another
C. Be contented with what you have
D. Tit for tat

2. The crane could not eat tasty food because the
A. food was served in a shallow plate
B. food was very hot
C. food was served in a long jar
D. crane was not hungry

3. The fox had to remain hungry because
A. the food served was not enough in quantity
B. the food was served inside a narrow glass
C. the food served was not tasty
D. the food was all liquid

4. Why did the crane feel insulted?
A. Because he was invited to feast but he could not eat anything
B. Because the food was served in a shallow plate and he could not eat
C. Because the food was too hot
D. Because the fox gulped all the food quickly

5. The crane successfully taught a lesson to the fox when he invited the fox to a feast and served the food
A. in a narrow glass B. in a large plate
C. in a broken plate D. in a long jar

PASSAGE-6

The family set down at the table and began to talk about the summer holidays. They had to decide a place to visit during the vacation. Should they go to their village or to a hill station? The parents preferred the village while the children wished to go the hill station. After few moments of discussion the elders decided to visit both the places. First they shall go to the village for a week and then stay at the hill station for the remaining days. For the first time the family shall be together during the holidays. The children were happy with the holiday plan.

1. The purpose for which the family set down at the table was
   A. to decide a place to visit during the vacation
   B. to educate the children how to carry articles during a visit to a hill station
   C. to decide the date when they should start their journey
   D. to tell the children that they will visit a hill station during this vacation
2. The final plan was to visit
   A. their village
   B. a hill station
   C. their village as well as a hill station
   D. their home town
3. The final decision was made by
   A. the boys B. the girls
   C. the women D. the elders
4. They decided first to go to their village and stay there for
   A. a day B. a week
   C. ten days D. a fortnight
5. Why were children happy?
   A. Because a hill station was included in their holiday plan
   B. Because a visit to their village was excluded from their holiday plan
   C. Because their choice prevailed
   D. Because they were going all alone to the hill station

PASSAGE-7

Once Govind intended to go on pilgrimage with his family. He asked Mirind to accompany. But for his trade's reason, he did not go with him. So Govind thought it safe to leave the box of his jewellery with him, as it was dangerous to leave it in a lone house or take it on the journey. So he went to him with the box. He took him to a lonely place under a tree and handed it over to him. He told Mirind, "Keep it safe with you. I shall return from the journey after six month then I shall take it back from you." Mirind said, "Don't worry, I shall keep it as safe as own."

1. Govind intended to go
   A. for a business trip
   B. to a hill station
   C. on a long journey to a sacred place
   D. to his home town for a long period
2. Why did Govind leave his box of jewellery with Mirind?
   A. Because it was not safe to take the box with him on a long journey
   B. Because Mirind was his fast friend
   C. Because the box was very heavy
   D. Because his house was unsafe
3. Why did Govind take Mirind to a lonely place?
   A. To tell him that the box contained valuable jewellery
   B. So that no third person could see box
   C. To show him what was within the box
   D. To tell him that the box will remain with him
4. Where did Govind hand over the box of jewellery to Mirind?
   A. At Mirind's house
   B. At his own house
   C. In a lonely place
   D. In a lonely place under a tree
5. It was not safe to leave the box in a lone house. Here the word 'lone house' means
   A. a house in a deserted place
   B. a house where none lives
   C. a house without door and lock
   D. a house near the forest

PASSAGE-8

Zahir-ud-din Babar was the first Mughal emperor of India. A descendent of Timur on father's side and Changez Khan on his mother's side, Babar was a brave warrior. After defeating Ibrahim Lodhi in the First Battle of Panipat in 1526 he entered Delhi and soon gained control over Agra. After many more battles with Rajputs he extended his empire over Punjab, Uttar Pradesh and north Bihar. He died at a young age of 48 years in 1530 at his capital Agra without getting much time to consolidate his victories.

1. Zahir-ud-din Babar was the first
   A. Muslim ruler of India B. Mughal ruler of India
   C. Afghan ruler of India D. Turk ruler of India
2. Babar was born in the years
   A. 1480 B. 1482
   C. 1492 D. 1962
3. Babar first occupied
   A. Punjab B. Agra
   C. Delhi D. Panipat
4. Babar was a brave warrior. Here brave warrior means
   A. courageous soldier B. a kind hearted soldier
   C. a clever fighter D. a victorious general
5. Babar extended his empire over Punjab and Uttar Pradesh after many more battles with the
   A. Afghans B. Rajputs
   C. Mughals D. Lodhies

PASSAGE-9

Our National Flag is tricolour. It has three equal horizontal strips. The strip at the top is saffron, in the middle is white and at the bottom is green. The ratio of width to length of the flag is 2 : 3. In the centre of the white strip is a wheel in navy blue. The wheel represents the *chakra.* Its design is similar to the wheel which appears on the abacus of the Sarnath Lion Capital of Ashoka. Its diameter approximates to the width of the white strip. The wheel has 24 spokes. It was adopted by Constituent Assembly on July 22, 1947. We love our national flag. We respect it. We are ready to sacrifice our life to protect its honour. It represents the nation. So it is a symbol of national honour.

1. In our national flag the wheel is located in the centre of
A. saffron strip B. white strip
C. green strip D. blue strip

2. In our national flag which of the strips is at the bottom in our national flag
A. blue C. saffron
B. white D. green

3. Why do we love our national flag?
A. Because it is tricolour
B. Because it has three strips
C. Because it has a wheel at the centre
D. Because it is a symbol of national honour

4. Our national flag was approved by
A. President
B. Lok Sabha
C. Parliament
D. Constituent Assembly

5. The diameter approximates to the width of the white strip. Here the word 'approximates' means
A. is more or less equal
B. is exactly equal
C. is not equal
D. is related

PASSAGE-10

Distance in large cities are long. All the people do not have their own means of transport. They have to depend upon the state or private buses. The number of bus users is very large. Every bus stop is, therefore, crowded. The number of buses is not adequate. Thus people suffer the torture of long wait at the bus stop. Some bus stops are quite orderly. People form queues and get into the buses turn by turn. However, often this order is forgotten and confusion spreads when the bus comes and the law of jungle prevails.

1. Why are the bus stops crowded?
A. Because they are small is size
B. Because the number of passengers is very large
C. Because they are situated at some busy centre
D. Because people do not form queues

2. Long wait at the bus stop is the result of
A. over-crowding in the buses
B. late running of buses
C. shortage of buses
D. slow speed of buses

3. Some bus stops are quite orderly where
A. there is no crowd
B. the number of buses is adequate
C. people do not have to wait for long
D. people form queues and enter the buses one by one

4. Most of the people who travel by buses are
A. non-working
B. do not have their own vehicles
C. have to go a long distance
D. live in large cities

5. What happens when people do not have their own transport?
A. They have to wait for a bus at a bus stop
B. They have to depend upon the state or private buses
C. They have to travel long distances
D. They form queues and get into buses one by one

ANSWERS

Passage	1	2	3	4	5
Passage 1.	D	C	B	A	C
Passage 2.	B	C	D	B	B
Passage 3.	D	D	C	B	D
Passage 4.	B	C	C	C	C
Passage 5.	D	A	B	B	A
Passage 6.	A	C	D	B	A
Passage 7.	C	A	B	D	B
Passage 8.	B	B	C	A	B
Passage 9.	B	D	D	D	A
Passage 10.	B	C	D	B	B

●●●

2

English Grammar

PARTS OF SPEECH

Part of speech	Definition or Function	Examples
Noun	Name of a person, place, animal, quality or thing	Ram, boy, dog pen, sun, Delhi, truth, honesty
Pronoun	Used in place of a noun	I, you, he she, they
Articles & Determiners	Points out indefinite and definite nouns	a, an, the, few, some
Adjective	Describes a noun or pronoun	big, honest, wooden valuable, quiet, deep, soft, narrow
Adverb	Describes a verb, an adjective or another adverb	silently, widely, softly, quietly, very, carefully
Verb	Tells about action or state of something or someone	is, am, was, have, do, like, walk, work, make, throw, tell
Conjuction	Joins words, clauses or sentences	and, but, when, yet, while, else
Preposition	Links a noun or pronoun to another word	at, to, after, on for, under, over, with
Interjection	Expresses sudden feelings or emotions	Ah!, Alas!, oh!, ouch!, hi!, well!, Hurrah!

NOUNS

A word which denotes a person, a thing, an animal or a place is said to be a noun.

There are two noun numbers in English — the *Singular* and the *Plural*.

Singular Numbers : A noun that denotes one person or one thing, is said to be in the Singular number. For example — book, pencil, bird, dog, hen etc. are in singular number.

Plural Number : A noun that denotes more than one person or one thing is said to be in plural number. For example — boys, pens, lions, girls, men etc. are in plural number.

REMEMBER

Singular	*Plural*	*Singular*	*Plural*
Cat	Cats	Book	Books
Pen	Pens	Room	Rooms
Tree	Trees	Bus	Buses
Bush	Bushes	Box	Boxes
Glass	Glasses	Dish	Dishes
Judge	Judges	Tax	Taxes
Watch	Watches	Calf	Calves
Thief	Thieves	Knife	Knives
Scarf	Scarves	Wife	Wives
Leaf	Leaves	Wolf	Wolves
Half	Halves	Monarch	Monarchs
Roof	Roofs	Hoof	Hoofs
Gulf	Gulfs	Staff	Staffs
Radio	Radios	Bamboo	Bamboos
Folio	Folios	Hero	Heroes
Volcano	Volcanoes	Mango	Mangoes
Potato	Potatoes	Photo	Photos
Piano	Pianos	Baby	Babies
Fly	Flies	Country	Countries
Lady	Ladies	Boy	Boys
Monkey	Monkeys	Ox	Oxen
Child	Children	Man	Men
Woman	Women	Tooth	Teeth
Axis	Axes	Basis	Bases
Foot	Feet	Goose	Geese
Englishman	Englishmen	Radius	Radii
Vertex	Vertices	Stimulus	Stimuli

1. Note the plurals of the following nouns:

Singular	*Plural*	*Singular*	*Plural*
copy	copies	cry	cries
baby	babies	duty	duties
body	bodies	country	countries
family	families	diary	diaries
fly	flies	fairy	fairies
city	cities	spy	spies
army	armies	storey	storeys
bay	bays	monkey	monkeys

2. The following nouns do not undergo any change in plural form, in general.

Singular	*Plural*	*Singular*	*Plural*
deer	deer	sheep	sheep
thousand	thousand	pair	pair
hundred	hundred	score	score
dozen	dozen	gross	gross

Note: We can write—

(*a*) thousands of men; (*b*) two pairs of shoes; (*c*) dozens of mangoes; (*d*) scores of people etc. But—

(*a*) two thousand rupees; (*b*) three hundred men; (*c*) five dozen eggs, etc.

3. The following nouns are usually used in plural forms. They take a plural verb after them—

eatables	fetters	surroundings
riches	alms	spectacles
trousers	pants	scissors
premises	thanks	annals
congratulations	goods	shorts
tongs	pains	arms
breeches	(for troubles)	

4. The following are the nouns which are plural in appearance but are usually used in singular number. They are followed by a singular verb—

news	politics	physics
mathematics	economics	ethics
politics	classics	gallows
statistics	athletics	innings
mechanics	summons	mumps

5. Collective nouns often used as plurals—

public	police	cattle
audience	clergy	folk
people	poultry	nation
elite	gentry	glitterati

6. The nouns that are usually used in singular forms—

advice	hair	rice
fuel	alphabet	machinery
offspring	issue	furniture
mischief	stationery	luggage
bedding	information	abuse

7. Material nouns are always used in singular number—

gold	copper	milk
water	silk	wool

Note: They may be used in plural with a different meaning. copper coins (coppers), chains or fetters (irons), cans made of tin (tins).

GENDERS

The difference in sex is denoted by Gender in grammar. The various genders are as follows :

1. **Masculine Gender :** A noun that denotes a male is said to be of the masculine gender, as man, uncle, ox, boy etc.
2. **Feminine Gender :** A noun that denotes a female is said to be of feminine gender, as woman, aunt, princess, cow etc.
3. **Common Gender :** Nouns which denote both males and females are said to be of the common gender, as friend, cousin, person, parent, baby etc.
4. **Neuter Gender :** A noun that denotes the name of object without life is said to be of neuter gender, as file, table, pencil.

REMEMBER

Masculine	***Feminine***
Boy	Girl
Son	Daughter
Brother	Sister
Murderer	Murderess
Sorcerer	Sorceress
Son-in-law	Daughter-in-law
Father-in-law	Mother-in-law
Man-servant	Maid-servant
Land-lord	Land-lady
Bachelor	Maid
Gentleman	Lady
Monk	Nun
Earl	Countess
Lad	Lass
Sir	Madam
Duke	Dutchess
Emperor	Empress
Milk-man	Milk-maid
Pea-cock	Pea-hen
Step-father	Step-mother
Hero	Heroine
Viceroy	Vicerine
Mr.	Mrs.
Governor	Governess
Master	Mistress
Wizard	Witch
Heir	Heiress
Host	Hostess
Lion	Lioness
Mayor	Mayoress
Actor	Actress
Buck	Doe
Colt	Filly
Dog	Bitch
Horse	Mare
Count	Countess
Hunter	Huntress
Prince	Princess
Abbot	Abbess
God	Goddess
Author	Authoress
Ox	Cow
Widower	Widow
Grand-father	Grand-mother
He-goat	She-goat
Milk-man	Milk-woman
Bridegroom	Bride
Tiger	Tigress
Priest	Priestess
Poet	Poetess
Shepherd	Shepherdess
Nephew	Niece
Stag	Hind

PRONOUNS

The repetition of a noun in a sentence or a set of sentences is really boring. So, instead of repeating the noun, we can use a word (for that noun) called the pronoun.
"A pronoun is a word that we use instead of a noun".

Example:
This is *Sachin. He* plays cricket.
Note: *He* is the pronoun used in place of *Sachin.*

Kinds of Pronouns

1. **Personal pronouns :** A pronoun which is used instead of the name of a person is known as a 'Personal Pronoun'. A list of the 'Personal pronouns' is listed below :

   I, my, mine, me, we (First Person)
   You, your, yours (Second Person)
   He, his, him, she, her, hers, it,
   its, they, their, theirs, them (Third Person)

2. **Demonstrative, Indefinite and Distributive Pronouns :**

   (a) Demonstrative Pronouns : Pronouns used to point out the objects to which they refer are called Demonstrative Pronouns.

   Examples :
   (i) *This* is a present from my uncle.
   (ii) *These* are merely excuses.
   (iii) Bombay mangoes are better than *those* of Bangaluru.

   (b) Indefinite Pronouns : All pronouns which refer to persons or things in a general way and do not refer to any particular person or thing are called Indefinite Pronouns.

   Examples :
   (i) *Somebody* has stolen my watch.
   (ii) *Few* escaped unhurt.
   (iii) Did you ask *anybody* to come?

   (c) Distributive Pronouns : Each, either, neither are called distributive pronouns because they refer to persons or things one at a time. For this reason they are always singular and followed by the verb in singular.

   Examples :
   (i) *Each* of the men received a reward.
   (ii) *These* men received *each* a reward.
   (iii) *Either* of you can go.

3. **Relative Pronouns :** A relative pronoun refers or relates to some noun going before, which is called its Antecedent.

   Examples :
   (i) I met Hari *who* used to live here.
   (ii) I have found the pen *which* I had lost.
   (iii) Here is the book *that* you lent me.

4. **Interrogative Pronouns :** These pronouns, are used for asking questions.

   Examples :
   (i) *Whose* book is this?
   (ii) *What* will all the neighbours say?
   (iii) *Which* do you prefer, tea or coffee?

Note : Interrogative pronouns can also be used in asking indirect questions. Consider the following examples :
(i) I asked *who* was speaking.
(ii) Tell me *what* you have done.
(iii) Say *which* you would like best.

Behaviour of the Pronouns

1. If three pronouns are used together in the same sentence they are arranged in the following order :

   2 + 3 + 1
   ↓ ↓ ↓
   Second Person, Third Person, First Person

   Examples :
   I, you and he must help *that* poor man. (Incorrect)
   You, he and I must help *that* poor man. Correct)

2. When two or more singular nouns are joined by and, the pronoun used for them should be plural.

   Examples :
   Mohan and Sohan are friends. *They* play football. *They* live at Lajpat Nagar.

3. But if these nouns joined by and refer to the same person or thing, the pronoun used should be singular.

   Examples :
   (i) Delhi, the beautiful city and the capital of India, is famous for *its* historical monuments.
   (ii) The manager and owner of the firm expressed *his* views on the demands of the workers.

4. When two nouns are used with as well as, the pronoun agrees with the first subject.

   Examples :
   (a) Mohan as well as his friends is doing *his* work.
   (b) The students as well as their teachers are doing *their* work.

5. When two singular nouns joined by 'and' are preceded by *each* or *every,* the pronoun used must be singular and should agree in gender with the second noun.

   Examples :
   (a) Every man and every woman will do *her* best for the nation.
   (b) Each boy and each girl went to *her* house.

6. When two nouns are joined by using 'with', the pronoun agrees with the noun coming before 'with'.

   Examples :
   (a) The boy with *his* parents has gone to see a movie.
   (b) The children with *their* parents have gone to picnic.

7. When two different nouns are joined by either......... or; neither .... nor, the pronoun is used according to the number and gender of the second noun.

Examples :

(a) Either your sister or you have done *your* work.

(b) Neither the students nor the teacher was in *his* class.

8. The pronoun coming after '*than*' must be in the same case as that coming before '*than*'.

Examples :

(a) She plays better than *me*. (Incorrect)
She plays better than *I*. (Correct)

(b) His elder brother is more intelligent than *him*. (Incorrect)
His elder brother is more intelligent than *he*. (Correct)

9. 'Many a' always takes a singular pronoun and singular verb.

Example :

Many a soldier has met *his* death in the battle field.

10. 'Who', 'Whose', 'Whom' are used only for persons.

Examples :

(a) *Who* is knocking at the door?

(b) *Whose* pen is this?

(c) *What* do you want?

11. 'Which' is used for things.

Example : *Which* game do you like?

MULTIPLE CHOICE QUESTIONS

Directions: *In the following questions choose the correct options to fill the blanks.*

1. The place was so dirty that ..... wished to run away from there.
A. everybody B. anybody
C. few D. some

2. ..... was there to help me.
A. Somebody B. Anything
C. Anybody D. Nobody

3. Is there ...... to eat?
A. some B. something
C. any D. few

4. ..... of the students were making a great noise.
A. Anyone B. Somebody
C. Many D. Nobody

5. ..... of the students can solve this sum.
A. Someone B. Anybody
C. Somebody D. None

6. ...... of us should try our best to make India a heaven.
A. Any B. Somebody
C. Anybody D. All

7. ...... of us do not know the real meaning of our lives.
A. Any B. Something
C. Several D. Many

8. My .... black.
A. hairs are B. hair is
C. hairs shall D. hair will

9. She saw two .... on the last Sunday.
A. thiefs B. theifs
C. thieves D. theives

10. My sister is a ....
A. bacheloress B. bachelor
C. unmaried D. spinster

11. One is supposed to do ....
A. our duty B. their duty
C. one's duty D. his duty

12. Take anything .... you want.
A. that B. which
C. than D. then

13. I cannot tolerate ....
A. separated you B. your separation
C. separation from you D. you separated

14. He is .... faithful partner.
A. Yours B. You
C. Your D. Your's

15. Ajay is more smart than ....
A. her B. hers
C. herself D. she

16. Vivek works harder than ....
A. me B. I
C. her D. his

17. They should help ....
A. the poor people B. the poor
C. the poor persons D. the poor peoples

18. .... are mad.
A. All his sons B. His all sons
C. Sons all his D. All sons his

19. The poor fellow .... to fate.
A. resigned B. resigned himself
C. resigned itself D. resigned themselves

20. Nobody will help you but ....
A. I B. me
C. ours D. his

21. It is a good chance, You must avail .... this opportunity.
A. of B. yourself of
C. for D. from

22. The person who is elected .... my relative.
A. is B. he is
C. his D. him

23. He made ....
A. yours mention B. mention of you
C. mention for you D. mention about you

24. .... I know, he is quite faithful.
A. As far as B. So far as
C. So far this D. So far so

25. It is a duty of a person to take .... for his family.
A. pain B. pains
C. pain-killers D. pained

26. She does not love .... husband.
A. his B. her
C. its D. their

27. Let .... work together.
A. him and me B. he and I
C. he and him D. I and me

28. Copper, Silver and Gold ....
A. each will do B. either will do
C. any one will do D. any will do

29. Jessica and Roma are very irregular .... habits.
A. in her B. in their
C. in its D. in every

30. One likes to enjoy .... who was a great poet.
A. The sonnets of Shakespeare
B. Shakespeare's sonnets
C. Sonnets
D. Shakespeare

ANSWERS

1	2	3	4	5	6	7	8	9	10
A	D	B	C	D	D	D	B	C	D
11	**12**	**13**	**14**	**15**	**16**	**17**	**18**	**19**	**20**
C	A	C	C	D	B	B	A	B	B
21	**22**	**23**	**24**	**25**	**26**	**27**	**28**	**29**	**30**
B	A	B	A	B	B	A	C	B	A

ARTICLES

The family of the articles has only three members. They are : A, An and The. However, they fall under two groups :
(a) Definite Article *(b)* Indefinite Article

'The' is known as definite article whereas 'a' and 'an' are known as indefinite articles.

Use of the Definite Article 'The'

'The' is used before

1. The superlative degree :
He is the ablest man of the town.
(ablest is a superlative degree)
2. The name of states, countries etc. having a descriptive name :
(i) The J & K is a small state. (J & K is a descriptive name)
(ii) He lives in the U.S.A. (U.S.A. is a descriptive name)
(But the Delhi and the America are wrong because neither Delhi nor America is a descriptive name)
3. The names of the scriptures :
The Gita is a holy book. (Gita is a scripture)
4. Name of newspapers :
The Tribune is published from Chandigarh.
5. Name of rivers, canals, seas, oceans, bays, gulfs, groups of islands etc. :
(i) The Ganga is a holy river.
(ii) The Indian Ocean is the deepest ocean.
(iii) The Persian Gulf is a narrow gulf.
6. The name of famous buildings :
The Taj is one of the best buildings in India.
7. The names of nationals, sects and communities:
(i) The English defeated the Germans in the World War.
(ii) The rich should help the poor.
(iii) The Hindus believe in the caste system.
8. Proper nouns used as common nouns :
(i) Kalidas is the Shakespeare of India.
(ii) Delhi is the London of India.
9. Famous historical events :
The Industrial Revolution changed the face of England.
10. The directions and the celestial bodies:
The sun rises in the east.
11. Titles : Akbar, the Great was loved by his subjects.

Do not use 'the'

1. Before languages :
The English is an international language. (Incorrect)
English is an international language. (Correct)
2. Before the names of games :
The hockey is a popular game. (Incorrect)
Hockey is a popular game. (Correct)

Use of the Indefinite Articles 'A' and 'An'

'A' is used before :

1. All singular common nouns beginning with a consonant :
(i) A boy sings a song.
(ii) A black and a white cow were grazing in the field.
2. If a word begins with a vowel but gives the sound of a consonant, 'a' should be used before it :
(i) He was helped in his work by a European.
(ii) He is a one-eyed man.
(iii) It is a useful work.

'An' is used as follows :

1. All singular common nouns beginning with a vowel (*i.e.*, a, e, i, o, u) :
   (i) He is an artist. (ii) He is an old man. (iii) I intend to buy an umbrella.
2. If a word starts with a consonant but gives the sound of a vowel, "an" should be used before it :
   (i) Brutus is an honourable man.
   (ii) He is an honour to his profession.
   (iii) He is an L.L.B.

Demonstratives, that, these and those

1. The demonstrative adjectives and pronouns are for objects nearby the speaker:
   this (singular) those (plural)
   and for objects far away from the speaker.
   That (singular) those (plural)
2. Demonstratives are the only adjectives that agree in number with their nouns.
   That hat is nice.
   Those hats are nice.
3. When there is the idea of selection, the pronoun "one" (or "ones") often follows the demonstrative.
   I want a book. I'll get this (one).
   If the demonstrative is followed by an adjective, "one"(or "ones") must be used.
   I want a book. I'll get this big one.

MULTIPLE CHOICE QUESTIONS

Directions: *In the following questions choose the correct options to fill the blanks.*

1. .... will have to be paid for this material.
A. Half rupee B. Half a rupee
C. A half rupee D. An half rupee

2. .... is taking keen interest in India.
A. The USA B. USA
C. An USA D. A USA

3. Only .... can save our country.
A. the Hitler B. a Hitler
C. Hitler D. an Hitler

4. I can run for ....
A. hundred miles B. the hundred miles
C. a hundred miles D. an hundred miles.

5. .... man-eater has been killed.
A. The B. A
C. An D. Either A or B

6. What .... fine idea!
A. the B. an
C. a D. No article

7. .... earth is moving around the sun.
A. An B. A
C. The D. No article

8. This is .... first example while I got.
A. the B. a
C. an D. No article

9. This is .... house which was built during earthquake.
A. a B. an
C. the D. No article

10. .... America is a rich country.
A. The B. An
C. A D. No article

11. .... U.S.A. is a developed country.
A. A B. An
C. The D. No article

12. .... Bible is a holy book.
A. A B. The
C. An D. No article

13. .... rich should help the poor.
A. The B. A
C. An D. No article

14. .... Gold is a costly metal.
A. The B. A
C. An D. No article

15. Kalidas is .... Shakespeare of India.
A. a B. an
C. the D. No article

16. I cannot do .... difficult work.
A. a such B. the such
C. such the D. such a

17. How foolish .... plan it is!
A. a B. an
C. the D. No article

18. An ink is .... useful article.
A. an B. a
C. the D. No article

19. There are .... husband and wife.
A. a B. an
C. the D. No article

20. He is learning .... French
A. the B. a
C. an D. No article

ANSWERS

1	2	3	4	5	6	7	8	9	10
B	A	B	C	D	C	C	A	C	D
11	**12**	**13**	**14**	**15**	**16**	**17**	**18**	**19**	**20**
C	B	A	D	C	D	A	B	D	D

ADJECTIVES & ADVERBS

An Adjective is a word which adds something to the meaning of a noun or a pronoun.

Mridula is an *intelligent* girl. He has a *black* goat.
He is a *brilliant* student. She is a *clever* girl.
It is a *beautiful* picture.

In the sentences given above, the words in italics are adjectives.

An Adverb is a word which qualifies the meaning of a Verb, an Adjective or another Adverb.

(*i*) He talks *slowly*.
(*ii*) He is a *very* good student.
(*iii*) He talks *very* slowly.

In sentence (*i*), *slowly* qualifies the verb *talks*.
In sentence (*ii*), *very* qualifies the adjective *good*.
In sentence (*iii*), *very* qualifies the adverb *slowly*.

Adjectives have three degrees of comparison :

1. **Positive Degree :** It expresses the common form of an adjective.
   Example :
   Ram is a *tall* boy.
   In the above sentence *tall* is an adjective and expresses the common form.
2. **Comparative Degree :** It expresses the more of the same form.
   Example :
   Ram is *taller* than Mahesh.
   In the above sentence *taller* is an adjective that expresses the more of the common form of the adjective *tall*.

"When and How to Use" Comparative Degree?

(a) Comparative Degree is used when two persons or two groups of persons or things are compared.
Examples :
(a) He is *wiser* than his younger brother.
(b) This glass is *cleaner* than the other.

(b) When two different qualities in the same person are compared, more is used instead of 'er' to form the comparative. The formula used in this case should be :
More + Positive Degree
She is *fairer* than polite. (Incorrect)
She is *more fair* than polite. (Correct)

(c) When selection of one out of two persons or things is meant, the degree of comparison is followed by of and *the* is used before it.
Example :
Zia is abler of *the* two sisters.

(d) If two comparatives are used in the same sentence to impress upon an idea, both should be preceded by the definite article.
Examples :
(i) The higher you go, the cooler it is.
(ii) The more we get, the more we desire.

(e) When one person or thing is compared with another of the same kind, other is used after the comparative degree. In such sentences other is normally preceded by any or all.
Examples :
(i) Kalidas is greater than any dramatist. (Incorrect)
Kalidas is greater than any other dramatist. (Correct)
(ii) Lead is heavier than all metals. (Incorrect)
Lead is heavier than all other metals. (Correct)

(f) Senior, junior, superior, inferior, prior, anterior (earlier than) and posterior (later than) are always followed by 'to'.
Examples :
(i) Ram is senior *to* Mohan by three years.
(ii) That pen is inferior *to* that.
(iii) He is junior *to* me in rank.
(iv) This event was posterior *to* that.

Note: Never use *than* after the above mentioned adjectives.

Important Information

(a) 'Preferable' is also used as an adjective of the comparative degree. As such, it is always followed by *to* and not *a*.
Death is preferable than dishonour. (Incorrect)
Death is preferable *to* dishonour. (Correct)

(b) To intensify the Degree of comparison, we use *far* or *much* before the comparative.
Examples :
(i) This book is *far* better than that.
(ii) His performance was *much* better than Mohan's.
Warning : Always avoid the use of double comparatives.
Don't say : Ram is more cleverer than his younger brother.
Say: Ram is cleverer than his younger brother.

3. **Superlative Degree :** It expresses the most of the common form of an adjective.
   Example :
   He is the ablest man of the town.

How and when to use the Superlative Degree?

(a) The Superlative Degree is used when more than two persons or things are compared.
(b) The Superlative Degree is generally preceded by 'the' and followed by 'of' in most of the cases or otherwise.
(c) When an adjective of the superlative degree is preceded by a Possessive Adjective or a Noun in the Possessive case, 'the' should not be used before it.
Example :
Which is Kalidas' best play?

It will be a blunder to use 'the' before the Superlative Degree in such cases.

Don't say : Which is Kalidas' the best play.

(d) To intensify the degree of comparison, *by far* is used before the superlative degree.

Example :

India is *by far* the most beautiful country of the world.

Note: Always avoid the use of double superlatives.

Don't say : He is the most strongest boy in the class.

Say : He is the strongest boy in the class.

Use of some Important Adjectives

1. (a) **'Some'** is used as follows :

(i) With countable nouns where it means— a little, a small quantity.

(ii) In a question which shows some request.

Examples :

(i) There is some water in the bottle.

(ii) Some of the students were absent yesterday.

(iii) Will you have some milk?

(iv) Will you buy some fruit for me?

(b) **'Any'** is used as follows :

(i) In negative sentences.

(ii) In interrogative sentences.

(iii) After 'Hardly', 'Scarcely' and 'Barely'.

(iv) After 'If'.

Examples :

(i) There is not any sugar in the pot.

(ii) We haven't any rice in the house.

(iii) I have hardly any money.

(iv) There are scarcely any plants in this field.

(v) If there is any danger, blow the whistle.

2. (a) **Older :** Older (and oldest) are used for persons animals and things. But 'Older' and 'Oldest' refer to the persons who do not belong to the same family.

Examples :

(i) Radha is older than Shyama.

(ii) John is the oldest member of the staff.

'Older' and 'Oldest' refer to the persons who do not belong to the same family.

(b) **Elder** (and **eldest**) are used in respect of the members of the same family like sons, daughters, brothers, sisters.

Examples :

(i) My elder sister is a lecturer.

(ii) Meenakshi is the eldest of the three sisters.

Note :

(i) 'Elder' is not followed by 'than'.

(ii) 'Elder' and 'Eldest' cannot be used for things.

3. (a) **'Few'** is negative and is the opposite of 'Many'. It means 'not many'.

(b) **'A few'** is positive and means 'some at least'. It is the opposite of 'None'.

(c) **'The few'** means 'minority' and suggests 'whether there is'.

Examples :

(i) We have few holidays in school.

(ii) Only a few boys will fail in the examination.

(iii) The few poems that he wrote are very popular.

4. (a) **Further** means 'something additional'.

(b) **Farther** means 'a greater distance'.

Examples :

(i) Further discussion will be held in the office of the principal.

(ii) Amritsar is farther from Delhi than Ambala.

5. (a) **Little** is negative. It means, 'not much', or 'hardly any'.

(b) **A little** is positive. It means 'some quantity'.

(c) **The little** denotes quantity. It means, 'not much but all that is, or whatever quantity there is'.

Examples :

(i) There is little hope of his success.

(ii) He knows a little of everything.

(iii) I have spent the little money I had.

(iv) The little knowledge of shoe-making proved very useful to me.

6. (a) **'Much'** expresses 'quantity'.

(b) **'Many'** expresses 'number'.

(c) **'Many a'**—'Singular noun' and 'Singular verb' are used with 'many a'.

Examples :

(i) There is not *much* water in the jug.

(ii) *Many* boys are absent today.

(iii) *Many* a battle has been fought on the soil of India.

7. (a) **'Less'** denotes 'in a small degree'.

(b) **'Fewer'** denotes 'number'.

Examples :

(i) He devotes less time to his studies.

(ii) There are no fewer than ten chairs in this room.

8. (a) **'Each'** is used for a single number of 'two persons' or 'things'.

(b) **'Every'** is used for a single number of 'many persons' or 'things'.

Examples :

(i) Each boy must take part in games.

(ii) There are only two poets. Each poet recited his poem.

(iii) Every man dies in this world.

(iv) Every man is expected to do his duty.

9. (a) **'Either'** means one of the two or both.

(b) **'Neither'** is negative of the either.

Examples :

(i) You may buy either of these two chairs.

(ii) Neither of them could speak on the stage.

10.(a) **'Later'** expresses 'late in time'.

(b) **'Latter'** means 'second in position or order'.

Examples :

(i) My father reached later than I expected.

(ii) The latter position was better than the former.

Use of some Important Adverbs

1. (a) Also, too, enough:
   (i) He taught English. Also, he edited the school magazine
   (ii) He is a writer and also he is a painter.
   (iii) He is too obstinate to listen to any reason.
   (iv) This is too difficult a piece for the junior students.
   (v) Sarla was kind enough to help the poor.
   (vi) He is brave enough to help the truth.
   Note: 'Too' is used in a negative sense, but enough is used in a positive sense.

   (b) Fairly and rather: Both suggest the meaning 'moderately'. But, mainly 'fairly' is used with the words that denote a positive meaning and rather is used with the words that denote a negative meaning:
   (i) Rita did fairly well in that competition, but her performance was rather poor in sports.
   (ii) Mona is fairly rich, but she is rather stingy.
   Note: 'Rather' can also be used in a positive sense.
   (i) This is a rather interesting job.
   (ii) That boy is rather smart.

   (c) Hardly, barely, scarcely: These words mostly convey the negative suggestions and are almost similar.
   (i) I have hardly any strength now.
   (ii) There was barely any supply to the township,
   (iii) There were scarcely a hundred guests present.
   Note: With slight variance in the meaning, the words given above convey the idea of 'very little', 'not enough', 'lack of quantity and number'.

   (d) Yet, Still: These adverbs can often be used to connect the sentence units:
   (i) He has been defeated many times in the contest; still he wants to be a competitor.
   (ii) Mona was sick; yet she went on doing her work.

   (e) Alone:
   (i) He alone (none else) is capable of handling that fire,
   (ii) He hunted all alone in the forest. (not in any company)

Special Note:

(a) Apart from their conventional positions the adverbs might be used in different positions with different meanings and angles.
   (i) He had only four books.
   (ii) John only contacted his friend in need.
   (iii) He greeted me only.
   (iv) Only he greeted me there.

(b) Inversion: Some adverbs can be inverted *i.e.* placed in the beginning of the sentence and then be followed by an interrogative form. The most common of these adverb are: so, seldom, never, nowhere, under no circumstances, hardly, scarcely etc.
   (i) So big was the bus that it could not enter the narrow lane.
   (ii) Hardly had he reached the station when he received the message.

MULTIPLE CHOICE QUESTIONS

Directions: *In the following questions choose the correct options to fill the blanks.*

1. The girl whom you met is the .... sister of Ravi.
A. eldest　B. elder
C. older　D. oldest

2. The historical place is ....
A. seeing worth　B. worthy of seeing
C. worth seeing　D. worthy seeing

3. These flowers smell ....
A. sweet　B. sweetly
C. more sweetly　D. sweetest

4. .... aspirant cannot pass the entrance examination.
A. Each　B. Every
C. All　D. No

5. Harivansh Rai .... second Shakespeare.
A. is a　B. is
C. is the　D. is an

6. .... student in the class got prizes.
A. Each and every　B. Every and each
C. Every　D. Never

7. It is .... picture than the one we saw last Monday.
A. interesting　B. much interesting
C. more interesting　D. most interesting

8. She is clever ....
A. that her mother is　B. as her mother is
C. to her mother is　D. than her mother is

9. They will get ....
A. Red, green and black paper
B. Red, green black paper
C. Red and green and black paper
D. Red green black paper

10. Health is .... wealth.
A. preferable to　B. more preferable than
C. more preferable to　D. most preferable then

11. .... water that was in the jug evaporated.
A. Little　B. The little
C. Small　D. A small

12. He has not sung .... songs.
A. much　B. most
C. more　D. many

13. Srishti has searched .... office.
A. whole the　B. the whole
C. a whole　D. some whole

14. Premchand was .... best and .... famous writer.
A. a, the most　B. the, a most
C. the, more　D. the, the most

15. William Shakespeare is famous as ....
A. a poet and a dramatist
B. a poet and dramatist
C. the poet and the dramatist
D. a poet and the dramatist

16. What does .... leader suggest?
A. other B. another
C. others D. anothers

17. He .... money.
A. has few B. have few
C. has little D. have little

18. The .... boys are rewarded.
A. first two B. two first
C. firsts two D. two's first

19. He is .... brave.
A. stronger than
B. stronger then
C. more strong then
D. more strong than

20. No sooner said ....
A. so done B. and done
C. then done D. but done

21. She returned .... than I had thought.
A. quickly B. more quicker
C. more quickly D. quicker

22. He is .... foolish person.
A. rather the B. a rather
C. rather a D. rather

23. This pen .... rupees.
A. costs twenty B. twenty costs only
C. costs only twenty D. only costs twenty

24. It is .... pride.
A. nothing else but B. nothing else than
C. else nothing than D. but

25. This tea is .... to drink.
A. too hot B. very hot
C. enough hot D. much hot

ANSWERS

1	2	3	4	5	6	7	8	9	10
A	C	A	B	A	C	C	C	A	A
11	12	13	14	15	16	17	18	19	20
B	D	B	D	B	B	C	A	D	C
21	22	23	24	25					
C	C	C	A	A					

DETERMINERS

Determiners are actually Adjectives. They are always followed by nouns.

Determiners are of the following kinds:

1. **Demonstrative Determiners :** this, that, these, those
2. **Possessive Determiners :** my, our, your, his, her, its, their
3. **Quantitative Determiners :** some, any, much, enough, sufficient, whole, a little, the little, little, all, both
4. **Numerical Determiners:** a few, some, few, the few, any, several, many, no, etc.
   One, two, three ... (Cardinals)
   First, second, third ... (Ordinals)
5. **Distributive Determiners:** either, neither
6. **Articles: Indefinite:** a, an, **Definite:** the

MULTIPLE CHOICE QUESTIONS

Directions: *In the following questions choose the correct options to fill the blanks.*

1. Give me .... rice.
A. some B. few
C. a few D. any

2. ...... sheep grazing on the slope of the hill had gone away.
A. Any B. The few
C. This D. Much

3. Have you got .... magazines to read?
A. all B. much
C. some D. little

4. I have .... money that I want to spend on shares.
A. any B. much
C. less D. some

5. There is .... owl on the branch of the tree.
A. a B. the
C. an D. some

6. My brother is .... MBA.
A. a B. an
C. the D. any

7. Have you got .... cheese?
A. some B. many
C. a few D. few

8. No, I have not got .... cheese.
A. many B. few
C. any D. some

9. There is only .... milk left in the bottle.
A. enough B. few
C. much D. a little

10. There is .... hope of his recovery.
A. any B. little
C. many D. few

11. .... dogs were barking at the strangers.
A. Some B. Any
C. Much D. Less

12. The girl bought her father .... juice.
A. few B. some
C. any D. many

13. You should take .... honey everyday.
A. any B. many
C. a little D. a few

14. .... boy was punished by the teacher.
A. Either B. All
C. Any D. Many

15. .... girl was asked to join the army.
A. None B. Neither
C. All D. Any

16. .... water in the jug has been drunk by Mohan.
A. The little B. The few
C. A few D. Few

17. I shall play .... piano at the party.
A. some B. any
C. the D. few

18. .... labourers were found dead in the mine.
A. Any B. Fewer
C. Many D. Less

19. Could I borrow .... umbrella?
A. our B. your
C. yours D. my

20. My brother is standing in the .... row.
A. any B. many
C. some D. first

ANSWERS

1	2	3	4	5	6	7	8	9	10
A	B	C	D	C	B	A	C	D	B
11	**12**	**13**	**14**	**15**	**16**	**17**	**18**	**19**	**20**
A	B	C	A	B	A	C	C	B	D

THE VERB

A Verb is a word that tells something about the action or state of or happenning to a person or thing.

A Verb tells the following:

1. What a person or thing does.
   Sachin goes to school daily.
   The bell *rang* loudly.
   Many birds fly in the sky.
   She *sang* a song.
2. What a person or thing is.
   India *is* the biggest democracy in the world.
   Ram Mehar *is* very rich.
   They *are* happy.
3. What is done to a person or thing.
   You *are liked* by all.
   Two thieves *were arrested.*
   Four students *were punished* by the teacher.
4. What happens to a person or thing.
   His maternal uncle *died* last week.
   Two ships *sank* yesterday.
   Leaves *turn* yellow in autumn.
5. What a person or thing has, had, and so on.
   I *have* a new car.
   He *had* a scooter last year.
   He *has* several cows and goats.

It goes without saying that a verb is the most important part of a sentence. No sentence is complete without a Verb.

Important Information

1. If two or more singular nouns are joined by 'and' the verb used will be plural.
   Example:
   (i) He and I were going to the market.
   (ii) Ram and Mohan are friends.
2. If two singular nouns joined by 'and' points out to the same thing or person, the verb used must be singular.
   Example:
   (i) Rice and curry is the favourite food of the Punjabis.
   (ii) The Collector and District Magistrate is away.
3. In case two subjects are joined by 'as well as' the verb agrees with the first subject.
   Example :
   (i) Kanta as well as her children is playing.
   (ii) Children as well as their mother are playing.
   In the case of first sentence the verb (is) agrees with Kanta and in the case of second sentence the verb (are) agrees with the children.
4. 'Neither', 'Either', 'Every', 'Each', 'Everyone', and 'Many a' are followed by a singular verb.
   Example :
   (i) Either of the plans is to be adopted.
   (ii) Neither of the two brothers is sure to pass.
   (iii) Every student is expected to be obedient.
   (iv) Everyone of them desires this.
   (v) Many a person is drowned in the sea.

5. If two subjects are joined by 'Either .... or' / 'Neither .... nor', the verb agrees with the subject near to it.

Example :

(i) Either my brother or I am to do this work.

(ii) Neither he nor they are prepared to do this work.

6. 'A great many' is always followed by a 'plural noun' and a 'plural verb'. For example :

A great many students have been declared successful.

7. Similarly if two subjects are joined by 'with', 'together with'', 'no less than', in addition to 'and not', etc. the verb agrees with the first subject.

Example :

(i) The boy with his parents has arrived.

(ii) He, no less than I, is to blame.

8. Nouns, plural in form, but singular in meaning, take a singular verb.

Example :

This news was broadcast from television yesterday.

MULTIPLE CHOICE QUESTIONS

Directions: *In the following questions choose the correct options to fill the blanks.*

1. The bus with all its passengers .... lost.
A. were B. was
C. are D. would

2. You as well as I .... responsible for this work.
A. am B. are
C. was D. is

3. Raghava like all his companions .... a spoiled child.
A. are B. were
C. is D. will be

4. Pen and ink .... required for me.
A. are B. were
C. is D. has required

5. Every girl and every boy .... attended the seminar.
A. have B. has
C. is D. are

6. Not only she but all her sisters ...... been married.
A. has B. have
C. is D. are

7. There .... nothing but miseries in life.
A. is B. are
C. were D. will be

8. Neither prose nor poem .... given.
A. were B. was
C. has D. have

9. Either he or I .... wrong.
A. is B. are
C. am D. were

10. Either Sulekha or Rekha .... coming here.
A. are B. is
C. were D. have

11. .... the child or his parents to blame?
A. Is B. Are
C. Were D. Has

12. You and I .... neighbours.
A. am B. are
C. was D. has

13. The house with all its belongings ..... sold away.
A. were B. are
C. was D. must

14. Either water or juice .... required.
A. is B. are
C. were D. has

15. There were not as many tables as .... required.
A. was B. were
C. is D. are

16. They each .... a book.
A. have B. are
C. has D. is

17. He and I .... class friends.
A. is B. am
C. was D. are

18. She as well as I .... guilty.
A. is B. are
C. am D. must be

19. Purushottam .... not read more on this chapter.
A. needs
B. has been need
C. need
D. had been need

20. He came .... to his aunt.
A. run B. running
C. to run D. in run

ANSWERS

1	2	3	4	5	6	7	8	9	10
B	B	C	C	B	B	A	B	C	B
11	**12**	**13**	**14**	**15**	**16**	**17**	**18**	**19**	**20**
A	B	C	A	B	A	D	A	C	B

CONJUNCTIONS

A conjunction is a word which connects words, clauses or sentences.

Look at the following sentences.

(i) He bought apples *and* mangoes.

(ii) God made the country *and* man made the town.

(iii) The door was open *but* there was no one in the house.

(iv) He knows that I am here *and* that I want to see him.

In the sentence (i), *and* connects two words—*apples* and *mangoes.*

In the sentence (ii), *and* connects two sentences—*God made the country* and *man made the town.*

In the sentence (iii), *but* connects two sentences— *The door was open* and *there was no one in the house.*

In the sentence (iv), *and* connects two clauses—*that I am here* and *that I want to see him.*

The main coordinating conjunctions are:

and, but, for, or, nor, also, either ..... or, neither ..... nor.

There are some conjunctions which are used in pairs. They are:

either .... or, ... neither .... nor, both .... and, though .... yet, whether .... or, not only .... but also.

Example: *Either* take it *or* leave it.

It is *neither* useful *nor* ornamental.

They *both* like *and* respect me.

Though he is suffering from high fever, *yet* he does not cry.

He does not care *whether* you go *or* stay.

He is *not only* doltish, *but also* obstinate.

The conjunctions which are used in pairs in this way, are called correlative conjunctions, or merely correlatives.

Use of Important Conjunctions

1. **As soon as :** As soon as denotes simultaneous time.
   Example : As soon as he saw his enemy, he took to his heels.
2. **No sooner .... than :**
   (a) 'No sooner' is always followed by 'than'.
   (b) Please remember that 'No sooner' is always followed by do/does/did. As such only first form of the verb should be used after the subject.
   Example :
   No sooner did he see his enemy than he took to his heels.
3. **Hardly :** Hardly is followed by when.
   Examples :
   (i) Hardly had I left the house when it started raining.
   (ii) We had hardly come into the room when his father began chastising him.
   Note :
   A. Hardly is never followed by than.
   B. 'Scarcely' can also be used in the sense and manner of 'Hardly'.
4. **Lest :** Lest is used in the sense of so that .... not. It is always followed by should. Lest is negative in sense. Hence 'not' should never be used with it.
   Example :
   Work hard lest you should fail.
   Note : 'Lest' is always followed by 'should' and not 'may'.
5. **Unless :** Unless expresses condition. It is also used in the negative sense. Use of 'not' is not allowed with unless because unless is already in the negative sense.
   Example :
   Unless you labour hard you will not pass.
6. **Until :** 'Until' expresses time. It means 'till not'.
   Example : Wait here until I return.
   Note : Until is in the negative sense. So 'not' should not be used with it. Example :
   Wait here until I do not return. (Incorrect)
   Wait here until I return. (Correct)
7. **As well as :** When two subjects are joined by 'as well as', the verb always agrees with the first subject.
   Examples :
   (i) The teacher as well as students is playing.
   (ii) Students as well as the teacher are playing.
   Note : 'Both' and 'as well as' cannot be used together in the same sentence.
   Examples :
   Both Sita as well as Kanta are beautiful. (Incorrect)
   Sita as well as Kanta is beautiful. (Correct)
   Both Sita and Kanta are beautiful. (Correct)
8. **As if :** 'As if' is used in the sense of pretension. While using 'as if' in a sentence, we should see that even the third person singular subject gets 'were'.
   Example : He talks as if he were mad.
9. **Till :** Till expresses time. Till is always used in the affirmative.
   Example :
   We did not come back till sunset.
10. **Rather than :** 'Rather than' is used in the sense of 'preference'. 'Rather' is always followed by 'than'.
    Example :
    I would rather die than submit.
11. **As long as/so long as :** Both express time during which an action or event takes place.
    Example :
    As long as there is life, there is hope.
12. **However :** It is both a subordinate and co-ordinate clause.
    Examples :
    (a) Mala worked hard, she however, failed.
    (b) However hard he may work, he cannot pass.
13. **Such as :** 'Such as' gives us the sense of 'like'. Such is always followed by 'as'.
    Example :
    Life is such a puzzle as cannot be solved.

MULTIPLE CHOICE QUESTIONS

Directions: *In the following questions choose the correct options to fill the blanks.*

1. Neither he .... his friend is good.
A. or B. and
C. but D. nor

2. The officer asked the peon .... why he was late.
A. that B. if
C. but D. No word needed

3. Both Ajay .... Vijay are intelligent.
A. or B. nor
C. and D. No word needed

4. No Sooner did the thief see the public .... he ran away.
A. then B. and
C. but D. than

5. Abhinav .... his brothers was going to Mumbai.
A. but
B. yet
C. No word needed
D. together with

6. He behaves .... he were the captain of the team.
A. as if B. as
C. No word needed D. that

7. Either Rupali .... Sonali is going to attend the meeting.
A. and B. but
C. nor D. or

8. Neither Nirmal .... Ashwinee is going to listen the speech.
A. and B. but
C. nor D. or

9. Ravi .... Prakash are going to Kolkata.
A. or B. nor
C. but D. and

10. Rice .... curry is my usual breakfast.
A. and B. but
C. then D. than

11. Hardly had he left .... his brother came.
A. then B. than
C. when D. that

12. I would rather have a copy .... a book.
A. then B. than
C. when D. that

13. He is no other .... my friend.
A. then B. than
C. when D. but

14. He saw a snake ....he awoke.
A. then B. when
C. than D. No word needed

15. Ten years have passed .... my grandmother died.
A. since B. when
C. then D. than

16. She is .... good .... bad.
A. either, not B. neither, or
C. neither, nor D. neither, than

17. The cellphone is both cheap .... best.
A. than B. and
C. then D. or

18. No sooner did the rogue see the police .... he disappeared.
A. then B. than
C. so D. because

19. Srishti will go .... Sanju goes.
A. if B. than
C. then D. although

20. She is wise .... timid.
A. and B. yet
C. but D. however

21. Make hay .... the sun shines.
A. though B. while
C. after D. before

22. He is so weak .... he cannot walk.
A. but B. that
C. then D. so

23. Although he is rich, ... he is unhappy.
A. but B. yet
C. so D. still

24. Wait here .... I come back.
A. till B. until
C. before D. after

25. He is my friend .... I shall help him.
A. so B. hence
C. that is why D. therefore

26. He must go away .... he will be beaten.
A. otherwise B. and
C. or D. else

27. God loves good men .... good men love God.
A. and B. or
C. that D. those

28. He was late .... he was not punished.
A. but B. yet
C. still D. therefore

29. Walk slowly ...., you may fall.
A. and B. or
C. so D. otherwise

30. Work hard, ... you will fail.
A. and B. or
C. otherwise D. else

ANSWERS

1	2	3	4	5	6	7	8	9	10
D	D	C	D	D	A	D	C	D	A
11	12	13	14	15	16	17	18	19	20
C	B	B	B	A	C	B	B	A	C
21	22	23	24	25	26	27	28	29	30
B	B	B	A	B	C	A	C	D	D

PREPOSITIONS

A *Preposition* is a word which is placed before a noun or a pronoun to show its relation to some other word in the sentence.

1. I saw a goat *in* the field.
2. I am fond *of* hot coffee.

In sentence 1, the word *in* shows the relation between two things—*goat* and *field.*

In sentence 2, the word *of* shows the relation between the attribute expressed by the adjective *found* and *tea.*

The words *in* and *of* are here used as prepositions.

The noun or pronoun which is used with a preposition is called its object. The noun or pronoun is in the objective case. It is governed by the preposition. Now it is absolutely clear that in sentence 1, the noun *field* is in the objective case. The word *field* is governed by the preposition *in.*

A preposition may have two or more objects.

The road runs over *hill* and *plain.*

Here, the words *hill* and *plain* are used as objects.

Use of Important Prepositions

1. Among, Between

'**Among**' is used for more than two persons or things; '**Between**' is used only for two.

Examples :

(i) Distribute these sweets *among* the poor students of the class.

(ii) Distribute these books *between* Ram and Shyam.

2. Among, In

'**Among**' is used before collective plural nouns. '**In**' is used before collective singular nouns.

Examples :

(i) I found him standing *among* the crowd.

(ii) I saw him in the crowd.

3. Beside, Besides

'**Beside**' means 'by the side of'. '**Besides**' means 'in addition to'.

Examples :

(i) The daughter was sitting *beside* her mother.

(ii) *Besides* his relatives, he invited his friends also.

4. In, Within

'**In**' means at the expiry of a period of time in future, '**Within**' means before the expiry of a period of time in any tense.

Examples :

(i) She will return *in* a week.

(ii) I shall finish my work *within* a weak.

5. On, Upon

'**On**' is used for things at rest; '**Upon**' is used for things in motion.

Examples :

(i) He is sitting *on* the floor.

(ii) The dog sprang *upon* the table.

6. By, With

'**By**' denotes the agent or doer, '**With**' denotes the instrument with which anything is done.

Examples :

(i) The bird was killed *by* the hunter with an arrow.

(ii) He beat the dog *with* a stick.

(iii) I shall reach here *by* five o'clock.

7. After, In

'**After**' means at the end of a period of time in the past. '**In**' means at the end of a period of time in future.

Examples :

(i) I shall return your book *in* a week.

(ii) He returned the book *after* a week.

8. For, From, Since

'**For**' is used before a noun denoting a period of time with all the tenses. '**From**' is used before a noun or phrase denoting a point of time, it is used in all the tenses. '**Since**' is used before a noun or phrase denoting some point of time and is always produced by a verb in the perfect continuous tense or third form of a verb.

Examples :

(i) We have been playing cards *for* two hours.

(ii) She stayed with her uncle *from* the 15th of March to the 15th of May.

(iii) I have been reading this book *since* morning.

9. Above, Over

'**Above**' means 'higher from', **Over** is used in the following four senses :

(i) In the sense of 'above' :
At noon, the sun is *over* our heads.

(ii) In the sense of 'beyond' :
I cannot get *over* my disappointment.

(iii) In the sense of 'Superiority' :
God *over* all blesses for ever more.

(iv) In the sense of 'Conclusion' :
It is all *over* with me.

10. At, Towards

'**At**' denotes the idea of aim, '**Towards**' denotes the idea of destination.

Examples :

(i) He threw the stone *at* the cat.

(ii) He went *towards* the house.

11. At, In, On

'At' is used as follows :

(i) '**At**' is used with small towns and villages. **Examples:**

(a) He was born *at* Sonepat.

(b) He lives *at* village Bangra. (Bangra is a village)

(ii) '**At**' is used before a noun denoting a definite point of time.

Example :

He called on me *at* 9 p.m. yesterday.

'In' is used as follows :

(iii) '**In**' is used with the names of big cities, provinces and countries.

Examples :

(a) His father lives *in* England.

(b) His younger brother lives *in* Calcutta.

(iv) '**In**' is used before the names of months and years.

Example :

His elder sister was born *in* 1972 *in* the month of May.

'**On**' is used with dates and names of days. **Examples:**

(a) I joined college *on* the 26th April.

(b) He will leave for Kolkata *on* Wednesday next.

Important Information

1. '**In**' is also used in the following phrases :
   In the morning; In the evening, In winter, In summer.
2. '**In**' also denotes a place inside anything.
   He travelled *in* a crowded bus.
3. '**At**' is used in the following phrases :
   At home, *At* the station, *At* work, *At* play.

12. Below, Beneath

Below means 'of lower level in position, dignity and expectation' etc. *Beneath* means 'under'.

Examples :

(i) It is *below* my dignity to talk to her.

(ii) They rested *beneath* the shade of a tree.

13. In, Into, To

'**In**' expresses Rest or Motion inside anything. '**Into**' expresses Motion towards the inside of anything or change from one medium to another. '**To**' denotes motion from one place to another.

Examples :

(i) The boys are *in* the room.

(ii) Translate this passage from English *into* Hindi.

(iii) Every morning he goes *to* the temple.

14. Till, By, Of, Off

- 'Till' means upto or not earlier than.
- 'By' means not later than.
- 'Of' shows cause, source, separation, quality, contents, possession, apposition, point of reference, space in time etc.
- 'Off' shows separation at a near distance, and detached condition.

Consider the following examples:

(i) I shall work *till* 5 a.m.

(ii) Madhu died *of* cancer.

(iii) The nib *of* the pen is made *of* gold.

(iv) He presented me a bottle *of* perfume.

(v) Our principal is a man *of* principle.

(vi) He lived in the house *of* his friend.

(vii) *By* this time tomorrow, I'll have finished my job.

(viii) My house is *off* the road.

(ix) The book fell *off* the table.

MULTIPLE CHOICE QUESTIONS

Directions: *Tick the correct preposition for the blank in each of the following sentences.*

1. He applied ...... the manager.
A. for B. to
C. with D. by

2. Trust ...... God and do the right.
A. in B. for
C. to D. with

3. She is worthy ...... a prize.
A. with B. for
C. to D. of

4. Mr. Gomes has no taste ...... music.
A. of B. for
C. with D. to

5. You are hard ...... hearing.
A. at B. of
C. with D. for

6. He is sure ...... his success
A. for B. with
C. on D. of

7. Preeti was warned ...... the danger ahead.
A. for B. at
C. of D. about

8. I am thankful ...... you for a good advice.
A. for B. with
C. to D. of

9. Deepak would not surrender ...... the police.
A. with B. to
C. for D. on

10. The small plant in your lawn is very sensitive ...... touch.
A. on B. with
C. to D. about

11. Divya was sure to succeed ..... the examination.

A. for B. in
C. to D. with

12. Geeta was jealous ...... Ravina's beauty.

A. to B. with
C. for D. of

13. He was ignorant ..... what was happening there.

A. for B. of
C. to D. with

14. Your pen is inferior ...... mine.

A. than B. with
C. from D. to

15. Reenu is no match ...... Meenu.

A. to B. for
C. with D. upon

16. It is necessary ...... you to apply for this job.

A. on B. with
C. for D. to

17. Be loyal ...... your country.

A. for B. to
C. on D. with

18. Mukesh is junior ...... me.

A. than B. to
C. from D. of

19. Deepika was innocent ...... the crime.

A. of B. with
C. from D. to

20. I am desirous.... joining the Indian cricket team.

A. for B. of
C. to D. on

ANSWERS

1	2	3	4	5	6	7	8	9	10
B	A	D	B	B	D	D	D	B	D
11	**12**	**13**	**14**	**15**	**16**	**17**	**18**	**19**	**20**
B	D	B	D	B	D	B	B	A	B

SYNONYMS

A synonym is a word which conveys a meaning similar to the given word.

REMEMBER

Words	*Synonyms*
Add	Increase
Adequate	Enough
Adjust	Adapt
All	Aggregate
Allow	Permit
Abode	Dwelling
Apt	Proper
Assess	Appraise
Accuse	Calumniate
Abashed	Timid
Annoy	Displease
Ample	Enough, Sufficient
Amplify	Increase
Apathetic	Unenthusiastic
Accost	Address
Authentic	True
Adjust	Fit
Approve	Assent, Allow, Accept
Adapt	Conform
Adversary	Opponent, Rival, Competitor
Beat	Whack
Benign	Kind
Breeze	Zephyr
Baffle	Puzzle
Booty	Spoil

Words	*Synonyms*
Beauty	Charm
Beast	Animal
Bandit	Robber
Blaze	Shine
Bond	Tie
Bend	Twist
Bate	Diminish
Beg	Plead
Barbaric	Wild, Savage
Bashful	Shy, Reserved
Begin	Start
Blend	Mix, Mingle
Bizarre	Funny
Below	Under
Bedevil	Confuse
Bemoan	Lament
Babble	Nonsense
Blame	Fault
Behaviour	Demeanour
Call	Accost
Copy	Imitate
Close	Shut
Caress	Love
Camp	Stay
Connect	Attach
Cut	Injure, Curtail
Cling	Stick
Conical	Funny
Convey	Carry
Conspicuous	Prominent
Cheerful	Happy, Pleasant

Words	Synonyms
Curtail	Decrease
Cheerless	Sad, Dejected
Curious	Strange
Circumstance	Factor, Situation, Condition
Competent	Capable
Congruent	Overlapping
Cope	Deal, Endure
Confident	Sure
Complex	Intricate
Cajole	Coax, Flatter
Cunning	Crafty
Delectable	Joyful, Delightful
Devilish	Diabolical
Delicate	Soft
Devil	Fiend
Delay	Postpone
Dislike	Repugnance
Destroy	Ruin
Dwell	Live, Dilate
Declare	Pronounce
Drunk	Flushed
Deficient	Lacking
Damn	Condemn, Curse
Decrease	Diminish
Destruction	Devastation
Efficient	Competent
Ethnic	Racial
Enthral	Enslave
Earnest	Serious
Envious	Jealous
Ending	Final
Egg	Incite
Extempore	At once
Extensive	Far-ranging
Extra	Surplus
Existence	Life
Exceed	Overstep
Enormous	Vast
Excessive	Superfluous
Free	Unhindered
Frigid	Cold
Feed	Cater
Fame	Reputation
Frame	Make
First	Initial
Frighten	Terrorise, Intimidate
Fervent	Fervid
Fall	Decline
Feeble	Frail
Fickle	Changeable
Finish	Conclude
Fraud	Deception
Forgiving	Placable

Words	Synonyms
Grow	Develop
Greed	Avidity
Greet	Welcome
Grave	Serious
Group	Constellation
Given	Bestowed
Gratitude	Thankfulness
Have	Possess
Hire	Rent
Hit	Strike
Handsome	Beautiful
Hinder	Prevent
Heap	Pile
Hope	Expect
Hard	Harsh
Help	Aid
Hymn	Song
Henpecked	Enslaved
Hoodwink	Mystify, Cheat
Humble	Polite, Urbane, Modest
Harass	Vex, Trouble
Impart	Instil
Intact	Untouched
Instal	Establish
Indict	Impeach
Imitate	Ape
Instigate	Incite
Initiate	Start, Introduce
Inimical	Unfriendly
Insufferable	Intolerable
Impartiality	Justice
Jolly	Merry
Joyful	Delectable
Join	Conjoin
Kind	Benign
Kill	Murder
Kindred	Similar
Kinship	Relationship
Keen	Sharp
Knowledge	Scholarship
Lazy	Slothful
Large	Substantial, Gargantuan
Listless	Careless, Lackadaisical
Lax	Loose
Little	Small
Lifelike	Realistic
Lofty	High
Lenient	Soft, Gentle
Lacking	Deficient, Wanting
Lessen	Decrease
Middleclass	Bourgeois
Mitigate	Lessen, Abate
Modesty	Humility, Lowliness

Words	Synonyms
Mix	Mingle, Blend
Mixture	Mingling
Mixed	Assorted
Modify	Decrease
Mean	Imply
Multifarious	Varied
Miscarry	Abort
Note	Notice
Noble	Stately
Native	Indigenous
Needful	Necessary
Notify	Declare
Nervous	Shaky, Tremulous, Timid
Natural	Spontaneous
Near	Close
Normal	Natural
Offend	Displease
Oppress	Persecute, Tyrannize
Opponent	Adversary
Obstruct	Hinder, Check
Offence	Fault
Offender	Villain
Overstep	Exceed
Overlapping	Congruent
Occult	Mystic
Profane	Unholy
Patience	Forbearance
Pornographic	Obscene
Plenitude	Abundance
Prominent	Important
Prodigal	Spender
Procrastinate	Postpone
Promote	Develop, Honour
Persecute	Tyrannise
Profess	Claim
Pliant	Flexible
Plebian	Common
Polished	Sophisticated
Quake	Shake
Quit	Leave
Queer	Eccentric
Quell	Suppress
Quantify	Allot
Reply	Answer
Relinquish	Retire
Read	Peruse
Relation	Reference
Render	Do
Remainder	Residuals
Repeat	Reiterate
Repentant	Contrite
Retaliative	Retaliatory
Rumour	Hearsay
Reveal	Divulge

Words	Synonyms
Ritualistic	Ceremonious
Soft	Delicate
Sort	Kind, Choose, Select
Selfish	Egoistic
Sensual	Earthly
Suppress	Quell, Check
Stimulate	Provoke
Tasteless	Insipid
Travel	Journey
True	Authentic, Faithful, Truthful
Turbulence	Turmoil
Tragedy	Calamity
Tasteful	Tasty, Delicious
Touching	Painful
Thankful	Grateful
Tremendous	Great, Huge
Tough	Strong
Terminate	Conclude, End
Theory	Doctrine
Tell	Relate
Tremble	Shake, Shiver
Urge	Spur
Unbeaten	Unsubdued
Use	Utilize, Practise
Underhand	Unfair, Undue
Unfair	Unjust
Unravel	Reveal, Divulge
Unimportant	Common
Unconcerned	Apathetic
Unimitated	Inimitable
Unfortunate	Unlucky
Understand	Perceive, Comprehend
Vain	Proud, Haughty, Conceited, Shameless
Vale	Valley, Dale, Dell
Vice	Fault
Virtue	Quality
Veracity	Reality
Value	Price, Prize
Vex	Tease
Vibrate	Quiver, Shake
Violent	Excessive
Vivid	Clear, Lucid
Victory	Triumph
Vulgar	Indecent
Virtuous	Honest
Variegated	Varied, Multifarious
Well	Good
Yell	Cry, Shout
Yonder	There
Yearn	Wish, Desire
Yoke	Slavery
Zest	Earnestness, Enthusiasm
Zealous	Earnest

ANTONYMS

A antonym is a word which conveys a meaning opposite to the given word.

REMEMBER

Words	*Antonyms*
Abhor	Love
Abnormal	Normal
Able	Unable
Acceptable	Unacceptable
Adequate	Inadequate
Amusing	Boring
Angry	Calm
Apex	Bottom
Attract	Repel
Bad	Good
Barren	Fertile
Beautiful	Ugly
Bitter	Sweet
Brave	Cowardly
Brief	Lengthy
Bright	Dull
Calm	Violent
Careful	Careless
Clear	Vague, Cloudy
Cold	Hot
Cruel	Kind
Dear	Cheap
Deep	Shallow
Difficult	Easy
Direct	Indirect
Dishonest	Honest
Disobey	Obey
Encourage	Discourage
Enormous	Tiny
Excellent	Bad
Expensive	Cheap
Eat	Fast
Fair	Unfair
Fake	Authentic
False	True
Famous	Notorious
Fool	Genius
Generous	Miserly
Genius	Fool
Genuine	Unauthentic
Gigantic	Tiny
Glad	Depressed
Good	Bad
Great	Little
Happy	Sad
Hard	Soft
Hate	Love
Honest	Dishonest
Idle	Busy

Words	*Antonyms*
Immoral	Moral
Include	Exclude
Incorrect	Correct
Intelligent	Unintelligent
Kind	Cruel
Like	Dislike
Long	Short
Lucid	Vague
Major	Minor
Naive	Experienced
Nadir	Apex
Neat	Clumsy
Obedient	Disobedient
Obscure	Clear
Oppose	Support
Optimistic	Pessimistic
Out	In
Patience	Impatience
Peaceful	Belligerent
Pious	Impious
Polite	Impolite
Potent	Impotent
Prominent	Unimportant
Proper	Improper
Pure	Impure
Quick	Slow
Quiet	Disturbance
Real	False, Unreal
Reject	Select, Choose
Reliable	Unreliable
Respect	Disrespect
Right	Wrong
Robust	Feeble, Weak
Sad	Happy
Secret	Open
Sensible	Insensible
Severe	Mild
Sharp	Blunt
Simple	Complex
Sociable	Unsociable
Tall	Short
Tidy	Untidy
Uncanny	Canny
Violent	Calm
Vivid	Vague
Strong	Weak
Big	Small
Easy	Difficult
Fast	Slow
High	Low
Catchy	Unattractive
Ugly	Handsome, Beautiful, Tidy
Tasty	Insipid
Sonorous	Harsh

MULTIPLE CHOICE QUESTIONS

Directions (Qs. 1 to 20): *In the following questions choose the word which best expresses the meaning of the given word.*

1. ABSURD
   A. Foolish B. Simple
   C. Courageous D. Silly
2. ABANDON
   A. Lose B. Profit
   C. Vacate D. Foil
3. CAJOLE
   A. Pause B. Lenient
   C. Blast D. Lure
4. COMBAT
   A. Fight B. Conflict
   C. Shoot D. Quarrel
5. LAMENT
   A. Condone B. Console
   C. Complain D. Contribution
6. DEBACLE
   A. Disgrace B. Defeat
   C. Collapse D. Decline
7. SHIVER
   A. Fear B. Tremble
   C. Shake D. Ache
8. TORTURE
   A. Terror B. Harassment
   C. Torment D. Tranquility
9. LAUDABLE
   A. Lovable B. Commendable
   C. Profitable D. Oblivious
10. FIXED
    A. Sterile B. Static
    C. Stubborn D. Parennial
11. QUEER
    A. Unfamiliar B. Cute
    C. Curious D. Strange
12. SUFFICIENT
    A. Fit B. Proper
    C. Adequate D. Vast
13. GLOSS
    A. Brightness B. Soothing
    C. Rubbing D. Miracle
14. LONGING
    A. Prune B. Apathy
    C. Curtail D. Craving
15. JEER
    A. Applaud B. Magnanimity
    C. Avoid D. Scoff
16. ZENITH
    A. Minimum B. Nadir
    C. Plant D. Peak
17. GARB
    A. Distort B. Dress
    C. Trivial D. Rage
18. ABHOR
    A. Rude B. Reconcile
    C. Crave D. Detest
19. YIELD
    A. Shum B. Incisive
    C. Retain D. Surrender
20. YOKE
    A. Twist B. Release
    C. Link D. Extra

Directions (Qs. 21 to 26): *In the following questions choose the word which best expresses the opposite of the given word.*

21. TRAGIC
    A. Dramatic B. Strong
    C. Gentle D. Comic
22. ORAL
    A. Verbal B. Sane
    C. Minor D. Written
23. ADMIRE
    A. Hate B. Unlike
    C. Dislike D. Enough
24. VIOLENT
    A. Gentle B. Savage
    C. Haughty D. Decline
25. ADVERSITY
    A. Windfall B. Inprosperity
    C. Prosperity D. Slave
26. GENUINE
    A. Spurious B. Obscure
    C. Countless D. Apathetic

ANSWERS

1	2	3	4	5	6	7	8	9	10
D	C	D	A	C	C	B	C	B	B
11	**12**	**13**	**14**	**15**	**16**	**17**	**18**	**19**	**20**
D	C	A	D	D	D	B	D	D	C
21	**22**	**23**	**24**	**25**	**26**				
D	D	C	A	C	A				

●●●

3

Sentence Completion

It is such an exercise which starts with the primary schools and continues in the highest level of competitive examinations. One must practise it regularly to score well.

Directions (Qs. 1 to 15): *Pick out the most effective word(s) from the given words to fill in the blanks to make the sentence meaningfully complete.*

1. The student ...... that book from the library to study at home.

A. issued B. borrowed
C. hired D. lent

2. I wish I ...... a king.

A. was B. am
C. should be D. were

3. He ...... to listen to my arguments and walked away.

A. denied B. disliked
C. objected D. refused

4. The flow of blood was so ...... that the patient died.

A. intense B. adequate
C. profuse D. extensive

5. When I met her yesterday, it was the first time I ...... her since Christmas.

A. saw B. have seen
C. had seen D. have been seing

6. Can you pay ...... all these articles?

A. for B. of
C. off D. out

7. I ...... you to be at the party this evening.

A. expect B. hope
C. look forward to D. desire

8. ...... being a handicapped person, he is very cooperative and self-reliant.

A. Because B. Although
C. Since D. Despite

9. The child broke ...... from his mother and ran towards the painting.

A. away B. after
C. down D. with

10. With his ...... income, he finds it difficult to live a comfortable life.

A. brief
B. sufficient
C. meagre
D. huge

11. He could ...... a lot of money in such a short time by using his intelligence and working hard.

A. spend
B. spoil
C. exchange
D. accumulate

12. Though the brothers are twins, they look ......

A. alike B. handsome
C. indifferent D. different

13. Unfavourable weather conditions can ..... illness.

A. cure B. detect
C. treat D. enhance

14. No sooner did the bell ring, ... the actor started singing.

A. when B. than
C. after D. before

15. If I ...... realised it, I would not have acted on his advice.

A. was B. had
C. were D. have

Directions (Qs. 16 to 25): *In each question, an incomplete statement (Stem) followed by four fillers is given. Pick out the best one which can complete the incomplete stem correctly and meaningfully.*

16. Unless you work harder you will fail, means .....

A. if you fail you will work harder.
B. you must at least plan well than you will not fail.
C. hardly you will fail if you do not desire so.
D. if you do not put more efforts, then you will fail.

17. Even if it rains I shall come, means .....

A. if I come it will not rain.
B. if it rains I shall not come.
C. I will certainly come whether it rains or not.
D. whenever there is rain I shall come.

18. Dinesh is as stupid as he is lazy means .....

A. Dinesh is stupid because he is lazy.
B. Dinesh is lazy because he is stupid.
C. Dinesh is either stupid or lazy.
D. Dinesh is equally stupid and lazy.

19. He is so lazy that he .....

A. cannot depend on others for getting his work done.
B. cannot delay the schedule of completing the work.
C. can seldom complete his work on time.
D. dislike to postpone the work that he undertakes to do.

20. He always stammers in public meetings, but his today's speech .....
A. was fairly audible to everyone present in the hall.
B. was not received satisfactorily.
C. could not be understood properly.
D. was free from that defect.

21. In order to raise the company's profit, the employees.....
A. demanded two additional increments.
B. decided to go on paid holidays.
C. requested the management to implement new welfare schemes.
D. offered to work overtime without any compensation.

22. Although, he is reputed for making very candid statements, ...
A. his today's speech was not fairly audible.
B. his promises had always been realistic.
C. his speech was very interesting.
D. his today's statements were very ambiguous.

23. I felt somewhat more relaxed .....
A. but tense as compared to earlier.
B. and tense as compared to earlier.
C. as there was already no tension at all.
D. and tension-free as compared to earlier.

24. With great efforts his son succeeded in convincing him not to donate his entire wealth to an orphanage ....
A. and lead the life of a wealthy merchant.
B. but to a home for the forsaken children.
C. and make an orphan of himself.
D. as the orphanage needed a lot of donations.

25. Even though it is a very large house, ...
A. there is a lot of space available in it for children.
B. there is hardly any space available for children.
C. there is no dearth of space for children.
D. the servants take a long time to clean it.

ANSWERS

1	2	3	4	5	6	7	8	9	10
B	D	D	C	C	A	A	D	A	C
11	**12**	**13**	**14**	**15**	**16**	**17**	**18**	**19**	**20**
D	D	D	B	B	D	C	D	C	D
21	**22**	**23**	**24**	**25**					
D	D	D	C	B					

●●●

4

Spotting Errors

The most common errors in English are of spellings, grammar and usage of words. By regular practice, the errors can be easily spotted and minimised.

MULTIPLE CHOICE QUESTIONS

Directions: *In the following questions some of the sentences have errors and some are correct. Find out which part of a sentence has an error, the number of that part is your answer. If a sentence is free from errors, then your answer is D i.e., No error.*

1. (A) Either Ram or/(B) you is responsible/(C) for this action./(D) No error.

2. (A) The student flatly denied/(B) that he had copied/(C) in the examination hall./(D) No error.

3. (A) By the time you arrive tomorrow/(B) I have finished/(C) my work./(D) No error.

4. (A) The captain with the members of his team/(B) are returning/(C) after a fortnight./(D) No error.

5. (A) After returning from/(B) an all-India tour/(C) I had to describe about it./(D) No error.

6. (A) The teacher asked his students/(B) if they had gone through/(C) either of the three chapters included in the prescribed text./(D) No error.

7. (A) Do you know/(B) how old were you/(C) when you came here?/(D) No error.

8. (A) Beware of/(B) a fair-weather friend/(C) who is neither a friend in need nor a friend indeed./(D) No error.

9. (A) Copernicus proved/(B) that Earth/(C) moves round the Sun./(D) No error.

10. (A) The property/(B) was divided/(C) among the two brothers./(D) No error.

11. (A) I am quite certain/(B) that the lady is not only greedy/(C) but miserly./(D) No error.

12. (A) The brilliant success in the examination/(B) as well as his record in sports/(C) deserves high praise./(D) No error.

13. (A) I cannot find/(B) where has he gone/(C) though I have tried may best./(D) No error.

14. (A) If I was/(B) the Prime Minister of India/(C) I would work wonders/(D) No error.

15. (A) If it weren't/(B) for you,/(C) I wouldn't be alive today./(D) No error.

16. (A) He looked like a lion/(B) baulked from/(C) its prey./(D) No error.

17. (A) Widespread flooding/(B) is affecting/(C) large areas of the villages./(D) No error.

18. (A) If we really set to/(B) we can get the whole house/(C) cleaned in an afternoon./(D) No error.

ANSWERS

1	2	3	4	5	6	7	8	9	10
B	D	B	B	C	C	D	D	B	C
11	**12**	**13**	**14**	**15**	**16**	**17**	**18**	**19**	**20**
C	D	B	A	C	C	C	A	A	C

EXPLANATORY ANSWERS

1. Replace 'is' by 'are'.
2. No error.
3. Replace 'have' by 'would have'.
4. Replace 'are' by 'is'.
5. Replace 'had to describe' by 'described'.
6. Replace 'either' by 'any'.
7. No error.
8. No error.
9. Omit 'that'.
10. Replace 'among' by 'between'.
11. Add 'also'.
12. No error.
13. Replace 'has he' by 'he has'.
14. Replace 'was' by 'were'.
15. Replace 'wouldn't be' by 'would not have been'.
16. Replace 'its' by 'his'.
17. Replace 'areas' by 'area'.
18. Replace 'set to' by 'set on'.

●●●

5

One Word Substitution

There are many single words in English language which can be perfectly used for a number of words. These words help in expressing ideas in a short and correct manner for the right occasion. Such words not only increase the vocabulary but also enable you to economise in the use of words to a great extent.

Multiple Word Expression	*Substitution*
One who always looks towards the bright side of things	Optimist
One who always looks towards the dark side of things	Pessimist
The time when one develops from a child into an adult	Adolescence
The process of growing more plants in order to form a forest.	Afforestation
The science which deals with farming	Agriculture
From some other country or place etc.	Alien
A term, etc. giving more than one meaning	Ambiguous
A vehicle which is used to carry sick persons	Ambulance
An animal which can live both in water and on land	Amphibian
A lawless situation when there is no government	Anarchy
Belonging to the history of thousands of years old	Ancient
Once a year	Annual
A very old object but still valuable	Antique
Words of opposite meanings	Antonyms
Words of similar meanings	Synonyms
Signatures of a famous person	Autograph
A government led by one person with absolute authority	Autocracy
A written work of one's own life history	Autobiography
A person who has never been married	Bachelor
A person usually having no hair on his head	Bald
A place where one can deposit money and get interest	Bank
A person who cuts our hair	Barber
A building/group of buildings where soldiers live	Barracks
A person who makes buns and biscuits	Baker
A person who lives by asking people for food and money without doing any useful job	Beggar
The crime of having married to two persons at the same time	Bigamy
The branch of science which deals with the study of plants	Botany
Able to speak two languages	Bilingual
Able to speak more than two languages	Polyglot
The branch of science which deals with the living organisms	Biology
A powerful snow storm	Blizzard
A great successful book or movie	Blockbuster
A short news on the radio or TV	Bulletin
A system in which the most important works are organised by the government officials	Bureaucracy
A person who has no vision in his eyes	Blind
A page or a series of pages on which the information of days, weeks, months, etc. is given	Calendar
A person who eats human flesh	Cannibal
A complete list of items often arranged alphabetically	Catalogue
A sudden disaster	Catastrophe
A period of 100 years	Century

Multiple Word Expression	*Substitution*
A branch of science which deals with chemicals	Chemistry
A printed leaf usually issued by banks that we sign to carry certain financial deal	Cheque
A person who makes or mends shoes	Cobbler
A group of people who has been chosen by others to make decisions on their own	Committee
A building in which nuns live	Convent
An animal which feeds on other animals	Carnivorous
A person who does criticism	Critic
A person who cannot hear	Deaf
A condition in which one loses a lot of water from one's body because of vomiting, etc.	Dehydration
A system of government in which the people cast their votes to elect their leaders	Democracy
The study of skin problems	Dermatology
A long piece of land covered with sand	Desert
The art of managing relationships between countries	Diplomacy
A piece of information about the words in a book form	Dictionary
A piece of information about the telephone numbers of the people in a book from	Directory
A person in charge of a newspapers, magazine etc.	Editor
A person who thinks he is better than the others	Egoist
To leave your country and settle in some other country	Emigrate
A book or series of books giving almost all knowledge about an area or some persons etc.	Encyclopaedia
Study of insects	Entomology
Time when day and night are of the same duration	Equinox
To sell things out of the country	Export
To purchase things from some other country	Import
A plant or animal no longer in existence	Extinct
A situation when there is a shortage of food for a long period of time	Famine
An amount of money that we pay for some action or services	Fee
Related to women	Feminine
An animal strong and aggressive	Ferocious
A piece of land where plants grow easily from the soil that is favourable to them	Fertile
A work of literature having some imaginary events	Fiction
A large amount of water covering certain area	Flood
A person who sells flowers	Florist
A religious ceremony for burying or cremating a dead person	Funeral
A substance which kills fungus	Fungicide
A person studying or having studied the diseases and the related things of female reproductory system	Gynaecologist
The murder of the person of the same group race or country	Genocide
A substance which kills germs	Germicide
A situation in which many people die because of fire during war	Holocaust
The act of killing a person deliberately	Homicide
A word having the pronunciation as the other one does but it differs in meaning	Homophone
A word having the same spelling as the other one does but it is pronounced in some other way	Homonym
A person who is attracted towards the person of the same sex	Homosexual
Go across and parallel to the ground	Horizontal
A substance which kills the insects	Insecticide
That cannot be corrected	Incorrigible
That cannot be defeated	Invincible
That cannot be eaten	Inedible
That cannot be seen	Invisible
A place in a school or college where books are kept for the benefit of students, teachers etc.	Library
A place in a school or college where scientific experiments are performed	Laboratory

Multiple Word Expression	Substitution
An official who is a judge in the lowest court	Magistrate
A piece of music or a book before it is printed	Manuscript
Related to men	Masculine
One who believes in the existence of God	A theist
One who does not believe in the existence of good	An atheist
That can be believed	Credible
That cannot be believed	Incredible
That which dissolves in a solvent	Soluble
That which does not dissolves in a solvent	Insoluble
Hard writing that can be read	Legible
Hard writing that cannot be read	Illegible
A person who does jobs beneficial to mankind	Philanthropist
A person who goes on foot	Pedestrian
A person who fights for his own country	Patriot
An act of killing oneself	Suicide
A woman whose husband is dead	Widow
A man whose wife is dead	Widower
A person who eats vegetarian and non-vegetarian diets	Omnivorous
Something which is everywhere at the same time	Omnipresent
One who knows everything	Omniscient
A child who does not have parents	Orphan
An award etc. given after the death of the person	Posthumous
The place where animals are kept for amusement and to increase the knowledge of the public	Zoo
The science which deals with the study of animals	Zoology

MULTIPLE CHOICE QUESTIONS

Directions: *In questions given below, out of the four alternatives, choose the one which can be substituted for the given words/sentences.*

1. Something that relates to everyone in the world
A. General B. Common
C. Usual D. Universal

2. An expression of mild disapproval
A. Warning B. Denigration
C. Impertinence D. Reproof

3. One who is not easily pleased by anything
A. Maiden B. Medieval
C. Precarious D. Fastidious

4. Murder of a king
A. Infanticide B. Matricide
C. Genocide D. Regicide

5. A remedy for all diseases
A. Stoic B. Marvel
C. Panacea D. Recompense

6. A dramatic performance
A. Mask B. Mosque
C. Masque D. Mascot

7. Study of birds
A. Orology B. Optology
C. Ophthalmology D. Ornithology

8. Ready to believe
A. Credulous B. Credible
C. Creditable D. Incredible

9. Incapable of being seen through
A. Ductile B. Opaque
C. Obsolete D. Potable

10. One who eats everything
A. Omnivorous B. Omniscient
C. Irresistible D. Insolvent

11. A place where bees are kept is called
A. An apiary B. A mole
C. A hive D. A sanctuary

12. One who cannot be corrected
A. Incurable B. Incorrigible
C. Hardened D. Invulnerable

13. One who is in charge of a museum
A. Curator B. Supervisor
C. Caretaker D. Warden

14. Continuing fight between parties, families, clans, etc.
A. Enmity B. Feud
C. Quarrel D. Skirmish

15. A voice loud enough to be heard
A. Audible B. Applaudable
C. Laudable D. Oral

16. A paper written by hand
A. Handicraft B. Manuscript
C. Handiwork D. Thesis

17. Habitually silent or talking little
A. Serville B. Unequivocal
C. Taciturn D. Synoptic

18. To slap with a flat object
A. Chop B. Hew
C. Gnaw D. Swat

19. A person who speaks many languages
A. Linguist B. Monolingual
C. Polyglot D. Bilingual

20. A light sailing-boat built specially for racing
A. Canoe B. Yacht
C. Frigate D. Dinghy

21. A fixed orbit in space in relation to earth
A. Geological B. Geo-synchronous
C. Geo-centric D. Geo-stationary

22. A style in which a writer makes a display of his knowledge
A. Pedantic B. Verbose
C. Pompous D. Ornate

23. A religious discourse
A. Preach B. Stanza
C. Sanctorum D. Sermon

24. A place that provides refuge
A. Asylum B. Sanatorium
C. Shelter D. Orphanage

25. Detailed plan of a journey
A. Travelogue B. Travelkit
C. Schedule D. Itinerary

26. A person who insists on something
A. Disciplinarian B. Stickler
C. Instantaneous D. Boaster

27. A drawing on transparent paper
A. Red print B. Blue print
C. Negative D. Transparency

28. One who believes that all things and events in life are predetermined is a
A. Fatalist B. Puritan
C. Egoist D. Tyrant

29. A school boy who cuts classes frequently is a
A. Defeatist B. Sycophant
C. Truant D. Martinet

30. The act of violating the sanctity of the church is
A. Blasphemy B. Heresy
C. Sacrilege D. Desecration

31. A place where monks live as a secluded community
A. Cathedral B. Diocese
C. Convent D. Monastery

32. One who is fond of fighting
A. Bellicose B. Aggressive
C. Belligerent D. Militant

33. Tending to move away from the centre or axis
A. Centrifugal B. Centripetal
C. Axiomatic D. Awry

34. Words inscribed on tomb
A. Epitome B. Epistle
C. Epilogue D. Epitaph

35. Leave or remove from a place considered dangerous
A. Evade B. Evacuate
C. Avoid D. Exterminate

36. Original inhabitants of a country
A. Abroge B. Aborger
C. Aborgory D. Aborigins

37. Government by the officials
A. Theocracy B. Plutocracy
C. Bureaucracy D. Democracy

38. Incapable of being exhausted
A. Inexhaustible B. Inaexhaustible
C. Exhaustable D. Non-tired

39. A person of good understanding, knowledge and reasoning power
A. Expert B. Intellectual
C. Snob D. Literate

40. One absorbed in his own thoughts and feelings rather than in things outside
A. Scholar B. Recluse
C. Introvert D. Intellectual

ANSWERS

1	2	3	4	5	6	7	8	9	10
D	D	D	D	C	C	D	A	B	A
11	12	13	14	15	16	17	18	19	20
A	B	A	B	A	B	C	D	A	B
21	22	23	24	25	26	27	28	29	30
D	A	D	A	D	B	D	A	C	C
31	32	33	34	35	36	37	38	39	40
D	A	A	D	B	B	C	A	B	C

●●●

6

Spelling Errors

There are thousands of words in English language. It is difficult to remember the spellings and meanings of all at once. Try to learn as many as you can. Use a dictionary regularly.

Directions: *Find the correctly spelt words.*

1. A. Damage B. Dammage C. Damaige D. Dammege
2. A. Efficiant B. Effecient C. Efficient D. Eficient
3. A. Schedule B. Schdule C. Schedale D. Schedeule
4. A. Occurad B. Occurred C. Ocurred D. Occured
5. A. Grieff B. Grief C. Grieef D. Grrief
6. A. Guarantee B. Garuntee C. Guaruntee D. Gaurantee
7. A. Meddicine B. Medicine C. Medicene D. Medicinne
8. A. Benefeted B. Benefitted C. Benifited D. Benefited
9. A. Acommodation B. Acomodation C. Accomodation D. Accommodation
10. A. Querrelsome B. Quarrelsame C. Quarrelsome D. Querralsome
11. A. Sympathetic B. Smypathetic C. Sympothetic D. Sympethetic
12. A. Prograssive B. Progressive C. Progresive D. Prograsive
13. A. Uncivilized B. Uncevilized C. Uncivillized D. Uncevelized
14. A. Extravagant B. Extreragent C. Extreregant D. Extravegent
15. A. Missunderstood B. Miesunderstood C. Misunderstood D. Misunderstod
16. A. Belligerent B. Beligirent C. Belligarant D. Belligerrent
17. A. Astonished B. Astronished C. Astoneshed D. Asstonished
18. A. Sincerely B. Sencerely C. Sincerelly D. Sincerrely
19. A. Rigourous B. Rigerous C. Rigorous D: Regerous
20. A. Satellite B. Sattellite C. Satelite D. Sattelite
21. A. Pesanger B. Passenger C. Pessenger D. Pasanger
22. A. Humurous B. Humorous C. Humoreus D. Humorrous
23. A. Exeggerate B. Exaggerate C. Exadgerate D. Exagerate
24. A. Fariegn B. Forein C. Foriegn D. Foreign
25. A. Excesive B. Excessive C. Exccessive D. Exccesive
26. A. Forcaust B. Forcast C. Forecast D. Forecaste
27. A. Paralleted B. Paralelled C. Parralleled D. Parallelled
28. A. Ocasion B. Occassion C. Occasion D. Ocassion
29. A. Boquet B. Bouquet C. Bouquete D. Bouquette
30. A. Chettering B. Chaterring C. Chattering D. Chatering
31. A. Discourage B. Disscourage C. Discourege D. Discaurage
32. A. Curageous B. Courageous C. Courrageous D. Couregeous
33. A. Abandon B. Abanddon C. Abendon D. Abbandon
34. A. Embarassment B. Emberrassement C. Embarrassment D. Embbaresment
35. A. Eccintric B. Eccentrie C. Eccentric D. Eccintrie
36. A. Occasional B. Occassional C. Occesional D. Occessional
37. A. Querrel B. Querral C. Quarrel D. Quarel
38. A. Contrebution B. Contribution C. Contributtion D. Conterbution

39. A. Desgrace B. Disgrece
C. Disgrice D. Disgrace

40. A. Harassment B. Herassment
C. Harasment D. Harassmient

41. A. Imaginative B. Imeginative
C. Imagenative D. Imaginetive

42. A. Suficient B. Suficiant
C. Sufficient D. Sufficiant

43. A. Adequate B. Edequate
C. Adaquete D. Edaquete

44. A. Exparienced B. Experianced
C. Experienced D. Experrienced

45. A. Flatering B. Fletering
C. Flattering D. Fletaring

46. A. Cuttiveted B. Culltrivated
C. Cultivated D. Caltivated

47. A. Praiceworthy B. Peiseworthy
C. Praiseworthy D. Praisaworthy

48. A. Profesional B. Professionel
C. Professional D. Profissional

49. A. Ameteur B. Amateur
C. Amataur D. Amateor

50. A. Unfevourable B. Unfevaurable
C. Unfavourable D. Unfivourable

ANSWERS

1	2	3	4	5	6	7	8	9	10
A	C	A	B	B	A	B	B	D	C
11	**12**	**13**	**14**	**15**	**16**	**17**	**18**	**19**	**20**
A	B	A	A	C	A	A	A	C	A
21	**22**	**23**	**24**	**25**	**26**	**27**	**28**	**29**	**30**
B	B	B	D	B	C	A	C	B	C
31	**32**	**33**	**34**	**35**	**36**	**37**	**38**	**39**	**40**
A	B	A	C	C	A	C	B	D	A
41	**42**	**43**	**44**	**45**	**46**	**47**	**48**	**49**	**50**
A	C	A	C	A	C	C	C	B	C

●●●

सामान्य सचेतता (General Awareness)

हमारा भारत

भारत एक दृष्टि में

राजधानी-नई दिल्ली

क्षेत्रफल-32,87,263 वर्ग कि.मी.

क्षेत्रफल की दृष्टि से विश्व में स्थान-सातवां

स्थित-भूमध्य रेखा के उत्तर में 8°4′ और 37°6′ उत्तरी अक्षांश और 68°7′ तथा 97°25′ पूर्वी देशांतर के मध्य

विस्तार-उत्तर से दक्षिण तक 3,214 किमी., पूर्व से पश्चिम तक 2933 किमी.

भूमि सीमा-15,200 किमी.; **समुद्री तट (द्वीपों सहित)**-11,098.81 किमी.

सीमावर्ती देश-उत्तर-पश्चिम में पाकिस्तान और अफगानिस्तान, उत्तर में चीन, नेपाल और भूटान, पूर्व में म्यांमार और बांग्लादेश, दक्षिण में मन्नार की खाड़ी और पाक-जलडमरूमध्य श्रीलंका से अलग करते हैं।

प्राकृतिक संरचना-मुख्य भूमि चार भागों में विभक्त—विस्तृत पर्वतीय क्षेत्र, सिंधु और गंगा के मैदान, रेगिस्तानी क्षेत्र, दक्षिणी प्रायद्वीप

प्रमुख नदियाँ-(क) हिमालय समूह : गंगा, यमुना, सिन्धु तथा ब्रह्मपुत्र; (ख) दक्षिणी नदियाँ : कृष्णा, कावेरी, गोदावरी, महानदी, दामोदर, भरतपुझा, नर्मदा, ताप्ती, पम्बा, पेरियार, पेन्नार, शरावती, नेत्रवती

जलवायु-ऊष्ण कटिबंधीय चार ऋतुएँ—शीत ऋतु, ग्रीष्म ऋतु, वर्षा ऋतु, शरद ऋतु

जीव-जंतु-लगभग 89,451 किस्म के

राष्ट्रीय उद्यान-107 (अगस्त, 2025)

वन्य जीव अभ्यारण्य-574 (अगस्त, 2025)

राजभाषा-हिन्दी, **मान्य भाषाएं**-22

उच्च न्यायालयों की संख्या-25

भारतीय संघ : राज्य व संघीय प्रदेश

संघ राज्य एवं संघीय प्रदेश	राजधानी	क्षेत्रफल (वर्ग कि॰मी॰)	भाषा
भारत	**नई दिल्ली**	**32,87,263**	**हिन्दी-राजभाषा**
आंध्र प्रदेश	अमरावती	2,75,045	तेलुगू
असम	दिसपुर	78,438	असमिया
ओडिशा	भुवनेश्वर	1,55,707	ओडिया
उत्तर प्रदेश	लखनऊ	2,40,928	हिन्दी
केरलम	तिरुवनन्तपुरम्	38,863	मलयालम
गुजरात	गांधीनगर	1,96,024	गुजराती
तमिलनाडु	चेन्नई	1,30,058	तमिल
त्रिपुरा	अगरतला	10,492	त्रिपुरी, बंगला
नगालैण्ड	कोहिमा	16,579	अंग्रेजी, सेमा (सेमांग)
पंजाब	चण्डीगढ़	50,362	पंजाबी
प. बंगाल	कोलकाता	88,752	बांग्ला
बिहार	पटना	94,163	हिन्दी, मैथिली, भोजपुरी, मगही
मध्य प्रदेश	भोपाल	3,08,000	हिन्दी
महाराष्ट्र	मुम्बई	3,07,713	मराठी
मेघालय	शिलांग	22,429	खासी, गारो, अंग्रेजी
मणिपुर	इम्फाल	22,327	मणिपुरी, अंग्रेजी
राजस्थान	जयपुर	3,42,239	हिन्दी, मारवाड़ी

संघ राज्य एवं संघीय प्रदेश	राजधानी	क्षेत्रफल (वर्ग कि॰मी॰)	भाषा
हरियाणा	चण्डीगढ़	44,212	हिन्दी
हिमाचल प्रदेश	शिमला	55,673	हिन्दी, पहाड़ी
कर्नाटक	बंगलुरू	1,91,791	कन्नड़
सिक्किम	गंगटोक	7,096	लेपचा, नेपाली, हिन्दी
मिजोरम	आइजल	20,987	मिजो, अंग्रेजी
अरुणाचल प्रदेश	ईटानगर	83,743	बिस्सी, वांची
गोवा	पणजी	3,702	कोंकणी, मराठी
छत्तीसगढ़	रायपुर	1,35,191	हिन्दी
झारखण्ड	रांची	79,714	हिन्दी, संथाली, बांग्ला तथा ओडिया
उत्तराखंड	देहरादून	53,483	हिन्दी, गढ़वाली, कुमायुँनी
तेलंगाना	हैदराबाद	1,14,840	तेलुगू
जम्मू और कश्मीर	श्रीनगर / जम्मू	2,22,236*	कश्मीरी, उर्दू
लद्दाख	लेह	—	लद्दाखी, तिब्बती, हिन्दी
अण्डमान निकोबार द्वीप समूह	श्री विजय पुरम	8,249	निकोबारी, हिन्दी
चण्डीगढ़	चण्डीगढ़	114	हिन्दी, पंजाबी
दिल्ली	दिल्ली	1,483	हिन्दी, पंजाबी
दादरा और नगर हवेली तथा दमन और दीव	दमन	603	गुजराती, भीली
पुडुचेरी	पुडुचेरी	480	तमिल, हिन्दी
लक्षद्वीप	कावारत्ती	32	मलयालम

* केन्द्रशासित प्रदेश लद्दाख का क्षेत्रफल और पाकिस्तान तथा चीन द्वारा अवैध रूप से कब्जा किए गए क्षेत्र सहित।

भारत की जनगणना 2011

भारत में जनगणना का विधिवत् कार्य 1881 में आरम्भ हुआ। 2011 की जनगणना (अंतिम) के अनुसार भारत की कुल जनसंख्या 121,08,54,977 थी। जबकि 10 वर्ष पूर्व 2001 में कुल जनसंख्या 102,70,15,247 थी। वर्ष 2011 की जनगणना के प्रमुख तथ्य निम्नलिखित हैं:

कुल जनसंख्या-121,08,54,977

पुरुष-62,32,70,258

महिला-58,75,84,719

कुल जनसंख्या में पुरुषों का प्रतिशत-51.53%

कुल जनसंख्या में महिलाओं का प्रतिशत-48.46%

भारत की जनसंख्या का विश्व जनसंख्या में भाग-17.5%

दशकीय वृद्धि दर (2001-2011)-17.7%

सर्वाधिक वृद्धि दर-मेघालय 27.9%

न्यूनतम वृद्धि दर-नगालैंड–0.6%

सर्वाधिक जनसंख्या वाला राज्य-उत्तर प्रदेश (19,98,12,341)

न्यूनतम जनसंख्या वाला राज्य-सिक्किम (6,10,577)

स्त्री-पुरुष अनुपात-943 : 1000

सर्वाधिक लिंगानुपात-केरल, 1084 : 1000

न्यूनतम लिंगानुपात-हरियाणा 879 : 1000

जनसंख्या घनत्व-382 व्यक्ति प्रति वर्ग किलोमीटर

सर्वाधिक घनत्व-बिहार (1,106)

न्यूनतम घनत्व-अरुणाचल प्रदेश (17)

केन्द्रशासित प्रदेशों में सर्वाधिक घनत्व-दिल्ली (11,320)

केन्द्रशासित प्रदेशों में न्यूनतम घनत्व-अण्डमान निकोबार द्वीप समूह (46)

साक्षरता प्रतिशत-73%

पुरुष साक्षरता-80.9%

महिला साक्षरता-64.6%

सर्वाधिक साक्षरता-केरल (94%)

न्यूनतम साक्षरता-बिहार (61.8%)

विभिन्न राज्यों में मिलने वाली जनजातियां

प्रदेश	जनजातियां
उत्तर प्रदेश, उत्तराखंड	बुक्सा, थारू, बिड़कोल, भोटिया, खरवार, जौनसारी, राजी
पश्चिम बंगाल, बिहार, झारखंड	संथाल, भुइया, कोरबा, उरांव, हो, विरहोर, असुर, मुंडा, कोल
राजस्थान	मीणा, भील, गरासिया, सहरिया, सांसी, दमोर, मेव, रावत, मेरात, कोली

अण्डमान-निकोबार द्वीप समूह	ओंग, सोपन, आरबा, अण्डमानी, निकोबारी
हिमाचल प्रदेश, जम्मू एवं कश्मीर, लद्दाख	बकरवाल, गद्दी, गुर्जर, लाहौल लांबा, पंगवाला, किन्नर
असम, अरुणाचल प्रदेश, नगालैंड, मेघालय, मणिपुर	गुरूंग, रियांग, चकमा, मिनीपोंग, पासी, ग्लोंग, सिंगपो, रेंगमा, सेंगमा, यांग, नागा, गारो
मिजोरम	खासी
गुजरात	टोड़िया, भील, डाफर, रैवारी, पटेलिया, डूबला, कथोड़ी, सिद्दीस
केरलम	कडर, इरुला, मुथुवन, कनिक्कर, मलनकुरावन, मलयारायन, मलावेतन, मलायन, मन्नान, उल्लातन, यूराली, पनियां, पुलायन, मल्लार, कुरुम्बा
तमिलनाडु, ओडिशा	जुवांग, खोंड, गोंड, बड़गा, बोंडो, जुआंग, परजा, भूमिज
महाराष्ट्र, आन्ध्र प्रदेश, तेलंगाना	भील, गोंड, अगरिया, असुरा, भारिया, कोया, वर्ली, कोली, डुका, बैगा, गडावास, कामर, खडिया, खोंडा, कोल, कोलम, कोरबा, मुन्डा
मध्य प्रदेश, छत्तीसगढ़	कोरकू, भील, बैगा, गोंड, अगरिया, भारिया, कोरबा, कोल, उरांव, प्रधान, नगेशिया, हल्वा, भतरा, माड़िया, सहरिया, कमार, कंवर
त्रिपुरा	लुभाई, माग, हलम, खशिया, भूटिया, मुन्डा, संथाल, भील, जमनिया, रियांग, उचाई
कर्नाटक	गौडालू, हक्की, पिक्की, इरुगा, जेनु, कुरुव, मलाईकुड, भील, गोंड, टोडा, वर्ली, चेन्यू, कोया, अर्नादन, चेरवा, होलेया, कोरमा
पंजाब	गद्दी, स्वांगला, भोट

विशेष दर्जा प्राप्त राज्य

राज्य	विशेष दर्जा प्राप्त करने का वर्ष
असम	1969
नगालैंड	1969
हिमाचल प्रदेश	1971
मणिपुर	1972
मेघालय	1972
त्रिपुरा	1972
सिक्किम	1975-76
मिजोरम	1986-87
अरुणाचल प्रदेश	1986-87
उत्तराखंड	2001-02

भारत में प्रथम

- *नोबेल पुरस्कार प्राप्तकर्ता*–**1. साहित्यः** रवीन्द्रनाथ टैगोर (1913); **2. भौतिकीः** सी॰वी॰ रमन (1929); **3. शान्तिः** मदर टेरेसा (1979); **4. अर्थशास्त्रः** अमर्त्य सेन (1998)
- *स्वतंत्र भारत के प्रथम एवं अंतिम भारतीय गवर्नर जनरल*–चक्रवर्ती राजगोपालाचारी
- *महिला राष्ट्रपति*–प्रतिभा पाटिल
- *महिला राज्यपाल*–श्रीमती सरोजिनी नायडू
- *सुप्रीम कोर्ट की महिला न्यायाधीश*–श्रीमती मीरा साहिब फातिमा बीबी
- *महिला प्रधानमंत्री*–श्रीमती इंदिरा गांधी
- *भारतीय सेनापति*–जनरल के॰ एम॰ करियप्पा
- *महिला मुख्यमंत्री*–श्रीमती सुचेता कृपलानी
- *संयुक्त राष्ट्र महासभा की महिला अध्यक्ष*–श्रीमती विजयालक्ष्मी पंडित (1954)
- *अंतर्राष्ट्रीय न्यायालय के भारतीय अध्यक्ष*–डॉ॰ नगेन्द्र सिंह
- *इंगलिश चैनल तैरकर पार करने वाली भारतीय महिला*–आरती गुप्ता
- *इंगलिश चैनल तैरकर पार करने वाला भारतीय पुरुष*–मिहिर सेन
- *ब्रिटिश पार्लियामेंट के भारतीय सदस्य*–दादा भाई नौरोजी
- *फील्ड मार्शल*–एस॰एच॰एफ॰जे॰ मानेकशा
- *विक्टोरिया क्रॉस विजेता*–खुदादाद खां
- *एवरेस्ट शिखर पर चढ़ने वाला भारतीय*–शेरपा तेंजिंग (29 मई, 1953)
- *एवरेस्ट पर चढ़ने वाली भारतीय महिला*–कु॰ बचेन्द्रीपाल (23 मई, 1984)
- *एवरेस्ट पर दो बार विजय प्राप्त करने वाली भारतीय महिला*–संतोष यादव (मई, 1992; मई, 1993)
- *भारतीय अंतरिक्ष यात्री (पुरुष)*–राकेश शर्मा (3 अप्रैल, 1984)
- *भारतीय अंतरिक्ष यात्री (महिला)*–कल्पना चावला (19 नवम्बर, 1997)
- *भारत रत्न से विभूषित महिला*–श्रीमती इंदिरा गांधी
- *संयुक्त राष्ट्र संघ की महासभा में हिन्दी में भाषण देने वाला प्रथम भारतीय*–अटल बिहारी वाजपेयी
- *भारतीय महिला मिस यूनिवर्स*–कु॰ सुष्मिता सेन
- *भारतीय महिला मिस वर्ल्ड*–रीता फारिया
- *समाचार-पत्र*–बंगाल गजट (27 जनवरी, 1780)
- *डाक टिकट*–1852
- *तार लाइन*–1851 (कोलकाता-डायमंड हार्बर)
- *रेल*–16 अप्रैल, 1853 (मुम्बई-ठाणे)

- *विद्युत रेल*–1925 (बम्बई-कुर्ला)
- *उपग्रह*–आर्यभट्ट (1975)
- *रॉकेट*–रोहिणी (1967)
- *आणविक रियेक्टर*–अप्सरा (1956)
- *आणविक बिजलीघर*–तारापुर आणविक बिजलीघर (1969)
- *भारतीय वायु सेना की महिला पायलट*–हरित कौर देओल
- *फास्ट ब्रीडर आणविक रियेक्टर*–कलपक्कम
- *बिना ऑक्सीजन एवरेस्ट की चोटी पर पहुंचने वाला भारतीय*–फु दोरजी (1987)
- *मेट्रो रेलवे*–कोलकाता (1984)
- *फिल्म (मूक)*–राजा हरिश्चन्द्र (1913)
- *फीचर फिल्म (बोलती हुई)*–आलम आरा (1931)
- *इंडियन नेशनल कांग्रेस की प्रथम महिला अध्यक्ष*–श्रीमती एनी बेसेंट
- *इंडियन नेशनल कांग्रेस के प्रथम अध्यक्ष*–व्योमेशचन्द्र बनर्जी (1888)
- *आई॰सी॰एस॰ में सफल होने वाला प्रथम भारतीय*–सत्येन्द्र नाथ टैगोर
- *चीफ ऑफ डिफेंस स्टाफ (CDS)*–जनरल बिपिन रावत

भारत में सबसे बड़ा/लम्बा/ऊँचा आदि

सबसे ऊंची चोटी*-के-2

सर्वाधिक आबादी वाला शहर-मुम्बई

सबसे लम्बी नदी-गंगा (2525 कि॰मी॰)

सबसे बड़ा राज्य (क्षेत्रफल में)-राजस्थान

सबसे बड़ा राज्य (आबादी में)-उत्तर प्रदेश

सबसे बड़ा पुल (सड़क)-असम में लोहित नदी पर भूपेन हजारिका सेतु (9.15 कि॰मी॰)

सर्वाधिक जनसंख्या घनत्व वाला राज्य-बिहार (1,106 प्रति वर्ग कि॰मी॰)

सर्वाधिक साक्षर राज्य-केरलम (साक्षरता लगभग 94%)

सबसे बड़ा अजायबघर-इण्डिया म्यूजियम, कोलकाता

सबसे लम्बा बांध-हीराकुड (ओडिशा)

सबसे लम्बी सुरंग (रेलवे)-टी–50 रेल सुरंग (12.77 किमी, जम्मू–कश्मीर)

सबसे लम्बी सुरंग (सड़क)-डॉ. श्यामा प्रसाद मुखर्जी सुरंग (9.28 किमी, जम्मू–कश्मीर)

सबसे बड़ा चिड़ियाघर-अरिगनार अन्ना जूलॉजिकल पार्क, चेन्नई, तमिलनाडु

सबसे लम्बी सड़क-राष्ट्रीय राजमार्ग (NH)-44 (3,745 किमी.)

सबसे ऊंची मीनार-कुतुबमीनार, दिल्ली (72.5 मी॰)

सबसे बड़ी मस्जिद-जामा मस्जिद, दिल्ली

बहादुरी के लिए सबसे बड़ा पुरस्कार-परमवीर चक्र

सबसे बड़ा रेगिस्तान-थार (राजस्थान)

सबसे बड़ा डेल्टा-सुन्दरवन डेल्टा, (75,000 वर्ग कि॰मी॰)

सबसे बड़ा गुम्बज-गोल गुम्बज (बीजापुर-42 मी॰ व्यास)

सबसे ऊँचा दरवाजा-बुलंद दरवाजा (फतेहपुर सीकरीः 176 फीट)

सबसे बड़ी मीठे पानी की झील-वुलर झील (कश्मीर)

सबसे लम्बा प्लेटफार्म-श्री सिद्धारूढ़ा स्वामी जी रेलवे स्टेशन हुब्बल्लि, कर्नाटक

सर्वाधिक वर्षा (वार्षिक औसत)-चेरापूंजी के निकट मासिनराम (12,000 मि॰मी॰)

झरना, सबसे ऊँचा-कुंचिकल (कर्नाटक : 455 मी.)

सबसे बड़ा पशुओं का मेला-सोनपुर (बिहार)

सबसे बड़ा गुफा मंदिर-कैलाश मंदिर (एलोरा)

सबसे अधिक वन क्षेत्रफल वाला राज्य-मध्य प्रदेश

सबसे बड़ी कृत्रिम झील-गोविन्द सागर (भाखड़ा)

* विश्व की सबसे ऊंची चोटी मांउट एवरेस्ट है जो नेपाल में है। के-2 विश्व की दूसरी सबसे ऊँची और भारत की सबसे ऊँची (8611 मी॰) चोटी है।

राष्ट्रीय प्रतीक

राष्ट्रीय ध्वज

भारत का राष्ट्रीय ध्वज **तिरंगा** है। यह आयताकार तीन पट्टियों से बना है। इसमें सबसे ऊपर केसरिया, मध्य में श्वेत और नीचे हरा रंग है। केसरिया शक्ति, श्वेत शांति और हरा समृद्धि का प्रतीक माना जाता है। झण्डे की लम्बाई-चौड़ाई का अनुपात 3 : 2 है। श्वेत पट्टी के मध्य नीले रंग का एक चक्र है। चक्र में 24 तीलियाँ हैं। झण्डा फहराने के संबंध में भारत सरकार ने कुछ नियम बनाए हैं जिनका पालन करना अति आवश्यक है। संविधान सभा ने इसे 22 जुलाई 1947 को अंगीकार किया था।

राज चिहन

भारत का राज चिहन सारनाथ में अशोक निर्मित सिंह स्तम्भ की अनुकृति है। इस चिहन में चार सिंह हैं, जो एक दूसरे के विपरीत दिशा में घूम कर बैठे हुए हैं। इन चार में से केवल तीन सिंह दिखाई देते हैं, चौथा पीछे की ओर छिपा हुआ है और दिखाई नहीं देता। नीचे चौरस पट्टी के मध्य में उभरी हुई नक्काशी में एक चक्र है, जिसके दाईं ओर एक सांड़ और बाईं ओर एक घोड़ा है। नीचे मुण्डकोपनिषद से लिया गया सूत्र 'सत्यमेव जयते' देवनागरी लिपि में लिखा गया है। इसका अर्थ है 'सत्य की ही विजय होती है'। सरकार ने राज चिहन को 26 जनवरी 1950 को स्वीकृत किया।

राष्ट्र गीत

श्री बंकिम चन्द्र चटर्जी द्वारा रचित गीत 'वन्दे मातरम्' को राष्ट्र गान के समकक्ष स्थान दिया गया है। उनके विख्यात उपन्यास 'आनन्द मठ से उद्धृत यह गीत राष्ट्रीय आन्दोलन में एक महान प्रेरणा-स्रोत रहा है। इस गीत को सबसे पहले 1896 में भारतीय राष्ट्रीय कांग्रेस के अधिवेशन में गाया गया था।

राष्ट्र गान

रवीन्द्र नाथ टैगोर के गीत 'जन गण मन' को 24 जनवरी, 1950 को राष्ट्र गान के रूप में स्वीकार किया गया। यह गीत 'भारत-विधाता' शीर्षक से सर्वप्रथम 'तत्व-बोधिनी' पत्रिका के जनवरी 1912 के अंक में प्रकाशित हुआ था। यह गीत पहली बार 27 दिसम्बर 1911 को भारतीय कांग्रेस के कलकत्ता (कोलकाता) अधिवेशन में गाया गया था। पूरे गीत के 5 पद हैं। इसमें से प्रथम पद को राष्ट्र गान स्वीकार किया गया है। इसे गाने का निर्धारित समय लगभग 52 सेकण्ड है।

राष्ट्रीय पंचांग

सरकारी कार्यों में प्रयोग हेतु राष्ट्रीय पंचांग 22 मार्च, 1957 से अपनाया गया है। यह पंचांग शक संवत् पर आधारित है। 78 ई. में प्रारम्भ हुए शक संवत् का पहला महीना चैत्र है और वर्ष 365 दिन का है।

इस पंचांग के दिन स्थायी रूप से ग्रेगेरियन कैलेंडर से सम्बद्ध दिनों के अनुरूप बैठते हैं। इस प्रकार सामान्य वर्षों में इस पंचांग का पहला दिन 22 मार्च के दिन आता है और लौंद (लीप) वर्ष में 21 मार्च के दिन।

राष्ट्रीय पंचांग के माह इस प्रकार हैं:

1. चैत्र, 2. बैशाख, 3.ज्येष्ठ, 4. आषाढ़, 5. श्रावण, 6. भाद्रपद, 7. आश्विन, 8. कार्तिक, 9. मार्गशीर्ष, 10. पौष, 11. माघ, 12. फाल्गुन।

राष्ट्रीय पशु : बाघ (पैंथरा टाइग्रिस-लिन्नायस)

राष्ट्रीय पक्षी : मोर (पावो क्रिस्टेटस)

राष्ट्रीय पुष्प : कमल

हमारी पृथ्वी

पृथ्वी सूर्य के अलावा आठ अन्य ग्रहों बुध, शुक्र, पृथ्वी, मंगल, बृहस्पति, शनि, यूरेनस और नेपच्यून वाले सौर मण्डल का एक सदस्य ग्रह है। ग्रहों के पास अपना स्वयं का प्रकाश नहीं होता और शुक्र और यूरेनस के अलावा सभी ग्रह अपनी धुरी पर पश्चिम से पूर्व की ओर परिक्रमा करते हैं। अनेक उपग्रह संबंधित ग्रह की परिक्रमा करते हैं। अंतरिक्ष में हजारों पुच्छल तारे और करोड़ों उल्काएं भी मौजूद हैं। पृथ्वी का एक ही उपग्रह है 'चन्द्रमा', जबकि बुध और शुक्र का कोई भी उपग्रह नहीं है। सूर्य से पृथ्वी की औसत दूरी $1,496 \times 10^8$ कि.मी. है। पृथ्वी सूर्य का तीसरा सबसे निकट और पांचवाँ सबसे बड़ा ग्रह है।

पृथ्वी : तथ्य और आँकड़े

थ्वी का द्रव्यमान	5.882×10^{21} टन
थ्वी का घनत्व	पानी की अपेक्षा 5.517 गुणा
थ्वी का आयतन	1.083×10^{11} घन किमी.
मध्यरेखीय परिधि	4.007×10^4 किमी.
त्रीय व्यास	12,714 किमी.
षुवतीय व्यास	12,756 किमी.
त्रीय परिधि	4.0×10^4 किमी.
नुमानित आयु	लगभग 4600 करोड़ वर्ष
-पृष्ठ	148,951,000 वर्ग किमी.
तीय सतह	361,150,000 वर्ग किमी.
-सतह का सबसे उच्च बिन्दु	माउंट एवरेस्ट (8,848 मीटर)
-सतह का सबसे निम्न बिन्दु	मृत सागर का तट (समुद्र तल से 396 मीटर नीचे)
ासागर की सर्वाधिक गहराई	फिलीपींस के पूर्व में प्रशान्त महासागर में मेरियाना ट्रेंच (समुद्र तल से 11,033 मीटर नीचे)

सौरमण्डल

सबसे बड़ा ग्रह	बृहस्पति (Jupiter)
सबसे छोटा ग्रह	बुध (Mercury)
पृथ्वी का उपग्रह	चन्द्रमा (Moon)
सूर्य के सबसे निकट ग्रह	बुध (Mercury)
सूर्य से सबसे दूर स्थित ग्रह	वरुण (Neptune)
पृथ्वी के सबसे निकट स्थित ग्रह	शुक्र (Venus)
सबसे अधिक चमकीला ग्रह	शुक्र (Venus)
सबसे अधिक चमकीला तारा	साइरस (Dog Star)
सबसे अधिक ठण्डा ग्रह	वरुण (Neptune)
सबसे अधिक गर्म ग्रह	शुक्र (Venus)
रात्रि में लाल दिखाई देने वाला ग्रह	मंगल (Mars)
सबसे बड़ा उपग्रह	गैनीमेड (Gannymede)
सबसे छोटा उपग्रह	डिमोस (Deimos)
नीला ग्रह	पृथ्वी (Earth)
भोर का तारा	शुक्र (Venus)
साँझ का तारा	शुक्र (Venus)
पृथ्वी की बहन	शुक्र (Venus)
हरा ग्रह	वरुण (Neptune)
विशाल लाल धब्बे वाला ग्रह	बृहस्पति (Jupiter)

पृथ्वी का आकार : पृथ्वी का आकार पूर्णरूप से वृत्तीय नहीं है बल्कि अंडाकार है। ऐसा इस वजह से है क्योंकि यह ध्रुवों पर चपटी और विषुवत पर उभरी हुई है। पृथ्वी का ध्रुवीय व्यास विषुवतीय व्यास से 42 किलोमीटर छोटा है। अत: पृथ्वी अंडाकार है।

पृथ्वी की गतियाँ : पृथ्वी अपनी धुरी पर किसी लट्टू की भांति घूमती है और 24 घंटे में एक चक्कर पूरा कर लेती है जबकि सूर्य की परिक्रमा

करने में उसे 365 दिन, 5 घंटे, 45 मिनट और 46 सेकेंड लगते हैं। पृथ्वी की दैनिक गति के कारण रात और दिन होते हैं जबकि वार्षिक गति (परिक्रमा) के कारण ऋतु परिवर्तन होता है। पृथ्वी गैर-ज्योतिर्मय वृत्त है। पृथ्वी का जो भाग सूर्य के सामने आ जाता है वहाँ दिन होता है और जो भाग सूर्य के सामने नहीं होता वहाँ रात होती है। पृथ्वी का आवर्तन पश्चिम से पूर्व की तरफ होता है। इसी कारणवश हमें यह प्रतीत होता है कि सूर्य, चन्द्रमा और तारे विपरीत दिशा में घूम रहे हैं।

आवर्तन के प्रभाव : (क) दिन और रात होते हैं। (ख) देशांतर और समय में अंतर आ जाता है। (ग) वायु और तरंगों की दिशा में परिवर्तन होता है। (घ) दिन में दो बार समुद्र में लहरें उठती हैं।

परिक्रमा के प्रभाव : पृथ्वी दीर्घवृत्तीय कक्षा में सूर्य की परिक्रमा करती है। पृथ्वी को एक बार सूर्य का चक्कर लगाने में 365.25 दिन लग जाते हैं। एक सामान्य वर्ष 365 दिन का होता है जबकि चार वर्षों में 5 घंटे 45 मिनट और 46 सेकेंड एक दिन बना देते हैं और हर चौथा वर्ष अधि वर्ष (लीप ईयर) बन जाता है, जिसमें 366 दिन होते हैं। ऋतु में परिवर्तन मुख्यतः परिक्रमण की वजह से ही होता है।

21 जून : इस समय उत्तरी गोलार्द्ध में ग्रीष्मकाल होता है जबकि दक्षिणी गोलार्द्ध में शरदकाल होता है। दोपहर में सूर्य की सीधी किरणें कर्क रेखा पर पड़ती हैं।

22 दिसम्बर : इस समय उत्तरी गोलार्द्ध में शरदकाल और दक्षिणी गोलार्द्ध में ग्रीष्मकाल होता है। दोपहर में सूर्य की सीधी किरणें मकर रेखा पर पड़ती हैं।

सम्पात : 21 मार्च और 23 सितम्बर को पृथ्वी का प्रत्येक भाग सूर्य के सामने आ जाता है और सूर्य ठीक भूमध्य रेखा के ऊपर होता है। इन अवस्थाओं में पृथ्वी के प्रत्येक भाग में रात और दिन बराबर होते हैं। 21 मार्च को वसन्त सम्पात (Vernal equinox) और 23 सितम्बर को शरद सम्पात (Autumnal equinox) कहते हैं।

चट्टानों का रूपान्तरण

मूल चट्टान	रूपान्तरित चट्टान
शैल	स्लेट
चूना पत्थर	संगमरमर
चॉक तथा डोलोमाइट	संगमरमर
बलुआ पत्थर	क्वार्ट्जाइट
ग्रेनाइट	नीस
बेसाल्ट	सिस्ट
स्लेट	फाइलाइट
कांग्लोमरेट	क्वार्ट्जाइट

वायुमण्डल की संरचना

मण्डल	ऊँचाई (किमी)	विशेष तथ्य
क्षोभमण्डल	0-18	मौसमी घटनाएँ होती हैं।
समतापमण्डल	18-50	वायु परिवहन होता है तथा ओजोन परत पाई जाती है।
मध्यमण्डल	50-80	ऊँचाई के साथ तापमान में गिरावट होती है।
आयनमण्डल	80-640	विद्युत आवेशित कण पाए जाते हैं। रेडियो तरंगें इसी मण्डल से वापस पृथ्वी पर लौटती हैं।
बाह्यमण्डल	640 किमी से ऊपर	तापमान 5000ºC होता है।

विश्व बोध

विभिन्न देशों के राष्ट्रीय प्रतीक

देश	प्रतीक
ऑस्ट्रेलिया	कंगारू
फ्रांस	लिली
ईरान	गुलाब
जापान	गुलदाउदी
यूनाइटेट किंगडम	गुलाब
कनाडा	सफेद लिली
जर्मनी	कार्न फ्लावर
आयरलैंड	तीन पत्ती वाली घास
पाकिस्तान	अर्द्धचंद्र
यू.एस.ए.	सुनहरी छड़ी
डेनमार्क	वुलिन
भारत	सिंह स्तम्भ
इटली	सफेद लिली
स्पेन	बाज

शहरों, राज्यों एवं देशों के परिवर्तित नाम

पुराना नाम	परिवर्तित नाम
एबिसीनिया	इथियोपिया
अंगोरा	अंकारा
औरंगाबाद	संभाजी नगर
बनारस	वाराणसी
बड़ौदा	वडोदरा
बताविया	जकार्ता
बसुतोलैण्ड	लिसोथो
बेचुआनालैण्ड	बोत्सवाना
बॉम्बे	मुम्बई
ब्रिटिश गुयाना	गुयाना
बर्मा	म्यांमार
कालीकट	कोझीकोड
कलकत्ता	कोलकाता
केप केनवरल	केप केनेडी

पुराना नाम	परिवर्तित नाम
काउनपुर	कानपुर
सेंट्रल प्रोविंसेज	मध्य प्रदेश
अपर बोल्टा	बुर्कीना फासो
जुबुलपोर	जबलपुर
मेडागास्कर	मालागासी
मद्रास	चेन्नई
मलाया	मलेशिया
जुलन्धर	जालंधर
मंयुक्यो	मंचूरिया
मैसोपोटामिया	इराक
सिलोन	श्रीलंका
क्रिस्टिना	ओस्लो
जायरे	कांगो (डेमोक्रेटिक रिपब्लिक)
कांस्टेटिनपोल	इस्तान्बूल
डाका	ढाका
डच ईस्ट इंडीज	इंडोनेशिया
डच गुयाना	सूरीनाम
लोर सेई	पूर्वी तिमोर
एलिस आइसलैंड	तुवालू
फार्मोसा	ताइवान
गौहाटी	गुवाहाटी
गोल्ड कोस्ट	घाना
हालैण्ड	नीदरलैण्ड
रोडेशिया	जिम्बाब्वे
सैगोन	हो चिन मिन्ह सिटी
सेलिसबरी	हरारे
सैंडविच आइसलैंड	हवाईअन द्वीप
तंजानिका व जंजीबार	तंजानिया
सियाम	थाईलैंड
सिमला	शिमला
साउथ वेस्ट अफ्रीका	नामीबिया
न्यू हेब्रिडस	वनुआतु
उत्तरी रोडेशिया	जाम्बिया
न्यासालैण्ड	मालावी
पंजिम	पणजी
पीकिंग	बीजिंग
पर्शिया	ईरान
पूना	पुणे
तंजौर	तंजावुर
यूनाइटेड प्रोविंसेज	उत्तर प्रदेश
यू.एस.एस.आर.	सीआईएस
विशाखापट्नम	विशाखापत्तनम
यूगोस्लाविया	सर्बिया
बंगलौर	बेंगलुरु
उत्तरांचल	उत्तराखंड
पांडिचेरी	पुडुचेरी
पूर्वी पाकिस्तान	बांग्लादेश
रंगून	यंगून
उड़ीसा	ओडिशा
तुर्की	तुर्किये
केरल	केरलम

महत्त्वपूर्ण सीमा रेखाएं

- **डूरंड लाइन :** यह भारत और अफगानिस्तान के बीच सीमा के विभाजन को परिलक्षित करती थी। इसका सीमांकन सर मोर्टीमर डूरंड ने 1896 में किया था। अब यह पाकिस्तान और अफगानिस्तान के बीच की सीमा रेखा है।
- **हिंडेनवर्ग लाइन :** यह वह रेखा है जहां से विश्व युद्ध के दौरान जर्मनी की सेना वापस लौट गई थी। यह रेखा पोलैण्ड और जर्मनी के बीच की सीमा रेखा है।
- **मैकमोहन रेखा :** यह भारत और चीन के बीच सीमा रेखा है जिसका सीमांकन सर हेनरी मैकमोहन ने किया था।
- **मैगिनोट रेखा :** यह फ्रांस और जर्मनी के बीच सीमा रेखा है।
- **रेडक्लिफ रेखा :** यह भारत और पाकिस्तान के बीच सीमा रेखा है जिसका सीमांकन सर सिरिल रेडक्लिफ ने किया था।
- **17वां पैरेलल :** यह उत्तरी एवं दक्षिणी वियतनाम के बीच की सीमा रेखा है।
- **38वां पैरलल :** यह उत्तर और दक्षिण कोरिया के बीच सीमा रेखा है।
- **49वां पैरलल :** यह यू.एस. और कनाडा के बीच सीमा रेखा है।
- **अदूर निसे रेखा :** यह रेखा पोलैण्ड और पूर्वी जर्मनी के बीच की सीमा रेखा है जो द्वितीय विश्व युद्ध में खींची गई थी।
- **सिंगफ्रेड रेखा :** प्रथम विश्व युद्ध में फ्रांस और जर्मनी के बीच की सीमा रेखा।

विश्व के प्रमुख जल प्रपात

जल प्रपात	स्थान	ऊँचाई (मी॰)
एंजिल	वेनेजुएला	979 (यह कैरो नदी पर स्थित संसार का सबसे ऊँचा जल प्रपात है।)
योसेमाइट	कैलिफोर्निया	739
दक्षिण-मर्डाल्फोसेन	नार्वे	655
तुगेला	द॰ अफ्रीका	614
कुकवेनन	वेनेजुएला	610
सूथरलैंड	न्यूजीलैंड	580
रिब्बोन	कैलिफोर्निया	491
ग्रेट-कामारना	गुयाना	488
डेल्ला	कनाडा	440
गवार्नी	फ्रांस	422
कुंचिकल	भारत	455
नियाग्रा	कनाडा एवं अमेरिका की सीमा	120

विश्व की प्रमुख नदियाँ

नाम	उद्गम स्थल	गिरने का स्थान	लम्बाई (किमी)	प्रमुख स्थान
नील (विश्व की सबसे लम्बी नदी)	विक्टोरिया झील	भूमध्य सागर	6670	आस्वान बाँध व नासिर झील स्थित है।
अमेजन (आयतन की दृष्टि से विश्व की सबसे बड़ी नदी)	एण्डीज पर्वत	अटलांटिक महासागर	6448	
मिसीसिपी मिसौरी	अलास्का झील	मैक्सिको की खाड़ी	6300	पक्षीपाद डेल्टा बनाती है।
यांग्टिसीक्यांग	तिब्बत का पठार	चीन सागर	5494	
ह्वांग हो	कुललुन पर्वत	चीन की खाड़ी	4840	
कांगो / जायरे	लुआलिया और लुआपुआ का संगम	अटलाण्टिक महासागर	4800	विषुवत् रेखा को दो बार काटती है।
अमूर	शिल्का रूस, आरगून का संगम	टार्टइ स्ट्रेट	4510	चीन और रूस की सीमा बनाती है।
वोल्गा	बल्डाई पठार	कैस्पियन सागर	3700	यूरोप की सबसे लम्बी नदी
डेन्यूब	ब्लैक फॉरेस्ट	काला सागर	2820	बेलग्रेड, बुखारेस्ट, बुडापेस्ट और वियना शहर स्थित है।
सेंट लारेंस	आण्टेरियो झील	सेंट-लॉरेंस की खाड़ी	3058	नियाग्रा जल प्रपात स्थित है।
कोलोरेडो	ग्रैण्ड कंट्री	कैलीफोर्निया की खाड़ी	2333	ह्यूबर बाँध स्थित
नाइजर	गिनी	गिनी की खाड़ी	4800	तेल नदी कहलाती है।
मेकांग	तिब्बत का पठार	दक्षिण चीन सागर	4023	द.पू. एशिया की सबसे लम्बी नदी।
सिन्धु	मानसरोवर झील के पास	अरब सागर	3180	
ब्रह्मपुत्र	मानसरोवर झील	बंगाल की खाड़ी	2900	
डार्लिंग-मर्रे	ऑस्ट्रेलिया आल्पस	हिन्द महासागर	3720	ऑस्ट्रेलिया की सबसे बड़ी नदी।

विश्व की प्रमुख झीलें

झील का नाम	भौगोलिक क्षेत्र	क्षेत्रफल (वर्ग.किमी.)	विशेष तथ्य
कैस्पियन सागर	पूर्व सोवियत संघ तथा ईरान	3,94,299	खारे पानी की सबसे बड़ी झील
सुपीरियर झील	संयुक्त राज्य अमेरिका एवं कनाडा	82,414	ताजे पानी की सबसे बड़ी झील
विक्टोरिया झील	केन्या, युगाण्डा तथा तंजानिया	69,485	
अरल सागर झील	कजाकिस्तान एवं उज्बेकिस्तान	64,457	
ह्यूरन झील	संयुक्त राज्य अमेरिका तथा कनाडा	59,600	
मिशीगन झील	संयुक्त राज्य अमेरिका	57,800	
बैकाल झील	रूस	31,500	यह सबसे गहरी (1940 मी॰) झील है।
ग्रेट बेरियर झील	कनाडा	31,080	
ग्रेट स्लेव झील	कनाडा	28,438	
विनीपेग झील	कनाडा	24,341	
ओण्टेरियो झील	सं.रा. अमेरिका तथा कनाडा	19,529	
टिटिकाका	पेरू-बोलीविया	9,065	यह विश्व की सबसे ऊँची (3811 मी॰) झील है।
आयर झील	ऑस्ट्रेलिया	9,583	

विश्व की प्रमुख खाड़ियाँ

खाड़ी	क्षेत्रफल (वर्ग.किमी.)	खाड़ी	क्षेत्रफल (वर्ग.किमी.)
मैक्सिको की खाड़ी	15,44,000	हडसन की खाड़ी	12,33,000
अरब की खाड़ी	2,38,000	सेंट लॉरेन्स की खाड़ी	2,37,000
कैलिफोर्निया की खाड़ी	1,62,000		

विश्व की प्रमुख नहरें

नाम	स्थिति	स्थान
ईरी	ईरी झील और मिशीगन झील को जोड़ती है।	अमेरिका
सू नहर	सुपीरियर झील और ह्यूइन झील को जोड़ती है।	अमेरिका
कील नहर	उत्तरी सागर को बाल्टिक सागर से जोड़ती है।	जर्मनी
पनामा नहर	कैरीबियन सागर और प्रशांत महासागर	पनामा
स्वेज नहर	लाल सागर और भूमध्य सागर	मिस्र
मैनचेस्टर नहर	मैनचेस्टर एवं लिवरपूल के बीच	ग्रेट ब्रिटेन

महासागरों की प्रमुख जलधाराएं

जलधारा का नाम	प्रकृति	विशेष विवरण	महासागर का नाम
• उत्तरी विषुवतीय जलधारा	उष्ण अथवा गर्म		अटलांटिक महासागर
• गल्फस्ट्रीम धारा	उष्ण	हेटेरस अंतरीप तक इसे फ्लोरिडा धारा कहते हैं।	अटलांटिक महासागर
• कनारी धारा	ठंडी		अटलांटिक महासागर
• फ्लोरिडा की धारा	उष्ण		अटलांटिक महासागर
• लेब्राडोर की धारा	ठंडी		अटलांटिक महासागर
• बैंगुला की धारा	ठंडी		अटलांटिक महासागर
• फाकलैंड की धारा	ठंडी		अटलांटिक महासागर
• विपरीत भूमध्यरेखीय जलधारा	गर्म	इसे गिनी की धारा भी कहते हैं।	अटलांटिक महासागर
• उत्तरी भूमध्यरेखीय जलधारा	गर्म		प्रशांत महासागर
• क्यूरोसीवो जलधारा	गर्म	जापानी लोग इसे काली धारा भी कहते हैं।	प्रशांत महासागर
• कैलिफोर्निया जलधारा	ठंडी		प्रशांत महासागर
• पूर्वी ऑस्ट्रेलिया की जलधारा	गर्म	इसे न्यू साउथवेल्स की धारा के नाम से भी जाना जाता है।	प्रशांत महासागर
• अलास्का धारा	गर्म		प्रशांत महासागर
• दक्षिणी विषुवतीय जलधारा	गर्म		हिन्द महासागर
• मोजाम्बिक धारा	गर्म		हिन्द महासागर
• अगुलहास धारा	गर्म		हिन्द महासागर
• पश्चिमी ऑस्ट्रेलिया की धारा	ठंडी		हिन्द महासागर
• ग्रीष्मकाल मानसून प्रवाह	गर्म		हिन्द महासागर
• शीतकालीन मानसून प्रवाह	परिवर्तनशील		हिन्द महासागर

विश्व की प्रमुख जनजातियाँ

जनजाति	सम्बन्धित क्षेत्र/देश	जनजाति	सम्बन्धित क्षेत्र/देश
माओरी	न्यूजीलैंड	बुशमैन	कालाहारी मरुस्थल (बोत्सवाना)
वेद्दा	श्रीलंका	बद्दू	अरब
आइनू	जापान	यूकाधिर	साइबेरिया
एस्किमो	ग्रीनलैंड, कनाडा	मसाई	पूर्वी अफ्रीका
बोरो	ब्राजील	सेमांग	मलेशिया
जूलू	नेटाल (दक्षिण अफ्रीका)	खिरगीज	मध्य एशिया
रेड इंडियन	उ. अमेरिका	पिग्मीज	कांगो बेसिन
नीग्रो	मध्य एशिया	याइ	टुण्ड्रा प्रदेश

विश्व के प्रमुख भौगोलिक उपनाम

उपनाम	नगर/देश
एण्टीलीज का मोती	क्यूबा
गगनचुम्बी इमारतों का नगर	न्यूयॉर्क (सं.रा.अमेरिका)
एटरनल सिटी (होली सिटी)	रोम
क्वेकर सिटी	फिलाडेल्फिया
चीन का शोक	ह्वांगहो नदी (पीली नदी)
निरंतर-बाही झरनों का शहर	क्विटो (इक्वेडोर)
शुगर बाऊल ऑफ द वर्ल्ड	क्यूबा
सात पहाड़ियों का नगर	रोम (इटली)
पर्ल ऑफ दी ऑरियण्ट	सिंगापुर
गार्डन सिटी	शिकागो
पूर्व का मोती	श्रीलंका
लैंड ऑफ मॉर्निंग काम	कोरिया
लैंड ऑफ थाउजेण्ड लेक्स	फिनलैंड
भूमध्यसागर का द्वार	जिब्राल्टर
लैंड ऑफ दी थाउजैंड एलीफैन्ट्स	लाओस
स्वर्णिम पैगोडा का देश	म्यांमार
सिटी ऑफ गोल्डन गेट	सैन फ्रांसिस्को
क्वीन ऑफ एड्रियाटिक	वेनिस (इटली)
पिलर्स ऑफ हरक्यूलिस	स्ट्रेट ऑफ जिब्राल्टर
श्वेत शहर	बेलग्रेड
पूर्व का मैनचेस्टर	ओसाका (जापान)
लिली का देश	कनाडा
होली लैंड	जेरूसलम (इजरायल)
सूर्योदय का देश	जापान
कॉकपिट ऑफ यूरोप	बेल्जियम
आंसुओं का प्रवेश द्वार	बाब-अल-मंडब जलडमरूमध्य
लैंड ऑफ मिडनाइट सन	नार्वे
अरब सागर की रानी	कोच्चि (भारत)
लैंड ऑफ ह्वाइट एलीफैंट्स	थाइलैंड
दक्षिण का ब्रिटेन	न्यूजीलैंड
वेनिस ऑफ द वर्ल्ड	स्टॉकहोम (स्वीडन)
स्मारकों की नगरी	वियना (ऑस्ट्रिया)
पवनचक्कियों की भूमि	नीदरलैण्ड
आइलैंड ऑफ क्लोव्ज	जंजीवार (तंजानिया)
फॉरबिडन सिटी	ल्हासा (तिब्बत)
नील नदी का देश	मिस्र
एमराल्ड द्वीप	आयरलैंड
लैंड ऑफ थंडरवोल्ट	भूटान
मोतियों का द्वीप	बहरीन

नदियों के तट पर बसे विश्व के प्रमुख नगर

नगर	नदी
लन्दन (इंग्लैंड)	टेम्स
कैन्टन (चीन)	सीक्यांग
मास्को (रूस)	मस्कोवा
न्यूयार्क (सं.रा.अ.)	हडसन
बर्लिन (जर्मनी)	स्प्री
पेरिस (फ्रांस)	सीन
बुडापेस्ट (हंगरी)	डेन्यूब
पर्थ (ऑस्ट्रेलिया)	स्वान
वाशिंगटन	पोटोमेक
बगदाद (इराक)	टाइग्रिस
वियना (ऑस्ट्रिया)	डेन्यूब
आस्वान (मिस्र)	नील
टोकियो (जापान)	अराकावा
सेंट लुईस (अमेरिका)	मिसिसिपी
शंघाई (चीन)	यांग्टिसीक्यांग
रोम (इटली)	टाइबर
यंगून (म्यांमार)	इरावदी
प्राग	विंतावा
ओटावा (कनाडा)	सेंट लारेंस
सिडनी (ऑस्ट्रेलिया)	डार्लिंग
मैड्रिड (स्पेन)	मैजेनसेस
लिस्बन	टेगस
लिस्बन (पुर्तगाल)	टंगस
अंकारा (तुर्किये)	किजिल
लाहौर (पाकिस्तान)	रावी
मॉण्ट्रियल (कनाडा)	सेंट लारेंस
कराची (पाकिस्तान)	सिंधु
बोन (जर्मनी)	राइन
डबलिन (आयरलैंड)	लीफें
काहिरा (मिस्र)	नील
दिल्ली (भारत)	यमुना
ब्यूनस आयर्स (अर्जेंटीना)	लाप्लाटा
शिकागो (सं.रा.अ.)	शिकागो
लिवरपुल (इंग्लैंड)	मर्सी
ब्रिस्टल (इंग्लैंड)	एवन्
बसरा (इराक)	दजला एवं फरात
कीव (यूक्रेन)	नीपर

विश्व के प्रमुख घास के मैदान

घास के मैदान	सम्बन्धित देश	घास के मैदान	सम्बन्धित देश
पम्पास	अर्जेन्टीना	प्रेयरी	अमेरिका
वेल्ड	दक्षिण अफ्रीका	डाउन्स	ऑस्ट्रेलिया
केन्टरबरी	न्यूजीलैण्ड	स्टेपी	यूरेशिया

विश्व की प्रमुख भौगोलिक खोजें

1. **क्रिस्टोफर कोलम्बस**–प॰ द्वीप समूह (1492), द॰ अमेरिका (1498 ई॰)
2. **जॉन कैवेट**–न्यूफाउण्डलैण्ड (1497 ई॰)
3. **कोपरनिकस**–सौरमंडल (1540 ई॰)
4. **केपलर**–ग्रहों की गति नियम (1600 ई॰)
5. **मैगलन**–विश्व का भ्रमण, अटलांटिक के दक्षिण से प्रशांत महासागर की खोज (1519 ई॰)
6. **वास्को-डि-गामा**–केप ऑफ गुड होप होकर भारत आगमन (1498 ई॰)
7. **कैप्टन कुक**–हवाई द्वीप समूह (1770 ई॰)
8. **फ्रिड्टजौफ नानसेन**–ग्रीनलैंड एवं उत्तरी ध्रुव का पहाड़ी भाग (1888 ई॰)
9. **आर. एमण्डसन**–दक्षिणी ध्रुव पर पहुँचने वाला प्रथम व्यक्ति (1911 ई॰)
10. **रॉबर्ट पियरे**–उत्तरी ध्रुव की खोज (1909 ई॰)

विश्व के प्रसिद्ध स्थान

1. झुकी हुई मीनार	:	पीसा (इटली)
2. मर्डेका पैलेस	:	जकार्ता (इण्डोनेशिया)
3. रेड स्क्वायर, क्रेमलिन	:	मास्को
4. स्फिंक्स, पिरामिड	:	मिस्र
5. पोर्सलिन टावर	:	नानकिंग (चीन)
6. लोवर, एफिल टावर	:	पेरिस (फ्रांस)
7. पोटाला	:	ल्हासा (तिब्बत)
8. श्वेत डेगेन पैगोडा	:	यंगून
9. ओपेरा हाउस	:	सिडनी
10. ब्राडवे स्ट्रीट, स्टेच्यू ऑफ लिबर्टी, एंपायर स्टेट बिल्डिंग	:	न्यूयार्क (सं. रा. अमेरिका)
11. अल अक्सा, वेलिंग वाल, टेंपल माउंट	:	जेरूसलम (इजरायल)

प्रमुख देशों में स्थानान्तरित कृषि

कृषि	देश
चेन्ना	श्रीलंका
हुमा	जावा
कैगिन	फिलीपीन्स
लैडान	इण्डोनेशिया एवं मलेशिया
रोका	ब्राजील
तमाराई	थाइलैण्ड
कोनुको	वेनेजुएला

संयुक्त राष्ट्र

- **स्थापना** : 24 अक्टूबर, 1945
- **संस्थापक सदस्य** : 50
- **मुख्यालय** : न्यूयार्क
- **वर्तमान सदस्य संख्या** : 193 (इस संगठन का सदस्य बनने वाला अन्तिम देश दक्षिण सूडान है)।
- **ध्वज** : ध्वज की पृष्ठभूमि हल्की नीली है और उस पर श्वेत रंग से राष्ट्र संघ का प्रतीक बना हुआ है।
- **कार्यकारी भाषाएँ** : अंग्रेजी तथा फ्रेंच
- **अन्य मान्यता प्राप्त भाषाएँ** : रशियन, अरबी, स्पेनिश तथा चीनी।

संयुक्त राष्ट्र के लक्ष्य और उद्देश्य

संयुक्त राष्ट्र के कार्यों को तीन भागों में विभाजित किया जा सकता है, यथा–सुरक्षा, कल्याण और मानव अधिकार। संयुक्त राष्ट्र के सदस्य-राष्ट्रों से चार कर्त्तव्यों के पालन की अपेक्षा की जाती है कि–(क) वे अपने विवादों को शांतिपूर्वक ढंग से निपटायेंगे, (ख) वे सैन्यबल का प्रयोग नहीं करेंगे, (ग) घोषणा-पत्र के पालन में सहायता करेंगे और (घ) आक्रामक की सहायता नहीं करेंगे। संयुक्त राष्ट्र–जाति, भाषा, लिंग और धर्म का विचार किए बिना सब मनुष्यों के मानवीय अधिकारों को मान्यता देता है।

संयुक्त राष्ट्र के प्रमुख अंग

प्रमुख अंग 6 हैं–**1.** साधारण महासभा, **2.** सुरक्षा परिषद्, **3.** आर्थिक व सामाजिक परिषद्, **4.** अंतर्राष्ट्रीय न्यायालय, **5.** प्रन्यास परिषद्, **6.** सचिवालय

प्रमुख अंतर्राष्ट्रीय संगठन और उनके मुख्यालय

अंतर्राष्ट्रीय संगठन	मुख्यालय
संयुक्त राष्ट्र (UN)	न्यूयार्क
अंतर्राष्ट्रीय मुद्रा कोष (IMF)	वाशिंगटन
विश्व स्वास्थ्य संगठन (WHO)	जेनेवा
खाद्य एवं कृषि संगठन (FAO)	रोम
अंतर्राष्ट्रीय श्रम संगठन (ILO)	जेनेवा
यूनेस्को (UNESCO)	पेरिस
अंतर्राष्ट्रीय न्यायालय	हेग
विश्व डाक संघ (UPU)	बर्न
अंतर्राष्ट्रीय नागरिक उड्डयन संगठन (ICAO)	मांट्रियल
सं॰ रा॰ औद्यो॰ विकास संगठन (UNIDO)	वियना

अंतर्राष्ट्रीय संगठन	मुख्यालय
अंतर्राष्ट्रीय परमाणु ऊर्जा अभिकरण (IAEA)	वियना
अंतर्राष्ट्रीय वित्त निगम (IFC)	वाशिंगटन
सं॰ रा॰ विकास कार्यक्रम (UNDP)	न्यूयॉर्क
यूनिसेफ (UNICEF)	न्यूयॉर्क
अंतर्राष्ट्रीय समुद्री संगठन (IMO)	लंदन
विश्व मौसम विज्ञान संगठन (WMO)	जेनेवा
अंतर्राष्ट्रीय दूर संचार संघ (ITU)	जेनेवा
अरब लीग	काहिरा
राष्ट्रमंडल (Commonwealth)	लंदन
विश्व व्यापार संगठन (WTO)	जेनेवा
अंतर्राष्ट्रीय विकास संघ (IDA)	वाशिंगटन डी.सी.

अंतर्राष्ट्रीय संगठन	मुख्यालय
अंतर्राष्ट्रीय पुनर्निर्माण एवं विकास बैंक (विश्व बैंक) (IBRD)	वाशिंगटन
विश्व बौद्धिक संपदा संगठन (WIPO)	जेनेवा
मुस्लिम राष्ट्रों का संघ (OIC)	जेद्दा
यूरोपीय संघ (EU)	ब्रूसेल्स
रेडक्रास	जेनेवा
इंटरपोल (INTERPOL)	लियोन
एशियाई विकास बैंक (ADB)	मनीला
उत्तरी अटलांटिक संधि संगठन (NATO)	ब्रूसेल्स
आसियान (ASEAN)	जकार्ता
BRICS बैंक	शंघाई

भारत का भूगोल

प्रसिद्ध पर्वत शिखर

पर्वत शिखर	समुद्र तल से ऊंचाई (मीटर में)
1. K-2	8,611 पाकिस्तान के कब्जे में
2. कंचनजंगा	8,598
3. नंगा पर्वत	8,126
4. गशेर ब्रुम	8,068 पाकिस्तान के कब्जे में
5. ब्रॉड पीक	8,047 पाकिस्तान के कब्जे में
6. डिस्तगिल सर	7,885 पाकिस्तान के कब्जे में
7. माशेर ब्रुम (पूर्वी)	7,821
8. नंदा देवी	7,817
9. माशेर ब्रुम (पश्चिम)	7,806 पाकिस्तान के कब्जे में
10. राकापोशी	7,788 पाकिस्तान के कब्जे में

प्रमुख जल–अन्तराल

नाम	अवस्थिति
8° चैनल	मालदीव व मिनीकॉय के मध्य
9° चैनल	लक्षद्वीप व मिनीकॉय के मध्य
10° चैनल	छोटा अंडमान व कारनिकोबार के मध्य
ग्रैण्ड चैनल	सुमात्रा (इंडोनेशिया) व निकोबार के मध्य
पाक स्ट्रेट	तमिलनाडु व श्रीलंका के मध्य
डुंकन पास	दक्षिण अंडमान व लघु अंडमान के मध्य
पाक खाड़ी	तमिलनाडु व श्रीलंका के मध्य
कोको स्ट्रेट	काको द्वीप (म्यांमार) व उ. अंडमान के मध्य
मन्नार खाड़ी	द.पू. तमिलनाडु व श्रीलंका के मध्य
लक्षद्वीप सागर	लक्षद्वीप व मालाबार तट के मध्य

भारत के प्रमुख दर्रे

दर्रे	राज्य/केन्द्रशासित प्रदेश
काराकोरम	लद्दाख
माना	उत्तराखण्ड
जोजिला	लद्दाख
नीति	उत्तराखण्ड
पीरपंजाल	जम्मू-कश्मीर
नाथूला	सिक्किम
बनिहाल	जम्मू-कश्मीर
जैलेप्ला	सिक्किम
बुर्जिल	जम्मू-कश्मीर
बोम्डिला	अरुणाचल प्रदेश
शिपकी	हिमाचल प्रदेश
यांग्याप	अरुणाचल प्रदेश
रोहतांग	हिमाचल प्रदेश
दिफू	अरुणाचल प्रदेश
बड़ालाचा	हिमाचल प्रदेश
तुजु	मणिपुर
लिपुलेख	उत्तराखण्ड

पश्चिमी घाट के दर्रे

दर्रा	ऊं. (मी.)	स्थिति
थालघाट	580	नासिक एवं मुम्बई के बीच का संपर्क मार्ग
भोरघाट	520	मुम्बई एवं पुणे के बीच का संपर्क मार्ग
पालघाट	530	कोयंबटूर एवं कोचीन के बीच का संपर्क मार्ग
सिनकोट	280	तिरुवनंतपुरम एवं मदुरै के बीच का संपर्क मार्ग

भारत की महत्वपूर्ण झीलें

झीलें	राज्य/केन्द्रशासित प्रदेश	झीलें	राज्य/केन्द्रशासित प्रदेश
चिल्का	ओडिशा	कोलेरू, पुलीकट	आन्ध्र प्रदेश
लोकटक	मणिपुर	सुकना	चण्डीगढ़
लोनार	महाराष्ट्र	निजाम सागर	तेलंगाना
उमियम झील	मेघालय	नैनीताल, भीमताल	उत्तराखंड
वुलर, डल,	जम्मू-कश्मीर	पुल्ह झील	उत्तर प्रदेश
अष्टमुदी	केरलम	परशुराम कुण्ड	अरुणाचल प्रदेश
पोगांग शो	लद्दाख		

भारत की प्रमुख नदियाँ

नदी	उद्गम	मुहाना	लम्बाई (किमी.)	विशेष तथ्य
सिन्धु	मानसरोवर झील (तिब्बत)	अरब सागर	3100 (भारत में 1114)	सतलज, रावी, व्यास, झेलम इसकी सहायक नदियाँ हैं। लद्दाख में यह नदी गिलगित गॉर्ज का निर्माण करती है।
सतलज	राक्षसताल	चिनाब	1450 (भारत में 1050)	भाखड़ा, नांगल व नाथपा झांकरी बाँध।
गंगा	गंगोत्री के पास गोमुख से	बंगाल की खाड़ी	2525	देव प्रयाग में भागीरथी अलकनंदा से मिलती है और संयुक्त धारा का नाम गंगा हो जाता है। फरक्का बाँध एवं भागीरथी पर टिहरी बाँध।
यमुना	यमुनोत्री के पास बंदरपूंछ से	गंगा	1376	चम्बल, बेतवा, केन सहायक नदियाँ हैं।
चम्बल	महूँ (जानपाव पहाड़ी)	यमुना	1050	गाँधीनगर, राणासागर तथा जवाहर सागर बाँध स्थित है।
गण्डक	धौलाधार पर्वत	गंगा	300	त्रिवेणी के पास बाँध
सोन	अमरकंटक पहाड़ी	गंगा	784	बाणसागर व रिहन्द बाँध
ब्रह्मपुत्र	मानसरोवर झील (तिब्बत)	बंगाल की खाड़ी	2900 (भारत में 916)	ब्रह्मपुत्र नदी अरुणाचल प्रदेश में दिहांग, तिब्बत में शांग-पो और बांग्लादेश में 'जमुना' के नाम से प्रसिद्ध।
नर्मदा	अमरकंटक	अरब सागर	1290	इंदिरा सागर, महेश्वर, सरदार सरोवर बाँध। डेल्टा के बजाए एश्चुअरी बनाती है।
ताप्ती	मुलताई (बैतूल)	खम्भात की खाड़ी	720	काकरापार व ऊकाई बाँध/यह नदी डेल्टा के बजाए एश्चुअरी बनाती है।
महानदी	सिहावा के समीप	बंगाल की खाड़ी	890	हीराकुड, तिरकपाड़ा बाँध स्थित है, डेल्टा बनाती है।
कृष्णा	पश्चिमी घाट की पहाड़ी (महाबलेश्वर के पास)	बंगाल की खाड़ी	1290	शैलम तथा नागार्जुन सागर बाँध स्थित है। डेल्टा बनाती है।
गोदावरी	त्रयम्बक गाँव की पहाड़ी	बंगाल की खाड़ी	1450	दक्षिण की गंगा कहा जाता है। एनीकट बाँध स्थित है। डेल्टा बनाती है।
कावेरी	ब्रह्मगिरि की पहाड़ी	बंगाल की खाड़ी	760	शिवसमुद्रम जल प्रपात स्थित है। डेल्टा बनाती है।
तुंगभद्रा	कर्नाटक के पश्चिमी घाट	कृष्णा	331	कुमुदवती, वर्धा, मगारी आदि सहायक नदियाँ हैं।
माही	विन्ध्याचल पर्वत	खम्भात की खाड़ी	533	वनकवोरी बाँध।

भारत के महत्वपूर्ण जल प्रपात

जल प्रपात	ऊँचाई (मी.)	नदी	राज्य
कुंचिकल	455	वरही	कर्नाटक
शिवसमुद्रम	90	कावेरी	कर्नाटक
गरसोप्पा	260	शरावती	कर्नाटक
हुण्डरू	–	स्वर्णरेखा	झारखण्ड
केवटी	98	महाना	मध्य प्रदेश
रकीमकुण्ड	168	गायघाट	बिहार

नदियों के किनारे बसे प्रमुख नगर

नगर	नदी	नगर	नदी
दिल्ली	यमुना	गुवाहाटी	ब्रह्मपुत्र
आगरा	यमुना	जबलपुर	नर्मदा
बद्रीनाथ	अलकनंदा	कोटा	चम्बल
प्रयागराज	गंगा, यमुना	कटक	महानदी
हरिद्वार	गंगा	नासिक	गोदावरी
कानपुर	गंगा	श्रीरंगपट्टनम	कावेरी
पटना	गंगा	जौनपुर	गोमती
श्रीनगर	झेलम	हैदराबाद	मूसी
अयोध्या	सरयु	मथुरा	यमुना
सूरत	ताप्ती	जमशेदपुर	स्वर्णरेखा
कोलकाता	हुगली	भागलपुर	गंगा
लखनऊ	गोमती	वाराणसी	गंगा
उज्जैन	क्षिप्रा		

भारत के प्रसिद्ध पर्वतीय स्थल

स्थान	राज्य/केन्द्रशासित प्रदेश
अल्मोड़ा	उत्तराखंड
माउण्ट आबू	राजस्थान
चेरापूंजी	मेघालय
मसूरी	उत्तराखंड
कोडईकनाल	तमिलनाडु
नैनीताल	उत्तराखंड
डलहौजी	हिमाचल प्रदेश
ऊटकमंड	तमिलनाडु
दार्जिलिंग	पश्चिम बंगाल
पंचमढ़ी	मध्य प्रदेश
गुलमर्ग	जम्मू और कश्मीर
रानीखेत	उत्तराखंड
कसौली	हिमाचल प्रदेश
शिलांग	मेघालय
महाबलेश्वर	महाराष्ट्र
शिमला	हिमाचल प्रदेश

प्रमुख बहुउद्देशीय नदी घाटी परियोजनाएँ

परियोजना का नाम	नदी	लाभान्वित राज्य
दामोदर घाटी परियोजना	दामोदर	झारखंड, पश्चिम बंगाल
टिहरी बाँध परियोजना	भागीरथी	उत्तराखंड
नागार्जुन सागर परियोजना	कृष्णा	आन्ध्र प्रदेश
कोसी परियोजना	कोसी	बिहार तथा नेपाल
हीराकुड बाँध परियोजना	महानदी	ओडिशा
व्यास परियोजना	व्यास	राजस्थान, पंजाब, हरियाणा, हिमाचल प्रदेश
चम्बल परियोजना	चम्बल	राजस्थान, मध्य प्रदेश
मयूराक्षी परियोजना	मयूराक्षी	पश्चिम बंगाल
तुंगभद्रा परियोजना	तुंगभद्रा	आन्ध्र प्रदेश, कर्नाटक
गण्डक परियोजना	गण्डक	बिहार, नेपाल
फरक्का परियोजना	गंगा, भागीरथी	पश्चिम बंगाल
काकरापारा परियोजना	ताप्ती	गुजरात
नागपुर शक्तिगृह परियोजना	कौराडी	महाराष्ट्र
इन्दिरा गाँधी नहर परियोजना	सतलज	राजस्थान, पंजाब तथा हरियाणा
रिहन्द परियोजना	रिहन्द	उत्तर प्रदेश
महानदी डेल्टा परियोजना	महानदी	ओडिशा
कुण्डा परियोजना	कुण्डा	तमिलनाडु
इडुक्की परियोजना	पेरियार	केरलम
कोयना परियोजना	कोयना	महाराष्ट्र
सतलज परियोजना	चिनाब	जम्मू-कश्मीर
रंजीत सागर बाँध परियोजना	रावी	पंजाब
नाथपा-झाकरी परियोजना	सतलज	हिमाचल प्रदेश
शरावती परियोजना	शरावती	कर्नाटक
नर्मदा सागर परियोजना	नर्मदा	मध्य प्रदेश, गुजरात
जवाहर सागर परियोजना	चम्बल	राजस्थान
तुलबुल परियोजना	झेलम	जम्मू कश्मीर
सरदार सरोवर परियोजना	नर्मदा	गुजरात, मध्य प्रदेश, महाराष्ट्र एवं राजस्थान
दुलहस्ती परियोजना	चिनाब	जम्मू-कश्मीर
तिलैया परियोजना	बराकर	झारखंड

कृषि क्रांतियाँ

क्रांति	क्षेत्र	क्रांति	क्षेत्र
हरित क्रांति	खाद्यान्न उत्पादन	लाल क्रांति	टमाटर उत्पादन
श्वेत क्रांति	दुग्ध उत्पादन	गोल क्रांति	आलू उत्पादन
भूरी क्रांति	उर्वरक उत्पादन	रजत क्रांति	अंडा उत्पादन
नीली क्रांति	मत्स्य उत्पादन	सुनहरी क्रांति	बांगवानी उत्पादन
पीली क्रांति	तिलहन उत्पादन	गुलाबी क्रांति	झींगा उत्पादन

राष्ट्रीय उद्यान और अभयारण्य

अगस्त 2025 तक हमारे देश में 107 राष्ट्रीय उद्यान और 574 वन्यजीव अभयारण्य हैं। कुछ महत्त्वपूर्ण अभयारण्यों और उद्यानों के नाम नीचे दिए गए हैं।

- कान्हा राष्ट्रीय उद्यान (म.प्र.)
- शिवपुरी राष्ट्रीय उद्यान (म.प्र.)
- जलदापाड़ा अभयारण्य (प. बंगाल)
- काजीरंगा अभयारण्य (असम)
- मानस अभयारण्य (असम)
- हजारीबाग राष्ट्रीय उद्यान (झारखंड)
- पलामू राष्ट्रीय उद्यान (झारखंड)
- डालमा वन्य जीव अभयारण्य (झारखंड)
- सेमलीपाल राष्ट्रीय पार्क (ओडिशा)
- वनकटना वन्य जीव अभयारण्य (उ.प्र.)
- भरतपुर वन्य जीव अभयारण्य (राजस्थान)
- डर्राह वन्य जीव अभयारण्य (राजस्थान)
- कॉर्बेट राष्ट्रीय उद्यान (उत्तराखंड)
- चन्द्रप्रभा अभयारण्य (उ.प्र.)
- डाचीगाम अभयारण्य (जम्मू-कश्मीर)
- दुधवा राष्ट्रीय उद्यान (उ.प्र.)
- नन्दा देवी कस्तूरी मृग वन (उत्तराखंड)
- माउंट आबू वन्य जीव अभयारण्य (राजस्थान)
- रणथम्भौर वन्य जीव अभयारण्य (राजस्थान)
- सरिस्का क्रीड़ा अभयारण्य (राजस्थान)
- रंगथिट्टू पक्षी अभयारण्य (कर्नाटक)
- बांदीपुर अभयारण्य (कर्नाटक)
- डंडेली अभयारण्य (कर्नाटक)
- महावीर अभयारण्य (गोवा-कर्नाटक सीमा)
- पेरियार अभयारण्य (केरलम)
- वेदान्त-गाल पक्षी अभयारण्य (तमिलनाडु)
- गिरि वन (गुजरात)
- बोरीवल्ली राष्ट्रीय उद्यान (महाराष्ट्र)
- मोलेम क्रीड़ा अभयारण्य (गोवा)
- कोट्टीगांव क्रीड़ा अभयारण्य (गोवा)
- नागजीरा वन्य जीव अभयारण्य (महाराष्ट्र)
- वान्धवगढ़ राष्ट्रीय उद्यान (मध्य प्रदेश)
- घाट प्रभा पक्षी अभयारण्य (कर्नाटक)
- खगचन्दजेन्दा राष्ट्रीय उद्यान (सिक्किम)
- पेंच राष्ट्रीय उद्यान (महाराष्ट्र)
- रोहिया राष्ट्रीय उद्यान (हिमाचल प्रदेश)
- सुल्तानपुर सरोवर पक्षी अभयारण्य (हरियाणा)
- तोदोवा राष्ट्रीय उद्यान (महाराष्ट्र)
- मुदमलाई अभयारण्य (तमिलनाडु)
- नगर होल अभयारण्य (कर्नाटक)
- नाल सरोवर पक्षी अभयारण्य (गुजरात)
- बोंडला क्रीड़ा अभयारण्य (गोवा)
- तनसा झील वन्य जीव अभयारण्य (महाराष्ट्र)
- बनारघट्टा राष्ट्रीय उद्यान (कर्नाटक)
- ईराविकुलम राजमल्ली राष्ट्रीय उद्यान (केरलम)

रक्षा

भारत की रक्षा सेनाओं का सर्वोच्च कमाण्डर भारत का राष्ट्रपति होता है। भारत की सशस्त्र सेनाओं में तीन मुख्य सेवाएं हैं–थल सेना, नौ सेना और वायु सेना।

तीनों सेनाओं के प्रमुख क्रमशः थल सेनाध्यक्ष, नौ सेनाध्यक्ष और वायु सेनाध्यक्ष होते हैं।

देश में उच्चतर रक्षा प्रबंधन में सुधार लाने के लिए चीफ ऑफ डिफेंस स्टाफ (CDS) का पद गठित किया गया है। जनरल बिपिन रावत ने देश के प्रथम सीडीएस के रूप में कार्य किया।

सेना में कमीशंड पद (Commissioned Ranks)

थल सेना
1. जनरल
2. लेफ्टिनेंट जनरल
3. मेजर जनरल
4. ब्रिगेडियर
5. कर्नल
6. लेफ्टिनेंट कर्नल
7. मेजर
8. कैप्टन
9. लेफ्टिनेंट

वायु सेना
1. एयर चीफ मार्शल
2. एयर मार्शल
3. एयर वाइस मार्शल
4. एयर कॉमोडोर
5. ग्रुप कैप्टन
6. विंग कमाण्डर
7. स्क्वाड्रन लीडर
8. फ्लाइट लेफ्टिनेंट
9. फ्लाइंग ऑफिसर

नौ सेना
1. एडमिरल
2. वाइस एडमिरल
3. रियर एडमिरल
4. कॉमोडोर
5. कैप्टन
6. कमाण्डर
7. लेफ्टिनेंट कमाण्डर
8. लेफ्टिनेंट
9. सब लेफ्टिनेंट

थल सेना कमाण्ड :

कमाण्ड	मुख्यालय
पश्चिमी कमाण्ड	चांडी मंदिर (चंडीगढ़)
पूर्वी कमाण्ड	कोलकाता
उत्तरी कमाण्ड	ऊधमपुर
दक्षिणी कमाण्ड	पुणे
मध्य कमाण्ड	लखनऊ
द.प. कमाण्ड	जयपुर
ट्रेनिंग कमाण्ड	शिमला

जल सेना कमाण्ड :

कमाण्ड	मुख्यालय
पूर्वी कमाण्ड	विशाखापट्टनम
दक्षिणी कमाण्ड	कोच्चि
पश्चिमी कमाण्ड	मुम्बई

वायु सेना कमाण्ड :

कमाण्ड	मुख्यालय
पूर्वी कमाण्ड	शिलांग
पश्चिमी कमाण्ड	नई दिल्ली
केन्द्रीय कमाण्ड	प्रयागराज
दक्षिणी कमाण्ड	तिरुअनंतपुरम
द.-प. कमाण्ड	गांधीनगर
ट्रेनिंग कमाण्ड	बेंगलुरु
मेन्टेनेन्स कमाण्ड	नागपुर

थल सेना प्रशिक्षण संस्थान :

कमाण्ड	मुख्यालय
नेशनल डिफेन्स एकेडमी (NDA)	खड़कवासला
नेशनल डिफेन्स कॉलिज	नई दिल्ली
इंडियन मिलिट्री एकेडमी (IMA)	देहरादून
डिफेन्स सर्विस स्टाफ कॉलिज	विलिंग्टन
इन्फेनटरी स्कूल	महू
आर्म्ड सेण्टर	अहमदनगर
आर्टीलरी स्कूल	देवलाली

वायु सेना प्रशिक्षण संस्थान :

कमाण्ड	मुख्यालय
एयर फोर्स एडमिनिस्ट्रेटिव कॉलिज	कोयम्बटूर
एयर फोर्स एकेडमी	हैदराबाद
पैराटूपर ट्रेनिंग स्कूल	आगरा
एयर फोर्स टेक्निकल कॉलिज	जलाहली (बेंगलुरु)
एलीमेन्ट्री फ्लाइंग स्कूल	बिदर

नौ सेना प्रशिक्षण संस्थान :

कमाण्ड	मुख्यालय
आइ.एन.एस. चिल्का	भुवनेश्वर
आइ.एन., बेन्दुरथी	कोच्चि
आइ.एन.एस. तसिरकार्स	विशाखापट्टनम
इण्डियन नेवल एकेडमी	कोच्चि
आइ.एन.एस. शिवाजी	लोनावाला

आंतरिक सुरक्षा के संगठन

संगठन	स्थापना वर्ष	मुख्यालय
असम राइफल्स	1835	शिलांग
केन्द्रीय रिजर्व पुलिस बल	1939	नई दिल्ली
भारत-तिब्बत सीमा पुलिस	1962	नई दिल्ली
सीमा सुरक्षा बल (BSF)	1965	नई दिल्ली
केन्द्रीय औद्योगिक सुरक्षा बल	1969	नई दिल्ली
तट रक्षक बल	1978	नई दिल्ली
राष्ट्रीय सुरक्षा गार्ड	1984	नई दिल्ली

कला एवं साहित्य

भारत के प्रमुख चित्रकार एवं उनकी कृतियां

अवनीन्द्र नाथ टैगोर	शाहजहाँ का ताज को देखना, बुद्ध और सुजाता, कमल के पत्ते पर अश्रुकण, वन साम्राज्ञी, औरंगजेब का बुढ़ापा, भारतमाता आदि।
गगनेन्द्र नाथ टैगोर	माँ से विदा लेते चैतन्य, कल्कि अवतार आदि।
राजा रवि वर्मा	दुष्यन्त को प्रेम-पत्र लिखती शकुन्तला, नायर लेडी, शकुन्तला वियोग आदि।
नन्द लाल बोस	उमा की तपस्या, घायल बकरी को ले जाते भगवान बुद्ध, कृष्णार्जुन, उड़ीसा की एक दुकान, प्रणाम, बसन्त, गोपिनी आदि।
के॰ वेंकटप्पा	हनुमान द्वारा लंका दहन, स्वर्ण मृग, राम और मृग तृष्णा आदि।
जॉर्ज कीट	कृष्ण जन्म, कर्ण जन्म, यम मार्कण्डेय, निराभरण गोपियाँ आदि।
भवेश चन्द्र सन्याल	आश्रयहीन लड़की, गोल मार्केट के भिखारी आदि।
मनीषी डे	नारी-शृंगार, पनघट की ओर, बंगाली शरणार्थी।
अमृता शेरगिल	एलिफेन्ट्स बाथिंग इन ग्रीन पुल, हिल साईड, भारतीय लड़कियाँ आदि।
नारायण श्रीधर बेन्द्रे	स्टेशन पर यात्री, बुद्ध पूजा आदि।

देवी प्रसाद राय चौधरी लेपचा कुमारी, भौटिया आदि।
शोभा सिंह हीर-रांझा
सतीश गुजराल काला चांद

संगीत

भारत में चार प्रकार के संगीत-साज मिलते हैं—तंतु या तार वाले, समीर या वायु वाले, अवनाद अथवा थाप से संचालित होने वाले और घन जिसमें घंटियाँ, मंजीरे, घड़ियाल आदि शामिल हैं। तंतु या तार वाले सामान्य साज हैं जैसे—वीणा, सितार, सारंगी, सरोद, दिलरुबा, इसराज, एकतारा, तानपुरा और मयूरी। वायु संचालित साज हैं शहनाई, बाँसुरी, नादस्वरम, निनकिर्नस और पोंगी। थाप अथवा संघात से संचालित होने वाले साज हैं: तबला, मृदंग, ढोलक, पखावज, घटाम तथा कंजीरा-मंजीरा। करतल, जल तरंग आदि अन्य भारतीय साज हैं। गायन के क्षेत्र में विष्णु नारायण भातखण्डे, बेगम अख्तर, बड़े गुलाम अली, हीराबाई बरोडकर, भीमसेन जोशी, केसरभाई केलकर, ओंकारनाथ ठाकुर, सिद्धेश्वरी देवी, त्यागराज, विष्णु दिगंबर पलुसकर, पंकज मलिक, एम.एस. सुब्बालक्ष्मी, पंडित जसराज, गंगूभाई हंगल, मल्लिकार्जुन मंसूर, डागर बंधु, डी.के. जयरामन, के.जे. यशुदास, गुलाम मुस्तफा खान, कुमार गंधर्व, के.एल. वसंधा कुमारी, किशोरी अमोनकर, गिरिजा देवी, वी.के. नारायण स्वामी दीक्षित, तानसेन, श्यामा शास्त्री, स्वाति तिरूनल आदि साजपरक संगीत के कुछ दिग्गज कलाकार रहे हैं।

साजपरक संगीत के कुछ दिग्गज कलाकार निम्न हैं:-

बाँसुरी—हरि प्रसाद चौरसिया, पन्नालाल घोष, टी.आर. महालिंगम, एन. रमानी, विजय राघव राव, रघुनाथ सेठ, राजेन्द्र कुलकर्णी

जंजीरा—वी. नागराजन

घटाम—टी.एच. विनयाकरम

गिटार—पंडित विष्णु मोहन भट्ट, मोहन भट्ट, बृजभूषण कालरा, श्रीकृष्ण नलिन

हारमोनियम—पुरुषोत्तम वालावाकर, एम. धौलपुरी

मृदंग—पालघात आर. रघु, यू.एस. वर्मन

पखावज—गोविन्द राव, अनोखे लाल, कंठी महाराज

रूद्रवीणा—जिया मोहिउद्दीन डागर, असद अली खान

संतूर—शिव कुमार शर्मा, तरुण भट्टाचार्य

सितार—पंडित रविशंकर, बिलायत खान, देबू चौधरी, अब्दुल हलीम, जफर खान

सरोद—अली अकबर खान, अमजद अली खान, अलाउद्दीन खान, सरेन रानी, बज नारायण, मुकेश शर्मा, चंदन राय

शहनाई—बिस्मिल्ला खान, सुरबहार इमरत खान, दयाशंकर जगन्नाथ

वायलिन—लालगुडी जयारमण, एल. सुब्रह्मण्यम, एम.एस. गोपालकृष्णन, एस. सुब्रह्मण्यम, वी.जी. जोग, एन. राजन

तबला—अल्लारखा खां, गुदई महाराज, जाकिर हुसैन, लतीफ खाँ, किशन महाराज आदि।

नृत्य

- **भरतनाट्यम :** इस नृत्य शैली का ताल्लुक तमिलनाडु से है। यह कर्नाटक संगीत के साथ किया जाने वाला एकांतिक नृत्य है। अपने शुद्ध रूप में यह नृत्य शरीर की विभिन्न हलचलों, कोणों व घुमाव के जरिए लय-ताल का एक बेहतरीन नमूना पेश करता है।
- **ओडिसी :** इसकी उत्पत्ति ओडिशा में हुई है। यह नृत्य भरतनाट्यम के समानांतर है। 'गीत-गोविन्द' नामक काव्य की संरचना इस नृत्य शैली के काव्य तथा संगीत घटकों पर हावी रही है।
- **मणिपुरी :** यह मणिपुर का लयबद्ध नृत्य है। यह राधा-कृष्ण और गोपियों की अवधारणा के इर्द-गिर्द संकेद्रित रही है। नगाड़ों और मंजीरों पर बजने वाले कई प्रकार के ताल इस नृत्य के साथ-साथ चलते हैं।
- **कत्थक :** यह उत्तरी भारत का एक विशिष्ट शहरी नृत्य है। पूर्व में इसे दरबारों से जुड़ी नृत्य परंपरा के रूप में लिया जाता था। इस नृत्य के दौरान गायन चलता रहता है, मृदंग बजते रहते हैं तथा एक और कलाकार साज बजाता रहता है। कलाकारों का यह समूह सुर-ताल का आकर्षक नजारा पेश करता है।
- **कथकली :** यह केरलम की शास्त्रीय नृत्य नाटिका है। अपने स्वरूप में यह नृत्य वर्णात्मक होने के बजाय नाट्यरूप में होता है। यह नृत्य महाकाव्यों के मिथकीय घटनाओं पर आधारित होता है जिसे अतिनाटकीय अंदाज में प्रस्तुत किया जाता है। नाटकीय कथा आँखों और भौहों के संचालन से, हाथों की भाव-भंगिमाओं से तथा शरीर के विशिष्ट संचालन से आगे बढ़ती है।
- **कुचिपुड़ी :** इस नृत्य का अभ्युदय़ आंध्र प्रदेश में हुआ माना जाता है। पारंपरिक रूप से यह नृत्य-नाटिका मंदिरों से संबद्ध रही है।

विभिन्न राज्यों के कुछ महत्वपूर्ण लोक-नृत्य :

- **महाराष्ट्र :** तमाशा, दही हण्डी, गोफ, दीपक, डिंडी
- **गुजरात :** गरबा, रासलीला, तिप्पनी, डांडिया
- **ओडिशा :** छऊ, माया शवरी, दलचाई
- **राजस्थान :** घूमर, कठपुतली, तेरा ताली
- **मध्य प्रदेश :** लोटा नृत्य, जवारा
- **हिमाचल प्रदेश :** दशहरा नृत्य, हिकत, नेतियो
- **पंजाब :** गिद्धा, भांगड़ा, पणिहारी
- **उत्तर प्रदेश :** रासलीला, नौटंकी, थाली, धुरंग, झुमेला, हुड़का बोल, कजरी
- **नगालैण्ड :** बांस नृत्य, केदोहोह
- **असम :** बिहू, केली गोपाल, सतरिया
- **पश्चिम बंगाल :** कीर्तन, कालत्री, असुरबध, वृता, काली नाच
- **बिहार :** छऊ, मगही, दुर्गा नृत्य
- **तमिलनाडु :** तेरुकलथु, कबलतम, कर्गम, पुली वेशम
- **केरलम :** मोहिनी अट्टम, पदायुनी
- **कर्नाटक :** यक्षगान, कुजीता, कोडवास
- **जम्मू-कश्मीर :** दुम्हल, हिकत, चाकरी
- **त्रिपुरा :** हजागिरि
- **आंध्र प्रदेश, तेलंगाना :** डंडारिया, बंजारा, घण्टा मरदाला
- **गोवा :** गोडे मोदनी, ढकनी
- **मेघालय :** नोंगकरेम, बांग्ला
- **मणिपुर :** ढोल चोलम, बसंत रस
- **हरियाणा :** धमचाल, लहूर, भांगड़ा, गिद्दा
- **झारखंड :** सरहुल, सोहराई

शास्त्रीय नृत्य के कुछ प्रख्यात कलाकार

- **भरतनाट्यम** : यामिनी कृष्णमूर्ति, रुक्मिणी देवी अरुण्डेल, स्वप्न सुन्दरी, सोनल मानसिंह, वैजयंती माला, मृणालिनी साराभाई, चंद्रलेखा, इंद्राणी, राम गोपाल, बाल सरस्वती
- **कथकली** : गोपीनाथ, के.के. नायर, कुंजुकुरुप, टी.के. चंदू, शांताराव, उदयशंकर
- **कुचिपुड़ी** : स्वप्न सुंदरी, राजा रेड्डी, राधा रेड्डी, शोभा नायर, वेदांतम सत्यनारायण, विम्पत्ति चिन्ना सत्यम
- **कत्थक** : बिरजू महाराज, गोपीकृष्ण, शंभू महाराज, सितारा देवी, उमा शर्मा, दुर्गा लाल, शोभना नारायण
- **मणिपुरी** : उदय शंकर, दरोहरा झावेरी, चैतम्बि सिंह, बिपिन सिंह, सूर्यमुखी
- **ओडिसी** : केलुचरण महापात्र, इंद्राणी रहमान, माधवी मुद्गल, प्रोतिमा बेदी, संयुक्ता पाणिग्रही, सोनल मानसिंह, देवू दास, प्रियवंदा मोहन्ती, मिनाती दास

महत्वपूर्ण दिवस

दिवस	महत्व
9 जनवरी	प्रवासी दिवस
15 जनवरी	थल सेना दिवस
25 जनवरी	भारतीय पर्यटन दिवस
26 जनवरी	भारतीय गणतंत्र दिवस
30 जनवरी	शहीद दिवस, विश्व कुष्ठ निवारण दिवस (महात्मा गाँधी की पुण्य तिथि)
1 फरवरी	तटरक्षक दिवस, डाक जीवन बीमा दिवस
4 फरवरी	विश्व कैंसर दिवस
20 फरवरी	विश्व सामाजिक न्याय दिवस
21 फरवरी	विश्व मातृभाषा दिवस
22 फरवरी	पल्स पोलियो दिवस
28 फरवरी	राष्ट्रीय विज्ञान दिवस (रमन प्रभाव की स्मृति में)
8 मार्च	अन्तर्राष्ट्रीय महिला दिवस
15 मार्च	विश्व उपभोक्ता अधिकार दिवस, विश्व विकलांगता दिवस
21 मार्च	विश्व वानिकी दिवस, विश्व रंगभेद उन्मूलन दिवस
22 मार्च	विश्व जल दिवस
23 मार्च	शहीद दिवस, विश्व मौसम विज्ञान दिवस
24 मार्च	विश्व तपेदिक दिवस
7 अप्रैल	विश्व स्वास्थ्य दिवस
18 अप्रैल	विश्व विरासत दिवस
22 अप्रैल	विश्व पृथ्वी दिवस
1 मई	मई दिवस (अन्तर्राष्ट्रीय श्रम दिवस)
8 मई	विश्व रेडक्रॉस दिवस
9 मई	अन्तर्राष्ट्रीय थैलीसीमिया दिवस
11 मई	राष्ट्रीय प्रौद्योगिकी दिवस
24 मई	कॉमनवेल्थ दिवस
31 मई	धूम्रपान विरोध दिवस
1 जून	अन्तर्राष्ट्रीय बाल दिवस
5 जून	विश्व पर्यावरण दिवस
14 जून	वर्ल्ड ब्लड डोनर डे
20 जून	शरणार्थी दिवस
21 जून	विश्व योग दिवस
11 जुलाई	विश्व जनसंख्या दिवस
6 अगस्त	विश्व शांति दिवस, हिरोशिमा दिवस
10 अगस्त	अंतर्राष्ट्रीय युवा दिवस
29 अगस्त	राष्ट्रीय खेल दिवस
5 सितम्बर	शिक्षक दिवस
8 सितम्बर	विश्व साक्षरता दिवस
14 सितम्बर	हिन्दी दिवस
16 सितम्बर	विश्व ओजोन दिवस
21 सितम्बर	अन्तर्राष्ट्रीय शांति दिवस
27 सितम्बर	विश्व पर्यटन दिवस
2 अक्टूबर	गाँधी जयन्ती/अन्तर्राष्ट्रीय अहिंसा दिवस
3 अक्टूबर	विश्व पर्यावास दिवस
5 अक्टूबर	विश्व आवास दिवस
9 अक्टूबर	विश्व डाक दिवस
16 अक्टूबर	विश्व खाद्य दिवस
17 अक्टूबर	विश्व गरीबी उन्मूलन दिवस
20 अक्टूबर	राष्ट्रीय एकता दिवस, विश्व सांख्यिकी दिवस
14 नवम्बर	विश्व मधुमेह दिवस
19 नवम्बर	अन्तर्राष्ट्रीय नागरिक दिवस
26 नवम्बर	विश्व पर्यावरण संरक्षण दिवस
1 दिसम्बर	विश्व एड्स दिवस
10 दिसम्बर	अन्तर्राष्ट्रीय मानवाधिकार दिवस
18 दिसम्बर	अन्तर्राष्ट्रीय प्रवास दिवस
29 दिसम्बर	विश्व जैव विविधता दिवस

खेल जगत

खेलों से जुड़ी शब्दावली

- **एथलेटिक्स:** ऐली, स्क्रॉम, बैटन, बेंड, ब्लाइंड पास, बॉक्स, सर्किल, क्लियरेंस, क्रासबार, हीट्स, फाल्स स्टार्ट, फ्लॉप स्टाइल, फाउल, हर्डलेस, लेन, लैप, डेकाथलॉन, हैप्टेथलॉन, मैराथन, पेंटाथलोन, स्क्रैच, शॉट पुट, स्प्रिंट, स्टार्टिंग ब्लॉक स्टेपल चेज, स्ट्रैंडल, टाई, जोन।
- **बैडमिंटन:** एश, एली, बैक हैण्ड, ब्लाक, कैरी, चैकिंग द स्मैस, कोर्ट, क्रास कोर्ट, डबल हिट, ड्राप शाट, फाल्ट, फोरहैण्ड, फ्रेम, गेम प्वाइंट, किल, लोब, लव, नेट, रैकेट, रैली, सर्व, शार्ट सर्व, शटल (बर्ड भी कहते हैं) साइड आउट, अंडर हैंड।
- **बेसबॉल:** आर्म थ्रोअर, एराउंड द हार्न, बल्क, बाल, बाल हॉक, बेस ओपन बेस रनर, बैट, बैटर, कैचर, काक्ड आर्म, क्रास फायर, डाउनर, होम, हाट कार्नर, इनफील्ड फ्लाई, की स्टोन सैक, लेट अप, पेग, पिंच हिटर, पॉपी, पंच, रबर, इनअप, सिंकर, स्लाइडर, थ्री फुट लाइन।
- **बास्केट बॉल:** बैक डोर, बैंग बोर्ड, बैंक शाट, बाउंस पास, चार्ज, चेस्ट पास, कार्नर प्लेयर, कट, डेड बॉल, डबल फाउल, ड्रिबल, फेक, फील्ड गोल, फाउल, फ्री थ्रो, गोल, हेल्ड बॉल, जम्प बॉल, पायवोट, रिवाइंड, रिस्ट्रेनिंग सर्कल, टी, टैक्नीकल फाउल, थ्रो इन।
- **बिलियर्डस एंड स्नूकर:** एंगल, राउण्ड द टेबल, बल्क, बॉल, ब्रेक, ब्रिज, केनन, क्यू बॉल, कॉप, फॉलो, हजार्ड, पाकेट, पॉट, पिरामिड, रेडबॉल, रेस्ट्स, रन, सेट अप, शार्ट स्विंग, टेबल।
- **बॉक्सिंग:** स्प्रॉन, अटैक, ब्लैक पेडल, बैक हैंड पंच, ब्लाकिंग, बोली, बाउट, बट, चॉप, कम्बीनेशन, कट, डाइव, एलबोइंग, फर्स्ट ब्लड, फ्लोर, फुल काउंट, ग्लोब्स, हीलिंग, होल्डिंग, हुक, जब, माउथपीस, पंच, रिंग, स्कोरिंग, सेकेण्ड, स्पॉट, वार्निंग।
- **क्रिकेट:** ऑल राउण्डर, ऐशेज, बैकफुट, बेल्स, बॉल, बैट, बैटिंग, बैट्समैन, बीमर, बाउंसर, बाउण्ड्री, बॉलर, बॉलिंग क्रीज, बाई, कॉट एण्ड बोल्ड, कॉल, कैच, कॉट बिहाइंड, सेंचुरी, क्लीन बोल्ड, कवर प्वाइंट, क्रास बैट, कट, कटर, डेड बॉल, एक्स्ट्राज, फास्ट मीडियम, फॉलोआन, फ्रंट फुट, फुलटॉस, ग्लास, गुगली, गार्ड, गिल्ली, हाफ वॉली, हैट्रिक, हिट विकेट, हुक, इनस्वींगर, लेटकट, लेग ब्रेक, लेग साइड, मेडन, मिड ऑफ, मिड ऑन, मिड विकेट, नाइट वाचमैन, प्वांइट, ओपनर, ओवर, ओवर थ्रो, ओवर द विकेट, पिच, पुल-राउण्ड द विकेट, स्क्वायर कट, स्क्वायर लेग, स्वीप, टॉस, अम्पायर, विकेट कीपर, यार्कर।
- **गोल्फ:** एश, एड्रेस, एयर शॉट, एप्रोन, अवे, बॉल मार्क, ब्रिडी, बोगी, बाई, चिप, क्लब, कप, ड्राइव, ईगल, फ्लफ्फ, हाल्वड्, हैण्डीकैप, हजार्ड, होल, ऑनर, हुक, जिग्गर, लाई, पार, पिन, पुट, रन, स्लाइस, स्टांस, स्विंग, टी, वेज।
- **हॉकी:** बैकपास, बुली, कैरिंग द बॉल, सेंटर फारवर्ड, चार्जिंग, कार्नर, डी, डिफेंडर, ड्रिंबलिंग, फ्लिक, फारवर्ड, फाउल, फ्रीहिट, फुल बैक्स, गोल, हाब्स, हिट, हुकिंग, इंटरसेप्टिंग, लांग कार्नर, शार्ट पेनल्टी स्ट्रोक, पुश, रिवर्स स्टिक, स्कूप, सिक्सटीन यार्ड हिट, स्टिक, स्ट्राइकिंग सर्कल, टैकलिंग, थ्रू पास, ट्रैपिंग, ट्वेन्टी फाइव यार्ड लाइन, अंडरकटिंग।
- **सॉकर:** बाईसाईकिल किक, बाड़ी सर्व, बाक्स या पेनल्टी एरिया, कैरिंग, चेस्टिंग, क्लीयरिंग, कार्नर किक, कार्नर फ्लैग, क्रास, क्रास ओवर, डी, डायरेक्ट फ्री किक, डाइव, डबल फाउल, ड्रिवल, ड्राप वॉल, एक्स्ट्रा टाइम, फिनिशिंग, फ्लैंक, फाउल, गोल किक, गोल पोस्ट, गोल्स, हॉफ वॉली, हैट्रिक, हैडिंग, इनडायरेक्ट फ्री किक, इंटरसेप्सन, किक ऑफ, लाइंस मैन, लिंक मैन, लोब, मार्किंग, न्यूटमैग, ऑफ साइड, पास, पेनल्टी स्पॉट, रिवर्स पास, सीजर्स किक, शैडो मार्किंग, साइड लाइंस, स्ट्राइकर, स्वीपर, टेंकल, थ्रोइन, ड्रिपिंग, विंगर, येलो कार्ड।
- **स्क्वैश:** एंगल, बोर्ड कोर्ट, कट लाइन, ड्राइव, फुट फाउल्ट, हॉफ कोर्ट लाइन, हैमर, हैंड इन, किल, निक, पेनल्टी प्वाइंट, रैली, सर्विस बाक्स, सेट, शार्ट लाइन, वॉली, वेल्स।
- **स्वीमिंग:** बैकस्ट्रोक, बटरफ्लाई, ब्रेस्ट स्ट्रोक, कैसल, क्राउल, फाल्स स्टार्ट, फ्री स्टाइल, किकिंग, लेग, मेडले रिले, पुल, टच।
- **टेबल टेनिस:** एश, बैकहैण्ड, शॉट, ब्लेड, ब्लॉक शॉट, ड्यूस, ड्राप शॉट, गेम, ग्रिप, रैली, सर्विस, स्मैश, टॉप स्पिन, रिवर्स सेंटर लाइन।
- **टेनिस:** एश, एडवांटेज, बैक कोर्ट, बैक हैण्ड, बॉल ब्वाय या बॉल गर्ल, ब्रेक, बाई, सेंट्रल लाइन, चिप, चाप, कोर्ट, डेड, ड्यूस, डबल फाल्ट, डाउन द लाइन, ड्राप शॉट, ड्राप वॉली, इरर, फेस या रैकेट, फाउल्ट, फोर कोर्ट, फ्रेम, गेम, गेम प्वाइंट, ग्राउंड स्ट्रोक, लेट, लाइन बॉल, लोब, लव, मैच प्वाइंट, नेट, नेट बॉल, ओवर हैड, स्मैश, पासिंग शॉट, रैली रिटायर, रिटर्न, सर्व, सर्विस, सेट, सेटप्वाइंट, शार्ट बाल, स्मैश, स्ट्रोक, टॉस, अंडरहैंड, वॉली।
- **वॉलीबॉल:** एश, एड ऑन, बैकलाइन, ब्लॉक, बॉडी फाउल, कैरिंग द बॉल, चेस्टपास, कवर, क्रास कोर्ट शाट, ड्यूस, डिग, डबल हिट, फुट फाउल्ट, गेम प्वाइंट, किल, हेल्ड, बॉल, मल्टीपल टचेज, नेट, ओवर नेट, प्वांइट, पावर सर्व, सर्व, सेट, साइड आउट, स्मैश, स्पाइकर टाइम आउट।

खेल के मैदान की माप

- **बैडमिंटन कोर्ट** : 20 फीट × 44 फीट (युगल); 17 फीट × 44 फीट (एकल)
- **बेसबॉल** : डायगोनल बेस में से निकटतम आधार के बीच की दूरी 90 फीट और 127 फीट 3⅜ इंच होती है। पिचर के सर्किल और बॉलर के बीच 60½ फीट की दूरी होती है।
- **बास्केटबॉल कोर्ट** : 85 फीट × 46 फीट।
- **बिलियर्ड्स टेबल** : 12 फीट × 6 फीट 1½ इंच।
- **बॉक्सिंग रिंग** : 20 फीट वर्ग।
- **क्रिकेट** : दोनों विकेट 22 गज की दूरी पर होते हैं। बॉल का व्यास लगभग 9 से.मी. और वजन 5½ से 5¾ ओंस होता है।
- **हैंडबॉल कोर्ट** : 126 से 147 फीट लम्बा और 60 से 73 फीट चौड़ा।

- **हॉकी का मैदान** : 100 गज × 55 गज।
- **रग्बी मैदान** : यह मैदान अंडाकार होता है जिसकी अधिकतम लम्बाई 150 से 200 गज और अधिकतम चौड़ाई 120 से 170 गज होती है।
- **रोविंग** : एकल नौका चालन हेतु नौका की लम्बाई 27 फीट और युगल के लिए 34 फीट होती है। कॉक्स्ड जोड़ा 35 फीट, काक्सलेस फोर 44 फीट, कॉक्स्ड फोर 45 फीट और कॉक्स्ड एट 62 फीट होता है।
- **फुटबॉल मैदान** : 100 से 130 गज लम्बा और 50 से 100 गज चौड़ा।
- **स्क्वैश कोर्ट** : 32 फीट × 21 फीट, कट लाइन 6 फीट का और टिन 19 इंच का होता है।
- **स्वीमिंग पुल** : 50 मीटर लम्बा।
- **टेबल टेनिस** : टेबल 9 फीट × 5 फीट का होता है तथा नेट की ऊंचाई 6 इंच होती है।
- **टेनिस कोर्ट** : एकल के लिए 78 फीट × 27 फीट और युगल के लिए 78 फीट × 36 फीट।
- **वालीबॉल कोर्ट** : 18 मीटर × 9 मीटर।
- **मैराथन दौड़** : 26 मील 385 गज।

ओलंपिक

प्राचीन काल में अपने नागरिकों को स्वस्थ एवं फिट बनाए रखने के लिए यूनानवासी प्रतियोगी खेल स्पर्द्धाओं का आयोजन करते थे। जौस देवता के सम्मान में प्रथम ओलम्पिक खेलों का आयोजन ओलम्पस माउंट में ईसा पूर्व 776 में किया गया था। इसके बाद 394 ईस्वी जबकि यूनानी सभ्यता का पतन हो गया, प्रत्येक 4 वर्षों के अंतराल के बाद ओलम्पिक खेलों का आयोजन किया जाता रहा। आधुनिक समय में फ्रांस के धनकुबेर पियरे डी कुबर्टिन ने आधुनिक खेलों को पुनर्जीवित किया। प्रथम आधुनिक ओलम्पिक खेल का आयोजन 1896 में एथेंस (यूनान) में किया गया। इसके बाद से विश्व युद्धों को छोड़कर प्रत्येक 4 वर्ष के अंतराल पर ओलम्पिक खेलों का आयोजन होता रहा है। ओलम्पिक खेलों का ध्वज श्वेत रंग का है जिस पर 5 रंगीन छल्ले बने हैं। प्रत्येक रिंग एक महादेश का प्रतिनिधित्व करता है। एक ही वर्ष में ग्रीष्मकालीन और शीतकालीन ओलंपिक खेलों का आयोजन किया जाता है।

एशियाई खेल

द्वितीय विश्व युद्ध के पश्चात् अनेकों एशियाई देशों ने स्वतंत्रता प्राप्त की। ओलंपिक खेलों की तर्ज पर प्रत्येक चार वर्षों बाद एशियाई खेलों के आयोजन की योजना बनायी गई। भारत ने 1951 में नई दिल्ली में प्रथम एशियाई खेलों का आयोजन किया।

राष्ट्रमंडल खेल

राष्ट्रमंडल खेल भो प्रत्येक चार वर्ष बाद आयोजित किए जाते हैं उसी वर्ष में जिसमें एशियाई खेल आयोजित होते हैं। सभी राष्ट्रमंडल देश (ब्रिटेन के पूर्व उपनिवेश) इसमें भाग ले सकते हैं। प्रथम राष्ट्रमंडल खेल 1930 में हैमिल्टन (कनाडा) में आयोजित हुआ। पहले राष्ट्रमंडल खेल, जो 1930 में कनाड के हैमिल्टन में आयोजित किये गये थे, को ''ब्रिटिश अम्पायर गेम'' क नाम से जाना गया। 1954 में इनका नाम बदलकर ''ब्रिटिश अम्पायर एण्ड कॉमनवेल्थ गेम्स'' कर दिया गया। 1970 में एक बार फिर इनका नाम परिवर्तन कर 'ब्रिटिश कॉमनवेल्थ गेम्स' किया गया। वर्ष 1978 से इन्हें कामनवेल्थ गेम्स अथवा राष्ट्रमंडल खेलों के नाम से जाना जा रहा है

प्रमुख खेल एवं उससे संबंधित जानकारी

क्रिकेट : क्रिकेट खेल का जन्मदाता इंग्लैंड को माना जाता है। दुनिया का पहला क्रिकेट क्लब हैम्बल्डन में 1760 के दशक में बना औ मेरिलबॉन क्रिकेट क्लब (MCC) 1787 में।

हॉकी : हॉकी का पहला संगठित क्लब 1861 में स्थापित 'ब्लैकहीथ एवं एण्ड क्लब' (इंग्लैंड) है। हॉकी की सर्वोच्च संस्था 'फेडरेशन इंटरनेशल दि हॉकी' (एफ. आई. एच.) है, जिसकी स्थापना 188 ई. में की गयी थी। हॉकी का पहला अन्तर्राष्ट्रीय मैच 26 जून, 189 को राइल में वेल्स एवं आयरलैंड के बीच खेला गया। ओलम्पिक में सर्वाधिक आठ बार हॉकी का खिताब भारत ने जीता है।

फुटबॉल : फुटबॉल का जन्म इंग्लैंड में हुआ। 1857 ई. में इंग्लैंड में विश्व का पहला फुटबॉल क्लब 'शेफील्ड फुटबॉल क्लब' का गठन हुआ भारत में फुटबॉल अंग्रेजों के द्वारा लाया गया और भारत का पहला फुटबॉल क्लब 'डलहौजी क्लब' था।

टेबल टेनिस : इस खेल का जन्मदाता इंग्लैंड है। 'इंटरनेशनल टेबल टेनिस एसोसिएशन' की स्थापना 1926 ई. में की गयी थी। टेबल टेनिस विश्व चैम्पियनशिप का मैच पहली बार 1927 ई. में हुआ।

लॉन टेनिस : आधुनिक संदर्भ में इस खेल का विकास इंग्लैंड में हुआ टेनिस की सर्वोच्च संस्था इंटरनेशनल टेनिस फेडरेशन (I.T.F.) की स्थापना 1913 ई. में पेरिस में की गई।

बास्केटबॉल : इस खेल का आविष्कार जेम्स स्मिथ ने सन् 1891 में अमेरिका में किया। इसके अन्तर्राष्ट्रीय संघ की स्थापना सन् 1932 में फेडरेशन इंटरनेशनल डे बास्केटबॉल एसोसिएशन (FIBA) के नाम से हुई। भारत में प्रथम बास्केटबॉल खेल सन् 1930 में खेला गया इसका पहला विश्व चैम्पियन मैच 1950 ई. में आयोजित हुआ।

बैडमिंटन : आधुनिक बैडमिंटन का विकास संभवत: इंग्लैंड में हुआ था इसकी सर्वोच्च संस्था इंटरनेशनल बैडमिंटन फेडरेशन की स्थापना 1934 में की गयी थी। विश्व बैडमिंटन चैम्पियनशिप की शुरुआत 197 ई. में हुई थी।

पोलो : आमतौर से यह माना जाता है कि पोलो का जन्म फारस में हुआ था। फारस में 525 ई.पू. में 'पुलु' के नाम से यह खेल खेला जाता था। कुछ लोगों का मानना है कि पोलो का जन्म भारत के मणिपु में हुआ।

एथलेटिक्स : पहला ओलंपिक जो ई.पू. 8वीं सदी में हुआ था उसमें य एक मात्र खेल था। ई.पू. 8वीं शताब्दी में होमर द्वारा लिखित इलिय में पैदल दौड़ का वर्णन मिलता है। एथलेटिक्स इंग्लैंड में ईसा बा 12वीं सदी में प्रारंभ हुई।

कुश्ती : ई.पू. 708 में यूनानियों ने अपने ओलंपिक में कुश्ती को शामि कर लिया था। कुल मिलाकर कुश्ती के 50 प्रकार हैं। ओलंपिक ग्रीको रोमन और फ्री स्टाइल कुश्ती आर्मेचर होती है।

शतरंज : सामान्यत: ऐसा माना जाता है कि भारत में यह खेल ईसा बाद 7वीं सदी में शुरू हुआ।

गोल्फ : आधुनिक गोल्फ का खेल सर्वप्रथम स्कॉटलैंड में शुरू हुआ। आधुनिक गोल्फ में पुरुषों के ग्रैंड स्लैम में चार टूर्नामेंट होते हैं। मास्टर ओपन, यूनाइटेड स्टेट्स ओपन, ब्रिटिश ओपन और प्रोफेशनल गोल्फर्स एसोसिएशन ऑफ अमेरिका (पी.जी.ए.) चैम्पियनशिप।

वाटर पोलो : यह खेल सन् 1860 ई. में इंग्लैंड में शुरू हुआ। इस खेल को शुरू करने का श्रेय मुख्यत: ग्लासगो के विलियम विल्सन को जाता है।

बेसबॉल : यह खेल 19वीं सदी के मध्य में अमेरिका में विकसित हुआ। ऐसा माना जाता है कि इसकी खोज अबनेर डबलडे ने सन् 1839 ई. में की। इस खेल के नियमों को एलेक्जेंडर कार्टराइट ने लिखा।

तैराकी : द फेडरेशन इंटरनेशनल डी नेशनल एमैच्योर (FINA) तैराकी एवं अन्य सभी गैर-पेशेवर जल-क्रीड़ाओं को संचालित करती है।

स्पोर्ट्स से जुड़े प्रमुख खिलाड़ी

- **एथलेटिक्स :** कार्ल लुईस, मौरिस ग्रीन, माइकल जानसन, लिंडफोर्ड क्रिस्टी, जैकी जायनर, मेरियन जोंस, बेन जानसन, कैल्विन स्मिथ, जेसी ओवंस, सर्गेई बुबका, सेबेस्टियन को, मिल्खा सिंह, पीटी उषा, उसैन बोल्ट, ज्योतिर्मय सिकदर।
- **बॉक्सिंग :** कैसियस क्ले (मोहम्मद अली), जो फ्रेजर, माइक टायसन, लैरी टोलम्स, फैंक ब्रूनो, हेनरी कूपर, आर्ची मूर, इवांडर होलीफील्ड, विजेंद्र कुमार, एम.सी. मैरीकॉम।
- **बैडमिंटन :** प्रकाश पादुकोण, सैय्यद मोदी, दिनेश खन्ना, जेमी पोलसन, नंदू नाटेकर, लिम स्वीकिंग, सायना नेहवाल।
- **बिलियर्ड :** गीत सेठी, माइकल फरेरा, पंकज आडवाणी।
- **शतरंज :** बोरिस स्पॉस्की, गैरी कास्परोव, अंतोली कार्पोव, विक्टर कोरकोनी, विश्वनाथन आनंद, कोनेरू हम्पी, प्रवीण थिप्से, रोहिणी खादिलकर, सूर्य शेखर गांगुली, गुकेश डी.।
- **क्रिकेट :** सुनील गावस्कर, बिशन सिंह बेदी, कपिल देव, मुहम्मद अजहरुद्दीन, सचिन तेंदुलकर, जी.आर. विश्वनाथ, लाला अमरनाथ, अजित वाडेकर, वी एस चंद्रशेखर, ईएएस प्रसन्ना, एस. वेंकटराघवन, डान ब्रैडमेन, रिचर्ड हैडली, गैरी सोबर्स, इयान बाथम, विवियन रिचर्डस, क्लाइव लायड, इमरान खान, ज्योफ बायकाट, टोनी ग्रेग, वसीम अकरम, हनीफ मोहम्मद, रिची बेनो, माल्कम मार्शल, माइकल होल्डिंग, ग्रेग चैपल, जावेद मियांदाद, विजय मांजरेकर, फैंकवारेल, बिल लॉरी, क्लाइब राइस, विराट कोहली, मार्क टेलर, जीएल गारनर, अर्जुन राणातुंगा, अरविन्द डीसिल्वा, सौरव गांगुली, विनोद कांबली, नयन मोंगिया, अजित अगरकर, जैक कालिस, इयान हिली, जान ट्राइकास, क्रेग मैकडरमोट, ब्रायन मैकलिमन, डब्ल्यू आर हैमंड, सनत जयसूर्या, ब्रायन लारा, एंडी फ्लावर, बी.वी.एस. लक्ष्मण, राहुल द्रविड़, डेनियल विटोरी, वीरेन्द्र सहवाग, एम. एस. धोनी, युवराज सिंह, रिकी पोन्टिंग।
- **हॉकी :** ध्यान चंद, अशोक कुमार, अजित सिंह, परगट सिंह, प्रीतपाल सिंह, जफर इकबाल, शंकर लक्ष्मण, चारू चार्ल्सवर्थ, बलबीर सिंह, टेरी वाल्स, किशनलाल, धनराज पिल्लै।
- **फुटबॉल :** पेले, डियागो माराडोना, फ्रेंज बेकनबोर, सोक्रेट्स, रूड गुलिट, गैरी लिनेकर, कोरेका, पी सी बनर्जी, अरुणलाल घोष, युनी गोस्वामी, इंदर सिंह, डावर सूकर, रोनाल्डो, रिवाल्डो, डिसचैम्पस, ओलिवर कॉन, लुईस फिगो, वाइचुंग भूटिया।
- **टेनिस (लान) :** ब्योन बोर्ग, जिमी कानर्स, जान मैकनरो, इवान लेंडल, पीट सम्प्रास, मार्टिना नवरातिलोवा, स्टेफी ग्राफ, स्टीफन एडवर्ग, आंद्रे अगासी, माइकल चांग, रमेश कृष्णन, बोरिस बेकर, लिएण्डर पेस, महेश भूपति, विजय अमृतराज, आनंद अमृतराज, जयदीप मुखर्जी, राड लीवर, राय इमर्सन, नरेश कुमार, प्रेमजीत लाल, मार्टिना हिंगिस, मेरी पियर्स, सेरेना विलियम्स, वीनस विलियम्स, सानिया मिर्जा, सोमदेव वर्मन, रोजर फेडरर, राफेल नडाल, मारिया शरापोवा।
- **गोल्फ :** ग्रेग नारमेन, निक प्राइस, जीव मिलखा सिंह, एस. चौधरी, आर.के. पीतांबर, विक्रमजीत सिंह, अर्जुन अटवाल।
- **जिम्नास्टिक :** नादिया कोमानिय, एल लेतीनीना, वी. कस्लावस्का, ई.जेबो, डब्ल्यू. किंम, वाई मा, श्रूसोनोवा, डेनिएला सिलीवास, ए ब्रेगलिया, वी युकारिन, एन एंद्रियानोव, सर्गेई स्पिट्ज।
- **स्वीमिंग :** आरती गुप्ता, अरुण कुमार शा, वैद्यनाथ, डाउन फ्रेजर, मिहिर सेन, आरती शाहा, मार्क स्पिट्ज, माइकल फेल्प्स।
- **कुश्ती :** दारा सिंह, भीमसेन, मुख्तार सिंह, सुदेश कुमार, चांदगी राम, सुशील कुमार।
- **निशानेबाजी:** अंजली भागवत्, राज्यवर्धन सिंह राठौर, समरेश जंग, अभिनव बिंद्रा, गगन नारंग।

विश्व के प्रसिद्ध कप और ट्राफियाँ

अमेरिकन कप	याच रेसिंग
एशेज	क्रिकेट (इंग्लैंड बनाम आस्ट्रेलिया)
कनाडा कप	गोल्फ (विश्व चैम्पियनशिप)
कोलम्बो कप	सॉकर
चैम्पियन ट्रॉफी	हॉकी (पुरुष) विश्व की 6 श्रेष्ठ टीमों के मध्य
कोरबिलन कप	टेबल टेनिस (महिला) विश्व कप
डेविस कप	लॉन टेनिस (पुरुष)
डर्बी	घुड़ दौड़ (इंग्लैंड)
जुल्स रिमेट कप	सॉकर—विश्व कप (पुरुष)
किंग्स कप	एयर रेसेज (इंग्लैंड)
मर्डेका कप	सॉकर (पुरुष) (मलेशिया)
प्रिंस ऑफ वेल्स कप	गोल्फ (इंग्लैंड)
रोथमेंस कप	क्रिकेट
रायडर कप	गोल्फ (इंग्लैंड)
स्वेथलिंग कप	विश्व टेबल टेनिस (पुरुष)
थॉमस कप	विश्व बैडमिंटन (पुरुष)
टुंकु अब्दुल रहमान कप	बैडमिंटन
उबेर कप	विश्व बैडमिंटन (महिला)
वाकर कप	गोल्फ (इंग्लैंड)
विटमैन कप	लॉन टेनिस (महिला)
विम्बलडन कप	लॉन टेनिस (इंग्लैंड)

प्रसिद्ध खेल मैदान एवं उनसे सम्बन्धित खेल

खेल-मैदान	खेल	स्थान
इन्द्रप्रस्थ स्टेडियम	इन्डोर गेम	दिल्ली
जवाहरलाल नेहरू स्टेडियम	एथलेटिक्स	दिल्ली
अरुण जेटली स्टेडियम	क्रिकेट	दिल्ली
अम्बेडकर स्टेडियम	फुटबॉल	दिल्ली
शिवाजी स्टेडियम	हॉकी	दिल्ली
नेशनल स्टेडियम	हॉकी	दिल्ली
हेनले	रेगाटा	इंग्लैंड
नेशनल स्टेडियम	हॉकी	मुम्बई
वानखेडे स्टेडियम	क्रिकेट	मुम्बई
ब्रेबोर्न स्टेडियम	क्रिकेट	मुम्बई
ईडन गार्डन	क्रिकेट	कोलकाता
ग्रीन पार्क स्टेडियम	क्रिकेट	कानपुर
कीनन स्टेडियम	क्रिकेट	जमशेदपुर
नेहरू (चेपक) स्टेडियम	क्रिकेट	चेन्नई
वाराबती स्टेडियम	क्रिकेट	कटक
इप्सम	डर्बी घुड़दौड	ब्रिटेन

खेल-मैदान	खेल	स्थान
हेडिंग्ले मानचेस्टर	क्रिकेट	ब्रिटेन
लार्ड्स, ओवल, लीड्स	क्रिकेट	ब्रिटेन
ब्लैक हीथ	रग्बी फुटबॉल	लन्दन
विम्बलडन	लॉन टेनिस	लन्दन
वेम्बले स्टेडियम	फुटबॉल	लन्दन
ब्रुकलैण्ड	फुटबॉल	इंग्लैंड
टिबंकहम	रग्बी फुटबॉल	इंग्लैंड
पटनी मार्टलेक	नौका दौड़	इंग्लैंड
टेंट ब्रिज	क्रिकेट	इंग्लैंड
एण्ट्री	घुड़दौड़	इंग्लैंड
व्हाइट सिटी	कुत्तों की दौड	इंग्लैंड
हरलिघम	पोलो	इंग्लैंड
पर्थ, ब्रिस्बेन, मेलबोर्न	क्रिकेट	आस्ट्रेलिया
ब्रूकलिन	बेसबॉल	न्यूयार्क
फोरस्ट हिल	टेनिस	न्यूयार्क
नरेन्द्र मोदी स्टेडियम	क्रिकेट	अहमदाबाद

पुरस्कार एवं सम्मान

राष्ट्रीय पुरस्कार

- **भारत रत्न**–यह भारत का सर्वोच्च असैनिक सम्मान है। यह कला, साहित्य, विज्ञान एवं खेलकूद के क्षेत्र में अतिविशिष्ट सेवाओं तथा सार्वजनिक क्षेत्र में उत्कृष्टतम योगदान के लिए प्रदान किया जाता है। सरकारी सेवाओं में लगे व्यक्तियों को यह पुरस्कार नहीं दिया जाता है।
- **पद्म विभूषण**–यह अलंकरण सभी क्षेत्रों में उल्लेखनीय योगदान के लिए दिया जाता है। सरकारी सेवाओं में लगे व्यक्ति भी इसके पात्र माने जाते हैं।
- **पद्म भूषण**–सभी क्षेत्रों में उल्लेखनीय योगदान के लिए यह उपाधि प्रदान की जाती है। सरकारी सेवाओं में रत व्यक्ति भी इसे पाने के हकदार हैं।
- **पद्म श्री**–विविध क्षेत्रों में उत्तम कार्य करने के उपलक्ष्य में यह उपाधि प्रदान की जाती है। सरकारी सेवा में लगे लोगों को भी इस उपाधि से अलंकृत किया जा सकता है।

शौर्य पदक

- **परमवीर चक्र**–शत्रु के समक्ष दृढ़ता से वीरता-प्रदर्शन के फलस्वरूप दिया जाने वाला यह सबसे बड़ा पुरस्कार है। यह अत्यन्त वीरतापूर्ण कार्य जल, थल तथा नभ में से किसी भी सेना के कर्मचारी द्वारा किये जाने पर दिया जाता है।
- **महावीर चक्र**–यह दूसरा सर्वोच्च पदक है जो शत्रु के समक्ष अद्विती शौर्य प्रदर्शन के फलस्वरूप प्रदान किया जाता है। इस प्रकार क वीरतापूर्ण कार्य थल, जल एवं नभ सेनाओं में से किसी के भी द्वा किया गया हो सकता है।
- **वीर चक्र**–यह तीसरी श्रेणी का सेना पदक है जो शत्रु के सम वीरता-प्रदर्शन करने के उपलक्ष्य में प्रदान किया जाता है। य पदक जल, थल और नभ सेना के किसी भी वर्ग के कर्मचारी क वीरतापूर्ण कार्य के लिए प्राप्त हो सकता है।
- **अशोक चक्र**–यह ऐसा पदक है जो जल, थल और नभ कहीं पर उत्कृष्ट वीरतापूर्ण कार्य करने अथवा आत्म-बलिदान होने फलस्वरूप प्रदान किया जाता है। लेकिन इस प्रकार का काम श के समक्ष होना आवश्यक नहीं। गुणों के आधार पर इस पदक तीन वर्ग हैं– प्रथम, द्वितीय तथा तृतीय। द्वितीय पदक का ना कीर्ति चक्र तथा तृतीय पदक का नाम शौर्य चक्र है।

अन्य राष्ट्रीय पुरस्कार/सम्मान

- **ज्ञानपीठ पुरस्कार**–यह पुरस्कार सांस्कृतिक एवं साहित्यिक संस्थ 'भारतीय ज्ञानपीठ' द्वारा वर्ष 1965 से प्रदान किया जाता है। प्रत्ये वर्ष यह पुरस्कार संविधान की आठवीं अनुसूची में सम्मिलित 2 भारतीय भाषाओं और अंग्रेजी में से चयनित भारतीय लेखकों क प्रदान किया जाता है। इस पुरस्कार से पुरस्कृत साहित्यकार क

11 लाख रुपए नकद, एक स्मृति चिह्न, एक प्रशस्ति-पत्र तथा वाग्देवी (सरस्वती) की प्रतिमा प्रदान की जाती है।

- **दादा साहब फाल्के पुरस्कार**–इस पुरस्कार की स्थापना भारतीय फिल्म उद्योग के संस्थापक दादा साहब फाल्के की याद में भारत सरकार के सूचना एवं प्रसारण मंत्रालय द्वारा की गई है। इस पुरस्कार की धनराशि 15 लाख रुपए है।
- **जमनालाल बजाज पुरस्कार**–यह पुरस्कार रचनात्मक सामाजिक कार्य क्षेत्र में महत्त्वपूर्ण योगदान, ग्रामीण विकास हेतु विज्ञान एवं प्रौद्योगिकी के उपयोग तथा महिलाओं एवं बच्चों के उत्थान व कल्याण कार्यों हेतु प्रदान किया जाता है। इन पुरस्कारों के तहत 10-10 लाख की पुरस्कार राशि अब प्रदान की जाती है।
- **सरस्वती सम्मान**–15 लाख रुपये का यह पुरस्कार उत्कृष्ट साहित्यिक कृति पर दिया जाता है।
- **व्यास सम्मान**–के॰ के॰ बिड़ला फाउंडेशन द्वारा स्थापित यह पुरस्कार किसी एक साहित्यिक कृति को प्रदान किया जाता है। इसके तहत एक प्रशस्ति पत्र तथा 4 लाख रुपये की धनराशि प्रदान की जाती है।
- **मेजर ध्यानचंद खेल रत्न पुरस्कार**–1992 में स्थापित यह पुरस्कार भारत सरकार द्वारा खेलों में सराहनीय प्रदर्शन करने वाले खिलाड़ियों को प्रदान किया जाता है। इसमें 25 लाख रुपये की धनराशि, एक पदक और एक प्रशस्ति पत्र प्रदान किया जाता है। पहले इस पुरस्कार का नाम राजीव गांधी खेल रत्न पुरस्कार था।
- **अर्जुन पुरस्कार**–1961 में स्थापित यह पुरस्कार भारत सरकार द्वारा विभिन्न खेलों में विशेष उपलब्धि प्राप्त करने वाले खिलाड़ियों को प्रदान किया जाता है। इसमें अर्जुन की काँस्य प्रतिमा, प्रशस्ति पत्र तथा 15 लाख रुपये की धनराशि और समारोह परिधान प्रदान किया जाता है।
- **द्रोणाचार्य पुरस्कार**–1985 में स्थापित यह पुरस्कार भारत सरकार द्वारा खेल प्रशिक्षकों द्वारा की गयी उत्कृष्ट सेवाओं के लिए प्रदान किया जाता है। यह पुरस्कार दो वर्गों आजीवन और नियमित में प्रदान किया जाता है। आजीवन वर्ग में 15 लाख रुपये तथा नियमित वर्ग में 10 लाख रुपये, गुरु द्रोणाचार्य की प्रतिमा, प्रशस्ति पत्र, तथा समारोह परिधान प्रदान किया जाता है।

अंतर्राष्ट्रीय पुरस्कार

- **नोबेल पुरस्कार**–इस पुरस्कार का प्रवर्तन सन् 1901 में डाइनामाइट के आविष्कारक अल्फ्रेड बर्नहर्ड नोबेल (1833-1896 ई॰) द्वारा व्यक्त की गई इच्छा के परिणामस्वरूप किया गया था। नोबेल पुरस्कार प्रति वर्ष रसायन शास्त्र, भौतिकी, साहित्य, चिकित्सा, शान्ति-प्रोत्साहन और अर्थशास्त्र (अर्थशास्त्र के लिए यह पुरस्कार 1969 से दिया जाना शुरू किया गया) के क्षेत्र में दिये जाते हैं। निम्न भारतीय अब तक इस पुरस्कार से सम्मानित किए जा चुके हैं: *(i)* डॉ॰ रवीन्द्रनाथ टैगोर (1913) उनकी कृति 'गीतांजलि' के लिए, *(ii)* डा॰ सी॰ वी॰ रमन (1930) भौतिकी के लिए, *(iii)* मदर टेरेसा (1979) शान्ति के लिए, *(iv)* प्रो॰ अमर्त्य सेन (1998) अर्थशास्त्र के लिए और *(v)* कैलाश सत्यार्थी (2014) शान्ति के लिए। इसके अलावा भारतीय मूल के चार लोगों सुब्रमण्यन चंद्रशेखर (भौतिक विज्ञान), हर गोविंद खुराना (चिकित्सा विज्ञान), वेंकटरामन रामकृष्णन (रसायन विज्ञान) और अभिजीत बनर्जी (अर्थशास्त्र) को भी यह पुरस्कार मिल चुका है।
- **रेमन मैग्सेसे पुरस्कार**–एशिया महाद्वीप का सबसे बड़ा पुरस्कार फिलीपीन्स के भूतपूर्व राष्ट्रपति की स्मृति में वर्ष 1957 से प्रदान किया जाता है। इसमें एक स्वर्ण पदक तथा पचास हजार डॉलर प्रदान किये जाते हैं। इसे एशिया का नोबेल पुरस्कार भी कहा जाता है।
- **शान्ति, निःशस्त्रीकरण व विकास के लिए इन्दिरा गांधी पुरस्कार**–1986 में स्थापित यह पुरस्कार भारत सरकार द्वारा अन्तर्राष्ट्रीय शान्ति, निरस्त्रीकरण एवं विकास के क्षेत्र में उल्लेखनीय योगदान हेतु प्रदान किया जाता है। पुरस्कार राशि 1 करोड़ रुपये नगद व साथ में एक स्मृति-चिन्ह दिया जाता है।
- **महात्मा गांधी अन्तर्राष्ट्रीय पुरस्कार**–एक करोड़ रु॰ की राशि का यह पुरस्कार भारत सरकार का सर्वोच्च असैनिक अन्तर्राष्ट्रीय पुरस्कार है जो 1995 में शुरू किया गया था। यह पुरस्कार अहिंसा के जरिए सामाजिक, आर्थिक और राजनीतिक परिवर्तन के लिए काम करने वाले व्यक्ति को दिया जाता है।
- **मैन बुकर पुरस्कार**–ब्रिटेन की संस्था बुकर मैकोनल कंपनी एंड पब्लिशर्स एसोसिएशन के द्वारा यह पुरस्कार 1969 में स्थापित हुआ। यह प्रतिवर्ष किसी लेखक को अंग्रेजी भाषा की उत्कृष्ट रचना हेतु प्रदान किया जाता हैं। इसकी पुरस्कार राशि 50,000 पाउण्ड है।
- **ऑस्कर पुरस्कार**–संयुक्त राज्य अमेरिका की 'नेशनल एकेडमी ऑफ मोशन पिक्चर आर्ट्स एण्ड साइंसेज' द्वारा फिल्म जगत का अत्यन्त प्रतिष्ठित यह पुरस्कार प्रतिवर्ष प्रदान किया जाता है।

प्रमुख देशों के सर्वोच्च सम्मान

देश	सर्वोच्च सम्मान
भारत	भारत रत्न
पाकिस्तान	निशान-ए-पाकिस्तान
कुवैत	मुबारक अल कबीर पदक
सऊदी अरब	शाह अब्दुल अजीज पदक
अर्जेन्टीना	द ऑर्डर ऑफ सॉन मार्टिन
निकारागुआ	आगस्टोसीजर सैण्डिनो ऑर्डर
हंगरी	द ऑर्डर ऑफ वैनर
वियतनाम	द ऑर्डर ऑफ द गोल्डेन स्टार
ब्रिटेन	मेम्बर ऑफ ब्रिटिश एम्पायर, विक्टोरिया क्रॉस
जापान	ऑर्डर आफ मौलोवनिश सन
डेनमार्क	आर्डर ऑफ द डैने ब्रोग
फ्रांस	लेजेण्ड ऑफ ऑनर
अमेरिका	प्रेसिडेंशियल मेडल ऑफ फ्रीडम
जर्मनी	पोर ली मैरिट आयरन क्रॉस
नीदरलैण्ड्स	नीदरलैण्ड्स लॉयन

कम्प्यूटर ज्ञान

कम्प्यूटर : एक परिचय

- कंप्यूटर एक ऐसी इलेक्ट्रॉनिक युक्ति है जो दिए गए निर्देशन समूह के आधार पर सूचना को संसाधित करती है। इस निर्देशन समूह को प्रोग्राम कहते हैं। कंप्यूटर का हिन्दी रूपांतर 'संगणक' है।
- कंप्यूटर के विकास की दिशा में प्रथम प्रयास 19वीं शताब्दी में चार्ल्स बैवेज ने किया था, इसलिए उन्हें कम्प्यूटर का पितामह कहा जाता है। विश्व के प्रथम कम्प्यूटर मार्क-I का विकास वर्ष 1944 में हार्वर्ड विश्वविद्यालय में किया गया था।
- भारत में बना पहला कम्प्यूटर सिद्धार्थ है।
- कंप्यूटर में प्रयुक्त उच्चस्तरीय भाषाएं—फोरट्रॉन, कोबोल, बेसिक, अल्गोल, पास्कल, कोमाल, लोगो, प्रोलॉग तथा फोर्थ हैं। कंप्यूटर की भाषा में जानकारी को 'डाटा' और हिदायतों को 'प्रोग्राम' कहा जाता है।

कम्प्यूटर के प्रकार

- **माइक्रो कम्प्यूटर :** ये वस्तुतः एक ही व्यक्ति द्वारा उपयोग में लाए जाने के कारण व्यक्तिगत कम्प्यूटर (PC) कहलाते हैं।
- **मिनी कम्प्यूटर :** आकार तथा कार्यक्षमता की दृष्टि से ये छोटे होते हैं तथा एक बड़ी मेज पर आ सकते हैं। इन पर एक साथ बीस-तीस टर्मिनल पर कार्य किया जाता है।
- **मेन फ्रेम कम्प्यूटर :** ये बड़े आकार के कम्प्यूटर होते हैं जिनका डिजाइन स्टील के फ्रेम में लगाकर किया जाता है। इसकी मेमोरी उपर्युक्त दोनों से अधिक होती है।
- **सुपर कम्प्यूटर :** ये कम्प्यूटर बहुत अधिक शक्तिशाली होते हैं तथा जटिल संक्रियाओं को भी बहुत शीघ्र गति से करते हैं। इसकी संग्रहण क्षमता भी अधिक होती है।

कम्प्यूटर के मुख्य घटक

कंप्यूटर के मुख्य रूप से चार घटक होते हैं—

- **हार्डवेयर :** हार्डवेयर कम्प्यूटर के वे घटक होते हैं, जिन्हें हम देख और छू सकते हैं। हार्डवेयर के अंतर्गत सेन्ट्रल प्रोसेसिंग यूनिट (CPU), डीवीडी ड्राइव, मॉनीटर, की-बोर्ड, मॉउस, स्पीकर्स आदि आते हैं।
- **सॉफ्टवेयर :** सॉफ्टवेयर कंप्यूटर के उन घटकों को कहा जाता है जिन्हें हम देख और छू नहीं सकते हैं किन्तु उनकी सहायता से कंप्यूटर के द्वारा वांछित परिणाम प्राप्त कर सकते हैं। ये निर्देशों के समुच्चय होते हैं, जिनके द्वारा कंप्यूटर एक या एक से अधिक कार्यों को सम्पन्न करता है।
- **ऑपरेटिंग सिस्टम :** कंप्यूटर के हार्डवेयर रिसोर्सेज जैसे मेमोरी, प्रोसेसर तथा इनपुट-आउटपुट डिवाइसेस को व्यवस्थित करने के लिए बनाए गए सॉफ्टवेयर को ऑपरेटिंग सिस्टम कहते हैं।
- **एप्लीकेशन प्रोग्राम :** उन सॉफ्टवेयर्स को एप्लीकेशन प्रोग्राम कहा जाता है जिनकी सहायता से हम कंप्यूटर को दिए गए किसी निश्चित आदेश का पालन करवाते हैं। उदाहरण के तौर पर वर्ड प्रोसेसर्स जैसे कि एमएस ऑफिस, एकाउंटिंग सॉफ्टवेयर्स, टैली आदि।

कम्प्यूटर के मुख्य कार्य

कंप्यूटर मुख्य रूप से चार प्रकार के कार्य करता है :

(1) डाटा का संकलन तथा निवेशन
(2) डाटा का संचयन
(3) डाटा संसाधन
(4) डाटा/इन्फॉर्मेशन का निर्गमन या पुनर्निर्गमन

कम्प्यूटर के विभिन्न भाग

- **सीपीयू (CPU):** यह सेन्ट्रल प्रोसेसिंग यूनिट का संक्षिप्त रूप है। यह कम्प्यूटर का सबसे प्रमुख भाग है, जो कि निर्देशों का उपयोग कर संपूर्ण कंप्यूटर प्रणाली को संचालित करता है। इसे कम्प्यूटर का मस्तिष्क कहा जाता है।
- **रैम (RAM):** यह रैण्डम एक्सेस मेमोरी का संक्षिप्त रूप है। यह कम्प्यूटर की मेन मेमोरी का एक महत्वपूर्ण हिस्सा होता है। कम्प्यूटर में संप्रेषित सभी डाटा रैम में ही जमा होते हैं।
- **रोम (ROM):** यह रीड ऑनली मेमोरी का संक्षिप्त रूप है। रोम स्थायी स्मृति है, जो कम्प्यूटर के निर्माण के समय ही स्थापित कर दी जाती है। इसमें मौजूद डाटा को केवल पढ़ा जा सकता है।
- **मदर बोर्ड (Mother Board):** यह सर्किट बोर्ड होता है, जिसमें कम्प्यूटर के प्रत्येक भाग को जोड़ा जाता है।
- **सीडी रोम (CD-ROM):** सीडी रोम यानी कॉम्पैक्ट डिस्क छोटे-से आकार में होते हुए भी बहुत बड़ी मात्रा में आंकड़ों एवं चित्रों को ध्वनियों के साथ संग्रहित करने में सक्षम होता है।
- **कम्प्यूटर वायरस (Computer Virus):** यह एक प्रकार का इलेक्ट्रॉनिक कोड है, जिसका उपयोग कम्प्यूटर में समाहित सूचनाओं को समाप्त करने के लिए होता है। कुछ मुख्य कम्प्यूटर वायरस हैं—माइकेल एंजेलो, डार्क एवेंजर, फिलिप, सी ब्रेन, ब्लडी आदि।

कंप्यूटर का आधुनिक विकास

- **स्मार्ट फोन :** यह एक ऐसा मोबाइल फोन है, जिसमें कंप्यूटर की क्षमता तथा फोन की सभी सुविधा एक साथ उपलब्ध है।
- **आई पैड (i-Pad):** यह टैबलेट है, जिसे Apple द्वारा डिजाइन तथा विकसित किया गया है।
- **टैबलेट :** यह एक प्रकार का लैपटॉप पीसी है जिसमें आकर्षक टूल्स तथा टच-स्क्रीन लगा होता है।
- **ब्लूटूथ :** यह एक वायरलैस तकनीक है, जिसका प्रयोग कम दूरी पर डाटा आदान-प्रदान के लिए किया जाता है।

इन्टरनेट

✦ दुनिया के विभिन्न स्थानों पर स्थापित टेलिफोन लाइनों अथवा उपग्रहों की सहायता से एक-दूसरे के साथ जुड़े कम्प्यूटर नेटवर्क 'इंटरनेट' कहलाते हैं।

✦ ई-मेल, ईलर्निंग, ई-कॉमर्स, वर्ल्ड वाइड वेब इंटरनेट की सेवाएं हैं।

नेटवर्किंग

✦ इसका अर्थ विभिन्न कम्प्यूटरों को आपस में जोड़ना है, जिसमें ये सर्वर से जुड़े होते हैं।

✦ प्रत्येक कम्प्यूटर का अपना प्रोसेसर होता है। नेटवर्किंग के अनेक लाभ हैं जैसे–डाटा का आदान-प्रदान, फाइलों का स्थानान्तरण फ्लॉपीज के बिना सम्भव होना, चिकित्सा, अभियन्त्रण आदि में स्पष्ट लाभ, डाटा, सुरक्षा, कम स्मृति संग्राहक का उपयोग आदि।

✦ नेटवर्किंग के मुख्यत· तीन प्रकार होते हैं–

लैन : स्थानीय क्षेत्र (लोकल एरिया) नेटवर्क

मैन : महानगर क्षेत्र (मेट्रोपोलिटन एरिया)

वैन : व्यापक क्षेत्र (वाइड एरिया) नेटवर्क

जैविक कम्प्यूटर

✦ यह एक ऐसा कम्प्यूटर है, जिनमें इनपुट और आउटपुट दोनों ही जीवन्त हैं। डीएनए प्रयुक्त यह नैनो कंप्यूटर जीवित प्रणाली से संचालित है। इसमें डीएनए चिप का प्रयोग होता है। इजराइल स्थित वेजमान इंस्टीट्यूट ऑफ साइंस के वैज्ञानिक इहुड शोप्रियो के नेतृत्व में पहला जैविक कंप्यूटर तैयार किया गया है।

कम्प्यूटर शब्दावली

✦ **एप्लीकेशन प्रोग्राम** : एक ऐसा प्रोग्राम जो कोई निश्चित कार्य ही करता हो जैसे–वर्ड प्रोसेसिंस या डेटाबेस प्रबंधन अथवा एकाउंटिंग का कार्य करने वाला सॉफ्टवेयर। इनमें वर्ड प्रोसेसिंग के लिए M.S. Word, डेटाबेस प्रबंधन के लिए Visual FOX PRO, डिजायनिंग के लिए Adobe Photoshop अथवा एकाउंटिंग के लिए Tally एवं Busy प्रसिद्ध एप्लीकेशनल प्रोग्राम है।

✦ **बिट (Bit):** इलेक्ट्रॉनिक डेटा को मापने की एक यूनिट बिट कहलाती है। 8 बिट मिलकर एक बाइट का निर्माण करती है।

✦ **बूट (Boot):** कम्प्यूटर को कार्यावस्था में लाने के लिए आपरेटिंग सिस्टम द्वारा किया जाने वाला प्रारम्भिक कार्य बूट कहलाता है।

✦ **चिप (Chip):** प्रायः सिलिकन की बनी हुई यह एक पतली चिप्पी है, जिस पर विशेष प्रक्रिया से सर्किट बनाए जाते हैं।

✦ **कम्पाइलर (Compiler):** वह प्रोग्राम जो उच्चस्तरीय भाषा को मशीनी भाषा में परिवर्तित करता है, कम्पाइलर कहा जाता है।

✦ **कर्सर 'की' (Cursor 'Key'):** की-बोर्ड पर पाये जाने वाले वे बटन जिन पर तीर के निशान बने होते हैं, कर्सर 'की' कहलाता है।

✦ **एरर मैसेज (Error Message):** किसी सॉफ्टवेयर द्वारा किसी गड़बड़ी के बारे में दर्शाया जाने वाला संदेश एरर मैसेज कहलाता है।

✦ **फाइल (File):** डेटा का वह संग्रह जिसे किसी नाम से सेव किया जाता है, फाइल कहलाता है।

✦ **प्रोग्राम (Program):** कम्प्यूटर के कार्य निर्देशन के लिए निम्न या उच्चस्तरीय भाषा में लिखे गए आदेशों की शृंखला, कम्प्यूटर प्रोग्राम कहलाता है।

सामान्य विज्ञान

विज्ञान की विविध शाखाएं

नाम	अध्ययन	नाम	अध्ययन
एरोनॉटिक्स	वैमानिकी का अध्ययन	फिलाटेली	टिकट संग्रह कला
एनाटोमी	मानव शरीर की रचना	हार्टीकल्चर	बागवानी
आर्कियोलॉजी	पुरातत्व अध्ययन	सीस्मोलॉजी	भूकंप का अध्ययन
एकॉस्टिक	ध्वनि से संबंधित अध्ययन	ऑस्टोलॉजी	हड्डियों का अध्ययन
एस्ट्रोनामी	खगोल अध्ययन	जेनेटिक्स	आनुवंशिकी का अध्ययन
एण्टोमोलॉजी	कीटाणुओं का अध्ययन	जूलॉजी	जन्तु विज्ञान
एस्ट्रोफिजिक्स	ग्रह-मंडल का अध्ययन	बायलॉजी	प्राणी विज्ञान
कैलिस्थेनिक्स	व्यायाम विद्या का अध्ययन	जिओलॉजी	भूगर्भ की बनावट का अध्ययन
क्रोनोलॉजी	ऐतिहासिक क्रम का अध्ययन	पैथॉलाजी	रोगों का अध्ययन
बॉटनी	वनस्पति का अध्ययन	फिजिक्स	भौतिक विज्ञान
केमिस्ट्री	रसायन का अध्ययन	बायोकेमिस्ट्री	प्राणी का रासायनिक अध्ययन
सेरामिक्स	चीनी के बर्तनों के निर्माण का अध्ययन	युजेनिक्स	नस्ल सुधार का अध्ययन
इकोलॉजी	जीव एवं पर्यावरण संबंधों का अध्ययन	एन्टोमोलॉजी	कीट-पतंगों का अध्ययन

आविष्कार और आविष्कारक

आविष्कार	आविष्कारक	देश	सन्
वायुयान	ओरविल और विलबर राइट	अमेरिका	1903
बॉल-पांइट	जॉन जे॰ लाउड	अमेरिका	1888
बैरोमीटर	इवेंजलिस्ता टौरीसेली	इटली	1644
बाईसिकिल	कर्कपैट्रिक मैकमिलन	इंग्लैंड	1839-40
बाईफोकल लेंस	बेन्जामिन फ्रैंकलिन	अमेरिका	1780
बनसेन बर्नर	आर॰ विल्हेम वोन बनसेन	जर्मनी	1855
कार (पेट्रोल)	कार्ल बेन्ज	जर्मनी	1888
सीमेंट (पोर्टलैंड)	जोसेफ एस्पडिन	इंग्लैंड	1824
सिनेमा	निकोलस और जीन लूमियर	फ्रांस	1895
क्लॉक (मैकेनिकल)	आई.सिंग और लियांग लिंग-तसान	चीन	1725
डीजल इंजन	रूडोल्फ डीजल	जर्मनी	1895
डायनेमो	हाइपोलाइट पिक्सी	फ्रांस	1832
इलैक्ट्रिक लैम्प	थॉमस अल्वा एडिसन	अमेरिका	1879
सेफ्टी पिन	वाल्टर हन्ट	अमेरिका	1849
सिलाई मशीन	बार्थलेमी थिम्मोनियर	फ्रांस	1829
जहाज (भाप)	जे.सी॰ पेरियर	फ्रांस	1775
जहाज (टरबाइन)	होन॰ सर सी॰ पारसंस	इंग्लैंड	1894
स्लाइड रूल	विलियम ऑग्ट्रेड	इंग्लैंड	1621
भाप का इंज़न	जेम्स वॉट	इंग्लैंड	1765
स्टेनलेस स्टील	हेरि ब्रियरले	इंग्लैंड	1913
समुद्री जहाज	डेविड बुशनेल	अमेरिका	1776
टैंक	सर अर्नस्ट स्विनटन	इंग्लैंड	1914
टेलीग्राफ	एम॰ लम्मोंड	फ्रांस	1787
टेलीग्राफ कोड	सैमुअल एफ॰ बी॰ मोर्स	अमेरिका	1837
टेलीफोन (परफैक्टेड)	अलेक्जेण्डर ग्राहम बेल	अमेरिका	1876
टेलीस्कोप	हेन्स लिप्परशे	नीदरलैंड्स	1608
टेलीविजन (मैकेनिकल)	जे.एल॰ बेयर्ड	इंग्लैंड	1926
टेलीविजन (इलेक्ट्रॉनिक)	पी.टी॰ फार्न्सवर्थ	अमेरिका	1927
थर्मामीटर	गैलिलियो गैलिली	इटली	1593
ट्रांसफार्मर	माइकल फैराडे	इंग्लैंड	1831
ट्रांजिस्टर	बरडीन, शोकले तथा ब्राट्टेन	अमेरिका	1948
टाइपराइटर	पेलेग्रिन टेर्री	इटली	1808
कपड़ा धोने की मशीन (विद्युत)	हर्ले मशीन कम्पनी	अमेरिका	1907
घड़ी	बारथोलोम्यू मैनफ्रेडी	इटली	1462

माप/तौल की इकाइयां

वॉट	बिजली की शक्ति की इकाई
ओम	विद्युत प्रतिरोध
हट्‌र्ज	तरंगों की आवृत्ति
डाइन	बल की सापेक्ष इकाई
कैलोरी	ऊष्मा की इकाई
कूलम्ब	विद्युत की मात्रा
एम्पियर	विद्युत धारा
नॉट	समुद्र पोतों की गति
बार	वायुमंडलीय दाब की इकाई
डेसीबल	सापेक्ष ध्वनि की तीव्रता

एंगस्ट्रम	प्रकाश तरंगों की लम्बाई
कैरेट	बहुमूल्य पत्थर की तौल
फैदम	समुद्र की गहराई की इकाई
न्यूटन	बल
कैन्डला	ज्योति तीव्रता
प्रकाश वर्ष	आकाश के ग्रहों आदि की दूरी की इकाई

चिकित्सा विज्ञान संबंधी आविष्कार

रफ-बैटिन	इन्सुलिन (डायबिटीज के उपचार के लिए)
ब्रह्मचारी यू.एन.	काल-ज्वर बुखार की चिकित्सा
डॉ. क्रिश्चियन बर्नार्ड	हृदय प्रत्यारोपण
जी. डोमाग	सल्फा ड्रग्स
राबर्ट कोच	हैजे का टीका
डॉ. पाल मुलर	डी.डी.टी.
आइजकमेन	बेरी-बेरी की चिकित्सा
आर्थर बर्ग तथा जेम्स वाटसन	आर.एन.ए.
जेम्स वाटसन तथा क्रिक	डी.एन.ए.
ड्रेसर	एस्प्रिन
रेबी	क्लोरोक्वीन (कुनैन)
हरगोविन्द खुराना	कृत्रिम जीन
फिनले	टेरामाइसिन
ल्यूवेनहॉक	बैक्टीरिया
रोबर्थ	टायफायड के जीवाणु
रीड	पीले बुखार की चिकित्सा
फिन्सेन	अल्ट्रा वायलेट रेंज द्वारा चिकित्सा
पाल एरिक	सिफलिस की चिकित्सा
सर अलेक्जेंडर फ्लेमिंग और फ्लोरे	पेन्सिलिन
विलियम हार्वे	रक्त परिवहन (संचरण)
कार्ल लैंडस्टीनर	रक्त-आधान
हैनीमेन	होम्योपैथी की स्थापना
फंक	विटामिन
मैकुलन	विटामिन 'ए'
मैकुलन	विटामिन 'बी'
यूजोक्ट होल्कट	विटामिन 'सी'
एफ.जी. हॉपकिन्स	विटामिन 'डी'
एडवर्ड जेनर	चेचक का टीका
राबर्ट कोच	टी.बी. की चिकित्सा
लेनेक	स्टेथॉस्कोप
लार्डजोसेफ लिस्टर	एण्टीसेप्टिक द्वारा चिकित्सा
लुई पाश्चर	हाइड्रोफोबिया की चिकित्सा
डॉ. रोनेल्ड रॉस	मलेरिया की चिकित्सा
डॉ. जोन्स इ. साल्क	एण्टी पोलियो वैक्सीन
सर जेम्स हैरीसन	क्लोरोफार्म की खोज
वैक्समैन	स्ट्रेप्टोमाइसिन
हैनीमेन	होम्योपैथी

विटामिन की कमी से होने वाले रोग

विटामिन	रोग	स्रोत
विटामिन A	रतौंधी	गाजर, दूध, अंडा
विटामिन B_{12}	अरक्तता	कलेजी, अंडा
विटामिन B_1	बेरी-बेरी	दाल, अंडा, मूंगफली
विटामिन C	स्कर्वी	संतरा, टमाटर
विटामिन B_2	मुँह की त्वचा	कलेजी, दूध, मांस
विटामिन D	सूखा रोग	सूर्य का प्रकाश,
विटामिन B_6	एनीमिया और होंठ फटना	कलेजी, दूध, मांस मछली का तेल
विटामिन E	बांझपन	हरी सब्जियाँ, दूध, कलेजी
विटामिन B_3	पेलाग्रा	मछली, अंडा
विटामिन K	रक्त का थक्का जमने में कमी	हरी सब्जी

प्रमुख बीमारियों द्वारा प्रभावित अंग

बीमारी	प्रभावित अंग
निमोनिया	फेफड़े
टायफाइड	आँत
डिप्थीरिया	श्वसन नलिका
सिफलिस	जनन अंग
मेनिनजाइटिस	मस्तिष्क
आर्थ्राइटिस	जोड़ों की सूजन
एग्जीमा	चमड़ी
पीलिया	यकृत
अतिसार	आँत का अग्रभाग
सुजाक, श्वेत प्रदर	मूत्र मार्ग
पायरिया	दाँत तथा मसूड़े
गठिया या ट्यूमैटिज्म	जोड़ों में
टिटनेस	तंत्रिका तंत्र, मांसपेशी
कुष्ठ	त्वचा, तंत्रिकाएं
हैजा	आँत, आहार नाल
रिकेट्स	हड्डियाँ
गोइटर (गण्डमाला)	थाइराइड ग्रंथि
काली खाँसी	श्वसन तंत्र
एड्स	सम्पूर्ण शरीर
प्लेग	फेफड़े, लाल रक्त कणिकाएं
रेबीज या हाइड्रोफोबिया	तंत्रिका तंत्र
खसरा	सम्पूर्ण शरीर
कालाजार	रुधिर, प्लीहा व अस्थि मज्जा
क्षय रोग	शरीर का कोई भी अंग, विशेषकर फेफड़े
केटेरेक्ट, ग्लाइकोमा, ट्रेकोमा, मायोपिया	आँख
चेचक	सम्पूर्ण शरीर, विशेषकर चेहरा तथा हाथ-पैर

प्रमुख पाचक एन्जाइम एवं उनके कार्य

पाचक एन्जाइम	स्रोत	कार्य
टाइलिन	लार ग्रन्थि	स्टार्च का माल्टोस में परिवर्तन
एमाइलेज	लार ग्रन्थि, अग्न्याशय	पॉलीसैकेराइड का डाइसैकेराइड में परिवर्तन
पेप्सिन	आमाशय	प्रोटीन को पेप्टाइड खण्डों में तोड़ना
ट्रिप्सिन एवं काइमोट्रिप्सिन	अग्न्याशय	प्रोटीन एवं पॉलीपेप्टाइड को पेप्टाइड खण्डों में तोड़ना
लाइपेस	अग्न्याशय	ट्राइग्लिसराइड को वसीय अम्ल एवं मोनोग्लिसराइड में तोड़ना

मानव शरीर से सम्बन्धित महत्वपूर्ण तथ्य

तथ्य	स्थिति/मात्र
अस्थियों की कुल संख्या	206
सबसे छोटी अस्थि	स्टेपीज (मध्य कर्ण में)
सबसे लम्बी अस्थि	फीमर (जंघा में)
कशेरुकाओं की कुल संख्या	33
पेशियों की कुल संख्या	+639
सबसे लम्बी पेशी	सारटोरियस
बड़ी आँत की लम्बाई	1.5 मी (4.9 फीट)
छोटी आँत की लम्बाई	6.25 मी (20 फीट)
यकृत का भार (पुरुष में)	1.4-1.8 किग्रा
यकृत का भार (महिला में)	1.2-1.4 किग्रा
सबसे बड़ी ग्रन्थि	यकृत
सर्वाधिक पुनरुद्भवन की क्षमता	यकृत में
सबसे कम पुनरुद्भवन की क्षमता	मस्तिष्क में
शरीर का सबसे कठोर भाग	दाँत का इनेमल
सबसे बड़ी लार ग्रन्थि	पैरोटिड ग्रन्थि
शरीर का सामान्य तापमान	98.4°F (37°C)
शरीर में रुधिर की मात्रा	5.5 ली
हीमोग्लोबिन की औसत मात्रा (पुरुष में)	13.16 g/dl
हीमोग्लोबिन की औसत मात्रा (महिला में)	11.5-14 g/dl
श्वेत रुधिर कोशिकाओं (WBCs) की संख्या	5000-10000/cu mm
सबसे छोटी श्वेत रुधिर कोशिका	लिम्फोसाइट
सबसे बड़ी श्वेत रुधिर कोशिका	मोनोसाइट कोशिका
श्वेत रुधिर कोशिकाओं का जीवनकाल	120 दिन
लाल रुधिर कोशिकाओं (RBCs) का जीवनकाल	2-5 दिन
रुधिर का थक्का बनने का समय	3-6 मिनट
सर्वग्राही रुधिर वर्ग	AB
सर्वदाता रुधिर वर्ग	O
सामान्य रुधिर दाब	120/80 Hg
वयस्क में हृदय गति	72 बार प्रति मिनट

श्वसन अंग और उसके उदाहरण

श्वसन अंग	उदाहरण
फेफड़े	मनुष्य, मेंढक, पक्षी, छिपकली, पशु इत्यादि
त्वचा	मेंढक, केंचुआ
गिल्स	टैडपोल, मछली प्रॉन
श्वसन नाल	कीट
शरीर सतह	अमीबा, युग्लीना

जन्तु विज्ञान से सम्बन्धित महत्वपूर्ण तथ्य

विशेषता	नाम

- सबसे बड़ी स्तनी—**नीली व्हेल**
- सबसे विशाल स्थलीय स्तनी—**हाथी**
- सबसे बड़ी अस्थि—**फीमर (जंघा में)**
- सबसे बड़ा अण्डा—**शतुरमुर्ग**
- सबसे बड़ा शिरा—**इन्फीरियर वेना केवा**
- सबसे बड़ा स्थलीय पक्षी—**शतुरमुर्ग**
- विशालतम जीवित सरीसृप—**टर्टिल**
- विश्व में सबसे विषैला सर्प—**ऑस्ट्रेलिया का पेनिन्सुलर टाइगर सर्प**
- सबसे लम्बा स्तनी—**जिराफ**
- सबसे छोटी चिड़िया—**हमिंग बर्ड**
- दाँत रहित स्तनी—**चींटीखोर**
- शरीर का सबसे व्यस्त अंग—**यकृत**
- शरीर का सबसे भारी अंग—**यकृत**
- सबसे भारी कशेरुका—**लुम्बर**
- सबसे मजबूत पेशी—**जबड़े की पेशी**
- सबसे पुराना प्राइमेट—**लीमर**
- सबसे पुरानी स्तनी—***एकिडना***
- सबसे पुराना कपि—**गिब्बन**
- सबसे विषैला भारतीय सर्प—**किंग कोबरा**
- विषैली छिपकली—***हीलोडर्मा***
- विषैली मछली—**स्टोन मछली**
- अण्डा देने वाली स्तनी—***एकिडना,* डक बिल्ड प्लेटीपस**
- सबसे छोटा स्तनी—**छछुँदर**
- सबसे तेज दौड़ने वाला जन्तु—**चीता**
- सबसे बड़ा सर्प—**पाइथन**
- घोंसला बनाने वाला साँप—**किंग कोबरा**

◇◇◇◇◇

वस्तुनिष्ठ प्रश्नोत्तर

1. मोहनजोदड़ो और हड़प्पा के प्राचीन नगर अब कहाँ स्थित हैं?
A. भारत में B. पाकिस्तान में
C. बांग्लादेश में D. तिब्बत में

2. सिन्धु सभ्यता से प्राप्त मुहरें निम्नलिखित में से किससे बनी थीं?
A. लाजवर्द B. कांस्य
C. रजत D. स्टेटाइट

3. निम्नलिखित में से कौन-सा वेद गद्य एवं पद्य में रचित है?
A. ऋग्वेद B. यजुर्वेद
C. सामवेद D. अथर्ववेद

4. ऋग्वैदिककालीन आर्यों के युद्ध के देवता कौन थे?
A. मंगल B. इन्द्र
C. रुद्र D. शिव

5. महावीर स्वामी को किस स्थान पर ज्ञान प्राप्त हुआ?
A. ऋजुपालिका नदी के तट पर
B. पुनपुन नदी के तट पर
C. गंगा नदी के तट पर
D. कोसी नदी के तट पर

6. अशोक के अभिलेखों को पढ़ने का प्रथम श्रेय प्राप्त है–
A. विल्किन्स को B. विलियम जोन्स को
C. जेम्स विलियम को D. जेम्स प्रिंसेप को

7. किसने भारत में सर्वप्रथम स्वर्ण सिक्के को चलाया था?
A. कुषाण B. मौर्य
C. हिन्द यवन D. गुप्त

8. गुप्तकाल में प्रमुख गणितज्ञ एवं खगोलशास्त्री था–
A. वराहमिहिर B. आर्यभट्ट
C. रामानुजाचार्य D. उपर्युक्त सभी

9. निम्नलिखित का काल क्रम है–
1. हल्दीघाटी युद्ध 2. बैरम खाँ का पतन
3. असीरगढ़ की विजय 4. अबुल फजल की हत्या
A. 1, 2, 3, 4 B. 3, 2, 4, 1
C. 1, 4, 2, 3 D. 2, 4, 3, 1

10. विदेशी आक्रमणकारियों को ऐतिहासिक क्रम में लिखिए–
1. मुहम्मद-बिन-कासिम 2. मुहम्मद गोरी
3. महमूद गजनवी 4. चंगेज खाँ
A. 1, 3, 4, 2 B. 4, 3, 2, 1
C. 1, 3, 2, 4 D. 4, 2, 3, 1

11. किस शासक के दरबार में सर्वाधिक हिन्दू पदाधिकारी थे?
A. अकबर B. शाहजहाँ
C. जहाँगीर D. औरंगजेब

12. किस शासक ने सिंचाई कर लगाया था?
A. मुहम्मद तुगलक B. फिरोज तुगलक
C. अलाउद्दीन खिलजी D. सिकन्दर लोदी

13. कबीर की मृत्यु किस स्थान पर हुई?
A. प्रयाग B. काशी
C. मगहर D. मथुरा

14. अंग्रेजों ने सर्वप्रथम अपना व्यापारिक कारखाना लगाया था–
A. मुम्बई में B. हुगली में
C. सूरत में D. बंगलौर में

15. भारतीय राष्ट्रीय कांग्रेस के प्रथम मुस्लिम अध्यक्ष थे–
A. बदरुद्दीन तैयबजी B. मौलाना अबुल कलाम आजाद
C. सर सैयद अहमद खाँ D. मो. जिन्ना

16. ऑल इण्डिया ट्रेड यूनियन के प्रथम अध्यक्ष थे–
A. लाला लाजपत राय B. एम.एन. जोशी
C. स्वामी सदानन्द D. बाल गंगाधर तिलक

17. भारत में सर्वप्रथम टेलीग्राफ व्यवस्था प्रारम्भ हुई थी–
A. 1850 में B. 1853 में
C. 1854 में D. 1856 में

18. असहयोग आन्दोलन वापस ले लिया गया था–
A. रौलट एक्ट के बाद
B. प्रथम विश्व युद्ध के बाद
C. जलियाँवाला बाग हत्याकाण्ड के बाद
D. चौरी-चौरा घटना के बाद

19. क्रिप्स मिशन को किसने 'उत्तर तिथिय चैक' की संज्ञा दी?
A. महात्मा गांधी B. पं. जवाहर लाल नेहरू
C. राजेन्द्र प्रसाद D. मोतीलाल नेहरू

20. थियोसोफिकल सोसाइटी का अन्तर्राष्ट्रीय मुख्यालय है–
A. अड्यार B. सैनफ्रांसिस्को
C. न्यूयार्क D. जेनेवा

21. सत्यशोधक समाज की स्थापना किसने की थी?
A. गोपाल कृष्ण गोखले B. महादेव गोविन्द रानाडे
C. ज्योतिबा फूले D. गोपाल हरि देशमुख

22. तैमूर ने किसके शासनकाल में भारत पर आक्रमण किया था?
A. बलबन
B. इल्तुतमिश
C. फिरोजशाह तुगलक
D. नासिरुद्दीन महमूदशाह तुगलक

23. समुद्रगुप्त ने अपने दक्षिण अभियान में किस वेंगी शासक को हराया था?
A. नंदी वर्मन B. हस्ती वर्मन
C. देव वर्मन D. नीरू वर्मन

24. मुहम्मद-बिन-तुगलक द्वारा अपनाया गया सांकेतिक मुद्रा किस धातु का बना हुआ था?
A. कांसा B. पीतल और तांबा
C. चाँदी D. लोहा

25. अकबर के शासन काल में मुगल सेना का सेनापति कौन था?
A. राजा मान सिंह B. टोडरमल
C. भगवंत दास D. फकीर अजीउद्दीन

26. इनमें से दिल्ली के सिंहासन पर बैठने वाला पहला अफगान शासक कौन था?
A. सिकन्दर लोदी B. शेरशाह
C. बहलोल लोदी D. इनमें से कोई नहीं

27. महमूद गवाँ का सम्बन्ध निम्नलिखित में किस दक्षिण राज्य से था?
A. बीजापुर B. वारंगल
C. काकतीय D. बहमनी

28. राष्ट्रीय कांग्रेस ने किस वर्ष ''पूर्ण स्वराज्य'' का प्रस्ताव पारित किया?
A. 1929 में B. 1916 में
C. 1924 में D. 1930 में

29. कांग्रेस तथा मुस्लिम लीग के बीच लखनऊ समझौता कब हुआ था?
A. 1906 में B. 1916 में
C. 1924 में D. 1929 में

30. सुभाष चन्द्र बोस के राजनीतिक गुरु कौन थे?
A. चित्तरंजन दास B. अरविन्द घोष
C. महात्मा गांधी D. बाल गंगाधर तिलक

31. पाकिस्तान के प्रथम प्रधानमंत्री कौन थे?
A. मुहम्मद अली जिन्ना B. लियाकत अली खाँ
C. फीरोज खाँ नून D. मौलाना मुहम्मद अली

32. भारतीय स्वतंत्रता के समय ब्रिटेन का प्रधानमंत्री कौन था?
A. लॉर्ड एटली B. विंस्टन चर्चिल
C. रैम्से मैक्डोनाल्ड D. रॉबर्ट वॉलपोल

33. 15 अगस्त, 1947 से 26 जनवरी, 1950 तक भारत का राजनीतिक दर्जा क्या था?
A. ब्रिटिश उपनिवेश
B. ब्रिटिश न्यास क्षेत्र
C. ब्रिटिश संरक्षण प्रदेश
D. ब्रिटिश राष्ट्रमंडल का एक अधिराज्य

34. किस वायसराय ने 1878 में भारतीय भाषाओं के समाचार-पत्रों पर अंकुश लगाया था?
A. लॉर्ड रिपन B. लॉर्ड नार्थबुक
C. लॉर्ड लिटन D. लॉर्ड एलगिन

35. निम्नलिखित में से किस अधिवेशन में राष्ट्रीय कांग्रेस के नरम एवं गरम दलों का पुनः विलय हो गया?
A. लाहौर (1929) B. पुणे (1917)
C. लखनऊ (1916) D. मद्रास (1915)

36. मुस्लिम लीग द्वारा ''प्रत्यक्ष कार्यवाही दिवस'' कब मनाया गया था?
A. 24 मार्च, 1946 B. 30 मार्च, 1946
C. 17 जून, 1946 D. 16 अगस्त, 1946

37. सिन्धु घाटी सभ्यता के लोग किस धातु से परिचित नहीं थे?
A. लोहा B. चाँदी
C. ताँबा D. सोना

38. सिन्धु घाटी सभ्यता का वह नगर कौन-सा है जहाँ बृहत् स्नानागार (Great Bath) के अवशेष मिले हैं?
A. लोथल B. मोहनजोदड़ो
C. कालीबंगा D. हड़प्पा

39. विक्रम संवत् कब-से प्रारम्भ हुआ?
A. 38 ई.पू. B. 58 ई.पू.
C. 78 ई.पू. D. 87 ई.पू.

40. पंचमार्क सिक्के सर्वाधिक रूप से किस धातु के बने थे?
A. सोना B. चाँदी
C. ताँबा D. काँच

41. निम्नलिखित में से कौन-सा ग्रह सबसे कम समय में सूर्य का चक्कर लगाता है?
A. शुक्र B. बुध
C. पृथ्वी D. शनि

42. पृथ्वी के अलावा किस आकाशीय पिंड पर जीवन की सम्भावना है, क्योंकि वहाँ का पर्यावरण जीवन के लिए अनुकूल है–
A. बृहस्पति
B. मंगल
C. यूरोपा-बृहस्पति का चन्द्रमा
D. चन्द्रमा-पृथ्वी का चन्द्रमा

43. दो ग्रह जिनके उपग्रह नहीं हैं, वे हैं–
A. पृथ्वी एवं बृहस्पति B. बुध एवं शुक्र
C. बुध एवं शनि D. शुक्र एवं मंगल

44. मानक समय क्या होता है?
A. किसी देशान्तर का सूर्य के अनुसार समय
B. ग्रीनविच औसत का समय
C. देश के लगभग बीच से गुजरने वाले देशान्तर का स्थानीय समय
D. उपर्युक्त में से कोई नहीं

45. रात और दिन होने की प्रक्रिया में कौन-सा तथ्य सही है?
A. पृथ्वी का अक्ष का 66½° अंश का झुका होना
B. पृथ्वी का सूर्य के चारों ओर परिक्रमण
C. पृथ्वी का अपनी (अक्ष) धुरी पर घूमना
D. उपर्युक्त में से कोई नहीं

46. ओजोन पर्त अवस्थित है–
A. क्षोभमंडल में B. क्षोभसीमा में
C. समतापमंडल में D. प्रकाशमंडल में

47. विली-विली है–
A. एक प्रकार का वृक्ष जो शीतोष्ण कटिबंध में उगता है
B. एक प्रकार की हवा जो मरुस्थल में चलती है
C. उत्तर-पश्चिम आस्ट्रेलिया का उष्णकटिबंधीय चक्रवात
D. लक्षद्वीप समूह के निकट सामान्यतः पाई जाने वाली मछली का एक प्रकार

48. चावल की खेती के लिए आदर्श जलवायु परिस्थितियाँ हैं–
A. 100 सेमी. से ऊपर वर्षा और 25°C से ऊपर ताप
B. फसल की पूरी अवधि के लिए ठण्डी और नम जलवायु
C. 100 सेमी. से कम वर्षा व 25°C से कम ताप
D. पूरी फसल अवधि में कुछ गरम और शुष्क जलवायु

49. सदाबहार वर्षा वन पाए जाते हैं–
A. आस्ट्रेलिया में B. ब्राजील में
C. कनाडा में D. फ्रांस में

50. सूची-I तथा सूची-II को सुमेलित कीजिए तथा सूचियों के नीचे दिए गए कूट का प्रयोग कर सही उत्तर चुनिए–

सूची-I (अग्रणी उत्पादक देश)	**सूची-II (पदार्थ)**
(*a*) चीन	1. प्राकृतिक रबड़
(*b*) भारत	2. दूध
(*c*) सउदी अरब	3. लौह-अयस्क
(*d*) थाइलैण्ड	4. पेट्रोलियम

कूट :

	(*a*)	(*b*)	(*c*)	(*d*)
A.	1	2	3	4
B.	4	3	2	1
C.	3	2	4	1
D.	2	3	1	4

51. किस घास के मैदान में वृक्ष नहीं पाए जाते हैं?
A. लैनॉस B. पम्पास
C. सवाना D. स्टेपी

52. माओरी जनजाति का निवास स्थान है–
A. इंग्लैण्ड B. न्यूजीलैण्ड
C. ग्रीनलैण्ड D. आयरलैण्ड

53. क्षेत्रफल की दृष्टि से भारत का सबसे बड़ा राज्य है–
A. बिहार B. पंजाब
C. राजस्थान D. उत्तर प्रदेश

54. पश्चिमी घाटों के मालाबार तट पर स्थित माहे निम्नलिखित में से किसका भाग है?
A. केरल B. महाराष्ट्र
C. पुदुचेरी D. तमिलनाडु

55. निम्नलिखित में से कहाँ प्राचीन चट्टानें पाई जाती हैं?
A. अरावली B. हिमालय
C. शिवालिक D. उपर्युक्त सभी

56. भारत में 'मरुस्थल की राजधानी' किसे कहते हैं?
A. उदयपुर B. जैसलमेर
C. जयपुर D. पालामऊ

57. 'मानसून प्रस्फोट' से क्या तात्पर्य है?
A. वर्षा की कृत्रिम वैज्ञानिक प्रक्रिया
B. आकाश में बादलों का गलत सघन रूप में आच्छादित होना
C. मेघाच्छन्न मौसम, जिसमें एक लम्बे समय तक वर्षा होती रहे
D. मानसून के समय विद्युत चमकने, बादल गरजने के साथ तीव्र मूसलाधार वर्षा

58. भारत में उगाई जाने वाली अधिकतर कॉफी की किस्म है–
A. ओल्ड चिक्स B. कुर्ग्स
C. अरेबिका D. केन्ट्स

59. सूची-I को सूची-II से सुमेलित कीजिए तथा सूचियों के नीचे दिए गए कूट का प्रयोग कर सही उत्तर चुनिए–

सूची-I	**सूची-II**
(*a*) कोयम्बटूर	1. तेलशोधन
(*b*) राउरकेला	2. रेल डिब्बा
(*c*) कपूरथला	3. लौह-इस्पात
(*d*) बरौनी	4. सूती वस्त्र

कूट :

	(*a*)	(*b*)	(*c*)	(*d*)
A.	4	3	2	1
B.	1	2	3	4
C.	2	3	4	1
D.	4	2	3	1

60. 'दचिगाम अभयारण्य' निम्न में से कहाँ स्थित है?
A. जम्मू कश्मीर B. महाराष्ट्र
C. हिमाचल प्रदेश D. उत्तराखण्ड

61. सड़कों की कुल लम्बाई का सर्वाधिक हिस्सा निम्नलिखित में से किस प्रांत में है?
A. पंजाब B. महाराष्ट्र
C. उत्तर प्रदेश D. बिहार

62. भारत का सुदूर दक्षिण-बिन्दु कौन है?
A. कन्याकुमारी
B. लक्षद्वीप
C. रामेश्वरम्
D. ग्रेट निकोबार स्थित इंदिरा प्वाइंट

63. 'हजार झीलों की भूमि' किसे कहा जाता है?
A. स्वीडन B. फिनलैण्ड
C. डेनमार्क D. फ्रांस

64. नागार्जुन सागर बाँध किस नदी पर बनाया गया है?
A. कृष्णा (आन्ध्र प्रदेश) B. गोदावरी (महाराष्ट्र)
C. कृष्णा (कर्नाटक) D. गोदावरी (गुजरात)

65. निम्नलिखित में से किस प्रदेश में काली मिट्टी वाले क्षेत्र में सबसे अधिक खेती होती है?
A. बिहार B. उत्तर प्रदेश
C. महाराष्ट्र D. गुजरात

66. भू-वैज्ञानिकों की दृष्टि में भारत में सबसे पुरानी पर्वतमालाएँ कौन-सी हैं?
A. विन्ध्य B. सतपुड़ा
C. हिमालय D. अरावली

67. निम्नलिखित में से कौन-सी नदी समुद्र में नहीं मिलती है?
A. गंगा B. यमुना
C. नर्मदा D. गोदावरी

68. मानसून निवर्तन से अधिकतम वर्षा कहाँ पर होती है?
A. मुम्बई B. चेन्नई
C. दिल्ली D. कोलकाता

69. प्राचीन भारतीयों को वर्मा (म्यांमार) किस नाम से ज्ञात था?
A. सुवर्णभूमि B. सुवर्णद्वीप
C. यवद्वीप D. मलयमण्डलम्

70. पृथ्वी की महाद्वीपीय भूपर्पटी की औसत मोटाई कितनी है?
A. 2.5 किमी. B. 300 किमी.
C. 30 किमी. D. 5 किमी.

71. चाय की खेती निम्नलिखित में से किसका उदाहरण है?
A. बृहत् (Extensive) कृषि
B. सघन (Intensive) कृषि
C. जीविकोपार्जन (Subsistence) कृषि
D. रोपण (Plantation) कृषि

72. मानचित्र में समुद्र तल से समान ऊँचाई वाले स्थानों को दर्शाने वाली रेखाओं को कहते हैं–
A. आइसोनेफ B. कंटूर रेखा
C. आइसोबार D. आइसोहेल

73. ब्राजील स्थित अमेजन बेसिन के वन कहलाते हैं–
A. पम्पास B. सेल्वास
C. कैम्पोस D. लानोस

74. किस महासागर में द्वीपों की संख्या सर्वाधिक है?
A. प्रशान्त महासागर में
B. हिन्द महासागर में
C. उत्तरी अटलाण्टिक महासागर में
D. दक्षिण अटलाण्टिक महासागर में

75. लूनी नदी किस राज्य में प्रवाहित होती है?
A. महाराष्ट्र B. बिहार
C. पंजाब D. राजस्थान

76. सम दिवारात्रि (Equinox) कब होता है?
A. 21 जून B. 22 दिसम्बर
C. 21 मार्च एवं 22 सितम्बर D. 21 जून एवं 22 दिसम्बर

77. दक्षिणी अमरीका के वृक्ष रहित घास के मैदान को क्या कहते हैं?
A. पम्पास B. डाउन्स
C. प्रेयरीज D. लानोस

78. मिट्टी का वैज्ञानिक एवं क्रमबद्ध अध्ययन कहलाता है–
A. विश्व रचना विज्ञान B. भौतिक भूगोल
C. मृत्तिका विज्ञान D. इनमें से कोई नहीं

79. गोबी रेगिस्तान कहाँ है?
A. पश्चिमी अफ्रीका में B. दक्षिणी अमरीका में
C. दक्षिणी आस्ट्रेलिया में D. मंगोलिया में

80. सौरमण्डल का सबसे बड़ा उपग्रह कौन-सा है?
A. टाइटन (शनि) B. गनिमेड (बृहस्पति)
C. मिरांडा (यूरेनस) D. ओबेरॉन (यूरेनस)

81. भारत की संविधान सभा का प्रथम अधिवेशन कब शुरू हुआ?
A. 10 जून, 1946 B. 9 दिसम्बर, 1946
C. 19 दिसम्बर, 1947 D. 30 जून, 1949

82. भारतीय संविधान सभा के किस अनुच्छेद में देवनागरी लिपि में हिन्दी को भारत की राजकीय भाषा के रूप में मान्यता दी गई है?
A. अनुच्छेद 343 B. अनुच्छेद 345
C. अनुच्छेद 348 D. अनुच्छेद 347

83. भारत के संविधान में अंतर्राष्ट्रीय शान्ति और सुरक्षा की अभिवृद्धि का उल्लेख है–
A. संविधान की उद्देशिका में
B. राज्य की नीति के निर्देशक तत्वों में
C. मूल कर्त्तव्यों में
D. नवीं अनुसूची में

84. सूची-I को सूची-II से सुमेलित कीजिए तथा सूचियों के नीचे दिए गए कूट का प्रयोग कर सही उत्तर चुनिए–

सूची-I	**सूची-II**
(*a*) अन्तर्राज्यीय परिषद्	1. अनुच्छेद 315
(*b*) वित्त आयोग	2. अनुच्छेद 280
(*c*) प्रशासनिक अधिकरण	3. अनुच्छेद 263
(*d*) संघ लोक सेवा आयोग	4. अनुच्छेद 323(ए)

कूट :

	(*a*)	(*b*)	(*c*)	(*d*)
A.	2	4	3	1
B.	3	2	1	4
C.	1	2	4	3
D.	3	2	4	1

85. राष्ट्रपति के उम्मीदवार के लिए क्या आवश्यक नहीं है?
A. आयु 35 वर्ष हो
B. पढ़ा-लिखा हो
C. सांसद चुने जाने की योग्यता रखता हो
D. देश का नागरिक हो

86. सर्वसम्मति से निर्वाचित भारत के राष्ट्रपति थे–
A. एस. राधाकृष्णन B. वी.वी. गिरि
C. एन. संजीवारेड्डी D. ज्ञानी जैल सिंह

87. संसद/विधान सभा के किसी सदस्य की सदस्यता तब समाप्त समझी जाती है, यदि वह बिना सदन को सूचित किए अनुपस्थित रहता है–
A. 60 दिन B. 90 दिन
C. 120 दिन D. 150 दिन

88. किस सभा का सभापति उसका सदस्य नहीं होता है?
A. राज्य सभा B. लोक सभा
C. विधान सभा D. विधान परिषद्

89. शिक्षा का विषय–
A. संघीय सूची में B. राज्य सूची में
C. समवर्ती सूची में है D. अवशिष्ट विषयों में है

90. सूची-I को सूची-II से सुमेलित कीजिए तथा सूचियों के नीचे दिए गए कूट का प्रयोग कर सही उत्तर चुनिए–

सूची-I (स्थापना वर्ष)	**सूची-II (राज्य)**
(*a*) 1960	1. सिक्किम
(*b*) 1962	2. गोआ
(*c*) 1975	3. महाराष्ट्र
(*d*) 1987	4. नागालैण्ड

कूट :

	(*a*)	(*b*)	(*c*)	(*d*)
A.	2	4	3	1
B.	3	4	1	2
C.	4	3	1	2
D.	3	4	2	1

91. प्रथम पंचायती राजव्यवस्था का उद्घाटन पं. जवाहर लाल नेहरू द्वारा 2 अक्टूबर, 1959 को किया गया था–
A. साबरमती में B. वर्धा में
C. नागौर में D. सीकर में

92. निम्नलिखित विधेयकों में से किसी एक का भारतीय संसद के दोनों सदनों द्वारा अलग-अलग विशेष बहुमत से पारित होना आवश्यक है?
A. साधारण विधेयक B. धन विधेयक
C. वित्त विधेयक D. संविधान संशोधन विधेयक

93. भाषा के आधार पर राज्यों के गठन हेतु राज्य पुनर्गठन आयोग की स्थापना कब की गई थी?
A. 1856 B. 1956
C. 1957 D. 1960

94. पंचायतों के निर्वाचन में चुनाव लड़ने के लिए उम्मीदवार की न्यूनतम आयु कितनी होनी चाहिए?
A. 21 वर्ष B. 18 वर्ष
C. 25 वर्ष D. 30 वर्ष

95. भारतीय संविधान के किस अनुच्छेद के तहत् जीवन रक्षा तथा व्यक्तिगत स्वतंत्रता का प्रावधान है?
A. अनुच्छेद 20 B. अनुच्छेद 21
C. अनुच्छेद 22 D. अनुच्छेद 23

96. संविधान निर्माण का कार्य पूरा करके संविधान सभा ने संविधान को कब स्वीकार किया?
A. 15 अगस्त, 1947 को B. 26 जनवरी, 1950 को
C. 26 नवम्बर, 1949 को D. 24 जनवरी, 1950 को

97. निम्नलिखित में से किस संविधान संशोधन के अनुसार राष्ट्रपति निर्वाचन के निर्वाचक मण्डल में पुडुचेरी तथा दिल्ली विधान सभा के निर्वाचित सदस्यों को भी रखा गया है?
A. 71वाँ B. 42वाँ
C. 73वाँ D. इनमें से कोई नहीं

98. भारतीय संविधान के किस भाग को उसकी 'आत्मा' की संज्ञा दी जाती है?
A. मौलिक अधिकारों को
B. राज्य के नीति-निर्देशक सिद्धान्तों को
C. संविधान की प्रस्तावना को
D. अनुसूचियों को

99. भारत की संचित निधि से धन का व्यय निम्नलिखित में से किस माध्यम से किया जा सकता है?
A. संसद की अनुमति से
B. नीति आयोग की अनुमति से
C. भारत के नियंत्रक एवं महालेखा परीक्षक की अनुमति से
D. राष्ट्रपति की अनुमति से

100. योजना आयोग की स्थापना हुई थी–
A. 26 नवम्बर, 1950 B. 15 जून, 1950
C. 15 मार्च, 1950 D. 15 जनवरी, 1950

101. भारत में संविधान के किस अनुच्छेद में अस्पृश्यता समाप्त की गई है?
A. अनुच्छेद 42 B. अनुच्छेद 15
C. अनुच्छेद 14 D. अनुच्छेद 17

102. वह रिट, जो भारत में उच्च न्यायालय अथवा सर्वोच्च न्यायालय द्वारा किसी व्यक्ति अथवा व्यक्ति समुदाय को आदेश देती है कि वह अपना कर्त्तव्य पालन करे, है–
A. बन्दी प्रत्यक्षीकरण रिट B. उत्प्रेक्षण रिट
C. परमादेश रिट D. इनमें से कोई नहीं

103. संविधान में जोड़ी गई दसवीं अनुसूची किससे सम्बन्धित है?
A. मिजोरम राज्य के लिए विशेष प्रावधानों से
B. दल-बदल के आधार पर अयोग्यता सम्बन्धी प्रावधानों से
C. सिक्किम के स्तर से सम्बन्धित शर्तों से
D. उपर्युक्त में से किसी से नहीं

104. राज्यसभा के सदस्यों की कुल संख्या .... हो सकती है।
A. 240 B. 260
C. 241 D. 250

105. सर्वोच्च न्यायालय के न्यायाधीशों की नियुक्ति के पूर्व मुख्य न्यायाधीश से विचार-विमर्श करना राष्ट्रपति के लिए–
A. बाध्यकारी है
B. बाध्यकारी नहीं है
C. विवेक का प्रश्न है
D. संविधान इस विषय पर मौन है

106. निम्नलिखित में से कौन-सा पदाधिकारी संसद के किसी भी सदन की कार्यवाही में भाग ले सकता है?
A. भारत का मुख्य न्यायाधीश
B. भारत का महान्यायवादी (एटॉर्नी जनरल)
C. भारत का रक्षा सचिव
D. भारत का गृह सचिव

107. 16वें वित्त आयोग के अध्यक्ष कौन हैं?
A. वाई.वी. रेड्डी B. अरविंद पनगढ़िया
C. अरविन्द सुब्रमण्यन D. राजीव कुमार

108. भारतीय संविधान की कौन-सी विशेष व्यवस्था इंग्लैंड से ली गई है?
A. संसदीय प्रणाली B. संघीय प्रणाली
C. मूल अधिकार D. सर्वोच्च न्यायपालिका

109. संविधान के किस संशोधन द्वारा सम्पत्ति के अधिकार को मूल अधिकारों की श्रेणी से निकाल दिया गया है?
A. 42वें संशोधन B. 44वें संशोधन
C. 48वें संशोधन D. 24वें संशोधन

110. भारत के राष्ट्रपति की मर्जी तक निम्नलिखित में से कौन अपने पद पर रह सकता है?
A. सर्वोच्च न्यायालय के न्यायाधीश
B. चुनाव आयुक्त
C. राज्यपाल
D. लोकसभा अध्यक्ष

111. निम्न में से किसका उपयोग ऊँचाई नापने के लिए होता है?
A. बैरोमीटर B. प्लानोमीटर
C. अल्टीमीटर D. हाइड्रोमीटर

112. फ्लक्स घनता और चुम्बकीय क्षेत्र की क्षमता का अनुपात किसी माध्यम में होता है उसका–
A. चुम्बक की घनता B. ग्रहणशीलता
C. सम्बन्धित व्याकता, D. पारगम्यता

113. ध्वनि तरंगें हैं–
A. अनुदैर्ध्य
B. अनुप्रस्थ
C. आंशिक लम्बवत्, आंशिक अनुदैर्ध्य
D. कभी-कभी अनुदैर्ध्य, कभी-कभी अनुप्रस्थ

114. कैमरे में किस प्रकार का लेन्स उपयोग में लाया जाता है?
A. उत्तल B. अवतल
C. वर्तुलाकार D. समान मोटाई का

115. एक स्वतंत्र रूप से लटका हुआ चुम्बक सदा ठहरता है (स्थिर होता है) वह दिशा है–
A. पूर्व-उत्तर B. उत्तर-पश्चिम
C. उत्तर-दक्षिण D. दक्षिण-पश्चिम

116. प्रकाश संश्लेषण में पौधे कौन-सी गैस का अवचूषण करते हैं?
A. CO_2 B. O_2
C. N_2 D. H_2

117. विद्युत मात्रा की इकाई है–
A. ऐम्पियर B. ओम
C. वोल्ट D. कूलॉम

118. 1 किग्रा. राशि का वजन है–
A. 1 न्यूटन B. 10 न्यूटन
C. 9.8 न्यूटन D. 9 न्यूटन

119. एक्स-रे के आविष्कारक थे–
A. आइन्स्टीन B. डब्ल्यू.एच. ब्रॅग
C. रॉन्जन D. हेनरी बेकरेल

120. नाड़ी गति द्वारा डॉक्टर ज्ञात करता है–
A. रक्तचाप B. साँस गति
C. हृदय की धड़कन D. उपर्युक्त में से कोई नहीं

121. निम्न में से कौन आवेश की इकाई नहीं है?
A. फैराडे B. फ्रैंकलीन
C. कुलम्ब D. एम्पीयर/सेकण्ड

122. मानव शरीर में क्रोमोसोम की संख्या होती है–
A. 46 B. 48
C. 49 D. 50

123. एक प्रकाशवर्ष इससे सर्वाधिक समीप है–
A. 10^8 मीटर B. 10^{12} मीटर
C. 10^{16} मीटर D. 10^{20} मीटर

124. हवाई जहाज के 'ब्लैक बॉक्स' का क्या रंग होता है?
A. काला B. लाल
C. बैंगनी D. नारंगी

125. निम्नांकित में से कौन एक क़ीट के शरीर से निकला स्राव है?
A. मोती B. मूँगा
C. लाख D. गोंद

126. निम्नांकित में से कौन-सी धातु किसी नगर की वायु को, जहाँ बहुत अधिक संख्या में मोटर कारें आदि हों, प्रदूषित करती है?
A. कैडमियम B. क्रोमियम
C. सीसा D. ताँबा

127. परमाणु के नाभिक में होते हैं–
A. इलेक्ट्रॉन तथा न्यूट्रॉन B. इलेक्ट्रॉन तथा प्रोट्रॉन
C. प्रोट्रॉन तथा न्यूट्रॉन D. प्रोट्रॉन तथा रेडान

128. निम्नांकित में कौन कठोरतम है?
A. सोना B. हीरा
C. लोहा D. टंगस्टन

129. शरीर के किस भाग में पित्त का निर्माण होता है?
A. यकृत B. तिल्ली
C. पित्ताशय की थैली D. पैन्क्रियाज

130. एन्जाइम मूलतः क्या है?
A. वसा B. शर्करा
C. प्रोटीन D. विटामिन

131. मानव शरीर में सबसे छोटी ग्रन्थि कौन है?
A. एड्रीनल B. थाइरॉइड
C. पैन्क्रियाज D. पिट्यूटरी

132. रेफ्रीजरेटर में थर्मोस्टेट का कार्य है–
A. तापमान को कम करना
B. हिमायन ताप को बढ़ाना
C. एक समान तापमान को बनाए रखना
D. गलनांक को घटाना

133. सूर्य की ऊर्जा उत्पन्न होती है–
A. आयनन द्वारा B. नाभिकीय संलयन द्वारा
C. नाभिकीय विखण्डन द्वारा D. ऑक्सीकरण द्वारा

134. द्रव क्रिस्टल प्रयुक्त होते हैं–
A. कलाई घड़ियों में B. प्रदर्शन युक्तियों में
C. पॉकेट कैलकुलेटरों में D. उपर्युक्त सभी में

135. निम्नांकित में से कौन-सा उर्वरक मृदा में सर्वाधिक अम्ल छोड़ता है?
A. यूरिया B. अमोनियम सल्फेट
C. अमोनियम नाइट्रेट D. कैल्सियम अमोनियम नाइट्रेट

136. खाद्य पदार्थों के संरक्षण हेतु निम्नांकित में से कौन-सा प्रयुक्त होता है?
A. सोडियम कार्बोनेट B. एसीटिलीन
C. बेंजोइक अम्ल D. सोडियम क्लोराइड

137. कृष्ण-छिद्र सिद्धान्त को प्रतिपादित किया था–
A. सी.वी. रमन ने B. एच.जे. भाभा ने
C. एस. चन्द्रशेखर ने D. हरगोविन्द खुराना ने

138. साइनोकोबालमिन है–
A. विटामिन सी B. विटामिन बी-2
C. विटामिन बी-6 D. विटामिन बी-12

139. निम्नांकित जोड़ों में किसका सुमेल है?
A. निमोनिया-फेफड़े
B. मोतिया बिन्द-थायराइड ग्रन्थि
C. पीलिया-आँख
D. मधुमेह-यकृत

140. दूध उदाहरण है–
A. एक शिलिष का B. एक पायस का
C. एक निलम्बन का D. एक फेन का

141. भारत के राष्ट्र ध्वज में केसरिया, सफेद और हरे रंग की तीन–
A. आड़ी पट्टियाँ हैं
B. खड़ी पट्टियाँ हैं
C. एक दूसरे को काटती हुई पट्टियाँ हैं
D. तिरछी पट्टियाँ हैं

142. हमारे राष्ट्र ध्वज की लम्बाई और चौड़ाई का अनुपात–
A. 2 : 3 है B. 3 : 4 है
C. 4 : 3 है D. 3 : 2 है

143. भारत के राष्ट्र ध्वज के बीच में एक गोल चक्र है; यह चक्र–
A. तीनों रंग की पट्टियों पर है
B. केसरिया रंग की पट्टी पर है
C. सफेद रंग की पट्टी पर है
D. हरे रंग की पट्टी पर है

144. किसी भाषा को किसी राज्य की राजभाषा के रूप में अंगीकार करने का अधिकार किसे है?
A. राष्ट्रपति B. संसद
C. राज्य विधान सभा D. राजभाषा आयोग

145. हमारे राष्ट्र ध्वज में तीन पट्टियाँ हैं; उनमें सबसे नीचे वाली पट्टी किस रंग की है?
A. केसरिया B. सफेद
C. हरे D. इनमें से कोई नहीं

146. हमारे राष्ट्रगान 'जन-गण-मन' में कुल कितने पद हैं?
A. तीन B. पाँच
C. चार D. दो

147. राष्ट्र गीत 'वन्देमातरम्', 'आनन्दमठ' नामक ग्रंथ से लिया गया है, जिसके लेखक हैं–
A. बंकिम चन्द्र चटर्जी B. रवीन्द्र नाथ टैगोर
C. व्योमेश चन्द्र बनर्जी D. सुरेन्द्रनाथ बनर्जी

148. हमारे राज चिह्न में ऊपर चार सिंह बने हैं (तीन दिखाई पड़ते हैं) और उनके नीचे देवनागरी लिपि में 'सत्यमेव जयते' लिखा है। यह 'सत्यमेव जयते' कहाँ से उद्धृत किया गया है?
A. भगवद्गीता से B. मुण्डक उपनिषद से
C. ऋग्वेद से D. स्कन्द पुराण से

149. भारत का राष्ट्रीय पंचांग–
A. शक् संवत् पर आधारित है
B. हिजरी संवत् पर आधारित है
C. विक्रमी संवत् पर आधारित है
D. विक्रमांक-चालुक्य संवत् पर आधारित है

150. भारत का राष्ट्रीय पशु है–
A. गाय B. हाथी
C. अश्व D. बाघ

151. होमगार्ड का गठन कब हुआ था?
A. 1972 B. 1962
C. 1968 D. 1965

152. स्थल सेना के निम्नलिखित पदों में सबसे छोटा कौन-सा है?
A. लेफ्टिनेंट B. ब्रिगेडियर
C. कर्नल D. कैप्टन

153. प्रादेशिक सेना का गठन कब हुआ था?
A. 1949 B. 1957
C. 1962 D. 1972

154. प्रादेशिक सेना में भर्ती होने के लिए क्या आयु होनी चाहिए?
A. 21 से 30 वर्ष B. 21 से 35 वर्ष
C. 18 से 35 वर्ष D. 20 से 35 वर्ष

155. एन.सी.सी. में कितने डिवीजन हैं?
A. चार B. पांच
C. तीन D. दो

156. एयरफोर्स अकादमी कहां है?
A. बेलगाम B. कोयम्बटूर
C. हैदराबाद D. सिकन्दराबाद

157. असम राइफल्स का मुख्यालय कहाँ है?
A. इंफाल B. आइजोल
C. दिसपुर D. शिलांग

158. हर साल 7 दिसम्बर को भारत में मनाया जाता है–
A. वायु सेना दिवस B. झंडा दिवस
C. नौसेना दिवस D. कोस्ट गार्ड दिवस

159. भारत में नौसेना दिवस किस दिन मनाया जाता है?

A. 8 अक्टूबर B. 15 जनवरी
C. 21 दिसम्बर D. 7 दिसम्बर

160. भारत की सेना के प्रथम भारतीय सेनापति थे–

A. जनरल के.एम. करियप्पा
B. फील्ड मार्शल मानेकशा
C. जनरल राजेन्द्र सिंह
D. उपरोक्त में से कोई भी नहीं

161. वीटो का अधिकार–

A. संयुक्त राष्ट्र के सभी सदस्यों को प्राप्त है
B. सुरक्षा परिषद् के सभी सदस्यों को प्राप्त है
C. सुरक्षा परिषद् के सभी स्थायी सदस्यों को प्राप्त है
D. सुरक्षा परिषद् के सभी अस्थायी सदस्यों को प्राप्त है

162. संयुक्त राष्ट्र का मुख्यालय कहाँ है–

A. वाशिंगटन B. न्यूयार्क
C. बोस्टन D. शिकागो

163. संयुक्त राष्ट्र का ध्वज किस रंग का है?

A. हल्के नीले रंग का
B. हल्के गुलाबी रंग का
C. गहरे केसरिया रंग का
D. आधा हल्के रंग का और आधा केसरिया रंग का

164. संयुक्त राष्ट्र की बैठकों में आमतौर से काम-काज किस भाषा में होता है?

A. अंग्रेजी B. रूसी
C. फ्रेंच D. अंग्रेजी और फ्रेंच

165. अंतर्राष्ट्रीय न्यायालय का मुख्यालय कहाँ है?

A. हेग B. जेनेवा
C. रोम D. बर्न

166. राष्ट्रमंडल के सदस्य वे देश हैं, जो–

A. ब्रिटेन के अधीन हैं
B. ब्रिटेन से आर्थिक सहायता पाते हैं
C. पहले ब्रिटेन के अधीन थे किन्तु अब स्वाधीन हैं
D. ब्रिटेन से अस्त्र-शस्त्र प्राप्त करते हैं

167. सार्क (दक्षिण एशियाई सहयोग संगठन) में कितने देश सदस्य हैं?

A. पांच B. छः
C. आठ D. सात

168. निम्नलिखित देशों में से कौन-सा देश सार्क (SAARC) का सदस्य नहीं है?

A. भारत B. पाकिस्तान
C. बांग्लादेश D. म्यांमार

169. पहला गुट निरपेक्ष सम्मेलन कब शुरू हुआ था?

A. 1955 में B. 1961 में
C. 1983 में D. 1976 में

170. गुट निरपेक्ष आन्दोलन के सदस्य देश–

A. शक्तिशाली देशों के गुटों से दूर रहते हैं
B. परस्पर एक-दूसरे की रक्षा के लिए वचनबद्ध हैं
C. एक दूसरे को सैनिक सहायता देते हैं
D. एक सैनिक संधि के सदस्य हैं

171. जमनालाल बजाज पुरस्कार किस क्षेत्र में सराहनीय योगदान के लिए प्रदान किया जाता है?

A. शांति व निःशस्त्रीकरण B. कृषि
C. रचनात्मक कार्य D. साहित्य

172. भारत वर्ष में प्रथम रेमन मैग्सेसे पुरस्कार विजेता कौन था?

A. सी.डी. देशमुख B. जय प्रकाश नारायण
C. डॉ. वर्गीज कुरियन D. आचार्य विनोबा भावे

173. भारतीय ज्ञानपीठ पुरस्कार किसे प्रदान किया जाता है?

A. उत्कृष्ट हिन्दी कविता के लिए
B. भारतीय साहित्य में उत्कृष्ट योगदान के लिए
C. हिन्दी साहित्य में उत्कृष्ट योगदान के लिए
D. भारतीय दर्शन की उत्कृष्ट समीक्षा के लिए

174. अध्यापकों के लिए राष्ट्रीय पुरस्कारों की घोषणा कब की जाती है?

A. 14 नवम्बर B. 5 सितम्बर
C. 30 जनवरी D. 26 जनवरी

175. निम्नलिखित में से किस विषय पर नोबेल पुरस्कार नहीं दिया जाता है?

A. चिकित्सा B. गणित
C. अर्थशास्त्र D. रसायन शास्त्र

176. बुकर पुरस्कार किस क्षेत्र में प्रदान किया जाता है?

A. कल्पना साहित्य लेखन B. औषधि
C. साहस के कार्य D. विज्ञान

177. हर गोविन्द खुराना को नोबेल पुरस्कार किस क्षेत्र में योगदान के लिए मिला था?

A. चिकित्सा शास्त्र B. भौतिक शास्त्र
C. अर्थशास्त्र D. शांति

178. सर्वोच्च शौर्य पुरस्कार 'परमवीर चक्र' के प्रथम विजेता कौन थे?

A. मेजर ध्यान सिंह B. के. गुरुवचन सिंह
C. मेजर शैतान सिंह D. मेजर सोमनाथ शर्मा

179. धन्वन्तरि पुरस्कार किस क्षेत्र में विशिष्ट योगदान के लिए दिया जाता है?

A. संगीत B. नृत्य
C. दर्शन D. चिकित्सा

180. कलिंग पुरस्कार किस क्षेत्र में दिया जाता है?

A. साहित्य के क्षेत्र में
B. विज्ञान के क्षेत्र में
C. सामाजिक कल्याण के लिए किए गए कार्य के लिए
D. अन्तर्राष्ट्रीय शान्ति एवं सद्भावना के लिए

181. नोबेल पुरस्कार का आरम्भ कब से हुआ?

A. सन् 1901 से B. सन् 1905 से
C. सन् 1896 से D. सन् 1934 से

182. अर्थशास्त्र के लिए नोबेल पुरस्कार कब से आरम्भ हुआ?
A. सन् 1969 ई. से B. सन् 1939 ई. से
C. सन् 1901 ई. से D. सन् 1935 ई. से

183. निम्नलिखित किस अफ्रीकी नेता को भारत-रत्न से सम्मानित किया गया है?
A. होस्नी मुबारक B. जोमो केन्योटा
C. अनवर सादात D. नेल्सन मंडेला

184. विज्ञान को सर्वसुलभ व सर्वोपयोगी बनाने में सर्वाधिक योगदान देने वाले व्यक्ति को भारतीय नाम वाले किस अन्तर्राष्ट्रीय पुरस्कार से सम्मानित किया जाता है?
A. कालिंजर पुरस्कार B. कलिंग पुरस्कार
C. मानवता पुरस्कार D. ऐसा कोई पुरस्कार नहीं है

185. नेहरू पुरस्कार कौन-सी संस्था प्रदान करती है?
A. इंडियन कौंसिल ऑफ कल्चरल रिलेशन्स
B. इंडो-सोवियत कल्चरल सोसाइटी
C. भारतीय राष्ट्रीय कांग्रेस
D. भारतीय ज्ञानपीठ

186. वीरता का सर्वोच्च सम्मानसूचक पदक जो शत्रु के सामने असीम शौर्य और अदम्य साहस दिखाने या आत्म-बलिदान करने पर भेंट किया जाता है, उसका क्या नाम है?
A. चक्रव्यूह B. अशोक चक्र
C. महावीर चक्र D. परमवीर चक्र

187. प्रथम मरणोपरान्त 'भारत-रत्न' अलंकरण किसे प्रदान किया गया था?
A. के. कामराज नाडार B. आचार्य विनोबा भावे
C. लाल बहादुर शास्त्री D. एम.जी. रामचन्द्रन

188. निम्नलिखित में से कौन-सा पुरस्कार केवल एशियावासियों को दिया जाता है?
A. नेहरू सद्भावना पुरस्कार
B. पुलित्जर पुरस्कार
C. इन्दिरा गांधी शान्ति पुरस्कार
D. मैग्सेसे पुरस्कार

189. अर्जुन पुरस्कार कब से प्रारम्भ हुए?
A. 1961 ई. से B. 1962 ई. से
C. 1963 ई. से D. 1964 ई. से

190. ऑस्कर अवॉर्ड जीतने वाले पहले भारतीय थे–
A. नरगिस दत्त B. शशि कपूर
C. सत्यजीत रे D. भानु अथैया

191. अपर कट शब्द किस खेल में प्रयोग किया जाता है?
A. टेनिस B. वॉलीबॉल
C. क्रिकेट D. बॉक्सिंग

192. निम्नलिखित में से कौन-सा कप/ट्रॉफी फुटबॉल से सम्बन्धित नहीं है?
A. मर्डेका कप B. डूरण्ड कप
C. सन्तोष ट्रॉफी D. दिलीप ट्रॉफी

193. फिनिस शब्द का प्रयोग किस खेल में होता है?
A. शतरंज B. ब्रिज
C. बिलियर्ड्स D. रग्बी

194. एक दिवसीय क्रिकेट तथा टेस्ट मैचों में सर्वाधिक रन बनाने का रिकॉर्ड किसके नाम है?
A. सौरभ गांगुली B. सचिन तेन्दुलकर
C. डॉन ब्रैडमैन D. ब्रायन लारा

195. निम्नलिखित में से कौन-सी अन्तर्राष्ट्रीय टेनिस खेल प्रतियोगिता घास के मैदान पर खेली जाती है?
A. यू.एस. ओपन B. फ्रेंच ओपन
C. विम्बलडन D. ऑस्ट्रेलियाई ओपन

196. 'विम्बलडन ट्रॉफी' का सम्बन्ध किस खेल से है?
A. पोलो (इंग्लैंड) से B. समुद्री दौड़ से
C. घुड़दौड़ से D. टेनिस से

197. निम्नलिखित में से किस पदक का सम्बन्ध हॉकी से नहीं है?
A. आगा खां कप B. वर्दवान ट्रॉफी
C. ध्यानचन्द ट्रॉफी D. बम्बई गोल्ड कप

198. 'रिवर्स स्विंग' एवं 'बीमर' नामक शब्दावलियां किस खेल से संबंधित हैं?
A. नौकायन B. क्रिकेट
C. फुटबॉल D. हॉकी

199. निम्नलिखित में से किस ट्रॉफी का सम्बन्ध हॉकी से है?
A. सिन्धिया गोल्ड कप B. संतोष ट्रॉफी
C. रोहिंगटन बेरिया ट्रॉफी D. सुब्रतो मुखर्जी ट्रॉफी

200. 'ज्यूल्स रिमेट ट्रॉफी का सम्बन्ध किस खेल से है?
A. फुटबॉल (विश्व) से B. गोल्फ से
C. हॉकी (भारत) से D. लॉन टेनिस (विश्व) से

201. 'मर्डेका' का सम्बन्ध किस खेल से है?
A. फुटबाल (विश्व) से
B. फुटबाल (भारत) से
C. फुटबाल (एशिया) से
D. क्रिकेट (आस्ट्रेलिया-इंग्लैंड) से

202. प्रथम ओलम्पिक खेल ओलम्पिया (ग्रीस) में कब खेले गए थे?
A. 233 ई.पू. में B. 1500 ई.पू. में
C. 500 ई.पू. में D. 776 ई.पू. में

203. 394 ई. में रोम के बाद एक सम्राट ने ओलम्पिक खेलों को बंद कर दिया था। इसको पुनः किसने शुरू किया?
A. मि. स्पोट्र्समैन ने B. बैरन पीयरे डी कोबर्टिन ने
C. जनरल फ्रेंको ने D. अब्राहम लिंकन ने

204. सर्वप्रथम आधुनिक ओलिम्पिक ध्वज कब फहराया गया?
A. 1896 में B. 1908 में
C. 1920 में D. 1924 में

205. ग्रैंड स्लेम निम्नलिखित में से किस खेल से सम्बन्धित है?
A. फुटबॉल B. टेनिस
C. हॉकी D. पोलो

206. प्रथम आधुनिक ओलम्पिक खेल कब और कहां खेले गए?
A. रोम, 1894 ई. में B. मैड्रिड, 1840 ई. में
C. लिस्बन, 1800 ई. में D. एथेन्स, 1896 ई. में

207. आस्ट्रेलिया का राष्ट्रीय खेल क्या है?
A. हाराकीरी B. क्रिकेट
C. निप्पोन D. टोजो

208. भारत में खेल सम्बन्धी दो राष्ट्रीय इंस्टीट्यूट हैं। एक नेताजी सुभाष बोस के नाम से पटियाला में है, दूसरा किसके नाम से ग्वालियर में है?
A. राणा प्रताप B. पृथ्वीराज चौहान
C. शिवाजी D. रानी लक्ष्मीबाई

209. सबसे बड़े मैदान में खेला जाने वाला खेल कौन-सा है?
A. हॉकी B. क्रिकेट
C. पोलो D. कबड्डी

210. लॉन टेनिस जाल की ऊँचाई कितनी होती है?
A. 2 फुट 6 इंच B. 3 फुट 6 इंच
C. 4 फुट D. 2 फुट 2 इंच

211. 'ए सूटेबल ब्वाय' पुस्तक का लेखक कौन है?
A. खुशवंत सिंह B. अरुण शोरी
C. विक्रम सेठ D. उपरोक्त में से कोई नहीं

212. 'कैन्टरबरी टेल्स' पुस्तक का लेखक कौन है?
A. ज्योफरी चासर B. लियो टॉलस्टाय
C. गुन्नार मिर्डल D. विलियम शेक्सपियर

213. निम्नलिखित में से कौन-सी पुस्तक प्रेमचन्द द्वारा रचित नहीं है?
A. गोदान B. गबन
C. प्रेम पचीसी D. आनंदमठ

214. बांग्लादेश की लेखिका तस्लीमा नसरीन को किस पुस्तक से ख्याति मिली?
A. शर्म B. लज्जा
C. नारी स्वातंत्र्य D. अबला

215. 'पावर्टी एण्ड अन-ब्रिटिश रूल इन इण्डिया' का लेखक कौन है?
A. लाला लाजपत राय
B. लाला हरदयाल
C. विनायक दामोदर सावरकर
D. दादाभाई नौरोजी

216. 'मुद्राराक्षस' ग्रंथ का लेखक कौन है?
A. विशाखदत्त B. कालिदास
C. भारवि D. माघ

217. 'माई प्रेसिडेंशल ईयर्स' पुस्तक का लेखक कौन है?
A. ज्ञानी जैल सिंह B. वी.वी. गिरि
C. आर. बेंकटरमन D. डॉ. शंकर दयाल शर्मा

218. 'जय सोमनाथ' किसकी कृति है?
A. के.एम. मुंशी B. वृन्दावन लाल वर्मा
C. अमृत लाल नागर D. मदन मोहन मालवीय

219. वर्शिपिंग फाल्स गॉड्स पुस्तक के लेखक हैं–
A. विक्रम सेठ B. अरुण शौरी
C. सलमान रुश्दी D. खुशवन्त सिंह

220. निम्नलिखित पुस्तकों में से कौन-सी पुस्तक सलमान रुश्दी की है?
A. दि वर्ल्ड ऑफ फतवाज B. दि मूर्स लास्ट साई
C. दि अदर हॉफ D. फूल्स पैराडाइज

221. मार्ग्रेट थैचर द्वारा रचित पुस्तक है–
A. लांग वॉक टु फ्रीडम B. दि पाथ टु पावर
C. इमेज एंड इमेजिनेशन D. 10 डाउनिंग स्ट्रीट

222. 'फ्रीडम एट मिडनाइट' के लेखक कौन हैं?
A. जवाहरलाल नेहरू तथा डॉ. राजेन्द्र प्रसाद
B. एम.ओ. मथाई तथा फ्रैंक मोरेस
C. मैक्सिम गोर्की तथा दोस्तोवस्की
D. लैरी कॉलिन्स और डोमिनिक लापियर

223. 'अंकल टॉम्स केबिन' के लेखक का क्या नाम है?
A. एच.बी. स्टोव B. एडम स्मिथ
C. टॉल्स्टॉय D. थामस मूर

224. 'वार एण्ड पीस' और 'अन्ना कैरेनिना' दोनों एक ही अन्तर्राष्ट्रीय ख्याति प्राप्त लेखक की कृतियाँ हैं; उस लेखक का क्या नाम है?
A. ओलीवर गोल्डस्मिथ B. श्वेतलाना
C. लुई ब्रोमफील्ड D. लियो टाल्स्टॉय

225. बोरिस पास्तरनाक ने एक बहुत ही विवादास्पद पुस्तक लिखी थी। उस पुस्तक का क्या नाम है?
A. डॉन क्विक्जोट B. फॉस्ट
C. डॉक्टर्स डिलेमा D. डॉ. जिवागो

226. 'दास कैपिटल' के लेखक कौन हैं?
A. शेक्सपियर B. कौटिल्य
C. कर्नल जॉन हण्ट D. कार्ल मार्क्स

227. 'मदर' के लेखक का क्या नाम है?
A. मैक्सिम गोर्की B. पर्ल एस. बक
C. कैथराइन मेयो D. टी.एस. इलियट

228. 'कलम का सिपाही' में किसकी जीवनी प्रस्तुत की गई है?
A. शरतचन्द्र B. प्रेमचन्द
C. राहुल सांकृत्यायन D. जोश मलीहाबादी

229. 'झण्डा ऊँचा रहे हमारा' गीत किस कवि की रचना है?
A. श्यामलाल गुप्त 'पार्षद' B. मैथिलीशरण गुप्त
C. सोहनलाल द्विवेदी D. रामधारी सिंह 'दिनकर'

230. 'आइने अकबरी' का लेखक कौन था?
A. इब्न बतूता B. अकबर
C. अबुल फजल D. अकबर मुरादाबादी

231. कम्प्यूटर–
A. एक उपकरण है जो गणितीय और तार्किक संक्रियायें सम्पन्न करता है
B. एक उपकरण है, जो केवल गणितीय संक्रियायें सम्पन्न करता है
C. एक स्मृति उपकरण है
D. एक गणना उपकरण है

232. 'PC' का अर्थ है–
A. प्राइवेट कम्प्यूटर B. पर्सनल कल्कुलेटर
C. पर्सनल कम्प्यूटर D. प्रोफेसनल कम्प्यूटर

233. 'बाइनरी अंक प्रणाली' में अधिकतम अंक (digit) कितने होते हैं?
A. 1 B. 10
C. 2 D. 4

234. निम्नलिखित में से कौन-सा 'इनपुट' उपकरण है?
A. मॉनीटर B. प्रिंटर
C. प्लॉटर D. माउस

235. CPU का पूरा नाम है–
A. सेन्ट्रल प्रोग्रामिंग यूनिट
B. सेन्ट्रल प्रोसेसिंग यूनिट
C. सेन्ट्रल प्रोग्रामिंग अण्डरस्टैंडिंग
D. सेन्ट्रल प्रोसेसिंग अण्डरस्टैंडिंग

236. गणना हेतु प्रयोग में लाया गया पहला उपकरण था
A. ENIAC B. ABACUS
C. एनालिटिकल इंजन D. EDSAC

237. ABACUS का प्रयोग कब शुरू हुआ था?
A. 250 ई. B. 450 ई.पू.
C. 1200 ई.पू. D. 1200 ई.

238. किस अंग्रेज को 'कम्प्यूटर का जनक' कहा जाता है?
A. ब्लेज पास्कल B. लेबनित्ज
C. चार्ल्स बैबेज D. जे.पी. एकर्ट

239. निम्नलिखित में से कौन-सी कम्प्यूटर की सेकेण्डरी मेमोरी है?
A. RAM B. ROM
C. रजिस्टर्स D. फ्लॉपी

240. निम्नलिखित में से कौन पैकेज नहीं है?
A. BASIC B. dBASE
C. वर्ड परफेक्ट D. पेज मेकर

241. कौन-सा बेमेल है?
A. वर्ड स्टार B. वर्ड परफेक्ट
C. DOS Editor D. विण्डो

242. डाटा के समुच्चय (Set) को क्या कहते हैं?
A. फील्ड B. रेकार्ड
C. फाइल D. इनमें से कोई नहीं

243. Keyboard है?
A. इनपुट यूनिट है
B. आउटपुट यूनिट है
C. इनपुट यूनिट और आउटपुट यूनिट दोनों हैं
D. उपरोक्त में से कोई भी नहीं है

244. प्रिंटर–
A. आउटपुट यूनिट है
B. इनपुट यूनिट है
C. उपरोक्त दोनों हैं
D. उपरोक्त में से कोई भी नहीं है

245. फ्लॉपी–
A. इनपुट यूनिट है
B. आउटपुट यूनिट है
C. इनपुट यूनिट और आउटपुट यूनिट दोनों हैं
D. उपरोक्त में से कोई भी नहीं है

246. कम्प्यूटर की विशेषताएं हैं–
1. तेज रफ्तार 2. स्वचालन
3. कार्यशीलता 4. परिवर्तनशीलता
निम्नलिखित में से कौन-सी विशेषता सही है?
A. 1 और 2 सही हैं B. 1, 2 और 4 सही हैं
C. 1, 2 और 3 सही हैं D. उपरोक्त सभी सही हैं

247. 1 बाइट बराबर है–
A. 8 बिट B. 16 बिट
C. 36 बिट D. 64 बिट

248. असंसाधित तथ्य को क्या कहा जाता है?
A. डाटम B. डाटा
C. फाइल D. फील्ड

249. कम्प्यूटर–
A. सूचना ग्रहण करता है
B. सूचना को निर्दिष्ट प्रयोजन के लिए अनुकूल बनाता है
C. परिणाम प्रदर्शित करता है
D. उपरोक्त सभी बातें सही हैं

250. डाटा क्या है–
A. संसाधित तथ्य B. असंसाधित तथ्य
C. अंक और अक्षर D. उपरोक्त में से कोई भी नहीं

251. 'जीने की कला' (आर्ट ऑफ लिविंग) के प्रतिपादक और प्रचारक कौन हैं?
A. महर्षि महेश योगी B. श्री श्री रवि शंकर
C. स्वामी चिन्मयानंद D. भगवान रजनीश

252. डंकन पैसेज निम्नलिखित में से किसके बीच स्थित है?
A. दक्षिणी और लिटिल अंडमान
B. उत्तरी और दक्षिणी अंडमान
C. उत्तरी और मध्य अंडमान
D. अंडमान और निकोबार

253. MITRA स्कीम का संबंध किससे है?
A. रेलवे B. विनिर्माण
C. टेक्सटाइल D. स्वास्थ्य

254. रासायनिक रूप से 'मिल्क ऑफ मैग्नेशिया' क्या होता है?
A. मैग्नीशियम कार्बोनेट
B. सोडियम बाइकार्बोनेट
C. कैल्सियम हाइड्रॉक्साइड
D. मैग्नीशियम हाइड्रॉक्साइड

255. वन अनुसंधान संस्थान कहाँ स्थित है?
A. देहरादून में B. भोपाल में
C. लखनऊ में D. दिल्ली में

उत्तरमाला

1	2	3	4	5	6	7	8	9	10
B	D	B	B	A	D	C	B	A	C
11	12	13	14	15	16	17	18	19	20
D	B	C	C	A	A	B	D	A	A
21	22	23	24	25	26	27	28	29	30
C	D	B	B	C	C	D	A	B	A
31	32	33	34	35	36	37	38	39	40
B	A	D	C	C	D	A	B	B	B
41	42	43	44	45	46	47	48	49	50
B	B	B	C	C	C	C	A	B	C
51	52	53	54	55	56	57	58	59	60
D	B	C	C	A	B	D	C	A	A
61	62	63	64	65	66	67	68	69	70
B	D	B	A	C	D	B	B	A	C
71	72	73	74	75	76	77	78	79	80
D	B	B	A	D	C	A	C	D	B
81	82	83	84	85	86	87	88	89	90
B	A	B	D	B	C	A	A	C	B
91	92	93	94	95	96	97	98	99	100
C	D	B	A	B	C	D	C	A	C
101	102	103	104	105	106	107	108	109	110
D	C	B	D	A	B	B	A	B	C
111	112	113	114	115	116	117	118	119	120
C	B	A	A	C	A	D	C	C	C
121	122	123	124	125	126	127	128	129	130
D	A	C	D	C	C	C	B	A	C
131	132	133	134	135	136	137	138	139	140
D	C	B	D	B	C	C	D	A	B
141	142	143	144	145	146	147	148	149	150
A	D	C	C	C	B	A	B	A	D
151	152	153	154	155	156	157	158	159	160
B	A	A	C	C	C	D	B	C	A
161	162	163	164	165	166	167	168	169	170
C	B	A	D	A	C	C	D	B	A
171	172	173	174	175	176	177	178	179	180
C	D	B	B	B	A	A	D	D	B
181	182	183	184	185	186	187	188	189	190
A	A	D	B	A	D	C	D	A	D
191	192	193	194	195	196	197	198	199	200
D	D	B	B	C	D	B	B	A	A
201	202	203	204	205	206	207	208	209	210
C	D	B	B	B	D	B	D	C	B
211	212	213	214	215	216	217	218	219	220
C	A	D	B	D	A	C	A	B	B
221	222	223	224	225	226	227	228	229	230
B	D	A	D	D	D	A	B	A	C
231	232	233	234	235	236	237	238	239	240
A	C	C	D	B	B	A	C	D	A
241	242	243	244	245	246	247	248	249	250
D	A	A	A	C	D	A	B	D	B
251	252	253	254	255					
B	A	C	D	A					